$45.38

standing order

2/4/74

Kuresewitz

Theologisches Wörterbuch zum Neuen Testament

Begründet von Gerhard Kittel †

In Verbindung mit zahlreichen Fachgenossen

herausgegeben von

GERHARD FRIEDRICH

NEUNTER BAND Φ—Ω

VERLAG W. KOHLHAMMER
STUTTGART BERLIN KÖLN MAINZ

© 1973 Verlag W. Kohlhammer GmbH Stuttgart Berlin Köln Mainz. Verlagsort: Stuttgart
Gesamtherstellung: W. Kohlhammer GmbH Grafischer Großbetrieb Stuttgart 1973 Printed in Germany
Ln. ISBN 3-17-001 060-3
Hldr. ISBN 3-17-001 061-1

Vorwort zu Band IX

Hiermit wird der letzte Band des Theologischen Wörterbuches zum Neuen Testament mit Artikeln (es folgt noch ein Registerband) der Öffentlichkeit übergeben. Als GKittel im Jahre 1928 mit der Arbeit am Theologischen Wörterbuch zum Neuen Testament begann, glaubte er, das Werk, das ursprünglich nur 2 Bände umfassen sollte, in Zusammenarbeit mit 15 Fachkollegen innerhalb von 3 Jahren zu Ende bringen zu können. Er hat sich genauso getäuscht wie seinerzeit Jakob Grimm, der für sein Wörterbuch 7 Bände geplant hatte, die in 7 Jahren erscheinen sollten. Beim Theologischen Wörterbuch zum Neuen Testament sind es 9 Bände geworden; die Herausgabe hat 45 Jahre gedauert, und aus den 15 Fachkollegen sind 105 Autoren geworden. Viele, die sich als Studenten die ersten Lieferungen des Theologischen Wörterbuches zum Neuen Testament bestellt hatten, fragten im Laufe der Jahre besorgt, ob sie das Ende des Erscheinens noch erleben würden. Von dem erweiterten Kreis der Mitarbeiter sind in den Jahren 1930—1973 im ganzen 50 gestorben. Als Kittel mich 1948 an sein Sterbebett rief und er mir trotz meines Sträubens die Weiterführung des Theologischen Wörterbuches zum Neuen Testament übergab, legte er unter anderem den größten Wert darauf, daß ein jüngerer Neutestamentler die Arbeit übernehmen sollte, damit er sie auch wirklich beenden könne.

Nun ist das Ende gekommen, und der Herausgeber wie viele Mitarbeiter atmen erleichtert auf. In den zurückliegenden 25 Jahren hat der Herausgeber oft an die Wahrheit des Satzes 'quem dii oderunt, lexicographum fecerunt' denken und seine Realität mehr als einmal erfahren müssen.

Wer die ersten Bände des Theologischen Wörterbuches zum Neuen Testament mit den letzten vergleicht, wird feststellen, daß die Grundkonzeption, die Aufgliederung des Stoffes nach Wortstämmen, beibehalten ist, daß sich aber bei der Durchführung der einzelnen Artikel eine Änderung vollzogen hat. Auf die etymologische Erörterung ist immer stärker verzichtet worden. Das Neue Testament wird nicht mehr, wie es in den ersten Artikeln vielfach der Fall gewesen ist, als Einheit genommen, sondern es wird zwischen Evangelien und Briefen, bei den Evangelien oft zwischen Markus, Logienquelle und Lukas und bei den Briefen zwischen Paulus und den Deuteropaulinen stärker unterschieden. Ferner wird der engere Zusammenhang, in dem das Wort jeweils erscheint, mehr als früher berücksichtigt, was eine erhebliche Erweiterung des Umfangs der einzelnen Artikel zur Folge gehabt hat. Auch hat die Erörterung der Gnosis bei der Einteilung der historischen Abfolge einen anderen Platz erhalten, als es früher üblich war.

Als Herausgeber möchte ich auch beim letzten Band mit Artikeln nicht versäumen, den Mitarbeitern in der Redaktion für selbstlosen Einsatz zu danken. Ich nenne die Herren: GBertram, PBoendermaker, EDammann, JDenker, ADihle, GFohrer, EPOGooding, HHammerich, AHiller, GKelber, HKrämer, HMahnke, CFDMoule, ENestle, KReinhardt, KHRengstorf, ERisch, KHSchelkle, GSchlichting, WSchneemelcher, KStaab und HTraub.

Aus ihrer Arbeit abgerufen hat Gott OBauernfeind, ENestle, G von Rad und JSchneider, die von den Anfängen an mit dem Theologischen Wörterbuch zum Neuen Testament eng verbunden gewesen sind.

Kiel, den 6. März 1973   *GFriedrich*

Inhalt

Mitarbeiterliste von Bd IX

Herausgeber:

D Gerhard Friedrich, ordentl Professor für Neues Testament, Kiel.

Mitarbeiter:

Dr Horst Balz, apl Professor, Oberlandeskirchenrat, Kiel.

D Georg Bertram, ordentl Professor für Neues Testament emerit, Gießen.

Dr Otto Betz, apl Professor für Neues Testament, Tübingen.

Dr Georg Braumann, Pastor, Waldeck.

D Rudolf Bultmann, ordentl Professor für Neues Testament emerit, Marburg.

D Hans Conzelmann, ordentl Professor für Neues Testament, Göttingen.

D Gerhard Delling, ordentl Professor für Neues Testament emerit, Halle.

Dr Albert Dihle, ordentl Professor für klassische Philologie, Köln.

Dr Gottfried Fitzer, ordentl Professor für Neues Testament, Wien.

Dr Walter Grundmann, ehem ordentl Professor für Neues Testament, Jena; ehem Rektor des Katechetenseminars, Eisenach.

D Dr Günther Harder, Professor für Neues Testament emerit, Berlin-Zehlendorf.

Dr Martin Hengel, ordentl Professor für Neues Testament, Tübingen.

D Franz Hesse, ordentl Professor für Altes Testament emerit, Münster.

Dr Edmond Jacob, Professor für Altes Testament, Straßburg.

Dr Marinus de Jonge, Ordinarius für die Exegese des Neuen Testaments und (für) die frühchristliche Literatur an der Universität Leiden.

Gerhard Kelber, Pastor, Schweinfurt

Dr Helmut Köster, John H. Morison Professor of NT Studies and Winn Professor of Ecclesiastical History.

D Eduard Lohse, Honorarprofessor, Landesbischof, Hannover.

Dr Ulrich Luck, Professor für Neues Testament, Bethel.

Dr Dieter Lührmann, Universitätsdozent, Heidelberg.

Dr Christian Maurer, ordentl Professor für Neues Testament, Bern.

D Rudolf Meyer, ordentl Professor für Altes Testament und rabbinische Literatur, Jena.

D Otto Michel, ordentl Professor für Neues Testament emerit, Tübingen.

Dr Bo Reicke, ordentl Professor für Neues Testament, Basel.

D Eduard Schweizer, ordentl Professor für Neues Testament, Zürich.

D Dr Gustav Stählin, ordentl Professor für Neues Testament emerit, Mainz.

Dr Karl-Wolfgang Tröger, Mitarbeiter in der Sektion Theologie, Berlin.

Dr Günther Wanke, Dozent, Erlangen.

Dr Konrad Weiß, ordentl Professor für Neues Testament, Rostock.

Dr Ulrich Wilckens, ordentl Professor für Neues Testament, Hamburg.

Dr Adam Simon von der Woude, Professor für Altes Testament und Spätjudentum, Groningen.

D Walther Zimmerli, ordentl Professor für Altes Testament, Göttingen.

† *φαίνω*, † *φανερός*, *φανερόω*, † *φανέρωσις*,

† *φαντάζω*, † *φάντασμα*, † *ἐμφανίζω*,

† *ἐπιφαίνω*, † *ἐπιφανής*, † *ἐπιφάνεια*

† *φαίνω*

1. Das Akt φαίνω[1] ist sowohl im trans Sinne *erscheinen lassen,* 5
zeigen seit Hom Il 2, 324; Od 3, 173 ua als auch im intr Sinne *scheinen, leuchten* seit
Hom Od 7, 102; 19, 25; Plat Tim 39b; Theocr 2, 11 uam belegt. Ebenfalls seit Hom,
zB Il 8, 556 begegnet das med/pass Dep φαίνομαι in der Bdtg *scheinen, leuchten,* speziell
aufleuchten, leuchtend aufgehen von Himmelskörpern, von Pers *sichtbar werden, sich zeigen,* zB Aesch Choeph 143; vgl Hom Il 15, 275; Luc, Dialogi Mortuorum 23, 3 oder *als* 10
etwas erscheinen, nach etwas aussehen Xenoph Cyrop I 4, 19, allg *erscheinen,* zB im Traum
Hdt VII 16γ, von wunderbaren Erscheinungen Hom Hymn Bacch 2. In der Philosophie bezieht sich φαίνομαι auf die sinnliche Wahrnehmung Aristot Phys III 5 p 204b
35; Cael IV 5 p 312b 30; das Part bezeichnet das irdisch Sichtbare im Gegensatz zum
Unsichtbaren, zB Plat Resp X 596e, vgl Philo Rer Div Her 270. In den platonischen 15
Dialogen bezeichnet φαίνεται eine schwache Form der Bejahung Plat Prot 332e; Resp I
333c uö, in der Koine nähert es sich der Bdtg von δοκέω (→ II 235, 34f), so in der Verbindung φαίνεται mit Dat der Pers Pap Cairo Zeno I 59044, 7, 16 (3. Jhdt vChr)[2]; POxy
IV 811 (1 nChr); Dion Hal Ant Rom 2, 14, 4.

φαίνω κτλ. Vorbemerkung. Die Ar-
tikelgruppe ist urspr von RBultmann ver-
faßt. DLührmann hat das Manuskript erweitert und für den Druck fertiggestellt.

Lit: Liddell-Scott, Pr-Bauer sv.

[1] Der griech Stamm φαν- ist offenbar eine
alte Erweiterung von φᾱ-, idg *bhā-, das
sowohl *leuchten* (sichtbar machen) als auch
sprechen (hörbar machen, vgl griech φημί, lat
fāri) bedeutet. Vgl Pokorny I 105f, sowie
Boisacq, Hofmann sv. [Risch] → VI 783f A 7.

[2] ed CCEdgar, Zenon Papyri, Catalogue
Général des Antiquités Egyptiennes du Musée du Caire 79 (1925).

2. Im Neuen Testament begegnet das Aktiv φαίνω
nur intransitiv in der Bedeutung *scheinen, leuchten,* von der Sonne (Apk 1, 16),
der Sonne und dem Mond (Apk 21, 23)[3], der Lampe (J 5, 35; 2 Pt 1, 19; Apk
18, 23 vl)[4]. Auch vom Tage und sogar von der Nacht, die ja durch den Mond
5 und die Sterne erleuchtet wird, kann φαίνω ausgesagt werden (Apk 8, 12). Ist
hier φαίνω überall im eigentlichen Sinne gebraucht, so im bildlichen bzw metaphorischen Sinne J 1, 5: τὸ φῶς ἐν τῇ σκοτίᾳ φαίνει (→ VII 444, 16ff) sowie 1 J 2, 8:
τὸ φῶς τὸ ἀληθινὸν ἤδη φαίνει. Sehr viel häufiger wird φαίνομαι gebraucht; auch
dieses begegnet manchmal im eigentlichen Sinne von *scheinen, leuchten, aufleuchten,*
10 *leuchtend aufgehen,* so vom Stern (Mt 2, 7), von den Gestirnen überhaupt (Phil
2, 15, hier als Bild), vom Blitz (Mt 24, 27), vom Licht der Lampe (Apk 18, 23 vl).
Sehr viel häufiger findet es sich jedoch im allgemeinen Sinne von *sichtbar sein,*
zutage liegen (Jk 4, 14)[5], gänzlich unbetont im Sinne von *vorkommen* (Mt 9, 33;
1 Pt 4, 18). Häufig steht φαίνομαι auch in der Bedeutung *sichtbar werden, sich*
15 *zeigen,* wobei der Unterschied zwischen dem für die optische und für die geistige
Wahrnehmung sich Zeigenden manchmal fließend ist, für das erstere vgl Mt 13, 26[6],
für das letztere R 7, 13; 2 K 13, 7[7]. Das *Offenbarwerden* im eschatologischen Sinne
ist Mt 24, 30 (→ VII 234, 25ff) gemeint[8]. Von Erscheinungen im Traum redet
Mt 1, 20; 2, 13. 19[9], von wunderbaren Erscheinungen Lk 9, 8, speziell von der
20 Erscheinung des Auferstandenen ist Mk 16, 9 die Rede[10]. In übertragenem
Gebrauch kann φαίνομαι auch den Sinn von *scheinen, den Eindruck machen*[11] haben.
Unpersönlich gebraucht heißt es dann *einleuchten, (gut)dünken*[12], so Mk 14, 64:
τί ὑμῖν φαίνεται (vl δοκεῖ). Φαίνομαι im Sinne von δοκέω kann aber auch den Sinn
von *scheinen als ob* haben[13] (Mt 23, 27f; Lk 24, 11[14]). Verwandt damit ist φαίνομαι
25 als *sich darstellen, sich den Anschein geben* (Mt 6, 16. 18), absolut gebraucht Mt
6, 5. Der dualistische Sinn, wonach τὸ φαινόμενον das irdisch Sichtbare im Gegensatz zum Unsichtbaren bezeichnet, findet sich im Neuen Testament nur Hb 11, 3[15].

---

[3] Vgl πειθαρχεῖ σελήνη νυκτὶ φαίνειν κελεύοντι
Dg 7, 2.

[4] Ders Sprachgebrauch findet sich auch
in LXX Ex 25, 37; 1 Makk 4, 50.

[5] Dieselbe Bdtg liegt vor bei ὃν τρόπον . . .
τὸ σῶμα φαίνεται, . . . ἡ ψυχὴ . . . δῆλος ἔστω
2 Cl 12, 4; ferner Ign Tr 4, 2; R 3, 2; Herm
v III 2, 6; s VIII 2, 8; stärker betont Ign
Mg 3, 1; Herm s III 2f.

[6] Ebs Ign Sm 8, 2.

[7] Ebs Ign Tr 11, 2.

[8] Vgl auch Did 16, 6; 2 Cl 16, 3; Ign Eph
15, 3.

[9] Vgl dieselbe Redeweise in der Vision
Herm v I 4, 3.

[10] Sofern Jesu irdisches Auftreten als ein
Wunder verstanden werden kann, so kann

auch von diesem φαίνομαι ausgesagt werden
Barn 14, 5; Ign Mg 6, 1; Dg 11, 2—4, analog
zu ἐπιφάνεια (→ 11, 1ff), das zunächst
die künftige eschatologische Erscheinung
Jesu meint, dann aber auch von seiner irdischen ausgesagt werden kann.

[11] Von Pers Ign Mg 4; Tr 2, 1; von
Sachen Herm v III 2, 6; s VIII 3, 1, sowie
IX 9, 7: ἐφαίνετο . . . ἐδόκει.

[12] Herm v II 3, 4; Ign Mg 7, 1; Sm 11, 3.

[13] In dieser Bdtg steht es mit opp εἶναι
Aristoph Ach 441, mit par δοκέω Eur Hipp
1071.

[14] Vgl Did 16, 4.

[15] In ders Bdtg bei Ign R 3, 2f; Ign Pol
2, 2.

† *φανερός*

1. Das Adj φανερός findet sich seit Pind Olymp 7, 56; 13, 98 uö sowie Hdt II 130, 1; 155, 3; 156, 1; III 24, 3; 47, 3; IV 30, 1[1]. Die Grundbedeutung ist *sichtbar* φανερὸς ὄμμασιν ἐμοῖς Eur Ba 501, *zutageliegend*, mit opp ἀφανής *unsichtbar*, *verborgen* ὑπὲρ τῶν ἀφανῶν τοῖς φανεροῖς μαρτυρίοις χράομαι Aristot Eth Nic II 2 p 1104a 5 13[2]; von Pers ausgesagt heißt es *hervorragend, ausgezeichnet*, zB Hdt II 146, 1; Xenoph Cyrop VII 5, 58. In Verbindung mit Verben findet sich φανερός εἰμι mit Part Hdt III 26, 1; VII 18, 4 u φανερὸς γίγνομαι Xenoph Cyrop II 2, 12. Das substantivierte Neutr τὸ φανερόν *Öffentlichkeit* kommt in der Verbindung εἰς τὸ φανερὸν φέρω Hyperides, Or 1, 13, 11f[3] vor. Das Adv φανερῶς heißt *sichtbar, öffentlich*, zB Hdt IX 71, 3; Plat Symp 10 182d.

2. Im Neuen Testament hat φανερός überall den ursprünglichen Sinn und ist kein spezifisch theologischer Terminus, wenngleich das Wort in theologisch bedeutsamen Zusammenhängen begegnet. Gemeint ist zunächst das für die sinnliche Wahrnehmung Sichtbare, so R 2, 28, wo der ἐν τῷ φανερῷ Ἰουδαῖος und die ἐν τῷ φανερῷ ἐν σαρκὶ περιτομή dem ἐν τῷ κρυπτῷ Ἰουδαῖος und der περιτομὴ καρδίας (→ VI 82, 7ff) entgegengestellt werden; so auch im textus receptus von Mt 6, 4. 6. 18. In diesem Sinne von *sichtbar, zutageliegend* ist φανερός wie im Griechischen und in der Septuaginta manchmal mit εἰμί verbunden (R 1, 19; Gl 5, 19; 1 Tm 4, 15) bzw dieses ist zu ergänzen wie Ag 4, 16 (D liest φανερώτερόν ἐστιν). In diesen Fällen handelt es sich zwar um Sichtbares, das mit den Sinnen wahrgenommen werden kann, jedoch so, daß das Wahrnehmen zugleich ein verstehendes ist. Die Übergänge sind fließend, aber die sinnliche Wahrnehmung spielt 1 J 3, 10 keine Rolle mehr: ἐν τούτῳ φανερά ἐστιν τὰ τέκνα τοῦ θεοῦ καὶ τὰ τέκνα τοῦ διαβόλου[4]. Ist der Gegensatz zu einem bisher nicht Gesehenen bzw Verborgenen betont, so gewinnt φανερός die Nuance von *offenkundig, offenbar*, so in den Verbindungen εἰς φανερὸν ἔρχομαι (Mk 4, 22 Par), φανερὸν ποιέω (Mk 3, 12 Par[5]) und φανερὸς γίνομαι (Lk 8, 17a). φανερὸς γίνομαι kommt weiterhin im Sinne von *zutage kommen, bekannt werden* vor (Mk 6, 14; Ag 7, 13; 1 K 11, 19; 14, 25; Phil 1, 13)[6], ohne daß die sinnliche Wahrnehmung betont wäre; dieselbe Wendung bezeichnet speziell auch das eschatologische Offenbarwerden (1 K 3, 13)[7].

Das Adverb φανερῶς findet sich im Sinne von *öffentlich*, so daß die Leute es sehen können (Mk 1, 45; J 7, 10)[8], wo das Gegenteil ἐν κρυπτῷ (→ V 877, 39ff) lautet. Im Sinne von *deutlich* ist es Ag 10, 3[9] verwendet.

φανερός. [1] Pr-Bauer sv.

[2] Vgl φανερά (sc οὐσία) *Grundeigentum* mit opp ἀφανὴς οὐσία *persönliches Eigentum* Lys 32, 4 u ἀργύριον φανερόν *bares Geld* Demosth Or 56, 1.

[3] ed CJensen (1917) 9.

[4] Ebs das Zitat nach Mt 12, 33 in Ign Eph 14, 2, wo aber φανερόν (sc ἐστιν) statt γινώσκεται steht.

[5] Vgl φανεροποιέω 1 Cl 60, 1.

[6] Vgl ... ἐστὶν φανερά vom allegorischen Sinn des AT Barn 8, 7.

[7] Ebs Herm s IX 12, 3. Statt γίνομαι kann natürlich das Fut von εἰμί stehen, vgl Js 64, 1; Herm m XI 10 u im eschatologischen Sinne s IV 3f.

[8] Vgl Ign Phld 6, 3 mit opp λάθρα.

[9] Ebs Barn 13, 4; Dg 11, 2.

φανερόω

A. Außerhalb des Neuen Testaments.

Das Verbum ist wahrscheinlich eine Neubildung der hell Zeit; denn die einzige klass St ἐφανερώθη ἐς τοὺς Ἕλληνας πάντας δαπάνῃσι μεγίστῃσι Hdt VI 122, 1 findet sich nur in einem Teil der Überlieferung[1]. Die Belege im vor- bzw außerneutestamentlichen Griech sind nicht sehr zahlreich: ᾿Ιερ 40, 6 für נגלה[2], das sonst zumeist mit ἀποκαλύπτω wiedergegeben wird (→ III 579, 25ff); Dion Hal Ant Rom 10, 37, 1; Dio C 59, 18, 2; 66, 16, 1 vl; 77, 15, 1; Philo Leg All III 47; Jos Ant 20, 76; Vit 231; Corp Herm 4, 6; 5, 1 (bis). 9. 11; 11, 22; Joseph u Aseneth 12[3]. Als verbum denominativum von φανερός (→ 3, 1ff) auf -όω hat es kausative Bdtg[4] *Unsichtbares sichtbar, offenbar machen,* zB ὁ ποιήσας τὰ πάντα καὶ φανερώσας τὰ ἀφανῆ Joseph u Aseneth (→ A 3) 12 (p 54, 24), vgl Corp Herm 5, 1. 9. 11, das Pass bedeutet *sichtbar werden, veröffentlicht werden,* zB καὶ τὰ μὲν τῇ βουλῇ δόξαντα ἄλλως ἐφανεροῦντο Dio C 59, 18, 2, *erscheinen* (opp verborgen, unsichtbar sein), zB φανερῶν αὐτὸς οὐ φανεροῦται Corp Herm 5, 1. Reflexiv ist es nur Philo Leg All III 47 belegt: πολλοῖς γὰρ οὐκ ἐφανέρωσεν ἑαυτόν (sc θεός)[5].

B. Im Neuen Testament.

Gegenüber den wenigen Belegen im vor- bzw außerneutestamentlichen Griechisch fällt die überaus häufige Verwendung des Verbums im Neuen Testament und in frühchristlicher Literatur auf.

1. Mk 4, 22 klingt zunächst wie eine sprichwortartige Sentenz[6], vgl die Fassung der Logienquelle Lk 12, 2 Par, die auch auf Lk 8, 17 (→ 3, 28) eingewirkt hat. Doch meint der Satz im jetzigen Zusammenhang von Mk 4 die verborgene Deutung der Gleichnisse (vgl 4, 11).

2. Paulus gebraucht φανερόω und ἀποκαλύπτω synonym[7]. Das zeigt vor allem das Nebeneinander von R 1, 17 und 3, 21. Nur in 1 K 4, 5, wohl einem apokryphen Zitat (→ VII 443, 8ff), und R 1, 19 klingt in der Verwendung der Sinn von *sichtbar machen* an. An den übrigen Stellen geht es zumeist um die Offenbarung im Evangelium. Dabei ist das Verbum nie reflexiv gebraucht, offenbart werden immer bestimmte Inhalte. R 3, 21 wiederholt 1, 17, doch steht an Stelle des Präsens ἀποκαλύπτεται das Perfekt πεφανέρωται. Dieses bezeichnet aber nicht einen Zeitpunkt der Vergangenheit, sondern meint ein Ein-für-alle-Mal:

φανερόω. RBultmann, Der Begriff der Offenbarung im NT, Glauben u Verstehen III (1960) 1—34; DLührmann, Das Offenbarungsverständnis bei Pls u in paul Gemeinden, Wissenschaftliche Monographien zum AT u NT 16 (1965); HSchulte, Der Begriff der Offenbarung im NT, Beiträge zur Evangelischen Theol 13 (1949).

[1] Anders urteilt zB MPohlenz, Herodot ²(1961) 47 A 1.

[2] Hier ist von Offenbarung durch Gott die Rede, während HT Jer 33, 6 nur von der Eröffnung des Reichtums beständigen Heils spricht, vgl AWeiser, Die Ps, ATDeutsch 14/15 ⁷(1966) zSt. [Bertram]

[3] ed PBatiffol, Studia Patristica (1889/90) 54, 24.

[4] Vgl EFascher, Deus invisibilis, Festschr ROtto, Marburger Theol Studien 1 (1931) 72.

[5] → Schulte 67—84 versucht nachzuweisen, daß φανερόω ein speziell gnostischer Begriff sei; doch zeigen die — allerdings wenigen — vor- u außerneutestamentlichen Belege nichts spezifisch Gnostisches.

[6] Bultmann Trad 84.

[7] → Lührmann 160.

die im Christusgeschehen begründete (vgl R 3, 24—26; 1, 3f) Rechtfertigung ist jetzt für die πίστις Wirklichkeit. Auffällig ist die häufige Verwendung von φανερόω in 2 K (neunmal), und zwar gerade in den polemischen Briefteilen. Paulus nimmt hier wohl eine Vokabel seiner Gegner auf[8]. Er bestimmt dabei Offenbarung als in seiner Verkündigung (2 K 2, 14; 11, 6[9]), ja in seiner Existenz (2 K 4, 10f[10]) 5 sich vollziehend. Trotz des eschatologischen Vorbehalts (vgl 2 K 5, 10) ist diese Offenbarung eine endgültige (5, 11).

3. In den Deuteropaulinen zeigt sich zunächst der gleiche Befund wie bei Paulus: ἀποκαλύπτω und φανερόω werden synonym gebraucht (vgl Eph 3, 5 mit Kol 1, 26), weiter tritt γνωρίζω (→ I 718, 5ff) hinzu[11]; 10 die Offenbarung geschieht in der Verkündigung (Kol 1, 25f; 4, 4; R 16, 25—27). Doch spielt hier die Beziehung zu Lichtbegriffen einerseits eine größere Rolle (Eph 5, 13f, vgl 3, 9), andererseits auch der Gegensatz Offenbarung/Verborgenheit (Kol 3, 3f), vor allem in der Form des Revelationsschemas[12]. Dieses bereits aus der vorpaulinischen Tradition stammende Schema[13], in dem sich apokalyptische 15 und gnostische Elemente mischen, wird zum tragenden Theologumenon (Kol 1, 26f; Eph 3, 4f. 9f; R 16, 25—27). Es spricht von.der heilbringenden Vermittlung der Verkündigung durch bestimmte Offenbarungsträger[14]. In freierer Form erscheint es in den Pastoralbriefen (2 Tm 1, 10 → 11, 3ff; Tt 1, 2f) sowie im 1 J 1, 2 (→ 6, 4ff). In 1 Pt 1, 18—20 ist das Schema christologisch verstanden. Diese 20 Stelle ist neben dem Hymnus 1 Tm 3, 16 die einzige in der paulinischen Tradition, in der φανερόω auf eine in Christus geschehene vergangene Offenbarung angewendet wird[15].

4. In der johanneischen Literatur fehlt ἀποκαλύπτω (→ III 591, 30ff) bis auf das alttestamentliche Zitat Js 53, 1 in J 12, 38, φανερόω 25 dagegen begegnet sehr häufig; wie bei den Deuteropaulinen (→ Z 10) findet sich γνωρίζω als Synonymon (vgl J 17, 6 mit 17, 26[16]). Anders als bei Paulus (→ 4, 25ff) spielt die Herkunft des Verbums von φανερός eine Rolle: es geht um ein Sichtbarwerden vor aller Augen (J 7, 4) bzw darum, daß Jesus die göttliche Wirklichkeit enthüllt, Gottes Namen (17, 6), Gottes Werke (3, 21; 9, 3). Das 30 ganze Wirken Jesu ist nach Johannes als Offenbarung zu bezeichnen (vgl noch 2, 11), wie bereits der Prolog anzeigt, ohne daß hier φανερόω (doch vgl φαίνω 1, 5 → 2, 6f) begegnet. Indirekt wird die göttliche Wirklichkeit auch offenbart im Zeugnis, zB Johannes des Täufers (1, 31). Im Nachtragskapitel (21, 1. 14) be-

---

[8] → Schulte 21; EGüttgemanns, Der leidende Apostel u sein Herr, FRL 90 (1966) 107 A 75.

[9] Zu ergänzen ist τὴν γνῶσιν.

[10] Zu beachten ist die Steigerung von σῶμα zu σάρξ.

[11] Vgl Eph 3, 5. 10, bei Pls R 9, 22f. Im Kol fehlt ἀποκαλύπτω ganz.

[12] Vgl dazu Bultmann Theol[5] 107; NADahl, Formgeschichtliche Beobachtungen zur Christusverkündigung in der Gemeindepredigt, Festschr RBultmann, ZNW Beih 21 [2](1957) 4f; → Lührmann 124—133.

[13] Pls greift es in 1 K 2, 6ff nur auf, gg HConzelmann, Pls u die Weisheit, NT St 12 (1965/66) 239; sonst bleiben die Spannungen innerhalb des Textes unverständlich.

[14] Das Schema ist nicht christologisch gemeint, sondern redet von der Verkündigung.

[15] So auch Hb 9, 26.

[16] Vgl Bultmann J 380 A 2; 547 A 2.

zeichnet φανερόω wie sonst nur im sekundären Markus-Schluß (16, 12. 14) Erscheinungen des Auferstandenen.

Auch im 1. Johannesbrief wird Jesu Wirken als Offenbarung bezeichnet
(3, 5. 8); sein Wirken ist die Offenbarung der Liebe Gottes (4, 9, vgl J 3, 16). Ist
5 ihr Ziel, daß wir Leben haben (4, 9), so kann in ζωή auch die ganze Offenbarung
zusammengefaßt werden (1, 2). Zugleich ist sie der Inhalt des λόγος τῆς ζωῆς (1, 1).
Wenn auch das Proömium des 1. Johannesbriefes deutlich an den Prolog des
Evangeliums anklingt, so meint λόγος (→ IV 130, 4ff) hier doch wohl — zumindest
auch — die Verkündigung bzw die Tradition[17], in der sich die Offenbarung der
10 göttlichen Wirklichkeit als Ermöglichung der Teilhabe an ihr fortsetzt. Schließlich verwendet der 1. Johannesbrief im Gegensatz zum Johannesevangelium das
Verbum auch für eine noch ausstehende Offenbarung (2, 28; 3, 2)[18].

        5. In der Apokalypse begegnet das Pass von φανερόω zweimal:
ohne theol Bdtg *sichtbar werden* 3,18 u in einem Hymnus: ὅτι τὰ δικαιώματά σου ἐφα-
15 νερώθησαν 15, 4[19].

    C. Apostolische Väter.

        Ignatius greift in Eph 19, 2f das Revelationsschema auf, das
bei ihm christologisch gefüllt ist[20]. Offenbarung durchbricht das ewige Schweigen 19, 1;
Mg 8, 2, vgl schon Pls R 16, 25f. Im 2. Clemensbrief ist 14, 2f unter Aufnahme
20 der in Eph 5, 31f vorliegenden ekklesiologischen Vorstellungen von der Offenbarung
der himmlischen u pneumatischen ἐκκλησία die Rede, die sich im Fleisch Christi vollzogen hat. In der Abschlußdoxologie 2 Cl 20, 5 wird Gott gepriesen als der, der durch den
σωτὴρ καὶ ἀρχηγὸς τῆς ἀφθαρσίας Wahrheit u himmlisches Leben offenbart, dh ermöglicht
hat. Den Barnabasbrief durchzieht die Aussage ἐφανερώθη ἐν σαρκί[21] 5, 6. 9; 6, 7.
25 9. 14; 12, 8. 10; 14, 5; 15, 9. Diese Offenbarung ist durch die Offenbarung im AT
vorhergesagt 2, 4; 6, 7; 7, 3. 7; 12, 8; 16, 5. Im Hirten des Hermas bezeichnet
φανερόω die Offenbarung einer Vision ἵνα μοι φανερώσῃ τὴν ἀποκάλυψιν v III 1, 2 sowie
das Erscheinen des Hirten s II 1[22]. Im Diognetbrief 7—10 liegt der erste tractatus
de revelatione vor[23]. Die Offenbarung in Christus wird mit φανερόω bezeichnet 8, 11.
30 Sie ist Offenbarung von Gottes Barmherzigkeit u Macht, nachdem die Schlechtigkeit
der Menschen völlig offenbar geworden war 9, 2.

    † *φανέρωσις*

        1. Das Subst φανέρωσις *Erscheinung, Offenbarung* ist nomen actionis
zu φανερόω. Belege sind spärlich, zB Corp Herm 11, 1: περὶ τοῦ παντὸς καὶ τοῦ θεοῦ[1].

35   **2.** Φανέρωσις *Offenbarung* findet sich in der urchristlichen
Literatur nur an zwei Stellen bei Paulus. ἑκάστῳ δὲ δίδοται ἡ φανέρωσις τοῦ πνεύ-

---

[17] Vgl auch HConzelmann, Was von Anfang war, Festschr RBultmann, ZNW Beih
21 ²(1957) 195f.
   [18] Wegen der Parallelität zu 2, 28 wird
auch in 3, 2b zu φανερωθῇ als Subj Christus
zu ergänzen sein, vgl 1 Pt 5, 4.
   [19] Vgl Js 56, 1; Ps 98, 2; Damask 20, 20
(9, 44); 1 QH 14, 16; 4 Esr 8, 36.
   [20] Vgl HSchlier, Religionsgeschichtliche
Untersuchungen zu den Ignatiusbriefen,
ZNW Beih 8 (1929) 5—32; HWBartsch,

Gnostisches Gut u Gemeindetradition bei
Ign von Antiochien (1940) 133—159.
   [21] → Schulte 69.
   [22] In s IV 2 (bis); IV 3 ist der Text unsicher.
   [23] → Lührmann 19.

   φανέρωσις. [1] Die bei Pr-Bauer sv genannten Stellen Aristot, De plantis II 1 p 822 a
20 u II 9 p 828 a 41 sind späte Rücküberset-
zung. [Krämer]

ματος πρὸς τὸ συμφέρον (1 K 12, 7), wo der Genitiv τοῦ πνεύματος wohl als Genetivus subjectivus aufzufassen ist, da erst 12, 8ff differenzierend die Wirkungen nennt und v 11 ausdrücklich den Geist als das (verschieden) wirkende Subjekt wiederholt. Φανέρωσις ist also die vom Geist geschenkte Offenbarung, die in den v 8ff aufgezählten Charismen besteht (vgl R 12, 6). Demnach vollzieht sich die Of- 5 fenbarung nicht als theoretische Belehrung, sondern in den Betätigungen, in denen sich der Geist erweist. In 2 K 4, 2: ἀλλὰ τῇ φανερώσει τῆς ἀληθείας συνιστάνοντες ἑαυτοὺς πρὸς πᾶσαν συνείδησιν ἀνθρώπων ἐνώπιον τοῦ θεοῦ beschreibt Paulus die rechte Verkündigung als Offenbarmachen der Wahrheit (→ I 244, 41ff) gegenüber der Verschlagenheit seiner Gegner, die das Wort Gottes verfälschen. 10

† φαντάζω, † φάντασμα

1. Das Med bzw Pass von φαντάζω *zur Erscheinung bringen* wird im Griech gerne in der Bdtg *erscheinen* von außergewöhnlichen bzw übernatürlichen Phänomenen ausgesagt, so vom ὄνειρον: τετραμμένῳ γὰρ δὴ καὶ μετεγνωκότι ἐπιφοιτῶν ὄνειρον φαντάζεταί μοι, οὐδαμῶς συνέπαινον ἐὸν ποιέειν με ταῦτα Hdt VII 15, 2, von wunder- 15 baren Vorgängen καὶ μυκαὶ *(Gebrüll)* σηκοῖς *(Hürde)* ἔνι φαντάζωνται Apoll Rhod IV 1285. In spiritualisiertem Sinne ist Sap 6, 16 vom Erscheinen der Weisheit auf den Pfaden der Würdigen die Rede, während φαντάζομαι Sir 34, 5 *sich einbilden, phantasieren* (fast synon mit φαντασιοσκοπέω *Gespenster sehen*) bedeutet.

In der urchristlichen Literatur findet sich das Wort nur Hb 12, 21, wo es 20 von den Erscheinungen am Sinai heißt: οὕτω φοβερὸν ἦν τὸ φανταζόμενον.

2. Das Substantiv φάντασμα *Erscheinung* wird im Griech gerne von Traumerscheinungen, Geistererscheinungen u Gespenstern gebraucht, zB Aesch Sept c Theb 710; Plat Phaed 81d; Luc Philops 29, so auch Sap 17, 14; dgg heißt es — spiritualisierend gebraucht — *Trugbild* Js 28, 7; Hi 20, 8, beide Male als vl für 25 φάσμα, ebs Philo Fug 129. 143; Som II 162.

In der urchristlichen Literatur findet sich φάντασμα nur in der Bedeutung *Gespenst* (Mk 6, 49 Par).

† ἐμφανίζω

1. ἐμφανίζω *sichtbar machen* ist im Griech gebräuchlich im Sinne 30 von *erweisen, hinstellen als* Xenoph Ag 1, 12; Aristot Eth Nic X 2 p 1173b 31, *kundmachen, anzeigen* bei einer Behörde Wilcken Ptol I 42, 18 (um 162 vChr); βούλεσθαι γὰρ ἐμφανίσαι πρῶτον τὴν ἐπιβουλὴν τῷ βασιλεῖ Diod S 14, 11, 2; vgl Est 2, 22; 2 Makk 3, 7; 11, 29; Jos Ant 4, 43; 10, 166. Im religiösen Sprachgebrauch gewinnt ἐμφανίζω im Akt u Med den Sinn von *sich offenbaren, erscheinen* Diog L prooem 7, von 35 Gott Philo Leg All III 101, vgl Ex 33, 13, worauf sich Philo hier bezieht, ebs Ex 33, 18 vl. Ist in diesen Fällen eine äußerlich sichtbare Offenbarung gemeint, so Sap 1, 2; Philo Leg All III 27 eine innerliche.

2. Im Neuen Testament wird das Wort im Sinne von *anzeigen* gebraucht (Ag 23, 15. 22; 24, 1; 25, 2. 15), von nicht-offizieller Kundgabe, 40 die nicht als solche beabsichtigt ist, aber indirekt in den Worten der Sprechenden enthalten ist (Hb 11, 14). Die sichtbare Erscheinung der aus den Gräbern auf-

erstandenen Toten ist mit ἐμφανίζομαι gemeint (Mt 27, 53)[1]. Charakteristisch für das Johannesevangelium ist, wie mit der doppelten Möglichkeit, ἐμφανίζω zu verstehen, gespielt wird. Jesu Verheißung κἀγὼ ἀγαπήσω αὐτὸν καὶ ἐμφανίσω αὐτῷ ἐμαυτόν ruft die Frage des Judas hervor καὶ τί γέγονεν ὅτι ἡμῖν μέλλεις ἐμφανίζειν
5 σεαυτὸν καὶ οὐχὶ τῷ κόσμῳ; (14, 21f). Judas versteht die verheißene Offenbarung von der sichtbaren österlichen Erscheinung des Auferstandenen und mißversteht so die Verheißung, wie v 23 zeigt. Jesu Wort will die traditionelle Vorstellung (→ 2, 19f; vgl ἐμφανῆ γενέσθαι Ag 10, 40 vom Auferstandenen) neu interpretieren: Jesu Selbstoffenbarung geschieht, indem der Vater und der Sohn im
10 Glaubenden Wohnung nehmen (v 23). Eigenartig ist es, wenn Hb 9, 24 der Sinn der Erhöhung Christi bestimmt wird als das νῦν ἐμφανισθῆναι τῷ προσώπῳ τοῦ θεοῦ ὑπὲρ ἡμῶν. Vielleicht ist das priesterliche (→ VI 768, 12ff; 778, 22ff) oder juristische Redeweise.

† *ἐπιφαίνω*, † *ἐπιφανής*, † *ἐπιφάνεια*

15   A. Die Wortgruppe im klassischen und hellenistischen Griechisch.

1. Das Verbum ἐπιφαίνω begegnet im Akt in trans Bdtg *zeigen* seit Theogn 1, 359; in intr Bdtg *sich zeigen, erscheinen* ist es vor allem 'n LXX belegt, zB Dt 33, 2[1]. Häufiger ist das med/pass Dep *sich zeigen* seit Hdt II 152, 3 uö, vgl Hom Il 17, 650. Das Adjektiv ἐπιφανής *sichtbar, hervorleuchtend, prächtig* begegnet seit Pind
20 Pyth 7, 6 u Hdt III 27, 1 u steht häufig im Superlativ, zB Hdt V 6, 2; Polyb 1, 78, 11; Diod S 1, 17. Das Substantiv ἐπιφάνεια *Erscheinung* begegnet seit den Vorsokratikern, zB Democr fr 155 (Diels II 173); Emped nach Stob Ecl I 485, 11, ist in klass Zeit freilich selten gegenüber der häufigen Verwendung im Hell. Von der Grundbedeutung her erklärt sich die Verwendung in bestimmten Zshg[2]. Als *sichtbare Oberfläche eines*
25 *Körpers* bezeichnet ἐπιφάνεια die *äußere Erscheinung* eines Menschen oder die *Haut* Diod S 3, 29, 6, häufig bei Galen, zB In Hippocratis praedictionum librum I 7 (Kühn 16, 530), sowie in der Mathematik u damit der Philosophie die geometrische Fläche im Unterschied zu *Punkt* σημεῖον (→ VII 203, 45f), *Linie* γραμμή u *Körper* σῶμα (→ VII 1031, 9ff). In militärischen Zshg bezeichnen ἐπιφαίνομαι u ἐπιφάνεια das plötzliche u unerwartete
30 Auftauchen des Feindes, wodurch die Entscheidung der Schlacht erzwungen werden soll[3], zB ἐπιφάνεια Aen Tact 31, 8; Polyb 1, 54, 3, ἐπιφαίνομαι Hdt II 152, 3. Außerdem bedeutet ἐπιφάνεια die *Front* des Heeres, zB Polyb 1, 22, 10. Adj u Subst können auch *Ruhm, Würde, Pracht* berühmter Männer bezeichnen, so ἐπιφανής Hdt II 89, 1; VII 114, 2; VIII 125, 1, ἐπιφάνεια Pseud-Plat Alc I 124c.
35   Religiöse Bedeutung erhält die Wortgruppe erst im Hell[4], uz im Sinne eines helfenden Eingreifens von Göttern. Der älteste Beleg ist eine Inschr aus Kos, die die

---

ἐμφανίζω. [1] Vgl auch Herm v III 1, 2 u von der Erscheinung der ἐκκλησία v III 10, 2.

ἐπιφαίνω κτλ. Liddell-Scott, Pr-Bauer sv; Steinleitner passim; OCasel, Die Epiphanie im Lichte der Religionsgeschichte, Benediktinische Monatsschrift 4 (1922) 13—20; FPfister, Artk Epiphanie, in: Pauly-W Suppl 4 (1924) 277—323; HSchulte, Der Begriff der Offenbarung im NT, Beiträge zur Evangelischen Theol 13 (1949); Dib Past[3] 77f; EPax, ΕΠΙΦΑΝΕΙΑ. Ein religionsgeschichtlicher Beitrag zur bibl Theol, Münchener Theol Studien I 10 (1955); CMohrmann, Etudes sur le latin des chrétiens (1958) 245—275; EPax, Artk Epiphanie, in: RAC V 832—909.

[1] Bei Liddell-Scott außer Lk 1, 79; Dt 33, 2 nur Polyb 5, 6, 6.

[2] Vgl vor allem → Pax ΕΠΙΦΑΝΕΙΑ 7—19.

[3] → Pax ΕΠΙΦΑΝΕΙΑ 9, dort reichlich Belege.

[4] Die gelegentliche Verwendung bei Hdt, zB ἀπιγμένου δὲ Καμβύσεω ἐς Μέμφιν ἐφάνη Αἰγυπτίοισι ὁ Ἆπις ... ἐπιφανέος δὲ τούτου γενομένου ... Hdt III 27, 1 geht nicht über die Bdtg *sichtbar* hinaus.

Niederlage der Gallier vor Delphi 278 vChr auf eine ἐπιφάνεια des Apoll zurückführt [5]:
ἐπειδὴ τῶν βαρβάρων στρατείαν ποιησαμένων ἐπὶ τοὺς Ἕλλανας καὶ ἐπὶ τὸ ἱερὸν τὸ ἐν
Δελφοῖς, ἀναγγέλλεται τὸς μὲν ἐλθόντας ἐπὶ τὸ ἱερὸν τιμωρίας τετεύχεν ὑπὸ τοῦ θεοῦ καὶ
ὑπὸ τῶν ἀνδρῶν τῶν ἐπιβοαθησάντων τῶι ἱερῶι ἐν τᾶι τῶν βαρβάρων ἐφόδωι, τὸ δὲ ἱερὸν
διαπεφυλάχθαι τε καὶ ἐπικεκοσμῆσθαι τοῖς ὑπὸ τῶν ἐπιστρατευσάντων ὅπλοις, τῶν δὲ λοι- 5
πῶν τῶν στρατευσάντων τοὺς πλείστους ἀπολώλεν ἐν τοῖς γενομένοις ἀγῶσι ποτὶ τοὺς Ἕλλανας
αὐτοῖς· .... ὅπως οὖν ὁ δᾶμος φανερὸς ἦι συναδόμενος ἐπὶ τᾶι γεγενημέναι νίκαι τοῖς Ἕλλασι
καὶ τῶι θεῶι χαριστήρια ἀποδιδοὺς τάς τε ἐπιφανείας τὰς γεγενημέας ἕνεκεν ἐν τοῖς περὶ τὸ
ἱερὸν κινδύνοις καὶ τᾶς τῶν Ἑλλάνων σωτηρίας Ditt Syll³ I 398, 1—21 (278 vChr). Dieser
Sprachgebrauch knüpft an den militärischen (→ 8, 29ff) an: die ἐπιφάνεια des 10
Gottes ist sein hilfreiches Eingreifen in der Schlacht [6]. Vom 3. Jhdt vChr an begegnen
ἐπιφάνεια u ἐπιφανής in diesem Sinne häufig in Inschr vor allem aus Kleinasien Ditt Syll³
II 557, 7; 558, 5; 559, 10; 560, 5; 561, 10; 562, 10 (alle 207/206 vChr); 867, 35 (um
160 vChr); Inschr Perg I 247, 2, 3 (um 135 vChr); 248, 52 (134 vChr) [7] u in der Lit
Dion Hal Ant Rom 2, 68, 1; Plut Them 30 (I 127c), von Isis Diod S 1, 25, 4, von den 15
Dioskuren Dion Hal Ant Rom 6, 13, 4 [8]. Wichtig ist dabei die durchgehende Verbindung mit datierbaren Ereignissen u mit einem Kult [9]. In der Folgezeit bezieht sich
ἐπιφάνεια auch allgemeiner auf Hilfeleistungen der Götter ...μεγάλων δαιμόνων ἐπι-
φανείαις, αἵτινες ἐμοὶ καθηγεμόνες εὐτυχοῦς ἀρχῆς καὶ βασιλείαι πάσηι κοινῶν ἀγαθῶν αἴτιαι
κατέστησαν Inschr des Antiochus I. von Commagene Ditt Or I 383, 85—88 (1. Jhdt 20
vChr), so auch auf Hilfe des Asklepius bei Krankheit [10]. Es geht nun allg um Offenbarung der ἀρετή oder δύναμις der Gottheit [11]. Ptolemäus V. u sein Schwager Antiochus IV. übernahmen den Titel θεὸς ἐπιφανής [12]. Der älteste Beleg ist der Stein von
Rosette Ditt Or I 90 (196 vChr); der volle Titel lautet hier: ὁ αἰωνόβιος καὶ ἠγαπημένος ὑπὸ τοῦ Φθᾶ βασιλεὺς Πτολεμαῖος θεὸς Ἐπιφανὴς Εὐχάριστος, vgl Z 49, s auch Ditt 25
Or I 91, 1f; 92, 1f; 93, 1; 94, 1f; mit Kleopatra zus als θεοὶ ἐπιφανεῖς 95, 1—5; 97, 1—6;
98; 99, 8 (alle 2. Jhdt vChr). Vor allem bei den Seleukiden wird dieser Titel häufiger
verwendet, doch findet er sich auch in anderen Dynastien, zB Antiochus I. Epiphanes
von Commagene Ditt Or I 383, 1f (1. Jhdt vChr). Ἐπιφάνεια im Sinne von παρουσία
(→ V 857, 22ff) begegnet erst von Caligula (37—41 nChr) [13]. 30

2. Der Häufigkeit der Wortgruppe in der hell Lit überh entspricht
der Befund in der jüd-hell. In der Septuaginta begegnet das Verbum (Akt u
Dep) im Sinne von *leuchten, aufgehen* Dt 33, 2 (für זרח); 2 Makk 12, 9 vl; vom Blitz ep
Jer 60; es bezeichnet das Erscheinen Gottes Gn 35, 7; das Adj begegnet im Sinne von
prächtig, glänzend Est 5, 1a (vgl ἐπιφάνεια *Glanz* 5, 1c); 2 Makk 14, 33; vom Haar 6, 23. 35
Ein eigtl hbr Äquivalent fehlt, doch dient ἐπιφαίνω τὸ πρόσωπον häufig zur Übers von
האר פנים Nu 6, 25; ψ 30, 17; 66, 2; 79, 4. 8. 20; Da 9, 17Θ, vgl ψ 117, 27; das Adj
ἐπιφανής zur Übers von נורא Ri 13, 6 A (B: φοβερόν); Jl 2, 11; 3, 4; Hab 1, 7; Mal 1, 14;
Zeph 2, 11 (vl für ἐπιφανήσεται). Am häufigsten begegnet die Wortgruppe zur Bezeichnung *hilfreicher Machterweise*, zumeist in 2 u 3 Makk in militärischen Zshg [14]: ἐπι- 40
φάνεια 2 Βασ 7, 23 (für נראות); 2 Makk 2, 21; 3, 24; 12, 22; 14, 15; 15, 27; 3 Makk

[5] Vgl dazu den Bericht Paus 10, 23, der sich kaum von der Schilderung der Niederlage der Perser vor Delphi Hdt VIII 37f unterscheidet.
[6] Die Wortgruppe deckt also nicht den Begriff Epiphanie, vgl → Schulte 62 für das NT, doch gilt das auch für den Hell allg. → Pax ΕΠΙΦΑΝΕΙΑ 15 uö sieht zwar diesen Tatbestand, doch geht er in beiden Unter-suchungen von einem Begriff Epiphanie aus.
[7] Material für ἐπιφανής als Götterbezeich-nung in diesem Raum bei → Steinleitner 15—21.
[8] Vgl → Pfister 293f.
[9] Das zeigt neben der zitierten Inschr aus Kos vor allem die Tempelchronik aus Lindos vom Jahre 99 vChr (ed CBlinkenburg, KlT 131 [1915]): col A 3 u 7 ist von der ἐπιφάνεια τᾶς θεοῦ Athene die Rede, in col D werden unter der Überschrift ἐπιφάνειαι mehrere solche (datierte!) Eingriffe geschildert. Dabei ist ἐπιφάνεια col D 34. 55f. 58 deutlich von

der ὄψις col D 17, die einer der Verteidiger von Lindos im Traum hat, unterschieden; ἐπιφάνεια entspricht vielmehr der βοάθεια col D 23, vgl auch Inschr Perg I 248, 51 (134 vChr); Ditt Syll³ II 560, 8 (207/206 vChr) uö. Der Kult kann zum Jahrestag eines solchen Ein-greifens gefeiert werden oder am Geburtstag des Gottes, an dem seine ἐπιφάνειαι verkündet werden.
[10] Vgl → Pfister 295.
[11] → Pfister 300.
[12] Der Titel wird wohl eher mit *helfend* als mit *sichtbar* zu übersetzen sein, vgl den Titel Soter (→ VII 1004, 33ff).
[13] WRPaton, ELHicks, The Inscriptions of Cos (1891) 391.
[14] 2 Makk 5, 4 ist die einzige St, an der man ἐπιφάνεια mit *übernatürliche Erscheinung* übersetzen könnte, doch steht auch diese St in militärischem Zshg.

2, 9; 5, 8. 51[15], ἐπιφανής 1 Ch 17, 21 (HT נִרְאוֹת); 2 Makk 15, 34; 3 Makk 5, 35, ἐπι-φαίνομαι Ez 39, 28 (gg HT); 2 Makk 3, 30; 3 Makk 6, 9, ἐπιφαίνω 3 Makk 2, 19; 6, 4. 18. 39.

3. Auch Josephus verwendet ἐπιφάνεια synon mit παρουσία (→ V 862, 34ff) außer in der Bdtg *Ruhm* Ant 19, 328 für *hilfreiches Eingreifen*[16] Ant 2, 339; 3, 310; 9, 60; 12, 136 (Zitat aus Polyb); 18, 286[17]. Das Verbum begegnet im Sinne von *erscheinen*, φάντασμα ἐπιφαίνεται Ant 5, 277, von Gott Ant 8, 240. 268; das Adj ἐπιφανής *prächtig* Ant 4, 200.

Philo verwendet ἐπιφάνεια im Sinne von *äußere Erscheinung* Som I 21; Leg Gaj 357; Vit Mos II 255, im Plur Virt 12, vom Menschen Poster C 118 (opp τὰ ἐν αὐτοῖς σπλάγ-χνοις ἐγκεκρυμμένα); Leg All II 38; Deus Imm 35; Fug 182; Vit Mos I 108; Som II 144; im Sinne von *Ruhm, Pracht* Spec Leg II 149, im Plur Leg Gaj 328; Vit Mos I 3, in der Bdtg *geometrische Fläche* gegenüber Punkt, Strich u Körper (→ 8, 27f) im Zshg der Allegorese Congr 146f; Op Mund 49. 147; Vit Mos II 96. 115; Decal 24—26, im Plur Som I 187. Es fehlt bei Philo die Bdtg *hilfreiches Eingreifen*. Das Adj ἐπιφανής *hervorragend, prächtig, ausgezeichnet* begegnet Som II 44; Spec Leg II 175; Fug 30, vom Tempel Leg Gaj 151. 191, von Menschen Omn Prob Lib 10; Som I 155. 226; Flacc 185, von den Kaisern Flacc 81, von Gott Som I 112, vgl ἐπιφανέστατον αἶσχος Migr Abr 161 sowie ἐπιφανὲς ὄνειδος Jos 172. Das Verbum ἐπιφαίνομαι *erscheinen* findet sich außer Abr 145; Jos 106; Op Mund 83; Spec Leg I 65 vor allem für göttliche Erscheinungen, zB ὁ θεῖος λόγος Som I 71, vom Engel Abr 142, von der ὄψις des Abraham 167, von Gott Jos 255; Som I 228. 232; Mut Nom 6. 15.

B. Die Wortgruppe im Neuen Testament.

1. Wie in der Septuaginta findet sich im Neuen Testament das Aktiv ἐπιφαίνω in intransitivem Gebrauch[18] in der Bedeutung *sich zeigen, erscheinen*, so im äußerlichen Sinne von den Sternen (Ag 27, 20), dagegen im über-tragenen Sinne von dem hilfreichen Eingreifen Gottes (Lk 1, 79)[19]. Hier ist Sub-jekt des ἐπιφαίνω die ἀνατολὴ ἐξ ὕψους (→ VIII 603, 13ff), deren Bestimmung es ist, ἐπιφᾶναι τοῖς ἐν σκότει καὶ σκιᾷ θανάτου καθημένοις[20]. Ἐπιφαίνομαι begegnet in der urchristlichen Literatur nur selten[21]. Sofern Jesu Erscheinen auf Erden als escha-tologisches Ereignis verstanden wird, kann auch dieses als ein ἐπιφαίνεσθαι der χάρις bzw der χρηστότης und φιλανθρωπία Gottes bezeichnet werden (Tt 2, 11; 3, 4).

2. Ἐπιφανής findet sich im Neuen Testament nicht als Attribut Gottes, sondern nur nach Jl 3, 4 im eschatologischen Sinn als Charak-teristik der ἡμέρα κυρίου (Ag 2, 20).

---

[15] Abweichend von HT werden ἐπιφάνεια in Am 5, 22, ἐπιφανής in Prv 25, 14 u ἐπιφαίνομαι Ἰερ 36 (29), 14 gebraucht.

[16] Auch Ant 1, 255 ist ἐπιφάνεια wohl nicht nur im allg Sinn von Erscheinung gebraucht, sondern bezeichnet das Eingreifen Gottes. Bei der Erscheinung des Anubis Ant 18, 75 kann man schwanken, ob ἐπιφάνεια im Sinne von *göttlicher Erscheinung* oder — wahr-scheinlicher — von *prächtigem Äußeren* ge-meint ist.

[17] So wohl auch ep Ar 264. Aristobul (bei Eus Praep Ev 8, 10, 3: λέγω δὲ τῶν κατὰ τὴν ἐπιφάνειαν) verwendet das Wort im Sinne von *äußerlicher Erscheinung*.

[18] In trans Bdtg *zeigen, leuchten lassen* ist das Akt in urchr Lit nur 1 Cl 60, 3 belegt, wo eine at.liche Gebetswendung (→ 9, 36f) aufgenommen ist: ἐπίφανον τὸ πρόσωπόν σου ἐφ᾽ ἡμᾶς.

[19] So auch Dt 33, 2; ψ 117, 27.

[20] Zum Sinn des Textes vgl außer den Komm PVielhauer, Das Benedictus des Zacharias, Aufsätze zum Neuen Testament, Theol Bücherei 31 (1965) 28—46.

[21] Gottes Erscheinen wird als sein hel-fender Machterweis erbeten τοῖς δεομένοις ἐπι-φάνηθι 1 Cl 59, 4.

3. Ἐπιφάνεια wird im Neuen Testament nur als religiöser Terminus gebraucht, und zwar meist von dem künftigen eschatologischen *Erscheinen Christi* (2 Th 2, 8; 1 Tm 6, 14; 2 Tm 4, 1. 8[22]; Tt 2, 13[23]). Sofern die irdische Erscheinung Jesu als eschatologisches Ereignis verstanden wird (→ 10, 29ff), kann auch diese als ἐπιφάνεια bezeichnet werden, so 2 Tm 1, 9f, wo die χάρις cha- 5 rakterisiert wird: δοθεῖσαν ἡμῖν ἐν Χριστῷ Ἰησοῦ πρὸ χρόνων αἰωνίων, φανερωθεῖσαν δὲ νῦν διὰ τῆς ἐπιφανείας τοῦ σωτῆρος ἡμῶν Χριστοῦ Ἰησοῦ[24]. Möglicherweise ist auch 2 Tm 4, 8 in diesem Sinne zu verstehen.

Bultmann/Lührmann

Φαρισαῖος	καθαρός (→ III 416, 12ff);	κρύπτω (→ III 959, 1ff);
	νόμος (→ IV 1016, 10ff);	προφήτης (→ VI 781, 23ff); 10
	Σαμάρεια (→ VII 88, 13ff);	Σαδδουκαῖος (→ VII 35, 15ff)

Inhalt: A. Der Pharisäismus im Judentum: I. Der Sprachgebrauch. II. Der Pharisäismus von seinen Anfängen bis zum Untergang der Hierarchie von Jerusalem: 1. Der Ursprung des Pharisäismus: a. Die Chasidim, b. Die Peruschim; 2. Die pharisäischen Genossenschaften: a. Die Chabura, b. Die Chaberim, c. Die Chaberuth; 3. Pharisäische Weisheit und Schriftgelehrsamkeit: a. Die Chakamim, b. Die Soferim; 4. Die Pharisäer als Partei: 15 a. Pharisäer und Hasmonäer, b. Der Pharisäismus von Herodes bis zum Tempeluntergang, c. Pharisäer und Zeloten, d. Der Pharisäismus im Lichte sadokidischer Kritik. III. Der Sieg des Pharisäismus: 1. Das Judentum Palästinas nach dem Untergang der Hierokratie; 2. Die Neuordnung des Gemeinwesens: a. Die religiös-soziale Umwälzung, b. Die innere Reorganisation. IV. Zusammenfassung. — B.Die Pharisäer im Neuen Testament: I. Die Pha- 20 risäer in der synoptischen Überlieferung: 1. Das historische Problem; 2. Die Pharisäer und die übrigen Parteien des Judentums; 3. Der Gegensatz zum Pharisäismus als Ausdruck des Gegensatzes zum pharisäischen Gesetzesverständnis. II. Die Pharisäer im Johannesevangelium. III. Die Pharisäer in der Apostelgeschichte und bei Paulus. — C. Die Pharisäer in der frühchristlichen Literatur außerhalb des Neuen Testamentes. 25

[22] Zu ἀγαπάω (τὴν ἐπιφάνειαν) vgl GBornkamm, Zum Verständnis des Gottesdienstes bei Pls, Das Ende des Gesetzes [5](1966) 124f.
[23] Ders Sprachgebrauch liegt 2 Cl 12, 1; 17, 4 vor.
[24] Vgl auch die vl zu R 16, 26.

Φαρισαῖος. Zu A: SAbir, Der Weg der Pharisäer, Freiburger Rundschau 11 (1958/59) 29—34; MAvi-Yonah, Gesch der Juden im Zeitalter des Talmud in den Tagen von Rom u Byzanz, Studia Judaica 2 (1962); BWBacon, Pharisees and Herodians, JBL 39 (1920) 102—112; LBaeck, Die Pharisäer (1934); WBeilner, Der Ursprung des Pharisäismus, BZ NF 3 (1959) 235—251; EBikerman, La chaîne de la tradition pharisienne, Rev Bibl 59 (1952) 44—54; BZBokser, Pharisaic Judaism in Transition. REliezer the Great and Jewish Reconstruction after the War with Rome (1935); IElbogen, Einige neue Theorien über den Ursprung der Pharisäer u Sadduzäer, Jewish Studies in Memory of IAbrahams (1927) 135—148; AFinkel, The Pharisees and the Teacher of Nazareth. A Study of their background, their Halachic and Midrashic teachings, the similarities and differences, Arbeiten zur Gesch des Spätjudt u Urchr 4 (1964); LFinkelstein, The Pharisees: Their Origin and their Philosophy, HThR 22 (1929) 185—261; ders, The Pharisees. The Sociological Background of their Faith I. II [3](1962); ders, The Pharisees and the Men of the Great Synagogue, Texts and Studies of the Jewish Theological Seminary of America 15 (1950); ders, The Ethics of Anonymity among the Pharisees, Conservative Judaism 12 (1958) 1—12; WFoerster, Der Ursprung des Pharisäismus, ZNW 34 (1935) 35—51; ders, Nt.liche Zeitgeschichte I [3](1959) 164—219; RTHerford, Die Pharisäer. Mit einer Einleitung von NNGlatzer (1961); ders, Judaism in the New Testament Period (1928); MHengel, Die Zeloten, Arbeiten zur Gesch des Spätjudt u Urchr 1 (1961); OHoltzmann, Der Prophet Mal u der Ursprung des Pharisäismus, ARW 29 (1931) 1—21; MDHussey, The Origin of the Name Pharisee, JBL 39 (1920) 66—69; GJeremias, Der Lehrer der Gerechtigkeit, Studien zur Umwelt des NT 2 (1963); JJeremias, Jerusalem zZt Jesu [3](1962) 279—303; JZLauterbach,

A. Der Pharisäismus im Judentum.

I. Der Sprachgebrauch.

Der im NT (→ 36, 16f) u bei Jos[1] häufiger im Plur als im
Sing belegte Begriff Φαρισαῖος stellt die griech Transkription einer aram qatīl-Bildung
5   פְּרִישׁ, Plur פְּרִישַׁיָּא dar. Diese Form begegnet in den Tg u in der rabb Lit zwar als Adj
in der Bdtg *abgesondert, getrennt* u *ausgezeichnet*[2], gleichwohl gibt sie nirgends den Sinn-
gehalt des griech Φαρισαῖος wieder; hierfür findet sich vielmehr stets die hbr qatūl-
Bildung פָּרוּשׁ mit dem Plur פְּרוּשִׁים u פְּרוּשִׁין[3]. Dieser auffällige Tatbestand kann
nur durch die Annahme erklärt werden, daß im Zuge einer sprachlichen Normierung
10   פְּרִישׁ bzw פְּרִישַׁיָּא in der Bdtg Φαρισαῖος durch das hbr Äquivalent ersetzt worden ist.
Jedenfalls haben die Kirchenväter die aram Vorlage von Φαρισαῖος noch gekannt;

The Pharisees and their Teachings, HUCA 6 (1929) 69—139; JWLightley, Jewish Sects and Parties in the Time of Jesus (1925); GWLinhart, The Pharisees (Diss Dallas [1954]); HLoewe, Pharisaism, in: Judaism and Christianity I (1937) 105—190; TWManson, Sadducee and Pharisee. The Origin and Significance of the Names, Bulletin of the John Rylands Library 22 (1938) 144—159; RMarcus, The Pharisaism in the Light of Modern Scholarship, The Journal of Religion 32 (1952) 153—164; ders, Pharisees, Essenes and Gnostics, JBL 73 (1954) 155—161; JCMargot, Les Pharisiens d'après quelques ouvrages récents, RevThPh III 6 (1956) 294—302; RMeyer, Hellenistisches in der rabb Anthropologie, BWANT IV 22 (1937) Regist sv Pharisäer; ders, Der Prophet aus Galiläa (1940); ders, Der 'Am ha-'Areṣ, Judaica 3 (1947) 169—199; ders, Die Bdtg des Pharisäismus für Gesch u Theol des Judt, ThLZ 77 (1952) 677—684; ders, Tradition u Neuschöpfung im antiken Judt. Dargestellt an der Gesch des Pharisäismus. Mit einem Beitrag von HFWeiß, Der Pharisäismus im Lichte der Überlieferung des NT, Sitzungsberichte der Sächsischen Akademie der Wissenschaften zu Leipzig, philologisch-historische Klasse 110, 2 (1965); GFMoore, The Rise of Normative Judaism I, HThR 17 (1924) 307—373; II, ebd 18 (1925) 1—38; Moore Regist sv Pharisees; JNeusner, The Fellowship (חבורה) in the Second Jewish Commonwealth, HThR 53 (1960) 125—142; CRabin, Qumran Studies (1955) 53—70; ders, Alexander Jannaeus and the Pharisees, Journal of Jewish Studies 7 (1956) 3—11; HRasp, Flavius Josephus u die jüd Religionsparteien, ZNW 23 (1924) 27—47; CRoth, The Pharisees in the Jewish Revolution of 66—73, Journal of Semitic Studies 7 (1962) 63—80; Schürer II 456—475 (Lit 447—449); FSieffert, Artk Pharisäer u Sadduzäer, in: RE³ 15, 264—292; MHSegal, Pharisees and Sadducees, Exp 8, 13 (1917) 81ff; MWeber, Die Pharisäer, Gesammelte Aufsätze zur Religionssoziologie III (1921) 401—442; JWellhausen, Die Pharisäer u Sadduzäer ²(1924). — Zu B u C: IAbrahams, Studies in Pharisaism and the Gospels I (1917). II (1924); WBeilner, Christus u die Pharisäer (1959); BHBranscomb, Jesus and the Law of Moses (1930);

FCBurkitt, Jesus and the Pharisees, JThSt 28 (1927) 392—397; TFGlasson, Anti-Pharisaism in St Matthew, JQR 51 (1960/61) 316—320; LGoppelt, Christentum u Judt im ersten u zweiten Jhdt, BFTh II 55 (1954) 41—55; CGruber-Magitot, Jésus et les Pharisiens (1964); FHeinrichs, Die Komposition der antipharisäischen u antirabbinischen Wehe-Reden bei den Synpt (Diss München [1957]); RHummel, Die Auseinandersetzung zwischen Kirche u Judt im Mt, Beiträge zur evangelischen Theol 33 ²(1966) 12—17; AFKlijn, Scribes, Pharisees, Highpriests and Elders in the New Testament, Nov Test 3 (1959) 259—267; HMerkel, Jesus u die Pharisäer, NT St 14 (1967/68) 194—208; FMußner, Jesus u die Pharisäer, Katechetische Blätter 84 (1959) 433—440. 490—495; HOdeberg, Pharisaism and Christianity (1964); JvanderPloeg, Jésus et les Pharisiens, Mémorial Lagrange (1940) 279—293; DWRiddle, Jesus and the Pharisees (1928); ATRobertson, The Pharisees and Jesus (1920); THRobinson, Jesus and the Pharisees, Exp T 28 (1917) 550—554; PSeidensticker, Die Gemeinschaftsform der religiösen Gruppen des Spätjudt u der Urkirche, Studii Biblici Franciscani Liber Annuus 9 (1959) 94—108; PBSellers, The Doctrinal Basis of the Conflict of the Pharisees with Jesus (Diss South Western Baptists Seminary [1950]); MSimon, Les sectes juives d'après les témoignages patristiques, in: Studia Patristica 1, TU 63 (1957) 526—539; SUmer, Pharisaism and Jesus (1962); SZeitlin, The Pharisees and the Gospels, Essays and Studies in Memory of LRMiller (1938) 235—286.

[1] Jos Ant 13, 171f. 288—299. 401. 406. 408—415; 13, 3. 370; 17, 41. 44. 46; 18, 4. 11—15. 17. 23; Bell 1, 110. 112. 571; 2, 119. 162. 166. 411; Vit 10. 12. 21. 191. 197; zu den Hauptbelegen vgl Schürer II 449—452.

[2] Vgl Levy Chald Wört, Levy Wört sv פְּרִישׁ.

[3] Vgl Schürer II 452—454; Kassovsky 1489c—1490a; JKasowski, Thesaurus Thosephthae V (1958) sv פְּרוּשׁ; LGoldschmidt, Concordance to the Babylonian Talmud (1959) sv פָּרוּשׁ; Str-B IV 334—336.

denn sie beziehen sich regelmäßig auf den aram Ausdruck, wenn sie die Erscheinung des Pharisäismus erklären wollen. So sagt Orig Comm in Joh fr 34 zu 3, 1 (p 510, 5ff): „*Phares* bedeutet nämlich bei den Hebräern der *Abgesonderte*, da diese (sc die Pharisäer) sich vom gesamten Volke der Juden absondern"[4].

Gemessen an dem Vorkommen von Φαρισαῖος im NT u bei Jos — außerjüdische u außerchristliche Belege haben sich bisher nicht nachweisen lassen— , begegnet der hbr Begriff פָּרוּשׁ in der Bdtg *Pharisäer* außerordentlich selten. Hierzu kommt, daß die Wurzel *prš*, die mittelhebräisch im q u pi nicht nur *trennen*, sondern auch *sich trennen, sich absondern* bedeutet, theol sowohl im positiven als auch im abwertenden Sinne gebraucht wird[5]. Negative Bdtg hat die Wurzel *prš* zB in Ab 2, 4 b: „Sondere dich nicht ab von der Gemeinde!"[6]; ebs in bPes 70b, wo פָּרוּשׁ mitten im aram Kontext steht u geradezu *Dissident* bedeutet: „RAschi hat gesagt: Sollten wir etwa [einen Bibelvers] nach der Ansicht der Dissidenten erklären?"[7]. Im positiven Sinne dgg wird die Wurzel *prš* gebraucht, um einesteils die Trennung bzw Absonderung von aller kultischen Unreinheit (→ III 421, 14ff), andernteils die Enthaltsamkeit auszudrücken; in diesem Zshg werden auch die Verbalnomina פְּרִישׁוּת u פְּרִישָׁה *Absonderung* gebraucht[8]. Im übertr Sinne können beide Abstrakta auch ethische Bdtg haben[9]. Der Ausdruck פָּרוּשׁ in der Bdtg *enthaltsam* ist zB TSoṭa 15, 11 belegt: „Seit der Tempelzerstörung nahmen die Enthaltsamen in Israel zu, die kein Fleisch aßen u keinen Wein tranken". Von dem komplexen Sprachgebrauch her wird es verständlich, daß der Begriff פָּרוּשׁ Φαρισαῖος sich nicht eindeutig festlegen läßt u daß es demzufolge auch nicht möglich ist, allein von der Wurzel *prš* u ihren Ableitungen aus die vielfältigen Erscheinungen des Pharisäismus zu deuten. Hierzu kommt, daß die Pharisäer selbst sich im allgemeinen wohl nicht als פְּרוּשִׁים oder פְּרִישַׁיָּא bezeichnet haben, sondern daß ihnen ursprünglich dieser Titel in ihrer Umgebung in der abwertenden Bedeutung von *Separatisten* oder *Sektierern* beigelegt worden ist. Dieser Sachverhalt wirkt auch noch in dem Sprachgebrauch nach; denn wo die Wurzel *prš* u bes das Nomen פָּרוּשׁ in positiver Bdtg verwendet werden, geschieht dies selten unter ausdrücklichem Bezug auf das Ganze des *Pharisäismus*. Daher ist es notwendig, eine Reihe anderer Begriffe wie Frommer, Genosse, Weiser u Schriftgelehrter heranzuziehen, da in ihnen weit mehr vom Wesen der pharisäischen Bewegung zum Ausdruck kommt, als dies bei dem Ausdruck Pharisäer der Fall ist.

II. Der Pharisäismus von seinen Anfängen bis zum Untergang der Hierarchie von Jerusalem.

1. Der Ursprung des Pharisäismus.

Die Anfänge des Pharisäismus liegen quellenmäßig bisher noch im Dunkeln. Nach einer Wanderanekdote, die Jos Ant 13, 288—296 überliefert, bestanden die Pharisäer als Richtung oder Partei unter Johannes Hyrcanus I. (135—104 vChr) neben den Sadduzäern schon längere Zeit (→ VII 43, 18ff). Trotz der geschichtlichen Fragwürdigkeit der auf Schulrivalitäten beruhenden Erzählung, die die rabb Überlieferung bQid 66a auf Alexander Jannai (103—76 vChr) bezieht u worin von dem Zerwürfnis zwischen den Priesterfürsten u den Pharisäern die Rede ist, scheint doch an Jos Ant 13, 288—296 so viel richtig zu sein, daß die Anfänge des Pharisäismus bis ins 2. Jhdt vChr zurückreichen. Dies wird jetzt dadurch bestätigt, daß Damask u einige Qumran-Fr, ohne den Namen Pharisäer zu gebrauchen, mit aller

---

[4] Vgl Comm in Mt 20 zu 23, 23f (GCS 38, 35, 23ff).

[5] Vgl Levy Chald Wört, Levy Wört sv פְּרַשׁ.

[6] Ausspruch Hillels: אַל תִּפְרוֹשׁ עַצְמְךָ מִן הַצִּבּוּר; vgl jTer 8, 2 (45d 44) sowie bPes 70b Bar: יְהוּדָה בֶּן דּוֹרְתַאי פֵּירַשׁ הוּא וְדוֹרְתַאי בְּנוֹ וְהָלַךְ וְיָשַׁב לוֹ בַּדָּרוֹם Jehuda b Dorotai (= Dorotheos) lebte um 20 vChr u vertrat gg Schemaʻja u Abṭaljon (um 50 vChr) die Meinung, daß das Festopfer den Sabbat

verdränge. Bedeutsam ist diese Überlieferung deshalb, weil sie zeigt, daß die Schulrivalitäten um die Wende unserer Zeitrechnung sich keineswegs auf die beiden mit Hillel u Schammai verbundenen Richtungen der Pharisäer beschränkten.

[7] וְאָנַן טַעְמָא דִפְרוּשִׁים נִיקוּ וּנְפָרֵשׁ mit Bezug auf Jehuda b Dorotai u seinen Sohn.

[8] Levy Chald Wört, Levy Wört sv.

[9] Vgl zB Tg J I (ed MGinsburger [1903]) zu Nu 6, 3; Soṭa 9, 15; Ab 3, 13; Toh 4, 12; Zabim 5, 1.

Deutlichkeit gg das pharisäische Gesetzesverständnis polemisieren (→ 28, 42ff).
So wird man zunächst ganz allg feststellen dürfen, daß die pharisäische Bewegung
in dem krisenreichen 2. Jahrhundert vChr entstanden ist. Wesentlich
schwieriger ist freilich die Frage zu beantworten, welchem Personenkreis der Pharisäismus seine Entstehung verdankt.

a. Die Chasidim.

Sieht man sich im 2. Jhdt vChr nach Gruppen um, die etwa als
Vorläufer der Pharisäer in Frage kommen, so liegt es nahe, in erster Linie an die 'Ασι-
δαῖοι (חֲסִידִים), die *Frommen* zu denken 1 Makk 2, 42; 7, 13 u 2 Makk 14, 6. Allerdings wird man fragen müssen, ob man Chasidim u Pharisäer unbesehen in einer geschichtlichen Linie sehen darf u ob überh die Chasidim des 2. Jhdt vChr als eine ho-
mogene Gruppe oder womöglich gar als Partei zu begreifen sind. Die Chasidim
treten nach unseren — freilich sehr spärlichen u nicht ganz eindeutigen — Quellen
zum ersten Mal mit dem Beginn der Religionsverfolgung unter Antiochus IV. Epiphanes iJ 167/166 vChr hervor. Nach 1 Makk 2, 42 gesellte sich im Anschluß an eine
schwere Niederlage zu den Makkabäern „eine Schar von Chasidim (συναγωγὴ 'Ασιδαίων),
tapfere Männer aus Israel, von denen ein jeder sich freiwillig für das Gesetz hingab.
Und alle, die vor dem Unheil flohen, schlossen sich ihnen an u verstärkten sie u brachten
ein großes Heer zusammen“. Wenn auch der Ausdruck συναγωγὴ 'Ασιδαίων umstritten
ist[10], so spricht doch der Zshg dafür, daß 1 Makk zwischen der makkabäischen Erhebung
unter dem Landpriester Mattathias aus Modeïn einerseits sowie den Chasidim anderseits unterscheidet: Die Chasidim bestehen als Oppositionsgruppe schon längere Zeit
vor dem Ausbruch des Aufstandes; ihr Gegner ist primär nicht Antiochus IV. Epiphanes
samt seinen zahlreichen jüd Parteigängern, sondern offensichtlich eine Gruppe in Jerusalem, die das Gesicht der Hierokratie bestimmt, aber nach der Meinung der Opposition vom Gesetz der Väter grundsätzlich abgefallen ist. Zwar treffen sich diese
Chasidim zu gemeinsamem Handeln gg den seleukidischen Herrscher, gleichwohl bewahren sie ihre Selbständigkeit gegenüber den Hasmonäern. Dies geht eindeutig aus
1 Makk 7, 1—22 hervor. Als die Juristen die Legitimität des von Demetrius eingesetzten
Aaroniden Alkimus festgestellt haben, ergeben sich die Chasidim, da sie „die ersten
unter den Israeliten“ sind, die Frieden mit dem neuen, legitim eingesetzten Hohenpriester u dem seleukidischen Bevollmächtigten begehren 1 Makk 7, 13. Während es
sich nach 1 Makk 2, 42 nur um „eine Schar von Chasidim“ handelt, sind es in 1 Makk
7, 13 „die Chasidim“. Die Spannung zwischen beiden Angaben läßt sich mit philolo-
gischen Mitteln nicht lösen; immerhin können einige historische Erwägungen weiter-
helfen. Die Vermutung (→ VII 39 A 27), daß der Begriff Chasidim in der Gruppen-
bezeichnung Essener[11] ('Εσσηνοί, 'Εσσαῖοι) mittelbar in aram Gestalt fortlebt, wird
durch fr 45, 6 von Murabba'ât (DJD II 163) zur Evidenz erhoben. Hier erwähnt
ein jüd Flüchtling im letzten Jahre des Aufstandes unter Ben Kosiba (134/135 nChr)
die *Festung der Chasidim* מצד חסידין, worunter mit aller Wahrscheinlichkeit die zum
Widerstandsnest ausgebaute Ruine von Qumran zu verstehen ist[12]. Die Spannung
zwischen den Angaben von 1 Makk 7, 13 u dem in Murabba'ât gefundenen Text zeigt
zum ersten Mal deutlich, daß als Chasidim sowohl Leute bezeichnet werden konnten,

---

[10] Zu συναγωγὴ 'Ασιδαίων lautet die hbr
Entsprechung wahrscheinlich עדת חסידים;
im Gegensatz zu der von Bousset-Greßm 57.
457 uam vertretenen These (vgl AKahana,
הספרים החיצונים II [1959] 107: קהל חסידים),
daß es sich hierbei um eine „Synagoge der
Chasidäer“ handele, bedeutet συναγωγή in
1 Makk grundsätzlich *Schar, Menge, Versammlung* wie עֵדָה Ps 7, 8; 68, 31 (LXX:
συναγωγή).

[11] Vgl hierzu die Hauptquellen: Philo Omn
Prob Lib 12f; ders, Ὑπὲρ Ἰουδαίων ἀπολογία
bei Eus Praep Ev 8, 11; Jos Bell 2, 119—
161; Ant 13, 172; 15, 371—373; 18, 18—22;
Plin Hist Nat 5, 17, außerdem Philo Vit
Cont passim in bezug auf die essenische
Gruppe der Therapeuten. Zur Diskussion über
das Essenerproblem s zB Bousset-Greßm

456—468; FMCross, The Ancient Library of
Qumran and Modern Biblical Studies, The
Haskell Lectures 1956—1957 (1958) 37—79;
KGKuhn, Artk Essener, in: RGG³ II 701—
703; SWagner, Die Essener in der wissenschaftlichen Diskussion, ZAW Beih 79 (1960).
[12] Nach dem bisherigen Quellenbefund begegnet in meṣad ḥasidîn zum ersten Mal ein
hbr Beleg dafür, daß man bestimmte religiös-
politische Oppositionsgruppen als Chasidim
bezeichnete. Gleichzeitig aber liegt die Annahme nahe, daß der heute an der Ruinen-
stätte haftende Name Qumrān nichts anderes
darstellt als die aram Entsprechung zu hbr
meṣad; vgl hierzu RMeyer, Das Gebet des
Nabonid, Sitzungsberichte der Sächsischen
Akademie der Wissenschaften zu Leipzig,
philosophisch-historische Klasse 107, 3 (1962)
9f A 3.

denen es ausschließlich um die Legitimität innerhalb der Hierokratie von Jerusalem
ging u damit um die volle Geltungskraft des Gesetzes als deren Grundlage, wie auch
solche Männer, die — ebenfalls auf der strikten Einhaltung des Gesetzes bestehend —
für sich selbst u ihre Anhänger den alleinigen Anspruch auf Legitimität erhoben u die
als das wahre Israel zu dem jeweils in Jerusalem herrschenden System in religiöser u 5
politischer Opposition standen. Will man nun den Pharisäismus mit einer
der noch erkennbaren chasidischen Gruppen in ursächlichen Zusammenhang bringen, so ist am ehesten an die in 1 Makk 7, 13 (→ 14, 28ff) erwähnten
Chasidim zu denken.

b. Die Peruschim. 10

Der Gedanke der Absonderung ist dem nachexilischen Judt auch
dort, wo universalistische Tendenzen dominieren, wesensmäßig inhärent: durch das
Gesetz ist Israel von den Völkern (→ IV 45, 40ff) getrennt. Die Tempelprovinz
Juda erfreute sich seit persischer Zeit — mit Ausn der wenigen Jahre unter Antiochus IV.
Epiphanes — relativer Autonomie, u auch die Römer haben nach Untergang des has- 15
monäischen Staatswesens u nach dem Zerfall von Herodes' Universalmonarchie ihren
Sonderstatus immer wieder anerkannt. Sie ist „abgesondert" von ihrer Umgebung;
doch alles dies ist noch nicht Pharisäismus[13]. Die pharisäische Absonderung zielt vielmehr nicht in erster Linie nach außen, sondern nach innen u lenkt das Gottesverständnis
in eine Bahn, wie sie im Judt der persischen u frühhellenistischen Zeit unbekannt war. 20
Das „Gesetz" (aram דָּת), als Verfassungsurkunde für die Hierokratie von Jerusalem niedergelegt im Pent, ist ein Priestergesetz[14]. Das bedeutet, daß es in seiner
letzten Konsequenz keineswegs alle Volksteile, sondern nur den Priester erreicht u
auch diesen nur in der Zeit, wo er am Heiligtum Dienst tut[15]. Absonderung im sakral-
rechtlichen Sinne ist demnach eine hervorstechende Eigenschaft des Priesters, der 25
während seiner Vergatterung von aller Unreinheit (→ III 421, 15ff) fernzuhalten ist,
wenn seine kultische Handlung wirkungskräftig sein soll. So sonderte man nach Joma
1, 1 sieben Tage vor dem Versöhnungstage den Hohenpriester von seiner Familie ab
u führte ihn in die „Halle der Vorsitzenden des Synhedriums"[16]; die Isolierung פְּרִישָׁה
diente laut bJoma 8b seiner Heiligung. Zum anderen war eine siebentägige Absonde- 30
rung dem Priester auferlegt, der die rote Kuh zuzubereiten hatte; hierdurch sollte seine
Reinheit טָהֳרָה gewährleistet werden[17]. Analog hierzu will der Parusch durch
Isolierung פְּרִישָׁה die Reinheit טָהֳרָה und Heiligkeit קְדוּשָׁה, die dem Priester während seines Dienstes am Heiligtume eignet, in den Alltag übernehmen u damit die aus dem Gesetz entspringenden Lebenskräfte im weitesten 35
Sinne des Wortes wirksam machen. Diese Tendenz des Parusch führt wesentlich über
das hinaus, was über die in 1 Makk 7, 13 erwähnte chasidische Gruppe gesagt wurde
(→ 14, 29ff). Man wird daher zu fragen haben, ob u wieweit das Typische am Pharisäismus nicht vielmehr aus dem Priestertum hergeleitet werden muß. In der Tat
sprechen die priesterlichen Begriffe Absonderung, Reinheit u Heiligkeit sehr stark 40
dafür, daß es einmal eine priesterliche Bewegung — wahrscheinlich in Gestalt
einer Minderheit — gegeben hat, die von der Idee beseelt war, daß das von
ihnen am Tempel praktizierte Gesetz auch im Alltag zum Zwecke der
Heiligung des Volkes verwirklicht werden müsse. Hierzu paßt, daß die
Rabb in ihrer dogmatisch bedingten Väter-Genealogie dem Priesterfürsten Simon II., 45
dem letzten glanzvollen Vertreter der Sadokiden, geradezu eine Schlüsselstellung ein-

---

[13] Vgl → Wellhausen 77; Schürer II 466.

[14] Vgl hierzu EBickermann, Der Gott der Makkabäer (1937) 50—58. Den verfassungs-mäßigen Status Jerusalems samt dem dazu-gehörigen Gebiet kann man sowohl als Theo-kratie wie auch als Hierokratie bezeichnen. Im folgenden ist der Ausdruck Hierokratie gewählt, da er dem geschichtlichen Sach-verhalt am nächsten kommt; vgl → Meyer-Weiß 19 A 6.

[15] → Meyer-Weiß 20 A 1.

[16] Vgl hierzu Str-B I 999 u Schürer II 254.

[17] Vgl bJoma 8b. 9b Bar. Im übrigen scheint der Ritus, ein Lustrationswasser aus der Asche einer roten Kuh herzustellen, sehr selten geübt worden zu sein. Nach Para 3, 5 sollen, abgesehen von Mose u Esra, nach den Chakamim Simon dem Gerechten (um 190 vChr) u Johannes Hyrcanus I. (135—104 vChr) je zwei, die Hohenpriester Eljeho'ehai b Kajjaf, Chanan'el der Ägypter (37—36 u 34ff vChr → VII 45, 19ff) sowie Jischma"el b Phiabi (59—61 nChr) je eine Kuh zubereitet haben. Der atavistische Brauch ist in die halachische Theorie der Rabb übernommen worden; er wird von RJochanan b Zakkai (um 80 nChr) einem Nichtjuden gegenüber verteidigt, vgl Pesikt 4, 189—196 (Wünsche 47) u Str-B I 861.

räumen Ab 1, 2[18]. Ebs könnte man zugunsten dieser Annahme anführen, daß unter den „Vätern" RJose ben Jo'eser, ein Schriftgelehrter u Priester einer niederen Priesterklasse, der um 150 vChr gelebt haben muß[19], als ein Mann geschildert wird, der nach dem pharisäischen Ideal lebte[20]. Desgleichen wäre darauf hinzuweisen, daß es bis zum Untergang des Tempels stets Priester gegeben hat, die unter die Kategorie der Peruschim fallen[21]. Von hier aus gesehen, liegt es nahe anzunehmen, daß priesterliches Denken die auf Heiligung abzielende Bewegung inauguriert hat[22]; gleichwohl blieben doch stets pharisäische Priester sowohl innerhalb des Priestertums selbst als auch in der pharisäischen Bewegung als solcher in der Minderheit. Entscheidend war vielmehr für die Zukunft, daß die Idee von der Heiligung des Alltags durch das Gesetz in Laienkreisen, etwa bei einem Teil der Chasidim (→ 14, 41ff), auf fruchtbaren Boden fiel. An Hand des freilich sehr lückenhaften Materials kann man feststellen, daß von Anfang an die Laien die Führung hatten u daß — sehr im Gegensatz zu den sadokidischen Chasidim von Qumran — dem Priester die Vorherrschaft nicht kraft Geburt von selbst zufiel. Das Vorherrschen des Laientums zeigt sich zunächst an der korporativen Gliederung der Pharisäer; sie hat offensichtlich keinerlei sakrales Vorbild im engeren Sinne des Wortes, sondern weist eine Form auf, die jederzeit u überall, vor allem in der ohnehin zahlenmäßig u weithin auch geistig überwiegenden Diaspora möglich war.

2. Die pharisäischen Genossenschaften.

Gruppen- u Gildenbildung war in Israel seit je verbreitet. Es versteht sich daher gleichsam von selbst, daß sich die Peruschim, freilich nun nicht nach hierokratischem Prinzip herkunftsmäßig abgestuft, sondern paritätisch unter dem Aspekt der Heiligung zu Verbänden zusammenschlossen, die durch bestimmte Satzungen von ihrer jüd Umgebung sowohl im Tempelstaate selbst als auch in der Diaspora mehr oder weniger stark abgesondert waren[23]. Leider fehlen die Belege für die vereinsmäßige Gliederung der Pharisäer in vorchr Zeit so gut wie ganz, u die rabb Überlieferung läßt, abgesehen von den durchaus lückenhaften Nachrichten über das 1. Jhdt nChr, selbst in bezug auf das 2. Jhdt nChr sehr viele Fragen offen. Gleichwohl weisen polemische Äußerungen aus Qumran (→ 28, 44ff) u auch einige rabb Traditionen neben Jos darauf hin, daß die Peruschim sich spätestens zu Beginn des 1. Jahrhunderts vChr fest organisiert haben müssen. So ist etwa der geschlossene Widerstand, den die Pharisäer dem Hasmonäer Alexander Jannai (103—76 vChr) zeitweise leisteten, ohne einen organisierten u zahlungskräftigen Verband nicht denkbar, vgl Jos Ant 13, 372—376. Außerdem setzt TSchab 1, 15 die Existenz des Parusch, der korporativ nach bestimmten Satzungen lebt, für den Beginn unserer Zeitrechnung als selbstverständlich u längst gegeben voraus: „Die Schule Schammais hat gesagt: ‚Nicht soll ein Parusch zusammen mit einem 'Am ha-'Areṣ essen, der mit Ausfluß behaftet ist'; die Schule Hillels dgg erlaubte es." Von hier aus ist wohl mit Recht zu vermuten, daß das im allg relativ junge rabb Quellenmaterial auf älteren Traditionen fußt, so daß es möglich ist, den Charakter der pharisäischen Vereinigungen wenigstens in einigen Hauptlinien aufzuzeigen.

---

[18] Simon II. b Onias II. (um 190 vChr), von Jos Ant 12, 43 mit Simon I. b Onias I. verwechselt, wird von den Rabb im Rahmen ihrer verkürzten Chronologie zu einem Mitglied der fiktiven, aus Neh 8—10 herausgesponnenen „Großen Versammlung" gemacht u damit zu einem der Ihren gestempelt, vgl Schürer II 419f. In Wirklichkeit war dieser Priesterfürst, auf den sich das Preisgedicht Sir 50 bezieht (→ VII 37, 35ff), alles andere als ein Pharisäer bzw Rabbi u als Sadokid der geistige Ahnherr der antipharisäischen Hierokratie von Qumran, vgl hierzu PEKahle, Die Kairoer Genisa, Deutsche Ausg, hsgg RMeyer (1962) 20f.

[19] Vgl Schürer II 421f. Wenn die allerdings aus dem Geiste einer späteren Zeit heraus geformte Märtyrererzählung über Jose in Gn r 65, 22 z 27, 27 einen historischen Kern enthält, dann hat die priesterliche Richtung, die auf Einhaltung der Perischa auch außerhalb des eigtl Tempeldienstes drang, bereits in der 1. Hälfte des 2. Jhdt vChr bestanden.

[20] Vgl außer Ab 1, 4 vor allem Chag 2, 7; „Josef b Jo'eser war ein Frommer (חסיד) in der Priesterschaft, u seine Kleidung [verunreinigte durch] Druck (→ III 422, 4f) [nur] bei Heiligem". Er verstand es also, seine Kleider so in levitischer Reinheit zu halten, daß er in ihnen Priesterhebe verzehren konnte u sie nur vor dem Genuß von Opferfleisch zu wechseln brauchte, vgl über ihn → JJeremias 266. 289. 292.

[21] → JJeremias 291f.

[22] Vgl Schl Gesch Isr 138; → Meyer Pharisäismus 680; → JJeremias 292.

[23] Zum Folgenden vgl bes die umfangreiche Materialsammlung bei Str-B II 494—519.

a. Die Chabura.

Nach den vorliegenden Quellen waren die Peruschim in *Genossen-*
schaften חֲבוּרוֹת Sing חֲבוּרָה zusammengeschlossen. Der hierfür gebrauchte Begriff
Chabura ist an sich neutral; er sagt weder etwas aus über das Wesen der so bezeichneten
Genossenschaft noch über die Form des Zusammenschlusses, geschweige denn, daß 5
irgendein sakraler Bezug an ihm sichtbar wird. So kann man von einem *Verbande der*
Bösewichter[24] u von einer *Gesellschaft der Gerechten*[25] reden, wobei hier Chabura ganz
allg gebraucht wird. Daneben heißt eine Genossenschaft, die es sich zur Aufgabe gemacht, Liebesdienste in der Gemeinde auszuüben, Chabura[26]. Daß eine solche Chabura
damit auch schon pharisäisch sein müsse, ist nicht zu beweisen, ja in Anbetracht der 10
langen Gesch jüd Wohltätigkeit nicht einmal wahrscheinlich[27]. Darüber hinaus kann
auch eine Gruppe von Männern, die sich zum gemeinsamen Opfer u Genuß des Passa-
lammes vereinigt haben, als Chabura bezeichnet werden[28]. Bes aber sei darauf hingewiesen, daß der gleiche Ausdruck eine Rolle spielt, wo Chabura in der Bdtg *Kolle-*
gium auf eine Gesamtheit von Gelehrten oder auf die von einem Lehrer u seinen Schülern 15
gebildete Gemeinschaft bezogen werden kann[29]. Zur spezifisch pharisäischen Korpo-
ration wird die Chabura erst durch die Chaberuth חֲבֵרוּת, dh durch fest umrissene *Ver-*
pflichtungen, die der Neueintretende auf sich nimmt (→ 18, 4ff)[30]. Von חֲבוּרָה
ist die anscheinend ältere Nominalform חֶבֶר zu unterscheiden. Im Gegensatz zu חֲבוּרָה
ist sie bereits in den kanonischen Schriften des AT belegt[31]. Der Begriff Cheber steht 20
auf hasmonäischen Münzen für Gerusia oder Senat, bezeichnet also jenen aristokratischen
Verband, der als Nobilität zus mit dem Priesterfürsten die Jerusalemer Hierokratie
beherrschte[32]. Wiederholt findet sich Cheber innerhalb der rabb Lit in der Verbindung
חֶבֶר הָעִיר *Stadtverband*[33]. Soweit nun die spärlichen Belege überh eine Verhältnisbestimmung zwischen Cheber u Chabura zulassen, so kann sie nur in der Richtung 25
liegen, daß dort, wo der pharisäische Verband gekennzeichnet werden soll, nicht das
Wort Cheber, sondern stets der Ausdruck Chabura gebraucht wird, was möglicherweise
auf den urspr privaten u individuellen bzw Konventikel-Charakter der pharisäischen
Bewegung hinweist[34].

b. Die Chaberim.   30

Das Mitglied — genauer das Vollmitglied (→ 18, 18ff) einer
solchen pharisäischen Chabura — heißt חָבֵר[35]. Als Chaber im pharisäischen Sinne des
Wortes wird derjenige bezeichnet, der die Verbandssatzung der Chaberuth auf sich
genommen hat. Als solcher ist der Chaber sowohl hinsichtlich des Priestertums — es
sei denn, er hat sich als Priester der Chaberuth unterworfen — wie auch im Verhältnis 35
zu den Weisen u Schriftgelehrten in der Regel Laie. Letzteres schließt nicht aus, daß
man wahrscheinlich von Anfang an neben Priestern auch Schriftgelehrte (→ 22, 15ff)
oder Weise (→ 20, 23ff) in seinen Reihen gehabt hat, zumal es zum Zwecke rechter Lebensführung sachkundiger Unterweisung bedurfte; doch grundsätzlich gilt, daß
Chaber u Chakam bzw Talmid-Chakam primär nicht miteinander identisch sind; er- 40

---

[24] Gn r 87, 2 z 39, 7: חבורה של רשעים.
[25] חבורה של צדיקים ebd.
[26] bPes 113b: חבורה של מצוה *Wohl-*
tätigkeitsverein.
[27] Vgl Ab 1, 2 (→ A 18) u Str-B IV 536—
610.
[28] bPes 89a. b, wo die Mitglieder einer
solchen auf Zeit gebildeten Genossenschaft
als בני חבורה bezeichnet werden.
[29] bBer 9b: במעמד כל החבורה *in An-*
wesenheit der ganzen Gelehrtengenossenschaft;
jTer 2, 3 (41c 29f): „Wenn Rab in seiner
Akademie בחבורתיה vortrug, so lehrte er nach
der Ansicht des RMeïr; in der Gemeinde
(בציבורא) hingegen nach der Ansicht RJocha-
nans des Sandalenmachers".

[30] Zur Nominalbildung auf -ut vgl LGulkowitsch, Die Bildung von Abstraktbegriffen
in der hbr Sprachgeschichte (1931) 44.
[31] *Verbindung, Genossenschaft* Hos 6, 9;
בֵּית חָבֵר *gemeinsames Haus* Prv 21, 9;
25, 24, vgl hierzu BGemser, Sprüche Salomos,
Hndbch AT I 16 ²(1963) z 21, 9.
[32] Vgl → Meyer-Weiß 25f.
[33] Vgl bes SKrauss, Synagogale Altertümer
(1922) 19—23.
[34] Umgekehrt kann חבורה von der gottesdienstlichen Gemeinde gebraucht werden, zB
Cant r 8, 12 z 8, 14: „Zur Stunde, da die
Israeliten in [ihren] Gemeinden die Thora
lesen" (בשעה שישראל קורין בתורה בחבורות).
[35] Zur allg Bdtg des Begriffes חָבֵר vgl →
Meyer-Weiß 27.

wähnt sei eine junge Tradition Pesikt r 11 (42a): „Ihre (sc der Israeliten) Chaberim beschäftigen sich mit der Erweisung von Wohltaten..., ihre Chaberim schließen sich den Weisen an[36].

c. Die Chaberuth.

Die Verpflichtungen, die der Chaber übernimmt, werden unter dem Oberbegriff חֲבֵרוּת zusammengefaßt. Es ist nun historisch von vornherein das Wahrscheinlichere — u auch die noch erhaltenen, oft recht unterschiedlichen Traditionen sprechen dafür —, daß die Chaberuth im Laufe der Zeit mancherlei Schwankungen ausgesetzt war u zugleich die einzelnen Schulrichtungen innerhalb des Pharisäismus (→ 27, 26ff) den von ihnen beeinflußten Genossenschaften die eine oder andere Nuancierung verliehen haben. Dennoch ergibt sich insofern ein einheitliches Bild, als die Chaberuth stets durch zwei Hauptmerkmale gekennzeichnet ist, nämlich durch die Verpflichtung zur regelmäßigen Abführung des Zehnten u durch die Auflage, das Gesetz in der Form, in der es für den Priesterdienst am Heiligtum verbindlich ist, im Alltag zu verwirklichen[37]. Aus dem 1. nachchr Jhdt sind einige Traditionen erhalten, die darauf schließen lassen, daß die Organisation der Pharisäer in sich wiederum abgestuft war; uz unterschied man einen unteren Rang, den *Verzehntenden* הַמְעַשֵּׂר, von dem eigtl Chaber, der über die sorgfältige Abführung der Priestersteuer hinaus, die an den Legitimismus bestimmter chasidischer Kreise des 2. Jhdt vChr erinnert (→ 14, 29ff), die Verpflichtung levitischer Reinheit übernommen hat. Diese innere Gliederung wird etwa aus Demai 6, 6 ersichtlich: „Die Schule Schammais hat gesagt: ‚Man soll seine Oliven nur an einen Chaber verkaufen‘; dgg die Schule Hillels sagte: ‚Auch an einen Verzehntenden‘.“[38] Der Aufnahme in den Bund ging — zumindest bei dem künftigen Chaber — eine Probezeit voraus, die von den einzelnen Schulen unterschiedlich bemessen wurde. In dieser Zeit wurden die Kandidaten daraufhin geprüft, ob sie es verstanden, zB ihre Früchte vor unreinem Tau, Wasser, Wein, Öl, Blut u Bienenhonig sowie vor unreiner Milch zu bewahren, u ihre Kleidung vor Kontakt mit levitisch unreinen Pers zu schützen[39]. Die Schule Hillels forderte in beiden Fällen 30 Tage, die Schammaiten hingegen hatten für die Flüssigkeiten eine Probezeit von 30 Tagen u für die Kleidung eine solche von einem vollen Jahre; sie unterschieden also zwei Grade des Chaber-Noviziates[40]. Auch über Ausschließung eines straffällig gewordenen Chaber u über seine eventuelle Wiederaufnahme wird berichtet[41]; dgg haben wir aus dieser Zeit keine Angaben über das Gremium, das über die Aufnahme eines Bewerbers zu entscheiden hatte[42]. Daß die Pharisäer mit ihrer Bildung von Genossenschaften, die in sich abgestuft sind, mit der Schaffung einer Bundessatzung sowie Regelung des Aufnahme- u Ausschlußverfahrens keineswegs original sind, sondern in einer älteren u breiten Tradition stehen, zeigen nicht nur die Berichte des Jos über die Essener Jos Bell 2, 137f, sondern jetzt auch die Bundesgesetze der sadokidischen Gemeinde von Qumran[43].

Bei grundsätzlich gleichem Charakter der Chabura u gleichbleibender Tendenz der Chaberuth scheint nach Ausweis der Quellen in nachhadrianischer Zeit eine Neuordnung der pharisäischen Genossenschaften erfolgt zu sein. So heißt in der 2. Hälfte des 2. Jhdt nChr derjenige, der sich verpflichtet hat, die Selbstbesteuerung in Gestalt des Zehnten durchzuführen, *Beglaubigter* oder *Zuverlässiger* נֶאֱמָן jDemai 2, 2 (22d 41ff). Hinsichtlich des Chaber gilt jetzt nach der allerdings fragmentarischen Tradition TDemai 2, 2: „Wer vier Dinge auf sich nimmt,

---

[36] וחבריהם שלהם עוסקים בגמילות חסדים ...; חבריהם דבוקים לחכמים; vgl dazu Levy Wört sv חָבֵר.

[37] Vgl die Def des Nathan b Jechiel, Aruch completum, ed AKohut (1878—1892) sv פרוש: „Parusch ist derjenige, der sich abgesondert hat von allem Unreinen, von unreiner Speise u vom ‘Am ha-’Areṣ, der es mit der Speise nicht genau nimmt“.

[38] Die Olive gilt wegen ihres Saftes als leicht verunreinigungsfähig Str-B II 504. Zur Fortsetzung von Demai 6, 6: „Die Frommen der Schule Hillels richteten sich nach der Schule Schammais“ vgl → Meyer-Weiß 28 u A 2.

[39] Vgl Maksch 6, 4 u Str-B II 505.

[40] TDemai 2, 12: „Wann nimmt man [den Bewerber] auf? Die Schule Schammais sagt: ‚In bezug auf die Flüssigkeiten [nach] 12 Monaten‘. Doch die Schule Hillels sagt: ‚In diesem u in jenem [Falle nach] 30 Tagen‘.“

[41] bBek 31a Bar u Par; Str-B II 506.

[42] Nach bBek 30b vertritt Abba Scha’ul (um 150 nChr) ua die Meinung, daß ein Talmid-Chakam als Novize die Chaberuth nicht vor einem Kollegium von drei Chaberim auf sich zu nehmen brauche. Hieraus mit Str-B II 506 auf die Aufnahmepraxis aus der Zeit vor 70 nChr schließen zu wollen, erscheint kaum als angängig.

[43] Vgl vor allem 1 QSa u 1 QSb.

den nimmt man als Chaber auf, nämlich daß er die Priesterhebe u die Zehnten keinem
'Am ha-'Areṣ [unter den Priestern u Leviten] gebe[44], daß er sein Reines nicht bei einem
'Am ha-'Areṣ herrichten lasse u daß er seine profanen Speisen in Reinheit esse…"[45].
Zu ergänzen sind diese Angaben durch die Verpflichtung auf die Reinheitsgesetze,
wobei das rituelle Spülen der Hände vor den Mahlzeiten als Grundbedingung gilt TDemai 5
2, 11[46]. Auch auf dieser jüngeren Stufe gilt, daß der künftige Chaber sich einer Probezeit zu unterziehen hat, bevor er sich einem Dreierkollegium stellt, es sei denn, er hat
die Chaberuth schon vor seiner Aufnahme längere Zeit eingehalten[47]. Da die Belehrung
des Neuaufgenommenen auch nach dem offiziellen Beitritt in den Bund fortgesetzt wird,
liegt die Annahme nahe, daß die Rabb in der Regel denjenigen Chaber im Auge haben, 10
der nicht Chakam oder Talmid-Chakam ist u daher laufend mit den Feinheiten der
pharisäischen Gesetzeserfüllung vertraut gemacht werden muß[48]. So wird auch durch
die relativ späten Belege des 2. Jhdt nChr die oben (→ 17, 39ff) ausgesprochene
These bestätigt, wonach der Chaber seinem urspr Wesen nach keinesfalls mit einem
Vertreter der Weisheit u Schriftgelehrsamkeit gleichgesetzt werden darf. Wie in der 15
älteren Zeit, so verhandelt man auch jetzt über die Ausschließung u Wiederaufnahme
Rückfälliger, ein Zeichen dafür, wie wenig selbstverständlich es auch nach dem offiziellen Siege des pharisäisch ausgerichteten Rabbinismus (→ 31, 35ff) war, pharisäischer Chaber im eigtl Sinne des Wortes zu sein. Für die Halacha sind RSchim'on u
RJehoschua' (beide um 150 nChr) mit ihrer Feststellung, Rückfällige immer wieder 20
aufzunehmen, maßgebend geworden TDemai 2, 9; bBek 31a Bar.

Genauso wie sich die Sadokiden von Qumran und ihre Anhänger als das wahre
Israel empfanden und sich gegen die große Mehrheit des Volkes als oppositionelle
Organisation prinzipiell abgrenzten, stellten auch die pharisäischen Verbände
nur relativ kleine, von einem ähnlichen Ausschließlichkeitsanspruch beseelte Ge- 25
nossenschaften dar. Ihre Satzungen richteten sich ebenfalls gegen die überwie-

---

[44] Priester u Leviten haben also nach dem
Untergang der Hierokratie nur dann seitens
der Chaberim Anspruch auf Einkünfte, wenn
sie sich der pharisäischen Lebensordnung
unterwerfen; weiteres → 32, 33ff.

[45] Vgl hierzu Nathan b Jechiels Def von
Parusch (→ A 37).

[46] Die Sitte des Händespülens, möglicherweise als Brauch (מנהג) aus dem profanen
Bereiche der gehobenen Tischsitte übernommen u dem priesterlichen Ritus der
Reinigung vor dem Essen der Hebe angeglichen, ist ein typisches Beispiel dafür,
wie durch die „Weisen" ein Brauch zum
Religionsgesetz wird. Nach jSchab 1 (3d
39) haben „Hillel u Schammai Festsetzungen
über die Reinheit der Hände getroffen"
הלל ושמאי גזרו על טהרת הידים. Beide konnten allerdings nur für ihre Chaburoth eine
derartige Halacha festlegen; weiter reichte
ihre Macht nicht. Ed 5, 6. 7 berichtet, daß
der Tannait Eli'eser b Chanok gebannt
wurde, weil er sich der allg Einführung des
Händespülens widersetzte. Leider kennen
wir den Zeitpunkt dieser Auseinandersetzung
nicht; auf jeden Fall liegt er nach dem
Untergang der Hierokratie. Zum Material vgl
Str-B I 695—704; zur Sache GLisowsky,
Jadajim, Die Mischna VI 11 (1956) 5f u zu
Jad 1, 1—24; zum Minhag → 35, 6ff.

[47] bBek 30b Bar: „Wer die Satzungen der
Chaberuth auf sich nehmen will, muß sie vor
drei Chaberim auf sich nehmen; auch der
Talmid-Chakam muß sie vor drei Chaberim

auf sich nehmen. Ein [Akademie-]Senator
[aber] u einer, der in der Akademie den
Vorsitz führt, braucht sie nicht vor drei
Chaberim auf sich zu nehmen, da er sich
ihnen bereits seit der Zeit unterzogen hat,
da er seinen Sitz [in der Akademie] einnahm."
Diese Bar ist insofern bedeutsam, als sie
zeigt, daß es in erster Linie darauf ankommt,
sich dem pharisäischen Religionsgesetz zu
unterwerfen, während die Mitgliedschaft in
der Chabura freigestellt ist. — Vgl ferner
bBek 30b Bar: „Wenn einer kommt, um
die Satzungen der Chaberuth auf sich zu
nehmen, [u] man hat ihn [dabei] beobachtet,
daß er sie [bereits] heimlich in seinem Hause
befolgt, so nimmt man ihn [sofort] auf, u
anschließend unterweist man ihn. Wenn [dies]
nicht [der Fall ist], unterweist man ihn [zu-
nächst], u nachher nimmt man ihn auf.
RSchim'on b Jochai (um 150 nChr) sagt:
‚Ob so oder so, man nimmt ihn [in jedem
Falle sofort] auf, u er lernt nebenher immer
weiter'"; weniger klar ist die Par TDemai
2, 10f (s Str-B II 508).

[48] Vgl bBer 30b Bar u jDemai 2, 3 (23a
8f) Bar: „Man nimmt [jemand] auf hinsichtlich [des von ihm eingehaltenen] Händespülens u nachher lehrt man [ihn] die Reinheitsgesetze" תני מקריבין לכנפים ואחר כך
מלמדין למהרות. Ebd stellt der Amoräer RJis-
chaq b El'asar (I. um 280 nChr oder II.
um 340 nChr) folgende Reihenfolge in der
Unterweisung auf: Händespülen, leichtere
Unreinheitsgrade, eigtl Reinheitsgesetze u
Verzehntungen.

gende Mehrheit des Volkes[49]; diese nichtpharisäische Majorität belegte man mit dem Schimpfnamen ʻAm ha-ʼAreṣ. Unbeschadet der späteren Entwicklung dieses Begriffes ist hierunter primär nicht etwa ein Ungebildeter zu verstehen, sondern ein Volljude, der in den herkömmlichen Bahnen zu denken und zu leben gewöhnt war und der die pharisäische Idee von der Verwirklichung des Priestergesetzes im Alltage ablehnte (→ V 589, 18ff). Das Urteil, das der ʻAm ha-ʼAreṣ von seiten der Chaberim erfuhr, bezieht sich also nicht auf seine soziale Stellung — er kann zum höchsten Priesteradel gehören, einfacher Priester, Levit oder gewöhnlicher freier Jude sein — noch auf seinen allgemeinen Bildungsstand oder gar auf wirtschaftliche Lage oder politischen Rang; es zielt einzig und allein auf seine antipharisäische Haltung ab.

Die Tendenz der Chaberuth geht nun dahin, den Handel der Chaberim mit dem ʻAm ha-ʼAreṣ vor allem hinsichtlich der Früchte, die leicht levitisch unrein wurden, darüber hinaus aber auch den gegenseitigen Verkehr zu unterbinden (→ A 37). Die Wirklichkeit stand dem freilich oft entgegen; sieht man einmal von den erbitterten Kämpfen ab, die zwischen den Chaberim u dem ʻAm ha-ʼAreṣ Galiläas in nachhadrianischer Zeit ausgefochten wurden, so erzwangen am Ende doch die politischen, ökonomischen u sozialen Gegebenheiten ein Zusammenleben[50].

3. Pharisäische Weisheit und Schriftgelehrsamkeit.

Der Pharisäismus würde zweifelsohne bald der Gesch angehört haben, wenn er nicht einen bes fruchtbaren Boden für die Weisheit u Schriftgelehrsamkeit abgegeben hätte.

a. Die Chakamim.

Es steht fest, daß die von Haus aus internationale u interreligiöse Weisheit des Alten Orients seit Salomos Zeiten in Israel ihren legitimen Platz hatte (→ VII 477, 18ff). Als Erziehungsfaktor hat sie wahrscheinlich im Volke eine weit größere Rolle gespielt, als es nach unseren kanonischen Schriften scheinen mag. Das Kennzeichen der nachexilischen Zeit besteht nun darin, daß die Weltweisheit, die sich um die Erkenntnis der Welt- u Lebensordnungen bemüht, gleichzeitig aber den Menschen zu einem nützlichen Glied der Gesellschaft erziehen will, eine für das Judt symptomatische Verbindung eingegangen ist mit dem Bereiche des Jahweglaubens, der urspr selbständig für sich bestand u dessen Hauptthema Schöpfung u Offenbarung, Heilsgeschichte u Heilsvollendung darstellen. Dieser Verschmelzungsprozeß führte dazu, daß man im Gesetz nicht nur Jahwes Schöpfungs- u Heilsplan, sondern auch die Welt- u Lebensordnung als von Gott gesetzte u urbildlich vorgegebene Größe erkannte oder zu erkennen meinte. So konnten Gesetz u Weisheit nachgerade zum Ausdruck für ein u dieselbe Sache werden. Ein anschauliches Bild von dieser neuen Form der Weisheit, die im Gegensatz zu den alten sakralen Traditionen oder den prophetischen Überlieferungen erst eigtl das Prädikat Theologie verdient, vermittelt Sir, vgl etwa Sir 19, 20: „Alle Weisheit ist Furcht des Herrn, u in jeglicher Weisheit ist das Tun des Gesetzes [enthalten]". Dabei handelt es sich keineswegs nur um die Idee des Gesetzes, sondern nach dem Hymnus Sir 24, 1—22 ist die Weisheit sichtbar mit der Heiligen Stadt, mit dem Tempel u mit dem Pent verbunden: „Dies alles bietet das Buch des Bundes des höchsten Gottes, [nämlich] das Gesetz, das Mose uns anbefohlen hat als Erbteil für die Gemeinden Jakobs" 24, 23. Abgeschlossen ist der hier aufgezeichnete Vorgang im wesentlichen bereits im 3. Jhdt vChr; die enge Verbindung von Weisheit u Gesetz zu einer umfassenden Theologie ist also altjüdisch u damit vorpharisäisch. Der Lehrer dieser Weisheit trägt ganz wie sein weltlicher Kollege den

---

[49] Nach Jos Ant 17, 42 hat es im Königreich des Herodes *über 6000* ὄντες ὑπὲρ ἑξακισχίλιοι Pharisäer gegeben, wobei Jos mit dieser Angabe vermutlich auf Nikolaus von Damaskus fußt. Demgegenüber zählten die Essener 4000 Mitglieder, vgl Ant 18, 20. Gezählt sind hierbei offensichtlich nur die festorganisierten Mitglieder Palästinas, nicht diejenigen der Diaspora u ebensowenig die Kreise, die mit den Pharisäern sympathisierten.

[50] Vgl → Meyer-Weiß 32f.

Titel חָכָם[51]. Der Chakam als der Mann mit dem weltweiten Horizont u der umfassenden Bildung tut nach Sir 39, 4 Dienst im Kreise der führenden Männer des Staates
u erscheint vor dem Herrscher. Er ist Aristokrat dem Geiste nach u als solcher besitzt
er ein stets gleichbleibendes u ungebrochenes Selbstbewußtsein; denn ohne ihn ist
weder eine geordnete Verwaltung u Rechtspflege noch die Unterweisung der heran- 5
wachsenden Generation denkbar. In dem Gemeinwesen von Qumran folgt der Weise
rangmäßig den „Häuptern der Väter der Gemeinde", damit aber unmittelbar auf den
priesterlichen u weltlichen Geburtsadel 1 QSa 2, 11—22[52]. Vergegenwärtigt man sich
nun einen Verband, in dem die angestammte Aristokratie nicht von Haus aus die Führung hat, sondern die Leitung von einem bestimmten Bildungsprivileg abhängig ist, 10
dann ergibt sich, daß dem Chakam in einer solchen Gemeinschaft zumindest die geistige
Herrschaft zufällt[53]. Von hier aus erklärt es sich, warum der Weise, wenn er den
Weg in die pharisäischen Genossenschaften fand, in verhältnismäßig kurzer Zeit überragenden Einfluß gewinnen konnte. Die Chaburoth waren demokratische Verbände,
deren Mitglieder existentiell von dem Problem der Erfüllung des göttlichen Willens in 15
ihrem Alltag beunruhigt waren. Die gültige Antwort konnte ihnen nur der Chakam
geben, weil er sein Wissen um Weisheit u Gesetz in den Dienst pharisäischer Lebensführung sowie der Erziehung seiner Verbandsbrüder stellte.

Mit dem zunehmenden Einfluß der Chakamim überschritt aber der Pharisäismus
mehr und mehr die Grenzen des bisher Überkommenen. Seit dem 3. Jahrhundert 20
vChr dringt, zweifellos unter dem übermächtigen Einfluß der Diaspora, eine neue
Vorstellungswelt in den Komplex der jüdischen Weisheit ein; dieser Einfluß wirkt
sich weniger auf die Gottesvorstellung aus als vielmehr auf die Anthropologie[54],
Soteriologie und Eschatologie (→ VII 46, 14ff), insofern als man jetzt beginnt,
den Menschen nicht mehr rein innerweltlich, sondern als Angehörigen zweier 25
Welten zu erfassen. Es liegt auf der Hand, daß mit der Veränderung des Bildes
vom Menschen auch die Vorstellungen von der Heilsvollendung und den letzten
Dingen sich völlig verschieben mußten, so daß am Ende sich eine weithin
neue Dogmatik ergab, die nur darum vielfach als orthodox angesehen wird, weil
sie den Sieg davontrug und in der Folge die altjüdischen Glaubensvorstellungen, 30
die sich mit den Aussagen der kanonischen Schriften im wesentlichen deckten und
daher als legitim anzusprechen sind, weithin in den Hintergrund geschoben, wenn
nicht überhaupt verdrängt hat[55]. Träger dieser neuen, israelitischem und alt-
jüdischem Denken ursprünglich fremden religiösen Vorstellungen waren jene Chakamim, denen der Pharisäismus mit seinem grundsätzlichen Interesse an der 35
Heiligung des Individuums entgegenkam. So wurde diese Bewegung zum fruchtbaren Boden für die Entfaltung einer teilweise neuen Glaubenswelt, ohne die die
Theologie des Neuen Testamentes überhaupt nicht denkbar wäre. Freilich handelt
es sich hierbei nicht um einen plötzlichen Einbruch, sondern um einen langsamen,
Generationen umfassenden Prozeß, der deswegen in seiner Wirkung so nachhaltig 40
war, weil er nicht nur die Chaberim im eigentlichen Sinne erfaßte, sondern gleichzeitig dem volkstümlichen Glauben und Denken gerecht wurde und es seinerseits
wiederum befruchtete. So erschienen die pharisäischen Chakamim im Gegensatz
zu ihren altjüdisch-orthodoxen sadduzäischen Kollegen als die wahrhaft Fortschritt-

---

[51] Die Vorstellung von einer weltlichen
Weisheit etwa im Sinne unseres modernen
Begriffes Wissenschaft hat es selbstredend
auch nach der Verschmelzung von Weisheit u Gesetz noch gegeben; vgl zB
bBM 85b—86a, wo von dem berühmten
Schulhaupte von Neharde'a, Mar Schemu'el
(gest 254 nChr), kritisch gesagt wird: „Schemu'el, der Astronom, sollte den Titel Wis-
senschaftler (ḥakkim) führen, [aber] nicht
sollte er Rabbi (→ VI 962, 3ff) heißen."
[52] Vgl → Meyer-Weiß 35 A 1.
[53] Vgl hierzu bes → JJeremias 289.
[54] → Meyer Hellenistisches passim.
[55] Vgl RMeyer, Artk Eschatologie III, in:
RGG[3] II 662—665 (Lit).

lichen und Frommen, und als das Judentum gegen Ende des 1. Jahrhunderts nChr im Rahmen einer durch die Reorganisation bedingten umfassenden Restriktion (→ 34, 8ff) sich auch gegen den hellenistischen Geist abzugrenzen begann, waren Kernpunkte seiner Anthropologie und Soteriologie, die ihren Ursprung in 5 der hellenistisch-orientalischen Glaubenswelt hatten, längst zu festen Bestandteilen jüdischen Glaubens geworden (→ VI 375, 42ff; 377, 27ff; 378, 34ff; VII 46, 31ff).

Damit aber wird gleichzeitig eine Spannung deutlich, die das vom Sadduzäismus vertretene Altjudentum nicht kannte u die darin ihren Ausdruck findet, daß der überlieferte hl Text sich vielfach nicht deckte mit den theol Anschauungen, wie sie sich 10 innerhalb des Pharisäismus allmählich herausbildeten u wie sie schließlich für das Gesamtjudentum maßgebend geworden sind. Beides zu vereinen, Altes u Neues miteinander zu verbinden, war Aufgabe der Schriftgelehrten. Dementsprechend muß als letzter, für den Pharisäismus konstitutiver Personenkreis derjenige der Schriftgelehrten oder Gesetzeskundigen in Betracht gezogen werden.

15   *b.* Die Soferim (→ I 741, 1ff).

Mehr noch als der Begriff Chakam weist der Begriff סוֹפֵר einen weiten Bedeutungsumfang auf. Unter dem Sofer hat man einerseits einfach den *Schreibkundigen* zu verstehen, der den zeitgenössischen Analphabeten sachgemäß diente[56], darüber hinaus den *Elementarlehrer*, der nach Ausweis von erhaltenen Schreibübungen 20 u Schreibvorlagen, wie sie sich sowohl in Ugarit (um 1500 vChr) als auch im Wadi Murabbaʿāt (um 130 nChr) gefunden haben, in der Schreibkunst unterrichtete[57]. In die höheren Regionen der Kultur führt der Ausdruck Sofer dort, wo er dem deutschen Begriff *Sekretär* in der ganzen Weite seines Bedeutungsumfanges entspricht: Sekretäre mancherlei Art sind, angefangen vom Adjutanten eines Oberbefehlshabers[58] bis hin 25 zum höchsten Hofamt des סֹפֵר הַמֶּלֶךְ *königlicher Kanzler*, belegt[59]. Eine bes Bdtg erhält der Begriff סוֹפֵר mit seinem aram Äquivalent סָפְרָא in nachexilischer Zeit. An die St des königlichen Kanzlers tritt jetzt der *Staatssekretär;* diesen Titel, der von einer späteren Zeit nicht mehr verstanden u in *Schriftgelehrter* umgedeutet wurde, trägt der Sadokid Esra in Esr 7, 12. 21: סָפַר דָּתָא דִּי־אֱלָהּ שְׁמַיָּא *Sekretär für das Ge-* 30 *setz vom Himmelsgott*[60]. Hierin kommt Esras Verantwortung gegenüber dem persischen Großkönig zum Ausdruck ebs wie seine Vollmacht als Regierungsbeamter gegenüber dem Priestertum von Jerusalem. Doch nicht nur auf der politischen Ebene des Universalreiches, sondern auch im engeren Raum der Tempelprovinz Juda erhält der Begriff Sofer noch eine bes Bedeutungsnuance in Gestalt des *Tempelschreibers.* Der 35 Hohepriester von Jerusalem war der autoritative Interpret des Gesetzes für die Tempelprovinz Jerusalem-Juda im engeren u darüber hinaus für das gesamte Judt im weiteren Sinne[61]. Um diese Tätigkeit ausüben zu können, bedurfte es eines Stabes von Sachverständigen, der sich nun primär nicht aus den Weisen als den Vertretern der Allgemeinbildung rekrutierte, sondern aus den Männern, die mit der Tradition des 40 Gesetzestextes u damit auch mit seiner Auslegung beschäftigt waren, dh aus den Soferim. Sie sind durch einen Erlaß Antiochus' III. vom Jahre 200 vChr bezeugt, in dem er ua die *Tempelschreiber* γραμματεῖς τοῦ ἱεροῦ von der Kopfsteuer uam freispricht[62]. Derartige Soferim sind von Haus aus — genau wie ihre Kollegen im profanen Bereiche — zunächst einmal Schreibkundige. Als solche haben sie am Heiligtum in erster Linie 45 die hl Texte — vorab den Pent — zu vervielfältigen u die kopierten Hdschr zu korrigieren bzw zu revidieren. Aber genau wie in alter Zeit, so erschöpfte sich auch jetzt nicht das Wesen der Soferim in der handwerklichen Tätigkeit, möchte sie auch noch

---

[56] Vgl die als selbstverständlich vorausgesetzte Erscheinung der *Dorfschreiber* κωμογραμματεῖς bzw κωμῶν γραμματεῖς in Jos Bell 1, 24; Ant 16, 203.

[57] Vgl CVirolleaud, Le palais royal d'Ugarit II, Mission de Ras Shamra VII (1957) Nr 184—189 sowie fr 11 (DJD II 92) u Ostraka 73 (DJD II 175). 78—80 (DJD II 178f).

[58] zB 2 Kö 25, 19 (Jer 52, 25): סֹפֵר שַׂר הַצָּבָא.

[59] 2 Kö 12, 11: סֹפֵר הַמֶּלֶךְ; weiteres s Ges-Buhl u Köhler-Baumg sv סֹפֵר.

[60] HHSchaeder, Esra der Schreiber, Beiträge zur historischen Theol 5 (1930) passim; WRudolph, Esr u Neh, Hndbch AT I 20 (1949) zSt.

[61] Vgl → Meyer-Weiß 39.

[62] Vgl hierzu Bickermann aaO (→ A 14) 176 u A 176 (Lit).

so kunstvoll sein[63]. Als Hüter des hl Textes war der Sofer höheren Ranges zugleich derjenige, der das juristische Sachverständnis besaß, um das altüberkommene hl Recht auszulegen u für die jeweilige Gegenwart gültig zu interpretieren. Dementsprechend sind es die *Schreiber* γραμματεῖς, die nach 1 Makk 7, 12 Recht suchen (→ 14, 29ff), um die Legitimität des Aaroniden Alkimus festzustellen. Darüber hinaus aber be- 5 rührte sich, entsprechend dem oben gezeigten Ineinanderfließen von Gesetz u Weisheit (→ 20, 27ff), Gesetzesinterpretation u Weisheitslehre, so daß beide allmählich untrennbar ineinanderflossen u die Begriffe Sofer u Chakam schließlich weithin gleichbedeutend waren, vgl bereits Sir 38, 24—39, 11. Nach Sir ist der Sinn des Sofer[64] darauf gerichtet, über das „Gesetz des Höchsten" nachzudenken 39, 1, der Weis- 10 heit der Altvorderen nachzugehen, sich mit Weissagungen zu befassen, auf die Darlegung berühmter Männer zu achten 39, 2, weise Sprüche zu wechseln, den verborgenen Sinn von Gleichnissen zu erschließen 39, 3 u die Rätsel der Sprüche zu lösen.

Erst die feste Verbindung von Weisheit u Gesetz bzw von Chakam u Sofer als deren Träger ergibt den komplexen Begriff des Schriftgelehrten. Hierbei muß ausdrücklich 15 u mit bes Hinsicht auf die nt.lichen Aussagen über das Verhältnis von Schriftgelehrten zu Pharisäern (→ 39, 26ff) betont werden, daß der Typus des Schriftgelehrten keineswegs pharisäischer Herkunft ist, sondern daß der Schriftgelehrte lange, bevor es Pharisäer gab, sowohl am Tempel zu Jerusalem als auch überall in der Diaspora existierte u weithin dem Judt das religiöse bzw philosophische Gesicht verlieh[65]. Ebs darf man 20 nicht übersehen, daß es bis 70 nChr stets nichtpharisäische Schriftgelehrte gegeben hat, die Gesetz u Weisheit im Sinne von Sir miteinander verbanden[66]. Aber ebs wie für die Weisheit, so gab der Pharisäismus mit seinem Bestreben, das Gesetz im Alltag zu verwirklichen, erst recht für die Entwicklung des Sakralrechtes auf breiter Basis einen günstigen Nährboden ab; denn der Pharisäer fragte bis hin zur Karikatur[67] 25 nach dem Gesetz u seiner jeweiligen Anwendung in den konkreten Einzelfällen des Alltags. Das bedeutete aber, daß der Schriftgelehrte gerade in seiner Eigenschaft als Sofer, dh als Tradent u Interpret der Thora, für die innere u äußere Existenz der Peruschim bzw Chaberim lebensnotwendig war.

4. Die Pharisäer als Partei. 30

Aus der bisherigen Darstellung geht hervor, daß der Pharisäismus seinem ursprünglichen Wesen nach eine Richtung oder auch eine Bewegung innerhalb des Judentums darstellt, die allen Kreisen des Volkes offenstand und keinen Unterschied kannte zwischen dem kleinen Tempelgebiet als Kern des Heiligen Landes und der zahlenmäßig weit überwiegenden Diaspora. Dem- 35 entsprechend mag er in der Diaspora auch stets eine Richtung oder Bewegung geblieben sein, die ihren sinnfälligen Ausdruck in den einzelnen Chaburoth (→ 17, 1 ff) oder auch in der Beobachtung der Chaberuth (→ 18, 4 ff) durch einzelne Pharisäer fand; zur politischen Gruppenbildung fehlten in der Zerstreuung die Voraussetzungen. Anders dagegen lagen die Dinge in Jerusalem und dem dazu gehörigen Gebiete. Da 40 nämlich der Pharisäismus, fußend auf der Idee von der Verwirklichung des Gesetzes im Alltag (→ 15, 39ff), zugleich einen stark legitimistischen Zug trug, konnte es leicht zur korporativen politischen Willensbildung kommen, wenn man in den Kreisen der Chaberim zu der Meinung gelangte, daß die hierokratische Spitze nicht

---

[63] Vgl FMCross, The Development of the Jewish Scripts, in: GEWright, The Bible and the Ancient Near East. Essays in Honor of WFAlbright (1961) 131—202 (Lit).

[64] Vgl Sir 38, 24, wo der griech Text σοφία γραμματέως sich mit hbr חכמת סופר völlig deckt.

[65] Vgl Jos Ap 1, 179 u Schl Gesch Isr 395 A 38.

[66] Dies wird zu Recht durch → JJeremias 263 betont.

[67] Vgl etwa jBer 9 (13b 38ff) Par, wo die Pharisäer in sieben Arten eingeteilt werden u nur der *gottesfürchtige Pharisäer* פרוש ירא nach Art des Hiob u der *gottliebende Parusch* פרוש אהבה nach Art Abrahams eine positive Beurteilung erfahren.

legitim sei bzw sich unwürdig gemacht habe oder das Gesetz nicht in der Weise
erfüllt würde, wie man selbst es verstand. Damit aber war dann der Weg von
der Richtung oder Bewegung zu einer Partei beschritten, die sich — mit den Chaburoth als Kern — im Auf und Ab der innen- und außenpolitischen Ereignisse
behaupten mußte. In diesem abgeleiteten Sinne ist denn auch der Pharisäismus
innerhalb der Hierokratie von Jerusalem wahrscheinlich schon unter Hyrcanus I.
zur Partei geworden.

a. Pharisäer und Hasmonäer.

Die Hasmonäer hatten auch auf der Höhe ihrer Macht erbitterte
Gegner[68], wie es der Herrschaftsantritt Johannes' Hyrcanus I. 134 vChr zeigt. Aber
während es ihnen gelang, mit dem Jerusalemer Priesteradel ein enges Bündnis einzu-
gehen (→ VII 43, 39ff), entwickelten sich die Pharisäer zu einer Oppositionspartei,
deren innerpolitisches Programm darauf abzielte, die in ihren Augen illegitime Dynastie
durch eine aaronitische Hohepriester-Familie zu ersetzen. Hyrcanus I. vermochte es,
seine Herrschaft gegenüber sämtlichen Oppositionellen im Lande zu befestigen Jos Ant
13, 22. Das konnte freilich die Pharisäer nicht daran hindern, bei passender Gelegenheit den Kampf von neuem aufzunehmen, zumal da man offenbar in der Forderung
nach Legitimität des Priesterfürsten den höchsten Ausdruck der Verwirklichung des
Gesetzes sah. Unter dem zweiten Nachfolger Hyrcanus' I., Alexander Jonathan-
Jannai (103—76 vChr), kam es zu einem sechsjährigen Bürgerkriege (93—88 vChr)[69].
Gg Ende dieses innerpolitischen Ringens rufen die Pharisäer als die erklärten Feinde
des Königs aus den Seleukiden Demetrius III. Eukairus zur Hilfe ins Land. Bei Sichem
werden die Söldner des Jannai von den durch die Pharisäer herbeigeholten syr Sold-
truppen geschlagen. Daß tatsächlich die Pharisäer es sind, die den Fremdherrscher
zur Erreichung ihrer Ziele ins Land riefen, sagt zwar Jos nicht ausdrücklich, u die rabb
Überlieferung spricht nur von der antihasmonäischen Einstellung der Pharisäer unter
Jannai[70], aber der freilich stark fragmentarische Text 4 QpNa 1, 2 z 2, 12 erwähnt
einen Demetrius, der auf den Rat der „Exegeten der Falschheit", dh der Pharisäer
(→ 30, 29ff), hin versuchte, Jerusalem zu betreten[71]. Diese Angabe, die sich höchstwahrscheinlich auf den Kampf Demetrius' III. mit Jannai bezieht, ist insofern wertvoll, als sie die überraschende Wendung im Verlaufe der Ereignisse erklärt. Trotz der
Niederlage Jannais kommt die Opposition nicht zum Ziele. Offenbar angesichts dessen,
daß der Syrer Jerusalem bedroht, machen 6000 Juden die Politik der Pharisäer nicht
mehr mit u gehen von der Opposition zu Jannai über. Während Demetrius III. Eukairus es für geraten hält, seinen Sieg nicht auszunutzen u sich zurückzieht, schließt
Jannai nach einem siegreichen Gefecht den Rest seiner Gegner in einer kleinen, bisher
nicht identifizierten Ortschaft Judäas ein[72], u anläßlich eines Siegesmahles läßt er 800
der führenden Oppositionellen in Jerusalem bei lebendigem Leibe kreuzigen — eine
bis dahin in Israel unbekannte Grausamkeit, die außer bei Jos auch in 4 QpNa 1, 2
zu 2, 12 ihren Niederschlag gefunden hat[73]. Daß unter den Opfern viele, wenn nicht
gar die Mehrzahl Pharisäer waren, ist von vornherein wahrscheinlich. Nach diesem
Mord setzte eine Massenflucht seitens der Oppositionellen ein Jos Bell 1, 98, die sich vom
pharisäischen Standpunkte aus in PsSal 17, 15—19 widerspiegelt. Da auf diese Weise
der Widerstand gebrochen war, brauchte Jannai in seinen letzten Regierungsjahren
die Opposition nicht mehr zu fürchten. Gleichwohl unterschätzte er die geistige Potenz

---

[68] Vgl hierzu → Meyer-Weiß 44—50.

[69] Jos Bell 1, 86—106; Ant 13, 324—344.
352—364. 372—383.

[70] Vgl bQid 66a, wo Jehuda b Gedidja das
Priesterkönigtum Jannais mit den Worten
verurteilt: „König Jannai, begnüge dich mit
der Königskrone, überlaß die Priesterkrone
den Nachkommen Aarons!" ינאי המלך רב לך
כתר מלכות הנח כתר כהנה לזרעו של אהרן.
In etwas spätere Zeit gehört eine Tradition
in bJoma 71b, in der Schema‘ja u Abṭaljon
dem hasmonäischen Hohenpriester vorwer-
fen, daß er nicht das Friedenswerk Aarons
übe.

[71] [ואין מחריד‎ (V 12 fin) ‎פשרו על דמי]טרום‎
‎מלך יון אשר בקש לבוא ירושלים בעצת דורשי‎
‎החלקות‎. JMAllegro, Further Light on the
History of the Qumran Sect, JBL 76 (1956)
89f.

[72] Jos Ant 13, 380: Βαιθομμει. Vgl die vl u
Jos Bell, ed u übers OMichel u OBauernfeind
I (1962) 408 A 52.

[73] Vgl Jos Ant 13, 380f; Bell 1, 97f mit
4 QpNah 1, 7 zu 2, 13: ‎מות בדורשי החלקות‎
‎אשר יתלה אנשים חיים‎; Allegro aaO (→ A 71)
91.

des Pharisäismus keineswegs. Anderseits aber zeigt das glänzende Geleit, das das Volk ihm bei seinem Begräbnis gab, daß die gewaltsame Unterdrückung des Pharisäismus u die Grausamkeit seinem Ansehen erstaunlich wenig geschadet hat Jos Ant 13, 405f; Bell 5, 304.

Die Lage änderte sich für den schwer geschlagenen Pharisäismus mit der Machtüber- 5 nahme durch Salome Alexandra (76—67 vChr). Die Königin, der Jannai auf dem Totenbette geraten hatte, sich mit den Pharisäern auszusöhnen Ant 13, 399—404, vgl auch bSoṭa 22 b, geriet zusehends unter den Einfluß der Pharisäer, die nunmehr allem Anschein nach als Mehrheitspartei die Gerusia beherrschten. Unbeschadet ihrer erfolg- reichen Außenpolitik galt für die innenpolitische Seite des Staatswesens Jos Bell 1, 112: 10 „Die Gewalt über die anderen besaß sie, die Herrschaft über sie jedoch hatten die Pha- risäer." Diese wiederum nutzten ihre Macht in brutaler Weise aus; von ihren einstigen aristokratischen Gegnern „ermordeten sie, wen sie wollten" Bell 1, 113. Mit dem Tode von Salome Alexandra 67 vChr war es freilich mit ihrer Herrschaft zu Ende Bell 1, 117— 119. In der rabb Überlieferung erscheint diese kurze Regierung der Pharisäer als eine 15 glückhafte Periode; so heißt es in SLv 14, 1, 1 z 26, 4, daß infolge der Sündlosigkeit unter Schim'on b Schaṭach u der Königin Salome der göttliche Segen an Regen derart groß gewesen sei, daß „die Weizenkörner so groß wie Nieren, die Gerstenkörner wie Olivenkerne u die Linsen wie Golddenare" wurden vgl Lv r 35, 10 z 26, 4 u bBer 48a. Allerdings erfahren wir sehr wenig über die Tragweite des Einflusses, den die Pharisäer 20 auf die Gestaltung des äußeren u inneren Lebens in Israel ausgeübt haben. Die wenigen noch erhaltenen Schultraditionen beziehen sich lediglich auf die Kultordnung im Tempel sowie auf den Festkalender[74]. Immerhin wird zum ersten Male ein führender Pharisäer, Schim'on b Schaṭach[75], greifbar, unbeschadet dessen, daß er in erster Linie als Held von Anekdoten u Schwänken erscheint[76], weniger dgg als Persönlichkeit, die über den 25 engen Kreis der Chaburoth hinaus gewirkt hat. Die spätere Überlieferung, die ihn aus dem Gesichtswinkel ausschließlich pharisäischer Geschichtsbetrachtung heraus teils zum Präsidenten נָשִׂיא, teils zum Vizepräsidenten אַב בֵּית דִּין der Gerusia machte[77], läßt noch etwas ahnen von dem Machtanspruch, den der Pharisäismus unter Salome Alexandra erhob u von dem Jos noch ein anschauliches Bild gibt. Zus mit ihm wird 30 Juda b Ṭabbai genannt; auch er mußte vor Jannai fliehen. Die von beiden erhaltenen Sprüche in Ab 1, 8f, die dem juristischen Bereiche angehören, scheinen auf die Be- herrschung der Jurisdiktion seitens der Pharisäer unter der Königin hinzudeuten[78]. Daß die pharisäische Innenpolitik — außenpolitisch haben sie offensichtlich die Königin im alten Sinne walten lassen — sich keineswegs allg Beliebtheit erfreute, zeigt deutlich 35 die große Anhängerschaft Aristobuls II., der innenpolitisch die Linie seines Vaters verfolgte. So war denn auch die pharisäische Hegemonie mit dem Tode der Königin beendet; aber ein bleibender Gewinn bestand für die Pharisäer darin, daß sie, wenn auch stets in der Minderheit, fortan ständig in der Gerusia (→ VII 860, 16ff) vertreten waren. 40

---

[74] Vgl → Meyer-Weiß 49.

[75] Er ist der Schwager des Königs Jannai u entstammt nichtpriesterlichen Kreisen, vgl → JJeremias 176 A 1.

[76] Zur Gattung des Schwankes gehören ohne Zweifel die beiden Anekdoten jBer 7 (11b 34—53), die davon berichten, wie Schim'on durch einen halachischen Kniff den König um 150 Gelübdeopfer betrog (→ A 103), u wie er, auf Bitten jüd-persischer Gäste als Chakam zum königlichen Mahl ge- holt, zwischen u durch entsprechende Formulierung des Tischgebets erreichte, daß auch ihm etwas vorgesetzt wurde; etwas anders Schl Gesch Isr 154—157, der das Eulenspiegel- hafte der urspr Erzählungen übersieht. Wei- tere Anekdoten beziehen sich auf die Be- gegnung Schim'ons mit Onias, dem Kreis- zieher, wo das pharisäische Schulhaupt mit den Farben eines Ethnarchen (→ 33, 4ff) bzw Patriarchen aus der Zeit nach 70 nChr gezeichnet ist Jos Ant 14, 22—24; Taan 3, 12, sowie auf die Hinrichtung der 50 Frauen in Askalon Sanh 6, 8; letztere ist — motiv- geschichtlich gesehen — möglicherweise durch die Erzählung von der Kreuzigung der 800 Juden durch seinen königlichen Schwager Jos Bell 1, 96 Par (→ 24, 37ff) ausgelöst worden.

[77] Vgl Chag 2, 2, wo in bezug auf die fünf „Paare" jeweils der Erste, unter ihnen Schim- 'on, als נָשִׂיא u der Zweite als אַב בֵּית דִּין be- zeichnet wird: הראשונים היו נשיאים ושניים להם אבות בית דין; weiter jChag 2, 2 (77d 53f), wo Schim'on der Ausspruch in den Mund gelegt wird: „Wenn ich Nasi würde, tötete ich die Zauberer": אין אנא מתעביד נשייא אנא מקטל חרשייא. Anderseits er- scheint er an zweiter Stelle; so in Ab 1, 8 u jChag 2, 2 (77d 18ff), wo seine Stellung um- stritten ist.

[78] Allerdings läßt sich aus diesen Merk- sätzen nichts typisch Pharisäisches erschlie- ßen; vgl etwa die vorsichtige Rechtsprechung der Sadokiden nach Damask 9, 16—10, 3 (10, 10—16).

In den anschließenden dynastischen Streitigkeiten nahmen die Pharisäer einen konsequent hasmonäerfeindlichen Standpunkt ein. Als Hyrcanus II. u Aristobulus II. ihren Zwist 64 vChr vor Pompeius brachten, erschienen nicht nur die beiden Brüder mit ihrem Anhang, sondern nach Jos Ant 14, 41 meldete sich als dritte Partei auch „das Volk, das von der Königsherrschaft überhaupt nichts wissen wollte", zu Wort. Unschwer ist zu erkennen, daß diese Gesandtschaft mit ihren demokratischen Tendenzen von den Pharisäern ausging, wenn sie nicht gar deren Führer waren. Der Einwand, den sie gg das Herrscherhaus erhoben, ist gegenüber ihrer bisher verfolgten Politik insofern neu, als sie das hasmonäische Priesterfürstentum als eine der jüd Gesch nicht entsprechende Neuerung bezeichnen. Damit ist die bisherige legitimistische Haltung der Pharisäer gegenüber dem Priesterfürstentum in Jerusalem grundsätzlich aufgegeben u durch eine Ablehnung der Hierokratie ersetzt. Somit war jene Linie zumindest im Ansatz festgelegt, die es dem Pharisäismus ermöglichte, wie in der Diaspora so auch im Mutterlande ein religiös-nationales Leben ohne politische Selbständigkeit oder auch nur provinzielle Autonomie zu führen. Sehr bald sollte sich diese neue Konzeption politisch auswirken. Als Sosius u Herodes I. Jerusalem belagerten u Antigonus mit seiner treuen Gefolgschaft die Hl Stadt bis zum äußersten verteidigte, waren es der Pharisäer Pollion u sein Schüler Schema'ja, die rieten, Herodes I. die Stadt zu übergeben Jos Ant 15, 3. 6. Sie kamen nach dem Siege des Herodes I. 37 vChr im Gegensatz zur sadduzäischen Mehrheit der Gerusia (→ VII 44, 23ff) nicht nur mit dem Leben davon, sondern wurden im Gegenteil von Herodes I. in Ehren gehalten[79].

b. Der Pharisäismus von Herodes bis zum Tempeluntergang.

Herodes I., der im Gegensatz zum hasmonäischen Prinzip des heilseschatologisch ausgerichteten Nationalpartikularismus innen- u außenpolitisch eine ausgesprochen universalistische Linie verfolgte, konnte den Pharisäismus im wesentlichen gewähren lassen u sogar begünstigen; denn die pharisäischen Chakamim u Soferim waren primär an der religiösen Gemeinde, als deren Kern sie ihre Chaburoth ansahen, sowie am rite durchgeführten Kultus u einem ihren Anschauungen entsprechenden synagogalen Leben interessiert. Von hier aus hatten sie auch eine grundsätzlich andere Einstellung zum Amt des Hohenpriesters als die Sadduzäer (→ VII 44, 8ff). Da sie ein Fürst-Priestertum ablehnten, konnte es ihnen gleichgültig sein, welche politische Stellung der Hohepriester einnahm; Hauptsache war, daß seine Person den kanonischen Vorschriften entsprach. Umgekehrt kam Herodes I. den Pharisäern u ihrem Anhang entgegen, insofern als er sich — ohne sie zu seinen Bundesgenossen zu machen — vom Antritt seiner Herrschaft an bemühte, ihre religiösen Gefühle nicht zu verletzen u auf den religiösen Grundsatz der pharisäischen Eidesverweigerung gegenüber dem Herrscher Rücksicht nahm Jos Ant 15, 370; 17, 42[80]. Diese wohlwollende Neutralität bzw das Entgegenkommen des Herodes I. gerade den Pharisäern gegenüber zeigt sich schließlich darin, daß die Pharisäer am Königshofe aus- u eingingen u hier zutiefst in Palastintrigen verstrickt waren[81]. In der konsequenten Fortsetzung ihrer antihasmonäischen Politik waren die Pharisäer die ganze lange Regierungszeit des Herodes I. hindurch niemals Träger eines Widerstandes im Sinne eines heilseschatologischen Nationalpartikularismus[82]. Dementsprechend hat Herodes I. auch niemals gg die

---

[79] Zur Diskussion über das Verhältnis von Pollion u Samaias zu Schema'ja u Abṭaljon vgl Schürer II 422—424. Es ist nicht undenkbar, daß der Jos Ant 14, 172—176 erwähnte u 47 vChr zugunsten des Herodes auftretende Samaias mit Schema'ja identisch ist, der in der rabb Lit stets vor Abṭaljon erwähnt wird, während der 10 Jahre später auftretende Samaias, der ausdrücklich als Schüler des Pollion (= Abṭaljon[?]) bezeichnet wird, mit dem nachmaligen Schulhaupte Schammai gleichzusetzen wäre. Jos müßte dann Schema'ja u Schammai fälschlich identifiziert haben, was bei der Namengleichheit (שמעיה < שמי) kaum wundernimmt, zumal beide von der gleichen Grundhaltung beseelt sind; vgl Strack Einl 118.

[80] Zu den Eidesverweigerern gehörten auch Pollion u Samaias, ein Zeichen dafür, daß die pharisäische Haltung nicht national-politisch,

sondern ausschließlich religiös begründet war.

[81] Vgl Schl Gesch Isr 236; → Meyer Prophet 57f; → Meyer-Weiß 51f.

[82] Wenn die beiden Redner u Gesetzeslehrer Judas u Matthias, die nach Jos Ant 17, 149—163 ihre Schüler veranlaßten, den von Herodes für das Haupttor des Tempels gestifteten Adler herunterzureißen u damit gg die wirkliche oder vermeintliche Gesetzlosigkeit des Königs zu demonstrieren, Pharisäer gewesen sind, dann gehörten sie jenem Flügel an, aus dem die Zelotenpartei (→ 27, 43ff) hervorgegangen ist u der innerhalb des Pharisäismus selbst durch die Schammaiten (→ 32, 17ff) vertreten wurde. Vgl hierzu HGraetz, Gesch der Juden III ⁵(1905) 235—799; GHölscher, Artk Jos, in: Pauly-W 9 (1916) 1974; WOEOesterley, A History of Israel II (1932) 371; → Hengel 330f.

Pharisäer eine derart feindliche Politik eingeschlagen wie gg die Hasmonäer u die ihren Geist vertretenden Sadduzäer[83].

Die politische Entwicklung nach dem Tode Herodes' I. (4 vChr) war für den Pharisäismus nicht eben günstig; denn mit der Verbannung des Archelaus hatten die alten sadduzäischen Gegner nach der grausamen Unterdrückung durch Herodes I. (→ VII 5 44, 26ff) wieder Oberhand bekommen[84], u es ist nicht gut anzunehmen, daß die neuen innenpolitischen Machthaber, die das altorthodoxe Judt vertraten, den Pharisäern in gleicher positiver Neutralität gegenüberstanden wie Herodes I. Es dürfte jedenfalls sicher sein, daß die pharisäischen Chaburoth u ihre Führer in den Jahrzehnten bis zum Ausbruch des Aufstandes gg Rom nicht den Charakter der Gerusia u ebensowenig das 10 politische Gesicht des hierokratischen Gemeinwesens bestimmt haben. Einen indirekten Hinweis auf diesen Sachverhalt bietet die bewegte Klage des Jos, wonach etwa seit 50 nChr die Gesetzlosigkeit zugenommen habe, was in seinem Munde kaum etwas anderes bedeutet, als daß die Pharisäer in dieser Zeit keineswegs die maßgebende Rolle spielten Jos Ant 20, 179—181. Anderseits bedeutete die politische Wendung, wie 15 sie mit Archelaus' Verbannung eingetreten war, für den Pharisäismus in seinem Kern keineswegs einen Verlust an innerer Substanz; denn seitens der aristokratischen Oberschicht wurden keine Gewaltmaßnahmen gegenüber den pharisäischen Chaburoth versucht, u außerdem erfreuten sich gerade die pharisäischen Schriftgelehrten besonderer Volkstümlichkeit, da sie auf Grund ihrer Gesetzesauffassung (→ 31, 18ff) jederzeit 20 in der Lage waren, durch Legalisierung volkstümlicher Bräuche u Glaubensvorstellungen (→ 21, 20ff; VII 50, 29ff) der breiten Masse entgegenzukommen.

c. Pharisäer und Zeloten (→ II 886, 36ff).

Auch über den Abschnitt pharisäischer Gesch, der durch den Tod des Herodes I. einerseits u den Ausbruch des ersten Aufstandes anderseits begrenzt 25 wird, besitzen wir nur sehr wenige historisch brauchbare Überlieferungen. Immerhin weisen die noch erhaltenen Traditionen darauf hin, daß der Pharisäismus in seinen einzelnen Chaburoth keineswegs eine Einheit darstellte, sondern in verschiedene Richtungen aufgespalten war. Bekannt sind die Differenzen zwischen Hillel, der aus der bab Diaspora stammte u als milder Gesetzesinterpret galt, u Schammai, der in die Tradi- 30 tion als Rigorist eingegangen ist. Wieweit es daneben innerhalb oder außerhalb Palästinas um die Wende unserer Zeitrechnung noch andere pharisäische Schulen gegeben hat, läßt sich dem vorhandenen, allerdings sehr fragmentarischen Quellenmaterial nicht mehr entnehmen. Gleichwohl kennen wir wenigstens eine selbständige Gruppe, die späterhin nicht in die Väter-Genealogie aufgenommen wurde, in Gestalt der Bene Ba- 35 thyra, die nach ihrem Herkunftsort, einer unter Herodes I. gegründeten bab-jüd Militärkolonie in Batanäa, genannt wurden u die vor Hillel hohes Ansehen in Jerusalem genossen[85].

Darüber hinaus aber bedeutet der Tod des Herodes I. für den Pharisäismus insofern den Beginn einer Krise, als sich die alte, dem heilseschatologischen Par- 40 tikularismus abgeneigte Grundtendenz nicht mehr auf der ganzen Linie einhalten ließ u die Fronten innerhalb des Pharisäismus teilweise schroff auseinanderbrachen. Historisch zum ersten Male greifbar wird der innere Riß innerhalb des Pharisäismus mit der Gründung der Zelotenpartei (→ 28, 18ff; II 886, 46ff) unter Judas, dem Galiläer[86], u einem Pharisäer namens Ṣadoq Jos Ant 18, 4ff. In Ant 18, 9 wird diese 45 Partei, die Jos neben Sadduzäern, Pharisäern u Essenern nennt, als *vierte Philosophenschule* τετάρτη φιλοσοφία bezeichnet[87]. Auch hier gilt, ebenso wie bei der entsprechenden Kennzeichnung des Pharisäismus (→ 13, 23ff), daß Jos mit einer solchen Klassifizierung, die ja für ein hell Publikum bestimmt war, den Charakter der neuen Bewegung zumindest nicht falsch charakterisiert hat. Diese neue Richtung, die ihren Namen 50 möglicherweise ebs von außen bekommen hat wie dies bei den Sadduzäern, Pharisäern u Essenern höchstwahrscheinlich auch der Fall ist, ist im Prinzip nichts anderes als ein radikaler, dh partikularistisch eingestellter Flügel der Pharisäer. So sagt Jos Ant

---

[83] Der von Herodes für den Fall seines Todes vorgesehene Massenmord galt nicht den Pharisäern als solchen, sondern der Oberschicht, die er im Hippodrom von Jericho einsperren ließ Jos Ant 17, 174—181.

[84] Vgl → Meyer-Weiß 52f.

[85] Zu den Belegen vgl → JJeremias 275 A 6. Es sei angemerkt, daß der karäische Tiberier Mosche b Ascher die Männer von

Bathyra in dem „Liede vom Weinstock" als seine geistigen Ahnen betrachtet: „Die Vollkommenen des Weinstocks sind die Alten von Bathyra, die Erben der Propheten, die über Einsicht verfügten", vgl hierzu Kahle aaO (→ A 18) 91—93.

[86] Vgl → Meyer Prophet 70—79. 160.

[87] Vgl hierzu → Hengel 79—150.

18, 23, daß der vierten unter den Philosophenschulen Judas der Galiläer vorstehe u daß diese Richtung gänzlich mit den Pharisäern übereinstimme, sich jedoch darin von ihnen unterscheide, daß ihre Freiheitsliebe unüberwindlich sei u von ihr allein Gott als Herrscher u Herr anerkannt werde. Der primär pharisäische Charakter der neuen Bewegung wird noch dadurch von Jos betont, daß neben Judas der Pharisäer Ṣadoq als Mitbegründer namentlich genannt wird. Es steht fest, daß die Partei der Zeloten über ein festes religiöses, nicht jedoch — wie vielfach angenommen — in erster Linie politisches Programm verfügte u eine kontinuierliche Gesch aufzuweisen hat, die folgerichtig in den Aufstand unter Vespasian hineinführen mußte. Jos berichtet, daß Judas einen großen Zulauf gehabt habe, u es ist wohl anzunehmen, daß dieses schnelle Wachstum zu einem guten Teile auf Kosten des älteren Pharisäismus erfolgte, uz sowohl hinsichtlich der eigtl Chaburoth als auch in bezug auf die weiten Kreise, die mit den Pharisäern sympathisierten. Der Grund hierfür ist leicht einzusehen: Herodes I. hatte den Gedanken eines weltlichen Universalreiches derart in Mißkredit gebracht, daß mit seinem Tode auch der Pharisäismus in Mitleidenschaft gezogen werden mußte. Die Folge war eine Opposition gg den pharisäischen Grundsatz, wonach eine weltliche Staatsform — anders als ein Priesterfürstentum — jederzeit zu ertragen sei, sofern es nicht in die religiösen Belange eingreife. Ein Teil dieser Opposition aber ist es, der im Rahmen der sich ergebenden inneren Auseinandersetzung die pharisäische Gemeinschaft gesprengt hat, ohne dabei die übrigen pharisäischen Grundanschauungen aufzugeben. Dementsprechend wird man nicht nur in Ṣadoq einen pharisäischen Schriftgelehrten sehen müssen, sondern sich auch Judas als einen Mann vorzustellen haben, der — alles andere als ein politischer Ehrgeizling — in seiner Pers politisch-militärisches Können u Weisheit bzw Schriftgelehrsamkeit miteinander verband. Jos bezeichnet ihn Ant 18, 23 als ἡγεμών u Bell 2, 118 als σοφιστής. Steht hinter dem Begriff ἡγεμών der messianisch-politische Anspruch, so bedeutet hinwiederum der Titel σοφιστής zB in Bell 2, 118 *Lehrer* u in Bell 2, 433 — in beiden Fällen auf Judas als Vater des messianischen Thronanwärters Menachem bezogen — *Gelehrter;* das hbr Äquivalent hierfür stellt ohne Zweifel Chakam dar (→ 20, 23ff). Aus den Andeutungen des Jos ergibt sich also, daß Judas einerseits als messianischer Thronanwärter aufgetreten ist u andererseits ein pharisäisch ausgerichteter Chakam war, der für die Freiheit kämpfte nicht im Sinne rein politischer Autonomie, sondern mit dem Ziele, dem Gesetz zum Siege zu verhelfen u somit die Freiheit in Gestalt der Gottesherrschaft für immer herbeizuführen[88]. Der ältere Pharisäismus hat sich gg die neue Tochterpartei[89] abzugrenzen versucht. Ganz ist ihm dies freilich nicht gelungen. Trotz der Abspaltung der „Eiferer" konnte sich auch der pharisäische Kern, der an seiner universalistischen Grundeinstellung festzuhalten suchte, des offenbar außerordentlich starken zelotischen Geistes, der die Juden Palästinas beseelte, nicht erwehren[90]. Zelotische Gedankengänge u Bestrebungen blieben auch im eigtl Pharisäismus lebendig. So hat es den Anschein, daß die Schule Schammais zelotisch eingestellt war[91]; mit Sicherheit können wir bei Akiba (→ VI 824, 36ff) eine ausgesprochen zelotische Haltung nachweisen.

d. Der Pharisäismus im Lichte sadokidischer Kritik.

Abgesehen von den antipharisäischen Äußerungen im NT (→ 36, 25ff), liegen jetzt auch mehrere Belege aus Qumran vor, die deutlicher als die in der rabb Lit u bei Jos überlieferten Schulstreitigkeiten zeigen[92], daß der Pharisäismus vor seinem Siege gg Ende des 1. Jhdt nChr keineswegs unbestritten dastand, sondern daß er vielmehr seitens der altjüdischen Orthodoxie dogmatisch grundsätzlich bekämpft wurde, uz handelt es sich hierbei nicht um einzelne Satzungen der Chaburoth, die Widerstand u Ablehnung hervorriefen, sondern man stieß bis zum Kern des Ganzen vor, der in der pharisäischen Gesetzesauffassung bestand. Es wurde bereits darauf hingewiesen, daß die Umsetzung des priesterlichen Gesetzes in den Alltag des Laien nur dadurch möglich wurde, daß der Weise (→ 21, 14ff) oder Schriftgelehrte (→ 23, 22ff) pharisäischer Prägung den hl Text entsprechend auslegte. Eine Auslegung der Thora

---

[88] Vgl → Meyer-Weiß 56 f.
[89] → Hengel 87 A 5.
[90] Wenn → Wellhausen 110 im Anschluß an Jos feststellt, daß infolge eines realeren Zeitgeistes „das Volk den Pharisäern aus der Schule" lief, so muß dies jetzt dahingehend modifiziert werden, daß es der heilseschatologisch ausgerichtete Zelotismus war, der die aktiven Kräfte unter den Pharisäern anzog.

Zur Gesch der zelotischen Bewegung → Hengel 319—383.
[91] Vgl hierzu die Tradition über die „Achtzehn Bestimmungen" (Str-B Regist sv) sowie über die wohl ebenfalls schammaitische „Fastenrolle" (Megillath Taanith) in bSchab 13b; zum Ganzen → Hengel 204—211.
[92] Vgl das Material bei Str-B IV 344—352.

u damit einen Bezug des Gesetzes auf die jeweilige Gegenwart gab es selbstredend im
Judt auch dort, wo man nicht von der Idee der Heiligung des profanen Lebens beseelt
war; aber das Kennzeichen des Pharisäismus bestand nun darin, daß die einzelnen
religionsgesetzlichen Entscheidungen nicht nur zu festen Bestandteilen der Satzungen
in den Chaburoth wurden, sondern daß sie sich gleichsam neben die Thora schoben 5
bzw sich um sie herumlegten wie ein Zaun. Damit entstanden in den einzelnen Schulen
wahrscheinlich schon sehr früh religionsgesetzliche Sammlungen, die — offenbar von
den verschiedenen Richtungen eifersüchtig gehütet — neben das alte Priestergesetz
im Pent rückten u als das mündliche Gesetz die gleiche dogmatische Geltung beanspruchten wie die schriftliche Thora. Der klass Beleg für das Dogma vom mündlichen 10
Gesetz, das sich als Zaun um die schriftliche Thora immer neu entfaltet, findet sich
gleichsam thematisch in Ab 1, 1, wo einerseits betont wird, daß die Thora in beider-
lei Gestalt durch Mose am Sinai empfangen worden sei, u zum anderen gefordert wird,
einen ,,Zaun für die [schriftliche] Thora" zu machen[93]. Jos kennt den gleichen pharisäischen Grundsatz. Nach Ant 13, 297 haben die Pharisäer auf Grund der Über- 15
lieferung der Väter dem Volke Gesetze gegeben, die in der Thora nicht enthalten sind;
nach der Ansicht der Sadduzäer aber sei die Väter-Tradition nicht dem Gesetz gleichzustellen (→ VII 49, 46ff). Der Unterschied zwischen sadduzäisch-sadokidischer u
pharisäischer Schriftgelehrsamkeit besteht demnach darin, daß der Sadduzäer mit seinen
gesetzlichen Entscheidungen stets der Kritik unterworfen bleibt, während der phari- 20
säische Schriftgelehrte an eine absolut gesetzte, vom Lehrer auf den Schüler vererbte
Schultradition gebunden ist u als Träger der mündlichen Thora u Hüter des Zaunes
um das Gesetz beansprucht, letzte religionsgesetzliche Instanz zu sein[94].

Der gesetzliche Zaun in Gestalt der Tradition soll nach den Aussagen der Rabbinen den Gläubigen vor Übertretungen schützen, die ihn zum Todsünder machen 25
könnten[95]. Dementsprechend besteht das allerdings vor der Tempelzerstörung
nicht erreichte Ideal in einer bis ins einzelne durchdachten nomistischen Lebensordnung, die in allen Wechselfällen die Gemeinschaft mit Gott gewährleistet. Von
hier aus erscheinen die Pharisäer als die wahrhaft Frommen, und vielfach werden
sie auch noch in der modernen Literatur als die eigentlich Orthodoxen betrachtet, 30
die mit ihrem Streben nach umfassender Gesetzeserfüllung das Wesen des nachexilischen Judentums am folgerichtigsten von allen Parteien verkörpern und damit
gleichsam am historisch-logischen Endpunkt der von Esra eingeleiteten Entwicklung stehen[96]. Um so aufschlußreicher ist darum die Kritik, die der Pharisäismus seitens der unter sadokidischer Führung stehenden Chasidim von Qumran 35
erfährt.

Die Damask, die nunmehr wohl endgültig als sadokidisch u damit als pharisäer-
feindlich anzusprechen ist[97], greift 4, 19 (7, 1) unter Anspielung auf Ez 13, 10 den

---

[93] Die Forderung עשו סיג לתורה wird auf
die Männer der sog ,,Großen Versammlung"
zurückgeführt. Wenn hieraus auch nichts
über ihre chronologische Festlegung zu entnehmen ist, so zeigt doch die pointierte Her-
ausstellung dieses Satzes zu Beginn von Ab,
daß die Rabb im ,,Zaun um das Gesetz" ein
seit alters bestehendes Wesensmerkmal des
Pharisäismus sahen. Anderseits fällt auf,
daß die beiden vorhergehenden Sätze —
,,Seid vorsichtig beim Richten" u ,,Stellt
viele Schüler auf" — weit allgemeiner gehalten sind u im Grunde für jede andere jüd
Gruppe von Chakamim ebs passen.

[94] Hierbei ist zu beachten, daß dieser dog-
matische Anspruch vor dem endgültigen
Siege der Hilleliten (→ 33, 25ff) im
Grunde nicht über die Grenzen der jeweiligen
Richtungen u der ihnen folgenden Chaburoth
hinausging; denn die Pharisäer, die dem

Volke Gesetze aus ihrer Schultradition auf-
prägen konnten, gab es erst, als eine bestimmte Richtung unter ihnen die alleinige
Jurisdiktionsgewalt errungen hatte (→
34, 38ff). Jos führt hier irre, insofern als
er die Verhältnisse in Palästina nach dem
Tempeluntergang in die Zeit vorher zurück-
blendet.

[95] Vgl Ab 3, 3: ,,RAkiba (gest um 135
nChr) pflegte zu sagen: ,...Die Überlieferung ist ein Zaun für die Thora'."

[96] Vgl hierzu zB das rein aus der Tradition
konstruierte Geschichtsbild, wie es KSchubert, Die Religion des nachbiblischen Judt
(1955) 3—12 bietet.

[97] Zu Damask vgl OEißfeldt, Einl in das
AT[3] (1964) 880—884 (Lit). Mit der endgültigen religionsgeschichtlichen Festlegung
von Damask als sadokidisch hat der Erst-
herausgeber SSchechter im vollen Umfange

Grundsatz, wonach man einen Zaun um die Thora legen solle, polemisch auf, wobei für Zaun das Wort Scheidewand verwendet wird. Dementsprechend erscheinen die Gegner als „die Erbauer der Scheidewand, die einem Schwätzer nachlaufen" u dabei selbst das Gesetz übertreten. So wird ihnen zB Unzucht vorgeworfen, da sie entgegen Gn 1, 27; 2, 7 sich nicht mit einer Ehefrau begnügen, sondern Bigamie treiben[98]. Nach 8, 12f. 16. 18 (9, 21f. 24. 26) sind diese Männer ferner daran schuld, daß Gottes Hand schwer auf dem Volke lastet: „Doch all dies haben die, die die Scheidewand gebaut u mit weißer Tünche beschmiert haben, nicht verstanden; denn ein Windmacher u Lügenprophet predigte ihnen, so daß Gottes Zorn gg seine ganze Gemeinde entbrannte... Und das ist das Rechtverhalten derer, die umgekehrt sind in Israel: sie haben sich abgewendet vom Wege des Volkes." Die Form, in der die Sadokiden ihre Gegner beschreiben, läßt vermuten, daß sie sachlich unterschieden zwischen den *Erbauern der Scheidewand* einerseits u dem *Schwätzer* bzw *Lügenpropheten* anderseits. Erstere stellen offenbar einen Verband dar, der als solcher längst vor dem Lügenpropheten u unabhängig von ihm existiert, während letzterer an einer bestimmten St in der Gesch dieser Gemeinschaft — höchstwahrscheinlich zZ der Entstehung dieser polemischen Worte oder kurz vorher — eine führende Rolle spielt oder gespielt hat. Ohne eine solche maßgebende Gestalt wird der gleiche Verband in Damask 1, 18—2, 1 (1, 13—17) folgendermaßen gekennzeichnet: „Darum, daß sie verführerische Auslegungen vortrugen u Täuschungen bevorzugten, daß sie nach Lücken ausspähten, ...den Frevler zum Gerechten machten u den Gerechten zum Frevler, ...daß sie alle, die aufrecht wandelten, verabscheuten u sie mit dem Schwerte verfolgten..., entbrannte Gottes Zorn gg ihre Gemeinschaft...". Im sadokidischen Schrifttum von Qumran auch außerhalb Damask findet sich die gleiche Polemik gg die Männer, die den Anspruch erheben, das Gesetz zu erfüllen, u zu seiner Ausübung anzuleiten, die aber unter sadokidischem Gesichtswinkel nichts anderes sind als Leute, die das Gesetz erweichen u auflösen[99]. Zwar findet sich in den Qumrantexten bisher nicht das Bild von der Scheidewand als Gegenstück zum pharisäischen „Zaun", wohl aber werden Damask 1, 18 (1, 13) u zB 1 QH 2, 15. 32 dadurch als zusammengehörig erwiesen, daß in Damask die Redewendung דרש בחלקות begegnet, dem in 1 QH sowie 4 QpNa u 4 QpJs^c das Part Plur דורשי חלקות entspricht[100]; hierunter hat man nicht Leute zu verstehen, „die glatte Dinge suchen", sondern Männer, „die verführerische Schriftauslegung vortragen"[101]. Die sadokidische Kritik bleibt jedoch nicht bei dem allg Vorwürfen der schriftgelehrten Verführung stehen, sondern läßt — bei aller indirekten Redeweise — erkennen, was am Pharisäismus konkret auszusetzen ist. Damask 1, 18f (1, 13) sieht in den pharisäischen Schriftgelehrten Männer, die darauf ausgehen, Lücken im Gesetz zu erspähen, die man zum eigenen Vorteil ausnützen kann. 1 QH 2, 34 bezeichnet sie als solche, *die Lässigkeit predigen*, nach 1 QH 4, 10 läuft ihr Sehertum auf Erweichung des Gesetzes hinaus[102]. Die „Lüge", der „Trug", der „Irrtum" u die „Verführung" der pharisäischen Schriftgelehrten besteht also nach sadokidischer Anschauung darin, daß zur Scheidewand um das Gesetz noch die praktische Auflösung der Thora kommt. In den Augen der Orthodoxen bzw altgläubigen Sadokiden sind die Pharisäer nicht Männer, die das Gesetz erfüllen, sondern Leute, die es auflösen. Gleichzeitig deutet Damask 8, 18 (9, 26) an, daß diese „Männer der Laxheit" dem Volke in seiner gesetzlosen Art entgegenkommen, wenn es heißt, daß „die, die

---

Recht bekommen; vgl ders, Documents of Jewish Sectaries I: Fragments of a Zadokite Work (1910) XXVIII. Dgg muß die These von der pharisäischen Herkunft von Damask, wie sie noch von JJeremias, Jerusalem zZt Jesu II B ²(1958) 130—134 pointiert vertreten wurde, als verfehlt aufgegeben werden; vgl Kahle aaO (→ A 18) 18—23 u → JJeremias 294—297.

[98] Damask 4, 19—21 (7, 1—3): בוני החיץ אשר הלכו אחרי צו הצו הוא מטיף אשר אמר הטף יטיפון הם נתפשים בשתים בזנות לקחת שתי נשים בחייהם. Die Redewendung הלך אחרי צו stammt aus Hos 5, 11 (LXX: πορεύομαι ὀπίσω ματαίων), während מטיף u הטף יטיפון nach Mi 2, 6. 11 gebildet sind. צו kann im Zshg nur *lügnerisch* bzw *frevelhaft* (vgl μάταιος) bedeuten, während מטיף

der Lügenprophet ist, der andere dazu verleitet, falsche Prophezeiungen (הטף יטיפון) zu bieten.

[99] JCarmignac, Les éléments historiques des Hymnes de Qumran, Revue de Qumran 2 (1959/60) 205—222.

[100] 1 QH 2, 15f. 32; ferner 4 QpNa 1, 2 z 2, 12 u 4 QpJs^c Z 10, ed JMAllegro, More Js Commentaries from Qumran's fourth Cave, JBL 77 (1958) 215—221. Hierzu u zu den Äquivalenten vgl Carmignac aaO (→ A 99) 216f; zu 4 QpNa 1, 2 z 2, 12 → A 71.

[101] Zum Problem vgl → Meyer-Weiß 61f.

[102] 1 QH 2, 34: דורשי רמיה, wobei allerdings רמיה auch als *Trug* übersetzt werden kann (Ges-Buhl, Köhler-Baumg sv); 4, 9f: מליצי כזב וחוזי רמיה ... להמיר תורתכה; vgl auch 4, 7 u JLicht, The Thanksgiving Scroll (1957) 74. 92.

umkehrten in Israel, sich vom Wege des Volkes abgewendet haben" (→ 30, 10f). In diesen Vorwürfen, die man nicht einfach als Protest einer erstarrten Priestertradition abtun darf, stellt sich im Grunde das Spiegelbild dessen dar, was Jos Ant 18, 12 positiv mit den Worten umschreibt, daß die Pharisäer es für ihre Pflicht hielten, dem auf jeden Fall zu folgen, was die urteilende Vernunft als gut überliefert habe oder laufend an die 5 Hand gebe. Wenn es richtig ist, daß die *Erbauer der Scheidewand* Pharisäer sind, dann erhebt sich die Frage, wer unter der führenden Gestalt zu verstehen ist, den die sadokidische Kritik als *Schwätzer, Windmacher* u *Lügenpropheten* bezeichnet Damask 4, 19 (7, 1); 8, 12ff (9, 21ff) (→ 30, 3ff). Überschaut man die Gesch des Pharisäismus in hasmonäischer Zeit (→ 24, 9ff), so bietet allein die Regierungszeit von Salome 10 Alexandra Raum für Damask 1, 20f (1, 15f), wonach die Männer, die *verführerische Schriftdeutungen vortrugen*, zugleich die Macht hatten, die *aufrecht Wandelnden* zu verfolgen. In dieser Zeit aber ragt Schim'on b Schaṭach als der geradezu klass Typus des Pharisäers hervor, der das pharisäische Ideal bis hin zur Groteske verkörpert u durch sein Wesen den Gegner herausfordern muß. Es scheint daher nicht unmöglich, 15 etwa in ihm den *Schwätzer* der sadokidischen Kritik zu sehen[103]. Schim'on ist freilich nicht der einzige zur Kritik herausfordernde führende Pharisäer. Gleiches ist von seinem jüngeren Zunftgenossen Hillel zu sagen. So wäre etwa vom Standpunkte der altjüdischen Orthodoxie auch ein so tiefgehender Eingriff in das kanonische Geldrecht, wie ihn der von Hillel befürwortete Prosbol darstellt, unmöglich. Unter dem 20 Prosbol, griech προσβολή[104], versteht man einen Vorbehalt, durch den der Gläubiger verhindern will, daß das einem Dritten gegebene Handdarlehen unter den Schuldenerlaß des Sabbathjahres fällt. Der Gläubiger erklärt vor mindestens zwei Zeugen schriftlich, daß er zu jeder Zeit — also auch im Erlaßjahr oder nach seinem Ablaufe — das gegebene Darlehen einfordern dürfe[105]. Dies soll Hillel nach Schebi 10, 3f eingeführt 25 haben. Nun ist allerdings sicher, daß Hillel niemals eine derartige Verordnung einführen konnte, da er als Schulhaupt lediglich Privatperson war u somit keinerlei Amtsbefugnisse im Sinne eines Synedrialpräsidenten besaß. Wohl aber wird es sich bei dieser angeblichen Verordnung um einen Rat handeln, den er zunächst seinen Chaberim gegeben hat u den dann auch andere, da er bequem war u das Gewissen entlastete, 30 gern übernahmen. Ein solcher Rat aber bedeutete nichts anderes als die sakralrechtlich legitime Übernahme eines profanen Rechtsbrauches, die auf eine Annullierung des Erlaßgesetzes in Dt 15, 2 hinauslief u damit genau das ergab, was die antipharisäische Kritik der Sadokiden als eine „verführerische Thora-Auslegung" bezeichnet.

III. Der Sieg des Pharisäismus. 35

1. Das Judentum Palästinas nach dem Untergang der Hierokratie.

Vielfach wird die Gesch des palästinischen Judt seit Hyrcanus I. (135—104 vChr) so dargestellt, als ob der Rabbinat die ungekrönten Könige etwa der Jahre zwischen 100 vChr u 70 nChr gestellt habe, so daß das innere u weithin auch das 40 äußere Gesicht dieser Epoche im wesentlichen durch den Pharisäismus geprägt worden sei. Demgegenüber ist festzustellen, daß der Pharisäismus mit Ausnahme der wenigen Jahre unter Salome Alexandra (→ 25, 5ff) u abgesehen von einer mehr oder weniger bedeutenden Minderheit in der Gerusia zwischen 67 vChr u 70 nChr niemals von sich aus das politische Gesicht des palästinischen Judt geprägt hat. 45

---

[103] Vgl jBer 7 (11b 34ff): Als einst 300 Männer aus Armut ihr Gelübde nicht einlösen können, bittet Schim'on den König, 150 Gelübdeopfer zu übernehmen, während er die andere Hälfte einlösen wolle. Dieser geht gern auf den Vorschlag ein u bezahlt seinen Anteil; der pharisäische „Weise" dgg zahlt nicht einen Pfennig, da er die Lücke bzw die Tür kennt, durch die man entschlüpfen kann, ohne sakralrechtlich straffällig zu werden. Sieger in dem Schwank ist der schlaue Pharisäer, der den „unweisen" Priesterkönig zum Narren gehabt hat; → Meyer-Weiß 63—66.

[104] Zu προσβολή vgl Preisigke Wört sv; zur Sache s DCorrens, Schebiit, Die Mischna I 5 (1960) 155f zu Schebi 10, 3.
[105] Wie aus bGiṭ 36b hervorgeht, hat man auch in späterer Zeit Bedenken gg den Prosbol seitens der Rabb gehabt; gleichwohl ist er mit dem Siege des Pharisäismus in die rabb Halacha aufgenommen u später in der Mischna konserviert worden, unbeschadet dessen, daß das Erlaßjahr mit seinen strengen Bestimmungen für den Juden, der auf dem Boden des Hl Landes wohnte, mit dem Untergang der Hierokratie von Jerusalem seine praktische Bdtg verloren hatte.

Die große Zeit des Pharisäismus kam erst nach der Tempelzerstörung und der Zerschlagung der Jerusalemer Hierokratie; aber um diese Zeit erfocht er denn auch einen Sieg, der so durchgreifend war, daß selbst die Katastrophe unter Hadrian nichts hieran ändern konnte.

5   Der unglückliche Ausgang des Ersten Aufstandes bedeutete nicht nur rein äußerlich die Einnahme Jerusalems u die Auslöschung des Tempeldienstes, sondern war gleichbedeutend mit dem Ende einer Idee, wie sie durch den Sadduzäismus (→ VII 43, 17ff) vertreten wurde. Die Richtung, die für eine Reorganisation des Judt unter den neuen Verhältnissen in Frage kam, war schon auf Grund ihrer inneren Voraussetzungen der
10   Pharisäismus; denn das Pharisäertum war nicht primär an einem bestimmten Status religiös-politischer Eigenständigkeit, sondern an der Sicherung des Gemeindelebens der Synagoge interessiert. Dementsprechend waren es denn auch die Pharisäer, die in dem geschlagenen u von den Römern besetzten Land das Vertrauen der Behörden besaßen u die Initiative zum Wiederaufbau eines geordneten Lebens ergriffen. Freilich
15   waren es keineswegs alle pharisäischen Gruppen, die hierfür in Frage kamen; denn auch der eigtl Pharisäismus hatte sich nicht von zelotischen Strömungen freihalten können, u es ist anzunehmen, daß die Schule Schammais vor Ausbruch des Aufstandes mit ihrer stark zelotischen Einstellung innerhalb der pharisäischen Richtung den Vorrang hatte. Es liegt auf der Hand, daß eine derartige Richtung nicht die inneren Voraussetzungen
20   für eine friedliche Neuordnung der Verhältnisse mitbrachte, geschweige denn, daß sie bei den Römern das entsprechende Entgegenkommen gefunden hätte. So blieben unter den führenden Köpfen der Pharisäer nur die Männer übrig, die von Hillel herkamen u die der immer stärker werdenden Radikalisierung ablehnend oder zumindest reserviert gegenübergestanden hatten. In der Tat ist ein Hillelit, Jochanan b Sakkai, der aus
25   kleinsten u bescheidensten Anfängen heraus das jüd Gemeinwesen von neuem aufgebaut hat[106]. Dieser Sachverhalt spiegelt sich in bGiṭ 56a wider. Wenn die hier vorliegende Tradition, wonach Jochanan, aus dem belagerten Jerusalem entkommen, vor Vespasian als Prophet u Bittsteller für sein Volk aufgetreten sein soll[107], auch ausgesprochen legendär gehalten ist[108], so fußt sie doch auf der Tatsache, daß Jabne-Jamnia
30   mit seinen sich nicht am Kampfe beteiligenden Chakamim die Keimzelle für die Reorganisation des palästinischen Judt geworden ist u daß Jochanan b Sakkai als deren Initiator zu gelten hat.

2. Die Neuordnung des Gemeinwesens.

a. Die religiös-soziale Umwälzung.

35   Jetzt, da das altjüdische Bollwerk an seiner eigenen, heilseschatologisch ausgerichteten Intention zugrunde gegangen war, sahen sich die pharisäischen Chakamim zum ersten Male in der Gesch des Judt als die abs Alleinherrscher, u dieser Sachlage ist man sich auch offenbar völlig bewußt gewesen; denn nunmehr begann man, urspr rein theoretische Konzeptionen in die Tat umzusetzen[109]. Für eine Neu-
40   ordnung der Verhältnisse besaß der Pharisäismus freilich nicht nur seine eigene Idee, sondern er konnte sich offenbar auch der weitgehenden Unterstützung durch die östliche Diaspora erfreuen; zum zweiten Male also — u wiederum an einem Neubeginn — stand das bab Judt Pate[110]. Diese starke u auch reiche Judenschaft unterschied sich ihrer inneren Struktur nach dadurch vom palästinischen Judt, daß hier anscheinend
45   niemals die Vorstellung, daß die Herrschaft über Israel einem davidischen König zukomme, durch priesterfürstliche Konzeptionen verdrängt worden ist. Es hat nun ein großes Maß an Wahrscheinlichkeit für sich, daß Jochanan b Sakkai die Lebensordnung des bab Judt vor Augen hatte, als er vom Kaiser die Familie des Rabban Gamli'el losbat[111]. Gamli'el war wohl ein Urenkel Hillels, der aus der bab Diaspora stammte
50   u sich, wenn auch nur mütterlicherseits, auf David zurückführte[112]. Der Titel Gamli'els

---

[106] → Meyer-Weiß 70f.
[107] → Meyer Prophet 56f.
[108] Neben Lydda wurde Jabne bereits iJ 68 nChr, also vor Beginn der Belagerung Jerusalems, den sich nicht am Kampfe gg Rom beteiligenden Juden als Asyl zugewiesen.
[109] → Meyer-Weiß 71f.
[110] Vgl zum Folgenden → Meyer-Weiß 72—75.
[111] Vgl bGiṭ 56a.

[112] Es ist kennzeichnend für Jochanan b Sakkai, daß er sich stets nur als Schulhaupt gefühlt u offensichtlich niemals die politische Führung beansprucht hat. Anderseits ist sein Eintreten für Gamli'el II. keineswegs nur auf die Pietät gegenüber Hillel zurückzuführen; vielmehr zeigt die Betonung der davidischen Abkunft des Hauses Hillel, daß Jochanan u sein Kreis in ihrer Frontstellung gg die Idee vom Priesterfürstentum bewußt die

lautet hbr נָשִׂיא (Ez 44, 3; 45, 7; 48, 21f), was herkömmlich mit *Patriarch* übersetzt
wird. Doch dürfte das griech Äquivalent statt πατριάρχης eher ἐθνάρχης (vgl 1 Makk
14, 47; 15, 1f) gelautet haben [113]; so bezeichnet auch noch Orig das Oberhaupt des
palästinischen Judt als Ethnarchen [114]. Der Ethnarch Palästinas, von dessen könig-
lichem Auftreten auch noch die rabb Lit berichtet [115], war damit genau das Gegen- 5
stück zum Exilarchen [116] in Babylonien. Es gab jedoch nicht nur wieder ein Oberhaupt,
sondern auch einen Obersten Gerichtshof, dem der Nasi präsidierte. Freilich unterschied
sich das neue Synedrium wesentlich von jenem priesterlich-aristokratischen Senat, wie
er bis zur Tempelzerstörung bestanden hatte. Jetzt erst war der Zeitpunkt gekommen,
wo der Schriftgelehrte in Gestalt des Chakam ausschließlich pharisäisch-hillelitischer 10
Prägung im Synedrium letzte Instanz war. Damit aber war zugleich für alle Zeiten
das Bild des Sanhedrin der Rabb festgelegt, was zur Folge hatte, daß man vielfach
auch die altjüd Gerusia anachronistisch hiernach beschrieben hat [117]. Neben dem neuen,
unter dem Ethnarchen stehenden Synedrium stand die יְשִׁיבָה, die Akademie von Jabne,
die geistig u praktisch von den Schülern Jochanans sowie von Ismael u Akiba unter- 15
stützt wurde. Das bedeutet aber, daß nunmehr neben dem Ethnarchen eine neue Oberschicht stand, die ihre Vollmacht nicht mehr aus Herkunft u Familienstand ableitete,
sondern in erster Linie aus den religiös-geistigen Qualitäten des btr Chakam, dem durch
die Semicha, die *Ordination*, nach einem langen Studien- u Vorbereitungsgang mit
40 Jahren die Qualifikation als Rabbi u damit als Nachfolger im Geiste der Propheten 20
offiziell beurkundet wurde [118].

b. Die innere Reorganisation.

Die äußere Neuordnung in Palästina, die dem Altjudentum end-
gültig den Abschied gegeben hatte, bildete die Basis für eine grundlegende innere Re-
form, die sehr rasch die gesamte Diaspora mit ergreifen sollte [119]. Zunächst ging es 25
darum, dem neuentstehenden Gemeinwesen eine einheitliche religionsgesetzliche Grundlage zu geben; zu diesem Zwecke wurde der alte Streit zwischen Hilleliten u Schammaiten zu Ende geführt. Nach einer auf RJochanan b Nappacha zurückgehenden Überlieferung soll dieser in Jabne durch eine Himmelsstimme (→ VI 819, 15ff), also divina-
torisch zugunsten der Schule Hillels entschieden worden sein jBer 1, 7 (3b 64ff) [120]. 30

Daneben stand die Ausscheidung bzw Exkommunikation der anderen Richtungen. Jetzt wurden die sadduzäische Halacha und Dogmatik verketzert, und
zwar so erfolgreich, daß es bis in die Gegenwart hinein noch schwerfällt, den Sadduzäismus als orthodoxes Altjudentum in seiner ganzen, zuweilen tragischen Größe
zu erfassen (→ VII 46, 5ff). In diese Zeit fällt wahrscheinlich auch die endgültige 35
Trennung von den Samaritanern (→ VII 90, 23ff); und was von den verschiedenen
chasidischen bzw essenischen Verbänden nicht den Weg zum hillelitisch bestimmten
Gemeinwesen fand, schied entweder mit dem Judenchristentum aus oder verschwand
auf andere Weise.

Es bedeutet eine ungeheure Leistung, daß die relativ kleine Gruppe von Jabne, 40
unterstützt von einigen gleichgesinnten Schulhäuptern der Umgebung, es fertig-
brachte, dem palästinischen Judentum ein einheitliches Gepräge zu geben, ja
darüber hinaus die Diaspora im gleichen Sinne zu beeinflussen. Fortan gab es

---

Linie der davidischen Königsideologie verfolgten, wie sie bereits von den pharisäischen
u antihasmonäischen PsSal 17 u 18 vertreten
wird.

[113] Hierauf hat → Wellhausen 41 mit
Nachdruck hingewiesen.

[114] Ep ad Africanum 14 (Origenes, Opera
Omnia, ed CLommatzsch 17 [1844] 44); vgl
auch MHengel, Die Synagogeninschrift von
Stobi, ZNW 57 (1966) 150—156.

[115] Vgl hierzu → Avi-Yonah 53—63.

[116] Der Originaltitel lautet רִישׁ גָּלוּתָא
Oberhaupt der Exulantenschaft.

[117] Dieser Versuchung ist auch → Avi-
Yonah 54 erlegen.

[118] Vgl das Material bei Str-B II 647—661;
ferner ELohse, Die Ordination im Spätjudt
u im NT (1951) 28—66.

[119] Zum Folgenden vgl → Meyer-Weiß
75—84.

[120] Über die abs Vorherrschaft der Hilleliten in der Folgezeit unterrichten höchst
anschaulich die Übersichtstafeln in Str-B VI
(1961).

nur noch eine pharisäisch-hillelitische Führung, der sich allmählich die Mehrzahl
des Volkes beugte; daneben standen jene Kreise, die man als 'Am ha-'Areṣ (→
V 589, 18ff) bezeichnete, die, vor allem in Galiläa ansässig, erst in der zweiten
Hälfte des 2. Jahrhunderts unter die Botmäßigkeit der Chakamim gezwungen
5 wurden. Verständlich wird eine solche Leistung nur, wenn man sich vergegenwärtigt, daß ein derartiger Sieg voraussetzt, daß die maßgebenden Männer über
eine ungeheure geistig religiöse Kraft verfügten, die zudem durch die Jahre hindurch immer gleich frisch blieb[121]. Die Kehrseite der gewaltigen geschichtlichen
Tat bestand freilich darin, daß mit dem Sieg der Hilleliten das alte komplexe
10 Judentum sich zur Synagoge verengte.

Der Abgrenzung gg alle Gruppen, die der hillelitischen Richtung nicht genehm waren,
entsprach im Innern neben der dogmatischen Abgrenzung etwa gg den Sadduzäismus
(→ VII 46, 5ff) u der Zurückdrängung apokalyptischer u mystischer Spekulationen die
Festlegung des Kanons, der Halacha sowie der liturgischen Praxis; hierzu kam außer-
15 dem eine Uniformierung in Sprache u Schrift, die der rabb Lit in den folgenden Jhdt
das Gepräge geben sollte. Weder die Chakamim der Jerusalemer Hierokratie noch die
Sadokiden von Qumran oder die alexandrinischen Theologen haben es je zu einem
abgeschlossenen Kanon gebracht (→ III 979, 16ff)[122]. Zwar hatte man eine praktische
Vorstellung von den hl Schriften, wobei der Pent als das hl Buch galt, aber es fehlte
20 in jedem Falle eine genaue Bestimmung dessen, was noch kanonisch war oder was nicht
mehr zum eigtl Kanon gehörte. Es ist wahrscheinlich, daß die pharisäischen Chakamim
dieses Problem bereits vor der Tempelzerstörung zu lösen versuchten (→ III 982, 31ff);
aber erst jetzt wurde in Auseinandersetzung mit Sadduzäern, Judenchristen, Samaritanern u Alexandrinern der dreigestufte rabb Kanon — Gesetz, Propheten u Schriften —
25 festgelegt (→ III 982, 42ff). Diese Fixierung des Kanons beschränkte sich nicht nur
auf die einzelnen bibl Bücher im allg, sondern erstreckte sich auch auf eine genaue
Festlegung des Konsonantentextes. Zwar liegen auch in der rabb Tradition Angaben
über die Gesch des hbr Bibeltextes vor, aber erst seitdem man bibl Fr aus Höhle 4 u 11
von Qumran besitzt u in der Lage ist, diese Bruchstücke mit dem uniformen Bibeltext
30 zu vergleichen, wie er in den Höhlen vom Wadi Murabba'ât festgestellt wurde, vermag
man sich ein Bild zu machen von der Arbeit am Text, die die Chakamim von Jabne
geleistet haben[123]. Auch hier zeigt sich wieder die geistige Stärke der palästinischen
Chakamim, insofern als der normative, dogmatisch festgelegte Text in kurzer Zeit die
LXX-Übers in Gestalt der Aquila-Übers verdrängte, die ganz den exegetischen Prin-
35 zipien eines Akiba entsprach[124]. Die Kehrseite dieses Kanonisierungsprozesses bestand
darin, daß alle übrige erbauliche Lit als apokryph ausgeschieden wurde u in kurzer
Zeit zum größten Teil der Vergessenheit anheimfiel.

Auch hinsichtlich des Religionsgesetzes wurden jetzt die Grundlinien für die spätere
Entwicklung festgelegt. Wie bereits angedeutet (→ 33, 25ff), setzten die Hilleliten
40 ihre Auffassung vom mündlichen Gesetz durch, wobei sie an eine fast hundertjährige
Schultradition anknüpfen konnten. Das bedeutet natürlich nicht, daß sie nunmehr
die gesamte Halacha auf Grund ihrer eigenen Überlieferung neu schufen, vielmehr
übernahmen sie umfangreiche Partien des Religionsgesetzes — zB die Halachoth, die
mit dem Tempeldienst u den damit zusammenhängenden Reinheitsvorschriften ver-
45 bunden waren —, einfach aus der Konkursmasse der Hierokratie u bearbeiteten sie
in ihrem Sinne. Entsprechende Analogien aus der sadokidischen Halacha von Qumran
lassen es ferner als sicher erscheinen, daß die Hilleliten bei der Systematisierung des
Religionsgesetzes nicht etwa ausschließlich auf mündliche Überlieferung angewiesen
waren[125]. Das gleiche gilt übrigens auch hinsichtlich der bibl Tradition, soweit es sich

---

[121] Dies wird bes an dem Tatbestand deutlich, daß die Rabb nach dem ungeheuren
geistigen u materiellen Aderlaß unter Hadrian
trotz allen Schwierigkeiten auf dem Grunde folgerichtig weiterbauen konnten, der von den
Männern um Jochanan b Sakkai u Rabban
Gamli'el II. gelegt worden war.

[122] Eißfeldt aaO (→ A 97) 756—773.

[123] Zum Folgenden vgl RMeyer, Artk
Qumran III, in: RGG³ V 742—744.

[124] Zu Aquila vgl Eißfeldt aaO (→ A 97)
971 f.

[125] Damit dürfte endgültig feststehen, daß
das vielfach vertretene Dogma vom Schreibverbot in bezug auf die Halacha u des
weiteren hinsichtlich haggadischer Stoffe u
der damit verbundenen Auslegungsliteratur
dem Bereiche der Legende zuzuweisen ist,
wobei gilt, daß die für das Schreibverbot
herangezogenen rabb Aussagen nicht die
Beweiskraft haben, die ihnen zugesprochen
wird; vgl zum Problem Strack Einl 9
—16.

um Tg u Auslegungsliteratur handelt; denn auch hier lag den Männern von Jabne eine bereits seit Generationen bestehende schriftliche Tradition vor, die sie nur in ihrem Geiste fortzusetzen brauchten, ohne von Grund auf schöpferisch zu sein. Auch dort, wo man genötigt war, neue Bestimmungen zu treffen, konnte man an eine längst vorhandene gemein-jüd Praxis anknüpfen, um sie nunmehr ausschließlich im Sinne Hillels 5 fortzusetzen. Dies gilt auf jeden Fall für die drei Grundsätze, nach denen Halachoth verbindlich werden, nämlich den Mehrheitsbeschluß als das in der Regel befolgte Prinzip, das ortsgebundene Gewohnheitsrecht u die Übernahme der Rechtsentscheidung einer maßgebenden Autorität. Allenfalls der Schriftbeweis könnte als typisch pharisäisch angesehen werden; doch gerade ihm sind insofern starke Schranken gesetzt, als 10 eine derartig aus der Schrift deduzierte Halacha noch der offiziellen Anerkennung bedarf. So dürfte auch in der kritischen Stellung gegenüber dem Schriftbeweis noch die altjüdische Praxis nachwirken[126]. Ausgesprochen pharisäischer Geist dgg findet sich dort, wo die Rabb bemüht sind, die Einheit von schriftlicher u mündlicher Thora auf dem Wege der Exegese zu erweisen[127]. Zu diesem Zwecke bediente man sich einer 15 Reihe von hermeneutischen Regeln, von denen die sieben Middoth Hillels wenigstens teilweise schon im 1. Jhdt vChr angewandt wurden[128]; sie wurden nach der Tempelzerstörung zu den dreizehn Middoth Ismaels[129] u in nachhadrianischer Zeit zu den zweiunddreißig Middoth Jose's aus Galiläa[130] erweitert. Diese Auslegungsnormen fußen bezeichnenderweise nicht auf altjüdischen Traditionen, sondern sind nach Wesen 20 u Form der hell Hermeneutik entlehnt[131]. Da mit der Alleinherrschaft der Hilleliten auch deren exegetische Regeln Allgemeingut wurden, gelangte ein dem Judt von Haus aus fremdes Auslegungsprinzip zur Alleinherrschaft, während die altjüdische, wesentlich einfachere Schriftdeutung, wie sie jetzt bes eindrücklich in den Komm der Sadokiden von Qumran vorliegt, zus mit dem dogmatischen Komplex der Sadduzäer als heterodox 25 der Vergessenheit anheimfiel[132]. Ebs wie bei den Priestern von Qumran u bei den ehemaligen Jerusalemer Priestern, deren Tempel in Flammen aufgegangen war, können wir auch bei den Rabb beobachten, daß sie das Religionsgesetz, soweit es mit dem untergegangenen Heiligtum oder dem nunmehr entweihten bzw profanierten hl Lande zusammenhing, nicht nur tradierten, sondern auch bearbeiteten, gleich als ob die alte 30 Ordnung noch bestünde. Zweifelsohne spielt auch hier, wie bei den Sadokiden von Qumran u den ehemaligen Tempelpriestern, der eschatologische Gedanke eine Rolle, daß man für jeden Tag jederzeit bereit sein wollte, an dem mit Anbruch der Gottesherrschaft auch der Tempel u das Hl Land wiederhergestellt würden. Hierdurch kam ohne Zweifel für alle Zeit ein stark scholastischer Zug in die halachische Diskussion[133]; 35 anderseits darf aber auch nicht übersehen werden, daß die Rabb es in der religionsgesetzlichen Praxis verstanden haben, das jüd Leben in ihrem Sinne so durchgreifend zu prägen, daß es erst der neueren Forschung gelungen ist, wenigstens in groben Zügen ein Bild vom Judt vor dem Untergang der Jerusalemer Hierokratie zu entwerfen, das einigermaßen dem historischen Sachverhalt nahekommt. 40

IV. Zusammenfassung.

Stellte das Judentum vor der Tempelzerstörung eine vielgestaltige und bunte religionsgeschichtliche Erscheinung dar, innerhalb deren altorthodoxe Traditionen neben der alexandrinischen Theologie und der stark helle-

---

[126] Vgl hierzu → Meyer-Weiß 79f.

[127] Vgl ELDietrich, Artk Schriftauslegung II, in: RGG³ V 1515—1517 u die ebd angegebene Lit. Leider geht Verf auf die Vorgeschichte der rabb Auslegungsregeln nicht ein; ebensowenig wird Verf der Schriftauslegung von Qumran gerecht, wenn er ausschließlich vom „Sekteninteresse" u von dem „monomanen Sektencharakter" jener von Sadokiden geführten Gemeinschaft redet.

[128] TSanh 7, 17 Par; Strack Einl 97—99.

[129] SLv prooem 1—4; Strack Einl 99f.

[130] Vgl bChul 89a; zur Form dieser Middoth u ihrer textlichen Überlieferung s Strack Einl 100—109.

[131] Vgl hierzu bes SRosenblatt, The Interpretation of the Bible in the Mishna (1935). WFAlbright, Von der Steinzeit zum Christentum (1949) 355 bemerkt treffend: „Hillels Prinzipien der Interpretation haben mit dem Alten Orient nicht mehr Gemeinsames als mit der Maia-Kultur, dgg sind sie der Auffassung u der Form nach typisch hell."

[132] Im Gegensatz zur hillelitischen Exegese hat die altjüdische Auslegung ausgesprochene Verwandtschaft zur entsprechenden Lit im akkadischen u ägyptischen Bereiche; dieser doppelte Sachverhalt ist Dietrich aaO (→ A 127) entgangen.

[133] Schl Gesch Isr 346.

nistisch beeinflußten Weisheit der pharisäischen Chakamim Platz hatten, so hat
nach dem Untergang der Hierokratie im Grunde nicht einmal der Pharisäismus
als Ganzes, sondern nur eine einzige pharisäische Richtung gesiegt, die zudem
bis zum Ausbruche des Ersten Aufstandes und auch während des Kampfes nur
5 eine Minderheit darstellte, eine Minderheit freilich, die religiös über eine solche
Kraft verfügte, daß sie in der Folge das Judentum in· aller Welt zu prägen vermochte und erst 700 Jahre später in Gestalt der Karäer auf eine ernst zu nehmende
Opposition traf, die freilich — unbeschadet ihres bleibenden Verdienstes um den
Bibeltext[134] — das Ganze des auf pharisäisch-hillelitischer Basis fußenden rabba-
10 nitischen Judentums nicht entscheidend umzugestalten vermochte und damit
letztlich wirkungslos blieb.

Meyer

B. Die Pharisäer im Neuen Testament.

15 Im Unterschied von den Sadduzäern (→ VII 35, 15ff) u anderen
jüd Parteien (→ I 180, 30ff; 181, 26ff)[135] werden die Pharisäer im NT sehr häufig
erwähnt. Insgesamt kommt der Begriff Φαρισαῖος — zumeist im Plur — 98mal bzw
101mal vor[136], weitaus am häufigsten in den synpt Ev. Das überaus häufige Vorkommen
des Begriffes in den synpt Ev erklärt sich aus naheliegenden historischen Gründen.
Andererseits wird aber durch die von den synpt Ev stark unterschiedene Darstellung
20 u Beurteilung des Pharisäismus in der Ag u bei Pls bereits die Frage gestellt, ob die
so eindeutig polemische u zugleich abwertende Darstellung des Pharisäismus in den Ev
als zuverlässige Quelle für das Judt zZt Jesu verstanden werden darf.

I. Die Pharisäer in der synoptischen Überlieferung.

1. Das historische Problem.

25 In der synoptischen Überlieferung erscheinen die Phari-
säer bereits als die Gegner Johannes des Täufers (Mt 3, 7ff; Lk 7, 29f; → V 446,
18ff), vor allem aber als die Gegner Jesu: In den Streitgesprächen sind sie fast stets
die Kontrahenten Jesu; sie versuchen ihn (Mk 10, 1ff; 12, 13ff; vgl auch J 7, 53—8,
11); sie fassen bereits zu Beginn seiner Wirksamkeit den Todesbeschluß (Mk 3, 6) und
30 erscheinen deshalb auch als die Hauptschuldigen am Tode Jesu. Der grundsätzlich feindlichen Einstellung der Pharisäer zu Jesus entspricht andererseits die
antipharisäische Haltung Jesu (→ V 429, 7ff), wie sie in den synoptischen Streitgesprächen und besonders in den großen antipharisäischen Redekompositionen Mk

---

[134] Vgl hierzu neuerdings Kahle aaO (→
A 18) 17—29. 82—119.
[135] Zum Begriff αἵρεσις im Sinne von
Richtung, Schule in bezug auf die Phari-
säer vgl Jos Ant 13, 288; Bell 2, 162; Vit
10. 12. 191. 197; Ag 15, 5; 26, 5 u Haench
Ag[14] z 26, 5; PWinter, On the Trial of
Jesus (1961) 130.
[136] Vgl die vl in Mt 7, 29; 27, 41; Lk 11, 44.
Sekundäre Bildungen wie φαρισαϊκός u φα-

ρισαΐζω *nach pharisäischer Art leben* finden
sich erst bei den Kirchenvätern: φαρισαϊκός
bzw pharisaicus bei Orig Comm in Joh 6, 22,
121 z 1, 24f; Bas, Hom in Ps 7, 6 (MPG 29
[1857] 241 b); Theod Mops fr 80 zu Mt 15, 13 f,
ed J Reuss, Mt-Kommentare aus der griech
Kirche, TU 61 (1957) 125; Thdrt IV 10, 4;
Iren Haer IV 12, 1; φαρισαΐζω bei Sophronius
von Jerusalem, Laudes in Cyrum et Joannem
(MPG 87, 3 [1865] 3384 b).

7 Par und Mt 23 zum Ausdruck kommt. Bestimmte Anzeichen weisen jedoch darauf
hin, daß in solcher Darstellung des Verhältnisses zwischen Jesus und den Pharisäern
nicht so sehr die historischen Gegebenheiten zum Ausdruck kommen, daß vielmehr
in den synoptischen Evangelien eine Tendenz wirksam ist, die Pharisäer als die
typischen Repräsentanten eines dem Christentum feindlich gegenüberstehenden 5
Judentums erscheinen zu lassen, das zwar auch schon zum historischen Jesus, um
vieles mehr aber noch zur späteren urchristlichen Gemeinde im Gegensatz stand.
Solche Anzeichen liegen bereits in dem Umstand vor, daß die Pharisäer stets als
eine kollektive Größe ohne jegliche individuelle Merkmale auftreten [137]. Dies dürfte
kaum den wirklichen Gegebenheiten zur Zeit Jesu entsprechen, da der Pharisäis- 10
mus zu jener Zeit keineswegs eine in jeder Hinsicht in sich geschlossene Einheit
darstellte (→ 27, 26ff). Weiterhin weisen einige Anzeichen in der synoptischen
Überlieferung darauf hin, daß Jesu Verhältnis zum Pharisäismus keineswegs in
jedem Falle und von vornherein negativ gewesen ist: Nach Lk 7, 36 (vgl dagegen
Mt 26, 6—13 und Mk 14, 3—9); 11, 37; 14, 1 hat Jesus mit den Pharisäern Tisch- 15
gemeinschaft gehalten; nach Lk 13, 31—33 haben die Pharisäer Jesus sogar vor
den Nachstellungen des Herodes gewarnt [138]. An der Zuverlässigkeit dieser Angaben des Lukas ist um so weniger zu zweifeln, als sie in keiner Weise der sonst
in den synoptischen Evangelien zu beobachtenden Tendenz entsprechen [139]. In
die gleiche Richtung weist die Tatsache, daß an einer Reihe von Stellen Gespräche 20
zwischen Jesus und Vertretern des zeitgenössischen Judentums erst sekundär im
antipharisäischen Sinne interpretiert worden sind.

> Als ein bes instruktives Beispiel hierfür sei das sog Schulgespräch Mk 12, 28—34 Par
> genannt: In der gemeinsynoptischen Überlieferung von der Frage eines Schriftgelehrten
> (so Mk; zu Mt u Lk → IV 1081, 14ff) nach dem größten Gebot hat Mt wie auch Lk 25
> das für jenen Schriftgelehrten positive Schlußwort Jesu bei Mk 12, 34 ausgelassen
> sowie diese Frage als eine Versuchung Jesu durch den Schriftgelehrten dargestellt [140].
> Mt hat darüber hinaus noch durch die Verknüpfung von Mt 22, 34—40 mit der voran-
> gehenden Perikope von der Sadduzäerfrage 22, 23—33 den Schriftgelehrten von Mk
> 12, 28 als einen pharisäischen Schriftgelehrten bestimmt. Damit hat aber das Schul- 30
> gespräch des Mk bei Mt u Lk den Charakter eines Streitgespräches angenommen. Mk
> bietet an dieser St zweifellos die ursprünglichere Form der Überlieferung, die von Mt
> u Lk erst sekundär im antipharisäischen Sinne umgestaltet worden ist.

Auf diese Weise kommt aber bei Matthäus und Lukas ein Verständnis des Verhältnisses zwischen Jesus und dem Judentum seiner Zeit zum Ausdruck, das in 35
dieser Form dem historischen Tatbestand zweifellos nicht entspricht [141]. Eine
sachgemäße Interpretation der auf die Pharisäer bezüglichen Stellen in den synoptischen Evangelien hat also davon auszugehen, daß hier eine antipharisäische
Einstellung begegnet, die nicht ohne weiteres mit der Haltung Jesu gegenüber

[137] Vgl Winter aaO (→ A 135) 113;
AJaubert, Jésus et le Calendrier de Qumran,
NTSt 7 (1960/61) 11.
[138] Vgl WGrundmann, Das Ev nach Lk,
Theol Handkommentar zum NT ²(1963)
zu 7, 36; 11, 37; 14, 1; GBornkamm, Jesus von
Nazareth⁷ (1965) 88f.
[139] Vgl zu dieser Frage Bultmann Trad
38; Grundmann aaO (→ A 138) zu 13, 31;
MGoguel, Das Leben Jesu (1934) 219. 223.
[140] Zur Historizität der Szene vgl Bultmann Trad 57; zur Analyse von Mk 12, 28
—34 vgl ebd 21.

[141] Zur Frage der Ursprünglichkeit der
Mk-Fassung vgl ESchweizer, Matth 5, 17—
20. Anmerkungen zum Gesetzesverständnis
des Matthäus, Neotestamentica (1963) 402;
SLégasse, Scribes et disciples de Jésus, Rev
Bibl 68 (1961) 483. 486—489. Zur Umwandlung des Schulgespräches bei Mk in
ein Streitgespräch bei Mt u Lk vgl Kl Mk
127. Zur antipharisäischen Tendenz in den
synpt Ev vgl TABurkill, Anti-Semitism in
St. Mark's Gospel, Nov Test 3 (1959) 34—53;
→ Glasson passim.

dem Pharisäismus seiner Zeit gleichgesetzt werden kann, die vielmehr zu einem
wesentlichen Teil in der Auseinandersetzung der urchristlichen Gemeinde mit dem
pharisäisch-rabbinischen Judentum zu ihrer Zeit begründet ist. Auszugehen ist
weiter von dem Tatbestand, daß die Pharisäer zur Zeit Jesu im Bereich des palä-
5 stinischen Judentums noch keineswegs jene beherrschende Stellung besaßen, wie
sie die synoptischen Evangelien voraussetzen (→ 27, 3ff)[142]. Konkret bedeutet
dies, daß die Pharisäer zu jener Zeit auch im Synedrium zu Jerusalem noch
keine maßgebliche Rolle gespielt haben: Hier waren zur Zeit Jesu noch immer
die Sadduzäer maßgebend (→ VII 53, 30ff)[143]. Diesem Tatbestand entspricht es
10 auch, daß die Pharisäer nach der synoptischen Überlieferung in der Leidensgeschichte Jesu faktisch überhaupt keine Rolle mehr spielen[144]. Hier liegt offensichtlich eine echte historische Erinnerung vor, an deren Zuverlässigkeit um so
weniger zu zweifeln ist, als es sonst doch gerade die Tendenz der Evangelien ist,
die Pharisäer als die entschiedensten Gegner Jesu und somit auch als die Haupt-
15 schuldigen am Tode Jesu darzustellen[145].

2. Die Pharisäer und die übrigen Parteien des Judentums.

a. Die Pharisäer treten nach der synoptischen Überliefe-
rung zusammen mit und neben anderen jüdischen Parteien als Gegner Jesu auf,
20 ohne daß dabei noch irgendein Unterschied zwischen den jeweiligen jüdischen
Richtungen deutlich wird. Dabei ist zu beobachten, daß Markus und auch Lukas
dem historischen Tatbestand noch am nächsten kommen (→ 26, 22ff), während
besonders bei Matthäus die Tendenz zu bemerken ist, die Pharisäer auch dort, wo
sie bei Markus oder in der Logienquelle noch keine Rolle spielten, als die Gegner Jesu
25 hinzustellen[146]. So werden Lk 3, 7 bei der Bußpredigt des Täufers lediglich die Volks-
mengen genannt, während Mt 3, 7 die ungenaue Angabe des Lukas bzw der Logienquelle durch die stereotype Aufzählung der Pharisäer und der Sadduzäer ersetzt,

---

[142] Vgl → Meyer-Weiß 52—57. 95f.
[143] Daran, daß auch pharisäische Schriftgelehrte im Synedrium vertreten waren, ist
auf Grund von Ag 5, 34; 23, 6—9 nicht zu
zweifeln. Zur Frage ihres Einflusses im Synedrium vgl → Wellhausen 30—43; ABüchler,
Das Synedrium in Jerusalem (1902) 99f.
180; JBlinzler, Der Prozeß Jesu ³(1960)
154—163; ders, Das Synedrium in Jerusalem
u die Strafprozeßordnung der Mischna, ZNW
52 (1961) 54—65; JSKennard, The Jewish
Provincial Assembly, ZNW 53 (1962) 35—39.
41—43; vgl auch → JJeremias 297f.
[144] Mit der Ausn von Mt 27, 62—66, einem
jedoch kaum urspr Überlieferungsstück; vgl
Bultmann Trad 297. Als Gegner Jesu in der
Leidensgeschichte erscheinen nur die Hohenpriester, Ältesten u Schriftgelehrten. Lediglich in Mk 3, 6 Par sind es die Pharisäer, die
zus mit den Herodianern den Todesbeschluß
gg Jesus fassen; Mk 11, 18 sind es die Hohenpriester u Schriftgelehrten; vgl Loh Mk zSt
u zu 14, 1; Bultmann Trad 282; Winter aaO

(→ A 135) 134. Auch in den Leidensankündigungen Jesu werden — neben der unbestimm-
ten Aussage Mk 9, 31 — nur die Ältesten,
Priester u Schriftgelehrten genannt Mk
8, 31 Par; 10, 33 Par, also diejenigen Vertreter des Judt, die zZt Jesu tatsächlich den
maßgebenden Einfluß im Synedrium besaßen; vgl Loh Mk z 8, 31 u 10, 32f; Grundm
Mk z 8, 31 u 10, 33; Kl Mk z 10, 33.

[145] Von hier aus gesehen, ist auch die Feststellung einzuschränken, daß die Verurteilung Jesu im wesentlichen das Werk der
Pharisäer gewesen sei; so → JJeremias 299
mit Berufung auf das Joh-Ev (→ 46, 1ff).
Aus dem Fehlen der Pharisäer in der Leidensgeschichte kann freilich nicht geschlossen
werden, daß sämtliche auf die Pharisäer
bezüglichen St in den Ev sekundär seien,
so Winter aaO (→ A 135) 124.

[146] Vgl GStrecker, Der Weg der Gerechtigkeit, FRL 89 ²(1966) 140f; → Hummel
12—14.

wobei ihm offensichtlich der grundlegende Unterschied zwischen diesen beiden Richtungen gar nicht mehr deutlich ist (→ VII 52, 6ff)[147]. Gleiches gilt für Stellen wie Mt 16, 1, wo Mk 8, 11 nur von den Pharisäern spricht, weiter Mt 16, 6, wo Matthäus vom „Sauerteig der Pharisäer und der Sadduzäer" redet, vgl dagegen Mk 8, 15: „Sauerteig der Pharisäer und des Herodes"; Lk 12, 1: „Sauerteig der 5 Pharisäer". Besonders deutlich wird die den wirklichen Gegebenheiten keineswegs entsprechende Darstellungsweise des Matthäus dort, wo — wie in Mt 16, 11f — die Pharisäer und die Sadduzäer auch hinsichtlich ihrer Lehre (διδαχή) als eine sachliche Einheit erscheinen. Lediglich im Anschluß an die gemeinsynoptische Perikope von der Sadduzäerfrage wird zwischen beiden Gruppen noch unter- 10 schieden (Mt 22, 34). Da aber hier überliefertes Gut vorliegt, kann auch diese Stelle nicht darüber hinwegtäuschen, daß Matthäus im Grunde keine echte Vorstellung mehr von der historischen Eigenart beider Gruppen hatte bzw auf eine solche Unterscheidung keinen Wert mehr legte.

b. Ähnliches gilt dann auch von den Stellen, an welchen 15 die Pharisäer neben den Hohenpriestern erwähnt werden: Am Ende des Gleichnisses von den bösen Weingärtnern (Mk 12, 1—12 Par) ist Mt 21, 45 von den Hohenpriestern und den Pharisäern die Rede. Diese Zusammenstellung muß befremden, da die ganze Szene ja im Tempel stattfindet (Mt 21, 23), und Matthäus selbst zu Beginn dieser Szene lediglich von den Hohenpriestern und den Ältesten des Volkes 20 schreibt, von jenen Gruppen also, die tatsächlich zur Zeit Jesu innerhalb der jüdischen Hierokratie noch eine beherrschende Stellung innehatten. Vergleicht man darüber hinaus die Parallelen zu Mt 21, 45 bei Mk 12, 12 (vgl auch Mk 11, 27) und bei Lk 20, 19, so dürfte deutlich sein, daß Matthäus auch an dieser Stelle die Pharisäer erst sekundär eingetragen hat[148]. 25

c. Etwas komplizierter liegen die Dinge bei der wiederum bei Matthäus besonders häufigen Zusammenordnung der Pharisäer und der Schriftgelehrten. Zwar sind beide Gruppen von ihrem Ursprung her wie auch hinsichtlich ihres jeweiligen Bildungsstandes grundsätzlich auseinanderzuhalten (→ 20, 19ff; I 741, 27ff)[149], andererseits ist es aber eine Tatsache, daß ein wesent- 30 licher Teil der Schriftgelehrten der pharisäischen Richtung des Judentums angehörte. Die Tendenz, beide Gruppen miteinander zu identifizieren, ist wiederum besonders für Matthäus charakteristisch: Bei ihm erscheinen die Pharisäer und die Schriftgelehrten als eine sachliche und historische Einheit (vgl besonders Mt 5, 20; 12, 38; 15, 1 sowie Mt 23), woraus ersichtlich ist, daß Matthäus in einer Zeit schreibt, 35

---

[147] Vgl Bultmann Trad 55; zum sekundären Charakter von Mt 3, 7 vgl ELohmeyer, Das Urchr I (1932) 54; Loh Mt z 3, 7; Grundmann aaO (→ A 138) z Lk 3, 7; anders KHRengstorf, Das Ev nach Lk, NTDeutsch 3 [12](1967) z 3, 7f.

[148] Hohepriester u Pharisäer begegnen nebeneinander auch noch in dem sekundären Stück Mt 27, 62—66; vgl Wellh Mt zSt; Bultmann Trad 297. 299. 305. 310; JSchnie-

wind, Das Ev nach Mt, NTDeutsch 2 [11](1964) zSt. In Mt 28, 11f treten wiederum die Schriftgelehrten u Ältesten auf, nicht mehr die Pharisäer.

[149] Vgl auch Schürer II 380f; → JJeremias 286—291; zur Frage sadduzäischer Schriftgelehrter ebd 262f; → Wellhausen 8—11. 20; Meyer Ursprung II 284—286; → Moore Rise I 258f.

in der es faktisch nur noch pharisäische Schriftgelehrte gab. Auch hier steht Lukas wieder dem historischen Sachverhalt zur Zeit Jesu noch am nächsten: So unter-scheidet er in der Parallelüberlieferung zu Mt 23 in Lk 11, 37—12, 1 (→ I 741, 30ff) noch ausdrücklich zwischen den Wehe-Rufen gegen die Pharisäer (11, 37—44) und denen gegen die Schriftgelehrten (11, 45—12, 1)[150]. Der gleiche Tatbestand kommt zum Ausdruck, wenn Mk 2, 16 von den *Schriftgelehrten der Pharisäer* die Rede ist (vgl Lk 5, 30) oder wenn Mk 7, 1 *die Pharisäer und einige der Schriftgelehrten* von-einander unterschieden werden. Aus diesem Grunde wird man auch diejenigen Stellen bei Markus und Lukas, an welchen — ähnlich wie bei Matthäus — von den Schriftgelehrten und Pharisäern die Rede ist (Mk 7, 5; Lk 5, 21; 6, 7; 11, 53; 15, 2; vgl auch Lk 7, 30), nicht ohne weiteres im Sinne einer einfachen Gleich-setzung beider Gruppen verstehen dürfen, wie sie bei Matthäus vorliegt. Vielmehr sind diese Stellen — besonders bei Lukas — sachlich im Sinne der Schriftgelehrten, die der pharisäischen Richtung angehören, zu interpretieren. Dem steht auf der anderen Seite gegenüber, daß Matthäus in dem Bestreben, die Pharisäer als die eigentlichen Feinde Jesu zu erweisen, an einer ganzen Reihe von Stellen, an welchen bei Markus sowie in der Logienquelle noch keineswegs von den Pharisäern die Rede war, diese erst sekundär in den Textzusammenhang eingetragen hat (vgl Mt 12, 24 gegenüber Mk 3, 22 Par sowie Mt 21, 45 gegenüber Lk 20, 19 und Mt 22, 34 gegenüber Mk 12, 28 Par). Besonders deutlich wird diese bewußte Änderung durch Matthäus in der gemeinsynoptischen Perikope über den Davidssohn (Mk 12, 35—37 Par): Bei der Erörterung exegetischer Fragen sind als Gegner Jesu weit eher die Schriftgelehrten anzunehmen (Mk 12, 35 Par) als die Pharisäer (Mt 22, 41). Auch an dieser Stelle dürfte also Matthäus die Pharisäer erst sekundär in den Zusammenhang eingetragen haben[151]. An allen diesen Stellen zeigt sich also bei Matthäus die Tendenz, die die historischen Verhältnisse zur Zeit Jesu noch widerspiegelnde Uneinheitlichkeit in bezug auf die Angaben über die Gegner Jesu bei Markus und Lukas zu beseitigen und sie durch die einheitliche und den historischen Tatbestand vereinfachende Gegnerschaft der Pharisäer zu ersetzen[152].

d. Vor allem für Markus charakteristisch ist die Zusammen-stellung der Pharisäer mit der Gruppe der **Herodianer**, die in Mk 3, 6; 12, 13 (vgl auch Mk 8, 15) neben und zusammen mit den Pharisäern als eine fest umrissene Größe auftreten.

Mit Ausn von Mt 22, 16 ersetzen Mt u Lk die Herodianer des Mk durch andere jüd Gruppen, was wohl voraussetzt, daß sie beide an der Erwähnung dieser Gruppe kein spezifisches Interesse mehr hatten. Am wahrscheinlichsten dürfte es sein, bei den Herodianern des Mk nicht einfach an Hofbeamte oder Bedienstete des Herodes zu denken, sondern an Parteigänger, dh politische Anhänger des Herodes[153]. Will man die von Mk geschilderten Szenen, in welchen die Herodianer neben den Pharisäern auftreten,

[150] Vgl auch → JJeremias 288. Lk ersetzt dabei zT (vgl 11, 45f. 52 sowie 7, 30; 10, 25; 14, 3) den Begriff γραμματεύς durch den auch dem Nichtjuden verständlichen Begriff νο-μικός (→ IV 1081, 14ff).

[151] Vgl zSt → JJeremias 294 A 3; MDibe-lius, Die Formgeschichte des Ev ⁵(1966) 260f; zur Frage der Ursprünglichkeit dieser Szene vgl Bultmann Trad 70. 145; dgg CGMontefiore,

The Synoptic Gospels I (1927) 288f; Grundm Mk zSt.

[152] Vgl auch Winter aaO (→ A 135) 121—123. 126f; Bultmann Trad 54—56; WTrilling, Das wahre Israel, Studien zum AT u NT 10 ³(1964) 90f.

[153] Vgl auch Jos Ant 14, 450: οἱ τὰ Ἡρώ-δου φρονοῦντες, 17, 41: οἱ τοῦ Ἡρώδου. Vgl auch Pr-Bauer sv Ἡρῳδιανοί, Kl Mk z 3, 6;

als historisch gelten lassen, so kann es sich bei jenen nur um Anhänger des Herodes Antipas (4 vChr bis 39 nChr) handeln. Für Mk 12, 13 ist dies allerdings schon deshalb wenig wahrscheinlich, weil die Herodianer zus mit den Pharisäern in Jerusalem auftreten, das nicht zum Herrschaftsbereich des Herodes Antipas, des Tetrarchen von Galiläa u Peräa, gehörte[154]. Andererseits wäre jedoch gerade in bezug auf die Frage 5 nach der Entrichtung der Steuer das Interesse einer an sich rein politischen Gruppe an Jesus verständlich[155]. Nun ist freilich über eine Verbindung zwischen den Pharisäern u den politischen Anhängern des Herodes Antipas nichts bekannt. Vor allem aber setzt die Perikope über die Heilung am Sabbath Mk 3, 1—6, auf Grund deren die Herodianer zus mit den Pharisäern den Todesbeschluß gg Jesus fassen, voraus, daß 10 zwischen den Herodianern u den Pharisäern — neben einem gemeinsamen politischen Interesse — auch eine sachliche Beziehung bestanden hat. Von einer solchen sachlichen Annäherung der Anhänger des Herodes an den pharisäischen Standpunkt in der Frage der Sabbatheiligung ist jedoch aus der Zeit des Herodes Antipas nichts überliefert[156]. Dgg hat nachweislich Herodes Agrippa I. (41—44 nChr) — aus welchen Motiven, das 15 sei hier dahingestellt — die Pharisäer stark begünstigt u selbst enge Beziehungen zum Pharisäismus angeknüpft[157]. Will man jedoch die Herodianer des Mk zu Herodes Agrippa I. in Beziehung setzen, so muß man annehmen, daß Mk diese Verbindung zwischen den Pharisäern u den Herodianern aus der Zeit des Agrippa I. erst sekundär in die Gesch Jesu eingetragen hat[158]. Aus welchen Motiven dies geschah, läßt sich mög- 20 licherweise aus Ag 12, 1ff erklären: Das herodianische Königshaus galt in den urchr Gemeinden als dem Christentum feindlich gesinnt; deshalb wurde der Gegensatz zu ihm bereits in die Gesch Jesu eingetragen. Lk hat dann schließlich die Herodianer gänzlich beiseite gelassen, da ja in ihrer sachlichen Zuordnung zu den Pharisäern sowie in der Polemik gg beide Gruppen nicht nur eine antiherodianische, sondern zugleich 25 auch eine antirömische Haltung zum Ausdruck kam[159].

3. Der Gegensatz zum Pharisäismus als Ausdruck des Gegensatzes zum pharisäischen Gesetzesverständnis.

Der Gegensatz Jesu bzw der urchristlichen Gemeinde zum Pharisäismus in den synoptischen Evangelien ist im wesentlichen Ausdruck 30 der Auseinandersetzung mit der jüdisch-pharisäischen Gesetzesfrömmigkeit. Die ganze Breite der mit der pharisäischen Gesetzesfrömmigkeit in Auseinandersetzung befindlichen synoptischen Überlieferung läßt sich keinesfalls allein auf die urchristliche Gemeinde zurückführen[160]. Die urchristliche Gemeinde knüpfte in dieser Hinsicht vielmehr an eine Überlieferung an, die in ihrem Kern letztlich auf 35 Jesus selbst zurückgeht[161].

Goguel aaO (→ A 139) 220—222 u A 587. Ein Anhaltspunkt dafür, daß die Herodianer eine messianisch-politische Bewegung gewesen sind, ist nicht gegeben.
[154] Vgl Loh Mk zSt.
[155] Zu den politischen Motiven für das Interesse der Herodianer an Jesus vgl Kl Mk z 3, 7 u z 12, 13; Winter aaO (→ A 135) 128f.
[156] Vgl Winter aaO (→ A 135) 128f.
[157] Vgl dazu Jos Ant 19, 331; Ag 12, 1ff; Schürer I 554—562; Zn Ag z 12, 1; Haench Ag[14] 324—330; → Hengel 349. Belege für Agrippa I. aus der rabb Lit bei Str-B II 709f. Zum Verhältnis der Pharisäer zum herodianischen Königshaus vgl zuletzt GAllon, The Attitude of the Pharisees to the Roman Government and the House of Herod, Scripta Hierosolymitana 7 (1961) 53—78; → JJeremias 298f.
[158] Vgl Loh Mk z 3, 6; 12, 13ff. Winter aaO (→ A 135) 128f vermutet, daß die Hero-

dianer des Mk mit Agrippa II. in Verbindung zu bringen seien. Dies ist jedoch unwahrscheinlich, da Agrippa II. kaum positive Beziehungen zum Pharisäismus gehabt haben dürfte, vgl Schürer I 590—592.
[159] Zu den Herodianern bei Mk vgl auch → Bacon passim; ALoisy, Les Evangiles synoptiques I (1907) 518f. 1001; II (1908) 333; Winter aaO (→ A 135) 210 A 27.
[160] Selbst Winter aaO (→ A 135) 119. 134f gesteht zu, daß Jesus sich mit gewissen Strömungen im Judt seiner Zeit auseinandergesetzt hat, freilich ist nach Winter diese Auseinandersetzung primär politisch bedingt, während das Motiv der religiösen Judenfeindschaft erst sekundär in die Gesch Jesu eingetragen worden ist, vgl 114f.
[161] Eine Beschränkung der Polemik Jesu auf die Polemik gg die zealous Pharisees, the disciples of Shammai's academy (so → Finkel 134—143) dürfte kaum möglich sein. Vorsichtiger urteilt → Hengel 385: „Die

a. Der Gegensatz Jesu zur pharisäischen Gesetzesfrömmigkeit und zur damit gegebenen Gesetzespraxis ist in der kritischen Haltung Jesu gegenüber dem mosaischen Gesetz begründet (→ IV 1051, 39 ff): Jesus hat das alttestamentlich-jüdische Gesetz nicht etwa grundsätzlich aufgehoben (Mt 5, 17; → II 143, 5 ff; VI 292, 28 ff), sondern einer verschärfenden (→ IV 872, 17 ff) Interpretation unterworfen (Mt 5, 21—48) [162]. Damit war notwendig der Gegensatz zur pharisäischen Gesetzesfrömmigkeit gegeben (→ IV 1055, 6 ff) [163]; denn einziger Maßstab für das Erfüllen des Gesetzes (→ VI 292, 28 ff) ist nun nicht mehr das Gesetz mitsamt der vom Pharisäismus grundsätzlich als gleichwertig erachteten mündlichen Überlieferung als solche, sondern die Liebe zu Gott und zum Nächsten (Mk 12, 28—34 Par) [164]. Damit aber stellt Jesus sich als der Verkündiger des Willens Gottes faktisch über das Gesetz und seine Interpretation innerhalb des pharisäischen Judentums. Mit der radikalisierenden Interpretation des Gesetzes ist notwendig auch eine kritische Haltung gegenüber der mündlichen Überlieferung im pharisäischen Judentum verbunden (→ II 174, 18 ff; VI 661, 21 ff). Die Einstellung Jesu wird besonders anschaulich in der Gegenüberstellung der *Überlieferung der Ältesten* (παράδοσις τῶν πρεσβυτέρων) als einer *menschlichen Überlieferung* (παράδοσις τῶν ἀνθρώπων) und der ἐντολὴ θεοῦ (Mk 7, 8. 13 Par; → IV 1055, 17 ff). Das Bewahren der in der mündlichen Überlieferung enthaltenen Einzelbestimmungen und Konkretisierungen zum alttestamentlichen Gesetz ist nach dem radikalisierenden Gesetzesverständnis Jesu gleichbedeutend mit der Aufhebung der im alttestamentlichen Gesetz zum Ausdruck kommenden Forderung Gottes (→ VIII 324, 2 ff; II 545, 17 ff) [165]. Weil das Wesentliche ungetan bleibt, wird die Gesetzespraxis der Pharisäer (→ VI 478, 25 ff) als Heuchelei (→ 45, 3 ff) bezeichnet (Mt 6, 1 ff; 23) [166].

b. Der grundsätzliche Gegensatz Jesu wird konkret greifbar im Gegensatz zur pharisäischen Gesetzespraxis, durch die der Pharisäismus sich bemüht, die heilige und reine Gemeinde des wahren Israel darzustellen (→ 19, 22 ff).

Dies gilt konkret sowohl für den Gegensatz Jesu zur Praxis der strengen Sabbathheiligung im pharisäischen Judt, wie er bes in Mk 2, 23—28 Par; Mk 3, 1—6 Par; vgl auch Lk 13, 10 ff; 14, 1 ff deutlich wird (→ VII 21, 18 ff) [167], als auch für Jesu Hal-

---

antipharisäische Polemik Jesu richtete sich wohl teilweise auch gg die Zeloten als die radikalen Vertreter des linken pharisäischen Flügels".

[162] Zur Frage der Ursprünglichkeit vgl WGKümmel, Jesus u der jüd Traditionsgedanke, Heilsgeschehen u Gesch, Marburger Theol Studien 3 (1965) 31 f; Bultmann Trad 157 f; Trilling aaO (→ A 152) 207—211.

[163] Zu Jesu Stellung zum Gesetz vgl auch Kümmel aaO (→ A 162) 26—35; HJSchoeps Jesus u das jüd Gesetz, Aus frühchristlicher Zeit (1950) 212—220; Bornkamm aaO (→ A 138) 88—92.

[164] Vgl Loh Mk zSt.

[165] Vgl auch den sachlichen Gegensatz in Mt 23, 23. Selbst wenn dieses Logion mit der rabb Unterscheidung zwischen den „schwe-

reren" u „leichteren Geboten" (vgl dazu Str-B I 901—905) erst von Mt formuliert sein sollte, gibt es doch durchaus treffend die kritische Haltung Jesu gegenüber der mündlichen Überlieferung wieder.

[166] Vgl → Meyer-Weiß 110 u A 3 (Lit); Strecker aaO (→ A 146) 139 f; RLRubenstein, Scribes, Pharisees and the Hypocrites, Judaism 12 (1963) 456—468.

[167] Zur Ursprünglichkeit der verschiedenen Szenen vgl bes ELohse, Jesu Worte über den Sabbat, Festschr JJeremias, ZNW Beih 26 (1960) 79—89; vgl auch DDaube, The New Testament and Rabbinic Judaism (1956) 67—71; Bultmann Trad 40 f. 50 f; HBraun, Spätjüd-häretischer u frühchristlicher Radikalismus, Beiträge zur historischen Theol 24 (1957) II 70 A 1 u 2.

tung in gewissen Einzelfragen der Gesetzesbefolgung wie in der Frage des Verzehntens Lk 18, 12; Mt 23, 23 Par[168], in der Fastenfrage Lk 18, 12; Mk 2, 18ff Par (→ IV 932, 9ff)[169] sowie vor allem in bezug auf das Bestreben des pharisäisch-rabb Judt, die urspr nur für die Priester geltenden Reinheitsbestimmungen auch im alltäglichen u profanen Leben strikte durchzuführen (→ III 421, 11ff; VIII 320, 16ff). Die wich-tigste Überlieferung zu dieser Frage liegt in der Komposition Mk 7, 1ff bzw Mt 15, 1ff vor[170], die freilich in ihrer vorliegenden Form deutlich die Kennzeichen späterer Über-arbeitung u aktualisierender Interpretation an sich trägt[171]. Andererseits ist aber nicht zu verkennen, daß die Durchführung der priesterlichen Reinheitsbestimmungen durch die Pharisäer im Sinne äußerer Reinheit den Widerspruch Jesu herausfordern mußte, indem auch hier wieder die pharisäische Fragestellung verschärft u auf den Gegensatz von äußerer u innerer Reinheit zugespitzt wurde. Gerade dieser Gedanke aber liegt in Mk 7, 15 Par vor: Zumindest in diesem Verse also dürfte die Haltung Jesu noch zum Ausdruck kommen, während die folgenden Verse Mk 7, 17ff — vgl bes den Laster-katalog Mk 7, 21f — deutlich den Charakter eines sekundären Komm zeigen, in wel-chem das zuvor Gesagte für den hell, mit den jüd Reinheitsbestimmungen nicht mehr vertrauten Leser lediglich aktualisiert wird[172]. Erkennt man allerdings in Mk 7, 15 Par noch ein Wort, das auf Jesus selbst zurückzuführen ist, dann gilt dies grundsätzlich auch für das Logion in Mt 23, 25f bzw Lk 11, 39ff[173].

c. In den gleichen sachlichen Zusammenhang mit der Be-folgung der priesterlichen Reinheitsbestimmungen gehören auch die für den Pha-risäismus charakteristischen Bemühungen, sich von dem „Volk, das das Gesetz nicht kennt" (J 7, 49), dh vom ʿAm ha-ʾareṣ, abzusondern (→ 19, 26ff; V 589, 9ff)[174]. Zweifellos ist eine der wichtigsten Ursachen für den Konflikt zwischen Jesus und dem pharisäischen Judentum in Jesu Haltung gegenüber den Zöllnern und Sündern zu sehen[175]. Die Tatsache, daß Jesus selbst mit den Pharisäern Tischgemeinschaft hielt (Lk 7, 36; 11, 37; 14, 1), setzt voraus, daß er bei den Pharisäern nicht als Angehöriger des gesetzlosen ʿAm ha-ʾareṣ galt[176]. Auf Grund dessen mußte jedoch Jesu Verkehr mit dem gesetzlosen Volk sowie sein Bewußt-sein, gerade an diesem seine besondere Aufgabe zu haben[177], auf die schärfste

---

[168] Vgl Str-B I 933; Kl Mt z 23, 23; Grundmann aaO (→ A 138) z Lk 11, 42.

[169] Die Tatsache, daß in Mk 2, 18—22 Par das Nichtfasten der Jünger Jesu Angriffs-punkt ist, legt die Vermutung nahe, daß hier eine spätere Fragestellung der Gemeinde durch ein Wort Jesu autoritativ beantwortet werden soll; vgl Bultmann Trad 17f; Dibelius aaO (→ A 151) 62f; ders, Die urchr Über-lieferung von Johannes dem Täufer (1911) 40f. Fraglich ist in Mk 2, 18ff Par auch, ob die Pharisäer nicht erst sekundär in den Zshg eingetragen worden sind, vgl Loh Mk zSt; Kl Mk z 2, 18; JBlinzler, Qumran-Kalender und Passionschronologie, ZNW 49 (1958) 244f.

[170] Vgl auch Mt 23, 25f sowie Lk 11, 39—41; zur Analyse von Mk 7, 1—23 bzw Mt 15, 1—20 vgl Bultmann Trad 15f; Dibelius aaO (→ A 151) 222f; Kümmel aaO (→ A 162) 28f; Montefiore aaO (→ A 151) I 130—166.

[171] So ist es bereits unwahrscheinlich, daß die pharisäisch-rabb Reinheitsbestimmungen schon zZt Jesu für alle Juden galten Mk 7, 3; vgl ABüchler, Der galiläische Am-ha-ʾareṣ des 2. Jhdt (1906) 126; Montefiore aaO (→ A 151) I 130f; II 224—227; SZeitlin, The Halaka in the Gospels and its Relation to the Jewish Law at the Time of Jesus, HUCA 1

(1924) 362—373; vgl jedoch Kümmel aaO (→ A 162) 29. Auffällig ist auch hier wieder, daß nicht Jesus selbst, sondern nur seine Jünger angegriffen werden Mk 7, 5; vgl Bultmann Trad 16. 50f.

[172] Zur Ursprünglichkeit von Mk 7, 15 vgl Bultmann Trad 15. 158; Braun aaO (→ A 167) II 62 A 2; 65 A 5; 72 A 1; Montefiore aaO (→ A 151) I 152—161. Zum sekundären Charakter von Mk 7, 17—23 vgl Loh Mk zSt; Braun II 116f A 2.

[173] Vgl Bultmann Trad 139. 158; Wellh Mt zSt. Eine gnostische Deutung von Mt 23, 25f bzw Lk 11, 39ff scheint im Thomas-Ev (ed AGuillaumont u andere [1959]) Logion 89 (96, 13—16) vorzuliegen.

[174] Vgl bes Str-B II 494—519 (zu J 7, 49); → JJeremias 302f; PsClem Recg VI 11, 2 (ed BRehm, GCS 51 [1965]): Pharisäer = a vulgo separati.

[175] Vgl WGrundmann, Die Gesch Jesu Christi (1960) 109. 132f.

[176] Vgl jedoch J 7, 15 u → JJeremias 268.

[177] Vgl Mk 2, 17; Mt 11, 19 bzw Lk 7, 34; 19, 10. Die Frage, ob nicht auch an diesen St die Gemeindetheologie zum Ausdruck kommt — so bes dort, wo vom Gekommen-sein Jesu die Rede ist Mt 11, 19 Par sowie Lk 19, 10 — kann hier dahingestellt bleiben,

Kritik des Pharisäismus stoßen. Wenn also Mk 2, 15ff Par davon die Rede ist, daß Jesus (bzw seine Jünger Lk 5, 30) mit den Zöllnern und Sündern ißt (vgl auch Mt 11, 19 bzw Lk 7, 34; 15, 1f; 19, 7), so wird auch an diesen Stellen die die pharisäische Gesetzespraxis faktisch aufhebende Haltung Jesu deutlich[178]. Am
5 unverkennbarsten kommt jedoch Jesu Haltung gegenüber der pharisäischen Gesetzesfrömmigkeit in der bei Lukas überlieferten Beispielerzählung vom Pharisäer und Zöllner zum Ausdruck (Lk 18, 9ff)[179]: Hier wird das gesamte, subjektiv ehrliche[180] Bemühen des pharisäischen Judentums, das Gesetz in der rechten Weise zu erfüllen und damit zum Kommen der Gottesherrschaft beizutragen, radikal
10 abgewertet zugunsten der Haltung dessen, der von sich und seinem Tun nichts, alles dagegen von Gott erwartet (→ VIII 16, 29ff).

d. Freilich darf nicht übersehen werden, daß diese Haltung Jesu zur pharisäischen Gesetzesfrömmigkeit in der urchristlichen Gemeinde nicht immer in dieser Klarheit durchgehalten worden ist. Die kritische Einstellung
15 Jesu gegenüber dem Pharisäismus wird zwar übernommen und noch verschärft; andererseits zeigt sich aber eine in gewisser Weise rückläufige Tendenz im Sinne eines strengen Judenchristentums, das letztlich in der pharisäischen Gesetzesfrömmigkeit befangen bleibt. Dieser Tatbestand kommt vor allem bei Matthäus zum Ausdruck, und zwar besonders deutlich im Rahmen der Bergpredigt sowie
20 in der großen antipharisäischen Rede Mt 23[181]. Der Unterschied von der Haltung Jesu wird dort sichtbar, wo ganz in Übereinstimmung mit den entsprechenden pharisäisch-rabbinischen Aussagen[182] in dem judenchristlichen Zusatz Mt 5, 18f an der unverbrüchlichen Geltung des Gesetzes in seinem ganzen Umfang (→ II 545, 1ff) festgehalten wird[183]. Die gestaltende Arbeit des Evangelisten wird weiterhin
25 besonders deutlich in der antipharisäischen Rede Mt 23 (vgl Lk 11, 37ff; Mk 12, 38ff)[184]. In formaler Hinsicht grenzt Matthäus sich hier vom pharisäischen Judentum

---

zumal der eigtl Gedanke auch bereits in Mk 2, 17a vorliegt; vgl Bultmann Trad 96. 164f. 166; Grundmann aaO (→ A 138) zu Lk 7, 34; Loh Mk z 2, 15ff.

[178] Da es an den genannten St die Pharisäer sind, die Jesus kritisieren, ist es nicht notwendig, zwischen Sündern im Sinne der Pharisäer ('Am ha-'areṣ) u Sündern in den Augen des Volkes zu unterscheiden sowie die genannten St im letzteren Sinne zu interpretieren; so JJeremias, Zöllner und Sünder, ZNW 30 (1931) 293—295. Der Konflikt zwischen Jesus u den Pharisäern gewinnt ja erst dadurch seine Schärfe, daß Jesus mit Leuten verkehrt, die sogar beim 'Am ha-'areṣ als Sünder gelten.

[179] Zur redaktionellen Einl in Lk 18, 9 sowie zum sekundären Schluß in Lk 18, 14b vgl Bultmann Trad 193; Dibelius aaO (→ A 151) 254; Jeremias Gl⁷ 99. 141.

[180] Zu beachten ist, daß das hier von dem Pharisäer gezeichnete Bild keineswegs eine Karikatur ist. Vgl Montefiore aaO (→ A 151) II 556f; Rengstorf aaO (→ A 147) z 18, 11.

[181] Vgl Strecker aaO (→ A 146) 137—143.

[182] Vgl Str-B I 244—249.

[183] Zur Echtheitsfrage in bezug auf Mt 5, 17—20 vgl Schweizer aaO (→ A 141) 399—406; Kümmel aaO (→ A 162) 33f; EStauffer, Die Botschaft Jesu (1959) 26—39; Braun aaO (→ A 167) II 7 A 2; 11 A 2; 51 A 1; 97 A 2; Trilling aaO (→ A 152) 167 —186. 203; Strecker aaO (→ A 146) 143— 147. Zur Frage einer Polemik des Mt gg antinomistische Kreise in der hell Gemeinde (vgl neben Mt 5, 17ff auch Mt 7, 15ff; 24, 11ff) vgl GBarth, Das Gesetzesverständnis des Evangelisten Mt, in: GBornkamm—GBarth— HJHeld, Überlieferung u Auslegung im Mt, Wissenschaftliche Monographien zum AT u NT 1 ⁴(1965) 60—70. 149—154; vgl dgg Strecker aaO (→ A 146) 137 A 4.

[184] Zur Analyse von Mt 23 im Vergleich zu Mk 12, 38—40 u Lk 11, 37—52 vgl Bultmann Trad 118f; Kl Mt, Wellh Mt zSt; TWManson, The Sayings of Jesus ³(1954) 94—103. 227—240; EHaenchen, Matthäus 23, Gott u Mensch (1965) 29—54. Zur Rekonstruktion der Wehe-Rufe vgl auch → Meyer Prophet 14f. 135. Dafür, daß Mk 12, 38—40 eine verkürzende Bearbeitung von Mt 23 bzw Lk 11 darstelle, sind keine

ab und übernimmt dabei auch Elemente der sadokidischen Kritik am Pharisäismus (→ 28, 42 ff)[185]. In sachlicher und inhaltlicher Hinsicht jedoch ist die Einstellung Jesu zur pharisäischen Gesetzesfrömmigkeit nicht mehr gewahrt: Nicht die pharisäische Gesetzesfrömmigkeit und das pharisäische Gesetzesverständnis als solche werden kritisiert, sondern lediglich die pharisäische Gesetzespraxis; die Pharisäer 5 tun nicht, was sie sagen (Mt 23, 3. 23)[186]. Es wird festgestellt, daß die Pharisäer hinter dem von ihnen selbst aufgestellten Ideal zurückbleiben; dieses Ideal selbst wird jedoch nicht angegriffen. Auf diese Weise stellt Matthäus sich grundsätzlich auf die gleiche Ebene, von der aus auch das pharisäisch-rabbinische Judentum selbst gegen die Heuchelei in den eigenen Reihen polemisieren konnte 10 (→ 19, 15 ff)[187]. Durch die Anweisungen von Mt 23, 2 f wird die christliche Gemeinde letztlich der Lehrautorität der Pharisäer unterworfen, das Gesetz in seiner pharisäisch-rabbinischen Interpretation bleibt im Grunde unangetastet, und das Christentum wird zum Pharisäismus strengster Observanz[188]. Diese Haltung kommt besonders deutlich in Mt 23, 2 f zum Ausdruck. Hier wird ausdrücklich 15 festgestellt, daß die Pharisäer und Schriftgelehrten auf der Kathedra des Mose sitzen, dh die Lehrgewalt innehaben[189]. Darüber hinaus wird die christliche Gemeinde aufgefordert, das zu tun und zu bewahren, was die Pharisäer und Schriftgelehrten sagen bzw lehren[190]. Hier wie auch in Mt 23, 23 (→ III 598, 18 ff)[191] wird deutlich sichtbar, daß Matthäus in seiner Redekomposition gegen die Pharisäer zwar älteres 20 und ursprüngliches Material benutzt hat, dieses Material jedoch zugleich in einem entschieden judenchristlichen Sinne interpretiert hat (→ VI 662, 9 ff). Die Radikalität des Urteils Jesu über das pharisäische Gesetzesverständnis insgesamt (→ IV 1056, 8 ff) ist grundsätzlich aufgegeben. Mt 23 in der vorliegenden Form gibt nicht mehr die Polemik Jesu, sondern die Polemik der judenchristlichen Gemeinde 25 wieder[192]. Von hier aus erklärt sich dann auch die Schärfe dieser Polemik sowie ihr in gewisser Weise simplifizierender Charakter, auf Grund dessen die Pharisäer zusammen mit den Schriftgelehrten als eine einheitliche, in sich geschlossene Größe erscheinen, über die ein kollektives und nicht mehr differenzierendes Urteil gesprochen wird. Die wahre pharisäische Legitimität ist bei der judenchristlichen 30 Gemeinde; sie ist das wahre Israel — nicht mehr das Judentum in seiner pharisäisch-rabbinischen Ausprägung.

Anhaltspunkte vorhanden; vgl Schniewind aaO (→ A 148) z 23, 1; Montefiore aaO (→ A 151) II 290.

[185] Vgl auch die sachliche Übereinstimmung zwischen Mt 23, 13 Par u Damask 6, 12 (8, 11) („Verschließer der Tür") sowie Mt 23, 14 u Damask 6, 16 (8, 13). Damit erweist sich die Kritik des Mt am Pharisäismus letztlich als eine innerjüdische Kritik. Zur Frage der Polemik gg den Pharisäismus in der Qumran-Gemeinde u zur Übereinstimmung mit den antipharisäischen Reden in den synpt Ev vgl auch JCarmignac, Les éléments historiques des ‚Hymnes‘ de Qumran, Revue de Qumran 2 (1960) 216—222.

[186] Vgl bes Mt 23, 3. 23. 28; dazu Trilling aaO (→ A 152) 198—202; Haenchen aaO (→ A 184) 49.

[187] Vgl → Meyer-Weiß 110 u A 3.

[188] Vgl Haenchen aaO (→ A 184) 52; Barth aaO (→ A 183) 80—83.

[189] Vgl MGinsberger, La chaire de Moise, REJ 90 (1931) 161—165; Manson aaO (→ A 184) 228.

[190] Vgl Haenchen aaO (→ A 184) 30 f; Loh Mt z 23, 2 f; Braun aaO (→ A 167) II 13 A 1.

[191] Vgl Haenchen aaO (→ A 184) 39 f; Montefiore aaO (→ A 151) II 301. 482.

[192] Aus der Gemeinde bzw von Mt stammen wohl auch v 8—10; vgl Haenchen aaO (→ A 184) 33—36; Légasse aaO (→ A 141) 333—339. Zu v 28 als sekundärer Auslegung von v 27 sowie zu v 33 (= Mt 3, 7) vgl → Meyer Prophet 14 f. 135. Zu v 34 b als vaticinium ex eventu vgl Bultmann Trad 118 f. 134 sowie Légasse aaO (→ A 141) 323—333.

II. Die Pharisäer im Johannesevangelium.

In der Gesamttendenz stimmt das Bild, das das vierte
Evangelium vom Verhältnis zwischen Jesus und den Pharisäern entwirft, durchaus mit dem der synoptischen Evangelien überein: Die Pharisäer erscheinen auch
5 hier bereits als die Gegner des Täufers (J 1, 19. 24; vgl auch 3, 25)[193]; die Auseinandersetzung Jesu mit den Pharisäern ist vor allem in der Verletzung des
Sabbathgebotes (→ VII 27, 4ff) durch Jesus begründet (J 5, 1ff, vgl auch als
Abschluß zu J 5 das Streitgespräch zwischen Jesus und den Juden in J 7, 19ff;
9, 1ff[194]); und schließlich sind es auch die Pharisäer, die beabsichtigen, Jesus zu
10 töten (J 7, 32; 11, 46ff)[195]. Dennoch ist auch im Johannesevangelium eine
ganze Reihe von Anzeichen dafür vorhanden, daß sich in der Darstellung des
Konfliktes zwischen Jesus und den Pharisäern weniger der historische Sachverhalt
zur Zeit Jesu spiegelt als vielmehr die eigene Situation des Evangelisten gegen
Ende des 1. Jahrhunderts.

15   Dies zeigt sich bereits in der Terminologie: Der zwischen den verschiedenen jüd
Richtungen differenzierende Sprachgebrauch, wie er in den synpt Ev jedenfalls zT
noch spürbar ist, ist im Joh-Ev überh nicht mehr vorhanden. Der Begriff Pharisäer
tritt im Verhältnis hinter dem zusammenfassenden Begriff *die Juden* (→ III 378, 26ff)
zurück, der an einer Reihe von St nicht das jüd Volk in seiner Gesamtheit[196], sondern
20 die geistigen u religiösen Wortführer des Judt bezeichnet, uz als solche, die den Glauben
an Jesus verweigern (→ III 380, 20ff). Der sekundäre Charakter der joh Überlieferung in bezug auf die Pharisäer geht weiterhin aus der Zusammenordnung der Pharisäer
mit den Hohenpriestern hervor J 7, 32. 45; 11, 47. 57; 18, 3 (→ III 271, 48f).[197] Obwohl es nachweislich auch Priester gegeben hat, die sich zu den Pharisäern hielten
25 (→ 15, 18ff)[198], wird man doch in Anbetracht der Tatsache, daß die den historischen
Verhältnissen zZt Jesu näherstehende synpt Überlieferung die Zusammenordnung der
Pharisäer u der Hohenpriester urspr nicht kennt (→ 39, 15ff), die diesbezüglichen
St im Joh-Ev kaum als eine sachgemäße Widerspiegelung der historischen Verhältnisse
zZt Jesu ansehen dürfen. Gg eine solche Einschätzung spricht vor allem der Umstand,
30 daß die Pharisäer an den genannten St zus mit den Hohenpriestern als eine behördliche
Instanz erscheinen, dh als Mitglieder der Gerichtsbehörde bzw des Synedriums (→
VII 861, 17ff), vor denen zB nach J 9, 13 der von Jesus Geheilte sich zu verantworten
hat, vgl auch J 7, 45. 47f u bes J 11, 47 sowie J 11, 57; 12, 42[199]. An allen diesen St
erwartet man anstelle der Pharisäer weit eher die Schriftgelehrten. Wenn der Evan-
35 gelist anders verfährt, so ist dies ein Zeichen dafür, daß auch im Joh-Ev der urspr Unterschied zwischen den Pharisäern u den Schriftgelehrten keine Rolle mehr spielt.

Die Feindschaft der Pharisäer bzw der Juden gegen Jesus wird im Johannesevangelium ebenso wie in den synoptischen Evangelien (→ 41, 27ff) auf die kritische Haltung gegenüber dem Gesetz zurückgeführt (→ IV 1075, 21ff). Allerdings
40 sind von dem ganzen Komplex der diesbezüglichen synoptischen Überlieferung im
Johannesevangelium nur zwei Erzählungen übriggeblieben, die davon berichten, daß
Jesus am Sabbath geheilt hat (J 5, 1ff; 9, 1ff). Beide Überlieferungen sind aber
offensichtlich erst sekundär im Sinne eines Verstoßes Jesu gegen das Sabbath-

---

[193] Zu J 3, 25 vgl Bultmann J 122—125.
[194] Vgl Lohse aaO (→ A 167) 79f. 89; zu
J 7, 22f → VIII 327, 7ff; VI 81, 20ff.
[195] Vgl → JJeremias 299.
[196] Vgl die Unterscheidung zwischen den
Juden u dem Volk in J 7, 12. 20. 31. 49; vgl
dazu Bultmann J 59; EGrässer, Die anti-
jüdische Polemik im Joh-Ev, NT St 11
(1964/65) 74—90.
[197] Vgl jedoch J 1, 19. 24 die Unterscheidung zwischen den Priestern u Leviten

einerseits, den Pharisäern andererseits; zum
sekundären Charakter von J 1, 24 vgl Bultmann J 57f; zur Zusammenordnung von
Pharisäern u Hohenpriestern vgl auch J
12, 10. 19. Die Pharisäer zus mit den Schriftgelehrten begegnen nur in dem nicht-joh
Stück J 7, 53—8, 11 als Versucher Jesu
J 8, 6.
[198] Vgl → JJeremias 291f.
[199] Vgl Bultmann J 59 A 5; 231 A 7;
253.

gebot interpretiert worden (→ VII 27, 4 ff; VIII 290, 15 ff) [200]. Nichtsdestoweniger kommt aber auch noch im Johannesevangelium ein Tatbestand zum Ausdruck, der bereits in den synoptischen Evangelien eine wesentliche Rolle gespielt hatte, der Tatbestand nämlich, daß Jesus sich in besonderer Weise an diejenigen gewendet hat, das von den Pharisäern als „Volk, das das Gesetz nicht kennt" bezeichnet 5 wurden (J 7, 49; → V 589, 9 ff). Dieser Tatbestand liegt auch in J 9, 39 (vgl 12, 40) vor; denn gerade die Pharisäer, die den Anspruch Jesu zurückweisen, sind die Sehenden, die im Grunde blind sind, und die Nichtsehenden sind jenes Volk von J 7, 49, das durch den Glauben an Jesus sehend wird (→ VIII 291, 23 ff) [201]. Mit der Aussage von J 7, 49 zeigt der Evangelist, daß er mit den Verhältnissen 10 innerhalb des zeitgenössischen Judentums noch in gewisser Weise vertraut ist. Dem scheint es auch zu entsprechen, daß der Evangelist — im Unterschied von seinem scharfen Urteil über die Juden (→ III 380, 20 ff) — über die Pharisäer selbst keineswegs ein kollektives Urteil spricht.

> Dies wird bes dort deutlich, wo die Reaktion der Pharisäer auf die Verletzung des 15 Sabbathgebotes durch Jesus nicht nur radikal ablehnend beschrieben wird J 9, 16, vgl auch 8, 30, dann aber auch dort, wo in Nikodemus ein Pharisäer geschildert wird, der Jesus keineswegs von vornherein ablehnend gegenübersteht J 3, 1 f; vgl auch J 7, 47 ff [202]. Hierher gehören schließlich auch jene St im Joh-Ev, die davon berichten, daß viele von den Obersten (ἄρχοντες) zum Glauben an Jesus gelangt sind J 12, 42, vgl auch 20 7, 47 f. Wenn allerdings im Zshg damit davon die Rede ist, daß jene gläubigen Obersten ihren Glauben aus Furcht vor den Pharisäern nicht bekannten, „damit sie nicht aus der Synagoge ausgestoßen werden" J 12, 42, vgl auch 9, 22; 16, 2 (→ VII 845, 22 ff), so wird auch hier wieder jene Situation sichtbar, in der sich Kirche u Synagoge bereits als zwei feindliche u voneinander getrennte Größen gegenüberstehen [203]. 25

III. Die Pharisäer in der Apostelgeschichte und bei Paulus.

1. Der Unterschied in der Beurteilung des Pharisäismus zwischen den Evangelien einerseits und der Apostelgeschichte andererseits ist offensichtlich: Der Gegensatz zwischen Jesus und den Pharisäern spielt in der 30 Apostelgeschichte keine Rolle mehr. Nicht speziell die Pharisäer, vielmehr die Juden allgemein tragen die Schuld am Tode Jesu (vgl Ag 2, 23. 36; 4, 10; 3, 15 ff; 5, 30; 7, 52; 10, 39; 13, 27 f; vgl auch 1 Th 2, 15) [204]. Aber auch als die eigentlichen Gegner der Urgemeinde bzw des Christentums erscheinen in der Apostelgeschichte nicht die Pharisäer. Diese sind vielmehr nach der Darstellung des 35 Lukas die Sadduzäer (→ VII 52, 35 ff). Zwar weiß auch noch Lukas von der das Gesetz in besonderer Weise bewahrenden Richtung (αἵρεσις) der Pharisäer (Ag 15, 5; 23, 9; vgl besonders 26, 5: ἡ ἀκριβεστάτη αἵρεσις) [205]. Im wesentlichen spielen

---

[200] Vgl zu J 5, 9b u 9, 14 Lohse aaO (→ A 167) 79 f; Bultmann Trad 242.

[201] Zum bildlichen Sprachgebrauch vgl Bultmann J 258 A 6; sachlich vgl auch Mt 11, 25.

[202] Der Titel ἄρχων (→ I 487, 30 ff) bezeichnet hier wohl den Angehörigen des Synedriums; vgl Bultmann J 94 A 3; zu Nikodemus vgl → JJeremias 269. 289; Légasse aaO (→ A 141) 321 A 4.

[203] Vgl auch Grässer aaO (→ A 196) 86: „Gerade dieser radikale Bruch, der de facto-

Ausschluß der Christen aus der Synagoge, ist nur verständlich als die ins Leben Jesu zurückprojizierte Gegenwart des Verf".

[204] Vgl HConzelmann, Die Mitte der Zeit. Studien zur Theol des Lukas, Beiträge zur historischen Theol 17 [5](1964) 136.

[205] Vgl dazu auch Jos Vit 191: „... die Schule der Pharisäer, die meinen, sich in bezug auf die (Befolgung der) Gesetze der Väter von den anderen (Juden) durch Genauigkeit (ἀκριβείᾳ) zu unterscheiden".

die Pharisäer jedoch nur eine Rolle, soweit sie wie der Gesetzeslehrer Gamli'el (Ag 5, 34)[206] dem Synedrium angehören[207]. Hier sind sie diejenigen, die sich im Unterschied von den altgläubigen Sadduzäern zur Totenauferstehung sowie zum Engelglauben und zum Geisterglauben bekennen (Ag 23, 6—9; → VII 53, 38ff)[208]. 5 Wie bereits im Evangelium, so ist dem Lukas auch in der Apostelgeschichte durchaus noch der Unterschied zwischen den Pharisäern und den Schriftgelehrten bewußt (Ag 23, 9). Auffällig gegenüber dem Bild, das die Evangelien im allgemeinen von den Pharisäern zeichnen, ist aber vor allem der Umstand, daß die Haltung der im Synedrium vertretenen Pharisäer gegenüber dem Christentum keineswegs 10 als ablehnend geschildert wird: So nimmt nach Ag 5, 34ff Gamli'el den Christen gegenüber eine duldsame Haltung ein[209], und in der Szene vor dem Synedrium in Ag 23, 6ff sind es die Pharisäer, die dem Paulus faktisch seine Unschuld bescheinigen. Diesem Bild entspricht es dann auch, daß Lukas von gläubig gewordenen Pharisäern zu berichten weiß (Ag 15, 5; vgl auch 21, 20f)[210].

15   **2.** Eine ausgesprochen antipharisäische Haltung läßt sich auch bei Paulus nicht feststellen. Der Apostel kann vielmehr mit einem gewissen Stolz von seiner vorchristlichen pharisäischen Vergangenheit sprechen. An den wenigen hierfür in Betracht kommenden Stellen (Gl 1, 13f; Phil 3, 5f[211]) bescheinigt er sich selbst, daß er in jeder Beziehung dem pharisäischen Ideal entsprochen 20 hat: „Hinsichtlich des Gesetzes ein Pharisäer, hinsichtlich der Gesetzesgerechtigkeit untadelig" (Phil 3, 5f; → III 393, 8ff)[212]. Nach Gl 1, 13f hat er sogar in seinem Eifer für die Überlieferungen der Väter, dh für die spezifische Gesetzesüberlieferung der Pharisäer[213], seine Zeitgenossen übertroffen[214]. Die eigenen Angaben des Paulus werden durch weitere Angaben in der Apostelgeschichte nach der biographischen 25 Seite′ hin ergänzt: Nach Ag 23, 6 ist Paulus Sohn pharisäisch gesinnter Eltern gewesen[215]. Von Jugend an als Pharisäer in Jerusalem (Ag 26, 4f) war er nach

---

[206] Zu Gamli'el vgl Str-B II 636—639; Schürer II 429—431.

[207] Vgl → JJeremias 261.

[208] Vgl Meyer Ursprung II 302f; zu ἀμφότερα in Ag 23, 8 im Sinne von „alles" vgl Haench Ag[14] zSt sowie zu 19, 16.

[209] Vgl Haench Ag[14] zSt sowie BReicke, Glaube u Leben der Urgemeinde, Abh Th ANT 32 (1957) 102—105.

[210] Zum Verhältnis zwischen Kirche und Judt nach Lk vgl Conzelmann aaO (→ A 204) 135—138.

[211] Dem pharisäischen Standpunkt entspricht es, wenn nach Gl 5, 3 jeder Beschnittene das ganze Gesetz zu befolgen hat (vgl auch R 2, 25), vgl jedoch Schlier Gl[12] zSt. Nicht sehr wahrscheinlich ist es, daß in dem ἀφορίζειν in R 1, 1 u Gl 1, 15 noch das hbr פרש im Sinne der pharisäischen „Absonderung" mit anklingt; → V 455, 8ff; Schlier Gl[12] zSt; vgl neuerdings bes JWDoeve, Paulus der Pharisäer und Gl 1, 13—15, Nov Test 6 (1963) 170—181.

[212] Vgl Loh Phil[12] zSt; Pls als Benjaminit auch in R 11, 1; vgl → JJeremias 311.

[213] Vgl die Überlieferung der Ältesten in Mk 7, 1ff; Schlier Gl[12] zSt; Kümmel aaO (→ A 162) 24f.

[214] Der Begriff ζηλωτής bezeichnet hier den um das Gesetz in besonderer Weise bemühten Pharisäer; vgl R 10, 2; Phil 3, 6; Ag 21, 20; 22, 3; → II 889, 25ff; Schlier Gl[12] zSt; → Hengel 181f. 184f.

[215] Auf pharisäische Eltern des Pls weist auch die Bemerkung „am achten Tage beschnitten" in Phil 3, 5 hin; zur Interpretation von υἱὸς Φαρισαίων als Schüler eines pharisäischen Lehrers bzw Mitglied einer pharisäischen Genossenschaft vgl → JJeremias 200. 286 A 2 (vgl Mt 12, 27); MDibelius—WGKümmel, Paulus ³(1964) 27; Zn Ag z 23, 6. Zum Problem eines Diasporapharisäismus vgl HJSchoeps, Paulus (1959) 12—16; HFWeiß, Zur Frage der historischen Voraussetzungen der Begegnung von Antike u Christentum, Klio 43—45 (1965) 318f.

Ag 22, 3 sogar ein Schüler des Rabban Gamli'el (vgl Ag 5, 34)[216]. Auch wenn auf Grund von Gl 1, 13f und Phil 3, 5f an der pharisäischen Vergangenheit des Paulus (→ V 618, 12ff; VI 714, 8ff) nicht gezweifelt werden kann, so wird man doch diese Angaben in der Apostelgeschichte nicht in jedem Falle als historisch zuverlässig betrachten können: Auf Grund von Gl 1, 22 muß es zumindest als zweifelhaft erscheinen, 5 ob Paulus tatsächlich in Jerusalem so bekannt gewesen ist, wie es in Ag 22, 3 und besonders in Ag 26, 4 vorausgesetzt wird[217]. Auch die Schilderung des Auftretens des Paulus vor dem Synedrium in Jerusalem in Ag 23, 6ff erweckt einige Zweifel; denn es ist wenig wahrscheinlich, daß den Pharisäern im Synedrium so wenig bekannt gewesen ist, wer Paulus eigentlich war, daß sie sich einfach durch dessen 10 Berufung auf seine Herkunft aus dem Pharisäismus zu Bundesgenossen der Christen machen ließen[218]. Auf Grund der Problematik dieser Angaben der Apostelgeschichte über den Pharisäer Paulus muß dann freilich auch die Frage offen bleiben, ob der Apostel ordinierter Schriftgelehrter gewesen ist oder nicht[219]. Für Paulus selbst jedoch hat seine Vergangenheit als Pharisäer grundsätzlich keine 15 Bedeutung mehr: Das, was ihm einst als Pharisäer ein Gewinn gewesen ist, das hat er um Christi willen für einen Schaden erachtet (Phil 3, 7; → II 892, 32ff), und dies bedeutet letztlich: Der historische Gegensatz zum Pharisäismus, der nach der Darstellung der Evangelien die Geschichte Jesu in so starkem Maße bestimmte, tritt bei Paulus zurück hinter den theologischen Gegensatz von Christus und 20 Gesetz.

C. Die Pharisäer in der frühchristlichen Literatur außerhalb des Neuen Testamentes.

Infolge der scharfen Abgrenzung zwischen Kirche u Judt im Laufe des 2. Jhdt u der folgenden Jhdt sind naturgemäß im frühchristlichen Schrifttum 25 außerhalb des NT in bezug auf den Pharisäismus keine neuen Gesichtspunkte mehr zu erwarten, die über das bisher Festgestellte hinausführen: Bei den Apost Vät werden die Pharisäer überh nicht erwähnt[220]. Soweit in der übrigen frühchristlichen Lit nicht einfach über die verschiedenen jüd Parteien berichtet wird[221] u im Zshg damit auch Deutungsversuche zum Begriff Φαρισαῖος vorgetragen werden (→ 12, 11ff), werden 30 die Pharisäer im zT wörtlichen Anschluß an die synpt Überlieferung stereotyp als die

---

[216] In Ag 22, 3 begegnet auch wieder (vgl bereits Gl 1, 13f) der Begriff ζηλωτής (τοῦ θεοῦ); vgl die vl τοῦ νόμου (vgl Ag 21, 20) u τῶν πατρικῶν μου παραδόσεων (vgl Gl 1, 14).

[217] Vgl Haench Ag[14] z 22, 3; RBultmann, Artk Paulus, in: RGG[2] IV 1020f; bes kritisch urteilt MSEnslin, Paul and Gamaliel, The Journal of Religion 7 (1927) 360—375.

[218] Bemerkenswert ist auch, daß Pls sich nach Ag 23, 6 darauf beruft, daß er Pharisäer ist; vgl auch Ag 26, 6: weil Pls Pharisäer ist, steht er vor Gericht; vgl Haench Ag[14] zu den St.

[219] Zustimmend beantwortet diese Frage auf Grund von Ag 9, 1f; 13, 5; 22, 5; 26, 10. 12 → JJeremias 269. 288; ders, War Paulus Witwer?, ZNW 25 (1926) 310f; vgl auch Dibelius—Kümmel aaO (→ A 215) 30f. 33; zu Ag 26, 10 vgl Haench Ag[14] zSt.

[220] Lediglich in Did 8, 1f (vgl Mt 6, 16)

werden im Zshg mit der Fastenfrage die Juden als „Heuchler" bezeichnet; vgl Kn Did zSt; Blinzler aaO (→ A 169) 243f; HKöster, Synpt Überlieferung bei den Apost Vät, TU 65 (1957) 202f. Zu Ign Phld 6, 1 (vgl Mt 23, 27) vgl Köster 36.

[221] Die Pharisäer als αἵρεσις neben anderen jüd Parteien Just Dial 80, 4; Hipp Ref IX 18, 2; Hegesipp bei Eus Hist Eccl IV 22, 7; Const Ap VI 6, 1ff; Pseud-Tertullian, Adversus omnes Haereses 1 (CSEL 47 [1906] 213); Filastrius, Diversarum hereseon Liber 5—28, ed VBulhart, CCh 9 (1957); Ps Clem Recg (→ A 174) I 54, 6ff. Ausführliche Referate über die jüd Parteien finden sich bes bei Hipp Ref IX 28, 3—29, 4 im Anschluß an Jos Bell 2, 162—166 u bei Epiph Haer 16. Bemerkenswert ist, daß Epiph Haer 15, 1f noch zwischen den Pharisäern u den Schriftgelehrten δευτερωταὶ τοῦ νόμου unterscheidet.

Gegner Jesu oder auch der Ap gekennzeichnet[222]. Die Pharisäer erscheinen dabei grundsätzlich auf einer Linie mit den übrigen Richtungen des Judt[223]. So begegnet in einer in einem apokryphen Ev (POxy V 840, 10 [4. Jhdt nChr]) überlieferten Debatte mit Jesus über Reinheitsfragen ein pharisäischer Hoherpriester (Φαρισαῖός τις ἀρχιερεύς)[224]. Die dem Pharisäismus feindliche Einstellung des frühen Christentums spiegelt sich auch noch in christlich-gnostischen Texten wie im Apokryphon des Joh Cod II 1, 5—17[225], wo Jesus durch einen Pharisäer namens Amanias bzw Arimanios als Betrüger bezeichnet wird, der seine Jünger von den Überlieferungen ihrer Väter abgewendet hat. Auch das gnostische Thomas-Ev (→ A 173) hat die für die synpt Ev charakteristische Polemik gg die Pharisäer übernommen: Logion 39 (88, 7ff)[226] bringt das in Lk 11, 52, vgl Mt 23, 13 überlieferte Wort Jesu. Logion 102 (98, 2ff) enthält den gleichen Gedanken wie Logion 39, nur in bildlicher Form: „Wehe ihnen, den Pharisäern, denn sie gleichen einem Hunde, der auf der Futterkrippe von Rindern liegt; denn weder frißt er, noch läßt er die Rinder fressen"[227] (→ 52, 13ff). Der formelhafte Gebrauch der Verbindung „Pharisäer u Schriftgelehrte" kehrt auch bei Just wieder, so ua in den Leidensweissagungen Jesu Mk 8, 31 bzw Lk 9, 22, obwohl dort urspr gar nicht von den Pharisäern die Rede war Just Dial 51, 2; 76, 7; 100, 3[228]. Eine über das NT hinausführende Einstellung zum Pharisäismus begegnet in der frühchristlichen Lit einzig bei Iren sowie in den Pseudoklementinen. Nach Iren Haer IV 12, 1 hat Jesus nicht das mosaische Gesetz als solches angegriffen, sondern allein die lex pharisaica. Jesu Stellung zum Gesetz in seiner pharisäischen Ausprägung wird im Anschluß an Mk 7, 1ff auf die Formel gebracht: Non per Moysem datam legem dicens praecepta hominum, sed traditiones presbyterorum, quas finxerant[229]. In den Ps Clem dgg werden bes aus Mt 23, 2f sowie 23, 13 u 23, 23 Folgerungen gezogen, die die Einstellung eines Judenchristentums verraten, das nicht nur das mosaische Gesetz als solches für verbindlich hält, sondern darüber hinaus auch die Autorität der auf der cathedra Mosis sitzenden Pharisäer u Schriftgelehrten grundsätzlich gelten läßt[230]. Die Pharisäer u Schriftgelehrten sind im Besitz der Schlüssel zum Himmelreich, dh sie haben das verbum veritatis . . . ex Moysei traditione, auch wenn sie es vor dem Volk verborgen halten (vgl Lk 11, 52) Ps Clem Recg I 54, 7[231]. Mose hat das Gesetz mitsamt den *Auslegungen* ἐπιλύσεις den Ältesten übergeben Ps Clem Hom 2, 38, 1, vgl auch 3, 47, 1. Die Kathedra des Mose Mt 23, 2 wird geehrt, auch wenn diejenigen, die darauf sitzen, Sünder sind Ps Clem Hom 3, 70, 2, vgl auch 3, 18, 2. Hier kommt eine Einstellung zum Ausdruck, die zwar die pharisäische Gesetzespraxis einer scharfen Kritik unterzieht, die Autorität der Pharisäer jedoch letztlich unangefochten läßt: Auch wenn sie ihr Schlüsselamt nicht in der rechten Weise verwalten, bleiben sie doch diejenigen, die das Gesetz wahrhaft kennen PsClem Hom 3, 51, 1; vgl auch 11, 28, 4. Von daher ist es dann auch zu verstehen, daß nach PsClem Hom 11, 29, 1f die Wehe-Rufe Jesu gg die Pharisäer u Schriftgelehrten lediglich den Heuchlern unter ihnen gelten: „Nur zu den Heuchlern sprach er: ‚Wehe

---

[222] Nur in Act Joh 93 ist im Anschluß an Lk 7, 36; 14, 1 von der Tischgemeinschaft Jesu mit den Pharisäern die Rede.

[223] Vgl Ev Pt 8, 28 (Hennecke[3] I 122) die Zusammenstellung: Schriftgelehrte-Pharisäer-Älteste; POxy X 1224 fr 2 verso col 2 (4. Jhdt nChr, Hennecke[3] I 73): Schriftgelehrte-Pharisäer-Priester; syr Thomas-Ev (Hennecke[3] I 299): Priester-Schriftgelehrte-Pharisäer.

[224] Vgl JJeremias, Unbekannte Jesusworte [3](1963) 15f. 50—60 (ἀρχιερεύς *Oberpriester*); Hennecke[3] I 57f; Bultmann Trad 54f; JLeipoldt, Jesu Verhältnis zu Griechen u Juden (1941) 49f. Vgl auch Act Phil 13: hier sind die Hohenpriester, Gesetzeslehrer u Pharisäer die Verfolger des Philippus; 96, 5f: Pharisäer-Sadduzäer-Hohepriester.

[225] ed MKrause u PLabib, Die drei Versionen des Apokryphon des Johannes (1962) 109f; vgl WCTill, Die gnostischen Schriften des kpt Pap Berolinensis 8502, TU 60 (1955) 19, 6 —20, 3; vgl Hennecke[3] I 235.

[226] POxy IV 655, 41—49 (3. Jhdt nChr); vgl Hennecke[3] I 71f. Thomas—Ev Logion 39 bringt die verschiedenen LA zu Lk 11, 52 (ἤρατε u ἐκρύψατε) nebeneinander; zur Abhängigkeit von Lk 11, 52 vgl EHaenchen, Die Botschaft

des Thomasevangeliums (1961) 66; GQuispel, The Gospel of Thomas and the New Testament, Vigiliae Christianae 11 (1957) 202f; zum Text von Lk 11, 52 → III 746, 26ff.

[227] Vgl JBauer, Echte Jesusworte ?, Theol Jbch 1961 (1961) 214 u A 80; vgl auch 193f zu Logion 39.

[228] Formelhafter Gebrauch der Wendung *Pharisäer u Schriftgelehrte* liegt auch Just Dial 17, 4 (vgl Mt 23, 23); 102, 5; 103, 1 vor.

[229] Vgl auch Ep Apostolorum 30, 3 (ed CSchmidt, TU 43 [1919]) 129. Nach Schmidt 307f besagt die St: Christus ist herabgekommen, um das Gesetz von seinen Entstellungen durch die Pharisäer zu reinigen; → Meyer-Weiß 130f.

[230] Dies bedeutet nicht, daß die Ps Clem noch ein zutreffendes Bild von den Verhältnissen zZt Jesu haben: die Pharisäer werden zus mit den Schriftgelehrten als eine eigene Gruppe den Sadduzäern gegenübergestellt, so Ps Clem Recg (→ A 174) I 54, andererseits wird I 58f zwischen den Pharisäern u Schriftgelehrten unterschieden.

[231] Zu Lk 11, 52 vgl auch Ps Clem Hom 3, 18, 2f; 18, 15, 7; Recg (→ A 174) II 30, 1; 46, 3.

euch ...' (Mt 23, 25f)"[232]. Der Unterschied von der Einstellung Jesu gegenüber den Pharisäern, aber auch von der Einstellung des Mt gegenüber dem pharisäisch-rabb Judt seiner Zeit ist deutlich: Nach dem Verständnis der Ps Clem ist die judenchristliche Gemeinde nicht mehr nur das wahre Israel, die Judenchristen sind letztlich auch die wahren Pharisäer[233].

5

HFWeiß

> **φάτνη**

A. Der griechische Sprachgebrauch

Φάτνη, seltenere Nebenform πάθνη[1], ist seit Hom[2] vornehmlich in der Bdtg *Krippe, Futtertrog* Il 5, 271; 24, 280; 6, 506 = 15, 263 belegt. Eine φάτνη ist in der Ilias ausschließlich für Pferde bestimmt, die nach Il 10, 568 mit Riemen daran festgebunden werden; Od 4, 535 = 11, 411 spricht dgg von der Tötung eines βοῦς ἐπὶ φάτνῃ, vgl Philostr, Imagines[3] II 10, 4; Phot, Bibliotheca[4] 271 (p 503 a 25).

10

---

[232] Vgl auch Ps Clem Recg (→ A 174) VI 11, 2: ad quosdam ergo ex ipsis, non ad omnes dicebat: „Vae vobis ..." (Mt 23, 25f).

[233] Zur Vorstellung vom wahren Israel vgl jetzt bes MSimon, Verus Israel. Les relations entre Juifs et Chrétiens sous l'Empire romain[2] (1964). Zum Verständnis des jüd Gesetzes in den Ps Clem vgl CSchmidt, Studien zu den PsClem, TU 46, 1 (1929) 60f. 203. 317f; GStrecker, Das Judenchristentum in den PsClem, TU 70 (1958) 163—166; vgl auch 237f; HJSchoeps, Theol u Gesch des Judenchristentums (1949) 143—146. 211—218. 316f; zu den Beziehungen zwischen Mt u den Ps Clem vgl ebd 64f.

φάτνη. Lit: Liddell-Scott, Pass, Pr-Bauer, Thes Steph sv; MBaily, The Crib and the Exegesis of Luke 2, 1—20, The Irish Ecclesiastical Record 100 (1963) 358—376; ders, The Shepherds and the Sign of a Child in a Manger, The Irish Theological Quarterly 31 (1964) 1—23; KBornhäuser, Die Geburts- und Kindheitsgeschichte Jesu, BFTh II 23 (1930) 101—107; HJCadbury, Lexical Notes on Luke-Acts. III: Luke's Interest in Lodging, JBL 45 (1926) 317—319; V: Luke and the Horse-Doctors, JBL 52 (1933) 61f; Clemen 197f. 203—209; Dalman Orte 41—49; Dalman Arbeit VI 276—287; MDibelius, Jungfrauensohn u Krippenkind, Botschaft und Geschichte I (1953) 57—61; GErdmann, Die Vorgeschichten des Lk- und Mt-Evangeliums, FRL 47 (1932) 42f. 52f; HGreßmann, Das Weihnachtsevangelium auf Ursprung und Geschichte untersucht (1914); PHaupt, The Crib of Christ, The Monist 30 (1920) 153—159; AHug, Artk Praes(a)epe, in: Pauly-W 22

(1954) 1561—1563; MMiguens, „In una mangiatoia, perché non c'era posto ...", Bibbia e Oriente 2 (1960) 193—198; KHRengstorf, Die Weihnachtserzählung des Evangelisten Lk, Festschr HLilje (1959) 15—30; HSahlin, Der Messias u das Gottesvolk (1945) 207f. 220—222. 234f; AvanVeldhuizen, De Kribbe van Bethlehem, Nieuwe Theol Studien 13 (1930) 175—178; DVölter, Die evangelischen Erzählungen von der Geburt u Kindheit Jesu (1911) 48—53. 55; PWinter, The Cultural Background of the Narrative in Luke I and II, JQR 45 (1954/55) 238—240; DYubero, Una opinión original del »Brocense« sobre Lk 2, 7, Cultura Bíblica 11 (1954) 3—6.

[1] Thes Steph VI sv πάθνη. Nach Eustath Thessal Comm in Il zu 22, 93 (IV 228, 28), vgl Comm in Od zu 15, 373 (II 103, 7f) u Moeris Atticista (ed IBekker, Harpocration et Moeris [1833] p 212, 9) war φάτνη attisch u πάθνη koinegriechisch, urspr ionisch. Beides ist aus *φαθνᾱ, idg *bdṇdhnā zur Wurzel *bhendh —, deutsch binden usw, entstanden, s Boisacq u Hofmann sv. φάτνη erscheint mehrfach in Inschr in der Bdtg *vertiefte Kassetten in der Decke* IG II/III[2] 2, 1 Nr 1487, 37 (4./3. Jhdt vChr); IV[2] Nr 109 III 85 (3. Jhdt vChr); XI 2 Nr 161 A 45f (3. Jhdt vChr); XI 3 Nr 504 A 4. 6. 13 (etwa 280 vChr), ähnlich vielleicht PLips 106, 9 (1. Jhdt nChr) für πάθνη. φάτνη oder πάθνη ist als patena ins Lateinische entlehnt worden, Walde-Hofmann sv, dazu AABarb, Krippe, Tisch u Grab, Festschr TKlauser (1964) 24.

[2] Hom u die poetische Lit kennen neben φάτνη noch κάπη Il 8, 434; Od 4, 40.

[3] ed OBenndorf—CSchenkl (1893).

[4] ed IBekker (1824f).

4 *

Die Bdtg *Krippe* bleibt weiter beherrschend Eur Ba 510; Hipp 1240; Alc 496; El 1136; Xenoph Cyrop III 3, 27; Epict Gnom Stob 15 (p 481); Luc, Gallus 29 u Aesopus, Fabulae[5] 93, 1, 6; 200, 2; 238, 8; Libanius, Fabulae (→ A 5) 2, 11 (p 131). Dies gilt auch für die landwirtschaftlich-zoologische Spezialliteratur Xenoph Eq 4, 1. 4; 5, 1; Eq Mag 1, 16; Aristot Hist An IX 1 p 609 b 20; Geoponica[6] 16, 1, 11; 17, 13, 1f; 15, 4, 1 (πάθνη). Dort werden 18, 2, 2 auch Krippen für Schafe bezeugt, vgl Varro, Res rusticae[7] II 2, 19; Columella, Res rustica[8] VII 3, 21; Vergil Georg III 416[9], sonst sind diese Rindern, Eseln und Pferden vorbehalten. Auch im veterinärmedizinischen Schrifttum steht die Bdtg *Krippe* im Mittelpunkt[10]. UU bringt sie Macht u Reichtum zum Ausdruck: Nach Jos Ant 8, 41 besaß Salomo 40000 Krippen für seine Wagenpferde, vgl 1 Kö 5, 6; 10, 26; 2 Ch 9, 25 (→ 54, 10ff mit A 30), im iberischen Turdetania erbeuteten die Punier silberne Krippen Strabo 3, 2, 14, im Zelt des Mardonius die Tegeaten eine Krippe aus Erz, die sie der Athene Alea weihten Hdt IX 70, 3. Sprichwörtliche Bdtg erhielt ἡ ἐν φάτνη κύων, die selbst kein Futter frißt u die Pferde nicht fressen läßt Luc Tim 40, vgl Indoct 30; Anth Graec 12, 236 (Strato von Sardes); Constantinus Manasse[11] 6, 28f (→ 50, 11ff). Die erweiterte Bdtg *Stall, Stallgebäude* ist seltener, uU sind beide Bdtg, *Krippe* oder *Stall(platz)*, möglich[12] Plut Lys 20 (I 445 a); Ael Nat An 16, 24; πλησίον τινὸς φάτνης, ἐν ἧι δύω ἵπποι ἐξεφατνίζοντο Nicolaus von Damaskus fr 3 (FGrHist II a 330, 14f); bei Diod S 17, 95, 2 liegt die Bdtg *Futterplatz* in Ergänzung zur Lagerstatt der Soldaten nahe. In den Pap erscheint φάτνη zweimal in der Bdtg *Futterkrippe* PLille I 17, 15 (3. Jhdt vChr); POxy XIV 1734 fr 2 (2./3. Jhdt nChr)[13], einmal in der Bdtg *Stall*[14]. Die Bdtg kann sich so erweitern, daß sie zum Ausdruck für die Pferdebegeisterung wird Aristoph Nu 13, τὴν ψυχὴν ἐν ταῖς φάτναις εἶχεν Plut Alex Fort Virt 2, 1 (II 334 b); in einer Inschr des sassanidischen Königs Sapor[15] begegnet der Leiter des Pferdewesens als ὁ ἐπὶ τῆς πάθνης. Auch der übertr Sprachgebrauch weist auf den urspr Sinn *Krippe, Futtertrog* zurück: Die Verdauungsorgane werden φάτνη genannt Plat Tim 70 e; Aristot Part An II 3 p 650 a 19 u im Anschluß daran Philo Spec Leg I 148 als Auslegung von Dt 18, 3. Die *Futterkrippe* ist Ausdruck eines parasitären Lebens Eur fr 378 (TGF 476); 670 (TGF 570); Eubulus fr 129 (FAC II 140); Ael Nat An 9, 7; fr 39 (II 201, 14). 107 (II 239, 2); Plut Quaest Conv II 10, 1 (II 643 b), vgl Horat ep I 15, 28; Plaut, Curculio 227f. Die *Vertiefung* in der Decke, sonst meist φάτνωμα, heißt Diod S I 66, 4 (→ A 1) so[16], weiter die *Zahnhöhle* Poll Onom II 93, vgl Philo Spec Leg I 164, sowie ein *Sternhaufe* (Nebel) im Sternbild des Krebses zwischen 2 Sternen, die ὄνοι genannt werden[17]. Die feste Verbindung mit der Vorstellung des Fütterns zeigt sich daran, daß bei späteren Lexikographen φάτνη als τράπεζα bezeichnet werden kann Suid sv; vgl Hesych sv: καὶ ἡ τράπεζα, καὶ ἡ τῶν κτηνῶν, καὶ εἴ τι τῶν τοιούτων. Auch die abgeleiteten Verben φατνεύω *an der Krippe füttern* bzw φατνι(ά)ζομαι *gefüttert werden* betonen diese Bdtg.

Einen spezifisch religiösen Sinn besitzt das Wort nicht. Eine phrygische Inschr ist Zeus als dem Schützer der Krippen geweiht: Εὖ ... οἰκονόμος Διὶ Φατνίῳ κατὰ κέλευσιν[18]. Pind Olymp 13, 92 spricht von den *Krippen* oder *Ställen* des Zeus, die Pegasus aufnehmen, ähnlich werden nach Plat Phaedr 247 e die Himmelspferde nach der Auffahrt der Seele von ihrem Lenker πρὸς τὴν φάτνην gestellt, mit Ambrosia gefüttert u

---

[5] ed AHausrath, Corpus Fabularum Aesopicarum I 1 (1957); I 2 (1956).

[6] ed HBeckh (1895).

[7] ed GGoetz (1912).

[8] ed WLundström (1940).

[9] Vgl → Hug 1561 u EOrth, Artk Schaf, in: Pauly-W 2a (1923) 386.

[10] Corpus Hippiatricorum Graecorum, ed EOder—CHoppe I (1924) p 42, 2; 208, 20, vgl 209, 7; 290, 13; II (1927) p 222, 14 ist jeweils der *Futtertrog*, der fest an der Wand angebracht ist, gemeint. Dasselbe gilt wohl auch — gg → Cadbury Horse-Doctors 61 — von der Überschrift II 222, 24f: πρὸς τὸ μὴ λακτίζειν ζῷα ἀλλήλων ἐν τῇ φάτνη, da ἐν als Ausdruck der Nähe auch mit *an* oder *bei* wiedergegeben werden kann.

[11] ed RHercher, Erotici Scriptores Graeci II (1859).

[12] Vgl Pr-Bauer sv, der einseitig die Bdtg *Stall* betont.

[13] Vgl Preisigke Wört u Moult—Mill sv.

[14] Pap Cairo Zeno V 59840, 11 (ed OGuéraud u PJouguet, Publications de la Société Fouad I [1940]): Bitte um Erbauung eines Stalles; vielleicht auch PLips 106, 9 (1. Jhdt nChr; → A 1).

[15] ed AMaricq, Res gestae divi Saporis, Syria 35 (1958) 325 zu 58. Vgl LRobert, Bulletin Épigraphique, Revue des Études Grecques 61 (1948) 200. [Robert]

[16] Abgeleitet von φατνόω *aushöhlen,* eigtl *einen Trog machen,* vgl Pass sv.

[17] Theophr, De signis tempestatum 1, 23; 3, 43; 4, 51; Arat Phaen 892. 996; vgl Theocr Idyll 22, 21f: ὄνων τ' ἀνὰ μέσσον ἀμαυρὴ φάτνη σημαίνουσα τὰ πρὸς πλόον εὔδια πάντα, Eratosthenes, Catasterismorum reliquiae 11 (ed CRobert [1878] 90—93); Nechepso-Petosiris fr 12 (ed ERieß, Philol Suppl 6, 1 [1892] 352, 51). Zur Sternsage s Roscher VI 953f.

[18] ed JKeil u AWilhelm, Monumenta Asiae Minoris Antiqua I (1928) 5 Nr 7, vgl LRobert, Hellenica 10 (1955) 108f; vgl JSchmidt, Artk Phatnios, in: Pauly-W 19 (1938) 1900. [Robert]

mit Nektar getränkt. Zum Schutze des Viehs an der Krippe bediente man sich zuweilen magischer Praktiken Geoponica (→ A 6) 17, 13, 2[19].

B. Altes Testament und rabbinisches Judentum.

1. In der Septuaginta erscheint φάτνη 7mal, davon 3mal für das hbr אֵבוּס *Futtertrog* Js 1, 3; Hi 39, 9; Prv 14, 4[20], dagegen Hab 3, 17 u vielleicht Jl 5 1, 17 für רֶפֶת [21], 2 Ch 32, 28 für אֻרְוָה [22] u Hi 6, 5 in freier Übers für עַל בְּלִילוֹ *beim Misch-futter* ἐπὶ φάτνης ἔχων τὰ βρώματα. Jl 1, 17; Hab 3, 17; Hi 6, 5; 39, 9 deutet schon die vorgesetzte Präp ἐπί mit Gen oder Dat auf die *Bdtg Krippe* hin. Js 1, 3; Prv 14, 4 wäre die *Bdtg Krippe* oder *Stall* möglich, wahrscheinlich gilt letztere jedoch nur 2 Ch 32, 28, wo der Reichtum Hiskias geschildert wird: καὶ φάτνας παντὸς κτήνους καὶ μάνδρας εἰς 10 τὰ ποίμνια. Die wenigen u späten Ausdrücke für *Stallgebäude* im AT zeigen, daß es sich — abgesehen von den königlichen Pferdeställen — um eine relativ seltene Ein-richtung in Palästina handelte, Mensch u Tier lebten oft in einem Wohnraum bei-sammen 2 S 12, 3; Ps 50, 9 (→ 54, 16ff). Erst die LXX führt mit ἔπαυλις einen Begriff ein, der *Viehhürde* oder *Hofraum, Gehöft* und *Stall* in einem bedeuten kann[23]. 15 ἔπαυλη u φάτνη werden miteinander verbunden in der Schilderung des Todes der Frau Hiobs bei einer Krippe: καὶ ἀπελθοῦσα εἰς τὴν πόλιν εἰσῆλθεν εἰς τὴν ἔπαυλην τῶν βοῶν αὐτῆς τῶν ἁρπασθέντων ὑπὸ τῶν ἀρχόντων οἷς ἐδούλευσεν· καὶ περί τινα φάτνην ἐκοιμήθη καὶ τετελεύτηκεν εὐθυμήσασα Testamentum Jobi 40, 5f[24].

2. Der rabbinische Sprachgebrauch von אֵבוּס hat sein 20 Schwergewicht ebenfalls auf der *Bdtg Krippe, Futtertrog.* Man stellt das Rind an (עַל) die Krippe TBM 8, 20 (389, 6), vgl bBQ 107b; die Krippe dgg steht vor (לִפְנֵי) dem Vieh TJom tob 3, 18 (206, 25); wenn kein Futter darin ist, schreit der Esel bTem 16a. Man unterscheidet zwischen dem mit dem Boden fest verbundenen אבוס של קרקע u dem אבוס של כלי, der ein bewegliches Gefäß darstellt bSchab 140b, als letzterer kann ein beschä- 25 digter Trog verwendet werden, den man uU an der Wand befestigt Kelim 20, 4. Als Maße für eine *Krippe,* die zur Umgehung des Sabbathgebots[25] als Tränketrog verwendet wurde, werden eine Höhe von 10 u eine Breite von 4 Handbreiten genannt bErub 20b. Eine bes Rolle spielte die Krippe in der Diskussion um die Fütterung am Sabbath bSchab 20, 3 = TSchab 16, 2 (135, 3); bSchab 113a = TSchab 12, 15 (128, 8), vgl bSchab 30 140b. 155b. Es war erlaubt, am Sabbath einen Span als Zahnstocher מן האבוס של בהמה zu nehmen bSchab 81a Bar, vgl TJom tob 3, 18 (206, 25). TKelim BM 8, 6 (587, 24) u 5, 9 (584, 13) zeigen, daß in dem einen Wohnraum des palästinischen Bauernhauses (→ 54, 16ff) Mensch u Vieh wie auch Bett u Krippe nahe beieinander waren. Dgg tritt — wie bei φάτνη — die allgemeinere *Bdtg Stall* zurück[26]. Wir finden sie ausgeprägter 35 bei dem selteneren aram Äquivalent אוּרְיָה [27]. Die Trennungslinie zwischen Mensch u

---

[19] Vgl bSanh 63b: Die Götzendiener stellen Götterbilder neben die Krippe.

[20] Davon ist abgeleitet אבס *mästen*, vgl Köhler-Baumg u Jastrow sv אבס u אֵבוּס.

[21] Hapaxlegomenon, nach Köhler-Baumg sv: *Gehege*, im Mittelhebräischen *Stall* BB 2, 3; 6, 4, s Jastrow sv. Jl 1, 17 ist רֶפֶת eine von verschiedenen möglichen Konjekturen, s BHK zSt.

[22] Köhler-Baumg sv: *Stallplatz*, vgl 1 Kö 5, 6; 2 Ch 9, 25 (→ 52, 10f). אֻרְוָה ist verwandt mit dem aram אוּרְיָה (→ A 27).

[23] s Hatch-Redp sv; vgl zB Ἐπαύλεις προ-βάτων οἰκοδομήσωμεν Nu 32, 16 u ἐπαύλεις τοῖς κτήνεσιν v 24, auch v 36 (HT: גְּדֵרָה *Hürde, Steinpferch*). S auch Ag 1, 20 mit Zitat von Ps 69, 26 u αὐλή J 10, 1.

[24] ed SPBrock, Pseudepigrapha Veteris Testamenti 2 (1967) 49f.

[25] Dazu vgl Str-B II 455.

[26] Die *Bdtg Stall* liegt nahe Neg 12, 4; TNeg 6, 5 (Zuckermandel 625, 25) u SLv מצורע 6, 11 zu 14, 39, wo von der Verunreinigungs-fähigkeit durch „Aussatz" an Mauerwerk die Rede ist. Dalman Arbeit VI 287 spricht freilich auch hier von *Krippenwänden.* Vgl weiter MEx 1, 14 zu 12, 40 (ed JLauterbach I [1949] 112). Das von Levy Wört sv אֵבוּס mit *wenn das Thier im Maststall stand* wiedergegebene היתה עומדה באבוס jSchebu 7, 1 (37d 9) kann ebs gut mit *es stand an der Krippe* übersetzt werden, vgl ebd 8, 1 (38b 37f).

[27] Jastrow, Levy Chald Wört sv: Tg Prof zu 1 Kö 5, 6 u zu Js 1, 3; Tg Hi 39, 9; Tg Prv 14, 4 (ed P de Lagarde, Hagiographa chaldaice [1873]), zur *Bdtg Krippe* s bSanh 98b; Tg II Est 6, 10; zur *Bdtg Stall* oder *Scheuer* TMaas 2, 20 (Zuckermandel 84, 9); bErub 55b u bMQ 10b.

Tier markiert das Erschrecken Adams auf Grund von Gn 3, 18: אני נקשר לאבום כבהמה
„Soll ich an die Krippe angebunden werden wie das Vieh ?" Gn r 20, 10 zu 3, 18, vgl
AbRNat A 1 (Schechter 7, 4); bPes 118a. Andererseits wird der Trog, aus dem die
Tagelöhner aßen, האבום שלפני הפועלים genannt Ned 4, 4, ähnlich jDemai 3, 1 (23b 28).
In der Auslegung von Js 1, 3 konnte das „die Krippe seines Herrn kennen" auf die
Kenntnis der Thora hin gedeutet werden[28]. Messianisch wurde die Stelle nirgendwo
interpretiert. Das angebliche rabb Fremdwort אפוטני für griech φάτνη[29] bleibt eine
unbelegte Hypothese.

C. Archäologische und palästinakundliche Zeugnisse.

Die ersten archäologischen Zeugnisse von Futterkrippen in Palä-
stina besitzen wir in den Pferdeställen Ahabs in Megiddo[30], dgg waren im alten Israel
Rinderställe eine Ausnahme[31]. Altorientalische Darstellungen von Futterkrippen
finden sich in Ägypten u Assyrien[32]; in hell Zeit (200 vChr) begegnen uns in den
Höhlenställen von ʿarāq el-emīr u später auch an einigen anderen Orten in Palästina
u Syrien Krippen, die in den Fels gehauen waren[33]. Derartige aufwendige Anlagen
waren auf Großgüter beschränkt[34]. Im Bauernhaus waren häufig die Futterplätze für
das Großvieh u die Wohnung der Familie in einem Raum beieinander, letztere wurde
lediglich durch die etwa 60 cm hohe Wohnterrasse vom Hausboden getrennt. Futtertröge befanden sich dabei entweder am Übergang zur Wohnterrasse oder — oft in
Form von Nischen mit dieser fest verbunden — an der Hauswand[35]. Freilich gab es
noch andere Möglichkeiten: Ställe fanden sich auch im niederen Untergeschoß des
Hauses oder in Anbauten, daneben standen Futtertröge im Freien, etwa in dem das
Bauernhaus umgebenden Hof[36]. Zuweilen fehlte ein Stall ganz, u das Vieh — bes
Schafe — wurde im Winter in einer windgeschützten Steinhürde oder in den zahl-
reichen Höhlen untergebracht[37]. Als Material verwendete man in Palästina kaum Holz,
sondern mit Häcksel vermischten Lehm oder Stein. Nach Hieronymus soll auch die
zu seiner Zeit verehrte Krippe in der Grotte von Bethlehem aus Lehm bestanden haben[38].
Die Schilderung einer vorbildlichen Krippenanlage gibt Vegetius, Mulomedicina[39]
I 56, 3f: Patena (von φάτνη → A 1) ..., hoc est alveus (*Trog, muldenförmiges Gefäß*)

[28] Ein Galiläer vor RChisda (Ende 3. Jhdt
nChr) bMakk 23a; vgl SNu 119 zu 18, 20 (vgl
Kuhn 406): Wer die Thora nicht kennt, „steht
den wilden u zahmen Tieren gleich, die ihren
Herrn nicht kennen". S noch SDt 306 zu
32, 1 u Lv r 27, 8 zu 22, 27.

[29] Krauss Lehnw II 100; Pr-Bauer sv.

[30] BR sv Stall; ergänzend YYadin, New
Light on Solomon's Megiddo, The Biblical
Archaeologist 23 (1960) 62—68 u YYadin,
Megiddo, Israel Exploration Journal 16 (1966)
279f.

[31] BR sv Stall.

[32] HSchäfer/WAndrae, Die Kunst des alten
Orients, Propyläen-Kunstgeschichte 2 (ohne
Jahr) 354: Futtertröge im Freien für Pferde
u Esel, Flachrelief aus dem Grabe des Ha-
remheb; 504: Assyrische Feldlagerszene; 540:
Futtertröge für Kamele. [Galling]

[33] HGreßmann, Durch das Ostjordanland,
PJB 4 (1908) 128f; weitere Beispiele bei
Dalman Arbeit VI 287; Dalman Orte 43. Vgl
GLafaye, Artk Equile, in: Darembg-Saglio
II 1, 744f mit Abb 2709—2711, dort ua eine
Anlage aus Pompeji.

[34] Die Verhältnisse der großen italischen
Domänenbetriebe spiegeln die lat landwirt-
schaftlichen Schriftsteller mit ihren detail-
lierten Angaben wider, → Hug 1562f.

[35] Zur Unterbringung von Vieh Dalman
Arbeit VI 276—287 u zum palästinischen
Bauernhaus VII 112—170. Häuser mit

durch Wohnterrasse getrenntem gemeinsamem
Wohn- u Stallraum mit Futtertrögen VII
Abb 31. 36—39. 44f. 55f. 61. 67.

[36] Vgl Dalman Arbeit VII 130. 150. 155.
160f. 164 u dazu Abb 37. 62. 71—77: Häuser
mit abgesondertem Stallraum mit Futtertrögen; 138f Abb 43: Ländliches Dorfgasthaus
mit Futtertrog an der äußeren Hauswand;
148. 150. 155. 166f Abb 83: Bauernhäuser mit
Futtertrögen im Hof.

[37] Dalman Arbeit VI 277—282. 285, vgl
VII 88. Ein Bauernhaus mit angebautem
Rinderstall u in der Nähe liegender Schafhürde
mit Höhlenstall beschreibt Dalman VII 155 mit
Abb 65a; vgl auch das Höhlenpfeilerhaus 133
Abb 40. Zur Sache s auch SKrauss, Talmu-
dische Archäologie II (1911) 133. 521 A 943f.

[38] Dalman Orte 43. Hieronymus, Homilia
de nativitate Domini, ed GMorin, Analecta
Maredsolana III 2 (1897) 393: Nunc nos...
quasi pro honore tulimus luteum, et posuimus
argenteum. Auch die frühchristlichen Darstellungen der Geburt Jesu ab dem 4. Jhdt
können die Form antiker Krippen wiedergeben. Dies gilt etwa von jenen rechteckigen
gemauerten Kästen — wie sie neben gefloch-
tenen Körben relativ häufig erscheinen —,
GRistow, Die Geburt Christi in der frühchristlichen u byzantinisch-ostkirchlichen
Kunst (1963) Abb S 7f. 14f. 26. 30. 39f uö.
Vgl → A 64.

[39] hsgg ELommatzsch (1903).

ad hordeum ministrandum, sit munda semper, ne sordes aliquae cibariis admisceantur et noceant; loculis praeterea vel marmore vel lapide vel ligno factis distinguenda est, ut singula iumenta hordeum suum ex integro nullo praeripiente consumant.

D. Neues Testament.

1. Im Neuen Testament findet sich φάτνη nur viermal 5 im Lukas-Evangelium. Lk 13, 15 (→ VII 25, 21 ff) nimmt Jesus auf den einer rigoristischen Sabbathauffassung widersprechenden, jedoch von den pharisäischen Schriftgelehrten wegen der sachlichen Notwendigkeit gebilligten Brauch Bezug[40], das Vieh auch am Sabbath von der Krippe loszubinden und zur Tränke zu führen. Aus dem Wort ergibt sich ein stillschweigender Schluß a minori ad maius: was beim 10 Tier erlaubt ist, ist beim Menschen erst recht erlaubt[41]. Auch wenn die Formung dieses sich an eine Sabbathheilung anschließenden Streitgesprächs auf die palästinische Gemeinde zurückgeht[42], kann kein Zweifel darüber bestehen, daß die dahinterstehende Konfliktsituation in dem Verhalten Jesu selbst begründet war. Die spätere palästinische Gemeinde zeigte eher die Tendenz, den durch Jesus hervorgerufenen 15 Konflikt über die Sabbathfrage zu entschärfen. Das Wort kann daher sehr wohl aus einem Kampfgespräch Jesu stammen (vgl Mt 12, 11 f; Lk 14, 5).

2. Darüber hinaus erscheint φάτνη nur noch dreimal in der Geburtsgeschichte (Lk 2, 1—20), und zwar bei der eigentlichen Schilderung der Geburt (v 7), der Verheißung des Engels (v 12 [→ VII 229, 14 ff]) und bei der Hul- 20 digung der Hirten (v 16). Diese auffällige Häufung zeigt, daß — vermutlich schon in der vorlukanischen Quelle — dem Begriff besondere Bedeutung beigelegt wurde. Seine Auslegung bereitet jedoch Schwierigkeiten, da die Textaussage Lk 2, 7 nicht völlig klar ist[43] und wirkliche religionsgeschichtliche Parallelen dazu fehlen[44]. Festzuhalten ist die Bedeutung von φάτνη als *Futtertrog*; das Wort darf hier nicht mit 25 *Stall* übersetzt werden[45]. Der Gegensatz zwischen dem διότι οὐκ ἦν αὐτοῖς τόπος ἐν τῷ καταλύματι[46] und dem ἀνέκλινεν αὐτὸν ἐν φάτνῃ[47] darf nicht beseitigt werden.

[40] Vgl die auf die rigorose Sabbathheilung der frühen Chasidim zurückgehenden essenischen Bestimmungen Damask 10, 14—12, 1 (13, 1—14, 3), bes 11, 5 f (13, 14), die wohl schon antipharisäischen Charakter tragen, mit den rabb Belegen Str-B II 199 f. Das Losbinden des Viehs von der Krippe gehörte an sich zu den 39 am Sabbath verbotenen Hauptarbeiten Str-B I 616; durch kasuistische Differenzierung wußte man aber dieses Verbot einzuschränken. Vgl zB die Diskussion bErub 20 a—21 b (→ 53, 29 ff).

[41] WGrundmann, Das Ev nach Lk, Theol Handkommentar zum NT 3 ²(1961) zSt, vgl 1 K 9, 9.

[42] Bultmann Trad 42. 49 f.

[43] → Cadbury Interest 317: the uncertainty in this passage; ähnlich → Dibelius 57: „den einzigen undeutlichen Zug in der Erzählung", vgl Dalman Orte 44 f; → Sahlin 207.

[44] S das negative Ergebnis bei Clemen 203 —209 in der Auseinandersetzung mit → Greßmann 37. Die angebliche Verehrung der Ägypter für eine Jungfrau im Kindbett u

einen Säugling in der Krippe τιμῶσι παρθένον λοχοῦν καὶ βρέφος ἐν φάτνῃ τιθέντες προσκυνήσουσι Vita Jeremiae 83, 3 (ed TSchermann, TU 31, 2 [1907]) ist sicher chr beeinflußt.

[45] gg Pr-Bauer sv, aber auch gg → Cadbury Interest 319, der unter φάτνη a place in the open versteht; richtig → Veldhuizen 175—178.

[46] Ob κατάλυμα hier einen *Chan* πανδοχεῖον Lk 10, 34 oder — wie häufig angenommen — einen einfachen Gästeraum vgl Lk 22, 11 par Mk 14, 14 bedeutet, tut wenig zur Sache. Zum Herbergswesen im antiken Palästina s EPax, „Denn sie fanden keinen Raum in der Herberge", Bibel u Leben 6 (1965) 285—298. Bauernhäuser mit separatem Gästeraum beschreibt Dalman Arbeit VII 127 f. 129. 142. 148. 162 f Abb 31. 60. 71. Häufig diente dazu auch der Söller, Dalman Arbeit VII 57. 85, vgl 1 Kö 17, 19. 23; 2 Kö 4, 10 f. Sy⁸ löst die ganze Frage dadurch, daß er das ἐν τῷ καταλύματι wegläßt.

[47] Vgl bSchab 20, 3: ונתן בתוך האבום.

Das Kind liegt nach Lukas außerhalb des menschlichen Wohnraums an einem un- gewöhnlichen Ort, dort, wo sonst die Tiere sind[48]. Welche detaillierte Vorstellung zugrunde liegt, ob die Krippe sich in einem separaten Stall, einer Hürde im Freien[49] oder der traditionellen Höhle befand (→ 57, 2ff; → VI 490, 12ff)[50], läßt sich dem Lukas-Text nicht entnehmen. Deutlich ist nur, daß er sich den Ort in Beth- lehem selbst vorstellt (2, 11. 15). Alle Versuche, die ursprüngliche vorlukanische — vermutlich hebräische — Urfassung zu rekonstruieren, bleiben hypothetisch[51]. Unzweifelhaft ist die Krippe eng mit dem „Hirtenmilieu" und Bethlehem als dem Geburtsort des davidischen Messias verbunden und von dorther zu verstehen. Das in Bänder gewickelte[52] Kind in der Krippe wird für die Hirten zum Zeichen (→ VII 229, 14ff) für die geschehene Geburt des Messias[53]. Traditionsgeschichtlich ist eine Beziehung des Motivs zur hellenistischen Bukolik auszuschließen (→ VI 490, 2ff)[54]. Vermutlich steht dahinter ein judenchristlicher legendärer Midrasch[55], entfernt vergleichbar mit den Erzählungen von der verborgenen Geburt des Messias in Beth- lehem oder der geheimen Geburt Abrahams in einer Höhle[56]. Zumindest für Lukas wird die Krippe zum Ausdruck des Kontrastes zwischen dem Weltherrscher Augu- stus und der verborgenen, niedrigen Geburt des Welterlösers (Lk 2, 1. 11. 14), und schließlich deutet sie schon den Niedrigkeits- und Leidensweg des Gottessohnes an, der „nicht hat, da er sein Haupt hinlege" (Lk 9, 58)[57].

---

[48] gg → Dibelius 59, der an „den großen Wohnraum" des palästinischen Bauernhauses denkt; → Bornhäuser 101—104 vermutet gar eine große Schüssel, die als Wiege verwendet worden sei, ähnlich → Yubero 3—6; → Miguens 195f. Richtig dgg Dalman Orte 46: „daß die eigtl Schwierigkeit nicht das Ausfin- digmachen einer Lagerstatt für das Kind, son- dern eines ungestörten Ortes für die Geburt gewesen". Vgl → Rengstorf 20f, der mit Recht auf den Gegensatz zu Lk 1, 24 hin- weist. Just Dial 78, 5 interpretiert Lk 2, 7 mit οὐκ εἶχεν ἐν τῇ κώμῃ ἐκείνῃ που καταλῦσαι sachgemäß.

[49] → Völter 49; vgl → Winter 240: φάτνη describes here a trough in the open field, probably a hollow stone used by shepherds for watering their flock unter Berufung auf Mi 4, 10: „du mußt nun heraus aus der Stadt, auf dem Felde zu wohnen".

[50] So meist die katholische Exegese, vgl zB MJLagrange, Évangile selon Saint Luc, Études Bibliques 8 (1948) 72; s auch Dalman Orte 35—48.

[51] gg → Sahlin 222. Vgl schon den Versuch von AResch, Das Kindheitsevangelium nach Lk u Mt, TU 10, 5 (1897) 46. 124f. 203—226.

[52] Dazu Dalman Orte 45. In den jüd Le- genden von der verborgenen Messiasgeburt in Bethlehem u der Höhlengeburt Abrahams er- scheinen ähnliche Motive jBer 2, 4 (5a 18ff) par Midr Thr 1, 51 zu 1, 16 (vgl Wünsche 88): Die Mutter des Messias erhält Leinen- zeug für ihren Sohn; AJellinek, Bet ha-Mi- drasch I (1853) 26: Die Mutter Abrahams bekleidet nach der Geburt ihr Kind mit einem

Stück ihres eigenen Gewandes, vgl auch Ez 16, 4.

[53] Bultmann Trad 324 gg → Greßmann 17—37.

[54] gg Bultmann Trad 325; → Dibelius 73f; → Erdmann 43f; richtig WSchmid, Artk Bukolik, in: RAC II (1954) 788.

[55] Möglicherweise besteht eine Berührung mit der Tradition vom „Herdenturm" bei Bethlehem, von welchem aus nach Tg J I zu Gn 35, 21 u Tg Prof zu Mi 4, 8 der Messias offenbar werden wird; weiteres bei Dalman Orte 53—55; vgl → Winter 238f. Weitere at.- liche Berührungspunkte sind 1 S 16 (→ Baily passim); ψ 77, 70—72; Mi 4, 7—10 u 5, 1—5; RLaurentin, Structure et Théologie de Luc I—II (1957) 86—88 (Lit). Zum davi- disch-messianischen Charakter des Hirten- milieus 11 QPs^a 151 (DJD IV 54—64).

[56] → A 52; Übers der Paralleltexte bei HGreßmann, Der Messias, FRL 43 (1929) 449—452 u AWünsche, Aus Israels Lehr- hallen I (1907) 16f. 36. Vgl auch die Geburts- geschichten PREl 48 u Tg J I zu Ex 24, 10 bei LGinzberg, The Legends of the Jews II (1910) 372.

[57] Schl Lk 186; vgl → Rengstorf 20f. Diese Tendenz sieht schon Tertullian, De carne Christi 2 (CSEL 69 [1939] 191): Aufer hinc...molestos semper Caesaris census et diuersoria angusta et sordidos pannos (*Tü- cher*) et dura praesepia. Zur Sache vgl auch → 53, 16ff. 36ff u Eur Ba 510. Die spätere apokryphe Überlieferung korrigiert die „Nie- drigkeit" der Geburt Jesu, WFoerster, Bemer- kungen u Fragen zur Stätte der Geburt Jesu, ZDPV 57 (1934) 3f.

E. Frühe Kirchengeschichte.

Bereits bei dem Palästiner Justin aus Neapolis ist die Krippen-
u Höhlentradition zu einer festen Einheit verbunden Dial 78, 5. Daß es sich dennoch
um urspr getrennte Traditionen handelt, zeigt das Prot Ev Jk 17—20, das die Geburt
noch vor Bethlehem in eine Höhle verlegt u die φάτνη βοῶν erst 22, 2 als Versteck für 5
das Jesuskind vor den Nachstellungen des Herodes einführt[58]. Eng verbunden sind
Krippe u Höhle bei Orig Cels I 51, der eine feste Ortstradition voraussetzt δείκνυται
... ἡ ἐν σπηλαίῳ φάτνη, die wohl schon Justin bekannt war[59]. Auch Sib 8, 497 (vermutlich 3. Jhdt nChr) nennt die Krippe. Gegen 330 nChr wird im Anschluß an die
erste Pilgerfahrt Helenas an dem jetzt schon traditionellen Ort von Krippe u Höhle 10
die Geburtskirche erbaut[60]. Ganz am Rande ist die Parallelüberlieferung von der Höhle
auch in die Textüberlieferung der Ev eingedrungen[61]. Das späte Ev Pseud-Mt[62]
löst das Problem der 3 miteinander konkurrierenden Ortsangaben dadurch, daß
es 13, 2 die Geburt in der Höhle berichtet, nach 3 Tagen Maria in einen Stall übersiedeln
läßt, wo sie das Kind in eine Krippe legt, u nach 6 Tagen den Einzug in Bethlehem er- 15
zählt 15, 1. In dem Stall werden unter Berufung auf Js 1, 3 u Hab 3, 2 LXX u in Anlehnung an die patristische Exegese auch Ochs u Esel eingeführt: et bos et asinus ado-
raverunt eum[63]. Die bildliche Darstellung dieses Motivs ist schon wesentlich früher
seit den ersten Geburtsdarstellungen ab der Mitte des 4. Jhdt nachweisbar[64].

Hengel 20

φέρω, ἀναφέρω, διαφέρω, τὰ διαφέροντα,
διάφορος (ἀδιάφορον), εἰσφέρω, προσφέρω,
προσφορά, συμφέρω, σύμφορος, φόρος,
φορέω, φορτίον, φορτίζω

Die idg Wurzel *bher*[1] bedeutet etw von einem Ort zum andern 25
tragen, bringen, sekundär auch *beladen sein,* woher sich die schon alte Bdtg die Leibes-
frucht *tragen* oder *hervorbringen* erklärt, zB Hom Il 6, 59. Die Grundbedeutung birgt
sowohl bei wörtlichem als bei übertr Verständnis die Möglichkeit zur Bezeichnung zahlreicher Lebensvorgänge in sich, die sich in der Bedeutungsfülle, in der φέρω u seine
Kompos in der griech Lit auftreten, realisiert. Der Versuch, diesen Befund hier auch 30

---

[58] ed E de Strycker, La forme la plus ancienne du Protévangile de Jacques, Subsidia
hagiographica 33 (1961) 174, vgl 417f.
[59] gg AMSchneider, Artk Bethlehem, in:
RAC II (1954) 226. Die Nachricht Justins
ist sicher nicht aus Js 33, 16 erschlossen, vgl
Dalman Orte 47f u JJeremias → VI 490 A 59.
Auch das Zitat von Js 33, 16 in Barn 11, 5
ist ein Hinweis auf die Höhlentradition.
[60] Schneider aaO (→ A 59) 226.
[61] Die Minuskel 544 liest Mt 2, 9: ἐπάνω τοῦ
σπηλαίου, vgl die älteste arm Ev-Hdschr nach
EPreuschen, Jesu Geburt in einer Höhle,
ZNW 3 (1902) 359f. Zu der Variante von
Cod D in Lk 2, 6 s Foerster aaO (→ A 57) 4f.
[62] ed CvTischendorf, Evangelia Apocrypha ²(1876).
[63] Zu Ev Pseud-Mt s Hennecke³ I 303f:
8./9. Jhdt. Allg zur außerevangelischen apokryphen Trad s WBauer, Das Leben Jesu im

Zeitalter der nt.lichen Apokryphen (1909) 61
—68. Zum Tiermotiv JZiegler, Ochs u Esel
an der Krippe, Münchener Theol Zschr 3
(1952) 385—402. Schon Orig Hom in Lk 13
(GCS 49 [1959] 82) hatte Js 1, 3 auf die
Krippe Jesu bezogen, vgl Ziegler 391. Zur
jüd Exegese → A 28.
[64] GWilpert, I Sarcofagi Christiani Antichi
I (1929) Tafel 92, 2; 127, 2; II (1932) Tafel
221, 6; WFVolbach, Elfenbeinarbeiten der
Spätantike u des frühen MA ²(1952) Nr 114.
118f. 127. 131. 173f. 199 uö. Eine syr Darstellung mit der Inschr Js 1, 3 aus dem 6. Jhdt
beschreibt JNasrallah, Bas-reliefs chrétiens
inconnus de Syrie, Syria 38 (1961) 36—44
(Lit). Vgl → A 38.

φέρω. [1] Vgl altindisch bhárati *trägt,* ar-
menisch berem *ich trage*; s Boisacq u Hofmann sv.

nur annähernd vollständig vorzuführen, wäre daher weder sinnvoll noch durchführbar. Die Wurzel φερ- wird nur im Praes u Impf gebraucht. Sie wird ergänzt durch die Wurzeln οἰ- (Fut οἴσω) u ἐνεκ- (Aor ἤνεγκον, -α usw).

φέρω   αἴρω → I 184, 35ff

1. In der Profanliteratur.

Im Blick auf das Vorkommen im NT sind folgende Bdtg zu nennen: a. die Grundbedeutung *herbei- u fortbringen, führen, treiben* von Menschen Hom Il 2, 838, Tieren 3, 120 u Sachen Od 21, 362, intr von einem Weg, Tor usw wohin *führen* Hdt II 122, 3, act in der intr Bdtg *wehen,* vom Wind Xenoph An V 7, 7 u (nur pass) *fahren, (dahin-)treiben,* vor allem von Seefahrenden Hom Od 9, 82; Plat Phaedr 254a; — b. *vorbringen, vortragen, überbringen,* zB μῦθον *ein Wort* Hom Il 10, 288; 15, 202, ἀγγελίην Hom Il 15, 175; Od 1, 408, λόγον Pind Pyth 8, 38, ἐπιστολήν Xenoph Ag 8, 3, παραδείγματα Isoc Or 7, 6, woraus sich wohl der späte intr Gebrauch des pass in der Wendung κραυγῆς φερομένης Plut, De Sulla 30 (I 471e) erklärt; — c. als juristischer term techn eine Anklage, Beschuldigung usw *vor-, beibringen* Demosth Or 58, 22; Polyb 33, 11, 2; — d. Geschenke, Gaben *darbringen* Hom Od 8, 428, mit der speziellen Wendung χάριν φέρω *eine Gunst erweisen* Hom Il 5, 211; Od 5, 307, die aber nachhomerisch *Dank bezeugen* bedeutet, zB Pind Olymp 10, 17; — e. Lasten *tragen* Hom Il 5, 303; — f. *Frucht tragen, hervorbringen,* abs Xenoph Oec 20, 4 u mit der Frucht im Acc Hom Od 9, 110; — g. in übertr Bdtg *ertragen, erdulden,* uz sowohl körperliche Xenoph Cyrop VIII 2, 21 als seelische Belastungen Hom Od 18, 135; — h. die späte Bdtg eine Stadt *regieren, verwalten* (= *tragen, erhalten*) Plut Lucull 6 (I 495c)[2].

2. In der Septuaginta.

In LXX ist φέρω meist Übers von בוא hi *herbeibringen, -führen,* das sich auf Obj aller Art, Pers u Sachen, bes aber auf die Gaben bezieht, die als Weihungen, als Hebe u als Opfer zum Tempel, zu den Priestern oder zum Altar *gebracht, dargebracht* werden. Der eigtl Akt der Opferung oder Weihung, das Verbrennen oder das „Weben" der Gabe durch den Priester, ist davon zu unterscheiden, obwohl φέρω gelegentlich auch diesen mit einschließen oder direkt bezeichnen kann u dann mit *opfern* zu übersetzen ist. So ἤνεγκεν Gn 4, 3f (HT וַיָּבֵא bzw הֵבִיא) für Kains u Abels Opfer. In der Scheltrede an die Priester Mal 1, 13: καὶ εἰσεφέρετε ἁρπάγματα ... καὶ ἐὰν φέρητε τὴν θυσίαν[3] (beidemal וַהֲבֵאתֶם) dürfte mit der letzteren Wendung die tatsächliche Opferdarbringung gemeint sein. In der Wendung ἠνέγκατε θυσίας (HT וְהָבִיאוּ זִבְחֵיכֶם) Am 4, 4 ist zwischen dem Herbeibringen u dem Opfervollzug nicht unterschieden u wohl eigtl der letztere gemeint, ebs λίβανον ... φέρετε (HT תָּבוֹא) Jer 6, 20. Als Übers von עלה hi heißt φέρω eindeutig *opfern* Lv 14, 20; 2 Ch 1, 6[4]; 35, 16; Am 5, 22, außerdem bezeichnet es als Übers von נוף hi den symbolischen Opferritus des „Webens" der Gabe Ex 35, 22; Lv 23, 12.

Der Häufigkeit nach an zweiter St steht φέρω in LXX als Äquivalent für נשא in den Bdtg eine Last *tragen,* Gaben *darbringen* (→ Z 16ff), auch Tribut *zahlen* 2 Βασ 8, 2. 6, Früchte *tragen* Jl 2, 22; Ez 17, 8[5] u *treiben,* vom Wind Js 64, 5. Von theol Gewicht sind die St mit der übertr Bdtg *tragen, ertragen* u *erleiden:* Mose kann u will die Last der Verantwortung für das Volk nicht mehr *tragen* Nu 11, 14. 17; Dt 1, 9. 12; Jahwe selbst kann Juda u Jerusalem wegen seines üblen Wandels nicht mehr *ertragen* 'Ιερ

---

[2] Für die Bdtg e—g tritt in der nachklassischen Vulgärsprache zunehmend βαστάζω (→ I 596, 40ff) an die St von φέρω. [Dihle]

[3] מִנְחָה, hier in der späteren Bdtg *Speiseopfer,* vgl KElliger, Das Buch der zwölf kleinen Propheten II, ATDeutsch 25 [5] (1964)

zSt; RHentschke, Artk Opfer, in: RGG[3] IV 1645.

[4] An beiden St mit der vl ἀναφέρω (→ 62, 9ff).

[5] Hos 9, 16 als Übers von עשה.

51, 22; Israel *trägt* den ὀνειδισμὸς ἐθνῶν Ez 34, 29; 36, 6; der Ebed Jahwe *trägt* unsere Sünden Js 53, 4.

Daneben ist die gelegentliche Wiedergabe auch anderer hbr Wurzeln durch φέρω von untergeordneter Bdtg. So kann es in der Bdtg als Geschenk, Opfer *darbringen* Zeph 3, 10 (HT יבל hi); Ri 6, 18 (HT יצא hi) u ψ 28, 1f; 95, 7f (HT הבו) stehen, vgl 5 φέρετε ... βουλήν 2 Βασ 16, 20 (für עֵצָה ... הָבוּ). φέρομαι ist Übers von עבר *zerstieben* Js 29, 5; Jer 13, 24, von שׁטף Js 28, 15. 18, von סער *einherfluten, -stürmen* Js 29, 6 u von נדף ni *treiben* (intr), *fliegen* Lv 26, 36.

3. Josephus.

Bei Jos lassen sich die folgenden Bdtg belegen[6]: *bringen* τὸν δα- 10 κτύλιον ... Καίσαρι φέρειν ἐνετέλλετο Bell 1, 669; ἄρτον ἐνεγκεῖν ἐκέλευσε Ant 8, 321; intr *führen* φερούσης εἰς τὸ βασίλειον πύλης Ant 9, 146; θύραν φέρουσαν εἰς αἴθριον Ant 19, 90, im Med oder Pass *sich fortbewegen, fortgerissen werden* διὰ τῆς πόλεως ἐφέρετο βοῶν Ant 11, 221; *reiten* ἐμπηδήσαντες τοῖς ἵπποις ἐφέροντο Ant 7, 176[7].

4. Im Neuen Testament. 15

Der Gebrauch von φέρω im Neuen Testament zeigt gegenüber dem in der Profanliteratur und in der Septuaginta keine Eigentümlichkeiten. Das Besondere des Gebrauchs besteht lediglich in den besonderen Personen und Sachverhalten, auf die das Wort angewendet wird. Daraus ist folgendes hervorzuheben: 20

a. In ihrer einfachen Bedeutung *tragen, bringen, führen* steht die Vokabel dort, wo von den Kranken und Dämonisierten die Rede ist, die ständig und in großer Zahl zu Jesus (Mk 1, 32; 2, 3; 7, 32; 8, 22; 9, 17. 19f Par) und auch zu Petrus (Ag 5, 16) *hingebracht* und damit der Rettung zugeführt werden. Einen erhabenen Sinn hat das Wort in der Ankündigung an Petrus ἄλλος ... σε 25 ... οἴσει ὅπου οὐ θέλεις (J 21, 18), indem ihm in dieser sprichwörtlichen Wendung[8] verheißen wird, er werde zum Preise Gottes dem Martyrium *zugeführt* werden (→ II 461, 4ff). Das Medium des Wortes in intransitiver Bedeutung wird in dem Bilde eines *einherbrausenden* Sturmwindes zur Schilderung des Pfingstereignisses (Ag 2, 2), das Passiv für das *Treiben* des Schiffes und seiner Passagiere vor dem Winde (Ag 30 27, 15. 17) gebraucht. Das in φέρω liegende Moment der Bewegung im übertragenen Sinn eines geistig-sittlichen Fortschrittes meint die Aufforderung ἐπὶ τὴν τελειότητα φερώμεθα *laßt uns streben, uns dahin bewegen* (Hb 6, 1). Das Passiv findet auf die Propheten Anwendung, die vom heiligen Geist φερόμενοι *getrieben* geredet haben (2 Pt 1, 21). 35

b. Das *Überbringen* oder *Vortragen* der evangelischen Botschaft (→ II 717, 20. 31ff) wird nur 2 J 10 durch διδαχὴν φέρω (→ II 166, 16ff) ausgedrückt, wo im Kampf gegen das Eindringen einer doketischen Christologie die Abweisung eines jeden gefordert wird, der nicht die rechte Lehre von Christus

---

[6] Nach der Liste bei Schl Lk 705.
[7] Für das *Vorbringen einer Anklage* (→ 58, 14ff) gebraucht Jos gewöhnlich ἐπι- φέρω, zB Bell 7, 33, gelegentlich auch ἐμφέρω Ant 20, 47.
[8] Vgl Bultmann J zSt.

bringt oder *vorträgt*. Das Passiv ἠνέχθη gebraucht 2 Pt 1, 17f in intransitiver Bedeutung für die auf dem Verklärungsberg an Jesus *ergangene* Stimme und 1, 21 für die niemals aus menschlichem Willen *ergehende* Prophetie.

c. **Als juristischer Begriff** begegnet φέρω in den Berichten über die Prozesse Jesu und des Apostels Paulus. Pilatus fragt: τίνα κατηγορίαν φέρετε τοῦ ἀνθρώπου τούτου; (J 18, 29), und Festus sagt von den Anklägern: οὐδεμίαν αἰτίαν (nämlich betreffs irgendeines der von ihm vermuteten Verbrechen) ἔφερον (Ag 25, 18). 2 Pt 2, 11 liegt die mythische Vorstellung einer Gerichtsszene vor Gottes Thron vor, bei der die Engel im Unterschied zu den bekämpften Irrlehrern es sich nicht herausnehmen, gegen die angeklagten δόξαι (→ II 255, 12 ff) βλάσφημον κρίσιν φέρειν⁹. Hb 9, 16 geht es um die Gültigkeit und Kräftigkeit der neuen διαθήκη, die hier als testamentarisches Vermächtnis im juristischen Sinn verstanden wird. Daher muß zu ihrer Inkraftsetzung der Nachweis des Todes des Testators φέρεσθαι *beigebracht werden*. Zu der Spannung, in der diese juristische Erörterung zur gemeinten Sache steht, → II 133, 40 ff.

d. **In der Bedeutung als Gabe, Geschenk, Opfer** *darbringen* begegnet φέρω in verschiedenen Zusammenhängen. 1 Pt 1, 13 ist χάρις φερομένη das Gnadengeschenk, das den Gläubigen bei der Parusie Christi dargeboten werden wird und auf das sie ihre Hoffnung setzen sollen und dürfen: die Errettung im Gericht und das himmlische Erbe, vgl v 3—12. Andrerseits werden die Könige der Erde ihre δόξα (→ II 240, 20) ins himmlische Jerusalem *ein-* und damit Gott und dem Lamm *darbringen* (Apk 21, 24 Zitat aus Js 60, 11). In der jerusalemischen Urgemeinde aber *bringen* deren Glieder selbst ihren Besitz, den sie verkauft und zu Geld gemacht haben, zum gemeinen Besten *dar* und legen ihn zu Füßen der Apostel nieder (Ag 4, 34. 37; 5, 2); auch das sind Gaben, die Gott selbst dargebracht werden (Ag 5, 3 f).

e. **In der Bedeutung des** *Hebens* **und** *Tragens* **einer Last** begegnet φέρω nur in der Wendung τὸν σταυρὸν φέρειν (Lk 23, 26)¹⁰.

f. **Die hieran anschließende spezielle Bedeutung des Fruchttragens** hat das Wort in den Bildreden vom Baum, der gute oder böse Früchte trägt (Mt 7, 18), vom Acker, der vielfältige Frucht trägt (Mk 4, 8)¹¹ und vom Weinstock mit seinen Frucht tragenden Reben (J 15, 2. 4). Der Sache nach meint die Wendung bei Matthäus und Johannes die Befolgung der Worte und Gebote Jesu, das Bleiben in seiner Gemeinschaft und damit die Verwirklichung des Willens Gottes in Leben und Tun der Jünger, während beim Saatgleichnis (Mk 4 Par) in erster Linie an die aller Widerstände spottende Mächtigkeit, mit der die Herr-

---

⁹ In der Vorlage dieses Textes Jd 9, wo Michael mit dem Satan um den Leichnam des Mose streitet, steht ἐπενεγκεῖν (→ A 7).
¹⁰ Die Par Mk 15, 21; Mt 27, 32 haben αἴρω, J 19, 17 das vulgäre βαστάζω (→ A 2; I 596, 40ff)). Das erstere steht auch Mt 16, 24

Par, das letztere Lk 14, 27, wo die Wendung im übertr Sinn des *Ertragens*, *Erleidens* gebraucht wird (→ 58, 20f; 61, 5ff).
¹¹ Mk 4, 28 gebraucht καρποφορέω (→ III 619, 9ff).

schaft Gottes sich vollendet, zu denken sein wird[12]. J 12, 24 beschreibt Jesus mit dem Bild vom Weizenkorn, das in die Erde fällt, stirbt und viel Frucht *bringt*, die Frucht seines eigenen Todes. Gemeint ist die Gewinnung von Jüngern aus der Welt und die Sammlung einer Gemeinde.

g. Im übertragenen Sinn wird das Lasttragen zum *Ertra-* 5 *gen*, Erdulden. So heißt es Hb 12, 20, daß das Volk die Weisung, jedes Tier, das den Gottesberg berührt hat, zu steinigen, *nicht ertragen kann* οὐκ ἔφερον, weil sich nämlich darin die vernichtende Heiligkeit der Gotteserscheinung manifestiert. Ein Ertragen von einzigartiger Würde und Verheißung ist das *Übernehmen* und *Tragen* der Schmach des außerhalb des Tores leidenden Christus durch seine Jünger- 10 gemeinde. Es ist die Bereitschaft der von der Welt[13] ausgestoßenen Gemeinde zum Martyrium (Hb 13, 13). Von Gott selbst sagt Paulus R 9, 22 im Anschluß an Ex 9, 16: ἤνεγκεν ... σκεύη ὀργῆς[14], dh, daß er Menschen, die an und für sich Objekte seines Zornes sind (→ VII 363, 14ff. 36ff) und die er zur Ausführung seiner Zornestaten bestimmt hat, in großer Langmut *trägt*, dh sowohl *erhält* als *erträgt*, ob- 15 wohl sie reif zur Vernichtung sind. Solches Erhalten und Ertragen ist also das souveräne Handeln Gottes, das an dem Erweis seines Zornes nichts abbricht (→ IV 385, 15ff; V 426, 17ff), aber zugleich den Reichtum seiner Herrlichkeit an den zur Herrlichkeit Berufenen erkennbar macht. An beidem wird seine Macht offenbar. 20

h. Damit ist schon die Verwendung des Wortes im Sinn des *Erhaltens* und Regierens[15] berührt, die Hb 1, 3 dem Sohn Gottes, genauer seinem Machtwort, mit der Wendung φέρων τε τὰ πάντα zuschreibt. Das Bekenntnis zu Christus dem Schöpfungsmittler (v 2), in dem der Hebräerbrief mit dem Johannesprolog, dem Kolosser- und dem Epheserbrief zusammengeht (→ V 893, 3ff), 25 wird also wie Kol 1, 17 (→ VI 687, 13ff)[16] durch das Bekenntnis zu Christus, dem Erhalter der Schöpfung, ergänzt.

5. Bei den Apostolischen Vätern.

Mit der Zitierung von Js 1, 13 in Barn 2, 5 u von Gn 4, 3f in 1 Cl 4, 1 wird φέρω in der Bdtg *Opfer darbringen* (→ 58, 24ff), mit Js 53, 3f in 1 Cl 30 16, 3f die Wendung φέρειν μαλακίαν bzw ἁμαρτίας ... φέρει (→ 59, 1f) aus LXX aufgenommen. Sonst begegnet φέρω in den Bdtg Frucht *bringen* Herm s II 3f. 8 (→ 58, 19f. 41; 60, 29ff), Leiden *ertragen* 1 Cl 45, 5 (→ 58, 20f. 41ff; 61,5ff), pass *getrieben werden* im Sinn eines sittlichen oder widersittlichen Strebens Herm s VI 5, 7; Dg 9, 1 u in den Wendungen κατάγνωσιν φέρουσιν 1 Cl 51, 2 (→ 58, 14ff) u ὑποδείγματα φέρειν 55, 1 35 (→ 58, 13f). Ohne Parallele in der urchr Lit ist die Wendung τὸ βάπτισμα τὸ φέρον ἄφεσιν ἁμαρτιῶν Barn 11, 1.

---

[12] Vgl Jeremias Gl⁷ 149f; ROtto, Reich Gottes u Menschensohn ²(1940) 82—86.

[13] So mit Mi Hb¹² u den dort verzeichneten Vertretern der altkirchlichen Exegese. Andere Auslegungen von ἔξω τῆς παρεμβολῆς s Mi Hb¹² zSt u bei FBleek, Der Brief an die Hebräer II 2 (1840) 1015—1017.

[14] S Mi R zSt. ᾽Ιερ 27, 25: ἐξήνεγκεν τὰ σκεύη

ὀργῆς αὐτοῦ hat keinen sachlichen Bezug zu diesem Text.

[15] Außer den → 58, 21f. 42f beigebrachten Belegen für diese Bdtg s das reichhaltige Material bei Bleek aaO (→ A 13) II 1 (1836) 70—72.

[16] Vgl auch οὗτός ἐστιν πάντων κύριος Ag 10, 36; ὁ ὢν ἐπὶ πάντων R 9, 5; ἐπάνω πάντων ἐστίν J 3, 31.

† *ἀναφέρω*

1. In der Profanliteratur.

Auf Grund der beiden Bdtg, die die Präp ἀνά in Zusammensetzungen haben kann, nämlich *1. hinauf, 2. wieder, zurück,* ergeben sich auch die verschiedenen Bdtg von ἀναφέρω, die dementsprechend zwei Gruppen bilden. Im Blick auf das NT interessieren nur die zur ersten Gruppe gehörigen Bdtg *hinaufbringen, -tragen, hochheben* Hom Od 11, 625 u *auf sich nehmen, (er)tragen* Aesch Choeph 841; Thuc III 38, 3[1].

2. In der Septuaginta.

Dient φέρω in LXX häufig zur Wiedergabe von term techn der Opfersprache (→ 58, 24ff), so gilt das von ἀναφέρω fast ausschließlich. Es ist neben προσφέρω (→ 67, 6ff) das eigtl Verbum zur Bezeichnung des Opfervollzuges. Aber umgekehrt wie bei φέρω ist mit ἀναφέρω fast immer der Opfervollzug als solcher, selten das Hinzubringen, Darbringen der Opfergaben gemeint. Unter den hbr Wörtern, die ἀναφέρω wiedergibt, steht עלה hi mit etwa vier Fünfteln aller St an der Spitze; hier heißt ἀναφέρω abs oder mit Acc-Obj (meist ὁλοκαύτωμα, auch εἰς ὁλοκαύτωμα) eindeutig *opfern*[2]. Dasselbe gilt für die der Häufigkeit nach an zweiter St stehende Wiedergabe von קטר hi, das in Lv u Ex 29, 18. 25; 30, 20 die St von עלה hi einnimmt. Nur in ganz vereinzelten Fällen ist ἀναφέρω außerdem noch Äquivalent anderer hbr Opfertermini, so von עשׂה זבחים 3 Βασ 12, 27; חטא pi Lv 6, 19; עבר hi 'Ιερ 39, 35; נוף hi Lv 8, 27; 23, 11. Die Bdtg (Opfer-)Gaben *(herzu)bringen* hat ἀναφέρω 2 Ch 29, 31f (beidemal HT בוא hi); Lv 3, 14 (HT קרב hi); Dt 14, 24 (HT נשׂא) u Js 18, 7[3] (HT יבל ho). Einzelne der genannten Wurzeln werden aber auch dann mit ἀναφέρω übersetzt, wenn profane Vorgänge wie das *Hinzubringen* irgendwelcher Pers oder Sachen, zB Gn 31, 39 (HT בוא hi), das *Bringen* einer Angelegenheit vor jemanden Ex 18, 19. 22. 26 (HT בוא hi) oder das *Hinauf-*, *Überbringen* von etwas 1 Βασ 2, 19 (HT עלה hi) gemeint ist.

Übertragene Bedeutung hat das Wort Nu 14, 33; Js 53, 12; Ez 36, 15 (HT jedesmal נשׂא) u Js 53, 11 (HT סבל), wo es vom *Tragen, Aufsichnehmen* von Leiden u von fremden Verschuldungen, nämlich der der Väter durch die Kinder Nu 14, 33 u der der Gesamtheit (ἁμαρτίαι πολλῶν) durch den Ebed Jahwe Js 53, 11f gebraucht wird, was sowohl die Bdtg *wegschaffen, beseitigen* als auch *abbüßen, sühnen* in sich schließen kann.

3. Im Neuen Testament.

a. Im wörtlichen Sinn wird ἀναφέρω Mt 17, 1 par Mk 9, 2 vom *Hinaufführen* der Jünger auf den Verklärungsberg durch Jesus gebraucht; im Passiv bezeichnet es im Text der ägyptischen Hdschr von Lk 24, 51: καὶ ἀνεφέρετο εἰς τὸν οὐρανόν den Vorgang der Himmelfahrt, wofür sonst πορεύομαι (→ VI 576, 6ff) gebraucht wird Ag 1, 10f; 1 Pt 3, 22.

ἀναφέρω. [1] Unsicher ist die genauere Bdtg von ἀναφέρω in den Verfluchungstafeln von Cnidus Audollent Def Tab 2, 11; 3 col A 10f; 6 col A 6; col B 5; 9, 6 (2.—1. Jhdt vChr), vgl CWachsmuth, Inschr aus Korkyra, Rhein Mus NF 18 (1863) 573f u die Bemerkungen bei Ditt Syll³ III zu 1179.
[2] 2 Ch 29, 21 scheint die einzige Ausn zu sein; dort ist das *Heranbringen* der Opfertiere gemeint.
[3] Auch in den nur griech überlieferten Schriften der LXX wird ἀναφέρω im Sinn der Opferterminologie an 12 von 21 St gebraucht. Die Aussagen der Opferterminologie stehen fast alle in den gesetzlichen u historischen Büchern. Nur 3 St stehen in den Ps, 4 bei Js, 1 bei Jer. Aber Js 57, 6; 66, 3; 'Ιερ 39 (32), 35 lehnen die Opfer ab, Js 60, 7; 66, 20 sind in übertr Sinn gemeint, u 18, 7 ist von Geschenken, die dem Herrn *dargebracht* werden, die Rede. Js 53, 11. 12 müssen von der hbr Grundlage her verstanden werden, die die Opfervorstellung nicht enthält. [Bertram]

b. Am wichtigsten ist die durch LXX begründete Bdtg *Opfer darbringen, opfern* Hb 7, 27; 13, 15; Jk 2, 21; 1 Pt 2, 5. Es besteht jedoch kein direktes Abhängigkeitsverhältnis zur LXX; denn Lv 16, 6. 15, worauf Hb 7, 27 anspielt, hat LXX nicht ἀναφέρω, sondern προσάγω (→ I 131, 31ff) u εἰσφέρω (→ 66, 20ff). Die Texte, von denen Hb 13, 15 abhängen kann, haben θύω (→ III 181, 8f) ψ 49, 14, vgl 49, 23 5 (HT זבח), ἀνταποδίδωμι (→ II 171, 21ff) Hos 14, 3 (HT שלם pi), προσφέρω (→ 67, 6ff) Lv 7, 12 (HT קרב hi), προσάγω 2 Ch 29, 31 (HT נגש q) u φέρω (→ 58, 4ff) ebd (HT בוא hi). Gn 22, 9, worauf sich Jk 2, 21 bezieht, sagt einfach Ἀβραάμ ... ἐπέθηκεν (HT וישם) αὐτὸν (sc Isaak) ἐπὶ τὸ θυσιαστήριον. Der einzige Bezugstext mit ἀναφέρω, der auch für Hb 13, 15 in Frage kommt, ist 2 Ch 29, 31b (HT בוא hi). Trotz- 10 dem kann es nicht zweifelhaft sein, daß die LXX die Voraussetzung für diesen Wortgebrauch im NT darstellt.

Der Sache nach handelt es sich Hb 7, 27 um die Aufhebung levitischer Opfer[4] durch die einmalige Selbstopferung Christi, Jk 2, 21 um die Opferung Isaaks als das den Glauben vollendende Werk, Hb 13, 15 (nach Hos 14, 3) um die Darbrin- 15 gung von Opfern im übertragenen Sinn, nämlich des Lobopfers, das in Frucht der Lippen besteht, und 1 Pt 2, 5 um geistliche Opfer, dh Opfer, die der Geist im Gläubigen wirkt (→ II 67, 37ff) und die in der Hingabe der ganzen Person in einem neuen Leben an Gott bestehen und sich so vom kultischen Opferdienst unterscheiden (→ III 185, 5ff; 186, 5ff; IV 145, 35ff)[5]. 20

c. Eine eigentümliche Interpretation erfährt Js 53, 12 LXX (→ 62, 27ff) in 1 Pt 2, 24. Das τὰς ἁμαρτίας ἀνήνεγκεν der Jesaja-Stelle wird durch den Zusatz ἐν τῷ σώματι αὐτοῦ ἐπὶ τὸ ξύλον in *Hinauftragen* umgedeutet. Die Verwandtschaft mit der für die Septuaginta charakteristischen Wendung ἀναφέρω ἐπὶ τὸ θυσιαστήριον legt die Vermutung nahe, daß ἀνήνεγκεν sprachlich zugleich 25 als *opfern* verstanden ist. Das würde heißen, daß in dieser Wendung sich zwei Vorstellungen durchdringen: das Fortschaffen, Beseitigen der Sünden, die Christus, mit seinem Leib am Kreuz hängend, mit dort hinaufgenommen hat[6], und die Selbstaufopferung Christi ἐν τῷ σώματι αὐτοῦ für unsere Sünden[7]. Hb 9 ist die Verbindung beider Vorstellungen durch die parallelen Formulierungen εἰς ἀθέτησιν 30 τῆς ἁμαρτίας διὰ τῆς θυσίας αὐτοῦ (v 26) und Χριστὸς ἅπαξ προσενεχθεὶς εἰς τὸ πολ- λῶν ἀνενεγκεῖν ἁμαρτίας (v 28) sprachlich klar zum Ausdruck gebracht.

4. Bei den Apostolischen Vätern.

Überall, wo das Wort von den Apost Vät gebraucht wird, ist mit ihm die Vorstellung des *Hinaufbringens zu Gott* verbunden. Das gilt von Gebeten, 35 die man vor Gott bringt Barn 12, 7; 2 Cl 2, 2 (→ Z 15ff), u von den Gläubigen selbst, die die „Hebewerkzeuge" Kreuz u Heiliger Geist in die Höhe führen, wobei der Glaube als ἀναγωγεύς u die Liebe als ὁδὸς ἡ ἀναφέρουσα εἰς θεόν mitwirken Ign Eph 9, 1.

---

[4] Hier offenbar eine Kombination des täglichen Tamidopfers u des Opfers am Versöhnungstag, s Mi Hb[12] zSt.

[5] Vgl Wnd Kath Br zSt. S KWeiß, Pls, Priester der chr Kultgemeinde, ThLZ 79 (1954) 360—362; HSchürmann, Artk Kult, in: LexThK[2] VI 663f; HDWendland, Artk Opfer, in: RGG IV[3] 1648f.

[6] Daß sich damit fernerhin die Vorstellung von dem Hohenpriester verbindet, der dem Sündenbock die Sünden des Volkes auflegt Lv 16, 21f, wie Wnd Kath Br zSt will, ist unwahrscheinlich, da 1 Pt Christus nicht in der Funktion des Hohenpriesters beschreibt.

[7] Über die Verbindung beider Vorstellungsreihen vgl Kn Pt zSt.

† *διαφέρω,* † *τὰ διαφέροντα,* † *διάφορος (ἀδιάφορον).*

1. In der Profanliteratur.

a. Von den vielfältigen Bedeutungsvarianten, die das **Verbum** διαφέρω, wörtlich verstanden, haben kann, sind im Blick auf das NT nur zu nennen: *hinüberführen, hindurchtragen* Thuc VIII 8, 3, eine Nachricht *verbreiten* κηρύγματα Eur Suppl 382, ἀγγελίας Luc, Dialogi deorum 24, 1 u das erst spät bezeugte ein Schiff *hin- und hertreiben* Philo Migr Abr 148; Luc Hermot 28. — Als Intransitivum hat διαφέρω die übertragene Bedeutung *sich unterscheiden* Eur Or 251; Thuc V 86 usw. Der Unterschied kann im positiven u negativen Sinn qualifiziert sein, so daß es die Bdtg *überragen, übertreffen, mehr sein* Thuc II 39, 1; Plat Ap 35a. b u *geringer sein, zurückbleiben hinter* Xenoph Vect 4, 25 annimmt. Dem entsprechen die Bdtg des unpers διαφέρει *es macht einen Unterschied, trägt etwas aus* Hippocr, Aphorismi 5, 22 (Littré IV 538) uö u *es ist von Wichtigkeit* Gal, Komm zu Hippocr Acut I 2. 7 (CMG V 9, 1 p 118, 12; 122, 15), beides auch mit Beziehung auf eine bestimmte Pers: *es macht mir etwas* (bzw *nichts*) *aus* Plat Prot 316 b; La 187 d, *es ist von Interesse für mich* Eur Tro 1248; Thuc III 42, 2.

b. Ebs kann das substantivierte **Partizipium** neben seinem nächstliegenden Sinn *der Unterschied, das Unterscheidungsmerkmal* Thuc I 70, 1; Plat Phileb 45 d auch die qualifizierten Bdtg *das Nützliche* Antiph fr 31, *die Interessen* Thuc VI 92, 5[1] u *das Gewichtige, Bedeutende* σφόδρα διαφέροντα Plut Adulat 35 (II 73a) haben; vgl τὸ διαφέρον μέρος POxy IX 1204, 11 (299 nChr).

c. Dasselbe gilt von dem **Adjektiv** διάφορος. Es heißt *verschieden, ungleich* Hdt II 83; IV 81, 1; Plat Leg XII 964 a usw u bei Späteren *verschiedenartig, mannigfaltig*[2], aber auch mit negativer Qualifikation *unerwünscht, unerfreulich* Plat Leg VIII 843 c, häufiger mit positivem Sinn *hervorragend, ausgezeichnet* Antiph fr 175, 3 u *nützlich, vorteilhaft*, in Verbindung mit μᾶλλον Thuc IV 3, 3; πρὸς σωτηρίαν διάφορος Plat Leg VI 779 b. POxy VII 1040, 10 (225 nChr); 1041, 9 (381 nChr); 1042, 28 (578 nChr) uö heißt τὸ διάφορον *Zinsen.*

d. Die **negierte Form** des Adjektivs hat in der aristotelischen Logik u in der kynisch-stoischen Ethik eigentümliche Bdtg erhalten. Mit ἀδιάφορον bezeichnet Aristot sowohl die an der äußeren Gestalt eines Dinges wahrnehmbare Einheit u Selbigkeit seiner Substanz ἓν λέγεται τῷ τὸ ὑποκείμενον τῷ εἴδει εἶναι ἀδιάφορον. ἀδιάφορα δ' ὧν ἀδιαίρετον τὸ εἶδος κατὰ τὴν αἴσθησιν Metaph 5, 6 p 1016a 17ff als auch die Gleichartigkeit der zu einer Art (→ II 371, 15ff) gehörenden Individuen· (ταὐτὸν) εἴδει ὅσα πλείω ὄντα ἀδιάφορα κατὰ τὸ εἶδός ἐστι, καθάπερ ἄνθρωπος ἀνθρώπῳ καὶ ἵππος ἵππῳ Top I 7 p 103a 10f; vgl IV 1 p 121b 15ff. Die Kyniker und Stoiker nennen ἀδιάφορον den mittleren Bereich zwischen Tugend u Schlechtigkeit u den ihnen zuzuordnenden Gütern u Übeln, also das, was der jeweilige Philosoph weder als Gut noch als Übel, sondern als etwas ethisch Belangloses beurteilt. So die Kyniker: τὰ δὲ μεταξὺ ἀρετῆς καὶ κακίας ἀδιάφορα λέγουσιν ὁμοίως 'Αρίστωνι τῷ Χίῳ Diog L VI 9, 105, von dem ders berichtet: τέλος ἔφησεν εἶναι τὸ ἀδιαφόρως ἔχοντα ζῆν πρὸς τὰ μεταξὺ ἀρετῆς καὶ κακίας μηδ' ἡντινοῦν ἐν αὐτοῖς παραλλαγὴν ἀπολείποντα, ἀλλ' ἐπίσης ἐπὶ πάντων ἔχοντα VII 2, 160, so Zeno: ἀγαθὰ μὲν ... πᾶν ὅ ἐστιν ἀρετὴ ἢ μετέχον ἀρετῆς· κακὰ δὲ ... πᾶν ὅ ἐστι κακία ἢ μετέχον κακίας, ἀδιάφορα δὲ τὰ τοιαῦτα· ζωὴν θάνατον, δόξαν ἀδοξίαν, ἡδονὴν πόνον, πλοῦτον πενίαν, ὑγίειαν νόσον καὶ τὰ τούτοις ὅμοια Stob Ecl II 57, 20ff; Zeno censuit voluptatem esse indifferens, id est neutrum, neque bonum neque malum, quod ipse Graeco vocabulo ἀδιάφορον appellavit Gellius, Noctes Atticae 9, 5, 5[3].

διαφέρω κτλ. [1] PWendland, Zu Theophrasts Charakteren, Philologus 57 (1898) 115 definiert: „τὰ διαφέροντα oder τὰ διάφορα ist alles, was in die Interessensphäre eines Menschen fällt. Die engere Bdtg ergibt jedesmal der Zshg. So sind τὰ διαφέροντα die *Amtsgeschäfte*..., für den Philosophen, was *ihn sittlich interessiert* (ἀδιάφορα *das sittlich Indifferente*)“.

[2] So bei Philodem Philos, Περὶ σημείων καὶ σημειώσεων 24, 1 (hsgg TGomperz, Herkulanische Studien I [1865]); POxy VII 1033, 8 (392 nChr).

[3] ed CHosius (1903).

2. In der Septuaginta.

a. Das Verbum διαφέρω ist in der LXX gewöhnlich Übers von שָׁנָה, bei Da von aram שְׁנָא, 1 Βασ 17, 39 Cod A von סוּר hi. Ebs oft kommt das Wort in den nur griech überlieferten Schriften der LXX vor. Wörtlich verstanden begegnet es in den Bdtg *überführen* 1 ᾽Εσδρ 5, 53, *entfernen, wegnehmen* 1 Βασ 17, 39 Cod A, durch 5 *Plünderung zerstreuen* 2 Makk 4, 39[4], im Passiv *getrennt, verfeindet sein* Sap 18, 2 u med *sich verbreiten* Sap 18, 10. Im übertragenen Sinn hat es die Bdtg *sich unterscheiden*, mit Gen Prv 20, 2; 27, 14, mit παρά Δα 7, 3. 23, an letzterer St mit Betonung des Unterschiedes in malam partem, was v 24 durch die Wendung διοίσει κακοῖς ὑπέρ verdeutlicht wird. Eine Veränderung zum Schlechteren besagt auch die Wendung ἡ ἕξις μου διήνεγκεν 10 ἐμοί (für שְׁנָא ithpa'al) Δα 7, 28. Das Part mit Dat der Sache hat die Bdtg *hervorragend* ᾽Εσθ 3, 13c; 2 Makk 15, 13; 3 Makk 6, 26. Das Passiv mit Dat der Pers heißt *entzweit, verfeindet sein* 2 Makk 3, 4.

b. Das Adjektiv διάφορος ist Lv 19, 19; Dt 22, 9 Übers von כִּלְאַיִם *zweierlei*. So könnte auch διάφορα 2 ᾽Εσδρ 8, 27 (für HT: שְׁנַיִם) in der Tat die Bdtg 15 *zwei* haben, womit sich die Vermutung[5] erübrigt, der Übersetzer habe שֹׁנִים gelesen u das Wort hieße hier *sich unterscheidend, unterschiedlich* im positiven Sinn, also *hervorragend, glänzend* (→ 64, 25). In den Schriften der hell Zeit heißt τὸ διάφορον, τὰ διάφορα *Geld* Sir 27, 1; 42, 5; 2 Makk 1, 35; 3, 6; 4, 28.

c. Das Adverb διαφόρως begegnet Δα 7, 7 in der Bdtg *unter-* 20 *schiedlich* in malam partem.

3. Josephus.

Jos gebraucht das Verbum pass im Sinn von *hin- und hergetrieben, zerstreut werden* Bell 5, 93, häufiger das intr Akt in der übertr Bdtg *sich unterscheiden* Ant 4, 19; 20, 263; Ap 2, 269. Das Adj διάφορος hat Bell 3, 508 die Bdtg *ver-* 25 *schieden*.

4. Im Neuen Testament.

a. Im NT begegnet das Verbum διαφέρω in den wörtlichen Bedeutungen *hindurchtragen* . . . ἵνα τις διενέγκῃ σκεῦος διὰ τοῦ ἱεροῦ Mk 11, 16; *hin-* u *hertreiben* διαφερομένων ἡμῶν ἐν τῷ ᾽Αδρίᾳ Ag 27, 27 u im Pass mit intr Bdtg von 30 der *Ausbreitung* des λόγος κυρίου Ag 13, 49. Die übertragene Bedeutung *sich unterscheiden* liegt 1 K 15, 41 u im qualifizierten Sinn *besser sein als, überragen* in den Jesuslogien aus der Logienquelle μᾶλλον διαφέρετε αὐτῶν Mt 6, 26 Par, πολλῶν στρουθίων διαφέρετε ὑμεῖς Mt 10, 31 Par u in dem nur bei Mt 12, 12 stehenden qal-wachomer-Schluß: πόσῳ οὖν διαφέρει ἄνθρωπος προβάτου vor. — Das unpers οὐδέν μοι διαφέρει *es ist* 35 *nicht von Wichtigkeit für mich* gebraucht Pls Gl 2, 6 mit Bezug auf die δοκοῦντες in Jerusalem (→ II 236, 25 ff), um die von diesen unabhängige Autorität seines ap Auftrages u Wirkens zu betonen.

b. Das substantivierte Partizip gebraucht Paulus R 2, 18 und Phil 1, 10 in der Wendung δοκιμάζω (→ II 263, 1 ff) τὰ διαφέροντα 40 und bezeichnet damit die Ermittelung des für den Juden und des für den Christen Wesentlichen[6], dort des Wesentlichen im Gesetz und gesetzestreuen Wandel, hier des für den Wandel in der Liebe Christi Wesentlichen. Der der hellenistischen Umgangssprache geläufige Terminus[7] hatte, wie R 2, 18 vermuten läßt, bereits

---

[4] Vgl διαφορέω für HT שָׁסַס ᾽Ιερ 37 (30), 16.

[5] BHK zSt.

[6] Die Beziehung des Ausdrucks in R 2, 18

auf „die rechte Unterscheidung zwischen Judt u Heidentum" bei Mi R[13] zSt ist weder sprachlich noch sachlich begründet.

[7] S Ltzm R zu 2, 18 u Loh Phil zu 1, 10.

in die hellenistische Synagoge Eingang gefunden und bedeutete dort etwa das,
was der νομικός (Mt 22, 36) mit der Frage nach dem größten Gebot meint.

c. Wenn Paulus der römischen Gemeinde R 12, 6 zu Be-
wußtsein bringt, daß die χαρίσματα, die sie besitzt, διάφορα seien, so verbindet er
5 mit dem Wort lediglich den Sinn des *Mannigfaltigen*, nicht des Hervorragenden,
Ausgezeichneten, weil er, wie die vorangehenden Verse zeigen, hier wie 1 K 12
darum bemüht ist, die Geringschätzung einzelner mit weniger hervorragenden
Charismen begabter Glieder der Gemeinde zu unterbinden. Ein ausgesprochen
geringschätziger Sinn liegt dagegen in dem Ausdruck διάφοροι βαπτισμοί (Hb 9, 10),
10 der die in ihrer Mannigfaltigkeit wirkungslosen Praktiken des levitischen Kultes
charakterisiert. Den seltenen Komparativ des Wortes[8] jedoch braucht derselbe
Hebräerbrief, um die Überlegenheit Christi auszudrücken, dem ein ὄνομα διαφορώ-
τερον παρ' ἀγγέλους (1, 4) zuteil wurde und der gegenüber dem levitischen Priesterdienst διαφορωτέρας τέτυχεν λειτουργίας (8, 6).

15   **5. Bei den Apostolischen Vätern.**

Herm s IX 4, 1; IX 15, 5 gebrauchen διαφέρω in der wörtlichen
Bdtg *hindurchtragen* mit Bezug auf die Steine, die durch das Tor zum Bau des Turmes,
der Kirche, getragen werden. Bei Dg 3, 5 heißt es *sich unterscheiden*. Hb 1, 4 mit dem
seltenen Komp διαφορώτερος (→ Z 11) wird 1 Cl 36, 2 zitiert.

20   † εἰσφέρω

1. Das Wort wird in der profanen Literatur vom *Hinein-
tragen, -bringen* von Sachen ἐσθῆτα Hom Od 7, 6 u Pers PAmh II 77, 22 (139 nChr)
u vom *Überbringen von Botschaften* ἀγγελίας Hdt I 114, 2 gebraucht, vgl λόγους ... εἰς
ὦτα φέρει ... Ὀδυσσεύς Soph Ai 149.

25   2. In der Septuaginta ist εἰσφέρω fast ausschließlich Übers
von בוא hi u ho u wird außer in profanen Zshg auch wie φέρω (→ 58, 24ff), ἀναφέρω
(→ 62, 10ff) u προσφέρω (→ 67, 19ff) für das *Einbringen* von Heben u Opfergaben
ins Heiligtum gebraucht.

3. Im Neuen Testament begegnet εἰσφέρω meist in
30 wörtlicher Bedeutung von Sachen: Wir haben nichts in die Welt *gebracht* (1 Tm
6, 7), von Personen: der Kranke wird ins Haus *gebracht* (Lk 5, 18f), die missio-
nierenden Jünger werden vor die synagogalen Gerichte, vor Herrscher und Gewaltige *geschleppt* (Lk 12, 11), vom Opferdienst: das Blut der Tiere wird durch
den Hohenpriester als Sühnopfer ins Heiligtum *gebracht* (Hb 13, 11 mit Zitat aus
35 Lv 16, 27) und in der Wendung εἰσφέρεις εἰς τὰς ἀκοὰς ἡμῶν (Ag 17, 20). In übertragener Bedeutung steht es in der Vaterunser-Bitte: μὴ εἰσενέγκῃς ἡμᾶς εἰς πει-
ρασμόν (Mt 6, 13 Par), wobei jedoch die Vorstellung einer räumlichen Bewegung

---

[8] Er findet sich noch bei Sext Emp Math │ IX 218. Hesych sv erklärt ihn mit κρεῖττον,
                                          │ ὑψηλότερον.

und der aktive Sinn des Wortes beibehalten ist[1], also: *bringe uns nicht in Versuchung* oder, wenn man, wie in der Septuaginta (→ 66, 25f), ein Hiphil oder ein Aphel als Grundlage annimmt: *veranlasse nicht*, daß es geschehe[2].

           4. Die Wendung διδαχὰς ἑτέρας εἰσφέροντες Herm s VIII 6, 5 ent-
spricht dem Simplex διδαχὴν . . . φέρει 2 J 10 (→ 59, 36ff).   5

προσφέρω   → θύω κτλ III 180, 23ff
                       → προσάγω I 131, 11ff

A. In der Profanliteratur.

           Von den in der griech Profanliteratur belegten Bdtg von προσ-
φέρω sind im Blick auf das Vorkommen im NT zu erwähnen: 1. *hinzubringen, anbringen, applizieren* Hdt VI 18; Soph Oed Col 481; Eur Phoen 488; — 2. Speisen, Medikamente *vorsetzen, zuführen* Hippocr Acut 26 (Kühlewein I 122); Plat Phaedr 270b; Xenoph Mem III 11, 13, med *zu sich nehmen, genießen* Aristoxenus fr 18 (FHG II 278); Epic Men 131; — 3. Nachrichten *überbringen* Thuc II 70, 1; — 4. Gaben *darbringen, opfern* Thuc II 97, 3; Soph El 434; — 5. pass *sich verhalten*, jmd *begegnen* Thuc I 140, 5; V 111, 4[1].

B. In der jüdisch-hellenistischen Literatur.   15

           1. In der Septuaginta wird προσφέρω nur selten im profanen Sinn gebraucht, uz in den Bdtg *heranführen* Lv 8, 6 (HT: קרב hi); Prv 19, 24 (HT: שׁוב hi) u Gegenstände, Geschenke *bringen, darbringen* Ri 3, 17f; 5, 25 (HT: קרב hi); 2 Βασ 17, 29 (HT: נגשׁ hi); ψ 71, 10 (HT: שׁוב hi). In den meisten Fällen ist es als Wiedergabe von קרב hi wie dieses Terminus der Opfersprache u kommt als solcher vornehmlich in 20 den gesetzlichen u historischen Schriften vor[2]. Es bezeichnet das *Darbringen* von Opfern, uz entweder allg, so daß einzelne Akte im Opfervollzug nicht unterschieden werden, oder so, daß nur ein einzelner Akt, nämlich entweder das *Hinzubringen* der Opfergabe durch den Opfernden zum Priester, Tempel oder Altar oder der meist durch den Priester geschehende eigtl Opferakt: die *Darbringung* auf dem Altar, die Libation, das Weben 25 oder das Verbrennen, also das *Hinzubringen* zur Gottheit[3], damit gemeint ist. Diese Bdtg finden sich etwa gleich häufig, wenn auch ihre Unterscheidung nicht überall mög-lich ist. Als wesentlich selteneres Äquivalent für בוא hi hat προσφέρω wie ἀναφέρω (→ 62, 21f) die Bdtg Opfergaben *herzubringen*, kann aber auch ganz allg *opfern* heißen. Ganz vereinzelt ist προσφέρω ferner auch Wiedergabe anderer Opfertermini wie זבח, 30 עלה hi, קטר hi, נשׂא, רום hi, נגשׁ hi u auch von עשׂה חטּאת u bezeichnet dann die entsprechenden Opfer- bzw Darbringungsakte.

εἰσφέρω [1] ELohmeyer, Das Vater-unser [5](1962) 136f.

[2] Das Problem, das in der Vorstellung eines aktiven Versuchens Gottes liegt (vgl Jk 1, 13), sucht die altkirchliche Version μὴ ἀφῇς ἡμᾶς εἰσενεχθῆναι (→ VI 30, 36f u A 42; vgl Loh-meyer aaO [→ A 1] 134f. 137) zu vermeiden, eine Lösung, die vom Wortsinn her auszu-schließen u vielmehr durch sachgemäße Inter-pretation des hier gemeinten πειρασμός (→ VI 31, 3ff; vgl Lohmeyer 143—146) zu fin-den ist.

προσφέρω. [1] S auch die Belege bei Moult-Mill sv.

[2] Hi 1, 5 u 1. 2 Makk gehören in den histo-rischen Zshg. Prv 21, 27 redet von dem nich-tigen Opfer der Gottlosen. Ähnlich beurteilt Sir 7, 9 das Opfer des Schuldbeladenen. Sir 35, 2 vertritt einen vergeistigten Opferbegriff. Am 5, 25 lehnt wohl die Schlachtopfer ab. Mal 1, 13 wendet sich gegen den Opferbetrug. Jer 14, 12 lehnt das Opfer grundsätzlich ab. Nur die Zukunftsthora Ez 43—46 enthält Opfer-bestimmungen in der Art des Lv. [Bertram]

[3] Vgl RHentschke, Artk Opfer, in: RGG[3] IV 1645.

2. Josephus verwendet das Wort im profanen Sinn für das *Dar-bringen* von Gaben u Gastgeschenken Ant 6, 67; 13, 101, für das *Kredenzen* von Geträn-ken Ant 11, 188 u im Med für das *Zusichnehmen* von Speisen u Getränken Ant 2, 66; 4, 72; 6, 337; 20, 106 uö. Als Opferterminus begegnet das Wort Ant 3, 231; 8, 118. 228 uö.

3. Bei Philo ist kultische Verwendung von προσφέρω nicht nach-gewiesen; dgg begegnet es im profanen Sinn von *herbeibringen* Spec Leg I 47 u im Med in der Bdtg *sich benehmen* ebd II 83. 122 u Speisen u Getränke *zu sich nehmen* Sacr AC 98; Plant 160. 162; Ebr 151.

C. Im Neuen Testament.

1. Während Mk das *Hinzuführen* der Kranken u Dämonisierten zu Jesus mit dem Simplex (→ 59, 21 ff) bezeichnet, bevorzugt Mt 4, 24; 8, 16; 9, 2. 32; 12, 22; 14, 35; 17, 16 hierfür das Kompos προσφέρω. Nach Lk 23, 14 wendet Pi-latus das Wort auf die *Übergabe* Jesu in seine Hände durch das Synedrium an. In der Erzählung von den Kindern, die man Jesus *zuführt*, damit er sie segne Mk 10, 13 Par, gebrauchen alle drei Evangelisten προσφέρω.

2. In der Bdtg *darreichen, überreichen* wird das Wort von Geld-beträgen Mt 22, 19; 25, 20; Ag 8, 18 u von dem Jesu am Kreuz dargereichten Essig Lk 23, 36; J 19, 29 gebraucht.

3. Von Gottes προσφέρεσθαι *Sichverhalten* gegenüber denen, die er als Söhne durch Leiden erzieht, spricht Hb 12, 7.

4. Ausführlicher zu erörtern ist die Verwendung des Wor-tes in der Bedeutung *Opfer darbringen, opfern*. Da die neutestamentliche Gemeinde keinen Opferkult mehr kennt, ist die Opferterminologie auf die wenigen Stellen beschränkt, wo auf den zeitgenössischen jüdischen oder den alttestamentlichen Opferkult oder auf einzelne alttestamentliche Opferberichte Bezug genommen wird, wo Leben und Sterben Jesu als Opfer beschrieben und wo das Verhalten und be-stimmte Handlungen der Christen im übertragenen Sinn Opfer genannt werden.

a. Hier ist zunächst von Jesu eigenem Verhalten zur jüdischen Opferpraxis (→ III 184, 8 ff; 264, 3 ff) und seinen diesbezüglichen Wei-sungen zu handeln. Mk 1, 44 Par weist er den Leprakranken an, das Reinigungs-opfer gemäß Lv 14 darzubringen, und Mt 5, 23 f fordert er, selbst eine schon im Gang befindliche Opferhandlung zu unterbrechen, falls sich der Opfernde dabei bewußt werde, daß sein Bruder etwas gegen ihn habe. Da Jesus sein Wort an beiden Stellen nicht an einen Priester richtet, kann das προσένεγκε (Mk 1, 44) und das ἐὰν προσφέρῃς (Mt 5, 23) nur die Übergabe des zu Opfernden an den Priester besagen, wie auch die Aufforderung ἄφες ἐκεῖ τὸ δῶρόν σου ἔμπροσθεν τοῦ θυσιαστηρίου (5, 24) zeigt[4]. Wenn der Zeugnischarakter, den Jesus dem Reinigungsopfer mit den Worten εἰς μαρτύριον αὐτοῖς (Mk 1, 44) beilegt (→ IV 509, 8 ff), sich auch nicht auf seine Treue gegen das Gesetz gründen wird[5], so zeigen beide Texte doch, daß Jesus die

---

[4] Zn Mt zSt; vgl Kl Mt zSt: „ohne die Opfergabe vollends dem Priester zu über-geben".

[5] So Zn Mt 336 u Grundm Mk zSt.

gesetzlichen Opfervorschriften und die zeitgenössische Opferpraxis nicht nur gelten läßt, sondern von seinem Auftrag und seiner Botschaft her neu interpretiert. Das Reinigungsopfer wird zu einem göttlichen und endgültigen[6] Zeugnis (→ IV 508, 29ff) wider die, die den Inhalt seiner Predigt und Sendung, das Kommen des Reiches Gottes, in dessen Kraft diese Heilung geschah, bestreiten. Mt 5, 24f erhält die 5 Opferpraxis ihre Norm vom Doppelgebot der Liebe her. Das im Opfer gesuchte Verhältnis zwischen Gott und Mensch setzt die Bereinigung des Verhältnisses zum Bruder voraus.

b. Daß Paulus die Kosten der Ausweihungsopfer von vier Nasiräern übernimmt und im Tempel den Tag anmeldet, bis zu dem προσηνέχθη... 10 ἡ προσφορά (Ag 21, 26)[7], könnte man geradezu als praktische Verwirklichung der Norm Jesu bezeichnen. Paulus opfert zwar hier nicht selbst, aber er ermöglicht das Opfer der Nasiräer durch einen Akt liebreicher Hilfe und versucht gleichzeitig, sich dadurch mit den jüdischen Brüdern in Jerusalem, die „etwas wider ihn haben", zu versöhnen, wenn ihm das auch nicht gelingt. Ganz anders ist die Stimmung 15 gegenüber dem alttestamentlichen Opferdienst in der Stephanusrede (Ag 7, 42), wo die prophetische Kultkritik mit μὴ σφάγια (→ VII 934 A 40) καὶ θυσίας προσηνέγκατέ μοι; (Am 5, 25 LXX) aufgenommen wird[8]. In dem gegen die jüdische Verfolgung der Gemeinde gerichteten Wort J 16, 2: πᾶς ὁ ἀποκτείνας ὑμᾶς δόξῃ λατρείαν (→ IV 65, 33ff) προσφέρειν[9] τῷ θεῷ erfährt diese Stimmung eine un- 20 heimliche Verschärfung. Wenn den Juden vorgeworfen wird, daß sie den Christenmord für ihren Opferdienst halten, so schließt das natürlich auch ein radikales Urteil über diesen ein.

c. Die für das Neue Testament einzigartige Intensität, mit der der Hebräerbrief von der Opfertheologie und -praxis des Alten Bundes zur 25 Entfaltung des Christus-Zeugnisses Gebrauch macht, kommt auch in der Häufigkeit der Verwendung des Opferterminus προσφέρω neben ἀναφέρω (→ 63, 1ff) zum Ausdruck. Das Wort bedeutet im Hebräerbrief immer *das Opfer vollziehen*, nicht das Darbringen der Opfergaben zum Altar oder Priester. Die Gegenüberstellung der levitischen Opfer und der Opfertat Christi geschieht mit abgestufter 30 Motivierung. Einerseits wird die genau gegensätzliche Art beider Opfer betont: das προσφέρειν des levitischen Priesters geschieht in täglicher bzw jährlicher Wiederholung εἰς τὸ διηνεκές (10, 1), von Jesus dagegen gilt: μίαν ὑπὲρ ἁμαρτιῶν προσενέγκας θυσίαν εἰς τὸ διηνεκές (10, 12). Jene opferten Stier- und Bocksblut (10, 4; 9, 7. 13) und brachten Speise- und Trankopfer dar (9, 9ff), dieser opfert sein Blut, 35 sein σῶμα (→ VII 1055, 19ff), dh sich selbst (9, 14; 10, 10). Jener Opfer bewirken nur δικαιώματα und καθαρότητα σαρκός (9, 10. 13) und reinigen nicht von Sünden (10, 2f), Jesu Opfer (→ III 186, 11ff; 281, 16ff) heiligt ἐφάπαξ (10, 10) und reinigt

---

[6] Vgl Loh Mk zSt.
[7] Zu den Einzelheiten des Vorganges vgl Haench Ag[14] zSt.

[8] Zur Uminterpretation des Am-Textes in der Stephanusrede vgl Haench Ag[14] zSt.
[9] Zur Unkorrektheit dieser Wortverbindung u ihrer Bdtg vgl Bau J zSt.

die Gewissen (9, 14; 10, 22). Jener Opferdienst gründet sich auf eine veraltete, vergehende (8, 13), dieser auf eine neue und bessere Bundesverfügung (8, 6). Mit Ps 40, 7 ff läßt Hb 10, 5 ff Christus diesen Gegensatz selbst in aller Schärfe aussprechen: die Opfer des Alten Bundes willst du, o Gott, nicht. Ich aber
5 komme gemäß der Schrift, um deinen Willen zu tun, dh das einmal für immer gültige Opfer, das alle heiligt, zu vollziehen. Andrerseits aber werden beide Opferdienste doch auch positiv aufeinander bezogen. Das geschieht schon durch die Charakterisierung des alten (Opfer-) Gesetzes und -Dienstes als σκιά (→ VII 401, 3 ff) τῶν μελλόντων ἀγαθῶν (10, 1) bzw τῶν ἐπουρανίων (8, 5), dh als Ab-
10 schattung des Dienstes und Opferdienstes Christi. Denn der τύπος (8, 5; → VIII 258, 31 ff) und das Künftige stehen zu dem Schatten, den sie (voraus-)werfen, ja nicht im Gegensatz. Direkt vergleichend nebeneinandergestellt werden Aaron und Christus in 5, 1 ff. Das tertium comparationis ist beider von Gott erfolgte Berufung zum hohepriesterlichen Dienst, die für Christus durch Ps 2, 7 und 110, 4
15 bezeugt ist. Freilich endet auch dieser „Vergleich" in der Beschreibung des unvergleichlichen Opfers Christi, der nicht δῶρα καὶ θυσίας darbrachte wie Aaron (v 1), sondern δεήσεις τε καὶ ἱκετηρίας...προσενέγκας (v 7) durch seine ὑπακοή allen, die ihm gehorchen, αἴτιος σωτηρίας αἰωνίου (v 8 f) wurde.

Für die, die im Gehorsam gegen ihn (5, 9) und in der πληροφορίᾳ πίστεως hin-
20 zutretend (10, 22) die reinigende und rettende Wirkung dieses Opfers Christi erfahren, ist nun natürlich das Opfer des Alten Bundes ebenso ein für allemal erledigt. An die Stelle des Opfers tritt das Lobopfer der Lippen, die seinen Namen bekennen (13, 15; → 63, 15 ff), und überhaupt die πίστις. Das kann man auch an der Bewertung des Opfers Abels (11, 4) und Abrahams (11, 17) sehen: πίστει
25 ..."Αβελ...προσήνεγκεν und πίστει προσενήνοχεν 'Αβραάμ. Πίστει sind sie Vorbilder für die neutestamentliche Gemeinde geworden.

D. Bei den Apostolischen Vätern.

Das Wort wird von den Apost Vät fast ausschließlich in der Bdtg *opfern* u *Opfer darbringen* verwendet. So hauptsächlich dort, wo at.liche Opfertexte
30 zitiert werden oder von at.lichen Opferakten die Rede ist, die in irgendeiner Weise auf die nt.liche Botschaft bezogen werden. Dabei verwendet 1 Cl die at.lichen Vorgänge als einfache Muster oder Vorbilder für die Paränese: Abrahams Gehorsam bei Isaaks Opferung ist Vorbild für die chr ὑπακοή 10, 7, die Jerusalemer Opferordnung soll den Korinthern Vorbild für das Beharren im ὡρισμένος τῆς λειτουργίας κανών
35 41, 1 f sein, u die Opfer Kains u Abels dienen zur Warnung vor den tödlichen Folgen von ζῆλος u φθόνος 4, 4. 7. Barn dgg sieht in verschiedenen Opfervorgängen u -vorschriften des AT τύποι (→ VIII 254, 6 f; 257, 9 ff), die sich in Christus erfüllen, der sich selbst, dh sein Fleisch als σκεῦος τοῦ πνεύματος ὑπὲρ ἁμαρτιῶν ἔμελλεν προσφέρειν θυσίαν 7, 3. 5 oder gemäß dem τύπος der roten Kuh als μόσχος von den Sündern als προσφέροντες ἐπὶ τὴν
40 σφαγήν dargebracht wird 8, 1 f.

Während es sich bei diesen Typologien mehr oder weniger um persönliche Fündlein des jeweiligen Autors handelt, hat die Übertragung der Opfervorstellung auf die Eucharistie das Selbstverständnis der chr Gemeinde in ihrer ganzen Breite bestimmt. Bereits Did 14 versteht die allsonntägliche Eucharistiefeier als Erfüllung des
45 Gebotes Mal 1, 11: ἐν παντὶ τόπῳ καὶ χρόνῳ προσφέρειν μοι θυσίαν καθαράν. Auch die 1 Cl 44, 4 mit προσενεγκόντας τὰ δῶρα beschriebene Funktion der Bischöfe wird den Vollzug der Eucharistie meinen oder wenigstens einschließen.

Dg 3, 3 gebraucht προσφέρω abs u 2, 8 mit τιμή als Obj zur Beschreibung des heidnischen Opferdienstes u seiner Widersinnigkeit.

† προσφορά

1. Keine von den zahlreichen Bdtg, die das Wort in der klassischen Literatur als nominales Korrelat zu den Bdtg des act, med u pass gebrauchten Verbums hat (→ 67, 7ff), begegnet im NT. Hier heißt προσφορά immer *Opfer*(*-gabe u -handlung*), eine Bdtg, die zuerst in der Septuaginta, uz ψ 39, 7 (als Übers von 5 מִנְחָה); Da 3, 38, wiederholt in Sir u dann in der von LXX beeinflußten[1], also bes in der chr Lit gebräuchlich wird.

2. Im Neuen Testament wird προσφορά sowohl für die levitischen Opfer (Hb 10, 5 mit Zitat von ψ 39, 7; Hb 10, 18; Ag 21, 26; 24, 17), als auch für das Opfer Christi (Hb 10, 10. 14; Eph 5, 2; → 69, 29ff; VIII 84, 14ff) und 10 im übertragenen Sinn für die als Opfer bezeichnete Darbringung der durch und für das Evangelium gewonnenen Heiden (R 15, 16)[2] gebraucht.

3. Während unter den Apostolischen Vätern Barn 2, 4ff mit Js 1, 11f θυσίαι, ὁλοκαυτώματα u προσφοραί ablehnt, weil sie ἀνθρωποποίητόν τι sind u Gott ihrer nicht bedarf, überträgt 1 Cl 40, 2—4 ganz im Gegenteil die für den Vollzug 15 der at.lichen προσφοραί u λειτουργίαι geltenden Regeln u Ordnungen auf die προσφοραί u λειτουργίαι in der chr Gemeinde, wobei ua an die Eucharistie zu denken sein wird (→ 70, 41ff). Nach 1 Cl 36, 1 wird Jesus Christus dabei als ἀρχιερεύς τῶν προσφορῶν vorgestellt. Im wörtlichen Sinn von *Opfertier*, *Opfergabe* wird προσφορά Mart Pol 14, 1 auf den Märtyrer angewandt, der als ein aus der großen Herde hervorragender Widder εἰς 20 προσφοράν, ὁλοκαύτωμα δεκτὸν τῷ θεῷ ἡτοιμασμένον beschrieben wird.

† συμφέρω, † σύμφορος

Inhalt: A. Die Wortgruppe im Griechischen: I. Die Wortbedeutung: 1. συμφέρω, 2. σύμφορος, 3. Synonyma. II. Die philosophische Erörterung: 1. Die Vorsokratiker; 2. Die Sophisten; 3. Sokrates; 4. Nachsokratische Philosophie. — B. Altes Testament. — C. Juden- 25 tum. — D. Die Wortgruppe im Neuen Testament: I. Der Wortgebrauch. II. Der Sinn der Wörter. — E. Nützliches und Nutzen bei den Apostolischen Vätern.

A. Die Wortgruppe im Griechischen.

I. Die Wortbedeutung.

1. συμφέρω. 30

συμφέρω, älter attisch ξυμφέρω, wird trans in folgenden wörtlichen Bdtg gebraucht: *sammeln, zusammentragen* Hdt III 92, 2; Xenoph An VI 4, 9, *bringen* Epicharmus fr 35, 8 (CGF 96), *gemeinsam ertragen* Eur Alc 370; Xenoph An VII 6, 20, sodann intr in der Bdtg *nützen*, mit Dat der Pers Hdt IX 37, 4; Aesch Suppl 753 oder der Sache, der etw nützt Aristoph Pl 38, u mit εἰς Thuc IV 26, 5 oder πρός Xenoph 35 Mem II 2, 5 zur Bezeichnung dessen, worauf der Nutzen zielt, u schließlich in der unpers Wendung συμφέρει *es ist nützlich, vorteilhaft* Plat Phaedr 230e; Leg IX 875a. Das Part hat die Bdtg *nützlich, förderlich* Soph Oed Tyr 875; Plat Gorg 527b; Demosth Or 18, 308. Substantiviert im Sing Soph Phil 926 oder Plur 131 heißt es *das Dienliche* Thuc IV 60, 1; Plat Polit 296e; Xenoph Symp 4, 39, *der Vorteil* Demosth Or 18, 28, 40 *der Nutzen* Dinarch 1, 99, mit Gen Plat Resp I 338c oder Dat des Nutznießers I 341d; 342b. Weitere intr Bdtg von συμφέρω sind *beistehen* Soph Phil 627, *zustimmen*

προσφορά [1] zB Jos Ant 11, 77. Philo kennt das Wort in der Bdtg Opfer nicht.

[2] Vgl KWeiß, Pls, Priester der chr Kultgemeinde, ThLZ 79 (1954) 357.

Aristoph Eq **1233**, *nachgeben* Soph El 1465, *jemandem anstehen* Xenoph Cyrop VIII
4, 21, *sich ereignen* mit A c I Hdt I 73, 4; III 129, 1 uo oder ὥστε I 74, 2, *sich zum Guten
oder Schlechten wenden* VIII 88, 1. Das Pass begegnet in der Bdtg *sich treffen,* im
freundlichen Heracl fr 10 (Diels I 153) oder feindlichen Sinn Hom Il 8, 400; Pseud-Hes,
Scutum 358³, *sich vereinigen* Luc Hermot 34, *übereinstimmen* Hdt II 80, 1, *entsprechen,
gleichen* Eur El 527, *sich ereignen* Thuc VIII 84, 1, gut oder schlecht *ausgehen* ἐπὶ τὸ
βέλτιον Aristoph Nu 594. Das unpers συμφέρεταί τινι heißt *es widerfährt jmd* Hdt II
111, 1 uö. Als grammatikalischer term techn hat das Pass die Bdtg *konstruiert werden
mit* Apollon Dyscol Synt III 160 (p 407, 6).

2. σύμφορος.

σύμφορος heißt *begleitend, Begleiter* Hes Op 302 u *passend,
nützlich* 783, später hat es allein die letztere Bdtg. Die Wendung σύμφορόν ἐστιν
ist mit συμφέρει, τὰ σύμφορα mit τὰ συμφέροντα gleichbedeutend. Die Konstr entsprechen denen bei συμφέρω (→ 71, 30 ff).

3. Synonyma.

Das gegenüber συμφέρω usw Besondere an den bedeutungsver-
wandten Wörtern ὠφελέω, ὠφέλεια, τὸ ὄφελος besteht hauptsächlich darin, daß *der Nutzen,
der Vorteil, die Förderung,* die sie bezeichnen, häufig als *Hilfe* u *Hilfsquellen* Thuc II
7, 1; VI 17, 1; III 82, 6; Plat Lys 217a oder als *Beute* Antiphon Or 2, 1, 4; Pseud-
Xenoph Cyn 6, 4; Plut Aem 29 (I 270f); De Caesare 12 (I 713b); Cato Maior 10 (I 342a)
verschiedener Art konkretisiert werden. Das gilt nicht für λυσιτελέω, τὸ λυσιτελοῦν,
was dessen etym Grundsinn *Abgaben, Zahlung leisten* nach erwartet werden könnte.
Einen charakteristischen Bedeutungsunterschied gegenüber συμφέρω *nützen* läßt der
Gebrauch dieses Wortes nicht erkennen.

II. Die philosophische Erörterung.

Vorauszuschicken ist, daß in der philosophischen Erörterung von
Nutzen u Nützlichem kein Bedeutungsunterschied zwischen συμφέρω usw u seinen
Synonyma (→ Z 15 ff) sichtbar ist. Die Wortgruppen werden von Anfang an miteinander
vermischt, ja ihre Synonymität wird direkt ausgesprochen.

1. Die Vorsokratiker.

Die fragmentarische Überlieferung der vorsokratischen Philosophen läßt eine scharfe Erfassung des Problems des Nützlichen zunächst nicht erkennen. Das überrascht bei den der Naturphilosophie zugewandten Denkern dieser
Epoche nicht. Dgg würde die von Aristoxenus bei Stob Ecl IV 15, 19 ff überlieferte
pythagoreische Lehre, ὡς ἡ μὲν τάξις καὶ συμμετρία καλὰ καὶ σύμφορα, ἡ δὲ ἀταξία
καὶ ἀσυμμετρία αἰσχρά τε καὶ ἀσύμφορα dem durch die Harmonie der Zahlenverhältnisse
bestimmten Weltbild der alten Pythagoreer u der im pythagoreischen Bund verwirklichten Lebensweise entsprechen. Wenn Demokrit Erörterungen über das συμφέρον
anstellt, so geschieht das bei ihm nicht in erkennbarem Zshg mit seinem philosophischen
System, obwohl Motive, die für spätere Schulen grundlegend sind, bei ihm erscheinen.
Das Widersinnige der Streitlust begründet er damit, daß sie das Augenmerk vom ἴδιον
συμφέρον auf das, was für den Gegner βλαβερόν ist, ablenkt fr 237 (Diels II 193).
Andrerseits scheint er das συμφέρον als κοινῇ συμφέρον (→ 73, 34 ff) zu verstehen,
wenn er lehrt, daß sich die Menschen der ersten Generation zum Schutz gg angrei-
fende Tiere ὑπὸ τοῦ συμφέροντος διδασκόμενοι zusammenschlossen Democr nach
Diod S 1, 8, 2 (Diels II 135, 36f), u wenn ihm das ξυμφωνεῖν περὶ τοῦ ξυμφέροντος als
Kriterium dafür gilt, wen man als Freund zu betrachten habe fr 107 (Diels II 164).
Endlich kündigt sich die hedonistische Konzeption des συμφέρον an, wenn er τέρψις u
ἀτερπίη (*Lust u Unlust*) zum ὅρος συμφόρων καὶ ἀσυμφόρων macht fr 188 (Diels II 183),
vgl fr 4 (Diels II 133) u den Ratschlag gibt, ἡδὺ μηδὲν ἀποδέχεσθαι, ἣν μὴ συμφέρηι fr 74
(Diels II 159). So bezieht auch Nausiphanes, der nach Diog L I 15 zu den Nachfolgern Demokrits zählt u dessen Hörer Epikur (→ 75, 17 ff) gewesen sein soll IX 69;
vgl X 8, das συμφέρον auf das ἥδεσθαι καὶ μὴ ἀλγεῖν als das συγγενικὸν τέλος des Menschen fr 2 (Diels II 249, 10—16).

---

³ ed CFRusso (1950).

2. Die Sophisten.

Erst im Zshg mit dem ethischen Relativismus der Sophisten erfährt das Problem seine Zuspitzung, sei es daß Protagoras sowohl die Relativität des ἀγαθόν u des ὠφέλιμον als auch ihre Inkommensurabilität nachweist Plat Prot 333d—334b, sei es daß Thrasymachus das δίκαιον als τὸ τοῦ κρείττονος συμφέρον definiert Resp 5 I 338c, vgl Pseud-Plat Alc I 113d. Es ist die Gerechtigkeit des Naturgesetzes, durch dessen Befolgung der Stärkere seinen *Vorteil* συμφέρον findet u den den die auf den Nutzen der Schwächeren abzielenden Staatsgesetze beschneiden Plat Gorg 483b—c; Antiphon fr 44A col 4, 1—8 (Diels II 349). Das συμφέρον wird also in die Relativität des Guten einbezogen Plat Resp I 343c, so daß Antiphon sagen kann: χρῶιτ' ἂν οὖν ἄνθρωπος 10 μάλιστα ἑαυτῶι ξυμφερόντως δικαιοσύνηι, εἰ μετὰ μὲν μαρτύρων τοὺς νόμους (die Staatsgesetze) μεγάλους ἄγοι, μονούμενος δὲ μαρτύρων τὰ τῆς φύσεως (die Gebote der Natur) fr 44A col 1, 12—23[1] (Diels II 346), vgl auch Anaxarchus fr 1 (Diels II 239f).

3. Sokrates.

Diese sophistische Position greift Sokrates in den platonischen 15 Dialogen auf breitester Front an. Crat 417a—b geht er von etym Erörterungen[2] aus u deutet den Wortsinn von συμφέρον als τὴν ἅμα φορὰν τῆς ψυχῆς μετὰ τῶν πραγμάτων. So sei es einleuchtend, τὰ ὑπὸ τοῦ τοιούτου πραττόμενα συμφέροντά τε καὶ σύμφορα κεκλῆσθαι ἀπὸ τοῦ συμπεριφέρεσθαι (*sich in die Dinge schicken, befolgen*). τὸ συμφέρον sei deshalb gewissermaßen τῆς ἐπιστήμης ἀδελφός. Daher bedarf es der μάθησις, μελέτη u παι- 20 δεία, um τά τε ὠφέλιμα καὶ τὰ βλαβερὰ τῶν πραγμάτων διαγνώσεσθαι Xenoph Mem IV 1, 5, vgl III 9, 1—3. Nun beruht aber auf der ἐπιστήμη die ἀρετή im sokratischen Sinn Aristot Eth Nic VI 13 p 1144b 28—30: Σωκράτης μὲν οὖν λόγους τὰς ἀρετὰς ᾤετο εἶναι, ἐπιστήμας γὰρ εἶναι πάσας. Unwissenheit ist moralische Schwäche, Weisheit Stärke οὐδὲ τὸ ἥττω εἶναι αὑτοῦ (*gegen sich selbst*) ἄλλο τι τοῦτ' ἐστὶν ἢ ἀμαθία, οὐδὲ κρείττω 25 ἑαυτοῦ ἄλλο τι ἢ σοφία Plat Prot 358c. Gut u gerecht sein heißt aber auch glücklich sein τὸν μὲν γὰρ καλὸν καὶ ἀγαθὸν ἄνδρα καὶ γυναῖκα εὐδαίμονα εἶναί φημι, τὸν δὲ ἄδικον καὶ πονηρὸν ἄθλιον Plat Gorg 470e, ὁ μὲν δίκαιος ἄρα εὐδαίμων, ὁ δ' ἄδικος ἄθλιος ... Ἀλλὰ μὴν ἄθλιόν γε εἶναι οὐ λυσιτελεῖ, εὐδαίμονα δέ Resp I 354a. Darum ist die gute Tat eine nützliche Tat τὸ καλὸν ἔργον ἀγαθόν τε καὶ ὠφέλιμον Prot 358b. So wird τὸ συμφέρον 30 mit dem ἀγαθόν u allem, was die Eudämonie gewährleistet, gleichbedeutend: δέον καὶ ὠφέλιμον καὶ λυσιτελοῦν καὶ κερδαλέον καὶ ἀγαθὸν καὶ συμφέρον καὶ εὔπορον τὸ αὐτὸ φαίνεται, ἑτέροις ὀνόμασι σημαῖνον τὸ διακοσμοῦν Crat 419a, vgl Pseud-Plat Alc I 116b—d (→ III 540, 52ff). Mit dem letzten, Ordnung u rechte Verhältnissetzung andeutenden Wort ist der Bezug des Nützlichen auf die Gemeinschaft, dh für den Griechen dieser 35 Zeit auf die πόλις, ausgesprochen. Jedenfalls bedeutet τὸ συμφέρον immer τὸ κοινὸν συμφέρον, worin das ἰδίᾳ συμφέρον eingeschlossen ist, vgl Plat Leg IX 875a—b. Nur bei dem gerecht Regierenden als solchem sind τὸ ἑαυτῷ συμφέρον u τὸ τῷ ἀρχομένῳ zu unterscheiden, vgl Resp I 342e. Abgesehen hiervon können ἀγαθόν u συμφέρον konkret mit den geschriebenen u ungeschriebenen Gesetzen u deren Befolgung 40 gleichgesetzt werden Xenoph Mem IV 4, 16ff, bes 18: ἐγώ (sc Σωκράτης) μὲν οὖν ... τὸ αὐτὸ ἀποδείκνυμαι νόμιμόν τε καὶ δίκαιον εἶναι. Wird die Existenz nach dem Tod in die Betrachtung einbezogen, so gilt das συμφέρον auch für sie. Das Gespräch mit den Sophisten Kallikles, Polos u Gorgias, den „drei weisesten unter den lebenden Griechen", beendet Sokrates mit der Feststellung: οὐκ ἔχετε ἀποδεῖξαι ὡς δεῖ ἄλλον τινὰ βίον ζῆν ἢ 45 τοῦτον, ὅσπερ καὶ ἐκεῖσε φαίνεται συμφέρων Plat Gorg 527b, vgl noch: ὡς τούτῳ ταῦτα εἰς ἀγαθόν τι τελευτήσει ζῶντι ἢ καὶ ἀποθανόντι Resp X 613a.

4. Nachsokratische Philosophie.

Die in der sokratischen Philosophie gewonnene Problemstellung für das συμφέρον, nämlich die richtige Bestimmung des Verhältnisses zwischen συμ- 50 φέρον, Eudämonie, dem (κοινῇ) καλὸν κἀγαθόν u der ἀρετή bleibt für das griech Denken

---

συμφέρω κτλ. [1] Vgl die Erörterung dieses Textes bei HvArnim, Gerechtigkeit u Nutzen in der griech Aufklärungs-Philosophie, Frankfurter Universitätsreden 5 (1916) 5—10. [2] Zur Diskussion über Sinn u Bdtg dieser u der stoischen (→ 74, 17ff) Etymologien vgl HSteinthal, Gesch der Sprachwissenschaft bei den Griechen u Römern[2] I (1890) 79—112. 319—357; IOpelt, Artk Etymologie, in: RAC VI 798—810; hier weitere Lit.

durch alle Schulen u bei allen Denkern bestimmend. Die unterschiedlichen Lösungen hängen also davon ab, wie das ἀγαθόν bestimmt, worin das Wesen der ἀρετή, worin die Eudämonie gesehen wird.

a. Auch für Aristoteles sind τὸ συμφέρον u τὸ ἀγαθόν identisch Rhet I 6 p 1362a 20; Pol I 2 p 1253a 14—18. Er räumt dem, was einem jeden συμφέρον ist, seine Berechtigung ein; es ist ἀγαθόν, aber nicht καλόν. καλόν ist nur das συμφέρον ἁπλῶς[3], u nur in diesem Sinn kann ὁμοίως τὸ καλόν u τὸ συμφέρον erstrebt werden Rhet II 13 p 1389b 35—1390a 4. Für den Menschen als ζῷον πολιτικόν besteht das συμφέρον im κοινῇ συμφέρον Pol III 6 p 1278b 19—24. νομοθέται u ἄρχοντες müssen τὸ κοινὸν συμφέρον erstreben III 7 p 1279a 28—32; III 13 p 1283b 40—42; denn es ist τὸ δίκαιον Rhet I 6 p 1362b 26—29; Eth Nic V 3 p 1129b 14—19; VIII 11 p 1160a 8—23.

b. Das, was für die jeweilige Polis das συμφέρον ist, begegnet bei den **Historikern** u auf **Inschriften** (laudationes u foederationes)[4] ohne weiteren philosophischen Bezug. Das gilt zB auch für die laudatio der Ilienser für Malusius Ditt Syll[3] I 330, 12—14 (306 vChr), wenn sie seine Taten als τὰ συμφέροντα τῇ θεῷ (sc Ἀθηνᾷ τῇ Ἰλιάδι) preisen.

c. In der **Stoa** spielt gemäß den sprachphilosophischen Interessen der Schule die etym Ableitung des Wortes συμφέρον wieder eine Rolle (→ 73, 16ff u A 2): συμφέρον, φέρειν γὰρ τοιαῦτα ἃ συντείνει πρὸς τὸ εὖ ζῆν Stob Ecl II 100, 22f; συμφέρον μὲν ὅτι φέρει [τὰ] τοιαῦτα ὧν συμβαινόντων ὠφελούμεθα Diog L VII 99; πρόσεστι . . . τὸ τῷ ὅλῳ κόσμῳ συμφέρον, οὗ μέρος εἶ. παντὶ δὲ φύσεως μέρει ἀγαθόν, ὃ φέρει ἡ τοῦ ὅλου φύσις MAnt II 3, 2. Der Sache nach knüpft die Stoa unmittelbar an Sokrates an. Nach Cl Al Strom II 131, 3 beruft sich Cleanthes auf dessen Lehre von der Identität des δίκαιος u des εὐδαίμων ἀνήρ (→ 73, 26ff) u auf seinen Fluch über das ἀσεβὲς πρᾶγμα desjenigen, der **zuerst** das δίκαιον u das συμφέρον auseinanderriß, was sowohl Sophisten (→ 73, 1ff) wie Epikureer (→ 75, 17ff) trifft. Cic, De legibus I 12, 33 stimmt diesem Anathema, das er Off III 7, 34 dem Panätius zuschreibt, selbst zu. Quicquid honestum . . ., id utile . . ., nec utile quicquam, quod non honestum ist nach Off III 3, 11 die Formulierung, mit der die Stoiker der Lehre des Sokrates zustimmen. So formuliert er in rhetorischer Zuspitzung: Tanta vis est honesti, ut speciem utilitatis obscuret Off III 47. Reihungen der mit συμφέρον identischen Begriffe wie die des Sokrates (→ 73, 31ff) begegnen bei den Stoikern häufig, vgl Cl Al Prot VI 72, 2; Epict Diss I 27, 14; II 7, 4ff; 17, 10[5]. Nach Diog L VII 103 halten sie für die charakteristische Eigentümlichkeit des ἀγαθόν: τὸ ὠφελεῖν, οὐ τὸ βλάπτειν. Sie definieren: ἀγαθόν ἐστιν ὠφέλεια ἢ οὐχ ἕτερον ὠφελείας Sext Emp Math XI 22, vgl Diog L VII 94; Stob Ecl II 69, 11. Chrysippus setzt das κινεῖν ἢ ἴσχειν (*Sichverhalten*) κατ' ἀρετὴν mit ὠφελεῖν gleich Diog L VII 104, vgl Stob Ecl II 95, 3—8; Plut Comm Not 22 (II 1069a). Nützlich aber ist, was zur Eudämonie verhilft: ἀγαθόν ἐστι τὸ συλλαμβανόμενον πρὸς εὐδαιμονίαν oder τὸ συμπληρωτικὸν εὐδαιμονίας Sext Emp Math XI 30. Dabei kommt es nun auf die richtige Begrenzung des ἀγαθόν an: Bonum sincerum esse debet et ab omni parte innoxium. Non est id bonum, quod plus prodest, sed quod tantum prodest Sen Ep 87, 36. Dieses reine Gute bestimmt sich nach dem τέλος-Begriff der Schule, nämlich τὸ ὁμολογουμένως τῇ φύσει ζῆν, ὅπερ ἐστὶ κατ' ἀρετὴν ζῆν Diog L VII 87. Menschliche φύσις aber ist vernünftig, während das πάθος ἡ ἄλογος καὶ παρὰ φύσιν ψυχῆς κίνησις ist Diog L VII 110 (Hicks). Allein vom so verstandenen Guten im abs Sinn kann gesagt werden, daß es nützlich sei. Die nach Stob Ecl II 84, 18ff „der Natur des Guten nahekommenden" Güter, die sog προηγμένα unter den ἀδιάφορα (→ 64, 36ff), wie gute geistige u körperliche Anlagen, aber auch Freunde, Ruhm, Herkunft, Reichtum gelten wohl als brauchbar u angenehm, nicht jedoch als nützlich in Bezug auf die Eudämonie Cic Fin III 69. προηγμένα heißen sie οὐ τῷ πρὸς εὐδαιμονίαν τινὰ συμβάλλεσθαι Stob Ecl II 85, 8f. Da die Stoa den Menschen von vornherein als Gemeinschaftswesen versteht, ist aus ihrem Nützlichkeitsbegriff einerseits ausgeschlossen, was nur ἰδίᾳ συμφέρον ist; andrerseits ist er nicht an die Grenzen der staatlichen Gemeinschaft gebunden. Da der Mensch πολίτης τοῦ κόσμου ist, fallen allgemeinster Nutzen u eigener Nutzen zus Stob Ecl II 101, 21—27[6]. Das entspricht der φύσις τοῦ λογικοῦ ζῴου, vgl Epict Diss II 10, 3f; I 19, 13ff; MAnt V 16, 3; VI 44, 5; XI 13, 4. Darum wäre es um-

---

[3] Zur Relativität dieser Unterscheidung → III 544, 3ff u A 15.
[4] Belegstellen s zB Ditt Syll[3] IV 2 sv συμφέρω c β.
[5] Vgl auch die Zusammenstellung bei Joh W 1 K 158 A 1.

[6] MAnt VI 44, 6: πόλις καὶ πατρὶς ὡς μὲν Ἀντωνίνῳ μοι ἡ Ῥώμη, ὡς δὲ ἀνθρώπῳ ὁ κόσμος. τὰ ταῖς πόλεσιν οὖν ταύταις ὠφέλιμα μόνα ἐστί μοι ἀγαθά, vgl auch II 3, 2; X 6, 2 u die negative Entsprechung VI 54: τὸ τῷ σμήνει (*Bienenschwarm*) μὴ συμφέρον οὐδὲ τῇ μελίσσῃ συμφέρει.

gekehrt aber auch falsch, den eigenen Nutzen auszuschließen; dieser muß vielmehr einbezogen sein Epict Diss I 28, 6; Sen Ben VI 12, 2; 13. Da der Mangel an Einsicht in diese Zshg den Menschen in sinnlose Kämpfe verstrickt u zu falschem Handeln verführt, bedarf er der Belehrung u Erziehung Epict Diss II 24, 15. 21. 23; 26, 1ff; III 7, 33ff. Auch für die letztgenannten Vertreter der späten Stoa fallen τὸ ἀγαθόν u τὸ συμφέρον 5 selbstverständlich zus u werden von ihnen identifiziert Epict Diss II 7, 4; IV 7, 8f; MAnt III 6, 6. Es gehört zu den προλήψεις κοιναὶ πᾶσιν ἀνθρώποις ... ὅτι τὸ ἀγαθὸν συμφέρον ἐστί Epict Diss I 22, 1. Aber das gilt nur dort, wo einer das συμφέρον u damit das ἀγαθόν in die προαίρεσις, dh in die moralisch freie Selbstbestimmung verlegt: ἐὰν μὲν ἐν τούτοις μόνοις ἡγήσηται τὸ ἀγαθὸν τὸ αὐτοῦ καὶ συμφέρον, τοῖς ἀκωλύτοις καὶ ἐφ' ἑαυτῷ (*worin er un-* 10 *gehindert u Herr seiner selbst ist*), ἐλεύθερον ἔσται (sc τὸ λογικὸν ζῷον), εὔρουν (*beschwingt*), εὔδαιμον, ἀβλαβές, μεγαλόφρον, εὐσεβές, χάριν ἔχον ὑπὲρ πάντων τῷ θεῷ, μηδαμοῦ μεμφόμενον μηδενὶ τῶν γενομένων, μηδενὶ ἐγκαλοῦν Epict Diss IV 7, 9. Nach MAnt III 6, 1. 6f ist für den Menschen als λογικὸν ζῷον ein Leben κατὰ τὸν λόγον τὸν ὀρθόν, dh vor allem das ἀρκεῖσθαι ἑαυτῇ τὴν διάνοιαν, das συμφέρον u κρεῖττον. Die Bestimmung des κρεῖττον unter- 15 liegt aber dem freien, nur nach sorgfältiger Prüfung zu fällenden Urteil des einzelnen.

d. Epikur bezeichnet die συμμέτρησις (*das richtige Abwägen*) καὶ συμφερόντων καὶ ἀσυμφόρων als das richtige Verfahren, um zur Eudämonie zu gelangen Men 130. Das gehört — in betonter Unterscheidung von der φιλοσοφία — zur Betätigung der φρόνησις. Sie nennt Epic τὸ μέγιστον ἀγαθόν. Denn ihr entspringen 20 alle Tugenden, u sie führt zur Erkenntnis, daß ἡδέως ζῆν ἄνευ τοῦ φρονίμως καὶ καλῶς καὶ δικαίως (sc ζῆν) u das Umgekehrte nicht möglich sind 132. ἡδονή aber ist ἀρχή καὶ τέλος τοῦ μακαρίως ζῆν, vgl 128f. Es ist nicht niedrige Sinnenlust, sondern τὸ μήτε ἀλγεῖν κατὰ σῶμα μήτε ταράττεσθαι κατὰ ψυχήν 131. Darum ist es *nützlich* συμ- φέρει, sich uU gewisser lustbringender Dinge zu enthalten, wenn man dadurch größere 25 Schmerzen vermeiden kann fr 442 (Usener 289, 11f). Es kommt also bei der συμμέτρησις συμφερόντων καὶ ἀσυμφόρων mehr auf das ποσόν als auf das ποιόν an ebd (Z 13—27). Von den obscenae voluptates lehren die Epikureer: omninoque genus hoc voluptatum ... prodesse numquam Cic Tusc V 33, 94. Der Begriff des Nützlichen haftet hier nicht am ethischen Ziel der ἡδονή selbst, sondern an dem, was zu ihrer Erlangung dient. Er 30 ist Kriterium für das zu Erstrebende. So gilt als δίκαιον das, was zur Verhütung gegenseitiger Schädigung, oder das, was zur Förderung der Gemeinschaft συμφέρον ist Epic, Sententiae selectae 31 (Usener 78). Ähnliches gilt für die sittlichen Güter im einzelnen: Tapferkeit entspringt dem λογισμὸς τοῦ συμφέροντος fr 517 (Usener 317, 7), Freundschaft wird διὰ τὰς χρείας geschlossen fr 540 (Usener 324, 12). 35

B. Altes Testament.

Hbr Äquivalente für συμφέρω usw sind יעל hi (persönlich u unpers konstruiert) u סכן q, vor allem das erstere, meist abs gebraucht. Es bezeichnet Js 48, 17 den Nutzen aus den Lehren u Weisungen, die Jahwe Israel gibt, u begegnet in den häufigen Aussagen, daß Götzen(-bilder) nichts nützen, zB 1 S 12, 21; Js 44, 9f; Jer 40 16, 19; Hab 2, 18; mit dem Acc des Betroffenen Js 57, 12. Der Relativsatz ohne Relativpartikel[7] (וֹ)יוֹעִיל לוֹא Jer 2, 8. 11 zur Bezeichnung der Götzen hat den Sinn eines Subst, etwa *Nichtsnutz.* Daß sie nichts nützen, wird Jer 7, 8 auch von den Lügenreden, 23, 32 mit לָעָם־הַזֶּה von den Falschpropheten, Js 47, 12 von den Zauberern Babels u Prv 10, 2 (vgl 11, 4) von unrechtem Besitz gesagt. Umgekehrt fragen die Gottlosen 45 Hi 21, 15: „Welchen Nutzen haben wir davon, daß wir ihn (Gott) bitten?" Im allg geht es um den Nutzen des einzelnen oder des Volkes für dieses Leben; Prv 11, 4 aber ist der Blick auf den Tag des Zornes gerichtet. סכן q steht Hi 15, 3; 35, 3 par zu יעל hi für den Nutzen, der Hiobs Reden bzw seiner Gerechtigkeit mangelt, vgl 34, 9. Eliphas macht 22, 2f klar, daß der מַשְׂכִּיל sich selbst, nicht Gott nütze סכן. Das religiöse Leben wird 50 also ohne Bedenken unter den Gesichtspunkt der Nützlichkeit gestellt, wobei die durch die göttliche Offenbarung gesetzten abs Maßstäbe eine Problematik über das, was nützlich ist, überhaupt nicht oder höchstens bei den Törichten u Unfrommen aufkommen lassen.

---

[7] Vgl Ges-K § 155n.

C. Judentum.

1. In der Septuaginta wird סֹכֵן Hi 15, 3 durch (οὐ) δεῖ, 34, 9 durch ἐπισκοπή wiedergegeben u 35, 3 übergangen[8]. Äquivalent für יעל ist fast immer ὠφελέω, während mit σύμφερον u σύμφορον verschiedene hbr Worte, nämlich טוֹב *gut*, שָׁוֵה *angemessen*, נָאֲה *geziemend* wiedergegeben werden. Die Worte bezeichnen *Nutzen* oder Schaden für das Volk Gottes, für heidnische Königreiche u Könige u auch für den einzelnen, der aus dem Tun der Gebote Gottes Dt 23, 7; 4 Makk 1, 17; Bar 4, 3, aus dem Vermeiden von Götzendienst Sir 30, 19 u Üppigkeit Prv 19, 10; Sir 37, 27f, aus der Verwirklichung menschlicher Pläne u Maßnahmen Est 3, 8; ᾽Ιερ 33, 14; Prv 31, 19; 2 Makk 4, 5; 11, 15 u auch — nach Meinung des Gottesfeindes — aus gottloser Philosophie 4 Makk 5, 11 folgt. Eine Formel wie τὸ σύμφορον κοινῇ καὶ κατ᾽ ἰδίαν 2 Makk 4, 5 läßt den Einfluß stoischer Sprech- u Denkweise (→ 74, 51ff) erkennen. Dieser tritt zwar hauptsächlich in den Büchern aus der hell Epoche hervor, dringt aber durch das Element der sprachlichen Umformung u durch Zusätze[9] auch in die älteren Bücher ein.

2. Philos Gebrauch der Worte bewegt sich in den Bahnen der griech Philosophie, speziell der Stoa. καλὸς καὶ συμφέρων u ἀγαθὸς καὶ συμφέρων sind bei ihm stehende Wendungen, vgl Abr 18; Cher 13; Congr 137; Decal 132 uö bzw Abr 256; Spec Leg I 203; II 62, s auch ἡ ἀλήθεια καὶ τὸ συμφέρον Jos 77; τὰ δίκαια καὶ συμφέροντα Spec Leg II 236. Es findet sich die Reihe τὸ καλόν, τὸ ἀγαθόν, τὸ δίκαιον, τὸ φρόνιμον, τὸ ἀνδρεῖον, τὸ εὐσεβές, τὸ ὅσιον, τὸ συμφέρον, τὸ ὠφέλιμον Jos 143 (→ 74, 31ff). καλὸν καὶ συμφέρον ist es, πειθαρχεῖν ἀρετῇ Ebr 16, vgl Virt 181; Det Pot Ins 53, Streben nach ἡδονή dgg geschieht ἀγνοίᾳ τοῦ συμφέροντος Som II 150, vgl ferner Leg Gaj 21; Deus Imm 135. Immer ist das συμφέρον dem ἡδύ vorzuziehen Agric 48; Jos 62; Praem Poen 33; Som II 9. So geschieht es jedenfalls, solange der νοῦς die ψυχή regiert Leg All III 84, alsdann ἐνδίκως ἅπαντα καὶ συμφερόντως ἐπιτελεῖται Som II 153. Reinigung von ἐπιθυμία ist σύμφερον Spec Leg I 206. Letztlich sind es natürlich die εὐσέβεια Spec Leg I 250, das σὺν θεῷ Abr 18 oder ἡ τοῦ θεοῦ φαντασία Cher 13, die zum καλὸν καὶ συμφέρον führen.

3. Josephus braucht συμφέρω sowohl in der wörtlichen Bdtg *zusammentragen*, χρήματα συμφέρω Ant 16, 45, als auch in der Bdtg *nützen*. Abraham belehrt Sara, συμφέρειν αὐτοῖς, wenn er sie in Ägypten für seine Schwester ausgibt Ant 1, 162. Die Schilderung Ananus' II. als πρό τε τῶν ἰδίων λυσιτελῶν τὸ κοινῇ συμφέρον ἀεὶ τιθέμενος Bell 4, 320 ist der Charakteristik des Onias 2 Makk 4, 5 (→ Z 5ff) angeglichen. Es handelt sich immer um Nutzen oder Vorteil im rein profanen Sinn. Er ist auch in der Wendung τὰ ἑαυτοῖς συμφέροντα gemeint, vgl Vit 370.

4. In den Texten vom Toten Meer scheint ואתה אל צויתם להועיל מדרכיהם 1 QH 6, 20 Wiedergabe von Js 48, 17 zu sein. Sonst sind die συμφέρω entsprechenden Wurzeln (→ 75, 36ff) in Qumran bisher nicht nachgewiesen.

5. In den Testamenten der zwölf Patriarchen wird einerseits das Verhalten des Frommen, andererseits das, was Gott ihm gibt, als nützlich bezeichnet. So heißt es von der neidlosen Fürbitte für andere: ἐστὶν ὑμῖν σύμφερον Test G 7, 1. Gott seinerseits reicht allen Menschen τὰ καλὰ καὶ συμφέροντα dar 7, 2. Leben u Bleiben des Menschen ἐν σωφροσύνῃ ist die Grundvoraussetzung, unter der Gott die äußeren Umstände, ob Trübsal oder δόξα, nach seiner weisen Einsicht so gewährt, wie es dem Frommen jeweils συμφέρει Test Jos 9, 2f.

6. In rabbinischen Texten bezeichnet יעל hi u das Subst תּוֹעֶלֶת, gelegentlich auch תּוֹחֶלֶת von יחל *erwarten, erharren*, einen *Nutzen, Vorteil, Erfolg* im Geschäftsleben bMeg 6a, bei Eigentumsansprüchen bBB 100a, die *Wirksamkeit* bzw Unwirksamkeit eines Scheidebriefes bGit 17b; 65b, eines Gebetes 57b, einer

---

[8] Hi 22, 2 (zweimaliges סֹכֵן) wird durch Wiederholung von 21, 22 (Gott lehrt σύνεσις u ἐπιστήμη) ersetzt.

[9] zB ᾽Ιερ 7, 4 die im HT fehlenden Worte τὸ παράπαν οὐκ ὠφελήσουσιν ὑμᾶς.

Markierung zur Festsetzung der Sabbathwege bErub 24 b, den (Miß-)*Erfolg* einer Text-fälschung im samaritanischen Pentateuch jSota 7, 3 (21 c 35); bSanh 90 b. Eigtl re-ligiöse oder philosophische Überlegungen verbinden sich mit dem Begriff nicht[10]. Dgg ist die von den Rabb unter den Formeln hbr לוֹ נוֹחַ, aram לֵיהּ טָב in vielfachen Zshg er-örterte Frage, was für den Menschen *nützlich(er)*, vor allem welches von zwei Übeln 5 als das geringere vorzuziehen sei, von entscheidender Bdtg für das religiöse Schicksal des Menschen. So streiten die Schulen Schammais u Hillels über die Frage, ob es *für den Menschen besser ist* לְאָדָם לוֹ נוֹחַ, erschaffen oder nicht erschaffen zu sein bErub 13 b Bar. Daß es *besser ist*, nicht geboren zu sein, wird jBer 1, 4 (3 b 25 f) von dem gesagt, der nicht nach dem handelt, was er lernt (sc das Gesetz); ebs Lv r 35, 7 z 26, 3. 10 *Für die Gottlosen wäre es besser* לָרְשָׁעִים נוֹחַ, sie wären blind; denn sie bringen durch ihre Augen (lüsterne Blicke) den Fluch in die Welt Nu r 20, 2 z 22, 2. Der *Nutzen*, der überall gemeint ist, ist zweifellos das Vermeiden des Gerichtes u ewiger Strafen, wofür das kleinere Übel vorgezogen wird. So ausdrücklich Tg pal zu Gn 38, 26[11]: (Juda spricht:) לִי טָב, in dieser Welt beschämt oder mit verlöschendem Feuer ver- 15 brannt zu werden statt in der zukünftigen u mit verzehrendem Feuer. RTarphon (um 100) sagte: Wer seine Hand an das Schamglied legt, dessen Hand soll auf dem Bauchnabel abgehauen werden... *Es ist besser* לֵיהּ טָב, daß sein Bauch aufgespalten wird, als daß er hinabfährt in die Grube des Verderbens bNidda 13 b Bar.

D. Die Wortgruppe im Neuen Testament. 20

I. Der Wortgebrauch.

1. συμφέρω im wörtlichen Sinn von *zusammentragen* kommt nur Ag 19, 19 vor. Im Sinn von *nützen* begegnet es in folgenden Konstr: abs 1 K 6, 12; 10, 23; 2 K 12, 1, mit Dat der Pers 2 K 8, 10, mit darauffolgendem ἵνα Mt 5, 29 f; 18, 6; J 11, 50; 16, 7 u mit Inf Mt 19, 10; J 18, 14[12]. Das substantivierte Part im Sing 25 u Plur steht abs Ag 20, 20; 1 K 12, 7; Hb 12, 10.

2. τὸ σύμφορον *Nutzen, Vorteil* mit Gen der Pers steht 1 K 7, 35; 10, 33.

II. Der Sinn der Wörter.

1. Wenn in der Überlieferung der Worte Jesu, die vom 30 Nützlichen handeln, die synoptischen Evangelien im Gebrauch von συμφέ-ρει, καλόν ἐστι und λυσιτελεῖ variieren, so bedeutet das nicht, daß entsprechende Gleichsetzungen aus der griechischen Philosophie (→ 73, 30 ff) übernommen werden. Es wird sich dabei um Übersetzungsvarianten des hebräischen לוֹ נוֹחַ. oder des aramäischen לֵיהּ טָב (→ Z 3 ff) handeln, so daß wir uns im Rahmen 35 biblisch-jüdischer Sprech- und Denkweise bewegen. Mt 5, 29 f; 18, 8 f Par wird die Verstümmelung des Körpers durch Entfernen eines zur Sünde reizenden Gliedes (→ VII 351, 18 ff) gefordert, da dies nützlicher (συμφέρει) bzw vorteilhafter (καλόν ...ἤ) ist als die sonst drohende Vernichtung des ganzen Leibes, dh der ganzen Person (→ VII 1055, 7 ff) im ewigen Höllenfeuer. Der Nutzen, um den es Jesus 40 mit seiner Forderung geht, ist also das εἰσελθεῖν εἰς ζωήν[13]. Die schärfste Zuspit-

---

[10] Weiteres Material bei Levy Wört u Jastrow sv תּוֹעֶלֶת, תּוֹחֶלֶת, יַעַל.
[11] ed PKahle, Masoreten des Westens II, BWANT 50 (1930) 43 f, vgl 19.
[12] Bl-Debr § 393.

[13] Ob das οὐ συμφέρει γαμῆσαι der Jünger Mt 19, 10 in diesen Zshg gehört, dh ob die Jünger dabei entsprechend dem Wort Jesu vom Verlassen des Weibes Lk 18, 29; 14, 26 u ähnlich wie Pls 1 K 7, 35 (→ 79, 1 ff)

zung erfährt die Frage nach dem, was nützlicher ist, wenn es sich nicht um das
eigene Heil, sondern um das eines τῶν μικρῶν (→ IV 653, 7 ff) τούτων τῶν πιστευόν-
των εἰς ἐμέ handelt. Wer einen solchen am Glauben irremacht und damit um das
ewige Heil bringt, dem wäre das Ersäuftwerden mit einem Mühlstein um den Hals
5 in der Tiefe des Meeres von *Nutzen* συμφέρει αὐτῷ (Mt 18, 6; vgl Mk 9, 42: καλόν
ἐστιν αὐτῷ μᾶλλον, Lk 17, 2: λυσιτελεῖ αὐτῷ)[14]. Da nicht von dem von der Verführung Bedrohten, sondern dem Verführer die Rede ist, muß an die Gewinnung
des ewigen Lebens und die Vermeidung der ewigen Verdammnis als den Nutzen
gedacht sein, der mit dem Verlust des irdischen Lebens erkauft wird (→ VII
10 351, 9 ff).

2. Das Johannesevangelium spricht in zwei verschie-
denen Zusammenhängen vom Nutzen des Sterbens Jesu. 11, 50 wird das Wort des
Kaiphas συμφέρει ὑμῖν, ἵνα εἷς ἄνθρωπος ἀποθάνῃ ὑπὲρ τοῦ λαοῦ als unbewußte Pro-
phezeiung auf den wahren Nutzen des Todes Jesu interpretiert, der in der Sammlung
15 des in der Welt zerstreuten Gottesvolkes, der Kinder Gottes, zur Einheit besteht
(v 52). Auch 10, 15 f; 12, 32 f wird dies als besondere Wirkung der Lebenshingabe
Jesu dargestellt. Es ist freilich ein Vorgang, der erst jenseits innerweltlicher und
-zeitlicher Grenzen in der himmlichen Welt und Zukunft zum Ziel kommt (14, 3;
17, 24). Dagegen hat der Textzusammenhang 16, 7 ff den Nutzen des Hingangs
20 Jesu zum Vater für das gegenwärtige Leben der Gemeinde im Auge. Er besteht
in der Sendung des Geistes, die auch nach 7, 39 den Eingang Jesu in die Herrlichkeit des Vaters voraussetzt. Er entfaltet sich in der doppelten Funktion des Geistes, nach außen die Gemeinde und ihre Botschaft gegenüber der ungläubigen Welt
als deren Ankläger und Richter zu vertreten und nach innen als Geist der Wahrheit
25 sie über die göttlichen Geheimnisse und die zukünftigen Dinge zu belehren[15].

3. Paulus gebraucht συμφέρει, συμφέρον und τὸ σύμφορον,
wenn er vom Nutzen für das geistliche Leben redet, in zweierlei Hinsicht. Mit
der Formel πάντα μοι ἔξεστιν (→ II 567, 17 ff; 571, 38 ff), ἀλλ' οὐ πάντα συμφέρει
leitet er 1 K 6, 12 eine Erörterung über den dem Christen angemessenen Gebrauch
30 seines σῶμα ein (→ VII 1060, 11 ff). Da dieses dem Herrn gehört, Glied Christi und
Tempel des dem Christen einwohnenden heiligen Geistes ist, ist seine Verbindung mit
der Dirne durch Hurerei auszuschließen. Davon gilt das οὐ συμφέρει. Der Nutzen,
um den es hier geht, ist also die individuelle geistliche Existenz, die Verbindung

---

den Nutzen für das Reich Gottes u die Nachfolge Jesu im Auge haben, ist fraglich. Wahrscheinlich meint οὐ συμφέρει nur die Beschwer-
nisse einer nicht mehr erwünschten Ehe, vgl
Zn Mt 592.

[14] Vgl das Wort Jesu über den, der ihn
selbst in die Hände der ungläubigen Juden
ausliefert καλὸν ἦν αὐτῷ, εἰ οὐκ ἐγεννήθη ὁ
ἄνθρωπος ἐκεῖνος Mt 26, 24.

[15] Von dem, was der Geist nützt, ist indirekt auch J 6, 63 die Rede, indem er in Gegensatz zur σάρξ, die nichts *nützt* ὠφελεῖ, gestellt
wird. Damit dürfte aber wieder eine Beziehung

zwischen dem Sterben Jesu u der Geistspende
hergestellt sein, zumal das ἀναβαίνειν v 62
auch aufs Kreuz hinzudeuten scheint, vgl
Bultmann J z 6, 62; HStrathmann, Das Ev
nach Joh, NTDeutsch 4[10](1963) zSt. Dann würde hinter diesem V die Gedankenfolge von 16, 7
stehen: Nur wenn mein Fleisch, das als solches
nichts nützt, in den Tod gegeben wird, kommt
der lebenspendende Geist zu euch. Ein
anderes Verständnis ergibt sich, wenn man
den Satz 63a.b vom Zshg mit 63c her interpretiert (→ VII 140, 21 ff), vgl Strathmann
zSt.

des einzelnen Christen mit dem Herrn und des Herrn mit ihm. Das gleiche Interesse leitet Paulus bei der Beratung der korinthischen Jugend in der Frage der Eheschließung. Ihr σύμφορον (1 K 7, 35) besteht in ihrer Heiligung καὶ τῷ σώματι καὶ τῷ πνεύματι (v 34). Ist also auch hier die christliche Existenz des einzelnen der Nutzen, auf den Paulus hinzielt, so scheint doch mit dem μεριμνᾶν τὰ 5 τοῦ κυρίου und mit der die Erörterung abschließenden Wendung πρὸς τὸ εὔσχημον καὶ εὐπάρεδρον τῷ κυρίῳ ἀπερισπάστως (v 35) der Blick auch auf den Nutzen gerichtet zu sein, den der Dienst der jungen Leute für die Gemeinde und die Mission abwerfen kann und soll. Dies ist jedenfalls der andere bei Paulus weit in den Vordergrund tretende Gesichtspunkt für die Bestimmung dessen, was nützlich ist. συμφέρον 10 ist, was Gemeinde baut. Hinter diesem Nutzen hat der des einzelnen gegebenenfalls zurückzustehen. Das gilt zuvörderst für Paulus selbst und seinen apostolischen Dienst: μὴ ζητῶν τὸ ἐμαυτοῦ σύμφορον ἀλλὰ τὸ τῶν πολλῶν, ἵνα σωθῶσιν (1 K 10, 33). Darum redet er auch nur unter Zwang von den ihm zuteil gewordenen ὀπτασίαι und ἀποκαλύψεις κυρίου, weil er es im Blick auf die, denen er als Apostel 15 zu dienen hat (→ I 441, 44ff), für οὐ συμφέρον hält (2 K 12, 1). Was Gemeinde wirklich baut, ist die Liebe. Mit dieser Feststellung beginnt er die lange Erörterung des Essens (→ II 691, 4ff) von Götzenopferfleisch (1 K 8, 1), die er damit abschließt, daß er das, was συμφέρει, und das, was οἰκοδομεῖ (→ V 144, 25ff), in Parallele setzt (10, 23). In gleicher Weise gilt für die der ganzen Gemeinde verliehenen Charismen 20 als Grundregel: πρὸς τὸ συμφέρον (1 K 12, 7). Im Mittelpunkt der die Kapitel 12 —14 umfassenden Diskussion über ihren unterschiedlichen Wert und Nutzen steht als die καθ' ὑπερβολὴν ὁδός die Liebe (12, 31; 13). Sie ist die Kraft, die Paulus auch für das Kollektenwerk mobilisiert, das der Auferbauung der die Heiden und Juden zusammenfassenden Gemeinschaft der Christen dient. Denn das, so sagt 25 Paulus, ὑμῖν συμφέρει (2 K 8, 8—10). Lukas dürfte Wesen und Intention der apostolischen Arbeit des Paulus mit dem Wort, das er ihn in der Abschiedsrede an die asiatischen Gemeinden richten läßt, treffend formuliert haben: οὐδὲν ὑπεστειλάμην τῶν συμφερόντων τοῦ μὴ ἀναγγεῖλαι ὑμῖν καὶ διδάξαι ὑμᾶς δημοσίᾳ καὶ κατ' οἴκους (Ag 20, 20). 30

An diesem Punkt wird die Differenz zwischen dem, was das Neue Testament und was Griechen und Juden für nützlich halten, am deutlichsten sichtbar. Die letzte Konzeption, deren griechisches Denken fähig war, war das Aufgehen des eigenen Nutzens in den der πόλις (→ 73, 34ff) und schließlich des κόσμος (→ 74, 51ff). Den Juden leitet letztlich der Gedanke an das, was der Verwirklichung 35 einer national-bestimmten und -begrenzten Theokratie dienlich ist (→ 76, 5ff). Das πολίτευμα (→ VI 535, 9ff) der Christen aber ἐν οὐρανοῖς ὑπάρχει (Phil 3, 20)[16]. Es ist das, was Kol 3, 1ff τὰ ἄνω nennt, wo Christus zur Rechten Gottes sitzt und von wo ihn die Christen erwarten, wo aber auch ihr Leben bereits mit ihm verborgen ist, weil sie mit ihm auferstanden sind. Darum lenkt Paulus ihr Sinnen 40 und Streben darauf hin und kennt für sein und der Christen Verhalten keinen höheren Nutzen als den, der dem Bau der ἐκκλησία τοῦ θεοῦ dient, einer allum-

---

[16] GDelling, R 13, 1—7 innerhalb der Briefe des NT (1963) 32f lehnt für das himmlische πολίτευμα Phil 3, 20 jeden „politischen" Sinn | ab, da es kein irdisches politisches Gegenüber habe. Auch er verbindet Phil 3, 20 eng mit Kol 3, 1ff.

fassenden, gesellschaftliche, staatliche und nationale Grenzen ignorierenden, diesen und den künftigen Äon (→ I 207, 40ff) umschließenden Gemeinschaft der Auserwählten Gottes, die sich gleichwohl in den konkret begrenzten ἐκκλησίαι in Rom, Korinth und anderswo verwirklicht[17] (→ III 507, 33ff). Dem, was ihr nützt, ordnet
5 er jeden andern Nutzen und den des einzelnen bis zur Selbsthingabe unter.

           4. Der **Hebräerbrief** bezeichnet die Leiden und Beschwerden der Briefempfänger, zu deren geduldigem und gläubigem Ertragen er sie ermahnt, als παιδεία, die Gott ihnen als seinen Söhnen ἐπὶ τὸ συμφέρον εἰς τὸ μεταλαβεῖν τῆς ἁγιότητος αὐτοῦ zuteil werden läßt (12, 10). Die Frage, ob darunter
10 die sittliche Vervollkommnung in diesem Leben oder die Teilhabe an der Heiligkeit Gottes im ewigen Leben zu verstehen ist, dürfte — wenn man die Alternative überhaupt gelten läßt — im letzteren Sinn zu entscheiden sein[18].

E. Nützliches und Nutzen bei den Apostolischen Vätern.

           Ignatius gebraucht συμφέρω für das, was ihn zur ewigen Gemeinschaft mit Christus führen kann. Es ist das Martyrium, dem er voll Verlangen
15 entgegengeht Ign R 5, 3. Den Häretikern, vor denen er Sm 5ff warnt, würde das ἀγαπᾶν *den Nutzen eintragen* συνέφερεν, der Auferstehung teilhaftig zu werden 7, 1[19]. Dem Zshg nach hat auch der **Barnabasbrief** als Ziel das ewige Heil im Auge, wenn er 4, 10 zu gemeinschaftlicher Beratung περὶ τοῦ κοινῇ συμφέροντος auffordert. Das συμφέρον selbst ist die sittliche u geistliche Vollkommenheit des Christen, seine δικαιο-
20 σύνη, die im Gericht vor ihm hergehen wird 4, 12. Der **Hirt des Hermas** empfiehlt als σύμφορον die Worte der Greisin von der herrlichen Welt, die Gott für die Auserwählten, die seine Gebote halten, bereitet v I 3, 3, den Wandel in den ἐντολαί[20] des Hirten s VI 1, 3 u die Lust an guten Werken s VI 5, 7. All das dient dem Erwerb des Lebens, wobei nicht sicher zu entscheiden ist, ob jeweils das jenseitige Leben bei Gott
25 oder das ζῆν τῷ θεῷ s VI 1, 4 in dieser Welt gemeint ist[21]. Wenn es aber bei der Schilderung des krummen Weges der Ungerechtigkeit voller Hindernisse u Dornen u des geraden, wohlgeebneten Weges der Gerechtigkeit m VI 1, 3—5 heißt, jener sei βλαβερά, diesen zu beschreiten sei συμφορώτερον, so ist offenbar an den Nutzen gedacht, den ein
30 gerechter Lebenswandel als solcher darstellt.

---

[17] Vgl KLSchmidt, Die Polis in Kirche u Welt, Baseler Rektoratsprogramm (1939) bes 14—40. 108—110; WBieder, Ekklesia u Polis im NT u in der Alten Kirche (1941) 19—22. 78.

[18] Zwar hat die in den Komm übliche ausschließliche oder überwiegende Beziehung der Worte auf die sittliche Vervollkommnung in diesem Leben in dem in v 11 in Aussicht gestellten καρπὸς εἰρηνικός...δικαιοσύνης (Gen appos) eine Stütze. S jedoch auch CSpicq, L' Épître aux Hébreux II, Études Bibliques (1953) z 12, 11: δικαιοσύνης...peut désigner l'acquisition de la vertu, la rectitude morale et l'union à Dieu..., mais plus sûrement la béatitude éternelle. Für einen auf himmlische Vollendung zielenden Nutzen spricht vor allem der weitere Zshg der St, der in Kp 11 die Märtyrer u 12, 2f Jesus selbst zu Vorbildern der παιδεία, die die Christen erdulden, macht. Jene gelangten nicht in diesem Leben zur Verheißung, u Jesus erlangte die Throngenossenschaft Gottes erst, nachdem er in diesem Leben statt Freude Kreuz u Schmähung ertragen hatte. Auch verwehrt das πρὸς ὀλίγας ἡμέρας, das für die παιδεία des irdischen Vaters gilt v 10, auch für die göttliche παιδεία eine zeitliche Beschränkung oder ein irdisches Ziel anzunehmen, vgl HvSoden, Hebräerbrief, Briefe des Petrus, Jakobus, Judas, Hand-Commentar zum NT III 2 ²(1893) zSt u die von FBleek, Der Brief an die Hb II 2 (1840) 892 aus der Gesch der Exegese angeführten Vertreter der hier vorgetragenen Auffassung (→ V 621 A 172).

[19] Die Interpretation von ἀγαπᾶν als ἀγάπην ποιεῖν *Liebesmahl halten* durch Bau Ign zSt u Pr-Bauer sv ἀγαπάω 2 ist wenig wahrscheinlich, da das Mahl, von dem sich die Häretiker fernhalten, in 7, 1 εὐχαριστία heißt u da der sprachliche Nachweis für diese Bdtg nicht zu erbringen ist. Andererseits wird den Häretikern 6, 2 das völlige Fehlen tätiger Nächstenliebe vorgeworfen, so daß es ohne weiteres verständlich ist, wenn deren Betätigung als nützlich für die Teilhabe an der Auferstehung gefordert wird.

[20] S hierzu Dib Herm z v V 5.

[21] Vgl Dib Herm z m I 2.

† φόρος

A. φόρος außerhalb des Neuen Testamentes.

1. φόρος, Verbalabstraktum zu φέρω, heißt eigtl *das Tragen, Bringen*. Es bedeutet dann den von den unterworfenen Völkern zu zahlenden *Tribut*[1] Hdt I 6, 2; 27, 1; II 182, 2, κατὰ φόρους ἐν ἔτεσι δέκα *in zehn jährlichen Raten zu ent-* 5 *richtende Tributzahlungen* Polyb 18, 44, 7, die von den Bundesgenossen des athenischen Seebundes in die gemeinsame Kasse zu entrichtende *Beisteuer*[2] Thuc I 56, 2, in Geld[3]: (φόρος) ὠνομάσθη τῶν χρημάτων ἡ φορά I 96, 2, wohl auch Plat Gorg 519a; es kann aber auch gelegentlich *Abgaben, Leistungen, Zahlungen* allgemeinerer Art bedeuten Plat Polit 298a; Plut Anton 24 (I 926b), auch solche, die eigtl unter den Begriff der 10 τέλη (→ VIII 51, 33ff; 53, 26) fallen[4] τότε μὲν ἐγὼ φόρον ἀπέφερον τῷ δήμῳ, νῦν δὲ ἡ πόλις τέλος φέρουσα τρέφει με (sc den inzwischen verarmten Charmides) Xenoph Symp 4, 32, die *Steuer*, die die Lacedämonier dem eigenen König zu entrichten hatten Pseud-Plat Alc I 123a. Das Wort begegnet etwa in folgenden Verbindungen: φόρον τάττω *auf-erlegen, veranlagen* Andoc 4, 11, φόρον ἀπάγω Aristoph Vesp 707, entsprechend φόρου 15 ἀπαγωγή Hdt I 6, 2, φόρον φέρω Aristoph Av 191; Xenoph An V 5, 7, φόρον (ὑπο)τελέω Hdt I 171, 2, sämtlich in der Bdtg *entrichten*, ferner φόροι ἥκουσιν (*laufen ein*) Aristoph Ach 505f, vgl φόρος προσιών Vesp 657; φόρον δέχομαι *einziehen* Thuc I 96, 2.

Wenn den bei Harp sv σύνταξις überlieferten Nachrichten zu glauben ist, dann χα- λεπῶς ἔφερον οἱ Ἕλληνες τὸ τῶν φόρων ὄνομα. So hätten denn nach Plut, De Solone 15 20 (I 86c) die Athener, wie sie überh unangenehme Dinge ὀνόμασι χρηστοῖς καὶ φιλανθρώ- ποις ἐπικαλύπτοντες ἀστείως bemäntelten, auch die φόροι συντάξεις[5] genannt. Nach Theo- pompus fr 98 (FGrHist IIb 557) hat Callistratus diese Bezeichnung eingeführt.

In den Pap erscheint das Wort, in die private Lebenssphäre verlagert, in der Bdtg *Pacht, Miete, Sold*, so *Pacht* für eine Ölmühle PGiess I 95, 4 (95 nChr), *Weidepacht* 25 POxy X 1279, 19 (139 nChr), *Grundstückspacht* XVII 2141, 2 (208 nChr?). Der Gebrauch des Plur scheint bei diesem Bedeutungswandel zuzunehmen. PTebt II 377, 23. 27 (210 vChr) macht den Unterschied zwischen φόρος *Geldpacht* u ἐκφόριον *Naturalpacht* klar.

2. Hebräische Äquivalente für das Wort sind מְנְחָה, מִדָּה, 30 aram u neuhbr מִנְדָּה, מֶכֶס u עֹנֶשׁ. Die Bdtg von מִנְחָה *Geschenk* geht der Sache nach all- mählich in die Bdtg *Abgabe*, ja *Tribut* über bei Geschenken an einen feindlich Drohen- den, um ihn zu besänftigen, an Esau Gn 32, 14ff; 33, 10, an einen Mächtigen, den es günstig zu stimmen gilt Gn 43, 11 (Joseph), bei Geschenken an den eigenen 2 Ch 17, 5 oder einen fremden König 1 Kö 5, 1; 10, 25 uö u vor allem bei Abgaben an den sieg- 35 reichen Feind Ri 3, 15ff; 2 Kö 17, 3f. מִדָּה bzw מִנְדָּה wird in Esr u Neh für die an den

---

φόϱος. [1] Diese Bdtg hat das Wort auch in der Abgabenpolitik der Alexanderstaaten, wo es den als Grundsteuer erhobenen Tribut bezeichnet, den die Diadochenfürsten neben anderen königlichen Steuern aller Art ein- forderten. S MRostovtzeff, Gesellschafts- u Wirtschaftsgeschichte der hell Welt I—III (1955) I 107f. 266. 343—348. 361—366. 414—416 uö.
[2] Zu den entsprechenden Abgaben-Forde- rungen u Leistungen der Bundesgenossen an den Vorort Sparta s UKahrstedt, Griech Staatsrecht I (1922) 337—341; WSchwahn, Artk Τέλη, in: Pauly-W 5a (1934) 260. Plut gebraucht neben φόροι für die durch Aristides angeordneten *Abgaben* für die delische Sym- machie De Aristide 24 (I 333e) ἀποφορὰ εἰς τὸν πόλεμον für die an Sparta zu zahlende *Bei- steuer* in den Perserkriegen 24 (I 333c) u εἰσ- φοραί für die zur Kriegführung im peloponne- sischen Krieg zu erstattenden *Abgaben* De Cleomene 27 (I 817e).

[3] Im allg werden beim Gebrauch des Wortes Naturalleistungen u Geldzahlungen nicht unterschieden.
[4] Die Vermischung beider Begriffe dürfte dadurch begünstigt sein, daß nicht wenige der dem athenischen Bund angehörenden autonomen Städte in attische Kleruchien um- gewandelt u in den attischen Staatsverband eingegliedert wurden. Das hatte zur Folge, daß nunmehr Athen — uz seit 413 vChr vollstän- dig — deren τέλη, dh vor allem ihre *Zölle* vereinnahmte, vgl WSchwahn, Artk Phoroi, in: Pauly-W 20 (1941) 545—644. Die von den athenischen Bürgern selbst erhobene Ver- mögensteuer heißt εἰσφορά Thuc III 19, 1.
[5] Das Wort bedeutet zunächst eine *Ver- einbarung* Polyb 5, 3, 3, dann *Abmachung über Zahlungen* 5, 95, 1, schließlich diese *Zah- lungen* selbst Plut Alex 21 (I 676c). S WSchwahn, Artk Σύνταξις, in: Pauly-W 4a (1932) 1453—1456.

Großkönig zu zahlende *Kopfsteuer* gebraucht. מֶכֶס ist Nu 31, 28. 37—41 die *Abgabe von der Kriegsbeute* an Jahwe zur Sühnung für die Kämpfer. עֹנֶשׁ hat 2 Kö 23, 33 die Bdtg *Kriegskontribution*.

3. In rabbinischen Texten begegnen zahlreiche, zT als Lehnwörter aus den Sprachen der Fremdvölker übernommene Bezeichnungen für fiskalische *Abgaben, Tribute, Steuern* usw, deren Charakter nicht immer exakt bestimmbar ist. Aus der in Esr 4, 13. 20; 7, 24 sich wiederholenden Aufzählung מִנְדָּה בְלוֹ וַהֲלָךְ werden Est rabba Einl 5 z 1, 1 (1 d 24 f, vgl Wünsche 4) als מִנְדָּה *Grundsteuer*, בְלוֹ *Kopfgeld* u הֲלָךְ *Frondienst*(?), in bBB 8 a die beiden ersteren als *Anteil des Königs an der Ernte* u als *Kopfsteuer* כסף גולגלתא gedeutet, während mit מִדָּה Gn r 91, 4 z 42, 6 der von den Jakobssöhnen in Ägypten erhobene *Torzoll* bezeichnet wird. מֶכֶס ist der *Zoll*, der dem König gehört bSukka 30 a, der von den Römern erhoben wird bAZ 2 b. Nach RAbba (um 290 nChr) bewahrt Gott den Almosenspender vor פיסין *Auflagen*, זימיות (ζημία) *Strafgeldern*, גולגוליות *Kopfgeldern* u ארנוניות (annona ?) *Naturalabgaben* jPea 1, 1 (15 b 53 f). Lv r 33, 5 z 25, 14 nennt neben diesen noch מסין (von מַס → Z 22 ff) *Abgaben*, Pesikt 2 (11 b—12 a, vgl Wünsche 11) דימוסיא (von δημόσια) *fiskalische Abgaben*[6]. In dieser reichhaltigen Terminologie spiegeln sich die fremden Regime u die vielfältigen Abgaben, die sie für die Juden im Gefolge hatten, wider.

4. Die Septuaginta gebraucht φόρος überwiegend in der Bdtg *Tributzahlung*. So 2 Ch 36, 3 für den *Tribut*, den Necho nach Absetzung des Joahas dem Lande Juda auferlegt[7]. Die Dreierformel (→ Z 7) wird 2 Εσδρ 4, 13. 20 mit φόροι, 7, 24 mit φόρος übersetzt. Der Plur steht 6, 8; 15, 4 für einfaches מִדָּה (→ 81, 36 f)[8]. Am häufigsten begegnet φόρος als Übers für מַס *Frondienst* in den Wendungen γίγνομαι εἰς φόρον (HT: הָיָה לָמַס) *fronpflichtig sein* bzw *werden* Ri 1, 29 ff uö, ποιεῖν εἰς φόρον (HT: שׂוּם לָמַס) *fronpflichtig machen* Ri 1, 28, ἐπὶ τοῦ φόρου (HT: עַל הַמַּס) *Aufseher über die Fronen* 2 S 20, 24, ἀναφέρω φόρον (HT: הֶעֱלָה מַס) *Fronarbeiter ausheben* 1 Kö 5, 27. Aber auch hier dürfte der Grieche, wo nicht durch den Zshg die Bdtg *Fronarbeit* sichergestellt ist, *Tributzahlungen* meinen[9], erst recht dort, wo die entsprechende Wendung sein Zusatz zum HT ist ἐγένοντο αὐτοῖς εἰς φόρον Jos 19, 48 a. Auch die *Warenzölle*, die in Salomos Säckel fließen, heißen 1 Kö 10, 15 φόροι[10].

5. Philo stellt Spec Leg I 142 die vom Gesetz geforderten Abgaben an die Priester den φόροι gegenüber, die den ἡγεμόνες geleistet werden, u meint den *Tribut*, den αἱ πόλεις τοῖς δυνάσταις εἰσφέρουσιν, uz in der Regel einmal im Jahr IV 212. Der ἐκλογεὺς φόρων, von dem er III 159 berichtet, fahndet dgg nach einzelnen Zensusflüchtigen, treibt also die *Kopfsteuer* ein. Dgg hat das Wort in dem Vergleich καθάπερ δεσποίναις οἰκέται φόρον τελοῦντες καθ' ἑκάστην ἡμέραν ἀναγκαῖον Agric 58 einen ganz allg unspezifischen Sinn.

---

[6] Weitere Belege zu allen Wörtern bei Levy Wört, Levy Chald Wört sv u Str-B I 770 f. Ob das für das sassanidische Babylonien bezeugte מַסְקָא bGit 58 b; bBM 73 b; 110 a; bBB 54 b in diesen Zshg gehört, bleibt fraglich, da die Texte keine sichere Entscheidung zwischen den Bdtg *Pacht* u *königliche Landabgabe* erlauben u da zudem fraglich ist, ob Sache u Begriff bereits aus vorsassanidischer Zeit stammen. Vgl Rostovtzeff aaO (→ A 1) I 365.

[7] An der Parallelstelle 2 Kö 23, 33 hat der HT עֹנֶשׁ, was LXX mit ζημία übersetzt.

[8] Für מִנְחָה steht an den hier in Betracht kommenden St δῶρα. 2 Kö 17, 3 f wird es lediglich mit μαναα (Cod B: μαναχ) transkribiert.

[9] Das scheint bestätigt zu werden durch die Übers von נֹגֵשׂ *Treiber, Fronvogt* mit φορολόγος *Eintreiber von Abgaben* Hi 3, 18; 39, 7, so wenig diese Bdtg auch an der letzten St paßt. Auch die Übers von מִנְחָה 2 S 8, 2 Σ (entsprechend hat Σ auch 8, 1 gedeutet); 2 Kö 17, 3 Σ u von מַס Prv 12, 24 ᾿ΑΣ u Js 31, 8 ᾿ΑΣΘ mit φόρος begünstigt diese Auffassung. Zweifelhaft bleibt die Bdtg von φόρος Gn 49, 15 ᾿Α (*Fron* ?). [Bertram]

[10] Für das hier im HT stehende מֵאַשֵּׁי schlägt BHK auf Grund der syr Übers der Par 2 Ch 9, 14 מֵעַנְשֵׁי vor.

6. Josephus gebraucht φόρος im Sing u Plur immer in der Bdtg *tributärer Abgaben* an den Fremdherrscher. Er berichtet von φόροι, die die Philister von den Israeliten *erhoben* ἐλάμβανον Ant 5, 275 u die diese an die Assyrer *zahlten* ἐτέλουν 181, vgl 12, 182, vom *Tribut* an den röm Kaiser Bell 2, 403[11] u an Ptolemaeus Euergetes Ant 12, 158. Da es von David heißt, daß er φόρους ὑπέρ τε τῆς χώρας 5 καὶ τῆς ἑκάστου κεφαλῆς von den besiegten Idumäern *nahm* ἐδέχετο Ant 7, 109, so dürfte Jos auch die *Kopfsteuern* an die seleukidischen Herrscher, von denen es heißt: ἃ ὑπὲρ τῆς κεφαλῆς τελοῦσι Ant 12, 142 u ὑπὲρ κεφαλῆς ἑκάστης ὃ ἔδει ... δίδοσθαι 13, 50, unter die φόροι rechnen.

B. φόρος im Neuen Testament. 10

1. Im Neuen Testament begegnet φόρος bzw φόροι neben τέλος (R 13, 6f). Lk 20, 22; 23, 2 ist es Ersatz für das lateinische Lehnwort κῆνσος[12] (Mk 12, 14 Par). In Übereinstimmung mit dem zeitgenössischen Gebrauch bezeichnet φόρος / φόροι an den genannten Stellen die *tributäre Abgabe*, sei es als *Grund-*, sei es als *Kopfsteuer*, an den Fremdherrscher, im Unter- 15 schied von den τέλη[13], also *Zöllen, Verbrauchs-, Verkehrs-, Gewerbesteuern* und dergleichen, die einheimische Behörden oder ein fremder Machthaber — für unsere Zusammenhänge der römische Kaiser — beanspruchten. Damit ist das Problem dieser Texte, nämlich das Verhältnis der dem Gottesvolk Zugehörigen, und zwar von Juden und Christen, zur heidnischen Obrigkeit gegeben. Seit dem Zensus des 20 Quirinius 6 nChr und der von dem Galiläer Judas dagegen erregten Opposition[14] gab die Entrichtung des φόρος und die Erhebung von τέλη für den Kaiser der Frage nach dem Recht dieses irdischen Herrschers zur Besteuerung des Gott allein gehörenden Volkes ständig neue Aktualität. Hing dem Begriff des φόρος bei den Griechen das Odium der Unfreiheit an (→ 81, 19ff), so verband sich für die 25 Juden damit die Alternative von Treue oder Verrat gegenüber Gott als dem einen und alleinigen Herrn.

Über diesen allgemeinen zeitgeschichtlichen Hintergrund hinaus sind die speziellen Angaben, die Mk 12, 13ff Par über die Fragesteller bei der Zinsfrage und ihr Motiv machen, kaum von historischem Wert[15]. Sie dienen lediglich dazu, das 30

---

[11] Hier im Wechsel mit εἰσφορά Bell 2, 404.

[12] Census ist zunächst die Erhebung des abgabepflichtigen Vermögens an Kapital, Grundeigentum u Sklaven, dann die Liste darüber, der Steuerkataster, weiterhin das steuerpflichtige Vermögen selbst u endlich die als Kopf- oder Grundsteuer zu erlegende Summe, s WKubitschek, Artk Census, in: Pauly-W 3 (1899) 1914—1924. Im letzteren Sinn ist κῆνσος Mt 17, 25; 22, 17. 19 gebraucht, während Lk das Wort Lk 2, 2 u Ag 5, 37 entsprechend der ersten Bdtg mit ἀπογραφή übersetzt, s FXSteinmetzer, Artk Census, in: RAC II 969f. Aus dem Gebrauch des Lehnwortes קְנָם in den rabb Texten ist für die Bdtg von κῆνσος im NT unmittelbar nichts zu gewinnen. Es hat dort den Sinn von *Geldbuße* für strafbare Handlungen bBQ 38b; 41b; bKet 35b; 36a speziell für die Notzüchtigung von Jungfrauen Ket

3, 1. 3. 8; bKet 29a. b; 42a; 43a. Strafprozesse heißen דִּינֵי קְנָסוֹת bSanh 8a. b; 31b. JKlausner, Jesus von Nazareth [3](1952) 215 führt diesen Gebrauch des Wortes auf die Reaktion der Juden gg den Census des Quirinius zurück.

[13] Dem Wortpaar φόρος — τέλος R 13, 7 entspricht die Zusammenstellung τέλη ἢ κῆνσος für die seitens der βασιλεῖς τῆς γῆς von den ἀλλότριοι erhobenen Steuern Mt 17, 25.

[14] Vgl Ag 5, 37; Jos Bell 7, 253ff; Ant 18, 3ff; MHengel, Die Zeloten, Arbeiten zur Gesch des Spätjudentums u des Urchr 1 (1961) 132—145; BReicke, Nt.liche Zeitgeschichte (1965) 101f; GBrandon, Jesus and the Zealots (1967) 30—38.

[15] S die Komm zSt, zuletzt EHaenchen, Der Weg Jesu (1966) zSt; ESchweizer, Das Ev nach Mk, NTDeutsch 1 [2](1968) zSt.

Problem als solches und das Dilemma für den Befragten scharf herauszustellen. Ebensowenig darf man die Antwort Jesu als eine Stellungnahme zu der historisch gegebenen
Alternative zwischen zelotischer Ablehnung und pharisäischer Hinnahme der
Steuerpflicht verstehen, ihn also für die pharisäische Lösung des Problems in An-
5 spruch nehmen [16]. Seine Antwort verlagert das Problem vielmehr auf eine andere
Ebene. Sie gibt den auf dieses bestimmte Volk und Land beschränkten Eigen-
tumsanspruch Gottes mit seinen staatsrechtlichen Konsequenzen im jüdischen Sinn
an den irdischen Herrscher preis (→ II 385, 17ff), um ihn sogleich in einem völlig
entschränkten Sinn neu zu erheben. Das heißt praktisch, daß Jesu Antwort die Frage
10 nach der Kaisersteuer als solche durch den Hinweis auf die Universalität von Gottes
Herrschaftsanspruch überspielt. Dabei bietet das Wort in seiner änigmatischen Kürze
keine Handhabe zur Beantwortung der Frage, wie sich dieser Anspruch denn er-
fülle und damit das φόρος-Problem letztlich löse. Sowohl die Verlagerung in die
eschatologische Verwirklichung des Königtums Gottes [17] als auch in die Entschei-
15 dung des einzelnen in der Verantwortung vor Gott stehenden Christen [18] gehen
über den Inhalt des Wortes hinaus. In dieser Hinsicht läßt es die Frage offen.

2. Lukas macht in seiner Version der Erzählung das
Wort seiner auf die römischen Behörden zielenden Apologetik dienstbar. Man muß
die beiden Szenen Lk 20, 20ff und 23, 1ff zusammensehen; denn er hat sie bewußt
20 gegensätzlich aufeinander bezogen [19]. In 23, 2 leitet er das Verhör Jesu vor Pilatus
damit ein, daß die Sanhedristen Jesus umstürzlerischer Umtriebe, unter anderem
der Aufhetzung zur Verweigerung des φόρος beschuldigen. Wenn er Pilatus die
im Laufe der Verhandlung wiederholte Anklage mit der dreimaligen Feststellung
der Unschuld Jesu beantworten läßt, stellt er sie ausdrücklich als jüdische Lüge
25 fest und gibt damit zugleich eine Interpretation der Zinsfrage und der Antwort
Jesu in 20, 20ff. Die Frage war, wie er auch 20, 20 ausdrücklich hinzufügt, mit
der Absicht gestellt, Jesus zur illoyalen Ablehnung der Steuerpflicht zu reizen und
ihn dadurch straffällig zu machen. Aber Jesus — so will Lukas seine Entscheidung
verstanden wissen — verletzt die Loyalität nicht, womit auch die Verkündigung
30 des Evangeliums durch die Gemeinde vom Odium der Illoyalität befreit ist.

3. Ob Paulus mit seiner Aufforderung zur Entrichtung
von φόρος und τέλος (R 13, 7) das synoptische Jesuswort aufnimmt, ist nicht sicher
zu entscheiden, wenn auch überwiegend wahrscheinlich [20]. Das darf aber nicht den

[16] Erst recht gilt das von dem Versuch,
Jesu Antwort zelotisch zu interpretieren,
den REisler, ΙΗΣΟΥΣ ΒΑΣΙΛΕΥΣ ΟΥ
ΒΑΣΙΛΕΥΣΑΣ II (1930) 201 u neuerdings
wieder Brandon aaO (→ A 14) 347 macht.
[17] Loh Mk zSt spricht von der „Nähe des
eschatologischen Königreichs Gottes, das auch
den Koloß der cäsarischen Herrschaft wie ein
irdenes u irdisches Gefäß zerschlägt". Ähnlich
Haenchen aaO (→ A 15) z 12, 17: „Für die
anderen (synpt) Evangelisten galt: dieser Äon
ist mehr oder minder schon zu Ende".
[18] Vgl Schweizer aaO (→ A 15) z 12, 17: „So

nimmt Jesus dem Menschen gerade in dieser
praktischen Entscheidung die Antwort nicht
einfach ab, sondern stellt ihn vor Gott, vor
dem allein er im konkreten Fall sein Ja oder
sein Nein finden u verantworten muß".
[19] Vgl HConzelmann, Die Mitte der Zeit
[5](1964) 78. 130.
[20] Mi R[13] zSt; OCullmann, Der Staat im
NT [2](1961) 43; GDelling, R 13, 1—7 innerhalb der Briefe des NT (1962) 16f. 19; FNeugebauer, Zur Auslegung von R 13, 1—7, Kerygma u Dogma 8 (1962) 165 uam.

Blick für die Verschiedenheit der Situation und der Zielrichtung der Aussage hier und dort trüben. Angesichts der nach wie vor offenen Diskussion über den Charakter der römischen Gemeinde zur Zeit des Römerbriefes[21] ist es eine unbegründete Hypothese, die in 13, 2 an den ἀντιτασσόμενος und die ἀνθεστηκότες gerichtete Warnung auf aktuelle Bestrebungen in der römischen Gemeinde zu beziehen, sei 5 es, daß man jüdisch-zelotische[22], sei es, daß man pneumatisch-enthusiastische Motive[23] annimmt. So falsch es wäre, den paränetischen Komplex der Kapitel 12 und 13 in seinen Einzelmahnungen auf bestimmte Situationen der römischen Gemeinde zu beziehen, so muß es auch für die staatsethische Paränese dieses Abschnittes genügen, als Hintergrund und Veranlassung eine bei Christen allgemein 10 mögliche latent oder offen negative Einstellung zur Staatsgewalt anzunehmen[24]. Es liegt natürlich in einem Brief an die römische Gemeinde besonders nahe, diesen Gegenstand mit Nachdruck zu erörtern[25]. Endlich wird die jüdische Problematik, die hinter der an Jesus gerichteten Zinsfrage steht, für R 13 direkt ausgeschlossen, wenn, wie allgemein zugestanden[26], v 6a indikativisch zu verstehen ist. Dann ist 15 die Steuerzahlung für die römische Gemeinde eine so selbstverständliche Übung, daß Paulus sie als handgreiflichen Beweis für die der Regierung geschuldete Gehorsamspflicht interpretieren kann. Er begründet diese Interpretation in v 6b dann mit dem Argument, daß die Regierenden ihre vorher beschriebenen Funktionen mit ständigem, angestrengtem Kräfteeinsatz als Dienstleute Gottes erfüllen 20 (→ IV 238, 4ff). Das Argument erhält konkrete Bedeutung, wenn man darin den stillschweigenden Hinweis auf die gewaltigen Mittel finden darf, die sie zu diesem Geschäft brauchen[27]. Dann erklärte es sich auch, daß Paulus noch eine ganz allgemeine Mahnung zur Pflicht der Zahlung von φόρος und τέλος folgen läßt (v 7), obwohl er deren normale Erfüllung in v 6 voraussetzen konnte. 25

Die übliche Exegese läßt die staatsethische Paränese mit v 7 abschließen, wodurch die Aufforderung zur Steuerzahlung als deren Ziel erscheint, ein im Rahmen des Ganzen unangemessenes Schwergewicht erhält u zu der falschen Annahme führt, auch Pls habe es hier mit der Problematik der Zinsgroschenfrage (→ 83, 28ff) zu tun. Offenbar aber gehört v 7 bereits wieder in den Zshg der allg Paränese der Kp 12 u 13. Das legt 30 nicht nur die asyndetische Fassung des Satzes nahe. sondern vor allem die neue Motivierung, die die Steuerpflicht hier durch ihre Einreihung in die Schuldigkeiten, die der Christ allen abzustatten hat, erhält. Sie verbindet v 7 unmittelbar mit v 8, der diese Mahnung in negativer Form wiederholt[28]. So wird die falsche Überbetonung der Steuerpflicht im Rahmen des Ganzen der Paränese vermieden und ihre Stellung neben den 35 andern, zweifellos gewichtigeren Schuldigkeiten des Christen, nämlich der Erweisung

---

[21] S die Darstellung der Diskussion bei WGKümmel, Einl in das NT [15](1967) 221f.

[22] S die Erörterung der These bei Delling aaO (→ A 20) 18f. Mehr bei EKäsemann, R 13, 1—7 in unserer Generation, ZThK 56 (1959) 318.

[23] Mi R[13] 314; Käsemann aaO (→ A 22) 376.

[24] Vgl das wohlausgewogene Urteil hierüber bei Schl R 350.

[25] Etw anderes ist es, wenn man historisch nachweisbare zeitgeschichtliche Vorgänge, die die röm Gemeinde betreffen mußten, zur Erklärung heranziehen will, wie neuerdings AStrobel, Furcht, wem Furcht gebührt, ZNW 55 (1964) 58—62, der die durch Senatsbeschluß vom Jahre 53 nChr den kaiserlichen

Prokuratoren übertragene „volle Gerichtsbarkeit in Sachen des Fiskus" als „unmittelbaren Anlaß der Niederschrift von R 13, 1—7" u speziell für die Aufforderung zur Furcht vor der Staatsgewalt erklärt. Mehr als eine Hypothese kann freilich auch ein solcher Versuch nicht sein.

[26] Mit Ausn von Zn R zSt.

[27] Vgl Zn R zSt.

[28] Selbst Mi R[13] 323f, der 13, 8—10 als „Exkurs" versteht u „keine zu enge Verbindung" zwischen 13, 1—7 u 8—10 zulassen will, da beide Abschnitte „aus ganz verschiedenen Traditionen stammen", sieht, daß v 8ff einerseits die Fortsetzung von 12, 9—21 darstellen, andererseits deutlich an v 7 anschließen.

von → φόβος, τιμή (→ VIII 175, 12ff) u schließlich der ἀγάπη (→ I 51, 24ff) richtiger bestimmt. Dabei entfällt auch der Zwang, das πᾶσιν v 7 u die Erweisung von φόβος u τιμή auf die ἐξουσίαι u ἄρχοντες einzuengen, was durch das Mißverhältnis zu v 3 u beim Vergleich mit 1 P 2, 17 von jeher Schwierigkeiten bereitete [29]. Dieses Textverständnis dürfte für die Diskussion um Charakter u Ursprung der Staatsethik des ganzen Text-abschnittes, die hier nicht zu führen ist [30], nicht ohne Bdtg sein. Es ordnet die Gehor-samspflicht gg die Staatsmacht ungezwungen in die Pflichten des Christen gg jeder-mann, letztlich in die Pflicht des ἀλλήλους ἀγαπᾶν ein.

† φορέω

1. Als seit Hom gebräuchliches Frequentativum begegnet φορέω [1] statt φέρω vor allem in solchen Bdtg, bei denen ein dauerndes, fortgesetztes, wieder-holtes oder gewohnheitsmäßiges Handeln vorliegt. Es wird ausgesagt vom stetig we-henden Wind oder von flutenden Wogen, die etwas *forttragen* Hom Od 5, 327f; 6, 171 — im Passiv von deren Eigenbewegung Eur Suppl 689; vom aufgewirbelten Staub Soph El 715 —, vom Gespann, das den Helden in den Kampf *zu tragen pflegt* Hom Il 10, 323, von der Sklavin, die *immer wieder* das Wasser vom Quell *holen* muß Il 6, 457, vom Mundschenk, der den Becher *stets neu füllt* Od 9, 10, vom Hirten, der den Tieren *täglich* das Futter *bringt* 17, 224, u von einem, der Nachrichten *zu überbringen pflegt* Hdt III 34, 1. Am häufigsten jedoch wird es für das *Tragen* von Kleidern, zB τιάρας *Turbane* Hdt III 12, 4, ἐσθήματα Soph El 269, στολάς Oed Col 1357, ἱμάτια POxy III 531, 14f (2. Jhdt nChr), Schmuck, zB δακτύλιον Aristoph Pl 883, στρόφιον *Kopfbinde* Ditt Syll³ II 736, 178 (92 vChr), Waffen, zB θώρηξ Hom Il 13, 371f, λόγχαν Ditt Syll³ III 1168, 95 (um 320 vChr), des Szepters Hom Il 1, 238 u dessen, was an der Pers haftet, gebraucht, also von der *Statur* δέμας Eur Hel 619, von einzelnen Körperteilen σκέλεα Hdt II 76, 1, κεφαλάς III 12, 4 u im übertr Sinn vom ὄνομα Soph fr 658 (Pearson), vom καλὸν στόμα *beredter Zunge* fr 930, vom ἦθος *Sinnesart* Soph Ant 705, von ἀγλαΐαι *vornehmem Getue* Hom Od 17, 244f u auch von der ἀπόνοια *Wahnsinn* Pap Grenfell I 53, 15f (4. Jhdt nChr) [2]. Auch habituelles *Vertragen* bzw *Nichtvertragen*, zB von ungemischtem Wein Plut Quaest Conv VI 7, 1 (II 692d) oder von Sonnenhitze Pseud-Oppian I 298 wird durch φορέω ausgedrückt. In einem späten Beleg hat abs gebrauchtes φορέω die Bdtg *dauern, währen* PFlor III 384, 54 (5. Jhdt nChr).

2. Die Septuaginta, die nur spärlichen Gebrauch von dem Wort macht, fügt zu den beschriebenen Bdtg die bildliche Wendung von der Weisheit, die Gesetz und Erbarmen *auf der Zunge trägt* Prv 3, 16a, u vom σκολιός (→ VII 408, 4ff), der Verderben *im Munde trägt* Prv 16, 26, hinzu [3].

3. Josephus gebraucht φορέω für das *Tragen* von Kleidern Ant 3, 153. 279; 10, 235 mit spezieller Betonung der *Üblichkeit* ἔθος 20, 6.

---

[29] Vgl Strobel aaO (→ A 25) 58f.
[30] Hierfür muß ein Verweis auf die → VIII 27 Lit-A verzeichnete Lit u die darin in aller Breite geführte u dargestellte Diskussion ge-nügen. Die Liste ist jetzt durch die in → A 20 u 25 genannten Titel u etwa folgende Ar-beiten zu ergänzen: HvCampenhausen, Zur Auslegung von R 13. Die dämonistische Deu-tung des ἐξουσία-Begriffes, Aus der Frühzeit des Christentums (1963) 81—101; JKosnetter, R 13, 1—7: Zeitbedingte Vorsichtsmaßregel oder grundsätzliche Einstellung?, Studiorum Paulinorum Congressus Internationalis Catho-licus 1961, Analecta Biblica 17—18 I (1963) 347—355; VZsifkovits, Der Staatsgedanke nach Pls in R 13, 1—7, Wiener Beiträge zur Theol 8 (1964); JKallas, R 13, 1—7: An Inter-polation, NT St 11 (1964/65) 365—374.

φορέω [1] Die andern Tempusstämme werden klass φορήσω, ἐφόρησα usw gebildet, seit Hom Il 19, 11. In der Koine aber kommen statt dessen — vermutlich in Analogie zu ἐκόρεσα, ἐκάλεσα, ἐπόθεσα uä, auch ἐπόνεσα Hippocr Morb I 4 (Littré VI 146) — φο-ρέσω, ἐφόρεσα auf, so LXX: Prv 16, 23; Sir 11, 5, NT: 1 K 15, 49, Pap: Preisigke Sammel-buch III 7247, 33 (3./4. Jhdt nChr), auch neu-griechisch, s Bl-Debr § 70, 1; Schwyzer I 753. [Risch]
[2] hsgg BPGrenfell, An Alexandrian Erotic Fragment and other Greek Papyri chiefly Ptolemaic (1896).
[3] So ist vermutlich auch Prv 16, 23: ἐπὶ χείλεσιν φορέσει ἐπιγνωμοσύνην zu verstehen, da keineswegs sicher ist, daß LXX an dieser St das יסף hi des HT las.

4. Im Neuen Testament wird φορέω nur an wenigen Stellen, und zwar im prägnanten Sinn eines *länger währenden* oder *dauernden Tragens* gebraucht, nämlich vom Tragen des Schwertes durch die Obrigkeit (R 13, 4), vom Tragen von Kleidern (Mt 11, 8; Jk 2, 3), vom Tragen der Dornenkrone und des Purpurmantels durch Jesus (J 19, 5) und — übertragen — vom Tragen der εἰκών (→ II 386, 15ff; 393, 25ff) des irdischen bzw himmlischen Adam durch den Christen (1 K 15, 49).

5. Unter den Apostolischen Vätern beschreibt 1 Cl 5, 6 das *Tragen* der Fesseln durch Pls mit φορέω. Sonst bedient sich nur noch Herm s IX 13—17 passim des Wortes. Er spricht vom Tragen des Namens des Gottessohnes u seiner Kraft u vom Tragen der Namen u Gewänder der die chr Tugenden darstellenden Jungfrauen u ihrer Geister, das die Einbeziehung in das Fundament des (Kirchen-)Turmes garantiert. 15, 6 wird ausdrücklich gesagt, daß es dabei auf *ein immerwährendes, bis zum Tode niemals unterbrochenes Tragen* ankomme.

† φορτίον

1. φορτίον, Diminutiv von φόρτος[1], begegnet im Sing u Plur seit Hes in den wörtlichen Bdtg *Schiffsladung* Op 643; Jos Ant 14, 377, *Wagenladung* Hes Op 693, *Ladung, Fracht* Ditt Or I 132, 11 (130 vChr); POxy VII 1049, 3. 9 (2. Jhdt nChr), überh *Last* Xenoph An VII 1, 37; Jos Ant 2, 110. 124 (Säcke mit Getreide), daher auch vom Kind im Mutterleib Xenoph Mem II 2, 5 u ganz allg in der Bdtg *Waren* BGU IV 1079, 17 (41 nChr); 1118, 19 (23 vChr); Jos Ant 2, 32. In der Bdtg *Belastung* mit Sorgen, Pflichten, Arbeiten, Krankheit, Alter usw findet sich das Wort bei Demosth Or 11, 14; Antiph fr 3 (II 13); Epict Diss II 9, 22; IV 13, 16; POxy XVI 1874, 7 (6. Jhdt nChr).

2. Im Alten Testament wird das Verbalabstraktum מַשָּׂא sowohl in seinem eigtl Sinn *das Tragen* Nu 4, 15ff passim als auch in der Bdtg *Traglast* Ex 23, 5; Js 46, 1f; Neh 13, 15 uö u *Last* überh Ps 38, 5 gebraucht. In der Verbindung מִנְחָה וְכֶסֶף מַשָּׂא 2 Ch 17, 11 nimmt es die Bdtg *Geschenk, Abgabe* (→ 81, 31ff) an. In der übertr Bdtg *Mühe, Beschwerde* steht das Wort Nu 11, 11. 17 uö.

3. Die Septuaginta gebraucht φορτίον als Übers für מַשָּׂא, uz sowohl für die wörtliche Bdtg *Last* Js 46, 1 als auch für die übertr Bdtg *Sündenlast* ψ 37, 5, *Last*, zu der für jmd für einen andern 2 Βασ 19, 36; Hi 7, 20 (für Gott) u zu der Toren Rede für den Zuhörer werden kann Sir 21, 16. Singulär ist die Übers von שׂוֹכַת עֵצִים *Buschwerk*(?) mit φορτίον ξύλων *eine Traglast Holz* Ri 9, 48f.

4. In rabbinischen Texten heißt מַשָּׂא *das Tragen* Kelim 1, 1ff, dann *Handel, Geschäft* bQid 35a; bSchab 120a u *Beschäftigung* mit etw bQid 30b; bJoma 86a. Daneben steht מַשּׂוֹי im konkreten Sinn von *Last* bErub 22a uö u in der übertr Bdtg von *Obliegenheit, Verpflichtung* jBer 3, 1 (5d 53—56. 61).

5. Im Neuen Testament begegnet φορτίον in der wörtlichen Bedeutung *Schiffsladung* im Seereisebericht Ag 27, 10 mit seiner besonderen Stilisierung[2].

Als φορτία βαρέα oder δυσβάστακτα im übertragenen Sinn von *schweren und unerträglichen Belastungen* geißelt Jesus das, was die pharisäischen Rabbinen dem

---

φορτίον. [1] φόρτος, seit Hom Od 8, 163; 14, 296 *Schiffsladung*, später *Last*. Zur Bildung vgl Schwyzer I 501. [Risch]

[2] Vgl HConzelmann, Die Ag, Hndbch NT 7 (1963) Exk zu 27, 44 (Lit).

Frommen auferlegen (Mt 23, 4 Par). Das unerträglich Belastende ist nicht
das Gesetz (→ II 902, 22ff), auch nicht die Tatsache seiner Interpretation durch
die Rabbinen[3]. Was Jesus kritisiert, ist einerseits der Widerspruch, in dem die
eigene Lebensführung der Rabbinen zu den Pflichten steht, die sie den Menschen
5 auferlegen, und andererseits die verkehrte Richtung, in die ihre Gesetzesauslegung
führt[4]. Die innerweltliche Zielsetzung wird zur unerträglichen Last einer Geschäf-
tigkeit, die nicht zu Gott hin, sondern von ihm wegführt[5]. Worauf es im Gesetz
ankommt, κρίσις (→ III 943, 8ff) und ἔλεος (→ II 479, 8ff), also das nach dem
Willen Gottes gestaltete Verhältnis zum Nächsten, und πίστις, das Treue-Verhältnis
10 zu Gott selbst[6], ist durch kasuistische und ritualistische Pflichten, eben jene φορτία
βαρέα verdrängt. Damit dürfte auch das Verständnis des „Heilandsrufes" (→ V 993,
8ff) vorbereitet sein, in welchem Jesus Erquickung der Mühseligen und Beladenen
durch Übernahme seines φορτίον verheißt (Mt 11, 28—30). Das scheinbare Para-
doxon will im Zusammenhang besagen, daß die verheißene Entlastung ganz an der
15 Gemeinschaft mit Jesus hängt. Das φορτίον ist also praktisch Nachfolge Jesu[7].
Daß sie als Aufnehmen seines Joches und seiner Last ausgedrückt wird, erklärt sich
formal aus der Terminologie, mit der in der Weisheitsliteratur (→ VII 517, 6ff),
speziell Sir 51, 23ff, sich die Weisheit den Ungelehrten selbst empfiehlt (→ V 993
A 288f; VII 891 A 44). Der Sache nach liegt auch hier der Gegensatz zu den φορτία
20 βαρέα der rabbinischen Gesetzesfrömmigkeit vor, denen gegenüber das φορτίον der
Nachfolge Jesu ἐλαφρόν ist, ja erquickt[8], weil es mit Gottes Willen eint, statt in
die Distanz zu ihm zu führen.

Der Sinn, in dem Paulus φορτίον in der bildlichen Wendung φορτίον βαστάζω
(Gl 6, 5) gebraucht, muß aus dem Zusammenhang und aus andernorts von Paulus
25 ausgeführten Gedanken ermittelt werden.

2 K 10, 12ff wird das Sichvergleichen mit andern in der Absicht, sich über den andern
zu erheben u sich ihm gegenüber zu rühmen (→ III 651, 19ff), abgelehnt. Statt dessen
soll man die erbrachte Leistung, das ἔργον, mit der von Gott gestellten Aufgabe vergleichen. Dieses ἔργον wird immer ein in der Kraft Gottes vollbrachtes sein, u daraus
30 resultiert das wahre καύχημα, das einer für sich in Anspruch nehmen kann. In 1 K
3, 10—15; 4, 5 entfaltet Pls diesen Gedanken im Blick auf sich u seine missionarischen
Mitarbeiter unter dem Gesichtspunkt, daß ihr Werk u seinen Wert erst das Endgericht
offenbaren wird. Derselbe Gedankenfortschritt dürfte auch in der futurischen Aussage
ἕκαστος γὰρ τὸ ἴδιον φορτίον βαστάσει Gl 6, 5 vorliegen.

35 φορτίον ist dann *die Leistung, das Werk*, das jeder zur Beurteilung ins Gericht
mitbringen wird. Unbildlich steht derselbe Gedanke in dem Satz ἕκαστος ἡμῶν
περὶ ἑαυτοῦ λόγον δώσει (R 14, 12). Im Bild von der Last, die jeder ins Gericht zu
tragen hat, scheint im Vergleich zu den anderen Texten das Negative betont zu
sein[9].

---

[3] Vgl GBornkamm, Enderwartung u Kirche
im Mt, in: GBornkamm—GBarth—HJHeld,
Überlieferung u Auslegung im Mt, Wissenschaftliche Monographien zum AT u NT 1
[5](1968) 21f.

[4] Bornkamm aaO (→ A 3) 22. 28.

[5] Vgl dazu auch die Kritik an der innerweltlichen Zielsetzung der pharisäischen
Frömmigkeitspraxis Mt 6, 1—18 u die Warnung vor der Sorge um die Dinge dieses Lebens, die das Streben nach der βασιλεία verdrängt 6, 25—34.

[6] Vgl Bornkamm aaO (→ A 3) 24.

[7] Vgl GBarth, Das Gesetzesverständnis des
Evangelisten Mt, in: Bornkamm—Barth—
Held aaO (→ A 3) 96 u A 1.

[8] Vgl Barth aaO (→ A 7) 148.

[9] καύχημα Gl 6, 4 muß dann nicht im positiven, sondern im neutralen Sinn, als vox
media (→ III 651, 33ff) verstanden werden,
vgl 1 K 5, 6: οὐ καλὸν τὸ καύχημα ὑμῶν.

† φορτίζω

1. φορτίζω, verbum denominativum von φόρτος (→ 87, 16 u A 1) oder vom davon abgeleiteten φόρτις *Lastschiff* Hom Od 5, 250; 9, 323, begegnet zuerst im Med bei Hes Op 690 in der Bdtg *aufs Schiff laden, verschiffen,* in einem Macho-Zitat bei Athen 13, 45 (582f) im Sinn von *eine Last wegtragen* u bei Philodem Philos, 5 Περὶ κακιῶν col 18, 30f[1] in der übertr Bdtg *sich belasten mit.* Aktives φορτίζω τινά τι *beladen, belasten* ist jünger; es begegnet in LXX, im NT, dann bei Babrius, Fabulae 111, 3[2] (2. Jhdt nChr), das Pass im NT u bei Luc, Navigium 45[3].

2. Die Septuaginta übersetzt שׁחד *beschenken* Ez 16, 33 mit φορτίζω. Dabei scheint an das Beladen des Beschenkten mit der Gabe gedacht zu sein. 10

3. Im Neuen Testament bezeichnet φορτίζω den Vorgang des Belastens der Menschen (Lk 11, 46) und ihr Belastetsein mit Lasten im übertragenen Sinn, um deren Beseitigung es Jesus geht (Mt 11, 28). An der erstgenannten Stelle, dem Wehe über die νομικοί, ist eindeutig das *Belasten* der Menschen mit rabbinischen Gesetzesforderungen gemeint, ohne daß ihnen Wegweisung 15 oder Hilfe zu deren Erfüllung gegeben würde. Der Ruf an die κοπιῶντες καὶ πεφορτισμένοι (Mt 11, 28) steht in Beziehung zu Sir 51, 23 (→ 88, 16ff); jedoch werden dort nicht κοπιῶντες καὶ πεφορτισμένοι sondern ἀπαίδευτοι gerufen. Die Befreiung aus leiblichen und seelischen Nöten, Mühen und Belastungen aller Art gehört dagegen zu der eschatologischen Botschaft Jesu und ist unmittelbarer 20 Gegenstand seines Wirkens. Darum wird der Ruf die unter solchen Lasten Seufzenden einbeziehen[4]. Da Jesus jedoch andererseits keinen Zweifel daran läßt, daß seine Nachfolge wiederum derartige Lasten auferlegt, ist der spezielle Sinn des Terminus πεφορτισμένος aus dem Gegensatz gegen die von den Rabbinen auferlegten φορτία (→ 87, 42ff) zu bestimmen: es sind die unter der Last rabbinischer 25 Gesetzespraxis Seufzenden[5]. Was bei Mt 12 folgt, läßt sich als Veranschaulichung dafür begreifen: eine Sammlung von Berichten, wie Jesus Menschen gegen den aufs Gesetz begründeten Widerspruch der Rabbinen von Mühen und Lasten aller Art befreit.

KWeiß 30

φορτίζω [1] ed CJensen (1911).

[2] ed OCrusius (1897).

[3] Jos hat das Wort nicht, jedoch καταφορτίζω Pass von *beladenen Tragtieren* Ant 7, 205, vgl Schl Mt zu 11, 28.

[4] Außerhalb des NT ist diese übertr Bdtg nicht für das Verbum, wohl aber für φόρτος (→ 87, 16 u A 1), φορτίον (→ 87, 21ff) u für φορτικός nachgewiesen PAmh II 145, 7 (4./5. Jhdt nChr); POxy VI 904, 9 (5. Jhdt nChr).

[5] Auch ENorden, Agnostos Theos (1913) 308 verweist hierzu auf den Kampf Jesu gg die Schriftgelehrsamkeit. Vgl Schl Mt zu 11, 29: „An Entlehnung aus Sir denkt nur, wer das zeitgenössische Rabbinat nicht kennt u den Gegensatz nicht versteht, in dem sich Jesus zu ihm befand"; ferner GBarth, Das Gesetzesverständnis des Evangelisten Mt, in: GBornkamm—GBarth—HJHeld, Überlieferung u Auslegung im Mt, Wissenschaftliche Monographien zum AT u NT 1 [5](1968) 139 A 1.

$$\boxed{\dagger\ \varphi\vartheta\acute{\alpha}\nu\omega,\ \pi\varrho o\varphi\vartheta\acute{\alpha}\nu\omega}$$

1. Der Sprachgebrauch im profanen Griechisch.

Das häufig gebrauchte Verbum[1] hat die Bdtg *zuvorkommen, zuvortun, voraussein, überholen*[2]. Die Pers, der man zuvorkommt, steht im Acc φθάνει δέ τε καὶ τὸν ἄγοντα *das Wasser kommt zuvor dem grabenziehenden Mann* Hom Il 21, 262. Abs wird φθάνω im Sinn von *zuerst kommen, zuerst tun* gebraucht, opp ist ὑστερέω, ὑστερίζω *später kommen, später sein*: κᾶν μὲν φθάσωμεν, ἔστι σοι σωτηρία· ἢν δ᾽ ὑστερήσῃς, οἰχόμεσθα, κατθανῇ Eur Phoen 975f. Häufig tritt neben das von φθάνω gebildete Verbum finitum ein Part coniunctum[3], um das Zuvor des Geschehens zu bezeichnen ἔφθησαν πολλῷ οἱ Σκύθαι τοὺς Πέρσας ἐπὶ τὴν γέφυραν ἀπικόμενοι Hdt IV 136, 2[4]. Das im Zuvorkommen liegende komparativische Moment wird durch ein ἤ oder πρὶν ἤ verstärkt. Früh ist auch schon eine Verstärkung des Verbums bezeugt mit dem Kompos προφθάνω: προφθάσασα καρδία γλῶτταν Aesch Ag 1028, παρακύψασα προὔφθης Aristoph Eccl 884[5]. Anstelle des Part kommt auch der Inf als Ergänzung zu φθάνω vor, wenn auch seltener μόλις φθάνει . . . μὴ χαμαὶ πεσεῖν Eur Med 1169[6]. Das komparativische Element tritt teilweise schon früh zurück[7], in späterer Zeit verliert es sich bes in Verbindung mit präpositionalen Wendungen, so bei μέχρι, ἐπί. φθάνω bekommt die Bdtg *erreichen, reichen bis* (πρόνοια) . . . μέχρι γῆς φθάνει in Par gebraucht mit μέχρι γῆς ἰέναι Plot III 2, 7, 33ff.

2. Der Sprachgebrauch im hellenistischen Judentum.

a. In der Septuaginta kommt φθάνω 27mal vor[8]. Die partizipiale Ergänzung wird nicht mehr gebraucht, statt dessen der Inf (→ A 6); es steht für hbr אמץ hitp *sich rüstig zeigen, rasch etwas tun, es fertig bringen* 3 Βασ 12, 18. An drei St Sap 4, 7; 6, 13; 16, 28 zeigt sich der Verf als guter Kenner des Griech. Abs gebraucht bedeutet φθάνω in der LXX nicht „zuerst" oder „früher kommen", sondern *kommen* im Sinne von *ankommen, herankommen, gelangen*. Das ist am deutlichsten dort, wo das Wort mit Zeitbegriffen verbunden ist καὶ ἔφθασεν ὁ μὴν ὁ ἕβδομος 2 Εσδρ 3, 1; 17, 73 für נגע *berühren, an etwas reichen*. An 10 St von 21 mit hbr Äquivalent wird נגע q u hi mit φθάνω wiedergegeben. Es ist synon mit ἔρχομαι: ἕως ὅτου μὴ ἔλθωσιν ἡμέραι τῆς κακίας καὶ φθάσωσιν ἔτη, ἐν οἷς ἐρεῖς . . . Qoh 12, 1; ähnlich 8, 14 u Cant 2, 12. Die Bdtg *hingelangen, an-* oder *herbeikommen* — Vg: pervenio — gilt auch für die meisten St, an denen φθάνω mit präpos Wendungen verbunden wird. Ri 20, 34 steht es in B für נגע q *einholen, erreichen*, in Ri 20, 42 für דבק hi, wobei B φθάνω u A καταφθάνω in gleicher Bdtg haben. Zur Kennzeichnung der Größe des Geschehens steht es für נגע hi ἕως τῶν οὐρανῶν ἔφθακεν 2 Ch 28, 9. In 2 Βασ 20, 13 hat der Übersetzer

---

φθάνω. [1] Die Etymologie ist unklar, s Schwyzer I 326 Zusatz 6; 742 A 4; Boisacq, Hofmann sv. An Kompos sind προφθάνω u καταφθάνω POxy XII 1482, 10 (2. Jhdt nChr) belegt.
[2] Liddell-Scott, Pass, Preisigke Wört, Thes Steph sv; DDimitrakos, Μέγα λεξικὸν τῆς Ἑλληνικῆς γλώσσης IX (1951) sv.
[3] „Das Part zur Ergänzung von Verben des modifizierten Seins u Tuns ist im NT sehr zurückgegangen" Bl-Debr § 414, vgl Part bei λανθάνω u τυγχάνω Schwyzer II 392. Alle drei genannten Verben stehen Thuc III 112, 1 in einem Satz: οἱ προαποσταλέντες . . . ἔλαθόν τε καὶ ἔφθασαν προκαταλαβόντες, τὸν δ᾽ ἐλάσσω ἔτυχον οἱ Ἀμπρακιῶται προαναβάντες.
[4] Das Part von φθάνω wird als Part coniunctum neben dem Verbum finitum gebraucht;

es behält die selbständige Bdtg, die es bei der Partizipialkonstruktion (→ A 3) verliert, vgl ἀνέῳξάς με φθάσας Aristoph Pl 1102, vgl Schwyzer II 392 A 3; Bl-Debr § 414, 4.
[5] Auch ein Subst wird später von προφθάνω gebildet: προφθασία *Vorausnahme*, die Bezeichnung eines Festes im ionischen Leuke, von den Klazomeniern gestiftet Diod S 15, 18, 2—4, vgl M van der Kolf, Artk Prophthasia, in: Pauly-W 23 (1959) 817.
[6] Schwyzer II 396.
[7] Das Zurücktreten der Bdtg *zuvorkommen* läßt sich vor allem in ionischen u nicht rein attischen Texten beobachten, so bei Hdt, Thuc, Xenoph u gelegentlich in der Tragödie. [Dihle]
[8] Bl-Debr § 101.

יגה hi mit נגע verwechselt u mit φθάνω wiedergegeben, das an dieser St keinen Sinn hat. Beachtlich ist der Gebrauch von φθάνω an den 8 St bei Da insofern, als nur Θ, der besseres Griech als LXX bietet[9], das Wort benutzt uz nur in Verbindung mit präpos Orts- oder Zeitbestimmung (ἕως, εἰς, ἐπί) in der Bdtg *reichen bis, hinkommen, gelangen*; für נגע hi 8, 7; 12, 12; für מטה, מטא ἔφθασεν ἕως τοῦ οὐρανοῦ 4, 11; ähnlich 4, 20. 22. 24. 28; ... ὡς υἱὸς ἀνθρώπου ἐρχόμενος ἦν καὶ ἕως τοῦ παλαιοῦ τῶν ἡμερῶν ἔφθασεν 7, 13[10]. In Tob 5, 19 steht statt der häufigen präpos Wendung der Dat. Die Mutter sagt in Sorge um den Sohn Tobias, der in der Fremde hinterlegtes Geld holen soll: ἀργύριον τῷ ἀργυρίῳ μὴ φθάσαι. Es klingt wie ein Sprichwort: Geld kommt zum Geld, hier verneint in dem Wunsch, daß nur der Sohn zurückkehre. 10

προφθάνω kommt in der LXX für קדם pi in den ψ vor uz in der Bdtg *zuvorkommen* ψ 16, 13; 118, 148; Jon 4, 2, *begegnen* Hi 30, 27, *entgegenkommen* ψ 58, 11, *entgegenkommen mit, darbringen* ψ 94, 2.

b. Aristeas 137 gebraucht den verneinten Optativ in klass Weise mit Part. — Bei Philo überwiegt im Gebrauch von φθάνω die abgeschliffene Bdtg 15 *gelangen bis*, meist auch mit präpos Wendung ἐπί oder ἄχρι. In der Einl des Buches über die Weltschöpfung sagt Philo, er wolle sie darstellen, ἐφ' ἃ τὴν ἀνθρωπίνην διάνοιαν φθάνειν εἰκὸς ἔρωτι καὶ πόθῳ σοφίας κατεσχημένην Op Mund 5. Entsprechend heißt es von Moses φιλοσοφίας ἐπ' αὐτὴν φθάσας ἀκρότητα 8. Der Ruhm der Gesetze ist stürmisch durch die ganze Welt gedrungen ἄχρι καὶ τῶν τῆς γῆς τερμάτων ἔφθακεν 20 Vit Mos I 2. Gelegentlich hat das Wort auch die alte Bdtg des *Zuvorkommens*. In Leg All III 215 sind beide Bdtg benutzt: Nach dem Zitat von Ex 3, 9 „das Geschrei der Kinder Israel ist zu mir gekommen" heißt es: πάνυ καλῶς τὸ φθάσαι μέχρι θεοῦ τὴν ἱκεσίαν, aber es hätte ihn nicht *erreicht* ἔφθασεν, wenn er nicht der Gütige wäre. Einigen Menschen aber *begegnet er im Voraus* προαπαντᾷ. „Da siehst du, wie groß die Gnade 25 des Urhebers ist, der unserem Vorhaben zuvorkommt ὅση τοῦ αἰτίου ἡ χάρις φθάνοντος τὴν ἡμετέραν μέλλησιν". — Bei Josephus hat φθάνω meist die Bdtg *zuvorkommen*. Achimas *kommt dem Chusis* mit der guten Seite der Meldung bei David *zuvor* τὸν Χοῦσιν φθάνει Ant 7, 247, ähnlich: Jerobeam erkennt rechtzeitig die Absicht Salomos φθάσας δὲ γνῶναι τοῦτο 'Ιεροβόαμος πρὸς 'Ίσαχον φεύγει τὸν Αἰγυπτίων βασιλέα 8, 210. Jos Vit 30 15 berichtet, wie er selbst aus Seenot errettet u zus mit 80 von 600 φθάσαντες ἄλλους aufgefischt wird[11]. — An drei St wird in den Testamenten der 12 Patriarchen φθάνω in der Bdtg *erreichen, gelangen bis* gebraucht, von den Wächtern, die den Frauen bis zum Himmel zu reichen scheinen Test R 5, 7, von einem Boot, das nach dem Sturm ans Land gelangt ἔφθασε τὸ σκάφος ἐπὶ τῆς γῆς Test N 6, 9. Die für 1 Th 2, 16 wichtigste 35 St (→ 92, 17) ist Test L 6, 11: Die Bewohner Sychems u die Söhne Emors haben unrecht getan, sie wurden umgebracht; so erreichte, traf sie der Zorn Gottes zur Vernichtung ἔφθασε δὲ (ἐπ') αὐτοὺς ἡ ὀργὴ τοῦ θεοῦ εἰς τέλος[12].

3. Der Sprachgebrauch im Neuen Testament.

a. Die ursprüngliche Bedeutung von φθάνω *zuvorkommen* 40 *vor jemandem* ist im Neuen Testament nur an einer Stelle gegeben. „Wir, die wir übrig bleiben auf das Kommen (→ V 866, 14ff) des Herrn, werden wahrlich denen nicht zuvorkommen, die entschlafen sind" (1 Th 4, 15)[13]. Die Verstärkung

[9] JZiegler, Susanna. Daniel. Bel et Draco, Septuaginta Gottingensis 16, 2 (1954) 28f. 61. 65.
[10] Gelegentlich treten synon Vokabeln auf: ἐγγίζω Cant 2, 12 Σ; Ιερ 28, 9; Δα 4, 11. 22; Js 30, 4 'Α, πάρειμι Δα 7, 13; ἥκω Δα 4, 23 entspricht wohl φθάνω Da 4, 24 Θ. Dieselben Verba begegnen auch im Zshg der nt.lichen Reich-Gottes-Verkündigung: ἐγγίζω Mt 3, 2; Lk 10, 9. 11; 21, 8, ἥκω Mt 24, 14, πάρειμι J 7, 6; dazu ἔρχομαι Mt 6, 10; Mk 11, 10; Lk 11, 2; 17, 20; 18, 30; 22, 18; J 4, 35, vgl EGrässer, Das Problem der Parusieverzögerung in den synpt Ev u in der Ag, ZNW Beih 22 2(1960) 7 A 2; 89f. [Bertram]
[11] „An ἔφθασεν haftet die Vorstellung, daß

der Vorgang nicht vorausgesehen wurde, also überraschend kam" Schl Mt zu 12, 28.
[12] Test XII, Charles zSt nimmt nach JEGrabe, Spicilegium SS Patrum I 2(1714) 138 an, daß Pls den Satz aus Test L 6, 11 übernommen habe. Daß es sich in Test L 6, 11 um eine chr Interpolation handele, wird man ausschließen dürfen, vgl Dib Th z 1 Th 2, 16. Der Gedanke vom Zorn Gottes ist eschatologisches u rabb Gemeingut (→ V 417, 1ff).
[13] Dib Th zSt; Dob Th zSt. Daß es sich um ein schriftlich tradiertes Herrenwort handelt, ist unwahrscheinlich, vgl BRigaux, Les épîtres aux Thessaloniciens, Études Bibliques (1956) 539f.

der Grundbedeutung durch das Kompositum προφθάνω mit Akkusativ und Partizip liegt im Sondergut des Matthäus vor (Mt 17, 25). An diesen Stellen folgen Simplex wie Kompositum dem alten klassischen Sprachgebrauch[14].

       b. φθάνω ist an den anderen fünf Stellen im Neuen Testa-
5 ment mit einer präpositionalen Wendung verbunden: mit ἐπί (Mt 12, 28 Par; 1 Th 2, 16), mit εἰς (R 9, 31; Phil 3, 16) und mit ἄχρι (2 K 10, 14). Mit der Bedeutung *gelangen, ankommen, kommen zu* oder *bis* ist überall der Sachverhalt getroffen[15]. Gleichbedeutend mit dem neutestamentlichen Hapaxlegomenon ἐφικνέο-μαι wird φθάνω in 2 K 10, 13 f gebraucht: Paulus ist mit dem Evangelium bis zu
10 ihnen gelangt[16]. Ähnlich, jedoch in tieferem Sinn ist das Wort Phil 3, 16 verwendet. Mit dem Sätzchen πλὴν εἰς ὃ ἐφθάσαμεν[17], τῷ αὐτῷ στοιχεῖν (→ VII 668, 22 f)[18] schließt Paulus einen Gedankengang ab, in welchem er das Unvollendetsein und die Vollkommenen gegenüberstellt; darüber steht als unverrückbares Maß das Evangelium von der Gerechtigkeit durch den Christusglauben; zu ihm sind sie *gekommen*; es ist zu-
15 gleich die regula ac norma des Wandels[19]. Das Gegenteil wird in ähnlichem Sinn mit demselben Wort vom Volk Israel gesagt Ἰσραὴλ δὲ διώκων νόμον δικαιοσύνης εἰς νόμον οὐκ ἔφθασεν (R 9, 31)[20]. Die Wendung in 1 Th 2, 16 ist umstritten[21]: ἔφθασεν[22] δ' ἐπ' αὐτοὺς ἡ ὀργὴ (→ V 435, 28 ff) εἰς τέλος[23]. Die Juden sind ein Hindernis

---

[14] Bultmann Trad 26 hält dies Stück zwar der äußeren Form nach für ein biographisches Apophthegma, aber dem „innersten Charakter" nach für ein Schulgespräch, „da es ein Gemeindeproblem durch einen Ausspruch Jesu löst, nicht eine allg Wahrheit bildhaft darstellt" 35. BHStreeter, The four Gospels (1930) 504 nimmt die Meinung der Kommentatoren auf, daß nur in Antiochia u Damaskus der Stater amtlich genau gleich zwei Doppeldrachmen galt. Dies ist ihm ein Indiz dafür, daß der Ort der letzten Fassung dieser Gesch in Syrien liegt. Die Vermittlung durch einen Jünger weist auf den Stil bestimmter Gemeinschaften hin, vgl J 13, 24; 12, 21 f; Lk 7, 3.
[15] Bl-Debr § 101; Dob Th 115.
[16] Wnd 2 K zu 10, 14b versucht mit Orig ua den urspr Sinn des *Zuvorseins* für die St anzuwenden, so daß Pls sagen wollte, er sei der Erste u damit der Richtige, der Befugte gegenüber den Eindringlingen, verwirft aber schließlich diese Deutung doch zugunsten der „abgeschliffenen Bdtg" *hingelangen.*
[17] p[16] sa[pt] haben ἐφθάσατε; die vl ist sicher als Verbesserung anzusehen.
[18] Auch hier wird in den Hdschr mannigfach „verbessert", vor allem durch Hinzufügung von κανόνι 69 D[3] al *f* vg.
[19] „Die scheinbare Schwierigkeit des Sätzchens liegt darin, daß der Relativsatz von dem schon erreichten Punkt der Wanderung spricht, der Hauptsatz aber von dem ‚Gesetz, nach dem er angetreten'" Loh Phil zSt. Die Lösung der Schwierigkeit findet Lohmeyer

auch hier im Gedanken des Martyriums, in welchem Ziel, Wende u Weg lägen.
[20] Mi R[13] zSt.
[21] Rigaux aaO (→ A 13) 451—456. EBammel, Judenverfolgung u Naherwartung. Zur Eschatologie des Ersten Thessalonicherbriefs, ZThK 56 (1959) 308: „Wahrscheinlich ist die ‚völlige Vertilgung' des Judenvolkes am Ende zwischen den Zeilen vorausgesetzt. Aber es wird nicht ausgesprochen". Doch ist das wenig wahrscheinlich, vgl R 11, 25 f. „Indem Gott auf das Tun der Juden antwortet, führt er die Welt einen weiteren Schritt in das τέλος hinein" Bammel 309.
[22] ἔφθακεν B D* 330 2127 256. La correction n'est pas nécessaire, mais l'aoriste montre un fait: la colère tombée sur eux — pour la fin, Rigaux aaO (→ A 13) 454.
[23] Die Wendung εἰς τέλος deutet GStählin (→ V 435, 28 ff) *für immer* im Sinne von לָנֶצַח Ps 9, 7. 19 uö; Dob Th 115 hingegen sieht in dem Ausdruck eine „ganz geläufige adverbiale Wendung", die dem πάντοτε *völlig, gänzlich* entspricht. Er weist auf לְכָלָה 2 Ch 12, 12 hin. Jedoch heißt לְכָלָה *zur Vernichtung* an beiden St des Vorkommens 2 Ch 12, 12 u Ez 13, 13. Die LXX hat εἰς καταφθορὰν εἰς τέλος bzw εἰς συντέλειαν. An beiden St ist auch von der ὀργὴ θεοῦ die Rede. Gleichwohl kommt man mit der Wendung *zur Vernichtung* an unserer St nicht aus. Sicher bezieht Pls den Satz von dem Zorn Gottes nicht auf ein aktuelles, geschichtliches Ereignis, sondern er bezieht ihn auf das escha-

für die Bekehrung der Heiden, „auf daß sie das Maß ihrer Sünden allenthalben voll machen". Der Zorn Gottes hat sie völlig (→ VIII 56, 32 ff) erreicht [24].

Die wichtigste Stelle ist das Wort aus der Logienquelle: εἰ δὲ ἐν πνεύματι θεοῦ (Lk: ἐν δακτύλῳ θεοῦ) ἐγὼ [25] ἐκβάλλω τὰ δαιμόνια, ἄρα ἔφθασεν ἐφ’ ὑμᾶς ἡ βασιλεία τοῦ θεοῦ (→ II 19, 24 ff). Dies Wort gehört zur ältesten Tradition (Mt 12, 28 Par) [26]. Die Bedeutung von φθάνω ist hier wie in der Septuaginta (→ 90, 25 ff) *gelangen bis, kommen* [27]. Es ist kaum ein Unterschied, ob man übersetzt *die Herrschaft Gottes ist bis zu euch gelangt* oder *sie ist zu euch gekommen.* Denn das sachliche Verständnis des Satzes, in welchem φθάνω vorkommt, hängt von der theologischen Exegese des Begriffs der Herrschaft Gottes und von der Exegese des Konditionalsatzes ab, nämlich von der Deutung des Zusammenhanges von Dämonenaustreiben [28] mit der Ge-

tologische Zornesgericht, das mit der Beziehung der Begriffe νόμος — ἁμαρτία — θάνατος — σταυρὸς Χριστοῦ — ἀνάστασις — ἐσχάτη ἡμέρα gegeben ist, vgl Dib Th zSt u CMasson, Les deux Épîtres de St Paul aux Thessaloniciens, Commentaire du Nouveau Testament 11 a (1957) zSt. Auch in den Qumrantexten sind die Wendungen „Zorn Gottes" u „Vernichtung" oft verbunden. Im Fluch der Leviten gegen die Männer des Loses Belials wird von der *Vernichtung* כָּלָה gesprochen, die Gott verordnet 1 QS 2, 6. Gg den Abtrünnigen wird gesagt: „Gottes Zorn u der Eifer seiner Gerichte sollen wider ihn entbrennen zu ewiger Vernichtung" 1 QS 2, 15. In der Kriegsrolle heißt es von den „Verfolgungstrompeten": „Gott hat alle Söhne der Finsternis geschlagen. Sein Zorn läßt nicht ab bis zu ihrer Vernichtung" עַד כַּלּוֹתָם 1 QM 3, 9. Jedenfalls kann es sich für Pls weder um das Zornesgericht Gottes über Israel „zur Vernichtung" noch „für immer" handeln. Auch GStählin (→ V 436, 2 ff) findet, daß R 9—11 dem widersprechen. Daher wird man in der Tat annehmen müssen, daß Pls mit diesem Satz geläufiges Gut eschatologischer Vorstellungen aufnimmt, ohne ihm einen bes konkreten Inhalt zu geben. Test L 6, 11 (→ 91, 35 ff) ist nicht unmittelbar Zitat, sondern ein im Gedächtnis bewahrter Satz, der hier auf andere Verhältnisse angewendet wird.

[24] Rigaux aaO (→ A 13) 456: Paul a pu de lui-même reprendre un dicton juif appliqué originairement aux pécheurs ou aux ennemis d’Israël. Ses vues sur l’ ὀργή (cf 1 Th 1, 10) cadrent très bien avec la pensée exprimée dans l’ ἀναπληρῶσαι qui précède.

[25] Einige Hdschr lassen bei Lk das ἐγώ aus p[45] א* ΑΧΓΔΛΠ, dgg steht es in p[75] D א[1] B C L R 33 69 124 346. Das Personalpronomen gehört sicher zum alten Bestand des Wortes. Folgerungen sind aus dem Fehlen des Pronomens nicht zu ziehen, s Schl Mt zSt.

[26] Bultmann Trad 11 u 174 hält Mt 12, 28 wie auch v 27 Par für „ein ursprünglich freies Wort". Es kann „den höchsten Grad der Echtheit beanspruchen, den wir für ein Jesuswort anzusetzen in der Lage sind: es ist er-

füllt von dem eschatologischen Kraftgefühl, das das Auftreten Jesu getragen haben muß". Mt verändert βασιλεία τοῦ θεοῦ nicht in die bei ihm übliche Wendung βασιλεία τῶν οὐρανῶν, nur daß er das dem Wort zugrunde liegende בְּאֶצְבַּע אֱלֹהִים (vgl Ex 8, 15; 31, 18) frei übersetzt, das Lk wörtlich wiedergibt, vgl HvBaer, Der hl Geist in den Lukasschriften, BWANT 39 (1926) 115.

[27] Zum Sprachlichen bei Mt 12, 28 Par vgl Dalman WJ I 88: für ἔφθασεν ἐφ’ ὑμᾶς ist auf מטא zurückzugehen: מְטָא עַל Da 4, 21 *über jmd kommen*, vgl Tg Prof zu Ez 7, 2. S auch Dalman 119 u den Verweis auf OSchmoller, Die Lehre vom Reich Gottes (1891) 139—142, der auf den inneren Zshg von Lk 11, 20 u 17, 20 aufmerksam macht. CHDodd, The Parables of the Kingdom (1956): die Wendung drückt auf die stärkste u eindringlichste Weise das Faktum aus, that the Kingdom of God has actually arrived 43 A 1. WGKümmel, Verheißung u Erfüllung, Abh Th ANT 6 [3](1956) 98—101: „Man kann darum mit Sicherheit sagen, daß … zu übersetzen ist: die Gottesherrschaft ist zu euch gekommen" 100. Ähnlich versteht JMRobinson, Kerygma u historischer Jesus (1960) 163 das Logion im Sinne eines „dialektischen Gegenwartverständnisses". RMorgenthaler, Kommendes Reich (1952) 36—45 will vom Lexikalischen her φθάνω verstehen als „einen Grenzfall des Herankommens, der doch noch nicht volle Anwesenheit bedeutete" 42; tatsächlich kommt es aber auch bei ihm auf die Bestimmung des Ereignischarakters der Dämonenaustreibung u auf die Bedeutung der Gestalt Jesu für die Herrschaft Gottes hinaus. RFBerkey, ΕΓΓΙΖΕΙΝ, ΦΘΑΝΕΙΝ and realized eschatology, JBL 82 (1963) 177—187 zeigt, daß die Diskussion sich in der Alternative „zukünftig — gegenwärtig" festgefahren hat u daß diese Alternative vom Lexikalischen her allein nicht zu entscheiden ist. Über diese Alternative führt EJüngel, Pls u Jesus [3](1967) hinaus (→ A 28 f).

[28] Vgl Str-B IV 501—535, bes Abschnitt 6 d. e; 7h. „An Menschen, die unter Ausnützung der gewiesenen Mittel die Herrschaft

stalt Jesu und seiner Bedeutung für die Herrschaft Gottes. Der Satz bietet auch
Anlaß, die Frage der eschatologischen Bestimmtheit der Verkündigung der Herrschaft Gottes in der synoptischen Tradition von Jesus und die Frage der sogenannten Parusieverzögerung[29] näher zu überlegen. Jedenfalls ist — abgesehen von
dem die Folgerung betont heraushebenden ἄρα — der Beitrag, den φθάνω sema-
siologisch und mit der Form des Aorist zur Bestimmung des Satzes gibt, eindeutig.

4. Der Sprachgebrauch bei den Apostolischen Vätern.

In der urchr Lit außerhalb des NT begegnet das Wort als Kompos
ἐὰν προφθάσῃ ... βαλεῖν 2 Cl 8, 2 im Sinn von *zuvor oder vorher tun*[30].

Fitzer

---

† *φθείρω,* † *φθορά,* † *φθαρτός,* † *ἄφθαρτος,* † *ἀφθαρσία,* † *ἀφθορία,* † *διαφθείρω,* † *διαφθορά,* † *καταφθείρω*

Inhalt: A. Die Wortgruppe im Griechentum: I. In der literarischen und un-
literarischen Gräzität allgemein. II. Die Wortgruppe im philosophischen Sprachgebrauch:
1. In der älteren Philosophie; 2. Bei Aristoteles; 3. Im späten hellenistischen Zeitalter. —
B. Die Wortgruppe im Alten Testament und im Judentum: I. Im Alten Testament.
II. Die Wortgruppe im palästinensischen Judentum: 1. In den Qumran-Texten; 2. Im talmudischen und midraschischen Schrifttum. III. Die Wortgruppe im hellenistischen Judentum:
1. Im griechischen Alten Testament; 2. Josephus; 3. Philo; 4. Im sonstigen hellenistisch-jüdischen Schrifttum. — C. Die Wortgruppe im Neuen Testament: 1. Im realen Sinn; 2. Im
moralischen und religiösen Sinn; 3. Im idealen Sinn: vergänglich-unvergänglich. — D. Die
Wortgruppe in der alten Kirche.

A. Die Wortgruppe im Griechentum.

I. In der literarischen und unliterarischen Gräzität allgemein.

1. φθείρω[1] bedeutet *verderben, zugrunderichten*, med u pass *verderben, zugrundegehen*. Obj sind zB: οἶκος, σῶμα u ψυχή Xenoph Mem I 5, 3, τὰ οἰκεῖα
Thuc I 141, 7, πόλιν καὶ νόμους Plat Leg XII 958c, ἐκ νεῶν φθαρέντες ἐχθροί *die der Schiffe*

über die Dämonen erlangt haben, hat es nie
gefehlt" 527. Bei dem Dämonenaustreiben
geht es wesentlich um das Heilen, vgl GFitzer,
Sakrament u Wunder im NT, In memoriam
ELohmeyer (1951) 174—183. Jüngel aaO (→
A 27) 185—188 führt die Diskussion mit Dodd,
Kümmel, Robinson fort u bestimmt die Ge-
genwartsbezogenheit der Herrschaft Gottes
näher im Verhalten Jesu.
[29] Grässer aaO (→ A 10) 6. Die Basileia
bricht jetzt an. „Jedoch muß sofort betont
werden: nicht in dem Sinne, daß die Gottesherrschaft schon Gegenwart ist, sondern nur
in dem Sinne, daß sie im Anbruch ist". Das

Verbum φθάνω hat aber nicht die Bdtg „im
Anbruch sein". Jüngel aaO (→ A 27) 180 hält
es für „unangebracht, Jesu Verkündigung mit
dem Schlagwort ‚Naherwartung' zu charakterisieren, dem das Schlagwort ‚Parusieverzögerung' mit sachlicher Notwendigkeit folgen
muß".
[30] Vgl Bl-Debr § 414, 4; 396, 2 u Kn Cl zSt.
[Schneemelcher]

φθείρω κτλ   [1] Der Stamm ist verwandt
mit altindisch kṣárati *er fließt, zerfließt*, s
Boisacq, Hofmann sv.

beraubten Feinde Aesch Pers 450f. Oft findet es sich in der Bdtg *töten, getötet werden, um-kommen*, bes im Kriege, so auch διαφθείρω Thuc III 66, 2; IV 124, 3, aber auch durch Krankheit διεφθείροντο ... ὑπὸ τοῦ ἐντὸς καύματος Thuc II 49, 6, durch Hunger PLond III 982, 7 (4. Jhdt nChr), vgl ἀσεβεῖς πάντας διέφθειρεν Stein von Rosette Ditt Or I 90, 26 (196 vChr). Häufig kommt die Bemerkung von Bittstellern vor, die im Schuldturm 5 sitzen: *Wir verkommen* hier καταφθαρῆναι PPetr II 19 fr 2, 9 (3. Jhdt vChr). Gegenstände von κατα- oder διαφθείρω sind Schiffe PGreci e Latini 13, 1304 fr B 32f (2. Jhdt nChr), τὰ φορτία Aristoph Vesp 1398, χρήματα Aesch fr 17, 35[2], Bauwerke, die durch Zeit-einwirkung *zerfallen* τὸ π[ρ]οπύλα[ιον] χρόνῳ [διαφθαρέ]ν PFay Inschr 4, 4 (p 34; um 180 nChr). φθείρομαι heißt *sich selbst zugrunde richten* Thuc I 2, 4, vgl διεφθαρμένος τὸ 10 σῶμα Luc, Dialogi deorum 13, 2. Für die Beschreibung wirtschaftlichen Ruins wird gern καταφθείρομαι gebraucht PGreci e Latini 4, 377, 11 (250/49 vChr); 330, 6 (258/57 vChr). So heißt es in Eheverträgen μηδὲ φθείρειν τὸν κοινὸν οἶκον POxy III 497, 4 (2. Jhdt nChr), dementsprechend bedeutet οἰκοφθόρος *Verschwender* Pap Grenfell I 53, 19 (4. Jhdt nChr)[3]. 15

φθείρεσθε wird als Fluch verwendet *seid verdammt, zum Teufel* Hom Il 21, 128, auch im Sing φθείρου Aristoph Pl 610, als Aufforderung, *sich wegzuscheren*, φθερεῖ τῆσδ' ὡς τάχιστ' ἀπὸ στέγης Eur Andr 708, ähnlich 715. Ferner wird φθείρω in der Bdtg von *ruinieren, zugrunderichten* gebraucht, was nicht immer *total vernichten* bedeuten muß. Obj sind δῆμον u δίκας Theogn 1, 45, θεῶν νόμους Soph Ai 1344, τὴν πόλιν, νόμους Plat Leg 20 XII 9, 358c, τὴν δημοκρατίαν (opp σῶσαι) Aristot Pol V 9 p 1309b 36f, vgl καταφθείρω Ditt Or I 194, 5 (um 40 vChr), τὰ διαφθείροντα was den Staat *vernichtet* V 8 p 1308a 25f, τὸ ὕδωρ ... διέφθαρτο *wurde ungenießbar* Thuc VII 84, 5. Häufig begegnet in Verträgen die Bestimmung, daß die gedungene Amme ihre Milch nicht *verderben* darf φθείρειν τὸ γάλα BGU IV 1058, 29 (Zeit des Augustus), in zahlreichen Pap ist die Rede von gefallenem 25 Vieh, zB ἵππος διέφθαρται Pap Cairo Zeno I 59093, 5 (3. Jhdt vChr)[4]. Ebs wird die Wort-gruppe vom *Verderben* von Lebensmitteln gebraucht, zB Pap Cairo Zeno I (→ A 4) 59021, 3 (3. Jhdt vChr), von Früchten, die durch die Heuschrecken *vernichtet werden*: ἡ ἀκρὶς ἐμπεσοῦσα κατέφθειρεν PTebt III 772, 2 (236 vChr).

2. Dementsprechend heißt φθορά *Vernichtung, Tod* Sib 2, 9, δια- 30 φθοραί *Morde* Eur Ion 617, τῶν ἔργων διαφθορά *Vernichtung* von Bauwerken Polyb 1, 48, 3. 8, φθορὰ ὕδασιν steht als Bezeichnung einer Wasserkatastrophe Plat Tim 23c, φθοραί *Schiffbrüche* Eur Hel 766, φθορὰ τῶν καρπῶν PMich III 182, 38 (182 vChr). Immer wieder kehrt in Verträgen die Formel ἀκίνδυνον καὶ ἀνυπόλογον πάσης φθορᾶς, dh „ohne Anrechnung von Schäden u ohne Rücksicht auf mögliche Gefahren" ist der Pächter 35 zur Zahlung des Pachtzinses verpflichtet[5] PTebt I 106, 16f (101 vChr). Isis wird an-gerufen: φθορὰν οἷς θέλεις διδοῖς, τοῖς δὲ κατεφθαρμένοις αὔξησιν διδ(οῖς) POxy XI 1380 col 8, 175—177 (2. Jhdt nChr), u in einem Liebeszauber wird der Gott ein θεὸς φθοροποιός genannt Preis Zaub II 12, 455 (um 100 vChr).

3. Eine bes Bdtg hat φθείρω im moralischen Sinne, *verführen,* 40 moralisch *zugrunde richten*; διεφθαρμένοι sind *sittlich Verdorbene* Aristot Eth Nic X 5 p 1176a 24, entsprechend ist φθορεύς ein *Verführer* Plut Aud Poet 3 (II 18c). Im moralischen Sinn bedeutet es dann auch *bestechen*, διαφθείρειν τοὺς ἐπὶ τῶν πραγμάτων Demosth Or 18, 247, κριτάς 21, 5, *verführen* γυναῖκα 45, 79, παρθένους Luc Tyr 26, speziell vom Ehebruch Lys 1, 4. 16, ganz allg *verderben* ἔθη τῶν ἀνθρώπων Diod S 16, 54, 4. 45 Ursachen der sittlichen Verderbnis sind χρήματα Demosth Or 19, 7; Lys 2, 29, die Be-trauung mit schnell verliehenen Ehrenämtern Aristot Pol V 8 p 1308b 14, auch λύπη Eur Or 398, ferner ἡδονὴ ἢ λύπη Aristot Eth Nic VI 5 p 1140b 16—19, beide *verderben* die sittliche Urteilskraft. So kann auch die Seele Gegenstand der Verderbnis sein, διέφθαρται τῇ ψυχῇ Polyb 12, 23, 2. 50

---

[2] ed HJMette, Die Fr der Tragödien des Aesch, Deutsche Akademie der Wissenschaf-ten zu Berlin. Schriften der Sektion für Alter-tumswissenschaft 15 (1959).

[3] ed BPGrenfell, An Alexandrian Erotic Fragment and other Greek Pap chiefly Pto-lemaic (1896).

[4] ed CCEdgar, Catalogue Général des Anti-quités Égyptiennes du Musée du Caire 79 (1925).

[5] Zu der Formel s Mitteis—Wilcken II 1 198. Die Gefahr der Beeinträchtigung des sub-jektiven Leistungsvermögens trifft den Schuld-ner. Ἀνυπόλογος bedeutet: Es können nicht Abzüge vom Pachtpreis gemacht werden, also nicht Aufrechnungen aus dem Pachtverhältnis, nicht *ex dispari causa*. Gegenansprüche des Pächters sind ausgeschlossen.

4. Bes Bdtg bekommt διαφθείρω in folgenden Verbindungen: βοή-
θειαν *vereiteln* Thuc III 113, 5, σπουδὴν διαφθείρειν τῶν ἐναντίων γέλωτι, τὸν δὲ γέλωτα
σπουδῇ Gorg fr 12 (Diels II 303), γνώμην die *Meinung ändern* Aesch Ag 932, so φθορά als
Schwächung oder *Vernichtung* der anderen Partei (opp ἀνίσωσις *Vergleich*) Thuc VIII
87, 4.

II. Die Wortgruppe im philosophischen Sprachgebrauch.

1. In der älteren Philosophie.

In immer neuer Denkarbeit hat die griech Philosophie φθείρεσθαι
im Gegensatz zu γίγνεσθαι zu begreifen versucht. Programmatisch heißt es bei Plato:
δεῖ περὶ γενέσεως καὶ φθορᾶς τὴν αἰτίαν διαπραγματεύσασθαι Phaed 95e. So heißt es Resp
VIII 546a: γενομένῳ παντὶ φθορά ἐστιν. Anaxagoras bringt nach Aetius, De placitis
reliquiae I 3, 5[6] beides mit dem ὄν u μὴ ὄν in Verbindung: ἐκ τοῦ μὴ ὄντος ... γίνεσθαι
ἢ φθείρεσθαι εἰς τὸ μὴ ὄν[7]. Aristot Cael III 1 p 298b 15f überliefert von Parmenides u
Melissus: οὐθὲν γὰρ οὔτε γίγνεσθαι ... οὔτε φθείρεσθαι τῶν ὄντων, ἀλλὰ μόνον δοκεῖν ἡμῖν,
ferner οὐκ ἄρα γινόμενόν ἐστι τὸ ὄν ... οὔτε φθαρήσεται τὸ ὄν Simpl, Komm zu
Aristot Phys I 3[8]. Der älteren griech Philosophie dient der Begriff φθείρεσθαι
zum Verstehen nicht der eigenen Existenz u des eigenen Bewußtseins, sondern des
Kosmos. Es geht ihr um die Frage nach dem Bleibenden gegenüber dem, was wechselt,
was bestimmte Zeitdauer hat, was sich verändert in der Welt μέρος ἐπιδέχεσθαι φθορὰν
ἅπαξ, τὰ πάντα δὲ μένειν αἰωνίως Theagenes nach Schol zu Hom Il 20, 67[9]. Das Bleibende ist also das All als solches, während alle Teile desselben der Vergänglichkeit anheim fallen. Diog L IX 19 überliefert von Xenophanes: πᾶν τὸ γινόμενον φθαρτόν. Für
Parm nach Plut Col 13 (II 1114d) ist das νοητόν, das nur geistig Wahrnehmbare, ἀΐδιον
u ἄφθαρτον. Emped wiederum sieht das Bleibende in den στοιχεῖα: πάντα φθαρτὰ πλὴν
τῶν στοιχείων Aristot Metaph II 4 p 1000b 19f. Melissus ist nach Epiph, De fide 9, 16
daran gelegen, innerhalb der Natur die Durchgängigkeit der Erscheinung des Ver-
gehens festzustellen: πάντα εἶναι φθαρτά. Für Heracl ist die Bewegung schlechthin das
Bleibende κίνησιν δὲ ἀΐδιον μὲν τοῖς ἀιδίοις, φθαρτὴν δὲ τοῖς φθαρτοῖς Aetius, De placitis
reliquiae (→ A 6) I 23, 7. Für Anaximand nach Plut bei Euseb Praep Ev 1, 8, 2 ist das
ἄπειρον ... αἰτία von γένεσις u φθορά, für Anaxag nach Simpl, Komm zu Aristot Phys
(→ A 8) I 2 (p 27, 5ff) sind die ὁμοιομερῆ das Bestehende: πάντα τὰ ὁμοιομερῆ ...
ἄφθαρτα. Diese Beispiele zeigen, daß der Begriff des φθαρτόν jeweils durch den Begriff
des Bleibenden u Unveränderlichen im Kosmos bestimmt ist. Um die Erkenntnis dieses
Bleibenden inmitten der wechselnden, der entstehenden u vergehenden Formen u Gestalten der Natur geht es der älteren griech Philosophie.

2. Bei Aristoteles.

Reichhaltiges Material findet sich bei Aristot zur Frage des φθαρτόν u γενητόν: ἅπαντα γὰρ τὰ γινόμενα καὶ φθειρόμενα φαίνεται Cael I 10 p 279b 20f.
Aristot setzt γένεσις u φθορά in Beziehung zum ὄν u μὴ ὄν: ἡ γὰρ γένεσις φθορά τοῦ μὴ ὄντος,
ἡ δὲ φθορά γένεσις τοῦ μὴ ὄντος Gen Corr I 3 p 319a 28f. Das φθαρτόν u ἄφθαρτον sind nicht
ἡ δὲ κατὰ συμβεβηκός *zufällige*, sondern ἐξ ἀνάγκης *notwendige* Gegensätze Metaph 9, 10 p
1058b 26—1059 a 10. Sie bedingen also einander, u man kann von dem einen nicht ohne das
andere sprechen. So stehen sie auch in par Beziehung zum γενητόν u ἀγένητον: das γενητόν
entspricht dem φθαρτόν, das ἀγένητον dem ἄφθαρτον Cael I 12 p 282b 5—9. Dgg nimmt die
οὐσία *das Sein, die Wesenheit* am φθείρεσθαι u γίγνεσθαι nicht teil Metaph 7, 3 p 1043b 15. Auf
der anderen Seite kann Aristot sagen, daß die οὐσίαι teils aus ἀγένητα u ἄφθαρτα bestehen,
von denen wenig für die Wahrnehmung offenbar ist, teils aber an γένεσις u φθορά teilhaben Part An I 5 p 644b 23f. Die οὐσία αἰσθητή zerfällt in ἀΐδιος u φθαρτή Metaph
11, 1 p 1069a 31. Aristot erhebt die Frage, ob die ἀρχαί, die *Prinzipien* oder *Elemente*,

---

[6] hsgg HDiels, Doxographi Graeci (1879).
[7] Man muß bedenken, daß diese Texte
Referate späterer Zeit, nicht Originaltexte
sind. Dennoch geben sie ein Bild von der
Denkbewegung der früheren griech Philosophie.

[8] hsgg HDiels, Commentaria in Aristotelem Graeca 9 (1882) 103, 19f.
[9] hsgg WDindor׳, Schol in Hom Graeca IV
(1877) 231, 21.

ἄφθαρτοι oder φθαρταί sind. Da alles φθείρεται εἰς ταῦτ᾽ ἐξ ὧν ἔστιν *in das vergeht, woraus es ist*, muß es früher ἀρχαί gegeben haben Metaph 2, 4 p 1000b 25f. Aristot bemüht sich um die feinere Unterscheidung im Begriff von φθορά u μεταβολή *Veränderung*. Der Unterschied besteht darin, daß bei jener kein αἰσθητόν als ὑποκείμενον bei der μεταβολή bleibt; γένεσις u φθορά sind μεταβολή der ὑποκείμενα, der *Substanzen*. Bes die ὕλη 5 ist ὑποκείμενον δεκτικόν *aufnahmefähige Grundlage* (Substanz) für γένεσις u φθορά Gen Corr I 14 p 320a 2; ἡ . . . ἐξ ὑποκειμένου εἰς μὴ ὑποκείμενον φθορά steht der ἡ . . . οὐκ ἐξ ὑποκειμένου εἰς ὑποκείμενον . . . γένεσις gegenüber Metaph 10, 11 p 1067b 21—24. Nichts ist Selbstursache seiner γένεσις u φθορά Mot An 5 p 700a 35. In einem anderen Zshg steht der Begriff φθείρω par zu βλάπτω, uz im Gegensatz zu ὠφελέω Part An II 5 p 651b 2. In 10 Aristoteles' Naturbeschreibung heißt φθορά *Tod*, der durch θερμοῦ ἔκλειψις *Nachlassen der Wärme* De respiratione 17 p 478b 27—33 oder durch *Mangel an Blut* ὀλιγαιμία Part An II 5 p 651b 11 eintritt. ἄφθαρτος heißt in diesem Zshg dann *langlebig* De longitudine et brevitate vitae 4 p 466a 1. So tritt φθείρω auch in Gegensatz zu μένω Gen An II 1 p 734a 7, oder es ist διάλυσις τῆς οὐσίας Topica VII 3 p 153b 31. φθείρομαι 15 kann dann auch soviel heißen wie *zum Stillstand kommen* im Gegensatz zu κινοῦμαι: φθείρεται δὲ καὶ μηδὲν κινούμενον Phys IV 13 p 222b 24. Auf ethischem Gebiet steht φθείρω im Gegensatz zu σῴζω, was also soviel wie *zerstören* u *bewahren* heißt Eth Nic VII 9 p 1151a 15. Ähnlich stehen sich auf politischem Gebiet φθοραί u σωτηρίαι gegenüber Pol IV 2 p 1289b 24. 20

3. Im späten hellenistischen Zeitalter.

Für diese Epoche des Denkens ist charakteristisch, daß mehr u mehr das Gegensatzpaar φθαρτόν — ἄφθαρτον nicht im natur- u seinskritischen Sinn, also nicht im ontologischen oder physikalischen, sondern im religiösen Sinn erfaßt wird. Man sucht das Bleibende, das Haltgebende. Dafür ist das Corp Herm charakteristisch. Γένεσις u χρόνος als ἀμετάβλητοι u ἄφθαρτοι sind im Himmel, auf Erden 25 sind sie μετάβλητοι u φθαρτοί Corp Herm 11, 4. Während die ältere griech Philosophie monistisch ausgerichtet ist, findet sich hier ein deutlich dualistischer Zug, der Gott u Welt, göttliche u irdische Welt einander gegenüberstellt. Der Gottheit als dem ἄφθαρτον kann φθορά u ἀπώλεια nicht widerfahren Corp Herm 12, 16. φθορά steht im Gegen- 30 satz zur ἀθανασία Corp Herm 1, 28. Bei Plut wechseln die Obj seiner Ewigkeitsaussagen. Dem θεῖον eignet ἀφθαρσία neben δύναμις u ἀρετή Plut, De Aristide 6 (I 322a); so nennt er die Gottheit ein ζῷον μακάριον καὶ ἄφθαρτον Stoic Rep 38 (II 1051f). Aber auch den ἄτομοι kann er ἀφθαρσία zusprechen, eine Brücke zur alten griech Philosophie schlagend Plut Col 8 (II 1111d). Dann wieder bezeichnet er das πᾶν als ἄπειρον, ἀγέ- 35 νητον u ἄφθαρτον Col 13 (II 1114a). So schreibt er von den ψυχαί, daß sie ἀνώλεθροι u ἄφθαρτοι sind Suav Viv Epic 31 (II 1107b). Für die späte Philosophie liegt das Ewige u Unveränderliche nicht im Kosmos, in irgendwelchen Elementen oder Grundsätzen oder gleichbleibenden Verhaltensweisen des Kosmos, sondern in der Unvergänglichkeit des Außer- u Überweltlichen. Dem entspricht die Notiz aus den stoischen Fragmenten: 40 γενητὸν καὶ φθαρτὸν τὸν ἕνα κόσμον Simpl, Komm zu Aristot Phys VIII 1 p 1121, 12[10] u die andere: der κόσμος φθείρεται, da alle seine Teile φθαρτά sind Philo Aet mund 124. Dgg gehört zum Wesen des μακάριον, daß es ἀπαθές u ἄφθαρτον ist Plut Def Orac 20 (II 420e).

B. Die Wortgruppe im Alten Testament und im Judentum. 45

I. Im Alten Testament.

Das wesentliche hbr Äquivalent für φθείρω ist שָׁחַת[11], das im AT 162mal vorkommt. Es findet sich im ni, wo es bedeuten kann *verdorben sein*, durch Fäulnis Jer 13, 7, *entartet, verderbt sein* Gn 6, 11f, *verheert werden* Ex 8, 20, weiter im pi, wo es *zugrunderichten* heißt, zB eine Stadt Jer 48, 18, Menschen 2 S 1, 14 oder 50 gar den Bund Mal 2, 8. Im moralischen Sinn kann es auch bedeuten *schlecht, verderbt handeln* Ex 32, 7, oder *verderbt werden* Hos 9, 9. Ferner kommt es im hi vor, wo es

---

[10] hsgg HDiels, Commentaria in Aristotelem Graeca 10 (1895).

[11] Andere Übers von שָׁחַת wie διαπίπτω, ἐξολεθρεύω, ἐκτρίβω, ἐκτυφλόω, ἐκχέω, ἐξ- ἀλείφω, κατασκάπτω u λυμαίνω sind durch ihre Umgebung bedingt u zeigen keine Bedeutungsveränderung der Wortgruppe.

verderben heißt, eine Stadt Gn 18, 28, Menschen 1 S 26, 15, aber auch Sachen, zB den
Ernteertrag Ri 6, 4, vgl Mal 3, 11; הַמַּלְאָךְ הַמַּשְׁחִית ist der *Würgeengel*, der *Verderber*
schlechthin 2 S 24, 16; auch im hi kann es im moralischen Sinn bedeuten *es schlimm
treiben* Ps 14, 1; Dt 4, 16; Js 1, 4. Das ho hat die bes Bdtg *kastriert werden* Mal 1, 14.
מַשְׁחִית ist der *Verderber* Js 54, 16; Jer 51, 1, aber auch das *Verderben* Ez 21, 36; לְמַשְׁחִית
heißt *zum Verderben* Ex 12, 13. מַשְׁחֵת ist das *Verderben* Ez 9, 1, מִשְׁחָת *Zerstörtes*,
Entstelltes Js 52, 14, מָשְׁחָת *Verderbtes*, mit Bezug auf die Opfertiere Lv 22, 25.

Andere Äquivalente von φθείρω κτλ sind חרב *austrocknen* Ri 16, 7 Cod B, מות hi
1 S 2, 25, נבל *verwelken* Js 24, 4, מקק ni Lv 26, 39, בקק Js 24, 1. 3, שָׁמֵם *verwüstet*
Js 49, 19, כלה pi Ez 16, 52[12], מלל *verwelken* Hi 15, 32, נום Dt 34, 7, פרץ *eine Lücke
reißen* Ex 19, 22 Σ, ריק hi *leer lassen* Js 32, 6 Cod A, אֵיד *Unglück, Verderben* Hi
21, 17 Σ[13].

II. Die Wortgruppe im palästinensischen Judentum.

1. In den Qumrantexten.

Die Qumran-Lit zeigt, daß שחת im hbr Sprachraum weithin als
verderben verstanden worden ist, uz in den verschiedensten Verbindungen: מוקשי שחת
Fallen des Verderbens 1 QH 2, 21; Damask 14, 2 (16, 12), משברי שחת *Wellen des Verderbens* 1 QH 3, 12, חצי שחת *Pfeile des Verderbens* 1 QH 3, 16, דלתי שחת *Tore des
Verderbens* 1 QH 3, 18, פחי שחת *Klappnetze des Verderbens* 1 QH 3, 26;
הגיעו לשחת חיי ותעזור משחת חיי *bewahre mein Leben vor dem Verderben* 1 QH 5, 6;
mein Leben rührte an das Verderben 1 QH 8, 29. Auch in 1 QS begegnet שחת in der
gleichen Bdtg: שחת עולמים *ewiges Verderben* 1 QS 4, 12, אנשי השחת *Männer des Verderbens, für das Verderben bestimmt* 1 QS 9, 16. 22; 10, 19, vgl בני השחת Damask 6, 15
(8, 12); 13, 14 (16, 7), משחת יחלק נפשי 1 QS 11, 13, vgl 1 QH 3, 5. Auch in diesem
Schrifttum bedeutet das Verbum שחת *verderben, ruinieren*, zB ein Land 1 QpHab 4, 13
oder den Satan, den Bösen, עשיתה בליעל לשחת *du hast Belial geschaffen, ihn endgültig
zu verderben* 1 QM 13, 11, ähnlich רזי אל לשחת רשעה *Geheimnisse Gottes*, dh verborgene
Pläne, *zu vernichten* 1 QM 3, 9, vgl noch die hi-Form להשחית רבים 1 QH 2, 27. משחיתים
sind die *Verderber* 1 QH 3, 38, משחית ist *Verderben* 1 QH 5, 32 (Zitat aus Da 10, 8).
Im moralischen Sinn wird שחת ni verwendet: לכל השב מדרכו הנשחתה *jedem, der von
seinem verderbten Weg umkehrt* Damask 15, 7 (19, 7).

2. Im talmudischen und midraschischen Schrifttum.

Die beiden bes häufig gebrauchten Wortstämme sind שחת u חבל.

a. שחת pi heißt auch hier *zerstören*, zB das Auge bQid 24b, *ver-
unstalten*, nämlich das Haar TNazir 4, 7 (Zuckermandel 289), *verderben*, nämlich sich selbst
לנפשו Ex r 8, 2 zu 7, 1, Adam (von Engeln gesagt) AbRNat A 1 (Schechter 8f).

---

[12] Hier hat LXX wahrscheinlich פְּלִלַת
(von פלל pi *Genugtuung verschaffen*) als כָּלִית
gelesen.
[13] ἄφθορος *unberührt* Est 2, 2 ist freie Übers
von בְּתוּלוֹת. Weiterhin hat LXX ψ 139, 12
מַדְחֵפוֹת *Stoß auf Stoß* mit εἰς διαφθοράν (Cod
B: καταφθοράν) übersetzt u Σ Ps 31, 4 wahrscheinlich לְשַׁדִּי mit שׁוֹד *Verwüstung* in Verbindung gebracht (LXX: ταλαιπωρίαν), vgl dazu
GBertram, Zur Prägung der bibl Gottesvorstellung in der griech Übers des AT. Die
Wiedergabe von schadad u schaddaj im
Griech, Die Welt des Orients II (1959) 502
—513.

Ebs wird שחת hi im Sinn von *verderben* gebraucht, den Körper bSchab 140b, das Ende des Backenbartes Mak 3, 5, Möbel bSchab 129a. בל תשחית (Dt 20, 19) steht neben בל תטמא *mit Gewalt nehmen* u בל תקיף *an sich reißen* TBik 2, 3f (Zuckermandel 101). Das Part משחית bedeutet *Verderber* u ist ein Engelname Dt r 3, 11 z 9, 1 (Wünsche 48).

Die zu diesem Wortstamm gehörigen Substantive sind שחת *Grube*, in der Verbin- 5 dung באר שחת *die tiefste Grube* Pesikt r 10 (41a), ferner שחתא *Grube* Tg[14] zu Ps 94, 13 vl[15] (HT: שחת), hiervon abgeleitet שחית *fehlerhaft, verstümmelt*, von Opfertieren Tg J I zu Lv 22, 24 (HT: נתוק). שחיתא bedeutet *Verderbtheit*, moralisch *Schlechtes* (HT: זמות oder זמה) Tg zu Ps 17, 3.

b. Weit häufiger taucht in der talmudischen u midraschischen 10 Literatur חבל auf. חבל q bedeutet *Unrecht tun, verletzen* Schab 14, 1; bSchab 106a; TBQ 9, 29 (Zuckermandel 365f), *verwunden* jKet 4, 1 (28b 1. 8. 10f), בעצמו *sich selbst* bBQ 91b. Dasselbe bedeutet חבל pi, uz auch in übertr Bdtg *verletzen* BQ 8, 1. 2; bBQ 87a. b, בהלכה dh bei der Erörterung der Halacha bSanh 24a. Im pi bedeutet es dann *vernichten*, so im Munde des Todesengels, der sagt: יש לי רשות לחבל *ich habe Macht zu* 15 *verderben, zu töten* bBer 51a. Das Part von חבל ni bedeutet der *Verwundete* Schebu 7, 1 ebs wie das Part Pass חבול Schebu 7, 3; es steht aber auch in der Bdtg *verderbt wer-den*, von Gefäßen Kelim 14, 2. חבל ithpa'al wird ebs wie das ni pass gebraucht, so für *krank werden* bBM 97a. Ebs kann es bedeuten *lasterhaft werden* Tg O zu Gn 6, 11f (HT: שחת), *zugrunde gehen* Tg zu Prv 13, 13 (HT: יחבל), *von der Seele* Tg zu Hi 17, 1 (HT: 20 חבלה).

Im Tg ist durchweg zu beobachten, daß חבל das hbr שחת verdrängt, so zB וחבילו בישראל Tg Prof zu Ri 20, 21 (HT: וישחיתו), מחבל Tg O zu Gn 38, 9 (HT: שחת), den Nächsten mit dem Mund *verderben* Tg zu Prv 11, 9 (HT: ישחית), מחבלא der *Verderber*, die Truppeneinheit Tg Prof zu 1 S 14, 15; 13, 17 (HT: משחית). So steht חבל für *verderben* 25 im moralischen u im physischen Sinne Tg O zu Gn 6, 12 (HT: השחית), den Wandel Tg Prof zu Js 1, 4 (HT: משחיתים), Handlungen Tg O zu Dt 4, 16, die Seele Tg zu Prv 6, 32 (HT: משחית). מחבל heißt *verstümmelt* Tg O zu Dt 23, 2 (HT: כרות); Tg Prof zu Mal 1, 14 (HT: משחת).

Die vom Stamm חבל abgeleiteten Substantive halten sich in demselben Bedeu- 30 tungsumkreis, so חבלה *Verderben, Verwundung* bSanh 100b. So ist der מלאך חבלה *der Verderben bringende Engel* jSchebu 6, 6 (37a 67); bBer 51a. Sanh 1, 1 handelt von Prozessen über חבלות *Verwundungen*. Das Substantivum חבל *Verletzung, Verderben*, findet sich Tg zu Hi 5, 21f (HT: שוד). חיבול bedeutet *Verwundung*, die man sich selbst zufügt Tg O zu Lv 19, 28 (HT: שרט); Tg O zu Lv 21, 5 (HT: שרטת). חיבולא 35 kann *Verwundung, Körperverletzung, Verderben* bedeuten, aber auch *Schändliches*, so Tg zu Hi 11, 15 u zu 31, 7. Tg zu Qoh 7, 28 ist זכאי בלא חיבולה *ein Gerechter, an dem nichts Schändliches ist*, Erläuterung zu dem hbr אחד. Ferner bedeutet חבלה *Verderben, Verwesung* Tg Prof zu Jon 2, 7 u soviel wie *Gruft* (HT: שחת), ebs Tg Prof zu Ez 28, 8. חבל bedeutet *Verderber*, davon die Femininform חבלנית Mak 1, 10; bMak 7a, wo es 40 als Bezeichnung eines Gerichtshofes verwendet wird, der innerhalb von sieben Jahren mehr als ein Todesurteil gefällt hat. חבלא bedeutet *Verderben*, so in der Verbindung מלאך חבלא der *Engel des Todes* Tg J I zu Ex 4, 25f. Im HT ist es Gott selbst, der Mose gegenübertritt, in der LXX ist es bereits ein ἄγγελος χυρίου, u im Tg wird daraus der *Engel des Verderbens*, der *Todesengel*. Schließlich wird חבל im Sinne von *Verderben* 45 *über dich*, als *Wehe* gebraucht bSanh 111a.

---

[14] hsgg PdeLagarde, Hagiographa chaldaice (1873). | [15] So nach Jastrow sv שחתא.

III. Die Wortgruppe im hellenistischen Judentum.

1. Im griechischen Alten Testament.

Das wesentliche Übersetzungsäquivalent ist שׁחת in verschiedensten Bildungen. 91mal erscheinen φθείρω κτλ als Wiedergabe der Wurzel שׁחת, davon 51mal διαφθείρω. διαφθείρω wird vom *Töten* von Menschen gebraucht 2 Βασ 24, 16; 'Ιερ 28 (51), 1; Dt 10, 10 'ΑΣΘ (LXX: ἐξολεθρεῦσαι), ähnlich καταφθείρω Gn 6, 13[16] u διαφθορά (HT: שְׁחִית) ψ 106, 20[17]. φθαρτός ist ein Opfertier, das *verderbt*, dh nicht untadelig u fehlerlos ist Lv 22, 25 (HT: מָשְׁחָת), vgl θύω διεφθαρμένον Mal 1, 14; Ähren sind ἀνεμόφθοροι ('Α: ἐφθαρμένοι καύσωνι) Gn 41, 6 (HT: שְׁדוּפֹת קָדִים). Als Obj von διαφθείρω finden sich Samen Gn 38, 9 'ΑΣ (HT: שׁחת pi), Früchte Ri 6, 4 Cod A, κληρονομία Rt 4, 6, ἰσχυροί Da 8, 24 Θ, vgl διαφθείροντα τοῦ ἐκφθεῖραι (LXX: εἰς ἀπώλειαν)[18] *den Zerstörer, der die Waffen zerstört* Js 54, 16 'ΑΣΘ (HT: מָשְׁחִית). Ferner wird für das *Verwüsten* eines Landes oä φθείρω 1 Ch 20, 1; Ex 8, 20 Σ (LXX: ἐξωλεθρεύθη) u διαφθείρω gebraucht, zB τὴν πόλιν 1 Βασ 23, 10, αὐτήν (sc βασιλείαν) Da 11, 17 Θ, γῆν 4 Βασ 18, 25; Js 36, 10 'ΑΣΘ (LXX: πολεμῆσαι); Jer 36 (43), 29 'ΑΣ (LXX: ἐξολεθρεύσει), vgl 1 Βασ 6, 5; διαφθείρων (Σ: διαφθείροντες) von der Plündererschar 1 Βασ 13, 17. Bes verbreitet ist der Gebrauch von φθορά für das Subst שַׁחַת *Grube*, das offenbar mit dem Verbalstamm שׁחת in Verbindung gebracht wurde, obwohl es von שׁוּח abzuleiten ist[19]: οὐδὲ δώσεις τὸν ὅσιόν σου ἰδεῖν διαφθοράν ψ 15, 10 (→ 104, 3 f), τὸν λυτρούμενον ἐκ φθορᾶς τὴν ζωήν σου ψ 102, 4, ähnlich καταφθορά ψ 48, 10, διαφθορά Prv 26, 27 'ΑΣ (LXX: βόθρον *Grube*); Ps 7, 16 'ΑΣ (LXX: εἰς βόθρον), εἰς φρέαρ διαφθορᾶς ψ 54, 24 (Σ: εἰς λάκκον *Grube*), vgl Jer 18, 22 'ΑΣ[20]. διαφθορά steht ferner Thr 4, 20 (HT: שְׁחִיתָה); Ez 19, 4. 8; Hi 33, 30 Cod AV; ψ 9, 16; 34, 7 (HT: jeweils שַׁחַת); Prv 28, 10 (HT: שְׁחוּת), μὴ διαφθείρεσθαι (LXX: ἀπόληται) Js 38, 17 Σ (HT: מִשַּׁחַת). Schwierig ist die St Jon 2, 7. Am besten hat 'Α übersetzt: ἐκ φθορᾶς ἡ ζωή μου (Σ: ζωῆς μου), LXX hat ἀναβήτω φθορὰ ζωῆς μου[21]. Die LXX bringt Ez 9, 6 לְמַשְׁחִית mit משׁח in Verbindung u übersetzt εἰς ἐξάλειψιν ('ΑΣΘ: εἰς διαφθοράν)[22]. Ebs übersetzen 'ΑΣΘ לְשַׁחַת Ez 28, 8 mit εἰς διαφθοράν (LXX: εἰς ἀπώλειαν), ebs 'Α בַּשַּׁחַת Hi 9, 31 mit ἐν διαφθορᾷ (LXX: ἐν ῥύπῳ) u 'ΑΣΘ לְשַׁחַת Hi 33, 22 mit εἰς διαφθοράν (LXX: εἰς θάνατον). διαφθορά steht Ez 21, 36 LXX (HT: מַשְׁחִית); Da 10, 8 Θ[23]. Merkwürdig ist die Übers διέφθαρται πᾶσα ἡ ἐπιφυλλὶς αὐτῶν (HT: הִשְׁחִיתוּ כֹּל עֲלִילוֹתָם *sie haben verderbt all ihre Taten*) Zeph 3, 7 LXX[24]. Gottes Wort der Verheißung *wurde nicht zunichte* οὐ μὴ διαφθείρῃ Sir 47, 22, Götzen werden *vernichtet* 4 Βασ 19, 12. Vom Volk wird gesagt: διεφθείρατε τὴν διαθήκην (HT: שׁחת pi) Mal 2, 8, von Edom: διέφθειρε σπλάγχνα αὐτοῦ *er erstickte sein Erbarmen* Am 1, 11 'ΑΣ.

Im moralischen Sinne wird φθείρω Hos 9, 9; Gn 6, 11 gebraucht. διαφθείρω heißt *moralisch verderbt handeln* Dt 9, 12 'Α; 31, 29 'Α (beidemal LXX: ἀνομέω); Ez 16, 47 'ΑΣΘ; Ri 2, 19; ψ 13, 1; 52, 2[25], vgl ferner υἱοὶ διαφθείροντες Js 1, 4 'ΑΣΘ (LXX: ἄνομοι), διεφθαρμένοι Jer 6, 28, ἐπιτηδεύματα διεφθαρμένα *verderbter Wandel* Ez 20, 44, vgl Ez 23, 11, διεφθάρη ἡ ἐπιστήμη Ez 28, 17, ῥῆμα ψευδὲς καὶ διεφθαρμένον (aram: מִלָּה

---

[16] τὸ ὕδωρ τὸ καταφθειρόμενον 2 Βασ 14, 14 Cod B (HT: נגר ni *fließen*) ist aus καταφερόμενον verlesen.

[17] Vgl *den Bart stutzen* Lv 19, 27.

[18] Hier hat LXX vielleicht לְשַׁחֵת gelesen, jedenfalls ist ihre Übers frei. v 17 ist von einer *vergänglichen* φθαρτός Waffe in der Hand der Feinde Israels die Rede (HT: יֹצֵר *geschaffen*). An diesem Sinn wird dadurch, daß man hinter φθεῖραι oder hinter φθαρτόν einen Punkt setzt, nichts geändert.

[19] Ges-Buhl sv שַׁחַת.

[20] Σ hat in seinem HT vielleicht שַׁחַת statt שׁוּחָה gelesen.

[21] LXX hat וַתַּעַל *du lässest aufsteigen* als 3. Pers Fem verstanden oder וַיַּעַל gelesen, sowie מְשַׁחַת als מִשַּׁחַת.

[22] ψ 106, 39 las Σ statt וַיִּשַּׁחוּ *sie nahmen ab* וַיִּשְׁחֲתוּ u übersetzte κατεφθάρησαν (LXX: ἐκακώθησαν).

[23] Δα 10, 8 heißt es: καὶ ἰδοὺ πνεῦμα ἐπεστράφη ἐπ' ἐμὲ εἰς φθοράν. Wahrscheinlich ist für וְהוֹדִי *meine blühende Gesichtsfarbe* רוּחַ gelesen worden; εἰς φθοράν steht für לְמַשְׁחִית.

[24] Wahrscheinlich hat die LXX עֲלֵהֶם *all ihr Laub* gelesen.

[25] Im Sinne von *ruinieren* steht διαφθείρω Prv 11, 9 'ΑΣΘ.

(כִּדְבָה וּשְׁחִיתָה) Da 2, 9 Θ. καταφθείρω steht in der Bdtg *freveln*, (moralisch) *verderben* Gn 6, 12 [26].

Die Wortgruppe gibt außer שׁחת verhältnismäßig wenige hbr Äquivalente wieder (→ 98, 8ff), am häufigsten חבל bzw aram חֲבַל *verderben, zugrunderichten*; so steht φθείρω Js 54, 16 (HT: לְחַבֵּל); Δα 2, 44; 7, 14 (beidemal aram חֲבַל ithpa'al), δια- 5 φθείρω Da 2, 44 Θ; 4, 23 Θ; 6, 27 Θ, ähnlich διαφθορά Da 3, 92 Θ (aram: חֲבַל *Schaden* Da 3, 25); 6, 24 Θ; διαφθείρω heißt *mißraten lassen* Qoh 5, 5 (HT: חבל pi), διαφθείρον- τας *verwüsten* Cant 2, 15 Σ (HT: מְחַבְּלִים); καταφθείρεται (Θ: διαφθείρεται) ὁ ζυγός *be- seitigt wird das Joch* Js 10, 27, vgl 13, 5. So wird auch Mi 2, 10 das in seiner Bdtg in diesem Zshg zweifelhafte חֲבַל mit φθορά wiedergegeben [27]. Einige Formen von נבל *hin-* 10 *sinken, verwelken, erschöpft daliegen* werden zu Äquivalenten der Wortgruppe φθείρω, so καταφθείρω Ex 18, 18, vgl ἐφθάρη ἡ οἰκουμένη Js 24, 4.

2. Josephus.

Auch hier bedeutet διαφθείρω *töten* u wird bes oft in Kriegs- darstellungen verwendet, zB Ant 15, 123; Bell 1, 334, auch *abtreiben* τὸ σπαρέν Ap 2, 202; 15 wie διαφθείρω auch καταφθείρω, das im Pass *umkommen* bedeutet Bell 2, 549, ebs φθείρω Bell 6, 182. 193. φθορά ist *Blutvergießen* Bell 2, 223, *Blutbad* Bell 2, 477; καταφθείρω kann auch (politisch) *schädigen* bedeuten Ant 16, 297; φθείρω heißt *verderben*, zB durch Krankheit Bell 5, 383. Bei Jos begegnet auch die Bildung φθάρμα *Verderben*, von Men- schen φθάρματα ἔθνους Bell 5, 443. Auch das weniger gebrauchte φθόρος für φθορά 20 steht als Bezeichnung des Antipater, ein *Schädling*, eine wahre Pest Bell 1, 521. φθόρος kann aber auch *Katastrophe* bedeuten Ant 18, 10 oder *Vernichtung*, zB vom Erdbeben angerichtet Ant 15, 121; φθορά heißt *vernichtende Niederlage* Bell 2, 559. Die ver- faulenden Leichen *verpesten* διέφθειρον τὴν Luft Bell 3, 530; der Dank über der Speise kann *verstummen* διαφθείρομαι Ant 3, 34. Häufig begegnet διαφθείρω im Sinn der mi- 25 litärischen Vernichtung Ant 13, 120, auch Götzen sind Gegenstand der Vernichtung 7, 77. διαφθορά ist *Verderben, Schaden*, zB τοῦ δικαίου Ant 4, 216, dann auch kör- perliche *Vernichtung* durch Krankheit 9, 101, auch *Vernichtung* von politisch wichtigen Leuten 18, 7. Auf moralischem Gebiet schließt sich Jos ebenfalls dem allg Sprachgebrauch an. διαφθείρω kann auch bei ihm *bestechen* bedeuten Ant 14, 327; 30 Vit 73; φθείρω παρθένον wird ebs wie φθορά für die Verführung gebraucht Ant 4, 252; 17, 309, aber auch allg zu schlechten Entscheidungen u Taten *verführen* Ant 10, 105; Ap 2, 264, wo die Wendung aus der griech Lit νέων διαφθοραί Xenoph Ap 19 aufgenom- men wird, ebenfalls mit Bezugnahme auf Sokrates. Ferner bedeutet διαφθείρω im Pass allg moralische *Verderbnis* Ant 18, 176; Bell 1, 359, u διαφθορά kann auch spe- 35 ziell *Ehebruch* heißen Ant 2, 55. Selbstverständlich spielt auch bei Jos der Gegensatz φθαρτός — ἄφθαρτος eine Rolle: φθαρτά sind die σώματα Bell 2, 154, vgl καὶ ἐκ φθαρ- τῆς ὕλης Bell 3, 372, s auch Ant 8, 280, die ψυχή dgg ist ἄφθαρτος Bell 2, 163, auch dies ist typisch hell (→ 97, 21ff). Ebs typisch ist Josephus' Abweisung der Epikureer, von denen er schreibt: τὴν πρόνοιαν ἐκβάλλουσιν ... τὸν θεὸν οὐκ ἀξιοῦσιν ἐπιτροπεύειν 40 τῶν πραγμάτων οὐδ' ὑπὸ τῆς μακαρίας καὶ ἀφθάρτου πρὸς διαμονὴν τῶν ὅλων οὐσίας κυβερ- νᾶσθαι τὰ σύμπαντα Ant 10, 278. Gott wird als seliges u unvergängliches Wesen einge- führt (→ 97, 33) u seine Welterhaltung mit der stoischen πρόνοια in eins gesetzt. Wie Gott, so ist auch die göttliche Stimme ἄφθαρτος Ant 3, 88.

3. Philo.

45

Auch bei Philo bedeutet διαφθείρω *töten, umbringen* Sacr AC 122, vom Menschengeschlecht in der Sintflut Deus Imm 73. φθορά ist die *Vergänglichkeit* der Seele Ebr 23, des πάθος Som II 270; alles Kranke ist φθορά *Zerstörung* des Gesunden Deus Imm 124. Neben der ἀταξία u der ἀκοσμία erscheint auch die φθορά als etw, dessen

---

[26] Ob 2 Ch 26, 16; 27, 2 *freveln* oder *ver- derben* die richtige Übers ist, muß offen bleiben.

[27] THRobinson, Die Zwölf Kleinen Pro- pheten. Hosea bis Micha, Hndbch AT I 14 ²(1954) zSt; AWeiser, Das Buch der Zwölf Kleinen Propheten, ATDeutsch 24, 1 ⁴(1963)

zSt. Die Bdtg *Verderben* für חֲבַל wird be- stätigt durch מלאכי חבל *Engel des Verder- bens* 1 QM 13, 12; 1 QS 4, 12; Damask 2, 6 (2, 4), s JCarmignac, La Règle de la guerre des fils de Lumière contre les fils de ténèbres (1958) 194f. 206f.

Ursache nicht bei Gott liegt Aet Mund 106; τὰ ἀίδια φθορᾶς ἀνεπίδεκτα *das Ewige ist der Vergänglichkeit nicht unterworfen* Aet Mund 53, während das εἰς τὸ μὴ ὂν γίνεσθαι τὴν φθορὰν παραδέχεσθαι bedeutet Aet Mund 82. Die Ursache der φθορά ist ἡ παρὰ φύσιν τάξις Aet Mund 34, die vier Arten hat, nämlich πρόσθεσις, ἀφαίρεσις, μετάθεσις u ἀλλοίωσις Aet Mund 113. Anderswo werden die neun δυναστεῖαι, dh die vier Affekte u fünf Sinne als φθαρταί τε καὶ φθορᾶς αἴτιαι bezeichnet Abr 244. φθοροποιός *Verderben bringend* oder *verursachend* ist zB die δύναμις des Wassers, die ebs ζωτική *lebenbringend* sein kann Vit Mos I 100.

Auch der moralische Gebrauch der Wortgruppe ist Philo vertraut. φθοροποιά können die ἁμαρτήματα für die Staatsordnung sein Spec Leg III 167. In echt hell Verwendung des Begriffs heißt es von der σάρξ (→ VII 121, 12ff), daß sie eine τὴν αὐτῆς φθείρουσα ὁδόν sei Deus Imm 142. In Lasterkatalogen erscheint der φθορεύς *Verführer* Spec Leg IV 89; Decal 168; Jos 84, der Conf Ling 48 in einem noch stärkeren Sinn als φθορεὺς ἀγαθῶν *Verderber sittlicher Güter* bezeichnet u Leg All III 220 mit dem νόμιμος ἀνήρ kontrastiert wird. φθοραί *Verführungen* sind neben μοιχεῖαι genannt Det Pot Ins 102; auch vom οἰκοφθόρος, der seinen Hausstand ruiniert, ist Agric 73 die Rede. κατέφθειρε πᾶσα σὰρξ τὴν ὁδὸν αὐτοῦ Gn 6, 12 legt Philo aus: κατέφθειρε πᾶσα σὰρξ τὴν τοῦ αἰωνίου καὶ ἀφθάρτου τελείαν ὁδὸν τὴν πρὸς θεὸν ἄγουσαν, also im Sinn des zu Gott führenden u an Gott teilhabenden Weges sittlicher Vervollkommnung Deus Imm 142. Zu den vergänglichen Dingen, die dem φθείρεσθαι anheimfallen, rechnet er den κόσμος Aet Mund 5. 79 uö. Wenn in der Seele τὸ ἄφθαρτον εἶδος aufgeht, dann wird das θνητόν vernichtet Deus Imm 123.

Es nimmt nicht wunder, wenn in Philos Denken der Gegensatz von φθαρτόν u ἄφθαρτον eine bes Rolle spielt. φθαρτόν ist das σῶμα Op Mund 119, während die ψυχή für Philo nicht wie für Pls die irdische, vergängliche Lebenskraft, sondern der Ort überirdischer Möglichkeiten u Verwirklichungen ist. Die Ursache der *Erhaltung* διαμονή des Menschen kann nicht ein Vergängliches sein, sondern nur Gott Spec Leg II 198. Die philosophische Def erscheint auch bei ihm: οὗ πάντα τὰ μέρη φθείρεται φθαρτόν ἐστιν ἐκεῖνο Aet Mund 143. Zum φθαρτόν zählt die φύσις Leg All II 89, die ὕλη Leg All I 88, die τροφή Sobr 3, τὰ σιτία Rer Div Her 311, τὰ ὄργανα Decal 34, der νοῦς Leg All I 32. 90, ὁ κόσμος Aet Mund 7. 9. 78. 131, εἶδος, die *Gestalt* der Dinge Poster C 105, θνητῶν ἔργα Aet Mund 44, τὰ γένη Vit Mos II 121; insgesamt gilt das Urteil: τὸ γενητὸν φθαρτὸν πᾶν Aet Mund 73. Doch gibt es auch γένη ἄφθαρτα Poster C 105, so daß die Seele zwei Arten von γένη besitzt, τὸ μὲν θεῖον, τὸ δὲ φθαρτόν Leg All II 95. Die γένεσις φθαρτή ist Schöpferin von κακά u βέβηλα, Gott dgg ist ποιητής von ἀγαθά u ἅγια Plant 53. Es ergibt sich ein Nebeneinander u Ineinander einer natürlichen, werdenden, vergehenden Welt u einer inneren, übernatürlichen, von Gott geschaffenen, unvergänglichen Welt. φθαρτά u ἄφθαρτα haben nichts miteinander zu tun Abr 243. Darum kann auch der ἄφθαρτος θεός nicht φθαρτός wie die χωνεύματα *Gußbilder* der Götzen sein Leg All III 36. Gott als φθαρτός überh nur zu denken, ist gg θέμις, ist ein Sakrileg Leg All II 3. Die von der Schau der ἄφθαρτα ἀγαθά erfüllte Seele hat sich von den zeitlichen u unechten Dingen gelöst Deus Imm 151. Daher kann es von solcher Seele heißen, daß sie *niemals geschändet wurde* οὐδέποτε ἐφθείρετο Migr Abr 225. ὁ μὲν δὴ σοφὸς τεθνηκέναι δοκῶν τὸν φθαρτὸν βίον ζῇ τὸν ἄφθαρτον Det Pot Ins 49, vgl Virt 67; so steht der εἰδική u φθαρτή ἀρετή eine γενική u ἄφθαρτος ἀρετή gegenüber Cher 7. Besteht keine ἐπιστήμη der ἄφθαρτα, so werden die φθαρτά für λαμπρά gehalten Ebr 209. Der wahre Schatz des Weisen besteht nicht aus Silber u Gold, die ja nur οὐσίαι φθαρταί sind Cher 48; οὐ φθαρτός ist aber der ὀρθὸς λόγος, der mit dem Gesetz identifiziert wird Ebr 142.

Natürlich macht Philo auch von dem hell Begriff der ἀφθαρσία (→ 97, 32. 34) Gebrauch. Sie kommt dem ἀγένητον zu Aet Mund 27. Es gibt Tugenden, die als solche ἄφθαρτοι u ἀφθαρσίας ἄξιαι sind Som II 258. Abraham genießt nach seinem Tode die ἀφθαρσία Sacr AC 5. ἄφθαρτος ist auch der ἄνθρωπος θεοῦ Conf Ling 41. Die Höhen des Lebens der Tugendfreunde werden ἄφθαρτοι genannt Cher 6. Das *Leben* βίος, für das der Weise lebt, ist ἄφθαρτος Det Pot Ins 49. Daß die Welt ἄφθαρτος ist, wird aus der Unvergänglichkeit der πρόνοια gefolgert Aet Mund 51. ἡ καθόλου φρόνησις *die Einsicht im allgemeinen*, auch ἡ γενικὴ φρόνησις genannt Mut Nom 79, ist ἄφθαρτος gegenüber der Einzeleinsicht Leg All I 78. Die Natur des Guten ist ἄφθαρτος Plant 114, ebs die φύσις der ἀρεταί Det Pot Ins 77; Abr 54. So kann denn die unvergängliche Welt summarisch mit τὰ ἄφθαρτα bezeichnet werden Op Mund 82 uö. Der Himmel aber gilt als ἀφθάρτων τελειότατος Praem Poen 1.

4. Im sonstigen hellenistisch-jüdischen Schrifttum.

Es begegnen die auch sonst bekannten Bdtg καταφθείρω *zerstören*, zB das Heiligtum Test A 7, 2; vom πνεῦμα τοῦ φθόνου heißt es: ἀγριοῖ ... τὴν ψυχήν

καὶ φθείρει τὸ σῶμα Test S 4, 8. καταφθορά heißt *Untergang*, neben θάνατος Sir 28, 6; im Lasterkatalog erscheint der παιδοφθόρος *der Kinder umbringt* Test L 17, 11. διαφθείρω kann *vernichten* heißen, zB τὸ σπέρμα Test Jud 10, 5; es kann auch im moralischen Sinn gebraucht werden: ἐν ἁμαρτίαις φθαρείς Test Jud 19, 4, κακίᾳ διαφθειρόμενοι Test A 7, 5, διαφθορά neben πονηρία u κάκωσις Test G 8, 2, τὰς πράξεις διαφθείρω Test N 3, 1, 5 ἐν πορνείᾳ φθαρήσονται Test S 5, 4. Im hell Judt begegnet nun auch die aus der griech Philosophie bekannte Gegenüberstellung von φθαρτός u ἄφθαρτος (→ 97, 21 ff). Der Mensch als solcher ist φθαρτός 2 Makk 7, 16, auch sein Leib Sap 9, 15, ferner die Güter des Lebens Test B 6, 2; vom Götzenbild heißt es τὸ δὲ φθαρτὸν θεὸς ὠνομάσθη Sap 14, 8. Auf der anderen Seite ist Gottes Geist, der in allen wohnt, ἄφθαρτον Sap 12, 1, ebs das 10 im Gesetz bestehende, vom Gesetz ausgehende Licht τὸ ἄφθαρτον νόμου φῶς Sap 18, 4. Typisch hell ist auch der Begriff der ἀφθαρσία (→ 97, 32. 34). Gott hat den Menschen ἐπ' ἀφθαρσίᾳ geschaffen Sap 2, 23. Die Gebote halten bedeutet βεβαίωσις ἀφθαρσίας *Sicherstellung der Unsterblichkeit*, die also schon mitgegeben ist u die Nähe zu Gott bedeutet Sap 6, 18 f. Der Märtyrer wird in die Unsterblichkeit verwandelt 4 Makk 9, 22, 15 sein Sieg ist Unsterblichkeit 17, 12 [28].

C. Die Wortgruppe im Neuen Testament.

1. Im realen Sinn.

Vernichtung von Menschen als Folge göttlicher Verurteilung ist mit διαφθείρω nur Apk 11, 18 gemeint. So ist auch φθείρω 1 K 3, 17b zu 20 verstehen [29] (vgl auch Jd 10). Dem griechischen Sprachgebrauch entspricht Apk 8, 9, wo von der *Vernichtung* von Schiffen die Rede ist, auch Lk 12, 33, wo es um die *Zerstörung* der Kleider durch Motten geht (→ VII 274, 33 ff). Der Zusammenhang von 2 K 7, 2 legt es nahe, φθείρω im Sinn von *wirtschaftlich ruinieren* (→ 95, 11 ff; VI 273, 11 ff) zu verstehen; angesichts der aufgebauschten Vor- 25 würfe ist es wohl ironisch gemeint, nicht im sittlichen oder religiösen Sinn [30]. Ebenso bedeutet φθείρω τὸν ναὸν τοῦ θεοῦ (1 K 3, 17), da es um ein Bild für die Gemeinde geht, im Rahmen dieses Bildes ein wirkliches *Zerstören*, allenfalls ein *Ruinieren* eines Hauses [31], nicht ein *Verführen* [32], zumal bei den Gruppen in Korinth noch nicht an ausgesprochene Häresien gedacht ist. εἰς φθοράν (Kol 2, 22) will sagen, 30 daß Speisen aller Art zur *Vernichtung* im natürlichen Verbrauch bestimmt sind [33]. Dasselbe gilt von der Wendung ζῷα γεγεννημένα φυσικὰ εἰς ἅλωσιν καὶ φθοράν (2 Pt 2, 12a); gerade als Gewordene sind sie zum *Vergehen*, zur *Vernichtung*, zum *Umkommen* bestimmt. Weit schwieriger ist der nächste, auf die Irrlehrer bezogene Satz: ἐν τῇ φθορᾷ αὐτῶν καὶ φθαρήσονται [34] (v 12 b). Man könnte paraphrasieren: in 35 ihrem Glauben und Sittlichkeit zerstörenden Verhalten werden sie zugrunde gehen [35]. Einleuchtender ist die Erklärung, daß sich φθορὰ αὐτῶν auf die Tiere bezieht: in

---

[28] Die Verwandlung zur Unvergänglichkeit ist die Voraussetzung für die Unsterblichkeit, GBertram, The problem of Death in Popular Judaio-Hellenistic Piety, Crozer Quarterly 10 (1933) 257—287; ADupont-Sommer, Le quatrième livre des Machabées (1939) 44—48; HBückers, Die Unsterblichkeitslehre des Weisheitsbuches. Ihr Ursprung u ihre Bedeutung, At.liche Abh 13, 4 (1938) 108.
[29] Heinr 1 K zSt: die Todesstrafe, welche Gott über die Verderber seines Tempels bringen wird. Vgl EKäsemann, Sätze hl Rechtes im NT, Exegetische Versuche u Besinnungen II ²(1965) 69—71.
[30] Wnd 2 K zSt, aber auch Schl K zSt.

[31] Dieselbe Sache meint der Begriff οἰκοφθόρος Ign Eph 16, 1, vgl Pr-Bauer sv.
[32] zB Heinr 1 K zSt.
[33] Dib Gefbr zSt, ebs TKAbbott, A Critical and Exegetical Commentary on the Epistles to the Ephesians and Colossians, ICC (1897) zSt: physical dissolution.
[34] Die vl des Koinetextes καταφθαρήσονται könnte aus dem καί verlesen sein, könnte aber auch den Bedeutungsunterschied von φθορά u φθαρήσονται zu kennzeichnen versuchen, indem φθαρήσονται als tatsächliche *Vernichtung*, als Strafe, von der φθορά als sittlicher *Verderbtheit* zu unterscheiden wäre.
[35] S dazu Wbg Pt zSt.

ihrem *Verderben*, dh so wie sie umkommen, werden auch die Irrlehrer vergehen, wie
eben im Endgericht alles vergeht außer denen, die für eine neue Welt gerettet
werden[36]. Im Zitat aus ψ 15 in Ag 2, 27. 31; 13, 34—37 bedeutet διαφθορά *Verwesung, Zerfall* (→ 100, 19).

5

2. Im moralischen und religiösen Sinn.

Hierher gehört das Menander-Zitat 1 K 15, 33. In 2 K 11, 3
sind die νοήματα der Korinther Objekt der möglichen *Verführung* (→ 95, 40 ff). Die
Anspielung auf Eva zeigt deutlich dies Verständnis von φθείρω. So ist auch die Wendung φθείρω ἀπό dem πλανάομαι ἀπό angeglichen[37]. Wie hier νόημα, so wird im gleichen Sinn 1 Tm 6, 5 und 2 Tm 3, 8 νοῦς gebraucht: διεφθαρμένοι bzw κατεφθαρμένοι
τὸν νοῦν *im Sinn verdorben*. Der παλαιὸς ἄνθρωπος verkommt moralisch in, bzw gemäß
seinen Begierden (Eph 4, 22)[38]. Die διαφθείροντες τὴν γῆν von Apk 11, 18 b sind
die, welche die Erde, also die Menschheit, *sittlich* und *im Glauben verderben, verführen*, wie die Hure (Apk 19, 2). In das gleiche Bedeutungsgebiet fällt die Tt 2, 7
erwähnte ἀφθορία[39]. Neben σεμνότης kennzeichnet es die sittliche Haltung des
Titus, der sich nicht *verführen* lassen soll, also das Verhalten in Bezug auf die
Lehrer und das Lehren[40]. Weniger ist zu denken an die Unangreifbarkeit durch
falsche Lehre, die Titus seinen Gemeinden verschafft[41], auch nicht an die durch
ihre Wahrheit gesicherte Lehre[42], eher an Unschuld im Sinn der Unverführtheit
und Unverführbarkeit, eben als eine Gesinnung des Titus[43].

3. Im idealen Sinn: vergänglich — unvergänglich.

Zahlreich ist die Verwendung der Wortgruppe zur Kenn-
zeichnung der Vergänglichkeit des Menschen, seines Verfallenseins an den Tod.
So meint Paulus den äußeren Menschen, der den Tod an sich erfährt (2 K 4, 16),
nicht als ein einmaliges Ereignis, sondern als einen stetigen Prozeß, wie das ἀνα-
καινοῦται ἡμέρᾳ καὶ ἡμέρᾳ zeigt. Daß der Leib dem Tode und der Vernichtung
preisgegeben ist, findet sich in zahlreichen griechischen und spätjüdischen Äußerungen (→ VII 102, 10 ff; 115, 13 ff)[44]. Der Mensch ist φθαρτός (R 1, 23), gerade
im Gegensatz zum ἄφθαρτος θεός, aber φθαρτός ist auch der im Wettkampf (→ I
137, 25 ff) erstrebte Kranz im Gegensatz zu dem ewigen Ziel des Christenlebens (1 K
9, 25). τὸ φθαρτόν ist die von der σάρξ bestimmte Daseinsweise des Menschen in der
Welt, dem die ἀφθαρσία, die neue Daseinsweise, zuteil werden muß (1 K 15, 53). Nicht

---

[36] So Kn Pt, Wnd Kath Br[3] zSt.

[37] Ltzm K zSt. Wnd 2 K zSt weist auf
Herm v I 3, 1 hin, wo καταφθείρω mit ἀπό
verbunden ist.

[38] Vgl Dib Gefbr, Schlier Eph zSt.

[39] Der Koine-Text liest ἀδιαφθορία, vgl
Pr-Bauer sv.

[40] BWeiß, Kritisch exegetisches Handbuch
über die Briefe Pauli an Tm u Tt, Kritisch
exegetischer Komm über das NT 11 [5](1886)
zSt.

[41] Schl Past 192.

[42] Wbg Past zSt.

[43] Vgl Dib Past[4] zSt, der auf Just Apol 15, 6
verweist, wo ἄφθορος *keusch* bedeutet, u Dial
100, 5, wo es den Zustand Evas vor dem Fall
umschreibt.

[44] Wnd 2 K zSt weist auf Pseud-Plat Alc
I 135a hin: διαφθαρῆναι vom Leib des unvernünftigen Kranken. Schl K zSt: „Pls beschreibt mit εἰ καὶ φθείρεται die Verderbnis
seines äußeren Menschen als das, was tatsächlich geschieht".

mit φθαρτοῖς *vergänglichen* Mitteln, was durch ἀργυρίῳ ἢ χρυσίῳ veranschaulicht wird, sind die Christen erlöst, sondern mit dem Blut Christi, das damit als ein der Unzerstörbarkeit angehöriges, also göttliches Mittel bezeichnet und durch den Begriff τίμιος erläutert wird (1 Pt 1, 18)[45]. Der σπορὰ φθαρτή wird der ἄφθαρτος λόγος gegenübergestellt, aus dem die Christen als neue Menschen erzeugt sind (1 Pt 5 1, 23)[46]. In diesem Zusammenhang heißt φθορά (R 8, 21) soviel wie *Vergänglichkeit*, wobei φθορά den Begriff ματαιότης (v 20) erläutert; φθορᾶς ist Genitivus qualitatis, nicht objectivus zu δουλεία, entsprechend der Verbindung ἐλευθερία τῆς δόξης[47]. φθορά ist die *Vergänglichkeit*, die verschwinden muß, also müssen auch Fleisch und Blut verschwinden (1 K 15, 50). Jedenfalls ist nicht nur an die Verwesung und 10 Verweslichkeit gedacht[48]. Wie dem πνεῦμα die ζωή entspricht, so der σάρξ die φθορά, die Gl 6, 8 *ewiges Verderben* (→ I 395, 21) und sicherlich mehr als bloß Verwesung bedeutet[49]. Beide, φθορά und ζωή, sind eschatologisch zu verstehen[50], so daß erst die Parusie das Vergängliche als solches an den Tag bringt. Erst an der Erscheinung des Unvergänglichen, nicht in der täglichen Erfahrung des natürlichen Men- 15 schen wird die φθορά in ihrer Vergänglichkeitsqualität offenbar. Auch im 2 Pt heißt φθορά an beiden Stellen (1, 4; 2, 19) *Vergänglichkeit*, nicht sittliche Verderbtheit[51]. Es ist die Welt des φθαρτόν im späthellenistischen Sinn gemeint (→ 97, 21 ff). Die sittliche Fehlleistung besteht erst darin, daß man ἐν ἐπιθυμίᾳ (1, 4) der Vergänglichkeit verfällt, als wäre diese das allein Wesentliche: δοῦλοι ὑπάρχοντες τῆς 20 φθορᾶς (2, 19).

Die Toten werden als ἄφθαρτοι, also verwandelt, der neuen Welt zugehörig, auferstehen (1 K 15, 52)[52]. Es ist gerade die nachpaulinische Briefliteratur, in der unter stärker werdendem hellenistischem Einfluß die Rede vom ἄφθαρτον und der ἀφθαρσία zunimmt. Auch hier wird Gott als der ἄφθαρτος (→ 97, 29 ff) gepriesen 25 (1 Tm 1, 17[53]; → III 113, 7 ff; vgl R 1, 23). ἄφθαρτος ist auch die κληρονομία, die die Christen einmal antreten sollen. Sie ist durch die Adjektive ἀμίαντος, ἀμάραντος und ἄφθαρτος als zugehörig zu Gott gekennzeichnet (1 Pt 1, 4)[54]. Das ἄφθαρτον kann näher bestimmt sein durch πνεῦμα: ἐν τῷ ἀφθάρτῳ[55] τοῦ πραέος καὶ ἡσυχίου πνεύματος (1 Pt 3, 4). Auch hier bezeichnet τὸ ἄφθαρτον wieder die Sphäre, den 30 Umkreis, die Seinsweise, in der sich der Mensch mit einem sanften und ruhigen

---

[45] Kn Pt 71. 74.

[46] Kn Pt zSt betont, daß die Neuzeugung des Christen sonst durch Taufe bzw πνεῦμα erfolgt J 3, 5; Tt 3, 5; Herm s IX 16, 2 ff u nur an dieser St durch den λόγος.

[47] Anders zB Mi R[13] zSt, der φθορᾶς als Gen subj ansieht, auch RALipsius, Die Briefe an die Galater, Römer, Philipper, Hand-Commentar zum NT 2, 2 [2](1892) zSt: Verwesung... wird als Herrschermacht dargestellt. φθορά hat nach Mi R[13] zSt einen Hintergrund in apokalyptischer Tradition.

[48] So Heinr 1 K zSt.

[49] Lipsius aaO (→ A 47) zSt.

[50] Schlier Gl zSt.

[51] So CBigg, A Critical and Exegetical Commentary on the Epistles of St Peter and St Jude, ICC [2](1902) zu 2 Pt 2, 19: moral corruption. Im Sinne von Vergänglichkeit Wnd Kath Br zu 2 Pt 2, 19; Kn Pt zu 2 Pt

1, 4 u vor allem z 2, 19: „φθορά ist hier keinesfalls das sittliche Verderben". Wbg Pt zu 2, 19: „Die von der Sünde mit Verwesungs- u Todeskeimen durchsetzte Sichtbarkeit". KHSchelkle, Die Petrusbriefe. Der Judasbrief, Herders Theol Komm zum NT 13, 2 [2](1964) z 2 Pt 2, 19: „das Verderben, das den Sünder im Gericht erreicht".

[52] Ltzm K zSt.

[53] Dib Past[4] zSt verweist hier auf Epic Men 123 (Usener 59): πρῶτον μὲν τὸν θεὸν ζῷον ἄφθαρτον καὶ μακάριον νομίζων, was dem Plutarchzitat Stoic Rep 38 (II 1051f) entspricht (→ 97, 33).

[54] Wnd Kath Br zSt: „Überweltlichkeit". Kn Pt zSt sieht in den Adj die Eigenschaften des himmlischen Gottesgartens. Vgl weiter Schelkle aaO (→ A 51) zSt.

[55] Wnd Kath Br zSt will κόσμῳ ergänzen.

Geist bewegt[56], gerade im Gegensatz zu dem vom φθαρτόν bestimmten. Wie ἄφθαρτον steht auch die ἀφθαρσία dem φθαρτόν gegenüber. Schwierig ist die Auslegung der Stelle Eph 6, 24 (→ VII 778, 4f): ἡ χάρις μετὰ πάντων τῶν ἀγαπώντων τὸν κύριον ἡμῶν Ἰησοῦν Χριστὸν ἐν ἀφθαρσίᾳ. Verbindet man ἐν ἀφθαρσίᾳ mit χάρις[57],
5 dann lautet die Übersetzung: *samt Unvergänglichkeit*, wobei dann ἀφθαρσία mit χάρις zusammen die Daseinsweise des überirdischen Lebens kennzeichnen soll, doch hat dies nicht viel für sich. Oder man nimmt es mit Χριστός oder mit ἀγαπῶντες zusammen, dann bezeichnet es die neue, himmlische Daseinsweise Christi oder der Christen[58]. Will man nicht ἀφθαρσία auf das nächststehende Χριστόν
10 beziehen, was viel für sich hat, dann muß man den ganzen Vers als liturgische Schluß-Grußformel des Briefes verstehen. Dann heißt ἐν ἀφθαρσίᾳ soviel wie *in Ewigkeit* und kennzeichnet den Wunsch als einen in Ewigkeit zu erfüllenden: Die Gnade sei in Unvergänglichkeit, ohne je aufzuhören, mit denen, die Jesus Christus liebhaben. Neben ζωή ist ἀφθαρσία das *zukünftige, ewige Leben*, das Christus als
15 ein Licht in die dunkle vergängliche Welt gebracht hat (2 Tm 1, 10). Für Paulus dagegen ist die ἀφθαρσία ein streng zukünftiges, ausschließlich eschatologisch verstandenes Heilsgut (→ 105, 13ff), das erst mit der Parusie in die Erscheinung tritt (1 K 15, 42. 50. 53f). Hier auf Erden bleibt sie wie die göttliche δόξα und τιμή immer das zu Erstrebende, immer noch Verborgene (R 2, 7), ähnlich der Art, in der
20 auch die Apokalyptik von der zu erwartenden Unvergänglichkeit spricht[59].

D. Die Wortgruppe in der Alten Kirche.

Einen breiten Raum nimmt unter wachsendem hell Einfluß in den Apost Vät die Gegenüberstellung von φθαρτός — ἄφθαρτος ein. Daß das Vergängliche (τὰ φθειρόμενα) θεοί genannt wird, ist Gegenstand der Polemik Dg 2, 4f.
25 φθαρτός ist der Mensch Herm s IX 23, 4, φθαρτοί sind die Menschen insgesamt im Gegensatz zu Christus, der der ἄφθαρτος ist Dg 9, 2; φθαρτά sind τὰ ἐνθάδε *die Dinge hier* 2 Cl 6, 6, φθαρτός ist ähnlich wie 1 K 9, 24ff der ἀγών im Gegensatz zum τῆς ἀφθαρσίας ἀγών 2 Cl 7, 4f, vgl 7, 3, ferner das Herz des natürlichen Menschen, das nun als chr ein Tempel Gottes ist Barn 16, 7. Es wird gg den echt griech Gedanken polemi-
30 siert, daß die σάρξ φθαρτή ist u man sie deshalb beflecken könne Herm s V 7, 2. φθαρτή ist die ὕλη Dg 2, 3, τὰ φθαρτά sind die vergänglichen Güter im Gegensatz zu dem ἄφθαρτον, woran man mit dem Mitchristen gemeinsam Anteil hat Barn 19, 8. τὰ φθαρτά kann auch die *vergängliche Behausung* bedeuten, wobei vielleicht σκηνώματα zu ergänzen ist Dg 6, 8. Dementsprechend bedeutet φθορά die *Vergänglichkeit*, so der τροφή
35 Ign R 7, 3. Zu den unvergänglichen Dingen gehören dgg Christus Dg 9, 2, der wahre Tempel Barn 16, 9, die ἀγάπη *Liebesmahl* Ign R 7, 3, der καρπός Ign Trall 11, 2. Genauso erscheint auch hier ἀφθαρσία als die *Unsterblichkeit* u *Unvergänglichkeit*. Der ἀγών des Christen hat sie zum Ziel, heißt darum ἀγὼν τῆς ἀφθαρσίας 2 Cl 7, 5, u der Siegeskranz ist entsprechend ὁ τῆς ἀφθαρσίας στέφανος Mart Pol 17, 1; 19, 2. ἀφθαρσία steht
40 neben ζωή 2 Cl 14, 5. Christus wird ἀρχηγός[60] τῆς ἀφθαρσίας *Anführer zur Unsterblichkeit* genannt 2 Cl 20, 5. Die ἀφθαρσία ist ein gegenwärtig der Gemeinde von Christus verliehenes Gut, eine Kraft des Lebens mitten in einer Todeswelt: ἵνα (sc Christus) πνέῃ τῇ ἐκκλησίᾳ ἀφθαρσίαν Ign Eph 17, 1. So kann das εὐαγγέλιον das ἀπάρτισμα ... ἀφθαρσίας *fertige Größe der Unsterblichkeit* genannt werden Ign Phld 9, 2. Sie ist eine
45 geistliche Gabe ἐν ἀφθαρσίᾳ πνεύματος ἁγίου Mart Pol 14, 2 u ist Gegenstand chr Erwartung Dg 6, 8 u rechter Lehre Ign Mgn 6, 2.

Harder

---

[56] Kn Pt zSt setzt sich dezidiert für ein substantivisches Verständnis von ἄφθαρτον ein.
[57] Schlier Eph, Ew Gefbr zSt.
[58] Dib Gefbr zSt. Abbott aaO (→ A 33) zSt will ἀφθαρσία as an attribute of love verstanden wissen.

[59] Vgl 4 Esr 7, 95f u den Hinweis von Mi R[13] zSt.
[60] Wie ἀφθαρσία ist auch ἀρχηγός ein hell Begriff, ebs ἀρχηγὸς τῆς ζωῆς Ag 3, 15.

φιλάγαθος → I 17, 41 ff

φιλαδελφία, φιλάδελφος → I 146, 11 ff

† *φιλανθρωπία*, † *φιλανθρώπως*

φιλοξενία, φιλόξενος → V 1, 1 ff

Inhalt: A. Die Wortgruppe im Griechentum: 1. Vorkommen und Bedeutung; 2. φιλανθρωπία in der griechisch-hellenistischen Welt. — B. Die Wortgruppe in der Sep- 5 tuaginta und im hellenistischen Judentum. — C. Neues Testament. — D. Alte Kirche.

A. Die Wortgruppe im Griechentum.

1. Vorkommen und Bedeutung.

Die auf φιλανθρωπ- zurückgehende Wortgruppe[1] ist erst seit dem 10 5. Jhdt vChr belegt u begegnet daher bei Hom u anderen Epikern nicht[2]. Sie bezeichnet in ihrer urspr Bdtg in umfassendem Sinne ein freundliches Verhalten[3]. Wird die Wortgruppe zunächst nur auf die Zuwendung oder Hilfe angewandt, die Götter u Heroen den Menschen gewähren Aristoph Pax 392 f, so kann sie doch auch auf das Verhalten von Königen u anderen herausragenden Personen ihren Untergebenen gegenüber aus- 15 gedehnt werden Isoc Or 9, 43. Schließlich erstreckt sie sich auf den ganzen Bereich zwischenmenschlicher Beziehungen, wobei allerdings die Bdtg wohlwollender Herablassung zumeist noch lebendig ist. Eine genaue Def[4] ist ebs schwer zu geben wie eine glatte Übers, vgl schon Gellius, Noctes Atticae 13, 17, 1[5]. Die Bdtg reicht von *Gastfreundlichkeit* Polyb 33, 18, 2 u *gastfrei* Diod S 13, 83, 1 bis zur *Milde* im Strafen u *Hilfe* 20 in Nöten Jul Ep 89 b, 289 a—c. Auf Einrichtungen, Dinge u Tiere bezogen hat die Wortgruppe dann den Sinn *nützlich* für den Menschen: die φιλανθρωπία der Landwirt-

---

φιλανθρωπία φιλανθρώπως. Cr-Kö, Liddell-Scott, Pr-Bauer, Thes Steph sv; MSchneidewin, Die antike Humanität (1897); RReitzenstein, Werden u Wesen der Humanität im Altertum (1907); SLorenz, De progressu notionis ΦΙΛΑΝΘΡΩΠΙΑΣ (Diss Leipzig [1914]); rec WNestle, Philol Wochenschr 36 (1916) 878—880; STromp de Ruiter, De vocis quae est φιλανθρωπία significatione atque usu, Mnemosyne 59 (1932) 271—306; AVögtle, Die Tugend- u Lasterkataloge im NT, NTAbh 16, 4/5 (1936) bes 142—144; HBolkestein, Wohltätigkeit u Armenpflege im vorchr Altertum (1939) Regist sv φιλανθρωπία; FWehrli, Vom antiken Humanitätsbegriff (1939); HMerki, Ὁμοίωσις θεῷ, Paradosis 7 (1952); FNormann, Die von der Wurzel φιλ- gebildeten Wörter u Vorstellungen von der Liebe im Griechischen (Diss Münster [1952]); MTLenger, La notion de bienfait (φιλάνθρωπον) royal et les ordonnances des rois Lagides, Studi in onore di VArangio-Ruiz I (1953) 483—499; GDowney, Philanthropia in Religion and Statecraft in the Fourth Century after Christ, Historia 4 (1955) 199—208; CSpicq, La Philanthropie hellénistique, vertu divine et royale, Studia Theologica 12 (1958) 169—191; JKabiersch, Untersuchungen zum Begriff der Philanthro-

pie bei dem Kaiser Julian, Klass-Philologische Studien 21 (1960); HHunger, Φιλανθρωπία. Eine griech Wortprägung auf ihrem Wege von Aischylos bis Theodoros Metochites, Anzeiger der Österreichischen Akademie der Wissenschaften, Philosophisch-Historische Klasse 100 (1963) 1—20; Rle Déaut, Φιλανθρωπία dans la littérature grecque jusqu'au NT (Tt 3, 4), Festschr ETisserant I (1964) 255—294; Dib Past[4] 108—110.

[1] Grammatisch ist φιλάνθρωπος ein verbales Rektionskompositum, vgl Schwyzer I 442. Der φιλάνθρωπος ist demnach der *Menschenliebende*, → Hunger 1. Die Denominative φιλανθρωπέω, φιλανθρωπεύομαι kommen im NT nicht vor.

[2] → Tromp de Ruiter 272. — Allerdings wird schon Hom Il 6, 14 f von Axylos gesagt: φίλος δ' ἦν ἀνθρώποισι· πάντας γὰρ φιλέεσκεν ὁδῷ ἔπι οἰκία ναίων.

[3] BSnell, Die Entdeckung des Geistes (1955) 340.

[4] Def der φιλανθρωπία werden gegeben Pseud-Plat Def 412 e u Diog L III 98 (→ A 12. 16). Nach Diog L bekundet sich die φιλανθρωπία auf dreifache Weise: 1. in freundlicher Begrüßung, 2. in Hilfsbereitschaft gegenüber jedem Hilfsbedürftigen, 3. in Gastfreundschaft.

[5] hsgg CHosius (1903).

schaft ist ihre *Nützlichkeit* Xenoph Oec 15, 4, vgl 19, 17[6]. In diesem Sinne können
auch Tiere φιλάνθρωποι sein Xenoph Eq 2, 3; Aristot Hist An X 26 p 617b 26[7]. τὰ
φιλάνθρωπα sind die königlichen Erlasse (→ 109, 39) bzw die *Rechte* u *Privilegien*,
die durch sie gewährt werden Xenoph Vect 3, 6: Ditt Syll³ II 563, 7f (um 205 vChr)[8].
5   Ganz abgeflacht ist das Wort in der Bdtg von *Trinkgeld, Geschenk*[9].

2. φιλανθρωπία in der griechisch-hellenistischen Welt.

In den wohl ältesten Belegen werden Götter als φιλάνθρωποι bezeichnet. Aesch feiert den Feuerdiebstahl des Prometheus als eine menschenfreund-
10   liche Tat, für die dieser büßen muß, damit er es lerne, die Herrschaft des Zeus anzu-
erkennen, φιλανθρώπου δὲ παύεσθαι τρόπου Aesch Prom 10f. 28. Hermes wird angeredet: ὦ φιλανθρωπότατε καὶ μεγαλοδωρότατε δαιμόνων Aristoph Pax 392f; die
φιλανθρωπία steht hier neben der Freigebigkeit. Plat Symp 189 c. d sagt Aristophanes:
ἔστι γὰρ θεῶν φιλανθρωπότατος, ἐπίκουρός τε ὢν τῶν ἀνθρώπων καὶ ἰατρὸς τούτων ὧν ἰαθέν-
15   των μεγίστη εὐδαιμονία ἂν τῷ ἀνθρωπείῳ γένει εἴη. Der Gott wird φιλάνθρωπος genannt,
weil er den Menschen der Sage nach übermenschliche Wesen als Regierende gab Plat
Leg IV 713d. Bisweilen wird φιλάνθρωπος zum Beinamen der epiphanen Gottheit; so
kann Asclepius in seinem heilenden u rettenden Handeln diesen Namen tragen
CIG III 6813, 3 (2. Jhdt nChr); Ael Nat An 9, 33[10]. Aber schon Plato spricht auch
20   von der φιλανθρωπία eines Menschen: Sokrates habe sein Wissen anscheinend ὑπὸ φιλανθρωπίας jedermann mitgeteilt Plat Euthyphr 3d[11]. Doch dürfte zunächst nur bei
außergewöhnlichen Menschen von ihrer φιλανθρωπία gesprochen worden sein. Xenoph
stellt an der Pers des Cyrus die φιλανθρωπία als Herrschertugend dar. Er beschreibt
ihn: εἶδος μὲν κάλλιστος, ψυχὴν δὲ φιλανθρωπότατος καὶ φιλομαθέστατος καὶ φιλοτιμότατος
25   Xenoph Cyrop I 2, 1, vgl 4, 1; VIII 2, 1. Seine φιλανθρωπία zeigt sich ua in seiner
Gastfreiheit u *Gastfreundschaft* seinen Untergebenen gegenüber VIII 4, 7f oder in seiner
Milde als Sieger gegenüber den Besiegten VII 5, 73[12]. Ähnlich läßt Xenoph auch den
König Agesilaus erscheinen: Dieser nahm die Städte, die er nicht durch seine Kriegs-
macht erobern konnte, durch seine φιλανθρωπία ein Xenoph Ag 1, 22[13]. Nach Isoc soll
30   der König θεοφιλῶς καὶ φιλανθρώπως regieren Isoc Or 9, 43[14]. Doch ist hier die φιλανθρωπία nicht nur eine spezifisch königliche Tugend, sondern sie sollte jeden Menschen,
bes aber den Athener auszeichnen Isoc Or 4, 29[15].

In der philosophischen Ethik hat die Wortgruppe zunächst weder bei Plat u Aristot
noch bei den älteren Stoikern u Epikureern Eingang gefunden[16]. Die Rhetoren haben,
35   wie schon bei Isoc zu erkennen ist, an eine urbane Vulgärethik angeknüpft, wenn sie
die Tugend der φιλανθρωπία rühmen, zB Demosth Or 20, 165; 21, 43. 48; 25, 81, vgl

[6] Zur dinglichen Beziehung der φιλανθρωπία → Tromp de Ruiter 281; WSchubart,
Das hell Königsideal nach Inschr u Pap,
APF 12 (1937) 10.
[7] → Lorenz 11.
[8] Weitere Belege bei HKortenbeutel, Artk
Philanthropon, in: Pauly-W Suppl VII (1940)
1032—1034; → Lenger 483—499.
[9] Preisigke Wört sv φιλάνθρωπον. Snell
aaO (→ A 3) 340 will die Entwicklung von
φιλάνθρωπον zur Bdtg *Trinkgeld* damit erklären, daß der Mensch für den Griechen
„von alters her etwas Fragwürdiges und
Jämmerliches" gewesen sei.
[10] Vgl OWeinreich, De dis ignotis quaestiones selectae, ARW 18 (1915) 25. 50f.
JSchmidt, Artk Philanthropos, in: Pauly-W
19a (1938) 2125 gibt weitere Belege für die Verwendung als Götterbeiname. Zu Asclepius:
RHerzog, Artk Asklepios, in: RAC I 795—
799 (Lit); Ant Christ 6 (1950) 241—272.
[11] Nach → Lorenz 15 schreibt sich Sokrates diese Tugend hier per iocum wie einem
Gotte zu.

[12] Vgl EScharr, Xenophons Staats- u
Gesellschaftsideal u seine Zeit (1919) 182.
Nach → Tromp de Ruiter 280 entspricht die
φιλανθρωπία in Xenoph Cyrop der Def des
Begriffes bei Diog L III 98 (→ A 4).
[13] πρᾷος u φιλάνθρωπος stehen häufig beieinander, zB Xenoph Eq 2, 3.
[14] S auch Isoc Or 2, 15; → Hunger 4. Die φιλανθρωπία ist in Erlassen u Schreiben häufig
als Herrschertugend belegt Ditt Or I 90, 12
(196 vChr); 139, 20 (2. Jhdt vChr), vgl
168, 12. 46 (115 vChr); Ditt Syll³ II 888, 101
(238 nChr). Weitere Belege in Wendland Hell
Kult 406f; → Vögtle 74—78. 80f. 84.
[15] S auch Aristot Eth Nic VIII 1 p 1155a
20. Sonst hat die Wortgruppe bei Aristot
keine bes Bdtg.
[16] Plat gebraucht die Wortgruppe Symp
189d; Leg IV 713d nicht philosophisch. Die
Definitionen Diog L III 98 u Pseud-Plat
Def 412e (→ A 4. 12) werden zu Unrecht auf
Plat zurückgeführt. Zu Aristot → A 15.

18, 112. Die φιλανθρωπία soll sich bes vor Gericht zeigen Demosth Or 13, 17; 25, 81[17]. Diese Bdtg der Wortgruppe in der Vulgärethik blieb auf die Dauer nicht ohne Einfluß auf die philosophische Ethik. Der mittlere Platonismus, zB Pseud-Plat Def 412e, u die kaiserzeitliche Stoa, zB Epict Diss III 24, 64; IV 8, 32 sehen in der φιλανθρωπία eine hervorragende Tugend. Diese Hochschätzung der φιλανθρωπία spiegelt sich in den Schriften Plut wider[18]. Dabei wird sie auch auf die Feinde ausgedehnt Plut Praec Ger Reip 3 (II 799c). Bei Plut ist die φιλανθρωπία weiterhin noch eine Eigenschaft der Götter οὐ γὰρ ἀθάνατον καὶ μακάριον μόνον, ἀλλὰ καὶ φιλάνθρωπον καὶ κηδεμονικὸν καὶ ὠφέλιμον προλαμβάνεσθαι καὶ νοεῖσθαι τὸν θεόν Plut Comm Not 32 (II 1075e), vgl Gen Socr 24 (II 593a). Die Götter sind εὐεργετικοὶ καὶ φιλάνθρωποι Plut Stoic Rep 38 (II 1051e). Ihre φιλανθρωπία ist ihr gnädiges Wirken für die Menschen, vgl Muson fr 17 (p 90, 12) u bes Ar Did fr 29, 5. In der kaiserzeitlichen Stoa werden solche Wendungen über die Güte der Götter den Menschen gegenüber auf die Natur übertragen, vgl Cic Nat Deor II 131, aber auch schon Xenoph Mem IV 3, 10[19]. Im Rahmen einer Zweitugendlehre, in der zwischen dem rechten Verhalten den Göttern u Menschen gegenüber unter- schieden wird, ist die φιλανθρωπία der Menschen eine Nachahmung der Güte Gottes. Dieser Gedanke läßt sich in verschiedener Form in der philosophischen Ethik bis auf Plato zurückverfolgen[20]. Er kommt in der Kaiserzeit zu hoher Bdtg, insofern vor allem der Kaiser die φιλανθρωπία als Nachahmung Gottes zu üben hat[21]. Für ihn ist sie die erste aller Tugenden Themist Or 1, 8c, vgl Dio C 77, 19, 4.

Bei Kaiser Julian steht die φιλανθρωπία im Mittelpunkt seines Denkens u Han- delns[22]. Er sieht in ihr die charakteristische Eigenschaft der Hellenen u Römer Jul Gal fr 116a (p 180, 9f). Sie ist ihm aber zuerst die eigtl Herrschertugend Jul Or 2, 12b, vgl 1, 7b; 16b; 20d; 26d; 41b; 48c; 3, 99d. Er verkündet sie in seinen Erlassen Jul Ep 75, 398b u fordert sie von seinen Beamten u dem heidnischen Klerus als Richtschnur für die Ausübung der Herrschaft Jul Ep 89b, 289a. Seine Def der φιλανθρωπία lautet: ἡ δὲ φιλανθρωπία πολλὴ καὶ παντοία· καὶ τὸ πεφεισμένως κολάζειν τοὺς ἀνθρώπους ἐπὶ τῷ βελτίονι τῶν κολαζομένων, ὥσπερ οἱ διδάσκαλοι τὰ παιδία, καὶ τὸ τὰς χρείας αὐτῶν ἐπανορ- θοῦν, ὥσπερ οἱ θεοὶ τὰς ἡμετέρας Ep 89b, 289 b. c. Milde im Strafen u Hilfe in Nöten, darin soll sich die durch Philanthropie bestimmte Staats- u Gesellschaftsordnung zeigen. Auch die Gesetze müssen von diesem Grundsatz bestimmt sein Jul Or 2, 115a; Gal fr 131b. c (p 180, 17ff); 202a (p 198, 13ff)[23]. Ohne Frage steht Jul hier unter dem Einfluß des sich durchsetzenden Christentums, auf dessen Liebestätigkeit er als Vorbild wiederholt hinweist[24].

B. Die Wortgruppe in der Septuaginta und im hellenistischen Judentum.

1. In der Septuaginta findet sich die Wortgruppe φιλανθρωπ- nur in apokryphen Schriften. Dabei zeigt sich grundsätzlich das gleiche Verständnis wie in der griech-hell Überlieferung. Die über das jüd Volk herrschenden fremden Könige, Seleukiden u Ptolemäer, betonen in ihren Erlassen ihre φιλανθρωπία, dh ihre *Güte* u *Milde* den beherrschten Völkern gegenüber 3 Makk 3, 15, vgl v 20; 2 Makk 9, 27; sie werden auch auf diese Herrschertugend angesprochen 2 Makk 14, 9[25]. Allerdings kann unter Hinweis auf diese φιλανθρωπία von den fremden Herrschern auch gefolgert werden, daß die Juden sich der *Güte* u *Milde* auch würdig erweisen müßten durch ihren Ge- horsam, dh durch Aufgabe ihres Glaubens 2 Makk 6, 22, vgl 4 Makk 5, 12. In der Sap kann das richtige Verhalten des Frommen als φιλανθρωπία bezeichnet werden: δεῖ τὸν δίκαιον εἶναι φιλάνθρωπον Sap 12, 19. Ja, die Weisheit selbst ist ein φιλάνθρωπον πνεῦμα Sap 1, 6; 7, 23. Dh einmal, daß sie dem Menschen zugewandt ist, daß durch sie der

---

[17] → Tromp de Ruiter 285; → Lorenz 20.

[18] → Tromp de Ruiter 296; → Lorenz 46. R Hirzel, Plutarch (1912) 25 nennt Plut einen „Apostel der Philanthropie".

[19] Über die Beziehungen von Cic Nat Deor II 131 zu Xenoph Mem IV 3 s M Pohlenz, Die Stoa II ³(1964) 56 u ders, Artk Panaitios, in: Pauly-W 18 (1949) 429—432.

[20] → Merki 8—10. 30—32.

[21] Das schließt nicht aus, daß sie auch für den Privatmann ein καλὸν κτῆμα ist Themist Or 11, 146c. d.

[22] H Raeder, Kaiser Julian als Philosoph u religiöser Reformator, Classica et Mediaeva- lia 6 (1944) 179—193.

[23] φιλανθρωπία hat hier konkret die Bdtg von clementia, vgl auch Jul Conv 321d u 332a, wo Caesars clementia als φιλανθρωπία dargestellt wird. — Auch Hier Ep 55, 3, 4 zeigt die sich durchsetzende Gleichung φιλανθρωπία — clementia.

[24] → Kabiersch 3.

[25] 2 Makk 4, 11 werden die Privilegien des Judt τὰ φιλάνθρωπα βασιλικά genannt (→ A 8).

Mensch „lebt" 1, 6 [26], zum anderen aber auch, daß sie sich in der φιλανθρωπία äußert, die vom Menschen gefordert wird 12, 19.

2. Dgg zeigt der Aristeasbrief, daß diese den Herrschern zukommende Tugend eigtl nur im Gehorsam gg Gott geübt werden kann; der König fragt die jüd Weisen, wie er φιλάνθρωπος sein könne ep Ar 208 [27]. Gott in seiner Milde u Barmherzigkeit soll auch für den König das Vorbild für ein der φιλανθρωπία gemäßes Verhalten sein ebd.

3. Das gleiche Bild zeigt sich bei Josephus. Die φιλανθρωπία ist das großmütige u milde Verhalten der Römer Ant 12, 124; Bell 2, 399 oder auch des Herodes, der die syr Besatzung freiläßt Ant 14, 298. Aber Jos redet auch von der μεγαλειότης καὶ φιλανθρωπία Gottes Ant 1, 24 u charakterisiert Gott damit in seiner weltüberlegenen Majestät u zugleich in seiner Hinwendung zur Welt u zu Israel. Diese Zuwendung Gottes schließt in sich, daß auch die Thora u die jüd Sitten nicht unmenschlich oder gar menschenfeindlich sein können Ap 2, 291; Ant 16, 42 [28].

4. Auch Philo läßt sich mit seinem Verständnis u Gebrauch der Wortgruppe in die Tradition der griech-hell Überlieferung einordnen [29]. Aber es zeigt sich sehr deutlich, daß er auch diese Tugend ganz in den Horizont seines Denkens zieht. Virt 51 wird die φιλανθρωπία als τὴν ... εὐσεβείας συγγενεστάτην καὶ ἀδελφὴν καὶ δίδυμον ὄντως definiert u ὁδὸν ... οἷα λεωφόρον ἄγουσαν ἐφ' ὁσιότητα genannt. Die vollkommene Tugend ist nur möglich im Miteinander von Gottes- u Menschenliebe Abr 107—118 [30]. Der Gottesfreund muß gleichzeitig ein φιλάνθρωπος sein Decal 110; deshalb findet man tatsächlich beim frommen Menschen zugleich die Gerechtigkeit gg den Mitmenschen Abr 208. Das Gesetz besteht denn auch aus zwei Teilen: den Pflichten gg Gott u den Pflichten gg den Mitmenschen Decal 110. Die φιλανθρωπία erstreckt sich bei Philo vom ἀδελφός Virt 82 bis hin zu den πολέμιοι Virt 109—115 u den ἐχθροί Virt 116—118. Sie umfaßt Sklaven Virt 121—124, Tiere Virt 125—147 u sogar Pflanzen 148—160 [31]. Die ganze Gesetzgebung ist erfüllt von Vorschriften zur Übung von ἔλεος u φιλανθρωπία Spec Leg IV 72. Gott selbst ist in seinem Wirken durch u am Menschen von ἡμερότης u φιλανθρωπία bestimmt Virt 77. 188; Abr 79; Cher 99. Dies wird sowohl in der Schöpfung Op Mund 81 wie in der Gesch Israels Vit Mos I 198 sichtbar [32].

C. Neues Testament.

Im neutestamentlichen Schrifttum tritt die Wortgruppe völlig zurück. Anders als im hellenistischen Judentum (→ 109, 44ff; 110, 19ff) wird der Glaube auch in seiner Zuwendung zum Nächsten nicht als φιλανθρωπία ausgelegt [33]. Nur am Rande taucht der im griechisch-hellenistischen Schrifttum übliche Ge-

---

[26] HBois, Essai sur les origines de la philosophie judéo-alexandrine (1890) 379 will Sap 1, 6 mit guten Gründen zwischen 1, 13 u 1, 14 setzen.

[27] ep Ar 207 wird dem fragenden König von dem jüd Weisen die Goldene Regel als Lehre der Weisheit empfohlen, nach der er auch gegenüber seinen Untertanen handeln soll. Als Begründung wird angegeben, daß auch Gott mit dem Menschen milde verfahre. ep Ar 207 u 208 stehen so in einem inneren Zshg. Zur Goldenen Regel: ADihle, Die Goldene Regel. Eine Einführung in die Gesch der antiken u frühchristlichen Vulgärethik, Studienhefte zur Altertumswissenschaft 7 (1962).

[28] Vgl Schl Theol des Judt 29.

[29] Vgl die in Virt aufgeführten Tugenden, sowie Leisegang II sv; → Vögtle 110—112.

[30] Abr 208 wird die naturhafte Verbindung zwischen Frömmigkeit u Philanthropie betont, vgl FGeiger, Philon von Alexandrien als sozialer Denker (1932) 7—10.

[31] Vgl → Kabiersch 41. Kabiersch findet in der Darstellung des Mose in Philo Virt 52—57 Entlehnungen aus dem Herrscherbild des Hell.

[32] Über die Nachwirkungen der Abh περὶ φιλανθρωπίας Virt 51—174 bei Cl Al vgl PHeinisch, Der Einfluß Philos auf die älteste chr Exegese (1908) 280.

[33] Zur φιλανθρωπία im NT → Tromp de Ruiter 301f; → Kabiersch 42f; → Hunger 7. In den Arbeiten der Altphilologen zur φιλανθρωπία besteht die Tendenz, das Doppelgebot der Gottes- u Nächstenliebe als eine chr Form der Philanthropie zu verstehen, → Kabiersch 42f. Hier darf allerdings nicht über-

brauch auch in der Apostelgeschichte auf. Von dem Hauptmann der kaiserlichen Kohorte, der Paulus und die Mitgefangenen auf der Reise nach Rom bewacht, wird gesagt, daß er sich φιλανθρώπως verhielt, indem er Paulus erlaubte, in Sidon Freunde aufzusuchen (Ag 27, 3). Nach dem Schiffbruch vor Malta wird den Geretteten von den Bewohnern der Insel φιλανθρωπία, dh hier *Hilfe* und *Gastfreund*- 5 *schaft* (→ 107, 19f) erwiesen (Ag 28, 2)[34].

Theologisch bedeutsam ist nur Tt 3, 4: ὅτε δὲ ἡ χρηστότης καὶ ἡ φιλανθρωπία ἐπεφάνη: Das Christusgeschehen wird als Epiphanie der φιλανθρωπία Gottes ausgelegt[35]. In dieser Terminologie wirkt die Verehrung der epiphanen Götter nach, wie sie sich vor allem im Kaiserkult darstellt (→ 108, 17ff)[36]. Diese Zuwendung 10 Gottes geschieht am Menschen durch die als λουτρὸν παλιγγενεσίας verstandene Taufe, in der sich zugleich die Erneuerung durch den heiligen Geist vollzieht. Insofern Gott sich in seiner φιλανθρωπία der Welt zugewandt hat, er also kein ferner oder fremder Gott ist, wird das Leben in dieser Welt unter dem konkreten Gehorsam diesem Gott gegenüber zur ständigen Aufgabe. Rettendes Handeln 15 Gottes am Menschen fordert hier zugleich richtiges Verhalten in der Welt[37].

D. Alte Kirche.

Ebs wie im NT zeigt sich im neben- u nachneutestamentlichen Schrifttum der Alten Kirche die bemerkenswerte Scheu, das Verhalten der Christen als φιλανθρωπία zu bezeichnen, obwohl andere Tugendbegriffe sich durchzusetzen 20 beginnen. Fortgeführt wird eigtl nur der Tt 3, 4 in das NT hineinragende Sprachgebrauch, der Gottes Handeln zum Inhalt hat. So Just Dial 47, 5: ἡ γὰρ χρηστότης καὶ ἡ φιλανθρωπία τοῦ θεοῦ καὶ τὸ ἄμετρον τοῦ πλούτου αὐτοῦ κτλ. Ein weiterer Beleg ist Dg 9, 2: ἦλθε δὲ ὁ καιρός, ὃν θεὸς προέθετο λοιπὸν φανερῶσαι τὴν ἑαυτοῦ χρηστότητα καὶ δύναμιν (ὢ τῆς ὑπερβαλλούσης φιλανθρωπίας καὶ ἀγάπης τοῦ θεοῦ), vgl 8, 7, ferner Act Thom 25 123. 156. Von Jesus, dem Messias als φιλάνθρωπος, redet Act Thom 170. Erst bei Cl Al u Orig ist die Zurückhaltung gegenüber der Wortgruppe nicht mehr zu bemerken. Sie wird auf Gott u sein Handeln, auf Jesus Christus u auf das Verhalten der Christen angewandt[38]. Christus mußte διὰ φιλανθρωπίαν für uns sterben Orig Comm in Joh II 26 z 1, 5 (p 83, 26), vgl I 20 z 1, 1 (25, 6) ua[39]. 30

Luck

sehen werden, daß diese Wortgruppe im NT nicht aufgenommen wird; nicht einmal in den Tugendkatalogen der Past, obwohl in der hell-röm Umwelt die φιλανθρωπία zu dieser Zeit hoch gerühmt wurde. Mak Hom 37, 1 (MPG 34 [1861] 749d) wird ein apokryphes Herrenwort überliefert: ἐπιμελεῖσθε πίστεως καὶ ἐλπίδος, δι' ὧν γεννᾶται ἡ φιλόθεος καὶ φιλάνθρωπος ἀγάπη, ἡ τὴν αἰώνιον ζωὴν παρέχουσα. Vgl AResch, Agrapha. Außercanonische Schriftfragmente, TU NF 15, 3/4 ²(1906) 153—161. S auch PdeLabriolle, Pour l'historie du mot Humanité, Les Humanités (1932) 483.

[34] Zu Ag 27, 3 auch HJCadbury, Lexical Notes on Luke-Acts II: Recent Arguments for Medical Language, JBL 45 (1926) 202 u HConzelmann, Die Apostelgeschichte, Hndbch NT 13 (1963) zSt.
[35] Terminologisch gehört Tt 3, 4—8 mit 2, 11—14 zus, vgl Dib Past⁴ 108—110. φιλανθρωπία ist göttliche Eigenschaft Muson fr 17

(p 90, 12); Philo Virt 77. χρηστότης u φιλανθρωπία stehen häufiger auch zur Charakterisierung menschlicher Tugenden zus Philo Jos 176; Leg Gaj 73; Jos Ant 10, 163; → Spicq 176.
[36] Wendland Hell Kult 221. 409f; Deißmann LO 311f.
[37] Obwohl auch hier der Zshg zwischen dem Handeln Gottes u dem menschlichen Verhalten offenkundig ist, kann man nicht von einer „Nachahmung Gottes" reden (→ A 20). Gottes φιλανθρωπία ist zugleich seine rettende Gnade Tt 2, 11, die durch die Taufe neue Existenz u so Gerechtigkeit schafft.
[38] Vgl Cl Al (GCS 39) Regist sv u die Regist zu Orig (GCS 3. 6. 10. 35. 41, 2; 49) sv φιλανθρωπία, φιλάνθρωπος. Ferner → A 32; → Kabiersch 43; AMiura-Stange, Celsus u Orig, ZNW Beih 4 (1926) 45. 47—50.
[39] Die weitere Entwicklung in der chr Spätantike skizzieren → Hunger 8—20; → Kabiersch 42—49.

```
┌─────────────────────────────────────┐
│                                      │
│   φιλέω, καταφιλέω, φίλημα,          │
│                                      │
│      φίλος, φίλη, φιλία              │
│                                      │
└─────────────────────────────────────┘
```

ἀγαπάω → I 20, 38ff; ἀδελφός → I 144, 1ff;

ἀσπάζομαι → I 494, 14ff; ἑταῖρος → II 697, 8ff;

ξένος → V 16, 22ff; πλησίον → VI 309, 29ff;

προσκυνέω → VI 759, 14ff;

συγγενής → VII 736, 17ff

Die Etymologie des Stammes φιλ- muß noch immer als nicht sicher geklärt gelten[1]. Die zwei wichtigsten Versuche, innerhalb des idg Sprachraumes eine Ableitung zu finden, sind nicht überzeugend: 1. Man stellt φιλ- mit keltisch bil *gut* u germanisch bila *gütig* zus[2] (vgl billig, Unbill, Unbilden) u verweist bes darauf, daß dieser Stamm ebs wie φιλ- oft in Eigennamen[3] vorkommt, zB Bilhildis, Biligrim, Billo; vgl Φιλήμων Phlm 1, Φίλητος 2 Tm 2, 17, Φίλιππος Mk 3, 18 Par, mazedonisch Βίλιππος, Φιλόλογος R 16, 15 ua. Diese Ableitung[4] ist zwar morphologisch einwandfrei,

φιλέω κτλ. Lit: Zu A: CFHogg, Note on ἀγαπάω and φιλέω, Exp T 38 (1926/27) 379f; MLandfester, Das griech Nomen „philos" u seine Ableitungen, Spudasmata 11 (1966); FNormann, Die von der Wurzel φιλ- gebildeten Wörter u die Vorstellung der Liebe im Griechentum (Diss Münster [1952]); CSpicq, Agapè. Prolégomènes à une étude de théologie néo-testamentaire, Studia Hellenistica 10 (1955); ders, Le lexique de l'amour dans les papyrus et dans quelques inscriptions de l'époque hellénistique, Mnemosyne IV 8 (1955) 25—33; ders, Le verbe ἀγαπάω et ses dérivés dans le grec classique, Rev Bibl 60 (1953) 372—397; JESteinmüller, Ἐρᾶν, φιλεῖν, ἀγαπᾶν in Extrabiblical and Biblical Sources, Miscellanea Biblica et Orientalia, Festschr AMiller (1951) 404—423. — Zu A 4: ADelatte, Le baiser, l'agenouillement et le prosternement de l'adoration (προσκύνησις) chez les Grecs, Académie royale de Belgique. Bulletins de la Classe des lettres et des sciences morales et politiques V 37 (1951) 423—450, hier 425 ältere Lit; EWHopkins, The Sniff-kiss in Ancient India, Journal of the American Oriental Society 28 (1907) 120—134; AHug, Artk Salutatio, in: Pauly-W 1a (1920) 2063f. 2070—2072; BKarle, Artk Kuß, in: Handwörterbuch des Deutschen Aberglaubens V (1932/33) 841—863; WKroll, Artk Kuß, in: Pauly-W Suppl V (1931) 511—520; BMeißner, Der Kuß im Alten Orient, SAB 1934, 28 (1934) 914—930; EPfister, Artk Kultus, in: Pauly-W 11 (1922) 2158f; CSittl, Die Gebärden der Griechen u Römer (1890) Regist sv Küssen, Liebe, φιλεῖν. — Zu B: ILöw, Der Kuß, MGWJ 29 (1921) 253—276. 323—349; MPaeslack, Zur Bedeutungsgeschichte der Wörter φιλεῖν „lieben", φιλία „Liebe", „Freundschaft", φίλος „Freund" in der Septuaginta u im NT, Theol Viat 5 (1953/54) 51—142; AWünsche, Der Kuß in Bibel, Talmud u Midr (1911). — Zu C I: CRBowen, Love in the Fourth Gospel, Journal of Religion 13 (1933) 39—49; EBuonaiuti, I vocaboli d' amore nel Nuovo Testamento, Rivista Storico-Critica delle Science Teologiche 5 (1909) 257—264; JMoffatt, Love in the NT (1930); HPétré, Caritas. Étude sur le vocabulaire latin de la Charité chrétienne (1948); SNRoach, Love in its Relation to

Service. A Study of Φιλεῖν and Ἀγαπᾶν in the NT, The Review and Expositor 10 (1913) 531—553; CSpicq, Agapè dans le Nouveau Testament I—III (1958/59); ders, Notes d'exégèse johannique: La charité est amour manifeste, Rev Bibl 65 (1958) 358—370; BBWarfield, The Terminology of Love in the NT, The Princeton Theological Review 16 (1918) 1—45. 153—203. — Zu C II: GBornkamm, Zum Verständnis des Gottesdienstes bei Pls, Das Ende des Gesetzes [5](1966) 123—132; FCabrol, Artk Baiser, in: DACL II (1925) 117—130; AE Crawley, Artk Kissing, in: ERE VII (1914) 739—744; Ant Christ I 186—196; II 156—160. 190—221; KMHofmann, Philema hagion, BFTh II 38 (1938); ASchimmel, Artk Kuß, in: RGG[3] IV 189f; VSchultze, Artk Friedenskuß, in: RE[3] 6 (1899) 274f; RSeeberg, Kuß u Kanon, Aus Religion u Gesch I (1906) 118—122; Str-B I 995f; Wnd 2 K zu 13, 12.

[1] [Frisk]. Vgl → Landfester 34—41 sowie Boisacq sv. Hofmann sv: Weitere Anknüpfung unsicher.

[2] AFick, Vergleichendes Wörterbuch der idg Sprachen II [4](1894) 175; vgl ders, Besprechung von Prellwitz Etym Wört [1](1892), GGA 1894 I (1894) 247, aufgenommen von Prellwitz Etym Wört sv; Walde-Pok II 185 mit Vorbehalt: „vermutlich"; JPokorny, Idg etym Wörterbuch I (1959) 153f; WHavers, Neuere Lit zum Sprach-Tabu (1946) 57 A 2.

[3] Selbständige Bdtg hat es, daß auch Φίλα, Φίλη selbst ein häufiger Frauenname ist (→ 147, 16ff), bes in Athen u Mazedonien, vgl AFick, Zum macedonischen dialecte, ZvglSpr 22 (1874) 193—235. Mehrfach heißen Hetären so, s KSchneider, Artk Hetairai, in: Pauly-W 8 (1913) 1369, desgleichen Φιλημάτιον *Küßchen*, Φιλουμένη ua (ebd). Belege bei WPapeGEBenseler, Wörterbuch der griech Eigennamen [3](1884) sv.

[4] Eine andere Ableitung hatte AFick, Allerlei, ZvglSpr 18 (1869) 415f versucht, von Sanskrit bhu: bhavila *günstig*, verwandt mit Buhle, *der (die) Geliebte*. Dgg SBugge Zur etym Wortforschung, ZvglSpr 20 (1872) 41f. Zu weiteren Ableitungsversuchen → Hofmann 1f, vgl RLoewe, Die idg Vokativbetonung, ZvglSpr 51 (1923) 187—189.

aber semantisch zweifelhaft. 2. Andere verstehen φιλ- als eine Weiterbildung vom Pronominalstamm (σ)φ(ιν)-[5]. Für diese Ableitung spricht der urspr Sinn u Gebrauch von φίλος (→ Z 7ff; 144, 32ff), aber morphologisch erweckt sie Bedenken. Angesichts der Schwierigkeit, eine überzeugende idg Anknüpfung zu finden, spricht viel für den Versuch[6], φιλ- als vorgriechisch mit dem lydischen pronominalen Possessiv-Adj bilis *sein* zu 5 verbinden.

Von den beiden letztgenannten Ableitungsversuchen aus ergäbe sich, so verschieden sie sind, die gleiche Grundbedeutung: (*sein*) *eigen, angehörig*[7] u zugleich die Priorität des Adj φίλος, das im NT nicht belegt ist, vor dem Subst. φίλος ist primär ein reflexives Possessiv-Pron[8]. Tatsächlich findet sich das adj φίλος schon bei Hom oft in diesem 10 Sinn, bes von Teilen des eigenen Körpers, zB Il 1, 569[9]: φίλον κῆρ, auch bei Hes Theog 163: φίλον τετιημένη ἦτορ *betrübt in ihrem Herzen*[10], ebs φίλοι als substantiviertes Adj in der Bdtg die *Seinen, die nächsten Angehörigen* Hom Il 14, 256; Od 2, 333; Eur Med 84[11]. φίλος steht also zunächst ganz nahe bei ἴδιος. Auch im NT sind οἱ ἴδιοι u οἱ φίλοι beinahe synon[12], vgl J 13, 1 mit 15, 13 (→ 163, 20ff) u Ag 24, 23 mit 27, 3 (→ 15 159, 32ff). Das Korrelatverhältnis von φίλος, φιλέω u ἴδιος spricht J 15, 19 aus: ὁ κόσμος ἂν τὸ ἴδιον ἐφίλει (→ 128, 2ff)[13].

† φιλέω, † καταφιλέω, † φίλημα

Inhalt: A. Gemeingriechischer Sprachgebrauch: 1. φιλέω mit persönlichem Objekt; 2. φιλέω mit sächlichem Objekt; 3. φιλέω mit Infinitiv; 4. φιλέω *küssen*, καταφιλέω, 20 φίλημα: a. Der Wortgebrauch, b. Der Kuß in der antiken Welt außerhalb der Bibel. — B. Der Gebrauch in der Septuaginta: I. Der Wortgebrauch. II. Der Kuß im Alten Testament und im Judentum. — C. Der Gebrauch im Neuen Testament: I. *lieben*: 1. φιλέω mit sächlichem Objekt und mit Infinitiv; 2. φιλέω mit persönlichem Objekt: a. Bei den Synoptikern, b. Bei Johannes, c. Im übrigen Neuen Testament. II. Der Kuß im Neuen Testament: 25 1. Art und Anlaß von Küssen; 2. Der Judaskuß. — D. Der Kuß in nachneutestamentlicher Zeit: I. In der Alten Kirche. II. In der Gnosis.

---

[5] Bugge aaO (→ A 4) 42—50; AVaniček, Griech-lat etym Wörterbuch II (1877) 1035; KFJohansson, Sanskritische Etymologien, Idg Forsch 2 (1893) 7; vgl → Pfister 2128. Auch TBirt, Perses u die βασιλῆες bei Hes, Philol Wochenschr 48 (1928) 191f setzt sich für diese Ableitung ein, indem er ihr ausdrücklich vor der unter → A 6 genannten den Vorzug gibt u für die „gut griech" Ableitungssilbe -ίλος auf mehrere Analogien hinweist, zB ὀργίλος von ὀργή, ναυτίλος von ναύτης.

[6] PKretschmer, Griech φίλος, Idg Forsch 45 (1927) 267—271.

[7] So bereits Vaniček aaO (→ A 5) 1035, vgl GHeine, Synonymik des Nt.lichen Griech (1898) 154: *eigen, woran man gewöhnt ist, woran man hängt*.

[8] → Landfester 1. 16.

[9] Vgl Schol zSt (ed IBekker [1825]): φίλον δὲ τὸ ἴδιον.

[10] Weitere Belege bei Liddell-Scott sv φίλος u JPAEernstmann, οἰκεῖος, ἑταῖρος, ἐπιτήδειος, φίλος (Diss Utrecht [1932]) 77—81; → Normann 36f. 74. Zu dem Versuch von HBRosén, Die Ausdrucksformen für „veräußerlichen" u „unveräußerlichen Besitz" im Frühgriechischen (Das Funktionsfeld von homerisch φίλος), Lingua 8 (1959) 264—293, φίλος im Sinn des Possessiv-Pron bei Hom auf unveräußerlichen Besitz zu be-

schränken (Körperteile, Verwandte, Kleidungsstücke, Hausrat) vgl → Landfester 9—13. Erst bei Eur Med 1071; Hipp 856; Tro 1180 wird φίλος dann im Sinn von *lieb, teuer* auch für die Glieder anderer gebraucht. Alle Schlüsse aus dem attributiven homerischen Gebrauch von φίλος, wenn es im Sinn von *lieb, befreundet* verstanden wird, sind also irreführend, → Landfester 3f. Ob man freilich so scharf, wie dieser es tut, zwischen attributivem u prädikativem φίλος unterscheiden kann, bleibe dahingestellt.

[11] Auch sonst häufig bei den Tragikern; vgl → Normann 76f.

[12] Nach Vaniček aaO (→ A 5) 1035 stammen ἴδιος u φίλος sogar vom gleichen Stamm, ebs ἑταῖρος (→ 146, 10ff; 157 A 113). Auch sonst können φίλος u ἴδιος insofern synon gebraucht werden, als beide die ganz unbetonte Verwendung anstelle eines Possessiv-Pron teilen; für ἴδιος vgl Pr-Bauer sv; Deißmann B 120f, für φίλος ECurtius, Die Freundschaft im Alterthume, Alterthum u Gegenwart. (1875) 187: φίλος ist „fast nur ein gemüthlicherer Ausdruck für die besitzanzeigenden Fürwörter"; zB Ael Nat An 2, 38: (die schwarzen Ibisse) τῆς γῆς τῆς φίλης (sc Ägypten) προπολεμοῦσαι.

[13] Ein verwandter Gedanke wird Plat Lys 221e. 222a entwickelt: das Lieben (allerdings nicht nur φιλεῖν, sondern auch ἐρᾶν u ἐπιθυμεῖν) richtet sich immer auf ein οἰκεῖον.

A. Gemeingriechischer Sprachgebrauch.

1. φιλέω mit persönlichem Objekt.

a. Von der wahrscheinlichen Grundbedeutung des Stammes φιλ-
eigen, zugehörig aus ergibt sich für das Verb φιλέω als urspr Sinn: *jmd als einen von den
Eigenen betrachten u behandeln*[14]. Es bezeichnet dementsprechend *die natürliche Zuneigung zu den einem Zugehörigen, die Liebe zu den nächsten Angehörigen* (→ I 36, 21ff);
vgl zB ὃν δὲ χρῆν φιλεῖν (sc Gatte u Sohn) στυγεῖς Aesch Choeph 907. Darum wird φιλέω
gebraucht für die Liebe der Eltern zu den Kindern Eur Herc Fur 634[15] (→ 124, 14ff),
der Gatten untereinander Anth Graec 7, 378, 2; vgl 475, 7, der Herren zum Gesinde
Hom Od 14, 146; 15, 370, für die Liebe zum eigenen Volk IG I² 15, 36 (5. Jhdt vChr ?)
u zur eigenen Stadt POxy I 41, 30 (3./4. Jhdt nChr)[16]. In der weiteren Entwicklung
aber richtet sich das φιλεῖν vom Eigenen auf das Erwählte (→ I 48, 6ff), vgl φιλεῖν τό
τε ἴδιον καὶ τὸ ἀγαπητόν Aristot Pol II 4 p 1262b 23. So findet es sich für die Liebe der
Götter zu den Menschen Hom Il 2, 197; 16, 94; Od 15, 245f (→ 132, 3f)[17], der ein Element
der Bevorzugung oder Begünstigung eignet (→ 115 A 23)[18], dgg nicht für die
Liebe der Menschen zu den Göttern (→ 132 A 191)[19], dann vor allem für die Freundesliebe, die wie die Gattenliebe auf Gegenseitigkeit gegründet ist[20]. — *b.* φιλέω gewinnt
dabei oft den konkreten Sinn von *helfen, beistehen,* so zB von Gottheiten gegenüber
ihren menschlichen Freunden Hom Il 5, 423, dabei manchmal neben παρίσταμαι 5, 117;
10, 280; Od 3, 221 oder von *sorgen für* (→ I 36, 22), so bes in Verbindung mit κήδομαι
Hom Od 3, 223; 14, 146; Il 1, 196; Aristot Pol II 4 p 1262b 22f oder τρέφω Hom Od

---

[14] Vaniček aaO (→ A 5) 1036. Es muß
demnach als dieser Grundbedeutung entsprechend gelten, wenn φιλέω auch für die
Selbstliebe gebraucht wird, zB ἄρτι γινώσκεις
τόδε, ὡς πᾶς τις αὑτὸν τοῦ πέλας μᾶλλον φιλεῖ
Eur Med 85f; ἀπορεῖται δὲ καὶ πότερον δεῖ
φιλεῖν ἑαυτὸν μάλιστα ἢ ἄλλον τινά· ἐπιτιμῶσι
γὰρ τοῖς ἑαυτοὺς μάλιστα ἀγαπῶσι Aristot Eth
Nic IX 8 p 1168a 28—30, vgl IX 7
p 1168a 1—8 p 1169b 2 u dazu FDirlmeier,
Aristot Nikomachische Ethik ⁵(1969) 550—
554. In einem sublimeren Sinn versteht Aristot in Eth Nic IX 4 p 1166a 1—b 29 die
Selbstliebe, vgl auch Eth Eud VII 6 p 1240a
8—11 u → Normann 142—144. Zum
nt.lichen Ausdruck für *sich selber lieben*
→ 128, 15ff.
[15] πάντα τἀνθρώπων ἴσα· φιλοῦσι παῖδας οἵ
τ' ἀμείνονες βροτῶν οἵ τ' οὐδὲν ὄντες ... πᾶν δὲ
φιλότεκνον γένος Eur Herc Fur 633—636.
[16] ἐς ὥρας πᾶσι τοῖς τὴν πόλιν φιλοῦσιν *Heil
allen, die unsere Stadt lieben,* vgl Ps 122, 6
sowie die Inschr bei BLifshitz-JSchiby, Une
synagogue Samaritaine à Thessalonique, Rev
Bibl 65 (1968) 369 (4. Jhdt nChr; Z 20 ist
αὐτὴν zu ergänzen) u als Gegenstücke 1 K
16, 22 (→ 134, 18ff) u Tt 3, 15 (→ 135, 5ff).
[17] Ebs Menand fr 111 (Körte): ὃν οἱ θεοὶ
φιλοῦσιν ἀποθνήσκει νέος, Ditt Syll³ III 985,
46—48 (1. Jhdt vChr): οἱ θεοὶ ... δώσουσιν
αὐτο[ῖς ἀεὶ πάντα τἀγα]θά, ὅσα θεοὶ ἀνθρώποις,
οὓς φιλοῦσιν, [διδόασιν], PMich VIII 482, 17
(133 nChr): ὡς φειλῶ σοι (= φιλῶ σε) ὁ θεὸς
ἐμὲ φειλήσει, POxy III 528, 4ff (2. Jhdt nChr):
„Jeden Morgen u jeden Abend halte ich für
dich meine Andacht vor Thoëris (der Schutz-
patronin der Schwangeren), die dich liebt"
τῇ σε φιλούσῃ.
[18] Ein Beispiel dafür ist die stehende Formel ὃν Ἥλιος (oder Ἄμμων) φιλεῖ (oder ἀγαπᾷ)
bzw ὑπὸ Ἡλίου φιλούμενος in der aus dem

13. Jhdt vChr stammenden, von Amm Marc
17, 4, 18—23 ins Griech übersetzten Inschr,
vgl ENorden, Agnostos Theos (1913) 225,
auch Ditt Or I 90, 1, 8f. 37. 49 (196 vChr).
[19] Aristot leugnet nicht nur die φιλία πρὸς
θεόν, sondern auch das φιλεῖν u ἀντιφιλεῖν
zwischen Gott u Menschen überh, so Eth M
II 11 p 1208b 27ff; Eth Eud VII 3 p 1238b
27ff, vgl Cr-Kö 15; → Warfield 20—23, weil
φιλεῖν für das griech Sprachempfinden ein
spezifisch   zwischenmenschliches   Gefühls-
moment einschloß, das man den Göttern
gegenüber nicht als statthaft empfand. Auch
Philo gebraucht φιλέω nie für die Liebe zu
Gott (u nur einmal ἀγαπάω Abr 50), vgl
HNeumark, Die Verwendung griech u jüd
Motive in den Gedanken Philons über die
Stellung Gottes zu seinen Freunden (Diss
Würzburg [1937] 60f; → A 191).
[20] Beispiele sind Democr fr 103 (Diels II
163): οὐδ' ὑφ' ἑνὸς φιλέεσθαι δοκέει μοι ὁ φιλέων
μηδένα, Pind Pyth 10, 66: φιλέων φιλέοντ'(α),
darnach wohl Anth Graec 12, 103: οἶδα φιλεῖν
φιλέοντας, Moschus fr 2, 8 (ed UvWilamowitz-
Moellendorff, Bucolici Graeci [1905] 138):
στέργετε τὼς φιλέοντας, ἵν' ἢν φιλέητε φιλῆσθε.
Die Grundstelle für das Prinzip der Gegenseitigkeit in der Antike ist wohl Hes Op 353:
τὸν φιλέοντα φιλεῖν als Lebensregel. Dasselbe
Prinzip vertritt auch Prv 8, 17: ἐγὼ τοὺς ἐμὲ
φιλοῦντας ἀγαπῶ, die entgegengesetzte Ordnung dgg Jesus Mt 5, 46 Par: ἐὰν γὰρ ἀγα-
πήσητε τοὺς ἀγαπῶντας ὑμᾶς, τίνα μισθὸν ἔχετε;
vgl auch Lk 14, 12 u als Gegenstück Hes Op
342f. Die ganze Lebensweisheit des Hes u
seiner Nachfolger ist auf den Vorteil der
Gegenseitigkeit ausgerichtet, Jesus predigt den
Verzicht darauf. Dgg zielt Joh wieder auf die
Gegenseitigkeit der Liebe (→ 128, 5ff mit
A 162), vgl J 13, 34; 16, 27, (→ 131, 28ff).

1, 435; 5, 135. Es bedeutet dann auch *als Gastfreund behandeln, bewirten* Hom Il 6, 15, in dieser Bdtg neben ξεινίζω 3, 207; Od 14, 322, verbunden mit δέχομαι 14, 128, mit ἀγαπάζομαι 7, 33. — c. φιλέω kann aber auch *die sinnliche Liebe* bezeichnen, uz die Liebe zwischen den Geschlechtern (→ 123, 10f) Hom Il 9, 340—343. 450; Od 8, 309 —316; 18, 325; Aesch Choeph 894. 906; Soph Trach 463, vgl Hdt IV 176: αὕτη ἀρίστη 5 δέδοκται εἶναι ὡς ὑπὸ πλείστων ἀνδρῶν φιληθεῖσα, in einer Beschwörungsformel bei einem Liebeszauber: ἵνα με φιλῇ καὶ ὃ ἐὰν αὐτὴν αἰτῶ, ἐπήκοός μοι ᾖ[ν] Preisigke Sammelbuch I 4947, 5f (3.Jhdt nChr) wie die gleichgeschlechtliche Liebe Theogn 2, 1255. 1345; Plat Lys 212a—213c[21]. In diesem Sinn kommt φιλέω also ἐράω, das im NT fehlt (→ I 34, 36ff), ganz nahe, vgl zB οὐκ ἔστ' ἐραστὴς ὅστις οὐκ ἀεὶ φιλεῖ Eur Tro 1051 10 u οὐκ ἄν ποτε ἐπεθύμει οὐδὲ ἦρα οὐδὲ ἐφίλει Plat Lys 222a (→ 123 A 120)[22].

d. Im Blick auf das Neue Testament ist wichtig, daß φιλέω sich in Bedeutung und Anwendung vielfach mit ἀγαπάω (→ I 20, 38ff) begegnet[23]. Allerdings ist φιλέω erstens im außerbiblischen Gebrauch zahlenmäßig viel stärker vertreten als ἀγαπάω — gerade umgekehrt wie in der Sprache der 15 Septuaginta und des Neuen Testamentes[24] —, und zweitens macht das griechische Sprachgefühl an sich durchaus einen Unterschied zwischen ἀγαπάω und φιλέω, etwa wie zwischen *gern haben* und — mit starkem Gefühl, mit Innigkeit und Hingabe, auch Leidenschaft — *lieben*.

Einen Eindruck von diesem Unterschied[25] vermitteln etwa die Sätze ὁ δὲ μή του 20 δεόμενος οὐδέ τι ἀγαπῴη ἄν· ... ὁ δὲ μὴ ἀγαπῴη, οὐδ' ἂν φιλοῖ Plat Lys 215a. b; ἐφιλήσατε αὐτὸν (sc Caesar) ὡς πατέρα καὶ ἠγαπήσατε ὡς εὐεργέτην Dio C 44, 48, 1. Etw anders ist der Unterschied des Sinnes bei Aristot Rhet I 11 p 1371a 21: τὸ δὲ φιλεῖσθαι ἀγαπᾶσθαί ἐστιν αὐτὸν δι' αὐτόν „als Freund geliebt werden heißt um seiner selbst willen

---

[21] Vgl → Normann 48f. 25f. 65—67.

[22] φιλέω u (ἀντ-)ἐράω sind oft nahezu oder ganz synon, vgl noch Bion fr 8, 1 (Bucolici Graeci [→ A 20] 142); Aristoph Eq 1341f, wo ἐραστής εἰμι wie sonst φιλέω für *gernhaben, schätzen* gebraucht wird (→ 116, 14ff). Verschiedentlich wird aber φιλέω auch deutlich von ἐράω unterschieden, vgl τούτους μάλιστά φασιν φιλεῖν ὧν ἂν ἐρῶσιν Plat Phaedr 231c; (εἰκός) ... τὸ φιλεῖν τοὺς ἐρωμένους Aristot An Pri II 27 p 70a 6f. Bes instruktiv ist Plut, De Bruto 29 (I 997c): Βροῦτον δὲ λέγουσι δι' ἀρετὴν φιλεῖσθαι μὲν ὑπὸ τῶν πολλῶν, ἐρᾶσθαι δ' ὑπὸ τῶν φίλων, ähnlich auch Dio Chrys Or 1, 20; Xenoph Hier 11, 11, wo ἐράω nicht das Moment der Sinnlichkeit enthält, sondern einen stärkeren u wärmeren Grad der Liebe als φιλέω bezeichnet, → Warfield 12f. 17.

[23] So steht auch ἀγαπάω von der Elternliebe Plat Resp I 330c, von der Liebe der Götter (Pseud-)Demosth Or 61, 9; Ditt Or I 90, 4 (196 vChr), von der erwählenden, bevorzugenden Liebe (→ I 36, 35ff; 48, 6ff) Demosth Or 18, 109 sowie in der mehrfach bei Aristot, zB Eth Nic IV 2 p 1120b 13, vorkommenden Wendung μᾶλλον ἀγαπάω, von der Liebe des Gastfreunds (→ Z 1ff; 147, 1ff) u bes auch von der sinnlichen Liebe Anaxilas fr 22, 1 (CAF II 270); Luc Jup Trag 2 u das Epigramm ἠράσθην, ἐφίλουν, ἔτυχον, κατέπραξ', ἀγαπῶμαι. τίς δὲ καὶ ἧς καὶ πῶς, ἡ θεὸς οἶδε μόνη Anth Graec 5, 51, in dem sowohl ἐράω als auch φιλέω u ἀγαπάω die sinnliche Liebe bezeichnen. Ebs erhält ἀγάπη in der Sprache gewisser Gnostiker einen sinnlichen, ja sexuellen Sinn, so in dem „kul-

tischen" Ruf des Mannes zur Frau: ἀνάστα, ποίησον τὴν ἀγάπην μετὰ τοῦ ἀδελφοῦ Epiph Haer 26, 4, 4, ähnlich Hipp Ref VI 19, 5 von den Simonianern: ταύτην (sc die geschlechtliche Promiskuität) εἶναι λέγοντες τὴν τελείαν ἀγάπην, sowie Cl Al Strom III 10, 1 von den Karpokratianern. Selbst an Jd 12 u bes 2 Pt 2, 13 vl wird man bei diesem Mißbrauch von ἀγάπη erinnert. Zur Sache vgl LFendt, Gnostische Mysterien (1922) 3—14, auch das gnostische Ev „Die Fragen Marias" bei Epiph Haer 26, 8, 2f u dazu HCPuech, in: Hennecke[3] I 250. Endlich werden ἀγαπάω u φιλέω auch mit sächlichem Obj ganz im gleichen Sinn gebraucht, vgl Lk 11, 43 mit 20, 46 (→ 127, 5ff).

[24] → Normann 164 meint, daß im NT φιλέω u φιλία durch ἀγαπάω u ἀγάπη verdrängt werden ebs wie φίλος durch ἀδελφός. Der entscheidende Grund für diese Verdrängung liegt aber auf der einen Seite schon in der Bevorzugung von ἀγαπάω durch die LXX (→ 123, 3ff), auf der anderen darin, daß die Kategorie der Freundschaft nicht so angemessen ist für die Beziehungen zwischen Jesus u seinen Jüngern u die der Jünger untereinander wie die Kategorie der Familie, vgl zu J 15, 14 → 163, 9ff. φίλος als Selbstbezeichnung der Christen dringt offensichtlich erst nachträglich in den Sprachgebrauch der frühen Christenheit ein (→ 160, 2ff; 164, 8ff).

[25] Ders Unterschied besteht urspr zwischen diligo u amo, vgl: ut scires eum a me non diligi solum verum etiam amari Cic Fam 13, 47.

geliebt werden"[26]. Mit einer verschiedenen Bedeutungsschattierung von φιλέω u ἀγαπάω wird man vielfach auch da zu rechnen haben, wo die beiden Verben zu einem Paar verbunden sind, zB Plat Lys 220d; Aristot Eth Nic IX 7 p 1167b 32, oder par gebraucht werden, zB Philo Rer Div Her 44: ἀγάπησον οὖν ἀρετὰς ... καὶ φίλησον ὄντως (→ I 496, 17ff). Doch sind die beiden Verben schon im klass Griech an manchen St auswechselbar, so Xenoph Mem II 7, 9: σὺ μὲν ἐκείνας φιλήσεις ... ἐκεῖναι δὲ σὲ ἀγαπήσουσιν, ähnlich II 7, 12[27] (→ I 37 A 83); Aristot Eth Nic IX 8 p 1168a 28—30; Ael Var Hist 9, 1[28]. Vollends gilt diese Vertauschbarkeit für die Koine des NT, wenn man auch immer mit einem Nachwirken des lebendigen Sprachgefühls für urspr Färbungsunterschiede wird rechnen müssen (→ 132, 3ff mit A 191f)[29]. Aber das Verhältnis des Stimmungsgehalts hat sich gg früher (→ 115, 16ff) geradezu umgekehrt: ἀγαπάω ist keinesfalls kühler als φιλέω, es ist eher inniger u tiefer (→ 133 A 195).

2. φιλέω mit sächlichem Objekt.

Schon früh wird φιλέω im Sinn von *gern haben, schätzen*, auch darin ähnlich wie ἀγαπάω (→ 127, 3f) u ἀσπάζομαι (→ I 495, 36ff), mit sächlichem Obj verbunden, vgl schon die bei Hom singuläre St οὐ μὲν σχέτλια ἔργα θεοὶ μάκαρες φιλέουσιν Od 14, 83, ferner φιλῶ γε πράμνιον (*starken*) οἶνον Λέσβιον Ephippus fr 28 (CAF II 264); vgl Prv 21, 17 (→ 123, 14).

3. φιλέω mit Infinitiv.

a. In der Bdtg etw *gern tun*[30], die sich seit Hdt VII 10, 5 findet u die als Ersatz für das Adv *gern* gelten kann[31], zeigt sich noch der urspr Sinn des Stammes φιλ- (→ 113, 7ff): das *tun, was dem φιλῶν eigen ist, was ihm nahe liegt*, nicht etw, was er ebs gut auch anders machen könnte[32], vgl φύσις ... κρύπτεσθαι φιλεῖ Heracl fr 123 (Diels I 178); μεγάλων δ' ἀέθλων Μοῖσα μεμνᾶσθαι φιλεῖ Pind Nem 1, 11f[33]. —
b. *pflegen, etw zu tun* heißt φιλέω oft im außerbiblischen Griech Hdt II 27; Xenoph Eq Mag 7, 9; Mitteis-Wilcken II 2 Nr 372 col 6, 14f (1.Jhdt nChr). Vielfach ist die Übers nach b. ebs möglich wie die nach a., vgl zB φιλεῖ δὲ τίκτειν Ὕβρις μὲν παλαιὰ νεάζουσαν ... Ὕβριν Aesch Ag 763—766; ὅπερ φιλεῖ ὅμιλος ποιεῖν *wie es die Masse gerne macht* oder *zu tun pflegt* Thuc II 65, 4, ganz ähnlich auch VIII 1, 4[34].

4. φιλέω *küssen*, καταφιλέω, φίλημα.

a. Der Wortgebrauch.

Wie schon die Verwendung für die sinnliche Liebe zeigt (→ 115, 3ff), kann der Sinn von φιλέω wie der von ἀγαπάω (→ I 36, 30ff; 37, 10f) auch aktive u sinnenfällige Betätigungen der Liebe zum Inhalt haben, so das Streicheln u

---

[26] → Warfield 32—34, der die Verschiedenheit der Bdtg von φιλέω u ἀγαπάω zweifellos überschätzt u seine Unterscheidung φιλεῖν is taking pleasure in, ἀγαπᾶν is ascribing value to 36 in undurchführbarer Weise strapaziert.
[27] Vgl dgg → Warfield 35—37 mit der A 109 angeführte Lit. Doch allein die Tatsache, daß Xenoph Mem II 7, 9 für Aristarch φιλέω, 7, 12 ἀγαπάω, für die weiblichen Verwandten aber die beiden Verben gerade umgekehrt gebraucht — uz beidemal genau mit der gleichen Erläuterung —, beweist die Synonymität.
[28] Weitere Beispiele Plat Phaedr 241c, bei → Spicq Le verbe 382 mit A 5; 392 mit A 6 (→ I 37, 16ff).
[29] Vgl Trench 29—33; Moult-Mill sv ἀγαπάω, Cr-Kö 10f. Zu den Bedeutungsunter-

schieden von φιλέω, στέργω, ἐράω, ἀγαπάω vgl noch → Spicq Le verbe 393f; EMCope, The Rhetoric of Aristotle I (1877) 292—296; FHöhne, Zum nt.lichen Sprachgebrauch I. ἀγαπᾶν, φιλεῖν, σπλαγχνίζεσθαι, ZWL 3 (1882) 6—19.
[30] Zum Übergang von der Bdtg *gern haben* zu *gern tun* vgl οὐκ ἐξ ἅπαντος δεῖ τὸ κερδαίνειν φιλεῖν Soph Ant 312.
[31] Winer[7] 435; Bl-Debr § 392, 2; 435.
[32] → Normann 7f.
[33] Weitere Beispiele bei Liddell-Scott sv. Im NT steht φιλέω in diesem Sinn nur Mt 6, 5; 23, 6f (→ 126, 20ff).
[34] Wie φιλέω *pflegen* gebraucht schon Hom oft φίλον τινί ἐστι, wobei mehrfach ein vorausgestelltes ἀεί das Moment der Dauer unterstreicht, das φιλέω u φίλος von Haus aus eigen ist, zB Hom Il 1, 107. 177. 541.

Liebkosen [35] u insbesondere das Küssen. Hierfür wird jedoch kaum ἀγαπάω [36] verwendet, sondern seit [37] Theogn [38] φιλέω [39] u, da dessen Bdtg nicht eindeutig ist [40], seit Xenoph [41] in zunehmendem Maße καταφιλέω [42]. Das Subst für *Kuß* bleibt aber von Aesch [43] bis über das NT hinaus [44] φίλημα [45].

---

[35] φιλέω als vl neben καταφιλέω Plut Anton 70 (I 948e): 'Αλκιβιάδην ... ἠσπάζετο καὶ κατεφίλει *er küßte u liebkoste.* ἀγαπάω in dieser Bdtg vom Streicheln junger Tiere Plut Pericl 1 (I 152c).

[36] TZahn, Ign von Antiochien (1873) 415 ua haben Ign Pol 2, 3: τὰ δεσμά μου ἃ ἠγάπησας mit *die Ketten küssen* übersetzt. GKrüger, der in Hennecke[1] 131 dieser Übers folgte, hat sie Hennecke[2] 534 in *die Bande, die du liebgewonnen hast,* verbessert; ebs übersetzen Bau Ign zSt; JAFischer, Die Apostolischen Väter, Schriften des Urchr I (1956) 219. Immerhin ist zu bedenken, daß schon Tertullian, Ad uxorem II 4 (CSEL 70 [1942] 117) vom Küssen der vincula martyris die Rede ist u daß es Act Pl et Thecl 18 von Thekla heißt: καταφιλούσης τὰ δεσμὰ αὐτοῦ (sc des Pls); vgl auch Prud, Peristephanon (CCh 126 [1966]) 5, 337f u dazu Ant Christ II 211 mit A 69. Auch für ἠγάπησεν αὐτόν in Mk 10, 21 ist die Bdtg *er küßte ihn* vermutet worden, so von dem unbekannten lat Übersetzer von Orig Comm in Mt 15, 14 zu 19, 20 (GCS 40 [1935] 386, 26): „dilexit eum" vel „osculatus est eum", auch von FField, Notes on the Translation of the NT [2](1899) 34; vgl Moult-Mill sv ἀγαπάω. Man könnte dafür geltend machen, daß ἠγάπησεν πολύ in Lk 7, 47 auf das καταφιλεῖν von v 38 u 45 zurückweist (→ 137, 6ff). Aber hier wie dort ist eine solche Deutung von ἀγαπάω angesichts des überwältigenden sonstigen Gebrauchs von ἀγαπάω im NT ganz unwahrscheinlich, anders in der LXX (→ 123, 10ff mit A 118). Überh ist die Bdtg *küssen* für ἀγαπάω nirgends mit Sicherheit nachgewiesen; vgl Pr-Bauer sv; Bau Ign zu Pol 2, 3; → Warfield 26f.

[37] Das älteste griech Wort für *küssen* ist κυνέω, zB Hom Od 17, 35. 39 (→ VI 759, 22ff), vermutlich wie sein deutsches Äquivalent onomatopoetischen Ursprungs → Meißner 930. Es findet sich auch noch später, zB bei Aristoph Nu 81; Thes 915; Lys 923, neben φιλέω *küssen* Lys 890 u sogar noch bei Luc Alex 41, hier freilich in stilistisch begründetem Wechsel mit καταφιλέω. Später aber treten an die St von κυνέω außer (κατα)φιλέω noch ἀσπάζομαι, so vielleicht schon Plat Symp 209b, wohl auch Appian Bell Civ III 84; Lib Or 18, 156; 'Εσϑ 5, 2, ferner Pseud-Dionysius Areopagita, De ecclesiastica hierarchia 3, 8 (MPG 3 [1857] 437) uö (→ 141, 28ff; 142, 29ff, vgl 137, 5f; → I 494, 19), gelegentlich auch προσκυνέω, → Delatte 426 (→ 137 A 229; 141, 30f, vgl 122 A 103), dazu poetische Umschreibungen wie προσπτύσσομαι στόμα Eur Phoen 1671, ἀμφιπίπτω στόμασι Soph Trach 938 ua, vgl → Sittl 37. Im Unterschied von den lat Vokabeln osculum, basium, suavium, vgl → Sittl 43 A 1, werden von den

griech Autoren die Bezeichnungen für *Kuß* nicht systematisiert.

[38] ἔνϑα μέσην περὶ παῖδα βαλὼν ἀγκῶν' ἐφίλησα δειρήν (*den Hals*) Theogn 1, 265f.

[39] zB περὶ χεῖρε βαλοῦσα φιλήσει Aesch Ag 1559; ὡς ψαύσω φιλήσω τ', εἰ ϑέμις, τὸ σὸν κάρα Soph Oed Col 1130f, vgl Hdt I 134, 1; Aristot Probl 30, 1 p 953b 16. Bes häufig findet sich φιλέω im Sinn von *küssen* in den hell Romanen, zB Xenoph Ephes I 9, 6f; Heliodor Aeth I 2, 6f; vgl KKerényi, Die griech-orientalische Romanliteratur in religionsgeschichtlicher Beleuchtung [2](1962) 42f. Besinnungen über die beiden Bdtg *lieben* u *küssen* zB bei Xenoph Symp 4, 26 (ein eingeschobenes Stück): ἴσως δὲ καὶ διὰ τὸ μόνον πάντων ἔργων τὸ τοῖς στόμασι (Konjektur) συμψαύειν ὁμώνυμον εἶναι τῷ ταῖς ψυχαῖς φιλεῖσϑαι ἐντιμότερόν ἐστιν. Wortspiele mit beiden Bdtg von φιλέω bei Antipater Thessalonicensis: πρὸς Διός, εἴ με φιλεῖς, Πάμφιλε, μή με φίλει Anth Graec 11, 219, 2 u bei Cl Al Paed III 81, 2: οἱ δὲ οὐδὲν ἀλλ' ἢ φιλήματι καταψοφοῦσι τὰς ἐκκλησίας, τὸ φιλοῦν ἔνδον οὐκ ἔχοντες αὐτό „sie aber (sc die Scheinchristen) lassen nur die Kirchen von ihren Liebesküssen widerhallen, während sie in sich selbst die eigtl Liebe nicht besitzen."

[40] Selbst nicht im NT; vgl zu 1 K 16, 22 → 135 A 211. Um φιλέω eindeutig im Sinn von *küssen* festzulegen, wurde häufig (τῷ) στόματι hinzugefügt, zB Hdt II 41, 3; Aristot Probl 30, 1 p 953b 16 (→ 119 A 65); Plut Quaest Rom 6 (II 265b). Im Neugriechischen ist für φιλῶ die Bdtg *küssen* allein übriggeblieben.

[41] Vgl ἔπειτα δὲ Κύρου κατεφίλουν καὶ χεῖρας καὶ πόδας Xenoph Cyrop VII 5, 32, vgl VI 4, 10.

[42] zB λαμβάνων μου κατεφίλει τὰς χεῖρας Menand Epit 97f, nur vereinzelt in späten Pap: PLond V 1787, 18 (6.Jhdt nChr); Preisigke Sammelbuch I 4323, 5 (byzantinische Zeit): καταφιλῆσαι τοὺς τιμίους αὐτοῦ πόδας. Zum Unterschied von φιλέω u καταφιλέω vgl Xenoph Mem II 6, 33 u Philo Rer Div Her 40—44. In der neueren Lit → Sittl 41: καταφιλεῖν (deosculari) *Abküssen* verschiedener Körperstellen (→ 120 A 80), anders Heine aaO (→ A 7) 153: plus quam semel osculari; multum et impense osculor, vgl auch → A 240 zu Mk 14, 44f. Doch erscheinen solche Versuche angesichts der Vertauschbarkeit von φιλέω *küssen* u καταφιλέω (→ 123, 23f) unbegründet.

[43] Vor Aesch fr 135 ist kein Subst für *Kuß* belegt.

[44] zB ἑταιρικὰ φιλήματα Cl Al Paed II 98, 1 (→ 140, 21ff).

[45] zB ὡς δεινήν τινα λέγεις δύναμιν τοῦ φιλήματος εἶναι Xenoph Mem I 3, 12, vgl Eur Iph 679. 1238; Suppl 1154; Küsse als Preise im Spiel Plato Comicus fr 46, 5 (CAF I 612) (→

b. Der Kuß in der antiken Welt außerhalb der Bibel[46].

α. Der **Ursprung** des menschlichen Küssens ist wahrscheinlich in animistischen Vorstellungen zu suchen: sowohl der Kuß auf den Mund als auch der
5   gleichfalls weitverbreitete Nasenkuß dient urspr der Übertragung der Hauchseele[47] (→ 124, 5ff). Später sah man vielfach in der mutuellen Übertragung des Atems, der „Seele", das Wesen des Kusses: in der durch die Übertragung u Vermischung der ψυχαί gestifteten innersten Lebensgemeinschaft[48]. Nach einer anderen Ableitung ist der Ursprung des Kusses das Einziehen des Atems — mit dem doppelten Zweck des
10   Erkennens des Zugehörigen am Geruch u des damit gegebenen Genusses —[49], weil nämlich in der vedischen Lit kein Wort für Kuß bekannt ist, wohl aber statt dessen von „Schnüffeln" u „Riechen" geredet wird[50].

β. Wen man **küßt**: Verwandte, Herrscher, Geliebte. Daß der eigtl Kuß als Ausdruck erotischer Zuneigung sekundär ist[51], ist für die griech Welt
15   daraus zu erschließen, daß der Liebeskuß bei Hom nicht erwähnt wird u für die klass Lit lange nichts bedeutet[52]. Zunächst begegnet nur der Kuß der nächsten Angehörigen: Kinder werden von den Eltern Hom Il 6, 474; Aristoph Lys 890, die Eltern Eur Andr 416; Aristoph Nu 81 u Großeltern Xenoph Cyrop I 3, 9 von Kindern u Enkeln geküßt. Desgleichen küssen sich die Geschwister Eur Phoen 1671, Freunde[53] u Gast-
20   freunde Apul Met IV 1, 1; Pseud-Luc Asin 17[54], u wenigstens bei Hom Od 16, 15. 21; 17, 35; 21, 224; 22, 499 küssen die Knechte u Mägde ihre Herren. In allen diesen Fällen ist der Kuß Ausdruck der nahen Zugehörigkeit[55] u der ihr entsprechenden Liebe[56].

Schon in manchen dieser Fälle ist dem Motiv der Liebe das der Ehrung zugesellt. Beherrschend ist dieses Motiv bei einem aus dem Orient stammenden Brauch, der
25   urspr eine Ehrung des Geküßten sein sollte, aber schon früh als Ehre für den Küssenden verstanden wurde, nämlich das Vorrecht, den König zu küssen, das den ihm Nächststehenden zugestanden wurde, uz nicht nur den königlichen Verwandten, sondern auch den „Freunden des Königs" (→ 145, 15ff). Diese Sitte wurde zunächst von Alexander dem Großen übernommen u den zu seinen „Verwandten" Erhobenen Arrian,

121, 12ff), auch bei Eubulus Comicus fr 3, 4 (CAF II 165), als Finderlohn bei Moschus 1, 4 (Bucolici Graeci [→ A 20] 120). Bes häufig findet sich φίλημα in den Komödien u Romanen, in der Bukolik u epigrammatischen Lyrik, zB Anth Graec 12, 183, 1; 200, 1; vgl 203, 1. Vereinzelt kommt die fig etym φίλημα φιλέω vor, so Moschus 3, 68f (p 93); vgl auch Cant 1, 2 LXX: φιλησάτω με ἀπὸ φιλημάτων στόματος αὐτοῦ. Lk 7, 45 steht dafür: φίλημα δίδωμι, wie schon Eur Iph Aul 679. 1238; Nicopho Comicus fr 8 (CAF I 776), vgl → Kroll 512. Der Plur φιλήματα kann gelegentlich auch den Sinn *Kosmetika* haben, vgl Liddell-Scott sv.

[46] Vgl → Sittl 36—43, hier 36 A 2 ältere Lit; → Kroll 511—518.

[47] Vgl → Schimmel 189f.

[48] Vgl als bes schönes Beispiel Plat Epigr 1 (Diehl[3] I 102): „Als ich den Agathon küßte, da hielt ich die Seel' auf den Lippen: Dreist auf dem Sprung sie schien, in ihn hinüberzugeh'n." Ähnlich Aristaenetus ep II 19 (Epistolographi 170); Petronius, Satyricon (ed KMüller [1961]) 79, 8; 132, 1, vgl ferner Anth Graec 12, 133, 5f. Weitere Beispiele bei → Kroll 512, 39—48. Zur Sache vgl ABertholet, Artk Atem, in: RGG[2] I 600f; WWundt, Völkerpsychologie IV 1 [4](1926) 136f.

[49] Vgl → Hopkins 131; OSchrader-ANehring, Artk Kuß, in: Real-Lexikon der idg Altertumskunde I [2](1917) 668.

[50] → Hopkins 130.

[51] Dgg sind der Zungenkuß καταγλώττισμα Aristoph Nu 51 u der Beiß-Kuß Catullus (ed WKroll [3][1959]) 8, 18: quem basiabis ? cui labella mordebis ?, häufig auch in der indischen Lit, bereits urspr erotischer Natur, vgl Plaut, Asinaria 695, → Kroll 513, 7—20.

[52] Vgl → Kroll 511f, der allerdings den Grund darin sieht, daß der Kuß ein zu realistisches Motiv war u massiveren Genüssen zu nahe stand.

[53] Vgl auch → Hopkins 131, der für Indien den Schnüffelkuß (→ Z 11f) von Freunden erwähnt.

[54] Weitere Belege bei → Hug 2063.

[55] Plut Quaest Rom 6 (II 265d) nennt ihn ein σύμβολον καὶ κοινώνημα τῆς συγγενείας.

[56] Zum Kuß von Verwandten in röm Zeit vgl Athen 10, 56: Der Frau sind Küsse ihrer Verwandten geboten (δεῖ!), uz täglich bei der ersten Begegnung; ähnlich Plin Hist Nat 14, 13, 90; Plut Quaest Rom 6 (II 265b—d); Gellius, Noctes Atticae (ed CHosius [1903]) 10, 23, 1, dazu ESchwyzer, Zum röm Verwandtenkuß, Rhein Mus 77 (1928) 108—111. Freilich wurden selbst die Küsse von Verwandten schon in frühen Zeiten zu einer bloßen Form, → Meißner 921. Später wurden συγγενής, φίλος u andere Bezeichnungen persönlicher Verbundenheit zu Titeln erhoben (→ Z 28ff; 145, 15ff; 146, 24ff); dadurch wurde auch der Sinn des Kusses immer mehr entleert, vgl Valerius Maximus (ed CKempf [2][1888]) II 6, 17.

Alexandri Anabasis[57] VII 11, 1. 6f[58], sowie seinen mazedonischen „Freunden" — freilich nur in Verbindung mit der Proskynese (→ VI 759, 20ff) — als Recht eingeräumt, vgl Plut Alex 54 (I 696a), dann über die Diadochenreiche bereits durch Augustus auch in Rom eingeführt, vgl Suet Caes III 10, 2; Sen, De ira II 24, 1, aber schon durch Tiberius als tägliche Sitte wieder abgeschafft Suet Caes III 34, 2, um darnach wieder aufge- 5 nommen zu werden[59]. Plin dJ, Panegyricus 23, 1 lobt Trajan, weil er dem Senat zu Beginn u zu Ende der Sitzungen das Recht des Kusses gewährte. Allerdings galt nun zwar der vom Kaiser gewährte Kuß als hohe Ehre, vgl Amm Marc 22, 9, 13, auch 29, 5, 16, aber der vom Kaiser geforderte Kuß oft als lästige Pflicht, vgl Thdrt V 16, 3. Manche hofften, durch diesen Kuß Anteil an der kaiserlichen Heilkraft zu erlangen, vgl Script 10 Hist Aug 1, 25, 1 (→ 121, 22f mit A 94)[60]. Wie die Kaiser ließen sich auch die röm Patrone von ihren Klienten küssen, vgl Mart 8, 44, 5; 12, 26, 4; 59, 2—10.

Erst relativ spät belegt ist der erotische Kuß[61], uz in der griech-röm Welt neben dem Kuß der Liebe zum andern Geschlecht, zB Theogn 1, 265; Aristoph Lys 923; Av 671. 674, bes häufig in der bukolischen Poesie, zB Theocr Idyll 2, 126; 23, 9, in der Liebeselegie, 15 zB Prop I 3, 16[62], u im antiken Roman, zB Heliodor Aeth I 2, 6, kaum weniger oft der Kuß der gleichgeschlechtlichen Liebe, zB Plat Resp V 468b; Ael Var Hist 13, 4; Catullus (→ A 51) 99; Petronius, Satyricon (→ A 48) 74, 8; 75, 4[63].

γ. Was man küßt: Mund, Hände, Füße; Ersatzküsse. Wie der erotische Kuß sekundär ist gegenüber dem Kuß der nächsten Verwandten, so ist es 20 wenigstens in Indien u Griechenland[64] auch der Kuß auf den Mund, der bei Hom nicht vorkommt[65], gegenüber dem Kuß auf die Wangen u auf die Stirn[66], auf die Augen Hom Od 16, 15; 17, 39[67], auf die Schultern 17, 35; 21, 224; 22, 499[68] u die Hände 16, 15; 21, 225; 24, 398[69]. Mit dem Vordringen des erotischen Kusses gewinnt aber der Kuß auf den Mund als der eigtl Kuß eine beherrschende Stellung. Wo dgg der 25 Kuß Zeichen der Ehrung ist, wird er vorzugsweise auf die Hände gegeben[70] Hom Il 24, 478; Menand Epit 97f (→ 117 A 42), auf die Brust Luc Nec 12; Nigrinus 21; Petronius, Satyricon (→ A 48) 91, 9[71], auf die Knie, so schon in Ägypten, vgl Hom Od 14, 279, aber auch bei den Griechen, vgl Hom Il 8, 371[72], oder auf die Füße[73]. Neben den direkten Küssen auf irgendeine Stelle des Körpers des zu Ehrenden oder Geliebten 30

---

[57] ed AGRoos [2](1967).

[58] Man darf daraus nicht schließen, daß die mazedonischen Könige urspr wie die numidischen jedem Sterblichen den Kuß verweigerten Valerius Maximus aaO (→ A 56) II 6, 17, vielmehr bestand die Neuerung darin, daß Vertraute des Königs den Titel „Verwandte" erhielten u damit auch das Recht des Kusses, → Meißner 914 A 2.

[59] Vgl EMeyer, Alexander der Große u die abs Monarchie, Kleine Schriften I [2](1924) 308; → Hug 2070f; LFriedländer, Darstellungen aus der Sittengeschichte Roms in der Zeit von August bis zum Ausgang der Antonine I [9](1919) 93f.

[60] Vgl → Hofmann 88f; zum Ganzen → Sittl 79f.

[61] Vgl → Meißner 920f.

[62] Richtige Kußgedichte sind die Carmina 5 u 7 des Catullus aaO (→ A 51); natürlich spielt der Kuß in der ganzen Lit-Gattung der ars amatoria eine große Rolle, vgl WKraus, Artk Ovidius, in: Pauly-W 18 (1942) 1920—1937.

[63] Vgl → Kroll 512f.

[64] Dgg ist für die Sumerer bereits der Mundkuß bezeugt, → Meißner 917.

[65] → Kroll 513. 515. Er galt als orientalischer Brauch: ... τοὺς συγγενεῖς (sc des Kyros) φιλοῦντας τῷ στόματι ἀποπέμπεσθαι αὐτὸν νόμῳ Περσικῷ Xenoph Cyrop I 4, 27, vgl Hdt I 134, 1; Xenoph Ag 4, 5f. Auch im alten Indien ist der Kuß auf den Mund nur zwischen Liebenden verschiedenen Geschlechts üblich, → Hopkins 124.

[66] So ist wohl Hom Od 16, 15; 17, 35. 39; 21, 224f; 22, 499; 23, 208 zu deuten, ebs bei den Rabbinen zB RH 2, 9d ua bei Str-B I 995.

[67] Vgl noch Epict Diss I 19, 24; Apul Met III 14, 3; Plaut, Casina 136; Plin Hist Nat 11, 146.

[68] Gleichfalls später als erotischer Kuß bezeugt Ovid, Ars amatoria III 310.

[69] Zahlreiche weitere Beispiele bei → Sittl 166—169; → Kroll 516, auch als Sklavenkuß, zB Epict Diss I 19, 24; zum Ganzen → Sittl 40f.

[70] Als alte medische Sitte bBer 8b erwähnt, vgl Str-B I 995.

[71] Vgl → Sittl 166.

[72] → Sittl 169; vgl auch den Kuß des Asclepius auf die Knie des schlafenden Proclus bei Marin Vit Procl 31: οὐδὲ τὰ γόνατα διὰ φιλανθρωπίαν ἀπαρνησάμενον φιλεῖν.

[73] Der Fußkuß ist im ganzen Orient die am weitesten verbreitete Form der Ehrung; für Indien vgl → Hopkins 130, für Ägypten vgl AErman, Ägypten u ägyptisches Leben im Altertum (1885) 109, neu bearbeitet HRanke [2](1923) 82; HKees, Kulturgeschichte des alten Orients I. Ägypten (1933) 183. In Babylonien gehört der Fußkuß zum Ritual der Königskrönung u dann ganz allg zur Ehrung des Königs, ebs aber auch zum Ritus des Sieges. Die Wendung *die Füße küssen* im Sinn von *huldigen* findet sich mehrfach in den assyrischen Inschr (→ Wünsche 29 A 1), wurde aber dann zu einer geläufigen brieflichen Ergebenheitsfloskel ähnlich wie die

werden auch mancherlei Ersatzküsse auf Dinge[74] praktiziert, die in irgendeinem Zshg
mit demjenigen stehen, den man eigtl küssen möchte, zB wenn er physisch unerreich-
bar Xenoph Cyrop VI 4, 10[75] oder zu erhaben ist[76]. Im letzteren Fall wird vorzugsweise die Erde vor seinen Füßen geküßt[77] oder ihm eine Kußhand zugeworfen Juv
4, 118[78].

δ. **Wann man küßt**: Begrüßung, Abschied, Bundesschluß, Ver-
söhnung, Spiel ua. Der Kuß bei Begegnung u Begrüßung scheint im Orient[79] allg üblich
gewesen zu sein. Er ist uns aus Persien bezeugt[80]. Auch bei Griechen u Römern wird
der Begrüßungskuß vielfach erwähnt, schon bei Hom Od 16, 15. 21; 17, 35 uö, dann
aber erst wieder in späterer Zeit (→ 125, 9f; 136, 30ff), zB Apul Met IV 1, 1; Luc,
Lucius 17; Chrys Hom in 2 K 30, 1 zu 13, 12 (MPG 61 [1862] 606). Als Beleg für den Abschiedskuß mag suprema oscula Tac Hist IV 46 gelten. Auch das Küssen von Sterbenden oder eben Verstorbenen ist hierher zu rechnen Soph Trach 938; Statius, Silvae[81] II
1, 172f; Prop II 13, 29; Suet Caes II 99; Theocr Idyll 23, 40f[82] (→ 143, 3ff). Siegel der
Treue ist der Kuß bei der Stiftung eines Freundschaftsbundes Aristoph Ra 755 u beim

---

österreichische Höflichkeitsfloskel „Küß' die
Hand". Vgl → Meißner 923—926; → Hofmann 61f. Der Fußkuß wurde von den Persern
übernommen Xenoph Cyrop VII 5, 32, ebs
von den Karthagern Polyb 15, 1, 7. Nur
vereinzelt wird er im griech Bereich erwähnt,
zB Preisigke Sammelbuch I 4323, 5 (→
117 A 42). In Rom galt er als Erniedrigung
Dio C 59, 29, 5, bes wenn Caligula sich den
linken Fuß küssen ließ Sen Ben II 12, 1f. Allerdings wurde der Fußkuß auch einer Geliebten
konzediert, vgl Ovid, Ars amatoria II 534;
Epict Diss IV 1, 17. Aus dem staatlichen Zere-
moniell ist der Fußkuß aber doch auch in den
kirchlichen Brauch für die Bischöfe, bes aber
für den Papst, freilich in reverentia Salvatoris,
übernommen worden, vgl → Sittl 169f;
LZscharnack, Artk Fußkuß, in: RGG² II
841; EHertzsch, Artk Fußkuß, in: RGG³
II 1182. Für das NT → 137, 14f.
[74] Auch wenn es sich nicht um Ersatzküsse
handelt, werden in der Antike öfters Dinge,
zB Briefe, → Sittl 42 mit A 1; 172 mit A 4,
oder auch Tiere geküßt Longus I 18, 1; → Hofmann 67 mit A 3.
[75] Ein beliebtes Motiv der Liebeslyrik ist
der Kuß auf den Pfosten der von dem bzw
der Geliebten verschlossen gehaltenen Türe
Callim Epigr 42, 5f; Theocr Idyll 23, 18;
Lucretius, De rerum natura (ed HDiels [1923])
IV 1179; Plaut, Curculio 94; Prop I 16, 42.
[76] Eine vom Cäsarenwahnsinn Caligulas
eingegebene Form des Ersatzkusses war es,
wenn er statt seiner Füße die Pantoffeln
küssen ließ Sen Ben II 12, 1. Offiziell angeordnet wurde im späteren Kaiserreich der
Kuß auf einen Zipfel des kaiserlichen Purpur-
gewandes, vgl Cod Theodosianus (ed TMommsen [Nachdruck 1954]) 6, 24, 4; 8, 7, 16;
OSeeck, Artk Adoratio, in: Pauly-W 1 (1894)
400f.
[77] Für Ägypten vgl Kees aaO (→ A 73) 183;
Erman-Ranke aaO (→ A 73) 82. Im Alten
Reich galt es als bes Gnade, wenn der König
einen Großen seinen Fuß küssen ließ u nicht
gestattete, daß er die Erde küßte. Im Neuen
Reich küssen nur noch die Diener die Erde
vor dem König. Für Mesopotamien →
Meißner 926. Aus dem Orient drang auch

dieser Brauch in die spätrömische Periode
ein, → St. 171 A 1.
[78] Weitere Belege bei → Sittl 171f. Zu den
Ersatzküssen gehört auch der Kuß von
Gräbern (→ A 82) u von Bildern Verstorbener
Suet Caes IV 7 (→ 122 A 113).
[79] Die Annahme, daß die Griechen den Begrüßungskuß erst durch die Perser kennenlernten, → Meißner 930, steht im Widerspruch mit der Darstellung Homers (→
Z 8f), wird aber durch die Berichte von
Hdt u Xenoph von den persischen Sitten
als verschieden von den griech unterstützt
(→ A 80).
[80] Vgl Hdt I 134, 1 u ähnlich Strabo
15, 3, 20: Gleichgestellte küssen sich auf den
Mund. Ist einer der beiden weniger vornehm,
so küßt man sich auf die Wangen Hdt I 134, 1
oder bietet ihm die Wange zum Kusse dar
Strabo 15, 3, 20; ganz Niedriggestellte vollziehen statt des Kusses die Proskynese. Ab-
schieds- u Begrüßungskuß zwischen Verwandten als persische Sitte erwähnt Xenoph
Cyrop I 4, 27f. In Persien spielt auch das
ägyptische Märchen „Vom verwünschten
Prinzen" bei AErman, Die Lit der Ägypter
(1923) 209—214, in dem der fremde Königssohn bei der Begrüßung „auf alle seine Glieder" geküßt wurde, vgl hierzu auch das „Abküssen" πάντα κύσεν περιφύς des Telemach
durch Eumaeus Hom Od 16, 21.
[81] ed AKlotz (1911).
[82] Ein Gegenstück ist Petronius, Satyricon
(→ A 48) 74, 17: nolo me mortuum basiet.
Urspr wollte man durch das Küssen der
Sterbenden die entfliehende Seele mit dem
Munde auffangen (→ 125, 31ff). Zum
Küssen von Toten → Meißner 922f mit
923 A 1; → Hopkins 131; → Löw 275; →
Sittl 72 mit den Belegen in A 9 u 10; → Kroll
517; → Hofmann 72f; → Karle 854f.
Aus Liebe u Verehrung für die Toten
werden bei Juden, vgl → Löw 275f, wie
Heiden, vgl Ant Christ II 210, auch der
Sarg u der Grabhügel, bei Heiden auch die
Aschenurnen (→ 122 A 107) geküßt. Auch
in der antiken Traumdeutung spielt das
Küssen der Toten eine Rolle, vgl Artemid
Onirocr II 2.

Abschluß eines Bündnisses, zB δεξιάς τέ σφισιν ἔδοσαν καὶ ἐφίλησαν ἀλλήλους[83] Dio C
48, 37, 1. Bei der Aufnahme in einen geschlossenen Kreis ist er ein Zeichen der Bruderschaft; so küßt der neugewählte Räuberhauptmann jedes Mitglied seiner Bande Apul
Met VII 9, 1[84]. Die in eine religiöse Bruderschaft durch den Kuß Aufgenommenen hießen
οἱ ἐντὸς τοῦ φιλήματος[85]. Weiter gilt der Kuß als Zeichen u Garant der Versöhnung, so schon 5
im altorientalischen Mythus von Nergal u Ereschkigal[86], ebs dann bei Griechen u Römern,
vgl διαλλάξεις με φιλάσας Theocr Idyll 23, 42; ὁ δὲ πένης ἰλάσατο τὸν θεὸν φιλήσας μόνον
τὴν αὐτοῦ δεξιάν Luc, De sacrificiis 12; vgl Plaut, Poenulus 404; Petronius, Satyricon
(→ A 48) 91, 9; 99, 4 (→ 137, 24f); zum Abschluß eines Friedensvertrages 109, 4[87].
In den Mysterien küßt der Myste den Mystagogen, so Apul Met XI 25, 7, hier verbunden 10
mit der Bitte um Verzeihung, vgl Lk 7, 38 (→ 137, 16ff). Endlich spielen Küsse im
Spiel eine beliebte Rolle; es gibt Wettkämpfe im Küssen, bei denen „wer am süßesten
küßt" einen Preis davonträgt[88], u es gibt Spiele, bes den Kottabos[89], bei denen Küsse
als Preise ausgesetzt werden[90].

ε. Antike Urteile über den Kuß: Die Wirkung des Kusses 15
(→ 117 A 45)[91] wie sein Wert werden ganz unterschiedlich beurteilt. Neben der unbe-
fangenen Freude daran stehen die ernste[92] Warnung, so vor dem homoerotischen Kuß
Xenoph Mem I 3, 8—13[93], aber auch vor dem Übermaß des Küssens Mart 12, 59; Cl Al
Paed III 81, 3, sowie das Verbot, weil Küsse Vehikel dämonischer Ansteckung bzw kultischer Verunreinigung sein können Hdt II 41, 3 (→ 125, 23ff mit A 137). 20

ζ. Kultische Küsse: Sie spielen in der Antike eine große Rolle,
uz sind sie nicht nur Zeichen der religiösen Verehrung (→ Z 10), sondern auch Mittel zur
Erlangung von übermenschlicher Kraft[94]. Man küßt die Götterbilder[95], uz auch bei ihnen
vor allem Mund u Kinn[96], Hände[97] u Füße[98]. Die geradlinige Fortsetzung dieses heid-

---

[83] Die Verbindung von Kuß u Handschlag
auch Eur Iph Aul 679.

[84] Vgl Ant Christ I 194—196. Dölger deutet
die Küsse bei Petronius, Satyricon (→ A 48)
41, 8 als einen Akt, mit dem der Freigelassene
in den Kreis der Freien aufgenommen wird.

[85] So interpretiert FJDölger Ant Christ III
79f wohl mit Recht die Wendung in Luc
Alex 41, ebs HDBetz, Lukian von Samosata
u das NT, TU 76 (1961) 115 mit A 1. Einen
anderen Sinn hat sie Plut Ages 11 (I 602b):
auf Kußweite. In der alten Kirche knüpft
der Kuß bei Taufe, Priester- u Mönchs-
weihe wohl an jenen Brauch der heidnischen
Antike an, vgl Ant Christ I 193f (→ 142, 14ff).
Beispiele aus späterer Zeit bei → Hofmann
130 A 3.

[86] Vgl AOT 212. Für andere altorientalische Belege des Versöhnungskusses vgl ua
KAT 583f.

[87] Auch die spätantiken Traumbücher setzen diesen Sinn von Küssen voraus, Artemid
Onirocr II 2; Achmes, Oneirocriticon 136
(ed FDrexl [1925] 90).

[88] Bekannt war der Kuß-Agon bei den
Diokleia in Megara, vgl Theocr Idyll 12, 30,
dazu MPNilsson, Griech Feste von religiöser
Bdtg (1906) 459, der meint, urspr sei die
Grabstele des Kultheros Diokles, in Wieder-
holung des Abschiedskusses, geküßt worden.

[89] Vgl Pass sv κότταβος, KSchneider, Artk
Kottabos, in: Pauly-W 11 (1922) 1528—1541.

[90] zB Callim fr 227, 6f (I 217), hier zSt
weitere Belege; Plato Comicus fr 46, 5 (CAF
I 612; → 117 A 45).

[91] Vgl etwa Xenoph Symp 4, 25: οὔ, dh
im Vergleich mit dem Kuß (πεφιληκέναι) ἔρωτος
οὐδέν ἐστι δεινότερον ὑπέκκαυμα, mit Theocr
Idyll 23, 9: der spröde Geliebte gewährt
nichts, οὐχὶ φίλαμα, τὸ κουφίζει τὸν ἔρωτα.

[92] Scherzhaft u spielerisch ist die Warnung

bei Moschus 1, 26f (Bucolici Graeci [→
A 20] 121) vor den Küssen des Eros: ἢν
ἐθέληι σε φιλάσαι, φεῦγε· κακὸν τὸ φίλαμα, τὰ
χείλεα φάρμακον ἐντί.

[93] Der Xenoph Mem I 3, 12f von Sokrates
warnend gezogene Vergleich mit den Bissen
der Spinnen wurde gerne wiederholt, vgl
Cl Al Strom II 120, 5; Paed III 81, 4; Thdrt,
Graecarum affectionum curatio (ed JRaeder
[1904]) 12, 57. Lehrreich für die kritische
Beurteilung des homoerotischen Kusses sogar bei den Griechen ist auch Plut Ages 11
(I 602b).

[94] Vgl → Hofmann 74—83, der reiches
Belegmaterial bietet, aber dieses Motiv
manchmal etw künstlich nachzuweisen sucht.

[95] Im AT vgl Hos 13, 2 HT u 'A u dazu
HWWolff, Dodekapropheton, I. Hosea, Bibl
Komm AT 14, 1 ²(1965) zSt; 1 Kö 19, 18
(→ 122 A 112) 'A: ὃ οὐ κατεφίλησεν αὐτόν
(sc Baal); für die weitere semitische Welt vgl
→ Meißner 928, aber zB auch Sanh 7, 6;
Ambr, De Abrahamo II 11, 81 (CSEL 32
[1897] 633), für die griech Welt zB Hipponax
fr 37 (Diehl³ III 91). Auch Pseud-Melito,
Oratio ad Antoninum Caesarem 9 (Corpus
Apologetarum 9 [1872] 429) sind mit den
geküßten „Steinen" Götzenbilder gemeint.
Vgl noch FJDölger, Sol Salutis, Liturgie-
geschichtliche Forschungen 4/5 (1920) 8—14.

[96] zB Cic Verr II 4, 94: Mund u Kinn
des ehernen Herkules-Standbildes im Tempel
in Agrigent sind durch die Küsse „etw abge-
rieben".

[97] Lucretius, De rerum natura (→ A 75)
I 316—318: Die rechten Hände von ehernen
Götterbildern werden schmächtiger durch die
Berührung (wohl den Kuß) der Frommen.

[98] Der Fußkuß für die Gottheit ist gleichfalls (→ A 73) weitverbreitet, zunächst in der
altorientalischen Welt, vgl → Meißner 928;

nischen Brauches ist das Küssen der Heiligenbilder, sowohl im Westen, zB des Fußes
der Petrusstatue in Rom, als bes auch im Osten[99]. Ein Gegenstück sind die Küsse,
welche Götter u Heroen sich geben lassen, wenn sie ihren Günstlingen erscheinen, zB
Philostr Heroic 290 (II 142, 22f), oder gewähren. Diese Götterküsse sind bei der weitverbreiteten kultischen Inkubation[100] eins der Mittel der Heilung, namentlich in den
Heiligtümern des Asclepius[101]. Auch bei den kultischen Küssen finden sich viele Ersatzküsse, ja sie sind hier beinahe die Regel, so bes das Küssen der Erde an hl Stätten (→
VI 760, 14ff), oder vor den Götterbildern, das wahrscheinlich älter ist als das Küssen
dieser selbst[102], ferner das Küssen der Altäre (→ VI 760 A 13)[103], der Tempelschwellen[104],
von hl Bäumen[105], Amuletten[106] u Totenurnen[107]. Dabei ist freilich grundlegend wichtig,
daß alle diese sacra Anteil haben an der Heiligkeit u am Mana der Gottheiten, mit dem
man also auch auf diese Weise in unmittelbare Berührung kommt[108]. Zu den Ersatzküssen gehört auch die Kußhand (→ VI 760, 5ff)[109], bes für die nicht direkt erreich-
baren Gestirngötter[110], aber auch als flüchtiges Zeichen der Verehrung für andere Gottheiten[111], zB beim Vorübergehen an Heiligtümern[112] u Gräbern[113].

→ Hofmann 61, u von daher in der hell Welt,
vgl zB Charito I 1, 7 (ed WEBlake [1938]);
Apul Met XI 17, 3; → Sittl 181 mit A 2 u 3.

[99] Vgl → Karle 846f.

[100] CJClassen, Artk Inkubation, in: Lexikon
der Alten Welt (hsgg CAndresen, HErbse uam
[1965]) 1383f; JPley, Artk Incubatio, in:
Pauly-W 9 (1926) 1256—1262; EStemplinger,
Antike u moderne Volksmedizin (1925) 28—
34; E u LEdelstein, Asclepius (1945) I, Testimonia 414—442, vgl II 139—180.

[101] Vgl → Meißner 915f. 919f; RHerzog,
Die Wunderheilungen von Epidauros, Philol
Suppl 22, 3 (1931) 139—160; Stemplinger
aaO (→ A 100) 29; Edelstein aaO (→ A 100)
I Testimonia 423, 41; 446 (= Marin Vit
Procl 31 [→ A 72]). Auch sonst spielen Küsse
in der Traumdeutung eine nicht geringe Rolle,
vgl zB Achmes, Oneirocriticon (→ A 87) 135
(p 90f) u in der Praxis des Aberglaubens, vgl
zB Stemplinger aaO (→ A 100) 67; → Karle
853—861.

[102] Vgl AErman, Die Religion der Ägypter
(1934) 175; → Meißner 928f; → Sittl 42;
→ Hofmann 55; Beispiele: καὶ τὰ δάπεδα
κατεφίλουν Dio C 41, 9, 2; Ovid Metam
7, 631f: oscula terrae roboribusque dedi.

[103] Haec (die Knie der um Hilfe Ange-
flehten) ut aras adorant Plin Hist Nat 11,
250, adorare hat hier den Sinn von *küssen*.
Hierher gehört auch der Brauch, bei dem
nach der Mahlzeit der Eßtisch als Hausaltar
geküßt wird, vgl Petronius, Satyricon (→
A 48) 64. Vgl KMüller, Petronii Arbitri
Satyricon (1961) zSt; Ant Christ II 218—220.
213—216; → Hofmann 77—79.

[104] Vgl non ego ... dubitem procumbere
templis et dare sacratis oscula liminibus
Tib I 2, 85f, vgl Arnobius, Adversus nationes
I 49 (CSEL 4 [1875]); weitere Belege Ant
Christ II 158 u → Hofmann 76f. Ganz ent-
sprechend küßten die Christen später die
Schwellen der Kirchen, → Cabrol 129 (→
143, 23ff), vgl → A 108.

[105] Ovid Metam 7, 631f (→ A 102); es handelt sich um eine hl Eiche auf Ägina, Ab-
leger der Eichen von Dodona 7, 623.

[106] Plut, De Sulla 29 (I 471b): Sulla küßt
sein ἀγαλμάτιον in gefährlichen Lagen, um
daraus „Kraft" zu gewinnen (→ 121, 22f);
ganz ähnlich bSanh 63b zu Hos 13, 2; Preis
Zaub I 4, 656ff (4.Jhdt nChr); Mithr Liturg
12, 15; 14, 23.

[107] Vgl Ant Christ II 209f; → Pfister 2158f;
→ Sittl 41 mit A 7, zum Ganzen 183f.

[108] Für die Heiligkeit der Schwelle vgl zB
ENorden, Aus altröm Priesterbüchern (1939)
152. 171f. Ein solcher Träger jenseitiger
Kraft ist auch der Brief aus der himmlischen
Heimat, den der Königssohn im Perlenlied
küßt Act Thom 111, vgl → 120 A 74.

[109] → Sittl 181—183; → Hofmann 81—83;
→ Delatte 425. 430—432.

[110] Vgl Hi 31, 27 sowie AWeiser, Das Buch
Hiob, ATDeutsch 13 [4](1963) zSt; Luc Salt 17;
Macrob Sat I 17, 49, vgl KWernicke, Artk
Apollon, in: Pauly-W 2 (1896) 72.

[111] Ob zwischen dem Kuß der eigenen Hand
als hinreichendem Zeichen der Verehrung, vgl
noch Luc, De Sacrificiis 12; Apul Met IV
28, 4; Hier, Apologia adversus libros Rufini
I 19 (MPL 23 [1883] 432), u der einer Gottheit
zugeworfenen Kußhand scharf unterschieden
werden kann, steht dahin, → Delatte 431f.

[112] Apul, Apologia 56, 4; Minucius Felix,
Octavius (ed JBeaujeu [1964] 2, 4; in ado-
rando dextram ad osculum referimus Plin
Hist Nat 28, 5, 25. An etwas Ähnliches
denkt offenbar Vg bei der Wiedergabe von
1 Kö 19, 18: omne os, quod non adoravit
eum (Baal) osculans manus (LXX: προσεκύ-
νησεν αὐτῷ). In Rom wird auch dieser an sich
kultische Kuß in die profane Sphäre gezogen,
vgl → Sittl 171; → Hofmann 83. So berichtet
zB Dio C 64, 8, 1 von Kaiser Otho: φιλήματα
... διὰ τῶν δακτύλων ἔπεμπε.

[113] Also eine Geste des Totenkultes; vgl
Rohde 346 mit A 3.

B. Der Gebrauch in der Septuaginta.

I. Der Wortgebrauch.

1. φιλέω in der Bdtg *lieben* steht in der LXX meist[114] als Äquivalent von אהב (→ I 21, 2ff), tritt aber wie im NT zahlenmäßig stark hinter ἀγαπάω zurück: φιλέω findet sich 15mal, ἀγαπάω 266mal[115]. In der Bdtg ist wie im außerbiblischen Griech (→ 115 A 23; 116, 5ff) u bei Joh (→ 126 A 150; 129 A 167; 133, 3ff), so auch in LXX oft kein Unterschied zwischen den beiden Verben festzustellen, vgl Gn 37, 4 mit v 3[116]. Ebs ist Thr 1, 2 kaum ein Unterschied erkennbar zwischen οἱ ἀγαπῶντες u οἱ φιλοῦντες (sc Jerusalem), u Tob 6, 19 schwankt die Überlieferung zwischen ἐφίλησεν (Cod AB) u ἠγάπησεν (Cod S) αὐτήν[117]. Insbesondere zeigen diese Belege, daß φιλέω u ἀγαπάω (→ 115 A 23) in gleicher Weise die sinnliche Liebe bezeichnen können (→ Z 19ff; 126, 16ff)[118].

An sechs St steht bei φιλέω *gern haben* ein sächliches Objekt (→ 116, 13ff; 126, 19ff), so ἐδέσματα ὡς φιλῶ ἐγώ Gn 27, 4, ebs v 9. 14, φιλοῦσιν πέμματα μετὰ σταφίδων (*Rosinenkuchen*) Hos 3, 1, φιλῶν οἶνον καὶ ἔλαιον (*Salböl*) Prv 21, 17, ἀνδρὸς φιλοῦντος σοφίαν εὐφραίνεται πατὴρ αὐτοῦ 29, 3[119]. In der Bdtg *gern tun* mit Inf (→ 116, 19ff; 126, 25ff) steht φιλέω nur einmal: Die Wächter des Volkes φιλοῦντες νυστάξαι *schlafen gerne* Js 56, 10. Überwiegend ist φιλέω mit einem persönlichen Objekt verbunden. Wie schon im außerbiblischen (→ 114, 11ff) u nachher im nt.lichen Bereich (→ 129, 14ff) hat es dann gelegentlich den Sinn *besonders lieben, bevorzugen*, so Gn 37, 4. An fünf St wird es für sinnliche Liebe gebraucht (→ 115, 3ff): Tob 6, 15. 19 Cod AB; Ἰερ 22, 22 u ganz ähnlich Sap 8, 2; Thr 1, 2[120].

2. In der Bdtg *küssen* ist φιλέω wie das ungefähr gleich oft gebrauchte[121] καταφιλέω Äquivalent von נשק q, pi, hi[122] mit Acc oder ל. Das Subst φί-

---

[114] Thr 1, 2 ist φιλέω für רֵעַ eingesetzt (→ 152, 2f mit A 70).

[115] → Buonaiuti 260 zählt 268 St. Ein Grund für diese Bevorzugung von ἀγαπάω wird in seiner Lautverwandtschaft mit אהב zu sehen sein; vgl WMichaelis, Zelt u Hütte im bibl Denken, Ev Theol 14 (1954) 45 (→ VII 372, 33ff; 341, 11f;). Merkwürdigerweise setzt das Tg רחם u seine Ableitungen neben חבב u Ableitungen statt אהב gerade auch für die erotische Liebe ein; vgl ua Tg O zu Dt 21, 15f; Tg Prof zu 1 S 18, 20; 2 S 13, 15; Ez 23, 17.

[116] → Hogg 380 versucht nachzuweisen, daß der Übersetzer psychologisch korrekt verfahren sei, insofern v 3: ἠγάπα τὸν Ἰωσὴφ παρὰ πάντας τοὺς υἱούς die in Josephs Charakter u heilsgeschichtlicher Bestimmung begründete Vorliebe Jakobs kennzeichne, während v 4: αὐτὸν ὁ πατὴρ φιλεῖ ἐκ πάντων τῶν υἱῶν αὐτοῦ aus dem Blickwinkel der Brüder formuliert sei: es ist eine ungerechte Vorliebe des Vaters für den jüngeren Bruder. Diese Interpretation ist kaum überzeugend.

[117] Vgl auch Prv 8, 17: ἐγὼ τοὺς ἐμὲ φιλοῦντας ἀγαπῶ u 21, 17, wo ἀγαπάω εὐφροσύνην par zu φιλέω οἶνον καὶ ἔλαιον steht.

[118] Zu ἀγαπάω vgl noch 2 Βασ 13, 1. 15; Hos 3, 1; 9, 10; Js 57, 8; Ἰερ 2, 25; Ez 16, 37, stets für אהב q; das pi gibt die LXX vorzugsweise mit ἐραστής wieder, zB Hos 2, 7; Ez 16, 33. 36f. Im gleichen Sinn stehen ἀγάπη zB 2 Βασ 13, 15; Cant 2, 4f. 7 usw (→ I 22, 26ff) u ἀγάπησις Ἰερ 2, 33; 2 Βασ 1, 26 (vl ἀγάπη). Bes häufig ist dieser Gebrauch von ἀγαπάω 8mal u ἀγάπη 11mal in Cant. Auffälligerweise fehlt er dgg in Sir u in den nachkanonischen griech Schriften Test XII (außer Test Jos 8, 6), ep Ar, Ps Sal, Philo u Jos. Vgl hierzu MMoroff, Die Stellung des lukanischen Christus zur Frau u zur Ehe (Diss Erlangen [1966]) 110—116, die hier priestertheologische Spiritualisierungstendenzen, ja eine „Entvitalisierungstendenz" am Werke sieht 113.

[119] Auch in der Sprache der Qumranschriften richtet sich אהב mehrfach auf sächliche Obj, so die *Zucht* 1 QH 2, 14, *was ich ihnen befohlen* 1 Q Dires de Moïse col 1, 5f (DJD I 92) ua. Anders Damask 2, 3 (2, 2): *Gott liebt die Erkenntnis der Weisheit*; hier liegt personifizierende Redeweise vor.

[120] Wie im außerbiblischen Griech (→ 115, 3ff) hat hier φιλέω also den Sinn von ἐράω: οἱ φιλοῦντές σε sind Ἰερ 22, 22 dieselben wie οἱ ἐρασταί σου *deine Liebhaber*, vgl AWeiser, Das Buch des Propheten Jeremia, ATDeutsch 20 [5](1966) zSt. Ebs hat φιλία Prv 7, 18 denselben Sinn wie ἔρως. Auch Sap 8, 2 ist φιλέω gleichbedeutend mit ἐραστὴς ἐγενόμην, wobei freilich die bräutliche Liebe ein Bild für die Liebe zur Weisheit ist.

[121] Im Unterschied von der LXX ziehen die Test XII offenkundig καταφιλέω wegen seiner Eindeutigkeit (→ 117, 2ff) vor; vgl Test R 1, 5; S 1, 2; D 7, 1; N 1, 7; B 1, 2; 3, 7. φιλέω im Sinn von *küssen* findet sich nur einmal als vl in Test B 1, 2. Ähnliches ist im NT zu beobachten (→ 138 A 240).

[122] נשק ni bedeutet *sich gegenseitig küssen*, so wohl Ps 85, 11 (→ 125 A 135).

λημα tritt an den zwei St, an denen נְשִׁיקָה im AT vorkommt, für dieses ein, uz einmal für den *Kuß* der Geliebten Cant 1, 2 u einmal für den verräterischen *Kuß* des Feindes (→ 139 A 243) Prv 27, 6.

II. Der Kuß im Alten Testament und im Judentum.

1. An einigen St des AT mag man Spuren des animistischen Ursprungs des Kusses finden (→ 118, 3ff), insbesondere Gn 2, 7: Gott haucht den Lebensodem in die Nase des noch leblosen Menschen[123], vgl noch Ez 37, 9f u J 20, 22, sowie 4 Βασ 4, 34: *Er* (sc Elisa) *tat den Mund auf seinen Mund* (sc des toten Kindes von Sunem), um Leben zu übertragen[124]. Hier ist jedesmal die Vorstellung einer Übertragung der Hauchseele durch die belebende Berührung der Nase bzw des Mundes deutlich erkennbar. Das Motiv der Übertragung von Seelenkräften durch den Kuß ist weiterhin auch bei dem mit der Salbung verbundenen Kuß im Akt der Königsweihe wirksam 1 Βασ 10, 1[125].

2. Auch das AT berichtet zunächst, daß Eltern u Großeltern (→ 118, 16ff) ihre Kinder Gn 31, 28; 32, 1; 2 Βασ 14, 33; Tob 10, 12 Cod **AB** bzw Enkel küssen Gn 31, 28; 32, 1; 48, 10. Häufiger sogar ist im AT davon die Rede, daß Kinder ihre Eltern küssen Gn 27, 26f; 50, 1; 3 Βασ 19, 20; Tob 5, 17 Cod S. Ferner wird der gegenseitige Kuß der Geschwister Gn 33, 4; 45, 15; Ex 4, 27, vgl Cant 8, 1, sowie der anderer näherer Verwandter erwähnt Gn 29, 11. 13, auch der zwischen Schwiegereltern u Schwiegerkindern Ex 18, 7; Rt 1, 9. 14; Tob 7, 6; Joseph u Aseneth (→ A 125) 22, 5 u zwischen Freunden 1 Βασ 20, 41 (→ 118, 28ff)[126]. Neben dem Kuß der Verwandten- u Freundesliebe erscheint auch im AT der Kuß der Ehrung, so wenn der König einen bejahrten u verdienten Untertanen küßt 2 Βασ 19, 40. Vor allem spielen ehrende Küsse im späteren Judt keine geringe Rolle[127].

3. Wie außerhalb der Bibel der Kuß auf den Mund im Dienst des Eros zum eigtl Kuß wird, so auch in der Welt des AT. Das zeigt anschaulich Prv 24, 26: „Wie ein Kuß auf die Lippen, so ist eine treffende Antwort." Er ist auch meistens vorausgesetzt, wo er nicht ausdrücklich erwähnt wird, vgl Gn r 70, 12 zu 29, 11. Wo es sich aber um den ehrenden Kuß (→ 119, 25ff) handelt, werden auch im AT die Hände geküßt, zB Sir 29, 5[128], die Knie[129] u vor allem die Füße. Doch wird im AT zunächst der Fußkuß ebs wie das demütige Küssen der Erde[130] zwar den Völkern zugemutet, vgl

---

[123] Das Gegenstück zu diesem Kuß der Lebensübertragung ist der Todeskuß Gottes, der Mose das Leben nimmt (→ 125, 27ff). Das Gegenstück zu dem belebenden Anhauchen ist der Gluthauch Gottes, der tötet Js 11, 4; 40, 24; Hi 4, 9; vgl 2 Th 2, 8.

[124] Ein solcher schöpferischer Kuß Gottes wird auch die eschatologische Erweckung der Toten bewirken Seder Elijjahu Rabba 17 (ed MFriedmann ²[1960] 86) bei Str-B III 847: Gott wird „sie (sc die Israeliten) umarmen u an sich drücken u küssen u sie in das Leben der zukünftigen Welt bringen".

[125] HWHertzberg, Die Samuelbücher, AT Deutsch 10 ³(1965) zSt sieht diesen Kuß Samuels nicht als einen Bestandteil der Königsweihe an, sondern als in seinem persönlichen Verhältnis zu Saul begründet. Aber angesichts der sonstigen antiken Vorstellungen erscheint es wahrscheinlich, daß Salben u Küssen als Doppelakt der Übertragung des Charisma von einem Charismatiker auf den andern gewertet werden müssen. Vgl auch die drei Küsse, mit denen Joseph die Geister des Lebens, der Weisheit u der Wahrheit auf Aseneth überträgt, Joseph u Aseneth 19, 3 vl

(ed MPhilonenko [1968]); → Hofmann 70—72.

[126] Gn 29, 13 könnte an den Kuß gedacht sein, den der Gastfreund empfängt (→ 118, 19f), ebs wie Lk 7, 45 (→ 137, 10ff).

[127] Rabb Belege bei Str-B I 995, dazu noch TNidda 5, 15 (Zuckermandel 646) bei Str-B II 151. Den Rabb galt nur der Kuß der Ehrung neben den Küssen beim Wiedersehen u beim Abschied als legitim, alle anderen waren als „Albernheit" verpönt Gn r 70, 12 zu 29, 11 bei Str-B I 995; vgl → Wünsche 29 A 1; → Löw 256.

[128] Weitere Belege aus dem Judt bei Str-B I 995f.

[129] Vgl Raschi zu AZ 17a bei Str-B I 996.

[130] Wahrscheinlich ist mit der Formel „den Staub lecken" in Ps 72, 9; Js 49, 23; Mi 7, 17 diese Form der Ehrung gemeint.

[131] Nach der Konjektur bei BHK zSt. 'A: καταφιλήσατε. Vielleicht ist die Übers der LXX δράξασθε παιδείας eine freie Wiedergabe desselben Gedankens: „übet die gute Sitte (sc der Unterwerfung durch den Fußkuß)", vgl πεπαίδευνται καταφιλεῖν Philo Rer Div Her 42. [Bertram]

Ps 2, 12[131], aber seitens der Israeliten verweigert, weil er nicht von der Proskynese zu trennen ist[132], so ᾿Εσϑ 4, 17d seitens Mardochais gegenüber Haman. Aber im Zug der weiteren Entwicklung wird der Fußkuß auch bei den Juden als Zeichen dankbarer Verehrung geübt bKet 63a; bSanh 27b; jPea 1, 1 (15d 28)[133]. Auch mancherlei Ersatzküsse (→ 119, 29ff; 122, 6ff) außer dem Kuß der Erde werden im rabb Schrifttum erwähnt[134].

4. Fest in der Sitte verankert u darum auch von den Rabb nicht angefochten war der Kuß bei Begegnung u Begrüßung sowie beim Abschied. Schon die frühen Gesch des AT bieten zahlreiche Beispiele sowohl für den Begrüßungskuß Gn 29, 11. 13; 33, 4; Ex 4, 27; 18, 7; 2 Βασ 20, 9 (→ 139 A 243)[135], als auch für den Abschiedskuß Gn 31, 28; 32, 1; 2 Βασ 19, 40; 3 Βασ 19, 20; Rt 1, 9. 14; Tob 5, 17; 10, 12; 3 Makk 5, 49, im rabb Schrifttum zB bGit 57b. Bes Sitze im Leben hat der Kuß auch im AT als Sinnbild u Beweis der Versöhnung Gn 33, 4; 45, 15; 2 Βασ 14, 33[136], dazu als Bestätigung einer Adoption Gn 48, 10 u beim Empfang des Segens, zB Gn 27, 26f, vgl auch Joseph u Aseneth (→ A 125) 22, 5, hier als gegenseitiger Kuß, vgl 20, 4; 21. 5.

5. Außerhalb der genannten Zshg wird der Kuß teils schon im AT, vor allem aber im Judt kritisch beurteilt oder verworfen, nicht nur der Kuß der Dirne Prv 7, 13[137], sondern überh der Kuß des Eros[138]. Cant ist zwar auch ein hohes Lied dieses Kusses; denn so beginnt es: „O möcht' er mich küssen mit seines Mundes Küssen!" 1, 2, vgl auch 8, 1. Aber für die allg gültige rabb Anschauung war es nur auf Grund einer durchgehenden allegorischen Deutung annehmbar u kanonsfähig. Aus dem gleichen Grund, der Furcht vor dämonischer Verunreinigung durch die Frau, wird im Judt auch das Küssen der unreinen Heiden gemieden, vgl Joseph u Aseneth (→ A 125) 8, 5—7.

6. Das AT bietet zu den in ihm erwähnten kultischen Küssen des Heidentums nichts Vergleichbares; wohl aber findet sich in der jüd Legende ein Seitenstück zu derjenigen Sonderform des kultischen Kusses, den ein Gott seinem Verehrer gibt (→ 122, 4ff): der Kuß Gottes. Aber im Gegensatz zu jenen heilsamen Küssen wird im jüd Bereich den göttlichen Küssen erstaunlicherweise in der Regel[139] die entgegengesetzte Wirkung zugeschrieben: sie töten. Wahrscheinlich steht hinter diesen Gedanken wiederum eine animistische Vorstellung, die weit verbreitet ist: die mit dem letzten Atemzug entfliehende Seele eines Sterbenden kann man mit dem Mund auffangen (→ 120 A 82)[140]. Nach der jüd Haggada küßte Gott Mose auf dem einsamen Berg „u nahm mit dem Kuß des Mundes seine Seele hinweg" Dt r 11, 10 zu 31, 14 (Wünsche 117)[141]. Diese Legende beruht auf einem Mißverständnis oder wahrscheinlicher einer absichtlichen Umdeutung von (יהוה) עַל־פִּי Dt 34, 5: *am Munde* statt *nach dem Worte* Jahwes[142]. Nach bBB 17a Bar[143] sind auch Aaron u Mirjam[144] durch

---

[132] Trotzdem sagt Mardochai im Gebet: ηὐδόκουν φιλεῖν πέλματα ποδῶν αὐτοῦ πρὸς σωτηρίαν ᾿Ισραήλ „wenn ich Israel damit retten könnte, wäre ich (sogar) bereit, seine Fußsohlen zu küssen" ᾿Εσϑ 4, 17d.

[133] Bei Str-B I 996, vgl auch die merkwürdige Legende von einem Fußkuß des Satan bBB 16a.

[134] bSukka 53a: RSimon bGamliel küßt das Pflaster des Tempelhofes. Zu den Ersatzküssen gehört auch der Kuß der Särge u Gräber, vgl → Löw 275f; → A 82.

[135] Auch Ps 85, 11b gehört hierher; denn dem bildlichen *sich küssen* (→ A 122) entspricht im Parallelismus membrorum *sich begegnen* v 11a.

[136] Auch Philo Quaest in Ex II 78 zu 25, 37a u II 118 zu 28, 32 können als Belege gelten, obwohl osculum concordantiae u osculum pacis hier in übertr Sinne gebraucht sind. Für das rabb Judt vgl → Wünsche 33.

[137] Wahrscheinlich ist auch Lk 7, 38 daneben zu stellen; denn hinter dem Urteil des Pharisäers steht vermutlich auch die Vorstellung von der ansteckenden Verunreinigung durch die Berührung einer Dirne.

[138] Der homoerotische Kuß findet sich nicht in der Bibel.

[139] Aber vgl → Löw 334—336.

[140] Vgl → Hofmann 72f.

[141] Str-B II 136.

[142] Vgl MAbraham, Légendes juives apocryphes sur la vie de Moïse (1925) 30 A 4; ARosmarin, Moses im Licht der Agada (Diss Würzburg 1930 [New York 1932]) 146f mit A 615 (hier zahlreiche rabb Belege); → Wünsche 48f; → Löw 337f; hier 335f. 339—342 noch weitere jüd Aussagen über den Gotteskuß.

[143] Str-B I 755.

[144] Mirjams Tod wird auch bMQ 28a ähnlich wie bBB 17a erzählt.

einen Kuß Gottes gestorben. Dasselbe berichten andere Legenden von Abraham[145], Isaak u Jakob[146] bBB 17a. Ja, nach rabb Erwartung werden sogar alle Thorafrommen des Todes durch Gottes Kuß gewürdigt[147]. Dieser Kußtod galt den Rabb als die leichteste der 903 Todesarten[148], die sie unterschieden bBer 8a[149].

C. Der Gebrauch im Neuen Testament.

I. *lieben*.

Die zahlenmäßig geringe Verwendung von φιλέω hat im NT ebs wie in der LXX (→ 123, 3ff) ihren Hintergrund in der Bevorzugung von ἀγαπάω. φιλέω *lieben* steht im NT — außerhalb des Joh-Ev — fast nur in offenbar vorgeprägten Wendungen 1 K 16, 22 (→ 134, 18ff); Tt 3, 15 (→ 135, 5ff) oder mit sächlichen Obj bzw mit Inf (→ 116, 13ff. 19ff); die einzigen Ausn (zu Apk 22, 15 → 136, 13ff) sind Mt 10, 37 (→ 127, 13ff) u Apk 3, 19 (aber → 134, 14ff). Lediglich das Joh-Ev macht in 13 von im ganzen 25 nt.lichen St einen bedeutsameren theol Gebrauch von φιλέω neben dem auch hier zahlenmäßig weit überwiegenden synonymen[150] ἀγαπάω (→ 115, 12ff). Allerdings entspricht dem quantitativen Zurücktreten auch eine qualitative Einschränkung: φιλέω wird im NT nie von der Liebe zu Gott gebraucht (→ 114, 15f) nie aber auch, ebensowenig wie ἀγαπάω (auch nicht Lk 7, 47, → A 118), von der Liebe des Eros (→ 115, 3ff; 129 A 173).

1. φιλέω mit sächlichem Objekt und mit Infinitiv.

Sächliche Objekte im eigentlichen Sinn stehen bei φιλέω nur in dem antipharisäischen Logion Mt 23, 6f Par (→ I 496, 24ff; VI 871, 12ff). In beiden Formen des Logions ist mit φιλέω eine Dreierreihe[151] von gleichgebauten Objekten verbunden: φιλοῦσιν δὲ τὴν πρωτοκλισίαν ἐν τοῖς δείπνοις καὶ τὰς πρωτοκαθεδρίας ἐν ταῖς συναγωγαῖς καὶ τοὺς ἀσπασμοὺς ἐν ταῖς ἀγοραῖς.

Mt schließt hier noch einen Inf an: καὶ καλεῖσθαι ὑπὸ τῶν ἀνθρώπων ῥαββί. Diese Konstr von φιλέω mit Inf (→ 116, 19ff), die im NT allein bei Mt vorkommt, wird in einem ähnlichen antipharisäischen Zshg Mt 6, 5 angewendet: οἱ ὑποκριταὶ ... φιλοῦσιν ἐν ταῖς συναγωγαῖς ... ἑστῶτες προσεύχεσθαι *sie stellen sich gerne* (vor aller Augen) *auf, um zu beten.* Mk 12, 38f hat eine ähnliche Konstr, jedoch mit θέλω[152]. Lk ver-

---

[145] BBeer, Leben Abraham's nach Auffassung der jüd Sage (1859) 84: ein göttlicher Kuß hauchte ihm das Leben aus, der Todesengel berührte ihn nicht; vgl auch GBeer, Artk Abraham-Testament, in: RGG² I 69.

[146] So bBB 17a; vgl Beer aaO (→ A 145) 201 A 924; → Wünsche 49f.

[147] → Wünsche 50, hier 51f auch über Küsse von Engeln.

[148] → Wünsche 46f mit A 13.

[149] Zum Todeskuß im Märchen → Hopkins 122. Ein verklärendes Licht wirft auf diesen Kuß auch der Dichter, FvSchiller, Die Götter Griechenlands 66f (ed CHöfer, Schillers sämtliche Werke 10 [1913] 3): „Ein Kuß nahm das letzte Leben von der Lippe". Freilich schweigt der Dichter darüber, wer den Kuß auf die Lippen des Sterbenden drückte. Aber da der personifizierte Tod dem Verse vorausgeht u der Genius mit der gesenkten Fackel folgt, ist offenkundig nicht an den Kuß eines menschlichen Wesens gedacht.

[150] So zB auch MDibelius, Joh 15, 13, Botschaft u Gesch I (1953) 208 mit A 6; CKBarrett, The Gospel According to StJohn (1955) zu 5, 20; 21, 15. Zum Beweis vgl J 3, 35 mit 5, 20 (→ 132, 4ff), 13, 23 mit 20, 2 (→ 129, 12ff), 14, 23 mit 16, 27 (→ 131, 24ff), 11, 5 mit 11, 3. 36 (→ 129, 4ff), ferner auch Apk 12, 11 mit J 12, 25 (→ 128, 10ff). Freilich wird bes zu J 21, 15f oft ein Unterschied der Bdtg behauptet (→ 133 A 195; → I 36, 27ff). Eher könnte man jedoch J 11, 3. 5 einen Bedeutungsunterschied vermuten (→ 129 A 167); allerdings bietet der westliche Text auch v 5 ἐφίλει wie v 3 statt ἠγάπα.

[151] Vgl RMorgenthaler, Die lk Geschichtsschreibung als Zeugnis I, Abh Th ANT 14 (1949) 56 u zum Gesamtproblem die inhaltsreiche Materialsammlung von EvDobschütz, Zwei- u dreigliedrige Formeln, JBL 50 (1931) 117—147.

[152] Eine andere Doppelkonstruktion von θέλω mit Inf u ἵνα findet sich 1 K 14, 5.

meidet die zeugmatische Konstruktion[153] u bindet den Inf an das ϑέλω *sich gefallen in,
gern tun* (→ III 44, 39f; 45, 5f) des Mk u die drei Akkusativobjekte an das φιλέω des
Mt. In der Dublette[154] des Logions Lk 11, 43 steht ἀγαπάω statt φιλέω, jedoch im gleichen
Sinn[155].

φιλέω mit seinen Synonymen ἀγαπάω (Lk 11, 43) und ϑέλω (Mk 12, 38f) dient 5
in diesem Stellenkomplex der Kennzeichnung der jüdischen Selbstgefälligkeit und
Ehrsucht (vgl Lk 14, 7), insbesondere bei den Schriftgelehrten (20, 46) und Pharisäern (11, 43)[156].

Nur formal gehören hierher J 12, 25; 15, 19; Apk 22, 15, wo es sich um uneigentlich
sächliche Obj bei φιλέω handelt (→ 128, 2ff. 10ff; 136, 13ff). 10

2. φ ι λ έ ω mit persönlichem Objekt.

a. Bei den Synoptikern.

Mit persönlichem Objekt steht φιλέω *lieben* nur Mt 10, 37:
ὁ φιλῶν πατέρα ἢ μητέρα ὑπὲρ ἐμὲ οὐκ ἔστιν μου ἄξιος. καὶ ὁ φιλῶν υἱὸν ἢ ϑυγατέρα
ὑπὲρ ἐμὲ οὐκ ἔστιν μου ἄξιος. φιλέω ὑπέρ hat denselben Sinn wie ἀγαπάω μᾶλλον (→ 15
115 A 23), φιλέω ἐκ πάντων (Gn 37, 4, → 123 A 116): *bevorzugen, darüberstellen.*
Diese Matthäusform des Logions sichert die Liebe zu Jesus gegen jede Einschränkung
durch die Verwandtenliebe. Die Lukasform dagegen (14, 26) schränkt umgekehrt
gerade die ursprünglichste Liebe, die zu den Nächstzugehörigen (→ 114, 5ff),
zugunsten der Jesusjüngerschaft radikal ein (→ IV 694, 27ff): εἴ τις ἔρχεται 20
πρός με καὶ οὐ μισεῖ[157] τὸν πατέρα αὐτοῦ ... καὶ τὴν γυναῖκα ... ἔτι τε καὶ τὴν ψυχὴν
ἑαυτοῦ, οὐ δύναται εἶναί μου μαϑητής, dh aber Jesus fordert für sich nicht das Gleich-
maß der Nächstenliebe, sondern das Übermaß der Gottesliebe (vgl Mk 12, 30f
Par)[158]. Wenn das Wort in seinem Radikalismus[159] als echt anzusehen ist, so stellt
es einen der stärksten Ausdrücke des Selbstverständnisses Jesu dar: weil er wie Gott 25
ist, redet und handelt, darum will er wie Gott geliebt werden[160].

---

[153] Dieselbe Doppelkonstruktion von φιλέω
liegt wahrscheinlich schon bei Hes Op 788f
vor: φιλέοι δ᾽ ὅ γε κέρτομα βάζειν ψευδεά ϑ᾽
αἱμυλίους τε λόγους κρυφίους τ᾽ ὀαρισμούς. „Dieser (Knabe) da liebt es spöttisch zu reden,
die Lüge, die schmeichelnden Worte u das
heimliche Geflüster". Man könnte die drei
letzten Subst par zu κέρτομα als Obj zu βάζειν
auffassen; vgl jedoch zB R.Peppmüller, He-
siodos (1896) 242, der φιλέω hier dreifach
übersetzt.

[154] Vgl HSchürmann, Die Dubletten im
Lk-Ev, Traditionsgeschichtliche Untersuchungen zu den synpt Ev (1968) 274f. 277.

[155] Der Vergleich ergibt, daß Mt eine
Mischform aus Q u Mk hergestellt hat,
während Lk die beiden Formen, jede nur
mit geringen Änderungen, bewahrt hat.

[156] Zur Berechtigung dieser Darstellung
vgl Str-B I 914—919; freilich wußten die
Rabb selbst um diese Gefahr, vgl Ab 1, 10
(→ I 45 A 126).

[157] μισέω bedeutet schon in der LXX wie
sein hbr Äquivalent שׂנֵא vielfach *zurück-
setzen, vernachlässigen,* vgl Gn 29, 31. 33; Dt

21, 15—17; Js 60, 15; Prv 30, 23 (→ IV
689, 7ff). In Lk 14, 26 jedoch eignet μισέω
ein noch stärkeres Willensmoment: *die Liebe
zu den Nächsten u zu sich selbst verleugnen,
preisgeben* (→ 118, 17ff; IV 694 A 24; 695
A 27); → Normann 161 will μισέω hier im
Sinn von *meiden, den Umgang aufgeben* verstehen mit Verweis auf Hes Op 299f. Diese
Deutung entspringt aber dem oft etw künstlichen Versuch Normanns, in φιλέω durchgehend das Motiv des *liebenden Umgangs* festzustellen.

[158] Die Steigerung von der Matthäusform
zu der Lukasform entspricht der Steigerung
von Mk 9, 40 Par zu Lk 11, 23 Par.

[159] Er hat keine Par im gesamten Judt,
vgl HBraun, Spätjüd-häretischer u frühchristlicher Radikalismus, Beiträge zur historischen Theol 24 ²(1969) II 107 A 3.

[160] Dies ist hier u Mk 1, 16—20 Par; Lk
9, 57—62 Par; 17, 33 Par der Grund des
„Radikalismus" Jesu! Vgl Braun aaO (→
A 159) II 10f A 2. Vergleichbar, jedoch nicht
gleichartig ist die Vorordnung der Freundesliebe vor die Liebe zu den Blutsverwandten
bei den Griechen, vgl Plat Ep 7, 334b.

b. Bei Johannes.

α. J 15, 19 ist der Ursinn von φιλέω *das einem Zugehörige,*
das Eigene lieben (→ 114, 3ff; IV 178, 43ff) noch ganz deutlich: εἰ ἐκ τοῦ κόσμου ἦτε,
ὁ κόσμος ἂν τὸ ἴδιον ἐφίλει. Der Nebensatz zeigt, daß mit τὸ ἴδιον die Menschen ἐκ τοῦ
5 κόσμου gemeint sind [161] (vgl J 17, 14; 8, 23; 1 J 4, 5). Das Gegenstück stellen Jesus
und seine ἴδιοι dar: seine Liebe zu den ἴδιοι (13, 1: ἀγαπήσας τοὺς ἰδίους) entspricht
der Liebe der Welt zu ihrem ἴδιον. Es liegt im Wesen dieser Liebe zum Eigenen,
Zugehörigen, daß sie reziprok ist (→ 114 A 20); das ist eine durchaus profane,
säkulare Erscheinung (vgl Lk 6, 32 Par) [162].
10   Wie der synoptische Jesus (Mt 10, 37 Par; → 127, 13ff) beansprucht auch der
johanneische die bedingungslose, zum Totaleinsatz bereite Liebe seiner Jünger (vgl
J 14, 15. 21. 23; 15, 9f) und damit den kompromißlosen Verzicht auf Selbstliebe:
ὁ φιλῶν τὴν ψυχὴν αὐτοῦ ἀπολλύει (→ I 394, 6ff) αὐτήν, καὶ ὁ μισῶν τὴν ψυχὴν αὐτοῦ
ἐν τῷ κόσμῳ τούτῳ εἰς ζωὴν αἰώνιον φυλάξει αὐτήν (J 12, 25).

15   Die Wendungen φιλεῖν τὴν ψυχὴν αὐτοῦ [163] u μισεῖν τὴν ψυχὴν αὐτοῦ [164] (→ 127 A 157)
entsprechen den synpt Wendungen θέλειν τὴν ψυχὴν αὐτοῦ σῶσαι Mk 8, 35 Par, ζητεῖν
τὴν ψυχὴν αὐτοῦ περιποιεῖσθαι Lk 17, 33 u εὑρίσκειν τὴν ψυχὴν αὐτοῦ Mt 10, 39 bzw ἀπολ-
λύναι τὴν ψυχήν Mk 8, 35 Par; Lk 17, 33; Mt 10, 39 (→ ψυχή). *Sein Leben lieben* ist aber,
wie Mk 8, 34f Par zeigt, vor allem das Gegenstück zu (ἀπ-)ἀρνεῖσθαι ἑαυτόν: es bedeutet
20   also soviel wie *sich selber lieben* (→ 114 A 14) u ist somit synon mit ἀγαπᾶν ἑαυτόν Lv
19, 18, zitiert Mk 12, 31 Par. 33; Mt 19, 19; R 13, 9; Gl 5, 14; Jk 2, 8. Freilich ist in diesen
Zitaten von Lv 19, 18 eine andere Beurteilung der Selbstliebe festzustellen: sie ist hier
einfach als Gegebenheit gesehen (vgl auch Eph 5, 28f), die als Richtmaß für die
Nächstenliebe dient. In J 12, 25 dgg ist der Verzicht auf Eigenliebe, die Selbst-
25   verleugnung, wie anderswo der Verzicht auf Selbstbehauptung (vgl Mt 5, 39—42 ua)
u Selbstrechtfertigung (vgl Lk 18, 13f ua) die Voraussetzung des Heils. Selbstverleugnung kann aber Preisgabe des Lebens bedeuten. Jenes synoptisch klingende Wort [165]

---

[161] Der Gebrauch des Neutr Sing u Plur für
Pers findet sich gerade bei Joh mehrfach: 3, 6
(vgl v 7); 6, 37 (ὁ ἐρχόμενος πρός με v 37b
nimmt πᾶν ... πρὸς ἐμὲ ἥξει v 37a auf); 6, 39
(vgl v 40); 17, 2. 24 (in beiden v wird ὁ sofort
mit αὐτοί bzw κἀκεῖνοι aufgenommen), auch
1 J 5, 1 vl; am nächsten bei τὸ ἴδιον steht als
Par wohl τὰ ἐμά in J 10, 14, wenn hier auch
noch πρόβατα als Ergänzung vorschwebt.
Ähnliches findet sich auch sonst innerhalb wie
außerhalb des NT, zB πᾶν κοινόν Apk 21, 27,
vgl die Fortsetzung u die hier zitierte St
Js 52, 1 LXX: ἀπερίτμητος καὶ ἀκάθαρτος,
ferner φιλεῖ γὰρ πρὸς τὰ χρηστὰ πᾶς ὁρᾶν *jedermann richtet seinen Blick gern auf die Tüch-
tigen* Soph El 972. Am wichtigsten ist aber
der dem joh Gebrauch genau entsprechende
Gebrauch des Neutr in den Qumran-Texten,
die damit an die deuteronomistische Sprache
anknüpfen, vgl CWestermann, Das Buch
Jesaja Kp 40—66, AT Deutsch 19 (1966)
z 65, 12, zB Damask 2, 15 (3, 1); 1 QS 1, 3f;
1 QH 14, 10f: „Was Gott liebt, erwählt,
was ihm gefällt" bedeutet nichts anderes
als „die Söhne des Lichts" u „was er haßt,
was er verworfen" nichts anderes als „die
Söhne der Finsternis", vgl 1 QS 1, 9f so wie
JMaier, Die Texte vom Toten Meer II (1960)
12 zu 1 QS 1, 3f, anders PWernberg-Møller,
The Manual of Discipline (1957) 45 A 7.

[162] Man kommt schwerlich um die Feststellung herum, daß die schrankenlose Nächstenliebe Jesu (vgl Lk 6, 27—36 Par) bei Joh
verleugnet ist, insofern sie — ähnlich wie in
Qumran (→ 132 A 193) — zu einer innergemeindlichen, gegenseitigen Liebe eingeschränkt wurde, vgl EKäsemann, Ketzer
u Zeuge, Exegetische Versuche u Besinnungen
I [4] (1965) 179 A 38; OBöcher, Der joh Dualismus im Zshg des nachbiblischen Judt (1965)
142—147. Auch Pls kennt eine bes innergemeindliche Liebe, aber nur in Verbindung
mit der Nächstenliebe zu allen Menschen
Gl 6, 10 (→ V 137, 4ff).
[163] Dieselbe Wendung mit ἀγαπάω findet
sich in Apk 12, 11. Nahe verwandt sind die
Wortbildungen φιλόψυχος Eur Hec 348 u
φιλοψυχέω 315.
[164] Diese Wendung steht auch Lk 14, 26:
eine der zahlreichen sprachlichen u sachlichen Gemeinsamkeiten des 3. u 4. Ev (vgl
auch → 162, 14ff).
[165] Vgl CHDodd, Some Johannine „Herrn-
worte" with Parallels in the Synoptic Gospels,
NT St 2 (1955/56) 78—81. Dodd führt die
Varianten des Logions bereits auf die mündliche Tradition zurück u vermutet, daß die
joh Form dem hinter allen Varianten stehenden Original am nächsten kommt.

folgt bei Joh auf das Bildwort vom notwendigen Sterben des Weizenkorns (v 24). Es stellt also die Selbstverleugnung des Jüngers in Parallele zu der Selbsthingabe Jesu in den Tod.

Nur J 11, 3 und 36 wird φιλέω im Sinn der Freundesliebe (→ 149, 13ff; 154, 1ff) gebraucht, und zwar zur Deutung des Verhältnisses Jesu zu Lazarus. Aber dieses Verständnis ist vordergründig: φιλέω gehört zum mindesten hier in den Kreis der doppeldeutigen Ausdrücke bei Johannes[166]. Der Evangelist denkt dabei vor allem an die Liebe Jesu zu den von ihm erwählten φίλοι (15, 14—16; → 163, 9ff)[167]; darum heißt Lazarus 11, 11 (→ 163, 2ff) ὁ φίλος ἡμῶν, nicht ὁ φίλος μου[168].

β. Eine einzigartige Form der Freundesliebe, die den Geliebten aus dem johanneischen Freundeskreis um Jesus heraushebt, ist Jesu Liebe zu dem sogenannten Lieblingsjünger[169]. Er wird allerdings nur einmal (J 20, 2) als der μαθητής, ὃν ἐφίλει ὁ Ἰησοῦς bezeichnet, während er sonst immer der genannt wird, ὃν ἠγάπα ὁ Ἰησοῦς[170] (13, 23; 19, 26; 21, 7. 20)[171]. Es ist das auffallendste Beispiel eines Gebrauches von φιλέω für ein bevorzugendes, erwählendes Lieben (→ 114, 11ff)[172].

Das Vorrecht, bei Tisch ἐν τῷ κόλπῳ bzw ἐπὶ τὸ στῆθος Jesu zu liegen J 13, 23. 25; 21, 20, ist der Ausdruck für die Nähe eines einzigartigen Vertrauensverhältnisses, vgl 13, 26[173]. Wahrscheinlich ist dieser Zug vom Evangelisten bewußt als Parallele zu 1, 18

[166] Vgl FWGingrich, Ambiguity of Word Meaning in John's Gospel, Classical Weekly 37 (1943/44) 77; OCullmann, Der joh Gebrauch doppeldeutiger Ausdrücke als Schlüssel zum Verständnis des 4. Ev, Vorträge u Aufsätze 1925—1962 (1966) 176—186.
[167] φιλέω, das im Munde der Schwestern v 3 u der Juden v 36 eine von ἀγαπάω verschiedene Bedeutungsnuance hat, ist also im Sinn des Evangelisten synon mit ἀγαπάω, vgl v 5 u zu dieser St, wie überh zu der Familie in Bethanien, JNSanders, Those whom Jesus loved (John 11, 5), NT St 1 (1954/55) 29—41.
[168] Darum ist es irrig, Lazarus mit dem Lieblingsjünger zu identifizieren (→ 130, 26f); vgl Barrett aaO (→ A 150) 324; AKragerud, Der Lieblingsjünger im Joh-Ev (1959) 45 mit A 15.
[169] BWBacon, The Fourth Gospel in Research and Debate (1910) 301—331; Bau J Exk zu J 13, 23; Bultmann J 369f; ADauer, Das Wort des Gekreuzigten an seine Mutter u den „Jünger, den er liebte", BZ 11 (1967) 222—239; 12 (1968) 80—93; CErbes, Der Apostel Joh u der Jünger, welcher an der Brust des Herrn lag, ZKG 33 (1912) 159—239; FVFilson, Who was the Beloved Disciple?, JBL 68 (1949) 83—88; ders, The Gospel of Life, Festschr OAPiper (1962) 119—123; WHeitmüller, Zur Joh-Tradition, ZNW 15 (1914) 205f; Käsemann aaO (→ A 162) 180f; Kragerud aaO (→ A 168); WFLofthouse, The Disciple whom Jesus Loved (1936); JAMaynard, Who was the Beloved Disciple?, Journal of the Society of Oriental Research 13 (1929) 155—159; ESchwartz, Aporien im vierten Ev I, NGG 1907 (1907) 342f. 349. 361f; TDWoolsey, „The Disciple Whom Jesus Loved", The Andover Review 4 (1885) 163—

185; Zahn Einl II 478—484, auch PFeine-JBehm-WGKümmel, Einl in das NT [16](1969) 161—165; WMichaelis, Einl in das NT [2](1954) 97—101; JRoloff, Der joh „Lieblingsjünger" u der Lehrer der Gerechtigkeit, NT St 15 (1968/69) 129—151.
[170] Natürlich hat man sich auch darüber Gedanken gemacht, warum nur J 20, 2 φιλέω für den Lieblingsjünger gebraucht ist, zB EAAbbott, Johannine Vocabulary (1905) 241, der meint, der Lieblingsjünger sei zeitweilig in Unglauben gefallen u darum im Augenblick der höheren Liebe des ἀγαπᾶν nicht würdig gewesen! Vgl → Warfield 191 —194, der φιλέω in J 20, 2 auf Petrus mitbeziehen will: *der andere Jünger, den Jesus (gleichfalls) liebte.*
[171] Wahrscheinlich ist ders Jünger auch 18, 15f; 19, 35; 21, 24, vielleicht schon 1, 35ff mit dem Ungenannten neben Andreas gemeint, obwohl in diesen St jene charakteristische Kennzeichnung fehlt.
[172] Vgl Bultmann J z 13, 23.
[173] Es weckt falsche Vorstellungen, etwa nach Art der Act Joh 89f, wenn man den Lieblingsjünger wegen jenes Vorrechts den „Busenfreund" Jesu nennt, so GFuchs, Die Aussagen über die Freundschaft im NT, verglichen mit denen des Aristot (Eth Nic 8. 9) (Diss Leipzig [1914]) 16. Noch irreführender ist es, wenn man auf Grund der Mahlsituation 13, 2ff in Jesus u seinem Lieblingsjünger eins der in der Symposienliteratur seit Plat beheimateten klass „Liebespaare" findet, so JMartin, Symposion, Studien zur Gesch u Kultur des Altertums 17, 1/2 (1931) 317: „Joh hat in seinem letzten Abendmahle ein vollkommenes literarisches Symposion geschaffen"; 316: „Jesus u Joh werden durch

gestaltet[174]. Dieser Vertraute Jesu ist der Jünger κατ᾽ ἐξοχήν, wie Jesus selbst der Sohn κατ᾽ ἐξοχήν ist, u insofern sind sie beide die primären Zeugen, der eine für Gott, der andere für Jesus. Eben dies ist die wichtigste Funktion dieses Jüngers im 4. Ev, vgl bes 19, 35; 21, 24; denn dieser Jünger kennt Jesus am besten 21, 7. Vor allem aber wird er unter dem Kreuz, wo der sonst immer mit ihm konfrontierte Petrus überh nicht da ist, zum alleinigen Zeugen für ein im Sinne des Joh entscheidendes Geschehen 19, 35 u damit für die grundlegende Heilsbotschaft u zugleich für die beiden joh Sakramente, vgl 1 J 5, 6—8. Weiterhin erhält der Lieblingsjünger durch seine einmalige Nähe zu Jesus eine Art von Mittlerstellung, vgl 13, 24f; 21, 7, wohl auch 18, 16. Ja, wie zum Freund κατ᾽ ἐξοχήν macht ihn Jesus auch zum Bruder κατ᾽ ἐξοχήν, vgl J 20, 17, dem er die eigene Mutter anvertraut 19, 26. Seine singuläre Bdtg wird endlich dadurch sichtbar gemacht, daß er, aus seiner bes Verbindung zu Jesus heraus, als erster zum Osterglauben kommt, noch vor jeder Ostererscheinung. Auch hierin läuft er also Petrus den Rang ab, vgl 20, 4. 8, indem er die vieldeutbare Tatsache des leeren Grabes mit der Schrift zusammenschaut 20, 8f; denn so ist hier wohl ἐπίστευσεν zu deuten u nicht im Sinn eines „logischen Schlußverfahrens"[175].

An der Frage, wer dieser nie mit seinem Namen genannte Jünger ὃν ἐφίλει ὁ ᾽Ιησοῦς sei, ist seit den Tagen der alten Kirche viel herumgerätselt worden[176]. Der Verf des Nachtragskapitels 21 identifiziert ihn v 24 mit dem Evangelisten, der die Kp 1—20 schrieb[177]. Da im 4. Ev auffälligerweise die Zebedäussöhne nicht mit Namen genannt werden, Jakobus aber wegen seines frühen Todes Ag 12, 2 kaum in Frage kommt, hat man seit Polykrates von Ephesus bei Eus Hist Eccl V 24, 3, vgl Iren Haer III 1, 2 u Orig Comm in Joh 32, 260f zu 13, 23ff[178] in dem Zebedaiden Joh den Lieblingsjünger u darum auch den Verf des Ev gesehen. Da im Ev selbst jedoch die Frage, wie es scheint, absichtlich offen gelassen wird[179], sind später auch andere Deutungsversuche gemacht worden: Einerseits wollte man den Lieblingsjünger mit anderen Pers des NT gleichsetzen, mit Lazarus wegen J 11, 3: ἴδε ὃν φιλεῖς ἀσθενεῖ[180], mit dem reichen Jüngling wegen Mk 10, 21: ᾽Ιησοῦς ... ἠγάπησεν αὐτόν[181], bzw mit dem scheuen jungen Nachfolger Mk 14, 51f, der aus jerusalemischem Priestergeschlechte stammte, vgl J 18, 15f[182], u in der

den festausgebildeten Topos der beiden, die sich lieben, im letzten Abendmahl fest verankert". Diese Verankerung in der Mahlsituation gehört aber trotz J 21, 20 gar nicht wesenhaft zu der Liebesverbindung Jesu mit dem Jünger. Durch die Einordnung in die Symposienliteratur erhält diese Liebesverbindung überdies einen völlig unangebrachten erotischen Unterton, vgl Bultmann J z 13, 25. Erst in den apokryphen Act Joh, bes 89f, findet sich tatsächlich eine solche erotische Färbung der Beziehungen zwischen Jesus u dem Lieblingsjünger Joh. Ähnlich steht es mit der der Vorliebe für den Lieblingsjünger entsprechenden Vorliebe Jesu für Maria Madgalena in dem gnostischen Ev nach Maria (ed WCTill, Die gnostischen Schriften des kpt Pap Berolinensis 8502, TU 60 [1955]), dem zufolge Jesus sie nicht nur mehr als die übrigen Frauen (Ev nach Maria 10, 2f, vgl Hennecke[3] I 253, ebs Ev des Philippus 112, 1f, ed WCTill, Patristische Texte u Studien 2 [1963] 28f), sondern auch mehr als die Jünger (111, 34, ebs Ev nach Maria 17, 22; 18, 14, vgl Hennecke[3] I 254) liebte.

[174] Kragerud aaO (→ A 168) 73f; vgl → A 185.

[175] So OMichel, Ein joh Osterbericht, Festschr EKlostermann, TU 77 (1961) 36f. 42; vgl auch ders, Jüd Bestattung u urchr Ostergeschichte, Judaica 16 (1960) 1—5.

[176] Vgl ua Kragerud aaO (→ A 168) 42—46.

[177] Es ist freilich gefragt worden, ob καὶ ὁ γράψας ταῦτα nicht eine sekundäre Einführung ist, so von AvHarnack, Das „Wir" in den joh Schriften, SAB 1923, 17 (1923) 109; jedoch ist dies kaum hinreichend begründet.

[178] Weitere Belege bei Zahn Einl II 488 A 11.

[179] Selbst J 21, 2, wo die Zebedäussöhne erwähnt werden, u 21, 7 ist es nicht sicher, daß der Verf den Lieblingsjünger mit Joh gleichsetzen will. Es könnte ebs gut auch einer der zwei ungenannten Jünger v 2 gemeint sein, vgl Kragerud aaO (→ A 168) 44.

[180] So JKreyenbühl, Das Ev der Wahrheit I (1900) 157—162; REisler, Das Rätsel des Joh-Ev, Eranos-Jbch 1935 ²(1936) 371—390; Filson aaO (→ A 169) 83—88 bzw 120; Sanders aaO (→ A 167) 33f; KAEckhardt, Der Tod des Joh als Schlüssel zum Verständnis der joh Schriften (1961) 17—45, der vermutet, daß der Lieblingsjünger, den Eckhardt wie Zahn Einl II 474—484 ua mit dem Zebedaiden Joh identifiziert, der in J 11 auferweckte „Freund Jesu" war, der erst nachträglich u nicht einmal konsequent, vgl 11, 3, Lazarus genannt wurde.

[181] Eisler aaO (→ A 180) 374f.

[182] Erbes aaO (→ A 169) 169—181; vgl Maynard aaO (→ A 169) 155—159, der die Schwierigkeit, daß ausgerechnet dieser Jünger, der nicht zu den Zwölfen gehörte, den Ehrenplatz neben Jesus einnahm, damit löst, daß das letzte Mahl Jesu im Hause eben dieses Jüngers stattfand, während Erbes 172 den historischen „Ort" des ἀναπίπτειν ἐπὶ τὸ στῆθος J 13, 25; 21, 20 in dem Vorgang in Gethsemane Mk 14, 51 sieht, wo der weder bei Mk noch bei Joh mit Namen genannte νεανίσκος „... voll schmerzbewegter Liebe sich ihm an die Brust warf", was erst nachträglich mit dem ἀνακεῖσθαι ἐν τῷ κόλπῳ J 13, 23 identifiziert u so in die Szene vom letzten Mahl übertragen worden sei.

Nähe von Gethsemane wohnte, mit Pls[183], oder auch, im Zshg mit der Zuschreibung des 4. Ev an den „Presbyter Johannes", mit diesem[184]. Anderseits wollte man den Lieblingsjünger, im Rahmen des offenkundigen joh Symbolismus, als eine symbolische Figur bzw als Idealgestalt verstehen. So deutet man ihn als Urbild eines jeden Gläubigen, lying close to the breast of his Lord[185], als Verkörperung des idealen Zeugen, ja als Pro- 5 jektion des Verf u seiner Gemeinde in die Gesch Jesu[186]. Andere wollen den Lieblings- jünger als Verkörperung des Heidenchristentums gegenüber Petrus (u Maria) als der des Judenchristentums verstehen[187] oder als Personifizierung des prophetischen Wort- dienstes gegenüber Petrus als dem Repräsentanten des Hirtenamts[188]. Es wird zutreffen, daß der 4. Evangelist mit dem Lieblingsjünger ein Urbild des Christuszeugen hinstellen 10 wollte (→ 130, 1ff). Trotzdem hat er ohne Zweifel doch einen bestimmten Jünger im Sinn, der zu dem Kreis der Zwölf gehörte u zu dem zweifellos historischen Petrus in einem nahen, wenn auch spannungsreichen u für uns nicht mehr durchschaubaren Verhältnis stand (→ 134, 6ff). Aber er verhüllt ihn bewußt durch seine Umschrei- bungen derart, daß dieser Jünger nicht identifiziert werden kann. Durch die Einfüh- 15 rung seiner Gestalt in die Berichte von Passion u Auferstehung will der Evangelist sagen: er, der Gewährsmann seiner Botschaft 19, 35; 21, 24, hat Jesus besser verstanden als alle anderen Jünger, insbesondere auch als Petrus, obwohl er diesen als Bekenner, vgl J 6, 69, u Führer der ersten Gemeinde, vgl J 21, 15ff, gelten läßt. In der Gestalt des Lieblingsjüngers erheben der 4. Evangelist u sein Kreis den Anspruch, daß ihre Dar- 20 stellung der Christusgeschichte, insbesondere der entscheidenden Ereignisse, Tod u Auf- erstehung, die von Jesus selbst legitimierte, bleibende Gestalt des Ev sei u daß die joh Gemeinde, die das Ev in dieser Gestalt bewahrt u vertritt, Jesus am nächsten stehe[189].

γ. Nach J 16, 27 haben die Jünger den Anspruch Jesu auf Liebe zu ihm vollkommen und endgültig erfüllt: ὑμεῖς ἐμὲ πεφιλήκατε, und zwar 25 dadurch, daß sie seinen Anspruch auf Glauben vollkommen erfüllt haben. An Jesus als an den von Gott Stammenden, in Gottes Namen Handelnden und Re- denden glauben, in ihm die Liebe Gottes (3, 16) annehmen, heißt ihn lieben. Dieser Liebe der Jünger zu Jesus antwortet die Gegenliebe[190] Gottes zu den Jüngern: αὐτὸς γὰρ ὁ πατὴρ φιλεῖ ὑμᾶς, die offenbar anderer Art ist als die Liebe Gottes zur 30 Welt, vgl 3, 16: ἠγάπησεν ὁ θεὸς τὸν κόσμον. Man kann jedoch nicht etwa φιλέω

[183] Vgl Bacon aaO (→ A 169) 326; Bult- mann J 370 A.
[184] Vgl Zahn Einl II 490 A 17.
[185] ESchweizer, The Service of Worship, Neotestamentica (1963) 342 A 30; ähnlich schon Dibelius aaO (→ A 150) 214: „der Typus der Jüngerschaft, der Mann des Glaubens, der Zeuge des Mysteriums am Kreuz", sowie ECHoskyns, The Fourth Gospel² (1947) 443: The concrete position of the disciple (sc in the bosom of the Son) marks the verity that the true disciples are in Jesus as Jesus is in the Father; 530 nennt er den Lieblingsjünger the ideal Christian convert, vgl noch Bult- mann J 369 A 6. Zum joh Symbolismus vgl Bultmann J passim, s Regist II sv Sym- bolik.
[186] Käsemann aaO (→ A 162) 180, vgl auch 187: der Presbyter (der Verf des Ev) ist „eine Erscheinung des Lieblingsjüngers".
[187] Bultmann J 369f u vor ihm schon ähn- lich ALoisy, Le quatrième Evangile (1903); Bultmann steht der Deutung von Dibelius aaO (→ A 150) 214; Käsemann aaO (→ A 162) 180f; Schweizer aaO (→ A 185) 342 A 30 ua ganz nahe, insofern er unter Heidenchristen- tum „das eigtl, zu seinem echten Selbstver- ständnis gelangte Christentum" versteht.
[188] Kragerud aaO (→ A 168) 84—92. 113

—148 u dazu die Rezension von WMichaelis, ThLZ 85 (1960) 667—669.
[189] EHirsch, Das vierte Ev in seiner urspr Gestalt (1936) 340 hält die Wendung „welchen Jesus liebte" für einen Zusatz der kirchlichen Bearbeitung u darum die Gestalt des Lieb- lingsjüngers für „ein Luftgebilde, ... gerade gut genug, die Theologen zu narren" 342. Vgl auch ders, Studien zum vierten Ev (1936) 102 zu J 13, 23: hier wird die angebliche Interpolation mit dem mißverständlichen, fernen Anschluß des ὅν begründet; aber das ist joh Stil, vgl zB 19, 26.
[190] Man darf das ὅτι in diesem Wort des joh Jesus nicht so mißverstehen, als wäre Gottes Liebe zu den Jüngern abhängig von ihrer Liebe u ihrem Glauben an Jesus, als wäre sie der Lohn dafür. Ihre Liebe ist ja ihrerseits die Antwort auf die Liebe des in die Welt Gekommenen u des ihn Sendenden, vgl Barrett aaO (→ A 150) 414. Gottes Liebe steht am Anfang 1 J 4, 19 u schließt wiederum den Liebeskreis um Jesus, indem sie auf die Liebe der Jünger antwortet, mit der sie sich in jenen Liebeskreis hineinziehen lassen. Eine gewisse Par zu J 16, 27 stellt Soph Phil 390 dar: wer ihm (sc Neoptolemos) φίλος ist, der ist deshalb auch den Göttern φίλος, → Nor- mann 86.

der besonderen Liebe Gottes zu den Jüngern und ἀγαπάω seiner allgemeinen Liebe
zur Welt zuordnen; denn 14, 21 und 23 wird der Gedanke von 16, 27 mit ἀγαπάω
formuliert. J 16, 27 ist die einzige Stelle im Neuen Testament, in der φιλέω für
die Liebe Gottes zu den Menschen gebraucht ist[191]. Ganz parallel dazu heißt
5 es aber ὁ γὰρ πατὴρ φιλεῖ τὸν υἱόν (5, 20), auch wieder in singulärer Anwendung
von φιλέω: sonst dient zur Bezeichnung der Liebe des Vaters zum Sohne ἀγαπάω
(vgl J 3, 35; 10, 17; 15, 9; 17, 23 f; → I 53, 8 ff)[192]. Von den wechselseitigen Liebes-
beziehungen, die bei Johannes den Liebeskreis zwischen Gott, Christus und den
Jüngern tragen (→ A 190; I 53, 27 ff), werden also nur vereinzelt die Liebe Gottes
10 zum Sohne (5, 20) und zu den Jüngern (16, 27) sowie die Liebe der Jünger zu Jesus
(16, 27) mit φιλέω bezeichnet, dagegen mit ἀγαπάω durchgehend die Liebe Jesu zu den
Jüngern (13, 1. 34; 14, 21; 15, 9. 12; vgl 11, 5) und die Liebe der Jünger untereinander
(13, 34; 15, 12. 17) sowie besonders auch die Liebe Jesu zum Vater (14, 31). Weder
mit φιλέω noch mit ἀγαπάω wird die Liebe der Jünger zu Gott beschrieben (vgl da-
15 gegen Mk 12, 30 Par; → A 19. 191); statt von dieser ist bei Johannes nur von ihrer
Liebe zu Jesus die Rede[193].

δ. Um einen besonderen Fall der Jüngerliebe geht es bei
dem Gebrauch von φιλέω in dem Gespräch Jesu mit Petrus (J 21, 15—17)[194]. Auffällig erscheint der Wechsel von ἀγαπάω und φιλέω, nicht nur in der Verteilung auf
20 Frage: ἀγαπᾷς με; und Antwort: φιλῶ σε in den ersten beiden Gesprächsgängen,
sondern auch in dem Hinüberwechseln von ἀγαπᾷς με; zu φιλεῖς με; in dem dritten Ge-

---

[191] Für die Liebe der Menschen zu Gott
wird φιλέω im NT überh nicht verwendet
(doch vgl φιλόθεος 2 Tm 3, 4), wohl aber für
die Liebe zu Jesus, außer J 16, 27 noch
21, 15—17 u 1 K 16, 22. Dgg steht ἀγαπάω
wie in der LXX so auch im NT in beiden
Richtungen, vgl Dt 4, 37; J 14, 21. 23 mit
Ex 20, 6; Dt 6, 5; 11, 1; Mk 12, 30 Par. 33;
R 8, 28. Dasselbe gilt später für στέργω
(στοργή), vgl Constantinus, Ad Coetum Sancto-
rum 2 (ed IAHeikel, Eusebius' Werke, GCS
[1902] 155, 29f).

[192] Vielleicht ist die Ausn darin begründet,
daß hier die Vaterliebe wie ein ungleiches
Freundesverhältnis gekennzeichnet wird:
der Freund gibt dem anderen in vollem Vertrauen an allem Anteil (→ 163, 16ff). Anders
versucht → Hogg 380 den Unterschied zwischen
J 3, 35 u. 5, 20 zu erklären: the unchanging
love of approbation — the tender intimacy of
affection.

[193] Die nächste Parallele zu der engen Verbindung von Gottes- u Bruderliebe (→ I
53, 3ff), wie sie namentlich in den Briefen
des Joh ausgeprägt ist, findet sich in Qumran. Auch die Mitglieder der Sekte werden
durch ein Band exklusiver Liebe zusammengehalten, vgl Damask 6, 20 (8, 17):
„... jeder seinen Bruder (dh Gemeindege-
nossen; zu dieser Deutung von Lv 19, 18
→ V 13, 31ff; VI 312, 35ff mit A 30) zu
lieben wie sich selbst"; ähnlich 1 QS 1, 9f:

„... alle Söhne des Lichtes zu lieben, jeden
nach seinem Los (dh Rang) in der Ratsversammlung Gottes". In diesem exklusiven
Sinn ist es zu verstehen, wenn Jos Bell 2, 119
die Essener φιλάλληλοι nennt. Als term techn
für diese innergemeindliche Liebeshaltung
erscheint mehrfach אַהֲבַת חֶסֶד, etwa die
liebevolle Verbundenheit, die herzliche Liebe
1 QS 2, 24; 5, 4; 8, 2; 10, 26; Damask 13, 18
(16, 8). In 1 QS 5, 25 wird eben dies als die
rechte Haltung bei der Zurechtweisung der
überprüften Gemeindeglieder empfohlen, vgl
PHyatt, On the Meaning and Origin of Micah
6, 8, Anglican Theological Review 34 (1952)
232—239; BOtzen, Die neugefundenen hbr
Sektenschriften u die Test XII, Studia Theologica 7 (1953/54) 131—133.

[194] Das kunstvoll u streng in drei dreiglie-
drigen Parallelgängen (Frage Jesu, Antwort
des Petrus, Auftrag Jesu) aufgebaute Gespräch hat den Klang der festen liturgischen
Formung u könnte darum der Widerhall eines
Ordinationsgespräches sein, ähnlich wie Ag
8, 37 der Widerhall eines der Taufe vorausgehenden Gesprächs. Natürlich kann dabei
auch das orientalische Vorbild einer feierlich
vor Zeugen dreimal ausgesprochenen u Recht
begründenden Formel mitgewirkt haben, vgl
PGaechter, Das dreifache „Weide meine
Lämmer", Zschr für katholische Theol 69
(1947) 334—344.

sprächsgang. Manche Ausleger[195] haben hier einen feinen Unterschied heraushören wollen und darum Petrus darüber betrübt sein lassen, daß Jesus beim dritten Mal sagte: φιλεῖς με; *hast du mich gern*? statt wie bisher: ἀγαπᾷς με; Aber es ist wahr-scheinlicher, daß ἀγαπάω und φιλέω auch in J 21 wie sonst im 4. Evangelium (→ A 167) synonym gebraucht sind[196]; denn die strenge Gleichförmigkeit des drei- 5 fachen Gesprächsganges wird durch den Wechsel auch zwischen weiteren Wort-paaren aufgelockert, die zweifellos synonym sind: βόσκω — ποιμαίνω, ἀρνίον — προ-βάτιον, σὺ οἶδας (v 15f) — σὺ γινώσκεις[197]. Außerdem spricht das Sätzchen λέγει αὐτῷ τὸ τρίτον *zum dritten Mal*, nicht „beim dritten Mal", für die Bedeutungsgleich-heit der drei Fragen. Die dreimalige (→ VIII 222, 3ff) Infragestellung der Liebe[198] 10 und ihre dreimalige Bestätigung durch den dreimal gegebenen Auftrag sollen deut-lich machen: Für den Stellvertreter Jesu im Hirtendienst ist eine unanzweifelbare, starke Liebe zu seinem Herrn unerläßlich. Das ist der Grund, warum Petrus Jesus πλέον τούτων lieben soll (21, 15); denn „diese" sind die übrigen Jünger, nicht als gleichfalls besonders Beauftragte[199], sondern als die Jüngergemeinde[200]. Der 15 Hirte der Gemeinde aber muß in einer einmaligen, engen Liebesverbindung mit seinem und ihrem Herrn stehen. Die dreimalige Infragestellung seiner Liebe zu

---

[195] Zn J 635; vgl auch KHorn, Abfassungs-zeit, Geschichtlichkeit u Zweck von Ev Jo-hannis Kp 21 (1904) 167—171: ἀγαπάω ist bestimmt durch das Motiv des Willens u der Entscheidung, φιλέω bezeichnet die Liebe des natürlichen Affekts, die in ihrer Bewährung ebs schwankend ist wie das Herz des Men-schen; ähnlich RHStrachan, The Appendix to the Fourth Gospel, Exp 40 (1914) 263—267; vgl → Roach 533: Agapan ... carries with it invariably the idea of ... the good of the object sought at the cost of the subject, while philein as uniformly suggests the pleasure of the subject associated with and derived from the object, dazu → Warfield 194—197; vgl → Hogg 380: ἀγαπάω: the love that faces the issue and ..., at whatever cost, denies itself; φι-λέω: the personal affection that comes from intimate association (→ A 192), anders HHigh-field, ἀγαπάω and φιλέω. A Rejoinder, Exp T 38 (1926/27) 525; Moult-Mill sv ἀγαπάω u φιλέω, AŠuštar, De caritate apud Sanctum Joan-nem, Verbum Domini 28 (1950) 116—119; → Spicq Agapè NT III 230—237.

[196] So auch Barrett aaO (→ A 150); Bau J zu 21, 15; JHBernard, A Critical and Exege-tical Commentary on the Gospel according to StJohn, ICC (1928) II Exk zu 21, 15; Bult-mann J 551 A 2. 6 mit Ergänzungsheft 48 ua, vgl noch bes Gaechter aaO (→ A 194) 328f; ders, Petrus u seine Zeit (1958) 12f; JAScott, The Words for ‚Love' in John 21, 15ff, Classical Weekly 39 (1945/46) 71f; 40 (1946/47) 60f; vgl → Spicq Agapè NT III 232 A 2 (mit weiterer Lit).

[197] Vgl Gaechter aaO (→ A 196) 13—15. Auch diese Abwechslung im Ausdruck könnte, außer im griech Sprachgefühl im Unterschied vom semitischen, vgl Gaechter aaO (→ A 194) 330f, liturgisch begründet sein; denn zB auch im Agnus Dei weicht der dritte Schluß

von den beiden ersten ab, u im Kyrie ist die dritte Anrufung gegenüber den beiden ersten vielfach erweitert; vgl EJammers, Artk Agnus Dei, in: RGG³ I 176; ders, Artk Kyrie eleison, in: RGG³ IV 192; EStommel, Studien zur Epiklese der röm Taufwasserweihe, Theo-phaneia 5 (1950) 38—43, bes 40f; RMehrlein, Artk Drei, in: RAC IV (1959) 307.

[198] Vgl hierzu Bultmann J 551 mit A 5; Gaechter aaO (→ A 196) 19—30. Auch die dreimalige Wiederholung der Frage könnte im liturgischen Brauch wurzeln, vgl außer dem Kyrie u dem Agnus Dei bereits das Trishagion Apk 4, 8, den Aaronitischen u den Apostolischen Segen. Solche liturgische Drei-heit ist aber auch außerhalb der Bibel weit verbreitet. Schon im bab Zauber finden sich ähnliche Wiederholungen u Tripli-kationen der gleichen Worte; vgl GMeloni, Petre, amas me? (J 21, 15ff). Della ripetizione nello stilo semitico, in: Rivista Storico-Critica delle Scienze Teologiche 5 (1909) 465—475. Weitere Beispiele bei OWeinreich, Trigemination als sakrale Stilform; in: Studi e materiali di storia delle religioni 4 (1928) 198—206; ENorden, Aus altrömischen Priesterbüchern (1939) 238—244; Mehrlein aaO (→ A 197) 282—291. 298f. 306f; Stommel aaO (→ A 197) 35—43.

[199] Joh kennt bekanntlich weder den Be-griff noch die tatsächliche Sonderstellung der Ap (→ I 421, 40ff; 435, 8ff; 436, 3ff).

[200] Auch J 20, 21—23 sind die Zehn die Repräsentanten der Jüngerschaft in ihrer Gesamtheit wie bereits die Zwölf in Kp 13—16, vgl Bultmann J 349. 537; HvCampenhausen, Kirchliches Amt u geistliche Vollmacht in den ersten drei Jhdt (1953) 151—154; ESchweizer, Gemeinde u Gemeindeordnung im NT (1959) 112; Kragerud aaO (→ A 168) 54.

Jesus muß außerdem wohl noch im Zusammenhang mit der dreimaligen Verleugnung des Petrus (vgl J 13, 38; 18, 17. 25—27) gesehen werden[201]. Durch die dreifache Einsetzung in das Hirtenamt spricht Jesus ihm die Vergebung seines Verrates zu[202]. Auf diese Vergebung und auf die durch sie herausgeforderte besondere
5 Liebe des Petrus gründet Jesus dessen doppelte Nachfolge, im Hirtenamt und im Tode. Offenbar will der Verfasser die dem Petrus feierlich bestätigte exzeptionelle Liebe zu Jesus in gewisser Weise als Gegenstück zu der exzeptionellen Liebe Jesu zu dem Lieblingsjünger angesehen wissen. Er will so, wie es scheint, die beiden Jünger in eigentümlicher, aber für uns nicht mehr durchschaubarer Weise einander
10 zuordnen (vgl J 21, 20—23)[203].

c. Im übrigen Neuen Testament.

　　　Außerhalb der Ev findet sich φιλέω *lieben* nur zweimal im Corpus Paulinum, uz in vorgeprägten Formeln 1 K 16, 22; Tt 3, 15, u zweimal in der Apk, davon einmal in einem Zitat 3, 19, das andere Mal in einer mit dem Gebrauch von φιλία
15　　in Jk 4, 4 (→ 165, 7ff) verwandten Formel eines Lasterkatalogs 22, 15. Der sich schon bei dem synpt Gebrauch aufdrängende Eindruck verstärkt sich: φιλέω ist im NT abgesehen von Joh, kein Wort der Wahl (→ 126, 9ff).

　　　α. 1 K 16, 22: εἴ τις οὐ φιλεῖ τὸν κύριον, ἤτω ἀνάθεμα.
Wahrscheinlich nimmt Paulus hier, wie mit dem unmittelbar angeschlossenen
20 Maranatha (→ IV 473, 17ff), feststehende Formeln[204] auf[205], die liturgisch geprägt[206] sind. Vermutlich kann der liturgische Charakter noch näher dahingehend bestimmt werden, daß die Sätze der Abendmahlsliturgie entstammen[207]. Der Apostel verwendet die dem eucharistischen Mahl zugehörige Ausschlußformel[208]: Nur diejenigen, die den Herrn lieben, sind zum Abendmahl gerufen. Es hat als ein Grund-

---

[201] So schon Greg Naz Or 39, 18 (MPG 36 [1858] 358a) ua, bes Aug In Joh Ev Tract 123, 5 zu 21, 15—19: redditur negationi trinae trina confessio. Weitere Belege bei Stommel aaO (→ A 197) 41 A 1. Ob der Verf auch eine Par mit der Mahlsituation 13, 2ff. 38; 21, 13 u mit dem flackernden Feuer 18, 18; 21, 9, beabsichtigte (so Gaechter aaO [→ A 194] 332), ist fraglich.

[202] Die gleichzeitige Doppelerfahrung der tiefsten Demütigung u der höchsten Erhebung in Gestalt der Indienstnahme, die Petrus zugleich die Vergebung des Herrn bezeugt, entspricht genau der Erfahrung des Pls 1 K 15, 9f; vgl 1 Tm 1, 15f, s auch GStählin, Die Apostelgeschichte, NT Deutsch 5 ²(1966) zu 9, 9.

[203] Zu dem Problem des Verhältnisses Lieblingsjünger–Petrus vgl → 130, 11ff; 131, 11ff.

[204] Dafür spricht ua gerade die Tatsache, daß bei Pls nur hier φιλέω steht, während er sonst in ganz ähnlichen Aussagen ἀγαπάω verwendet 1 K 2, 9; 8, 3; R 8, 28, vgl auch Eph 6, 24; 2 Tm 4, 8, ferner die Beobachtung von EPeterson, Εἷς Θεός, FRL 41 (1926) 130,

daß der Satz genau wie die Formeln der Einladung zur Kommunion in Did 10, 6 u Const Ap VII 26, 6 mit εἴ τις beginnt.

[205] Nur wenige Ausleger rechnen mit eigenen Formulierungen des Ap, so Schl K u Bchm 1 K zSt ua.

[206] Vgl ua Peterson aaO (→ A 204) 130f; → Bornkamm 123—132; JATRobinson, The Earliest Christian Liturgical Sequence ?, Twelve New Testament Studies (1962) 154—157; OCullmann, Die Christologie des NT ⁴(1966) 216—218 (→ A 194. 197f).

[207] An die Verlesung der Briefe des Ap in der Gemeindeversammlung, für die sie bestimmt waren, schloß sich vermutlich die Feier des Herrenmahles an, worauf Pls mit den Sätzen v 20b (→ 138, 6ff) 22f selber hinweisen wird, vgl ua HLietzmann, Messe u Herrenmahl (1926) 229; → Bornkamm 123. Dasselbe gilt übrigens auch für die Apk, vgl → Bornkamm 126f.

[208] Vgl → Bornkamm 124 mit A 4. Das positive Gegenstück war die wahrscheinlich damit verbundene Einladungsformel εἴ τις φιλεῖ τὸν κύριον, ebd 125.

satz heiligen Rechtes[209] zu gelten: Wer den Herrn verleugnet, verwirft[210] (vgl 1 K 12, 3), sei verflucht! Nur wer mit Wort und Tat seine Christusliebe[211] bekennt (→ V 212 A 39), dem gilt die Gnade des Herrn[212]. φιλέω ist hier der umfassende Ausdruck für eine Glaubenshaltung, die Christus total zugewandt ist[213]. — Auch Tt 3, 15: ἄσπασαι (→ I 494, 14 ff) τοὺς φιλοῦντας ἡμᾶς ἐν πίστει bedient sich der 5 Verfasser einer vorgeprägten Formel, freilich nicht aus der Liturgie, sondern aus dem üblichen Briefformular[214]. Eine konventionelle Formel[215] ist offenkundig durch die Hinzufügung von ἐν πίστει verchristlicht[216]. φιλέω ἐν πίστει entspricht der Sache nach dem ἀγαπάω ἐν θεῷ (Jd 1; vgl auch 2 J 1; 3 J 1). Solche Liebe ist eigentlich das Merkmal aller Christen; aber durch die Verbindung mit dem ἡμᾶς[217] 10 des Apostels erhält die Formel einen ähnlich exklusiven Sinn (→ I 499, 27 ff) wie οἱ φίλοι (3 J 15 [→ 164, 9 ff]). Die Liebe zum Apostel ist das die Gemeinden der Pastoralbriefe in besonderer Weise einigende, aber auch nach außen abgrenzende Band.

β. Eine ähnliche Aufnahme einer vorgegebenen Formulie- 15 rung liegt auch in Apk 3, 19 vor: ἐγὼ (→ II 349, 2 ff) ὅσους ἐὰν φιλῶ ἐλέγχω καὶ παιδεύω, denn der Verfasser zitiert hier ein geflügeltes Wort[218] in Anlehnung an Prv 3, 12 LXX (→ V 621, 3 ff)[219]. Es ist eine der zahlreichen Stellen, in denen der erhöhte Kyrios

[209] Vgl EKäsemann, Sätze hl Rechtes im NT, Exegetische Versuche u Besinnungen II ²(1965) 72.

[210] CSpicq, Comment comprendre φιλεῖν dans 1 K 16, 22 ?, Nov Test 1 (1956) 204 betont für οὐ φιλεῖ eine ähnliche Kraft der Litotes wie für οὐκ οἶδα ὑμᾶς in Mt 25, 12; Lk 13, 27 vl u οὐκ ἐδέξαντο in 2 Th 2, 10; vgl Spicq Agapè NT III 81—85.

[211] Frühere Versuche, φιλεῖ in v 22 mit φίλημα v 20 in Zshg zu bringen, vgl Bengel zSt, bzw ἀθά als Zeichen אות zu deuten, EHommel, Maranatha, ZNW 15 (1914) 317 —322, sind heute so gut wie allg aufgegeben. AKlostermann, Probleme im Aposteltexte, neu erörtert (1883) 224 hatte diese beiden Deutungen miteinander verbunden: *wenn einer den Herrn nicht küßt*, dh den Bruderkuß v 20 verweigert — *das ist das „Zeichen"*; vgl Dölger aaO (→ 95) 201. 203.

[212] Vgl den nahe verwandten, ähnlich formelhaften Segenswunsch am Schluß des Eph 6, 24.

[213] Vgl 1 J 4, 20; 1 Cl 15, 4, dazu → Bornkamm 124f mit A 7.

[214] Außerbiblische Belege für die Formel οἱ φιλοῦντες ἡμᾶς *unsere Freunde* sind BGU II 625 (2./3.Jhdt nChr); III 814, 38 (3.Jhdt nChr); ἀσπάζου Ἐπαγαθὸν καὶ τοὺς φιλοῦντας [sic!] ἡμᾶς πρὸς ἀλήθιαν PFay 119, 25—27 (um 100 nChr); Preisigke Sammelbuch V 7992, 26f (2./3.Jhdt nChr). Häufiger als οἱ φιλοῦντες ἡμᾶς ist allerdings die seit dem Ende des 1.Jhdt nChr belegte Grußformel οἱ φιλοῦντές σε (→ I 494, 15 ff; vgl UWilcken, Pap-Urkunden, APF 6 [1920] 379 A 2) im Sinn von οἱ φίλοι σου, zB ἀσπάζου τοὺς φιλοῦντές σε πάντες [sic!] πρὸς ἀλήθιαν PFay 118, 25 f

(110 nChr). Die Formel φιλέω πρὸς ἀλήθειαν verrät anders als 2 J 1; 3 J 1 (→ Z 8f), wie abgegriffen u entwertet der Gebrauch von *lieben* war (→ 148, 13 ff mit A 30); vgl weiter POxy III 529, 11—15 (2.Jhdt nChr), ἀσπάσασθαί σε καὶ πάντας τοὺς φιλοῦντάς σε PRyl II 235, 4f (2.Jhdt nChr), ferner vgl PGreci e Latini 1, 94, 10—12 (2.Jhdt nChr). Weitere Belege bei FXJExler, The Form of the Ancient Greek Letter (Diss Washington [1923]) 114f; PGiess I 12, 8f; POxy XIV 1757, 26f (2.Jhdt nChr), vgl ferner FZiemann, De epistularum Graecarum formulis sollemnibus quaestiones selectae (Diss Halle [1911]) 329f; Preisigke Wört sv φιλέω, → Spicq Le lexique 27 A 4; Spicq Agapè NT III 85f; Dib Past zSt; HKoskenniemi, Studien zur Idee u Phraseologie des griech Briefes (1956) 115f.

[215] τὸ προσκύνημα τῶν τέκνων μου καὶ τῶν φιλούντων με Ditt Or I 184, 8—10 (74 vChr), ähnlich Preisigke Sammelbuch V 7942, 5f; 8401, 5f (73 vChr).

[216] Dib Past⁴ zSt; vgl Ziemann aaO (→ A 214) 330.

[217] Vgl EvDobschütz, Wir u Ich bei Pls, ZSTh 10 (1933) 251—277; WFLofthouse, „I" and „We" in the Pauline Letters, Exp T 64 (1952/53) 241—245.

[218] Vgl HRinggren u WZimmerli, Sprüche, Prediger, AT Deutsch 16, 1 (1962) zu Prv 3, 12.

[219] LXX u Hb 12, 6 haben ἀγαπάω. Aber diese Vertauschung hat wohl ebs wenig eine bes Bdtg wie der Wechsel zwischen Apk 3, 9: ἐγὼ ἠγάπησά σε u 3, 19. Bengel zu 3, 19 findet hier wieder einen feinen Unterschied: Philadelphiensem ἠγάπησε: Laodicensem φιλεῖ.

ein alttestamentliches Gotteswort zitiert im Sinne eines Selbstzitates[220]: seine
strafende Liebe (vgl 1 K 11, 32) zu der gefährdeten Gemeinde ist nichts anderes
als die Liebe Gottes selbst. Man[221] hat vermutet, daß hinter diesem φιλῶ wie
hinter J 15, 14f (→ 163, 12ff) die Vorstellung des φίλος θεοῦ (→ 165, 11ff)
5 stehe, wobei man einen engen Zusammenhang mit v 20 annimmt: das gemeinsame
Mahl sei der innigste Beweis der Freundschaft und schenke die Erfüllung der heißen
Sehnsucht nach der Vereinigung mit dem himmlischen Freunde. Aber der Herkunftsort des Zitats und die parallele Anwendung in Hb 12, 6 führen in einen
anderen Bildzusammenhang, der auch hier den Hintergrund bilden dürfte und
10 jedenfalls in den Zusammenhang dieses Schreibens nach Laodicea besser paßt als
das Bild des Freundes: die strenge Liebe des Vaters, der gerade dem verirrten
Kind durch Züchtigungen (→ V 622, 10ff) beweist, daß er es nicht verloren gibt,
sondern zur Umkehr führen will[222]. Auch für Apk 22, 15 kann mit Grund vermutet werden, daß es sich um eine geläufige Formulierung handelt; denn πᾶς φιλῶν
15 καὶ ποιῶν ψεῦδος bildet den Abschluß eines Lasterkatalogs, der ebenso wie das
erste Glied dieses Katalogs, οἱ κύνες (→ III 1103, 11ff), die dazwischen stehenden
Begriffe zusammenfassend charakterisiert. φιλῶ καὶ ποιῶ[223] ψεῦδος *sich mit aktiver*
Liebe an die Lüge, den Urlügner hingeben ist demnach geradezu synonym mit ἀγαπῶ τὸ σκότος (J 3, 19) und nahe verwandt mit ἀγαπῶ τὸν κόσμον (1 J 2, 15), mit
20 φιλία τοῦ κόσμου (→ III 896, 4ff), dh soviel wie φίλος εἰμὶ τοῦ κόσμου (Jk 4, 4; →
165, 7ff; II 922, 16ff) und insofern der schlechthinnige Gegensatz zur ἀγάπη τοῦ
θεοῦ.

II. Der Kuß im Neuen Testament.

Im NT spielt der Kuß naturgemäß eine untergeordnete Rolle;
25   dennoch ist sein Vorkommen an einigen Stellen von theologischer Bedeutung.

1. Art und Anlass von Küssen.

Von den erwähnten Arten des Kusses fehlt ganz der ero-
tische Kuß (→ 119, 13ff), entsprechend dem Fehlen von φιλέω *lieben* im erotischen Sinn
(→ 126, 16ff; → A 22), aber auch der zwischen nahen Verwandten (außer Lk 15, 20;
30 → 137, 24f). Dagegen wird Lk 7, 45 wohl die Sitte[224] des Begrüßungskusses[225]
(→ 120, 7ff; 125, 7ff) vorausgesetzt; auch der Kuß des Vaters in Lk 15, 20[226] (doch

---

[220] Vgl GStählin, „Siehe, ich mache alles
neu", Ökumenische Rundschau 16 (1967)
240f.

[221] Vgl Loh Apk u JBehm, Die Offenbarung
des Joh, NT Deutsch 11 [7](1956) zSt.

[222] So ua auch → Warfield 189, vgl Dt 8, 5.

[223] Vielleicht ist mit א u Tisch NT umzu-
stellen: ποιῶν καὶ φιλῶν, da φιλέω (wie συνευδοκέω in R 1, 32) mehr besagt als ποιέω,
so → Warfield 188f: φιλέω bedeutet personal
identification. ποιέω ist ähnlich gebraucht
in J 3, 21: ὁ ποιῶν τὴν ἀλήθειαν u bes in 1 J
1, 6: ψευδόμεθα καὶ οὐ ποιοῦμεν τὴν ἀλήθειαν,
vgl auch Apk 22, 11.

[224] Vielleicht hat Lk dabei die griech Sitte
im Sinn, nach der ein Gastfreund bei der

Ankunft geküßt wird; vgl → Hug 2063 (→
118, 19f).

[225] Einige jüngere Zeugen lesen hier: φί-
λημά μοι ἀγάπης οὐκ ἔδωκας. Damit wird
wahrscheinlich die urchr Sitte des „Liebes-
kusses", vgl 1 Pt 5, 14 (→ 138, 6ff), vor
Beginn des (Gemeinde-)Mahles zurückdatiert
in die Lebenszeit Jesu.

[226] Als Begrüßungskuß nach langer Trennung wird er gedeutet, wenn er als Prototyp
des Kusses für den Täufling angesehen wird:
διὰ τοῦτο καὶ ἐξ ἀποδημίας ἐπανιόντες ἀλλήλους
φιλοῦμεν, τῶν ψυχῶν ἐπιγινομένων εἰς τὴν πρὸς
ἀλλήλους συνουσίαν Chrys, Hom in 2 K 30, 1
zu 13, 12 (MPG 61 [1862] 606).

vgl → Z 24f) und der von Judas beabsichtigte Kuß (Lk 22, 47 → 139, 2f) können so verstanden werden[227]. Der Abschiedskuß (→ 120, 11ff; 125, 10ff) wird nur einmal ausdrücklich erwähnt (Ag 20, 37, → Z 25ff). In manchen Fällen, in denen man die Erwähnung von Begrüßungs- oder Abschiedsküssen erwarten könnte, mögen solche in anderen Vokabeln wie etwa ἀσπάζομαι (→ I 494, 15ff, vgl Ag 21, 5f mit 5 20, 36f; R 16, 16; → 138, 4ff)[228], implicite mit gemeint sein (→ A 37)[229]. Die Küsse von Lk 22, 47f; 7, 38. 45 könnten als Zeichen der Ehrung (→ 118, 23ff; 124, 29f) gemeint sein. Wenn es üblich war, daß der Jünger seinen Meister beim Wiedersehen und beim Abschied durch einen Kuß ehrte, konnte der Kuß des Judas (→ 138, 18ff) den Anwesenden als völlig unverfänglich erscheinen. Auch bei 10 dem von Jesus vermißten Kuß seines Gastgebers (Lk 7, 45) könnte, eher als nur an die allgemeine Sitte des Begrüßungskusses (→ VII 230 A 219), an ein Zeichen besonderer Ehrung gedacht sein, wie es gerade unter Lehrern gang und gäbe war (→ A 127; → 125, 2ff)[230]. Ein Zeichen ungewöhnlicher Ehrung ist auf jeden Fall das Küssen der Füße Jesu (Lk 7, 38. 45). 15

Freilich besagen die ungezählten Küsse der sogenannten großen Sünderin noch weit mehr: sie sind Zeichen der Umkehr. In der antithetischen Reihe[231] (Lk 7, 44—46), in der Jesus dem Mangel an Liebe und Ehrung auf seiten seines pharisäischen Gastgebers die überschwengliche Liebe und Ehrung auf seiten der Sünderin gegenüberstellt, ist der Kuß die entscheidende Verkörperung der ἀγάπη, die 20 ihrerseits das Zeichen der empfangenen Vergebung ist (v 47). Wenn die Frau sich gar nicht genugtun kann in der Wiederholung des Fußkusses (v 45) — dasselbe deutet schon das Imperfekt κατεφίλει (v 38) an —, so ist hier in dem Kuß der Sinn des ganzen Geschehens zusammengefaßt. Der Kuß des Vaters (Lk 15, 20) ist vor allem anderen als Zeichen der Versöhnung zu verstehen (→ 121, 5ff). Der 25 Abschiedskuß (→ Z 2f) der ephesinischen Presbyter (Ag 20, 37)[232] ist zugleich der

---

[227] Freilich ist dieses Verständnis des Judaskusses deshalb unwahrscheinlich, weil den Juden der Kuß beim Wiedersehen nur nach längerer Trennung als erlaubt galt, vgl Gn r 70, 12 z 29, 11 bei Str-B I 995, Judas aber erst kurz vorher, beim letzten Mahl, noch mit Jesus zusammengewesen war. Die Synpt berichten im Unterschied von J 13, 30 nicht einmal, daß sich Judas vor dem Gang nach Gethsemane aus dem Jüngerkreis entfernt habe (→ A 244).

[228] In der Regel bedurfte ἀσπάζομαι allerdings eines verdeutlichenden Zusatzes, so zB ἐν φιλήματι ἁγίῳ 1 Th 5, 26 uö (→ 138, 6ff), vgl Plut Pericl 24 (I 165d): καὶ γὰρ ἐξιὼν (sc Perikles) ... καὶ εἰσιὼν ἀπ᾽ ἀγορᾶς ἠσπάζετο καθ᾽ ἡμέραν αὐτὴν (seine Frau) μετὰ τοῦ καταφιλεῖν, ähnlich Quaest Rom 6 (II 265c).

[229] Das gleiche gilt von ἐναγκαλίζομαι Mk 9, 36; 10, 16, das den zärtlichen Kuß für kleine Kinder mit enthalten wird, u von προσκυνέω (→ VI 759, 20ff) zB Mt 28, 9; Ag 10, 25, das *mit einem Fußkuß huldigen* bedeuten kann; vgl Loh Mt zu 28, 9; Str-B I 1054; auch IBenzinger, Hbr Archäologie ²(1907) 133.

[230] Vgl Str-B I 995.

[231] Das mit der Antithese verbundene Motiv der Steigerung kommt bes darin zum Ausdruck, daß die vermißten Ehrungen eines geschätzten Gastes vom Fuß v 44 aufsteigend den Wangen v 45 u dem Haupt v 46 gelten sollten, während die demütigen Ehrungen seitens der Frau ausschließlich den Füßen Jesu erwiesen werden; zur Salbung vgl J 12, 3 im Unterschied von Mk 14, 3 u Mt 26, 7, zur Fußwaschung → V 24 A 177. Auffallend ähnlich mit der geschilderten Reihe von Handlungen der Frau ist die Beschreibung in Heliodor Aeth I 2, 6: Das Mädchen umschlang ihn (sc den tödlich verwundeten Jüngling) mit ihren Armen, weinte, küßte, trocknete ihn ab — nur, daß hier nicht die Füße das Obj der Küsse u der übrigen Liebeserweisungen sind, weil es sich um erotische Küsse handelt.

[232] Das Motiv des Abschieds ist hier bes gewichtig, weil es ein Abschied für immer ist v 38. 25. Insofern ist es eine Parallele zu dem Abschiedskuß der Märtyrer sowohl im Judt 3 Makk 5, 49 als auch im frühen Christentum (→ 143, 13ff), ja der Sterbenden überh (→ 120, 12ff).

Ausdruck der Dankbarkeit (→ 125, 2ff) für alles, was Paulus für seine Gemeinden getan hatte. Dieser Kuß könnte auch einen liturgischen Charakter besitzen, da er in unmittelbarem Zusammenhang mit einem gemeinsamen Gebet (v 36) steht. Der liturgische Kuß[233] findet sich an fünf Stellen. Vier Paulusbriefe (1 Th 5, 26; 1 K
5 16, 20; 2 K 13, 12; R 16, 16[234]) schließen mit der Aufforderung an die Angeredeten zu einem gegenseitigen Kusse, ebenso 1 Pt 5, 14. Der den Gemeinden gebotene Gruß (→ I 499, 17ff) mit dem φίλημα ἅγιον[235] (→ I 110, 9ff) bzw ἀγάπης (1 Pt 5, 14), ebenso die zwei festgeformten Sätze, das Anathema und das Maranatha (1 K 16, 22), stellen die Einleitung zu der folgenden Mahlfeier der Gemeinde dar (→ 134, 18ff)[236].
10 Der gegenseitige Kuß (→ 118, 17ff), der sich nur an dieser Stelle im Neuen Testament findet, ist Zeichen und Siegel für die dem Bruder geschenkte und umgekehrt von ihm dankbar empfangene Vergebung, welche die Voraussetzung für die rechte Feier dieses Mahles ist. Er bestätigt und verwirklicht, ebenso wie das sich anschließende Mahl, bei jedem Akt erneut die Einheit der Gemeinde als einer Bruderschaft
15 (→ 121, 2ff), dh als der eschatologischen Gottesfamilie[237]. Kuß und Mahl weisen voraus auf die eschatologische Vollendung des Heils, auf die zukünftige Gemeinschaft der Vollendeten[238].

2. Der Judaskuß.

Ein Problem für sich stellt der Kuß des Judas[239]. Daß er schon für
20 die frühe Christenheit von Anfang an ein schweres Problem bildete, zeigt die fortschreitende Veränderung der Verratsszene bei den Synpt u nicht weniger ihre Auslassung im 4. Ev. Mk 14, 44f hat der Kuß eine eindeutig pragmatische Bdtg; er ist das verabredete Erkennungszeichen, das unmittelbar den Akt der Verhaftung auslöst[240]. Mt 26, 50 stellt vor die Verhaftung das rätselhafte Wort Jesu ἑταῖρε, ἐφ᾽ ὃ πάρει, wahrscheinlich: „Freund,

[233] Zu vorchr liturgischen Küssen vgl → 121, 21ff. Die Vermutung von FLConybeare, The Kiss of Peace, Exp IV 9 (1894) 460—462, daß Pls mit dem kultischen Kuß an einen Brauch der Synagoge angeknüpft habe, kann jedenfalls nicht auf Philo Quaest in Ex II 78 zu 25, 37a; II 118 zu 28, 32 gegründet werden, da es sich hier um etwas ganz anderes, nämlich um die Harmonie der Elemente handelt (→ A 136).
[234] Im Galaterbrief fehlt der Bruderkuß. Man kann jedoch sagen, daß an seiner St der Wunsch der εἰρήνη für das Israel Gottes steht 6, 16. Denn später ist der Friedenswunsch oft mit dem Bruderkuß verbunden (→ 141, 21ff).
[235] ἅγιος ist hier wohl doch mehr als *christlich, gottesdienstlich*, vgl Dob Th z 5, 26; es bezeichnet den Kuß, der den ἅγιοι zugehört u geziemt; → Hofmann 91; RAsting, Die Heiligkeit im Urchr (1930) 148. Vgl auch Cl Al Paed III 81, 4, der dem φίλημα ἅγιον ein φίλημα ἄναγνον gegenüberstellt.
[236] Vgl ua → Seeberg 120f; Wnd 2 K zu 13, 12; Lietzmann aaO (→ A 207) 229; → Hofmann 23—26. 94—121; → Bornkamm 123f. So hat schon die ganze alte Kirche das φίλημα ἅγιον verstanden u es darum an verschiedenen St der eucharistischen Liturgie

eingeordnet, zB Const Ap VIII 11, 7—9 (→ 140, 21ff).
[237] → Hofmann 99f meint, das φίλημα ἅγιον ziele schon im NT auf eine Übertragung von Kräften u seelischen Eigenschaften ab (→ A 94). Tatsächlich sind solche urspr weithin mit dem Kuß verbundenen animistischen, dynamistischen u auch dämonologischen Vorstellungen im NT überlagert von Gedanken, die ganz in der Christologie, Soteriologie u Eschatologie des Ev wurzeln. Für die Zeit nach dem NT → 141, 1ff.
[238] Vgl die Vorstellung des Begrüßungskusses beim Eingang der Märtyrer in die Seligkeit Cyprian, ep 37, 3 (CSEL 3, 2 [1871] 578); Pass Perp et Fel 10. 12, dazu Ant Christ II 207f.
[239] Vgl FWBelcher, A Comment on Mark 14, 45, Exp T 64 (1952/53) 240; MDibelius, Judas u der Judaskuß, Botschaft u Gesch I (1953) 272—277.
[240] Natürlich ist der Wechsel von φιλέω v 44 zu καταφιλέω v 45, ebs Mt 26, 48f, aufgefallen u' hat Vermutungen über einen Bedeutungsunterschied hervorgerufen, etwa daß φιλέω *umarmen* u καταφιλέω *küssen* bedeute, so → Spicq Agapè NT I 176; vgl auch Belcher aaO (→ A 239) 240: καταφιλέω has a sense of intense emotion while the latter (sc

dazu bist du also gekommen!" oder „Freund, wozu du gekommen bist (weiß ich)" — also eine Art von Aposiopese[241]. Nach Lk 22, 47f bleibt es offen, ob es überh zu dem Kuß kommt. Was bei den Synpt Judas mit seinem Kuß bezweckt, tut bei J 18, 5f Jesus selbst mit seinem ἐγώ εἰμι[242]. Der Verrat des Meisters durch den Kuß[243] eines der Zwölf, vgl Mk 14, 10 Par. 20. 43 Par; J 6, 71, wurde immer mehr zu einem unüberwind- 5 lichen Ärgernis. Man hat es durch den Weissagungsbeweis für den Verrat des Judas, vgl J 13, 18; 17, 12, angedeutet schon Mk 14, 18, sowie durch die Voraussage des Verrates durch Jesus selbst, vgl J 6, 70f; 13, 18f. 21. 26f, bewältigt.

Nicht eindeutig beantwortbar ist die Frage nach einem etwa hinter dem Judaskuß zu vermutenden Brauch: Geschah er „routinemäßig" u darum unauffällig für die Jesus be- 10

φιλέω) lacks this quality; ähnlich schon Loh Mk zSt: „das Kompositum ..., das im NT immer den innigen u brennenden Kuß (Lk 7, 38) bezeichnet". Wahrscheinlich liegt aber nur eine stilistisch begründete Abwechslung im Ausdruck vor (vgl → A 42).

[241] Der Sinn dieses Wortes ist nicht eindeutig u seit alters umstritten. Da → II 698 A 12 u → V 857, 15f die St nicht behandelt wird, seien hier die wichtigsten Deutungsmöglichkeiten erwähnt:
1. „Freund, wozu bist du gekommen?", so die Vg: amice, ad quid (quod) venisti?, Luther u die meisten älteren Übers, aber auch Deißmann LO 100—105 ua, s Pr-Bauer sv ὅς I 9b. Damit wird aber das Relativpronomen ὅ kaum zutreffend wiedergegeben.
2. „Freund, dazu bist du gekommen?", also in Sinn u Ton Lk 22, 48 entsprechend; so FRehkopf, 'Εταῖρε, ἐφ' ὅ πάρει (Mt 26, 50), ZNW 52 (1961) 114, ähnlich OKarrer, Neues Testament ²(1959) zSt: „Freund, also dazu bist du gekommen!". — Andere deuten das Wort im Sinn einer Aposiopese:
3. „Freund, tue, wozu du hier bist!", also möglicherweise unter Einwirkung von J 13, 27, so schon das Buch von Armagh, eine irische Vg-Hdschr (amice, fac ad quod venisti); vgl Deißmann LO 102; WEltester, „Freund, wozu du gekommen bist" (Mt 26, 50), Festschr OCullmann (1962) 73 mit A 4. 90f, weiter einige kpt Hdschr, vgl WSpiegelberg, Der Sinn von ἐφ' ὅ πάρει Mt 26, 50, ZNW 28 (1929) 343 A 1, ebs verschiedene englische Übers: Revised Version (1881): The New English Bible, New Testament (1961); JMoffatt, The New Testament. A new translation (1935): My man, Do your errand, ferner HJHoltzmann, Hand-Commentar zum NT I 1 ³(1901) zSt; MDibelius, Die Formgeschichte des Ev ⁵(1966) 198 mit A 1 uam, s Pr-Bauer sv ὅς I 2bβ. Jesus würde damit also bei Mt seine Passion ähnlich aktiv vorantreiben wie bei Joh.
4. „Freund, es geschehe, wozu du gekommen bist!", also in Entsprechung zu Jesu Gebetshaltung in Gethsemane Mt 26, 42, so Eltester 70—91, der (88) wohl mit Recht vermutet, daß bei der ganzen Szene u speziell der Anrede (→ 157 A 113) ἑταῖρε ebs wie bei der v 38 dem Zitat aus Ps 42, 6 angefügten Wendung ἕως θανάτου Sir 37, 2 (→ 154, 24ff) vorschwebte, vgl auch → Spicq Agapè NT I 177 A 6.
5. Möglich wäre auch: „Freund, wozu du ge-

kommen bist, weiß ich"; andere Versuche solcher Ergänzungen bei Radermacher 78; Bl-Debr § 300, 2; Pr-Bauer sv ὅς I 2a. Auf jeden Fall scheint dieses letzte Wort Jesu an Judas bei Mt wie das entsprechende Lk 22, 48 anzudeuten, daß Jesus nicht nur die Tatsache des Verrats u die Pers des Verräters Mt 26, 21—25 Par, sondern auch den Vollzug des Verrats, genauer: der Auslieferung, durch einen Kuß vorauswußte, vgl Loh Mt zu 24, 48—50.

[242] Es ist einer unter vielen Zügen im 4. Ev, die Jesus als den souverän Selbsthandelnden zeigen, vgl bes 13, 27b; 10, 17f. Auch seine Passion ist von Anfang bis zu Ende seine Aktion, → A 241 unter 3. Dgg ist Judas, die Verkörperung der widergöttlichen Macht bei Joh, vgl 6, 70; 13, 27a, hier im Unterschied von den Synpt ganz pass. Darum fehlt auch sein Kuß, vgl ua KLüthi, Das Problem des Judas Iskariot — neu untersucht, Ev Theol 16 (1956) 112; dazu auch KLüthi, Judas Iskarioth (1955) Regist sv joh Fragen.

[243] Das AT kennt den unehrlichen Kuß des Betrügers Gn 27, 26f, des politischen Verführers 2 S 15, 5, der buhlerischen Verführerin Prv 7, 13, des Schmeichlers, für den der Kuß nur ein Mittel zum Zweck ist Sir 29, 5, des Feindes, der in Sicherheit wiegen will Prv 27, 6 u vor allem auch den Kuß des Mörders 2 S 20, 9. Der Kuß Joabs und sein heuchlerischer Gruß „Geht es dir gut, mein Bruder?", der seinen niederträchtigen Meuchelmord begleitet, gelten seit alters als Prototyp des Grußes, bes in der Form χαῖρε, ῥαββί Mt 26, 49, u des Kusses, mit denen Judas seinen Meister den Mördern ausliefert. Auch außerhalb der Bibel gibt es zahlreiche Beispiele für solche heuchlerischen Küsse, vgl Philo Rer Div Her 40—44. 51. Bezeichnend sind auch die Deutungen von Küssen in den Traumbüchern, vgl zB: Wer im Traume einen Affen küßt, ἐχθρὸν πολύτροπον ἀδύνατον γνωρίσει δόλῳ φιλοῦντα αὐτόν Achmes, Oneirocriticon (→ A 87) 136 (p 90f), hier 135f (p 90f) weitere Beispiele für die Deutung von geträumten Küssen aus indischer, persischer u ägyptischer Traumbuchüberlieferung; vgl auch Artemid Onirocr II 2. Ein Gegenstück zu Jesus u Judas ist Galba u Otho: Galba begrüßt ahnungslos seinen Mörder Otho mit dem gewohnten morgendlichen Kuß: (Otho) mane Galbam salutavit, utque consueverat osculo exceptus; etiam sacrificanti interfuit ... Suet Caes VII Otho 6, 2f.

gleitenden Jünger? War es nur ein Begrüßungskuß[244] (→ 137, 1f mit A 227)? Das ist nach einer so kurzen Zwischenzeit, vgl Mk 14, 17ff, unwahrscheinlich. Hatten die Jünger wie die Rabbinenschüler die Gepflogenheit, ihren Meister zu küssen[245] (→ 137, 8ff)? Oder hat der Jüngerkreis als die Gottesfamilie um Jesus, vgl Mk 3, 34f, bereits den Brauch
5   des brüderlichen Kusses geübt, wie er für die paul Gemeinden schon frühzeitig bezeugt ist, vgl 1 Th 5, 26 (→ 138, 4ff); Ag 20, 37 (→ 137, 25ff)[246]? Aber da sonst nirgends berichtet wird, daß die Jünger Jesus geküßt hätten, kann der Kuß des Judas doch ein ungewöhnlicher, nur ad hoc unternommener Akt gewesen sein. So — als das Zeichen einer vorgetäuschten Liebe u Verehrung — hat die frühe Christenheit den Judaskuß durchweg be-
10   trachtet[247] u diesen Mißbrauch des Zeichens der Liebe zum „Zeichen" Mk 14, 44; Mt 26, 48 des παραδιδόναι als das schmählichste Stück dieses unbegreiflichen Verrats beurteilt[248].

D. Der Kuß in nachneutestamentlicher Zeit.

I. In der Alten Kirche.

1. Trotz wachsender asketischer Tendenzen in der Kirche des
15   Altertums behält der Kuß auch in der Zeit nach dem NT unter den Christen seine vielfältige Verwendung. Der Kuß der Verwandten[249] u der eheliche Kuß bleiben selbstverständlicher Brauch, nur soll der Mann seine Frau nicht vor den Sklaven küssen Cl Al Paed III 12, 84, 1. Eine bes Rolle spielt der erotische Kuß in einem Gleichnis bei Herm s IX 11, 4: Bei dem Minnespiel (παίζειν) der zwölf Tugenden IX 15, 2 mit dem
20   Seher[250] *küßt und umarmt* καταφιλεῖν καὶ περιπλέκεσθαι ihn eine nach der andern.

2. Am wichtigsten ist aber die Weiterführung und -entwicklung[251] des φίλημα ἅγιον (→ 138, 6ff). Der kultische Kuß wird über die Ansätze des NT hinaus, wenn auch mit gewissen Einschränkungen, reich ausgebaut. Weil im Kuß plenae caritatis fidelis exprimitur affectus u weil er darum als pietatis et caritatis ... signum
25   gelten kann, erhält er selbst Teil an der Hochschätzung dieser höchsten Werte Ambr, Exameron VI 9, 68 (CSEL 32 [1896] 256).

a. In der Zeit nach dem NT wird der Kuß bei der Eucharistie merkwürdigerweise nicht bei den Apost Vät, sondern wieder bei Just erwähnt: ἀλλήλους φιλήματι

---

[244] Orig Comm in Mt fr 533 (GCS 41 [1941] 218) behauptet: εἰώθει δὲ ἀσπάζεσθαι ὁ προδότης τὸν διδάσκαλον ὡς πάντες οἱ μαθηταί, ὅτε μακρόθεν ἤρχοντο.

[245] So ua Dibelius aaO (→ A 239) 275f. Freilich war Jesus kein Rabbi, vgl jetzt MHengel, Nachfolge u Charisma, ZNW Beih 34 (1968) 2. 46—63.

[246] Es wäre einer der Bräuche, den die Urchristenheit von der ersten Jüngergemeinde übernahm u weiterpflegte, wie Besitzverzicht u gemeinsame Kasse, vgl Stählin aaO (→ A 202) 80, auch die paarweise Sendung der Evangeliumsboten, vgl ebd zu Ag 13, 2.

[247] Vgl Orig Cels II 11 (GCS 2 [1899] 138f); Comm in Mt 100 zu 26, 48—50 (GCS 38 [1933] 219f), vgl Hier, Comm in Mt IV zu 26, 49 (MPL 26 [1884] 207d).

[248] Orig Comm in Mt 100 zu 26, 48—50 (GCS 38 [1933] 218f. 219f) ua, zB Hier, Comm in Mt IV zu 26, 49 (MPL 26 [1884] 207d), vermuten neben dem Motiv der scheinbaren Verehrung ein merkwürdiges anderes Motiv, das schon Orig einer Überlieferung verdankt: Judas habe durch seinen Kuß Jesus in Sicherheit wiegen u so verhindern wollen, daß er den Häschern in einer unbekannten Gestalt erscheine; etwas anders Orig Cels II

64 (GCS 2 [1899] 186). Hier wird also das Proteus-Motiv, vgl HHerter, Artk Proteus 1, in: Pauly-W 23 (1957) 965—971, auf Jesus übertragen, vgl auch Act Joh 91. 82; Act Andr et Matth 17 (p 84, 4ff) uö, genau wie auf manche heidnische Gottheiten, so auf Demeter, vgl Hom Hymn Cer 94—97 u bes 111. 275—291, u Dionysos, vgl Eur Ba 4. 1017—1019 (→ IV 754, 14ff).

[249] Heidnische Verwandte aber durfte man nicht küssen. Greg Naz Or 18, 10 (MPG 35 [1857] 996c) rühmt seine Mutter Nonna, weil sie niemals einer Heidin, auch wenn sie noch so vornehmen Standes u noch so nahe mit ihr verwandt war, die rechte Hand oder den Kuß bot, wodurch sie sich mit heidnischen Händen u Lippen befleckt hätte (→ 125, 23ff) vgl → Hofmann 131f, hier auch ein weiteres Beispiel aus der Passio Georgii.

[250] Nach Dib Herm 618f eine erotische, aber enthaltsame Gemeinschaft nach Art der Syneisakten als Bild der Syzygie des Sehers mit den Tugenden, vgl auch s IX 6, 2.

[251] Vgl → Schultze 274f; → Hofmann 94 —121. Auch als Briefschluß wie bei Pls kommt das φίλημα ἅγιον noch in späterer Zeit vor, zB Cyrillus Alexandrinus, ep 19 (MPG 77 [1859] 128c).

ἀσπαζόμεθα παυσάμενοι τῶν εὐχῶν Apol 65, 2. Weil der Kuß demnach damals seine St im Gottesdienst nach dem gemeinsamen Gebet vor der Eucharistie hatte[252], nennt ihn Tertullian, De oratione 18 (MPL 1 [1879] 1280f) ein signaculum (*Besiegelung*) orationis. Tertullian setzt sich energisch für die Übung des osculum pacis ein, auch in der Zeit privaten Fastens, mit Ausn der Fastenzeit vor Ostern, wo alle Christen den Friedenskuß 5 unterlassen[253]. Seine große Bdtg für die Gemeinde besteht darin, daß er die Notwendigkeit der Versöhnung vor dem Empfang des hl Mahles unterstreicht (→ 138, 10ff)[254]. Daß der Friedenskuß τὸ ... πρὸς ἀλλήλους ἡνῶσθαι ... δηλοῖ u auf τὴν πρὸς τὸν ἀδελφὸν ... σύμπνοιαν hindrängt, betont nachdrücklich auch Pseud-Dionysius Areopagita, De ecclesiastica hierarchia (Paraphrasis Pachymerae) 3, 3, 8 (MPG 3 [1857] 464b), wo zwi- 10 schen dem Credo u der Darbringung der noch zugedeckten Elemente[255] einerseits u einer Verlesung der Diptycha, der Listen der verstorbenen u lebenden Gemeindeglieder, deren beim Meßopfer gedacht wurde, u der Handwaschung der Priester anderseits[256] ὁ θειότατος ἀσπασμὸς ἱερουργεῖται 3, 3, 8 (p 437a). Ähnlich nennt Cyr Cat Myst 5, 3 das φίλημα ein σημεῖον τοῦ ἀνακραθῆναι τὰς ψυχάς u Chrys, Hom de proditione Judae 2, 6 (MPG 49 [1862] 15 391) einen φρικωδέστατος ἀσπασμός, einen vom Schauer des Mysterium tremendum umwobenen Gruß, der die Sinnen u Seelen verknüpft u so alle zu einem σῶμα macht[257].

Im Westen, wo der Friedenskuß urspr gleichfalls seine St nach den Eingangsgebeten u vor der Darbringung der Gaben gehabt zu haben scheint, wird er im Zshg mit der Entwicklung der Opfertheorie, aber auch im Blick auf Mt 5, 23f unmittelbar vor die 20 Kommunion verlegt[258], so zB Aug Serm 227 (MPL 38 [1865] 1101). Die Bezeichnungen für diesen liturgischen Kuß wechseln: neben φίλημα εἰρήνης heißt er im Osten oft einfach εἰρήνη, zB Pseud-Dionysius, De ecclesiastica hierarchia 3, 3, 8f (MPG 3 [1857] 437a—c), im Westen neben osculum pacis, zB Tertullian, De oratione 18 (MPL 1 [1879] 1280f); Aug[259], Contra litteras Petiliani Donatistae II 23, 53 (MPL 43 [1865] 277), gleichfalls ein- 25 fach pax, zB mehrfach bei Tertullian, De oratione 18 (p 1281); 26 (p 1301). Diese Kurzbezeichnung hat ihren Grund in der engen Verknüpfung des liturgischen Kusses mit dem Friedensgruß εἰρήνη σοι pax tibi[260]. Aus dem gleichen Grunde ist auch ἀσπασμός oft eine Bezeichnung des eucharistischen Kusses, zB Pseud-Dionysius, De ecclesiastica hierarchia 3, 3, 8 (p 437a). Athenag Suppl 32 möchte wegen eines möglichen Mißver- 30 ständnisses sogar lieber προσκύνημα statt φίλημα sagen[261].

Schon früh regen sich nämlich in der Kirche Bedenken gg eine uneingeschränkte Anwendung des Kusses im Kultus, im Blick auf die Verdächtigungen durch Nichtchristen u nicht weniger auf die Gefahren erotischer Verirrungen. In diesem Sinn zitiert Athenag Suppl 32 ein Agraphon(?)[262] gg eine Wiederholung des Kusses: ἐάν τις 35 ... ἐκ δευτέρου καταφιλήσῃ, ὅτι ἤρεσεν αὐτῷ u fügt selbst hinzu[263]: οὕτως οὖν ἀκριβώσα-

---

[252] Ebs Hipp, Kirchenordnung 46, 8 (Hennecke[2] 580); vgl Orig, Comm in ep ad Romanos X 33 zu 16, 16 (MPG 14 [1862] 1282f): mos Ecclesiis traditus est ut post orationes osculo se invicem suscipiant fratres; desgleichen auch weiterhin in vielen Liturgien der Ostkiche, insbesondere Const Ap VIII (→ A 236). Zur verschiedenen Einordnung des Friedenskusses in den östlichen Liturgien vgl RStorf, Griech Liturgien, Bibliothek der Kirchenväter 5 (1912) 300; in der Jakobusliturgie (ed FEBrightman, Liturgies Eastern and Western I [1896] 43, vgl Storf 96) steht er nach dem Credo, in der Markusliturgie (Brightman 123, vgl Storf 170f) u Chrys Liturg (Brightman 382, vgl Storf 243f) vor dem Credo. Vgl ferner ASeeberg, Vaterunser u Abendmahl, Festschr GHeinrici (1914) 110; → Hofmann 106f.

[253] JSchümmer, Die altchr Fastenpraxis (1933) 77, vgl auch den jüd Brauch, beim öffentlichen Fasten den Gruß zu unterlassen bei Str-B IV 84 mit A 2; 89. 105.

[254] Als Schriftzeugnis hierfür wird oft Mt 5, 23f zitiert, zB Cyr Cat Myst 5, 3, vgl auch Chrys, Ad Demetrium I 3 (MPG 47 [1863] 398), wo der kultische Kuß als σκηνή τις *leeres Theater* bezeichnet u ihm τὸ ἀπὸ τῆς ψυχῆς φίλημα καὶ τὸν ἀπὸ τῆς καρδίας ἀσπασ-

μόν gegenübergestellt wird. S auch → Hofmann 123—128.

[255] An dieser St auch im Testamentum Domini Nostri Jesu Christi (ed JERahmani [1899] 37, vgl 181f); → Hofmann 100.

[256] Nach WTritsch, Dionysius Areopagita, Die Hierarchien der Engel u der Kirche (1955) 272 A 10 war diese Anordnung eine Eigentümlichkeit der syr Liturgie.

[257] Hier sind offenkundig platonische Vorstellungen (→ 118, 6ff mit A 48) mit paul Gedanken verflochten, vgl Ant Christ II 315f.

[258] → Schultze 274; → Hofmann 113—116.

[259] Aug In Joh Ev Tract 6, 4 zu 1, 32f deutet den Kuß der Tauben als Sinnbild für den Friedenskuß u damit überh für den Frieden, vgl → Cabrol 117—130; → Pétré 309—311.

[260] → Pétré 310 A 1.

[261] Vgl auch Const Ap II 57, 17; VIII 5, 10: τὸ ἐν κυρίῳ φίλημα, ferner → Crawley 742a A 12.

[262] Vgl AResch, Agrapha [2](1906) 177f.

[263] So JGeffcken, Zwei griech Apologeten (1907) 232 mit ESchwartz; andere, wie Resch aaO (→ A 262) 177f u AEberhard, Frühchristliche Apologeten u Märtyrerakten I, Bibliothek der Kirchenväter 12 (1913) 321, sehen darin eine Fortsetzung des Agr.

σθαι (*mit Vorsicht geben*) τὸ φίλημα ... δεῖ, „weil es uns vom ewigen Leben ausschließen
würde, würde er (der Kuß) auch nur ein wenig durch unsere Gesinnung beschmutzt".
Verwandt sind auch die Ausführungen Cl Al Paed III 81, 2—4, wo Cl die Entleerung
des kultischen Kusses geißelt u diejenigen verurteilt, die οὐδὲν ἀλλ' ἢ φιλήματι καταψοφοῦσι (*widerhallen lassen*) τὰς ἐκκλησίας, τὸ φιλοῦν ἔνδον οὐκ ἔχοντες αὐτό (→ A 39),
weil sie mit solchem undisziplinierten Küssen schimpflichen Verdacht u üble Nachrede
hervorrufen. Er fordert darum das φίλημα μυστικόν, bei dem, wie er mit einem Wortspiel sagt, der Mund geschlossen bleibt. Auch die Gebete, die in den altchristlichen
Liturgien mit dem Friedenskuß verbunden sind, lassen etwas von diesen Gefahren u
Sorgen spüren, zB die Markusliturgie (Brightman [→ A 252] 123, vgl Storf [→ A 252]
170f). Aus solchen Gründen wurden spätestens seit dem 3.Jhdt[264] bei der Übung des
Friedenskusses die Geschlechter getrennt Const Ap II 57, 17; Constitutiones Ecclesiae
Aegyptiacae 13, 4[265], dann auch Kleriker u Laien Const Ap VIII 11, 9.

   b. Ein kultischer Kuß findet sich außer in der Eucharistie auch
in mehreren anderen liturgischen Stücken. In der Taufliturgie[266] steht der Kuß
an zwei St: der erste Kuß, mit dem der Bischof die einzelnen Täuflinge küßt Hipp, Kirchenordnung 46, 7 (Hennecke[2] 580); Constitutiones Ecclesiae Aegyptiacae (→ A 265)
16, 20, spricht ihnen die Versöhnung Gottes zu u konstituiert ihre Aufnahme in die
Gemeinde[267]. Er gleicht dem Begrüßungskuß nach langer Abwesenheit in der Fremde
Chrys, Hom de utilitate lectionis scripturarum 6 (MPG 51 [1862] 98) sowie Hom in 2 K
30, 1 zu 13, 12 (→ A 226)[268]. Den zweiten Kuß geben die Täuflinge selber ihren
neuen Brüdern u Schwestern Hipp, Kirchenordnung 46, 8 (Hennecke[2] 580), um ihnen
Anteil zu verschaffen an der neugeschenkten Friedensgnade u -kraft[269].

   c. Bei der Weihe eines Bischofs ἱεράρχης hat der Friedenskuß in
mehreren Kirchenordnungen seinen festen Platz[270]. Nach Const Ap VIII 5, 9f geben
die übrigen Bischöfe dem Neugeweihten „den Kuß im Herrn", ähnlich schon Canones
Hippolyti[271] 3, 19; Hipp, Kirchenordnung 31, 6 (Hennecke[2] 575). In der Didascalia
Arabica 36, 23[272] werden zwei Küsse bei der Bischofsweihe erwähnt, einer durch die
weihenden Bischöfe u einer durch die ganze Gemeinde. Nach Pseud-Dionysius Areopagita, De ecclesiastica hierarchia 5, 2; 5, 3, 1 (MPG 3 [1857] 509) wird auch bei der
Weihe des Priesters ἱερεύς u des Diakons λειτουργός der τελειωτικὸς ἀσπασμός (*Weihekuß*)
erteilt, uz durch den weihenden Bischof u alle anwesenden Priester. Auch bei der Weihe
der Mönche, die den höchsten der drei Stände bilden, wird nach Pseud-Dionysius 6, 2
(p 533b) u 6, 3, 4 (p 536b) der Friedenskuß durch den weihenden Priester u alle anwesenden Gläubigen erteilt, uz am Schluß der Zeremonie nach dem Anlegen der Mönchstracht
u vor der sich anschließenden Eucharistie.

---

[264] Eine Trennung gab es anscheinend
noch nicht zZt des Tertullian; denn Ad
uxorem II 4 (CSEL 70 [1942] 117) argumentiert er gg die Wiederverheiratung einer
Christin mit einem Heiden ua mit dem
Friedenskuß: Welcher heidnische Gatte wird
seiner chr Frau erlauben, alicui fratrum ad
osculum convenire? Gg → Schultze 275
mit → Hofmann 111.

[265] ed FXFunk, Didascalia et Constitutiones Apostolorum II (1905) 108. Hier steht
auch die neue Regel für die Ordnung des
Friedenskusses: virum autem ne sinas mulierem osculari; vgl FHaase, Die kpt Quellen
zum Konzil von Nicäa (1920) 43. Die
weiblichen Katechumenen aber bleiben überh
vom Friedenskuß ausgeschlossen, uz aus dem
gleichen Grunde, aus dem bei Juden (→
125, 23ff) u Christen (→ A 249) den
Heiden ganz allg der Kuß verweigert wurde:
nondum enim earum osculum mundum fiebat
Hipp, Kirchenordnung 43, 4 (Hennecke[2] 578).

[266] Vgl → Schultze 275; → Hofmann 99;
Ant Christ I 186—196; II 159f.

[267] Der Taufkuß entspricht formal dem
Kuß von Apul Met VII 9, 1 (→ 121, 2ff),
der gleichfalls die Aufnahme in eine „Bruder-

schaft" versinnbildlicht; wie dort gehört zu
dem Aufnahmeakt auch ein neues Kleid u
ein gemeinsames Mahl, vgl Lk 15, 20. 22f;
→ 138, 6ff.

[268] Vgl Ant Christ I 193.

[269] Eine Parallele zu dem Gedanken, daß
der erste Friedenskuß der Neugetauften der
Träger bes Kräfte sei, stellt der Gedanke dar,
daß der Friedenskuß der Fastenden Anteil
gebe an ihrer bes geistlichen Kraft Tertullian,
De oratione 18 (MPL 1 [1879] 1281), vgl Tertullian, ed FOehler I (1853) 569Aa; → Hofmann 133f. Anders ist es natürlich bei der
Taufe der Säuglinge, für die nur der erste
Taufkuß in Frage kommt; aber auch gerade
für den Taufkuß der Neugeborenen setzt sich
Cyprian, ep 64, 4 (ed GHartel, CSEL 3, 2
[1871] 719) nachdrücklich ein. Ähnlich argumentiert darüber auch Aug, Contra duas
epistolas Pelagianorum IV 8, 24 (MPL 44
[1865] 626).

[270] Vgl WRiedel, Die Kirchenrechtsquellen
des Patriarchats Alexandrien (1900) 202;
→ Hofmann 96. 98f.

[271] Übers bei Riedel aaO (→ A 270).

[272] Übers bei Funk aaO (→ A 265) 129, 23.
25.

d. Bei Pseud-Dionysius, De ecclesiastica hierarchia 7, 2 (MPG 3 [1857] 556 d); 7, 3, 4 (p 560 a). 8 (p 565 a) findet sich der Kuß bei der Bestattung der Toten: nach dem Gebet für den Toten küssen ihn der Bischof u alle anwesenden Gläubigen. Dieser Kuß [273] wurde, ebs wie die Darreichung der Eucharistie an Verstorbene, bald darauf untersagt, zuerst auf der Synode von Autissiodorum/Auxerre im Jahr 585(?) 5 Canon 12 [274]: non licet mortuis, nec eucharistiam, nec osculum tradi.

e. Der Kuß ist auch ein Element der altkirchlichen Märtyrerverehrung [275]. Man besucht die Märtyrer im Kerker u küßt sie selbst Eus, De martyribus Palaestinae 11, 20 (GCS 9, 2 [1908] 942), bes ihre Wunden Prud, Peristephanon 5, 337—340 (CCh 126 [1966] 305) u Ketten Tertullian, Ad uxorem II 4 (CSEL 70 [1942] 10 117). Mutige wie Orig küssen die Märtyrer auch auf dem Weg zur Richtstätte Eus Hist Eccl VI 3, 4, ja die Leichname (→ 120, 12 ff mit A 82) eben Hingerichteter Eus, De martyribus Palaestinae 11, 25 (GCS 9, 2 [1908] 944). Auch die Märtyrer selbst küssen sich gegenseitig unmittelbar vor der Hinrichtung, genau wie schon die jüd Märtyrer 3 Makk 5, 49, ut martyrium per sollemnia pacis consummarent Pass Perp et Fel 21, ebs Passio 15 Montani et Lucii 23 [276], zugleich in Erwartung des himmlischen Begrüßungskusses (→ A 238). Die eigtl kultische Verehrung der Märtyrer konzentriert sich dann aber auf ihre Gräber, Reliquien u Gedächtniskirchen. Küsse der Gräber (→ A 82. 134) erwähnt Prud, Peristephanon 11, 193 f (CCh 126 [1966] 376), vgl Greg Nyss, Vita Macrinae 996 [277], der Reliquien Paulinus von Nola, Carmen 18, 125—129 (CSEL 30 [1894] 103), der Reliquien- 20 behälter Hier, Contra Vigilantium 4 (MPL 23 [1883] 357 b), der Schwellen der Märtyrerkirchen (→ A 104) Prud, Peristephanon 2, 517—520 (CCh 126 [1966] 275).

f. Die alte Kirche kennt vielerlei Ersatzküsse (→ 119, 29 ff). In vielen Einzelheiten erweist sie sich als Erbin heidnischer Bräuche (→ 121, 24 ff), so beim Kuß der Türpfosten u Schwellen der Kirchen [278], zB Paulinus von Nola, Carmen 25 18, 249 (CSEL 30 [1894] 108); Chrys Hom in 2 K 30, 2 zu 13, 12 (MPG 61 [1862] 606 f) u der Altäre [279], zB Ambr ep I 20, 26 (MPL 16 [1880] 1044 b): milites, irruentes in altaria, osculis significare pacis insigne; Prud, Peristephanon 9, 99 f (CCh 126 [1966] 329). Der Altarkuß erhielt in der Liturgie zentrale Bdtg, weil der Altar auf Christus gedeutet wurde. Der nach dem Kuß des Altars weitergegebene Friedenskuß empfängt darum 30 seine Kraft von Christus her u wird so zu einer Art von Sakramentale [280]. Etw Ähnliches gilt von dem in der Ostkirche bis heute geübten Küssen der Ikonen u bes der Achiropoiiten [281]; denn den Ikonen eignet etw von der Kraft ihres himmlischen Urbilds, weil sie ihm durch die Jhdt bis in die Einzelheiten gleichbleibend in gläubiger Treue nachgebildet sind. Viele weitere liturgische Küsse sind in die Liturgien des Ostens, 35 zB Chrys Liturg 355, 12. 37; 356, 1; 362, 1; 382, 26 f; 385, 14 f: auf Evangelienbuch, Diskos, Kelch, Kreuzeszeichen auf dem Orarion (Stola) ua [282], u Westens aufgenommen worden [283], bis hin zu dem mittelalterlichen osculatorium, dem Kußtäfelchen aus Edelmetall, Elfenbein, Holz oder Marmor, das der Priester den Kommunikanten zum Kusse — dem Musterbeispiel des Ersatzkusses! — darreicht [284]. Allen diesen liturgischen Küssen 40 gemeinsam ist urspr das Bestreben, sich Anteil zu verschaffen an der hl Mächtigkeit des Geküßten.

---

[273] Dölger aaO (→ A 95) 254 A 5; → Sittl 72 mit A 8.

[274] ed JDMansi, Sacrorum Conciliorum nova et amplissima collectio 9 (1960) 913.

[275] Vgl Ant Christ II 210—212; → Hofmann 137—143 (→ A 232).

[276] ed RKnopf-GKrüger, Ausgewählte Märtyrerakten [3](1929) 82; vgl → Pétré 310 A 5.

[277] ed VWCallahan — WJaeger VIII 1 (1952) 410, 5.

[278] Vgl Ant Christ II 156—158.

[279] Vgl Ant Christ II 190—221; JAJungmann, Missarum Sollemnia I [4](1958) 406—409.

[280] Eben das bedeutet auch die Wendung sollemnia pacis Pass Perp et Fel 21. Vgl Ant Christ II 205—207; → Hofmann 135—137; ferner ESDromer, The Mandaeans of Iraq and Iran [2](1962) 238.

[281] Vgl → Schimmel 190; HPaulus, Artk Heiligenbilder I, in: RGG[3] III 165; → Hofmann 106 mit A 1. Einen festen Platz in der Liturgie hat vor allem das Küssen des Marienbildes, so Chrys Liturg (Brightman 354, 22, vgl Storf aaO [→ A 252] 207).

[282] Vgl → Hofmann 105. Auch der Kuß des eucharistischen Brotes ist zeitweise in der östlichen u westlichen Kirche üblich gewesen, vgl Ant Christ IV 231; Storf aaO (→ A 252) 244 mit A 1.

[283] Vgl → Schultze 275; → Hofmann 117 f; Jungmann aaO (→ A 279) II [4](1958) 638 sv Kuß.

[284] → Schultze 275; → Hofmann 116 f; JBraun, Das chr Altargerät (1932) 557—572, hier 560—562 auch verschiedene Benennungen der „Friedenskußtafel".

II. In der Gnosis.

In der gnostischen Mystik ist der Kuß ein beliebtes Bild für die Einung mit dem Erlöser u für den dadurch vermittelten Empfang des unsterblichen Lebens. Bezeichnende Beispiele bieten vor allem die O Sal, in denen das „Sakrament des Brautgemachs" u damit die Ehe der Seele mit dem Herrn gleichsam als gegenwärtiges Eschaton beschrieben wird [285], so O Sal 3, 2: „Sein Leib ist bei mir; an ihm hange ich, u er küßt mich"; 3, 5: „Ich küsse den Geliebten, u ich werde von ihm geliebt"; 28, 6: „Das unsterbliche Leben herzte mich u küßte mich" [286]. Nach dem Ev des Philippus (→ A 173) 117, 14—28 wird das „Sakrament des Brautgemachs" von den Gnostikern als das höchste der Sakramente, höher als Taufe u Abendmahl, gewertet. Dabei ist der gegenseitige Kuß das Mittel der mystischen Zeugung [287] 107, 2—6. Das Urbild dieser gnostischen Mystik ist die geistliche Ehe, κοινωνία, Jesu mit Maria Magdalena (→ A 173): Jesus küßte Maria Magdalena, seine κοινωνός 107, 8f; 111, 32—34, oftmals auf den Mund, natürlich im Sinne einer „unbefleckten Gemeinschaft" (vgl → A 250) [288]. Ein anderer Kuß Jesu spielt eine bes Rolle in der gnostischen Legende der Pist Soph; durch ihn wird der irdische Jesus mit seinem himmlischen Zwillingsbruder eins. Maria erzählt: Er (der Zwillingserlöser) umarmte dich u küßte dich, u auch du küßtest ihn, u ihr wurdet eins Pist Soph 61 (GCS 13, 78) [289]. Endlich wird auch im manichäischen Mythos von Manis Eintritt ins Lichtreich ein Kuß erwähnt [290], der an den Begrüßungskuß beim Eingang der Märtyrer in die himmlische Welt (→ A 238) erinnert [291].

† φίλος, † φίλη, † φιλία

Inhalt: A. In der außerbiblischen antiken Welt: I. Das Bedeutungsbild der Vokabeln: 1. φίλος, 2. φίλη, 3. φιλία. II. Freundschaft in der Antike. — B. φίλος, φιλία (φιλιάζω) im Alten Testament und im Judentum: I. Der Sprachgebrauch: 1. φίλος, 2. φιλία. II. Freundschaft im Alten Testament und im Judentum. — C. φίλος, φίλη, φιλία im Neuen Testament: 1. Der Sprachgebrauch; 2. φίλος (und φίλη) im lukanischen Schrifttum; 3. φίλος in den johanneischen Schriften; 4. φίλος und φιλία im Jakobusbrief. — D. φίλος und φιλία in der Zeit nach dem Neuen Testament: I. In der altkirchlichen Literatur. II. In der Gnosis.

A. In der außerbiblischen antiken Welt.

I. Das Bedeutungsbild der Vokabeln.

1. φίλος.

a. Aus → 114, 3f ergibt sich als Bdtg für das Adjektiv φίλος *naturnotwendig zugehörig, (sein) eigen* (→ 113, 7ff), *geliebt, teuer,* zB Hom Il

---

[285] Vgl HGreßmann zu O Sal 3 bei Hennecke[2] 438; Mithr Liturg 121—134; → Hofmann 86f.

[286] Übers von HGreßmann bei Hennecke[2] 438. 462, der der 28. Ode die Überschrift „der Kuß des Lebens" gibt; auch WBauer übersetzt Ode 28, 6 mit *küssen:* „Es umfing mich das Leben ohne Tod u küßte mich", dgg Ode 3, 2. 5 mit *brennen* bzw *glühen.* Auf jeden Fall zeigt die Terminologie der Oden, zumal der 3. Ode, eine stark erotische Christusmystik. Die Christusliebe des Sängers ist glühender Eros u versteht die Liebe des Herrn genauso, vgl auch RAbramowski, Der Christus der Salomooden, ZNW 35 (1936) 53.

[287] Vgl ABertholet, Artk Atem, in: RGG[2] I 600f mit Abb.

[288] Vgl Moroff aaO (→ A 118) 229f.

[289] Vgl HLeisegang, Der Bruder des Erlösers, Angelos 1 (1925) 24—33.

[290] Manichäische Homilien (ed HJPolotsky [1934]) 86, 34; 87, 2.

[291] Zum Kuß bei den Mandäern vgl KRudolph, Die Mandäer II (1961) 207—209.

φίλος κτλ. Lit: Zu A I: FDirlmeier, Φίλος u φιλία im vorhellenistischen Griechentum (Diss München [1931]); JPAEernstman, Οἰκεῖος, ἑταῖρος, ἐπιτήδειος, φίλος (Diss Utrecht [1932]); MLandfester, Das griech Nomen „philos" u seine Ableitungen, Spudasmata 11 (1966); FNormann, Die von der Wurzel φιλ-gebildeten Wörter u die Vorstellung der Liebe im Griechentum (Diss Münster [1952]); HBRosén, Die Ausdrucksform für „veräußerlichen" u „unveräußerlichen Besitz"

20, 347f: Αἰνείας φίλος ἀθανάτοισι θεοῖσιν ἦεν (→ A 182)[1], für das Substantiv φίλος der *Freund*, in mehreren Schattierungen je nach Art der Freundesbeziehung, der *persönliche Freund*, zB Soph Phil 421: ὁ παλαιὸς κἀγαθὸς φίλος τ' ἐμός, Aristot Eth Nic IX 11 p 1171b 2: παραμυθητικὸν γὰρ ὁ φίλος καὶ τῇ ὄψει καὶ τῷ λόγῳ, der *Geliebte* im homoerotischen Sinn, zB Xenoph Resp Lac 2, 13, der *Liebhaber*, zB Plat Phaedr 255b: 5 ὁ ἔνθεος φίλος der *vom Eros beseelte Liebhaber*; der *Liebling*[2], insbesondere der Götter, zB Aesch Prom 304: τὸν Διὸς φίλον (→ A 1); der *Bundesgenosse*, zB Xenoph Hist Graec VI 5, 48: ... πολλάκις καὶ φίλοι καὶ πολέμιοι γενόμενοι Λακεδαιμονίοις, meist im Plur: die *Anhänger* eines politischen Führers, zB Plut Apophth, Pisistratus 1 (II 189b), die *Freunde (Klienten)*, die sich um einen vornehmen u wohlhabenden Mann scharen; 10 im Unterschied von dem beiderseitig gleichen Verhältnis in der persönlichen Freundschaft (aber → 151, 1ff) ist es hier ungleich (→ 151, 14ff): die Freundschaft reicht vom Parasiten, vgl Luc, Toxaris 16, bis zum Berater (→ 146, 35ff), Rechtsbeistand u politischen Anhänger, vgl Vellejus Paterculus, Historia Romana[3] II 7, 3: amici clientesque Gracchorum. Dieser Gebrauch von φίλος ist am charakteristischsten ausgeprägt 15 in der Einrichtung der φίλοι τοῦ βασιλέως, zB Ditt Or I 100, 1f (um 200 vChr)[4], u

---

im Frühgriechischen (Das Funktionsfeld von homerisch φίλος), Lingua 8 (1959) 264—293. — Zu A II: EBickel, Peter von Blois u Pseudocassiodor de amicitia, Neues Archiv der Gesellschaft für ältere deutsche Geschichtskunde 45 (1957) 223—234; GBohnenblust, Beiträge zum Topos περὶ φιλίας (Diss Bern [1905]); ABonhöffer, Epiktet u das NT, RVV 10 (1911) 165f; ders, Die Ethik des Stoikers Epict (1894) 106—109. 121; ECurtius, Die Freundschaft im Alterthume, Alterthum u Gegenwart (1875) 183—202; LDugas, L'amitié antique d'après les mœurs populaires et les théories des philosophes [2](1914); REglinger, Der Begriff der Freundschaft in der Philosophie (Diss Basel [1916]); REucken, Aristoteles' Anschauung von Freundschaft u von Lebensgütern, Sammlung gemeinverständlicher wissenschaftlicher Vorträge 19, 452 (1884) 733—776; FHauck, Die Freundschaft bei den Griechen u im NT, Festschr TZahn (1928) 211—228; GHeylbut, De Theophrasti libello περὶ φιλίας (Diss Bonn [1876]); HJKakridis, La notion de l'amitié et de l'hospitalité chez Homère (Diss Paris [Thessaloniki 1963]); HKortenbeutel, Artk Philos, in: Pauly-W 20 (1941) 95—103; WKroll, Freundschaft u Knabenliebe (1924); RLöhrer, Freundschaft in der Antike (1949); CMärklin, Über die Stellung u Bdtg der Freundschaft im Alterthum u in der neuen Zeit, Programm Heilbronn (1842); LRobin, La théorie platonicienne de l'amour (Diss Paris [1908]); EJSchächer, Studien zu den Ethiken des corpus Aristotelicum II (1940); MSchneidewin, Die antike Humanität (1897) 126—159; KTreu, Artk Freundschaft, in: RAC (im Druck); WZiebis, Der Begriff der φιλία bei Plato (Diss Breslau [1927]). — Zu B II: BHartmann, Artk Freund, in: Bibl- Historisches Handwörterbuch I (1962) 499f; JdeVries, Artk Freundschaft, in: RGG³ II 1128. — Zu C: IAbrahams, Studies in Pharisaism and the Gospels II (1924) 213; MDibelius, Johannes 15, 13, Botschaft u Gesch I (1953) 204—220; GFuchs, Die Aussagen über die Freundschaft im NT, verglichen mit denen des Aristoteles (Eth Nic 8/9) (Diss Leipzig [1914]); WGrundmann, Das Wort von

Jesu Freunden (Joh 15, 13—16) u das Herrenmahl, Nov Test 3 (1959) 62—69; LLemme, Artk Freundschaft, in: RE³ 6 (1899) 267—269; WMichaelis, Die „Gefreundeten" des Ap Pls, Der Kirchenfreund 67 (1933) 310—313. 328—334; HvanOyen, Artk Freundschaft, in: RGG³ II 1130—1132; ORühle, Artk Freundschaft, in: RGG² II 778f. — Zu D: PFabre, Saint Paulin de Nole et l'amitié chrétienne (1949); Harnack Miss I 433—436; AvHarnack, Die Terminologie der Wiedergeburt u verwandter Erlebnisse in der ältesten Kirche, TU 42, 3 (1918) 104—106; MAMcNamara, Friendship in Saint Augustine (1958); VNolte, Augustins Freundschaftsideale in seinen Briefen (1939); KTreu, Φιλία u ἀγάπη. Zur Terminologie der Freundschaft bei Basilius u Gregor von Nazianz, Studii Clasice 3 (1961) 421—427; LVischer, Das Problem der Freundschaft bei den Kirchenvätern, ThZ 9 (1953) 171—200. Vgl weiter → 112 Lit-A.

[1] Hom konstruiert φίλος durchweg mit dem Dat, vgl noch Od 6, 203; Il 1, 381. Die Konstr mit Gen u damit die substantivische Auffassung ist nachhomerisch, wird aber mit den Tragikern vorherrschend, zB Aesch Prom 304: τὸν Διὸς φίλον. Beide Konstr nebeneinander finden sich zB bei Max Tyr 14, 6f (Hobein 178), ferner bei Philo (→ A 109) u in den bei Harnack Miss 779 A 1 erwähnten vorkonstantinischen chr Inschr.

[2] An den Bdtg → Z 4ff wird deutlich daß φίλος ebs einen akt wie — häufiger (→ Normann 17. 111) — einen pass Sinn haben kann. Ausdrücklich gestellt wird die diesbezügliche Frage bei Plat Lys 212a. b: ἐπειδάν τίς τινα φιλῇ, πότερος ποτέρου φίλος γίγνεται, ὁ φιλῶν τοῦ φιλουμένου ἢ ὁ φιλούμενος τοῦ φιλοῦντος, vgl 212c u darauf die Antwort 213a: ... οὐκ ἄρα ὁ φιλῶν φίλος ..., ἀλλ' ὁ φιλούμενος, ebs 213b. Schließlich aber endet der Gesprächsgang mit der Aporie: weder οἱ φιλοῦντες φίλοι ἔσονται noch οἱ φιλούμενοι noch οἱ φιλοῦντές τε καὶ φιλούμενοι 213c.

[3] ed CHalm (1876).

[4] Vgl Stob Florilegium Monacense 73 (ed AMeineke IV [1857] 272). Nach Themist Or 16, 203b. c. antwortete Alexander auf die

der φίλοι (τοῦ) Καίσαρος, zB Epict Diss IV 1, 95 (→ 164, 23ff); Philo Flacc 40. Gleichfalls meist im Plur dient φίλος als (Selbst-)Bezeichnung einer philosophischen oder
religiösen Gemeinschaft, so bei Pythagoreern, vgl Jambl Vit Pyth 33, 237[5], u Epikureern[6].
Auch um Plat bestand ein solcher Kreis: φίλων βεβαίων τε καὶ ἦθος ἐχόντων ὑγιές Ep 6,
5   322d; μία φιλίας συμπλοκή 332b[7]. Gelegentlich wird φίλος im übertr Sinn auch mit
abstrakten Begriffen (im Gen) verbunden, zB Aristot Rhet I 11 p 1371a 17: ὁ φίλος
τῶν ἡδέων (vgl auch → Z 27ff; 155, 11ff).

b. Der Mannigfaltigkeit des Bedeutungsbildes entspricht die der
Begriffe, die teils als Synonyma, teils als sinnverwandte Korrelatbegriffe vorkommen.
10   Nächstverwandt ist ἑταῖρος (→ II 697, 8ff). Im Dialog Lys gebraucht Plat φίλος u
ἑταῖρος ohne erkennbaren Bedeutungsunterschied[8], vgl bes 211e. 212a, auch 206d mit
207e. ἑταῖρος τοῦ Καίσαρος kommt neben φίλος τοῦ Καίσαρος vor, zB Epict Diss IV
1, 95 (→ A 74). Dgg muß ein gewisser Unterschied der Bdtg empfunden werden, wo
φίλος u ἑταῖρος zu einem Paar verbunden werden, so mehrfach bei Plat, zB La 180e:
15   ἑταίρω τε καὶ φίλω, vgl ferner Leg V 729c; Aristot Eth Nic VIII 14 p 1162a 31—33.

c. Zu den Begriffen, die synon oder nahezu synon mit φίλος sind,
aber auch eine paarweise Verbindung damit eingehen können, gehören auch ἴδιος (→
113, 14ff mit A 12), zB Vett Val II 16 (p 70, 5); vgl → 128, 2ff, u οἰκεῖος, so Plat Resp I
328d; Tim 20e; Ditt Syll³ II 591, 59 (195 vChr), sowie γνώριμος, zB Philo Abr 273, u
20   γνωστός, zB ψ 87, 19 (→ A 74; → 152, 29f).

d. Eng ist von alters her die Verbindung von φίλος mit συγγενής
(→ VII 736, 17ff), da Verwandte u Freunde die nächsten Lebenskreise eines Menschen
bilden, zB Jos Ant 18, 23. οἱ συγγενεῖς können identisch mit φίλοι sein, sofern eine Übereinstimmung der Interessen vorliegt Democr fr 107 (Diels II 164). Im hell-röm Raum
25   erhielt die Verbindung von φίλοι u συγγενεῖς eine doppelte politische Bdtg, als Ehrentitel
an hell Höfen[9] (die συγγενεῖς bilden die höchste Stufe, die φίλοι aber die zweitletzte[10])
u für ein verbündetes Volk Ditt Syll³ II 591, 18f (195 vChr). Beide Vokabeln können
auch im übertr Sinn miteinander verbunden werden Plat Resp VI 487a: φίλος τε καὶ συγγενὴς
ἀληθείας, δικαιοσύνης, ἀνδρείας, σωφροσύνης. Während die Verbindung mit συγγενής der hö-
30   heren Sprache angehört, verbindet die volkstümliche Sprache φίλος lieber mit den einzelnen
Graden der nächsten Verwandtschaft, mit Eltern u Brüdern, zB Preisigke Sammelbuch
I 4086, 4f (4 nChr), vgl ferner 4324, 4f; Epigr Graec 35, 7f (4. Jhdt nChr)[11]. Bei Xenoph An VII 2, 25 ist φίλος mit ἀδελφός (nicht im wörtlichen Sinn; → I 146, 4f) zu
einem Hendiadyoin *brüderlicher Freund* verbunden.

35   e. Aus der urspr orientalischen, dann im Hell weitverbreiteten
Einrichtung der „Freunde des Königs" (→ 145, 15ff), die ua als Berater fungierten[12],
ergab sich eine bes enge Verbindung mit σύμβουλος bzw συμβουλευτής (→ 152, 18ff).

f. Gleichfalls ausgesprochen politischen Charakter hat φίλος in der
Verbindung mit σύμμαχος, so Demosth Or 9, 12, bes weil auch dieses Begriffspaar von
40   den Römern zum Ehrentitel für verbündete oder dem Reich angegliederte Völker gemacht worden war (→ 152, 22ff).

Frage, worin er seine Schätze bewahre: „In
diesen", δείξας τοὺς φίλους, vgl die bezeichnende
Abwandlung dieses Wortes durch den hl Lau-
rentius bei Ambr, De officiis ministrorum II
26, 140 (MPL 16 [1845] 141b); Aug Serm 303,
1 (MPL 38 [1842] 1394).
[5] Nach Diod S 10, 4, 3—6 waren Damon u
Phintias Pythagoreer; ihre Treue im Einsatz
für den Freund ist also ein Beispiel für die
Freundschaft der Pythagoreer. Nach Simpl
In Epict 30 (Dübner 89, 14ff) gilt den Pythagoreern die φιλία als σύνδεσμος . . . πασῶν τῶν
ἀρετῶν.
[6] Vgl Harnack Miss 435.
[7] Denn Plato besaß eine Meisterschaft darin, ἀνθρώπους νέους . . . εἰς φιλίαν τε καὶ ἑται-
ρίαν ἀλλήλοις καθιστάναι ἑκάστοτε Ep 7, 328d.
[8] Vgl dgg den verschiedenen Gebrauch von
φίλε u ἑταῖρε im NT (→ A 113).

[9] zB Caesar, De bello civili (ed PFabre
[1947]) III 103, 2: propinqui atque amici
entspricht συγγενεῖς καὶ φίλοι.
[10] Vgl Ditt Or I 104, 2 (2. Jhdt vChr) mit
A 2; MLStrack, Griech Titel im Ptolemäerreich, Rhein Mus 55 (1900) 161—190; HWillrich, Zum hell Titel- u Ordenswesen, Klio 9
(1909) 416—421; EBickermann, Artk Συγγενής, in: Pauly-W 4a (1932) 1368f; Preisigke
Wört III 200 sv συγγενής (→ VII 737, 5ff
mit A 4; 738, 18ff).
[11] Vgl WPeek, Griech Grabgedichte (1960)
441, 7f.
[12] Vgl zB Diod S 22, 3, 1: τῶν γὰρ φίλων
αὐτῷ (Ptolemaeus Ceraunus) συμβουλευόντων
. . . Dasselbe galt dann für die φίλοι Καίσαρος,
vgl JCrook, Consilium Principis (1955) 105
(→ 164, 21ff mit A 171).

g. Die ganze Wortgruppe vom Stamm φιλ- kann im Sinn der Gastfreundschaft gebraucht werden[13]: φιλέω *bewirten* zB Hom Il 6, 15 (→ 115, 1ff); 6, 14 könnte man φίλος δ' ἦν ἀνθρώποισιν übersetzen: Axylos *war gastfreundlich gegen die Menschen*[14], u φιλότης kann geradezu die Bdtg *Gastfreundschaft* haben Hom Od 15, 55. 196f[15]. Mehrfach wird aber φίλος auch mit ξένος (→ V 1, 1ff) zu einem Paar 5 verbunden, zB Διονυσίου φίλου ὄντος καὶ ξένου Lys 19, 19; vgl Luc, Toxaris 63; Pseud-Luc, Asinus 5, oder mit σύσσιτος zusammengestellt Isaeus Or 4, 18.

2. φίλη.

φίλη ist zunächst einfach die *Teuere*, die *Liebe*, die *Geliebte* ohne erotischen Grundton; so kann die Mutter Aesch Pers 832 u nicht anders die Ehefrau 10 Hom Il 9, 146. 288 φίλη heißen. Dann aber wird φίλη einerseits für die *Geliebte* im erotischen Sinn gebraucht, so Xenoph Mem III 11, 16, vielleicht auch II 1, 23, vgl Preisigke Sammelbuch I 4559, 5: τῆς φίλης αὐτοῦ, anderseits u vor allem für die *Freundin* von Frauen[16]. So sagt Antigone: λόγοις δ' ἐγὼ φιλοῦσαν οὐ στέργω φίλην Soph Ant 543; vgl Luc, Dialogi Meretricii 12, 1; Jos Ant 9, 65 (→ A 115); PTebt II 413, 18 (2./3. Jhdt 15 nChr)[17]. Wie im Begriff der φίλη verschiedene Motive vereinigt sind, so auch in der Anwendung von Φίλη als Name (→ 112 A 3): für Aphrodite Athen 6, 255c, für Hetären[18], aber auch für ehrbare Frauen Isaeus Or 3, 2 uö. Endlich konnte auch φίλη zum politischen Titel (→ 145, 14ff) werden; freilich erscheint der Ehrentitel φίλη βασιλέως für die Stadt Tiberias bei Jos Vit 384 in zweifelhaftem Licht[19]. Im übertr u gleichfalls 20 abwertenden Sinn steht φίλη, verbunden mit ἑταίρα, bei Plat Resp X 603b von der μιμητική, der *nachahmenden Kunst*: ἑταίρα καὶ φίλη ἐστὶν ἐπ' οὐδενὶ ὑγιεῖ οὐδ' ἀληθεῖ.

3. φιλία.

a. φιλία *Liebe, Freundschaft* zeigt einen ähnlich mannigfaltigen Bedeutungsumfang wie φίλος (→ 145, 1ff)[20]. Zunächst ist sie, dem Stamm φιλ- entsprechend 25 (→ 113, 7ff; 114, 5ff), die Liebe zu den οἰκειότατοι Luc, Toxaris 8; darum ist solche φιλία natürlicherweise κοινωνία βίου Chrysippus fr 112 (vArnim III 27). φιλία ist also primär φιλία συγγενική, vgl Chrysippus ebd (→ A 27); Aristot Eth Nic VIII 14 p 1161b 12[21]. Die Liebe zur Mutter Epigr Graec 69, 4f (4. Jhdt vChr)[22] wie die zu Ehegemahl u Kindern Eur Alc 279, die Liebe der Geschwister Epigr Graec 81, 2; 35, 7 (4. Jhdt 30 vChr)[23] u bes der Ehegatten μυρόμενος φιλίην τερπνοτάτην ἀλόχου Epigr Graec 550, 2 (2./3. Jhdt nChr)[24] stellten die stärksten Liebesbande dar, vgl Xenoph Hier 3, 7: βεβαιόταται μὲν γὰρ δήπου δοκοῦσι φιλίαι εἶναι γονεῦσι πρὸς παῖδας καὶ παισὶ πρὸς γονέας καὶ ἀδελφοῖς πρὸς ἀδελφοὺς καὶ γυναιξὶ πρὸς ἄνδρας καὶ ἑταίροις πρὸς ἑταίρους[25].

b. Neben die φιλία συγγενική tritt in der rechten Ehe[26] u oft auch 35 in der griech Freundschaft damit verbunden die φιλία ἐρωτική[27], uz ebs als sinnliche

---

[13] → Normann 26—28.
[14] Freilich ist die Übers *er war bei den Menschen beliebt* wahrscheinlicher.
[15] → Normann 42.
[16] Freundschaften gab es nur zwischen φίλαι, nicht zwischen φίλος u φίλη. Als Ausn galten Sokrates u Diotima sowie Synesius u Hypatia.
[17] Vgl auch Ev Pt 12, 51 (→ A 135). Einen Kreis von φίλαι, vergleichbar den φίλοι um Pythagoras, Sokrates u Epikur (→ 146, 1ff) gab es um Sappho; vgl WAly, Artk Sappho, in: Pauly-W 1a (1920) 2377f.
[18] Vgl KSchneider, Artk Hetairai, in: Pauly-W 8 (1913) 1369.
[19] Er könnte auch nur ad hoc gebildet worden sein, vgl Jos Vit 235: σύμμαχος καὶ φίλη von der galiläischen Stadt Gabara.
[20] Aufzählungen verschiedener Arten von φιλία finden sich bei Chrysippus fr 98 (vArnim III 24). 723 (vArnim III 181) u mit bes

ausführlichen Darlegungen über die drei Arten der φιλία um des χρήσιμον, der ἡδονή u des ἀγαθόν willen bei Aristot Eth Nic VIII 3—11 p 1156a 6—1160a 30.
[21] Vgl FDirlmeier, Aristot Nikomachische Ethik [5](1969) 529 zu 187 A 2.
[22] Vgl Peek aaO (→ A 11) 86, 4f.
[23] Vgl Peek aaO (→ A 11) 468, 2; 441, 7f.
[24] Vgl Peek aaO (→ A 11) 466, 2; dazu bes Plut fr 18, 10 (ed GNBernardakis VII [1896]): die rechte Ehe ist φιλίας διττῆς κρᾶσις.
[25] Ist die Reihenfolge als Antiklimax aufzufassen?
[26] Plut Amat 6 (II 752c) nennt eine Ehe, die ἀνέραστος καὶ ἄμοιρος ἐνθέου φιλίας κοινωνία „ein Zusammenleben ohne gegenseitiges Liebesverlangen u ohne die von Eros beflügelte Liebesgemeinschaft" ist, ein Unding.
[27] Chrysippus fr 112 (vArnim III 27): εἶναι δὲ καὶ συγγενικήν τινα φιλίαν ἐκ συγγενῶν· καὶ ἐρωτικὴν ἐξ ἔρωτος. Ähnlich unterscheidet

Liebe zwischen den Geschlechtern, vgl Anth Graec 5, 52, 2 (Beckby)[28], wie als homoerotische φιλία: αἱ τῶν παίδων φιλίαι Plat Clit 409d, ἡ παρ' ἐραστοῦ φιλία Phaedr 256e.
ἡ κατὰ τελείαν φιλία ist nur mit einem einzigen Freunde möglich, genau wie die ihr zugehörige sinnliche Liebe ἐρᾶν Aristot Eth Nic VII 7 p 1158a 10—13; vgl auch IX 10
p 1171a 10—12.

c. Die dritte u für das Griechentum bezeichnendste Form ist die
φιλία ἑταιρική, die *Freundschaft* im eigtl Sinn, für die Griechen die φιλία schlechthin.
Sie ist es auch, die als erste unter dem Namen φιλία in der griech Lit auftaucht, uz bei
Theogn 1, 306. 600; 2, 1278b[29]. Bei Hom u Hes steht dafür φιλότης. Auch bei Aesch
u Soph fehlt φιλία, dgg steht es bei Hdt (→ Z 22) u Eur (→ 147, 29f), vgl Cyc 81:
σᾶς χωρὶς φιλίας, sc die Liebesverbindung zwischen Dionysos u den Satyrn. Häufig
findet sie sich in den Schriften des Plat u des Aristot. Auch der Plur kommt oft vor,
zB φιλίαι ἐθνικαί *Freundschaften mit Heiden* Herm m X 1, 4. Der Gebrauch wird schließlich so allg, daß φιλία kaum mehr als ein *annehmbares Verhältnis* zwischen zwei Menschen bezeichnet, vgl PFay 135, 9—11 (4. Jhdt nChr), wo ein Sohn seinen Vater auffordert, eine Schuld zurückzuzahlen: σπούδασον πληρῶσαι (*zu zahlen*) ἵνα ἡ φιλία διαμίνη
μετ' ἀλλήλων[30]. Wie bei φίλος (→ 152, 9f) gibt es Freundschaften, die durch die
Generationen gehen, also φιλία im Sinne von *Familienfreundschaft*, die meist zugleich
Gastfreundschaft gewesen sein wird, so PTebt I 59, 6—8 (99 vChr): ... ἣν ἔχετε πρὸς ἡμᾶς
ἄνωθεν πατρικὴν φιλίαν.

d. Wie φίλος u φίλη erhält auch φιλία einen Platz in der Sprache
der Politik[31]; schon bei Hdt VII 151f ist φιλίη der *Bündnisvertrag*. Auch sonst ist oft
von einer Erneuerung solcher φιλία eines *Bündnisses* zwischen Staaten oder Herrschern die
Rede, so POxy IV 705, 31f (200 nChr): ἡ πρὸς 'Ρωμαίους εὔνοιά τε καὶ πίστις καὶ φιλία,
Ditt Syll[3] II 674, 19. 43 (um 150 vChr): φιλίαν συμμαχίαν τε ἀνενεώσαντο (→ 149, 10ff).
Wie hier, so ist auch an zahlreichen anderen St φιλία καὶ συμμαχία ebs wie φίλος καὶ
σύμμαχος (→ 146, 38ff) eine feste Verbindung, vgl Thuc VI 34, 1; Polyb 31, 1, 1. 3.

e. Im übertr Sinn gebraucht Emped φιλία für eines der beiden
Grundprinzipien alles Seins, die „Harmonie" als Prinzip der Vereinigung gegenüber
νεῖκος als Prinzip der Trennung. Allerdings hat er meistens oder immer[32] wie Hom
u Hes (→ Z 9) φιλότης statt φιλία gesagt Emped fr 17, 7. 20 (Diels I 316f)[33]; 20, 2 (p 318);
21, 8 (p 320) uö. Dgg verwenden die Schriftsteller, die Emped zitieren, großenteils φιλία
statt φιλότης, so Plut, De amicorum multitudine 5 (II 95b); Simpl, Komm zu Aristot
Phys VIII 1[34]; Athenag Suppl 22, 1f[35]; Hipp Ref VII 29, 9f. 13.

f. Schon bei Emped fr 59, 1f (Diels I 333) werden φιλία u νεῖκος
gewissermaßen personifiziert. Das kommt auch in anderer Weise vor, zB wohl in der
Elegie des Aristot fr 1, 2 (Diehl I 115)[36]. Φιλία ist auch einer der vielen Namen der Isis

Aristot verschiedene Formen der φιλία: die
ἑταιρικὴ φιλία Eth Nic IX 10 p 1171a 14f
steht der nahe verwandten συγγενική bzw
ἀδελφικὴ gegenüber VIII 14 p 1161b 12; vgl
1161b 35f; 1162a 9f, auch VIII 13 p 1161a
25f.
[28] Peek aaO (→ A 11) 402, 2 (2./3. Jhdt
nChr): χαίρετε καὶ φιλίης μεμνημένοι ἄνδρες
ἄριστοι.
[29] Freilich wird auch darum die Echtheit
dieser Verse angezweifelt.
[30] Grenfell-Hunt zSt: in order that we
may remain on good terms with each other.
[31] Einen politischen Einschlag hat auch die
platonische φιλία, vgl Plat Ep 7, 323d—352a,
insofern als für sie Übereinstimmung nicht
nur in ethischen, sondern auch in politischen
Ansichten als Bedingung aufgestellt wird;
umgekehrt wird die Notwendigkeit einer
φιλία, eines Kreises von φίλοι, für eine wirksame politische Betätigung betont 325d. Als
Vorbild solcher politischen Freundschaft, die

das Staatswesen trägt, sieht Plat Darius u
seine mitverschworenen κοινωνοί an 332a. b.
Von Dionysius dem Älteren als Gegenstück
sagt er: πένης γὰρ ἦν ἀνδρῶν φίλων καὶ πιστῶν
332c.
[32] Plut Is et Os 48 (II 370d) behauptet,
Emped habe auch φιλία neben φιλότης gebraucht.
[33] Bezeichnenderweise deutet Plut Amat 13
(II 756d) φιλότης hier als ἔρως, Cl Al Strom
V 2, 15, 4 aber als ἀγάπη.
[34] ed HDiels, Commentaria in Aristotelem
Graeca 10 (1895) 1124, 10.
[35] Athenag zitiert hier Emped fr 17, 18—20
(Diels I 316f), wenn er von den vier Elementen καὶ φιλίη μετὰ τοῖσιν sagt: ἃ χωρὶς τῆς
φιλίας οὐ δύναται μένειν ὑπὸ τοῦ νείκους
συγχεόμενα ... ἀρχικὸν (*das Beherrschende*) ἡ
φιλία κατὰ τὸν 'Εμπεδοκλέα ... τὸ δὲ ἀρχικὸν
κύριον (*das Absolute*).
[36] Vgl CJClassen, Artk Philia, in: Lexikon
der alten Welt (1965) 2291.

(→ I 38, 3f) POxy XI 1380, 94 [37] (1. Jhdt nChr); man könnte ihn als das Fem zu (Ζεὺς) Φίλιος [38] verstehen; da aber Z 28 ἀγάπη steht, liegt wohl doch die personifizierte φιλία vor [39].

g. Einige eigentümliche Sonderverwendungen von. φιλία seien noch genannt. Für Freundschaften mit Tieren begegnet das Wort teils mit positivem Klang [40], teils mit negativem, so Plat Clit 409 d. Als Zeichen der Liebesgemeinschaft kann auch der *Kuß* mit φιλία bezeichnet werden, so unter den Christen bei der Taufe Chrys, Hom de utilitate lectionis scripturarum 6 (MPG 51 [1862] 98): ἀσπασμοὶ καὶ φιλίαι [41]. Im barocken Stil der byzantinischen Zeit (6.—7. Jdht nChr) begegnet φιλία auch als förmliche Anrede oder Titel [42]. Auch mit φιλία werden einige andere Begriffe zu Paaren (→ 146, 8 ff) verbunden, so ξενία: ... ἀνανεούμενος τὴν φιλίαν καὶ ξενίαν τὴν πρότερον ὑπάρχουσαν Isoc ep 7, 13, ἔρως [43], zB Philo Fug 58, auch im Plural Abr 194 [44], u συμμαχία (→ 148, 25 ff).

II. Freundschaft in der Antike.

1. Über das Thema Freundschaft bei Griechen u Römern ist im Laufe der Jhdt eine Bibliothek von Untersuchungen entstanden. In unserem Zshg können nur einige wenige Gesichtspunkte u Tatsachen Erwähnung finden. Schon im Altertum selbst ist eine Menge über die Freundschaft geschrieben worden, zT in selbständigen Schriften, von denen einige noch erhalten sind, so die wohl wichtigste u jedenfalls bekannteste Cic, Laelius sive de amicitia, ferner Luc, Toxaris sive de amicitia u Plut, Quomodo adulator ab amico internoscatur; ders, De amicorum multitudine u ein Brief de amicitia [45]. Dgg sind nur Reste erhalten von Chrysippus, Περὶ φιλίας (vArnim III 182), von Senecas Dialog über die Freundschaft uam. Erwähnt werden, aber verloren sind Schriften von Xenokrates nach Diog L IV 12, von Theophr nach Diog L V 45; Gellius, Noctes Atticae [46] 1, 3, 10—12. 21—29, von Kleanthes nach Diog L VII 175. Vor allem aber ist das Thema Freundschaft in größeren oder kleineren Abschnitten umfassender Schriften behandelt. Die bedeutsamsten Ausführungen zu dem Thema überh finden sich, außer in Cic Lael bei Plat Symp, Phaedr u Lys [47], sowie bei Aristot [48] Eth Nic VIII 1 p 1155a—IX 12 p 1172a; Eth Eud VII 1—13 p 1234b 18—1246b 36; Eth M II 11—17 p 1208b—1213b, ferner bei Xenoph Mem II 4—6; Isoc Or 1, 24—26; Epict Diss II 22; Gellius, Noctes Atticae (→ A 46) 1, 3; vgl 17, 5; Valerius Maximus [49] IV 7; Themist Or 22 [50].

2. Die Anschauungen der Alten von der Freundschaft sprechen sich bes charakteristisch in einer Reihe von Maximen und Sprichwörtern aus, die zT auch für das NT wichtig sind (→ A 52). Aristot Eth Nic IX 8 p 1168b 6—8 [51] stellt drei der wichtigsten zus: καὶ αἱ παροιμίαι δὲ πᾶσαι ὁμογνωμονοῦσιν, οἷον τὸ „μία ψυχή" καὶ „κοινὰ τὰ φίλων" καὶ „ἰσότης φιλότης". Nach Diog L VIII 10 u Porphyr

---

[37] Vgl auch Deißmann LO 59 A 3.
[38] Vgl Liddell-Scott sv φίλιος (→ A 60).
[39] Eine ähnliche Personifikation von amor findet sich bei Suet Caes Titus 1, 1: Titus wird amor ... generis humani genannt, als opp zu odium generis humani.
[40] Vgl Peek aaO (→ A 11) 474, 5 (2./3. Jhdt nChr).
[41] Vgl Ant Christ I 193.
[42] Belege bei Preisigke Wört III 202; Moult-Mill sv.
[43] Über das Verhältnis von φιλία u ἔρως wurde in der Antike viel verhandelt, bes von Plat in den Dialogen Lys, Phaedr u Symp.
[44] Philo verbindet auch εὔνοια, συγγένεια, κοινωνία, ὁμόνοια, οἰκειότης mit φιλία zu Paaren, s Leisegang sv φιλία.
[45] Plut fr 159—171 (ed FHSandbach [1967]), vgl fr 18 (ed GNBernardakis VII [1896]) 115—118.

[46] ed CHosius (1903).
[47] Nicht „Lysias", so HvanOyen, Artk Freundschaft, in: RGG³ II 1131 (Lit), sondern „Lysis". Zur Sache → Normann 100—110.
[48] → Normann 129—155.
[49] ed CKempf (1888) 201—210. Bei manchen dieser Schriften ist die Abhängigkeit von Vorgängern nachgewiesen, zB für Valerius Maximus u Cicero; wahrscheinlich gilt das noch für zahlreiche andere, → Bickel 224.
[50] Auch von den Kirchenvätern wurde das Thema Freundschaft behandelt, zB von Ambr, De officiis ministrorum 3, 125—130; Pseud-Aug, De amicitia (MPL 40 [1887] 831 f). Nachahmer hat es bis tief ins MA gegeben, zB Petrus Blesensis, De amicitia christiana et de caritate Dei et proximi tractatus duplex (MPL 207 [1855] 871—958), vgl → Bickel 223.
[51] Ähnlich auch Eth M II 11 p 1211a 32 f; Eth Eud VII 6 p 1240b 9.

Vit Pyth 33 gehen die letzten beiden schon auf Pythagoras zurück[52]. Bes das Motiv der κοινωνία kehrt in großartiger Monotonie[53] immer wieder, von Eur Or 735; Andr 376f u Plat Lys 207c; Phaedr 279c; Leg V 739c; Resp V 449c; IV 424a über Aristot Eth Nic IX 11 p 1159b 31f; Eth Eud VII 2 p 1237b 32f; 1238a 16; Pol II 5 p 1263a
5　30 bis in die Spätzeit Diog L VI 37. 72; Philo Vit Mos I 156; Muson fr 13 (p 67). Auch der Gedanke der „einen Seele" wird als Ausspruch des Aristot weitergegeben: ἐρωτη- θεὶς τί ἐστι φίλος, ἔφη· μία ψυχὴ δύο σώμασιν ἐνοικοῦσα Diog L V 20, vgl Plut, De ami- corum multitudine 8 (II 96f). Sehr häufig wird das dritte Sprichwort ἰσότης φιλότης zitiert. Plat Leg VI 757a führt es als ein Wort alter Wahrheit an, ὡς ἰσότης φιλότητα
10　ἀπεργάζεται. Aristot selbst erwähnt es außer an der genannten St (→ 149, 34ff) noch mehrfach, zB Eth Nic VIII 7 p 1157b 34—36; Eth Eud VII 6 p 1240b 1f[54]. Noch ein viertes Sprichwort sei als wichtig genannt: Der Freund ist der alter ego des Freun- des[55]; Diog L VII 23 berichtet von Zeno: ἐρωτηθεὶς τίς ἐστι φίλος, ἄλλος, ἔφη, ἐγώ, vgl VII 124. Aristot bezeichnet es ausdrücklich als Sprichwort: ὁ ... φίλος βούλεται εἶναι,
15　ὥσπερ ἡ παροιμία φησίν, ἄλλος Ἡρακλῆς, ἄλλος οὗτος Eth Eud VII 12 p 1245a 29f[56], vgl ἔστι γὰρ ὁ φίλος ἄλλος αὐτός Eth Nic IX 4 p 1166a 31f; ἕτερος γὰρ αὐτὸς ὁ φίλος ἐστίν IX 9 p 1170b 6f; auch Plut, De amicorum multitudine 2 (II 93e): ... καὶ τὸ ἄλλον αὐτὸν ἡγεῖσθαι τὸν φίλον[57].

3. Trotz der Bdtg der verschiedenartigen Gruppen von Freunden
20　(→ 145, 9ff; 146, 1ff) ist die persönliche Freundschaft doch das Herzstück des gesam- ten griech Freundschaftswesens; uz wird oft betont, daß wirkliche Freundschaft nur mit wenigen möglich sei, zB Aristot Eth Nic IX 10 p 1170b 20—1171a 20; vgl Eth Eud VII 12 p 1245b 20f: οὐθεὶς φίλος ᾧ πολλοὶ φίλοι. Bei Luc, Toxaris 37 wird der πολύ- φιλος sogar mit einer Dirne verglichen, u Plut hat dem Thema einen ganzen Traktat
25　gewidmet Περὶ πολυφιλίας (II 93a—97b). Anders allerdings haben die Stoiker geur- teilt: nach Chrysippus fr 631 (vArnim III 161) ist die πολυφιλία ein Gut, vgl auch Diog L VII 124. Zuweilen werden der engen persönlichen Freundschaft die weiteren Freun- deskreise gegenübergestellt, welche die tragenden Kräfte der Polis bilden (→ A 31).

Das eigtl Ideal ist aber das Freundespaar. Die Urbilder solcher Paare werden
30　in Epos u Drama gepriesen. Bei den „vielbesungenen Freundschaften der Vergangen- heit handelt es sich immer um Freundespaare" Aristot Eth Nic IX 10 p 1171a 15[58]. Mehrfach werden Listen solcher Paare geboten, zB Plut, De amicorum multitudine 2 (II 93e); Luc, Toxaris 10; Cic Lael 15; Fin I 65. An erster St werden meist Achill u

---

[52] Die ersten beiden verbindet Lk in einem Summarium als Hauptmotive in der Schil- derung des urchr Gemeindelebens: ἦν καρδία καὶ ψυχὴ μία ... ἦν αὐτοῖς πάντα κοινά Ag 4, 32 (→ 160, 17ff). Die Formulierung ist typisch für Lk: er verbindet das bibl Paar Herz u Seele, vgl zB Mk 12, 30; auch 1 QS 5, 8f, mit dem griech Sprichwort von der μία ψυχή. Zu dem anderen Wort πάντα κοινά φίλοις gibt er noch die gleichfalls in der griech Lit vorkommende Erläuterung: οὐδὲ εἷς τι ... ἔλεγεν ἴδιον εἶναι, vgl Eur Andr 376; Muson fr 13a (p 67).

[53] Freilich kann der Gedanke auch sprach- lich variiert u entfaltet werden, so von Xe- noph Mem II 6, 23 von wahren Freunden: τὰ μὲν ἑαυτῶν ἀγαθὰ τοῖς φίλοις οἰκεῖα παρέχοντες, τὰ δὲ τῶν φίλων ἑαυτῶν νομίζοντες.

[54] Hierher gehört auch Dt 13, 7: ὁ φίλος ὁ ἴσος τῆς ψυχῆς σου u die Deutung Philos Rer Div Her 83: οὕτως ὁ φίλος ἐγγύς ἐστιν, ὥστε ἀδιαφορεῖ ψυχῆς. Häufig tritt ὁμοιότης an die Stelle von ἰσότης, so Plat Leg IV 716c; Aristot Eth Nic VIII 2 p 1155a 32; in VIII 10 p 1159b 2—4 wird beides kombiniert: ἡ δ' ἰσότης καὶ ὁμοιότης φιλότης, καὶ μάλιστα μὲν ἡ τῶν κατ' ἀρετὴν ὁμοιότης, vgl auch Cl Al Strom VII 11, 68, 2: ἥ τε φιλία δι' ὁμοιότητος περαίνεται. Bestimmend für die Bevorzugung von ὁμοιότης war wohl das Sprichwort: τὸ

ὅμοιον τῷ ὁμοίῳ φίλον bzw φίλον ἀεὶ παντὶ τὸ ὅμοιον *gleich und gleich gesellt sich gern*, zB Aristot Eth Nic IX 3 p 1165b 16f; Plat Lys 214b; Plat Gorg 510b, auch Symp 195b; Jos Ap 2, 193. Allerdings wird über die Richtig- keit des Grundsatzes „Gleichheit bedeutet Freundschaft" auch viel diskutiert, so Plat Lys 214b—216d. Auch hier (→ A 2) endigt Plat bei einer Aporie: οὔτε ἄρα τὸ ὅμοιον τῷ ὁμοίῳ οὔτε τὸ ἐναντίον τῷ ἐναντίῳ φίλον 216b, weiter Aristot Eth Nic VIII 2 p 1155a 32— b 16. Vgl Dirlmeier aaO (→ A 21) 511 z 171 A 5; MDibelius, Die Christianisierung einer hell Formel, Botschaft u Gesch II (1956) 25f mit A 23f (→ A 145).

[55] → Hauck 213.

[56] Hierfür ist wohl αὐτός zu lesen. Dieselbe Redensart „ein zweiter Herakles" steht auch Eth M II 15 p 1213a 12f neben ἄλλος φίλος ἐγώ. Vgl dazu Liddell-Scott sv Ἡρακλέης u FDirlmeier, Aristot Magna Moralia ²(1966) 470f zu 88, 6.

[57] Wahrscheinlich liegt dieses Sprichwort auch der syr Übers von Sir 37, 2 zugrunde: „Der wahre Freund wird dir (ebenso) sein wie du selbst"; vgl VRyssel bei Kautzsch Apkr u Pseudepigr I 411 A k.

[58] Vgl Dirlmeier aaO (→ A 21) 529 zu 187 A 2; 558f zu 213 A 2.

Patroclus erwähnt[59]. Schon an diesem Beispiel wird verschiedentlich die Ungleichheit der Freunde aufgezeigt: bei Hom ist Patroclus nur der Gefolgsmann, der φίλος ἑταῖρος Achills Hom Il 1, 345; 11, 616. Demgegenüber wurde diese φιλία nach Athen 13, 601a von Aesch u etw anders von Plat Symp 179e—180b als Eros gedeutet, eine Deutung, die Xenoph Symp 8, 31 ablehnte. Bes gefeiert wurden auch Orestes u Pylades, nach 5 Luc, Toxaris 7 bes von den Skythen, die sie als φίλιοι δαίμονες verehrten[60], vgl auch Eur Iph Taur 498, ferner Theseus u Peirithoos, Damon u Phintias, Epaminondas u Pelopidas, deren Freundschaft als Keimzelle der staatlichen Erneuerung von Theben galt[61]. Manche Freundschaften wurden auch fingiert, weil man Geistesverwandte sich nicht anders denn als Freunde vorstellen konnte, so Hom u Lycurg, Numa u Pytha- 10 goras (→ IV 419, 4ff). Daneben gab es auch teils historische, teils erdichtete Gesch von Freundespaaren, die von Mund zu Mund weitergegeben wurden, so die je fünf Gesch, welche der griech u der skythische Gesprächspartner in Luc, Toxaris einander erzählen. In ihnen ist immer einer der beiden Freunde ganz ausgesprochen der Handelnde u der andere mehr oder weniger passiv[62]. Die von Sokrates gepflegten u ge- 15 lobten Freundschaften zwischen Älteren u Jüngeren entsprachen zu einem guten Teil dem Verhältnis von Lehrer u Schüler, so daß die Freundschaft zum Anfang der Lehre wurde (→ 155, 17ff; 161, 11ff)[63].

In vielen Variationen wird als höchste Verpflichtung eines Freundes der Einsatz des Lebens für seinen Freund bis zur Hingabe in den Tod bezeichnet. So sagt 20 Aristot Eth Nic IX 8 p 1169a 18—20: „von einem edlen Mann gilt auch das wahre Wort, daß er um seiner Freunde willen alles tut ... und, wenn es sein muß, sein Leben für sie gibt", vgl auch Z 25f. Auch Epikur vertrat nach Diog L X 121[64] die Anschauung, daß der Weise uU für einen Freund in den Tod gehen müsse. Dieser Ansicht des Meisters entsprach der Epikureer Philonides, von dem es heißt[65]: „für den 25 am meisten Geliebten (ἀγαπωμένου) unter den Nächststehenden oder den Freunden (τῶν φίλων) würde er bereitwillig den Hals bieten." Epict Ench 32, 3 führt auf Sokrates die These zurück, daß das συγκινδυνεῦσαι φίλῳ ἢ πατρίδι so selbstverständlich sei, daß man wegen dieser Pflicht kein Orakel zu befragen brauche, u er schließt: Folge also dem größeren Seher, Apollo selbst, welcher den Mann aus dem Tempel jagte, der seinem 30 Freund in Todesgefahr (ἀναιρουμένῳ τῷ φίλῳ) nicht zu Hilfe gekommen war, vgl Sen, ep 1, 9, 10: in quid amicum paro? ut habeam pro quo mori possim etc. Apollonius von Tyana bezeichnet es nach Philostr Vit Ap VII 14 (p 265) sogar als Gebot der φύσις, für Verwandte oder Freunde oder geliebte Knaben zu sterben; vgl VII 11 (p 262): φιλοσοφία ... προσήκει ... ἀποθανεῖν ... ὑπὲρ φίλων ἀγωνιζόμενον. Dementsprechend wurden 35 die Beispiele solchen Lebenseinsatzes für Freunde immer wieder hoch gepriesen, insbesondere das des Damon[66], so zB Diod S X 4, 3—6; Valerius Maximus (→ A 49) IV 7 ext 1 (p 207f); Jambl Vit Pyth 33, 234—236. Luc, Toxaris 6 beschreibt skythische Bilder von Orestes u Pylades, die jeden von beiden zeigen παρ' οὐδὲν τιθέμενον, εἰ ἀποθανεῖται σώσας τὸν φίλον. Ebd 36 sagt der skythische Gesprächspartner: ἐγὼ δέ σοι δι- 40 ηγήσομαι ... θανάτους ὑπὲρ τῶν φίλων, u 37 erwähnt er den feierlichen Freundschaftsvertrag (ὅρκος ὁ μέγιστος) bei den Skythen: ἦ μὴν καὶ βιώσεσθαι μετ' ἀλλήλων καὶ ἀποθανεῖσθαι, ἢν δέῃ, ὑπὲρ τοῦ ἑτέρου τὸν ἕτερον.

B. φίλος, φιλία (φιλιάζω) im Alten Testament und im Judentum.

I. Der Sprachgebrauch.

45

1. φίλος.

a. Schon bei einem ersten Überblick über den Wortgebrauch der Septuaginta fällt auf, daß φίλος u φιλία[67] nur in einer Minderheit der St hbr Wörter wie-

---

[59] → Normann 24—26.

[60] Offenbar ist die Benennung nach dem Beinamen des Zeus ὁ φίλιος *der Hort der Freundschaft* Luc, Toxaris 12 bzw nach ὁ Φίλιος *der Gott der Freundschaft* ebd 11 gebildet.

[61] → Curtius 197.

[62] Ein Gegenstück ist das Motiv, das durch die Jhdt geht, von den eng verbundenen Freunden, die sich — in letzter Zuspitzung des Prinzips ἰσότης φιλότης (→ 150, 8ff) — in Gestalt u Gemüt völlig gleichen wie in der

mittelalterlichen Sage von Amicus u Amelius, vgl WBauerfeld, Die Sage von Amis u Amiles (Diss Halle [1941]).

[63] → Curtius 194. Über Proben, in denen sich die Freundschaft bewährt, vgl Bauerfeld aaO (→ A 62) passim.

[64] Auch bei HUsener, Epicurea (1887) XXX.

[65] Vita Philonidis 22, ed WCrönert, SAB 1900, 2 (1900) 951 bei Deißmann LO 94f.

[66] Vgl EWellmann, Artk Damon, in: Pauly-W 4 (1901) 2074.

[67] φίλη kommt in der LXX nicht vor.

dergeben: φίλος nur rund 70mal bei etwa 180 Belegen, φιλία sogar nur 7mal bei 38 Belegen[68]. In über 30 Fällen ist φίλος Wiedergabe von רֵעַ (→ VI 310, 22ff; V 13, 40)[69], das aber überwiegend, 112mal, mit ὁ πλησίον (→ VI 310, 19ff) übersetzt wird[70]. In 27 Fällen[71] tritt es für אהב[72] q u pi ein, in vier Fällen für מֵרֵעַ (→ VI 311 A 13) Ri 14, 20; 15, 2. 6;
5   Prv 12, 26 u in je zwei Fällen für אַלּוּף *Freund, Vertrauter* Prv 16, 28; 17, 9 u חָבֵר Sir 7, 12; 37, 6. Dazu kommt noch die Wiedergabe von aram חֲבַר, hbr חָבֵר, mit φίλος in Da 2, 13. 17f Θ[73]. Wie der gemeingriechische Sprachgebrauch (→ 145, 2ff) weist auch der LXX-Gebrauch von φίλος eine Skala verschiedener Bedeutungsschattierungen auf: der ganz nahe *persönliche Freund* ὁ φίλος ὁ ἴσος τῆς ψυχῆς σου Dt 13, 7 (→ A 54), der *Freund*
10   *des Hauses* φίλος πατρῷος Prv 27, 10 (→ 148, 17ff), der *Freund des Bräutigams*, der *Brautführer* 1 Makk 9, 39 (→ 162, 8ff), der *Freund, Klient, politische Anhänger* eines hochgestellten Mannes Est 6, 13, als Titel: der *Freund des Königs* φίλος τοῦ βασιλέως 1 Ch 27, 33[74] (→ 145, 15ff mit A 4; VI 311, 3 mit A 10), vgl Est 6, 9; Δα 3, 94; 1 Makk 10, 20.

In der LXX ist φίλος mit zahlreichen verwandten Begriffen zu Paaren verbunden
15   oder im Parallelismus membrorum zusammengestellt, so mit ἀδελφός Prv 17, 17[75], mit ἑταῖρος Sir 37, 2 (→ 146, 10ff)[76], mit ὁ πλησίον ψ 37, 12, ähnlich ψ 87, 19, hier noch als drittes Synonym οἱ γνωστοί, mit οἰκεῖος (→ 146, 18f) Prv 17, 9, mit γείτων 3 Makk 3, 10[77] (→ 157, 16ff). Allg hell sind die Verbindungen von φίλος mit σύμβουλος (→ 146, 35ff) bzw συμβουλευτής, weil die Freunde der Könige u der vornehmen Männer
20   zugleich ihre Berater waren[78]. So sind offenbar die φίλοι des Königs Artaxerxes in 1 Ἐσδρ 8, 13 dieselben, die v 11: οἱ ἑπτὰ φίλοι συμβουλευταί u 2 Εσδρ 7, 14: οἱ ἑπτὰ σύμβουλοι heißen[79]. Nebeneinander stehen dgg die beiden Gruppen in 1 Εσδρ 8, 26[80]. Politischen Charakter hat endlich die Verbindung von φίλος u σύμμαχος (→ 146, 38ff) 1 Makk 14, 40: φίλοι καὶ σύμμαχοι καὶ ἀδελφοί (als röm Ehrentitel für die Juden).

25   *b. Ähnliche Beobachtungen lassen sich an den Wortgebrauch bei Philo anstellen.* Er verwendet φίλος noch mehrfach als Adj, zB Poster C 172, u verbindet es, vor allem im substantivischen Gebrauch mit zahlreichen verwandten Wörtern: mit συγγενής Leg All III 71. 205; Flacc 72, mit ἀδελφός Leg All III 71, mit ἑταῖρος Vit Cont 13; Omn Prob Lib 44; Flacc 32, mit οἰκεῖος Leg Gaj 343; Leg All III 205, mit γνώριμος
30   Abr 273, mit σύμβουλος Agric 95 (die Schlange als φίλος καὶ σύμβουλος ... der Eva!), mit σύμμαχος Spec Leg IV 219, mit ἔνσπονδος *verbündet* Spec Leg IV 224; vgl Migr Abr 202.

---

[68] Das ist relativ viel, verglichen mit den Zahlen der Belege für ἀγάπη (20), ἀγάπησις (10), στοργή (4, nur 3 u 4 Makk), ἔρως (2, nur Prv). Am auffälligsten ist aber der Vergleich mit dem NT: ἔρως, στοργή u ἀγάπησις fehlen hier, φιλία steht ein einziges Mal Jk 4, 4. ἀγάπη beherrscht allein das Feld. Wie ἀγάπη an die St von φιλία tritt, zeigt allein das Beispiel von Prv 10, 12 neben Jk 5, 20 u 1 Pt 4, 8.

[69] Dazu JBSouček, Der Bruder u der Nächste, Festschr EWolf (1962) 362—371.

[70] Zu anderen Übers von רֵעַ → VI 310 A 7. Zu den 6 St mit ἕτερος ist festzustellen, daß es sich mindestens Qoh 4, 4; Prv 27, 17 nur um einen auf Itazismus beruhenden Hörfehler (statt ἑταῖρος) handelt; vgl die LA τοῖς ἑτέροις neben τοῖς ἑταίροις in Mt 11, 16; hier liegt aber wohl doch ein verschiedenes Verständnis des Gleichnisses von den spielenden Kindern vor; vgl Jeremias Gl[7] 161.

[71] Davon allein 17 in Sir.

[72] Vgl WThomas, The Root אָהֵב ‚love' in Hebrew, ZAW 57 (1939) 57—64.

[73] LXX übersetzt Da 2, 13 u 18: οἱ μετ' αὐτοῦ, 2, 17: οἱ συνέταιροι.

[74] Im selben Sinn ἑταῖρος τοῦ βασιλέως 3 Βασ 4, 5, (auch Philo Omn Prob Lib 42, beides nebeneinander bei Plut Demetr 49 [I 913c—f]) u offenbar auch οἱ γνωστοὶ αὐτοῦ (sc Ahabs) 4 Βασ 10, 11.

[75] Vgl Ps 122,8. Im AT ist ἀδελφός mehrfach

der innigste Ausdruck für *Freund*; vgl Ges-Buhl sv אהב, אָח.

[76] Die Synonymität von φίλος u ἑταῖρος erweist zB auch die Textüberlieferung in Ri 14, 20 u 15, 2 LXX: Cod A hat ἑταῖρος bzw συνέταιρος, wo Cod B φίλος bietet.

[77] Vgl Jos Ant 18, 376; in 18, 23 auch die für den Hell charakteristische Verbindung mit συγγενής (→ 146, 21ff).

[78] Vgl zB Est 5, 14; 6, 13.

[79] Zu dieser Siebenergruppe vgl Est 1, 10: οἱ ἑπτὰ εὐνοῦχοι οἱ διάκονοι τοῦ βασιλέως Ἀρταξέρξου, auch Est 1, 14 (HT): die sieben Fürsten der Meder u Perser, die Zutritt zum König hatten u denen der Vorsitz im Reiche zukam. Vergleichbar sind u wahrscheinlich in vorstellungsmäßigem Zshg damit stehen im NT die sieben Geister vor dem Throne Gottes Apk 1, 4; 4, 5, wenn auch hinter den sieben Geistern noch ältere, religionsgeschichtliche Vorstufen angenommen werden dürfen, vgl Bss Apk u ELohse, Die Offenbarung des Joh, NTDeutsch 11 [9](1966) zu 1, 4.

[80] Vgl noch Sir 37, 1—6 mit v 7—12. Gleichsetzung u Paarung von φίλος u σύμβουλος finden sich bei Herm, wo die Engel als φίλοι u σύμβουλοι des Herrn nach Art eines orientalischen Hofstaats dargestellt werden; vgl einerseits προσκαλεσάμενος ... τοὺς φίλους, οὓς εἶχε συμβούλους s V 2, 6; ἐδεήθην αὐτὸν πολλά, ἵνα μοι δηλώσῃ τὴν παραβολὴν ... τῶν φίλων τῶν συμβούλων s V 4, 1, anderseits οἱ ... φίλοι καὶ σύμβουλοι s V 5, 3.

2. φιλία.

φιλία steht sechsmal für אַהֲבָה bzw אָהֵב Prv 5, 19 (bis); 10, 12; 15, 17; 17, 9; 27, 5 u einmal für דּוֹד *sinnliche Liebe* Prv 7, 18. φιλία findet sich als Wiedergabe für hbr Vokabeln also nur in Prv — ohne hbr Äquivalente noch 5, 19 vl; 25, 10a — u außerdem nur in Sap, Sir u in den Makkabäerbüchern. Das ist ebs bezeichnend 5 wie die Tatsache, daß φίλος in keinem anderen at.lichen Buch[81] so häufig vorkommt wie in Prv, Sir u Makk (vgl → 152, 14ff).

In der LXX treten zwei Hauptarten der φιλία hervor, die ἐρωτική (→ 147, 35ff), sowohl von der Ehefrau ausgesagt Prv 5, 19 als auch von der Dirne Prv 7, 18, u die politische φιλία[82], so zumal in den Makkabäerbüchern, zB 1 Makk 8, 1. 11, vor allem 10 in Verbindung mit συμμαχία 1 Makk 8, 17; 2 Makk 4, 11[83], zuweilen auch in ähnlichem Sinn mit ἀδελφότης 1 Makk 12, 10. Das politische Vokabular zeigt hier bestimmte feststehende term techn: φιλίαν ἵστημι 1 Makk 8, 1. 17; 10, 54; 12, 1, φιλίαν ἀνανεοῦμαι (→ 148, 22ff) 1 Makk 12, 1. 3. 10; 14, 18. 22; 15, 17, φιλίαν συντηρέω 8, 11; 10, 20, vgl v 26. Neben dieser kollektiven politischen Freundschaft gibt es, wie bei φίλος (→ 15 145, 15ff), auch einen individuellen politischen Gebrauch, so 4 Makk 8, 5: ἡ ἐμὴ φιλία, von einem König gesagt, bezeichnet die Stellung eines φίλος τοῦ βασιλέως (→ 152, 12f).

Zum LXX-Gebrauch des Stammes φιλ- gehört neben dem Verbum φιλέω, das in der Bdtg *lieben* dem Subst φιλία in der Bdtg *Liebe* zugehört, das Verbum φιλιάζω, das von φιλία in der Bdtg *Freundschaft* abgeleitet ist u somit auch mit φίλος *Freund* nahe ver- 20 bunden sein kann, wie in der Wendung φιλιάζω φίλοις Ri 5, 30 Cod A; 1 Εσδρ 3, 22. Auch sonst steht es meist mit Dat-Obj, so 2 Ch 19, 2; 20, 37, auch Prv 22, 24 Σ; Ps 59, 10 Θ[84]; dgg abs Sir 37, 1[85]. Es bedeutet *Freund sein, sich als Freund verhalten* Sir 37, 1; Ri 5, 30 Cod A; 1 Εσδρ 3, 22, *Freund werden, sich befreunden* Ri 14, 20 Cod B; Prv 22, 24 Σ[86].

II. Freundschaft im Alten Testament[87] und 25 im Judentum.

1. Schon die Tatsache, daß φίλος und φιλία überwiegend in ursprünglich griechischen Texten der Septuaginta vorkommen, zeigt, daß wir es mit einem Begriff zu tun haben, welcher der alttestamentlichen Welt von Hause aus fremd ist. רֵעַ ist etwas spezifisch anderes (→ VI 310, 27ff); dessen zahlenmäßig 30 weit überwiegende Wiedergabe mit (ὁ) πλησίον (→ VI 310, 14ff) ist durchaus sachgemäß, während die Übersetzung mit φίλος genau genommen als eine μετάβασις εἰς ἄλλο γένος zu bezeichnen ist, wenigstens wenn man die charakteristisch griechischen Vorstellungen von Freundschaft bedenkt. Aber die alexandrinischen Übersetzer, die natürlich in den hellenistischen Kategorien der Freundschaft dachten, haben 35 unwillkürlich doch an zahlreichen Stellen φίλος für רֵעַ eingesetzt (→ 152, 2f), und erst recht haben die Verfasser der in der Welt des Hellenismus entstandenen Schriften φίλος und φιλία in dem ihnen geläufigen Sinn verwendet.

---

[81] Das häufige Vorkommen im Buch Hi ist in der bes Rolle der drei φίλοι Hiobs begründet.

[82] BBWarfield, The Terminology of Love in the NT, The Princeton Theological Review 16 (1918) 167 mit A 16.

[83] Vgl auch Const Ap VI 18, 7.

[84] Ebs BGU IV 1141, 23 (1. Jhdt vChr).

[85] So auch in dem Titel eines Mimus Φιλιάζουσαι (etwa: *Freundinnen in intimem Gespräch*) Herond Mim 6.

[86] Vgl Achmes, Oneirocriticon 13 (ed FDrexl [1925] 10): „Er wird die Freundschaft zu einem andern König gewinnen (φιλιάσει) u seine Liebe (ἀγάπην) erlangen." Möglicherweise ist hier φιλιάζω nach Art des politischen Gebrauchs von φίλος (→ 145, 7f; 152, 18ff) u φιλία (→ Z 10ff; 148, 21ff) im Sinn von *sich verbünden* zu deuten, so auch 2 Ch 19, 2; 20, 37 u vielleicht Ps 59, 10 Θ.

[87] Vgl ua ABertholet, Kulturgeschichte Israels (1919) 168; → Treu Freundschaft A IV.

2. Trotzdem birgt das AT eines der herrlichsten Zeugnisse für eine Freundschaft. In der letzten Strophe des Trauerliedes Davids für Saul u Jonathan heißt es: „Es ist mir weh um dich, mein Bruder Jonathan, du warst mir so hold; überaus wundersam, wundersamer als Frauenliebe war mir deine Liebe" 2 S 1, 26. Dieses letzte Motiv ist ganz antik empfunden, wie denn das Freundespaar David-Jonathan sich würdig neben die Beispiele edler Freundespaare stellt, welche die antike Lit preist (→ 150, 30ff). Denn schon die vorausgegangene Gesch, die mit jenem Klagegesang abgeschlossen wird, ist selbst ein hohes Lied der Freundschaft. Von beiden Freunden heißt es 1 S 18, 1. 3; vgl 19, 1; 20, 17, daß sie einander lieb hatten wie das eigene Leben: es ist die höchste Stufe der menschlichen Gemeinschaft, vgl Dt 13, 7 (→ A 54). Aber wiederum ist es für die Antike bezeichnend, daß diese Freundschaft durch einen feierlichen Bundesschluß bestätigt u ₁so unauflöslich gemacht wird 1 S 18, 3f. Die entscheidende Symbolhandlung ist die Übergabe von Mantel u Waffenrüstung durch den Königssohn u Thronerben an David, wodurch der Freund zum alter ego des Freundes gemacht wird[88]. Wahrscheinlich war schon diese Zeremonie mit einem Schwur vor Jahwe verbunden; ausdrücklich berichtet wird ein solcher Schwur 1 S 20, 16f, der über den Tod hinaus auch für die Nachkommen gilt 2 S 21, 7[89]. Aber auf der anderen Seite zeigt gerade jenes klass Beispiel der Freundschaft im AT, daß es keinen term techn für Freundschaft im AT gibt; vgl die Umschreibungen dafür in 2 S 1, 26, wo auch die LXX zweimal ἀγάπησις einsetzt u nicht φιλία gebraucht.

3. Dgg finden sich in der at.lichen Weisheitsliteratur, bes in Prv u Sir, vielerlei Aussagen über die Freundschaft[90]. Sir 6, 5—17 bietet sogar eine kleine zusammenhängende Abh, vergleichbar mit den entsprechenden Stücken in der griech u hell Lit (→ 149, 14ff). Sir 6, 8—13 handelt vornehmlich von den zweifelhaften Freunden, wie überh Skepsis u Warnung in der Weisheitsliteratur den Vorrang vor dem Lobpreis der Freundschaft haben, vgl bes Sir 37, 2: οὐχὶ λύπη ἔνι ἕως θανάτου ἑταῖρος καὶ φίλος τρεπόμενος εἰς ἔχθραν; u dazu Lk 21, 16 (→ 160, 21ff). Der Grund für eine solche Wendung ist oft das Unglück eines Freundes. Die Warnung vor einer solchen Wendung ist ein charakteristisches Motiv der Paränese in der Weisheitsliteratur, zB Sir 5, 15: ἀντὶ φίλου μὴ γίνου ἐχθρός. Viele Aussagen u Lehren erinnern lebhaft an die griech Weisheit, namentlich schon an Theogn (→ 148, 8f; → A 95), der bes schlimme Erfahrungen mit unzuverlässigen Freunden gemacht zu haben scheint[91]. Hier wie dort kehren die Gedanken wieder: es gibt nur wenige treue Freunde. Die meisten Freunde sind Egoisten[92]; darum haben nur die Glücklichen[93], bes die Reichen[94], viele Freunde. Viele sind nur Zungenfreunde[95]; der wahre Freund wird nie in Zeiten des Glücks erkannt[96]. Freunde können sogar eine große Gefahr sein[97]. Weil schließlich auch die

[88] Vgl HWHertzberg, Die Samuelbücher, ATDeutsch 10 ³(1965) zu 1 S 18, 1—4; auch RKittel, Gesch Israels II ⁴(1922) 111 A 2; vgl den Kleidertausch bei Diomedes u Glaukos Hom Il 6, 230f.

[89] Vgl Hertzberg aaO (→ A 88) zu 1 S 20, 14—17. Die Freundschaft Davids u Jonathans scheint im AT isoliert dazustehen, aber sie hat Par in der altorientalischen Lit, insbesondere in dem Zeugnis der Freundschaft Gilgameschs zu Enkidu mit dem Ausklang: „da verhüllte er den (toten) Freund wie eine Braut" (Gilgamesch-Epos Tafel 8, 19 [AOT 167], vgl Tafel 7—10 [AOT 166—174]) u der immer wiederholten Totenklage.

[90] Vgl die Zusammenstellung bei PVolz, Hiob u Weisheit, Schr AT III 2 (1921) 206—208 mit 208 A 2.

[91] Theogn 1, 575. 813 sagt sogar zweimal: „Meine Freunde haben mich verraten". Vgl Ps 41, 10 (→ 139, 6f).

[92] Vgl Luc, Toxaris 16. Ähnlich wird Ab 2, 3 die Obrigkeit mit Freunden verglichen, die es nur solange sind, als man ihnen nützt.

[93] Vgl Sir 12, 9: ἐν τοῖς κακοῖς αὐτοῦ (sc des Menschen) καὶ ὁ φίλος διαχωρισθήσεται mit Theogn 1, 697f: εὖ μὲν ἔχοντος ἐμοῦ πολλοὶ

φίλοι· ἢν δέ τι δεινὸν συγκύρσῃ, παῦροι πιστὸν ἔχουσι νόον sowie 1, 209. 299.

[94] Vgl Prv 14, 20: φίλοι μισήσουσιν φίλους πτωχούς, φίλοι δὲ πλουσίων πολλοί, sowie 19, 4; Sir 6, 10; 13, 21; dazu Democr fr 101 (Diels II 163): ἐκτρέπονται πολλοὶ τοὺς φίλους, ἐπὴν ἐξ εὐπορίης εἰς πενίην μεταπέσωσιν sowie fr 106 (p 163).

[95] Vgl Theogn 1, 979: μή μοι ἀνὴρ εἴη γλώσσῃ φίλος, ἀλλὰ καὶ ἔργῳ, auch 1, 63. 95f u dazu 1 J 3, 18. Darum unterscheidet die griech Ethik deutlicher als die jüd Weisheit zwischen dem Freund u dem Schmeichler; vgl φαινόμενος φίλος ὁ κόλαξ Aristot Rhet I 11 p 1371a 24, auch Antiphon fr 65 (Diels II 366): viele kennen die φίλοι, die sie haben, nicht, ἀλλ' ἑταίρους ποιοῦνται θῶπας (Schmeichler) πλούτου καὶ τύχης κόλακας sowie Anth Graec 10, 125.

[96] Vgl Sir 12, 8, dazu Luc, Toxaris 12—18. Darum rät Sir 6, 7: „Nimm niemand zum Freunde, du habest ihn denn erkannt in der Not, u vertraue ihm (auch dann) nicht gar zu schnell."

[97] Darum: καὶ ἀπὸ τῶν φίλων σου πρόσεχε Sir 6, 13, bes davor, für einen Freund zu bürgen Prv 6, 1—5.

jüd Weisheit bei dem Satz der alten Volksweisheit „der Mensch ist selber immer noch sein bester Freund"[98] hätte anlangen können, ist es um so bedeutsamer, daß sie ähnlich wie die Griechen, die nur die Guten als der Freundschaft fähig ansahen[99], den Grundsatz aufstellte Sir 6, 16f: Nur die Gottesfürchtigen sind zu wahrer Freundschaft fähig, u sie allein finden auch wahre Freunde. Verhältnismäßig früh findet sich auch im AT 5 schon die politische Freundschaft, so zwischen David u dem Philisterkönig Achis[100], ferner die des Königs Josaphat mit Ahab, vgl 2 Ch 19, 2, sowie später mit Ahasja, vgl 2 Ch 20, 37. Gleichfalls die Chronik verlegt die Einrichtung des πρῶτος φίλος τοῦ βασιλέως (→ 152, 12f) bereits in die Zeit Davids 1 Ch 27, 33; aber schon 3 Βασ 4, 5 wird ein ἑταῖρος τοῦ βασιλέως (des Salomo) erwähnt (→ A 74). 10

Im übertr Sinn (→ 148, 28ff; 146, 5ff. 27ff) kann in der Weisheitsliteratur von der Freundschaft mit der Weisheit geredet werden, so Sap 8, 18: ἐν φιλίᾳ αὐτῆς τέρψις ἀγαθή. Test L 13, 8 heißt es von der in der Furcht Gottes erworbenen σοφία: καὶ ἐν μέσῳ ἐχθρῶν εὑρεθήσεται φίλος.

4. Im palästinischen Judentum finden sich gewisse Formen 15 der Freundschaft, die aber alle einen anderen Charakter haben als die griech Freundschaft. Im rabb Judt wird der Begriff Freundschaft angewandt auf das Verhältnis zwischen **Schülern und Lehrern des Gesetzes**[101]. Wahrscheinlich sind schon Test L 13, 4 Schüler gemeint, wenn es vom Kenner des Gesetzes heißt: πολλοὺς φίλους ... κτήσεται. Um den Kollegen im Thorastudium handelt es sich bei den Freunden, deren 20 Ehre einem so hoch stehen soll wie die Ehrfurcht vor Gott Ab 4, 12. Die Enge der Freundschaft zwischen den Gesetzesbeflissenen zeigt auch die Trauer des RJochanan um Resch Laqisch bBM 84a[102]. Merkwürdigerweise ist bAZ 10b von einer solchen, freilich höchst einseitigen Freundschaft zwischen RJehuda Hanasi u Kaiser Antoninus (Mark Aurel oder Septimius Severus[103]), ja, von einem Freundschaftsbund zwischen 25 beiden die Rede bAZ 10b. 11a. Ähnlich wird AbRNat 6 u 19[104] Jochanan bZakkai sogar „Freund des Königs", dh hier des Kaisers[105], genannt.

Das bedeutsamste Beispiel einer engen u umfassenden Gemeinschaft im Judt der nt.lichen Zeit ist der יחד von Qumran. Wie schon dieser Name besagt, ist κοινωνία Philo Omn Prob Lib 84. 91 (→ III 803, 42f mit A 46), τὸ κοινωνικόν Jos Bell 2, 122 das 30 hervorstechendste Merkmal der Sekte. Aber handelt es sich hier wirklich um eine Gemeinschaft von Freunden? Jos Bell 2, 119 sagt zwar von den Essenern, sie zeichne eine größere gegenseitige Freundschaft aus als die übrigen Gruppen im Judt, φιλάλληλοι τῶν ἄλλων πλέον, u eine jener sprichwörtlichen Redensarten, mit denen die Alten das Wesen der Freundschaft charakterisierten, φίλοις πάντα κοινά (→ 149, 34ff), ist gewiß 35 in Qumran so vollkommen erfüllt wie kaum irgendwo sonst in der alten Welt; denn das πάντα bezieht sich ja wirklich auf alles, was zum Leben gehört, mit Ausn der Ehe[106]. Die Gemeinsamkeit von Haus, Lebensweise oder Tisch Philo Omn Prob Lib 86 findet man wohl bei keiner anderen Gemeinschaft in höherem Maße durch die Tat bekräftigt[107]. Auch Wissen, Anlagen, Fähigkeiten u Arbeit gehören zu den πάντα κοινά, vgl 40 1 QS 1, 11f. Philo Omn Prob Lib 84 rühmt zwar gerade auch die ἰσότης der Essener, das andere Merkmal der Freundschaft (→ 150, 8ff). Aber dem widerspricht die pedantisch strenge Rangordnung, vgl zB 1 QS 2, 22f, u bereits die scharfe Trennung

---

[98] Vgl Bultmann Trad 104f mit A 2 zu Sir 37, 10—15.

[99] Vgl zB Plat Lys 214d: ὁ ἀγαθὸς τῷ ἀγαθῷ μόνῳ μόνος φίλος.

[100] 1 S 27, bes v 12; vgl Kittel aaO (→ A 88) 121. Freilich ist die Stellung Davids mehr die eines Vasallen oder Lehnsmannes.

[101] Vgl MDGLanger, Liebesmystik der Kabbala (1956) 52—54, für die spätere Zeit 54—64.

[102] Trauer um den verstorbenen Freund spricht sich auch oft in griech Grabinschriften aus, zB Preisigke Sammelbuch I 5198, 5 (röm Zeit); Peek aaO (→ A 11) 342, 7 (2. Jhdt nChr), vgl 402, 2 (2./3. Jhdt nChr).

[103] Vgl Strack Einl 133.

[104] Vgl Schl Mt 373.

[105] Vgl den Gebrauch von βασιλεύς in Ag 17, 7 (dazu GStählin, Die Ag, NTDeutsch 5

[2][1966] z St); J 19, 15, ferner zahlreiche Beispiele aus der profanen Lit bei Pr-Bauer sv βασιλεύς, → I 576, 32ff.

[106] Nach Jos Bell 2, 160f; Damask 7, 6—9 (9,1f); 12, 1 (14, 4) uö; 1QSa 1, 4. 9f lebte ein Teil der Essener in Ehen. Nach Jos Bell 2, 120; Ant 18, 21; Philo, Apologia pro Iudaeis bei Eus Praep Ev 8, 11, 14 u wohl auch nach 1 QS praktizierte ein anderer Teil den Eheverzicht, vgl HBraun, Spätjüd-häretischer u frühchr Radikalismus I[2] (1969) 84f. 40 mit A 1 zu 1 QS; 131—133 zu Damask.

[107] Vgl auch die Schilderung Philos bei Eus Praep Ev 8, 11, 4f. 10—12. Zur Gütergemeinschaft in Qumran vgl Braun aaO (→ A 106) I 35f. 77f, zum gemeinsamen Mahl I 73 A 5.

von Sektenmitgliedern u Novizen, vgl Jos Bell 2, 150; 1 QS 5, 13—18. So wird man auf
die Gemeinschaft von Qumran den Begriff der Freundschaft kaum zu Recht anwenden können [108].

5   **5.** Der Hellenist Philo kann im Unterschied von diesen Aussagen des palästinischen Judt, jedoch in Weiterführung von Gedanken des AT (→
165, 11ff mit A 180f), speziell der Weisheit (→ 155, 11ff; A 181), von einer gegenseitigen Freundschaft zwischen Gott und seinen menschlichen Freunden
sprechen Fug 58; Plant 90. Der Freimut, mit dem Mose zu Gott spricht Ex 32, 32;
Nu 11, 12f. 22; Ex 5, 22f, ist ein Merkmal seines *Freundschaftsverhältnisses* φιλία zu
10   Gott: παρρησία φιλίας συγγενές Rer Div Her 21. Den Therapeuten wird durch ihre
ἀρετή, die sie Gott empfiehlt, seine φιλία vermittelt Vit Cont 90. „Freunde Gottes" [109]
sind bei Philo in erster Linie Abraham Sobr 56, vgl Abr 273 (→ A 184), u die beiden
anderen Patriarchen, vgl Abr 50, sowie Mose Sacr AC 130; Migr Abr 45; Vit Mos I
156; vgl Rer Div Her 21; Ebr 94. Aber sie alle sind es nach philonischem Verständnis
15   als Musterbeispiele der σοφοί, vgl οἱ σοφοὶ πάντες φίλοι θεοῦ Rer Div Her 21; ähnlich
Leg All III 1 (→ A 182). Aus diesen u anderen St, zB Fug 58; Ebr 94, kann
erschlossen werden, daß der Titel „Freund Gottes" im Sinn Philos allen Frommen gebührt. So könnte auch τὸ τῶν φίλων συνέδριον Som I 193, vgl ὁ φιλικὸς θίασος 196 verstanden werden; aber es ist dem Zshg nach τὸ προφητικὸν γένος Rer Div Her 265 gemeint,
20   dem in der Ekstase bes Offenbarungen gegeben werden. Der Titel οἱ φίλοι ist hier also
ebs abs gebraucht wie in den Philosophenschulen (→ 146, 1ff), vielleicht in den
Mysterienkulten (vgl → A 137) u bei den Christen (→ 160, 2ff; 164, 8ff). Aber,
was dort ab u zu mitklingen mag, gilt für Philo bestimmt: zu οἱ φίλοι ist hier τοῦ θεοῦ
zu ergänzen; denn φίλος ... ὁ προφήτης ἀνείρηται θεοῦ Vit Mos I 156 [110] (vgl → A 181).

25   Seiner hell Tradition entsprechend finden sich aber bei Philo vor allem auch zahlreiche Aussagen über die Freundschaft zwischen den Menschen [111]. Er sieht zB
in Mose u Josua eins der großen Freundespaare (→ 154, 4ff) Virt 55. 60 u nennt
φίλους εὐεργετέω neben der Ehrung der Eltern, der Barmherzigkeit gg die Armen u
dem Einsatz zum Schutz des Vaterlandes als Gott u den Menschen wohlgefälliges Tun
30   Mut Nom 40. Denn οὔτε φιλικῶν ἀμελὴς δικαίων θεὸς ἑταιρεῖος (nicht φίλιος, → A 60)
ὤν „Gott, der Hort der Freundschaft, mißachtet nicht die Rechte der Freundschaft"
u hat acht auf die Regeln, die unter Gefährten gelten Omn Prob Lib 44. Singulär ist
der Satz: Gott ist sein eigener συγγενής, οἰκεῖος, φίλος Leg All III 205. Wie Aristot ua
(→ 146, 5ff) gebraucht Philo φίλος auch verschiedentlich in übertragenem Sinn,
35   zB Deus Imm 55: τῶν ... ἀνθρώπων οἱ μὲν ψυχῆς, οἱ δὲ σώματος γεγόνασι φίλοι.

C. φίλος, φίλη, φιλία im Neuen Testament.

1. Der Sprachgebrauch.

φίλος kommt 28mal im NT vor, φίλη u φιλία nur je einmal. Wie
im AT die Wörter φίλος u φιλία (→ 153, 3ff) nur in stark hell beeinflußten Büchern
40   sich finden, so ist die Wortgruppe im NT fast ausschließlich auf die lk [112] u joh Schriften
beschränkt. Nur einmal steht φίλος in der Logienquelle Mt 11, 19 Par, u zweimal im
Jk: 2, 23; 4, 4; die letztere St bietet auch das einzige Vorkommen von φιλία. Der Bedeutung u Verwendung von φίλος nach nimmt Jk eine Sonderstellung gegenüber Lk
u Joh ein (→ 165, 4ff).

45   ### 2. φίλος (und φίλη) im lukanischen Schrifttum.

a. Von den 28 St mit φίλος im NT entfallen 17 auf Lk; dazu
kommt die eine St mit φίλη. Er trägt die φίλοι verschiedentlich dort ein, wo sie in der

---

[108] Jos Bell 2, 122 wendet einmal das Bild
der Familie für die Essener an, da sie alle wie
Brüder einen gemeinsamen Besitz haben.
Auch dieses Bild kann nur cum grano salis für
die Essener gelten.
[109] Gerade bei diesem Topos wird auch noch
bei Philo φίλος mit Dat u mit Gen konstruiert,
vgl Sobr 55f (→ A 1).
[110] Vgl SSandmel, Philo's Place in Judaism.
A Study of Conceptions of Abraham in Jewish
Literature (1956) 177 A 347. Zum abs Ge-

brauch von φίλος im Sinne von Freund Gottes
vgl auch Jub 30, 20f; 1 Cl 10, 1; Ps Clem
18, 13, 6.
[111] Vgl → Treu Freundschaft A IV.
[112] Ähnlich steht auch das, vor allem außerhalb des NT, so oft mit φίλος verbundene
(→ 146, 21ff; 152, 27f) συγγενής (συγγενίς,
συγγένεια) fast nur bei Lk, sonst nur in einer
spezifischen Verwendung im Römerbrief (→
VII 741, 1ff).

Parallelüberlieferung fehlen, vgl Lk 7, 6 mit Mt 8, 8; Lk 12, 4 mit Mt 10, 28; Lk 15, 6 mit Mt 18, 13; Lk 21, 16 mit Mk 13, 12 Par. Allerdings wird man eine gewisse Zurück- haltung des Hellenisten Lk darin sehen dürfen, daß auch er Jesus nie φίλος nennt, außer in dem alten Schmähwort 7, 34, das er aus der Logienquelle aufgenommen hat (→ 158, 18ff). Fast durchweg ordnet sich der lk Gebrauch von φίλος in die geläufigen 5 Formen der profanen Verwendung ein. Nur an drei St, Lk 12, 4; 16, 9; Ag 27, 3, kann man von einem spezifisch nt.lichen Gebrauch reden (→ 161, 1ff. 25ff; 160, 2ff); freilich haben auch fast alle anderen St eine irgendwie geartete theol Bdtg. Zunächst ist φίλος, der *Freund* im Sinn von der *Nahestehende*, der *gute Bekannte*, ähnlich wie συγγενής (→ VII 740 A 19) u meist wie dieses im Plural, so Lk 14, 12; 15, 6. 29; 21, 16, wohl auch Ag19, 31: 10 die Asiarchen waren *gute Bekannte* des Paulus. Als Sonderform dieses unspezifischen Ge- brauchs kann gelten der *Zechgenosse*, der *Kumpan* Lk 7, 34 Par, vielleicht auch 15, 29, doch ist hier eher an den *Jugendfreund* zu denken. Daneben kennt der Hellenist Lk auch den nahen *persönlichen Freund* Lk 11, 5. 8; 23, 12[113], den *Gastfreund* Lk 11, 6 u das Mitglied eines Kreises von Freunden, die sich um einen vornehmen Mann scharen 15 (→ 145, 9ff; 152, 11f) Lk 7, 6; Ag 10, 24, auch 16, 39 Cod D. Lk allein im NT ver- bindet φίλος eng mit zwei verwandten Begriffen, die auch sonst oft mit φίλος zu Paaren verbunden werden, mit συγγενής (→ A 112) u γείτων, so Ag 10, 24: συγ- καλεσάμενος τοὺς συγγενεῖς (→ VII 740, 22ff) αὐτοῦ καὶ τοὺς ἀναγκαίους[114] φίλους, Lk 15, 6: συγκαλεῖ τοὺς φίλους καὶ τοὺς γείτονας, ebs φίλη in v 9: συγκαλεῖ τὰς φίλας καὶ γεί- 20 τονας[115]. Weiterhin stellt Lk, entsprechend seiner stilistischen Vorliebe für Vierer- gruppen, φίλος Lk 14, 12; 21, 16 in solche Gruppen (→ VII 740, 14ff)[116].

b. Die Vorschrift von Lk 14, 12: „Wenn du ein Mahl be- reitest, lade nicht deine Freunde, Brüder, Verwandten oder die reichen Nachbarn ein" steht in ausgesprochenem Gegensatz zu den Spielregeln der Antike[117]. Hier 25 ist alles auf das Prinzip der Gegenseitigkeit gegründet[118], während Jesus dies ge-

---

[113] Der Vokativ φίλε, der Lk 11, 5 vom per- sönlichen Freund gebraucht ist, ist 14, 10 ab- geblaßt zur freundlichen Anrede eines Bekann- ten (vgl aber → A 148). Weil φίλε diesen freund- lichen Klang hat, fehlt es in der Antwort des Freundes in Lk 11, 7, vgl v 5, u in der Auf- forderung des Gastgebers Lk 14, 9, vgl v 10. Offenbar deutlich verschieden ist der Klang des Vokativs ἑταῖρε, der an allen St, Mt 20, 13; 22, 12; 26, 50 (→ 139 A 241), eine eindeutig negative Note hat (→ II 698, 14ff); etw anders Jeremias Gl[7] 137; schon Orig Comm in Mt 100 (GCS 38 p 220, 14—24) hat dies wahrgenom- men. Sonst besteht im NT, im Unterschied vom sonstigen Sprachgebrauch (→ 146, 10ff), keinerlei Beziehung zwischen φίλος u ἑταῖρος. Zu der Vorgeschichte der Vokativformen von φίλος (adj φίλε neben Subst φίλος) vgl RLoewe, Die idg Vokativbetonung, ZvglSpr 59 (1923) 189—192.

[114] ἀναγκαῖος φίλος, auch PFlor II 142, 3 (264 nChr), ist wie homo necessarius CMatius bei Cic Fam 11, 28, 2 ein *naher Freund*, vgl Pr-Bauer u Moult-Mill sv ἀναγκαῖος. Sehr lehr- reich ist auch der Abschnitt in Plat Resp IX 574b. c über das Verhalten des von der Ty- rannis des Eros Besessenen zu seiner νεωστὶ φίλη καὶ οὐκ ἀναγκαία ἑταίρα γεγονυῖα gegen- über seiner πάλαι φίλη καὶ ἀναγκαία μήτηρ u zu seinem νεωστὶ φίλος γεγονὼς οὐκ ἀναγκαῖος gegenüber seinem ἄωρός (*unansehlich gewor- denen*) τε καὶ ἀναγκαῖος πρεσβύτης πατὴρ καὶ τῶν φίλων ἀρχαιότατος.

[115] Vgl Jos Ant 9, 65: μετὰ ... γυναικὸς γειτνιώσης καὶ φίλης αὐτῇ τυγχανούσης.

[116] Vgl RMorgenthaler, Die lk Geschichts- schreibung als Zeugnis I (1949) 39f.

[117] Rein hypothetisch findet sich in der sokratischen Dialektik der Satz, man müsse „billigerweise zu den häuslichen Gastereien nicht die Freunde einladen, sondern die Bettler u der Sättigung Bedürftigen". Das klingt ganz wie die Regel Jesu; aber erstens ist die Begründung das gerade Gegenteil der seinigen: „denn diese werden ihnen ergeben sein ... u gar nicht kleinen Dank wissen u ihnen vieles Gute anwünschen", u zweitens stellt sich Sokrates selbst sofort auf den ent- gegengesetzten Standpunkt: „Aber es ist doch wohl angemessen, nicht diejenigen, die sehr bedürftig sind, sich zu Dank zu verpflichten, sondern diejenigen, die auch am meisten im- stande sind, ihren Dank abzutragen u die das ganze Leben hindurch in gleichem Maße Freunde sein werden" Plat Phaedr 233d— 234a. Es ist dasselbe Do-ut-des-Denken wie Hes Op 342f: „Lade zum Mahle den Freund dir ein, doch lade den Feind nicht. Den Mann lade zuerst, der dir am nächsten benachbart." Denn Nachbarn und Freunde sind die ersten Helfer in der Not 345. Anders ist es zu beur- teilen, daß Jose b Jochanan (um 140 vChr), die Regel aufstellt: Dein Haus sei weithin geöffnet; Arme seien deine Hausgenossen Ab 1, 5! Vgl dazu die Erläuterung mit den Beispielen Hiobs u Abrahams AbRNat 7 sowie bTaan 20b über das offene Haus des Rab Huna bei Str-B II 206f. Aber nie sollten die Armen statt der Freunde eingeladen werden!

[118] Vgl auch Hes Op 353—355, dazu → 114 A 20, ferner zB Xenoph Mem II 6, 28: „Ich bin ganz u gar darauf gerichtet, von den Menschen, die ich liebe, wiedergeliebt zu wer- den u in denen, nach denen ich mich sehne, die Sehnsucht nach mir zu wecken."

rade ausschließt: μήποτε καὶ αὐτοὶ ἀντικαλέσωσίν σε καὶ γένηται ἀνταπόδομά σοι[119].
Der Regel von Lk 14, 12 entsprechen genau die Sätze von Mt 5, 46f Par. Ein
Teil der Textzeugen (W Θ und der Koinetext) liest: ἐὰν ἀσπάσησθε (→ I 496, 46ff)
τοὺς φίλους (statt ἀδελφούς) ὑμῶν (5, 47). Nach dem Parallelismus membrorum ent-
5 sprechen[120] οἱ φίλοι ὑμῶν den ἀγαπῶντες ὑμᾶς (v 46), und wie sich in v 46 das beiderseitige ἀγαπᾶν entspricht, so v 47 das φίλον εἶναι und das ἀσπάζεσθαι[121]. Die Mauer
der sich hier aussprechenden Exklusivität der Gemeinschaft und der Liebe, deren
sich alle Menschengruppen zu allen Zeiten schuldig machen, ist es, die Jesus in
seiner Gemeinde durchbrechen will (vgl außer Mt 5, 42—48 Par; Lk 14, 12—14,
10 auch 21—23, besonders aber 10, 27—37).

Lk 14, 12 zeigt weiter, daß Freundschaft und Tischgemeinschaft Korrelatbegriffe sind[122]. Auch die Gedanken des älteren Sohnes in Lk 15, 29 richten
sich bei dem Festmahl, das für seinen heimgekehrten Bruder veranstaltet wird,
sofort auf seine Freunde. Das ausgelassene[123] Festessen (→ VII 795, 8ff) mit den
15 Freunden, das er sich gewünscht hätte, ist das profane Gegenstück zu dem Freuden-
und Versöhnungsmahl des Vaters. Wenn die glücklichen Finder von Lk 15, 6. 9
ihre Freunde und Freundinnen zusammenrufen, dann wohl zu einem Festmahl[124].
Denselben Zusammenhang und Vorstellungsgehalt, nur ins Ungute gewendet, verrät Lk 7, 34 Par: ἰδοὺ ἄνθρωπος φάγος καὶ οἰνοπότης, φίλος τελωνῶν (→ VIII 104, 27ff)
20 καὶ ἁμαρτωλῶν (→ I 306, 22ff). Vor allem die Tatsache, daß Jesus sich mit notori-
schen Sündern an einen Tisch setzt, begründet den Schimpf *Kumpan der Zöllner
und Sünder*. Das Kerygma von Jesus nimmt diesen Schimpf positiv auf; φίλος ist
aktiv und passiv zugleich: Jesus ist der, der die Sünder liebt und von ihnen wiedergeliebt wird, wie es beispielhaft Lk 7, 37—50 an der Fußwaschung (→ V 24 A 177),
25 dem Kuß (→ 137, 17ff) und der Salbung mit kostbarer Salbe (→ IV 808, 11ff mit
A 9) als Symptomen dankbarer Liebe zeigt (→ II 469, 31ff). Seit alters tritt die
enge Verbindung von Freund und Tischgemeinschaft[125] in der Einrichtung der

---

[119] Freilich steht auch bei Jesus ein Lohn-
motiv im Hintergrund, wie es das μήποτε κτλ
andeutet: das ἀνταπόδομα der Beschenkten muß
vermieden werden, weil alles auf die Erlangung des ἀνταπόδομα „bei der Auferweckung
der Gerechten" ankommt v 14. Ähnlich ist die
Begründung in v 10: das Ziel ist die eschatologische δόξα, die Gott gerade dem Demütigen
verleihen wird, v 11: ὑψωθήσεται. Dieser Um-
biegung der Tischregel in eschatologische
Paränese entspricht der gleichfalls eschatologische Schluß von v 12—14; die Pass von
v 11 u 14 sind als Pass divina zu deuten,
vgl dazu M Dibelius, Die Formgeschichte des
Ev [5](1966) 248f; Bultmann Trad 108 mit Anh;
Jeremias Gl[7] 191 f.

[120] Athenag Suppl 12, 3 gibt die Wendung
ἀγαπάω τοὺς ἀγαπῶντας geradezu mit στέργω
τοὺς φίλους wieder. Eben diese Interpretation
des hell Philosophen Athenagoras unterstützt
die Wahrscheinlichkeit, daß auch in Mt 5, 47
die LA φίλους eine spätere hell Änderung ist.

[121] Eben dies ergibt sich auch aus dem
Parallelismus membrorum in Test L aram
Fr 92 (Rießler 1177): „Zahlreich sind seine (sc

Josephs) Freunde (vgl Test L 13, 4), u die ihn
grüßen, sind Große", vgl R H Charles, The
Apocrypha and Pseudepigrapha of the Old
Testament II (1913) 367.

[122] Auch dieser Gedanke ist alt: der φίλος
des Großkönigs ist als solcher sein σύσσιτος u
σύμβουλος Hdt V 24, 3f. Auch im Griechentum
hatte die Freundschaft ihren Sitz im Leben ua
im Symposion. Das ξενίζειν *Gastieren* ist ein
Hauptmittel, durch das sich Freundschaft baut
Plat Ep 7, 333e (→ A 160).

[123] Vgl ἵνα μετὰ τῶν φίλων μου εὐφρανθῶ.
Cod D hat nur ἀριστήσω, hier wie 3 Βασ
13, 7; Lk 11, 37 nicht speziell vom Frühstück,
sondern in der Bdtg *ein Mahl halten*. Zum
Gebrauch von μετά (nicht σύν) bei Ausdrücken
der Gemeinschaft vgl Bl-Debr § 227, 2.

[124] Vgl Jeremias Gl[7] 134.

[125] Die Beziehung zwischen Freundschaft u
Tischgemeinschaft scheint auch in einigen joh
Texten im Hintergrund zu stehen, vgl J 11, 11
mit 12, 2, ferner 3, 29: der Freund des Bräutigams begleitet mit dem Bräutigam den Braut-
zug zum Hochzeitsmahl, vgl die zusammenfassende Darstellung bei Str-B I 505.

Gastfreundschaft in Erscheinung (vgl → 147, 1ff). Das ist die Grundlage des Gleichnisses Lk 11, 5—8: φίλος kommt hier viermal vor; dreimal ist es fast der *gute Nachbar* (v 5. 8), einmal aber (v 6) ist es der *liebe Gast*[126]; es kommt hier ganz nahe an die Bedeutung *Gastfreund* heran, vgl φιλέω *bewirten* (→ 115, 1ff)[127]. Die beiden Beziehungen der Nachbarschaft und der Gastfreundschaft umschließen eine heilige 5 Verpflichtung: der Freund als Nachbar und als Gastfreund muß für den Freund da sein. Diese Verhältnisse sind die entscheidende Voraussetzung für die Bildhälfte: der Freund darf bitten, und die Sachhälfte: der Freund will gebeten sein[128] (→ 161, 17ff); denn dieses Gleichnis steht in dem lukanischen „Gebetskatechismus"[129] Lk 11, 1—13. 10

c. Nahe benachbart sind Freundschaft und Freude. Man lädt die Freunde zum Fröhlichsein (→ 162, 15ff) ein (Lk 15, 6. 9. 29). Freilich ist die entgegengesetzte Verbindung noch wichtiger und charakteristischer: die **Teilnahme am Schicksal des Freundes**, zumal wenn es schwer ist: λέγω δὲ ὑμῖν τοῖς φίλοις μου, μὴ φοβηθῆτε ἀπὸ τῶν ἀποκτεννόντων τὸ σῶμα (Lk 12, 4). Freund- 15 schaft bedeutet Dienstleistungen, Fürsorge, Hingabe bis zur Hingabe des Lebens (→ 151, 19ff). Schon das Gleichnis vom bittenden und gebetenen Freund (Lk 11, 5—8) macht klar: sowohl qua Gastfreundschaft als auch qua Nachbar darf der Freund auch einen unbequemen Einsatz des Freundes erwarten. Die Freunde des Hauptmanns von Kapernaum stehen ihm selbstverständlich zu Diensten (Lk 7, 6). 20 Umgekehrt will der Hauptmann Cornelius seinen guten Bekannten und ihm nahestehenden Freunden Anteil geben an der größten Erfahrung seines Lebens, die ihm durch Gottes Boten angekündigt war (Ag 10, 24). In Ephesus setzen sich die nach der überraschenden Angabe des Lukas mit Paulus befreundeten[130] Asiarchen, wahrscheinlich die heidnischen Oberpriester der Provinz Asien, für die Erhaltung 25 des Lebens ihres Freundes ein (Ag 19, 31).

> Von Freunden des Pls ist nur hier u vielleicht Ag 27, 3 (doch → Z 33ff) die Rede. Einmal erwähnt Lk auch μαθηταί des Pls Ag 9, 25, unter denen vielleicht auch (junge) Freunde zu verstehen sind, weil wir sonst nie von Jüngern des Pls hören (→ IV 464, 1ff). Er selbst gebraucht die Vokabeln φίλος u μαθητής überh nie (→ VII 742, 12ff) u sagt 30 statt dessen ἀδελφός u τέκνον. Es könnte sein, daß Lk sich Pls als Haupt eines großen, ihm ergebenen Freundeskreises vorgestellt hat[131].

Auch Ag 27, 3 sind der Begriff φίλος und die Fürsorge[132] für den Freund offenbar koordiniert. Mit φίλοι sind weder Gastfreunde des Paulus in Sidon gemeint, noch, wie der Sprachgebrauch des Lukas nahezulegen scheint, persönliche Freunde des 35

---

[126] Vgl Jeremias Gl[7] 157; WGrundmann, Das Ev nach Lk, Theol Handkommentar z NT 3 [4](1966) zu 11, 6.

[127] Hier sind also Nachbar u Gastfreund, die beiden Begriffe, die oft mit dem Begriff Freund verknüpft werden (→ 157, 16ff; 147, 5ff), im Gebrauch von φίλος selbst verbunden.

[128] Vgl Jeremias Gl[7] 158f: „Das Gleichnis von dem nachts um Hilfe gebetenen Freund".

[129] Jeremias Gl[7] 158.

[130] Zur Konstr ὄντες αὐτῷ φίλοι vgl Bl-Debr § 190.

[131] Vgl → Michaelis 310—313. 328—334. → Fuchs 23—28 geht zweifellos zu weit in der Anwendung der Kategorie Freundschaft auf das Verhältnis der paul Gemeinden u zahlreicher einzelner Männer wie Philemon zu Pls. Durch sein an Aristot orientiertes Verständnis von Freundschaft kommt ein falscher Ton in die Aussagen des NT.

[132] Beispiele solcher freundschaftlicher Fürsorge für das Wohl des Freundes aus der außerbiblischen Antike bei → Schneidewin 141—144. Sprachlich verwandt ist Xenoph Symp 4, 46: ... ἐπιδεικνύναι ὡς ... σοῦ ἐπιμέλονται, sc οἱ φίλοι, sowie die Schilderung eines Freundes in Luc, Toxaris 31.

Apostels, deren freundschaftlicher Fürsorge Paulus während seines Aufenthalts in Sidon überlassen wurde. Vielmehr ist φίλοι eine Bezeichnung der Christen, deren Fürsorge für den Apostel von Lukas[133] und Paulus immer wieder erwähnt wird (vgl zB 2 K 11, 9; Phil 4, 10. 16. 18).

5   Dann erhebt sich die Frage, ob der klass gebildete Lukas sich einmal die Bezeichnung οἱ φίλοι für die Christen zu wählen erlaubt hat[134]. Dgg spricht aber, daß auch Joh diese Bezeichnung gekannt hat u selbst anwendet 3 J 15 (→ 164, 8ff)[135]. Daraus ergibt sich die weitere Frage, woher diese Bezeichnung stammt, die hinter anderen, bes οἱ ἀδελφοί (→ I 145, 8ff), sowohl bei Lk als auch bei Joh stark zurücktritt[136]. Es
10   wäre denkbar, daß die im Hell beheimateten Gemeinden eine Anleihe bei Selbstbezeichnungen anderer hell Gruppen gemacht haben[137]. Aber wahrscheinlicher ist, daß frühchristliche Gemeinden an Überlieferungen aus dem Jüngerkreis anknüpften. Gerade Lk (12, 4) u Joh (15, 13ff, → 163, 9ff; J 11, 11, → 163, 6ff), u nur sie, berichten, daß Jesus seine Jünger φίλοι nannte. Dahinter steht aber, bes J 15, der Gedanke: die
15   Christen, die Jesu Freunde u untereinander φίλοι sind[138], sind zugleich die neuen Freunde Gottes (→ 161, 21ff), uz als Mitglieder der familia Dei, als οἰκεῖοι (→ V 137, 10ff) τοῦ θεοῦ Eph 2, 19. Ohne daß der Name φίλοι gebraucht wird, sind viele Züge im Bild der Urgemeinde als Auswirkungen dieser φιλία zu verstehen, vor allem in Ag 2, 44—46; 4, 32 (→ A 52). Der Name φίλοι scheint in der Großkirche nicht weitergebraucht worden zu
20   sein, möglicherweise aber in gnostischen Gruppen[139].

d. Diesem vielfältigen positiven Bild der Freundschaft bei Lukas steht aber auch ein negatives Bild gegenüber. Zu den Motiven der messianischen Wehen gehört bei Lukas außer dem Umschlagen von Eltern-, Kinder- und Bruderliebe in Haß (vgl Mk 13, 12 und Mt 10, 21 [→ IV 694, 21ff]) auch die Ver-
25 wandlung von Freunden in Feinde: παραδοθήσεσθε δὲ καὶ ὑπὸ γονέων καὶ ἀδελφῶν καὶ συγγενῶν καὶ φίλων ... καὶ ἔσεσθε μισούμενοι ὑπὸ πάντων (Lk 21, 16f). Das Motiv einer solchen Wendung ist nicht an sich eschatologisch; denn es gehört zur allgemeinen Lebenserfahrung. Daher findet sich ebenso in der heidnischen Umwelt (→ 154, 30ff) wie im Judentum (→ 154, 24ff) die Sorge, Warnung und
30 Klage um die Unzuverlässigkeit der Freunde.

---

[133] Vgl Stählin aaO (→ A 105) zu 16, 15; 21, 16 ua.

[134] Harnack Miss 435.

[135] Vielleicht klingt diese Selbstbezeichnung der Christen auch Ev Pt 12, 51 an: (Maria Magdalena am Ostermorgen) λαβοῦσα μεθ' ἑαυτῆς τὰς φίλας.

[136] Nahe verwandt ist die Bezeichnung οἱ ἴδιοι Ag 4, 23; 24, 23, auch οἱ οἰκεῖοι θεοῦ Eph 2, 19.

[137] Harnack Miss 435 verweist auf die Epikureer, die sich „die Freunde" nannten (→ 146, 1ff). Wenn die Aberkios-Inschr aus dem Attiskult stammt, enthielte sie Z 17 einen Beleg für φίλοι als Bezeichnung der Kultgenossen des Attis, vgl HStrathmann-TKlauser, Artk Aberkios, in: RAC I 13.

[138] Keinesfalls darf man aber wie → Fuchs 28—33 viele nt.liche Motive der innergemeindlichen Ethik als Elemente wechselseitiger Freundschaft deuten, zB 1 K 13, 5.7. Die urchr ἀγάπη wurzelt in der ἀγάπη θεοῦ u verwirklicht sich in der durch diese ἀγάπη verbundenen Bruderschaft, der Gottesfamilie. Es ist wiederum ein falscher Ton (→ A 131),

wenn → Fuchs 32 sagt: Der chr Bruderbund trägt den Adel einer exklusiven, aristokratischen Freundschaft.

[139] Wenn die Aberkios-Inschr chr Herkunft ist, dann wäre Z 15: καὶ τοῦτον (sc ἰχθύν) ἐπέδωκε φίλοις ἔσθειν διὰ παντός ein Beleg für den Gebrauch von φίλοι als Selbstbezeichnung der Christen im 2.Jhdt, vgl Strathmann aaO (→ A 137) 16; FJDölger, ΙΧΘΥΣ I ²(1928) 134f. Steht dahinter aber eine gnostisierende Gruppe Harnack Miss 436, läge gnostischer Sprachgebrauch vor, vielleicht auch in der von Cl Al Strom VI 6, 52, 3f erwähnten Homilie des Gnostikers Valentin περὶ φίλων. In dem daraus zitierten Stück würde die Kennzeichnung einer wohl gnostischen Gemeinschaft als ὁ λαὸς ὁ τοῦ ἠγαπημένου (sc Christi, vgl Cl Al Strom III 4, 29, 2), ὁ φιλούμενος καὶ φιλῶν αὐτόν im Sinn einer Interpretation des Titels φίλοι verstanden werden dürfen, vgl AHilgenfeld, Die Ketzergeschichte des Urchr (1884) 301f; Harnack Miss 433—436; Jackson-Lake I 4, 326 zu Ag 27, 3; HJCadbury, Names for Christians and Christianity, ebd I 5, 379f; Stählin aaO (→ A 105) zu 27, 3.

e. Jesus nennt seine Jünger φίλοι[140] (Lk 12, 4). Dies braucht keine lukanische Eintragung (→ 160, 5ff) in das Bild des Verhältnisses von **Meister und Jüngern** zu sein[141]; dagegen sprechen auch hier wieder die johanneischen Parallelen (→ 163, 8ff)[142]. Natürlich ist es möglich, daß Lukas und Johannes bei dieser Bezeichnung an den hellenistischen Hofstil (→ 146, 35ff) 5 dachten[143]. Aber ausschlaggebend sind ganz andere Zusammenhänge. Die Bezeichnung φίλοι gehört letztlich hinein in den Bildbereich der Gottesfamilie. Diesen Zusammenhang beweist vor allem die Tatsache, daß Jesus die Jünger fast im gleichen Sinn (vgl J 15, 15 mit 20, 17) auch ἀδελφοί (→ I 145, 25ff) nennt[144]. Anders als in der griechischen φιλία (→ 150, 8ff) ist es keine Freundschaft von Gleichen[145]; 10 der Meister und Lehrer ist es, der seine Jünger und Schüler φίλοι nennt (→ 151, 15ff). Insofern ist es bezeichnend, daß Jesus bei Lukas und Johannes die Bezeichnung φίλοι gerade bei der Belehrung der Jünger über ihre Aufgaben und ihr Schicksal in der Zukunft verwendet (vgl Lk 12, 4f; J 14, 26).

f. In einigen Gleichnissen und Bildworten verbirgt sich 15 der Gedanke: **Gott ist der Freund der Menschen**, insbesondere der Jünger. Obwohl Lk 11, 5—8 (→ 159, 1ff) ein Vergleich mit einem Schluß a minori ad maius vorliegt — wenn schon der rechte Freund nicht einen Augenblick zögern kann, die Bitten seines Freundes zu erfüllen, wieviel mehr Gott[146] —, so steht dahinter doch die Vorstellung von Gott als dem besten Freund, der die Bitten 20 seiner Freunde erfüllt, freilich auch gebeten sein will. Enthalten ist also darin zugleich die korrespondierende Vorstellung: **die Jünger sind Gottes Freunde** (→ 165, 11ff)[147]. Dieselbe Vorstellung verrät auch das Lk 14, 11 angedeutete Verständnis des Gleichnisses: Gott ist der Herr und zugleich Gastgeber des eschatologischen Mahles, der seinen Freund (v 10) erhöht[148]. An Gott als Freund ist 25 möglicherweise auch bei dem Logion Lk 16, 9 gedacht: ἑαυτοῖς ποιήσατε φίλους ἐκ τοῦ μαμωνᾶ (→ IV 392, 14ff) τῆς ἀδικίας (→ I 152, 41ff), ἵνα ὅταν ἐκλίπῃ δέξωνται ὑμᾶς εἰς τὰς αἰωνίους σκηνάς. Man soll alles, was uns das Leben in dieser bösen Welt bietet, im Sinn der ἀγάπη zu Gott und den Menschen verwenden, um so Gott

---

[140] Apollonius v Tyana, dessen Erscheinung so viele Analogien zum NT bietet, nannte seine Jünger offenbar nie φίλοι, sondern ἑταῖροι, zB Philostr Vit Ap IV 29. 34; V 21, gelegentlich auch γνώριμοι, zB IV 47.

[141] So schreibt zB → Hauck 226 die Einführung des Q-Logions Lk 12, 4 dem griech Schriftsteller Lk zu.

[142] Auch in einem Agr bei Cl Al Quis Div Salv 33, 1 steht φίλοι als Bezeichnung der Jünger durch Jesus verbunden mit der gleichen Bezeichnung für die Christen untereinander: δώσω γὰρ οὐ μόνον τοῖς φίλοις, ἀλλὰ καὶ τοῖς φίλοις τῶν φίλων, vgl J 17, 20.

[143] Deißmann LO 324, vgl → V 838 A 11.

[144] Man kann fragen, warum Jesus bei Joh im Unterschied von der synpt Tradition seine Jünger vor Ostern wohl φίλοι, nicht aber ἀδελφοί nennt. Joh wollte wohl den hohen ἀδελφός-

Titel für die nachösterliche Zeit aufsparen, vgl J 20, 17.

[145] Ebs wenig vergleichbar sind aber auch die griech Freundschaften zwischen Ungleichen, wie die zwischen dem Liebhaber u seinem Liebling oder dem König u seinen φίλοι. Vgl auch → 145, 9ff; 151, 1ff. 14ff.

[146] Vgl Jeremias Gl⁷ 158f.

[147] Vgl Grundmann aaO (→ A 126) zu 11, 8. Es ist nicht zufällig, daß das Gleichnis Lk 11, 5—8 unmittelbar an das Vaterunser angeschlossen ist.

[148] Hinter der in den beiden παραβολαί vorkommenden Anrede φίλε steht in der Sachhälfte des Gleichnisses Lk 11, 5 Gott, zu dem der Beter wie zu einem Freunde sprechen darf, Lk 14, 10 der demütige Mensch, der von Gott dieser Anrede gewürdigt wird; vgl die Anrede ἑταῖρε in eschatologischen Gleichnissen Mt 22, 12; 20, 13 (→ A 113).

als „Freund" zu gewinnen[149]. Der Plural φίλοι könnte gegen diese Deutung sprechen; aber er ist durch die zwei Beispiele in v 5—7 bedingt und ermöglicht zugleich
das Verständnis von δέξωνται (v 9) als Umschreibung des Gottesnamens[150] (→
166, 5ff)[151]. Die Urgemeinde sah in der Beschimpfung Jesu von Mt 11, 19 Par
5 die Einsicht verborgen: seine Sünderliebe ist eine Gleichnishandlung für seine
Botschaft, daß Gott sich zum Freund[152] der Sünder macht[153].

3. φίλος in den johanneischen Schriften.

Johannes allein im Neuen Testament hat φίλος in der
Sonderbedeutung der (spezielle) *Freund des Bräutigams*, der *Brautführer* (J 3, 29;
10 → 152, 10f; IV 1094, 1ff). Als Bildwort für Johannes den Täufer will es
dessen nahe Verbundenheit und zugleich selbstlose Unterordnung gegenüber Jesus
anschaulich machen[154]; denn die Aufgaben des Brautführers setzen eine große
freundschaftliche Selbstlosigkeit voraus (vgl dagegen Ri 14, 20; 15, 2. 6).

Wie in vielen anderen Stücken[155] zeigt Johannes auch in der Vorstellung vom
15 Freund auffallende Gemeinsamkeiten mit Lukas: die Korrelation von Freund
und Freude (→ 159, 11f) tritt besonders stark zutage in dem Bildwort vom
Freund des Bräutigams ὁ ... φίλος τοῦ νυμφίου, ὁ ἑστηκὼς καὶ ἀκούων αὐτοῦ, χαρᾷ
χαίρει[156] διὰ τὴν φωνὴν τοῦ νυμφίου (J 3, 29). Der Zusammenhang von Freundschaft

---

[149] Vgl WMichaelis, Die Gleichnisse Jesu
³(1956) 265 A 163.

[150] Vgl Grundmann aaO (→ A 126) zSt;
Str-B II 221 mit jüd Parallelen zu dieser Umschreibung des Gottesnamens; vgl auch Lk
6, 38; 12, 20.

[151] Vielfach werden freilich die φίλοι hier
auch anders gedeutet, vgl ua Grundmann aaO
(→ A 126) zu 16, 9. Cl Al Quis Div Salv 31, 9—
33, 3 versteht darunter bedürftige Menschen,
für die man seinen Besitz verwenden soll u die
als Freunde Gottes einmal beim Gericht als
Fürsprecher auftreten werden. Jeremias Gl⁷
43 A 3 gibt dgg der Deutung auf Almosen u
andere gute Werke den Vorzug, die schon nach
jüd Erwartung gleichfalls einst vor Gott Für-
sprache einlegen werden, vgl Ab 4, 11 sowie
Str-B II 561f. Mit den φίλοι von Lk 16, 9
können aber auch die Engel gemeint sein, die
im NT auch sonst im Zshg mit dem Jüngsten
Gericht eine große Rolle spielen, vgl Mt 13, 41.
49; Lk 12, 8f; Apk 3, 5; 14, 10. Wiederum
sind auch schon im Judt die Engel oft als Fürsprecher gedacht, vgl HMHughes, The Greek
Apocalypse of Bar, in: Charles aaO (→ A 121)
531f; Str-B II 560f; NJohansson, Parakletoi
(1940) 75—178; OBetz, Der Paraklet, Arbeiten
zur Gesch des Spätjudt u dés Urchr 2 (1963)
60—64, u werden speziell als Freunde der Gerechten dargestellt gr Bar 15. Eine eschatologische Funktion haben die Engel auch Lk
15, 10, vielleicht ebs in der Deutung des
Parallelgleichnisses v 7, falls „im Himmèl" hier
ebs zu verstehen ist wie Mt 6, 10, dh *durch die
Engel, bei den Engeln*. Wie sonst oft, zB J 3, 27,
kann aber „Himmel" auch ehrfürchtige Umschreibung für Gott sein. Da die Engel jedoch

schon im Judt im Zuge der wachsenden Transzendenz Gottes einfach an seine Stelle treten,
macht es für das Verständnis von Lk 16, 9
wie von 15, 7 keinen wesentlichen Unterschied,
ob man die Freunde bzw den Himmel auf die
Engel oder auf Gott deutet.

[152] Daß die Götter Freunde der Menschen
sind, begegnet öfters in der griech Antike, zB
Xenoph Symp 4, 48f; zur Beiderseitigkeit des
Freundseins zwischen Göttern u Weisen vgl
Diog L VI 37 mit 72. Im AT bahnt sich das
kühne Theologumenon von Gott dem Freund
der Frommen an, vgl Hi 16, 21 (→ VI 311 A 13),
das dann im Judt mehrfach anklingt, zB b
Taan 24a. Zur Beiderseitigkeit des Freundseins
zwischen Gott u Abraham vgl Gn r 41, 8 zu
12, 17 bei Str-B III 755 (→ 166, 11ff). Zur
Freundesstellung Israels vgl Lv r 6, 1 zu 5, 1
bei Str-B II 138 (→ A 184; V 809, 21ff). Der
Gedanke wird dann auch von der alten Kirche
aufgenommen Const Ap VIII 39, 3; Cl Al Prot
12, 122, 3 (→ 167, 28ff).

[153] Vgl JSchniewind, Das Ev nach Mt,
NTDeutsch 2 ¹¹(1964) zu 11, 19a.

[154] Für die joh Darstellung des Verhältnisses
Jesus - Täufer ist das von großer grundsätzlicher Bdtg: der Bräutigam verhält sich zum
Freund wie φῶς J 1, 4f. 8 zu λύχνος 5, 35, wie
λόγος J 1, 1 zu φωνή 1, 23 u wie μονογενὴς θεός
1, 18 zu ἄνθρωπος 1, 6; vgl Bau J 15f.

[155] Vgl ua Grundmann aaO (→ A 126) 17—
22; Schl Lk² 466—469; PParker, Luke and the
Fourth Evangelist, NT St 9 (1962/63) 317—
336; JABailey, The Traditions Common to
the Gospels of Luke and John (1963).

[156] Zu dieser dativischen etym Figur vgl
Bl-Debr § 198, 6; Bultmann J zSt.

und Tischgemeinschaft (→ 158, 11 ff) wird besonders an den drei Geschwistern von Bethanien sichtbar (Lk 10, 38—42; J 12, 1—8). Lukas nennt sie freilich nie φίλοι, wohingegen Johannes die nahe, freundschaftliche Beziehung Jesu zu ihnen mehrfach zum Ausdruck bringt (J 11, 3. 5. 11. 36). Während sie in der Anwendung des Verbums φιλέω (11, 3. 5 Cod D und v 36) als persönliche Freundschaft erscheint, 5 macht Λάζαρος ὁ φίλος ἡμῶν (11, 11) deutlich, daß es sich zugleich um Jüngerschaft handelt (→ 129, 4 ff)[157].

J 11, 11 deutet schon an, daß auch der johanneische Jesus seine Jünger *Freunde* nannte. Die Stellung der Jünger als Freunde Jesu (15, 13—16) datiert von dem Tag seiner Wahl[158]: es war die freie Wahl des κύριος, durch die er seine δοῦλοι[159] 10 zu φίλοι erhob (→ II 279, 24 ff). Wie Gott seine Freunde im Alten Testament wählte (→ A 184; → 167, 3 f), so wählt Jesus seine Freunde[160]. Ihr Gehorsam gegen sein ἐντέλλεσθαι (v 14) bringt am schärfsten zum Ausdruck, daß es keine Freundschaft zwischen Gleichen ist (→ 161, 9 ff mit A 145): er bleibt der κύριος. Seine ἐντολή aber wird als das Liebesgebot bestimmt (v 17), das er selbst vollkommen 15 erfüllt (vgl v 10). Er stellt sich ihnen also doch gleich. Auf diese Gleichheit zielt auch v 15b: πάντα ἃ ἤκουσα παρὰ τοῦ πατρός μου ἐγνώρισα ὑμῖν. Das uneingeschränkte Sichmitteilen ist auch sonst ein Wesenszug echter Freundschaft (vgl → A 180). Die Jünger aber sollen es ihm ihrerseits gleichtun, vor allem andern in der Liebe (v 12) bis hin zur Hingabe des Lebens (v 13, vgl 1 J 3, 16). Mit dem 20 Satz μείζονα ταύτης ἀγάπην οὐδεὶς ἔχει, ἵνα τις τὴν ψυχὴν αὐτοῦ θῇ (→ VIII 155, 30 ff) ὑπὲρ τῶν φίλων αὐτοῦ (J 15, 13) hat Johannes wahrscheinlich eine antike Regel für die Freundschaft[161] in biblische Sprache gekleidet, um sie auf das Verhältnis Jesu zu seinen Jüngern und zugleich auf das Verhältnis der Jünger untereinander anzuwenden[162]. Die Freundschaftsregel steht hier also im Dienst des neutestament- 25

---

[157] Man könnte φίλος ἡμῶν auch als *unser Gastfreund* verstehen, vgl J 12, 2 (→ 159, 3 f). Aber Lazarus erscheint weder hier noch bei Lk als Hausherr; diese Rolle spielt in dem Haus in Bethanien nach Lk 10, 38 vielmehr Martha.

[158] ἐξελεξάμην J 15, 16 ist vorzeitig zu verstehen, ähnlich wie Ag 1, 2. Dementsprechend weist ὑμᾶς ... εἴρηκα φίλους v 15 zurück auf jenes zu Anfang geschaffene Faktum.

[159] οὐκέτι J 15, 15 darf demnach nicht so verstanden werden, als würde erst jetzt durch die Abschiedsreden ein neues Verhältnis zwischen Jesus u seinen Jüngern begründet, vgl allerdings 16, 29. Es weist vielmehr zurück auf eine Zeit, die vor der mit εἴρηκα u ἐγνώρισα bezeichneten Periode lag.

[160] Von der Wahl von Freunden wird auch in der außerbiblischen Antike geredet; vgl zB Chrysippus fr 112 (v Arnim III 27): φιλία καθ' αἵρεσιν. Luc, Toxaris 37 erzählt von den Prinzipien der Freundeswahl bei den Skythen. Im übrigen wird in der antiken Lit viel darüber nachgedacht, wie Freundschaft entsteht Plat Lys 212 a, u mancherlei Antworten werden auf diese Frage gegeben, vgl insbesondere noch Cic Fam 3, 10, 9; 5, 15, 2. Die rechten Freunde sind φύσει φίλοι Plat Lys 221 e; Phaedr 255 a; ἡ ἐπιθυμία τῆς φιλίας αἰτία Lys 221 d; Gleich-

altrigkeit bewirkt die Freundschaft Phaedr 240 c; denn vielfach gehen Freundschaften auf die früheste Jugend zurück, zB Luc, Toxaris 12. Plat Ep 7, 333 e stellt zwei ganz verschiedene Ursprünge der Freundschaft nebeneinander: ἐκ φιλοσοφίας u ἐκ τοῦ ξενίζειν τε καὶ μυεῖν καὶ ἐποπτεύειν, aus gemeinsamen Mahlfeiern und Weihen. Aus diesen Worten Platos muß man schließen, daß gemeinsame Zugehörigkeit zu einem Kult u damit zu einer Kultgenossenschaft, bei der die gemeinsamen Mahlzeiten eine große Rolle spielten, ein häufiger Grund der Freundschaft war. Die Dichter dgg τὸν θεὸν αὐτόν φασιν ποιεῖν φίλους αὐτούς, ἄγοντα παρ' ἀλλήλους Lys 214 a, Dieser Satz klingt ähnlich wie J 15, 16; aber es ist Eros gemeint, der die Gleichen zusammenführt.

[161] Vgl Mi R[13] 134 A 1; → Grundmann 62—69, sowie → 151, 19 ff.

[162] Die entscheidende Wendung τίθημι τὴν ψυχὴν ὑπέρ τινος (auch J 10, 11. 15. 17 f; 1 J 3, 16) ist wahrscheinlich als Übersetzungsvariante für die παραδιδόναι-Formel (→ V 708, 1 ff) aus Js 53, 12 LXX anzusehen, vgl W Popkes, Christus traditus, Abh Th ANT 49 (1967) 190—193. Sie kann an sich die doppelte Bdtg *das Leben aufs Spiel setzen* u *das Leben hingeben* haben (ebs wie ὑποτίθημι τὸν τράχηλον

lichen Stellvertretungsgedankens, der bei Johannes nicht nur auf Christus, sondern auch auf die Christen angewandt wird (1 J 3, 16). Die Forderung an die Jünger, wie Jesus ihr Leben für die Freunde (bzw Brüder) hinzugeben, ist im Grunde schon in J 15, 12 enthalten: darin bewähren sie sich als Jesu Freunde, die
5 lieben wie er, daß sie ihr Leben füreinander hingeben[163]. Das Wort von der größten Liebe (v 13) gilt also für die Jünger wie[164] für Jesus. Der Freundesspruch hat hier einen doppelten Sinn, einen soteriologischen[165] und einen paränetischen[166].

Wie Lukas (→ 159, 33ff) kennt auch Johannes φίλοι als Selbstbezeichnung der Christen. Der 3. Johannesbrief schließt mit den gegenseitigen Grüßen der
10 Freunde: ἀσπάζονταί σε οἱ φίλοι. ἀσπάζου τοὺς φίλους κατ᾽ ὄνομα (v 15). Zweifellos hat hier die Bezeichnung φίλοι in Verbindung mit dem Grüßen (→ 158, 2ff) Anteil an der Exklusivität der johanneischen Gemeinden[167] (→ 128 A 162). Trotzdem würde die Übersetzung *Gesinnungsgenossen*[168] oder gar *Parteigenossen*[169] den entscheidenden Sinn verfehlen, der für diesen Titel auch hier gilt: die in der Ver-
15 bundenheit mit Jesus zu Freunden Gewordenen, die *Glaubensgenossen*. Der Verfasser des 3. Johannesbriefes nimmt zwar eine vielgebrauchte Formel auf (→ 135, 5ff mit A 214). Aber sie ist, anders als in den profanen Briefen, ganz durch den Charakter der johanneischen Gemeinden geprägt (anders → I 499, 28f): es sind Glaubensgenossen, die grüßen und gegrüßt werden; freilich haftet an diesem ἀσπάζεσθαι
20 dieselbe Exklusivität wie in Mt 5, 47 (→ 158, 4ff).

Bei Johannes kommt auch einmal, nur hier im Neuen Testament[170], der politische φίλος-Begriff vor. Dem mit der Verurteilung Jesu zögernden Pilatus rufen die Juden zu: ἐὰν τοῦτον ἀπολύσῃς, οὐκ εἶ φίλος τοῦ Καίσαρος (19, 12). Ob dieser Titel hier im technischen Sinn[171] (→ 145, 15ff) gebraucht ist, mag be-

---

R 16, 4 u παραβολεύομαι τῇ ψυχῇ Phil 2, 30), wird aber durch die wahrscheinliche Herkunft aus Js 53, 12 im zweiten Sinn bestimmt.

[163] Das synpt Gegenstück zu J 15, 13 ist Mk 8, 35 Par: Hingabe des Lebens der Jünger für Jesus, nur daß hier bezeichnenderweise ἕνεκεν ἐμοῦ steht u nicht die ὑπέρ-Formel, die nur Pls auf sich anzuwenden wagt, zB Kol 1, 24 (→ VIII 511, 24ff), vgl auch 1 K 4, 13 (→ VI 91, 5ff).

[164] Dieses Wie wird nachdrücklich von GPWetter, „Der Sohn Gottes", FRL 26 (1916) 62f als charakteristisch für Joh herausgearbeitet; vgl Bultmann J 417 A 7.

[165] Vgl → Dibelius 215—217; ELohse, Märtyrer u Gottesknecht ²(1963) 134; → Grundmann 63—69.

[166] Von da aus sind die Aussagen des Petrus J 13, 37 u des Thomas 11, 16 über ihre Bereitschaft zur Lebenshingabe für Jesus im Sinn des Joh als Beteuerungen ihrer Freundschaft für ihn anzusehen. Als Bewährung solcher Freundschaft der Christen untereinander hat darum auch das Verhalten des Aquila u der Prisca R 16, 4 sowie des Epaphroditus Phil 2, 30 zu gelten (→ A 4; → 151, 19ff).

[167] Vgl EKäsemann, Ketzer u Zeuge, Exegetische Versuche u Besinnungen I⁴ (1965) 178f mit A 38.

[168] So FHauck, Die Kirchenbriefe, NT Deutsch 10 ⁶(1953) zSt; ähnlich JSchneider,

Die Briefe des Jk, Pt, Jd u Joh, NTDeutsch 10 ²(1967) zSt.

[169] So Bü J zSt.

[170] Allenfalls könnte man in der nur von Lk 23, 12 berichteten Freundschaft des Herodes Antipas u des Pilatus eine politische Freundschaft sehen.

[171] Vgl KCAtkinson, Some Observations on Ptolemaic Ranks and Titles, Aegyptus 32 (1952) 204—214; EBammel, Φίλος τοῦ Καίσαρος, ThLZ 77 (1952) 205—210; MBang, Die Freunde u Begleiter der Kaiser, in: LFriedländer—GWissowa, Darstellungen aus der Sittengeschichte Roms in der Zeit von August bis zum Ausgang der Antonine⁹·¹⁰ IV (1921) 56—76; EBikerman, Institutions des Séleucides (1938) 36—50; JCrook, Consilium Principis. Imperial Councils and Counsellors from Augustus to Diocletian (1955) 21—30; Deißmann B 159f; FDölger, Die „Familie der Könige" im Mittelalter, in: Byzanz u die europäische Staatenwelt (1953) 34—69; HDonner, Der „Freund des Königs", ZAW 73 (1961) 269—277; AMomigliano, Honorati Amici, Athenaeum NS 11 (1933) 136—141; KJNeumann, Artk Amicus, in: Pauly-W 1 (1894) 1832f; JOehler, Artk Amicus, in: Pauly-W 1 (1894) 1831f; HHSchmidt, Artk Philoi, in: Lexikon der Alten Welt (1965) 2299f; ML Strack, Griech Titel im Ptolemäerreich, Rhein Mus 55 (1900) 161—190; MTrindl,

zweifelt werden; denn die Juden vermögen Pilatus den Titel nicht zu entziehen, sie geben vielmehr ein Urteil über das Verhältnis des Pilatus zum Kaiser ab. Wohl aber knüpft das Wort an den geläufigen Hoftitel an (→ 146, 24ff)[172].

4. φίλος und φιλία im Jakobusbrief.

Die beiden Stellen, an denen φίλος vorkommt (2, 23; 4, 4, [5] hier auch φιλία), kreisen in verschiedener Weise um die Freundschaft Gottes. In 4, 4 setzt der ἐχθρὸς τοῦ θεοῦ als Gegenstück den φίλος τοῦ θεοῦ voraus und die φιλία τοῦ κόσμου die φιλία τοῦ θεοῦ[173]. Wer Freundschaft mit der Welt pflegt, wird[174] notwendig zu einem Feinde Gottes. Voraussetzung dieser These ist ein Dualismus, der immerhin vergleichbar ist mit dem des Johannes[175], wie er sich [10] besonders in 1 J 2, 15 ausspricht[176]. Jk 2, 23 ist die einzige Stelle im Neuen Testament, an der der Titel[177] *Freund Gottes*[178] vorkommt: ἐπληρώθη ἡ γραφὴ ἡ λέγουσα· ἐπίστευσεν δὲ ᾿Αβραάμ (→ I 8, 11ff) τῷ θεῷ καὶ ἐλογίσθη αὐτῷ εἰς δικαιοσύνην, καὶ φίλος θεοῦ ἐκλήθη[179]. Ob der dritte Satz mit den beiden vorausgehenden als Teil des Zitats gedacht ist, ist nicht ganz sicher, aber wahrscheinlich. Man wird eine [15] Anspielung auf Stellen wie Js 41, 8 und 2 Ch 20, 7 anzunehmen[180] und die Herkunft des Motivs vom Gottesfreund im Alten Testament[181] und nicht im

---

Ehrentitel im Ptolemäerreich (Diss München 1937 [1942]) 35—40, vgl 9—73; HWillrich, Zum hell Titel- u Ordenswesen, Klio 9 (1909) 416—421. Zum Weiterleben des politischen φίλος-Titels durch das MA, zumal im byzantinischen Reich vgl Dölger 39 mit A 8; 47. 51. 65 mit A 74.

[172] Daß hier ein neuralgischer Punkt berührt wird, kann man sich etwa daran deutlich machen, daß es von eminenter Bdtg war, welche Stelle man in der Rangliste der amici Caesaris einnahm: nur die zur ersten Klasse Gehörigen waren im eigtl Sinn hoffähig; vgl TMommsen, Röm Staatsrecht III 1 (1887) 556. Denn wie schon an den Diadochenhöfen (vgl bes Trindl aaO [→ A 171] 23—26. 50—64) wurden auch in Rom verschiedene Klassen von kaiserlichen bzw königlichen Freunden unterschieden.

[173] Der Gedanke, daß sich zwei Freundschaften ausschließen können, begegnet schon Hom Il 9, 613f; vgl Plut, De amicorum multitudine 6 (II 96a); fr 4 (→ A 24); → Normann 20. 80—99.

[174] καθίσταμαι wie R 5, 19 im Sinn von *werden* oder *sich erweisen*.

[175] Vgl OBöcher, Der joh Dualismus im Zshg des nachbiblischen Judt (1965) 72—74. 142—145.

[176] Vgl JMoffatt, Love in the New Testament (1930) 272—275.

[177] Die Sache steht zumindest bei einigen Logien u Gleichnissen Jesu im Hintergrund, vgl Lk 12, 4; 11, 8; 14, 10 (→ 161, 15ff).

[178] Vgl EBarnikol, Artk Gottesfreund, in: RGG³ II 1789f; FDirlmeier, θεοφιλία—φιλόθεια, Philol 90 (1935) 57—77. 176—193; REgenter, Gottesfreundschaft. Die Lehre von der Gottesfreundschaft in der Scholastik u Mystik des 12. u 13. Jhdt (1928); G van der

Leeuw, Phänomenologie der Religion ²(1956) 542—544; HNeumark, Die Verwendung griech u jüd Motive in den Gedanken Philons über die Stellung Gottes zu seinen Freunden (Diss Würzburg [1937]); EPeterson, Der Gottesfreund, ZKG 42 (1923) 161—202; FPfister, Artk Kultus, in: Pauly-W 11 (1922) 2128; HSpeyer, Die bibl Erzählungen im Qoran (Nachdruck 1961) 173; MVidal, La Theophilia dans la pensée religieuse des Grecs, Recherches de Science Religieuse 47 (1959) 161—184.

[179] Vgl Dib Jk¹¹ zSt, bes 161f u 212f; Hck Jk zSt; Kn Cl zu 1 Cl 10, 1; EHennecke, Altchristliche Malerei u altchristliche. Lit (1896) 212 mit A 6; EFascher, Abraham, Φυσιολόγος u Φίλος θεοῦ, Festschr TKlauser (1964) 111—124.

[180] Abraham erhält die dem Titel Gottesfreund entsprechende Bezeichnung אֹהֵב, wenn Israel in Js 41, 8; 2 Ch 20, 7 der Ehrenname „Sproß, Nachkomme Abrahams" אֹהֲבִי (bzw אֹהַבְךָ) gegeben wird. Man kann diese Wendung mit *mein* bzw *dein* (dh Gottes) *Freund* wiedergeben, vgl Js 41, 8 Σ Vg; 2 Ch 20, 7 Vg; vgl ferner Jdt 8, 22 Vg. Bes wichtig ist Gn 18, 17 (obwohl im Urtext jede entsprechende Bezeichnung fehlt): ein wahrer Freund hat vor seinem Freund kein Geheimnis. Darum sagt Gott: „Soll ich vor Abraham geheim halten, was ich tun will?"; vgl Philo Sobr 56, wo Gn 18, 17 gg HT u LXX in der Form μὴ ἀποκαλύψω ἐγὼ ἀπὸ ᾿Αβραὰμ τοῦ φίλου μου zitiert wird; Tg J II (ed MGinsburger [1899]) zu Gn 18, 17; dazu Sandmel aaO (→ A 110) 44 A 130.

[181] Der voll ausgebildete Begriff Gottesfreund findet sich im HT nicht, aber es sind Ansätze vorhanden, vgl → A 180, ferner Ex 33, 11:

griechischen[182] oder ägyptischen[183] Gebrauch zu suchen haben. Abraham ist der einzige, dem das Neue Testament den Ehrentitel φίλος ϑεοῦ zuerkennt (→ A 177), wie er denn im ganzen jüdischen Bereich weitaus am häufigsten als Freund Gottes bezeichnet wird[184]. Durch die Verbindung mit Gn 15, 6 kommt der Sinn von φίλος

5 ϑεοῦ hier ganz nahe an „der durch Glauben Gerechte" heran. Das zu dem aus dem Alten Testament aufgenommenen Titel hinzugefügte ἐκλήϑη wird wie ἐλογίσϑη als Passivum divinum zu verstehen sein, dh Gott selbst hat Abraham den Ehrentitel Gottesfreund verliehen (vgl J 15, 15: ὑμᾶς εἴρηκα φίλους, → 163, 11ff). Der Aorist legt nahe, an ein bestimmtes Ereignis im Leben Abrahams zu denken[185]. Als

10 Grund für die Verleihung des Freundestitels durch Gott sind nach dem Zusammenhang die Werke des Glaubens Abrahams anzusehen[186]. Wenngleich die Liebe Abra-

---

Jahwe redete mit Mose von Angesicht zu Angesicht, wie jmd mit seinem Freunde redet. In Sap 7, 27 sind die Gottesfreunde wie die Propheten ein Werk der in ihnen wohnenden göttlichen Weisheit. Möglicherweise werden hier die φίλοι ϑεοῦ mit den Propheten gleichgesetzt, diesen also der Titel Gottesfreund verliehen. In 2 Ch 20, 7 LXX: σπέρματι Αβρααμ τῷ ἠγαπημένῳ σου ist ἠγαπημένος wie ein mit φίλος synon Subst behandelt u darum mit Gen konstruiert anstatt mit ὑπό.

[182] Zum Titel Gottesfreund (→ A 152) in der griech Welt vgl → Normann 28—30; Peterson aaO (→ A 178) 165—172; Reitzenstein Hell Myst 185. Als Freunde der Götter gelten vor allem Helden Hom Il 20, 347, vgl Od 6, 203, Herolde Il 8, 517, Priester Il 1, 381, Dichter Od 8, 480f; Hes Theog 96f, die Menschen des Goldenen Zeitalters Hes Op 120, οἱ ἀγαϑοὶ ἄνδρες Plat nach Cl Al Strom V 14, 96, 1, die Stoiker Pseud-Plut Vit Poes Hom 143, die Frommen Max Tyr 14, 6f (Hobein), die Weisen Plat Leg IV 716d; Aristot Eth Nic X 9 p 1179a 22—30 (vgl dazu aber VIII 9 p 1158b 35ff; Dirlmeier aaO [→ A 21] 520f zu 180 A 3 f); Diogenes nach Diog L VI 37; vgl VI 72; Philo Vit Mos I 156; Rer Div Her 21 (→ 156, 15), s Joh W 1 K zu 3, 21—23; Dib Jk[11] 212 mit A 3. Einzelne Gestalten, die mit dem Ehrentitel Gottesfreund bzw Götterfreund ausgezeichnet werden, sind zB Epict, vgl seine angebliche Grabinschrift Anth Pal 7, 676, Apollonius von Tyana Philostr Vit Ap I 12; Apollonius, ep 11 (ed CLKayser, Flavii Philostrati opera I [1870] 348); Flavius Vopiscus, Divus Aurelianus 24, 3 (ed EHohl, Scriptores Historiae Augustae II [1927] 167). Schließlich gibt man den Ehrentitel *Freund der Götter* auch geliebten Toten Epigr Graec 460, 1; 569, 9 (2./3.Jhdt nChr); 650, 2 (3. Jhdt nChr) (→ V 493, 20); Juncus bei Stob Ecl V 1109, 14f sowie Sternen u Sterngeistern Max Tyr 11, 12a (Hobein). Vgl ferner Eigennamen wie Diphilos, Menophilos, Theophilos.

[183] Schon im alten Ägypten war „Freund eines Gottes" sowohl ein Titel der Könige, vgl ELehmann-HHaas, Textbuch zur Religionsgeschichte (1922) 332; AErmann—HRanke, Ägypten u ägyptisches Leben im Altertum

[2](1923) 58, als auch der Priester, vgl AErman, Die Lit der Ägypter (1923) 88.

[184] In der jüd Lit, die nicht mehr Aufnahme in die LXX fand, ist der Titel für Abraham voll ausgebildet Jub 19, 9; Apk Abr 9, 6; 10, 6; Test Abr 13 (p 117, 18f). In dieser Periode werden auch andere bibl Gestalten als Freunde Gottes bezeichnet: Levi Jub 30, 20, Jakob Joseph u Aseneth (ed MPhilonenko [1968]) 23, 10, Mose Sib 2, 245. Kollektiver u abs Gebrauch des Titels begegnen Jub 30, 21, vgl auch v 20. In der rabb Lit wird der Titel *Freund Gottes* bevorzugt dem Volk Israel gegeben Str-B II 138; III 755; vgl auch II 564; III 682, nicht so häufig dgg dem Erzvater Abraham Str-B III 755, vgl auch II 138. Im selben Sinn wird Abraham auf Grund von Jer 11, 15 *Liebling Gottes* oder der *Liebling* schlechthin (יְדִיד) genannt bMen 53b; in 53a.b werden außer Abraham auch Salomo wegen 2 S 12, 25, Benjamin wegen Dt 33, 12 u Israel wegen Jer 12, 7 *Lieblinge Gottes* genannt. Auch Mose heißt *Freund Gottes* Str-B III 683; vgl → A 181. In Ab 6, 1 wird derjenige, der sich mit der Thora um ihrer selbst willen beschäftigt, ein רֵעַ u אָהוּב so Gottes genannt. In Qumran gilt Abraham als Freund Gottes Damask 3, 2 (4, 2), vgl Str-B II 565; III 755; der gleiche Titel wird Damask 3, 3f (4, 3) Isaak u Jakob zuerkannt. Philo (→ 156, 4ff) ehrt Abraham, Isaak u Jakob als Gottes Freunde Abr 50 sowie Mose Vit Mos I 156; Rer Div Her 21. Aus dieser St (οἱ σοφοὶ πάντες φίλοι ϑεοῦ) wie aus Fug 58 kann ein allg Gebrauch des Titels für alle Frommen nach dem Ideal Philos (→ 156, 14ff) erschlossen werden.

[185] zB an Gn 15, 1—6, so wohl auch Jub 19, 9, oder an Gn 22, 9f, vgl dazu Jk 2, 21. Andere Anführungen des Titels gründen ihn auf andere Vorgänge: 4 Esr 3, 14; Apk Abr 9, 6 etwa auf Gn 15, 7—21 (vgl 13, 16; 22, 17) oder 1 Cl 10, 1f auf Gn 12, 1ff sowie Cl Al Strom IV 17, 105, 3 auf Gn 18, 1—8.

[186] Anderswo werden verwandte, aber auch andersartige Gründe angegeben: weil Abraham Gott traute u sich in allen Versuchungen bewährte Jub 19, 9, weil er Gott suchte Apk Abr 9, 6, weil er Gottes Gebote hielt Damask

hams zu Gott bei dem Titel Gottesfreund mitschwingt (→ A 186), so ist doch, im Unterschied von φιλία und φίλος in Jk 4, 4 und φιλόθεος in 2 Tm 3, 4, das passive Element vorherrschend (vgl → A 2). Dies eben liegt auch in dem Passiv ἐκλήθη: Abraham ist der von Gott Geliebte, Erwählte.

D. φίλος und φιλία in der Zeit nach dem Neuen Testament. 5

I. In der altkirchlichen Literatur.

1. Aufs Ganze gesehen ist der Gebrauch der Wortgruppe in der chr Lit nach dem NT gering[187]; er tritt zurück hinter dem von ἀγάπη — ἀγαπάω[188] u ἔρως — ἐράω. Immerhin erscheinen Vokabeln vom Stamme φιλ- verschiedentlich in Zitaten von St des NT, in denen dort andere Wörter stehen; zB wird Did 1, 3 das ἀγα- 10 πᾶτε von Mt 5, 44 Par durch φιλεῖτε ersetzt (→ A 120). In mehreren Fällen stehen solche Abänderungen des Wortgebrauchs freilich im Rahmen von beträchtlicheren Abwandlungen der nt.lichen Aussagen. So erscheint Lk 6, 32 (vgl Mt 5, 46) bei Ign Pol 2, 1 in der Form: καλοὺς μαθητὰς ἐὰν φιλῇς, χάρις σοι οὐκ ἔστιν. Die allg Regel Jesu ist auf den Bischof umgemünzt: er soll sich lieber um die λοιμότεροι in seinen Gemeinden bemühen, 15 statt sich nur zu den guten Christen freundlich zu verhalten. 2 Cl 6, 5 wandelt das Logion von den zwei Herren in Mt 6, 24 Par in einen Spruch über die zwei Äonen ab: οὐ δυνάμεθα ... τῶν δύο (sc αἰώνων) φίλοι εἶναι· δεῖ δὲ ἡμᾶς τούτῳ ἀποταξαμένους ἐκείνῳ χρᾶσθαι (→ 168, 24ff; A 173). Const Ap IV 13, 2 scheint eine Variante des Ge- dankens von R 13, 8 zu sein: μηδενί τι χρεωστεῖν εἰ μὴ τῆς φιλίας σύμβολον, ὃ ὁ θεὸς διε- 20 τάξατο διὰ Χριστοῦ[189]. Zu solchen Abwandlungen nt.licher Aussagen gehört auch Ev Pt 2, 3[190]; hier wird Joseph von Arimathia, der zwar nach Mt 27, 57 u J 19, 38 dem weiteren Jüngerkreis Jesu angehörte, aber mit Pilatus kaum schon vorher bekannt war (vgl τολμήσας Mk 15, 43), nicht nur zu einem Freund Jesu[191], sondern auch des Pilatus gemacht. Damit werden zwei ganz verschiedenartige Freundschaften unter dem 25 einen, freilich in allen Sprachen ziemlich weiten Oberbegriff Freund zusammen- gefaßt.

2. Auch in der Lit der nachneutestamentlichen Zeit wird öfters die Gottesfreundschaft Abrahams (→ 165, 11ff) geltend gemacht, so schon 1 Cl 10, 1; 17, 2, ferner Ps-Cl Hom 18, 13; Tertullian, Adversus Judaeos 2 (CSEL 70 [1942] 30 256). (Apollonius) Molon deutete nach Alexander Polyhistor bei Eus Praep Ev 9, 19, 2 den Namen Abraham als πατρὸς φίλος u dies als θεοῦ φίλος[192]. Auch Mose wird gele- gentlich noch als Gottesfreund erwähnt; so sieht Greg Nyss Ziel u Höhepunkt des Auf- stiegs des Mose[193] in seiner Freundschaft mit Gott[194]. Häufiger ist die kollektive An-

---

3, 2 (4, 2), weil er Gott gehorchte 1 Cl 10, 1, ähnlich Bas, Contra Eunomium V (MPG 29 [1857] 752c); wegen seines Glaubens u seiner Gastfreundschaft Cl Al Strom IV 17, 105, 3 in einem freien Zitat von 1 Cl 10, 1. Die Gastfreundschaft Abrahams Gn 18, 1—8 wird auch sonst als Grund für die Verleihung des Ehrentitels genannt, vgl Peterson aaO (→ A 178) 173, so daß dieser fast wie „der Gast- freund Gottes" klingt, vgl dazu Plat Leg IV 716d; Hom Il 1, 381; 22, 168f. Für die nachneutestamentliche Zeit → Z 28ff.

[187] Vgl Moffatt aaO (→ A 176) 47.

[188] Das entspricht dem statistischen Bild in der LXX u im NT (→ 123, 3ff; 126 7ff).

[189] Was mit diesem singulären σύμβολον φιλίας gemeint ist, ist mehrdeutig. Man könnte an die rechte Feier der Agape oder des Herrenmahls denken, auch an die praktische

Verwirklichung der κοινωνία im Sinn v Ag 2, 42, an das φίλημα τῆς ἀγάπης (→ 138, 6ff), an die Anrede „Brüder" oder „Freunde" u das entsprechende Leben, an den Lebenseinsatz für die Freunde J 15, 13 (→ 163, 20ff), allen- falls auch an die Fußwaschung.

[190] Hennecke[3] I 121.

[191] Vgl den Gebrauch von φίλος für ein Mit- glied des weiteren Jüngerkreises um Jesus in J 11, 11 (→ 163, 6ff).

[192] Vgl EHGifford, Eusebii Pamphili Evan- gelica Praeparatio IV (1903) 303; HRönsch, Abraham der Freund Gottes, ZwTh 16 (1873) 587—590, vgl 583—586.

[193] Greg Nyss, De vita Moysis II (ed HMusurillo-WJaeger VII 1 [1964] 144f).

[194] Vgl Plat Resp X 621c, wo als höchstes Ziel hingestellt wird, ἵνα καὶ ἡμῖν αὐτοῖς φίλοι ὦμεν καὶ τοῖς θεοῖς.

wendung des Titels (→ 156, 10ff; A 182). So sagt Aphrahat, Hom 17, 3[195]: die Menschen, an denen Gott ein Wohlgefallen hat, wie an Mose, nennt er „meine Kinder u Freunde"[196]. Cl Al Prot 12, 122, 3 wendet den Syllogismus des Diogenes bei Diog L VI 37 sogar auf den Menschen schlechthin an, so daß der Mensch als Freund Gottes erscheint[197]. Cl Al Strom VII 68, 1. 3 nennt die wahren Gnostiker, Tertullian, De poenitentia 9 u Cyprian, Ad Demetrianum[198] 12 die Märtyrer, Aug, Confessiones 8, 6, 15 (CSEL 33 [1896] 182f) die Asketen *Freunde Gottes*. Als Titel eines Bischofs erscheint ὁ θεοῦ φίλος auf einer Inschr des 3. Jhdt aus Isaura Nova in Kleinasien[199].

3. Eine Ausweitung u Abwandlung erfährt auch der Freundesname, den Jesus nach Lk 12, 4 u J 15, 14f seinem engeren Jüngerkreis verliehen hatte (→ 161, 1ff; 163, 9ff), insofern er in apokryphen Apostelschriften teils eine mystisch-gnostische, teils eine erotische Färbung erhält. Mart Pt 10 will mit einer siebengliedrigen Liste von Christusprädikaten das allseitig enge Verhältnis des Jüngers zu seinem Meister kennzeichnen: σύ μοι πατήρ, σύ μοι μήτηρ, σύ μοι ἀδελφός, σὺ φίλος, σὺ δοῦλος, σὺ οἰκονόμος· σὺ τὸ πᾶν καὶ τὸ πᾶν ἐν σοί (→ A 207). · In Act Joh 113 nimmt Joh in seinem Sterbegebet für sich eine φιλία ἄσπιλος zu Jesus in Anspruch. Nach einigen vorausgegangenen Schilderungen bes 89f hatte diese φιλία allerdings eine beinahe homoerotische Färbung (→ A 173), uz mit Berufung auf die dem Lieblingsjünger zugebilligte körperliche Nähe zu Jesus J 13, 23, vgl J 20, 2 (→ 129, 17ff).

4. Ein bes Problem stellten für die Christen die φιλίαι ἐθνικαί dar, die aus ihrer vorchr Zeit stammenden oder auch später entstehenden Freundschaften mit Nichtchristen, die oft mit den Grundsätzen eines chr Lebens schwer vereinbar waren u mancherlei Gefahren für das Durchhalten eines chr Ethos in sich bargen. Darum rechnet Herm m X 1, 4 solche φιλίαι ἐθνικαί zus mit dem πλοῦτος ua zu den πραγματεῖαι τοῦ αἰῶνος τούτου (vgl 2 Tm 2, 4), die einen noch unvollkommenen Christenstand belasten u darum von den Fortgeschrittenen gemieden werden sollten. Deshalb hat zB Paulinus von Nola die Verbindung mit seinen heidnischen Freunden, insbesondere mit Ausonius, nach seiner Bekehrung gelöst[200].

Die Freundschaften, die Christen gemäß sind, sind Freundschaften neuer Art[201], die sich grundlegend von den Freundschaften der Heiden mit ihrem sowohl religiös als auch sittlich oft bedenklichen Beiwerk unterscheiden[202]. Die echte Freundschaft zwischen Christen ist auf die beiderseitige Gemeinschaft mit Christus gegründet. So schreibt Paulinus von Nola an seinen Freund Sulpicius Severus: totus es meus in Christo domino, per quem sum invicem tuus[203]. Eine sonderbare, enge Freundschaft pflegte Paulinus zu dem in Nola beigesetzten hl Felix, wie sie sich in den Carmina Natalicia (dreizehn Gedichten zum Jahresfest des Heiligen) ausspricht (→ A 203).

---

[195] übers GBert, TU 3, 3/4 (1888) 280.

[196] Aphrahat (→ A 195), Hom 17, 8 (p 288f) verknüpft diese at.lichen Par auch ausdrücklich mit Jesu Wort zu seinen Jüngern J 15, 15: „Ich habe euch meine Freunde genannt."

[197] Vgl Harnack Miss 433 A 6.

[198] ed WHartel, CSEL 3, 1 (1868) 360.

[199] Bei Harnack Miss 433 A 6; 779 A 1, der als Hintergrund einen heidnisch-priesterlichen Gebrauch des Titels vermutet. Die Gesch des Gottesfreundgedankens setzt sich durch das chr MA bis in die Neuzeit fort, vgl Egenter aaO (→ A 178); FXKessel, Artk Gottesfreunde, in: Kirchenlexikon V ²(1888) 893—900. Im Koran, zB Sure 4, 124, wurde el-Chalil *Freund* (sc Gottes) zum stehenden Titel Ibrahims (Abrahams), vgl Speyer aaO (→ A 178) 172f; hier weitere Belege. Darum heißt Hebron, in dessen Nähe Mamre liegt, vgl Gn 13, 18; 23, 19, bei den Arabern noch heute el-Chalil.

[200] ABoulanger, Saint Paulin de Nole et l'amitié chrétienne, Vigiliae Christianae 1 (1947) 184; vgl auch die Haltung der Nonna,

der Mutter des Greg Naz zu ihren heidnischen Verwandten u Freundinnen (→ 140 A 249). Entsprechende Warnungen finden sich auch im Koran, zB Sure 9, 23; vgl 5, 56. 62. 83; 60, 9. 13 ua.

[201] Darum erscheint Paulinus das Wort amicitia für die Freundschaft von Christen ungeeignet zu sein; er möchte es lieber durch dilectio, caritas oder pietas ersetzen, vgl Boulanger aaO (→ A 200) 184.

[202] Zu dem Problem der Freundschaft bei den Kirchenvätern → Vischer 173—200, sowie die Monographien über die Freundschaftsideale einzelner Kirchenväter, ua → Fabre 137—154; → Treu Freundschaft; → Treu Φιλία 421—427. Teixeira de Pascoaes, Hieronymus der Dichter der Freundschaft (1941), behandelt die Freundschaften des Hier mit Bonosus, Rafinus, Heliodor ua in mehr dichterischer Weise.

[203] Bei Boulanger aaO (→ A 200) 185; vgl → Fabre 277—228.

5. Das himmlische Urbild eines Freundeskreises zeichnet Herm s V 2, 6—5, 3 in einem seiner unvollkommenen[204] Gleichnisse, offenbar nach dem Vorbild von Herrschern u Adligen der hell-röm Welt, um die sich größere Gruppen von Freunden scharen, die zugleich ihre Ratgeber sind (→ 145, 9ff; 152, 18ff). So ist auch hier der δεσπότης (sc Gott) von φίλοι umgeben, die jederzeit als seine σύμβουλοι aufgeboten werden können s V 2, 6. 11. Auf die Frage des Sehers s V 4, 1 werden diese φίλοι dann als οἱ ἅγιοι ἄγγελοι οἱ πρῶτοι κτισθέντες gedeutet s V 5, 3, mit denen nach v III 4, 1 die Erzengel gemeint sind, denen die ganze Schöpfung übergeben ist u die die Kirche vollenden werden.

II. In der Gnosis[205].

Eine bes gnostische Terminologie der Freundschaft spiegelt sich in den mehrfach dargestellten Gesprächen zwischen dem Erlöser u dem zu Erlösenden. So sagt der Erlöser in den manichäischen Gliedhymnen[206]: Du bist mein Geliebter, die Liebe in meinen Gliedern. Ebs nennt aber auch der Mensch den Erlöser *Freund*[207] im Sinn von *Freund der Lichter*, dh *der Lichtwesen*[208]. Diese beiderseitige Anrede ist der äußere Ausdruck für die Gegenseitigkeit (→ 114 A 20; 131, 28ff) der Liebe u Freundschaft[209] im Sinn der gnostischen unio mystica zwischen dem Gnostiker u seinem Erlöser.

Stählin

φιλήδονος → II 911, 28ff

φιλοξενία, φιλόξενος → V 1, 1ff

---

† φιλοσοφία, † φιλόσοφος

Inhalt: A. Der griechische Sprachgebrauch außerhalb der Bibel: 1. Von den Anfängen bis zur Sophistik; 2. Plato und Aristoteles; 3. Die Schulen der hellenistischen Zeit; 4. Die Verwendung der Wortgruppe φιλοσοφ- im Hinblick auf die Weisheit des Orients und den Bereich der Religion. — B. Das hellenistische Judentum: 1. Septuaginta; 2. Aristeasbrief; 3. Philo; 4. Josephus. — C. Rabbinisches Judentum. — D. Neues Testament. — E. Gnosis. — F. Die Apologeten.

A. Der griechische Sprachgebrauch außerhalb der Bibel.

1. Von den Anfängen bis zur Sophistik.

Das Nominalkompositum φιλόσοφος u die davon abgeleiteten Wörter φιλοσοφέω u φιλοσοφία sind relativ junge Bildungen, die vom 5. Jhdt an im

---

[204] Das wird auch hier darin sichtbar, daß kurz hintereinander in s V 5, 3 die χάρακες *Pfähle* u die φίλοι auf die Engel gedeutet werden.

[205] Vgl CColpe, Die religionsgeschichtliche Schule, FRL 78 (1961) 70f. 83f. 94f. 97; Wetter aaO (→ A 164) 63 A 2; Bultmann J 419 A 3.

[206] Bei Colpe aaO (→ A 205) 83f. 94.

[207] Möglicherweise ist auch bei der Prädikation Christi σὺ φίλος durch Petrus in Mart Pt 10 (→ 168, 12ff) gnostischer Einfluß wirksam, vgl EKäsemann, Das wandernde Gottesvolk, FRL 55 ²(1957) 97 mit A 4.

[208] Colpe aaO (→ A 205) 83. 70f.

[209] Colpe aaO (→ A 205) 94.

φιλοσοφία. Lit.: Zu A: ABonhöffer, Epictet u die Stoa (1890) 1—28; WBurkert, Platon oder Pythagoras? Zum Ursprung des Wortes „Philosophie", Hermes 88 (1960) 159—177; THopfner, Orient u griech Philosophie, Beih zu AO 4 (1925); WJaeger, Paideia. Die Formung des griech Menschen I ⁴(1959); II ³(1959); III ³(1959); ders, Aristoteles ²(1955); ders, Platos Stellung im Aufbau der griech Bildung, Humanistische Reden u Vorträge ²(1960) 117—157; ders, Über Ursprung u Kreislauf des

ionischen Sprachraum belegt sind[1]. Das regierende Vorderglied φιλο- ist wie die vom
Stamm μισο- gebildeten Zusammensetzungen verbal aufzufassen[2]. In der Verbindung
mit Subst findet es sich bereits bei Hom, Hes u Pind, es kann aber auch zu Adj hinzutreten[3]. Es bezeichnet den gern gepflegten Umgang mit Pers, die eifrig geübte Hand-
habung von Dingen[4] u das Streben nach einem begehrenswerten Ziel[5]. Vom 6. Jhdt
vChr an stellt sich in Ionien in Auseinandersetzung mit mythologischen Kosmogonien
die Frage nach der ἀρχή (→ I 478, 11ff), einem der Vielheit der Dinge zugrundeliegenden Sein. Hierin sieht Aristot den Anfang der Philosophie Metaph 1, 3 p 983b 6—
984a 18. Der früheste Beleg des Wortes φιλόσοφος findet sich Heracl fr 35 (Diels I 159):
χρὴ γὰρ εὖ μάλα πολλῶν ἵστορας φιλοσόφους ἄνδρας εἶναι. In diesem Fr wird gesagt, daß
eine Vielfalt an persönlicher Erfahrung für *Menschen, die sich um Erkenntnis bemühen*,
notwendig ist[6]. Praktisch-politische Erfahrung wird durch verständige *Beobachtung*
θεωρία fremder Länder u Völker gewonnen Hdt I 30, 1f. φιλοσοφέω ist in beiden Fällen
im Sinne von ἱστορέω (→ III 395, 1ff) gebraucht[7]. In Hippocr Vet Med 20 (CMG I 1 p 51)[8]
wird auf eine ärztliche Schule Bezug genommen, die ihre Medizin nicht allein auf dem
Sammeln empirischer Daten aufbaut, sondern sie von der Erkenntnis des ganzen Menschen abhängig macht[9]. In allen Fällen ist das begehrenswerte Ziel ein bestimmtes
umfassendes Ganzes.

---

philosophischen Lebensideals, Scripta minora I
(1960) 347—393; AMMalingrey, „Philosophia". Étude d'un groupe de mots dans la
littérature grecque, des Présocratiques au IVe
siècle après Chr, Études et Commentaires 40
(1961); WNestle, Spuren der Sophistik
bei Isoc, Griech Studien (1948) 451—501;
MPohlenz, Die Stoa. Gesch einer geistigen Bewegung I³ (1964); II³ (1964); KReinhardt, Artk
Poseidonios, in: Pauly-W 22 (1953) 558—826;
Reitzenstein Hell Myst 236—240; ESchwartz,
Ethik der Griechen (1951) 119f. 214f; FÜber-
weg, Grundriß der Gesch der Philosophie I:
Das Altertum, hsgg KPraechter ¹²(1926) Regist sv Philosophie; Wendland Hell Kult
Regist sv Philosophie; EZeller, Die Philo-
sophie der Griechen I ⁷(1923); II 1 ⁵(1922);
II 2 ⁴(1921); III 1 ⁵(1923); III 2 ⁵(1923). — Zu
B: EBréhier, Les Idées Philosophiques et Reli-
gieuses de Philon d'Alexandrie ³(1950); PDal-
bert, Die Theol der hell-jüd Missionsliteratur,
Theol Forschung 4 (1954); IHeinemann,
Philons griech u jüd Bildung (1932); RMarcus,
Hellenistic Jewish Literature, in: The Jews,
their History, Culture and Religion, ed LFin-
kelstein II ²(1955) 1100—1114; JPascher,
Η ΒΑΣΙΛΙΚΗ ΟΔΟΣ. Der Königsweg zu
Wiedergeburt u Vergottung bei Philon v
Alexandreia, Studien z Gesch u Kultur des
Altertums 17, 3/4 (1931) 29ff. 88ff; Schl Theol
d Judt 233f; HAWolfson, Philo I—II ³(1962)
Regist sv Philosophy. — Zu C: JGuttmann,
Die Philosophie des Judt (1933); SLieberman,
Hellenism in Jewish Palestine (1950) 100ff.
180ff. — Zu D: GBornkamm, Die Offenbarung
des Zornes Gottes, Das Ende des Gesetzes
⁵(1966) 18f; ders, Die Häresie des Kol, ebd
139—156; WDDavies, Paul and the Dead Sea
Scrolls: Flesh and Spirit, Christian Origins
and Judaism (1962) 145—177; ders, Reflexions
on Tradition: the Aboth revisited, Festschr
JKnox (1967) 127—159; MDibelius, Pls auf
dem Areopag, Aufsätze zur Ag, FRL 42 ³(1957)
29—70; WEltester, Gott u die Natur in der
Areopagrede, Festschr RBultmann, ZNW Beih
21 ²(1957) 202—227; ders, Schöpfungsoffen-
barung u natürliche Theol im frühen Christentum, NT St 3 (1956/57) 93—114; BGärtner, The Areopagus Speech and Natural

Revelation, Acta Seminarii Neotestamentici
Upsaliensis 21 (1955); Haench Ag zu 17, 16
—34; HHommel, Platonisches bei Lk, ZNW
42 (1949) 70—81. — Zu E: HAWolfson, The
Philosophy of the Church Fathers (1956) 559—
574. — Zu F: WJaeger, Das frühe Christentum
u die griech Bildung (1963) 20—26.

[1] → Malingrey 38; Thes Steph VIII, Pass,
Pape, Herwerden, Liddell-Scott, ΔΔημητράκος,
Μέγα Λέξικον τῆς Ἑλληνικῆς γλώσσης 9 (1953),
Pr-Bauer sv.

[2] Schwyzer I 442 mit A 3.

[3] Wichtig ist in diesem Zshg die Wortgruppe
φιλόκαλος Gorg fr 6 (Diels II 286, 12); Xenoph
Cyrop I 3, 3; II 1, 22; Plat Phaedr 248d;
φιλοκαλέω Thuc II 40, 1 u φιλοκαλία Aristoxenus fr 40 (ed FWehrli, Die Schule des
Aristoteles. Aristoxenos [1945] 20). Vgl außerdem die Bildung φιλάγλαος Pind Pyth 12, 1;
Bacchyl 18, 60.

[4] Die Troer verstehen sich auf den Kampf
φιλοπτόλεμος Hom Il 16, 90; die Phäaken pflegen eifrig die Seefahrt φιλήρετμος Hom Od
5, 386.

[5] Gesittete Völker üben die Gastfreundschaft aus φιλόξεινος Hom Od 6, 121. Das Streben nach Besitz φιλοκτέανος Hom Il 1, 122,
nach Gewinn φιλοκερδής Theogn 1, 199; Pind
Isthm 2, 6, nach Sieg φιλόνικος Pind Olymp
6, 19; Xenoph Mem II 6, 5 u nach Ehre φιλό-
τιμος Xenoph Mem II 3, 16; Aristot Eth Nic
IV 10 p 1125b 9 kann durch Bildungen mit
dem Element φιλο- zum Ausdruck gebracht
werden, → Burkert 172 A 2.

[6] Zur Bdtg von σοφός u σοφία (→ VII 467,
17ff) vor Plat vgl BSnell, Die Ausdrücke für
den Begriff des Wissens in der vorplatonischen
Philosophie, Ph U 29 (1924) 1—19; WNestle,
Vom Mythos zum Logos (1940) 14—17.

[7] Vgl Nestle aaO (→ A 6) 507; → Malingrey
38.

[8] Der Traktat zeigt den Einfluß des Protagoras u dürfte in die zweite Hälfte des 5.Jhdt
gehören, vgl WNestle, Griech Geistesgeschichte
(1944) 146.

[9] Die Vertreter dieser Schule werden als
ἰητροὶ καὶ σοφισταί bezeichnet Hippocr Vet
Med 20 (CMG I 1 p 51).

In der sophistischen Aufklärung wird das Handeln des Menschen kritisch bedacht. Pädagogik, Ethik u Politik sind jetzt die Hauptgegenstände eines begehrenswerten Wissens. In einer um etwa 400 vChr entstandenen Niederschrift sophistischer Schulvorträge[10] wird φιλοσοφέω im Sinne von methodischem Nachdenken u Suchen nach Erkenntnis im Hinblick auf die Ethik gebraucht Δισσοὶ λόγοι 1, 1 (Diels II 405)[11]. Daß 5 φιλοσοφία u φιλοσοφέω überh gängige Ausdrücke im athenischen Bildungswesen waren, zeigen insbesondere die Reden des Isocrates[12]. Im Anschluß an die Sophistik spricht er dem Menschen die Befähigung zu echtem *Wissen* ἐπιστήμη ab Or 15, 271. Es ist unwichtig, wie eine Sache ist, vielmehr hängt alles davon ab, als was sie erscheint δόξα[13]. Weise ist derjenige, der auf Grund des äußeren Scheins eine zum Erfolg führende Ent- 10 scheidung zu treffen vermag 12, 30. φιλόσοφος wird der genannt, der sich mit Dingen beschäftigt, die ihm zu dieser praktischen Einsicht verhelfen 15, 271f. Da der Erfolg von der Fähigkeit zur zweckmäßigen Darstellung eines Sachverhaltes abhängt, besteht die φιλοσοφία vorzugsweise in der Erlernung der Rhetorik 4, 10[14]. Eine große Rolle spielten in der Sophistik *Redewettkämpfe* φιλοσόφων λόγων ἅμιλλαι, in welchen es darum 15 ging, auf Grund etym u logischer Gegebenheiten eine Sache beliebig als wahr oder als falsch darzustellen[15].

2. Plato und Aristoteles.

a. Plato geht in der idealistischen Periode von einer Deutung der Kritik des Sokrates an allem vermeintlichem Wissen kraft „göttlicher Unwissenheit" 20 aus Ap 21a. c. d; 22d; 29c. d; 30a[16]. Dabei verschmelzen in seiner Darstellung die Gestalt des Sokrates u der Eros mit dem φιλόσοφος Symp 203a. b; 204a. b, sowie ὄρεξις u φιλοσοφία Pseud-Plat Def 414b. Um die Zugehörigkeit des Menschen zum idealen unveränderlichen Sein der Ideen auszudrücken, übernimmt Plat das in den Mysterien der Orphik, bei Pythagoras u Emped überlieferte orientalische Motiv der Seelenwan- 25 derung. Das zeitlose Sein bei den Ideen ist die Voraussetzung für das nach ihnen strebende Unterwegssein. Dabei wird die Wortgruppe φιλοσοφ- zur Kennzeichnung einer grundsätzlichen Lebensmöglichkeit. Die Zuflucht zu den λόγοι, den *vernünftigen Reden* Phaed 99e, im διαλέγεσθαι (→ II 93, 45ff), im dialogisch-dialektischen Denken Resp VI 510e—511c; VII 532a—d, verwandelt den Menschen in seiner Totalität[17]. Das ge- 30 schieht im konkreten Umgang mit einem zur Erziehung fähigen philosophischen Menschen; παιδεία ist περιαγωγή, *Umlenkung* der Existenz Resp VII 518b—519a[18]. Dem entspricht, daß die platonische Schule, wie die Dialoge Plat zeigen, den Charakter einer Lebensgemeinschaft angenommen hat u als solche das Modell der späteren Philosophenschule geworden ist. Plat kritisiert die rein theoretische Haltung des Sokrates 35 wie die des eigenen Idealismus u macht die praktische Verwirklichung zum Kriterium recht verstandener philosophischer Spekulation Resp VII 519d—520c; 540a. Die Verbindung zwischen dem Streben nach Wahrheit u erzieherischem u politischem Handeln macht den Inhalt des Begriffes φιλοσοφία aus, wie ihn Plat hier verstanden hat.

b. Aristoteles gebraucht das Verbum φιλοσοφέω für die metho- 40 dische Bemühung um ein Verständnis der den Menschen umgebenden Umwelt εἰς ἐπίσκεψιν τῶν ὄντων ἐλθόντας καὶ φιλοσοφήσαντας περὶ τῆς ἀληθείας Metaph 1, 3 p 983b 2.

---

[10] Vgl Diels II 405 A 1.
[11] Gemeint sind wohl Untersuchungen über die Grundprinzipien der Ethik. Vgl außerdem Δισσοὶ λόγοι 9, 1 (Diels II 416).
[12] Während durch *Körperkultur* παιδοτριβική der Körper ausgebildet wird, ist es Sache der φιλοσοφία, die Seele *verständig* φρόνιμος zu machen Isoc Or 15, 181, vgl EMikkola, Isokrates (1954) 202f; EBuchner, Der Panegyrikos des Isokrates, Historia, Einzelschriften 2 (1958) 54f.
[13] → Nestle 455.
[14] φιλοσοφία bezeichnet an sich nicht die Rhetorik, sondern muß entsprechend ergänzt werden: ἡ περὶ τοὺς λόγους φιλοσοφία. Isoc stellt diese in eine Reihe mit anderen *Fertigkeiten* τέχναι Or 4, 10.
[15] In Plat Euthyd 304a. b wird die Eristik als ein Gebiet der sophistischen Ausbildung

erwähnt, vgl → Nestle 461f; → Burkert 173.
[16] Im Gegensatz zu der auf dem Schein beruhenden Wohlberatenheit der Sophisten sucht Sokrates nach echten Maßstäben für das sittliche Handeln im Rahmen der Polis u deckt die falschen Maßstäbe seiner Mitbürger in ihrer Wertlosigkeit auf. Diese ihm vom delphischen Gott gestellte Aufgabe Plat Ap 30a wird wiederholt φιλοσοφέω genannt, wobei jedes Mal eine Umschreibung seiner Tätigkeit hinzugefügt wird, welche das kritische Element hervorhebt.
[17] Vgl dazu KGaiser, Platons ungeschriebene Lehre (1963) 1—38.
[18] Der existentielle Charakter der Philosophie Plat wird im Anschluß an MHeidegger in bes Weise in RSchaeffler, Die Struktur der Geschichtszeit (1963) 49—67 herausgearbeitet.

Im bes bezeichnet φιλοσοφέω die Erkenntnis der sinnlich wahrnehmbaren Realität des κόσμος. Ziel des vom Naheliegenden bis zum Entfernten fortschreitenden Erkenntnisprozesses ist die Rückführung der Erscheinungen auf Grundprinzipien 1, 3 p 983a 24ff. Obgleich so die Wirklichkeit in ihrem Gesamtumfang Gegenstand der *Erforschung* φιλοσοφία wird[19], behält die Erkenntnis des ewigen u unbewegten bzw allg Seienden eine Vorrangstellung 5, 1 p 1026a 19—23[20]. Diese kommt in den Ansätzen zu einer systematisierenden Anordnung innerhalb der gesamten Wissenschaft zum Ausdruck. φιλοσοφία bezeichnet einerseits die Wissenschaft als Ganzes καὶ τοσαῦτα μέρη φιλοσοφίας ἐστὶν ὅσαιπερ αἱ οὐσίαι 3, 2 p 1004a 3, andererseits die einzelne wissenschaftliche Disziplin 5, 1 p 1026a 18f u kann dann im Wechsel mit ἐπιστήμη gebraucht werden 5, 1 p 1026a 22[21]. πρώτη φιλοσοφία bzw ἐπιστήμη heißt diejenige Wissenschaft, die auf den unbewegten Beweger gerichtet ist 5, 1 p 1026a 29f. Sie kann auch als θεολογικὴ ἐπιστήμη bezeichnet werden 5, 1 p 1026a 19; 10, 9 p 1064b 3[22]. Im Unterschied von der πρώτη φιλοσοφία untersucht die Physik als δευτέρα φιλοσοφία die mit den Sinnen wahrnehmbare Wirklichkeit 6, 11 p 1037a 14—16 bzw das Seiende, sofern es bewegt ist 5, 1 p 1025b 26f; 1026a 12; 10, 3 p 1061b 6f; 11, 1 p 1069a 36f[23]. Den beiden theoretischen Wissenschaften der Metaphysik u Physik[24] stehen die Disziplinen gegenüber, die die formgebende Gestaltung der Wirklichkeit ἐπιστήμαι ποιητικαί u das vollkommene Handeln ἐπιστήμαι πρακτικαί lehren[25]. Ein umfassendes System, das allen Wissenschaften einen bestimmten Platz zuwiese, findet sich bei Aristot nicht. Durch die Neubestimmung der πρώτη φιλοσοφία als ontologischer Gotteslehre u den Gedanken vom ἔνυλον εἶδος legte er den systematischen Grund dafür, daß die Metaphysik in hell Zeit einerseits nach einem Begriff für die Einheit der Welt suchte u zum anderen die gesamte Wirklichkeit in ihre Forschung einbeziehen u sich auch der phänomenologischen u morphologischen Untersuchungen bedienen konnte[26].

3. Die Schulen der hellenistischen Zeit.

Die Philosophenschulen hatten Reihen von Schulvorstehern u eine bestimmte Dogmatik Diog L I 13—16. 20, die sich allmählich in oft scharfen gegenseitigen Auseinandersetzungen ihrer einzelnen Vertreter herausbildeten[27]. Die Philosophen repräsentierten seit jener Zeit die gebildete Schicht eines Volkes oder Staates u griffen bisweilen als geschlossener Stand in die Politik ein. Polyb 33, 2 berichtet zB von einer Gesandtschaft der Athener nach Rom, die aus Vertretern der bedeutendsten Philosophenschulen bestand. Die Ausbildung einer Schuldogmatik führte dazu, daß die einzelnen Schulen, vor allem die Epikureer zT esoterische Züge annahmen. Zugleich konnte sich das Selbstbewußtsein der Philosophen darin äußern, daß sie sich um jeden Preis von der gemeinen Menge zu unterscheiden versuchten Dio Chrys Or 70, 7f. Es kam deshalb oft vor, daß jmd sich als Philosoph ausgab, um damit zu prahlen u die Menschen hinters Licht zu führen Dio Chrys Or 70, 10. Daher gab es ständig Auseinandersetzungen zwischen den klass Philosophen mit einer ehrwürdigen Tradition u den sog Philosophen ohne Namen Dio Chrys Or 72, 2—16. Die sich dabei herausbildende

---

[19] → Jaeger Ursprung 398: „(Aristot) erweiterte die platonische Ideenlehre zur universalen empirischen Seinswissenschaft."

[20] Die Wissenschaft vom Seienden, insofern es Seiendes ist, wird ohne Zusätze als die Wissenschaft des Philosophen bezeichnet Metaph 3, 2 p 1004b 15f, vgl 21f; 10, 3 p 1060b 31—34. Zur Gliederung der Wissenschaften nach Aristot → Zeller II 2, 177—185.

[21] In Metaph 10, 3 p 1061b 5 werden φιλοσοφία u ἐπιστήμη im Sinn von *wissenschaftlicher Disziplin* nebeneinander genannt, vgl auch 11, 8 p 1073b 4.

[22] → Jaeger Aristoteles 225f.

[23] Gäbe es kein unbewegtes Seiendes, so wäre die die Einzeldinge untersuchende Physik die einzige theoretische Wissenschaft Metaph 5, 1 p 1026a 28f.

[24] Neben der Theol u Physik wird gelegentlich auch die Mathematik zu den theoretischen Wissenschaften gezählt Metaph 5, 1 p 1026a 19; 10, 9 p 1064b 2f. Sie steht in gewisser Weise zwischen Metaphysik u Physik, weil sie

zwar bleibendes, aber nicht für sich existierendes Seiendes zum Obj hat 10, 9 p 1064a 32f; 5, 1 p 1026a 7f. So → Jaeger Aristoteles 225.

[25] Aristot löst die Ethik aus dem Zshg mit der Metaphysik. Nicht die Idee des Guten, sondern die Beobachtung empirischer Gegebenheiten bestimmt das rechte Handeln, → Jaeger Aristoteles 84—90. 241—270; → Jaeger Ursprung 361—365. Die wichtigste ἐπιστήμη πρακτική ist die Politik, die sowohl vom einzelnen Bürger als auch vom Staat handelt Eth Nic I 1 p 1094a 27—b 2. Vgl FDirlmeier, Aristoteles, Nikomachische Ethik [5](1969) 269f.

[26] → Jaeger Aristoteles 428—434.

[27] Diog L VII 162f berichtet von Kämpfen zwischen dem zu den Akademikern übergetretenen Aristo u dem Zenonanhänger Persäus sowie dem Peripatetiker Arcesilaus. Der mit Epikur verfeindete Stoiker Diotimus veröffentlichte 50 unzüchtige Briefe als angeblich epikureische vgl Diog L X 3—8.

Terminologie der Polemik wurde sekundär von den Schulen aufgegriffen. Epikureer u Stoiker sind neben den älteren Akademikern u Peripatetikern die Vertreter der bedeutendsten Philosophenschulen in der hell Zeit[28].

a. Maßstab der Erkenntnis ist bei Epikur die sinnliche Wahrnehmung Diog L X 52. Der sensualistischen Erkenntnistheorie entspricht eine atomistische Physik Diog L X 41. Erkenntnistheorie u Ontologie dienen vor allem dazu, den Menschen von abergläubischer Furcht vor den Göttern u dem göttlichen Strafgericht zu befreien Diog L X 76ff; Cic Nat Deor I 25, 69ff u so die an den kyrenäischen Hedonismus anknüpfende Ethik vorzubereiten. Ziel der menschlichen Bildung ist eine leidlose ἡδονή Diog L X 131 (→ II 916, 4ff). Man verwirklicht die ἡδονή in der in φιλία geeinten Lebensgemeinschaft der Schule Gnomologium Vaticanum 28. 52. 78[29]. φιλία ist die bestimmende Lebensform der Epikureer. φιλοσοφέω oder das prägnantere Verbum συμφιλοσοφέω bzw die Verbindung φιλοσοφέω μετά Epic fr 217 (Usener 165f) bekommen diese Bdtg. Wenn die Epikureer den Gottesbegriff auch im Sinn ihrer hedonistischen Ethik spiritualisierten, so hielten sie doch am Götterkult fest. Ausdrücklich weist einer ihrer späteren Anhänger, Philodem Philos, De Epicuro fr 8 col 1, 3ff[30], darauf hin, wie vorbildlich es ist, wenn man die Götter zu den gemeinsamen Mahlzeiten des Schülerkreises einlädt. Das Bildungsideal der Epikureer bekommt praktische Bdtg für das öffentliche Leben, insofern die Menschen angehalten werden, jede übermäßige Gemütserregung, die anderen irgendwelche Störungen bereiten könnte, zu vermeiden Diog L X 139. Um die Ruhe des Gemüts zu bewahren, hat vermutlich schon Epic selbst Weisung gegeben, ein Engagement im öffentlichen Leben nach Möglichkeit zu vermeiden: λάθε βιώσας fr 551 (Usener 326).

b. Die frühe Stoa wurde um 301 vChr von Zeno in Athen begründet. Sie erklärt alles Werden aus der Einwirkung eines gestaltenden Prinzips, der φύσις bzw des λόγος, auf ein leidendes, die Materie[31]. Die φιλοσοφία gewinnt Gestalt in einem streng gegliederten System, in dem die Stoa die gesamte Wirklichkeit zu erfassen u zu bewältigen sucht[32]. Im Anschluß an die Akademie werden drei μέρη unterschieden: φυσικόν, ἠθικόν, λογικόν, die eine organische Einheit darstellen Sext Emp Math VII 16; Diog L VII 39. Die Logik entspricht dem Zaun, die Physik den Bäumen u die Ethik den Früchten Sext Emp Math VII 16f; Diog L VII 40[33]. Indem die Ethik gelebt wird, kommt die stoische Lehre zum Ziel[34]. Wer sich um ein rechtes Leben bemüht u sich im besonderen der stoischen Lehre öffnet, gilt als προκόπτων (→ VI 706, 7ff), als ein im sittlichen Fortschritt begriffener Mensch Chrysippus bei Stob Ecl V 906, 18ff[35]. In seiner Stellung zwischen dem φαῦλος u dem σοφός erinnert der προκόπτων an den platonischen φιλόσοφος (→ 171, 27ff). Die zentrale Bdtg des sittlichen Fortschrittes ist vermutlich der Grund dafür, daß die Wortgruppe φιλοσοφ-, die ein theoretisches Verhalten bezeichnet, in der frühen Stoa nur selten vorkommt. φιλόσοφος findet sich als Bezeichnung für jemanden, der sich um die drei Sachgebiete der Philosophie bemüht Stob Ecl II 8, 13, vgl Plut Stoic Rep 2 (II 1033d)[36]. Außerdem könnte es von Zeno als Bezeichnung des idealen stoischen Weisen gebraucht worden sein Plut Phoc 5 (I 743e)[37].

c. Während die frühe Stoa das Problem der Kausalität im Hinblick auf die Lehre vom Schicksal u die Möglichkeit der ethischen Entscheidung behandelte, stellt Posidonius der Philosophie die Aufgabe, sowohl bei der Erkenntnis des Mikrokosmos als auch des Makrokosmos grundsätzlich nach den Ursachen der jeweiligen Gegebenheiten zu fragen. In diesem Sinn wird die Def der σοφία erweitert: sie ist ἐπιστήμη θείων καὶ ἀνθρωπίνων καὶ τῶν τούτων αἰτίων Philo Congr 79[38]. Diese

---

[28] → Schwartz 149.

[29] ed GArrighetti, Epicuro opere, Classici della filosofia 4 (1960) 145. 151. 157.

[30] ed AVogliano, Epicuri et Epicuraeorum Scripta (1928) 70, vgl 126f.

[31] Logos u Stoff sind die zwei Seiten des einen Seins, der einen οὐσία, → Pohlenz I 68.

[32] Vgl UWilckens, Weisheit u Torheit, Beiträge z historischen Theol 26 (1959) 225f.

[33] Daneben findet sich der Vergleich mit dem Ei Sext Emp Math VII 18, anders Diog L VII 40, vgl → Bonhöffer 16f; → Pohlenz I 33; II 19.

[34] Die Reihenfolge der einzelnen Teile der Philosophie im Laufe des Unterrichts zeigt keine wertmäßige Anordnung an, → Bonhöffer 17—19.

[35] Zur προκοπή → Pohlenz I 154.

[36] Unter den Schriften Chrysipps zur Logik befand sich nach Diog L VII 189 eine Abh mit dem Titel τὰ τοῦ φιλοσόφου σκέμματα.

[37] Nach Cic Tusc I 32, 79 hat Panaetius von Plat als dem göttlichen, allerweisesten, dem Homer der Philosophen gesprochen.

[38] Vgl auch Quaest in Gn I 6; III 43; Sen ep 14, 89, 5, dazu JHeinemann, Poseidonios' metaphysische Schriften I (1921) 130f; KReinhardt, Poseidonios (1921) 58; → Reinhardt 641f.

Erweiterung wirkt sich auf die Neubestimmung des Verhältnisses zwischen Einzelwissenschaften u Philosophie aus, uz so, daß die ersteren die Wirklichkeit beschreiben, während
die letztere nach den kausalen Zshg innerhalb des Seienden sucht. Physik u Fach-
wissenschaften handeln weithin von denselben Gegenständen, aber unter verschiedenen
5   Gesichtspunkten [39]. Die Einzelwissenschaften einschließlich der Mathematik haben eigene
Forschungsmethoden, bauen aber auf Grundlagen auf, die ihnen von der Philosophie
vorgegeben werden. Die Philosophie verwertet die Forschungsergebnisse der Einzelwissenschaften, erarbeitet jedoch ihre Prinzipien selbst Sen ep 13, 88, 24 ff [40]. Um die
organische Einheit der drei Bereiche der Philosophie zum Ausdruck zu bringen, lehrte
10   Pos die Philosophie als ein *Lebewesen* ζῷον verstehen, wobei die Physik Blut u Fleisch,
die Logik Knochen u Sehnen u die Ethik der Seele entsprachen Sext Emp Math VII
19 [41]. Diese Einordnung der Philosophie unter die σώματα ἡνωμένα καὶ συμφυᾶ Plut
Praec Coniug 34 (II 142 f) ergibt sich aus seiner Lehre von der sympathetischen Lebens-
einheit des Kosmos [42]. Das Leben im Kosmos hat für ihn teil am göttlichen Geist, der
15   es erfüllt, gestaltet u durchwaltet [43]. Den göttlichen Allgeist fühlen in gewisser Weise
sogar Tiere u Pflanzen, die klare Erkenntnis Gottes ist jedoch ein Vorrecht der mit
Vernunft begabten Menschen Dio Chrys Or 12, 32. 35. Am Anfang seiner Entwicklung
war der Mensch mit dem Göttlichen geradezu *verwachsen* συμπεφυκώς u nahm es mit
den *Sinnen* αἰσθήσεις, mit der urzeitlichen *Nahrung* τροφή bzw mit der Luft in sich auf
20   πανταχόθεν ἐμπιμπλάμενοι τῆς θείας φύσεως. So empfing er die Einsicht u das Verstehen
des Göttlichen Dio Chrys Or 12, 28—30 [44]. Aus dieser Verbindung entstand ohne Vermittlung eines Lehrers oder Mystagogen eine *angeborene* ἔμφυτος Urreligion, die Griechen u Barbaren gemeinsam ist Dio Chrys Or 12, 27. 39. Als die Verbindung mit der
Natur sich im Lauf der Zeit löste, bildeten sich die *erworbenen* ἐπίκτητα Religionen an
25   verschiedenen Orten u zu verschiedenen Zeiten, die freilich ihre Kraft der Urreligion
verdanken Dio Chrys Or 12, 39 f [45]. Sie werden durch Dichter, Gesetzgeber u bildende
Künstler gelehrt, der vollkommenste Prophet u Interpret der unsterblichen Natur ist
aber der Philosoph φιλόσοφος ἀνήρ Dio Chrys Or 12, 45 f [46].

d. Mit der Entstehung des Prinzipates erlangte die Welthauptstadt
30   Rom hinsichtlich der Bildung u Kultur eine derartige Vorzugsstellung, daß führende
Vertreter der verschiedenen Philosophenschulen hier ihre Lehrtätigkeit ausübten [47].
Vor allem die Epikureer u die späten Stoiker erhoben den Anspruch, der breiten Öffentlichkeit eine weltanschauliche Bildungsgrundlage zu vermitteln, die zum persönlichen
Heil führte [48]. Für die späte Stoa bildeten die Werke Chrysipps die unab-
35   dingbare Grundlage aller philosophischen Besinnung [49]. In ausdrücklicher Polemik gegen
Pos [50] bestreitet Seneca, daß die Fertigkeiten u Künste, die den kulturellen Aufstieg
der Menschheit einleiteten, von der Philosophie geschaffen seien ep 14, 90, 7. Die Weisheit lehrt nicht die Hände, sondern den Geist magistra animorum 14, 90, 26. Der
eigtl Gegenstand der Philosophie ist die Kenntnis dessen, was gut u böse ist 13, 88,
40   28, u dazu tragen die fremden Wissensfächer nichts bei 88, 3—17. 29—31. Schwerpunkt
u Ziel werden von der späten Stoa überh in weit höherem Maß als früher in den praktischen Teil der Ethik verlegt. Die Ausrichtung der Philosophie auf die Gestaltung des

---

[39] Pos selbst verstand sich grundsätzlich als
Philosoph, beherrschte aber mehrere Fach-
wissenschaften in weitem Umfange. In einer
bes Monographie verteidigte er gg den Epikureer Zeno den logischen Charakter des
mathematischen Beweises Proclus, Komm zu
Euclides, Propositions I prooem (ed GFried-
lein [1873] 199 f), vgl → Pohlenz I 214; II
105 f.
[40] Vgl außerdem Strabo 2, 5, 2; Geminus
bei Simpl, Komm zu Aristot Phys II 2 (ed
HDiels, Commentaria in Aristotelem Graeca
9 [1882] 291, 23 ff); Philo Congr 144—150,
dazu Reinhardt aaO (→ A 38) 43—58. 222
—224; → Reinhardt 644—646; → Pohlenz
I 214; II 105 f.
[41] Vgl → Bonhöffer 17.
[42] Vgl KReinhardt, Kosmos u Sympathie
(1926) 34—54; → Reinhardt 647—657.
[43] Vgl → Pohlenz I 234 f; → Reinhardt
808—814.
[44] Jambl Myst I 3 (p 7, 14; 9, 11) spricht

im Sinn des Pos von einer angeborenen Kenntnis der Götter, vgl Cic Nat Deor I 36, 100;
Sen ep 13, 90, 44 (viros . . . a dis recentes);
Dio Chrys Or 12, 32; → Reinhardt 810 f; →
Pohlenz I 227 f. 234; II 119.
[45] Vgl → Reinhardt 810; Reinhardt aaO
(→ A 38) 412 f.
[46] Vgl → Reinhardt 807.
[47] Der Schulbetrieb wurde freilich in Athen
kontinuierlich fortgesetzt, → Pohlenz I
280. 288.
[48] Die Stoiker betonen, daß niemand durch
seine soziale Stellung von der Philosophie ausgeschlossen werden darf Sen ep 2, 17, 6;
5, 44, 1 ff; Muson fr 8 (p 39, 14—18). Die
Frauen haben die gleichen Voraussetzungen
zur Ausübung der Philosophie wie die Männer
Muson fr 3 (p 9, 1—13); fr 4 (p 14, 13—19).
[49] Vgl → Pohlenz I 291 f.
[50] Trotz gelegentlicher Kritik konnte u
wollte Sen sich dem Einfluß des Pos nicht
entziehen, vgl Sen ep 14, 90, 20.

Lebens kommt in entsprechenden Def zum Ausdruck[51]. Die Philosophie ist die *rechte Weise der Lebensführung* recta vivendi ratio[52], das Gesetz des Lebens Sen ep 15, 94, 39, die Bemühung um die Rechtschaffenheit καλοκάγαθίας ἐπιτήδευσις Muson fr 8 (p 38, 15f), vgl fr 3 (p 9, 13—15). Die bes Aufmerksamkeit der Stoiker der Kaiserzeit gilt dem Verlauf des sittlichen Vervollkommnungsprozesses, in dem die philosophischen Ein- 5 sichten verwirklicht werden. Die stoische Erziehung wird im Sinne der platonischen Tradition als Heilungsvorgang geschildert (→ 171, 28ff), u die Philosophie erscheint als Heilkunde oder als Heilmittel für die Seele Sen ep 9, 72, 6; Muson fr 3 (p 12, 15—19)[53]. Aus der Lehre von der εἱμαρμένη erklärt sich das Interesse der Stoiker an der Volksreligion. Sie greifen die Vorstellungen Sokrates u Plat vom δαιμόνιον auf. Diog L VII 151 10 hebt hervor: φασὶ δὲ εἶναι καί τινας δαίμονας ἀνθρώπων συμπάθειαν ἔχοντας. Panaetius hatte ein bes Verständnis für den Polytheismus der Volksreligionen, die das Wirken des Weltenlogos in den Naturkräften empfanden u sie sich plastisch vorstellten[54]. Für Pos waren die Dämonen Zwischenwesen zwischen Stoff u Logos u als solche Manifestationen des kosmischen All-Lebens Plut Gen Socr 20 (II 589b. d). Auch in der späten Stoa spielt 15 das Daimonion in der allg Bdtg *das Göttliche* eine Rolle u bezeichnet dann vor allem das persönliche Geschick Epict Diss III 1, 37; IV 4, 39 u fr 11. Die Schule Epic u die Stoa sind in ihrem Anliegen, zur inneren Freiheit gegenüber den Bedrängnissen der Welt durch die Kunst der Lebensführung zu erziehen, so verwandt, daß sie als schärfste Konkurrenten auftraten. Insbesondere versuchten die Stoiker, Epic jegliche παιδεία ab- 20 zusprechen Dio Chrys Or 12, 36; Diog L X 3—8 u seine Schüler auf den Widerspruch zwischen dem Postulat persönlicher ἡδονή u der praktischen Kommunikationsbedürftigkeit aller Menschen hinzuweisen, um die Überlegenheit ihres eigenen Prinzips einer als Naturgesetz verstandenen κοινωνία aufzuzeigen Epict Diss II 20, 6—20.

e. Der mittlere Platonismus verarbeitet in eklektischer Weise 25 peripatetische, stoische u neupythagoreische Lehrelemente[55]. Nach Ar Did bei Stob Ecl II 49, 8—14 stimmen Pythagoras, Sokrates u Plat in dem Grundsatz überein, daß das Ziel der Philosophie die ὁμοίωσις an das Göttliche ist. Die Angleichung an Gott bezieht sich in entscheidender Weise auf das sittliche Handeln des Menschen[56]. Neben dem Satz von der ὁμοίωσις findet sich bei den Platonikern eine zweite Bestimmung der 30 Philosophie, die auf Plat Phaed 64a. 80e. 81a u damit auf ein orphisches Motiv zurückgeht: sie ist eine *Einübung des Todes* μελέτη θανάτου. Plut Suav Viv Epic 28f (II 1105c —1106c) nimmt dieses Platowort auf.

4. Die Verwendung der Wortgruppe φιλοσοφ- im Hinblick auf die Weisheit des Orients und 35 den Bereich der Religion.

Der Alexanderzug bot die äußeren Voraussetzungen, die eine Begegnung zwischen griech u orientalischer Weisheit ermöglichte[57]. In dieser Zeit entdeckten die Griechen in Indien in den Kasten der Brahmanen u Garmanen diejenige Schicht im Volke, deren Lebensweise u geistige Arbeit sie an die griech Philosophie 40

---

[51] Sen ep 14, 89, 4—6 unterscheidet zwischen philosophia u sapientia so, daß er jene als *Liebe u Streben nach der Weisheit* sapientiae amor et adfectatio, diese aber als das *vollkommene Gut des menschlichen Geistes* perfectum bonum mentis humanae bezeichnet, vgl auch 19, 117, 12.

[52] philosophia, inquit, nihil aliud est quam recta ratio vivendi vel honeste vivendi scientia vel ars rectae vitae agendae. Non errabimus, si dixerimus philosophiam esse legem bene honesteque vivendi Sen bei Lact Inst III 15, 1.

[53] Die Parallelisierung von Medizin u Weisheit ist alt, vgl ua Democr fr 31 (Diels II 152); Diog L VI 6. Bes beliebt scheint sie in der Stoa gewesen zu sein Sen ep 5, 50, 9; 9, 72, 6; 15, 94, 24; 19, 117, 33; Muson fr 6 (p 22, 9) uö; Epict Diss III 22, 73; III 23, 30, vgl → Bonhöffer 4f; Wendland Hell Kult 82 A 2;

JHWaszink, Quinti Septimi Florentis Tertulliani De Anima, ed with Introduction and Commentary (1947) 111f zu 2, 6.

[54] → Pohlenz I 197f.

[55] Der Eklektizismus hatte seine Grundlage in der durch Antiochus von Askalon ausgearbeiteten These, daß Akademie, Peripatos u Stoa in allen wesentlichen Punkten übereinstimmten, → Überweg-Praechter 465. 470.

[56] Vgl → Überweg-Praechter 543. Genauer wird die Angleichung an Gott von Albinus, Didascalicus 28 (ed PLouis, Albinos Epitome [1945]) erörtert, wo die einschlägigen Platostellen besprochen werden.

[57] Vgl OStein, Artk Megasthenes, in: Pauly-W 29 (1931) 234; JKerschensteiner, Plato u der Orient (1945) 1; FWehrli, Die Schule des Aristot. Klearchos (1948) 50 zu Clearchus fr 13.

erinnerte Megasthenes fr 33 (FGrHist IIIc 636—638); fr 3 (FGrHist IIIc 605)[58]. Pos, der durch seine ausgedehnten Reisen eine Reihe barbarischer Völker aus eigener Anschauung kannte[59], fand in ihren Sitten u religiösen Bräuchen Züge, die ihm bewiesen, daß auch bei ihnen der ungestüme *Drang* θυμός der Weisheit untergeordnet war. Er konnte von den philosophischen Druiden sprechen fr 116 (FGrHist IIa 305)[60]. Vielleicht geht auf ihn auch der Inhalt des Abschnittes über die Chaldäer in Diod S 2, 29, 2 zurück[61]. Diese sind zur Verehrung der Götter ausgesondert u verbringen ihr ganzes Leben im Umgang mit der Weisheit πάντα τὸν τοῦ ζῆν χρόνον φιλοσοφοῦσιν. In ähnlichem Sinn wurden von Clearchus die Juden als φιλόσοφοι, als Philosophenstand der Syrer, angesehen, den er von den indischen Philosophen herleitete ἀπόγονοι τῶν ἐν Ἰνδοῖς φιλοσόφων fr 6[62], die ihrerseits mit den Magiern zusammenhingen fr 13[63].

Eine Verbindung von Elementen griech, vor allem platonischer u stoischer Philosophie mit Bestandteilen orientalischer Weisheit u Mythologie liegt im hermetischen Schrifttum vor. Das Heil des Menschen ist aufs engste mit der Erkenntnis verbunden μαθεῖν θέλω τὰ ὄντα καὶ νοῆσαι τὴν τούτων φύσιν καὶ γνῶναι τὸν θεόν Corp Herm 1, 3, vgl 1, 26[64]. Sie wird nicht durch methodisches Beobachten u Denken, sondern durch Offenbarung vermittelt Herm Trismeg fr 23, 29 bei Stob Ecl I 393, 26ff[65]. Aus Liebe zu den Menschen[66] u aus Frömmigkeit gegenüber Gott schreibt Hermes seine Offenbarungen nieder[67]. Sie bestehen vorzugsweise darin, daß man Einsicht in das wahrhaft Seiende erhält u dafür dem Schöpfer dankt. Das Empfangen der durch Offenbarung vermittelten Einsicht wird φιλοσοφία genannt fr 2b, 1—3 bei Stob Ecl I 273, 5—24[68]. Ähnlich werden Aufgabe u Wesen der Philosophie in der Belehrung des Ascl durch Herm Trismeg beschrieben Ascl 12f (Nock-Fest II 311f); sie wird bestimmt als andauernde Betrachtung u hl Frömmigkeit, die auf die Erkenntnis der Gottheit ausgerichtet ist quae sola est in cognoscenda divinitate frequens obtutus et sancta religio. In der dankbaren Verehrung der Gottheit, nicht in einer Forschung, die auf Fachwissen ausgerichtet ist, besteht die echte Philosophie Ascl 12—14 (Nock-Fest II 311—313[69]). In alchemistischen Texten finden sich die Wörter φιλόσοφος u φιλοσοφία nicht selten[70]. Der Philosoph, der Einsicht in die Geheimnisse der Natur hat u die physischen Zshg erkennt, vermag Veränderungen hervorzurufen u die entsprechenden Umsetzungsprozesse zu lenken[71]. Er ist dabei nicht nur ein Fachmann, der bestimmte Verfahren kennt, sondern er gestaltet auch sein Leben so, wie es seiner hohen Stellung entspricht[72].

---

[58] Auf die Frage, worin das Philosophieren bestehe, erklärt ein Inder in einem Gespräch mit Sokrates, es sei unmöglich, die menschlichen Dinge zu erkennen, wenn man in Bezug auf die göttlichen in Unwissenheit sei Aristoxenus fr 53 (Wehrli aaO [→ A 3] 24). Die Anekdote stellt die Einordnung des Menschen in den Kosmos, die über den sokratischen Ansatz hinausführt, unter die Autorität der überlegenen Weisheit des Ostens.

[59] Vgl → Pohlenz I 209f.

[60] Neben den Sängern ποιηταὶ μελῶν u den Sehern werden die Druiden beschrieben. Sie sind Philosophen u Theologen Diod S 5, 31, 2. Sie betreiben außer der Erforschung der Natur auch die Ethik πρὸς τῇ φυσιολογίᾳ καὶ τὴν ἠθικὴν φιλοσοφίαν ἀσκοῦσιν Strabo 4, 4, 4. Ohne einen Druiden, der als φιλόσοφος die göttliche Natur kennt, wird kein Opfer dargebracht Diod S 5, 31, 4f, vgl → Pohlenz I 210; II 103; → Reinhardt 823; ADihle, Zur hell Ethnographie, in: Grecs et Barbares, Entretiens sur l'Antiquité Classique 8 (1961) 221 A 1.

[61] Vgl → Reinhardt 823f.

[62] Wehrli aaO (→ A 57) 11.

[63] Wehrli aaO (→ A 57) 13 mit Komm 50.

[64] Mit bes Betonung ist die Gotteserkenntnis an den Schluß der Klimax gesetzt, vgl Nock-Fest III p XVII.

[65] Vgl FCumont, Afterlife in Roman Paganism (1923) 121.

[66] Vgl Nock-Fest III p XIX A 2.

[67] Die schriftliche Überlieferung alter Weis-

heit erhöht ihre Autorität, vgl auch Herm Trismeg fr 23, 66f bei Stob Ecl I 406, 11—25; Jambl Myst I 2, dazu → Hopfner 79f; Reitzenstein Hell Myst 129.

[68] φιλοσοφία ist die Macht, über die die Seele verfügen muß, damit sie sich vom σῶμα freikämpfen kann Herm Trismeg fr 2b, 1—8 bei Stob Ecl I 273, 5—274, 20.

[69] Vgl auch Herm Trismeg fr 23, 43—46 bei Stob Ecl I 399, 17—401, 9; AWlosok, Laktanz u die philosophische Gnosis, AAHdbg 1960, 2 (1960) 135f.

[70] Vgl zB Zosimus fr 6, 5 (Berthelot II 121, 8); 6, 7 (123, 1); 6, 8 (124, 2); 6, 9 (126, 2); 6, 15 (130, 19), vgl WGundel, Artk Alchemie, in: RAC I 239—260; FStrunz-CMEdsman, Artk Alchemie, in: RGG³ I 219—223.

[71] Vgl Zosimus fr 6, 17 (Berthelot II 131, 17); 6, 19 (133, 8). Grundlegend für die Alchemie ist die von der hell Philosophie entwickelte Lehre vom ständigen Austausch der Kräfte innerhalb des Kosmos, vgl Gundel aaO (→ A 70) 255; Strunz-Edsman aaO (→ A 70) 220.

[72] Es werden ihm entsprechende Attribute gegeben, die ihn aus der übrigen Menschheit herausheben, vgl Gundel aaO (→ A 70) 246f. 252. Die Alchemie nimmt Formen der Mysterienreligion auf. Nach einer von RReitzenstein, Zur Gesch der Alchemie u des Mystizismus, NGG 1919 (1919) 24, 13ff herausgegebenen Schrift führt der Philosoph Komarios Kleopatra in die mystische Philosophie ein, vgl auch Reitzenstein Hell Myst 129.

B. Das hellenistische Judentum.

1. Septuaginta.

Innerhalb der LXX ist die Wortgruppe φιλοσοφ- auf Da u 4 Makk beschränkt[73]. In Sap kommt sie nicht vor. In Δα 1, 20 gibt die LXX die hbr Wendung הַחַרְטֻמִּים הָאַשָּׁפִים, mit der die Zauberer u Beschwörungspriester am Hofe des 5 bab Königs bezeichnet werden[74], durch σοφισταί καί φιλόσοφοι wieder, während Θ die religionsgeschichtlich eindeutigeren Ausdrücke ἐπαοιδοί καί μάγοι verwendet[75]. In 4 Makk wird die Auslegung des stoischen Grundsatzes, daß die Vernunft Herrin über die Triebe sei 1, 1. 7. 13. 30; 2, 9; 7, 16[76], mit einer Märtyrertradition verbunden 1, 10 —12, die den Gehorsam bis zum Tode, der dem Gesetz geleistet wird, als vorbildlich 10 für das Judt preist 7, 8—15; 9, 6; 13, 9; 17, 16, vgl 6, 20—22 u das Martyrium als Sühne für Israel verstehen lehrt 6, 28 f; 17, 21 f. An Hand der Darstellung des Kampfes zwischen Antiochus u den Märtyrern stellt sich die Frage, ob die jüd Gottesverehrung ἡ Ἰουδαίων θρησκεία 5, 7 samt den damit verbundenen Folgen als im hell Sinn vernunft- bzw naturgemäße Lebensführung, dh als φιλοσοφεῖν anerkannt werden kann 5, 7—11, vgl 15 μετά εὐλογιστίας βιοῦντες 5, 22[77]. Der philosophische Charakter der jüd Religion ἡμῶν ἡ φιλοσοφία 5, 22 erweist sich daran, daß sie die drei Kardinaltugenden σωφροσύνη, ἀνδρεία u δικαιοσύνη einübt u die *Frömmigkeit* εὐσέβεια lehrt, wobei sie bewirkt, daß *der wahre Gott* τὸν ὄντα θεόν allein in herrlicher Weise geehrt wird 5, 23 f[78]. Die Echtheit der jüd Philosophie wird durch das Sterben des Eleazar bestätigt, das ihn als „Groß- 20 könig über die Triebe" zeigt 7, 9 f. Die Beispiele aus der bibl Gesch u insbesondere die Märtyrerüberlieferung beweisen die Wahrheit des stoischen Satzes von der Herrschaft der Vernunft über die Triebe in der konkreten Entscheidung. An ihnen wird deshalb auch deutlich, daß dieser Satz letztlich nur auf dem Boden des Judt sein eigtl Ziel erreicht 7, 18; vgl 9, 18[79]. 25

2. Aristeasbrief.

Im Rahmen eines Symposions in ep Ar 187—300[80] wird die uneingeschränkte Anerkennung jüd Weisheit u Bildung durch die Philosophen des Museums als die hervorragenden Vertreter hell Wissenschaft[81] mehrfach hervorgehoben 200 f. 235. 295 f. Die Antworten der jüd Gesandten geben ihrerseits philosophische Ein- 30

---

[73] Zur Bdtg in 4 Makk vgl → Malingrey 93—98.
[74] Vgl Da 2, 2. In Gn 41, 8. 24; Ex 7, 11. 22; 8, 3. 14 f; 9, 11 werden die Gelehrten u Zauberer am Hofe des Pharao חַרְטֻמִּים genannt, wofür LXX in Gn 41, 8. 24: ἐξηγηταί (Gn 41, 24 Θ: σοφισταί), Ex 7, 11. 22; 8, 3. 14 f: ἐπαοιδοί u Ex 9, 11: φαρμακοί einsetzt. Ex 7, 11 wird חָכָם durch σοφιστής wiedergegeben. Zur Bdtg von חַרְטֹם vgl Ges-Buhl, Köhler-Baumg sv; ABentzen, Daniel, Hndbch AT I 19 ²(1952) 18; BHStricker, Oudheidkundige Mededeelingen (1943) 30—34.
[75] Es kann sein, daß die LXX bei σοφιστής u φιλόσοφος entsprechend dem hell Sprachgebrauch genau wie Θ an Beschwörer u Zauberer denkt. UU aber liegt in Δα 1, 20 eine sachliche Hellenisierung vor, so daß σοφισταί u φιλόσοφοι im Sinne der hell Bildungstradition als *Lehrer* u *Forscher* zu verstehen wären.
[76] Zur literarischen Form von 4 Makk vgl ADeißmann in Kautzsch Apkr u Pseudepigr 150 f; IHeinemann, Artk Makkabäerbücher, in: Pauly-W 27 (1928) 801 f. Bestimmte Züge erinnern an Pos, zB die 4 Makk 1, 16 gegebene Def der σοφία, vgl JFreudenthal, Die Flavius Josephus beigelegte Schrift: „Über die Herrschaft der Vernunft" (1889) passim;

Heinemann aaO (→ A 38) 154—159; ders, Makkabäerbücher 803 f.
[77] Der Tyrann argumentiert mit dem philosophisch klingenden Satz, daß es unrecht sei, die Geschenke der Natur zu verachten 4 Makk 5, 8 ff. Das Verbum φιλοσοφέω aber nimmt in seinem Mund einen fragwürdigen Klang an, wenn er Eleazar auffordert, über die Wahrheit zu philosophieren, die etwas nützt 4 Makk 5, 11.
[78] Der Vorwurf, den Antiochus 4 Makk 5, 8 ff erhoben hatte, wird durch die These widerlegt, daß der Weltschöpfer in seiner naturgemäßen „Sympathie" den Juden nur das zu essen erlaubte, was zu ihnen ihrem Wesen nach paßt 5, 25.
[79] ἀλλ' ὅσοι τῆς εὐσεβείας προνοοῦσιν ἐξ ὅλης καρδίας, οὗτοι μόνοι δύνανται κρατεῖν τῶν τῆς σαρκὸς παθῶν 4 Makk 7, 18.
[80] Vgl ERGoodenough, The Political Philosophy of Hellenistic Kingship, Yale Classical Studies 1 (1928) 52—102; WWTarn, The Greeks in Bactria and India (1938) 425—436; APelletier, La Lettre d'Aristée à Philocrate (1962) 47 f.
[81] Neben den Naturwissenschaften u der Philologie werden Philosophie u Rhetorik am Museum in Alexandrien betrieben. φιλόσοφοι werden zB erwähnt in PRyl II 143, 3 (38 nChr); Ditt Or II 714, 4 f (2. Jhdt nChr); Dio C 77, 7, 3,

sichten u vor allem Regeln der Klugheit u Erfahrung wieder, wie sie im Hell weit verbreitet waren[82]. Die Frage, *was die Weisheit lehre* τί ἐστι σοφίας διδαχή, wird mit der
positiven Form der sowohl im Hell wie im Judt verbreiteten „goldenen Regel" beantwortet 207[83]. Dementsprechend erscheint die φιλοσοφία auf den praktischen Lebensvollzug ausgerichtet: sie besteht darin, daß man jedes Widerfahrnis richtig beurteilt,
sich beherrscht u das, was die jeweilige Situation erfordert, in der rechten Weise durchführt unter Beachtung der peripatetischen Forderung des rechten Maßes μετριοπαθής
256[84]. Allerdings werden die Regeln hell Lebenskunst mit dem Willen Gottes aufs
engste verbunden. Nur wer Gott *verehrt* θεραπεύει, vermag sie zu wissen u durchzuführen 256, auch 226f. 237f. 251[85]. Das jüd Gesetz muß in die alexandrinische Bibliothek als die Sammelstätte der Weisheit des Hell u der barbarischen Völker aufgenommen werden[86]. Es entspricht in seinem Inhalt den Maßstäben, mit denen der Hell bar-
barische Überlieferungen mißt u für beachtenswert erklärt φιλοσοφωτέρα νομοθεσία 30f.
Die Attribute ἀκέραιος u θεῖος, welche das vorangehende φιλοσοφώτερος begründen u
überbieten, können uU auch von hell Voraussetzungen aus verstanden werden, sollen
aber wohl, soweit es im Munde des angeblich heidnischen Briefschreibers angeht, auf
die Besonderheit der isr Gottesoffenbarung hinweisen[87].

3. Philo.

Eine eigenartige Verbindung von griech Philosophie u bibl Überlieferung ist in Philos Werken vollzogen[88]. Philosophische Erkenntnis u bibl Weisheit
können in weitem Umfang verglichen u zueinander in Beziehung gesetzt werden. Letztlich wird die bibl Überlieferung hermeneutisch durch die philosophische Exegese aufgeschlüsselt. Die *griech Philosophen* οἱ παρὰ Ἕλλησιν φιλοσοφοῦντες lehren zB, daß die
Weisen als erste den Dingen Namen gegeben haben, vgl Plat Crat 401a. b, Mose aber
sagt richtiger, daß die Namen nicht auf mehrere Weise, sondern auf einen einzigen,
den Ersterschaffenen, zurückgehen Philo Leg All II 15[89]. Was die Philosophen sagen,
wird durch die bibl Weisheit berichtigt[90]. Bibl Lehre u jüd Frömmigkeit können ihrerseits als eine bes Ausprägung der Philosophie verstanden werden, vgl Vit Cont 25—28;
Mut Nom 223; Leg Gaj 245; Vit Mos II 211—216[91]. Der in der gesamten Antike um-
kämpften Frage nach der rechten Bildung widmet Philo die Schrift Congr, in der er
in Form einer Auslegung von Gn 16, 1—6 das Verhältnis zwischen enzyklischer Bildung

vgl Ditt Or II p 453 A 4. Daß der König an
einer Disputation teilnimmt, ist auch Athen
11, 85 (493e—494b) vorausgesetzt, vgl
EMüller-Graupa, Artk Museion, in: Pauly-W
16 (1935) 809—811; Pelletier aaO (→ A 80) 48.

[82] Vgl HJaeger, La doctrine biblique et pa-
tristique sur la royauté face aux institutions
monarchiques hellénistiques et romaines, Re-
cueils de la société Jean Bodin 20.

[83] Zur goldenen Regel vgl NJHein-JJere-
mias, Artk Goldene Regel, in: RGG³ II 1687—
1689; ADihle, Die Goldene Regel, Studienhefte
z Altertumswissenschaft 7 (1962).

[84] Vgl auch ep Ar 285: Indem der König in
jeder Weise Zurückhaltung übt, vollzieht er
die Philosophie in seinen Handlungen u wird
wegen seines rechten Lebens geehrt.

[85] Jede Antwort der jüd Gesandten enthält
einen Hinweis auf Gott, der dem König Vorbild ist ep Ar 188. 190. 192. 207. 209. 211 u
den Ablauf der Gesch letztlich bestimmt
195. 197. 224. 239. Diese Beziehung auf
Gott wird vom König u den Philosophen als
die eigtl Stärke ihrer Aussagen anerkannt, vgl
OMichel, Wie spricht der Aristeasbrief über
Gott, ThStKr 102 (1930) 302—306. Zur geschichtlichen Einordnung vgl ATscherikover,
The Ideology of the Letter of Aristeas, HThR
51 (1958) 59—89.

[86] Vgl Pelletier aaO (→ A 80) 66—68. Zur

alexandrinischen Bibliothek vgl EAPearsons,
The Alexandrian Library (1952).

[87] Die Heiligkeit des Gesetzes verhinderte
eine Erwähnung desselben durch Schriftsteller, Dichter u Historiker ep Ar 31, vgl auch
312—316.

[88] Während Philo die griech Bildung schon
in der Jugend kennen lernte Congr 74—76;
Spec Leg III 4, scheint er sich mit den Traditionen des Judt erst später genauer beschäftigt zu haben. Vgl HLeisegang, Artk Philon
aus Alexandreia, in: Pauly-W 20 (1941) 3—6;
→ Pohlenz I 369f; → Heinemann 511—574;
→ Wolfson Philo I 3—27. Wolfson arbeitet
stark traditionsgeschichtlich u versucht zugleich, die Übernahme philosophischer Tradition bei Philo in ihrer grundlegenden Bdtg für
eine theol Hermeneutik herauszuarbeiten.

[89] Mose, der πάνσοφος, überragt zwar die anderen Philosophen, das Attribut ἄλλοι aber
zeigt, daß auch Mose grundsätzlich als φιλόσοφος gesehen werden kann Philo Abr 13, vgl
Som I 141.

[90] Philos Hauptwerk ist der fortlaufende
Komm zum Pent, zu dem eine Reihe seiner
erhaltenen Schriften gehören.

[91] Philo kann auch die anerkannte Vor-
zugsstellung des ägyptischen Volkes seiner
Argumentation einordnen Spec Leg I 2.
Echte Weisheit findet sich bei Barbaren u
Griechen, vgl Vit Cont 21.

u Philosophie zu klären versucht[92]. Im Anschluß an bestimmte Vertreter der Stoa[93] sieht er die allg Bildung als notwendige Vorbereitung auf den Erwerb der Tugend an Congr 24[94]. Das Studium der enzyklischen Fächer ist auf ein bestimmtes Alter beschränkt Agric 9. 18, es darf nicht um seiner selbst willen betrieben werden Congr 77 —79. Die ἐγκύκλιος παιδεία hat der ἀρετή Congr 12. 14—19. 128 u diese der σοφία Congr 5 9 zu dienen. An die Stelle der ἀρετή kann die φιλοσοφία treten Congr 74—78. Sie ist die rechtmäßige Gemahlin Congr 152f, vgl Gn 16, 5, das vollkommenste Studium Ebr 48—51, das höchste Gut Op Mund 53f, vgl Plat Tim 47b, die Quelle der Güter u der Tugend Philo Spec Leg III 186, vgl 192. Philo kann der Philosophie aber auch eine begrenzte Stellung zuweisen, indem er sie der σοφία unterordnet: wie die ἐγκύκλιος 10 μουσική die Dienerin der φιλοσοφία ist, so wird die φιλοσοφία zur Dienerin der σοφία Congr 79f, vgl Mut Nom 66—71[95]. Während die Philosophie Anweisungen gibt, als ob sie um ihrer selbst willen wertvoll wären, liegt das Ziel der Weisheit darin, daß Gott geehrt wird Congr 79f, vgl Quaest in Gn III 21. Ist die Weisheit die Erkenntnis der göttlichen u menschlichen Dinge u ihrer Ursachen, so beginnt für Philo die Erkenntnis 15 mit den sinnlichen Wahrnehmungen u führt über die Betrachtung des Kosmos zur Erkenntnis u Verehrung des Schöpfers Spec Leg III 189, vgl Abr 163f. Diejenigen, die dem Seienden dienen, erheben sich unter der Führung des Mose zu ätherischen Höhen u erblicken den sichtbaren Ort, an dem der unbewegte u unwandelbare Gott steht Conf Ling 96[96]. Das Verhältnis von σοφία zur φιλοσοφία im Stufenprozeß der 20 Erkenntnis ist also ein echtes Problem; die Philosophie wird zum königlichen Weg zur σοφία. In dieser Differenzierung zwischen σοφία u φιλοσοφία liegt eine Sonderstellung Philos im jüd Hell: als Stufen der Erkenntnis sind sie voneinander unablösbar. Die σοφία, die an sapientia erinnert, stellt die Verbindung zwischen hell-philosophischer u jüd Überlieferung her. Die dienende Funktion der Sachgebiete der Philosophie läßt 25 darauf schließen, daß Philo durch sie in erster Linie zur Wahrheit der jüd Überlieferung in seiner Zeit zu gelangen versucht. Dabei löst er das Ziel vom philosophischen Erkenntnisprozeß selbst. Die letzte Stufe der Erkenntnis erreicht der Mensch nicht von selbst. Sie muß ihm durch Gottes Offenbarung erschlossen werden. Mose dringt bis zum Gipfel der Philosophie vor u wird durch göttliche Kundgebungen über den Kosmos 30 belehrt Op Mund 8.

4. Josephus.

Jos macht von der Wortgruppe φιλοσοφ- keinen häufigen Gebrauch. Doch zeigen die vorhandenen Belege, daß ein Autor über philosophisches Gedankengut verfügen muß, wenn er in der zweiten Hälfte des 1. Jhdt in Rom die 35 Aufmerksamkeit einer gebildeten Leserschaft für das Judt u seine Gesch gewinnen will. Neben Dichtern u Historikern zitiert er gelegentlich griech Philosophen[97]. Gemäß dem Sprachgebrauch des Hell wendet er die Wörter φιλοσοφέω u φιλοσοφία auf die geistige

---

[92] Vgl → Malingrey 79; Leisegang aaO (→ A 88) 34. Abraham erscheint als Schüler der Tugend, die enzyklische Bildung wird durch die ägyptische Magd Hagar, die Tugend selbst durch Sara vertreten Congr 1—23; vgl 72. 154; Poster C 130; Leg All III 244. Die Auslegung erinnert an den beliebten, dem Aristo v Chius zugesprochenen Vergleich der Schüler der enzyklischen Bildung mit den Freiern der Penelope bei Stob Ecl III 246, 1ff.

[93] Vgl die von → Wolfson Philo II 529 Regist sv Stoics angegebenen Abschnitte, in denen sich der Autor mit Philos Verhältnis zur Stoa auseinandersetzt.

[94] Das Verhältnis zwischen den προπαιδεύματα u der ἀρετή wird durch verschiedene Vergleiche aus bibl Tradition veranschaulicht Congr 10; Fug 183f; Agric 9. 18. Die angeführten Bibelstellen liefern dabei die eigtl Begründung dafür, daß man sich zunächst mit Recht den προπαιδεύματα öffnet.

[95] Die σοφία ist einerseits wie in Sap die universale Manifestation des Schöpfers Fug 109, die sich in den mosaischen Gesetzen verkörpert hat Praem Poen 81—84, u anderseits wird

sie durch die Verbindung mit der zwischen körperlichem u unkörperlichem Sein differenzierenden philosophischen Ontologie Fug 196 auf den Erkenntnisprozeß des Philosophen bezogen, vgl → Wolfson Philo I 255. Die Geschichtlichkeit der σοφία führt zu einer lebendigen, unauflösbaren Spannung zwischen einem konkreten u einem universalen Element des Wortfeldes φιλοσοφ-. φιλοσοφέω ist einerseits die allegorisierende Auslegung der jüd Überlieferung ἐντυγχάνοντες γὰρ τοῖς ἱεροῖς γράμμασι φιλοσοφοῦσι τὴν πάτριον φιλοσοφίαν ἀλληγοροῦντες Vit Cont 28, anderseits die spekulative Betrachtung des Kosmos ἦν ποτε χρόνος, ὅτε φιλοσοφία σχολάζων καὶ θεωρία τοῦ κόσμου καὶ τῶν ἐν αὐτῷ Spec Leg III 1. Zum Ganzen vgl → Malingrey 81—91.

[96] Vgl auch Som I 62f u EStein in: Die Werke Philos von Alexandrien VI, hsgg IHeinemann (1938) zSt.

[97] Vgl zB Ap 1, 163—167. 176—182. In Ap 1, 183—204 bringt Jos Auszüge aus Hecataeus v Abdera, den er einen Mann des Denkens u der Tat nennt ἀνὴρ φιλόσοφος ἅμα καὶ περὶ τὰς πράξεις ἱκανώτατος Ap 1, 183.

Arbeit der Vorsokratiker u der barbarischen Weisen u Priester an Ap 1, 14 [98]. Im Rahmen seiner Verteidigung des Judt nimmt Jos die These über die Abhängigkeit der frühgriechischen Weisen von der barbarischen Weisheit auf, ebs die Anschauung, nach welcher die Griechen in mancher Hinsicht Schüler der Juden waren Ap 1, 162—165; 2, 168. 257. 281 f [99]. Mose, der alle anderen Gesetzgeber an *Alter* ἀρχαιότης übertrifft, bot die grundlegenden Erkenntnisse ἀρχαί für die Lehre von Gott dar, so daß sie von den Weisesten unter den Griechen übernommen werden konnten Ap 2, 154. Aber während die Griechen ihre Lehre nur kleinen Kreisen vortragen πρὸς ὀλίγους φιλοσοφοῦντες, hat der jüd Gesetzgeber dafür gesorgt, daß alle Israeliten den Glauben im Hinblick auf Gott ohne Unterschied haben Ap 2, 169, vgl 2, 170—175. Gelegentlich kann Jos die Wortgruppe φιλοσοφ- für den jüd Unterricht gebrauchen [100]. Wenn er mit philosophischen u theol Argumenten die Sinnlosigkeit des Selbstmordes nachzuweisen sucht, nennt er die Darlegung φιλοσοφεῖν Bell 3, 161, vgl 362. 382. Derjenige, der die Gründe einer jeden Aussage u Bestimmung des Gesetzes betrachten will, wird zu einer umfangreichen Untersuchung kommen πολλὴ γένοιτ' ἂν ἡ θεωρία καὶ λίαν φιλόσοφος Ant 1, 25. Als Priester kennt Jos selbst die in den hl Schriften enthaltenen Lehren über die göttlichen u menschlichen Dinge μετεσχηκὼς τῆς φιλοσοφίας τῆς ἐν ἐκείνοις γράμμασιν Ap 1, 54 [101]. Wenn nach Ap 2, 47 Ptolemaeus Philadelphus [102] die Gesetze u die von den Vätern geübte u überkommene Philosophie der Juden kennen lernen will, so können Lehren über Gott u die Entstehung der Welt, aber auch kultische u soziale Bestimmungen u Institutionen gemeint sein, wie sie im Pent zur Darstellung kommen. Jos setzt einen Begriff der Weisen σοφίαν μαρτυροῦντες voraus, der sich an die Auslegung der Schrift anschließt Ant 20, 264 u die Berührung mit dem Chokmatismus verrät. Diese exegetische Tradition kann uU in eine Art von Sophistik umschlagen, die sich rhetorisch von der Sache löst u zur Verführung werden kann. Gerade die Lehrer, die dem Zelotismus nahestehen, werden gern Sophisten genannt Bell 1, 648. 650; 2, 118. 433. 445. Wir haben also drei Motive von einander zu unterscheiden: a. den Chokmatismus als hermeneutisch-exegetisches Verstehen des Judt, b. das schulmäßige Argumentationsverfahren, das zur Grunderziehung hinzugehört, u c. die lehrmäßige Ausgestaltung der hell Philosophie, in die sich auch die jüd Grundüberzeugungen einordnen lassen [103]. Im Unterschied zu Philo tritt das politisch-institutionelle Element stärker heraus. So werden die religiös-politischen Gruppierungen innerhalb des jüd Volkes, in welchen seit dem 2. Jhdt vChr seine geschichtlich wirksamen Kräfte zusammengefaßt werden [104], von Jos als Philosophenschulen gekennzeichnet. Er nennt sie αἱρέσεις Bell 2, 118. 137. 162; Ant 13, 171; Vit 10. 12, vgl αἱρετισταί Bell 2, 119 [105] oder φιλοσοφίαι Ant 18, 9. 11. 23. Die Essener werden mit den Pythagoreern Ant 15, 371, die Pharisäer mit den Stoikern Vit 12 verglichen. Damit will Jos das Judt als eine Lebensform erweisen, die nicht gg bestimmte, vom Hell ausgebildete Grundformen hinsichtlich der Gottesverehrung u des menschlichen Zusammenlebens verstößt.

---

[98] Vgl dazu die Charakterisierung des Pythagoras: Er gehört der Vorzeit an u zeichnet sich nach allg Ansicht vor allen, die philosophiert haben, durch seine Weisheit u Frömmigkeit aus Ap 1, 162.

[99] Nach Ant 1, 168 bringt Abraham den Ägyptern die Arithmetik u die Astronomie, die von Ägypten zu den Griechen kommt.

[100] Jos nimmt ein Zitat des Peripatetikers Clearchus auf, in welchem die φιλοσοφία eines Juden von Aristot gerühmt wird Ap 1, 176—179.

[101] Manche Übersetzer denken an die rabb Auslegung der Thora. Vgl AvGutschmidt, Kleine Schriften 4 (1893) 411; HSTJThackeray, Josephus, I: The Life. Append on Apion (1926) 185; TReinach-LBlum, Flavius Josèphe, Contre Apion (1930) 114. Was das Gesetz über die Macht des Schicksals u die Verantwortlichkeit des Menschen sagt, ist für Jos ein λόγος Ant 16, 398, vgl Schl Theol d Judt 33.

[102] In Ant 12, 99 faßt Jos das Gespräch des Königs mit den Gesandten in ep Ar 187—300 zusammen: Er begann zu philosophieren u sie über Probleme der Naturphilosophie zu befragen. Zur Bdtg von φυσικός vgl RMarcus, Josephus VII (1943) zSt.

[103] In Ant 18, 11 wird gesagt daß die drei Schulen der Essener, Sadduzäer u Pharisäer seit uralter Zeit bei den Juden bestanden Ἰουδαίοις φιλοσοφίαι τρεῖς ἦσαν ἐκ τοῦ πάνυ ἀρχαίου τῶν πατρίων. Offenbar soll der starke Ausdruck die zelotische Partei als Neuerung disqualifizieren, vgl Ant 18, 9 u dazu MHengel, Die Zeloten, Arbeiten z Gesch des Spätjudt u des Urchr 1 (1961) 83 f.

[104] Vgl Schürer II 447—475; 579—680.

[105] In dem frühen Bericht von Bell 2, 117—166 verwendet Jos zur Bezeichnung der Schulen nicht φιλοσοφία, sondern αἵρεσις, daneben auch das in dieser Bdtg anscheinend nicht sehr häufige εἶδος Bell 2, 119, vgl Thackeray Lex Jos sv εἶδος. αἵρεσις scheint dann auf die Gruppenbildung des Volkes bezogen zu sein; die Wortgruppe αἵρεσις-αἱρετισταί hat in diesem Zshg keine negative Bewertung in sich, vgl Schl Theol des Judt 196. Wer zu einer der Parteien gehört, philosophiert Bell 2, 116. 119; Ant 18, 11. 23. Der Begründer der vierten Philosophenschule wird σοφιστής genannt Bell 2, 118. Wahrscheinlich will Jos damit an dessen theol u exegetischer Bildung Kritik üben.

C. Rabbinisches Judentum.

Um das rabb Judt zu verstehen, ist einerseits seine Beeinflussung von der hell Popularphilosophie u ihren Denk- u Sprachformen wichtig, anderseits der Prozeß der Abstoßung der dem rabb Lehrprozeß feindlichen Motive u der Verarbeitung vor allem im haggadischen Gut. Zu der großen Zahl griech u lat Fremdwörter, welche 5 in den Wortschatz von Talmud u Midrasch eingegangen sind, gehört auch das Subst פילוסופוס φιλόσοφος[106], Plur פילוסופין TAZ 6, 7; Gn r 61, 7 zu 25, 6; Eka r prooem 2; Tanch[107] Bereschith 7 (p 8b); Schophtim 12 (p 113b); פילוסםא aram bSchab 116b, das in tannaitischem Gut, aber nicht in der Mischna vorkommt, während die Bildung פילוסופיה = φιλοσοφία u das denominierte Verbum התפלסף sich offenbar erst in nach- 10 talmudischer Zeit im Hbr findet. Vertreter der Philosophenschulen, auch geschickte Redner u Berater der Könige, die durch ihren Rat u ihre Weisheit hervorgehoben sind, werden durch den Begriff des Philosophen charakterisiert. Verschiedentlich lassen sich in rabb Schriften Kenntnisse aus der griech Popularphilosophie nachweisen. So läßt sich Bekanntschaft mit platonischem Gedankengut nachweisen, wenn der Talmud das- 15 selbe Beispiel für die Unsichtbarkeit Gottes anführt wie Plat Phaed 76d: bereits der Lichtglanz der Sonne kann vom menschlichen Auge nicht ertragen werden bNid 30b. Ebs entstammt der stoischen Metaphysik der Vergleich zwischen Gott u der Seele, die den Körper belebt, gleich wie Gott die Welt erfüllt u sieht, ohne gesehen zu werden bBer 10a, vgl Sen ep 7, 65, 23. Hier wird hell Material, das durch die Schultradition 20 bekannt ist, in die Lehrbildung einbezogen[108]. Die Überlegenheit der jüd Lehrweise über die hell Philosophie kommt durch die zahlreichen Dialoge zwischen hell Philosophen u rabb Gelehrten zum Ausdruck. Hier zeigt sich die Nachwirkung eines bestimmten Argumentationsverfahrens. Wie der Kaiser bSanh 39a. 90b. 91a, der Statthalter bBB 10a, der Häretiker bJoma 56b—57a; bSanh 39a. 91a; Gn r 14, 7 zu 2, 7, 25 der Samaritaner Qoh r 5, 7 zu 5, 10 (vgl Wünsche 76), der Proselyt bChag 9b u andere Vertreter der außerjüdischen Welt tritt in der apophthegmatischen Überlieferung auch der Philosoph als typische Gestalt auf[109], die durch eine meist polemische Frage oder These Israels Glauben oder Gehorsam gefährden soll[110]. Durch eine vielfach weisheitsartig, zT exegetisch argumentierende Antwort eines Gelehrten wird dieser Angriff über- 30 wunden[111].

Ähnlich wie in den griech Philosophenschulen wurden auch im Rabbinismus der Traditionsprozeß u die Sukzession ausgebildet u gepflegt, vgl den entsprechenden Einfluß auf den Pharisäismus u den Traktat Abot. Griech philosophischer Einfluß ist nachweisbar bei Elischa bAbuja bChag 15b. 35

D. Neues Testament.

1. Mit dem Übergang aus dem aram-hbr in den griech Sprachraum u der Aufnahme der LXX als hl Schrift ist für das Urchr die Möglichkeit zum Gebrauch u zur Verarbeitung von Lehranschauungen aus dem Bereich der Philosophie

---

[106] Neben פילוסופום jJom tob 2, 5 (61c 37); Derek 'erez 4 (Machsor Vitry 729); SDt 307 zu 32, 4; Gn r 1, 9 zu 1, 1; 11, 6 zu 2, 3; 20, 4 zu 3, 14 finden sich verschiedene abweichende Formen: פלוסופום MEx Bachodesch 6 zu 20, 5 (ed JLauterbach II [1933] 244f); פלספום bAZ 55a; פילוסיפים Midr Ps 10, 8; פילוסופיום jSchab 3 (6a 62); פילוסוף Jalqut Schimoni Zeph 566 (ed AEboli II [1951] 866b 15); Mal 587 (II p 873b 9); פולוסיפות TSchebu 3, 6 (Zuckermandel 450) פוליפום Midr Ps 9, 9; 117, 1; פלוסלום jAZ 3, 4 (42d 48). Letzteres kann auch als Eigenname verstanden werden.

[107] ed HSundel (1947).

[108] Vgl → Guttmann 51.

[109] Vgl Str-B III 102—104; Bultmann Trad 42—48.

[110] Die bei den Streitgesprächen am häufigsten verwendete Form der Einl lautet: „Ein

Philosoph fragte den Rabbi" bAZ 55a, vgl MEx Bachodesch 6 zu 20, 5 (ed JLauterbach II [1933] 244f) uö. Eindrücklich ist der Aufbau, in den Streitgespräche eingearbeitet sind: Frage, Antwort in Form einer Schulthese, Gleichnis (als Anhang), Zuspitzung eines Gleichnisses in Form eines polemischen Gottesspruches oder bAZ 54b—55a (ähnlich wie im NT): Angriff des Philosophen auf Grund eines Schriftwortes, Abwehr des Angriffes durch Gleichnisse, Abschluß durch ein Schriftzitat. Die Komposition eines derartigen Argumentationsverfahrens zeigt, daß ein bibl Einsatz rational mißverstanden werden kann, aber durch die Zusammenfassung von Argumenten zu einem Sieg der rabb Lehrmeinung führt.

[111] Die Frage, ob ein echtes Gespräch überliefert ist oder ob eine für die jüd Meinung wichtige Belehrung in die Form eines Gespräches gekleidet wurde, läßt sich nur von Fall zu Fall beantworten.

gegeben. Begriffe u Vorstellungen, die innerhalb der philosophischen Physik u Ethik eine bestimmte Gesch durchlaufen haben, begegnen wiederholt im NT, ohne daß man freilich im Einzelfall genau bestimmen könnte, wieweit die nt.lichen Autoren sich ihrer Herkunft u eigtl philosophischen Bdtg bewußt waren. Als Quellen kommen vor allem die mit einer Vielzahl verschiedener Bildungselemente angereicherte Sprache des Hell[112], bestimmte Formen synkretistischer Religion u Offenbarungsweisheit u die von der platonisch-stoischen Physik u der stoischen Ethik beeinflußte Theol u Apologetik des jüd Hell in Frage. Begriffe u Denkformen, die Beziehungen zur Physik haben, sind vor allem in der Gottes- u in der Schöpfungslehre u der mit letzterer zusammenhängenden, mit bestimmten Weisheitstraditionen verwandten Christologie verarbeitet, vgl zB J 1, 1—3; Kol 1, 15—17; Hb 1, 3. Ausdrücke u Anschauungen, die aus der philosophischen Anthropologie u Ethik bekannt sind, begegnen in der Missionspredigt, wo sie in die Anklagerede u Gerichtsankündigung eingefügt werden R 1, 20. 28; 2, 15[113]. Außerdem finden sie sich bisweilen im Rahmen der Paränese, zB 1 K 9, 24; 11, 13—15; Jk 3, 3—5; 2 Pt 1, 5—7. Doch bedeutet das Aufgreifen philosophischer Termini keine uneingeschränkte Übernahme ihres Inhaltes. Das Urchr nimmt Denkformen u Ausdrucksmittel, die mit der Philosophie in Zshg stehen, nur insoweit auf, als sie zur Darbietung, Klärung u Sicherung des Ev beitragen können. Das zentrale Motiv der nt.-lichen Botschaft, die Kunde von Gottes eschatologischem Handeln, das die Gesch Israels u der Völker der Welt zu dem von Gott festgelegten Ziel bringt, ist weder mit der Philosophie verwandt noch von ihr abhängig[114]. Es stellt vielmehr das Ziel der Philosophie, mit den Mitteln des Denkens dem Menschen zu einer Bewältigung des Seienden einschließlich seiner selbst zu verhelfen, grundsätzlich in Frage u widerspricht durch die für die Botschaft bis zu einem gewissen Grade unabdingbaren semitischen Denkformen den grundlegenden philosophischen Anschauungen[115].

2. Kol 2, 8 ist die einzige Stelle, an welcher das Substantiv φιλοσοφία im Neuen Testament belegt ist. Hier wird vor Irrlehrern gewarnt, welche die Gemeinde „durch Philosophie und leeren Betrug gefangennehmen gemäß der Überlieferung der Menschen, gemäß den Elementen (→ VII 685, 21ff) der Welt und nicht gemäß Christus". Zunächst ist deutlich, daß der Ausdruck φιλοσοφία auf die Irrlehrer bezogen werden muß, die der Kolosserbrief teils ausdrücklich bekämpft (2, 6—8. 16—23), teils durch entsprechende positive Aussagen indirekt zu treffen sucht (1, 9—2, 5. 9—15; 3, 1—4)[116]. Paulus denkt weder allgemein an die griechische Philosophie als geistesgeschichtliche Erscheinung noch an eine der klassischen Schulrichtungen, sondern an eine bestimmte, sich von der kolossischen Gemeinde als ganzer absondernde synkretistisch-religiöse Gruppe[117], die auf die Gemeinde

[112] Man spricht in diesem Zshg von einem „hell Kulturmilieu" HJSchoeps, Paulus (1959) 23, aus dem die Pls philosophische Begriffe entweder in der Frühzeit oder vor allem während der späteren Mission zukamen.

[113] Vgl MPohlenz, Paulus u die Stoa, ZNW 42 (1949) 70—81; → Bornkamm Offenbarung 18f; Mi R[13] 60. 64. 71f. 77—84.

[114] Der Versuch der radikalen Kritik des 19.Jhdt, die Entstehung des Christentums aus der Entwicklung der profanen Philosophie u Moral herzuleiten, ist dem Eigenrecht der theol Aussage, aber auch der jüd-palästinischen Herkunft des Urchr nicht gerecht geworden. In der Gegenwart ist ein derartiger Entwicklungsgedanke aufgegeben worden, doch werden philosophische Denkformen als hermeneutischer Horizont gebraucht, auf den hin die nt.liche Überlieferung ausgelegt wird. Eine Gefahr dieser Methode liegt darin, daß die Überlieferung mit dem jeweiligen Horizont identifiziert wird. Zum Ganzen vgl WGKümmel, Das NT, Gesch der Erforschung seiner Probleme (1958) passim.

[115] Während vor allem die ältere Forschung die scharfen Aussagen über die Weisheit der Welt in 1 K 1—3 auf eine rhetorische oder philosophische Überfremdung der chr Botschaft bezog, versucht man neuerdings, diese aus dem Kampf mit einer gnostischen Christologie, die mit dem jüd Sophiamythos in Zshg steht, zu erklären. Vgl WSchmithals, Die Gnosis in Korinth, FRL 66 [2](1965) passim; Wilckens aaO (→ A 32) 205—212; → VII 519, 20ff.

[116] Vgl Loh Kol zu 2, 8; → Bornkamm Häresie 143; → Davies Paul 145—177.

[117] Grundlegend ist JBLightfoot, Saint Paul's Epistles to the Colossians and to Philemon [9](1890) 71—111. 176—178, wo vor allem auch der Versuch gemacht wird, zwischen der kolossischen Irrlehre u dem Essenismus eine Verbindung herzustellen. Die Warnung vor der „Philosophie" in Kol

eine gefährliche Anziehungskraft ausübt (2, 8. 16. 21)[118]. Ihrem Inhalt nach erhebt die kolossische Häresie den Anspruch, eine besondere Einsicht in den Zusammenhang zwischen Gott, Christus, den Engeln bzw Astralmächten und der Schöpfung zu haben[119]. Vermutlich lehnte sie dabei die Christusverkündigung nicht grundsätzlich ab, sondern gab vor, diese einer besonderen Erkenntnis des 5 Sichtbaren und des Unsichtbaren einzuordnen und ihr damit die notwendige Begründung und Ergänzung zu schaffen[120]. Außerdem wußte die kolossische Häresie eine Reihe von Regeln zu geben, die das Leben desjenigen bestimmen sollten, der das von ihr vermittelte Heilswissen bereits erhalten hatte oder erhalten sollte[121]. Die Polemik gegen die παράδοσις τῶν ἀνθρώπων (2, 8 vgl auch 2, 22) könnte darauf 10 hindeuten, daß die Häretiker sich auf eine bestimmte Art und Weise der Überlieferung ihrer Lehre beriefen und die in späthellenistischer Zeit mächtige Autorität des Alters oder des Esoterischen für sie in Anspruch nahmen[122]. Die drei genannten Merkmale — Absonderung, theoretische und praktische Einsicht in den Kosmos, Traditionscharakter — zeigen, daß die kolossische Irrlehre dem Bild einer reli- 15 giösen Gemeinschaft entspricht, welcher der späte Hellenismus und das hellenistische Judentum das Prädikat φιλοσοφία zuerkennen konnte. Aus diesem Grunde wird man annehmen müssen, daß das Wort φιλοσοφία in 2, 8 nicht von Paulus selbst in abschätzigem Sinn eingeführt und auf die Häresie angewandt wird, sondern

2, 8 entspricht nach ihm der ähnlichen in 1 Tm 6, 20 vor der ψευδώνυμος γνῶσις. Erkannt wird von Lightfoot, daß der Begriff φιλοσοφία aus dem Selbstbewußtsein der Irrlehrer stammt. Während Loh Kol zu 2, 8 den Philosophie-Begriff lediglich mit dem bekannten jüd-hell Material deckt, hat → Bornkamm Häresie 143 auf Grund des von Reitzenstein Hell Myst gesammelten Materials φιλοσοφία in Kol 2, 8 als „Offenbarungslehre u Magie" bestimmt. → Davies Paul 158 versucht, den דעת-Begriff von Qumran 1 QS 3, 13 ff mit dem Inhalt von Kol 2, 8 in Verbindung zu bringen: Es geht nicht nur um die Beobachtung von Festen, Sabbaten usw, sondern um ein bestimmtes neues Weltverständnis ähnlich wie in Kol 2, 8. Will man Kol 2, 8 mit dem hell Judt verbinden, ist vor allem auf die philonische Schilderung der Therapeuten Philo Vit Cont zu verweisen, die ausdrücklich als φιλόσοφοι bezeichnet werden Vit Cont 2 u ihre Verehrung des Kosmos von einem *Werkmeister* δημιουργός ableiten. Dabei setzt Philo sie bewußt von einer heidnischen στοιχεῖα — Lehre ab Vit Cont 3 ff. Vgl das Auftauchen der *Lehrsätze der Weisheit* τὰ σοφίας δόγματα 68. Die Polemik des Kol hat Ähnlichkeit mit der Darstellung von Philos Vit Cont.

[118] Der gefährliche Charakter der φιλοσοφία wird durch συλαγωγέω als *Beute wegführen* (vgl αἰχμαλωτίζω 2 Tm 3, 6) u κενὴ ἀπάτη *leerer Betrug* (macht- u rechtlos) stark hervorgehoben; κενὴ ἀπάτη (ohne Artk) qualifiziert φιλοσοφία.

[119] → Bornkamm Häresie 143—145 geht auf die bei Reitzenstein Hell Myst u A Dieterich, Mithr Liturg zusammengestellten Mysterientexte zurück u nimmt eine Art Wieder-

geburt unter Anrufung der Elemente an. Etw anders sehen die mysterienartigen Abschließungen u Versammlungen der Therapeuten nach Philo Vit Cont 25 ff aus, die sich mit Exegese u Hymnen beschäftigen. Grundsätzlich ist zwischen dem, was Philo meint u dem, was er darstellt, zu unterscheiden. Auf keinen Fall denkt Philo an eine Vergottung.

[120] Nach dem Stand der gegenwärtigen Diskussion hält sich die Irrlehre durchaus an den „Leib Christi", der dann aus den „Weltelementen" τὰ στοιχεῖα τοῦ κόσμου besteht u die „Fülle der Gottheit" darstellt, vgl dazu → Bornkamm Häresie 141. Für die Irrlehre muß die Gleichsetzung der Mächte Kol 1, 16 mit den kosmischen Weltelementen (als Kräfte u Attribute Gottes verstanden) die Voraussetzung für das Verständnis der Unterweisung des Christentums gewesen sein. Umgekehrt ist für Pls die Missionspredigt bzw Tauflehre die Voraussetzung für eine Schöpfungslehre auf Grund des Taufgeschehens. Es geht also nicht nur um die Abwehr des Synkretismus, sondern auch um den Aufbau der theol Konzeption.

[121] → Bornkamm Häresie 147—149 versteht die Gebote u asketischen Forderungen der Häretiker Kol 2, 21 ff aus dem Synkretismus des Judt. Nach Philo Vit Cont 34 ff wird das Philosophieren dem Tag, die Nahrungsaufnahme der Nacht vorbehalten.

[122] Die Wendung ἡ παράδοσις τῶν ἀνθρώπων richtet sich gg jede Lehrtradition, die nicht legitimiert ist, aber auf Autoritäten zurückgeführt werden kann Mk 7, 8; Gl 1, 12. Philo Vit Cont 26 spricht ausdrücklich von δόγματα τῆς ἱερᾶς φιλοσοφίας u meint betonte Lehrsätze, die man auf exegetischem Wege gewonnen hat.

daß der Apostel eine von seinen Gegnern mit dem Anspruch auf gewichtige Autorität gebrauchte Bezeichnung aufnimmt [123] und durch den polemisierenden Zusatz καὶ κενῆς ἀπάτης verwirft [124]. Entscheidend ist die Feststellung, daß das Urchristentum im Gegensatz zu Philo und Josephus und zu synkretistischen Bewegungen wie
5 der Hermetik oder der genannten kolossischen Irrlehre, aber in Übereinstimmung mit der Apokalyptik an keiner Stelle den Anspruch erhebt, als φιλοσοφία verstanden zu werden — sich aber doch als Sophia (→ VII 520, 2ff) eigener Art zu erkennen geben kann (1 Kor 2, 6).

3. Eine Begegnung der urchristlichen Botschaft mit Epi-
10 kureern und Stoikern, dh mit den Vertretern der beiden damals einflußreichsten philosophischen Schulen in Athen, wird in Ag 17, 18 berichtet. Die Wendung τινές ... τῶν Ἐπικουρείων καὶ Στωϊκῶν φιλοσόφων bezeichnet, einer auch außerhalb des Neuen Testamentes üblichen Redeweise entsprechend, Philosophen, die der epikureischen bzw stoischen Schule angehören und deren Lehre in den wesent-
15 lichen Punkten vertreten [125]. Es liegt vom Wortlaut des Textes her nahe, die in v 18b beschriebenen Reaktionen, denen die Wirksamkeit des Paulus begegnet, auf die beiden Philosophengruppen zu verteilen [126]. Während die Epikureer mit Geringschätzung antworten [127], zeigen die Stoiker Interesse [128]. Die Gegenüberstellung einer feindlichen und einer neutralen bzw einer freundlichen Partei unter den
20 Zuhörern im Rahmen einer Missions- oder Gerichtsszene entspricht einer Kompositionsregel des Lukas (Ag 2, 12f; 14, 4; 23, 6; 28, 24). Ihr kommt aber der tatsächliche Gegensatz zwischen Epikureern und Stoikern entgegen. σπερμολόγος (→ III 608, 22ff; IV 850, 19ff) bezeichnet nicht einfach einen „Schlagwortjäger" [129], sondern den Pseudophilosophen [130] und weist damit auf den standesbewußten An-
25 spruch der griechisch-hellenistischen Philosophenschulen hin, die rechte παιδεία (→ V 597, 1ff) zu vermitteln [131]. Ein Grundsatz der späten Stoa zielt darauf hin, prinzipiell mit allen Menschen Gemeinschaft zu pflegen und die Götter zu verehren. Insofern sind die Stoiker für Paulus und seine religiöse Verkündigung aufgeschlossen [132]. Sie ordnen Paulus in die Reihe der wandernden Verkündiger ein, die orien-
30 talische Gottheiten und Kulte nach Griechenland bringen [133]. In einer Argumentation, die biblische und stoische Denkformen zu einer nur schwer analysierbaren,

---

[123] So schon Lightfoot aaO (→ A 117) zSt unter Hinweis auf den jüd-hell Sprachgebrauch.
[124] Cl Al Strom VI 8, 62, 1 erkennt schon, daß Pls an dieser St sich nicht allg gg die Philosophie wendet.
[125] In den Hdschr wechseln die Formen Ἐπικουρίων u Ἐπικουρείων bzw Στοϊκῶν u Στωϊκῶν, vgl Bl-Debr § 35,1. Die pluralische Verbindung οἱ Στωϊκοὶ φιλόσοφοι findet sich weniger, häufig ist der Sing, der einem Eigennamen beigefügt wird. Im Plur begegnen andere Umschreibungen, zB οἱ ἀπὸ τῆς Στοᾶς Plut Plac Phil I 5 (II 879a), vgl RHobein, Artk Stoa, in: Pauly-W 4a (1931) 40—42.
[126] Vgl Haench Ag[15] zSt; GStählin, Die Apostelgeschichte, NTDeutsch 5 [3](1968) zSt.

[127] Vgl → Gärtner 49.
[128] Vgl Haench Ag[15] zSt; Stählin aaO (→ A 126) zSt.
[129] Auf die Schwierigkeit einer solchen Deutung macht → Dibelius 62 aufmerksam.
[130] Vgl etwa Dio Chrys Or 32, 9.
[131] Dion Hal gebraucht das Adj σπερμολόγος, um einen Barbaren zu charakterisieren, der nicht zwischen Heiligem u Profanem zu unterscheiden vermag Ant Rom 19, 4, 2; 5, 2.
[132] Zur Aufgeschlossenheit der Philosophie für religiöse Fragen → II 3, 20ff.
[133] Die Wendung ξένα δαιμόνια erinnert an die Anklage, die gg Sokrates erhoben wurde καινὰ δαιμόνια εἰσφέρων Xenoph Mem I 1,1. Vgl auch Jos Ap 2, 267.

wahrscheinlich bereits durch den jüdischen Hellenismus vorbereiteten Einheit verarbeitet[134], wird Ag 17, 22—31 die heidnische Gottesverehrung in der Form des Tempel- und Bilderdienstes als dem Wesen und den Werken des einzig wahren, den Athenern bisher unbekannten Gottes unangemessen erwiesen[135].

Formgeschichtlich handelt es sich um eine Anklage, an die sich die Aufforderung zur 5 Umkehr u die Ankündigung des Gerichtes anschließen Ag 17, 30f. Die Areopagrede bietet keine Auseinandersetzung mit der griech Philosophie, sondern eine Kritik der heidnischen Gottesverehrung, die zT mit Argumenten durchgeführt ist, wie sie von der Philosophie erarbeitet wurden.

E. Gnosis.
10

Im gnostischen Denken spielt die Wortgruppe später keine Rolle. Im griech Text der Act Thom wird φιλοσοφία zweimal als chr Kardinaltugend genannt u steht als Liebe zur Weisheit Gottes im Gegensatz zur Weisheit der Menschen 139 (p 246, 12. 27)[136].

F. Die Apologeten.
15

Wie im hell Judt wird die Wortgruppe φιλοσοφ- von den frühchristlichen Apologeten verwendet, um den Wahrheitsanspruch der eigenen Religion unter den Gebildeten geltend zu machen. Dabei greifen sie vor allem die in den Philosophenschulen diskutierte Frage nach dem wahren Philosophen auf Dio Chrys Or 49, 8. 9; 32, 9 u bemühen sich, in Antithese zu den „Faseleien törichter Philosophen" die 20 Weisheit Gottes aufzuzeigen Theophil Autol II 15, 43—48. Die Aufgabe der φιλοσοφία besteht darin, ἐξετάζειν περὶ τοῦ θείου Just Dial 1, 53. Dieser Aufgabe wird die Methode dialektischer Disputation dienstbar gemacht. Ohne Philosophie u ohne richtige Unterredung, die sich auf die Argumente des anderen einläßt, besitzt niemand Verständnis Just Dial 2, 3. Immer wieder wird der normative Charakter des die Welt umfassenden 25 Logos herausgestellt Just Apol 2, 1—4. Wenn man dem Logos folgt, gelangt man zur Anerkennung des Christus, der der Logos ist Apol 46, 2—4. Weil die Christen sich ganz u gar durch diesen Logos bestimmen lassen μετὰ λόγου βιοῦντες, sind sie die wahren Philosophen Apol 46, vgl 21f[137]. Damit tritt in der Wortgruppe φιλοσοφ- das Moment voraussetzungslosen kritischen Denkens zurück, u sie wird eine geeignete Basis für die 30 Vermittlung chr Verkündigung.

Michel

---

[134] Vgl HConzelmann, Die Apostelgeschichte, Hndbch NT 7 (1963) Exk zu 17, 32 u die ebd genannte Lit.

[135] ἄγνωστος meint nicht den gnostischen Unbekannten, so ENorden, Agnostos Theos (1913) 56—73, sondern besagt im Sinn der jüd-hell Auffassung, daß die Heiden Gott nicht kennen Sap 14, 22; Philo Decal 8; Jos Ant 10, 143 uö, vgl → I 120, 38ff.

[136] Offenbar vermied die Gnosis die Wortgruppe φιλοσοφ-, um ihren Absolutheitsan-

spruch gegenüber allen philosophischen Richtungen u dem ap Christentum zum Ausdruck zu bringen. Iren Haer I 20, 4 sagt: gnosticos se autem vocant. Deshalb eignete sich die Wortgruppe φιλοσοφ- dazu, auf die unspekulative, demütige Haltung der ap Christen hinzuweisen u im antignostischen Sinn verwandt zu werden. Vgl zum Verhältnis von Gnosis u Philosophie → Wolfson Philosophy 559—574.

[137] Zum Gebrauch der Wortgruppe φιλοσοφ- bei den Apologeten vgl → Malingrey 107—128.

> † *φοβέω,* † *φοβέομαι,*
> † *φόβος,* † *δέος*

Inhalt: A. Die Wortgruppe bei den Griechen: 1. Herkunft, Bedeutung und Geschichte der Wortgruppe; 2. Der allgemeine Sprachgebrauch; 3. Der Gott Φόβος, 4. Die
5 Wertung der Furcht: a. Die Furcht in der unreflektierten Sprache, b. Die Furcht in der Philosophie. — B. φόβος und φοβέομαι im Alten Testament: I. Vorkommen und hebräische Äquivalente. II. Der Stamm ירא im Alten Testament: 1. Wortbedeutung; 2. Furcht im menschlich-weltlichen Bereich; 3. Gottesfurcht; 4. Die Formel אַל־תִּירָא. III. Der Stamm פחד im Alten Testament: 1. Sprachliches; 2. Inhaltliches. IV. Furcht in den alttestament-
10 lichen Apokryphen. — C. Die Furcht im palästinischen und hellenistischen Judentum: 1. In den Pseudepigraphen; 2. In Qumran; 3. In den rabbinischen Schriften; 4. Bei Philo und Josephus. — D. Die Wortgruppe im Neuen Testament: 1. Der allgemeine Sprachgebrauch; 2. Die Epiphanie der Gottesherrschaft und die Furcht; 3. Die formelhafte Rede von der Gottesfurcht; 4. Glaube und Furcht; 5. Die Furcht als paränetisches
15 Motiv. — E. Die Furcht in der alten Kirche und in der Gnosis: 1. In der alten Kirche; 2. In der Gnosis.

A. Die Wortgruppe bei den Griechen.

1. Herkunft, Bedeutung und Geschichte der Wortgruppe.

20   Der Wortgruppe liegt das primäre u fast nur noch bei Hom, zB Il 15, 345; Od 22, 299, gebrauchte Verbum φέβομαι *fliehen* zugrunde, das mit litauisch bégu, bégti *laufen* u slavischen Verwandten auf idg bhegu- *davonlaufen* zurückgeht[1]. Davon ist das Verbalnomen φόβος u das sekundäre Verbum φοβέω, φοβέομαι abgeleitet, die beide allein übrigbleiben u stets als zueinandergehörig empfunden werden. Spä-
25 testens von Hom an gilt φόβος als Verbalnomen zu φοβέω, φοβέομαι[2]. Aus den urspr Bdtg des *Aufscheuchens* u *Fliehens* hat sich nach der bekannten Regel, daß viele Ausdrücke für seelische Regungen aus urspr anschaulichen Bezeichnungen der physischen Begleiterscheinungen entstanden sind, die Bdtg *Furcht* bzw *in Furcht setzen, sich fürchten*

φοβέω κτλ. Lit: WLütgert, Die Furcht Gottes, Festschr MKähler (1905) 163—186; BBamberger, Fear and Love of God, HUCA 6 (1929) 39—53; Bü J 75—78 (Exk 10: Furcht u Liebe); RSander, Furcht u Liebe im palästinischen Judt, BWANT 68 (1935); EBernert, Artk Phobos, in: Pauly-W 20 (1950) 309—317; WSchadewaldt, Furcht u Mitleid? Zur Deutung des Aristotelischen Tragödiensatzes, Hermes 83 (1955) 129—171; CHRatschow ua, Artk Gottesfurcht, in: RGG³ II 1791—1798; JGruber, Über einige abstrakte Begriffe des frühen Griech (1963) 15—39; SPlath, Furcht Gottes. Der Begriff ירא im AT, Arbeiten zur Theol II 2 (1963); KRomaniuk, La crainte de Dieu à Qumran et dans le Nouveau Testament, Revue de Qumran 13 (1963) 29—38; ders, Die „Gottesfürchtigen" im NT. Beitrag zur nt.lichen Theol der Gottesfurcht, Aegyptus 44 (1964) 66—91; JBecker, Gottesfurcht im AT, Analecta Biblica 25 (1965); JHaspecker, Gottesfurcht bei Jesus Sirach, Analecta Biblica 30 (1967); KRomaniuk, Il timore di Dio nella teologia di San Paolo (1967).

[1] Vgl Schwyzer I 717f; II 228f; WPorzig, Die Namen für Satzinhalte im Griech u im Idg (1942) 35. 130f; Hofmann, Frisk sv φέβομαι; Pokorny I 116. [186, 20—187, 6 nach Risch]

[2] Der Zshg v φόβος mit φόβη *Haarmähne,* vgl Soph El 449, ist nicht klar. An den *Haarsträuber* als urspr Bdtg v φόβος, vgl ὀρθαὶ αἱ τρίχες ἵστανται ὑπὸ φόβου Plat Ion 535c, denkt EKapp bei BSnell, Die Entdeckung des Geistes ³(1955) 303 A 1; zustimmend → Schadewaldt 130 A 3. Eine ähnliche sprachliche Entwicklung ließe sich bei dem bedeutungsverwandten σέβομαι (→ VII 169, 11ff) beobachten, wo ebenfalls eine Intensivbildung σοβέω *verscheuchen* u eine Form σόβη *Pferdeschweif* bekannt sind, vgl Frisk sv σέβομαι u σοβέω. Zu den verhaltensphysiologischen Zshg zwischen dem numinosen Schauder u dem Haarsträuben vgl KLorenz, Das sog Böse. Zur Naturgeschichte der Aggression ³(1964) 386f. Der sprachliche Zshg wird aber dadurch problematisch, daß eine idg Wurzel für das Sträuben der Haare bekannt ist; → Gruber 15 mit A 3.

entwickelt.[3] Wenn bei Dichtern wie Bacchyl 13, 145 noch φόβος *Flucht* begegnet, so ist das homerischer Archaismus. Das ältere Wort für *fürchten*, *Furcht* ist das homerische δείδω, attisch δέδοικα mit dem Neutrum δέος. Dazu gehören ua θεουδής *gottesfürchtig* Hom Od 6, 121 u δειλός *furchtsam*[4]. Es ist bezeichnend, daß auch später die Gruppe um δέος eher die *Befürchtung*, φόβος dgg mehr die *plötzliche* u *heftige Furcht*, die *Panik* 5 bezeichnet[5].

2. Der allgemeine Sprachgebrauch.

Die Wortgruppe begegnet in folgenden Bedeutungsnuancen: a. *Flucht, Schauder* Hom Il 8, 139; 11, 71; 17, 597, vgl bes φύζα, φόβου κρυόεντος ἑταίρη *kopfloses Davonrennen, Gefährte der schrecklichen Flucht* Il 9, 2; ἐστάμεναι κρατερῶς, μηδὲ 10 τρωπᾶσθε φόβονδε (= φύγαδε) Il 15, 666. Die Bdtg *Furcht* liegt vermutlich schon Il 11, 544; 12, 46; 21, 575 vor[6]. φοβέω bedeutet entsprechend *in die Flucht schlagen*, *schrecken* Il 16, 689, φοβέομαι *fliehen, erschreckt werden* Il 8, 149; 11, 172 uö. Der φόβος kann personifiziert als *Macht* auftreten, *die in die Flucht schlägt* Il 13, 299 (→ 188, 5ff)[7]. — b. In der nachhomerischen Zeit bleiben die Bdtg *zum Fürchten bringen* u *erschrecken* 15 (intr), *fürchten* erhalten, vgl μὴ φίλους φόβει Aesch Sept c Theb 262; von Kamelen ἐφόβουν ... τοὺς ἵππους Xenoph Cyrop VII 1, 48; δουλεύειν καὶ τεθνάναι τῷ φόβῳ Θηβαίους Demosth Or 19, 81; οἱ δὲ σύμμαχοι τεθνᾶσι τῷ δέει τοὺς τοιούτους ἀποστόλους Or 4, 45. Der Gott kann einen plötzlichen Schrecken das Heer befallen lassen Hdt VII 10ε, vgl τῶν Ἑλλήνων εἰς τοὺς βαρβάρους φόβος Xenoph An I 2, 18; ähnlich III 1, 18; Cyrop III 20 3, 53. φόβος kann inneres Obj zu φοβέομαι sein: οἱ ἀνδρεῖοι οὐκ αἰσχροὺς φόβους φοβοῦνται Plat Prot 360b, aber auch Ursache der Furcht: φόβος γὰρ ἐς τὸ δεῖμα ... μ᾽ ἄγει Eur Hel 312; φόβος μ᾽ ἔχει Aesch Ag 1243. ἄφοβοι θῆρες Soph Ai 366 sind *furchtlose* u *keine Furcht einflößende Wildtiere*[8]. — c. Die Bdtg *befürchten* begegnet meist in Verbindung mit μή, zB: φοβούμενοι, μὴ ληφθέντες ἀποθάνωσιν Xenoph Cyrop III 1, 25, vgl PMagd 9, 3 (3.Jhdt 25 vChr); φοβεῖσθαι μὴ τῷ λιμῷ ἀποθάνοι Teles fr 4a (p 40, 6); φοβούμενος μὴ χειμῶν[ος τῆς τροφῆς ἐνδέ]ωσιν Theopompus-Fr POxy V 842 col 21, 6f. Für Konstr mit Inf vgl ἐγὼ ... φοβοῦμαι σοφιστὰς φάναι *ich habe Bedenken, sie als Sophisten zu bezeichnen* Plat Soph 230e. — d. Meist bezeichnet die Wortgruppe den psychischen Affekt der *Furcht* bzw *Angst*, zB φόβῳ διόλλυται Plat Phaedr 254e; τὸ πάσχειν φοβούμενοι Resp I 344c; Ζεύς μοι 30 σύμμαχος, οὐ φοβοῦμαι Eur Heracl 766. Diese Angst wird stets negativ bewertet (→ 189, 11ff), vgl Aristot Pol V 5 p 1304b 23f oder den Eigennamen Ἄφοβος Demosth Or 27—29. Der φόβος führt zur ἔκπληξις *Bestürzung* Eur fr 67 (TGF 381) u äußert sich oft in der *Angst vor dem Sterben* τὸ ἀποθνῄσκειν φοβεῖται Plat Gorg 522e. Zur philosophischen Affektenlehre → 192, 8ff. Die reflektierte Sprache befaßt sich mit dem 35 Verhältnis von φόβος u δέος (→ 193, 15f; A 5). Sokrates kann zwar die Unterscheidung des Prodikos zwischen φόβος u δέος verwerfen: προσδοκίαν τινὰ λέγω κακοῦ τοῦτο, εἴτε φόβον εἴτε δέος καλεῖτε ... οὐδὲν διαφέρει Plat Prot 358d. e; vgl Leg VII 798b, u Aristot kann beiläufig φόβον ähnlich bestimmen, wie es sonst für δέος üblich ist: διὸ καὶ τὸν φόβον ὁρίζονται προσδοκίαν κακοῦ Eth Nic III 9 p 1115a 9, vgl Plat La 198b. Die 40 differenzierte Def des Aristot betont aber am φόβος das Moment der λύπη u der ταραχή ἐκ φαντασίας μέλλοντος κακοῦ φθαρτικοῦ ἢ λυπηροῦ, denn für ihn gilt: οὐ γὰρ πάντα τὰ κακὰ φοβοῦνται, οἷον εἰ ἔσται ἄδικος ἢ βραδύς, ἀλλ᾽ ὅσα λύπας μεγάλας ἢ φθορὰς δύναται, καὶ ταῦτ᾽ ἐὰν μὴ πόρρω ἀλλὰ σύνεγγυς φαίνηται ὥστε μέλλειν Rhet II 5 p 1382a 21ff. Die Nähe des Bevorstehenden u die Größe des Ungemachs machen also erst den φόβος aus. Im allg 45 Sprachgebrauch haben sich solche Differenzierungen aber nicht durchgesetzt. — e. Verschiedentlich begegnet die Wortgruppe in der Bdtg *Ehrfurcht, Scheu, Respekt*, bes wenn

---

[3] MLeumann, Homerische Wörter, Schweizerische Beiträge zur Altertumswissenschaft 3 (1950) 13f; → Gruber 19—30.

[4] Vgl Frisk sv.

[5] Noch Ammonius (1./2.Jhdt nChr) hat in seinem Synonymenlexikon De adfinium vocabulorum differentia (ed KNickau [1966]) 128 den Unterschied zwischen dem *plötzlichen Zusammenfahren* u dem *Ahnen auf lange Zeit voraus* betont: δέος καὶ φόβος διαφέρει. δέος μὲν γάρ ἐστι πολυχρόνιος κακοῦ ὑπόνοια, φόβος δὲ παραυτίκα πτόησις. Dahinter steht wohl nicht die mythologische Differenzierung zwischen dem Gott Φόβος u seinem Bruder Δεῖμος, wie → Bernert 309 meint; denn eine klare Unterscheidung ist in der Mythologie nicht zu erkennen, vgl → 188, 6ff. Weitere Def → Z 35ff.

[6] Vgl Leumann aaO (→ A 3) 14; → Gruber 22—25.

[7] Nach Porzig aaO (→ A 1) 35 kann bei Hom der Tatbestand des Schauderns oder In-die-Flucht-Schlagens in direkter Nähe des Namens dessen stehen, der die kopflose Flucht erregt Il 15, 326f; 16, 290f, so daß hier das Nomen einen Satzinhalt u einen Eigennamen zugleich bezeichnet.

[8] Hier liegt preziöse Diktion vor, die auf dem Hintergrund der normalen Bdtg *furchtlos* mit dem Kompos spielt. [Dihle]

Götter oder Mächtige im Spiel sind, zB *Ehrfurcht* vor den Göttern Plat Leg XI 927 a. b
(→ 191, 1 ff; 193, 6 ff); *Respekt* vor dem Gericht (→ 190, 40 ff) PLips 36, 6 (4. Jhdt nChr);
vgl weiter Aesch Suppl 893; Eur Med 1202.

3. Der Gott Φόβος.

5   Der griech Volksglaube kennt seit früher Zeit Φόβος als reale u
wirksame Gottheit[9]. Schon bei Hom Il 13, 298—300 wird er als Sohn des Ares[10] in die
mythologische Systematik eingebaut u als typischer Kriegsgott geschildert, vgl Hes
Theog 933—936, wo er zus mit Δεῖμος genannt wird[11]. Daß dahinter nicht nur eine
dichterische Personifizierung des Furchterregers steht, zeigen kultische Erwähnungen
10 des Φόβος. In einer Weihinschrift aus Selinunt (5. Jhdt vChr) wird Φόβος direkt nach
Zeus allen anderen Göttern vorangestellt: δι]ὰ τὸν Δία νικῶμες καὶ διὰ τὸν Φόβον IG
14, 268, 2[12]. Von Alexander u von Theseus wird berichtet, daß sie dem Φόβος opferten
Plut Alex 31 (I 683 b); Thes 27 (I 12 f), vgl weiter Appian Rom Hist 8, 21, 85 (p 199, 15);
Aesch Sept c Theb 42 ff. Gerade im kriegerischen Sparta stand ein Tempel des Φόβος
15 Plut, De Cleomene 8 f (I 808 b—e)[13]. In einer unbekannten jüngeren Komödie tritt
Φόβος selbst auf die Bühne mit den Worten: ἀμορφότατος τὴν ὄψιν· εἰμὶ γὰρ Φόβος πάντων ἐλάχιστον τοῦ καλοῦ μετέχων θεός Sext Emp Math IX 188[14]. In späterer Zeit erscheint der Φόβος immer mehr als gespenstische Gestalt[15]. Auf einem schwarzen Amu-
lettstein findet sich die Inschr: πρὸς δέμονα[ς] κὲ φόβους IG 14, 2413, 8, vgl weiter φόβους
20 ... νυχαυγεῖς *nachts leuchtend* Orph Hymn (Quandt) 3, 14; φόβων ἔκπαγλε βροτείων
11, 7; φόβων ... δεινῶν 39, 3[16]. Dementsprechend wird der Φόβος schon in alter
Zeit als Apotropaion in schreckerregender Gestalt abgebildet, meist als Schildzeichen
Paus V 19, 4 (Löwe); Hom Il 5, 738—742; Pseud-Hes, Scutum 144 (Schlange)[17]. Neben
Fratzenmasken u Gorgonendarstellungen begegnen auch Mischformen[18]. Die Über-
25 tragung des Fratzenbildes auf Φόβος ist wohl eine sekundäre Realisierung des homerischen Schreckensgottes[19]. So steht am Anfang u am Ende der Rede von Φόβος als
kriegerischem Gott das Phänomen des Erschreckens vor dem unheimlichen Furcht-
erreger[20]. In der späten synkretistischen Religiosität spielt Φόβος als Gottheit wieder
eine Rolle (→ 215, 29 ff).

[9] Vgl dazu → Bernert 309; A Dieterich,
Abraxas. Studien zur Religionsgeschichte des
spätern Altertums, Festschr H Usener (1891)
86—93; H Usener, Götternamen. Versuch einer
Lehre von der religiösen Begriffsbildung (1896)
364—375; O Höfer, Artk Phobos, in: Roscher
III 2386—2395; H Lietzmann, Gesch der Alten
Kirche I ⁴(1961) 285—289; U v Wilamowitz-
Moellendorff, Der Glaube der Hellenen I (1956)
268 f; → Gruber 15 f. 32—36.
[10] Φόβος u Δεῖμος werden nicht überall als
Söhne des Ares bezeichnet, vgl Hom Il 15, 119 f;
4, 439 f; 11, 37; Nonnus Dionys 32, 178 f; Artemid Onirocr II 34 (p 131); → Bernert 310. 312.
Auch Athene kann Φοβερά *die Feinde schreckend*
heißen, vgl Roscher III 2385 f.
[11] Als Begleiter der Minerva werden Terror
et Metus Apul Met X 32, 4 genannt.
[12] Vgl → Bernert 310; Dieterich aaO (→
A 9) 92. Φοῖβος als Beiname des Apollo hat
mit Φόβος nichts zu tun, sondern meint den
lichten, strahlenden Gott, vgl Roscher III
2398; vgl auch → Gruber 33 f.
[13] Plut kennt selbst in seiner Erklärung De
Cleomene 9 (I 808 c—e) Φόβος als Kriegsgott
nicht mehr u setzt eher sein allg Verständnis
als Schreckgespenst voraus. Wilamowitz-
Moellendorff aaO (→ A 9) 274 f betont die
apotropäische Grundbedeutung des Φόβος, vgl
Höfer aaO (→ A 9) 2386; → Bernert 312;
Dieterich aaO (→ A 9) 91. Weitere Hinweise
auf die Gottheit des Φόβος bei Plut Amat 18
(II 763 c); Mulierum virtutes 18 (II 255 a);
Philodem Philos, De pietate (ed T Gomperz,
Herkulanische Studien II [1866]) p 35, 21.

[14] Vgl Fr adespotum 154 (CAF III 439).
[15] → Bernert 313 f.
[16] Dieterich aaO (→ A 9) 89 f macht durch
einen Vergleich mit ähnlichen Aussagen über
die κῆρες (*Gespenster*) klar, daß die φόβοι in den
orphischen Hymnen nicht allg als Schreck-
bilder, sondern tatsächlich als *gespenstische
Erscheinungen* zu verstehen sind. Weiter sind
heranzuziehen Nonnus Dionys 14, 81, wo
Φόβος einer der 12 Pane ist, ein Zaubertext, in
dem die φόβοι neben den ἐχθροί, κατήγοροι,
λησταί u φαντασμοὶ ὀνείρων erwähnt werden
Preis Zaub II 10, 24 ff (4./5. Jhdt nChr) u Paus
II 7, 7, wo ein Ort nach einem Schreckbild
Φόβος genannt wird (→ 215, 29 ff).
[17] Zu der schwierigen Frage der bildlichen
Darstellung → Bernert 315—317; Höfer aaO
(→ A 9) 2390—2392. Die männliche Gorgo-
maske hat als Abb des Phobos zu gelten,
während die weibliche die Γοργείη κεφαλή ist,
Höfer 2394.
[18] Vgl die Diskussion bei P Wolters, Ein
Apotropaion aus Baaden im Aargau, Bonner
Jahrbücher 118 (1909) 257—274, bes 269—
272; → Bernert 316 f; Dieterich aaO (→ A 9)
88 A 4; L Deubner, Phobos, Ath Mitt 27 (1902)
253—264. 447; Wiedergaben v Masken bei
Höfer aaO (→ A 9) 2389—2394; Wolters u
Deubner (Bildteil).
[19] Vgl A Furtwängler, Artk Gorgones u
Gorgo, in: Roscher I 1695—1727.
[20] Auch im Abstraktbegriff blickt dieses
Konkretwerden v Furcht noch durch in den
Wendungen εἰσῆλθεν, ἐνέπεσε φόβος, vgl Usener
aaO (→ A 9) 375.

4. Die Wertung der Furcht.

Mit den Ausdrücken der Wortgruppe um φόβος wird stets ein Reagieren umschrieben, das sich aus bestimmten Machterfahrungen des Menschen ergibt. Die Skala der Furchtreaktionen reicht von spontanem Schauder und Angst bis zum Respekt und zur Ehrfurcht, die bereits eine Bewältigung des Macht- 5 erlebnisses durch Reflexion voraussetzen. Die Beurteilung der Furchtreaktion hängt deshalb mit dem Verständnis der eigenen Existenz eng zusammen; sie bietet zugleich auch einen Zugang zum religiösen Selbstverständnis bestimmter Personen und Gruppen.

a. Die Furcht in der unreflektierten Sprache. 10

Das Wesen der Furcht, die den Menschen bedrängt u in Angst versetzt, bringt es mit sich, daß man die Abwesenheit von Furcht als einen erstrebenswerten Zustand ansah. Das zeigen sprichwörtliche u volkstümliche Aussagen deutlich. So soll keiner mit seinem Mut prahlen, sondern auf Achtung dringen: ὅπως σε αἰσχύνωνται μᾶλλον ἢ φοβῶνται Stob Ecl III 117, 2; vgl δόλον φοβοῦ III 126, 3. Nicht Reich- 15 tum *befreit von Furcht* φόβου ἀπαλλάττει, ἀλλὰ λογισμός III 101, 4f. Die Quintessenz der von Stob Ecl gesammelten Sprüche περὶ δειλίας III 340, 9—346, 11 liegt in dem Satz: ἅπαντα γάρ τοι τῷ φοβουμένῳ ψοφεῖ *macht ein (erschreckendes) Geräusch* III 341, 1. Nur δοῦλοι tun das Rechte διὰ φόβου, Freie aber δι' αἰδῶ καὶ τὸ καλόν Zaleucus bei Stob Ecl IV 127, 8ff; vgl 124, 13f. Ähnlich äußert sich Eur Andr 142: φόβῳ δ' ἡσυχίαν ἄγομεν 20 *Furcht macht uns unbeweglich*. Auch die aufgeklärten Paränesen des **Isokrates** wollen von der Furcht im Sinne von Angst wenig wissen (vgl aber → 190, 16ff). Die Herrschaft über andere μετὰ φόβων καὶ κινδύνων καὶ κακίας wird abgelehnt Or 2, 26. Die Vermeidung der φόβοι soll das Tun bestimmen 3, 52. Man soll τοὺς πολλοὺς φόβους den Bürgern ersparen 2, 23, während wahre ἀρετή das mutig auf sich nimmt, was τῷ πλήθει 25 φοβερά erscheint 1, 7; denn zu fürchten ist letztlich für die σπουδαῖοι nur ἡ ἐν τῷ ζῆν ἀδοξία 1, 43. Bei Isoc spielen allerdings philosophische Interessen herein (vgl → 191, 28ff).

Ein anderes Verständnis der Furcht begegnet in der griech **Tragödie**. Hier sind die Agierenden oft von einer entsetzlichen Angst vor der unbekannten Zukunft oder dem Ungeheuren des Schicksals erfüllt: ἀμηχανῶ δὲ καὶ φόβος μ' ἔχει φρένας Aesch Suppl 379; 30 κραδία δὲ φόβῳ φρένα λακτίζει Prom 883; vgl 695f u weiter Suppl 223f. 348—353 (ohne φόβος); Sept c Theb 288—294. Oft ist die Angst des hilflosen Tieres Vorbild. Dem homerischen Epos war eine derartige Spannung noch unbekannt. Einen Ausweg bietet nur die Klage u das Gebet zu dem allein vollkommenen Gott[21]. Diese Furcht kann in den Chorliedern reflektiert werden[22], ja die Zuschauer werden selbst in das Geschehen 35 des Theaters hineingezogen[23]. Aufgerüttelt durch fremdes Leid sollen sie in Furcht um das eigene Geschick geraten, um in dieser Furcht wiederum Mitleid mit dem Geschick anderer zu empfinden. Diesen Zug nimmt vergröbernd Aristot in seiner berühmten Def der Tragödie auf: δι' ἐλέου καὶ φόβου περαίνουσα τὴν τῶν τοιούτων παθημάτων κάθαρσιν Poet 6 p 1449b 27f, vgl 14 p 1453b 1. 5, wo das φοβερόν in der Nähe von φρίττω 40 *schaudern* steht[24]. Daß die Tragödie nichts anderes sei als Nachahmung φοβερῶν καὶ ἐλεεινῶν (sc πραγμάτων) Aristot Poet 9 p 1452a 2f, reicht als volkstümliche Def mindestens in die Zeit der Sophisten des 5. Jhdt zurück, vgl Gorg Hel 8f (Diels II 290)[25]. Geht es dem Philosophen aber um die Reinigung von Affekten (→ 191, 34ff), so wußten die Dichter

---

[21] BSnell, Aischylos u das Handeln im Drama, Philol Suppl 20, 1 (1928) 43—51; vgl insgesamt GNebel, Weltangst u Götterzorn. Eine Deutung der griech Tragödie (1951) 22f. 34 uö; KvFritz, Antike u moderne Tragödie. Neun Abhandlungen (1962) 2f. 25f. 30f uö; GBornkamm, Mensch u Gott in der griech Tragödie u in der urchr Botschaft, Das Ende des Gesetzes [5](1966) 173—195.
[22] Snell aaO (→ A 21) 35f. 41. 51; Snell aaO (→ A 2) 148. Oft brachen die Zuschauer in Tränen aus Hdt VI 21, 2.
[23] Vgl WHFriedrich, Vorbild u Neugestaltung (1967) 194; vgl allg J de Romilly, La

crainte et l'angoisse dans le théatre d'Eschyle (1958).
[24] Zu Aristot → Schadewaldt 129—131; Friedrich aaO (→ A 23) 198—205; vgl U v Wilamowitz—Moellendorff, Griech Tragödien übers, 14: Die griech Tragödie u ihre drei Dichter (1923) 61f. Von einer Vermischung v φόβος, ἔρως, ζῆλος, φθόνος uä spricht Plat Phileb 50b—d.
[25] Vgl MPohlenz, Die Anfänge der griech Poetik, NGG 1920 (1920) 167—178; → Schadewaldt 143—145; an die alte Kathartik denkt Friedrich aaO (→ A 23) 198—203 mit A 32.

um die Ausweglosigkeit des menschlichen Geschicks, die gerade dem Einsichtigen u Wissenden keine Möglichkeit bietet, der Furcht zu entgehen. Das anonyme Tragödienzitat φόβος τὰ θεῖα τοῖσι σώφροσι βροτῶν Adespota 356 (TGF 906) gibt diese Wertung der Furcht treffend wieder.

5 Aber nicht nur das ungewisse Geschick der Menschen fordert Furcht, sondern auch die gegebenen Autoritätsverhältnisse in der Erziehung u im Zusammenleben in der Gemeinschaft verlangen als angemessene Haltung die Reaktion des Sich-Fürchtens. Deshalb wird in den Paränesen selbst das starke Motiv des φόβος als unumgängliche Forderung aufgegriffen. So findet sich in der Tradition der „Sieben Weisen" auf einem 10 zu Schulzwecken dienenden Stein in Delphi (3. Jhdt vChr) die Ermahnung: τὸ κρατοῦμ (*das Mächtige*) φοβοῦ (→ 193, 6ff) Ditt Syll³ III 1268 col 2, 17. Derartiges volkstümliches Traditionsgut reicht meist in alte Zeit zurück u hält sich lange durch, was die Aufnahme der Überlieferung von den Sieben Weisen bei Stob Ecl III 127, 7 [26] u die späten Anklänge des Furchtmotivs in der Amtssprache (→ Z 40ff) deutlich zeigen. 15 Bias kann nach Stob Ecl III 123, 3—5 in dieser unausweichlich gegebenen Furcht sogar die Ehrfurcht begründet sehen: ἕξεις ... φόβῳ εὐσέβειαν, u die Schule des Isoc zeigt, daß die von irdischen Mächtigen geforderte Furcht selbst der Furcht entsprechen kann, die die Götter verlangen: τοὺς μὲν θεοὺς φοβοῦ, τοὺς δὲ γονεῖς τίμα, τοὺς δὲ φίλους αἰσχύνου, τοῖς δὲ νόμοις πείθου Pseud-Isoc Or 1, 16 [27], vgl διὰ τὸ ἄνωθεν φοβεῖσθαι καὶ 20 σέβεσθαι τὸ ἱερόν PTebt I 59, 10 (99 vChr). φοβέομαι meint par αἰσχύνομαι die Ehrfurcht gegenüber dem Vater Timocles fr 34 (CAF II 465) bei Stob Ecl IV 622, 20; der Vater, der seinen Kindern droht, verhält sich falsch: οὐκ ἔχει μέγαν φόβον Menand fr 388 (Körte). Zur ἀρετή gelangt nur, wer neben der ἐπιθυμία zum λόγος u der αἰδώς noch den φόβος hat, den die Gesetze den Menschen bereiten Pseud-Hippodamus bei Stob Ecl 25 IV 32, 6ff; φόβος τῶν νόμων, αἰσχύνη τῶν θεῶν u ἐπιθυμίαι τῶν λόγων helfen, der ἀδικία zu widerstehen Pseud-Clinias bei Stob Ecl III 32, 1ff; vgl die Wendung φοβοῦνται τὸν νόμον bei Plut Sept Sap Conv 11 (II 154e). Ja, Solon soll auf die Frage, was das Gesetz sei, geantwortet haben: τῶν μὲν δειλῶν φόβος, τῶν δὲ τολμηρῶν κόλασις Gnomologium Vaticanum Nr 507 [28]. Wer den φόβος ablehnt, fördert die Anarchie Pseud-Hippodamus 30 bei Stob Ecl IV 35, 8f, vgl auch Lys Or 9, 17; 32, 17; Aesch Eum 696. Schon Soph Ai 1073ff fordert für den νόμος die Haltung des δέος u für die kluge Führung des Heeres φόβος u αἰδώς. Ein Florilegium bietet eine Liste von 24 alphabetisch geordneten Sprüchen, die jeweils mit φοβοῦ beginnen. Diese Furcht gilt den ἄνδρας ἐν κρίσει τοὺς ξιφηφόρους *schwerttragend* Z 1, den δυνάστας καὶ βιαίους ἐν πόλει Z 2; vgl Diog L VI 2, 68, 35 den ζηλοτύπους καὶ πονηροὺς γείτονας Z 6, dem Wein Z 16, den Huren Z 17, dem θυμός τυράννου Z 8 u natürlich den Gesetzen: φοβοῦ νόμον, βέλτιστε, μὴ πάθῃς κακῶς Z 14; φοβοῦ ἐάν τι πράξῃς τῶν νόμων ἐναντίον Z 5. Nicht nur vor Habsucht, Schwatzhaftigkeit u Ungemeinschaftlichkeit soll der gute Bürger zurückschrecken, sondern sogar vor dem ὡροσκοπῆσαι u vor μαντικὰς ἐπαοιδίας *Zauberliedern* Z 24 [29].

40 Daß die Furcht vor den staatlichen Autoritäten für den Untertanen eine unabweisbare Forderung ist, zeigen deutlich die Befehls- u Devotionsformeln der späten Kanzleisprache, vgl τὰ φοβερώτατα ἤδικτα (des Kaisers) PMasp III 67295 col 2, 19 (6. Jhdt nChr); διὰ προσταγμάτων φοβερῶν τοῦ δικαστηρίου PMasp I 67009 col 3, 7 (6. Jhdt nChr), vgl PLips 36, 6 (4. Jhdt nChr), auf Gott bezogen: ὄνομα (τοῦ θεοῦ) φοβερὸν τοῖς ὑπεναντίοις 45 PMasp III 67294, 13, vgl PLond II 418, 4 (4. Jhdt nChr); PGreci e Latini 1, 65, 6 (6. Jhdt nChr); POxy XIV 1642, 17 (3. Jhdt nChr), ferner VIII 1151, 55 (5. Jhdt nChr) auf einem chr Amulett. Daneben kann φόβος auch *Sorge* bedeuten, zB εἰδὼς φόβον τέκνου *um ein Kind* BGU II 380, 19 (3. Jhdt nChr), *Achtung*, zB vor einem Befehl μετὰ παντὸς φόβου σπουδάσατε PFlor III 292, 4 (6. Jhdt nChr) oder *Angst*, zB φόβος τῶν προγραφῶν *Steck-* 50 *briefe* BGU II 372, 8 (2. Jhdt nChr); τὸ κρίμα τοῦ θεοῦ φοβηθείς PMasp I 67089, 31 (6. Jhdt nChr) [30].

---

[26] Diese Überlieferung kehrt in zahlreichen Gnomologien bes der byzantinischen Zeit wieder, vgl Ditt Syll ³III p 392f; KHorna, Artk Gnome, Gnomendichtung, Gnomologien, in: Pauly-W Suppl VI (1935) 74—87.

[27] Vgl dazu PWendland, Anaximenes v Lampsakos. Studien zur ältesten Gesch der Rhetorik (1905) 86.

[28] ed LSternbach, Texte u Komm 2 (1963) 187; ähnliche Aussagen in der Comparatio Menandri et Philistionis (ed SJaekel [1964]) I 140. 144, vgl Νόμον φοβηθείς οὐ ταραχθήσει νόμῳ II 146; τιμῶσι δὲ τὸν Φόβον οὐχ ὥσπερ οὓς ἀποτρέπονται δαίμονας ἡγούμενοι βλαβερόν, ἀλλὰ τὴν πολιτείαν μάλιστα συνέχεσθαι φόβῳ νομίζοντες Plut, De Cleomene 9 (I 808c. d) von den Spartanern, die *glauben, daß der Staat durch Furcht am meisten zusammengehalten werde.*

[29] ed HSchenkl, Das Florilegium Ἄριστον καὶ πρῶτον μάθημα Anhang, Wiener Studien 11 (1889) 40—42; vgl JFBoissonade, Anecdota Graeca III (1831) 473. — Die Belege zu den Gnomen verdanke ich GKelber.

[30] Eine stehende Wendung in Verträgen lautet: δίχα παντὸς δόλου καὶ φόβου (*Bedrohung*) καὶ βίας καὶ ἀπάτης ... BGU I 317, 3; 319, 8 (6./7. Jhdt nChr) uö, vgl Preisigke Wört sv βία.

Mit dieser Furcht vor Mächten u Autoritäten hängt es zus, daß auch die Epiphanien einer göttlichen Macht in außergewöhnlichen u wunderhaften Ereignissen häufig Furcht u Entsetzen hervorrufen, die anschließend oft durch eine beruhigende Selbstkundgabe der betreffenden Gottheit zerstreut werden. Das Motiv der Epiphanie-Furcht ist alt, vgl Hom Il 20, 130f; Od 1, 323; 16, 178ff; Eur Ion 1549ff, u begegnet bes oft 5 in der hell Zeit, zB (ἀπο-)θαυμάζω (→ III 27, 42ff) POxy X 1242, 53 (3.Jhdt nChr); Luc Demon 5. 11; Icaromenipp 1; Philops 12, vgl Apul Met XI 13, 4, θαμβέω (→ III 3, 48ff) IG XI 1299, 30. 60. 91 (3.Jhdt vChr); Luc, De Amore 14, ἐκπλήττομαι Luc Alex 26; Pergr Mort 20. Neben diesen Ausdrücken begegnet auch φοβέομαι κτλ Luc Philops 22; Jup Trag 30; Alex 8. 25; Demon 20; vgl membra timore horruerant Ovid Metam 10 7, 630f. In Zaubertexten erscheint die Gottheit in ihrer Macht als *furchtbar*, zB ὄνομα τοῦ φοβεροῦ καὶ τρομεροῦ Preis Zaub I 4, 367 (4.Jhdt nChr), vgl 369 u das Gottesepitheton φοβεροδιακράτορας 1357f[31]. Aber nicht nur Wundern gilt diese Reaktion, sondern auch bestimmten herausragenden Personen. Sogar Philosophen können φοβεροί τὴν πρόσοψιν genannt werden Luc Philops 6. Diese Reaktion der Furcht gehört zu den 15 typischen Stilelementen der hell Aretalogie, die die nt.lichen Wundererzählungen beeinflußt hat (→ 205, 3ff), wenn man auch nicht von einer fixierten Topik sprechen sollte.

In den dargestellten Bereichen des unreflektierten Redens von der Furcht kann also die Wortgruppe um φόβος oft undifferenziert neben anderen und als Ersatz 20 anderer, meist weniger affekthafter Ausdrücke für fürchten und erschrecken verwendet werden. Die Wertung der Furcht reicht von ihrer grundsätzlichen Ablehnung bis zum Ausdruck ihrer unausweichlichen Gegebenheit angesichts bestimmter Abhängigkeits- und Machtstrukturen. Die Bedeutung schwankt deshalb zwischen *Angst*, *Furcht* und *Ehrfurcht*. Ein differenzierteres Bild ergibt sich aber im 25 philosophischen Sprachgebrauch.

b. Die Furcht in der Philosophie.

Von den frühen Anfängen an hat die griech Philosophie die Erscheinungsformen der Furcht diskutiert. Die Vertreter überwiegend individuell u rational bestimmter Richtungen haben die Wortgruppe um φόβος als Ausdruck echter 30 Haltung der Furcht oder Ehrfurcht scharf abgelehnt, während die mehr mit dem Irrationalen rechnenden Strömungen zuweilen auch die affekthafte φόβος-Terminologie im Sinne der vom Menschen notwendig geforderten Furcht verwendet haben.

Der Rationalismus der Vorsokratiker zeigt sich in ihrer scharfen Kritik der affekthaften Furcht. Sich in ταραχαῖς καὶ φόβοις das Leben lang abzumühen, ist Sache derer, 35 die über den Zustand nach dem Tod faseln Democr fr 297 (Diels II 207). Das Ideal der εὐθυμία setzt voraus, daß die ψυχή ruhig bleibt ὑπὸ μηδενὸς ταραττομένη φόβου ἢ δεισιδαιμονίας ἢ ἄλλου τινὸς πάθους (→ 192, 8ff) Democr nach Diog L IX 45 (Diels II 84, 21f). Die ganze Rede von der *Götterfurcht* ist nur erfunden, um den Menschen Schrecken zu bereiten: (θεῶν) δέος Kritias fr 25 (Diels II 387, 7; vgl 388, 7. 15), vgl 40 weiter Gorg Hel 8f (Diels II 290). Im praktischen Leben führt φόβος nicht zu εὔνοια, sondern zu κολακεία *Liebedienerei* Democr fr 268 (Diels II 200).

In den exakten Def des Aristoteles wird deutlich, was diesen negativ beurteilten φόβος von den allg Begriffen für Scheu u Ehrfurcht unterscheidet. Er gehört nämlich zu den πάθη (→ 192, 8ff) u zur λύπη An I 1 p 403a 16f; Probl 27, 9 p 948b 20, an 45 welchen das σῶμα leidet An I 1 p 403a 18f. Physiologisch fällt diese Art von Furcht mit einem Erkalten des Körpers[32] durch Blutmangel zus, wodurch Verkrampfungen,

[31] Die Göttin Isis schafft *gewaltige Furcht vor dem Eid* Δει[ν]ὸ[ν δ'] ἐ[π]άγω [φ]όβον ὅρκωι Isishymnus von Andros 116 (1.Jhdt vChr; ed WPeek [1930] 20); ähnlich die Isis-Aretalogie von Ios 33 (2.—3.Jhdt nChr; Peek 124); dazu auch DMüller, Ägypten u die griech Isis-Aretalogien, Abh der Sächsischen Akademie der Wissenschaften zu Leipzig, Philologisch-historische Klasse 53, 1 (1961) 59f. Einzelnes zur Epiphaniefurcht bei OWeinreich, Antike Heilungswunder, RVV 8, 1 (1909) passim; EPeterson, ΕΙΣ ΘΕΟΣ.

Epigraphische, formgeschichtliche u religionsgeschichtliche Untersuchungen, FRL 41 (1926) 193—195; Bultmann Trad 241; EPax, ΕΠΙΦΑΝΕΙΑ. Ein religionsgeschichtlicher Beitrag zur bibl Theol, Münchener Theol Studien I 10 (1955) 33f. 136. 189f; GNaumann, Die Wertschätzung des Wunders im NT (1903) 6. 78—85; HDBetz, Lukian v Samosata u das NT. Religionsgeschichtliche u paränetische Parallelen, TU 76 (1961) 116. 159f.

[32] Die Nähe zu ähnlichen Aussagen über den Schlaf fällt auf (→ VIII 546, 44ff).

Zittern, Schmerz u Agonie bewirkt werden Probl 27, 1 p 947b 12ff (hell), vgl zum Zittern 27, 6 p 948a 35; 27, 7 p 948b 6, von anderen schockartigen Begleiterscheinungen 27, 9 p 948b 20ff; 27, 10 p 948b 35ff; vgl Part An IV 11 p 692a 23f[33]. Der φόβος gilt wie auch bei Sokrates u Plat (→ 193, 6ff) der Bedrohung der eigenen Existenz, dh dem bösen Geschick, das aber zugleich Mitleid erregen soll, wenn es andere trifft: ὡς δ' ἁπλῶς εἰπεῖν, φοβερά ἐστιν ὅσα ἐφ' ἑτέρων γιγνόμενα ... ἐλεεινά ἐστιν Rhet II 5 p 1382b 26f.

Die Leistung der stoischen Philosophie besteht darin, daß sie diesen φόβος psychologisch einwandfrei als vernunftwidrigen u deshalb abzulehnenden Affekt definiert hat. Er gehört zu den vier Grundaffekten[34] λύπη, φόβος, ἐπιθυμία u ἡδονή u besteht in der προσδοκία κακοῦ (→ 187, 36ff) Diog L VII 110. 112f, vgl Stob Ecl II 88, 14f; Chrysipp bei vArnim III 101, 29f. Ähnlich hatten sich schon Plat La 191d, vgl Prot 352b; Phaed 83b; Symp 207e; Theaet 156b; Resp IV 429c. 430a (→ 193, 9ff) u Aristot (→ 191, 43ff) geäußert. φόβος wird deshalb von den übrigen affektischen Regungen wie αἰδώς u αἰσχύνη abgehoben vArnim III 101, 34ff; selbst der φόβος ἀπὸ θεῶν bewahrt nicht vor der ἀδικία Plut Stoic Rep 15 (II 1040b). Furcht ist eine κίνησις παρὰ φύσιν Chrysipp bei vArnim III 126, 25f, etw Schädliches Chrysipp bei Plut Comm Not 25 (II 1070e), sie begegnet nur bei den φαῦλοι, nicht aber bei Kindern vArnim III 128, 10f u muß überh wie die übrigen πάθη mit Askese behandelt werden Ariston bei Cl Al Strom II 20, 108, 1[35]. Epiktet fordert vom denkenden Menschen: ἄφοβος ... ἔσει καὶ ἀτάραχος Diss IV 1, 84, vgl die Trias ἀταραξία, ἀφοβία, ἐλευθερία II 1, 22, vgl II 5, 12; 10, 18 (→ 191, 35ff); οὐ γὰρ θάνατος ἢ πόνος φοβερόν, ἀλλὰ τὸ φοβεῖσθαι πόνον ἢ θάνατον Diss I 1, 13, vgl 16, 19; Teles fr 2 (p 11, 9); Epict Ench 5; Aeschin bei Stob Ecl V 1072, 2f (→ A 40). Von der affekthaften Gottesfurcht Epict Diss II 20, 23 (im Zitat, vgl → 191, 1ff) befreit den wahren Frommen seine Verwandtschaft mit Gott als ποιητής u πατήρ I 9, 7, vgl 9, 26, während die affektlose Verehrung Gottes mit den Begriffen αἰδώς, ἀπάθεια, ἀλυπία u ἀφοβία positiv aufgenommen wird[36]. Entsprechend ist auch Tyrannenfurcht sinnwidrig Diss IV 7, 1—41[37]; denn das einzige Übel, vor dem der Mensch sich zu fürchten hätte, ist das, was er sich selbst antut II 1, 13; 8, 24[38]. Ganz ähnlich hören wir bei MAnt, daß Todesfurcht kindlich sei II 12, 3; vgl VIII 58, 1, u daß das eigtl Werk der Götter darin bestünde, διδόναι τὸ μήτε φοβεῖσθαι IX 40, 2; denn alle Affekte sind οὐδὲν ἄλλο ... ἢ ἀφισταμένου τῆς φύσεως XI 20, 5, vgl ähnlich VII 16, 2; 18, 1.

Die schärfste Ablehnung überh erfährt die Furcht in der epikureischen Botschaft. Da sich Epic die Eudämonie nur als Freiheit von Schmerzen des Leibes u Beunruhigungen der Seele vorstellen kann Diog L X 131, verurteilt er die Furcht vor der Zukunft Epic fr 116 (p 60)[39] wie vor dem Tod fr 102. 104 (p 58f) grundsätzlich;

---

[33] Die medizinische Weisheit ist mit solchen Gedanken wohl vertraut. So verhindern φόβος, λύπη, ἀσθένεια uä die Entstehung einer Schwangerschaft Aëtius, De placitis reliquiae V 6, 1 (ed HDiels, Doxographi Graeci [1874] 419). φόβοι sind Zustände der Schlaflosigkeit oder anderer körperlicher Affekte bei Kindern Hippocr, Aphorismi 24 (Littré IV 496); sie sind ein schlechtes Zeichen, wenn sie bei Fieber im Schlaf auftreten 67 (IV 526), sie können sogar nachts beim Hören einer Flöte entstehen Hippocr Epid V 81 (V 250). Furcht stellt sich bei Melancholie ein VII 45 (V 414) u ist schließlich typisch für den Zustand der Schizophrenie, Περὶ παρθενίων 1 (VIII 466).

[34] Zur katalogischen Überlieferung der vier Affekte vgl AVögtle, Die Tugend- u Lasterkataloge im NT, NTAbh 16, 4—5 (1936) 61f.

[35] Vgl weiter KReinhardt, Poseidonios (1921) 263—336. Alle Affekte sind grundsätzlich alogisch, dh widervernünftig, sind Wandlungen der Seele zum Schlechten, während nur die ratio sie zum Guten wenden kann Sen, De ira I 8, 3; sie haben für den, der versucht, ὁμολογουμένως τῇ φύσει ζῆν Zeno bei Stob Ecl II 76, 5f; Diog L VII 87, keine positive Bdtg, vgl zum ganzen Problem MPohlenz, Die Stoa. Gesch einer geistigen Bewegung I ²(1959) 141

—153; II ³(1964) 77—83; ders, Poseidonios' Affektenlehre u Psychologie, NGG 1921 (1921) 181—184.

[36] Vgl ABonhöffer, Epict u die Stoa. Untersuchungen zur stoischen Philosophie (1890) 304f. Die ob erwähnten Gefühle stehen nämlich in der Mitte zwischen den πάθη u den εὐπάθειαι. Der Weise fürchtet weder die Gewalt der Götter noch die des Todes; denn die Götter vermögen ihm nicht zu schaden: errat si quis illos putat nocere nolle: non possunt Sen ep 15, 95, 49, vgl 9, 75, 17; Ben IV 19, 1; De Providentia 1, 5; 2, 7; Pohlenz Stoa (→ A 35) I 321. Gott gilt es zu lieben; denn er liebt die Menschen, namentlich die Guten. [Hengel]

[37] Vgl ABonhöffer, Die Ethik des Stoikers Epict (1894) 46—49 über die Apathie; ders, Epict aaO (→ A 36) 282: Die πάθη verschwinden durch Erziehung zur richtigen Einsicht; vgl weiter die Frage: ἄλυπος καὶ ἄφοβος ⟨ὁ⟩ ἐκτὸς λύπης καὶ φόβου; Teles fr 7 (p 56, 2f). Nicht durch Vernunft, sondern durch Musik will Theophr die πάθη u bes die φόβοι geheilt wissen fr 88 (III 185).

[38] ABonhöffer, Epiktet u das NT, RVV 10 (1911) 360f.

[39] ed CDiano (1946).

denn Gott ist das ἄφοβον fr 14 (p 22), u wer von Furcht hinsichtlich der wichtigsten Lebensfragen frei werden will, braucht Kenntnis über die τοῦ σύμπαντος φύσις Diog L X 143; das einfache Leben macht die Menschen πρὸς τὴν τύχην ἀφόβους Epic, Ratae sententiae 10 (p 14)[40]. An Epic lehnt sich Lucretius an, der jeden timor zurückweist De rerum natura I 106; II 55f; III 982f; V 1180 uö[41]. 5

Sind in den dargestellten Richtungen Furcht u Angst vor Göttern u Mächten durch aufklärende Belehrung verdrängt bzw ganz beseitigt, so haben sie doch bei einigen Denkern der Akademie u des Peripatus ihre Bdtg in bestimmten Lebenszusammen- hängen nicht verloren. Plato lehnt wohl die Furcht vor dem Tod ab, lehrt aber die vor dem Unrechttun τὸ ἀδικεῖν φοβεῖται Gorg 522e. Wohl ist die Furcht vor einem Gottes- 10 namen falsch Crat 404e, aber dennoch ist in der Erziehung Gottesfurcht natürlich: κατὰ φύσιν ... πρῶτον μὲν τοὺς ἄνω θεοὺς φοβείσθων Leg XI 927a. b. Neben der zu ver- ·werfenden Furcht vor schlimmen Ereignissen: φοβούμεθα ... τὰ κακά, προσδοκῶντες γε- νήσεσθαι Leg I 646e, der die ἐλπίς als προσδοκία ἀγαθοῦ gegenübersteht (→ II 516 A 6), vgl Leg I 644c, kann φόβος auch im Sinne von αἰσχύνη u αἰδώς verwendet werden, vgl 15 den ausführlichen Dialog über die Furcht Leg I 646e—650b[42] u das Nebeneinander von δέος u αἰδώς Euthyphr 12a. b. Das hebt aber nicht auf, daß es um das νικᾶν τὰ προσπίπτονθ' ἡμῖν δείματα τε καὶ φόβους geht Leg VII 790e—791c.

Diese nicht von vornherein negativ bestimmte Rede vom φόβος nimmt Plutarch auf, wenn er den Stoikern vorwirft, sie hätten im φόβος lediglich den unvernünftigen 20 Affekt gesehen; sie sollten doch lieber τὸ ἥδεσθαι χαίρειν καὶ τοὺς φόβους εὐλαβείας nennen (→ A 46) De virtute morali 9 (II 449a). Der Gottesfurcht kann man nicht ent- fliehen Superst 4 (II 166d), wie auch die *Furcht vor dem Tod* ὁ τοῦ θανάτου φόβος un- ausweichlich ist, da doch der Tod sogar nach Epic für die meisten Menschen mit Schmer- zen verbunden ist Suav Viv Epic 30 (II 1107a), vgl Cons ad Apoll 29 (II 116e). Der 25 Atheismus des μὴ νομίζειν θεούς endet in dem μὴ φοβεῖσθαι u führt dadurch zu einem falschen δέος, ja zur δεισιδαιμονία (→ II 20, 35ff) als einem üblen πάθος Superst 2 (II 165b. c), vgl 11 (II 270e). Dieses antistoische Verständnis des φόβος führt aber nicht so weit, daß das Furchtverständnis der Tragödie (→ 189, 28ff) unbesehen übernom- men werden könnte; denn φόβος bewirken die θεῖα lediglich bei den Unvernünftigen, 30 während sie bei den Vernünftigen vielmehr *Mut* θάρσος erregen Aud Poet 12 (II 34a), vgl auch die Aussagen über die ἀφοβία u ἀπάθεια als ἕξις καθ' ἣν ἀνέμπτωτοί (*nicht hinein- geratend*) ἐσμεν εἰς φόβους Pseud-Plat Def 413a, vgl 415e. Bei einigen Peripatetikern[43] wird die Bdtg des φόβος als Erziehungsmittel durchaus anerkannt, vgl Theophr bei Sen, De ira I 12, 3; Critolaus bei Cl Al Strom II 7, 32, 3[44]; zu neupythagoreischen 35 Aussagen → 190, 23ff.

Die φόβος-Aussagen der griechischen Philosophie sind uneinheitlich. Sachlich ist die Ablehnung der affekthaften Furcht in allen Richtungen durchgehalten worden. Nicht überall deckt sich diese sachliche Verwerfung der Furcht aber mit dem semantischen Gebrauch von φόβος κτλ. Gelegentlich kann die Wortgruppe auch 40 für Regungen stehen, die mit Scheu und Ehrfurcht verwandt sind[45] und als ge-

[40] Zu Epic vgl ESchwartz, Ethik der Grie- chen (1951) 183—186. Ähnlich sagt schon Aristoph: τὸ γὰρ φοβεῖσθαι τὸν θάνατον λῆρος (*Geschwätz*) πολύς· πᾶσιν γὰρ ἡμῖν τοῦτ' ὀφείλεται παθεῖν fr 452 (CAF I 508).

[41] ed CBailey I (1947).

[42] Der Dialog gibt sich der phantastischen Überlegung hin, daß es für den Staat das Beste wäre, durch ein φάρμακον gezielt φόβος als αἰσχύνη zu bewirken, damit den Bürgern echte Furchtlosigkeit zuwachse, während der Wein als primitives Mittel der Befreiung von naiver Furcht aufzeigen könnte, wer durch oberfläch- liche *Keckheit* θρασύτης den echten φόβος ver- liert. Ähnliche Gedanken auch bei Artemid Onirocr III 42f.

[43] Aber selbst im Peripatos haben stoische Elemente Eingang gefunden. Das legt die Schrift des Pseud-Andronicus, Περὶ παθῶν (ed FGA Mullach, Fragmenta Philosophorum Graecorum III [1881]), mit ihren Def nahe, vgl: φόβος δ' ἔστιν ἄλογος ἔκκλισις· ἢ φυγὴ

ἀπὸ προσδοκωμένου δεινοῦ p 570, ähnlich: Φόβου εἴδη ... Αἰσχύνη δὲ φόβος ἀδοξίας. Δέος δὲ φόβος συνεστώς. Δεισιδαιμονία δὲ φόβος τοῦ δαί- μονος, ἢ ὑπερέκπτωσις (*Übertreibung*) τῆς πρὸς θεοὺς τιμῆς uä p 571.

[44] Vgl dazu FWehrli, Die Schule des Aristot. Texte u Komm. Hieronymus v Rhodos, Krito- laos (1959) 53. 69.

[45] Damit stimmt die wichtige sprachsta- tistische Erkenntnis überein, daß die mit σεβ- gebildeten Wörter, die im außerbiblischen Griechisch weithin die Verehrung der Götter meinen (→ VII 168, 33ff), in der Volkssprache wie bezeichnenderweise in der LXX (→ 195, 16ff) durch die Wortgruppe um φόβος ersetzt werden können. In den späteren Schrif- ten des NT wird allerdings der Stamm σεβ- wieder häufiger aufgenommen (Ag 16mal; Past 15mal; 2 Pt u Jd 9mal), was auf eine Verdrängung des Septuagintagriechisch durch gehobenes hell Sprachkolorit hinweist.

botene und unumgängliche Reaktionen auf den Anspruch von Autoritäten und besonders von Göttern angesehen werden[46].

Balz

B. φόβος und φοβέομαι im Alten Testament.

5 I. Vorkommen und hebräische Äquivalente.

1. φοβέομαι kommt in den kanonischen Büchern des hbr AT in fast fünf Sechstel der Fälle als Wiedergabe des Stammes ירא *fürchten, sich fürchten, in Ehren halten* vor; nicht erscheint es in Hos, Na, Cant u 'Εσδρ. Der Rest der Vorkommen verteilt sich auf die Wiedergabe verschiedenster hbr u aram Ausdrücke, von denen 10 פחד q *beben* siebenmal Dt 28, 66f; Hi 3, 25; ψ 52 (53), 6; Js 12, 2; 19, 17; 'Ιερ 40 (33), 9 u pi *beben* einmal Js 51, 13 begegnet[47]. Im hbr Sir ist φοβέομαι als Wiedergabe von ירא zehnmal belegt 6, 16f; 10, 19f. 24; 15, 1. 13; 26, 3; 32, 16; 33, 1[48]. Ohne hbr Äquivalent begegnet φοβέομαι in Jdt neunmal, Tob 14mal, 1 Makk neunmal (dazu 1 Makk 12, 40 Ω'), 2 Makk einmal, 3 Makk einmal, 4 Makk siebenmal, Sap dreimal, 15 Sir 16mal, PsSal neunmal, ep Jer fünfmal, Sus einmal, sowie an einer Reihe von St, an denen LXX gegenüber dem hbr AT entweder ein Mehr an Text aufweist oder einer anderen Textform folgt Gn 28, 13; 3 Βασ 2, 29; 12, 24c; 2 Ch 5, 6; 'Εσθ 1, 1h; 2, 20; Prv 7, 1a; 29, 25; Js 33, 7; 60, 5; 'Ιερ 2, 30.

2. φόβος ist in etwa einem Drittel seiner Vorkommen Übers von 20 Subst des Stammes ירא, uz יִרְאָה *Furcht, Ehrfurcht* 33mal (Sir achtmal) u מוֹרָא *Furcht, Schrecken* fünfmal (Sir einmal). Ein weiteres Drittel dient der Übers von פַּחַד *Beben, Schrecken* 35mal (Sir zweimal). φόβος steht für יִרְאָה bes in Prv, Ps, Hi, für פַּחַד bes in Ps, Hi, Js u Jer. Das letzte Drittel der St bietet φόβος als Übers einer Reihe verschiedener hbr u aram Ausdrücke[49]. Ohne hbr Äquivalent begegnet φόβος in Sir 16mal, 25 Jdt dreimal, Sap fünfmal, ep Jer zweimal, Bar einmal, PsSal siebenmal, 1 Makk vier-

---

[46] Das Dilemma, das sich von diesem uneinheitlichen Sprachgebrauch her für den chr Theologen mit seinem positiven bibl Verständnis des φόβος ergibt, hat treffend Cl Al erkannt: οὐ τοίνυν ἄλογος ὁ φόβος, λογικὸς μὲν οὖν ... ἀλλ' εἰ σοφίζονται τὰ ὀνόματα εὐλάβειαν καλούντων οἱ φιλόσοφοι τὸν τοῦ νόμου φόβον εὔλογον οὖσαν ἔκκλισιν Strom II 7, 32, 4.

[47] Außerdem findet sich φοβέομαι als Übers von חתת ni *niedergeschlagen, erschreckt sein* Jos 1, 9; 'Ιερ 1, 17; 10, 2 (2mal), גור *sich fürchten* Nu 22, 3; ψ 21 (22), 24; Prv 30, 1 (in Verwechslung des N pr Agur), חרד (Verbum u Adj) *ängstlich, erbeben* Ri 7, 3; Ez 26, 16. 18, דחל q *sich fürchten* Da 5, 19 Θ; 6, 27 Θ, חיל *kreißen, beben* ψ 76 (77), 17; 1 Ch 16, 30, רעש *erbeben* 'Ιερ 30, 15 (49, 21) Cod BS; Ez 27, 28, יגור *Furcht hegen* 'Ιερ 46 (39), 17, ערץ hi *Schrecken haben* Js 29, 23, פלח (*Gott*) *dienen* Da 3, 17 (Θ: λατρεύω), דאג *in Sorge sein* 'Ιερ 17, 8, רגז *erbeben* Ex 15, 14 Cod A, שׂים מָאַם *Rücksicht nehmen auf* Δα 3, 12 (Θ: ὑπακούω), קוץ *Grauen empfinden* Js 7, 16; in freier Wiedergabe findet sich φοβέομαι für עָבַד Js 66, 14 Cod B uam (A uam: σέβομαι). Mißverstanden oder frei interpretiert wird HT durch Cod B in Ri 6, 34: φοβέομαι für זעק ni *Heerbann aufbieten* (A

βοάω). Wo LXX die Wurzel ראה *sehen* mit φοβέομαι wiedergibt, ist in den meisten Fällen der HT nach LXX zu verbessern: so in 1 Kö 19, 3; Mi 6, 9; Ex 20, 18; Ez 18, 14, vielleicht auch Ri 14, 11 Cod A (B: εἶδον); Neh 6, 16.

[48] Daneben findet sich in freier Übers φοβέομαι (τὸν κύριον) für כבד (יהוה) *ehren* Sir 7, 31 u (יהוה) דרש *sich wenden an* 32, 14. In Sir 15, 19 setzt LXX hbr יִרְאוֹ voraus.

[49] Subst des Stammes חתת *schreckerfüllt sein* 8mal: חַת *Schrecken* Gn 9, 2, חִתָּה *Schrecken* Gn 35, 5, חִתִּית *Schrecken* Ez 26, 17; 32 (5mal); אֵימָה *Schrecken* 11mal (Sir 2mal; 4, 17?), חרד *erbeben* Js 19, 16, vgl 10, 29 (LXX: φόβος λαμβάνει), חֲרָדָה *Beben, Angst* Js 21, 4; 'Ιερ 37 (30), 5; Δα 10, 7 (Θ: ἔκστασις) u דחל Pa'el *schrecken* Δα 4, 2 (5): φόβος ἐπιπίπτει. An einer Reihe von St ist eine sehr freie Wiedergabe des HT festzustellen Hi 3, 24; 38, 17; Js 33, 3; Δα 7, 7; Est 1, 22; Sir 45, 23; bes Hi 4, 13; 33, 15; Prv 18, 8 (HT: 19, 15), wo (δεινὸς) φόβος zur Wiedergabe von תַּרְדֵּמָה *Tiefschlaf, Betäubung* dient, u Prv 10, 29, das φόβος κυρίου für דֶּרֶךְ יהוה hat. 2 Ch 26, 5 ist nach LXX zu verbessern; Ez 38, 21; Hi 33, 16; 39, 19 ist HT schwierig.

mal, 2 Makk dreimal, 3 Makk viermal, 4 Makk sechsmal, sowie Js 8, 13; 10, 27; 26, 17; 33, 7f; Ez 30, 13 Cod A; Δα 4, 37; 5, 6; 11, 31; ψ 13, 3; Hi 39, 3; 41, 17; 2 ᾿Εσδρ 16, 16; ᾿Εσθ 4, 17z; 5, 1b. 2a.

φοβερός (-ῶς) *furchtbar* ist in den meisten Fällen Übers von ירא ni Part *gefürchtet, furchtbar* (23mal u Sir zweimal). An zusammengesetzten Ausdrücken begegnen noch 5 ἐκφοβέω *heftig erschrecken* als Übers von חרד hi *aufschrecken* siebenmal, uz immer innerhalb der Formel וְאֵין מַחֲרִיד *und es ist keiner da, der aufschreckt* Lv 26, 6; Dt 28, 26 Cod B; Mi 4, 4; Na 2, 12; Zeph 3, 13; Ez 34, 28; 39, 26, sowie als Wiedergabe von חִתִּית *Schrecken* Ez 32, 27, חתת pi *erschrecken* Hi 7, 14[50] u ohne hbr Äquivalent sechsmal Jdt 16, 25; Sap 11, 19; 17, 9 Cod A; 17, 18; 1 Makk 14, 12[51]; 4 Makk 9, 5. Weiter 10 finden sich noch ἔκφοβος Dt 9, 19; 1 Makk 13, 2 (par ἔντρομος), φοβερίζω *erschrecken* 2 ᾿Εσδρ 16, 9. 14. 19; Da 4, 5 Θ; 2 ᾿Εσδρ 10, 3, φοβερισμός *Schrecken* ψ 87 (88), 17, φόβητρον *Schreckbild* Js 19, 17, ὑπέρφοβος Da 7, 19, ἄφοβος (-ως) Prv 1, 33; 3, 24; Sap 17, 4, im Sinne von *sorglos* Sir 5, 5[52] u φοβεροειδής 3 Makk 6, 18.

3. δέος begegnet nur in 2 Makk 3, 17. 30; 12, 22; 13, 16; 15, 23. 15

4. Wie die mit dem Stamm φοβ- gebildeten Wörter der LXX im wesentlichen Wiedergabe der Stämme ירא (etwa 70%) u פחד (10%) sind, so werden diese in der überwiegenden Zahl der Fälle, ירא zu etwa 85% u פחד zu etwa 60%, mit φόβος usw übersetzt. ירא q u das Adj יָרֵא werden etwa 310mal mit φοβέομαι übersetzt gegenüber 25 abweichenden Übers mit (θεο)σεβής (fünfmal), σέβομαι, εὐλαβέομαι, 20 εὐλογέω, θαρσέω mit Negation (zehnmal); im ni 23mal mit φοβερός (-ῶς) gegenüber 23 abweichenden Übers mit ἐπιφανής (achtmal) u θαυμαστός (-ῶς) (siebenmal); im pi dreimal mit φοβερίζω u einmal mit φοβέομαι. Das Subst יִרְאָה wird 36mal mit φόβος u zweimal mit φοβέομαι gegenüber sieben abweichenden Übers mit εὐσέβεια, θεοσέβεια, σέβομαι u ἐπισκοπή wiedergegeben, das Subst מוֹרָא viermal mit φόβος u einmal mit φοβερός 25 gegenüber fünf abweichenden Übers mit ὅραμα, τρόμος u θαυμάσιος.

Das Verbum פחד wird im q siebenmal mit φοβέομαι u einmal in der Verneinung mit ἄφοβος übersetzt gegenüber 12 abweichenden Übers, darunter εὐλαβέομαι, im pi je einmal mit φοβέομαι, εὐσεβής (Sir) u καταπτήσσω u im hi mit διασείω (vl: συσσείω). Der Übers des Subst פַּחַד mit φόβος (32mal) stehen 13 abweichende Übers mit ἔκστασις, 30 θάμβος, θόρυβος, ὄλεθρος, πτόησις u τρόμος gegenüber. Der Formel φόβος καὶ τρόμος entspricht kein genaues hbr Äquivalent. Vielmehr findet sich im Hbr stets eine Kombination aus zwei der folgenden Wörter חַרַד, פַּחַד, אֵימָה, יִרְאָה, רַעַד u חָרֵד, welche am ehesten mit *Entsetzen* übersetzt werden müßte, da es sich in fast allen Fällen: Ex 15, 16; Dt 2, 25; 11, 25; Ps 55, 6; Js 19, 16 (Jdt 2, 28; 15, 2; 4 Makk 4, 10) um die Beschrei- 35 bung eines Zustandes handelt, der angesichts einer knapp bevorstehenden, unausweichlichen oder schon eingetretenen Bedrohung eintritt, wobei diese Bedrohung durch Jahwe selbst oder ein Volk u dessen kriegerische Übermacht herbeigeführt sein kann. Eine Ausn bildet Gn 9, 2 (P), wo mit φόβος καὶ τρόμος das neue Herrschaftsverhältnis zwischen Mensch u Tier umschrieben wird. 40

II. Der Stamm ירא im Alten Testament.

1. Wortbedeutung.

a. Das Verbum ירא bedeutete urspr wohl *zittern, beben,* wird jedoch im gesamten AT wie im Ugaritischen ausschließlich für den Bereich des Fürchtens im weiteren Sinn gebraucht[53]. ירא q bedeutet abs gebraucht *sich fürchten.* Mit dem 45 Acc konstruiert hat es meist die abgeschwächte Bdtg *ehrfürchtige Scheu hegen, in Ehren*

---

[50] Hi 33,16 ist HT nach LXX zu verbessern.

[51] Die hbr Grundlage war hier wahrscheinlich וְאֵין מַחֲרִיד (→ Z 7f).

[52] In Prv 15,16; 19, 23 begegnet ἀφοβία bzw

ἄφοβος als Gegensatz zu φόβος κυρίου uz unter Vernachlässigung des HT.

[53] Aus andern semitischen Sprachen sind für die Wurzel *jr᾽* in ähnlicher Bdtg nur schwer Belege beizubringen, → Becker 1f.

13 *

halten Lv 19, 3; 2 Kö 17, 7; mit den Präp מִן, מִפְּנֵי u מִלְּפְנֵי verbunden drückt es meist wirkliches *sich fürchten* aus Dt 1, 29; 1 S 21, 13. Das Part als Verbaladjektiv bedeutet meist -*fürchtig*, auch *furchtsam* Mal 3, 16; Ri 7, 3. Im ni ist außer Ps 130, 4 nur das Part נוֹרָא belegt, das ausschließlich adj gebraucht wird u deshalb mit *furchtbar, furcht-* *erregend* Jl 2, 11; Ps 99, 3 zu übersetzen ist. יָרֵא pi[54] drückt eine ständige Intention aus u heißt *in Furcht versetzen wollen* 2 S 14, 15; Neh 6, 9.

       b. Das Substantiv יִרְאָה ist der Form nach substantivierter Inf u begegnet meist in Verbindung mit יְהוָה, אֱלֹהִים bzw entsprechenden Suffixen Js 11, 2; Jer 32, 40. Es bedeutet *Furcht* Jon 1, 10. 16, jedoch meist in dem abgeschwächten Sinn von *Ehrfurcht* Ps 19, 10; Hi 6, 14. Der urspr Bdtg des Stammes näher ist das nach Analogie der maqtal-Bildungen gebildete Subst מוֹרָא, das mit Ausn von Mal 2, 5 stets die Furcht als *Schrecken* meint.

2. Furcht im menschlich-weltlichen Bereich.

       Subj der Furcht ist im AT nahezu ausnahmslos der Mensch[55], uz berichtet das AT sowohl von der Furcht einzelner Menschen, zB Isaaks Gn 26, 7, Jakobs Gn 32, 8. 12, Moses Ex 2, 14, Davids 1 S 21, 13, Nehemias Neh 2, 2 uam, als auch von der Furcht von Menschengruppen u Völkern, wie des Stammes Esau Dt 2, 4, der Aramäer 2 S 10, 19 u häufig Israels selbst.

      Wesentlich für die Kennzeichnung von Furcht ist neben der Angabe des Obj die nähere Bestimmung ihres eigtl Grundes, wobei es schwierig ist, in vielen Fällen diesen exakt zu erheben. Im Zshg mit kriegerischen Ereignissen wird sehr häufig von Furcht berichtet, doch bleibt oft undeutlich, ob es sich dabei nur um Furcht vor dem Feinde oder vor der Niederlage, oder nicht viel mehr um Todesfurcht[56], Furcht vor Unterdrückung u Sklaverei handelt Ex 14, 10; Dt 2, 4; 7, 18; 28, 10; Jos 9, 24 uö. Genauere Angaben finden sich in Texten, die an der Beschreibung einzelner Menschen u ihres Verhaltens von Natur aus stärker interessiert sind, nämlich in Sagen, Novellen u Psalmen verschiedener Gattung. Hier begegnet ua Furcht als Todesfurcht Gn 26, 7; Neh 6, 10—13, als Furcht vor der Versklavung Gn 43, 18, als Furcht vor dem Verlust der Frauen Gn 31, 31 oder des Kindes 2 S 14, 15, als Furcht vor Unheil Zeph 3, 15; Ps 23, 4 u plötzlichem Schrecken Prv 3, 25, als Furcht vor der Ansteckung durch das Unheil Hi 6, 21[57] oder als Furcht vor unheimlichen Begebenheiten Gn 42, 35, Orten Dt 1, 19 u Zeiten Ps 91, 5f. Vereinzelt ist in jüngeren Texten eine inhaltliche Abschwächung des Begriffes יָרֵא im profanen Bereich zu beobachten, so daß von der Angst des Greises vor einer Anhöhe, die die Schwächlichkeit seines Alters offenbart Qoh 12, 5, von der Angst der sorgenden Hausfrau vor ungünstiger Witterung Prv 31, 21 u der ehrfürchtigen Scheu des Jünglings vor dem Alter Hi 32, 6 u der Kinder vor den Eltern Lv 19, 3 gesprochen werden kann. Ausgangspunkt der Furcht ist also vor allem die konkrete Bedrohung des Lebens, des Lebensraums u aller derjenigen Bereiche, die dem Leben Sinn geben. Furcht kann ausgelöst werden von einzelnen Menschen, wie Laban Gn 31, 31, Goliath 1 S 17, 11. 24, Jehu 2 Kö 10, 4 uam, ganzen Völkern, wie Ägyptern Ex 14, 10 u Israeliten Dt 11, 25, aber auch von Bereichen der Natur, soweit sie sich dem Menschen als gefährlich erweisen, wie das aufgewühlte Meer Jon 1, 5, die wilden Tiere Hi 5, 21f, der Löwe Am 3, 8 oder die Wüste, die das AT נוֹרָא nennen kann Dt 1, 19; 8, 15, wegen der Schlangen, Skorpione u Wasserlosigkeit. Man *scheut* יָרֵא auch Handlungen, deren Konsequenzen nicht abzusehen sind u die sich negativ auswirken können, zB den Eid 1 S 14, 26; Qoh 9, 2, die Mitteilung ungünstiger Nachrichten 1 S 3, 15; 2 S 12, 18 oder gar den Totschlag Ri 8, 20.

      Daß die Furcht im Bewußtsein der Israeliten eine erhebliche Rolle spielte, zeigen die Bestimmung über die Aussonderung der Furchtsamen aus dem Heerbann Dt 20, 8; Ri 7, 3, die mit der Todesfurcht rechnende Bestimmung über die Todesstrafe als Abschreckungsmittel Dt 13, 12; 17, 13; 19, 20; 21, 21, bes aber die Texte, die mit einem starken Konkurrenzverhältnis zwischen Gottes- u Menschenfurcht rechnen Ri 7, 9f; Jer 1; Ez 2[58]. Demgegenüber wird in vorwiegend nachexilischen Psalmen Ps 3, 7; 23, 4; 27, 1. 3;

---

[54] EJenni, Das hebräische Piel (1968) 83.
[55] Einzige Ausn ist Gn 9, 2, wo die Furcht der Tierwelt vor dem Menschen genannt wird.
[56] Vgl LWächter, Der Tod im AT, Arbeiten zur Theol II 8 (1967) 10—56.

[57] GFohrer, Das Buch Hiob, Kommentar z AT 16 ²(1963) zSt.
[58] → Plath 27—31.

46, 3 uö die Freiheit von Furcht als Ergebnis der vertrauensvollen Hinwendung des Frommen oder der Gemeinde zu dem helfenden u schützenden Gott gezeigt, bzw in Js 54, 14 als Teil des eschatologischen Heils verheißen.

Mit Furcht u ehrfürchtiger Scheu begegnet der Mensch insbesondere Pers u Orten, die in einem bes Verhältnis zu Gott stehen. Israel fürchtet sich, Mose zu nahe zu kommen, als er von der Gottesbegegnung mit einem Strahlen werfenden Gesicht zurückkehrt Ex 34, 30. Es fürchtet Josua, weil ihn Jahwe groß gemacht hat in ihren Augen Jos 4, 14. Jahwe erwartet, daß man seinem Beauftragten ehrfürchtige Scheu entgegenbringt Nu 12, 8. Israel fürchtet Samuel, weil er die Taten Jahwes wirkt 1 S 12, 18, u Salomo, weil es die göttliche Weisheit in ihm erkannte 1 Kö 3, 28[59]. Die Furcht vor dem Schauen Gottes Ex 3, 6 u dem Hören der Stimme Gottes Ex 20, 18ff können die Furcht vor der Stätte der Gottesoffenbarung bzw -gegenwart[60] begründen. Das Heiligkeitsgesetz fordert sogar die Furcht vor dem Heiligtum Lv 19, 30; 26, 2.

3. Gottesfurcht.

a. Wie Menschen uam zur Bedrohung u damit zum Obj der Furcht werden können, so geht von Jahwe Bedrohung aus, so daß er zum *Schrecken* מוֹרָא für Israel wird Js 8, 12f u seine Taten zu *Schreckenstaten* מוֹרָאִים an den Feinden Israels Dt 4, 34; 26, 8; Jer 32, 21. Diese Taten Jahwes sind נוֹרָא im eigtl Sinn nur für die betroffenen Feinde Israels, für Israel selbst stellen sie das heilvolle Eingreifen Jahwes zu seinen Gunsten dar Ex 34, 10; Dt 10, 21; Ps 66, 3 (5), so daß LXX dieses נוֹרָא gelegentlich mit θαυμαστός wiedergeben kann Ex 34, 10; ψ 64, 5. Sind die Taten Jahwes furchtbar, so werden Jahwe selbst Ex 15, 11; Ps 47, 3; 68, 36; Neh 1, 5; 4, 8 uö u sein Name נוֹרָא genannt Dt 28, 58; Mal 1, 14; Ps 99, 3; 111, 9. Furchtbar u schreckenerregend wird auch der Tag Jahwes sein Jl 2, 11; 3, 4; Mal 3, 23. Der Terminus נוֹרָא, fast ausschließlich in nachexilischen Texten zu finden, wird gerne mit den Worten גָּדוֹל 2 S 7, 23; Ps 145, 6 oder קָדוֹשׁ Ps 99, 3; 111, 9 verbunden, woraus entnommen werden kann, daß Jahwe nicht nur wegen seiner schreckenerregenden Taten, sondern auch in seiner Erhabenheit u Heiligkeit als der über allen Göttern stehende Ps 96, 4; Dt 10, 17 als furchtbar erfahren wird[61].

b. Da sowohl die Taten Jahwes als auch seine Macht, Heiligkeit u Erhabenheit nicht nur Furcht hervorrufen, sondern auch zur Anerkennung drängen, bezeichnet der Begriff ירא in solchen Zshg[62] nicht allein die elementare Furcht, die sich wesentlich aus der Bedrohung ableitet, sondern auch die Furcht, die sich auf den Urheber der Bedrohung bezieht, u darum zur *Ehrfurcht* u unterwerfenden Anerkennung wird. Dieser zweite Aspekt der Gottesfurcht erfährt in verschiedenen theol Strömungen des AT verschiedene Ausprägungen, uz so, daß er im wesentlichen verselbständigt u von dem psychischen Aspekt losgelöst verwendet wird. Erstmals begegnen die Begriffe *gottesfürchtig* (Verbaladjektiv mit Gen oder Acc), *Gottesfurcht* יְרְאַת אֱלֹהִים u *Gott fürchten* (Verbum c Acc) in dieser geprägten Form in der elohistischen Quellenschicht des Pent u bezeichnen dort Menschen, deren Verhalten ausgerichtet ist an dem Willen Gottes. Dabei kann es sich um eine konkrete Willensoffenbarung Gottes handeln, der sich der Mensch gehorsam u vertrauensvoll unterwirft Gn 22, 12, oder um religiöse Grundforderungen, deren Anerkennung ein bestimmtes Verhalten in konkreten Situationen erwarten läßt Gn 20, 11. Gottesfürchtige sind darum zuverlässige Menschen Ex 18, 21, Menschen, die aus einer solchen Grundhaltung heraus dann auch ihrer eigenen Vernunft u sogar einem früheren Gotteswort Gn 22, 1—13 oder auch einem konkreten Herrscherwillen Ex 1, 15—21 (E?) zuwiderhandeln[63].

In der deuteronomisch-deuteronomistischen Literatur, vorwiegend im Dt selbst, begegnet *Gott fürchten* im Zshg mit einer Reihe von Formeln, die eine am deute-

---

[59] 1 S 31, 4 par 1 Ch 10, 4; 2 S 1, 14 erwähnt die Scheu, den Gesalbten Jahwes zu töten, spielt aber kaum auf die Furcht vor der Heiligkeit des Gesalbten an, gg → Plath 108, u sagt nichts darüber aus, daß das „sakrale Königtum" am Numinosen teilnimmt, gg → Becker 40.

[60] Vgl noch Gn 28, 17; Dt 5, 5; 1 S 4, 7.

[61] Vgl Eichr Theol AT⁵ II—III 184—190.

[62] Vgl hierzu bes Ex 14, 31; Js 25, 3; Jer 5, 22. 24; 10, 6f.

[63] Daß solche Verhaltensweisen nichts spezifisch Jahwistisches an sich haben, sondern den „internationalen ‚Humanismus' der Chokhmah" atmen, so → Becker 193, wird trotz der „internationalen" Umgebung von Gn 20, 11 u 42, 18 nicht ganz verständlich.

ronomischen Gesetz orientierte Frömmigkeit fordern. *Gott fürchten* kann dann einmal als Konsequenz aus dem Hören u Lernen des Gotteswortes Dt 4, 10 oder der Beobachtung der Gebote Jahwes Dt 8, 6 erscheinen, das andere Mal als Forderung dem Hören auf Jahwes Stimme Dt 13, 5, dem *Dienst* Jahwes עבד Dt 6, 13; 10, 12. 20; 13, 5, dem
5   Gehen auf Jahwes Weg Dt 8, 6 uam gleichgestellt werden, so daß *Gott fürchten* nicht nur gefordert, sondern wie eine Satzung oder ein Gebot geradezu gelernt werden kann Dt 14, 22f; 17, 19[64]. Die Zuordnung zweier weiterer Begriffe zu ירא, nämlich אהב *lieben*[65] u דבק *anhangen* Dt 10, 12. 20; 13, 5, ermöglicht eine weitergehende Erfassung des Inhalts von *Gott fürchten*, vor allem auch deshalb, weil für דבק u אהב das → Z 37ff von
10 ירא Gesagte zutrifft, die Begriffe also nahezu austauschbar sind. Da die Normen des mit diesen Begriffen umschriebenen frommen Verhaltens Gott u den Mitmenschen gegenüber aber im Gesetz greifbar sind, wird *Gott fürchten* neben *Gott lieben* nicht nur als eine Grundhaltung verstanden, sondern auch mit der Befolgung sittlicher u kultischer Forderungen gleichgesetzt[66]. In dieser Ausprägung hat die Gottesfurcht ihren
15 urspr emotionellen Charakter völlig verloren. Es bleibt nicht einmal Raum für die Furcht vor der Strafe Jahwes, die dem angedroht wird, der Jahwe nicht fürchtet Dt 6, 13—15; 28, 58—61[67].

        c. In einer völlig neuen Form begegnet *Gottesfurcht* in der israelitischen Weisheitsliteratur u hier bes in den Prv. Der vorwiegende Gebrauch
20 des Subst יִרְאָה mit folgendem Gen obj, in Prv nur יְהוָה, deutet schon darauf hin, daß der Begriff der Gottesfurcht in der Weisheit dem emotionellen Bereich entzogen u zum Gegenstand der Reflexion geworden ist: Wenn man der Weisheit das Ohr leiht, das Herz der Vernunft zuneigt, dann wird man die Jahwefurcht verstehen u Gotteserkenntnis erlangen Prv 2, 5. Über die Jahwefurcht werden Aussagen gemacht, aber nur selten
25 wird Jahwefurcht gefordert Prv 3, 7; 24, 21. Die Jahwefurcht wird einbezogen in die Lehre Ps 34, 12, die Normen für vernünftiges u sinnvolles Leben zu erheben sucht u anbietet, die von der Erfahrung u Überzeugung getragen sind, daß Gutes Glück u Wohlstand, Böses aber Unheil mit sich bringt Prv 13, 21f, u daß Jahwe als dem Schöpfer u Erhalter der Weltordnung solches an der Weisheit orientierte Leben wohlgefällig
30 ist Prv 8, 35, ja daß er es selbst dem Rechtschaffenen schenkt Prv 2, 5—8. So kann die Jahwefurcht *Anfang* תְּחִלָּה *der Weisheit* Prv 9, 10, *Zucht zur Weisheit* Prv 15, 33, *Anfang* רֵאשִׁית[68] *der Erkenntnis* Prv 1, 7 oder *Anfang der Weisheit* Ps 111, 10 genannt werden; sie ist einmal Voraussetzung der Weisheit, das anderemal Gabe derselben Prv 2, 1—5. Jahwefurcht wird gleichgestellt der *Erkenntnis* דַּעַת, der *Einsicht*
35 תְּבוּנָה u der *Weisheit* selbst Prv 1, 29; 2, 5f; 13, 14 im Vergleich mit 14, 27; Hi 28, 28, so daß eine genaue Abgrenzung der einzelnen Begriffe gegeneinander nur schwer möglich ist u wahrscheinlich auch gar nicht beabsichtigt war. Vielmehr wird man damit rechnen müssen, daß alle diese synon verwendeten Begriffe die eine menschliche Grundhaltung meinen, die von der Weisheitslehre (→ VII 486, 42ff) erstrebt wird u deren
40 religiösen Aspekt die יִרְאַת יְהוָה bezeichnen kann. Greifbar wird die Jahwefurcht jedoch nur in der Konkretion, u da ist sie ausschließlich sittlich orientiert. Jahwefurcht ist Meiden des Bösen Ps 34, 12. 15; Hi 1, 1. 8; 2, 3; 28, 28 יִרְאַת אֲדֹנָי; Prv 3, 7; 16, 6, Hassen des Bösen Prv 8, 13 oder der Sünde Prv 23, 17, so daß vom *Jahwefürchtigen* gesagt werden kann, daß er in seiner *Geradheit* יֹשֶׁר wandelt Prv 14, 2, u vom Weg des
45 יָשָׁר, daß er Meiden des Bösen ist Prv 16, 17. Die Folgen dieses sittlichen Verhaltens u damit der Jahwefurcht nehmen in der Beschreibung durch die Weisheit verhältnismäßig großen Raum ein. Beispielhaft hierfür ist Ps 34, 12—15, wo die Folge des sittlichen Verhaltens geradezu als Ansporn für dieses selbst dienen soll: Wer Lust am Leben hat u die Tage liebt, um das Glück zu sehen, der meide das Böse u tue Gutes. Ergebnis
50 der Jahwefurcht ist Reichtum, Ehre u Leben Prv 22, 4, sie mehrt die Tage Prv 10, 27, ist Quell des Lebens u hilft den Todesfallen entkommen Prv 14, 27, sie dient dem Leben,

---

[64] Das Fordernde, Drängende in der Sprache des Dt wirkt sich auch auf die sprachliche Gestaltung der Wurzel ירא aus. Sie begegnet nie als Subst u nur ganz vereinzelt als Verbaladjektiv 20, 8; 25, 18, sonst immer als Verbum.

[65] Vgl → Sander 3—12; dgg → Plath 39 u → Becker 109f.

[66] Gg → Becker 85—124, dessen Interpretation mit der Haltbarkeit der Bundesformularhypothese steht u fällt.

[67] In der gesamten priesterlichen Tradition spielt der Begriff der Gottesfurcht kaum eine Rolle. Nur an wenigen St des Heiligkeitsgesetzes Lv 19, 14. 32; 25, 17. 36. 43 begegnet das Gebot der Gottesfurcht, uz immer im Zshg mit Ver- bzw Geboten, die das Verhalten den Schwachen u Rechtlosen gegenüber regeln. Vgl hierzu → Plath 73—76; → Becker 205f; CFeucht, Untersuchungen zum Heiligkeitsgesetz (1964) 159—161 u dort die weitere Lit.

[68] רֵאשִׁית ist *Anfang* im Sinne von *Erstling*, *Hauptsache*, *Prinzip*.

schafft Sicherheit u Zuversicht u ist Zuflucht Prv 14, 26; 19, 23. Ob diese positiven u negativen Konsequenzen des sittlichen Verhaltens einem von Jahwe garantierten Tat-Ergehen-Zusammenhang[69] oder seiner vergeltenden Gerechtigkeit[70] entspringen, läßt sich aus dem weisheitlichen Begriff der Jahwefurcht nicht erschließen[71].

d. Von den durch die verschiedensten, in den Liedern des Psal- 5 ters verarbeiteten Motive, Traditionen u Gattungen bedingten Bedeutungsvarianten der Wurzel ירא in den Ps hebt sich eine durch Inhalt u Form bes ab: Die Ps bezeichnen eine bestimmte Gruppe von Pers mit dem pluralischen Verbaladjektiv mit Gen obj oder Suffix: יִרְאֵי יְהוָה ua[72]. Die *Jahwe-* oder *Gottesfürchtigen* der Ps unterscheiden sich schon insofern vom Gottesfürchtigen zB der Weisheit, als zu ihrer Charakterisierung fast aus- 10 schließlich religiöse Merkmale herangezogen werden, wogegen die sittliche Charakteristik völlig in den Hintergrund tritt[73]. Die *Gottesfürchtigen* sind, welche Jahwe(s Namen) preisen Ps 22, 23f, auf welchen Jahwes Auge ruht Ps 33, 18, derer sich Jahwe erbarmt Ps 103, 13 u die auf seine Verbundenheit חֶסֶד hoffen Ps 147, 11 uam. Die *Gottesfürch-tigen* zeichnet ein bes Gottesverhältnis aus, das durch den Gebetscharakter der Ps noch 15 stärker betont wird. Sie sind die der Jahwegemeinde Zugehörigen, uz sind damit in einem älteren Stadium die Glieder der Kultgemeinde gemeint, die ihre Kultfähigkeit nachgewiesen haben Ps 15, 4 oder ihre Opfer im Tempel darbringen Ps 66, 16. Es kann darunter aber auch das Volk als Jahwegemeinde verstanden werden Ps 60, 6; 85, 10, die sich zum Kult einfindet Ps 22, 24. 26; 61, 6. Vorwiegend in jüngeren Ps 20 meint der Ausdruck *Gottesfürchtige* meist die Frommen der Gemeinde, wobei der kultische Aspekt in den Hintergrund tritt Ps 25, 14; 33, 18; 34, 8. 10; 103, 11. 13. 17 uö, aber die Gottverbundenheit gegenüber der Gottlosigkeit stärker hervorgehoben wird Ps 145, 19; Mal 3, 16. 20. Eine Sonderstellung nehmen Ps 115, 11. 13; 118, 4 u 135, 20 ein, wo unter dem Begriff *Jahwefürchtige* verschiedene Gruppen von Kultteilnehmern 25 gemeint sind[74].

e. Mit dem Eindringen der Gesetzesfrömmigkeit in die isr Weisheit in spät-nachexilischer Zeit erfährt der Begriff der Gottesfurcht eine Bedeutungsverschiebung auf jene hin: Gottesfürchtig ist, wer das Gesetz befolgt, der Gesetzestreue Ps 1, 2[75]; 19, 8—15; 112, 1; 119, 33—38. 57—64. 30

4. Die Formel אַל־תִּירָא.

Die im AT 74mal vorkommende Formel אַל־תִּירָא *fürchte dich nicht*! ist eine im täglichen Leben oft gebrauchte Beruhigungs- bzw Beistandsformel, die sich Menschen untereinander zurufen Ri 4, 18; 2 S 9, 7 uö, oder die Gott selbst bzw ein von Gott beauftragter Mensch oder מַלְאָךְ einem Menschen oder dem Volk in 35 einer Notsituation zuspricht Ex 14, 13; Jer 42, 11 uö. Als solche Beruhigungs- u Beistandsformel hat אַל־תִּירָא auch seinen Platz im Heilsorakel[76] Js 41, 10. 13f; 43, 1. 5; 44, 2; 51, 7; 54, 4; Jer 30, 10; 46, 27f; Thr 3, 57, sowie in einigen wenigen Theophanieschilderungen, wo dem Erschrecken vor der Begegnung mit dem Göttlichen gewehrt werden soll Ex 20, 20; Ri 6, 23 u Da 10, 12. 19, jedoch nicht Gn 15, 1; 21, 17; 26, 24; 40 28, 13 LXX u 46, 3[77].

---

[69] So KKoch, Gibt es ein Vergeltungsdogma im AT ?, ZThK 52 (1955) 1—42; → Plath 64—67 uam.

[70] BGemser, Sprüche Salomos, Hndbch AT I 16 ²(1963) 7; ESellin-GFohrer, Einl in das AT (1965) 338 uam.

[71] Der Begriff des *Gott-fürchtens* u des *Gottesfürchtigen* bei Qoh entspricht nicht dem der übrigen Weisheitsliteratur. Qoh verwendet nur Verbalformen der Wurzel ירא, nicht das sonst übliche Subst. Es fehlt die Einordnung der Gottesfurcht in ein weisheitliches-theol System, u es scheint der Gottesfurcht ein numinoser Zug nicht ganz fremd Qoh 3, 14, vgl JHempel, Gott u Mensch im AT ²(1936) 25; zum Inhaltlichen vgl Qoh 12, 13.

[72] Außerhalb des Psalters nur noch Mal 3, 16. 20.

[73] Eine gewisse Ausn bilden hier die Psal-

men, bei denen die Gesetzesfrömmigkeit eine Rolle zu spielen beginnt Ps 103; 119; → Becker 151. 153.

[74] → Becker 155—160, bes 160; → Plath 102f.

[75] BHK liest ua יְרְאַת für תּוֹרַת.

[76] JBegrich, Das priesterliche Heilsorakel, Gesammelte Studien zum AT (1964) 217—231; vgl HGreßmann, Die literarische Analyse Deuterojesajas, ZAW 34 (1914) 254—297, der für die Form der Offenbarungsrede bab Einflüsse annimmt.

[77] Mit → Becker 53. Die Basis für die Annahme, daß die Formel im Theophaniebericht ihren urspr Ort hat, ist zu gering, gg LKöhler, Die Offenbarungsformel „Fürchte dich nicht!" im AT, Schweizerische Theol Zschr 36 (1919) 33—39.

III. Der Stamm פחד im Alten Testament.

1. Sprachliches.

a. Urspr Bdtg des Verbums פָּחַד — in Hi 4, 14 am besten zu erkennen — ist *beben*, so daß sich für das q die Übers *vor Schrecken* oder *vor Freude beben*, mit אֶל konstruiert auch *bebend zu jmd kommen*[78] Hos 3, 5; Mi 7, 17, für das pi mit תָּמִיד konstruiert die Bdtg *beständig, immerfort beben*[79] u für das hi in kausativer Bdtg die Übers *in Beben versetzen* ergibt.

b. Das Substantiv פַּחַד, als einziges belegtes Derivat des Stammes פחד nach Art der Segolata aus dem einsilbigen Stamm gebildet, bezeichnet das *Beben* u den *Schrecken* uz meist im Sinne wirklich empfundener Furcht. Nur ganz selten findet sich die bei ירא so häufig zu beobachtende abgeschwächte Bdtg *(Ehr)furcht* 2 Ch 19, 7, vielleicht Ps 36, 2[80].

2. Inhaltliches.

a. Die Wurzel פחד begegnet im AT fast ausschließlich in exilisch-nachexilischer Lit, wahrscheinlich weil die Wurzel ירא zu dieser Zeit in ihrer Bdtg schon so eingeengt geprägt war, daß man für die Bezeichnung der eigentlichen Furcht gern andere Vokabeln verwendete. Von seiner Grundbedeutung her haftet an dem Stamm פחד etwas von angstvoller Unsicherheit u Unruhe Dt 28, 65ff; Hi 3, 25f, so daß die Wörter בֶּטַח *Sicherheit* Js 12, 2; Ps 78, 53; Prv 1, 33; 3, 24f u שָׁלוֹם *Unversehrtheit, Friede* Hi 15, 21; 21, 9 als opp zu פחד gebraucht werden können. Unheilvolle Situationen, deren Konsequenzen für den Betroffenen nicht überschaubar sind, oder die urplötzlich über einen Menschen hereinbrechen, verursachen *angstvolles Beben, Schrecken* oder *panische Angst*. So weiß man von den Schrecknissen der Nacht Ps 91, 5; Cant 3, 8, den Feindesschrecken Ps 64, 2, den Schrecken einer Schlacht Hi 39, 22.

b. Daneben begegnet פחד auch als Bezeichnung für die *Furcht* u den *Schrecken* vor dem Handeln Jahwes Js 19, 16f; 33, 14; Hi 23, 15, vor seinem Wort, bes dem prophetischen Drohwort Jer 36, 16. 24; Ps 119, 161, u als Bezeichnung für die Schrecknisse des (endzeitlichen) Gottesgerichts Js 24, 17f; Jer 30, 5; 48, 43; Thr 3, 47. Im Zshg mit den Begriffen משל *herrschen* Hi 25, 2 u גָּאוֹן *Hoheit* Js 2, 10. 19. 21 meint פחד die *Furchtbarkeit* Jahwes. Schrecken wird nun nicht allein durch die Erfahrung der Furchtbarkeit Jahwes u seines Handelns ausgelöst, sondern von Jahwe selbst hervorgerufen. פַּחַד אֱלֹהִים u פַּחַד יְהוָה bezeichnen den von Jahwe gewirkten Schrecken, wie er Israel u seine Feinde *befällt* נפל עַל oder *über sie kommt* היה עַל Ex 15, 16; 1 S 11, 7; 2 Ch 14, 13; 17, 10; 20, 29; vgl Dt 2, 25; 11, 25, ja sogar einen einzelnen Menschen treffen kann Hi 13, 11[81].

c. Die in den Bereich der Vätergottreligion gehörende Gottesbezeichnung פַּחַד יִצְחָק Gn 31, 42. 53[82] läßt für die Deutung des Wortes פַּחַד nur zwei sinnvolle Möglichkeiten zu: 1. daß פַּחַד in der abgeschwächten Bdtg *Ehrfurcht, Verehrung* den Gegenstand der Verehrung des Isaak meint[83] oder 2., daß פַּחַד nach palmyrenisch-aram, arab u ugaritischen Par die Bdtg *Verwandter* hat[84], was ähnlichen theophoren Elementen in isr Personennamen wie אָב, אָח, עַם ua entspräche.

---

[78] Vgl LKopf, Arab Etymologien u Parallelen zum Bibelwörterbuch, VT 9 (1959) 257f, der als Bdtg *zitternd, Zuflucht suchend zu jmd hineilen* annimmt.

[79] Jenni aaO (→ A 54) 224.

[80] Zu פַּחַד יִצְחָק → Z 36ff. Jer 2, 19, wo sich das Fem פַּחְדָּה findet, ist wohl textlich nicht in Ordnung.

[81] Eine ähnliche Terminologie hat das Estherbuch, wenn es vom Judenschrecken

u vom Mardochaischrecken spricht 8, 17; 9, 2f.

[82] AAlt, Der Gott der Väter, Kleine Schriften I³ (1963) 24—26.

[83] → Becker 177—179 mit Verweis auf den Eigennamen צלפחד.

[84] WFAlbright, Von der Steinzeit zum Christentum (1949) 248f. 434 A 84 unter Zustimmung von OEißfeldt, El u Jahwe, Kleine Schriften III (1966) 392 A 4, vgl auch Alt aaO (→ A 82) 26 A 2.

IV. Furcht in den alttestamentlichen Apokryphen.

In den Apkr begegnet im wesentlichen die gleiche Begrifflichkeit wie im AT. In den erzählenden Büchern spielt, durch zahlreiche Kriegsschilderungen bedingt, die Beschreibung der Furcht vor Krieg u Tod u allg die Menschenfurcht eine große Rolle 1 Makk 2, 62; 3, 6. 22. 25 uö; 2 Makk 12, 22; 13, 16; 3 Makk 7, 21; Jdt 5 1, 11; 2, 28 uö, ebenso im Zshg mit Schilderungen übernatürlicher Ereignisse die Furcht vor dem Unheimlichen u Schrecklichen 2 Makk 3, 25. 30; 3 Makk 6, 18; Sap 11, 19; 17, 4 uö, die auch das „Fürchte dich nicht!" der Angelophanie in Tob 12, 16 f bedingt. Der Begriff der Gottesfurcht bezeichnet in den apokryphen Schriften fast ausnahmslos die Frömmigkeit des gesetzestreuen Juden mit ihren verschiedenen Aspekten, so 10 daß es zur Charakteristik frommer Pers genügt, sie gottesfürchtig zu nennen Jdt 8, 8; Sus 2 (→ 198, 37 ff). In einzelnen Schriften werden je nach Absicht der Verf verschiedene Aspekte bes betont, so in Tob der ethische Aspekt Tob 4, 21; 14, 2, in PsSal ähnlich wie in Ps das religiöse Moment 3, 12; 13, 12 uö[85], u in Sir[86] beeinflußt die Weisheit u die Gesetzesfrömmigkeit den Gottesfurchtbegriff wesentlich 1, 11—21; 2, 15—17 15 uö. An einigen wenigen St wird die Gottesfurcht mit dem Gesamten der jüd Religion identifiziert: man erleidet das Martyrium um ihretwillen 2 Makk 6, 30, achtet ihretwegen die Rettung der eigenen Kinder nicht 4 Makk 15, 8, u zu ihr als der wahrhaftigen Gottesfurcht werden sich alle Völker bekehren Tob 14, 6.

Zwei apokryphe Schriften, ep Jer u 4 Makk, haben ua die Furcht als Gegenspie- 20 lerin des Gottesgehorsams zum Thema. Unter Zuhilfenahme der Begrifflichkeit der stoischen πάθος-Lehre (→ 192, 8 ff) zeigt 4 Makk anhand von Beispielen aus der Geschichte die Konfrontation zwischen Todesfurcht als Furcht vor dem Martyrium u dem Gottesgehorsam. ep Jer 14. 22 uö versucht der Gefahr des Abfalls von Gott angesichts der Faszination fremder Kulte zu wehren, indem mit verschiedenen Begründungen 25 der Nachweis gebracht wird, daß die Götzen keine Götter sind, man sie also nicht zu fürchten braucht.

Wanke

C. Die Furcht im palästinischen und hellenistischen Judentum.

1. In den Pseudepigraphen. 30

a. Die paränetische Weisheit der Test XII führt das at.liche Motiv des φόβος κυρίου bzw θεοῦ (→ 197, 15 ff) in zahlreichen formelhaften Wendungen Test S 3, 4; L 13, 1; N 2, 9; G 3, 2; B 10, 10 uö u einigen bes Anweisungen weiter. So wohnt der φόβος τοῦ θεοῦ in dem δίκαιος καὶ ταπεινός, der sich *scheut*, Unrecht zu tun, zu verleumden u *bei dem Herrn anzustoßen* φοβούμενος γὰρ μὴ προσκροῦσαι Κυρίῳ G 35 5, 3—5. Der φόβος τοῦ θεοῦ sitzt im Herzen Jos 10, 5; vgl R 4, 1 u führt zur Liebe φοβεῖσθε τὸν Κύριον καὶ ἀγαπᾶτε τὸν πλησίον B 3, 3 (→ 198, 7 ff). In Gottesfurcht soll man unverlierbare Weisheit erwerben L 13, 7; der gute Mensch beschützt τὸν ἔχοντα φόβον Κυρίου ὑπερασπίζει *beschützt* B 4, 5 β (fehlt in α). Gottesfurcht heißt Absage an den Satan D 6, 1, ja Vorsicht beim Weingenuß; denn hier muß der φόβος θεοῦ mit der Scham (αἰδού- 40 μενοι) zusammentreffen Jud 13, 2. Diese Motivation des frommen u gerechten Handelns durch die Furcht des Herrn verrät ein gegenüber dem Hell neues u vom Gebot Gottes her begründetes ethisches Denken, vgl Jos 11, 1. Zwar kann gesagt werden, daß sogar τὰ θηρία φοβηθήσονται ὑμᾶς, wenn ihr das καλόν tut N 8, 4, vgl B 5, 2; es überwiegt jedoch gegenüber der griech Freiheit zur vollkommenen Selbstverwirklichung die auf die um- 45 fassende Macht Gottes gegründete Strenge[87]. Deuteronomische Aussagen (→ 197, 48 ff) werden L 13, 1; R 4, 1 aufgenommen[88].

---

[85] Vgl → Sander 56—66. PsSal 17, 40 bezeichnet den Messias als stark in der Furcht Gottes u 18, 6—9 das messianische Geschlecht durch seine Leitung als ein Geschlecht voll Gottesfurcht.

[86] Vgl bes → Haspecker 45—342; ferner → Sander 25—42; → Becker 276—280.

[87] In der stark hell orientierten Schrift Joseph u Aseneth (ed MPhilonenko, Studia Post-Biblica 13 [1968]) werden einzelne Fromme als φοβούμενος τὸν θεόν 27, 2 oder τὸν κύριον bezeichnet 8, 9; 22, 8; neben σέβομαι steht φοβέομαι von der Verehrung von Götterbildern 2, 5; neben πρᾶος u ἐλεήμων wird es 8, 9 verwendet, neben προφήτης u θεοσεβής 22, 8. Die Wendung φοβούμενος τὸν κύριον oä ist hier wie in PsSal 3, 12; 4, 23; 12, 4 uö, vgl 13, 5 (εὐσεβής) nicht term techn (→ 203, 18 ff), sondern allg Bezeichnung der Frommen (→ 203, 1 ff).

[88] Zum ethischen Anliegen der Test XII → Sander 42—55, der die Furcht richtig eine „Herzensgesinnung gegenüber Gott" nennt 51, den lehrhaft-asketischen Charakter der gesamten Paränese aber zu gering veranschlagt.

In der übrigen jüd Paränese kann die Gottesfurcht die Ehrfurcht vor den Eltern zur Folge haben Pseud-Menand 4, vgl 16[89]. Gottesfurcht ist aller Güter Anfang Pseud-Menand 70; wer den Herrn nicht fürchtet, wird von ihm vergessen u einst gerichtet Testamentum Iobi 43, 9[90]. Aber diese Grundhaltung der Gottesfurcht ist etw ganz anderes als die schädliche Angst vor dem Tod Test Abr 13f (p 118, 8ff. 24), u Furchtsamkeit verdirbt das Herz Pseud-Menand (→ A 89) 83f. Hier wie auch in ep Ar 270: μὴ διὰ τὸν φόβον μηδὲ διὰ πολυωρίαν (*Eigennutz*), sondern διὰ τὴν εὔνοιαν soll man anderen dienen, schlägt die hell Kritik der falschen u unwürdigen Furcht herein (→ 189, 11ff), vgl weiter Sap 17, 12. Daneben kann aber unkritisch von der Ehrfurcht beim Opfer ep Ar 95, von der hl Scheu beim Anblick des Priesters im vollen Ornat 99 u vom θεῖος φόβος, der alles zum Ziel bringen hilft, die Rede sein 189.

    b. In den apokalyptischen Schriften treten die paränetischen Züge stark zurück. Dafür spielt der Topos der Epiphanie-Furcht (→ 191, 1ff) angesichts der visionären Offenbarungen Gottes, seiner Boten oder anderer himmlischer Erscheinungen eine große Rolle, vgl äth Hen 14, 13f; 15, 1; 21, 9; 60, 3; slav Hen 20, 1f; 21, 2f; 4 Esr 10, 24. 38. 55; 12, 3. 5; s Bar 53, 12; Apk Abr 10, 6. 15; 16, 2. Die Gottesfurcht der Frommen[91] bewahrt sie zwar nicht vor dem Dahingerafftwerden durch den Tod s Bar 14, 5f, sie brauchen sich aber nicht vor den Sündern äth Hen 95, 3 oder den Angriffen der Feinde zu ängstigen Apk Eliae 24f (p 76f, vgl 115), vgl slav Hen 43, 3; denn Gott heilt die Leidenden äth Hen 96, 3 u offenbart ihnen das künftige Heil, um sie zu trösten s Bar 54, 4, vgl äth Hen 100, 5. Während aber selbst die Matrosen die Gewalt des Meeres fürchten, scheuen die Sünder nicht einmal den Herrn, der doch dem Meer erst seine Gewalt gibt äth Hen 101, 4ff. Deshalb wird das Endgericht sie in Entsetzen u Qual führen äth Hen 48, 8; 100, 8; vgl 4 Esr 7, 80—87. Von τρόμος καὶ φόβος der gefallenen Engel ist gr Hen 13, 3, von der Furcht des feindlichen Heeres vor dem Menschenähnlichen 4 Esr 13, 8 die Rede. Die Frommen werden zwar wie alle Menschen in Furcht das Gericht Gottes erleben äth Hen 1, 5, aber nach dem Tod erwartet sie nicht die siebenfache Pein der Sünder marcescent (*erschlaffen*) in timoribus 4 Esr 7, 87, sondern die siebenfache Freude der Frommen gaudebunt non revertentes (*ohne Schrecken*) 7, 98[92]. Hell Lebensweisheit oder gar Reste stoischer Philosophie sucht man in den apokalyptischen Texten vergeblich. Ein Anklang findet sich höchstens in dem Zuspruch an den Seher 4 Esr 6, 33f.

2. In Qumran.

    Der fromme Beter der Qumrangemeinde weiß sich mitten unter denen, *die Gott fürchten* בתוך יראי אל 1 QH 12, 3; vgl 1 QSb 1, 1; 5, 25; Damask 10, 2 (10, 15)[93]; 20, 19f (9, 43f). Das Wort פחד wird vom *Schrecken* vor den *Gerichten* משפטים Gottes 1 QH 10, 34; 1 QS 4, 2[94] verwendet, aber auch mit anderen *Schrecken* in Verbindung gebracht, so von der ממשלת בליעל 1 QS 1, 17f, vgl 1 QH 2, 36. Gott selbst ist *furchtbar* u *schrecklich* im hl Krieg אל גדול ונורא 1 QM 10, 1, vgl 12, 7 (unsicherer Text), seine Schöpfungswerke sind נוראים 1 QH 13, 15. Die Kinder des Lichts sollen sich im Kampf gg die Feinde nicht fürchten 1 QM 10, 3; 15, 8; 17, 4. Weisheitliche u paränetische Aspekte der Gottesfurcht treten in den Qumrantexten wohl auf Grund des kultischen Charakters der Gemeinschaft stark zurück[95].

---

[89] ed JLand, Anecdota Syriaca I (1852); übers Rießler 1047. 1049₉.

[90] ed SPBrock, Pseudepigrapha Veteris Testamenti graece II (1967).

[91] Die demütige u gehorsame (Gottes-) furcht begegnet entsprechend der allg gepflegten Aufnahme at.licher Motive öfter, vgl s Bar 44, 7; 46, 5; tuum timorem 4 Esr 8, 28. Gott als Objekt der Furcht wird allerdings analog dem sonstigen Sprachgebrauch der Verf von 4 Esr u s Bar an keiner St genannt, vgl dazu BViolet, Die Apokalypsen des Esr u des Bar in deutscher Gestalt, GCS 32 (1924) 264 A zu v 5; 69f A zu v 3—5.

[92] Die lat Versionen nach LGry, Les dires prophétiques d'Esdras (IV Esdras) I (1938) zSt.

[93] JMaier, Die Texte vom Toten Meer II (1960) zSt interpretiert ירא את אל hier als *kultfähig*.

[94] Nach Maier aaO (→ A 93) zSt gibt hier nur die Übers mit *Gerichte* einen klaren Sinn; *Rechtssatzungen* übersetzt KSchubert, Die jüd u judenchristlichen Sekten im Lichte der Handschriftenfunde v 'En Fešcha, Zschr für Katholische Theol 74 (1952) 45.

[95] Vgl dazu → Becker 281f mit A 97; zu Qumran insgesamt → Romaniuk crainte de Dieu 29—38; SJ De Vries, Note concerning the Fear of God in the Qumran Scrolls, Revue de Qumran 5 (1965) 233—237.

3. In den rabbinischen Schriften.

Die Gottesfurcht kennzeichnet hier die grundsätzliche Haltung des Thorafrommen bBer 16b; 17a; 33b, als Furcht vor der Sünde Ab 2, 10; 3, 12. In Ab 1, 3 liegt nach einem bekannten Spruch des Antigonus von Sokho die מורא שמים auf denen, die dem Herrn dienen, ohne Lohn zu erwarten, uminterpretiert in AbRNat A 5 5, 1 (Schechter p 26, 2) durch die angefügte Verheißung doppelten Lohnes. Nach bNidda 16b ist die Gottesfurcht eine Leistung des Frommen, die der göttlichen Allwirksamkeit entzogen ist. Das Nebeneinander von Lieben u Fürchten des Herrn in Dt 6, 5. 13 (→ 198, 7ff) hat zu einer heftigen Diskussion darüber geführt, ob nicht das Gottesverhältnis der Liebenden dem der Gottesfürchtigen etw voraus habe Sota 5, 5; bSota 31a; 10 jBer 9 (14b 45ff), vgl auch bSanh 61b—62a. Hell Einfluß ist hier nicht von der Hand zu weisen (→ 189, 11ff)[96]. Abraham wird wegen seiner Liebe zu Gott vielfach über Hiob gestellt, der Gott nur fürchtete[97]. Furcht vor Gott u seinem Gericht muß aber dennoch bestehen bleiben wegen der mangelnden Heilsgewißheit der Menschen MEx 5, 2 zu 17, 14 (p 185, 7ff); jChag 2, 1 (77a 31ff), vgl bBer 28b. Gott kann auch der Furcht- 15 bare היראוי genannt werden bBer 33b; bMeg 25a, ja das Subst יראה kann in der Bdtg *Gegenstand der Verehrung* als Bezeichnung der Gottheit dienen, bes von Götzen bSanh 106a; jKid 1, 7 (61b 5)[98]. — Bereits die LXX ergänzt den HT in 2 Ch 5, 6 durch die Wendung οἱ φοβούμενοι, um damit im Gegensatz zu den ἐπισυνηγμένοι *Hinzugetane* (Proselyten) die außerhalb der Volksgemeinschaft stehenden Frommen zu bezeichnen. 20 Die entsprechende Unterscheidung zwischen יראי שמים u גרים begegnet in rabb Texten, wenn im Gegensatz zu den beschnittenen Hinzukömmlingen die Frommen unter den Nichtjuden bezeichnet werden sollen, die nur in lockerem Kontakt mit der jüd Gemeinde stehen, sich aber an einen Teil der mosaischen Gesetze halten, vgl Dt r 2, 24 zu 3, 25 (Wünsche 31f); MEx 8, 18 zu 22, 20 (p 312, 18); Nu r 8, 9 zu 5, 9; jMeg 3, 2 (74a 25 34). Ihre Existenz ist natürlich in der Diasporasituation bes wichtig, vgl Jos Ant 14, 110, wo das hell σεβόμενοι (→ 204, 9ff) verwendet ist, u die St in Ag (→ 209, 3ff). Zu den σεβόμενοι τὸν θεὸν ὕψιστον vgl → VIII 614 A 10; 617 A 41. Schon im 3. Jhdt nChr wurden die φοβούμενοι τὸν θεόν nicht mehr deutlich von den Proselyten geschieden, vgl Gn r 28, 5 zu 6, 7 (Wünsche 125); weiter → VI 731, 18ff; 734, 9ff mit Belegen aus 30 Inschr; 740, 42ff[99].

4. Bei Philo und Josephus.

a. Obwohl Philo die at.liche u gemeinjüdische Rede von der Gottesfurcht aufnimmt Migr Abr 21; Deus Imm 69, sieht er doch in gut hell Weise im Anschluß an das at.liche μὴ φοβοῦ Gn 28, 13 (nicht im HT) in Gott die schützende Waffe 35 gg den φόβος u jedes πάθος Som I 173, vgl Conf Ling 90; Mut Nom 72[100]. Deshalb ist auch für den Frommen nicht eigtl Furcht, sondern Liebe das treibende Motiv (→ Z 8ff) Spec Leg I 300; Deus Imm 69. φόβος muß also durch θάρσος ergänzt werden Rer Div Her 28, vgl 24[101]. Furcht darf aber bei der Erziehung nicht fehlen, weil ἀφροσύνη δ' οὐκ ἄλλῳ ἢ φόβῳ θεραπεύεται Spec Leg II 239; aber die φοβούμενοι καὶ τρέμοντες ὑπ' ἀναν- 40 δρίας καὶ δειλίας ψυχικῆς stehen bei denen, die Gott nicht sehen u hören können Leg All III 54.

b. Bei Josephus[102] begegnen φόβος 150mal u φοβέομαι 70mal. Häufig wird die Wortgruppe vom Schrecken u Entsetzen im Krieg verwendet Bell 1, 307; 2, 226. 256. 463; 4, 655; 6, 69. 138; Ant 3, 55; 4, 90; ταραχή, δέος u φόβος be- 45

---

[96] Weitere Belege bei Str-B II 112f.

[97] Dazu → Sander 67—138; 125—132; dort zahlreiche weitere Belege zum Verhältnis von Liebe u Furcht.

[98] Zur Frage der Heilsgewißheit vgl Str-B III 218—221; zur Gottesbezeichnung יראה s Levy Wört sv, vgl auch → Becker 182. Der Gott Israels fordert von den Seinen aber nicht die Haltung der Devotion mit Schrecken, Furcht, Zittern u Beben, sondern nur das tägliche Lesen des Schema Lv r 27, 6 zu 22, 27 (Wünsche 189).

[99] Weiteres bei Str-B II 715—721; KThrae-

de, Beiträge zur Datierung Commodians, Jbch Ant Christ 2 (1959) 96—100; ELerle, Proselytenwerbung u Urchr (1960) 27—33; → Romaniuk Die „Gottesfürchtigen" 66—91; HBellen, Συναγωγὴ τῶν Ἰουδαίων καὶ Θεοσεβῶν. Die Aussage einer bosporanischen Freilassungsinschrift (CIRB 71) zum Problem der „Gottfürchtigen", Jbch Ant Christ 8/9 (1965/66) 171—176.

[100] Vgl WVölker, Fortschritt u Vollendung bei Philo v Alexandrien, TU 49 (1938) 127.

[101] Völker aaO (→ A 100) 322. [Bertram]

[102] Die Belege zu Jos wurden v KHRengstorf zur Verfügung gestellt.

gegnen nebeneinander Ant 6, 24, vgl 6, 5; 9, 94; 11, 175. Hierher gehören die *Furcht
vor dem Tod* θάνατον φοβηθέντες Ant 18, 266, vgl 7, 342 u φόβος im Sinn von *Gefahr*
Bell 1, 483 oder *Abschreckung* Bell 3, 102, vgl 363. *Angst* um das eigene Leben ist Bell
1, 591; 4, 107 gemeint, *Angst* bei der Sintflut Ant 1, 97. Neben οἶκτος steht φόβος Bell
6, 263; die Bdtg *Ehrfurcht, Scheu, Respekt* begegnen vielfach, zB τοῦ κωλύοντος φόβος
aus Scheu vor Strafe Bell 6, 263, von der *Scheu,* Neid zu erregen Bell 1, 428, vgl 597. 609,
vom *Respekt* vor den Lehrern Bell 2, 162. Weisheitlich klingt die Wendung: οἱ φόβοι
δὲ διδάσκουσιν προμήθειαν Bell 1, 374; δοῦλοι sollen nie Zeugen vor Gericht sein οὖς . . .
εἰκὸς διὰ φόβον μὴ τάληθῆ μαρτυρῆσαι Ant 4, 219. — φοβέομαι wird bei Jos in der Regel
nicht auf Gott bezogen, lediglich Ant 1, 114 begegnet die Wendung φόβος . . . παρὰ τοῦ
θεοῦ. Der Wechsel zwischen den Ausdrücken ὡς ἄνθρωπον ἐφοβήθημεν u κρείττονά σε
θνητῆς φύσεως ὁμολογοῦμεν Ant 19, 345, wie die Wendungen καὶ χωρὶς τῆς περιτομῆς τὸ
θεῖον σέβειν Ant 20, 41, vgl Bell 1, 111; πρὸς τὸν θεὸν εὐσέβεια Ant 18, 117 weisen darauf hin, daß Jos sich konsequent um hell Terminologie bemüht. Für die Furcht vor
Gott verwendet er sonst noch εὐλαβέομαι Ant 6, 259 u δείδω Ant 2, 23; 3, 321. Seine
Haltung wird bes darin deutlich, daß er die leidenschaftliche jüd Frömmigkeit als δεισιδαιμονία (→ 193, 25ff) bezeichnen kann Ant 12, 5; Bell 1, 113; 2, 174. 277, vgl
das Urteil über Manasse nach seiner Bekehrung Ant 10, 42[103].

δέος begegnet bei Jos 141mal u ist ähnlich wie φόβος überwiegend von der *Furcht
vor* Gefahren Bell 1, 168. 373; Ant 6, 151, vor Strafe Ant 18, 81 oder von der *Angst*
allg gebraucht Bell 1, 554. 615; 2, 157. Die Bdtg *Ehrfurcht* δέος τῆς θρησκείας begegnet
Bell 5, 229.

D. Die Wortgruppe im Neuen Testament.

1. Der allgemeine Sprachgebrauch.

Die Wortgruppe φοβ- ist im NT durch φοβέομαι 95mal, φόβος
47mal, ἔμφοβος fünfmal, ἀφόβως viermal, φοβερός dreimal, ἔκφοβος zweimal u ἐκφοβέω,
φόβητρον je einmal u somit insgesamt 158mal vertreten. Das Hauptgewicht liegt bei
den Ev u der Ag, lediglich das Subst findet sich bei Pls etw häufiger. Unspezi-
fische u alltägliche Bdtg haben in der Regel die Verbindungen von φοβέομαι mit Inf
sich fürchten, zu . . . Mt 1, 20[104]; 2, 22 u μή *(be)fürchten, daß* Ag 5, 26; 23, 10; 27, 17.
29; 2 K 11, 3; 12, 20; Gl 4, 11; Hb 4, 1. Oft begegnet die Furcht vor bestimmten Menschen Mk 6, 20; Mt 25, 25; Lk 19, 21; Ag 9, 26 oder vor dem ganzen Volk Mk 11, 32;
12, 12; Mt 14, 5; 21, 26. 46; Lk 20, 19; 22, 2; J 7, 13; 9, 22; 19, 38; 20, 19; Ag 5, 26;
Gl 2, 12; abs steht φοβέομαι J 19, 8; Ag 16, 38; 22, 29. Über diesen allg Sprachgebrauch
hinaus lassen sich aus dem jeweiligen Zshg eine Reihe von Spezialbedeutungen erkennen,
die meist bestimmte Motive aus der at.lich-jüd (→ 194, 4ff; 201, 29ff) u der hell (→
186, 17ff) Tradition aufnehmen.

In den meisten Fällen bleiben die neutestamentlichen Furchtaussagen im Rahmen
traditioneller Vorstellungen. Nur an wenigen Stellen werden sie zum Träger spe-
zifisch urchristlicher Anliegen, so vor allem, wenn das Verhältnis von Glaube und
Furcht bzw Liebe und Furcht in der christlichen Existenz bestimmt wird. Die
Bedeutung der Furcht als Relationsbegriff zeigt sich darin, daß jede lähmende
Angst verworfen wird, während die Furcht vor Gott als Grundhaltung des von
Gott ganz und gar abhängigen Menschen vom Glauben nicht zu trennen ist[105].

---

[103] Vgl ASchlatter, Wie sprach Josephus
von Gott?, BFTh 14, 1 (1910) 60f.
[104] Gg ASuhl, Der Davidssohn im Mt, ZNW
59 (1968) 64, der hier die Scheu vor dem Wunder der geistgewirkten Zeugung ausgesprochen
findet. Dem widerspricht aber das Engelwort
Mt 1, 20, das gerade das μὴ φοβηθῆς παραλα-
βεῖν mit dem Hinweis auf das πνεῦμα ἅγιον
begründet. Das Wissen um den Geist als Be-

wirker der Schwangerschaft führt also gerade
nicht zur Scheu, sondern zur Annahme Marias.
Mt 1, 18c kann daher nur eine für den Leser
bestimmte Erklärung sein. Erst das Prot Ev
Jk spricht v einer Scheu des Joseph: . . . φοβοῦμαι μήπως ἀγγελικόν ἐστιν τὸ ἐν αὐτῇ 14, 1.
[105] Vgl auch JBoehmer, Die neutestamentliche Gottesscheu u die ersten drei Bitten des
Vaterunsers (1917).

2. Die Epiphanie der Gottesherrschaft und die Furcht.

a. Das verbreitete Motiv der Furcht angesichts der Epiphanie Gottes (→ 197, 15 ff) spielt im Neuen Testament eine besondere Rolle in den Berichten über Taten und Geschick Jesu. Entsprechende Aussagen 5 finden sich überwiegend bei Markus (8mal), Lukas (Evangelium 10mal, Anklänge in Ag 2, 43; 5, 5. 11; 19, 17) und Matthäus (6mal), sonst nur je einmal bei Johannes und in der Johannesapokalypse. Der konkrete Anlaß zu der Aufnahme des Furcht-motivs liegt in der unfaßlichen Art des vollmächtigen Wirkens Jesu, das nicht nur bei den Zuschauern, sondern auch bei den Betroffenen selbst Furcht erweckt[106]. 10 Allgemeine Epiphanie- und Wundermotive (→ 191, 1 ff; III 206, 22 ff) haben diesen Zug noch verstärkt. Die Nachfolger erfahren Furcht vor dem Unbegreif-lichen[107] und werden zugleich aus ihrer Angst zum Glauben befreit, der wiederum das Reden von Furcht in einem neuen Sinn implizieren kann (→ 209, 19 ff).

So wird nach der Stillung des Sturmes Mk 4, 41 von den Jüngern gesagt: ἐφοβήθησαν 15 φόβον μέγαν, vgl Lk 8, 25: φοβηθέντες δὲ ἐθαύμασαν, während Mt 8, 27 verkürzt: οἱ δὲ ἄνθρωποι ἐθαύμασαν. Ähnlich ist die Heilung des Besessenen Mk 5, 15 Grund zur Furcht, die Lk 8, 37 sogar noch bes betont: φόβῳ μεγάλῳ συνείχοντο. Die Erweckung des νεα-νίσκος zu Nain erregt den φόβος der Umstehenden, so daß sie Gott preisen Lk 7, 16, u in gleicher Weise geschieht es bei der Heilung des παραλυτικός, wo ἔκστασις u φόβος 20 zusammenkommen u zum Lob Gottes führen Lk 5, 26; dgg hat Mk 2, 12 nur ἐξίστασθαι, Mt 9, 8 nur ἐφοβήθησαν. Lk 5, 26 begründet dabei den φόβος noch näher durch das παράδοξον des Geschehens. Als die Jünger Jesus auf dem See wandeln sehen, schreien sie *vor Furcht* ἀπὸ τοῦ φόβου — Mk 6, 49 hat nur ἀνέκραξαν, J 6, 19 nur ἐφοβήθησαν —, weil sie wie vor der Erscheinung eines Gespenstes entsetzt sind Mt 14, 26. Die blut- 25 flüssige Frau wird sich ihrer plötzlichen Heilung schlagartig bewußt: φοβηθεῖσα καὶ τρέμουσα Mk 5, 33, so daß sie den φόβος geradezu körperlich erfährt u vor Jesus nieder-fällt. Lk 8, 47 gestaltet diesen urspr Schrecken um zur Angst vor dem Ertapptwerden: ἰδοῦσα δὲ ἡ γυνὴ ὅτι οὐκ ἔλαθεν, τρέμουσα ἦλθεν. Eine wichtige Rolle spielt das Furcht-motiv in den Kindheitsgeschichten des Lk, wo den Furcht befällt, dem der ἄγγελος 30 κυρίου erscheint Lk 1, 12; 2, 9 oder der ein Gotteswunder erlebt Lk 1, 65 (→ 208, 18 ff).

Besondere christologische Bedeutung erhält das Motiv der Epiphanie-Furcht in den synoptischen Ostergeschichten (→ 206, 13 ff) und in der Verklärungs-geschichte, wo die Jünger von Schrecken gepackt werden (Mk 9, 6: ἔκφοβοι ἐγέ-νοντο, Lk 9, 34: ἐφοβήθησαν, bei Mt 17, 6 steht ἐφοβήθησαν σφόδρα erst als Reaktion 35 auf die Stimme aus der Wolke). Es zeigt sich, daß Lukas die Furcht der Jünger auf wunderhafte Erscheinungen zu beschränken versucht (vgl auch Ag 10, 4) oder psychologisch erklärt (→ Z 22 ff; III 920, 7 ff). So interpretiert er auch die Furcht angesichts der verklärten Erscheinung Jesu um zur Furcht, in die Wolke hineinzugeraten (Lk 9, 34). Matthäus verbindet in gut apokalyptischer Weise die 40 Furcht mit der Wolkenstimme[108] und hebt durch diesen Einschub den Unterschied

---

[106] Hierher gehört auch, daß die ἀρχιερεῖς u γραμματεῖς Jesus fürchten u das ganze Volk über seine διδαχή *außer sich ist* ἐξεπλήσσετο Mk 11, 18. Aber selbst die Jünger fürchten sich im Anschluß an die Ankündigung des Leidens Jesu Mk 9, 32 par Lk 9, 34 u beim Zug nach Jerusalem Mk 10, 32, weil ihnen das Vorhaben Gottes mit Jesus unfaßlich ist.
[107] ROtto, Das Heilige [14] (1926) 13—23 spricht mit Recht von Furcht als mysterium

tremendum u primärem Erlebnis; vgl G van der Leeuw/ (C-MEdsman), Artk Furcht, in: RGG³ II 1180—1182.
[108] Vgl Loh Mt zSt. Angesichts einer himm-lischen Stimme fällt der Mensch auf sein An-gesicht, um dann von Gott wieder aufgerichtet zu werden Da 8, 17 f, vgl 10, 9 f. 15 ff; Apk 1, 17. Das ist schon bei Ez vorbereitet, vgl 2, 1 f (→ 199, 32 ff; 191, 1 ff).

zwischen Jesus und den Jüngern stark hervor (→ 208, 9ff)[109]. Das Motiv der
Epiphanie-Furcht schwächt er überhaupt gerne ab (→ 207, 23ff. 30ff). Demgegenüber ist für Markus die Furcht der Jünger eine entscheidende Reaktion
auf die Taten und das Geschick Jesu, die als Einbruch göttlichen Handelns ver-
5 standen werden (→ III 5, 34ff; 36, 5ff). Diese Furcht unterscheidet sich aber von
dem Entsetzen bei Visionen (vgl Apk 11, 11) wie von der Furcht der Gottlosen
vor den Eschata (Lk 21, 26; Hb 10, 27. 31; Apk 18, 10. 15) dadurch, daß sie nicht
Verzweiflung weckt, sondern das δοξάζειν (Mk 2, 12; Mt 9, 8) und das προσκυνεῖν
(Mt 28, 9, vgl Lk 24, 5; Mt 17, 6). Auch die Heilserfahrungen der Gemeinde kennen
10 diese Furcht (Ag 2, 43; 5, 5. 11; 19, 17). Sie schließt die Angst vor Menschen aus
(φοβέομαι ἀπό → 192, 15f), läßt aber den fürchten, der Macht hat, in die Hölle
zu werfen (Lk 12, 4f par Mt 10, 28; → 209, 19ff).

b. Nach den synoptischen Ostergeschichten er-
weckt die Botschaft von der Auferstehung Jesu bei den Frauen am Grab Furcht
15 und Entsetzen. Dabei wirft die Interpretation von Mk 16, 8 schwierige Probleme
auf. Der handschriftlich eindeutig überlieferte Teil des Markusevangeliums
schließt mit der Furcht der Frauen angesichts des leeren Grabes und der Botschaft
des Engels: ἔφυγον ἀπὸ τοῦ μνημείου, εἶχεν γὰρ αὐτὰς τρόμος καὶ ἔκστασις· καὶ οὐδενὶ οὐδὲν εἶπαν· ἐφοβοῦντο γάρ.

20   Der Vermutung, Mk habe sein Ev planvoll mit diesem Hinweis auf den Gottesschrecken beendet[110], standen die Annahmen gegenüber, er sei verhindert worden, sein
Werk sinnvoll abzuschließen[111], der ursprüngliche Schluß sei verlorengegangen[112] oder
aber mit dem jetzigen, in B א syꜱ uam fehlenden Abschluß gegeben[113]. Einhelligkeit
ist heute jedoch weitgehend über den sekundären Charakter von Mk 16, 9—20 er-
25   reicht[114]. Vom Sprachgebrauch her wäre an sich nicht undenkbar, daß Mk nach dem
Vorgang von Mk 9, 32; 10, 32 das Furchtmotiv an betonter Stelle die Passionsgeschichte
abschließen läßt[115]. Dann müßte man aber mit dem literarischen Kunstgriff der dramatischen Aposiopese rechnen, der bei ihm kaum vorauszusetzen ist[116]. Aber auch aus
theol Gründen können Schrecken u Schweigen nicht das letzte Wort des εὐαγγέλιον

[109] Dazu HBaltensweiler, Die Verklärung Jesu, Abh Th ANT 33 (1959) 127f.
[110] Vgl Loh Mk zSt; OLindton, Der ver-mißte Markusschluß, ThBl 8 (1929) 229—234; HGraß, Ostergeschehen u Osterberichte ³(1964) 16—23. Weitere Lit bei Pr-Bauer sv φοβέω, WGKümmel, Einl in das NT ¹⁵(1968) 56f; Bultmann Trad⁷ 308f mit Ergänzungsheft 46.
[111] Vgl WLKnox, The Ending of St Mark's Gospel, HThR 35 (1942) 13; Zahn Kan II (1892) 910—938; Zahn Einl I 232—240.
[112] MHengel, Maria Magdalena u die Frauen als Zeugen, Festschr OMichel (1963) 251 ver-mutet eine urspr Protophanie vor Maria Magdalena; HEHProbyn, The End of the Gospel St Mark, Exp IX 4 (1925) 120—125 will das abgebrochene Stück in Ag 1, 6—11 wiederfinden, vgl FGKenyon, Pa-pyrus Rolls and the Ending of the St Mark, JThSt 40 (1939) 253—257.
[113] GHartmann, Der Aufbau des Mk mit einem Anhang: Untersuchungen zur Echtheit des Markusschlusses, NTAbh 17, 2—3 (1936) 180f; vgl Kümmel aaO (→ A 110) 56.
[114] Schon nach Eus u Hier fehlen die Verse 9—20 in fast allen griech Hdschr, vgl Oxf NT, Loh Mk zSt. Dieses v Lk abhängige Stück ist wohl im 2.Jhdt entstanden; vgl dazu EHelzle, Der Schluß des Mk (Mk 16, 9—20) u das Freer-Logion (Mk 16, 14 W), ihre Ten-denzen u ihr gegenseitiges Verhältnis. Eine wortexegetische Untersuchung (Diss Tübingen Maschinenschrift [1959]), Selbstbericht in ThLZ 85 (1960) 470—474; anders ELinnemann, Der (wiedergefundene) Markusschluß, ZThK 66 (1969) 255—287.
[115] Vgl GKittel, Die Auferstehung Jesu, DTh 4 (1937) 152. Das Moment der Bestür-zung ist in J 20, 2; Lk 24, 4f. 22; Mt 28, 8 er-halten, wenn auch abgeschwächt u gg Mk 16, 8 mit dem Motiv des Weitersagens verbunden. WCAllen, St Mark 16, 8. „They were afraid" Why?, JThSt 47 (1946) 46—49; ders, „Fear" in St Mark, JThSt 48 (1947) 201—203 hält Mk 16, 8 wegen des Motivs der religiösen Scheu (awe) für den urspr Schluß; vgl KTa-gawa, Miracles et évangile, Études d'histoire et de philosophie religieuses 62 (1966) 99—122.
[116] Vgl Knox aaO (→ A 111) 20f. Abschlie-ßende Kurzsätze mit γάρ sind dgg häufig, vgl Pr-Bauer sv φοβέω, Knox 14.

'Ιησοῦ Χριστοῦ Mk 1, 1 gewesen sein; denn Mk erwartet, wie die drei Leidensankündigungen in ihrer redaktionellen Gestalt deutlich zeigen[117], nach dem Tod Jesu am Kreuz nicht seine Parusie als Menschensohn vom Himmel[118], sondern zus mit dem urchristlichen Kerygma 1 K 15, 4 seine Auferstehung nach drei Tagen Mk 8, 31; 9, 31; 10, 34. Selbst wenn traditionsgeschichtlich der Gottesschrecken angesichts der Kreuzigung des Heilsbringers die primäre christologische Aussage sein könnte[119], widerspräche das doch der Konzeption des Mk, der von der neuen Lebenswirklichkeit der Nachfolger Jesu auf Grund der Auferstehungswirklichkeit gesprochen haben muß. Diese nachösterliche Wirklichkeit steht aber nicht mehr unter dem Zeichen der Furcht u des Mißverstehens[120], sondern in ihr wird die vorösterliche Verborgenheit der Herrlichkeit Jesu durchbrochen durch die österliche Erfahrung seiner Epiphanie. Mk hat eben kein zweites Werk geschrieben, dem die Aufhebung der Furcht u des Nichtverstehens vorbehalten sein könnte.

Der urspr Schluß wird durch einen nachträglichen Eingriff entfernt worden sein. Er könnte in einer Protophanie vor Maria Magdalena bestanden haben (→ A 112) oder, was wahrscheinlicher ist, in einer galiläischen Erscheinung vor Petrus (→ V 355 A 200), die noch vor der Redaktion durch Mt u Lk entfernt wurde, weil sie zwar dem alten Kerygma der hell Gemeinden 1 Kor 15, 5, nicht aber der inzwischen veränderten Stellung des Petrus innerhalb der Gemeindeleitung entsprach[121].

Der Schrecken der Frauen in Mk 16, 8 gilt also dem leeren Grab und der unfaßbaren Engelsbotschaft. Er steht noch auf der Seite des unbegreiflichen und zum Schauder führenden Leidens und Sterbens Jesu; denn die Zusage der Auferweckung ist noch nicht als die Heil spendende Gegenwart des Auferstandenen erfahren worden. Matthäus schwächt die starken Ausdrücke der Markusvorlage energisch zu der Wendung μετὰ φόβου καὶ χαρᾶς μεγάλης ab (28, 8), wie er auch vorher in Mt 28, 4 nur die Grabeswächter (τηροῦντες) vom Schrecken befallen werden läßt, nicht die Frauen, die Mk 16, 5 (ἐξεθαμβήθησαν); Lk 24, 5 genannt werden (vgl auch Mt 27, 54). Lukas streicht das Furchtmotiv aus Mk 16, 8 überhaupt (→ 205, 36ff) und spricht lediglich nachträglich von der Bestürzung der Jünger (Lk 24, 22. 37f), die in χαρά umschlägt (v 41).

c. Nach den Aussagen der Synoptiker, besonders aber bei Matthäus und Lukas, wird das Erschrecken angesichts des vollmächtigen Handelns Jesu und der Epiphanie der göttlichen Macht vom Aufruf zur Furchtlosig-

---

[117] Dazu GStrecker, Die Leidens- u Auferstehungsvoraussagen im Mk, ZThK 64 (1967) 16—39.

[118] So bes Loh Mk zu 16, 7, der in dem Engelwort an die Frauen am Grab lediglich einen Hinweis auf die nahe Parusie des Herrn, nicht auf die Erscheinungen des Auferstandenen sehen möchte, vgl WMarxsen, Der Evangelist Mk. Studien zur Redaktionsgeschichte des Ev, FRL 67 ²(1959) 51—59; zur Kritik an Loh Mk bes WGKümmel, Verheißung u Erfüllung, Abh Th ANT 6 ³(1956) 70—72.

[119] Vgl GBertram, Die Himmelfahrt Jesu vom Kreuz aus u der Glaube an seine Auferstehung, Festschr ADeißmann (1927) 187—217; AStrobel, Kerygma u Apokalyptik. Ein religionsgeschichtlicher u theologiegeschichtlicher Beitrag zur Christusfrage (1967) 138—161.

[120] Dazu ESchweizer, Zur Frage des Messiasgeheimnisses bei Mk, ZNW 56 (1965) 3f mit A 17. 7f; CMaurer, Das Messiasgeheimnis des Mk, NTSt 14 (1967/68) 525f; HRBalz, Furcht vor Gott? Überlegungen zu einem vergessenen Motiv bibl Theol, EvTh 29 (1969)

626—644. Nach JRoloff, Das Markusevangelium als Geschichtsdarstellung, EvTh 29 (1969) 73—93 hat Mk die irdische Gemeinschaft Jesu mit seinen Jüngern unter dem Vorzeichen des Jüngerunverständnisses dargestellt 90f u deshalb seinen Bericht mit dem letzten greifbaren historischen Datum dieses Mißverstehens in der Epiphanie-Furcht der Frauen abgeschlossen 92f. Ist aber eine derartige historische Abstraktion für einen Theologen des hell Urchr denkbar?

[121] Zum einzelnen vgl ESchweizer, Das Ev nach Mk, NTDeutsch 1 ²(1968) 212—216. Die Erwähnung des Petrus wird Lk 24, 34 eingeschoben, vgl UWilckens, Der Ursprung der Überlieferung der Erscheinungen des Auferstandenen, Festschr ESchlink (1963) 76—80; Graß aaO (→ A 110) 38f; GKlein, Die Berufung des Petrus, Rekonstruktion u Interpretation (1969) 11—48; ders, Die Verleugnung des Petrus, ebd 49—98; Bultmann Trad 314 mit A 1; LBrun, Die Auferstehung Jesu Christi in der urchr Überlieferung (1925) 9—11. 52f.

keit abgelöst. Während in dem Zuruf an Iairus: μὴ φοβοῦ, μόνον πίστευε (Mk
5, 36 par Lk 8, 50) die Angst um das Leben des eigenen Kindes gemeint ist[122],
liegt in Mk 6, 50 (par Mt 14, 27; J 6, 20) eine Beruhigungs- und Trostformel vor
(→ 199, 32 ff), mit welcher sich Jesus den Jüngern zu erkennen gibt: (θαρσεῖτε,)
5 ἐγώ εἰμι· μὴ φοβεῖσθε. Bei Markus kann aber selbst dieser tröstende und offen-
barende Zuspruch das Unverständnis der Jünger nicht lösen (Mk 6, 51b—52); bei
Matthäus führt er dagegen zu furchtlosem Glauben (→ Z 15 ff) und zum Bekenntnis Jesu als des Gottessohns (Mt 14, 28—33; → III 37, 32 ff)[123].

Bei Matthäus knüpft der Aufruf zur Furchtlosigkeit an die Erwähnung der
10 Jüngerfurcht an (→ 206, 1 f). So verbindet er auch die Verklärungsgeschichte
abweichend von den übrigen Versionen mit dem Zuruf Jesu: μὴ φοβεῖσθε (17, 7).
Erst daraufhin wagen es die Jünger, sich wieder aufzurichten und ihre Augen zu
erheben. Die Epiphanie Jesu als des Gottessohns ist also im Stil apokalyptischer
Erscheinungsberichte dramatisiert. Der Schrecken der Frauen am Grab führt zur
15 Proskynese vor Jesus. Sobald sich der Bewirker des Schauders den Seinen als der
ihnen zugetane Herr zu erkennen gibt, weicht die Furcht der Verkündigung und
dem Glauben (28, 8. 10).

In der Kindheitsgeschichte des Lukas (→ 205, 29 ff) ziehen die Engeler-
scheinungen stets den Ruf zur Furchtlosigkeit nach sich (1, 13. 30; 2, 10, vgl Ag
20 18, 9; 27, 24 bei den Gesichten des Paulus), während Jesu Zuruf an Petrus μὴ
φοβοῦ (Lk 5, 10) die Antwort auf den θάμβος ist, der alle angesichts des Fisch-
wunders befallen hat (5, 9; → III 6, 22 ff). Vielleicht hängt die Verdrängung der
Furchtaussagen aus dem Osterbericht des Lukasevangeliums (→ 207, 27 ff) damit
zusammen, daß Lukas den Bericht von der Erscheinung des Auferstandenen vor
25 Petrus, der ursprünglich das Motiv der Epiphanie-Furcht enthielt, zu einer galiläischen Wundergeschichte umgeformt hat.

3. Die formelhafte Rede von der Gottesfurcht.

Lukas läßt eine gewisse Vorliebe für die alttestamentlich-
jüdische Formel „Gott fürchten" (→ 197, 30 ff; 201, 31 ff) erkennen. Die weis-
30 heitliche Bezeichnung des jüdischen Frommen wird in Lk 1, 50 aus Ps 103, 13
zitiert. Das Gleichnis vom gottlosen Richter schildert diesen als τὸν θεὸν μὴ φοβούμενος καὶ ἄνθρωπον μὴ ἐντρεπόμενος (Lk 18, 2, vgl v 4)[124]. Damit ist aber nicht
die Gottlosigkeit des Richters allgemein bezeichnet, sondern es wird darauf angespielt, daß er weder das Urteil von Menschen — wegen seiner Bestechlichkeit ?[125] —
35 noch das Gericht Gottes — wegen seiner Ungerechtigkeit[126] — scheut und nur an

---

[122] Das Entsetzen der Umstehenden nach
der Erweckung des toten Mädchens bleibt natürlich nicht aus, vgl Mk 5, 42 par Lk 8, 55.
Mt 9, 25 ist auch hier mit seiner Verdrängung
der Furcht (→ 206, 1 f) konsequent.
[123] Vgl dazu HJHeld, Mt als Interpret der
Wundergeschichten, in: GBornkamm—
GBarth—HJHeld, Überlieferung u Auslegung
im Mt, Wissenschaftliche Monographien zum
AT u NT 1 ⁵(1968) 193—195; GBornkamm,
Die Sturmstillung im Mt, ebd 48—53.

[124] Eine sprachlich ähnliche Wendung findet sich bei Dion Hal Ant Rom 10, 10, 7: οὔτε
θεῖον φοβηθέντες χόλον οὔτε ἀνθρωπίνην ἐντρα-
πέντες νέμεσιν. Sinnverwandt ist die Aussage
über Jojakim bei Jos Ant 10, 83: μήτε πρὸς
θεὸν ὅσιος μήτε πρὸς ἀνθρώπους ἐπιεικής.
[125] Vgl Jeremias Gl ⁷153.
[126] Dazu GDelling, Das Gleichnis vom gottlosen Richter, ZNW 53 (1962) 7 mit A 26;
WGrundmann, Das Ev nach Lk, Theol Handkommentar zum NT 3 ²(1963) zSt.

seinen eigenen Vorteil denkt. Die gleiche Furcht vor dem Gericht Gottes meint
φοβέομαι Lk 23, 40 [127].

In der Apostelgeschichte begegnet fünfmal die Formel: φοβούμενος (-οι) (Ag
10, 2. 22. 35; 13, 16. 26) bzw sechsmal das hellenistisch klingende σεβόμενος (-οι)
(→ VII 172, 15ff) [128] mit oder ohne θεόν zur Bezeichnung der heidnischen Anhänger jüdischen Glaubens, die der urchristlichen Mission offenstehen (→ 203, 18ff).

> So ist die erste Bekehrung eines Heiden durch Petrus in Ag 10 eigtl die Ge-
> winnung eines Randsiedlers der jüd Gemeinde für die chr Gemeinde [129]. Für den gottes-
> fürchtigen Centurio Cornelius sind dabei ständiges Gebet u großzügige Spenden typisch
> Ag 10, 2, er wird εὐσεβής 10, 2 (→ VII 180, 45ff) u δίκαιος 10, 22 genannt. Was nimmt
> es wunder, wenn dann paul Theol in simplifizierter Form anklingt, indem jeder vor
> Gott als angenehm gilt, von dem gesagt werden kann: ὁ φοβούμενος αὐτὸν καὶ ἐργαζό-
> μενος δικαιοσύνην Ag 10, 35. Damit ist gegenüber der jüd Zurückhaltung vor den „Gottes-
> fürchtigen" der chr Ansatz der Heidenmission deutlich gemacht. Das zeigt sich bes
> deutlich in der lk Auffassung von der Missionspraxis des Pls, der mit seiner Predigt
> stets an den synagogalen Gottesdienst anknüpft u dabei die φοβούμενοι besser anzusprechen
> vermag als die Juden selbst 13, 16. 26 [130]; vgl 13, 43ff.

4. Glaube und Furcht.

Die Spannung zwischen Furcht und Furchtlosigkeit in der
Jesusüberlieferung (→ 207, 30ff) bleibt auch in den Aussagen des Paulus über
die Haltung der Glaubenden bewahrt (→ VI 223, 20ff). Hatte Jesus seinen Jüngern die Furcht vor irdischen Instanzen und vor Bedrohungen der sarkischen
Existenz verwehrt, ohne ihnen damit die Furcht vor der Macht des Satans zu
nehmen (→ 206, 10ff), so kann auch für Paulus die Furcht ein wesentlicher
Aspekt des Glaubens sein, ohne daß die neue Existenz des Glaubenden noch grundsätzlich von Furcht und Angst bestimmt wäre. Stets ist dabei der bedrohliche
Ernst des Gerichtes Gottes ausschlaggebend. Wie könnte sich die christliche Gemeinde übermütig über das verstockte Israel erheben, wo Gott doch mit der gleichen
schonungslosen Strafe der Verblendung auch über das neue Gottesvolk kommen
kann? [131] Sie soll vielmehr Furcht haben: μὴ ὑψηλὰ φρόνει, ἀλλὰ φοβοῦ (R 11, 20).
Diese Furcht zeitigt aber nicht die Angst des hilflosen und von allen Seiten bedrohten
Menschen. Das zeigt deutlich der Zusammenhang in 2 K 5, 6ff, wo dreimal (v 6.
8. 9) die Zuversicht der Glaubenden angesichts des ungewissen Zustandes nach dem
Tode angesprochen wird, und dennoch in 5, 11 die Haltung der Hoffnung und
Gewißheit zusammengefaßt werden kann mit den Worten: εἰδότες οὖν τὸν φόβον
τοῦ κυρίου (vgl die analoge ἐλπίς-Aussage in 2 K 3, 12). Der Glaubende ist Gott
gegenüber nicht autonom wie etwa der gottlose Richter (→ 208, 31ff) und die
Menschen im Bereich der Sünde überhaupt (R 3, 18 nach Ps 36, 2), sondern er ist

---

[127] Analoge Formulierungen begegnen als at.liche Zitate in Apk 11, 18; 15, 4; 19, 5, ohne direkte Vorlage in 14, 7, uz im Zshg mit dem endzeitlichen Gericht Gottes, in welchem die Frommen gerettet werden, oder mit der Macht Gottes, die es zu fürchten und zu loben gilt.

[128] Ag 13, 43. 50; 16, 14; 17, 4. 17; 18, 7. Diese Gottesfürchtigen sind mit den „Grie-chen" der Ag identisch, vgl → VI 744, 7ff. Von Ag 13, 26 ab ersetzt der Verf φοβούμενοι konsequent durch σεβόμενοι.

[129] Vgl Haench Ag[14] zSt. Lit bei Pr-Bauer sv σέβω.

[130] Zu v 26 Haench Ag[14] zSt mit A 7.

[131] Vgl → Lütgert 165—170. Diese Furcht soll die Sicherheit als die Karikatur des wah-ren Glaubens zerstören u den Glaubenden mit der unendlichen Macht u Freiheit Gottes kon-frontieren, auf dessen gnädige Zuwendung er ganz angewiesen ist, vgl dazu auch Bultmann Theol[6] 321f.

so auf ihn angewiesen, daß er sogar gern Leid auf sich nimmt, um in der Furcht
zu wachsen (2 K 7, 11). So steht Paulus den Korinthern gegenüber: ἐν ἀσθενείᾳ
καὶ ἐν φόβῳ καὶ ἐν τρόμῳ πολλῷ ἐγενόμην πρὸς ὑμᾶς (1 K 2, 3, vgl von der Gemeinde
selbst 2 K 7, 15). Er nimmt zu seinen inneren Schwierigkeiten hinzu noch φόβοι
5 von außen auf sich (2 K 7, 5), weil er weiß, daß seine Verkündigung nur ἐν ἀπο-
δείξει πνεύματος καὶ δυνάμεως geschieht (1 K 2, 4), wenn ihr Bote selbst von der
Schwachheit und Torheit des Kreuzes, und dh von Furcht gezeichnet ist[132]. Die
Furcht als Korrelat des Glaubens ist deshalb nicht nur ein geistliches Anliegen,
sondern so sehr existentielle Wirklichkeit, daß sie durch die starke Wendung φόβος
10 καὶ τρόμος wiedergegeben wird, die im Neuen Testament nur bei Paulus (1 K 2, 3;
2 K 7, 15; Phil 2, 12) und in Eph 6, 5 (→ 213, 29 ff) begegnet (→ 195, 31 ff;
202, 25)[133]. Dieser Aspekt der Furcht wird in Phil 2, 12 besonders deutlich,
wo die mit ὥστε (v 12) einsetzende Paränese den vorangehenden Christuspsalm
aufnimmt. Die vorbildhafte Selbsthingabe Christi (2, 8) ermöglicht für die Glau-
15 benden keine andere Haltung als die der demütigen Hinnahme (μετὰ φόβου καὶ
τρόμου) des Willens Gottes, der in der Gemeinde nicht selbstherrlichen Eifer, sondern gegenseitige Liebe will (2, 1—4)[134]. Zittern und Furcht zeigen die grundsätzliche und vollkommene Abhängigkeit der Glaubenden vom Heilshandeln Gottes
an, die zur Annahme des Nächsten führt und damit die einzige Leistung ist, die
20 der Glaube anzubieten hat[135]. Gott allein aber ist der ἐνεργῶν ... (Phil 2, 13;
→ II 744, 15 ff).

Dieser Geist der Furcht hat nichts mehr zu tun mit der knechtischen Angst
derer, die dem Nomos in allem gerecht werden wollen, sondern er hat einen neuen
Inhalt bekommen durch das Vertrauen der υἱοὶ θεοῦ auf Gott als ihren Vater:
25 οὐ γὰρ ἐλάβετε πνεῦμα δουλείας πάλιν εἰς φόβον, ἀλλὰ ἐλάβετε πνεῦμα υἱοθεσίας (R 8, 15).
Für die Glaubenden, die die Gegenwart Christi im Geist erfahren, hat die Furcht
die Komponente der Angst verloren; denn weder die Angst vor dem Leiden (vgl
Apk 2, 10: μὴ φοβοῦ, ἃ μέλλεις πάσχειν, vgl 1 Pt 3, 14) noch die vor dem Tod (Hb
2, 15: φόβος θανάτου) haben noch einen Stellenwert für die, die durch Christus
30 von der Sklaverei des Todes befreit sind (Hb 2, 15), die furchtlos das Evangelium
verkündigen (Phil 1, 14) und wissen, daß in allem Gott ihr Helfer ist (Hb 13, 6
nach Ps 118, 6, vgl die konkrete Auslegung des πνεῦμα υἱοθεσίας R 8, 15 in 8, 28 ff).
Daß aber auch für die Gemeinde derer, die vom κόσμος nichts mehr zu befürchten

---

[132] Dieses Auftreten des Pls ist also christologisch begründet. Es kann nicht einfach mit
den menschlichen Schwierigkeiten u der Angst
vor Zusammenstößen erklärt werden, gg
OGlombitza, Mit Furcht u Zittern. Zum Verständnis v Phil 2,12, Nov Test 3 (1959) 101f.
[133] Vgl weiter Loh Phil 102 mit A 1.
[134] Gg Glombitza aaO (→ A 132) 100—106,
der eine Bemerkung bei Loh Phil 100 mißversteht, vgl Lohmeyers Übers 99. Pls kann
hier nicht Furcht u Zittern als eigene Anstrengungen der Glaubenden ablehnen; denn
das widerspräche vollkommen dem Aufbau v Phil 2,12 u dem Sinn des Zshg. Das μή
gehört nicht zu κατεργάζεσθε, sondern zu der
elliptischen Einschiebung v 12b, während der

ganze Satz von dem Imp κατεργάζεσθε bestimmt ist. Die Parenthese hat den Sinn, die
Philipper gerade in der Zeit der Abwesenheit
des Pls an ihre besondere Verantwortung
gegenüber seiner früheren Verkündigung u Ermahnung zu erinnern. Zutreffend ist die Interpretation des Textes bei OMerk, Handeln aus
Glauben. Die Motivierungen der paul Ethik,
Marburger Theol Studien 5 (1968) 183—185.
[135] Vgl KBarth, Erklärung des Phil (1928)
60—67. Zum einzelnen vgl weiter JWarren,
„Work Out Your Own Salvation", Evangelical
Quarterly 16 (1944) 125—137; EKühl, Über
Phil 2,12.13, ThStKr 71 (1898) 557—581;
RSchmidt, Über Phil 2,12 u 13, ThStKr 80
(1907) 344—363.

haben (J 16, 33: θαρσεῖτε), Gott dennoch als der in seiner Gnade und in seinem
Zorn heilige Gott zu verehren und zu fürchten ist, entspringt dem Dank für das
den Glaubenden geschenkte und verheißene Heil: ἔχωμεν χάριν, δι᾽ ἧς λατρεύωμεν
εὐαρέστως τῷ θεῷ, μετὰ εὐλαβείας καὶ δέους (Hb 12, 28)[136].

5. Die Furcht als paränetisches Motiv. 5

Wie sich Glaube und Scheu, Hoffnung auf das Heil und
Furcht vor dem Gericht im Neuen Testament nicht grundsätzlich voneinander
trennen lassen, so verstehen sich auch viele urchristliche Anweisungen zum Handeln in gleicher Weise von der Liebe wie von der Furcht her. Die Verschiebung
des Gewichtes zwischen diesen beiden Grundmotiven zeigt meist die Spannungen 10
zwischen pneumatischem Enthusiasmus und normenbewußtem Traditionalismus an.
In der Mitte zwischen diesen beiden Extremen steht die paulinische Paränese in
R 13, 3f. 7, wo φόβος als *Furcht vor Strafe* deutlich von dem schwächeren τιμή
Ehrfurcht abgehoben ist (v 7, vgl 1 Pt 2, 17). Diese Abstufung ist rabbinischer[137]
wie hellenistischer Terminologie (→ 190, 15ff; A 43) geläufig (→ VIII 175 A 24). Ihre 15
Anwendung in R 13, 7 macht deutlich, daß es Paulus nicht um einen verschwom-
menen Begriff von obrigkeitlicher Macht geht, sondern um das konkrete Inerschei-
nungtreten dieser Macht in einzelnen Institutionen und Machthabern[138]. Hier findet
sich zwar schon die theologische Sanktionierung konkret gegebener Machtverhält-
nisse, wie sie in den späteren Haustafeln vorliegt (→ 213, 22ff), in ausgeprägter 20
Weise vorweggenommen: ὁ ἀντιτασσόμενος τῇ ἐξουσίᾳ τῇ τοῦ θεοῦ διαταγῇ ἀνθέστηκεν
(R 13, 2), — es ist aber das Furchtmotiv gegenüber der prinzipiellen Furcht vor
Autoritäten in entscheidender Weise relativiert: θέλεις δὲ μὴ φοβεῖσθαι τὴν ἐξουσίαν
(13, 3)[139]. Damit sind Enthusiasten angesprochen, die ihren eigenen Weg der
Freiheit von der überkommenen Gehorsamsstruktur gehen wollen. Paulus warnt 25
diese aber nicht etwa in gut hellenistischer Weise vor der Anarchie (→ 190, 29ff),
sondern rät zur gehorsamen Unterordnung unter vorgegebene Mächte (→ VIII

---

[136] δέος begegnet nur hier im NT; M P lat
ua ergänzen das hell εὐλάβεια (→ A 46;
II 750, 43ff), das mit seinen verwandten
Wortbildungen im NT nur bei Lk u im Hb
vorkommt, durch das ebenfalls hell geläufige
αἰδώς, das sonst nur noch 1 Tm 2, 9 begegnet.
[137] Vgl Str-B III 304f: מוראה u כבוד. In
1 Pt 2, 17 (→ 213, 24ff) gilt das φοβεῖσθαι
Gott, das τιμᾶν dem König. Zum Problem der
Furcht in R 13, 7 vgl AStrobel, Furcht, wem
Furcht gebührt. Zum profangriechischen Hintergrund v R 13, 7, ZNW 55 (1964) 58—62, der
auf Pseud-ʾAristot Oec III 3 (ed CCArmstrong,
The Loeb Classical Library 287 ⁴[1958] 410)
hinweist, wo ebenfalls zwei Arten der Furcht
angesichts übergeordneter Autoritäten unterschieden werden, die eine cum verecundia et
pudore, die andere cum inimicitia et odio.
Die Forderung der Furcht vor den obrigkeit-
lichen Gewalten ist allerdings so allg verbreitet (→ 190, 5ff), daß der von Strobel
angenommene konkrete Bezug von Röm 13

auf den Senatsbeschluß aus dem Jahre 53
nChr über die fiskalischen Vollmachten der
Prokuratoren unwahrscheinlich bleibt.
[138] Zu den historischen Einzelheiten vgl
AStrobel, Zum Verständnis v R 13, ZNW 47
(1956) 67—93. Seine Ergebnisse sind aufgenommen bei Merk aaO (→ A 134) 161—164,
vgl auch EKäsemann, Grundsätzliches zur
Interpretation v R 13, Exegetische Versuche u
Besinnungen II ²(1965) 218—220. Die Polemik
v RWalker, Studie zu R 13, 1—7, Theol Ex NF
132 (1966) 11—13 uö gg Strobel führt in dieser
Frage nicht weiter.
[139] Es ist wohl richtig, in diesem Satz keine
Frage, sondern eine sehr bestimmte Aussage
zu sehen, vgl Walker aaO (→ A 138) 34f mit
A 113f. Ähnlich wird Hb 11, 23. 27 gesagt, daß
die Eltern des Mose *im Glauben* πίστει eine
Verordnung διάταγμα τοῦ βασιλέως nicht fürch-
teten v 23, ja daß Mose selbst im Glauben den
Zorn θυμός des Königs nicht fürchtete v 27.

44, 21 ff), damit gerade die mit der Existenz der Glaubenden nicht zu vereinbarende Furcht vor Strafe (→ 209, 19 ff) ausgeschlossen bleibt: ἐὰν δὲ τὸ κακὸν ποιῇς, φοβοῦ (R 13, 4); οἱ γὰρ ἄρχοντες οὐκ εἰσὶν φόβος τῷ ἀγαθῷ ἔργῳ ἀλλὰ τῷ κακῷ (v 3). Es geht also nicht um eine grundsätzliche Ehrfurcht vor den machtausübenden

5 Institutionen und Personen, sondern um den Gehorsam aus der Einsicht in die von Gott gewollten Macht- und Ordnungsverhältnisse heraus. Diese Einsicht steht dem wohl an, für den der Tag nahegekommen ist (13, 12; → 209, 26 ff); denn er wird sich hüten, den Gehorsam des Gebotes und der Einsicht zu brechen und so seine eschatologische Existenz zu belasten [140]. Sowohl der enthusiastischen Ablehnung

10 dieser Furcht wie der unbedachten Hinnahme von Zorn und Strafe setzt Paulus aber das Handeln aus Liebe entgegen, das in rechter Weise auf die gegebenen Ansprüche und Vorschriften als grundsätzliche Forderungen eingeht (13, 7 f) [141] und so letztlich alle Ansprüche erfüllt [142]. Die Liebe macht also die Furcht unnötig [143] (vgl auch → 84, 31 ff).

15 Deutet sich hier schon der urchristliche Enthusiasmus in der Überwindung der Furcht an, so erreicht er seinen Höhepunkt in 1 J 4, 17 f: φόβος οὐκ ἔστιν ἐν τῇ ἀγάπῃ, ἀλλ' ἡ τελεία ἀγάπη ἔξω βάλλει τὸν φόβον, ὅτι ὁ φόβος κόλασιν ἔχει, ὁ δὲ φοβούμενος οὐ τετελείωται ἐν τῇ ἀγάπῃ. Wer sich von der Liebe Gottes geborgen weiß, kennt keine Furcht mehr; denn für ihn ist auch von Gott her keine Züchtigung und Be-

20 strafung mehr zu befürchten. Unabhängig davon, ob der Hinweis auf die κρίσις in v 17 als redaktionelle Glosse anzusehen ist [144], meint κόλασις (→ III 817, 23 ff mit A 5) hier die mit der Furcht unlösbar verbundene und jeweils gegebene Angst vor Strafe, die auch R 8, 15 und 13, 3 f anklingt. Demgegenüber befreit die Liebe aber zur παρρησία [145], dh zur Haltung der uneingeschränkten Freiheit und Offenheit

25 vor Gott und vor den Menschen [146].

In den späteren Schriften des Neuen Testaments, die sich stärker dem Einfluß jüdischer Paränese (→ 201, 31 ff) geöffnet haben, begegnet das Motiv der Furcht als allgemeine Begründung des christlichen Handelns. Damit zeichnet sich eine Entwicklung der Paränese ab, die in den Schriften des 2. Jahrhunderts (→ 214, 16 ff)

30 in der Häufung traditioneller Motive vollends zutage tritt [147]. So können in dem Summarium Ag 9, 31: φόβος τοῦ κυρίου und παράκλησις τοῦ ἁγίου πνεύματος ganz

---

[140] Wer sich dem von den Gewalten geforderten Gehorsam entzöge, würde damit ja zugleich den Gehorsam gegenüber Gott aufsagen u sich damit Gottes κρίμα zuziehen R 13, 2, vgl auch Walker aaO (→ A 138) 30 f.
[141] R 13, 8 greift bezeichnenderweise mit ὀφείλω ·(→ V 563, 29 ff) die Terminologie von v 7 (ὀφειλή) auf; v 8 faßt dadurch die einzelnen Aussagen von v 7 in dialektischer Antithese zus, vgl weiter Mi R[14] zSt; Merk aaO (→ A 134) 164 f.
[142] Das Verhalten der Christen unter den Autoritäten ist also kein Modellfall einer staatsbürgerlichen Ethik, sondern ein Beispiel der konkreten Verwirklichung v ἀγάπη in einer Welt, die trotz aller chaotischen Momente der ordnenden u herrschenden Hand Gottes nicht entfallen ist. Nero steht Paulus noch bevor!

Die Ermahnungen des 2. Jhdt sind dgg mehr von einem pragmatischen Denken geprägt, wenn sie von den Herrschenden neben der Macht auch die nötige Einsicht fordern Just Apol 17, 3 f, vgl auch Mart Pol 10, 2.
[143] Dahinter könnte das bekannte rabb Motiv v der Überbietung der Furcht durch die Liebe stehen (→ 203, 8 ff).
[144] So R. Bultmann, Die drei Johannesbriefe, Kritisch-exegetischer Komm über das NT 14 [7](1968) zSt; anders W Nauck, Die Tradition u der Charakter des 1 J, Wissenschaftliche Untersuchungen zum NT 3 (1957) 71. 130 f.
[145] Der Gegensatz v παρρησία u φόβος findet sich auch J 7, 13 (→ V 879, 1 ff. 33 ff mit A 24).
[146] Wer nicht vollkommen ist in der Liebe, ist also schon gerichtet, vgl J 3, 18.
[147] Vgl dazu Bultmann Theol[6] 561 f.

allgemein das Leben der palästinischen Gemeinden umschreiben[148]. In 1 Pt 1, 17 ist der Lebenswandel in Furcht deutlich vom Ernst des Gerichtes und von der effektiven Erlösung aus dem früheren Leben bestimmt; Furcht, Heiligkeit und Gebet sind die Zeichen derer, die von den früheren ἐπιθυμίαι frei geworden sind. Auch 1 Pt 3, 2 weist das Furchtmotiv durch die Verbindung mit dem *reinen Wandel* 5 ἁγνὴ ἀναστροφή der Frauen in den Bereich der Reinheit fordernden Heiligkeit Gottes (vgl v 4: ἐνώπιον τοῦ θεοῦ), wobei in 3, 6 deutlich wird, daß die Gottesfurcht jede menschliche Einschüchterung zurückweist: ἀγαθοποιοῦσαι καὶ μὴ φοβούμεναι μηδεμίαν πτόησιν (vgl Prv 3, 25). Neben πραΰτης steht φόβος in 1 Pt 3, 16, was wiederum deutlich auf das jüdische Ideal des stillen und ganz auf Gottes Willen bezogenen 10 Lebens hindeutet (→ 201, 31ff; VI 648, 20ff), das selbst im Bewußtsein der sittlichen Überlegenheit über andere noch um das eigene reine Gewissen bangen und vor der Gefahr der Befleckung zurückschrecken muß, vgl Jd 23: οὓς δὲ ἐλεᾶτε ἐν φόβῳ, μισοῦντες καὶ τὸν ἀπὸ τῆς σαρκὸς ἐσπιλωμένον χιτῶνα (vgl weiter 2 K 7, 1[149]). 1 Tm 5, 20 bezieht sich auf das Erschrecken der Gemeinde angesichts der Über- 15 führung von Sündern und bestätigt so den paränetischen Charakter des φόβος, der den Glaubenden stets mit dem Gerichtsernst Gottes konfrontiert.

Die Furcht motiviert aber das Verhalten der Gemeinde nicht nur allgemein und grundsätzlich, sondern sie spielt darüber hinaus in ganz bestimmten Zusammenhängen der Lebensordnung innerhalb obrigkeitlicher Strukturen eine Rolle, um 20 hier mit der Abhängigkeit von Gott zugleich auch die Unterwerfung unter gegebene Autoritäten zu begründen (→ VIII 41, 17ff). Der traditionelle Ort solcher Aussagen ist das Schema der sogenannten Haustafeln, in welchen innerhalb des Neuen Testaments das Furchtmotiv siebenmal begegnet. Daß diese Ermahnungen zur Ehrfurcht mit der Furcht vor Gott zusammenhängen, zeigt das paränetische 25 Traditionsstück 1 Pt 2, 17: πάντας τιμήσατε, τὴν ἀδελφότητα ἀγαπᾶτε, τὸν θεὸν φοβεῖσθε, τὸν βασιλέα τιμᾶτε. Hier sind jüdische (Prv 24, 21) und hellenistische Aussagen (→ 190, 15ff) verarbeitet, die auch Paulus benutzt hat (→ 211, 12ff)[150]. Wird dabei gegen Prv 24, 21 zwischen der *Ehrung* des Königs und der *Furcht* vor Gott differenziert, so kann doch daneben in den typischen Unterordnungsverhält- 30 nissen der Frauen (1 Pt 3, 2; Eph 5, 33) und der Sklaven (1 Pt 2, 18; Eph 6, 5; Kol 3, 22) die Furcht den Gehorsam bezeichnen, der durch die übergeordnete Autorität der Sklavenbesitzer bzw der Ehemänner als Herren gefordert wird. Diese Furcht als Zeichen vollkommener Abhängigkeit von der Macht des Stärkeren fordert vom Sklaven Demut bis zum Erleiden ungerechter Behandlung (1 Pt 2, 18; 35 → VII 410, 7ff), und sie soll dennoch keine zur Schau getragene Verstellung sein,

---

[148] Das dabei v Lk als term techn verwendete πορεύομαι (→ VI 575, 3ff) ist in den entsprechenden Formulierungen 1 Pt 1, 17; 3, 2. 16 durch ἀναστρέφω bzw ἀναστροφή (→ VII 716, 6ff) ersetzt.

[149] Nach Bultmann Theol⁶ 562 ist 2 K 7, 1 interpoliert, vgl weiter GBornkamm, Die Vorgeschichte des sog 2 K, SAH 1961, 2 (1961) 32; den Zshg mit Qumran hat JGnilka, 2 K 6, 14—7, 1 im Lichte der Qumranschriften u der Test XII, Festschr JSchmid (1963) 86—99 erwiesen. WSchmithals, Die Gnosis in Korinth. Eine

Untersuchung zu den Korintherbriefen, FRL 66 ²(1965) hält den Text für paul. Die Verbindung von ἐν φόβῳ θεοῦ mit der Heiligung u Reinigung des eigenen Lebens weist aber eher auf die mit jüd Motiven angereicherte Paränese der Umwelt des 1 Pt als auf Pls selbst. Zur vl ἐν ἀγάπῃ θεοῦ → 203, 8ff; 214, 45f.

[150] Vgl dazu KWeidinger, Die Haustafeln. Ein Stück urchr Paränese, UNT 14 (1928) 63f; DSchroeder, Die Haustafeln des NT. Ihre Herkunft u ihr theol Sinn (Diss Hamburg Maschinenschrift [1959]) 6—28. 112—121. 150.

weil sie eigentlich nicht die unmittelbaren Herren, sondern in diesen konkreten und
anspruchsvollen Autoritäten letztlich Gott meint: ὑπακούετε τοῖς κατὰ σάρκα κυρίοις
μετὰ φόβου καὶ τρόμου ... ὡς τῷ Χριστῷ (Eph 6, 5, vgl Kol 3, 22: φοβούμενοι τὸν
κύριον). Das gilt auch von den Frauen, die von ihren Männern zwar nicht Zorn,
5 sondern Liebe erfahren sollen (Eph 5, 25. 28. 33), sie aber dennoch in Unterordnung
zu fürchten haben, weil sie das ihrem vorbildlichen Wandel (1. Pt 3,2) oder ihren
Männern ὡς τῷ κυρίῳ schuldig sind (Eph 5, 22, vgl 33). Dieses traditionelle Motiv
(→ 190, 5ff) der Unterordnung gehört zum formelhaften Gerüst der Haustafeln,
so daß es auch allgemein auf die Gemeinde angewendet werden kann: ὑποτασσό-
10 μενοι ἀλλήλοις ἐν φόβῳ Χριστοῦ (Eph 5, 21). Gerade deshalb aber, weil der φόβος
Christus gilt[151], liegt die Intention dieser Ermahnungen nicht in einer prinzipiellen
Devotion, sondern in dem Verlangen nach einem geduldigen, reinen und sanft-
mütigen Herzen (Kol 3, 22; Eph 6, 5; 1 Pt 3, 2. 4).

E. Die Furcht in der alten Kirche und in der Gnosis.

15   ## 1. In der alten Kirche.

Entsprechend dem bibl Sprachgebrauch ist unsere Wortgruppe
auch bei den Apost Vät recht beliebt. Gegenüber dem NT nimmt die formelhafte Rede
von der Gottesfurcht in auffallendem Maße zu, was auf den immer stärker werdenden
Einfluß jüd Sprach- u Gedankengutes zurückzuführen ist, vgl Barn 10, 10f; 1 Cl 21, 7;
20   45, 6; Did 4, 9; Herm m VII 1ff; X 1, 6; XII 3, 1; s VIII 11, 2 uö. Aus der nt.lichen
Verkündigung (→ 209, 19ff) hat sich durchgehalten, daß die Gottesfurcht die Furcht
vor Menschen überwindet: οὐ δεῖ ἡμᾶς φοβεῖσθαι τοὺς ἀνθρώπους μᾶλλον, ἀλλὰ τὸν θεόν
2 Cl 4, 4, vgl 5, 1ff (etwa nach Lk 12, 4f Par). Aber die Furcht vor dem künftigen
Gericht Gottes bleibt bestehen: τὴν μέλλουσαν ὀργὴν φοβηθῶμεν Ign Eph 11, 1, vgl 2 Cl
25   18, 2. Sie wirkt schon gegenwärtig ins Leben der Gemeinde hinein, weil selbst die μακροθυμία Gottes zu fürchten ist, ἵνα μὴ ἡμῖν εἰς κρίμα γένηται Ign Eph 11, 1, weil aber
auch die Furcht vor den Werken des Satans das Leben bestimmen muß: φοβήθητι δὲ
τὰ ἔργα τοῦ διαβόλου ὅτι πονηρά ἐστι Herm m VII 3. Der Satan selbst hat jedoch bei
den Gottesfürchtigen keine Macht mehr: φοβούμενος γὰρ τὸν κύριον κατακυριεύσεις τοῦ
30   διαβόλου m VII 2, vgl m XII 4, 6f; 5, 2; 6, 1; denn Furcht gilt nur dem, der Macht
hat: ἐν ᾧ δὲ δύναμις οὐκ ἔστιν, οὐδὲ φόβος m VII 2. Die Furcht gehört deshalb
zum Glauben, sie steht neben der ὑπομονή, der μακροθυμία u der ἐγκράτεια Barn
2, 2, ja sie ist nach der πίστις ein entscheidendes ἔργον derer, die gerettet werden Herm
m VIII 8f; mit der ἐλπίς zus ist sie eine Frucht des Geistes aus der Taufe Barn 11, 11.
35   Sie hilft, den schlimmen Begierden zu widerstehen; denn es gilt: ἡ ἐπιθυμία ἡ πονηρὰ
ἐὰν ἴδη σε καθωπλισμένον τῷ φόβῳ τοῦ θεοῦ ... φεύξεται ἀπὸ σοῦ μακράν (→ 213, 1ff)
Herm m XII 2, 4, vgl XII 3, 1. Kein Wunder, daß — bes bei Herm — die Gottesfurcht
zur Motivierung des Handelns der Christen herangezogen wird; denn sie führt zu der
hoch geschätzten Enthaltsamkeit: φοβηθεὶς δὲ ἐγκράτευσαι Herm m I 2 u durch die Er-
40   kenntnis der eigenen Werke zur Buße s VIII 11, 2. Die allg Furcht vor Gott aber bewirkt das nicht von selbst; denn sie kann *jedermann* πᾶσα ἡ κτίοις zur Verfügung stehen;
es muß vielmehr der Wille zum Tun des Guten u zum Halten der Gebote dazukommen
m VII 4f[152]. Die Üppigkeit der Heiden, die von Furcht u Leiden nichts wissen wollen,
ist jedenfalls dem Heil der δοῦλοι τοῦ θεοῦ schädlich s I 10. Die Furcht führt dgg zum
45   Halten der Gebote Barn 4, 11; vgl 1 Cl 2, 8. Die Wendung μετὰ φόβου καὶ ἀγάπης begegnet 1 Cl 51, 2.

In den Haustafeln hat das Furchtmotiv seinen festen Platz, vgl Did 4, 11 von
den δοῦλοι, Barn 19, 5 u in wörtlicher Entsprechung Did 4, 9 in bezug auf die Kinder,

---

[151] Ein Höhepunkt dieser Entwicklung liegt
in Did 4, 11 vor, vgl Barn 19, 7: ὑποταγήσῃ
κυρίοις ὡς τύπῳ θεοῦ ἐν αἰσχύνῃ καὶ φόβῳ mit
der abschließenden Mahnung, den untergebenen Sklaven gegenüber nicht zu hart zu
sein, damit sie nicht durch den entstehenden

Unwillen ihre Gottesfurcht verlieren, vgl zu
Barn 19, 5ff Weidinger aaO (→ A 150) 56—58.
[152] Dabei werden sogar zwei Arten v Gottesfurcht unterschieden διοσοὶ ... φόβοι, je nachdem, ob sie zum gottgemäßen Leben führen
oder nicht.

vgl Pol 4, 2; 1 Cl 21, 6; vom Untertansein unter die κύριοι steht es Barn 19, 7 (→ 213, 18ff). Jüd (→ 201, 30ff) u hell (→ 190, 5ff) Motive haben hier eingewirkt. Auffallend ist, daß sowohl in Pol 4, 2 wie in 1 Cl 21, 6f von den Frauen nicht die Unterordnung unter die Männer gefordert wird (→ 213, 29ff), sondern lediglich vorbildlicher Lebenswandel u Liebe zu ihren Ehemännern. Die grundsätzliche nt.liche Frei- 5 heit von der Furcht hat sich in Verbindung mit stoischen Motiven erhalten: οἱ ... Χριστιανοὶ καὶ ἄφοβοι καὶ ἀτάραχοι ὑπάρχουσι Just Apol 46, 4.

Auch in späteren Texten wird das Thema der Furcht gerne behandelt. So greift Cl Al die stoische Diskussion über die Unvernünftigkeit der Furcht auf u stellt fest, daß sie gerade im Gegensatz zu den Philosophen λογικός genannt werden müsse, da 10 sie ja das durch den Logos gegebene Gebot aufrechterhalte zur Erziehung des Menschen Strom II 7, 32, 1—4, vgl weiter II 2, 4, 4; Paed I 101, 1. Prv 1, 7 u ψ 110, 10 werden Strom II 8, 37, 2 aufgenommen (→ Z 45ff). Den Gnostikern wird vorgeworfen, daß sie nur von der Liebe durchdrungen sein wollen, ohne die Furcht mit dem Glauben zu vereinen Strom II 12, 53, 2—5. Die rechte Furcht ist nämlich keine Gemütsbewe- 15 gung, sondern eine Reaktion auf die Gebote Gottes Strom IV 3, 9, 5—11, 1, die die Enthaltung von Schlechtem bewirkt II 8, 39, 4, vgl VII 12, 79, 1f. Es können geradezu drei Stufen des Heils unterschieden werden, wobei die πίστις der paul Trias durch den φόβος ersetzt wird, der die Enthaltung von Unzucht bewirkt Strom IV 7, 53, 1f. Der φόβος, der durch das Gesetz kommt, ist also gut; denn als Gehorsam gegenüber dem 20 Gesetz befreit er von Gemütsbewegungen. δέος aber ist die Scheu vor Göttlichem, die ebenfalls nicht auf die Empfindungen bezogen ist, sondern gerade von schlimmen Erregungen frei macht Strom II 8, 39, 1—40, 3. Der Kampf der nachbiblischen Furchttheologie mit der stoischen Affektenlehre (→ 192, 8ff) ist auf Schritt u Tritt zu spüren. Zugleich muß aber auch der pneumatische Enthusiasmus abgewiesen werden, der die 25 Freiheit von Furcht zum Ideal erhebt Strom II 8, 39, 1. Zum Zshg von Furcht u Buße vgl Tertullian, De paenitentia 2, 1f; 5, 3f; 6, 14ff (CSEL 76, 4)[153].

2. In der Gnosis.

Persönlich gedacht begegnet Φόβος in der hermetischen Κόρη κόσμου in den Worten der Σελήνη: ἔλεγε καὶ προπεπαιδοποιηκέναι Φόβον καὶ Σιγὴν καὶ Ὕπνον 30 καὶ τὴν μέλλουσαν αὐτοῖς ἔσεσθαι (π)ανωφελῆ Μνήμην Herm Trismeg fr 23, 28 bei Stob Ecl I 393, 15ff. Ein Zauberpapyrus enthält in einem urspr gnostischen u jüd beeinflußten, zu magischen Zwecken mißbrauchten Beschwörungstext eine Kosmogonie, in welcher der Φόβος καθωπλισμένος (→ 188, 6ff) auftritt, der an achter St der Götteremanation auf das *Entsetzen* ἐθαμβήθη Gottes hin entsteht. Auf einen Streit hin darf 35 Φόβος der Götterneunheit vorangehen u gleiche Gewalt besitzen wie die anderen Preis Zaub II 13, 529. 544, vgl abgewandelt 13, 192ff[154]. Die hermetische Erbaulichkeit kann die *Scheu* als φόβος τοῦ ἀδήλου Herm Trismeg fr 11, 5 bei Stob Ecl I 278, 15 u als τῆς ἀποτυχίας τὸ χαλεπὸν φοβηθῆναι fr 23, 46 bei Stob Ecl I 401, 1, vgl fr 23, 3 bei Stob Ecl I 386, 1 empfehlen u gleichzeitig die *Angst*: οὐδὲν νοῶ, οὐδὲν δύναμαι· φοβοῦμαι τὴν θά- 40 λασσαν ... ablehnen, weil sie den Weg zur wahren Erkenntnis versperrt Corp Herm 11, 21 (→ 192, 20ff; A 37).

Bei der Darstellung der chr Gnosis des Basilides begegnet der φόβος als die ἔκπληξις des Archonten u in der Aufnahme valentinianischer Gedanken als die urspr Furcht der kosmischen Menschen, die schon Adam übernahm Cl Al Strom II 8, 36, 1—4. Sowohl 45 bei Hipp Ref VI 37, 7 wie bei Cl Al Strom II 7, 33, 2 ist durch den Bezug auf die LXX: ἀρχὴ σοφίας φόβος κυρίου Prv 1, 7; ψ 110, 10 der Zshg mit der at.lich-jüd Tradition deutlich ausgesprochen (→ 198, 30ff). Daneben spielen aber alte Elemente der mythologischen (→ 188, 5ff) u der philosophisch-psychologischen (→ 191, 28ff) Wertung des φόβος eine tragende Rolle (→ Z 9ff)[155]. Im valentinianischen System 50 entsteht die *stoffliche Substanz* οὐσία aus einer Reihe von Empfindungen der σοφία,

---

[153] Weitere Hinweise bei PJStöckerl, Generalregister zur Bibliothek der Kirchenväter (1931) 286—288.

[154] Text u religionsgeschichtliche Erklärung bei Dieterich aaO (→ A 9) 19 Z 92. 102; 20f Z 86—93. Ganz sicher sind hinter diesen allegorischen Emanationen Abkömmlinge stoischer Gedanken zu sehen, vgl Dieterich 85f. Zugleich wirken aber auch synkretistische u vor allem jüd beeinflußte Spekulationen herein (→ 191, 1ff mit A 31).

[155] Cl Al Prot II 26, 4 weist auf den Zshg mit der Stoa hin, wenn er den φόβος als Hypostasierung eines πάθος zu verstehen versucht: φιλοσόφων ... τινὲς καὶ αὐτοὶ μετὰ τοὺς ποιητικοὺς τῶν ἐν ὑμῖν παθῶν ἀνειδωλοποιοῦσι τύπους τὸν Φόβον καὶ τὸν Ἔρωτα καὶ τὴν Χαρὰν καὶ τὴν Ἐλπίδα.

die als letzte der 30 Äonen an den Abgrund der Leidenschaft gerät u dabei von ἄγνοια, λύπη, φόβος u ἔκπληξις getroffen wird Iren Haer I 1, 3 (p 17); vgl I 1, 7 (p 34f). Jesus heilt aber schließlich die gefallene Sophia von den πάθη u macht aus ihnen δύο οὐσίαι I 1, 8 (p 40f). Dabei werden aus φόβος, λύπη u ἀπορία I 1, 9 (p 46); vgl I 1, 7 (p 35)

5 die *körperlichen Elemente* ὑλικὴ οὐσία, wobei der φόβος auch in das *Seelische* ψυχικά eingeht I 1, 10 (p 46). Das Wasser entspricht in besonderer Weise der Bewegung der Tränen des φόβος (p 48)[156]. Kein Wunder, daß die anständigen Christen διὰ τὸν φόβον τοῦ θεοῦ φυλασσόμενοι . . . ἁμαρτεῖν von den Gnostikern als Dummköpfe angegriffen werden I 1, 12 (p 56); denn sie bleiben im Psychischen hängen u entbehren der pneumatischen

10 Vollendung (p 57). Weitere Hypostasierungen der Furcht zu einer selbständigen Wesenheit finden sich im Apokryphon Johannis[157] Cod II 18, 18, vgl II 28, 26 im Zshg mit Emanationsschilderungen; II 18, 18 wird Blaomên als Dämon der Furcht genannt, der mit den übrigen drei Dämonen zus von der ὕλη ernährt wird Z 13ff u mit ihnen die πάθη schafft (→ 192, 10ff) Z 20, vgl IV 29, 1; III 33, 13. Das bibl Motiv der Gottesfurcht

15 klingt nach in Pist Soph 289 (p 187, 15ff). 294f (p 190, 5f; vgl das fr C ebd p 334, 1. 13. 21), wo die strafenden ἄρχοντες das μυστήριον der Furcht vor der ψυχή erfahren, die nach dem Tod den Körper verlassen hat u der Lichtwelt entgegengeht. In mandäischen Aussagen braucht der Fromme, der angesichts der Bosheit u Feindschaft der Welt alleine steht u in Furcht gerät Lidz Ginza R 261, 15ff, nicht zu zittern; denn Mandā dHaijē

20 (γνῶσις ζωῆς) befreit ihn von der Furcht durch die Erkenntnis seiner Rettung 264, 15ff. Lidz Ginza R 183, 24—189, 10 steht den → Z 14ff angeführten Aussagen nahe.

Balz

φορέω → 86, 9ff
φόρος → 81, 1ff
25 φορτίζω → 89, 1ff
φορτίον → 87, 15ff

---

† φρήν. † ἄφρων, † ἀφροσύνη, φρονέω, φρόνημα, † φρόνησις, † φρόνιμος

Inhalt: A. Der Gebrauch der Wortgruppe in der griechisch-hellenistischen
30 Welt: 1. Zur Wortgeschichte und ältesten Bedeutung; 2. Von Homer bis zur klassischen Zeit; 3. φρόνησις und Verwandte in der philosophischen Überlieferung. — B. Die Wortgruppe im Alten Testament: 1. Das Begriffsfeld Vernunft, Einsicht, Klugheit usw; 2. Die negativen Ausdrücke; 3. Theologische und ethische Bedeutung von φρόνησις und Verwandten. — C. Die Wortgruppe im Judentum: 1. In den Qumrantexten; 2. Im hellenistischen Judentum:
35 a. Außerbiblisches pseudepigraphisches Schrifttum, b. Philo Alexandrinus, c. Flavius Josephus, d. Zur rabbinischen Verwendung der Wortgruppe. — D. Die Wortgruppe im Neuen Testament: 1. φρένες, 2. ἄφρων, ἀφροσύνη: a. Bei den Synoptikern, b. In der paulinischen und deuteropaulinischen Überlieferung; 3. φρονέω, φρόνημα: a. Markus, Matthäus, Apostelgeschichte, b. φρονέω und φρόνημα in der paulinischen und deuteropaulinischen Überlieferung;
40 4. φρόνησις, 5. φρόνιμος: a. φρόνιμος bei Matthäus und Lukas, b. φρόνιμος bei Paulus. — E. Die Wortgruppe bei den Apostolischen Vätern und den Apologeten.

---

[156] Die Aussagen des Iren sind im einzelnen sehr unsystematisch u lassen die Kompliziertheit der zugrundeliegenden Systeme mit ihrer aus philosophischen Elementen gewonnenen Pseudomythologie erkennen; vgl zum Ganzen auch Hipp Ref VI 31—32. Auch die Darstellung bei Jonas Gnosis I ³(1964) 366—373 macht den Gedankengang kaum deutlicher.

[157] ed MKrause—PLabib, Die drei Versionen des Apokryphon des Joh, Abh des Deutschen Archäologischen Instituts Kairo, Kpt Reihe 1 (1962).

φρήν κτλ. Lit: → V 596 Lit-A; VII 886 Lit-A; VII 1094 Lit-A; Liddell-Scott sv; Trench 188—192; JHirschberger, Die Phronesis in der Philosophie Platons vor dem Staate, Philol Suppl 25, 1 (1932); BMeißner, Mythisches u Rationales in der Psychologie der euripideischen Tragödie (Diss Göttingen [1951] 76—98).

A. Der Gebrauch der Wortgruppe in der griechisch-hellenistischen Welt.

1. Zur Wortgeschichte und ältesten Bedeutung.

φρήν, meist Plur φρένες *Zwerchfell*[1], wurde schon früh als Sitz geistiger u seelischer Tätigkeit betrachtet. Es ist Ausdruck der psychosomatischen Einheit des Menschen. Das Zwerchfell bestimmt Art u Stärke des Atems u damit auch 5 den menschlichen Geist u seine Leidenschaften. φρένες[2] bedeutet bei Hom *Inneres*, dh *Sinn, Bewußtsein, Verstand* uä u ist wie die Bezeichnungen anderer innerer Organe zum Träger seelischer u geistiger Erfahrungen geworden. φρένες u die von ihm abgeleiteten Vokabeln haben schon früh den somatischen Zshg ganz oder fast ganz verloren. Bei Hom[3] bezeichnet die Wortgruppe fast nur die intellektuelle Tätigkeit, θυμός 10 bezieht sich auf Emotion oder Impuls ohne rationale Komponente, ἦτορ u καρδία auf die Gemütsstimmung. Ausdrücke wie κατὰ φρένα καὶ κατὰ θυμόν Il 1, 193; 11, 411; Od 1, 294; 4, 117 uö sind für ihn charakteristische Mittel, um intellektuelles u emotionales Engagement deutlich zu bezeichnen[4].

Die Bdtg *Sinn* usw steckt auch in den zahlreichen Kompos wie ἄφρων[5] *ohne* 15 *Verstand, unverständig* oder εὔφρων *mit gutem* oder *frohem Sinn, freundlich, wohlgesinnt,* dazu die Abstrakta ἀφροσύνη, εὐφροσύνη u die Verben ἀφρονέω *unvernünftig sein,* εὐφρονέω *wohlgesinnt sein.* Erst zu letzterem wurde das einfache φρονέω gebildet[6], das bereits bei Hom vor allem im Part recht häufig ist u dort meist die allg Bdtg *sinnen* hat u sich auch zur Beschreibung der inneren Haltung findet. Die Bdtg *planen, denken* 20 kommt schon bei Hom vor, entwickelt sich aber erst später. In klass Zeit kommen das Adj φρόνιμος *verständig* u die beiden Verbalnomina φρόνημα *Gedanke,* auch *Gesinnung* u φρόνησις *Denken, Vernunft, Klugheit* hinzu. φρένες behält im allg die unbestimmtere Bdtg *innere Einstellung* bei. Die spätere Verwendung beruht allerdings weitgehend auf homerischer Reminiszenz. 25

2. Von Homer bis zur klassischen Zeit.

Bei Hom Od 23, 10—14 stehen die verschiedenen Möglichkeiten gesunder u krankhafter Sinnesentfaltung nebeneinander: περίφρων, ἄφρων, ἐπίφρων, χαλιφρονέων, σαοφροσύνη, φρένας αἴσιμος (*schicklich*). ἄφρων bedeutet Od 21, 102 *betört* (von Zeus); Il 5, 761. 875 bezieht es sich auf das Verhalten von Ares u Athene. μέγα φρονέω 30 heißt Il 8, 553 *hochgemut sein,* Il 11, 296 *selbstbewußt sein;* Il 6, 79 stehen zus *kämpfen u beraten* μάχεσθαί τε φρονέειν τε. Aesch gebraucht für *Gesinnung* φρήν Prom 881, φρένες 34, φρόνημα 376. Prom 879—887 werden die φρενοπληγεῖς μανίαι mit ihren körperlichen u seelischen Folgen geschildert. Von Übermut u gottesleugnerischer *Gesinnung* steht Aesch Pers 808. 828 φρόνημα. φρονέω bezieht sich Pers 820 auf überhebliche, Prom 1000 35 auf vernünftige *Denkweise,* νέα φρονέω Pers 782 auf *Jugendtorheit.* Bei Soph Oed Tyr 511 bedeutet φρήν *Herz, Person.* Oed Col 1230 ist ἀφροσύνη jugendliche *Torheit* u El 941 heißt ἄφρων *töricht, von Sinnen.* φρόνησις ist Oed Tyr 664; Phil 1078 *Absicht.* φρονέω heißt Oed Tyr 316. 326. 328 *Einsicht haben,* 617 *sich entscheiden.* Eur Iph Aul 332; Phoen 1128 uö hat φρονέω die Bdtg *beabsichtigen, sinnen auf.* Suppl 216 wird φρόνησις 40 vom göttlichen *Willen* gebraucht u steht der menschlichen Überheblichkeit τὸ γαῦρον δ' ἐν φρεσίν gegenüber. Bei Hdt III 146, 1 bedeutet οὐκ ἐς τοῦτο ἀφροσύνης ἀπικόμενος *er war nicht so töricht,* vgl IX 82, 3. Nach VII 10, 4 duldet der Neid der Gottheit bei niemandem das μέγα φρονεῖν[7]. I 60, 1 heißt τὠυτὸ φρονέω *gemeinsame Sache machen,* vgl V 72, 2. Thuc I 122, 4 steht ἀφροσύνη u V 105, 3 ebs das substantivierte τὸ ἄφρον im Gegensatz 45 zu einem schlaueren Verhalten. Thuc VI 18, 4 ist φρόνημα *Stolz* oder je nach dem Standpunkt *Überheblichkeit.* Xenoph Mem I 2, 55 ist τὸ ἄφρον der *Unverstand.*

---

[1] Die Etymologie ist ganz unsicher, vgl Boisacq, Hofmann, Frisk sv.

[2] φρένες ist kaum verwandt mit νεφροί, so Pape sv νεφρός. Übersicht über die Bdtg der Wortgruppe bei Pr-Bauer sv; zur Etymologie von νεφροί s Frisk sv.

[3] Vgl MLeumann, Homerische Wörter, Schweizerische Beiträge zur Altertumswissenschaft 3 (1950) 115—119.

[4] Vgl auch JLatacz, Zum Wortfeld ‚Freude' in der Sprache Homers (1966) 218f, der sich auf JBöhme, Die Seele u das Ich im homerischen Epos (Diss Göttingen [1929]) 38 A 3 beruft.

[5] Das α privativum hebt die Einheit von *Einsicht haben* u *sich entscheiden,* die in φρονέω zum Ausdruck kommt, auf. Damit gehören ἄφρων, ἀφροσύνη in die Sphäre des triebhaft Irrationalen.

[6] Vgl Leumann aaO (→ A 3) 116—118; s auch Frisk sv φρήν.

[7] WAly, Volksmärchen, Sage u Novelle bei Hdt u seinen Zeitgenossen (1921) 167 vergleicht mit dem Weisheitsspruch aus der Rede des Artabanos entsprechende Aussagen der griech Tragödie, vgl auch Js 2, 11—19 u φρόνησις als Hybris Hi 5, 13 uö.

3. φρόνησις und Verwandte in der philosophischen
Überlieferung.

a. Mit Plato setzt eine bewußte Prägung bes des Begriffes φρόνησις in der philosophischen Überlieferung ein[8]. φρήν wird Tim 70a uö in physischem
Sinne verwendet. Symp 199a; Theaet 154d ist das *Innere* des Menschen gemeint,
vgl Eur Hipp 612. Nach Plat Phaed 76c hatten die Seelen, schon bevor sie in einem
Menschen waren, φρόνησις *Aufnahmefähigkeit*. Dem Sprachgebrauch gemäß unterscheidet Plat im allg die σοφία (→ VII 470, 25ff) als die rein wissenschaftliche Erkenntnis von der mehr praktischen φρόνησις, jedoch verwendet er beide Wörter, ohne
sie terminologisch genauer zu unterscheiden. Die φρόνησις vermag dem Menschen in
dem Widerstreit zwischen Gut u Böse zu helfen Prot 352c u ihn zu heilen, vgl Crat
411d. e[9]. So bedeutet für Sokrates φρόνησις die Herrschaft des Guten über die
Seele. Unter dem Einfluß des Sokrates beantwortet Plat daher zunächst die Frage
nach der Einheit der Tugend mit dem Hinweis auf die φρόνησις, den richtigen Zustand
des Intellektes, aus dem alle sittlichen Vorzüge herzuleiten sind. Erziehung ist daher
Ermahnung zu φρόνησις u ἀλήθεια als Wert- u Wahrheitserkenntnis. Nach Leg I 631c.
632c ist *Einsicht* das erste der göttlichen Güter noch vor der besonnenen Haltung der
Seele, vor der Gerechtigkeit u vor der Tapferkeit, sie alle vor den Gütern der Gesundheit, der Schönheit u des Reichtums. Die damit gegebene dualistische Anthropologie[10]
sieht Geist u Körper nicht im Gegensatz zueinander; sie ergänzen sich vielmehr zu gemeinsamer Spitzenleistung ἀκμὴ σώματος καὶ φρονήσεως. In gleicher Weise wie σοφία
oder φιλοσοφία wird φρόνησις Symp 184c. d als Haupttugend genannt. Auch neben
σωφροσύνη, δικαιοσύνη, ἀνδρεία u anderen Tugenden kommt ihr diese Stellung zu Men 88a—
89a. Nach Resp VI 505b ist das Denken auf das Gute u Schöne gerichtet, u der ἡδονή
der Menge, die von äußeren Dingen bestimmt wird, steht die φρόνησις, auch ἐπιστήμη
506b. c gegenüber. Nach VII 521b sollten die Wächter des Staates u der Gesetze die
φρονιμώτατοι sein. Nach Resp IX 582a gehören Erfahrung, Einsicht u Vernunft als
höchste Wahrheit zus. Alle Ausbildung muß an das wesenhaft Vernünftige in unserer
Seele anknüpfen Resp VII 530b. Die besonnene Seele ist die gute, die böse Seele ist
zugleich töricht u hemmungslos Gorg 507a. Das Göttliche u das φρόνιμον sollten die
Menschen beherrschen u zu Einheit u Freundschaft leiten Resp IX 590d. Der, der
Wißbegier zeigt u sich um wahre Einsichten bemüht, vermag seinen Sinn auf Unsterbliches u Göttliches zu richten Tim 90b. c. Νοῦς, φρόνησις ist die Gottesgabe, die den
Philosophen, den Staatsmann zum Gesetzgeber befähigt[11]. Nach Resp IV 432a ist
die φρόνησις der σωφροσύνη (→ VII 1096, 16ff) untergeordnet, die ihrerseits als
persönliche Haltung der Gerechtigkeit, der im eigtl Sinne sozialen Tugend, nachgeordnet ist. Beide können als miteinander identisch erscheinen. Gelegentlich scheint
die φρόνησις auch die Stellung der σοφία einzunehmen Leg VIII 837c; X 906b.
Den alten 4-Tugenden-Kanon hat Plat leicht modifiziert in die philosophische Ethik
übernommen u psychologisch erklärt. Der Gerechtigkeit (→ II 181, 27ff)[12] kommt
dabei die übergeordnete u damit Einheit stiftende Stellung zu; denn sie ist gleichmäßig
allen Seelenteilen u allen sozialen Schichten zuzuordnen, vgl Resp IV 427c—433e.
Damit folgt Plat vielleicht einer pythagoreischen Anregung. φρόνημα wird Leg IX 865d
von der geistigen oder seelischen Haltung, Resp IX 573b von der Gesinnung gebraucht.
Resp III 411c ist es Selbstvertrauen, das, soweit es nur auf körperlicher Übung beruht,
zur geistlosen Überheblichkeit werden kann VI 494d. Das Adj ἄφρων kommt Resp V
452e neben κακός u Phileb 45e neben ὑβριστής vor.

b. Aristoteles hat φρήν im Sing nur in Zitaten Rhet III 15
p 1416a 31. Die φρένες haben am φρονεῖν teil Part An III 10 p 672b 31. φρονέω μικρόν
bzw μικρά heißt *niedrig denken* Pol V 11 p 1313b 8f; 1314a 16. 29, entsprechend ἀν-
θρώπινα Eth Nic X 7 p 1177b 32[13], θνατά, ἀθάνατα Rhet II 21 p 1394b 25. Die Fähig-

---

[8] WJaeger, Die Theol der frühen griech
Denker (Nachdruck 1964) 131f übersetzt
φρόνησις Heracl fr 2 (Diels I 151) mit *richtige
Einsicht* u interpretiert φρονέω Aesch Ag 176
als *gläubige Einsicht*, vgl WJaeger, Paideia.
Die Formung des griech Menschen III ²(1955)
289—344.

[9] Über gutes, gesundes Denken im Gegensatz zu Mania u Ekstasis vgl FPfister, Ekstasis,
Festschr FJDölger (1939) 182—187; → VII
1096, 11f u A 20; WJaeger, Paideia II ³(1959)
395 A 145.

[10] FCornelius, Idg Religionsgeschichte
(1942) 297f. 260; PWilpert, Artk Autarkie,
in: RAC I 1041; Jaeger Paideia aaO (→ A 9)
II 88. 240.

[11] Jaeger Paideia aaO (→ A 8) III 303f. 342;
vgl φρόνησις μόνον ἡγεῖται τοῦ ὀρθῶς πράττειν
Plat Men 97c.

[12] Wilpert aaO (→ A 10) 1040.

[13] Aristot Nikomachische Ethik, übers
FDirlmeier ⁵(1969) Erläuterungen 592 zu
231, 7.

keit des *Wahrnehmens* αἰσθάνομαι ist allen Lebewesen eigen, die des *Begreifens* φρονέω aber nur wenigen An III 3 p 427a 19ff; b 7f. 10, vgl Metaph 3, 5 p 1009b 13. Höhere Tiere sind φρόνιμα Metaph 1, 1 p 980a 28ff; Eth Nic VI 7 p 1141a 27. Am klügsten ist der Mensch Gen An II 6 p 744a 30, weil er seine Hände gebrauchen kann Part An IV 10 p 687a 7—21; nach p 686b 22 sind im Vergleich mit dem Menschen alle Lebe- 5 wesen ἀφρονέστερα. Beim Menschen ist ἀφροσύνη entweder tierisch von Natur oder krankhaft als Epilepsie oder Manie Eth Nic VII 6 p 1149a 5—12. So ist der Aufrichtige verständig u der Lügner töricht Eth Eud III 7 p 1234a 33f. φρόνησις ist eine Gottesgabe, ist sittliche Einsicht u wertfreie Erkenntnis Metaph 1, 2 p 982b 22—31[14], die Rat weiß zu einem guten u sittlichen Leben Eth Nic VI 5 p 1140a 24—31. Sie ist 10 eine Funktion des vernünftigen Seelenteils p 1140b 26; VI 12 p 1143b 15; sie unterscheidet sich als praktische Klugheit in ihrer Mannigfaltigkeit von der theoretischen u daher einfachen Weisheit σοφία VI 7 1141a 9—21 (→ VII 472, 10ff)[15]. Sie ist verbunden mit den sittlichen Tugenden Eth Nic X 8 p 1178a 16—19; Eth Eud III 7 p 1234a 29. Nach Eth Eud I 1 p 1214a 32 werden φρόνησις, ἀρετή u ἡδονή je von ver- 15 schiedenen Standpunkten aus als das größte Gut bezeichnet[16].

c. Nach der Lehre der Stoa sind die einzelnen Tugenden Erscheinungsformen der Tugend überh. Bei Cleanthes gehen aus der φρόνησις, bei Chrysipp (→ VII 887, 12ff) aus der σοφία die drei anderen Kardinaltugenden hervor; diesen sind die übrigen Tugenden untergeordnet, so der φρόνησις die Wohlberatenheit u die Ver- 20 ständigkeit Diog L VII 126[17]. Bei Muson sind Philosophie u Tugend eins. So gehört die φρόνησις mit den anderen Kardinaltugenden zus zum Wesen der Philosophie Muson fr 3 (p 10, 4—12, 5); 9 (p 50, 10ff)[18]. Epict Diss I 20, 6 knüpft an platonische Gedanken an[19], wenn er sagt, daß die φρόνησις sich selbst u ihr Gegenteil erkennt[20].

d. Im Neuplatonismus, in der Lehre Plot von dem Ur- 25 einen, gehört die φρόνησις zu den Emanationen, die vom νοῦς (→ IV 955, 5ff) beherrscht sind. Das Es oder Er ist eine Wirklichkeit, ein Denken über dem Denken, das über νοῦς, φρόνησις u ζωή[21] hinausliegt Plot Enn VI 8, 16, 32—34. Den theol Aussagen entsprechen die kosmologischen u anthropologischen IV 4, 11—13; I 3, 5. 6; II 9, 13. 14. Auch hier unten ist vernunfthaftes Leben in Wahrheit, Würde u Schönheit VI 6, 18, 22ff, 30 vgl V 9, 11, 9ff. Die vernünftige Seele ist schön, die unvernünftige häßlich. Der, der Seele die Einsicht verleiht, ist der νοῦς V 9, 2, 22, vgl auch V 8, 2, 1ff. 38. Den Göttern, die als Geistwesen gelten, auch wenn sie Körper hätten, kommt es zu, daß sie immer *denken* φρονοῦσι, niemals aber darin versagen ἀφραίνουσιν V 8, 3, 24f. Das Denken gehört keinem Körper an, sondern wenn wir wirklich daran teilhaben sollen, muß es gänz- 35 lich bei sich selber u mit sich identisch sein VI 5, 10, 14—16 (→ VII 886 A 8)[22]. Auf eine Rangordnung der Tugenden deutet I 2, 1, 15ff. In der Seele ist das Blicken auf den νοῦς (die erste Emanation) σοφία u φρόνησις I 2, 7, 6f. Die φρόνησις ist der ψυχή zugeordnet, weil sie die intellektuelle Tätigkeit einer an einen Leib gebundenen individualisierten Seele bezeichnet[23]. 40

Nach einer späteren auf den Kyniker Diogenes von Sinope[24] zurückgeführten Überlieferung steht Mühe u Übung vor der φρόνησις, wie das die stoische Herakles-Typologie veranschaulicht Diog L VI 71; Sen, Dialogi II 2, 1; Epict Diss II 16, 44; III 26, 31f.

---

[14] Dirlmeier aaO (→ A 13) 590 zu 231, 6.
[15] Dirlmeier aaO (→ A 13) 451 zu 128, 1; 452 zu 128, 3.
[16] Aristot, Über die Tugend, übers EA Schmidt (1965) 56—58.
[17] MPohlenz, Pls u die Stoa, ZNW 42 (1949) 92 sagt unter Verweis auf Dio Chrys Or 12, 27ff: „Dem Menschen aber haben die Götter als Vorrecht verliehen, daß er vernünftig über sie nachzudenken u sie zu erkennen vermag".
[18] Einsicht u Besonnenheit sind vor allem die Tugenden des Gebildeten (→ V 598, 30f).
[19] Das chr Ethos steht für Epict neben μανία u ἄνοια im Gegensatz zum Logos. „Ein ἔθος ohne λόγος hat für ihn keinen Sinn" ABonhöffer, Epict u das NT, RVV 10 (1911) 43.
[20] Vgl Plat Resp III 409d. e. Bonhöffer aaO

(→ A 19) 168 verweist auf die merkwürdige Übereinstimmung zwischen Epict u Pls 1 K 2, 15; aber für Pls ist die Weisheit dieser Welt nichtig, u seine Formulierung ist daher als original anzusehen. Zur begrifflichen Einordnung der φρόνησις vgl EKlostermann, Überkommene Def im Werke des Orig, ZNW 37 (1938) 61.
[21] Die ζωή wird Plot Enn VI 8, 16, 34 als ἔμφρων *vernunftgemäß* bezeichnet, vgl RHarder, Plotins Schriften übersetzt IVb (1967) 387.
[22] Harder aaO (→ A 21) IIa (1962) 66f, vgl IIb 418.
[23] Die neuplatonische Emanationslehre begegnet wieder in der Gnosis, auch in der sog chr.
[24] HKusch, Artk Diogenes von Sinope, in: RAC III 1064.

Damit ist die seit Plat Prot 323—337 behandelte Frage nach der Bdtg von φύσις, ἄσκησις, μάθησις für den Erwerb der Tugend bzw der φρόνησις aufgeworfen, die bei Philo (→ 224, 4ff) im Anschluß an das AT eine Lösung im Sinne der Vorbildlichkeit jeder der drei Prägungen in verschiedenen Pers erfährt Som I 167.

5   *e.* In dem Sprachgebrauch unliterarischer Dokumente der hell Welt zeigt sich gelegentlich popularphilosophischer Einfluß, vgl zB Ditt Or I 332, 25 (um 138 vChr), wo mit ἀρετή u φρόνησις die praktische Tüchtigkeit gemeint ist, die zum Erfolg führt. Das Adj φρόνιμος wird in demselben Sinn gebraucht. ἀλλότρια φρονήσαν-τες Ditt Or I 90, 20 (196 vChr) findet sich mit Bezug auf Abtrünnige. Auf einer Fluch-
10 tafel aus Megara steht φρόνησις in einer Aufzählung zwischen σῶμα, πνεῦμα, ψυχή, διά-νοια u αἴσθησις, ζοή (sic!), καρδία Audollent Def Tab 41 col A 9—11 (1./2.Jhdt nChr), vgl 242, 55f (3.Jhdt nChr). In einem Zauberpapyrus heißt es: τὰς φρένας ἐνοχλήσας διὰ τὸν φόβον *die Herzen beunruhigend mit Furcht* Preis Zaub II 12, 65. In dem gnostisie-renden Zshg des Corp Herm 13, 4f ist von οἴστρησις *Anstachelung* par zu μανία φρενῶν
15 u ἀπολειφθεὶς φρενῶν die Rede. Die Formel für die Bereitschaft des Offenbarungsemp-fängers lautet 13, 1: ἀπηνδρείωσα τὸ ἐν ἐμοὶ φρόνημα ἀπὸ τῆς τοῦ κόσμου ἀπάτης[25]. PFay 124, 12 (2. Jhdt nChr) überliefert: δοκεῖς ἄφρων τις εἶναι, vgl Pap Grenfell I 1, 19[26] (2. Jhdt vChr). Eine offenbar geläufige Formel der Rechtssprache für die Verfügungs-fähigkeit einer Erblasserin findet sich in einem Testament: νοοῦσα φρονοῦσα Pap Wis-
20 consin I 13, 2 (2. Jhdt vChr)[27].

B. Die Wortgruppe im Alten Testament.

1. Das Begriffsfeld Vernunft, Einsicht, Klugheit usw.

           Die hbr Grundlage für φρήν u Verwandte ist nicht einheitlich.
25 לֵב (→ III 609, 21ff) entspricht nur scheinbar der urspr psychosomatischen Begriff-lichkeit von φρήν[28]. In LXX findet sich nur der Plur φρένες, er ist siebenmal in Prv (dazu 9, 16: φρόνησις) mit Negation durch ἐνδεής oä Wiedergabe von חֲסַר־לֵב u einmal von כְּסִיל u bedeutet *Mangel an Einsicht, Torheit*, vgl ἄφρων (für HT: חֲסֵר־לֵב) Prv 17, 18. Für חֲכַם־לֵב steht Prv 11, 29 analog φρόνιμος im Gegensatz zu ἄφρων (HT: אֱוִיל). In Da
30 4, 34. 36 Θ (LXX fehlt) ist das bibl-aram מַנְדַּע Da 4, 31. 33 mit φρένες im Sinne von *Verstand* wiedergegeben. Für מַנְדַּע bzw מַדַּע steht φρόνησις Da 1, 4 Θ; 2, 21 Θ; 5, 12 Θ. Eine Vokabel, die *Zwerchfell* bedeutet, hat das Hbr des AT überh nicht[29]. Die Wurzel חכם ist im HT 23mal, davon 16mal in 3 Βασ 3—11[30] Grundlage für φρονέω, φρόνησις oder φρόνιμος. φρονέω steht Js 44, 18 für בִּין, φρόνιμος 12mal für dieselbe Wurzel in
35 Prv u φρόνησις 15—17mal für בִּינָה, תְּבוּנָה. Die Wurzel שָׂכַל[31] wird einmal mit φρονέω, zweimal mit φρόνησις wiedergegeben. Für דַּעַת (יְדַע) steht in LXX nur einmal φρόνησις Prv 24, 5, ebs nur einmal für רוּחַ Jos 5, 1. Einen negativen Akzent bekommen φρόνιμος

---

[25] Reitzenstein Poim 339. 341.
[26] ed BPGrenfell, An Alexandrian Erotic Fragment and other Greek Papyri chiefly Ptolemaic (1896). Vgl Preisigke Wört, Moult-Mill sv.
[27] ed PJSijpesteijn, The Wisconsin Papyri I, Papyrologica Lugduno-Batava 16 (1967).
[28] Die inneren Organe als Sitz der Gefühle im AT sind erörtert bei ARJohnson, The Vitality of the Individual in the Thought of Ancient Israel (1949) 5—88; EDFreed, Old Testament Quotations in the Gospel of John, Nov Test Suppl 11 (1965) 24f.
[29] Im Syr ist jedoch tîrtā *Zwerchfell, Gewissen,* ein akkadisches Lehnwort, belegt, vgl AAdam, Die Ps des Thomas u das Per-

lenlied als Zeugnisse vorchr Gnosis, ZNW Beih 24 (1959) 45. 67.
[30] Der Wechsel von φρόνησις u σοφία in 3 Βασ erklärt sich zT durch verschiedene Übersetzer, vgl JAMontgomery, The supplement at end of 3 Kingdoms 2 (1 Reg 2), ZAW 50 (1932) 124—129 [Gooding]. Zur Stilistik der Anti-thesen vgl LASchökel, Estudios de Poética Hebrea (1963) 251—268; TBoman, Das hbr Denken im Vergleich mit dem griech [5](1968) 42—56.
[31] Das Part hi ist namentlich in neuerer Zeit als Terminus für die aufgeklärten Juden ge-bräuchlich, Lidz Ginza R 225, 20f: ,,Sie nen-nen sich Juden, weil sie gesündigt haben, und Gescheite, weil sie gescheitert sind." Aber Da 11, 33. 35 sind die frommen Märtyrer gemeint.

als Wiedergabe von עָרוּם Gn 3, 1 von der *Listigkeit* der Schlange u φρόνησις für עָרְמָה Hi 5, 13 von *überheblicher Klugheit*[32]. Das prophetische Urteil Js 44, 25 stimmt damit überein. Ez 28, 4 handelt es sich um Regierungsweisheit wie 3 Βασ 3—11[33], vgl Sap 7, 7. Auf David bezieht sich ἐν φρονήσεσι ... αὐτοῦ καθωδήγησεν αὐτούς Ps 78, 72 'Α, vgl Σ; in Sap 6, 24 findet sich die entsprechende Lehraussage βασιλεὺς φρόνιμος εὐστάθεια 5 δήμου u Prv 3, 7 die Warnung μὴ ἴσθι φρόνιμος ('Α Σ Θ: σοφός) παρὰ σεαυτῷ, vgl 26, 5. 12 LXX. Nach Js 44, 28 LXX ist dem Cyrus seine Regierungsweisheit von Gott gegeben. Js 44, 18. 19 steht φρονέω, φρόνησις mit Negation von den Götzenanbetern u Js 56, 10. von den Volksverführern.

2. Die negativen Ausdrücke. 10

Die überhebliche menschliche Vernunft ist Torheit vor Gott. Bei Sir tritt μωρός (→ IV 837, 1 ff) stärker hervor, während die übrige LXX meist ἄφρων, ἀφροσύνη hat. Die hbr Grundlage ist ziemlich breit. נָבָל *Tor, Narr*[34] mit dem Nebensinn des Gottesleugners, der die Gemeinschaft mit Gott u Menschen verächtlich zerstört, wird elfmal mit ἄφρων wiedergegeben, fünfmal im Psalter, sonst sporadisch. Das Subst 15 נְבָלָה wird siebenmal (nur in geschichtlichen Texten) mit ἀφροσύνη übersetzt, darunter die Namensdeutung 1 Βασ 25, 25. Die Wurzel סכל, die im HT nur zweimal bei Jer u 20mal in den Hagiographen vorkommt, wird nur bei Qoh neunmal mit ἄφρων, ἀφροσύνη wiedergegeben. Am häufigsten ist die Wurzel כסל. Sie ist bei Qoh dreimal u bei Hi wohl einmal Grundlage für ἀφροσύνη, in Prv 40mal, bei Qoh 17mal, dazu ψ 48, 11 20 u bei Sir zweimal für ἄφρων (zus also 60mal); auch hier ist uU Gottlosigkeit mitgesetzt. Dasselbe gilt von אֱוִיל u אֱוִיל, die in Ps u Prv 24mal als Grundlage für ἄφρων u ἀφροσύνη vorkommen. פֶּתִי *einfach, einfältig, unerfahren* wird mit ἄφρων nur siebenmal in Prv übertragen. Prv 1, 22a hat LXX den Sinn positiv gewendet; v 22b ist adversativ: ἄφρονες (לֵצִים *Spötter*) τῆς ὕβρεως ὄντες ἐπιθυμηταί. HT denkt anscheinend an soziale 25 Mißstände, LXX meint die *Gottlosen*, wie sie auch v 22c ἀσεβεῖς *Gottlose* für כְּסִילִים *Toren* einsetzt. Von der Wurzel זמם deriviert das Subst מְזִמָּה *kluger Plan, Tücke*. Die Vokabel kommt nur 19mal im HT vor, wird aber in LXX durch 12 verschiedene Wörter wiedergegeben, darunter nur Prv 14, 17 mit φρόνιμος[35]. זִמָּה *gutes Vorhaben* Hi 17, 11 heißt sonst *Schandtat* u wird von LXX Ri 20, 6 mit ἀφροσύνη, im übrigen zehnmal mit ἀσέβεια, ἀνόσιος 30 wiedergegeben, bes bei Ez. Auch hier ist das religiöse Verständnis mitanzunehmen.

3. Theologische und ethische Bedeutung von φρόνησις und Verwandten.

Alle echte φρόνησις geht von Gott aus, Gottes φρόνησις ist unergründlich Js 40, 28, vgl Js 40, 14 'Α Σ Θ (LXX: σύνεσις). In seiner *Kraft* ἰσχύς hat Gott die Erde 35 gegründet, in seiner *Weisheit* σοφία die bewohnte Welt eingerichtet, in seiner *Einsicht* φρόνησις den Himmel ausgebreitet Jer 10, 12. Die drei Begriffe sollten dem hbr Parallelismus membrorum entsprechend als eine Einheit verstanden werden. Prv 3, 19f stehen σοφία, φρόνησις, αἴσθησις *Weisheit, Einsicht* u *Erkenntnis*[36] zus, drei Tugenden, die sich

---

[32] In 1 K 3,19 steht in dem Zitat dieser St πανουργία (→ V 721, 18 ff), das mit seinen Verwandten auch sonst für עָרוּם eintritt, vgl die hexaplarischen Übers zu Gn 3, 1.

[33] Zu Salomos Weisheit vgl die Grabinschrift des Darius an der Felswand von Naqš-e Rostani bei Persepolis, der von sich bezeugt: „Der große (oder: ein großer) Gott ist Ahuramazda ..., der Weisheit u Tüchtigkeit auf Dareios den König herabgesenkt hat" Inschr 7, ed WHinz, Die untere Grabinschrift des Dareios, ZDMG 115 (1965) 240.

[34] TDonald, The Semantic Field of 'Folly' in Proverbs, Job, Psalms and Ecclesiastes, VT 13 (1963) 285—292; WvRoth, *nbl*, VT 10 (1960) 394—409; GBertram, Die religiöse Umdeutung

altorientalischer Lebensweisheit in der griech Übers des AT, ZAW 54 (1936) 153—167; ders, Griech AT u Entmythologisierung, Deutsches Pfarrerblatt 66 (1966) 413—418; ders, Weisheit u Lehre in der LXX, in: 17. Deutscher Orientalistentag. Vorträge, ZDMG Suppl I (1969) 302—310.

[35] Zu dem hbr Grundwort in seinem Doppelsinn vgl BGemser, Sprüche Salomos, Hndbch AT I 16 ²(1963) zu 1, 4; 12, 2; 14, 17.

[36] דַּעַת enthält das voluntative Moment; es bezeichnet das den Willen des Auftraggebers, des Offenbarers berücksichtigende Verständnis, vgl PBorgen, Bread from Heaven, Nov Test Suppl 10 (1965) 159f.

im AT in ihrem theoretisch intellektuellen u praktisch ethischen Charakter nicht begrifflich von einander trennen oder systematisch in eine Tugendlehre einordnen lassen, auch wenn der griech Leser oder schon der Übersetzer unter philosophischem Einfluß dazu neigen mochte. Vielmehr weist die Häufung der Ausdrücke auf die Vielseitigkeit der Aspekte hin. So stehen φρόνησις u σοφία u zahlreiche Synonyma letztlich in einer Einheit zus als Darstellung der religiös bestimmten Lebensweisheit des AT. Dasselbe gilt entsprechend von den negativen Gegenbegriffen. Die φρόνησις ist das Schöpfungsprinzip; Gott gibt dem Menschen an der göttlichen Schöpferweisheit teil, vgl bes Prv 1—9. Wenn חָכְמָה mit φρόνησις wiedergegeben wird, scheint die Betonung der praktischen Vernunft beabsichtigt zu sein. Auch solche Sprüche, die zunächst einen profanen Charakter haben wie zB Prv 10, 5 Σ; 12, 8 Σ; 11, 12; 14, 6. 29; 17, 27; 18, 15; 19, 8 uam bekommen in dem religiös betonten Zshg ihre rechte u endgültige Bdtg; denn nach Prv 10, 23 LXX (HT anders) gebiert die ewige σοφία dem Menschen *Einsicht* φρόνησις, vgl 9, 6 b. Nach 8, 14 beansprucht die Weisheit die *Einsicht* als ihr Eigentum, während der HT die Weisheit mit der *Einsicht* identisch sein läßt, vgl 8, 1 [37]. LXX hat an beiden St die φρόνησις der σοφία untergeordnet.

Sir 1, 4 nimmt die Weisheitsspekulation von Prv 8, 22 auf u setzt σοφία u σύνεσις φρονήσεως als ewige Werte. Die Makarismen der Zahlensprüche Sir 25, 9—11 haben zwar einen innerweltlichen Charakter, aber φρόνησις u σοφία bleiben der Gottesfurcht untergeordnet, vgl 19, 22. 24. Sprüche wie Sir 20, 1. 27; 21, 17. 21. 24f; 38, 4 uam gehören in den Bereich der profanen Lebensklugheit [38]. Die Sap betrachtet nach 7, 16. 22. 25 σοφία u φρόνησις als Hypostasen [39]. Die φρόνησις steht unter der σοφία, erhält aber ebenfalls metaphysischen Charakter. In 8, 5f erscheint sie wie die Weisheit als Baumeisterin der Schöpfung. In 8, 7 bilden σωφροσύνη, φρόνησις, ἀνδρεία, δικαιοσύνη die Gruppe der 4 Haupttugenden. In 4 Makk 1, 2 ist die φρόνησις als die größte Tugend bezeichnet, neben der 1,6 wohl in einem Einschub die drei anderen genannt werden [40]. Nach Sap 8, 8—21 ist φρόνησις 8, 21 Voraussetzung dafür, daß der Herrscher die Gottesgabe der φρόνησις 8, 18, die ihm im Umgang mit der Weisheit zuteil wird u die als politische Klugheit sein gesamtes Handeln bestimmt, als solche erkennt [41].

Anhangsweise sei der Sprachgebrauch der Makk erwähnt. In 1 Makk 10, 20 bedeutet φρονέω *die Interessen* jemandes *wahrnehmen*, vgl 'Εσθ 8, 12b, ähnlich 2 Makk 14, 8 mit γνησίως u 14, 26 mit ἀλλότρια das Gegenteil. φρόνημα kommt nur zweimal in LXX vor, 2 Makk 7, 21; 13, 9 von edler bzw barbarischer Gesinnung, jeweils mit entsprechenden Zusätzen. Auf Dünkel u Hochmut gehen 2 Makk 9, 12: ἰσόθεα φρονέω u 11, 4: πεφρενωμένος (ohne Zusatz). φρήν im Sing ist 3 Makk 4, 16; 5, 47 von der *Gesinnung* gebraucht, vgl 4 Makk 6, 17. Nach 4 Makk 7, 17 ist bei vielen Menschen die Vernunft nicht verständig οὐδὲ ... φρόνιμον ἔχουσιν τὸν λογισμόν, so daß sie ihre Triebe nicht beherrschen können.

C. Die Wortgruppe im Judentum.

1. In den Qumrantexten.

In den Qumrantexten treten die Wortgruppen, die im HT der φρόνησις zugrunde liegen, wieder auf. Es sind: בִּין, בִּינָה, יָדַע, דַּעַת, חָכַם, חָכְמָה, שֵׂכֶל, מַשְׂכִּיל [42]. Durch das *Wissen* דַּעַת Gottes ist alles entstanden 1 QS 11, 11. Sein eschato-

---

[37] Zu Prv 8, 14 vgl 16, 16 u dazu PdeLagarde, Anmerkungen zur griech Übers der Prv (1863) 28f. 53. LXX liest statt קָנָה *erwerben* קָנִים *Nester*; vgl dazu das Bild bei Plat Theaet 197e.

[38] Zu Sir 21, 15—17 vgl den Weisheitsspruch Act Andr et Matth 15 (p 83, 17 f): φρόνιμος γὰρ ἀκούων λόγους χρηστοὺς εὐφραίνεται τῇ καρδίᾳ.

[39] WStaerk, Die sieben Säulen der Welt u des Hauses der Weisheit, ZNW 35 (1936) 259: die Zeugung der λογικὴ δύναμις aus Gott nach Just Dial 61; Eichr Theol AT II⁴ 50—56.

[40] ADupont-Sommer, Le quatrième livre des Machabées (1939) 54 f.

[41] Nach Sap 8, 21 besitzt Salomo die φρόνησις schon vorher, vgl 6, 15; 8, 6; als Gnadengabe erbittet er die σοφία, JFichtner, Weisheit Salomos, Hndbch AT II 6 (1938) zSt.

[42] FNötscher, Zur theol Terminologie der Qumran-Texte, Bonner Bibl Beiträge 10 (1956) 52—62; vgl HBraun, Spätjüd-häretischer u frühchristlicher Radikalismus, Beiträge z historischen Theol 24 ²(1969) bes I 15—32: מַשְׂכִּיל der *Einsichtige* bezeichnet vielleicht einen Grad innerhalb der Sekte 22 A 3, vgl 20 A 3; ELohse, Christologie u Ethik im Kol, Festschr EHaenchen (1964) 167.

logisch ausgerichteter Weltplan ist durch seine *Einsicht* שֵׂכֶל u *Weisheit* חכמה bestimmt
1 QS 4, 18, vgl 1 QH 1, 7. 14. 19. Diese Einsicht erhält der Sänger nach 1 QH 1, 21;
14, 12f von Gott selbst, ohne dessen Offenbarung er, das Gebilde aus Lehm, sie nicht
haben könnte. Gott sendet den Geist der Wahrheit, um die Rechtschaffenen zu *unter-
weisen* בין hi in der *Erkenntnis* דעת Gottes, in der *Weisheit* חכמה der Söhne des Him- 5
mels u sie *klug* zu *machen* שכל hi 1 QS 4, 21f, vgl 1 QS 4, 3; 1 QH 1, 31, dazu 1, 35,
wo ערמה begegnet, vgl דעה ומזמת ערמה 1 QS 11, 6[43]. חכם, חכמה kommen im Ganzen
nur 18mal vor. בינה u שכל entsprächen wohl am besten der φρόνησις der LXX[44]. Sie
finden sich sowohl in den mehr gesetzlichen Schriften als auch in den Hymnen. Aber
der Dualismus von vollkommen Wandelnden u vom Geist der Lüge Verführten läßt 10
die at.liche Offenbarung nicht zur Wirkung kommen. So erscheint der außerhalb der
Gemeinde Stehende in dieser Zeit der Gottlosigkeit רשע als פתי, משוגע, אויל als *Tor,
Verrückter, Törichter* Damask 15, 15 (19, 12). In den Lasterkatalogen 1 QS 4, 9—11 ist
unter vielen anderen Lastern auch die Torheit genannt. Nach 4, 24 sind Weisheit u
Torheit im Kampf miteinander im Herzen des Menschen, vgl 1 QH 13, 4; 1, 36f. Im 15
einzelnen kommen folgende Begriffe für Torheit vor: זמם *Böses planen* 1 QH 4, 10. 26;
9, 20; 1 QpHab 12, 6 zu 2, 17, מחשבות און *frevlerische Ränke* 4 Q Florilegium 1, 9,
משגת אונמה *frevlerische Verirrung* ebd, מזמות בליעל *Ränke Belials* 1 QH 2, 16; Damask
5, 19 (7, 19), הולל[45] *Torheit* 1 QH 4, 20. סכלות *törichtes Lachen* u נבל *törichtes* Reden
werden nach 1 QS 7, 9. 14, vgl Damask 10, 18 (13, 2); 1 QS 10, 22 bestraft. פתה be- 20
deutet *verführen*, negativ 1 QH 4, 16; 6, 19; Damask 15, 11 (19, 10). פתי heißt *einfältig
(verführt?)*[46] 1 QpHab 12, 4 zu 2, 17, vgl 1 QH 2, 9, *töricht* 1 QSa 1, 19; Damask 13, 6
(15, 8).

Die Gaben, die theoretische u praktische Erkenntnis umfassen u sich mit andern
Gaben wie Demut, Langmut, Erbarmen, Güte 1 QS 4, 3, vgl 2, 24 verbinden, wie auch 25
die Laster, die den Vorwurf der Zerstörung der Gemeinschaft in sich schließen, weisen
auf die nomistische Prägung des Gemeindelebens u die schroffe Abschließung nach
außen. Damit ist auch die eschatologische Ausrichtung der Einsicht gegeben 1 QH
11, 12. 25 u die Hoffnung auf die Vernichtung des Frevels u der Torheit 1 QS 4, 18.
24f. Zunächst u vor allem aber ist das Wissen eine Betätigung des Heilsbesitzes[47]. 30

2. Im hellenistischen Judentum.

a. Außerbiblisches pseudepigraphisches Schrifttum.

In den älteren Schriften des hell Judt begegnet die Vokabel-
gruppe nur zufällig u selten. ep Ar 124 stehen ἀγωγή u φρόνησις, 130: σοφοί u φρόνιμοι 35
nebeneinander. Was da unter *Führung, Weisheit* u *Einsicht* verstanden ist, wird nicht begrifflich abgegrenzt. Alles hält sich dabei in dem oberflächlichen Stil höfischer Tisch-
gespräche (Deipnosophie). Die Frage nach der Lehrbarkeit der Gesinnung, dh der Tugend, wird in platonischem Sinne beantwortet u durch den Hinweis auf die Selbsterkenntnis der Tugend ergänzt 236 (→ A 20). Nach Test N 2, 8 hat Gott das Herz 40
geschaffen zur Einsicht[48], wie er auch den anderen Teilen des Körpers ihren physischen
oder psychischen Zweck gegeben hat, vgl 8, 10. Test L 7, 2f wird die Schandtat von
Sichem nach Dt 22, 21 als *Torheit* bezeichnet, ebs Test S 2, 13 die an Joseph nach Gn 37.
ἀφροσύνη steht Sib 4, 157 neben ὕβρις in eschatologischem Zshg. ἐνὶ φρεσίν 4, 170 (→
217, 23ff)[49] ist wohl Nachahmung homerischer Diktion, vgl 13, 126. Auf die Torheit 45
des Götzendienstes bezieht sich 3, 722. Das Wort von dem muttermörderischen Mann,
der klüger denken wird als alle Menschen 5, 366, scheint an Gn 3, 1 anzuklingen. Auf

[43] Braun aaO (→ A 42) I 22 A 5; 94f A 8;
vgl auch 25 A 5; 26f.
[44] Nötscher aaO (→ A 42) 54f. 79—92;
JCLebram, Die Theol der späten Chokma u
häretisches Judt, ZAW 77 (1965) 202—211.
[45] Im hbr AT nur bei Qoh, vgl GBertram,
Hbr u griech Qoh, ZAW 64 (1952) 41.
[46] Zur Dreiteilung der Menschen in Gerechte,
Böse u Unwissende in den Weisheitserzählun-
gen vgl Lebram aaO (→ A 44) 206.

[47] Braun aaO (→ A 42) I 94. 107. 135;
GBertram, Das Problem der griech Umschrift
des hbr AT, Die Welt des Orients 5 (1970) 153f.
[48] Vgl die Parallele לב להבין בינה in den
Othioth des RAkiba (ed AJellinek, Bet ha-
Midrasch III ³[1967] 42) bei Charles Test XII
zSt.
[49] Vgl EStauffer, Probleme der Priestertradition, ThLZ 81 (1956) 144f.

Gn 2, 9. 17 deutet gr Hen 32, 3 der *Baum der Erkenntnis*. Hier ist φρόνησις (HT : דעת)
als grundlegende u kritische Tugend mit praktischer Zielsetzung verstanden.

b. Philo Alexandrinus.

Philo geht es um die Deutung der bibl Texte mit den Mitteln
der griech Sprache u der platonischen oder stoischen Begrifflichkeit. Gott ist der Inhaber der reichen Fülle der φρόνησις Mut Nom 260 u spendet ganz von sich aus dem
schauenden Geschlecht die himmlische Weisheit, die das wahre Brot vom Himmel ist[50].
Für die allegorische Auslegung ist die Weisheit Gottes der Tugendquell im Paradies,
der sich in die vier Hauptströme der Kardinaltugenden ergießt. Der Phison (φείδομαι),
der die Seele schont, ist die φρόνησις Leg All I 66. Die Seele ist eine von Leidenschaften
u Lastern, darunter der ἀφροσύνη, befreite Jungfrau, die Wesen von ausgezeichneter
Schönheit, die vier Haupttugenden, dazu Frömmigkeit, Gottesfurcht u alle übrigen
hervorbringt Exsecr 159 f. Die φρόνησις steht damit in einer gewissen Spannung zur
Gottesfurcht (→ 229, 29 f); hell u bibl Einflüsse kommen hier wie auch sonst bei
Philo zur Geltung[51]. Von der φρόνησις, die das Tun des Menschen bestimmt, sind die
beiden Typen, der theoretisch klar φρόνιμος Sacr AC 54; Leg Gaj 64 u der praktisch
klug Denkende φρονῶν[52], herzuleiten Leg All I 63—67, vgl Det Pot Ins 114[53]. Als
gemischtes Wesen — nicht Tier, nicht Stern — nimmt der Mensch alle Gegensätze in
sich auf, so auch φρόνησις — ἀφροσύνη Op Mund 73. Die φρόνησις steht zwischen πανουργία *Frevelmut* u μωρία *Torheit* Deus Imm 164. So ist sie die mittlere Tugend[54] u
kann als Lebensklugheit verstanden werden Ebr 86. 140; Sobr 24; Vit Mos I 236 uö.
Mit φρόνησις gleichgesetzt wird σύνεσις Op Mund 154, vgl Plant 36. 40. Nach Sobr 3;
Abr 57 ist φρόνησις das Auge der Seele; als Prinzip des Einzelmenschen vergeht sie, als
Prinzip der Gattung ist sie ewig unvergänglich Mut Nom 79 f. Die φρόνησις ist der
erste Seelenteil mit dem Sitz im Kopf u hat die Lenkung[55] des Ganzen durch ἀνδρεία
u σωφροσύνη. So kommt es schließlich auch zur δικαιοσύνη Leg All I 70—73. Die φρό-
νησις ist in Gefahr durch die ἀφροσύνη, die sich uU die Lenkung anmaßt Leg All III
193; Conf Ling 191. Aber das Denken besteht in Worten u in Taten — damit wendet
sich Philo zugleich gg die Sophistik Leg All I 74, vgl 86; Som II 180. Der freiheitlichen
Gesinnung φρόνημα Vit Mos I 309. 325; Omn Prob Lib 119; Leg Gaj 215 uö der kleinen
Zahl steht die Menge der durch eigenen Unverstand Geknechteten gegenüber Omn Prob
Lib 62 f; Sobr 23 f, vgl κακὸν ἀθάνατόν ἐστιν ἀφροσύνη Det Pot Ins 178. Das Wunschbild
von den Freunden der φρόνησις wird durch den Schlechten, der mit der ἀφροσύνη zu-
sammenlebt, gestört Spec Leg II 48 f; daher wird bei der Erziehung ἀφροσύνη nur durch
Furcht geheilt II 239. Als letztes Ziel der φρόνησις aber bleibt, die eigene ἀφροσύνη u die
alles Geschaffenen festzustellen[56]. Das ist das Bekenntnis zu der at.lichen Wahrheit, daß
Gott allein weise ist u daß deshalb alle φρόνησις des Menschen ὕβρις ist.

Das Wesen der ἀφροσύνη wird durch mancherlei Prädikate gekennzeichnet: Gift Vit
Cont 74, Trunkenheit Vit Mos II 162; Som II 160. 181. 192, Krankheit Leg All III
211; Cher 10, vgl auch Agric 77; Ebr 10; Migr Abr 169; Virt 180. Gott ist auch der
Herr der Toren, der ermahnt oder vernichtet Mut Nom 23, vgl 254. Nach Ebr 110
bewirkt der Polytheismus bei den Unvernünftigen Atheismus. Neben der grundsätzlichen Kritik stehen einzelne Hinweise auf den Unwert der Haltung der Unvernunft
Fug 16; Mut Nom 153. 170. 175. 195.

c. Flavius Josephus.

φρένες findet sich Ant 16, 380 in Parallele mit νοῦς: Die Seelen-
kraft *vernünftiger Einstellung* u der ordnende *Verstand* sind verloren gegangen. Bell 1, 506
ist von παρακοπὴ φρενῶν καὶ μανία die Rede, u nach Ant 10, 114 wird der Prophet

---

[50] Abr 57 uö bringt Philo den Namen Israel
mit dem Verb ראה *schauen* zus. Zum Himmels-
brot vgl Sap 16, 20 f u zu Mut Nom 259 f s
Borgen aaO (→ A 36) 14. 32 f.

[51] WVölker, Fortschritt u Vollendung bei
Philo von Alexandrien, TU 49, 1 (1938) 30—47.
126—154. 212—226. 325; ERGoodenough, By
Light, Light. The Mystic Gospel of Hellenistic
Judaism (1935) 230—413; ders, The Politics of
Philo Judaeus. Practice and Theory (1938)
64—120.

[52] φρονέω bezieht sich auf die Fähigkeit des
Denkens Leg Gaj 190; Ebr 128; Vit Mos I 46;

Jos 166; Spec Leg II 256; IV 121; Poster C
171; Conf Ling 93 uö.

[53] Zu der stoischen Unterscheidung vgl die
Kompilation Stob Ecl II 63, 11 f.

[54] Die Mesoteslehre bei Philo stammt von
Aristot, vgl Eth Nic II 7 p 1107 a 28—b 22;
bei Aristot fehlt jedoch die Anwendung auf die
φρόνησις.

[55] Vgl das Gleichnis vom Rosselenker bei
Plat Phaedr 246 a—254 e.

[56] Vgl das Nichtwissen des Sokrates Plat
Apol 21 d.

Jeremia ὡς ἐξεστηκὼς τῶν φρενῶν herabgesetzt. ἄφρων wird neben θρασύς Bell 2, 303
von jugendlicher *Übereilung* gebraucht. Bell 1, 630 steht es im Sinne von *töricht* παν-
οῦργος *schlau* gegenüber. Ant 2, 307 steht ἀφροσύνη im Gegensatz zu κακία u Ant
6, 302 als griech Wiedergabe des hbr N pr נָבָל *Tor*. Ant 17, 277 ist die Hemmungs-
losigkeit des Volkes, 20, 98 die Einfalt der Verführten gemeint. Vit 323 ist ἀφροσύνη 5
mit ἄνοια gleichgesetzt. φρονέω wird von der Gesinnung, Einstellung oder Absicht
öfter mit dem Acc der Adj friedlich Bell 3, 30. 458, freundlich 3, 455, freiheitlich Bell
4, 282, feindlich Vit 353 verbunden. Mit τὸ αὐτὸ φρονέω Bell 2, 160 oder ὅμοια φρονέω
Ant 19, 58 wird Übereinstimmung in der Gesinnung ausgedrückt, vgl Bell 5, 320. φρονέω τὰ τοῦ ... bezieht sich auf Gesinnung u Haltung, bes auf politische Anhänger u 10
Parteigänger Ant 7, 28; 11, 273; 12, 392. 399; 14, 268. Häufig begegnet μέγα φρονέω
hochgesinnt sein Ant 3, 83, *hoch denken* von den Gesetzen (→ IV 1044, 5ff) Ant 17, 41;
Ap 2, 286, auch μεῖζον φρονέω *übermütig werden* Ant 15, 123, ἔλαττον φρονέω *den Mut
verlieren* Ant 15, 140, χεῖρον φρονέω *weniger Mut, eine niedrigere Gesinnung haben* Bell
7, 357. Adv bei φρονέω sind εὖ Bell 3, 440; Ap 2, 144, ἀνθρωπίνως Ant 18, 256, δικαίως 15
Ap 1, 45 usw. Mit Präp ἐπί heißt φρονέω *sinnen auf, eingestellt sein auf* Ant 17, 226;
Vit 56; mit περί wird der Gegenstand des Denkens bezeichnet Ant 12, 125, zB das
Wesen φύσις Gottes Ap 2, 168 oder die göttliche Vorsehung Ant 2, 136. μέγα ἐπ' ἐμαυτῷ
φρονέω Ant 4, 100; 6, 298 ist *überheblich denken*, vgl 7, 301. Das Subst τὸ φρονεῖν findet
sich 2, 156; 8, 21, von Gottes *Einsicht* 4, 224[57]. 20

Ant 1, 37 wird *Baum der Erkenntnis* mit τὸ φυτὸν τῆς φρονήσεως wiedergegeben, während LXX Gn 2, 9 עֵץ הַדַּעַת mit τοῦ εἰδέναι übersetzt. So ist es unmöglich, der Schlange
dieselbe Eigenschaft zuzuschreiben. Die φρόνησις ist eine Gottesgabe. Salomo bittet
darum: νοῦν ὑγιῆ καὶ φρόνησιν ἀγαθήν Ant 8, 23, vgl φρόνησις καὶ σοφία 8, 34. 42 u ἀρετὴ
καὶ φρόνησις 8, 165. φρόνησις ist die richtige, an Gott orientierte *Denkweise* u gehört 25
mit σοφία u σύνεσις zus 8, 23f, vgl auch 6, 10. Bell 7, 399 werden φρόνησις u παιδεία
verbunden. Ap 2, 183 wird die Einheit von φρόνησις u ἀρετή behauptet: es ist die Fähigkeit zu einsichtigem Handeln, die praktische Klugheit[58].

φρόνημα ist von φρόνησις nicht immer scharf unterschieden, doch gehört φρόνημα
mehr auf die Seite des Handelns πράγματα καὶ φρονήματα Bell 2, 334, vgl Ant 12, 182; 30
13, 306. φρόνημα ist Haltung u Gesinnung, als Vermächtnis Ant 12, 279, vgl Bell 1, 378,
es ist die natürliche Anlage u Art. So ist Bell 1, 204 φρόνημα die Haltung mit φύσει δραστήριος begründet, vgl auch Ant 14, 13. Nach Ant 4, 245 sollen τὰ φρονήματα auf die
ἀρετή ausgerichtet sein. Ant 19, 42 meint σώματά τε καὶ φρονήματα den ganzen Menschen nach *Leib* u *Geist*. Öfter hat φρόνημα die Bdtg *Mut* Ant 14, 461; 15, 115; Bell 35
5, 342, gelegentlich mit τόλμα Bell 3, 22; 4, 90 oder θάρσος Ant 5, 218 verbunden, *Verwegen-
heit* Ant 17, 256, *Stolz* 15, 44; *Hochmut* 15, 81. φρόνιμος *vernünftig, klug, besonnen*
kommt selten vor Ant 4, 36. 259; von diplomatischem Vorgehen 9, 25; 12, 184; das
Adv begegnet Ant 19, 112 u der Komp Bell 1, 452. So tritt bei dem Historiker Jos
seiner Themastellung entsprechend die praktisch politische Ausrichtung der Vokabel- 40
gruppe bes in Erscheinung.

d. Zur rabbinischen Verwendung der Wortgruppe.

Das dem griech φρόνιμος u Verwandten im Rabb entsprechende
Wortfeld ist bestimmt durch חָכָם *weise*; das Gegenbild ist das dem griech ἄφρων ent- 45
sprechende שׁוֹטֶה *töricht* Ab 4, 1. 7. Die *Erkenntnis* יָדַע, דֵּעָה ist letztlich Gotteserkenntnis 4, 22. Mit מְדוֹת בְּדֵעוֹת 5, 11 werden die viererlei Gemütsarten bezeichnet. מִדָּה
Maß, im rabb wie neuhbr Sprachgebrauch auch *Eigenart, Gesinnung*, entspricht φρόνημα, das ebenfalls eine mit gutem oder bösem Inhalt erst zu erfüllende vox media sein
kann, vgl מִדּוֹת בְּאָדָם 5, 10f. Nach 5, 21 wird der Knabe mit 13 Jahren zur Gebots- 50
erfüllung verpflichtet; er ist damit בַּר־מִצְוָה sittlich u rechtlich *voll verantwortliches*
Gemeindeglied. Die Bezeichnung als בַּר־מִצְוָה findet sich zuerst bBM 96a, wird aber
erst im MA allg aufgenommen[59]. Von Jehuda b Tema (Tannait) wird Ab 5, 21 eine
Spruchgruppe über die Lebensalter überliefert. Danach wird das Leben des Mannes

---

[57] Die Wortgruppe wird bei Jos nicht sehr
häufig, aber sehr unterschiedlich von politischer, ethischer, religiöser Haltung oder Gesinnung gebraucht u erhält durch Beiworte je
ihre besondere Bdtg. Manchmal scheint φρόνημα
fast gleich φύσις zu sein, vgl φρόνημα Ant
2, 229. 232 mit φύσις im Sinn von *Charakter,
Haltung* Bell 5, 306; Ant 15, 178.

[58] Jos gibt sich als Vertreter des hell Jdt.

[59] Vgl Schürer II 496.

mit 40 Jahren durch בִּינָה *Einsicht* bestimmt; mit 60 Jahren kommt er zur עֵצָה zum *Rat*. Neben חָכָם kommt פִּקֵּחַ[60] *mit* (von Gott) *geöffneten Augen* (Ex 4, 11) im Sinne von *einsichtsvoll, klug, erfahren* vor, zB bKet 88a, u im Gleichnis von den Klugen u den Toren beim Mahle des Königs bSchab 153a, vgl bes Mt 25, 1—13.

D. Die Wortgruppe im Neuen Testament.

1. φρένες[61].

Der Zungenrede als einer unmittelbaren Geistesäußerung den Vorzug zu geben ist kindlich (1 K 14, 20). Die Korinther sollen ihre Vernunft — Gefühl und Wille sind dabei mitgesetzt — anwenden und darin vollkommen werden (→ VIII 76, 33 ff). Der Stufe des Kindes, das noch unverantwortlich in seinem Handeln ist[62], folgt in der menschlichen Entwicklung die Stufe der vollen Einsicht, die die Stufe des reifen Mannes ist.

2. ἄφρων, ἀφροσύνη.

a. Bei den Synoptikern.

Lk 11, 40 steht ἄφρονες[63] *Narren* als herausfordernde Anrede Jesu an die Pharisäer. Die Pharisäer sind mit ihren Vorschriften um die äußere, die kultische, rituelle Reinheit bemüht und vernachlässigen darüber die innere, die sittliche Reinheit. Die Anrede, die als solche die falsche Frömmigkeit trifft und die Gemeinschaft aufhebt, muß die Pharisäer um so schwerer beleidigen und verletzen, als sie selbst den Anspruch erheben, παιδευτὴς ἀφρόνων zu sein (R 2, 20). Das Herrenwort ist ein Urteil über die grundsätzlich falsche Einstellung der Pharisäer und verwendet die bei den Rabbinen übliche Anrede *Narren*[64] im Sinne von Gottlose, weil die Pharisäer Gott, der das Äußere und das Innere schafft, nicht recht als Schöpfer anerkennen. Die Anrede mit ἄφρων, ἄφρονες gehört schwerlich in die echte Jesusüberlieferung. Der Anruf Gottes: „Du Narr“ (Lk 12, 20) macht dem Reichen klar, daß er nicht für sich geerntet hat (ψ 38, 7). Der Reiche wiegt sich in falscher Sicherheit, er rechnet nicht mit Gott; das ist seine Torheit, seine Sünde. In den auf das Dictum Mk 7, 15 von äußerer und innerer Unreinheit des Menschen folgenden Reden steht in 7, 21f eine Aufzählung von Lastern, die mit ἀφροσύνη schließt. Es handelt sich mehr um eine willkürliche und zufällige Anhäufung als um eine systematische Anordnung, wenn auch vielleicht ἀφροσύνη als Haupt- und Grundsünde zusammenfassend an den Schluß gestellt ist. Sie kann so als Quelle der von innen kommenden Unreinheit verstanden werden.

---

[60] Vgl Str-B I 969. 878.
[61] Bultmann Theol[6] 215 zur Wortgruppe.
[62] Str-B III 462 bietet rabb Beispiele zum Begriff *Knaben*.

[63] ἄφρων bei Lk könnte Gegentyp des rabb בעל תשובה sein. [Rengstorf]
[64] שׁוטה, vgl Str-B I 280; III 102.

b. In der paulinischen und deuteropaulinischen
Überlieferung.

Paulus zählt R 2, 17—20 die religiösen und sittlichen Ansprüche des Judentums auf, um an ihnen die Wirklichkeit zu messen[65]. So ist
auch die Formulierung παιδευτὴς ἀφρόνων zunächst nicht paulinischer Sprach- 5
gebrauch. Vielmehr enthält ἄφρονες neben νήπιοι (→ IV 920, 38 ff) vom Standpunkt des frommen Juden aus gesehen ein Urteil über die heidnische Umwelt,
das den Vorwurf der Gottlosigkeit zum Ausdruck bringen soll (→ IV 850, 15 ff;
V 618, 21 ff). In 1 K 15, 36 spricht Paulus mit der Anrede ἄφρων kein end-
gültiges Urteil. Es ist ein rhetorischer Appell an die richtige Einsicht. Wer aller- 10
dings bei der negativen Haltung bleibt, stellt sich auf den Standpunkt des ἄφρων,
der dem der Gottlosigkeit gleichkommt (vgl R 1, 22; 1 K 1, 18 ff; → IV 850, 4 ff).

2 K 11 und 12 sind ἄφρων und ἀφροσύνη im Sinne einer Selbstkritik verwendet.
Die ἀφροσύνη des Apostels liegt darin, daß er sich wenigstens scheinbar oder vorläufig in den schweren Auseinandersetzungen mit seiner Gemeinde auf eine andere 15
Ebene als die geistliche, auf die fleischliche Ebene des Sich-Rühmens begibt. Das
meint Paulus, wenn er 2 K 11, 1[66] von seiner ἀφροσύνη spricht. In der Situation
von Korinth ist das vor Gott und Menschen törichte Rühmen (→ III 652, 30 ff)
für ihn notwendig geworden (11, 16 f). Die *klugen* Korinther φρόνιμοι ὄντες haben
sich selbst den rücksichtslosen Ansprüchen der *Narren* ἄφρονες (2 K 11, 19) unter- 20
worfen[67]. Aber Paulus will — wiederum in menschlicher Torheit, also uneigentlich geredet — sie alle überbieten (11, 21; 12, 11). Er tut das mit dem Hinweis
auf seine Leiden. So ist es keine Narrheit, sondern die Wahrheit (12, 6). Damit
lehnt er die Bezeichnung ἄφρων für sich ab, ohne doch zu einer dialektischen Verwendung der Vokabel zu kommen, wie er sie für die μωρία (→ IV 851, 15 ff; VII 25
354, 2 ff) des Evangeliums und für sich selbst in 1 K 1, 18 ff uö geprägt hat.

Eph 5, 17 geht es um den Wandel der Gemeinde. ἀφροσύνη törichtes Sich-gehen-
lassen in dieser bösen Zeit und σύνεσις verständige Beachtung des Willens Gottes
stehen einander gegenüber. Auch die Glieder der Gemeinde können wieder ἄφρονες
werden. ἄφρονες steht in Parallele zu ἄσοφοι, das 5, 15 als Hapaxlegomenon im 30
Neuen Testament vorkommt. ἄφρονες nimmt als Warnung vor unfrommer, ja
gottloser Gesinnung das ἄσοφοι noch einmal auf, so wie auch die Mahnung zu einem
Wandel als σοφοί durch das συνίετε τί τὸ θέλημα τοῦ κυρίου theologisch interpretiert
wird. Nach 1 Pt 2, 15 ist es der Wille Gottes, daß die Gemeinde durch Guttaten
die Unwissenheit der *unverständigen* Menschen zum Schweigen bringt. Durch gute 35
Werke soll der Gottesglaube bezeugt und die Gottlosigkeit überwunden werden.

3. φρονέω — φρόνημα.

a. Markus, Matthäus, Apostelgeschichte.

Die Warnung des Petrus, der Jesus von dem Weg des
Leidens zurückhalten möchte, wird durch das Herrenwort (Mk 8, 33 Par; → IV 40

---

[65] Ltzm R zSt: v 19 f machen den Eindruck, als zitiere Pls die Worte einer jüd für
Proselyten bestimmten Schrift. Vgl den Titel
der Schrift von MMaimonides, Führer der Un-
schlüssigen (übers AWeiß [1923/24]).

[66] EKäsemann, Die Legitimität des Apostels, ZNW 41 (1942) 55.
[67] In 2 K 11, 19 bezeichnet Pls seine
Gegner, denen sich die klugen Korinther unterworfen haben, als *Narren*.

343 A 17)[68] in aller Schärfe zurückgewiesen. Petrus vermag nur menschliche Gedanken, die auf irdisches Leben und Wohlergehen ausgerichtet sind, zu fassen. —
Die Führer der Juden erbitten wohl im Namen der jüdischen Gesamtgemeinde in
Rom eine Stellungnahme des Paulus zu der „Sekte" der Christianer und zugleich
5 eine Auskunft über seine Sondermeinung: ἃ φρονεῖς (Ag 28, 22).

b. φρονέω und φρόνημα in der paulinischen und deuteropaulinischen Überlieferung.

φρόνημα (R 8, 6; → II 412, 21ff) kommt im Neuen Testa-
ment nur im Zusammenhang mit φρονέω (R 8, 5) vor und bedeutet dasselbe wie
10 der substantivierte Infinitiv τὸ φρονεῖν. Die τὰ ἐπίγεια φρονοῦντες (Phil 3, 19), vgl
ἐν σαρκὶ πεποιθότες (3, 3) sind in einem Aberglauben befangen und in ihrem Denken
durch irdische Mächte bestimmt, obwohl sie der christlichen Gemeinde angehören.
Paulus strebt auf das Ziel, die Berufung nach oben durch Gott in Christus Jesus
als den Siegespreis (Phil 3, 14). Mit dieser Selbstaussage ist für die τέλειοι (→ VIII
15 77, 4ff) in seiner Gemeinde die Ausrichtung grundsätzlich gegeben. Neben dem Indikativ φρονοῦμεν steht das kohortative φρονῶμεν (Phil 3, 15) als varia lectio; da die
Ausrichtung letztlich Gabe des Gottesgeistes ist, hat die Variante keine sachliche Bedeutung.· Mit τὰ ἄνω ζητεῖτε[69] und τὰ ἄνω φρονεῖτε (Kol 3, 1f) tritt der paulinische
Imperativ hervor, dessen Befolgung nicht dem Willen des Menschen überlassen bleibt;
20 denn die Begründung liegt in der mit der Taufe gegebenen Verbindung des Gläubigen
mit dem Christusgeschehen und deren eschatologischer Ausrichtung. τὸ φρόνημα
τοῦ πνεύματος (→ VI 428, 25ff), die den Menschen bestimmende Gabe, ist letztlich
Gott selbst (R 8, 27)[70].

R 11, 20 warnt die Gemeinde vor Überheblichkeit im Blick auf das Gericht über
25 die Judenheit: μὴ ὑψηλὰ φρόνει und 11, 25[71]: μὴ ἦτε ἐν ἑαυτοῖς φρόνιμοι (→ IV
829, 11ff). R 12, 16[72] geht in der Paränese von der Mahnung zur Eintracht aus,
die im Glauben gegeben ist. Die Warnung vor dem Hochmut wird ergänzt durch
die Mahnung, sich den Niedrigen (→ VIII 20, 17ff) gleichzustellen. Durch die alttestamentliche Formulierung aus Prv 3, 7, die auch hinter R 11, 25 steht, wird
30 die Warnung vor Selbstüberschätzung unterstrichen. R 12, 3 gibt die Parono-
masie mit dem vierfachen φρονέω die Ausrichtung auf das heilsame σω-φρονέω
(→ VII 1099, 16ff) anstelle des gefährlichen ὑπερφρονέω: Nicht *hoch hinaus trachten*
am gesetzten Ziel vorbei, sondern *trachten nach Maßhalten* (→ 221, 11ff). 1 K
4, 6 ist mit Hilfe des in den Koine-Handschriften eingeschobenen φρονέω[73] der
35 nicht leicht verständliche Text im Sinne der bekannten Warnung gedeutet[74].

---

[68] Hck Mk zSt; Kl Mk zSt. Str-B I 748 verweist auf ein Wort von RJochanan: „Wer ist ein Gelehrtenschüler? Derjenige, welcher sein Geschäft dahinten läßt u sich mit den Geschäften Gottes bemüht" b Schab 114a.

[69] Lohse aaO (→ A 42) 166—168 weist auf die Fürbitte Kol 1, 9—11 hin. Sie zielt auf rechte Erkenntnis u praktisches Handeln, vgl 1 QS 3, 1; 9, 17f. Vgl auch Ew Gefbr zSt u Loh Kol zSt.

[70] Gennadius von Konstantinopel bei Staab 382 spricht von σκοπὸς τοῦ πνεύματος. πνεῦμα ist der Gottesgeist im Menschen (→ VII 873, 14ff). R 8, 27 nimmt 8, 6 wieder auf,

vgl MBlack, The Interpretation of Romans 8, 28, Festschr OCullmann, Nov Test Suppl 6 (1962) 166—172.

[71] Vgl Prv 3, 7; Js 5, 21; Gn r 44, 2 zu 15, 1, vgl Str-B III 299.

[72] Bei Marcion fehlt R 12, 16a, vgl AHarnack, Marcion. Das Ev vom fremden Gott, TU 45 ²(1924) Beilage III 109*.

[73] Severian von Gabala bei Staab 239 deutet bereits entsprechend.

[74] Die für die chr Gemeinde **konstitutive** Mahnung zur Einmütigkeit führt **zur Aufnahme** des nur 1 Pt 3, 8 in der **griech Bibel**

Einheitliche Ausrichtung und einträchtige Gesinnung, Einheit von Denken und Wollen ist Grundforderung der paulinischen Paränese. Phil 2, 2 mahnt der Apostel eindringlich, in gleicher Gesinnung dasselbe Ziel anzustreben, den Sinn auf das Eine, die vorgegebene Einheit zu richten und in allem christliche Gesinnung zu bewähren (vgl R 12, 16). Nach Phil 2, 5[75] bildet das Christusbekenntnis selbst die 5 Richtschnur für die Gesinnung der Gläubigen, deren Gemeinschaft Christus selbst konstituiert. Phil 4, 2 wird unter Betonung der Christusgemeinschaft dieselbe Mahnung für einen besonderen Fall wiederholt. Gl 5, 10[76] spricht Paulus das Vertrauen aus, daß seine Gemeinde jede andere Botschaft gesinnungsmäßig ablehnen werde. 2 K 13, 11 fügt sich die Mahnung zur Einheit der Gesinnung in 10 den Zusammenhang des Briefschlusses ein. R 15, 5 ist ein Gebetswunsch gleichen Inhalts mit dem Ziel der gemeinsamen Lobpreisung Gottes.

R 14, 6[77] bedeutet φρονέω *beachten*. Nicht auf Beobachtung von kultischen Vorschriften und Bräuchen kommt es an, sondern darauf, daß die Entscheidung in der Verantwortung vor dem Herrn erfolgt. φρονεῖν ist die praktische Folge des 15 κρίνειν. Wie der Erwachsene das Wesen des unreifen Menschen (→ IV 920, 12ff) abstreift, so streift der Mann kindhaftes Sinnen und Denken, etwa die Neugier nach der falschberühmten Gnosis ab (1 K 13, 11)[78]. Das geschieht nicht aus eigener Kraft, sondern weil er von Gott erkannt ist. Phil 1, 7; 4, 10 wird φρονέω ὑπέρ bzw ἐπί von fürsorglichem Handeln und Denken gebraucht. Es ist hier fast synonym 20 mit φροντίζω.

4. φ ρ ό ν η σ ι ς.

Das Substantiv φρόνησις kommt nur zweimal im Neuen Testament vor, beide Male in liturgisch bestimmten Texten. Lk 1, 17 steht φρόνησις im Anschluß an das Zitat aus Mal 3, 23 in Parallele zu der ersten Vershälfte, 25 vielleicht in Umbildung des Grundtextes: Ungehorsame zu *Denkweise* und Verhalten der Frommen zurückzubringen als eschatologische Aufgabe des Vorläufers. — Die Gnade Gottes beschenkt reichlich mit lauter Weisheit (→ VII 524, 3ff) und Einsicht und läßt uns das Geheimnis des Gotteswillens erkennen (Eph 1, 8)[79]. Dabei entspricht die χάρις der φρόνησις (Eph 1, 8), der σύνεσις πνευματική (Kol 1, 9). 30

---

vorkommenden ὁμόφρων, vgl EKühl, Kritisch exegetisches Handbuch über 1 Pt, Jd u 2 Pt, Kritisch exegetischer Komm über das NT 12 ⁶(1897) zSt; Kn Pt zSt. Sehr viel später verwendet Didymus von Alexandria zu 2 K 13, 11 (Staab 44) das Subst ὁμοφροσύνη.

[75] Das Akt ist urspr, das Pass Koine-Lesart, Dib Ph zSt. Nach KBarth, Erklärung des Phil ⁶(1959) zSt geht es um Bewegung auf die Einheit trotz starker zentrifugaler Kräfte. Str-B III 620 zitiert Rab Joseph: „Immer lerne der Mensch vom Sinn seines Schöpfers מדעת קונו" b Sota 5a. Man könnte Phil 2, 5 etwa ergänzen: τοῦτο [φρόνημα] φρονεῖτε ἐν ὑμῖν ὃ [φρόνημα] καὶ [ἦν] ἐν Χριστῷ Ἰησοῦ, vgl R 15, 5. [Moule]

[76] Der Ap fordert die praktische Bestimmtheit des Denkens u die einheitliche Ausrich-

tung im Sinne des Ev, vgl FSieffert, Der Brief an die Galater, Kritisch-exegetischer Komm über das NT 7 ⁹(1899) zSt; Schlier Gl¹³ zSt.

[77] Die zweite Hälfte von R 14, 6 in 𝔎 ist dem negativen ἐσθίων-Satz nachgebildet, Zn R 577 A 9; Ltzm R zSt.

[78] Vgl Jer 4, 22: υἱοὶ ἄφρονες ... σοφοί εἰσι τοῦ κακοποιῆσαι. Statt σοφοί könnte hier nach Js 44, 25 besser φρόνιμοι stehen, das von Gn 3, 1 her im Sinne von Lk 16, 8 auch *schlau, listig* heißen kann; Abschreiber sind offenbar durch σοφοί verleitet worden, κακοποιῆσαι in καλῶς ποιῆσαι oä zu ändern.

[79] Ew Gefbr zu Eph 1, 8: φρόνησις ist die „die σοφία für das Leben nutzbar machende, aus dieser selbst quellende Einsicht", vgl Prv 10, 23.

5. φρόνιμος.

a. φρόνιμος **bei Matthäus und Lukas.**

　　　　In der synoptischen Überlieferung kommt φρόνιμος nur im Gleichnis oder Gleichniswort vor. Mt 7, 24 gleicht der Täter des Worts dem *klugen* 5 Erbauer (→ V 139, 31 ff) eines Hauses auf Felsengrund. Das Motiv des φρόνιμος ist sekundär. Es soll wohl sagen: Der kluge Knecht setzt sich ein, wo er hingestellt ist; er richtet sich ganz nach seinem Herrn (Mt 24, 45 Par). So ist klug der Christ, der sich ganz auf den Herrn ausrichtet. In dem Gleichnis von den zehn Jungfrauen (Mt 25, 1 ff)[80] besteht die Klugheit in der Bereitschaft[81]; denn es 10 kommt alles auf die tatsächliche Begegnung mit dem Herrn an. In dem Gleichnis vom ungerechten Haushalter (Lk 16, 8)[82] geht es um Klugheit im Sinne von Schlauheit. Das klug entschlossene Handeln ist bestimmt durch die Ausweglosigkeit der Lage und den damit gegebenen Zwang. Mit dieser Haltung kann sogar der Weltmensch den Lichtsöhnen zum Vorbild werden. φρόνιμος in diesen Gleichnissen 15 trifft für den zu, der die eschatologische Lage des Menschen erfaßt hat. Von da aus läßt sich auch das Vordringen des Wortes in der Gleichnisüberlieferung verstehen. Das Bildwort von der Klugheit der Schlangen (Mt 10, 16)[83] und der Einfalt der Tauben (→ VI 69, 10 ff) könnte sprichwörtlich sein[84]. Aber durch die Beziehung auf das φρονιμώτατος Gn 3, 1 bekommt es biblische Bedeutung, die in 20 der Lesart mit ὁ ὄφις (→ V 579, 32 ff) im Singular unterstrichen wird.

b. φρόνιμος **bei Paulus.**

　　　　Paulus bringt mit Hilfe des Wortes das Wesen der Gläubigen zum Ausdruck. R 11, 25; 12, 16 steht φρόνιμος in Parallele zu φρονέω (R 11, 20; 12, 16; → 228, 24 ff). 1 K 4, 10 wird φρόνιμοι dialektisch verwendet; 25 Paulus bezeichnet sich mit μωροί — der Plural ist wohl nur formale Angleichung —, die Korinther sind die φρόνιμοι. 1 K 10, 15 setzt Paulus die eigene Urteilsfähigkeit der Gemeinde in der Abendmahlsfrage voraus und spricht sie darauf an. Anders klingt die Mahnung 1 K 14, 20. Ironisch ist es zu verstehen, wenn Paulus 2 K 11, 19 die Korinther als φρόνιμοι bezeichnet, während sie doch so leicht her- 30 einfallen (→ 223, 13 ff).

E. Die Wortgruppe bei den Apostolischen Vätern und den Apologeten.

　　　　　1. Nach 1 Clemens 3, 3 sind die Streitigkeiten in Korinth auch durch den Gegensatz von φρόνιμοι u ἄφρονες bestimmt. Die Gegner bezeichnet der Verf als überhebliche *Toren* 39, 1. 7 f, vgl Hi 5, 2 f. Aber lieber ihnen Anstoß geben 35　　als Gott 21, 5. Die törichten Streitigkeiten bringen Lästerung über den Namen des

---

[80] Jülicher Gl J II 448—459.
[81] Str-B I 969 f.
[82] Jülicher Gl II 504: Jesus ist es, der Lk 16, 8 a den ungetreuen Haushalter wegen seiner Klugheit lobt; vgl auch WMichaelis, Die Gleichnisse Jesu ³(1956) 227—229.
[83] Str-B I 574 f; Braun aaO (→ A 42) II 30

A 1: das profane Tun des Menschen als Abbild seines Verhaltens Gott gegenüber; II 102 f A 5: 1 QS 9, 21—23 fordert ausdrücklich zu einem Haß auf, der sich vorsichtig als Demut tarnt.
[84] Vgl Midr HL 2 zu 2, 14 (Wünsche 74).

Herrn bei den Andersgesinnten 47, 7. Im 2 Cl kommt mehrfach φρονέω περί vor 1, 1f[85], vgl 12, 5. In beiden Schriften finden sich wie bei Pls Mahnungen zur Demut 1 Cl 13, 1 u Einmütigkeit 2 Cl 17, 3. Ignatius hat φρονέω c Acc Smyrn 11, 3: τέλεια; Tr 4, 1: πολλά. Mg 3, 1: φρόνιμος ἐν ϑεῷ u Eph 17, 2 liegen Aufforderungen zur verständigen Haltung vor; zu Ign Pol 2, 2[86] vgl Mt 10, 16. Abwehr doketischen Denkens ist Sm 2, 1; 5, 2 beabsichtigt; zu Tr 8, 2 vgl 1 Cl 47, 7. Im Diognetbrief ist der heidnische Götzendienst ein Beispiel der *Torheit* ἀφροσύνη 3, 3; 4, 5, vgl φρόνησις 2, 1. Das jüd *Denken* φρονεῖν ist im Ansatz richtig 3, 2. φρονέω mit Acc kommt bei Hermas öfter im Sinn des richtigen *Denkens* vor m III 4; IX 12; X 3, 1; s V 2, 7; IX 13, 7. *Unverstand* findet sich auch bei Gläubigen s IX 22, 2f, auch bei Herm selbst v V 4; m IV 2, 1; XII 4, 2; 10 s VI 4, 3; 5, 2. *Torheit* erscheint als Feindschaft gg Gott m V 2, 2. 4 uö[87]. Hinter der Unvernunft der Menschen u ihrer Gottlosigkeit steht der Engel der Bosheit, der auch ἄφρων ist m VI 2, 4. So verschieden die Völker in der Welt nach φρόνησις u νοῦς sind, durch das Siegel der Taufe erhalten sie μίαν φρόνησιν u ἕνα νοῦν. So kommt es zu Einheit des Glaubens u der Liebe s IX 17, 2. 4; IX 18, 4, vgl IX 29, 2[88]. 15

2. Was Heiden u Juden über Gott denken, fragt Aristides Apol 8, 1; 14, 1. Die für weise gelten, wurden zu Toren. ἀφρονέστεροι als die Griechen sind die Ägypter 12, 1. φρονέω, φρόνησις begegnen bei Justin Dial 1, 6; 23, 2; 48, 1 uö vor allem in den Auseinandersetzungen mit dem Judt. Nach 3, 3 beruht die φρόνησις auf φιλοσοφία u ὀρϑὸς λόγος, vgl 2, 4. 6. Die Seelenlehre Plat Tim 41 widerlegt Just Dial 20 5, 4 f mit dem Hinweis auf Sündhaftigkeit u *Torheit* ἀφροσύνη der Seelen. Zu Dial 12, 3 vgl R 11, 20. 25 (→ 228, 24ff). Um die Deutung der Schlange von Gn 3, 14; Nu 21, 9; Js 27, 1, die ἀφρόνως erfolgt, geht es Dial 112, 2. φρήν kommt bei Just nur Apol 39, 4 in einem Zitat aus Eur Hipp 612 vor[89]. In seiner Polemik gg die Götter zitiert Athenagoras Suppl 22, 5 die der hell Theol wohl geläufige Gleichsetzung der 25 Athene mit der φρόνησις[90].

3. In der Gnosis erscheint die φρόνησις in Fortbildung mythischer Vorstellungen Athenag Suppl 22, 5 als Emanation der höchsten Gottheit des ϑεὸς ἄρρητος unter den Gliedern der Ogdoas. Im System des Basilides lautet die Reihe: νοῦς, λόγος, φρόνησις, δύναμις, δικαιοσύνη, vgl Iren Haer I 19, 1[91] (→ VII 894 A 75). 30 Nach Apokryphon des Joh Cod III 11, 22f[92] emanieren aus dem göttlichen αὐτογενές die Vier: χάρις, σύνεσις, αἴσϑησις, φρόνησις. In dem Gebet zur Ölsalbung Act Thom 27 sind 5 Glieder genannt: νοῦς, ἔννοια, φρόνησις, ἐνϑύμησις, λογισμός. Die großkirchliche Epistula Apostolorum 43—45[93] enthält eine Deutung von Mt 25, 1ff: Die zehn Jungfrauen sind 10 Grundkräfte. Antithetisch zu gnostischen Anschauungen werden *Erkenntnis* u 35 *Einsicht* zu den törichten gerechnet. Die klugen Jungfrauen sind Glaube, Liebe, Gnade, Friede, Hoffnung.

4. In den kirchlichen Amtsgebrauch ist φρόνησις als bischöfliche Anredeform[94] bei Basilius, Athanasius, Isidor u im lat Sprachbereich das weiter verbreitete prudentia eingegangen. 40

Bertram

---

[85] Die Sätze über das richtige christologische Denken wirken noch in den Streitigkeiten des 5. u 6.Jhdt nach, Kn Cl zSt.
[86] Die Schlange erscheint hier als Bild des fleischlichen Begehrens, die Taube des geistlich zu Erbittenden.
[87] Bei Herm s IX 15, 3 ist unter den schwarzen Weibern die ἀφροσύνη genannt; in 15, 2 steht an zwölfter Stelle die prudentia im lat Text, im griech aber an zehnter Stelle die σύνεσις.
[88] Zu der Unschuld kindlicher Gesinnung als Höhepunkt der Frömmigkeit in s IX 29, 2f vgl Dib Herm zSt.
[89] Vgl Plat Theaet 154 d.
[90] WKraus, Artk Athena, in: RAC I 879f.
[91] PHendrix, De alexandrijnsche Haeresiarch Basilides (1926) 38f; HLeisegang, Die Gnosis ⁴(1955) 249.

[92] ed MKrause-PLabib, Die drei Versionen des Apokryphon des Joh, Abh des Deutschen Archäologischen Instituts Kairo, Kpt Reihe 1 (1962) 64.
[93] ed CSchmidt, Gespräche Jesu mit seinen Jüngern nach der Auferstehung. Ein Katholisch-Apostolisches Sendschreiben des 2.Jhdt, TU 43 (1919) 136—145, vgl 379—383. Ob im griech Original σύνεσις, ἐπιστήμη oder φρόνησις vorauszusetzen ist, muß offen bleiben, vgl Herm s IX 15, 2 (→ A 87) u die weiteren von Schmidt 382 genannten Parallelen. S auch RStaats, Die törichten Jungfrauen von Mt 25 in gnostischer u antignostischer Lit, Christentum u Gnosis, ZNW Beih 37 (1969) 98—115.
[94] HZilliacus, Anredeformen, Jbch Ant Christ 7 (1964) 178.

φυλάσσω, φυλακή

† φυλάσσω

Inhalt: A. Das Verbum im außerbiblischen Griechisch: 1. Von Homer bis
Aristoteles; 2. Der hellenistische Sprachgebrauch. — B. Im Alten Testament und im
5 Judentum: 1. Im griechischen Alten Testament; 2. In den Qumrantexten; 3. Bei Philo
und Josephus; 4. In den griechisch erhaltenen Apokryphen und Pseudepigraphen; 5. In der
rabbinischen Überlieferung. — C. φυλάσσω im Neuen Testament: 1. In den Evangelien
und in der Apostelgeschichte; 2. In den Briefen. — D. Im frühen Christentum.

A. Das Verbum im außerbiblischen Griechisch.

10   ### 1. Von Homer bis Aristoteles.

Das Verbum φυλάσσω, attisch φυλάττω ist von φύλαξ[1] *Wächter* abgeleitet u bezeichnet so die Tätigkeit oder das Amt der Wächter, welche in der Nacht die
Schlafenden vor Überfällen zu *schützen* haben. Es bezieht sich auf das willentliche u bewußte
Wachen, auf der Wacht sein, trans *bewachen* Hom Il 10, 309ff. 417ff u gewinnt die Bdtg
15 *schützen, behüten, sorgen für* Od 15, 35; neben φυλάσσω steht ῥύομαι Il 10, 417; Od 14, 107.
Ferner heißt es *beachten, Rücksicht nehmen auf, aus sein auf* Il 2, 251 u *beachten, beobachten, befolgen* Il 16, 686 oder *bewahren* Il 16, 30; 24, 111; 3, 280, schließlich auch *sich
hüten, behutsam sein* Il 23, 343. Das Med hat die Bdtg *sich in acht nehmen, sich hüten
vor* u wird vielfach gebraucht wie das Akt, zB Soph Phil 48. In Hom Od 5, 466; 22, 195 be-
20 deutet das Verbum intr *wach sein*, opp schlafen u bezieht sich auf die Tätigkeit der
Hirten. Die Konstr mit ἀπό *bewahren vor* findet sich Xenoph Cyrop I 4, 7, bei Plat steht
μή Theaet 154 d oder ὅπως μή Gorg 480 a. φυλάσσω νόμον heißt *eine Verhaltensregel sich
merken* Soph Trach 616 u *die Gesetze* genau *beobachten* Plat[2] Polit 292 a, vgl φυλάττοντες
σῴζειν Resp VI 484 d. Ähnlich formuliert Aristot φυλάξαι τοὺς νόμους Pol III 15 p 1286 b
25 33; φυλάττειν ... τὴν πολιτείαν VIII 1 p 1337 a 15 f.

2. Der hellenistische Sprachgebrauch.

In dem Alltagsgriechisch der Pap läßt sich eine reiche Mannigfaltigkeit des Sprachgebrauchs nachweisen. So ist vom Wachtdienst die Rede PPetr III
p 341, 21 f (3. Jhdt vChr); der fromme Wunsch *Gott behüte euch* steht PMasp I 67005, 27
30 (6. Jhdt nChr). Öfter geht es um aufbewahrte Urkunden PMasp I 67032, 89 (551 nChr)
oder hinterlegte Gegenstände PLille I 7, 8 (3. Jhdt vChr). Auch sonst ist der juristische
Sprachgebrauch beim Vertrags- u Eherecht reichlich bezeugt[3].

B. Im Alten Testament und im Judentum.

1. Im griechischen Alten Testament.

35   *a.* φυλάσσω kommt 471 mal in der LXX vor, wobei 379 mal שׁמר[4]

φυλάσσω. Hatch-Redp, Liddell-Scott,
Pape, Pr-Bauer sv; FMelzer, Der chr Wortschatz der deutschen Sprache. Eine evangelische Darstellung (1951) 249; WBöld, Die
antidämonischen Abwehrmächte in der Theol
des Spätjudt (Diss Bonn [1938]) 6—63.
[1] Etymologie unklar; vielleicht zu lat bu-
bulcus *Ochsentreiber*, Walde-Hofmann sv u
Boisacq sv φυλακός, Frisk sv φύλαξ. — Zur Bildung des Verbums vgl Schwyzer I 725. [Risch]

[2] WJaeger, Paideia. Die Formung des griech
Menschen III ³(1959) 38.
[3] Preisigke Wört sv mit zahlreichen Belegen; Moult-Mill sv.
[4] שׁמר (im HT 458 mal) wird sonst noch in
der LXX 13 mal mit διαφυλάσσω, 10 mal mit
προσέχω und 22 mal mit τηρέω samt Kompos,
dazu noch durch etwa 20 andere griech Vokabeln wiedergegeben.

u 10mal נצר⁵ zugrunde liegt. Beide hbr Verben umfassen im wesentlichen dasselbe Begriffsfeld wie φυλάσσω⁶.

b. φυλάσσω begegnet häufig — namentlich im Med — in den meisten aus dem profanen Griech bekannten Bdtg (→ 232, 11ff), dient aber vor allem als Ausdruck der von Gott geforderten Haltung des Menschen gegenüber dem Gottesbund 5 Ex 19, 5 uö, den kultischen Vorschriften, Gesetzen, Geboten, Mahnungen u Warnungen u wird in diesem Sinne zum term techn in den gesetzlichen Überlieferungen von Ex bis Dt. Es begegnet aber auch sonst in den geschichtlichen Büchern zT mit anderen Formulierungen, zB den Weg des Herrn *inne halten* Ri 2, 22; 3 Βασ 2, 4; 8, 25 (Plur) uö, die Gebote des Herrn (→ II 542, 38ff) *beachten, befolgen.* Die Propheten haben gele- 10 gentlich noch andere Prägungen, so ist vom *Bewahren* von Erkenntnis Mal 2, 7, von Gerechtigkeit, Wahrheit, Frieden Js 26, 2f die Rede. In den Hagiographen wird das *Bewahren, Beobachten* der Wege, Zeugnisse u Gebote des Herrn betont Hi 23, 11; ψ 17, 22; 18, 12 uö, bes ψ 118, wo sich φυλάσσω 21mal findet, vgl auch Prv 2, 8; 4, 5 usw. φυλάσσω steht negativ ψ 16, 4, mit ἀπό⁷ ψ 17, 24. In diesen Aussagen ist der Mensch 15 Subj; er ist gefordert, die göttliche Ordnung zu *erhalten,* zu *bewahren* u zu *beobachten,* wie Gn 2, 15 es beispielhaft ausspricht.

c. Das Verbum beschreibt aber auch umgekehrt die Haltung Gottes gegenüber den Menschen. Es ist die gläubige Erfahrung der Bewahrung durch Gott, auf die der Mensch sich gerade dann besinnt u beruft, wenn das eigene Schicksal 20 dem zu widersprechen scheint Hi 10, 12; 29, 2. Aber Gott, der alle Wege des Frommen *beobachtet* Hi 13, 27; 33, 11, *behütet* u *bewahrt* ihn auch in Leid u Sünde 10, 14 u könnte ihn selbst im Totenreich vor dem eigenen Zorn *bergen* 14, 13 (HT: צפן)⁸. Gott *sorgt* für Tiere Hi 39, 1 u Menschen Jer 5, 24. So wird 'Ιερ 38 (31), 10 das Bild von Jahwe als dem Hüter u Hirten⁹ Israels geprägt. Sonst fehlt das Verbum in der prophetischen Heils- 25 verkündigung. Die Psalmen feiern in zahlreichen hymnischen Aussagen Jahwe als Hüter u Wächter des Frommen, der sich immer wieder mit der Bitte um Bewahrung an ihn wendet ψ 11, 8; 15, 1; 16, 8; 24, 20; 33, 21 usw, vgl auch 1 Βασ 30, 23; Prv 2, 8 uö. Er, der Israel *behütet,* schläft nicht ψ 120, 4. Er *bewahrt* die Stadt ψ 126, 1, er *behütet* die Fremden ψ 145, 9, die Armen ψ 114, 9, seine Frommen ψ 96, 10, seine Geliebten 30 ψ 144, 20, die einzelnen Beter ψ 120, 7. Der aaronitische Segen spricht Israel diese Behütung zu Nu 6, 24, vgl Ex 23, 20. Dazu kommen Aussagen mit sachlichem Obj: Gott *hält fest* an seinem Erbarmen u *bewahrt* seinen Bund 3 Βασ 3, 6; 8, 23; 2 'Εσδρ 11, 5; 19, 32; 2 Ch 6, 14ff; Dt 7, 9, er *bewahrt* die ἀλήθεια ψ 145, 6. An Gottes Stelle treten in der Weisheitsüberlieferung gewissermaßen als Hypostasen, als Segensmächte, die den 35 Menschen *bewahren,* Weisheit Sap 9, 11; 10, 1. 5. 12, guter Rat Prv 2, 11, das Gebot des Gesetzes Prv 6, 22, Bildung Prv 10, 17, Gerechtigkeit Prv 13, 6. Als logisches Subj steht Gott auch hinter pass Formulierungen Sap 19, 6; ψ 36, 28. Wie der Fromme zu seinem Heil bewahrt wird, so wird der Gottlose aufgespart für den Tag des Unheils Prv 16, 9. Die prophetische Botschaft aber enthält die Zusage, daß Gott nicht ewiglich zürnen 40 wird oder immerfort *nachtragen* διαφυλάσσω Jer 3, 5. So kommt es in späteren griech Übers ψ 60, 8 E' S' (Field zSt) unter Verlesung des schwierigen HT zu dem Bekenntnis: *Erbarmen u Wahrheit von Dir (Gott) her bewahren ihn (den Frommen).* Das in der jüd Frömmigkeit schon seit früher Zeit aus der at.lichen Gesch gelöste u als Ausdruck der

---

⁵ נצר (im HT 62mal) wird sonst noch in der LXX einmal mit διαφυλάσσω, 12mal mit (ἐκ-) ζητέω, 10mal mit τηρέω u Kompos wiedergegeben. Wo φυλάσσω u τηρέω nebeneinander vorkommen, entspricht φυλάσσω שמר u τηρέω נצר, vgl zB Prv 2, 11. In Prv 19, 16 wird zweimal שמר mit φυλάσσω u τηρέω wiedergegeben u 21, 23 mit φυλάσσω u διατηρέω. שמר bzw φυλάσσω hat dabei den persönlichen Bezug, נצר bzw διατηρέω den sachlichen, vgl Prv 22, 5, wie denn bei נצר überh sachliche Obj vorherrschen.

⁶ נצר ist vielleicht gegenüber שמר gelegentlich in seiner Bdtg schärfer geprägt, zB Hi 7, 20, wo נצר אדם *Menschenhüter* wohl die genaue kritische Beobachtung des Menschen von seiten Gottes meint.

⁷ Helbing Kasussyntax 30—32.

⁸ Eine auch nur leise Hoffnung auf Aufwachen aus dem Todesschlaf liegt Hi 14, 12 nicht vor. Der Wunsch, im Totenreich geborgen zu werden, ist doch wohl irreal, vgl FHorst, Hiob, Bibl Komm AT 16, 1 (1968) zSt. Die alte kirchliche Exegese fand in v 12 die eschatologische Totenauferweckung angedeutet. Daher sieht GHölscher, Das Buch Hiob, Hndbch AT I 17 ²(1952) zSt den Vers als überarbeitet an. Anders KBudde, Das Buch Hiob, Handkomm AT II 1 (1896) zSt. LXX findet hier, bes v 14, den Auferstehungsglauben bezeugt.

⁹ Vgl WJost, Ποιμήν. Das Bild vom Hirten in der bibl Überlieferung u seine christologische Bdtg (1939) 19—21.

Hoffnung auf ein ewiges Leben verstandene Wort 1 Βασ 25, 29 wird bei Σ mit φυλάσσω wiedergegeben: *Die Seele sei bewahrt im Bund des Lebens bei dem Herrn Gott* (→ II 854, 43 ff).

2. In den Qumrantexten.

שמר im Sinne treuester Gesetzeserfüllung ist wohl eins der Stichworte der Gemeinde von Qumran[10]. Denn שמר heißt es in den Qumrantexten von denen, die seinen Bund *bewahren* 1 QS 5, 2. 9, die seine Gebote *halten* 1 QpHab 5, 5 zu 1,12f; 1 QH 16, 13. 17; Damask 3, 2f (4, 2f), die die Treue *bewahren* 1 QS 8, 3; 10, 25. Damask bezeichnet mit שמר den Dienst des Heiligtums 4, 1 (5, 7), die *Beobachtung* des Sabbat 6, 18 (8, 15); 10, 16f (13, 1) u das *Halten* des Schwurs 16, 7 (20, 4f). Mit diesen Prägungen beschreibt u bezeichnet die Gemeinde sich selbst. Das geschieht ohne Kasuistik unter radikaler Ablehnung der gegenteiligen Haltung 1 QS 10, 21; 1 QM 10, 1; 1 QH 18, 24; Damask 2, 18. 21 (3, 4. 7); 6, 14 (8, 12). Dahinter aber steht Gott; er ist es, der die Frommen *bewahrt* 1 QS 2, 3; 1 QM 11, 11 [11]; 14, 4. 8. 10; 18, 7 [12]; 1 QH fr 3, 7 [13]; wohl auch 1 QH 15, 15 [14], u so seinen Eid *hielt* Damask 8, 15 (9, 23) u Bund u Gnade *bewahrte* Damask 19, 1 (8, 21).

3. Bei Philo und Josephus.

a. Philo Det Pot Ins 62—68 knüpft an Gn 4, 9 u Nu 8, 26 an u erklärt das Bewahren im Gedächtnis als das Ziel, das der Übung als dem Mittel überlegen sei, vgl auch Leg All I 53—55 zu Gn 2, 15. φυλάττω kommt bei Philo nur im Zshg der genannten St vor. Sonst begegnet bei ihm Cher 34 προφυλάττομαι mit Bezug auf die Mahner u Warner, die die Ungewißheit der Zukunft zu bedenken geben u Maß zu halten auffordern.

b. Bei Josephus Ant 4, 301 wird die Bestimmung Dt 22, 5 wiederholt. Die religiös sittlichen Mahnungen Ant 8, 120 sind eine Paraphrase zu 3 Βασ 8, 58, wobei Jos zu φυλάττεσθαι ἀπό das τηρεῖν mit Acc einfügt, vgl 8, 395. In Bell 2, 139 wird als der zweite Punkt der essenischen Regeln die Verpflichtung, die Menschenrechte zu *wahren*, genannt. Weiter wird in diesem Zshg gefordert, daß man sich rein *bewahre* von unheiligem Gewinn 2, 141. Eine bes Bdtg hat für Jos die Mahnung, das Gesetz zu *bewahren* Ant 4, 318, Vorschriften, Gebote, Gesetze u Verordnungen zu *beobachten*, zu *halten* u zu *befolgen* 6, 141. 336 (so auch τηρέω, zB 8, 120. 395; 9, 222); 7, 338. 384; 8, 208; Ap 1, 60. 317; 2, 156. 184 usw. Die Mahnungen, am Gesetz Ant 12, 276 u den väterlichen Bräuchen 16, 36; 19, 285. 288. 290. 304; Ap 1, 29 streng *festzuhalten* u sie zu *schützen* u Frieden zu *halten* Ant 4, 297, ergeben sich immer wieder aus der Geschichte. Es gilt, an der Frömmigkeit *festzuhalten* διαφυλάττω 16, 41, Gottes Gaben zu *bewahren* Ap 2, 197. Hinter allem steht Gottes schützende u erhaltende Macht Ant 4, 243; 6, 291; 7, 153; 8, 24. 114; 12, 55. Häufig ist auch der politisch-militärische Gebrauch von φυλάττω in verschiedenen Bdtg *sich hüten, sich vorsehen* 6, 207; 7, 32. 118, Eide u Verträge *halten* 10, 97; 14, 309; 20, 93. 349, *belagern* 12, 318, *bewachen, beschirmen* 11, 47f; 12, 333; 13, 202; 20, 155; Ap 2, 44; Bell 2, 205; 4, 51, *aufbewahren, bewahren, schonen* Ant 5, 13; 14, 489; Bell 2, 321; 5, 565; 6, 208; 7, 334. 373, *besetzen* 2, 378, *gefangen halten* Ant 13, 17; Bell 1, 258. Dazu hat Jos Anteil an dem allg Sprachgebrauch[15] von φυλάττω (→ 232, 11ff).

---

[10] HBraun, Spätjüd-häretischer u früh-christlicher Radikalismus, Beiträge z historischen Theol 24 [2](1969) I 99f; OBetz, Offenbarung u Schriftforschung in der Qumransekte, Wissenschaftliche Untersuchungen zum NT 6 (1960) 8. 32.

[11] Mit JCarmignac, La règle de la guerre des fils de lumière contre les fils de ténèbres (1958) zSt u KGKuhn, Konkordanz zu den Qumrantexten (1960) sv שמר ist hier [רתה] השמ zu ergänzen.

[12] Zu den St aus 1 QM vgl Carmignac aaO (→ A 11).

[13] ed AMHabermann, Megilloth midbar Yehuda (1959) 135.

[14] Vgl SHolm-Nielsen, Hodayot. Psalms from Qumran, Acta Theologica Danica 2 (1960) zSt.

[15] Bei Jos zeigt sich die große Spannweite von φυλάσσω im Sprachgebrauch des 1. Jhdt nChr. [Das Stellenmaterial wird zT KHRengstorf verdankt.]

4. In den griechisch erhaltenen Apokryphen und Pseudepigraphen.

Der Sprachgebrauch des jüd-hell Schrifttums der Apokryphen u Pseudepigraphen bringt kaum neue Gesichtspunkte. Das unbekannte oder doppeldeutige שׁוּף[16] Gn 3,15 ist Sib 1, 62 mit προφυλάσσω wiedergegeben. Wahrhaftigkeit u Liebe *be-* *wahren* Sib 2, 58. 65 ist eine bekannte Forderung. Der fromme Wunsch, die Wahrheit möge euch *bewahren* Test R 3, 9, fügt sich in die at.liche Weisheitsüberlieferung in ihrer hell Prägung ein. Sonst ist in den Test XII von dem *Bewahren* der geistigen Vermächt- nisse der Väter die Rede Test R 4, 5; S 7, 3; L 10,1; Jud 13,1; 26,1. Vor Verführung jeg- licher Art wird immer wieder gewarnt Test R 4, 8; 6,1; S 3,1; 4, 5; L 13, 8; Jud 16,1. Nach Test Jud 22, 3 *bewahrt* Gott in Ewigkeit Judas königliche Macht. ep Ar 311 wird der jüd Grundsatz der unantastbaren Bewahrung des überlieferten Gottesgesetzes Dt 4, 2; 13,1 auf die griech Übers des Gesetzes in der LXX übertragen.

5. In der rabbinischen Überlieferung.

Die Rabb sind die Hüter u Wächter der Thora; sie stellen die Traditionsreihe von Moses bis in die eigene Gegenwart fest Ab 1, 1—2, 4; 3—4. In Ab 4, 5. 11, vgl 2, 8 wird mit Bezug auf die *Beobachtung* des Gesetzes עשׂה gebraucht. Für die Rabb war die *Bewahrung* u Befolgung des Gesetzes u seiner Gebote, deren sie 613 M Ex 7, 5 zu 20, 2 (p 222, 2) zählten, die Grundlage der Frömmigkeit. So machten sie es sich zur Aufgabe, einen Zaun um das Gesetz zu legen Ab 1, 1. Die Beobachtung aller Gebote ist möglich[17]; es gibt also vollendete Gerechte bSchab 55a. Nach rabb Anschauung haben die Erzväter, zB Abraham bJoma 28b, sowie bBB 17a, u andere Fromme des AT die ganze Thora gehalten u sind sündlos geblieben Qid 4, 14. In Schebi 10, 3 wird Dt 15, 9 mit שׁמר *sich hüten* zitiert. Bik 13, 12 ist von אנשׁי משׁמר *den Män-* *nern des Dienstes* die Rede. Schab 22, 4 kommt שׁמר *aufbewahren* vor. Daneben be- gegnen in diesem Traktat צנע *aufbewahren* 10, 1 uö u נצל *retten, bewahren* 16, 1 uö. Im Aram wird שׁמר durch נטר zurückgedrängt.

C. φυλάσσω im Neuen Testament.

1. In den Evangelien und in der Apostelgeschichte.

Nur in der Geschichte vom reichen Jüngling kommt das Verbum bei allen drei Synoptikern vor, und zwar im Medium (Mk 10, 20 Par). Es ist der Ausdruck einer auch von Jesus anerkannten Gesetzesfrömmigkeit: „Das habe ich alles gehalten (beobachtet) von Jugend an." Während aber Jesus hier und sonst über die genaue Gesetzesbeobachtung als den letzten und höchsten Inhalt der Fröm- migkeit hinausweist, sehen andere neutestamentliche Stellen in der treuen Bewah- rung gegebener Vorschriften scheinbar die Vollendung der christlichen Frömmigkeit. Aber es geht im Neuen Testament nicht um Gottes Gesetz, sondern um Gottes Wort. So heißt es Lk 11, 28: „Selig sind, die Gottes Wort (→ IV 123, 5ff) hören und be- obachten." Dieses Herrenwort setzt wohl v 27 voraus und ist vielleicht als Ant- wort darauf konzipiert[18]. Schwerlich ist unter dem *Wort Gottes* die Thora zu ver- stehen. Auch die Worte Jesu, die Herrenworte, gelten in der Urgemeinde von früher Zeit an als Wort Gottes. Das geht aus dem Anspruch von Mt 7, 24ff Par

---

[16] Vgl Köhler-Baumg sv; LXX hat τηρέω (→ VIII 140, 30f).
[17] Str-B I 814. 816, dort weiteres Material.
[18] Bultmann Trad 30. Das Wort lautet im

Thomas-Ev (ed AGuillaumont uam [1959]) Logion 79 (95, 7f): „Selig, die das Wort des Vaters gehört u in Wahrheit gehütet haben."

hervor. Dabei entspricht das ποιέω (→ VI 477, 1ff) dem φυλάσσω bzw τηρέω (→ VIII 143, 11ff)[19]. Im übrigen entsprechen der Zusammenhang wie der Inhalt von Lk 11, 28 der Aussage von Lk 8, 21, wo die hervorgehoben werden, die das Wort Gottes hören und tun[20]. Joh 12, 47[21] ist *hören* und *beobachten* christologisch aus-
5 gerichtet: Wer die Worte (nach v 48 den Logos), die er gehört hat, nicht zur Wirkung kommen läßt, dem werden sie zum Gericht. Die Worte Christi zu *beobachten*, entspricht der johanneischen Forderung, die Wahrheit zu tun (J 3, 21; 1 J 1, 6).

Ag 7, 53 wirft Stephanus den Juden vor, daß sie das Gesetz nicht *erfüllen*[22]. Ag 21, 24 wird Paulus aufgefordert, sich als getreuer *Beobachter* des Gesetzes zu er-
10 weisen[23]. Nach 16, 4 verbreitet er die Verordnungen des sogenannten Apostel-konzils in Jerusalem in seinen Gemeinden, damit sie dort *beobachtet* würden. Es geht dabei um die in den heidnischen Gemeinden durchzusetzenden Verzichte (Ag 21, 25). φυλάσσω ist hier wie auch Lk 12, 15 in dem negativen Sinne *sich hüten vor* gebraucht[24]. Nach Lk 4, 10 soll Jesus sich unter die Verheißung des ψ 90, 11: τοῦ
15 διαφυλάξαι σε stellen. J 17, 12 ist er selbst es, der die *bewahrt*, die der Vater ihm gegeben hat, solange er in ihrer Mitte weilt. Für die Gemeinde des Auferstandenen gilt die Bitte um Bewahrung. J 12, 25 nimmt das synoptische Diktum auf, das dem Jünger, der das Leben hingibt, den Gewinn des Lebens zusagt.

2. In den Briefen.

20   Nach R 2, 26 würde die *Beobachtung* der Ordnungen des Gesetzes durch Heiden die Umkehrung des Verhältnisses von Juden und Heiden vor Gott bewirken. Der ihnen im Alten Testament zugesagten Gnade gehen die Juden verlustig, da sie das Gesetz nicht *beobachten* (R 2, 25). ἐὰν νόμον πράσσῃς ist schwer-lich anders zu verstehen[25] als das in v 26 folgende ἐὰν ... τὰ δικαιώματα τοῦ νόμου
25 φυλάσσῃ *wenn (die Unbeschnittenen) die Rechtsforderungen des Gesetzes befolgen.* Gl 6, 13 sagt Paulus von den jüdischen Gegnern, die um das Gesetz eifern, das harte Wort, sie *hielten* das Gesetz nicht[26].

1 Tm 5, 21 unterstreicht die Aufforderung, den Weisungen des Verfassers Folge zu leisten, sie zu *beobachten*, die Verbindlichkeit der Mahnungen und Warnungen.
30 Daneben steht die Mahnung, den christlichen Glaubensstand (→ VIII 164, 42ff) zu *bewahren* (1 Tm 6, 20[27], vgl 2 Tm 1, 12. 14). Die Mahnung, sich vor den Götzen, dh vor der Berührung mit dem Götzendienst, den heidnischen Kulten zu *hüten* (1 J 5, 21)[28], wird durch das Gegenbild, die Prädikation des wahren Gottes, noch

---

[19] Dt 5,15; 1 Ch 28,7 ist עשׂה mit φυλάσσω wiedergegeben, andrerseits Ex 12, 17; 1 Ch 22,12; 29,19 שׁמר mit ποιέω. Vgl auch den rabb Sprachgebrauch (→ 235, 15ff).
[20] Vgl Braun aaO (→ A 10) I Regist sv Tun der Tora; II 29—34.
[21] Bultmann J zSt.
[22] MHScharlemann, Stephen: A Singular Saint (1968) 102—104: Angriff auf die totale Kultreligion.
[23] Haench Ag[15] 542—545.
[24] Bultmann Trad 360. Die beiden Stücke Lk 12,13f u 16ff sind im Thomas-Ev aaO (→ A 18) je für sich erhalten, vgl Logion 72 (94, 1—6) u 63 (92, 3—9).

[25] Allerdings wird πράσσω in LXX namentlich in der Weisheitsüberlieferung vorwiegend in ethisch negativem Sinn gebraucht. Auch im NT verbindet sich mit diesem Verbum häufig ein negatives Urteil → VI 634, 51ff; 635, 43ff; 636, 12ff.
[26] Vgl Schlier Gl[13] zSt.
[27] BWeiß, Die paul Briefe u der Hb [2](1902) zSt sieht die Weisungen in v 17—20, Wbg Past zSt in v 19f.
[28] Bl-Debr § 149; Johannessohn Präpos 276f; Helbing Kasussyntax 31f. Ein Hebraismus oder auch Semitismus liegt nicht vor. Zum Grundsätzlichen vgl Deißmann LO 96—99.

stärker hervorgehoben (1 J 5, 20). Ähnlich warnt der abschließende Satz 2 Pt 3, 17 allgemein vor der Verführung [29] und 2 Tm 4, 15 im besonderen [30] vor einem gewissen Alexander. 2 Th 3, 3 erhält die Gemeinde die Zusage: Der Herr wird auch stärken und vor dem Bösen *bewahren*. Dem entspricht die Hoffnung, die im Schlußsatz des Briefes Jd 24 in einer offenbar liturgisch geprägten Formel sich ausdrückt: 5 „Gott, der euch fehllos bewahren kann ...". Daß Gott den Noah mit den Seinen in dem Untergang der gottlosen Welt bewahrte, macht ihn zum Prediger der Gerechtigkeit Gottes (2 Pt 2, 5), die hier wie im Alten Testament (→ 233, 18 ff) in der Bewahrung der Frommen sich offenbart [31].

Wo φυλάσσω sonst im NT gebraucht wird, vom *Bewachen* des Hofes Lk 11, 21 oder 10 der Kleider Ag 22, 20 u in der Bdtg *gefangen halten, gefangen gehalten werden* Lk 8, 29; Ag 12, 4; 23, 35; 28, 16, fehlt die theol Beziehung; zu Lk 2, 8 → 239, 18 ff.

D. Im frühen Christentum.

Die Vokabel φυλάσσω ist vor allem im Sinne des *Bewahrens* aufgenommen worden, so bei Just Dial 46, 1 ff u passim in seiner Auseinandersetzung mit 15 dem Judt, vgl auch 1 Cl 14, 5; 2 Cl 8, 4; 9, 3; Dg 1, 1. In Dg 10, 7 ist von dem eigtl Tod die Rede, der *aufbewahrt* ist für die in das ewige Feuer Verdammten. Dg 7, 2 wird die *Beobachtung* der Weltordnung durch die Elemente u durch die Sonne dem Logos als dem Schöpfer des Alls zugeschrieben. Auch im Sinn von *sich hüten* kommt das Verbum öfter vor, Just Apol 14, 1 mit μή, Dial 82, 1; Ign Trall 2, 3; Eph 7, 1 mit Acc; 20 Herm m V 1, 7 mit ἀπό. Die Wertung der Überlieferung als der eigtl Norm für die Kirche ist festgelegt in dem Satz Did 4, 13: „Du sollst die Gebote des Herrn nicht lassen, sondern bewahren, was du empfangen hast, ohne etw hinzuzufügen oder fortzulassen", ähnlich Barn 19, 11. Hier ist als Grundsatz positiv ausgesprochen, was der Fluch von Apk 22, 18 f schon voraussetzt: die Gebundenheit an eine abgeschlossene Tradition 25 (→ 235, 33 ff).

† φυλακή

A. Außerhalb der Bibel.

1. φυλακή bezeichnet *a.* die Handlung des *Wachens* Hom Il 9, 1. 471; Aesch Ag 236 oder den *Schutz*, den bestimmte Einrichtungen für die politische 30 Ordnung bieten Aristot Pol V 11 p 1315a 8. — *b.* Die Vokabel steht für die Pers des Wächters, die *Wache*, zB Plat Prot 321d von den *Wachtposten*, die den Zugang zur Burg des Zeus verwehren, auch kollektiv die *Wachabteilung* Hom Il 10, 408. 416. Dafür tritt vielfach φύλαξ ein Plat Resp II 367a; III 395b; VI 504c. Die Dämonen sind *Beschützer* der sterblichen Menschen Plat Crat 398a, der sich auf Hes Op 123. 253 be- 35 zieht. — *c.* φυλακή bedeutet weiter den Ort des Wachens, die *Warte* Hdt II 30, 3; Xenoph Hist Graec V 4, 49, den Tiefstand eines Gestirns Michigan Pap Nr 1 fr 3 col A 24 ff [1]. Nach Aristot Cael II 13 p 293b 3 nennen die Pythagoreer das Zentrum des Weltkreises das *Wachthaus* des Zeus, vgl Plat Prot 321d (→ Z 32f). — *d.* φυλακή ist auch der Ort des Bewachtwerdens, *Gefängnis, Gewahrsam* Aesch Pers 592; POxy II 259, 8 (1. Jhdt 40 nChr) [2]. Die Vokabel kann sich auch auf die *Aufbewahrung* von Eigentum Aristot Eth

---

[29] Bl-Debr § 392, 1 b.
[30] Vgl Dib Past zu 4, 14.
[31] Vgl O Kaiser, Die Begründung der Sittlichkeit im Buche Jesus Sirach, ZThK 55 (1958) 51—63; Verf geht bei der Gegenüberstellung von Gesetz u Weisheitslehre von Dt 4, 2 aus.

φυλακή. Lit: → 232 Lit-A.
[1] ed FE Robbins, A New Astrological Treatise: Michigan Pap Nr 1, Classical Philology 22 (1927) 22f, vgl 44 zSt.
[2] Es wäre theol nicht unwichtig, wenn man zwischen Strafhaft u Schutzhaft in der Antike unterscheiden könnte. [Moule] — Vielleicht bietet Jos dafür Ansatzmöglichkeiten.

Nic IV 1 p 1120a 9 beziehen. — *e.* φυλακή dient auch als Zeitbestimmung; drei oder
vier *Nachtwachen* werden unterschieden[3] Hdt IX 51, 3. — *f. Vorsicht, Aufmerksamkeit*
bedeutet φυλακή bei Plat Resp VII 537d; Pseud-Plat Alc II 149c.

5

2. Wo astrale Vorstellungen anklingen, wo von himmlischen
Wachthäusern, Wachtposten u Wächtern gesprochen wird, sind wohl die Planeten
gemeint. Orientalische Anschauungen stehen im Hintergrund, wie sie in gnostischen u
mandäischen Überlieferungen begegnen, vgl Lidz Ginza R 183, 29ff[4]. Hier wird der
Weg der Seele[5] vorbei an den Wachthäusern, die den Zugang zum Himmel zu versperren
drohen, geschildert. Die Wachthäusler sind Dämonen. Ähnliche Darstellungen finden
10   sich Lidz Ginza R 209, 23f. 33f uö; L 444, 34ff. Die Ausgestaltung der Wachthäuser
als Gefängnisse u Straforte setzt Höllenvorstellungen voraus, wie sie in den Turfantexten
wohl aus buddhistischer Quelle bezeugt sind u in Judt u Christentum weitergebildet
wurden[6]. Die Vorstellung der Wächterengel (→ I 81, 2ff), die als Schutzmächte den
Menschen zur Seite stehen u der Seele zum Aufstieg aus dem Gefängnis des Leibes
15   verhelfen, wie sie bei Procl In Rem Publ II 351, 16 oder Jambl Myst II 5 begegnet, ist andersartig, hängt aber wohl mit der von den Wachthäusern zus[7]. Die
Einfügung der urspr astralen Vorstellungen der Wachthäuser, Wachtposten, Wächter-,
Straf- u Schutz-Engel[8] in den hell Erlösungsmythus u ihre Aufnahme in die Angelo-
logie u Dämonologie ist im Judt u Christentum in sehr verschiedener Weise u oft wider-
20   spruchsvoll erfolgt.

B. Im griechischen Alten Testament und im Judentum.

1. In der Septuaginta kommen die verschiedenen Bdtg von
φυλακή vor, u die hbr Grundlage ist daher keineswegs einheitlich. שָׁמַר (→ 232, 35ff)
steht allerdings auch hier im Vordergrund. *a. Wache halten* ist mit φυλάσσω φυλακήν
25   4 Βασ 11, 5 gemeint. — *b.* Von Pers kommt das Wort 1 Ch 26, 16 vor, von ἐλεημοσύνη
u ἀλήθεια als Personifikationen Prv 20, 28. Öfter tritt auch hier φύλαξ dafür ein (→
VI 95 A 8; VII 610 A 16). Diese Vokabel steht für das Part von שָׁמַר, da eine substantivische Grundlage der Eigenart der hbr Wortbildung entsprechend fehlt. — *c.* Als
Ortsbezeichnung kommt die Bdtg *Wache* 2 'Εσδρ 13, 25 vor. — *d. Gefängnis* ist Gn
30   40, 3; 3 Βασ 22, 27; 2 Ch 16, 10 gemeint. — *e.* Als Zeitbestimmung steht die Vokabel
Ex 14, 24. — *f.* Kultischer Gebrauch in Verbindung mit dem Verbum findet sich Nu 1, 53
uö: τὰς φυλακὰς φυλάσσω *Pflege, Wartung* u *Bewachung* des Heiligtums u die minutiöse
Beobachtung der rituellen Bestimmungen sind inbegriffen. In 3 Βασ 2, 3 wird die kultische Formel in sittlich-religiösem Sinne gedeutet u damit von der bloß rituell-kultischen
35   Verwendung gelöst.

2. Astrale Vorstellungen von himmlischen Wachthäusern
liegen Bar 3, 34 vor: *Die Sterne leuchten*[9] *in ihren Wachthäusern.* Die astrale Beziehung
macht sie selbst zu Wächtern[10]. Als solche werden sie im Judt auch häufig bezeichnet.

---

[3] Vgl Pr-Bauer sv.
[4] Vgl RReitzenstein u HSchaeder, Studien zum antiken Synkretismus aus Iran u
Griechenland (1926) 27.
[5] In Pist Soph wird der Weg der Seele aus
dem Chaos zum Erbe der Höhe geschildert.
Vgl GBertram, Artk Erhöhung, in: RAC VI
22—43.
[6] JKroll, Gott u Hölle. Der Mythus vom
Descensuskampfe, Studien der Bibliothek
Warburg 20 (1932) 238. 297. 299. 310; FJDölger, Sol Salutis. Gebet u Gesang im chr
Altertum (1925) 336—364; AAdam, Das Sint-
flutgebet in der Taufliturgie, Wort u Dienst
NF 3 (1952) 9—23; → VIII 611, 27ff.
[7] Die Vorstellung von den *Wächtern,* die

den Menschen beigegeben sind, ist bereits für
Hes Op 121ff zu belegen. Die Menschen des
goldenen Zeitalters sind nach ihrem Verschwinden von der Erde δαίμονες . . . ἐσθλοί . . .
φύλακες θνητῶν ἀνθρώπων. Die St ist später
weiter um- und ausgedeutet worden. [Dihle]
Vgl Plat Crat 398a.
[8] JMichl, Artk Engel I, in: RAC V 59;
SGrill, Synon Engelnamen im AT, ThZ 18
(1962) 241—246.
[9] Licht wird wie ein Himmelsbote personifiziert, vgl FNötscher, Zur theol Terminologie
der Qumrantexte, Bonner Bibl Beiträge 10
(1956) 107.
[10] Bousset-Greßm 322 A 2, dort weiteres
Stellenmaterial.

Diese Gestirngeister sind hohe Engel, die einen Rat von *Wächtern* (aram עִיר)[11] bilden
Da 4,14, vgl 1 Kö 22,19ff; Hi 1, 6ff; Js 62, 6. Ihr Sitz sind die φυλακαί, die *Wachthäuser*
der Planeten.

3. An Gedanken der antiken Philosophie (→ 232, 21ff)
erinnert es, wenn es ep Ar 125 heißt, daß gerechte u weise Männer den stärksten *Schutz* 5
der Königsherrschaft bilden. Philo nennt Deus Imm 17[12] unter den Gütern, um die sich
selbstsüchtige Menschen nicht kümmern, ua neben dem Heil des Vaterlandes die *Bewah-*
rung φυλακή der Gesetze, vgl Spec Leg I 154; II 253; IV 9. In Spec Leg IV 149 weist
er auf die *Bewahrung* der alten Sitten, der ungeschriebenen Gesetze hin. Deus Imm 96
spricht von der *Bewahrung* der Tugenden. Philo weiß von einem *Gefängnis* δεσμωτήριον 10
der Leidenschaften 111, der Sünden 113 mit bes *Wächtern* u Aufsehern. Hinter den Bildern steht die Anschaulichkeit des Mythus. In der Form hell Ideologie spricht Philo die
jüd Überzeugung aus: Eigtl Leben ist der ruhmvolle Tod für die *Bewahrung* φυλακή
der Gesetze Leg Gaj 192. Er nimmt damit Gedanken der jüd Leidensfrömmigkeit
auf. Auch der Satz, die Leiber als *Schutzwehr* φυλακή für das Gesetz dahingeben 4 Makk 15
13,13, weist nicht auf den Kampf, sondern auf das Martyrium.

C. φυλακή im Neuen Testament.

1. In Lk 2, 8 ist φυλάσσω φυλακάς nur scheinbar die Übertragung einer kultischen Prägung (vgl Nu 8, 26 uö → 233, 3ff) in einen profanen
Gebrauch; die von der Zufälligkeit des Berufes der Hirten (→ VI 498, 26ff) über- 20
nommene Aussage, daß sie *Wache hielten*, wird vielmehr zur Voraussetzung der
Erfüllung ihres Auftrags.

2. Wo φυλακή im Neuen Testament die Nachtwache
bezeichnet, hat die Vokabel zwar im Bildteil eigentlichen Sinn, wird aber im Gleichnis zum Hinweis auf das Eschaton[13]. Das ist in dem Gleichnis von dem Dieb und 25
dem wachsamen Hausherrn der Fall (Mt 24, 43; → VIII 454, 9ff) wie auch in der
Seligpreisung der wachenden Knechte (Lk 12, 37f). Das Gleichnis vom wachenden
Türhüter (Mk 13, 33—37) bringt mit anderen Vokabeln denselben eschatologischen
Gedanken zum Ausdruck. So mag auch in der Zeitbestimmung *die vierte Nacht-*
wache in der Geschichte vom Seewandeln (Mk 6, 48 Par) das eschatologische Mo- 30
ment mitschwingen[14].

3. In allen übrigen Fällen hat φυλακή im Neuen Testament
die Bedeutung *Gefängnis*.

Im gewöhnlichen Sinn kommt die Vokabel mit bezug auf den Aufrührer u Mör-
der Barabbas vor Lk 23, 19. 25. Nach Mk 6, 17 Par, vgl v 27 Par wird Johannes der 35
Täufer ins Gefängnis geworfen. Im Gefängnis erleben die Apostel Ag 5, 18—25, Petrus
Ag 12, 4—17, Pls Ag 16, 23—40 wunderbare Befreiung (→ III 175, 6ff). Auch viele

---

[11] ABentzen, Daniel, Hndbch AT I 19
²(1952) 43.
[12] ERGoodenough, The Politics of Philo
Judaeus. Practice and Theory (1938) 16f.
[13] WMichaelis, Die Gleichnisse Jesu ³(1956)
84—86; AStrobel, Untersuchungen zum eschatologischen Verzögerungsproblem, Nov Test
Suppl 2 (1961) 209 A 4; 214. 227—231;
Jeremias Gl⁷ 52.

[14] Darauf weist die Auslegung Cramer Cat I
zu Mk 6, 48. Wenn die Gesch als Epiphanie-
geschichte neben die vom Auferstandenen zu stehen kommt oder selbst als solche zu
betrachten ist, so wird der eschatologische
Charakter der Zeitbestimmung erst recht deutlich; denn die Offenbarung des Auferstandenen
gehört in die letzte Zeit.

ungenannte Christen werden nach Ag 8, 3 durch Pls ins *Gefängnis* überliefert, vgl Ag
22, 4; 26, 10, sowie φυλακίζω 22, 19. Es gehört zu dem Schicksal schon der Frommen
des AT Hb 11, 36ff wie der Nachfolger Jesu Apk 2, 10[15], Gefangenschaft zu erleiden[16].
Petrus will dies Schicksal auf sich nehmen Lk 22, 33, u Jesus hat es seinen Nachfolgern
5   vorausgesagt Lk 21, 12. Es ist die fast formelhaft überlieferte Leidenserfahrung des
Pls 2 K 6, 5; 11, 23. Für die Christen aber ergibt sich unter diesen Voraussetzungen
die Pflicht, Gefangene im *Gefängnis* zu besuchen Mt 25, 36—44.

An einigen Stellen wird der Begriff des *Gefängnisses* im Bildsinn gebraucht.
Das gilt auch von dem Bild des Schuldgefängnisses, das besonders Mt 18, 30, aber
10 auch Mt 5, 25 Par (→ VI 642, 36ff) gewiß zunächst ein irdisches Gefängnis ist,
aber wiederum besonders in dem Gleichnis vom Schalksknecht (Mt 18, 34, vgl 35)
auf eine jenseitige Strafe hinweist. In der Bedeutung *Gefängnis* als Ort der Bewahrung der abgeschiedenen Geister findet sich φυλακή 1 Pt 3, 19 (→ III 706, 10ff;
VI 577, 7ff). Satan ist in seinem Bereich, der zugleich sein *Gefängnis* ist, für
15 tausend Jahre gebunden (Apk 20, 7). In ähnlicher Weise ist nach Apk 18, 2 das
zerstörte Babel Herrschaftsbereich, letzte Zufluchtstätte und damit zugleich Ver-
bannungsort und *Gefängnis* der unreinen Geister und der ihnen gleichgeachteten
unreinen und verhaßten, unheimlichen Vögel geworden.

Bertram

20   ┌─────────┐
     │ † *φυλή* │
     └─────────┘

A. Profangräzität.

1. Als alte Ableitung von der Wurzel φυ- *geboren werden, entstehen*
bedeutete φυλή[1] zunächst *die durch gemeinsame Abstammung verbundene*, also *bluts-
verwandte Gruppe.* Diese Bdtg ist beim Neutrum τὸ φῦλον tatsächlich erhalten, zB im
25   weiten Sinne φῦλον ... θεῶν ... ἀνθρώπων das *Geschlecht der Götter ... das der Menschen*
Hom Il 5, 441f, oder im Sinne einer *Stammesgruppe* innerhalb eines Volkes. Agamemnon
soll die Leute aufstellen κατὰ φῦλα, κατὰ φρήτρας *nach Stämmen u nach Sippen geordnet*
Il 2, 362f. In dem erst nachhomerisch bezeugten φυλή tritt dieser blutmäßige Zshg fast
völlig zurück. Es bezeichnet ganz allg die *Unterabteilung eines Volkes*, wobei die übliche
30   Übers *der Stamm, das Geschlecht* nur mit Einschränkungen aufrecht zu erhalten ist.

2. Φυλαί sind alte gentilizische *Gruppen*, die als *Unterabteilungen*
der jeweiligen Gesamtgemeinde überall im jonischen u im dorischen Stammes- bzw
Sprachgebiet begegnen[2]. In den jonischen Gemeinden, Athen eingeschlossen, gibt es
traditionellerweise vier, in den dorischen drei Phylen, sofern ihre Zahl nicht um eine,
35   die Nichtdorier umfassende, vermehrt wird, zB in Argos. Über den Ursprung der Phylen-
einteilung, die sich erst in oder nach der dorischen Wanderung herausgebildet zu haben

---

[15] Die Aussage bezieht sich zunächst auf die
Gemeinde in Smyrna, hat aber allg Gültigkeit,
zumal der Teufel als der Urheber der Verfolgung genannt wird.
[16] Vgl Test Jos 1, 6; 2, 3; 8, 4; 1 Cl 45, 4;
Herm v III 2, 1.

φυλή. [1] Zur Ableitung von φυ- s Hofmann u Frisk sv φυλή u φύω, Pokorny I 147.

[2] Eine neuere Monographie darüber fehlt.
HBengtson, Griech Gesch von den Anfängen
bis in die röm Kaiserzeit, Hndbch AW III 4
(1950) Regist sv Phylen; GBusolt-HSwoboda,
Griech Staatskunde II, Hndbch AW IV 1, 1
[3](1926) Regist φυλαί, Phylen; KLatte, Artk
Phyle, in: Pauly-W 20 (1941) 996—1011;
dazu etliche Hinweise von Dihle.

scheint, wissen wir wenig. Einerseits kennt das altertümliche Vokabular des Epos den Ausdruck φυλή nicht, nur das verwandte φῦλον. Andererseits finden sich die Namen derselben Phylen, die alte ethnische Bezeichnungen darstellen[3], in fast allen weitverstreuten Einwanderungsgebieten wieder. Die Bdtg der Phylen, deren Verhältnis zu den kleineren Einheiten wie φρατρίαι, γένη, ὠβαί uam schwer zu bestimmen ist, liegt vor allem auf 5 sakralrechtlichem (gemeinsame Kultgottheiten), dann auch auf militärischem u administrativem Gebiet. Das schon frühe Zurücktreten des blutsmäßigen Zshg zeigt sich daran, daß auch Ureinwohner der eroberten Gebiete in die Phylen eingegliedert wurden[4]. Die Neuordnung der Stadtstaaten durch Lykurg in Sparta Plut, De Lycurgo 6 (I 43a) u durch Solon in Athen Aristot, Atheniensium Respublica[5] 8, 3f änderte noch wenig an 10 der alten Phylenstruktur. Die Phylen waren nicht nur Wahlbezirk für die Mitglieder des Rates, sondern auch Aufgebotsbezirk für einzelne Truppenkörper, so daß auch diese als Phylen bezeichnet werden konnten Hdt VI 111,1; Thuc VI 98, 4. Größere Eingriffe führte Kleisthenes in Athen durch[6]. Im Interesse der Konsolidierung des Gemeindestaates ersetzte er die alte Vierteilung durch zehn neugeschaffene Phylen, dh *Klassen, Bezirks-* 15 *gemeinschaften,* die nur nach Wohngebieten geordnet u je wieder in kleinere *Wohnbezirke* δῆμοι gegliedert waren. Doch hielt sich auch hier noch der alte gentilizische Charakter durch, indem Kleisthenes auch den neuen Phylen den Kultus eines fiktiven heroischen Ahnherrn gab. Die athenische Ordnung wurde in hell Zeit zum Vorbild für viele griech Städte, zB für Alexandrien[7], weshalb sich mit dem Wort φυλή die Vorstellung von einem 20 Wohnbezirk bzw seiner Einwohner verband. So wurde φυλή das gegebene Übersetzungswort für die röm tribus, die eine ähnliche Entwicklung aufweist Dion Hal Ant Rom 2, 7, 3. Hatte noch Hdt III 26,1 φυλή zur Bezeichnung von blutsmäßigen Volksgruppen verwendet, so traten im nachklassischen Griech dafür ἔϑνος, γένος uam ein.

3. Innerhalb der ägyptischen Priesterschaft werden φυλαί als 25 *Dienstabteilungen* oder *Klassen* unterschieden, die ihren Dienst im Turnus versehen[8] Ditt Or I 56, 24ff (239/38 vChr).

B. Die Septuaginta.

1. Der lexikalische Befund ergibt ein eindeutiges Bild. Von den rund 410 St, an denen φυλή vorkommt, können rund 330 mit dem hbr Äquivalent 30 verglichen werden. Gg 170mal steht φυλή für מַטֶּה, fast 120mal für שֵׁבֶט, dann noch 39mal für מִשְׁפָּחָה. Sieben St verteilen sich auf andere Vokabeln. Nun sind aber מַטֶּה u שֵׁבֶט die beiden promiscue verwendeten term techn[9] für die *Stämme* Israels[10], wofür die LXX mit wenigen Ausn[11] φυλή bietet, das darum zu einem festen Ausdruck für das Stammessystem Israels wird. Das häufige מִשְׁפָּחָה *Sippe, Großfamilie* wird in der Regel 35 mit δῆμος, dann aber auch mit πατριά, συγγένεια uam übersetzt. Aber an den meisten der 22 St, wo φυλή für eine innerisraelitische מִשְׁפָּחָה steht, konnten die Übersetzer mit mehr oder weniger guten Gründen annehmen, daß von einem ganzen Stamm die Rede sei Lv 25, 49; Nu 27,11; Am 3,1, vor allem aber Sach 12,12—14 (9mal), wo die verschiedenen Geschlechter Judas zur Klage aufgerufen werden[12]. An 40 17 St findet sich φυλή für מִשְׁפָּחָה im Sinne einer Sippe oder Volksgruppe in der außerisraelitischen Völkerwelt, so von der Verwandtschaft Abrahams Gn 24, 38.

---

[3] Die Namen der dorischen Phylen (Hylleer, Dymanen, Pamphyler, später dazu Aigialeer) nennt Hdt V 68, 2; zu den Namen der angeblich von den Söhnen des Ion herstammenden frühen athenischen Phylen vgl Hdt V 66, 2.

[4] Latte aaO (→ A 2) 996—999.

[5] ed FGKenyon (1920).

[6] Bengtson aaO (→ A 2) 131—133.

[7] Zur Phylenordnung in Alexandrien u Ptolemais Mitteis-Wilcken I 1, 15—17. 45f. 49. Weitere Lit bei Preisigke Fachwörter 180.

[8] Mitteis-Wilcken I 1, 111.

[9] P verwendet fast durchgehend מַטֶּה.

[10] Ganz ausnahmsweise bedeutet שֵׁבֶט Js 19,13 einen ägyptischen *Gau.*

[11] φυλὴν Λευι, δῆμον τοῦ πατρός σου Nu 18, 2 erklärt sich aus dem Nebeneinander der beiden 'hbr Vokabeln מַטֶּה לֵוִי שֵׁבֶט אָבִיךָ. Zum bes Sprachgebrauch von 1 Βασ → A 12.

[12] Einen Sonderfall innerhalb der LXX stellt 1 Βασ dar. Hier wird שֵׁבֶט durchgehend mit σκῆπτρον übersetzt 2, 28; 9, 21; 10,19—21; 15,17. Umgekehrt wird מִשְׁפָּחָה auch dort gleichsam mechanisch durch φυλή wiedergegeben, wo deutlich stammesinterne Sippen gemeint sind 9, 21; 10, 21; 20, 6. 29.

40 f [13], von den Völkerfamilien Gn 10, 5. 18, von den Stämmen der Edomiter Gn 36, 40. Hier liegt der Gesichtspunkt der Gliederung der Völkerwelt vor allem, wenn auch nicht ausschließlich, nach blutsmäßiger Herkunft vor. Solches gilt auch bei der großen Verheißung an Abraham καὶ ἐνευλογηθήσονται ἐν σοὶ πᾶσαι αἱ φυλαὶ τῆς γῆς Gn 12, 3; 28, 14, vgl ψ 71, 17. Dieser meistens pluralische Gebrauch von φυλή findet sich bei den späteren Propheten wieder Am 3, 2; Na 3, 4 vl; Sach 14, 17 f; Ez 20, 32. Wichtig für die Folgezeit ist der Sprachgebrauch bei Da, wo φυλή als ein Gliederungsprinzip bei der Aufzählung der Völker benutzt wird Δα 3, 7. 96, bei Θ zusätzlich 3, 4; 5, 19; 6, 26; 7, 14. Neben γλῶσσα u ἔϑνος (Θ : λαός) drückt φυλή dabei, das aram אֻמָּה aufnehmend, die Gliederung in Stammeseinheiten aus. Die späteren griech Übers des AT wenden φυλή in vermehrtem Maße auf die außerisraelitischen Völker an Js 34, 1 ’ΑΘ; Jer 51, 58 ’ΑΘ; ψ 64, 8 ’ΑΣ; 43, 15 Σ. Somit legt sich die Schlußfolgerung nahe: Die Übersetzer der LXX verstehen unter φυλή weniger eine eigenständige Größe als vielmehr einen gegliederten Teil eines übergeordneten Ganzen, sei es Israels, sei es der Völkerwelt.

2. Ein bes Problem, das hier nicht im einzelnen zu entfalten ist, bildet die Entstehung u Gesch der zwölf Stämme Israels [14].

a. Historisch greifbar sind die Stämme erst mit ihrem Auftauchen im Kulturland Palästinas. Wie die Bezeichnung שֵׁבֶט / מַטֶּה *Stab, Herrscherstab* andeutet, ist der Stamm eine Gemeinschaft von Menschen, die nicht nur durch gemeinsames Herkommen, sondern vor allem auch durch gemeinsame Leitung u gemeinsames Recht zusammengeschlossen sind. Nach innen gliedert er sich in Sippen u Familien, nach außen kann er sich zu Stammesgruppen verbinden. Im Laufe der Gesch stiegen Sippen zu Stämmen auf wie etwa Manasse, oder schwächere Stämme gingen in stärkeren auf wie Simeon in Juda. Die unterschiedlichen Stammeslisten Gn 49 (mit Levi u Joseph) u Nu 1, 5—15; 26, 5—51 (ohne Levi u mit der Teilung des Hauses Joseph in Manasse u Ephraim) zeigen solche Veränderungen unter Beibehaltung der kultisch bedingten Zwölfzahl (→ II 322, 6 ff) an [15]. Die Namen der Stämme sind von Pers (Dan, Joseph), von geographischen Bezeichnungen (Benjamin, Juda, Ephraim) oder von geschichtlichen Charakteristika (Issaschar, dh Lohnarbeiter) herzuleiten. Wenn hinter einigen wie Gad u Asser vielleicht sogar ein Gottesname steht, so zeigt dies nur, daß die Jahweverehrung nicht in allen Stämmen urspr war. Doch bestimmten schon in der Wüste die erwählenden Vätergötter das kultische u rechtliche Leben der Stämme. Die mit der Landnahme verbundene Begegnung mit Recht u Kult der alteingesessenen Völker wirkte sich naturgemäß auch auf die Stammesstrukturen aus.

b. Entscheidend für das Verhältnis der Stämme untereinander wurde der sog Bundesschluß zu Sichem Jos 24 [16]. Der Ephraimit Josua fügte die vorhandenen Gruppierungen zu einer geschlossenen Amphiktyonie unter dem Namen Israel zus u verpflichtete sie auf das gemeinsame Jahwebekenntnis u die damit verbundenen kultischen, rechtlichen u militärischen Minimalforderungen (→ II 122, 17 ff). Das Bekennt-

---

[13] In Analogie dazu steht φυλή für מוֹלֶדֶת Gn 24, 4.

[14] Zum Folgenden vgl AAlt, Der Gott der Väter, Kleine Schriften z Gesch des Volkes Israel I ³(1963) 1—78; ders, Erwägungen über die Landnahme der Israeliten in Palästina, ebd I 126—175; ders, Die Ursprünge des isr Rechtes, ebd I 278—332; ders, Die Staatenbildung der Israeliten in Palästina, ebd II³ (1963) 1—65; MNoth, Das System der zwölf Stämme Israels, BWANT 52 (1930); ders, Gesch Israels ⁵(1963) 45—217; GvRad, Theol des AT I ⁵(1966) 17—97. Noth u vRad bieten zahlreiche Hinweise auf Einzelliteratur. Zur vielseitigen Gesch eines Einzelstammes vgl KDSchunck, Benjamin. Untersuchungen zur Entstehung u Gesch eines isr Stammes, ZAW Beih 86 (1963).

[15] SMowinckel, Zur Frage nach dokumentarischen Quellen in Jos 13—19 (1946) 22; ders, „Rahelstämme" u „Leastämme", Festschr OEißfeldt (1958) 129—150, ähnlich auch JHoftijzer, Enige opmerkingen rond het israëlitische Twaalf-Stammensysteem, Nederlands Theologisch Tijdschrift 14 (1959/60) 241—263 setzen das Zwölfstämmesystem aufgrund des Deboraliedes sogar in die nachdavidische Zeit.

[16] Grundlegend ist immer noch Noth aaO (→ A 14). GFohrer, AT — „Amphiktyonie" u „Bund"?, ThLZ 91 (1966) 801—816. 893—904 lehnt die Hypothese der Amphiktyonie ab, indem er auf ihre Schwächen hinweist. Trotzdem scheint es schwierig, die Hypothese als Ganze fallen zu lassen. Wie RSmend, Jahwekrieg u Stämmebund. Erwägungen zur ältesten Gesch Israels, FRL 84 ²(1966) gezeigt hat, behält sie in modifizierter Form ihr Recht, vgl dazu auch MWeippert, Die Landnahme der isr Stämme in der neueren wissenschaftlichen Diskussion, FRL 92 (1967) 105. 139.

nis zur Erwählung durch den exklusiv-eifersüchtigen Bundesgott Jahwe sonderte die Bundespartner von der Umgebung ab. Der bes mit den Josephstämmen verbundene hl Krieg[17] leitete auch in politischer Hinsicht eine Verbindung zwischen den Einzelstämmen ein. Die alljährliche Beschwörung des Bundesformulares ordnete sowohl die vorhandenen kananäischen Kulte wie auch die alten Stammesgötter dem gemeinsamen 5 Jahweglauben unter. Der seit den Philisternöten entstehende Einheitsstaat ließ die Stämme zu unselbständigen Größen herabsinken. David stellte die Kontinuität zur alten Amphiktyonie dadurch her, daß er die Bundeslade nach Jerusalem führte u dadurch die alte private Königsstadt zum kultischen Zentrum der Stämme erhob. Salomo führte eine neue Gauordnung ein, die nur noch der Form nach mit der alten Stämmegliederung 10 übereinstimmte[18]. Im Zeitalter des stehenden Heeres 2 S 8,16—18; 20, 23 u der zentralen Königsgewalt wurde das Zwölfstämmesystem immer mehr eine Sache der Vergangenheit[19].

        c. Schon in vorexilischer Zeit entstand aus dem Wissen um die Treue des alten Bundesgottes die Hoffnung auf eine neue Zukunft der zwölf Stämme. 15 Diese zeigte sich zZt der getrennten Reiche etwa bei Elia, der auf dem Karmel seinen Altar aus zwölf Steinen errichtete 1 Kö 18, 31. P förderte diese Hoffnung bewußt, wenn sie die gemeinsame Vergangenheit Gesamtisraels in der Wüste unterstrich Nu 1—2; 10, 12—28; 26, 5—51 (Lagerordnungen); Nu 13, 2—16 (Kundschafter); Jos 4,1—7 (Jordanüberquerung). Im bab Exil erwartete Dtjs, daß der Gottesknecht die zwölf Stämme 20 Israels wieder aufrichten werde Js 49, 6, sah Ezechiel eine Neuverlosung des ganzen Landes vor Ez 47,13. 21—23 u nannte die Tore des neuen Jerusalem nach den zwölf Stämmen 48, 30ff. Die nachexilische Zeit führte diese Hoffnung weiter. Ihr dienten die sorgfältigen Geschlechtsregister 1 Ch 2—9, aber auch die Versuche zur Reinerhaltung der zurückkehrenden Stämme Esr 2; Neh 7, 6—73; 10. Zugleich begann man seit dem 25 Exil, die Stammesbezeichnungen als Personennamen zu verwenden Esr 10, 23. 31. 42[20]. Der Erwartung, daß Jahwe alle Stämme sieht Sach 9,1, entspricht die Berufung des Beters darauf, daß sie Gottes Eigentum sind Js 63,17, oder die Bitte Sirachs um deren Zusammenführung Sir 36, 10.

C. Das Spätjudentum.   30

        In der Regel werden die Stämme Israels nur genannt, wenn at.liche Texte oder die Zwölfzahl oder damit verbunden die Hoffnung auf die zukünftige Sammlung Gesamtisraels[21] dies veranlassen. Gelegentlich wird auf die genealogische Herkunft einzelner Pers hingewiesen, vor allem natürlich aus Juda oder Benjamin[22].

        a. In den Pseudepigraphen spielt die Zwölfzahl eine Rolle bei 35 der Nennung der 72 Übersetzer des AT ep Ar 46—50 oder beim Aufriß von Test XII. SchE 10 wird um die Zusammenführung ganz Israels gebetet. Der Apokalyptiker erwartet, daß die nach 2 Kö 17, 6; 18,11 nach Medien verschleppten zehn Stämme[23] ihre Rückkehr erleben werden 4 Esr 13, 12f; 39—49 u der Messias die συναγωγὴ φυλῶν herbeiführen wird PsSal 17, 44. In Verbindung damit werden sich auch alle Völker beim 40 Tempel einfinden Test B 9, 2. Eine völlig negative Beurteilung findet aufgrund von Ri 18, 30; Gn 49,17 der Stamm Dan, dessen Fürst der Satan ist Test D 5, 6.

        b. Das palästinische Judentum verwendet fast durchgehend nicht מַטֶּה, sondern שֵׁבֶט. Abgesehen von exegetischen Partien werden die Stämme in Diskussionen über Opfervorschriften Hor 1, 5 oder über die Gerichtsbarkeit bSanh 15b. 45

[17] Vgl dazu GvRad, Der Hl Krieg im alten Israel, Abh Th ANT 20 ⁴(1965); RdeVaux, Das AT u seine Lebensordnungen II ²(1966) 69—81; Smend aaO (→ A 16) 10—32, bes 30.

[18] AAlt, Israels Gaue unter Salomo, Kleine Schriften zur Gesch des Volkes Israel II ³(1964) 76—89; ders, Judas Gaue unter Josia, ebd 276—288.

[19] Wie weit der sakrale amphiktyonische Bund als selbständiges Gebilde neben der politischen Organisation weiterlebte, wie MNoth, Die Gesetze im Pent, Gesammelte Studien zum AT ³(1966) 42—53 meint, ist fraglich. Eher mögen die alten Traditionen einfach in der neuen Form des Staates aufgegangen sein.

[20] JJeremias, Jerusalem zZt Jesu ³(1962) 308. 330 mit A 164.

[21] Bousset-Greßm 237f; Volz Esch 378; Str-B II 606—608; IV 881f. 902—906.

[22] Jeremias aaO (→ A 20) 309—311.

[23] Wenn sBar 77,17. 19; 78,1 von 9½ bzw 2½ Stämmen die Rede ist, so ist wohl gemeint, daß zum Südreich Juda, Benjamin u halb Levi gehörten.

16b genannt. Die Hoffnung auf die Wiederbringung der zehn Stämme, von denen es einmal heißt, sie seien durch den phrygischen Wein u die Wasser der Thermen zugrunde
gerichtet worden bSchab 147b, bleibt lebendig. Nur die vereinzelte Stimme RAqibas,
der selbst eine Reise nach Medien gemacht hat, spricht eine andere Meinung aus Sanh
5   10, 3; SLv בחוקתי 8, 1 zu 26, 38.

c. Die Qumrangemeinde weiß um die Wiederherstellung des
Zwölfstämmereiches in der Zukunft 1 QM 2, 2f; 3, 14f; 5, 1; 1 QSa 1, 15. 29. Die Zwölfzahl spiegelt sich auch in den nach Stämmen geordneten Feldzeichen 1 QM 3, 12f.

d. Philo besitzt, seinem geschichtslosen Denken u seiner allego-
10   rischen Methode entsprechend, nur geringes Interesse an den Stämmen Quaest in Ex
II 30 zu 24, 4b. Am häufigsten wird Levi genannt, der wegen seines bes Eifers am Tage
des Goldenen Kalbes zum priesterlichen Stamm eingesetzt wurde Vit Mos II 160—173;
Spec Leg I 79. Die Gesamtheit der Stämme spielt wegen der Vollkommenheit der Zwölfzahl eine Rolle Fug 73f. 185.

15   *e*. Josephus, der sich selbst aus einer vornehmen priesterlichen
φυλή herleitet Vit 1, hält sich bei Nennung u Darstellung der Stämme an die Angaben des
AT, zB bei der Landverlosung unter Josua Ant 5, 80—87 oder bei der Exilierung der
Nordstämme 9, 280. Er weiß um die unzählbare Menge der am Euphrat verbliebenen
zehn Stämme 11, 133. Jos gebraucht φυλή auch für die Stämme der Araber 1, 221.

20   **D. Neues Testament.**

φυλή kommt 31 mal vor, davon 21 mal in der Apk.

1. Viermal wird die Herkunft von Einzelpersonen aus einem
isr Stamm genannt: aus Benjamin stammen der König Saul Ag 13, 21 wie auch der
Ap Pls R 11, 1; Phil 3, 5. Die Abkunft der Prophetin Hanna aus Asser Lk 2, 36 hängt
25   wohl mit der Verheißung von Gn 30, 13 zus: „Alle Töchter preisen mich glücklich". Schon
frühe legt die Gemeinde großen Wert auf die davidische Abstammung Jesu, vgl Mt 1, 1;
Lk 1, 27; R 1, 3; Mk 10, 47f Par; 12, 35ff Par. Dementsprechend wird Jesus der *Löwe
aus dem Stamme Juda* genannt Apk 5, 5. Für den Hb ist die Tatsache, daß Jesus aus
Juda u also nicht aus dem Priesterstamm Levi kommt, ein entscheidendes Argument
30   für die Ablösung des levitischen Priestertums und des damit verbundenen Gesetzes[24]
Hb 7, 13f.

2. Die meisten Stellen reden von der **Wiederherstellung**
der zwölf Stämme Israels (→ II 323, 15ff). Die in der Gegenwart armen und
verachteten Jünger Jesu werden als Beisitzer am Endgericht teilnehmen und dabei
35   Israel gegenüber die Rolle spielen, die den Ältesten dieses Volkes gegenüber den
Heiden zugedacht ist[25] (Mt 19, 28 Par). Dieses Logion spiegelt die scharfe Auseinandersetzung der christlichen Gemeinde mit dem Anspruch Israels wider. In
den entsprechenden Bildern der Apk fehlt dieser polemische Ton völlig. Die Tore
des neuen Jerusalem werden die Namen der Stämme Israels tragen (Apk 21, 12; →
40   243, 22f). Die sich selbst übertreffende Treue Gottes wird aus jedem Stamm nicht
nur eine einzige, sondern gleich zwölf Tausendschaften in den Stürmen der Endzeit bewahren (Apk 7, 4—8, vgl Nu 1, 16). Das Wesen der apokalyptischen Bilder-
sprache, die Voranstellung des Stammes Juda, vielleicht auch das Fehlen des gott-
widrigen Stammes Dan[26] (→ 243, 41f) sprechen dafür, daß sich die Zahl 144000

---

[24] Am klarsten bei Wnd Hb zSt.
[25] Belege bei Str-B IV 1103f.
[26] Die Erwartung, daß aus Dan der Antichrist kommen werde Iren Haer V 30, 2, vgl
Hipp, De Antichristo 14, ist chr Exegese zu
Apk 7 bzw Jer 8, 16.

nicht allein auf Israel, sondern auf die aus Israel und den Heiden bestehende neue Gemeinde bezieht[27] (→ II 324, 23ff). Diese ist dann wohl in v 4—8 unter dem Gesichtspunkt der bedrohten, aber auch bewahrten ecclesia militans gezeichnet, während v 9f den Ausblick auf die himmlische ecclesia triumphans bietet[28].

Umstritten ist die Auslegung von Jk 1, 1: Ἰάκωβος θεοῦ καὶ κυρίου Ἰησοῦ Χριστοῦ δοῦλος ταῖς δώδεκα φυλαῖς ταῖς ἐν τῇ διασπορᾷ χαίρειν. Wenn hier ein Jude an Juden[29] oder der Herrenbruder an die jüdische Diaspora[30] schreibt, so sind die zwölf Stämme im wörtlichen Sinn auf das jüdische Volk zu beziehen. Dem steht aber die Tatsache entgegen, daß die zwölf Stämme angesichts des verschollenen Nordreiches nur eine Größe der apokalyptischen Erwartung sind (→ 243, 14ff; 244, 1ff). Außerdem ist, mindestens in der vorliegenden Form des Briefes, der Verfasser ein Christ, der sich mit einer mißverstandenen paulinischen Rechtfertigungslehre auseinandersetzt (2, 14. 24) und also an Christen schreibt. Zudem hat sich, wie auch Apk 7 zeigt[31], die Idealisierung der Zwölfzahl auch in christlichen Kreisen durchgesetzt. Darum ist konsequent die übertragene Bedeutung anzunehmen[32], die unter den Stämmen das neue Gottesvolk versteht, in dem sich die alttestamentlichen Erwartungen erfüllt haben. Da auch dieses neue Volk noch fern der himmlischen Heimat und also in der Diaspora (→ II 103, 14ff) lebt, geht es trotz aller schon eingetroffenen Verheißungen der letzten Vollendung erst noch entgegen.

3. Ebenfalls im Umkreis der endzeitlichen Erwartungen stehen die Stellen, die im Anschluß an den alttestamentlichen Sprachgebrauch (→ 241, 40ff) von den φυλαί unter den Völkern reden. Die Klage der Geschlechter Judas (Sach 12, 10ff; → 241, 36ff) wird nach Mt 24, 30; Apk 1, 7 zur Klage der Heidenvölker angesichts des wiederkommenden Menschensohnes. Aus der Völkerwelt, die sich auch nach der Apk in φυλαί, γλῶσσαι, λαοί, ἔθνη gliedert, werden die Versiegelten erkauft (Apk 5, 9); aus ihr kommt auch die unübersehbare Schar der Überwinder (7, 9). Vor dieser Welt werden die Leichname der zwei Zeugen liegen (11, 9), sie ist der Macht des Tieres aus dem Abgrund ausgeliefert (13, 7), sie hat aber doch auch das Angebot des Evangeliums (14, 6.)

E. Die Apostolischen Väter.

Bei den Apost Vät klingen die nt.lichen Themata nach: φυλή von den zwölf Stämmen Israels 1 Cl 43, 2, in Verbindung mit der Zwölfzahl der Ap Barn 8, 3, mit Anwendung dieser Zahl auf das neue Gottesvolk Herm s IX 17, 1, von den Völkern der Welt in dem Zitat von Gn 12, 3 in 1 Cl 10, 3, neben ἔθνη u γλῶσσαι 2 Cl 17, 4.

Maurer

---

[27] Obwohl Pls R 11, 26 von der Rettung von ganz Israel spricht, gebraucht er das Bild von den zwölf Stämmen nie.

[28] So Had Apk zSt; anders Loh Apk zSt, der unter den 144 000 die Märtyrer u unter der zahllosen Schar die Gläubigen mit den Märtyrern versteht.

[29] So AMeyer, Das Rätsel des Jacobusbriefes, ZNW Beih 10 (1930) 298f für die jüd Urschrift.

[30] Schl Jk 1. 93—95.

[31] Auch τὸ δωδεκάφυλον Ag 26, 7 steht eindeutig im Zshg der Verheißungen Israels, um deretwillen Pls vor Gericht zu stehen behauptet.

[32] Dib Jk[11] zSt; FMußner, Der Jakobusbrief, Herders theol Komm z NT 13, 1 (1964) zSt.

---

† φύσις, † φυσικός, † φυσικῶς

Inhalt: A. φύσις in der griechischen Literatur: 1. Etymologie und Grundbedeutung; 2. Wesen und Beschaffenheit: a. Veranlagung und Wesen, b. Beschaffenheit und Konstitution, c. Menschliches und göttliches Wesen; 3. Wahres Wesen und Allnatur: a. Die
5 Vorsokratiker, b. Plato, c. Aristoteles, d. Der Hellenismus; 4. Natur und Ethik: a. Die Antithese Natur — Gesetz, b. Natur und Erziehung, c. φύσιν ἔχει, κατὰ / παρὰ φύσιν, 5. Die Natur als Welt- und Lebensprinzip in der Stoa: a. Gott, Welt und Natur, b. Der Mensch als λόγος und φύσις, c. κατὰ / παρὰ φύσιν in der Stoa, d. Naturgesetz. — B. Jüdische Literatur: 1. Septuaginta und Pseudepigraphen; 2. Philo: a. Gott und die Natur des Alls, b. Natur und
10 Gesetz; 3. Josephus. — C. Das Neue Testament: 1. Allgemeines; 2. Der paulinische Sprachgebrauch: a. Als Terminus des allgemeinen Sprachgebrauchs, b. Sonderbedeutungen; 3. Das übrige Neue Testament. — D. Zum Vorkommen von φύσις in der sonstigen frühchristlichen Literatur: 1. Apostolische Väter; 2. Apologeten; 3. Apokryphe Apostelgeschichten; 4. Gnosis.

15   ## A. φύσις in der griechischen Literatur.

1. Etymologie und Grundbedeutung.

a. Das Subst φύσις ist Verbalabstraktum zu ἔφῦν[1], πέφυκα, φύομαι (letzteres sicher sekundär) von der idg Wurzel bhū-, altindisch bhū zB abhūma =

φύσις κτλ. Lit: Zum Ganzen: Liddell-Scott, Pr-Bauer sv; ABonhöffer, Epiktet u das NT, RVV 10 (1911) 146—157 uö; GBornkamm, Gesetz u Natur. R 2, 14—16, Studien zu Antike u Urchr ²(1963) 93—118; ders, Die Offenbarung des Zornes Gottes. R 1—3, Das Ende des Gesetzes ⁵(1966) 9—33; BGärtner, The Areopagus Speech and Natural Revelation, Acta Seminarii Neotestamentici Upsaliensis 21 (1955) 73—116; RMGrant, Miracle and Natural Law in Graeco-Roman and Early Christian Thought (1952); HKöster, ΝΟΜΟΣ ΦΥΣΕΩΣ. The Concept of Natural Law in Greek Thought, Festschr ERGoodenough (1968) 521—541; GKuhlmann, Theologia naturalis bei Philon u bei Pls, Nt.liche Forschungen I 7 (1930); HLeisegang, Artk Physis, in: Pauly-W 20 (1941) 1130—1164; Ltzm R 40f Exk; MPohlenz, Pls u die Stoa, ZNW 42 (1949) 69—104. — Zu A: JLAdams, The Law of Nature in Greco-Roman Thought, Journal of Religion 25 (1945) 97—118; JWBeardslee, The Use of ΦΥΣΙΣ in Fifth-Century Greek Literature (Diss Chicago [1918]); GBornkamm, ΟΜΟΛΟΓΙΑ. Zur Gesch eines politischen Begriffs, Gesch u Glaube I (1968) 140—156; HDiller, Der griech Naturbegriff, Neue Jbch für Antike u deutsche Bildung 2 (1939) 241—257; WAHeidel, Περὶ φύσεως. A Study of the Conception of Nature among the Pre-Socratics, Proceedings of the American Academy of Arts and Sciences 45, 4 (1910) 77—133; FHeinimann, Nomos u Physis. Herkunft u Bdtg einer Antithese im griech Denken des 5.Jhdt, Schweizerische Beiträge zur Altertumswissenschaft 1 (1945); DHolwerda, Commentatio de vocis esse ΦΥΣΙΣ vi atque usu praesertim in Graecitate Aristotele anteriore (Diss Groningen [1955]); WJaeger, Die Theol der frühen griech Denker (1953) 127—146. 196—216. 227f; CLanger, Euhe-

meros u die Theorie der φύσει u θέσει θεοί, Angelos 2 (1926) 53—59; ALovejoy, The Meaning of Φύσις in the Greek Physiologers, The Philosophical Review 18 (1909) 369—383; DMannsperger, Physis bei Platon (Diss Tübingen [1969]); RMuth, Zum Physis-Begriff bei Platon, Wiener Studien 64 (1950) 53—70; HPatzer, Physis. Grundlegung zu einer Gesch des Wortes (Habilitationsschrift Marburg [1940]); MPohlenz, Der hellenische Mensch (1947) Regist sv Natur u Physis; ders, Nomos u Physis, Herm 81 (1953) 418—438; ders, Die Stoa I ²(1959) Regist II sv Physis; II ³(1964); KReinhardt, Parm u die Gesch der griech Philosophie ²(1959) 81—125. 223; PShorey, Φύσις, Μελέτη, Ἐπιστήμη, Transactions and Proceedings of the American Philological Association 40 (1909) 185—201; OThimme, ΦΥΣΙΣ, ΤΡΟΠΟΣ, ΗΘΟΣ. Semasiologische Untersuchung über die Auffassung des menschlichen Wesens (Charakters) in der älteren griech Lit (Diss Göttingen [1935]). — Zu B: EGoodenough, By Light, Light (1935) Regist sv φύσις; HAWolfson, Philo I (1948) 332—347; II (1947) 165—200. — Zu C: FFlückiger, Die Werke des Gesetzes bei den Heiden (nach R 2, 14ff), ThZ 8 (1952) 17—42; FKuhr, R 2, 14f u die Verheißung bei Jer 31, 31ff, ZNW 55 (1964) 243—261; MLackmann, Vom Geheimnis der Schöpfung. Die Gesch der Exegese von R 1, 18—23; 2, 14—16 u Ag 14, 15—17; 17, 22—29 vom 2.Jhdt bis zum Beginn der Orthodoxie (1952) 95—140. 212—235; SLyonnet, Lex naturalis et iustificatio Gentilium, Verbum Domini 41 (1963) 238—242; BReicke, Natürliche Theol nach Pls, Svensk Exegetisk Årsbok 22—23 (1957/58) 154—167; RWalker, Die Heiden u das Gericht, Ev Theol 20 (1960) 302—314.

[1] → Muth 54f.

ἔφυμεν, lat fu-, deutsch bi-n, englisch be[2], dessen Bdtg *werden, wachsen* ist, uz urspr vom pflanzlichen Wachstum. φύσις[3] heißt also *Wuchs, Beschaffenheit*, zunächst von Pflanzen, zB Hom Od 10, 303, dann auch auf Tiere u Menschen übertr. Mit neuem Bezug auf das Verbum ergibt sich die Bdtg *Hervorkeimen, Wachstum, Entstehung, Gebären*[4]. — *b*. An der einzigen St, an der φύσις bei Hom vorkommt, bezeichnet es die 5 *äußere Beschaffenheit*, den *Wuchs* des Heilkrautes Moly Od 10, 303[5]. Von der *äußeren Gestalt*[6] des Menschen verwendet das Wort erstmals Pind, der Nem 6, 5 φύσις vom νοῦς unterscheidet, vgl Isthm 4, 49[7]. Die gleiche Bdtg hat φύσις auch gelegentlich bei Hippocr[8], bei den Tragikern, zB Aesch Suppl 496; Soph Oed Tyr 740 u sonst, zB Aristoph Vesp 1071[9]. — *c*. Die *Bdtg Geburt* findet sich erstmals in der vorsokratischen 10 Philosophie. Emped fr 8, 1f (Diels I 312) verwendet φύσις (= γένεσις) als Korrelativ zu τελευτή (= φθορά)[10], vgl fr 8, 4, vom *Ursprung* der menschlichen Glieder fr 63 (Diels I 336). Entsprechend heißt der Dat φύσ(ε)ι *von Geburt*, so erstmals bei Hdt VII 134, 2 u bei den Tragikern, vgl φύσει νεώτερος *der jüngere Sohn* Soph Oed Col 1294f; vgl Ai 1301f. Daraus ergibt sich die technische Verwendung von φύσει zur Bezeichnung der 15 *leiblichen Abstammung*, entweder im Sinne des natürlichen Anspruchs legitimer Herkunft im Gegensatz zum Bastard Isoc Or 3, 42; Isaeus Or 6, 28, oder später für die leibliche Abkunft im Gegensatz zur gesetzlich festgelegten Vaterschaft: φύσει μέν... θέσει δέ Diog L IX 25[11], ähnlich POxy X 1266, 33 (98 nChr), vgl PFay 19, 11 (Brief des Kaisers Hadrian); Ditt Syll[3] II 720, 4f (2.Jhdt vChr); Ditt Or II 472, 4; 558, 6 20 (beide 1.Jhdt nChr)[12]; in ders Bdtg auch κατὰ φύσιν: Hamilkar ist Hannibals Vater κατὰ φύσιν, Hasdrubal durch Heirat Hamilkars Schwiegersohn Polyb 3, 9, 6; 3, 12, 3, vgl 11, 2, 2. — *d*. Das Adj φυσικός fehlt bei Hom, bei den Tragikern u in den erhaltenen direkten Zitaten der Vorsokratiker[13]. Es ist eines der zahlreichen Adj auf -ικος, die in der Sprache der Sophistik u Wissenschaft seit der 2.Hälfte des 5.Jhdt vChr äußerst 25 häufig auftreten[14]. Es steht erstmals bei Xenoph Mem III 9, 1 in der Bdtg *natürlich* im Gegensatz zu διδακτός u wird erst seit Aristot zum festen Bestandteil des philosophischen Sprachschatzes[15].

---

[2] Zur Etymologie vgl Boisacq, Hofmann sv φύω, Frisk sv φύομαι, → Leisegang 1130; → Holwerda 104—109; GSKirk, Heraclitus. The Cosmic Fragments (1954) 228.

[3] Zur Bildung mit -σις vgl PChantraine, La formation des noms en grec ancien, Collection linguistic 38 (1933) 283; JHolt, Les noms d'action en -σις (-τις), Acta Jutlandica 13, 1 (1941) 78f; WPorzig, Die Namen für Satzinhalte im Griech u Idg (1942) 333f; ÉBenveniste, Noms d'agent et noms d'action en indo-européen (1948) 78f; → Pohlenz Mensch 169f; → Muth 54f.

[4] Für ein Überwiegen dieser Bdtg im urspr Sprachgebrauch vgl → Thîmme 2; → Leisegang 1130; → Patzer 3f. 67 (nach → Holwerda 104f); → Diller 242f.

[5] → Diller 243 betont zSt den Zshg mit dem pflanzlichen Wachstum, vgl → Leisegang 1131.

[6] Hom gebraucht dafür den Acc φυήν, vorzugsweise als Acc der Beziehung, zB οὐ δέμας οὐδὲ φυήν *weder an Gestalt noch an Wuchs* Il 1, 115, ebs bei Hes, vgl Op 129. Hingegen erscheint φυή bei Pind zur Charakterisierung des *inneren Wesens*, das durch die adlige Herkunft gegeben ist u in der ἀρετή entfaltet werden muß, zB Pyth 8, 44, vgl → Heinimann 99.

[7] Zu φύσις bei Pind vgl → Heinimann 99; → Leisegang 1131.

[8] Vgl φύσις par zu μορφή Hippocr, De aere aquis locis 16 (CMG I 1 p 70, 10).

[9] Vgl ἡ τοῦ σώματος φύσις des Menschen, die man nicht Statuen u Gemälden gleichmachen kann Isoc Or 9, 75.

[10] Der Versuch, φύσις hier mit „bleibende Natur" zu übersetzen, → Lovejoy 371—373, entspricht zwar dem Verständnis dieser St bei Aristot Metaph 4, 4 p 1014b 35—1015a 3, ist aber nicht haltbar, vgl → Heinimann 90; → Leisegang 1132; → Jaeger 227f A 5. Zu der allg Frage, ob φύσις bei den Vorsokratikern mit *Ursprung* oder *Substanz* zu übersetzen ist, vgl JBurnet, Early Greek Philosophy [4](1930) 10—13; FJEWoodbridge, The Earliest Greek Philosophie, The Philosophical Review 10 (1901) 164f; → Heidel 130—133; → Thimme 44—48; → Leisegang 1138f; → Pohlenz Nomos u Physis 426.

[11] Vgl *durch Geburt* φύσει ein Ambrakiote, aber *durch Einbürgerung* δημοποίητος Sikyonier Athen 4, 81 (183d).

[12] Das Adj erscheint in dieser Bdtg erst spät υἱὸς γνήσιος καὶ φυσικός PLips 28, 18 (381 nChr); φυσικὸς υἱός der *natürliche Sohn* entspricht ὁ ἐκ πορνείας γεγονώς, opp γνήσιος υἱός Thom Mag, Eclogae vocum Atticarum (ed FRitschl [1832]) p 362, vgl Liddell-Scott sv φυσικός.

[13] Die bei den Zitaten der Vorsokratiker häufig erwähnten Titel von Abh wie φυσικά, φυσικὸς λόγος, περὶ φύσεως sind sämtlich spät, da es im 5.Jhdt vChr noch keine Buchtitel gab, → Leisegang 1135; zum naturwissenschaftlichen Sprachgebrauch → 248, 44ff.

[14] Vgl PChantraine, Études sur le vocabulaire grec, Études et Commentaires 24 (1956) 131f.

[15] → Leisegang 1135.

2. Wesen und Beschaffenheit.

φύσις ist alles, was von seinem Ursprung oder von der Beobachtung seiner Beschaffenheit her als vorgegeben erscheint. Mit der Bezeichnung dieses Vorgegebenen als φύσις wird aber immer schon der Bereich naiver Beschreibung über-
5 schritten u ein Urteil über die *tatsächliche Beschaffenheit* oder das *eigentliche Wesen* eingeschlossen.

a. Veranlagung und Wesen des Menschen werden so oft als φύσις bezeichnet, zB *natürliche Veranlagungen* u *Eigenschaften* wie die *Veranlagung* zur Fürsorge für die Kinder Democr fr 278 (Diels II 202f)[16], eine *Eigenschaft* wie die Herrsch-
10 sucht Democr fr 267 (Diels II 200) oder natürliche Begabungen οἱ φύσει λογιστικοί Plat Resp VII 526b. Bei den Tragikern ist φύσις oft das *innere Wesen*, die *Artung* des Menschen[17], in der die ἀρετή des Geschlechts zum Ausdruck kommt[18], vgl πρὸς αἵματος φύσιν *von gleichem Blut* (par zu φίλων, opp ein Fremder) Soph El 1125; ironisch von der ἐκ πατρὸς ταὐτοῦ φύσις der Chrysothemis, die dem *Wesen* der Schwester so wenig gleicht
15 325[19], vgl ferner Soph Phil 874; Ai 1301f. φύσις steht dann auch für *Charakter* u *Wesen* des Menschen ohne ausdrücklichen Bezug auf Geburt u Herkunft, sofern dieses Wesen vorgegeben u von bewußter Lenkung u Erziehung unabhängig ist, zB par zu ἦθος Eur Med 103f[20], vgl Xenoph Cyrop I 2, 2; auch von einem bösen *Charakter* Demosth Or 20, 140 oder von einer schlechten *Gewohnheit* Aristoph Vesp 1457f[21]. Bes bezeichnend
20 ist es, wenn φύσις in diesem Sinne als das *wahre Wesen* eines Menschen im Gegensatz zu seinen Handlungen steht. Wenn jmd Böses tut, obwohl er das Rechte weiß, so verläßt er seine φύσις, dh sein *eigentliches Wesen* Soph Phil 902f[22], vgl Plat Crat 395b; Soph 265d. e.

Hiervon abhängig ist der abs Gebrauch von φύσις im Sing u Plur zur Bezeichnung
25 eines *Lebewesens*: πᾶσα φύσις *jede Kreatur* Xenoph Cyrop VI 2, 29, vgl Plat Polit 272c, im Plur 306e, *Wesen* wie Scylla u Cerberus, von denen die alten Fabeln erzählen Plat Resp IX 588c. Bei Pflanzen heißt φύσις *Sorte*, *Art* Theophr Hist Plant VI 1, 1; Diod S 2, 49, 4; Isoc Areop 74; ebs bei Tieren: αἱ τῶν ἀλόγων ζῴων φύσεις *die (verschiedenen) Arten von unvernünftigen Tieren* Philo Virt 81, vgl 125, aber auch sonst: die
30 verschiedenen *Arten* von Staatsverfassungen Isoc Or 12, 134, die *Wesenszüge* der Seele Plat Leg VII 798a, vgl Soph Oed Tyr 674 (jeweils im Plur). Im abfälligen Sinne von Menschen *solche Kreaturen*, über Parteigänger der Feinde u Verräter Isoc Or 4, 113; 20, 11, vgl Aeschin Tim 191.

b. Beschaffenheit und Konstitution. Zu fragen, was dann
35 die Dinge der Welt eigtl, in ihrer wahren *Beschaffenheit* seien, heißt nach ihrer φύσις fragen. Der Begriff der φύσις in diesem Sinne ist in der ionischen Wissenschaft entstanden[23]. Dabei geht es zunächst nicht um die Erfassung der Natur als Ganzer (→ 251, 8ff), sondern um die wahre Beschaffenheit der Einzeldinge, zB im Kosmos: das eigtl *Wesen* des Äthers u der Sternbilder Parm fr 10, 1 (Diels I 241)[24], die *Wirkungen*
40 ἔργα u die *Beschaffenheit* φύσις des Mondes fr 10, 4f (Diels I 241). Aus der Ethnographie stammt die Frage nach der *Beschaffenheit des Landes* τῆς χώρης Hdt II 5, 2[25]. Mit φύσις wird dabei hervorgehoben, was das Besondere in der Beschaffenheit fremder Länder ist, vgl noch Hdt II 19, 1; 35, 2; 68, 1; 71[26]. Ähnlich verwendet wird φύσις bei Xenoph Vect 1, 2; Oec 16, 2. Vor allem aber wird φύσις in der medizinischen u

---

[16] Vgl → Reinhardt 85 A 1.
[17] Nur selten wird hier φύσις von der *äußeren Gestalt* verwendet u von der *inneren Art* ψυχή unterschieden, vgl Aesch Pers 441f.
[18] S dazu bes → Leisegang 1131.
[19] Zu dem Wortspiel mit der Bdtg *Herkunft* u der Bdtg *Wesen* → Lovejoy 378.
[20] Zur Verwendung von φύσις in dieser Bdtg bei Eur → Beardslee 28.
[21] Vgl dazu noch Democr fr 3 (Diels II 132); Plat Resp VII 526c; Phaed 109e; Aristoph Pl 273.
[22] Zur Antithese *wahrer Charakter* u gelegentliche Tat vgl → Lovejoy 377.
[23] Vgl dazu → Pohlenz Nomos u Physis 426.
[24] Die Frage, wieweit dabei zugleich an den Ursprung der Dinge gedacht ist, → Leisegang 1132; → Heinimann 90f, läßt sich bei der

fragmentarischen Überlieferung nicht mehr entscheiden, vgl → Lovejoy 374f; → Beardslee 12f.
[25] → Beardslee 20 hält die hier uö bei Hdt auftretende Bdtg für die grundlegende u urspr Bdtg von φύσις.
[26] Vgl dazu → Heinimann 106f: wahrscheinlich ist Hdt mit dieser Verwendung von φύσις von Hecataeus abhängig, der zeitlich wie geographisch mit Xenophanes u Heracl zusammengehört. Wir haben es hier also mit einer Weiterentwicklung des ionisch-naturwissenschaftlichen Physis-Begriffs zu tun, vgl ferner → Pohlenz Nomos u Physis 425. Bei der Deutung der Hdt-St vom Begriff der *Allnatur* auszugehen, so → Thimme 63, ist sicher abwegig.

naturwissenschaftlichen Sprache seit der 2.Hälfte des 5.Jhdt vChr zum Terminus für die *ursprüngliche* u *wahre Beschaffenheit* u erhält somit die Bdtg *eigentliches Wesen*[27], zB des Wassers Hippocr, De aere aquis locis 8 (CMG I 1 p 63, 10), der Krankheiten 2 (p 56, 24), aber auch des Menschen überh 12 (p 67, 18f)[28]. Das Interesse liegt bei diesem Gebrauch von φύσις vor allem an der Hervorhebung des Besonderen in der Beschaffen- 5 heit u dem Wesen der einzelnen Erscheinungen, uz insofern als sich dieses Besondere weder aus göttlichen noch aus sozialen oder anderen menschlichen Ursachen herleiten läßt[29]. Daher kann φύσις die *Konstitution* bezeichnen Hippocr, De aere aquis locis 3 (CMG I 1 p 57, 25). 20 (p 73, 14)[30] oder das *Temperament* Aristot, De divinatione per somnia 2 p 463b 16f[31]. Die Frage, wie sich dieses Wesen der Einzelerscheinungen zur 10 Naturkraft als ganzer verhält, steht in der Regel nur im Hintergrund[32]. Es ist dieser naturwissenschaftliche Physis-Begriff[33], den Aristot aufnimmt u dem er allg ontologische Gültigkeit gibt: „Die φύσις eines jeden Dinges ist das, was ein jedes Ding als Endergebnis seines Werdens ist" τῆς γενέσεως τελεσθείσης Pol I 2 p 1252b 32ff. Diese Def gilt also nicht nur für den natürlichen Bereich, vgl Part An II 9 p 655a 20; 4 p 15 651a 12[34], sondern auch darüber hinaus, vgl über die Tragödie Aristot Poet 4 p 1449a 2—15[35].

c. Menschliches und göttliches Wesen. Mit dem Begriff ἀνθρωπίνη φύσις wird oft das natürliche, normale menschliche *Wesen* von allen nicht menschlichen u unnatürlichen Phänomenen im menschlichen Bereich unterschieden, vgl 20 Hdt III 65, 3; 116, 2; VIII 38. Differenziert wird ferner zwischen dem *Wesen* des männlichen u des als schwächer erscheinenden weiblichen Geschlechts: τὸ ἄρρεν φῦλον ... ἰσχυρότερόν ἐστι [τῶν] τῆς θηλείας φύσεως Xenoph Resp Lac 3, 4, vgl Soph Trach 1062; Oed Col 445; Thuc II 45, 2[36]. Im späteren Sprachgebrauch heißt es fast formelhaft ἀδύνατος γάρ ἐστιν ἡ γυνὴ διὰ ἀσθένιαν τῆς φύσεως PLond III 971, 4 (3.—4.Jhdt 25 nChr), vgl POxy I 71 col 2, 4 (303 nChr). Vor allem werden die Erfahrungen des Menschen von der grundsätzlichen Begrenztheit seines Daseins nun mit Hilfe des Begriffs φύσις zum Ausdruck gebracht. Diese Begrenztheit des Daseins u das Ausgeliefertsein an die Mächte seiner Umwelt sind nicht ein Zufall der jeweiligen Umstände, sondern ein Stück des *menschlichen Wesens*, vgl ἅ γα φύσις ἀνδρῶν τί ὤν; ἀσκοὶ πεφυσιαμένοι *auf-* 30 *geblasene Bälge* Epicharmus fr 10 (Diels I 200)[37], vgl 2, 9 (Diels I 196)[38]. Bes häufig

---

[27] Zur Ausbildung des naturwissenschaftlichen Physis-Begriffs in der Medizin → Pohlenz Mensch 175—177.

[28] Zu φύσις in den hippokratischen Schriften vgl → Beardslee 31—42. 43—47; → Leisegang 1139—1143.

[29] → Leisegang 1139f; über das Verhältnis des Natürlichen zum Wunderbaren im Urteil der Medizin → Grant 11—14.

[30] Vgl ferner Hippocr, Aphorismi 3, 2 (Littré IV 486); Acut 43 (Kühlewein I 130); Epid VI 5, 1 (Littré V 314); dazu → Beardslee 32—35.

[31] Zur späteren Differenzierung von φύσις *Konstitution* u δυνάμεις *einzelne Faktoren*, aus denen sich die φύσις aufbaut, die aber selbst nicht als Substanzen greifbar sind, s HWMiller, ‚Dynamis' and ‚Physis' in On Ancient Medicine, Transactions and Proceedings of the American Philological Association 83 (1952) 184—197.

[32] Von → Beardslee 39 wird diese Beziehung wohl zu Unrecht völlig abgestritten.

[33] Reflektionen dieses Sprachgebrauchs finden sich vielleicht an solchen St, an denen man gelegentlich einen periphrastischen Gebrauch des Wortes zu finden glaubte, → Beardslee 82—92, vgl Plat Leg VII 845d; Aesch Ag 633; Soph Oed Tyr 334f. Zur Kritik an dem vermeintlichen periphrastischen Gebrauch s → Holwerda 15 A 1.

[34] Vgl ferner τὴν φύσιν *in seiner Beschaffenheit* Aristot Part An II 2 p 648b 21f; 4 p 650b 34f uö.

[35] Über das Verhältnis von Beschaffenheit des Einzeldinges zur Natur als Ganzer → 250, 20ff.

[36] Ob φύσις schon in früher Zeit als Euphemismus für den männlichen u bes den weiblichen Geschlechtsteil verwendet wurde, ist umstritten, vgl → Muth 69f A 9. Plat Leg XII 944d u Symp 191a heißt φύσις *Wesen*. Hippocr Mul I 143 (Littré VIII 316) spricht von dem Hervortreten der Gebärmutter *über ihre natürliche Lage hinaus* ἐξωτέρω τῆς φύσιος, s dazu → Heinimann 96f. Möglich wäre die Bdtg *Geschlechtsteil* in οὕτως ἡ φύσις ἐστὶ φιλόκνισος ἀλλότριος χρὼς καὶ ζητεῖ διόλου τὴν ξενοκυσθαπάτην Nicand fr 107 (Gow 164). Soweit wäre also die entsprechende Angabe bei Liddell-Scott sv u → Leisegang 1143. 1148 einzuschränken. Für die nachchr Zeit ist freilich diese Bdtg reichlich belegt, vgl Diod S 32, 12, 1; 10, 7; vor allem für die *weibliche Scham* Artemid Onirocr V 63; Preis Zaub I 4, 318. 326; POsl I 1, 83 (beide 4.Jhdt nChr) uö; Diod S 16, 26, 6; Antonius Liberalis (2.Jhdt nChr ?), Μεταμορφώσεων συναγωγή 41, 5 (ed EMartini, Mythographi Graeci II 1 [1896] 125).

[37] Epicharmus ist hier von Parmenides' Unterscheidung der Welt der Wahrheit von der Welt des Scheins u steten Wechsels abhängig; zu letzterer gehört auch der Mensch, vgl → Reinhardt 114 u 119—125.

[38] Vgl dazu par Aussagen wie σκιᾶς ὄναρ ἄνθρωπος Pind Pyth 8, 95f; zum Ganzen s HFränkel, ΕΦΗΜΕΡΟΣ als Kennwort für die menschliche Natur, Wege u Formen frühgriechischen Denkens ²(1960) 23—35.

sind diese negativen Aussagen über die menschliche Natur bei Thuc, vgl I 76, 3 [39]; sie finden sich aber auch sonst, vgl Plat Theaet 149 b—c; Aristot Pol III 10 p 1286 b 27; Democr fr 297 (Diels II 206f) u können auch speziell die Sterblichkeit des Menschen im Blick haben: ἡ τῶν ἀνθρώπων φύσις θνητὴ οὖσα Ael Var Hist 8, 11 [40].

5   Der schwachen u vergänglichen Natur des Menschen gegenüber erscheint alles, was diese Begrenztheit überschreitet, als Zeichen der Teilhabe am Wesen des Göttlichen, wie zB die übernatürliche Begabung des Dichters Homer, die an der φύσις θεάζουσα teilhat Democr fr 21 (Diels II 147) [41]. *In das Wesen der Götter eingehen* εἰς θεῶν φύσιν ἐλθεῖν, gleichbedeutend mit „zur Gottheit werden", sagt Himerius (4. Jhdt nChr) Or 10   48, 26 [42] in Anwendung auf Dionysos. Die Sophistik unterscheidet erstmals zwischen Göttern, die ihrem *eigentlichen Wesen* nach Götter sind, u solchen, die erst durch menschliche Setzung Götter wurden, vgl Critias fr 25, 19 (Diels II 387) u Plat Kritik an den Atomisten, die sagen, die Götter seien τέχνῃ, οὐ φύσει, ἀλλά τισι νόμοις Leg X 889 e. Die spätere, als Euhemerismus bekannte u auf Euhemerus zurückgeführte Theorie [43], daß 15   die Götter aus der Vergöttlichung verdienter Herrscher entstanden seien, berichtet Diod S: Äthiopier u Libyer glauben, ein Teil der Götter αἰώνιον ἔχειν καὶ ἄφθαρτον τὴν φύσιν, zB Sonne u Mond, von den anderen aber heißt es θνητῆς φύσεως κεκοινωνηκέναι, sie würden aber wegen ihrer Wohltaten als Götter verehrt Diod S 3, 9, 1, vgl 6, 1, 2 [44].

3. Wahres Wesen und Allnatur.

20   Die eigtl Problematik des griech φύσις-Begriffes ist dadurch gegeben, daß das Wort φύσις in der Frage nach dem Sein von früher Zeit an eine Rolle spielt. Diese Frage ist, der doppelten Bdtg von φύσις entsprechend, nach zwei verschiedenen Richtungen hin entfaltet: einmal als Frage nach dem *wahren Wesen* der Dinge, zum anderen als Frage nach dem *Ursprung* alles Seienden, dh nach der *Allnatur*. Beide 25   Aspekte lassen sich jedoch nie ganz voneinander trennen u durchdringen sich oft gegenseitig.

a. Die Vorsokratiker. φύσις als Bezeichnung des *wahren Wesens* der Dinge findet sich erstmals deutlich bei Heracl [45]. Sein Ansatz ist ausgesprochen in der Beschreibung seines eigenen Fragens: „... wie ich (die Dinge) erörterte, ein jedes 30   *nach seinem Wesen* κατὰ φύσιν [46] bestimme u erkläre, wie es sich verhält" Heracl fr 1, 8f (Diels I 150) [47], vgl: „Weisheit ist, das Wahre zu sagen u zu tun, indem man (die Dinge) ihrer *wahren Beschaffenheit nach* wahrnimmt" fr 112 (Diels I 176) [48]. Wenngleich auch

---

[39] Vgl → Beardslee 20f.
[40] Weitere Belege bei → Beardslee 18f; → Holwerda 24—26.
[41] Vgl ὡς οὐκ ἐνὸν ἄνευ θείας καὶ δαιμονίας φύσεως οὕτως καλὰ καὶ σοφὰ ἔπη ἐργάσασθαι Dio Chrys Or 53, 1, wo die oben angeführte St aus Democr zitiert ist. Weitere Belege bei Philo (→ 262, 11ff) u Jos (→ 264, 6ff).
[42] ed AColonna (1951). Pr-Bauer sv φύσις übersetzt *zur Wesensart der Götter gelangen*.
[43] Vgl dazu KGoldammer, Artk Euhemerismus, in: RGG³ II 731; HDörrie, Artk Euhemeros, in: Der kleine Pauly II (1967) 414f; KThraede, Artk Euhemeros, in: RAC VI (1966) 877—890; Nilsson II² 283—289 (Lit).
[44] Tendenz u Terminologie dieser Diodor-St läßt sich schwerlich auf Euhemerus selbst (um 280 vChr) zurückführen. Euhemerus war weder „der radikale Gottesleugner", so → Langer 59, als der er im Altertum überliefert ist, noch lag seine Absicht im Bereich der Religionstheorie u rationalistischen Mythoskritik. Vielmehr folgt er der schon im 4. Jhdt vChr verbreiteten Tendenz, aus mythischen Überlieferungen durch Ätiologie u Etymologie Gesch zu gestalten sowie die politischen u kulturellen Taten mächtiger Herrscher darzustellen, vgl Thraede aaO (→ A 43) 879—881. An-

ders zu beurteilen ist die stoische Dreiteilung der Götterwelt in τὸ φυσικόν, dh als göttliche Pers gedachte Naturkräfte, τὸ μυθικόν, dh die Götter der Dichter, τὸ νομικόν, dh Götter der Staatsreligion Aëtius, De placitis reliquiae (ed HDiels, Doxographi Graeci [1879]) I 6, 9, vgl 6, 1—16 u Philo Spec Leg I 32—35. Zu dieser Anschauung, die wohl auf Panaetius zurückgeht, vgl → Pohlenz Stoa I 197; II 100, zu der verwandten Ansicht des Pos vgl KReinhardt, Artk Poseidonios vApameia, in: Pauly-W 22 (1954) 808—811.
[45] Vgl dazu bes → Jaeger 127–146, ferner → Heinimann 92—94. 106. Parm, für den diese Frage bereits entscheidend ist, verwendet jedoch φύσις nicht in dieser Bdtg, sondern orientiert sich am Begriffspaar δόξα — ἀλήθεια.
[46] Daß κατὰ φύσιν hier nicht mehr bedeutet als „wie man es normalerweise tun muß", → Beardslee 48, ist eine unhaltbare Annahme.
[47] Es ist hier an das wahre Wesen der Dinge gedacht, → Heinimann 93f; → Reinhardt 223 A 1, nicht an die Natur als Pers, oder daran, daß sich das „Wesen ... organisch aus ihrem Wachstum" ergibt, gg → Diller 243.
[48] Zur Interpretation dieses fr → Reinhardt 223 A 1.

in dem berühmten fr 123 (Diels I 178): φύσις... κρύπτεσθαι φιλεῖ *das wahre Wesen liebt es, sich zu verbergen,* mit φύσις nicht an eine personifizierte Allnatur gedacht ist[49], so denkt Heracl doch auch hier an das nicht mit den Erscheinungen identische u sich ständig gleichbleibende *wahre Sein* der Dinge[50]. In diesem Sinne muß man auch den später für die Abh von Xenophanes, Heracl, Gorg ua gebräuchlichen Titel[51] (λόγος) 5 περὶ φύσεως oder περὶ φύσεως ἱστορία[52] verstehen[53]: περὶ φύσεως heißt *über das wahre Wesen der Dinge,* oder ganz allg *über Philosophie*[54]. Entsprechend bezeichnet der seit Aristot gebräuchliche Titel οἱ φυσικοί *die Naturphilosophen*[55]. Die Frage nach dem wahren Wesen der Dinge zielt darauf, die Erscheinungen aus der Allnatur u ihren ewig gültigen Gesetzen zu erklären[56]. Eine Bestimmung dieses Verhältnisses als erklärbare 10 Folge der *Natur* tritt jedoch erst um 400 vChr deutlicher hervor, etwa bei Democr, der als *das wahre Wesen der Dinge* die Atome bezeichnet Simpl, Komm zu Aristot Phys VIII 9[57], vgl Aristot Phys VIII 9 p 265 b 23—29; Democr fr 168 (Diels II 178), ebs bei den Pythagoreern, die in der Zahl die göttliche *Natur* aller Dinge sehen Archytas (frühes 4.Jhdt vChr) fr 1 (Diels I 432, 2—4)[58]. Den Glauben an diese Gesetzmäßigkeit der 15 göttlichen Allnatur bringt aber bereits Eur zum Ausdruck, bes in der Verbindung von φύσις u ἀνάγκη[59], vgl Eur Tro 886; Ba 896. In rationalisierter u in wissenschaftlicher Form reden ebenfalls die Sophisten u die Ärzte von der *Notwendigkeit der Natur* (→ 254, 23 ff).

    b. Plato hat sich entschieden gg die Gefahr einer mechanischen 20 Welterklärung gewandt, die seiner Meinung nach durch die Denkbemühungen einiger Vorsokratiker heraufbeschworen wurde[60]. Seine Einwände sind zweifach: 1. Die Weltentstehungslehre, vor allem der Atomisten, kennt als einzige Ursachen Natur u Zufall: φύσει πάντα εἶναι καὶ τύχῃ φασί, läßt jedoch andere Prinzipien wie Vernunft, Gott, Kunst nicht zu Leg X 889 b—c, vgl 888 e—889 a. 2. Wer einen solchen materialistischen φύσις- 25 Begriff hat[61], läuft Gefahr, die vier Grundelemente für den Anfang aller Dinge zu halten καὶ τὴν φύσιν ὀνομάζειν ταῦτα αὐτά Leg X 891 c. Gg diesen Vorrang des φύσει Entstandenen relativiert Plat den Unterschied von φύσις u τέχνη: „Alles was gut ist, mag es nun φύσει oder τέχνη entstanden sein..." Resp II 381 a—b u bestreitet das Recht, die materielle Welt als φύσις zu bezeichnen Leg X 892 b. Wie νοῦς, τέχνη u νόμος den 30 Vorrang vor dem fälschlich als φύσις Bezeichneten haben, so ist — will man den ersten Ursprung aller Dinge als φύσις bezeichnen — die Seele im wahren Sinne φύσις Leg X 892 b—c[62]. In der Regel vermeidet Plat aber das Wort φύσις bei der Bezeichnung höchster Seinsstufen. Das Wort ist terminologisch bei ihm nicht fixiert[63], dient vielmehr in nichttechnischer Verwendung als Bezeichnung des *wahren Wesens* einer Sache, ja 35

---

[49] → Leisegang 1133; dgg → Heinimann 94; → Reinhardt 88. Wenig überzeugend deutet → Heidel 107: „Die Natur spielt gern Versteck".

[50] Vgl auch die Polemik gg Hesiod in Heracl fr 106 (Diels I 174). Ebs sagt Diogenes von Apollonia (Mitte des 5.Jhdt vChr), daß alle Dinge gleichen Ursprungs u daher in ihrem *eigentlichen Wesen* gleich sind, vgl fr 2 (Diels II 59, 22).

[51] Zum Fehlen der Buchtitel im 5.Jhdt vChr → Beardslee 54 f u → A 13.

[52] So erstmals bei Plat Phaed 96 a.

[53] Dazu vor allem → Beardslee 56—59, ferner → Heidel 110.

[54] → Beardslee 59 f. Übers wie *über den Ursprung* oder *über die Ursubstanz* Burnet aaO (→ A 10) 12 f treffen nicht die Intention des vorsokratischen Denkens.

[55] Vgl von Vorsokratikern Aristot Phys I 2 p 184 b 16 ff; 4 p 187 a 12; III 5 p 205 a 3 ff uö. Auch auf Spätere wurde diese Bezeichnung noch angewandt; so heißt Epikur ὁ φυσικός Phylarchus Historicus (3.Jhdt vChr) fr 24 (FGrHist II a 167).

[56] Dazu vor allem → Jaeger 199 uö; ders, Paideia II ³(1959) 12—16. 25 f.

[57] ed HDiels, Commentaria in Aristotelem

Graeca 10 (1895) 1318, 31 ff, vgl die Übers *Ding an sich,* → Reinhardt 85 A 1.

[58] Vgl die wahrscheinlich unechten Philaus-Fr, die ebenfalls aus dieser Zeit stammen, fr 1 (Diels I 406). 11 (Diels I 411 f); hier wird auch die Natur als ein Gottwesen gesehen fr 6 (Diels I 408, 13 f) u fr 21 (Diels I 417, 14), ähnlich Emped bei Plut Carn Es II 4 (II 998 c), vgl Diels I 362, vgl dazu → Leisegang 1133.

[59] Dazu → Heidel 99 f.

[60] Zur Auseinandersetzung Plat mit den Naturphilosophen, vor allem Leg X 886 b—899 d, s → Leisegang 1144—1146; → Pohlenz Mensch 68.

[61] Vgl → Lovejoy 379 f; jedoch darf man daraus nicht schließen, daß diese Bdtg tatsächlich bei den Naturphilosophen vorherrschend war.

[62] Plat spricht auch davon, daß die Seele als Urprinzip das sich selbst Bewegende u die Ursache aller Bewegung ist Leg X 896 a, vgl → Leisegang 1146, u bereitet so das entscheidende Element in der Def des Aristot von φύσις vor (→ 252, 4 ff).

[63] → Beardslee 96—101. Zu den Schwierigkeiten, die Plat durch dieses Verständnis schafft, vgl → Leisegang 1146 u die dort angeführte Lit.

es heißt oft *Idee, Wesen an sich*[64], zB des Leibes Phaed 87e, der Seele Phaedr 270c[65]. τὸ φύσει δίκαιον ist *die Idee der Gerechtigkeit* im Gegensatz zur Rechtswirklichkeit[66], die der Gesetzgeber schafft Resp VI 501b[67].

                    c. Aristoteles nimmt die beiden Hauptbedeutungen von φύσις *Ursprung* (→ 247, 10ff) u *Beschaffenheit* (→ 247, 5ff) auf u versucht, durch eine Klärung beider Komponenten in Metaph 4, 4 p 1014b 16—1015a 19[68] zu einer einheitlichen Def des Begriffs zu kommen[69]. Die Elemente von φύσις *Ursprung* sind nach Aristot: 1. ἡ τῶν φυομένων γένεσις Metaph 4, 4 p 1014b 16f, aber *Ursprung* ist noch nicht die Natur selbst, sondern nur der Weg in die Natur der Dinge[70]. 2. Das, woraus etw, das wächst, zu wachsen beginnt, zB der Mutterleib p 1014b 17f. 3. Das, aus dem erste Bewegung stammt, uz aller jener Dinge, die *von Natur sind* τῶν φύσει ὄντων, unorganischer wie organischer p 1014b 18—20. Bei den Komponenten der Bdtg *Beschaffenheit* geht Aristot davon aus, daß die materielle *Substanz*, formlos u unveränderlich ihrer eigenen Anlage (→ II 287, 32f) nach, φύσις heißen kann, zB Bronze ist die φύσις einer Statue p 1014b 26ff. Im gleichen Sinne nennt man die Elemente (Feuer, Erde, usw) *Natur* p 1014b 32ff. Demnach wäre φύσις gleichbedeutend mit πρώτη ὕλη[71]. Diese Gleichsetzung von φύσις mit ὕλη[72] ist aber ebensowenig befriedigend wie die von φύσις u γένεσις. Weiter führt es, wenn man φύσις im Sinne von οὐσία *Wesen* versteht, nämlich *die erste Zusammensetzung eines Dinges* ἡ πρώτη σύνθεσις. Von den Dingen, die von Natur sind, gilt ja: οὔπω φαμὲν τὴν φύσιν ἔχειν[73] ἂν μὴ ἔχῃ τὸ εἶδος καὶ τὴν μορφήν p 1015a 4f, vgl p 1014b 35—1015a 5[74]. φύσις in seiner eigtl Bdtg *Wesen* umschließt zugleich ὕλη, εἶδος u οὐσία. Diese drei bezeichnen das *Endergebnis des Werdens* τὸ τέλος τῆς γενέσεως p 1015a 7—11. Übertr kann so πᾶσα οὐσία *jede Wesenheit* überh φύσις genannt werden p 1015a 11—13.

        So gewinnt Aristot doch wieder einen doppelten φύσις-Begriff, nämlich 1. *die Wesenheit* oder *Gestalt*, die das τέλος τῆς γενέσεως aller Dinge ist; 2. *die bewegende Urkraft* aller „von Natur" bestehenden Dinge, wenngleich er sich auch bemüht, diese letztere als im Stoff selbst liegende Kraft oder Entelechie zu begreifen[75], vgl Metaph 4, 4 p 1015a 13—19. Eine weitere Konsequenz dieser Fassung des φύσις-Begriffes ist das Fortbestehen der Unterscheidung von Dingen, die von Natur sind, u solchen, die aus anderen Ursachen entstehen, vgl Aristot Phys II 1 p 192b 8. Denn φύσει ist ja nur das, was seine Gesetzlichkeit in sich selber hat[76]. Zwar ahmen Vorgänge, die aus anderen Ursachen stammen[77], die Natur nach: μιμεῖται γὰρ ἡ τέχνη τὴν φύσιν Meteor IV 3 p 381b 3ff. Aber wenn auch die menschliche Sittlichkeit natürliche Voraussetzungen hat, zB das Vorhandensein des Verstandes, so muß sie sich doch in einem Bereiche verwirklichen, für den sich die Maßstäbe nicht von der Natur ableiten lassen (→ 256, 8ff).

---

[64] Vgl φύσις par zu εἶδος Plat Crat 389b—c; → Leisegang 1147.

[65] Hier wird unter Hinweis auf Hippocr das Wesen der Seele zum Wesen des Alls in Beziehung gesetzt, vgl → Leisegang 1140; MPohlenz, Hippokrates u die Begründung der wissenschaftlichen Medizin (1938) 114 A 1 zu p 75; 117 A 1 zu p 89.

[66] Vgl Resp X 597c—d, wo das eine ἐν τῇ φύσει von Gott Geschaffene den vielen einzelnen Abbildern gegenübergestellt ist.

[67] Hierher gehören schließlich auch einige St, an denen φύσις Umschreibung zu sein scheint: μισεῖν τὴν τοῦ δικαίου φύσιν *das Gerechte in seinem Wesen hassen* Plat Leg IX 862d, ferner φύσιν ἔχει c Inf *es ist das wahre Wesen der Dinge* Resp V 473a, vgl VI 489b.

[68] Vgl die einfachere Fassung in Phys II 1 p 192b 8—193a 27.

[69] Dazu bes → Leisegang 1148—1150; → Grant 6.

[70] ἡ φύσις ἡ λεγομένη ὡς γένεσις ὁδός ἐστιν εἰς φύσιν Phys II 1 p 193b 12f. Deutlich beweist diese St, daß Aristot einen solchen Gebrauch des Wortes voraussetzt, vgl → Jaeger 227f A 5.

[71] Vgl ἡ φύσις λέγεται ἡ πρώτη ἑκάστῳ ὑποκειμένη ὕλη Phys II 1 p 193a 29f u überh 193a 9—30; dazu → Leisegang 1149.

[72] Metaph 11, 3 p 1070a 9ff sind φύσις u ὕλη deutlich unterschieden als zwei von drei οὐσίαι.

[73] → Beardslee 50 weist hier darauf hin, daß ἔχει φύσιν im älteren Sprachgebrauch heißen kann *normal sein.* Aristot knüpft aber wohl eher an Plat an, bei dem diese Wendung die Bdtg hat *sein wahres Wesen haben,* → A 67.

[74] Vgl Phys II 1 p 193a 30f; Part An I 1 p 640b 4—29, bes ἡ γὰρ κατὰ τὴν μορφὴν φύσις κυριωτέρα τῆς ὑλικῆς φύσεως p 640b 28f.

[75] Diese Denkbemühung gilt vor allem der Überwindung des Gegensatzes von Naturphilosophie u Plat — so wie dieser Gegensatz jedenfalls bei Plat u Aristot erscheint —: Plat hat recht, daß die φύσις sich aus dem εἶδος u τέλος ergibt, aber die Naturphilosophen haben doch richtig gesehen, daß die φύσις im Obj selbst liegt u nicht als selbständige Größe außerhalb desselben begriffen werden darf, vgl dazu → Beardslee 103f; → Heidel 108f.

[76] Vgl → Heidel 98f.

[77] Alles, was τέχνη ist, hat seine Ursache nicht in sich selbst, sondern in einem anderen Ding; ferner gibt es Dinge, die τύχη oder αὐτομάτῳ entstehen, vgl Metaph 11, 3 p 1070a 5—8; Phys II 6 p 198a 5f.

Die innere Spannung hat Aristot dem Naturbegriff nicht nehmen können. Auf der einen Seite ist φύσις für ihn die exakt zu beschreibende *Beschaffenheit* der natürlichen Dinge (→ 249, 11 ff). Er scheidet scharf zwischen der φυσική u der ihr übergeordneten θεολογική ἐπιστήμη, *Naturwissenschaft* u *Theologie* bzw *Religionsphilosophie* Metaph 10, 7 p 1064 b 1—14. Nur in der letzteren ist das θεῖον sichtbar 5, 1 p 1026 a 18 ff. Naturwissen- 5 schaftliche Fragen müssen φυσικῶς beantwortet werden Phys II 7 p 198 a 23 [78], abstrakt logische Fragen λογικῶς III 5 p 204 b 4. Die Ordnung der Natur [79] ist abs gültig u läßt keine Wirkung übernatürlicher Kräfte in ihr zu. Daher mag zwar als Wunder etwas bezeichnet werden, was gg die Natur ist, aber nur gg die Natur, ὡς ἐπὶ τὸ πολύ *wie sie meist ist*: περὶ γὰρ τὴν ἀεὶ καὶ τὴν ἐξ ἀνάγκης οὐθὲν γίνεται παρὰ φύσιν Gen An IV 4 p 770 b 10 9—12 [80]. Auf der anderen Seite wird dadurch die Natur nicht einfach zum Obj wissenschaftlicher Bemühung, sondern sie bleibt eine selbständig handelnde Macht, die in ihrem eigenen Bereich eine weise Ordnung schafft [81]. Unordnung gibt es bei ihr nicht Phys VIII 1 p 252 a 11 f; durch sie sind die Sinnesorgane *vorzüglich* καλῶς angeordnet Part An II 10 p 656 b 26 f, vgl p 657 a 8—10 uö. Sie hat die einzelnen Lebewesen jeweils 15 zweckentsprechend ausgestattet II 16 p 659 a 11 f u auch dabei Nutzen u Schönheit verbunden II 14 p 658 a 32. Sie ist auch stets darauf bedacht, Neues zu erfinden: ἀεὶ γὰρ ἡ φύσις μηχανᾶται II 7 p 652 a 31 f, vgl p 652 b 19 ff. Es entspricht ganz der Grundintention der aristotelischen Naturauffassung, wenn der mehrfach gebrauchte Satz „die Natur tut nichts Sinn- u Zweckloses" [82] auch in der Form erscheint: ὁ δὲ θεὸς καὶ ἡ φύσις 20 οὐδὲν μάτην ποιοῦσιν Cael I 4 p 271 a 33, vgl πάντα γὰρ φύσει ἔχει τι θεῖον Eth Nic VII 13 p 1153 b 32 [83]. Damit wird weder der sichtbaren Natur in ihrer Gesamtheit göttliches Wesen zugesprochen noch auch personhaftes Sein von ihr ausgesagt [84]. Vielmehr kommt hier zum Ausdruck, daß die ideale Form, die nach Aristot Ursprung u Ziel der Bewegung zugleich ist, mit dem göttlichen *Wesen* u mit der in Erscheinung tretenden *Natur* in un- 25 trennbarer Einheit gesehen werden muß [85].

d. **Der Hellenismus.** Im Gegensatz zur älteren griech Lit wird im Hell die φύσις als *Allnatur* in mannigfacher Weise mit der Gottheit identifiziert. Ersteres ist bereits in der Stoa der Fall: alle Dinge werden notwendigerweise von der besten aller Wesenheiten zusammengehalten, auch die vernünftigen; dann aber ist die ἀρίστη 30 ... φύσις ἡ τὸν κόσμον διοικοῦσα sowohl vernünftig als auch unsterblich u deshalb Gott Sext Emp Math IX 84 f [86]. Obgleich Epic der atomistischen Naturauffassung Democr folgt u obgleich er dem Naturgeschehen die Vernunft abspricht, so kann er doch die Natur wie ein allwaltendes göttliches Wesen anrufen: χάρις τῇ μακαρίᾳ φύσει Epic fr 469 (Usener 300) [87]. Diese Glorifizierung findet sich in der Nachfolge Epicurs noch verstärkt 35 bei Lucretius, De rerum natura 1, 56; vgl 1, 146 uö [88] u ist auch sonst im Hell verbreitet, bes in der Gleichsetzung der φύσις mit einer weiblichen Gottheit, vgl ἐπικαλοῦμαι καὶ τὴν τῶν ἀπάντων διογενῆ Φύσιν, δίμορφον ... Ἀφροδίτην Preis Zaub I 4, 3230 ff (4. Jhdt nChr).

---

[78] Vgl die häufig wiederkehrende Bezeichnung ὁ φυσικός *der Naturwissenschaftler* Phys II 7 p 198 a 22; Metaph 3, 3 p 1005 a 31 ff, opp ὁ φιλόσοφος, sowie τὰ φυσικά, vgl Aristoteles' eigene *Abhandlung über die Naturwissenschaft (die Physik)* Phys VIII 10 p 267 b 21; Metaph 7, 1 p 1042 b 8.

[79] Den Begriff des Naturgesetzes gibt es freilich bei Aristot nicht, vgl aber von den Pythagoreern: sie sprechen von den Zahlen, daß sie diese *von der Natur empfangen hätten, als ihre Gesetze* παρὰ τῆς φύσεως εἰληφότες ὥσπερ νόμους ἐκείνης Aristot Cael I 1 p 268 a 13. Zum Begriff Naturgesetz → 259, 12 ff.

[80] Auf Mißbildungen der Natur darf man den Naturbegriff nicht gründen Phys II 8 p 199 a 33—b 9. Daß ein Pferd einen Maulesel erzeugt, ist παρὰ φύσιν Metaph 8, 8 p 1033 b 32 f. Zur Frage des Wunders bei Aristot vgl → Grant 6 f; → Beardslee 105.

[81] Immer wieder spricht Aristot so von der natura creatrix wie von einem handelnden göttlichen Wesen, vgl Part An II 8 p 654 a 24 f; 9 p 655 a 17 f; 16 p 659 b 35; Eth Eud VIII 2 p 1247 a 9 f.

[82] Vgl Cael II 11 p 291 b 13; Part An II 13 p 658 a 8 f. Zur Teleologie in der Naturauffassung vgl → Pohlenz Mensch 234; → Grant 29 f.

[83] ἡ γὰρ φύσις δαιμονία, ἀλλ' οὐ θεία Aristot, De divinatione per somnum 2 p 463 b 14 f ist sicher unecht, vgl von der Natur als δαίμων Emped nach Porphyr bei Stob Ecl I 446, 7 ff (Diels I 362, 7 f).

[84] Die Welt als Ganze bezeichnet Aristot nie einfach als φύσις, sondern sagt dafür zB ... περί τε τῆς ὅλης φύσεως ... καὶ περὶ τοῦ ὄντος Metaph 2, 3 p 1005 a 32, vgl 1, 3 p 984 b 9; An III 5 p 430 a 10; Cael I 2 p 268 b 11.

[85] Man kann die Personifizierung der Natur nicht einfach als bloße Redewendung u als inkonsequent abtun, → Beardslee 105, vgl dgg → Leisegang 1150; W Jaeger, Aristoteles. Grundlegung einer Gesch seiner Entwicklung [2](1955) 75—78.

[86] Vgl dazu → Jaeger 237 f A 44. Sonst jedoch ist die einfache Gleichsetzung von Gott u Natur in der älteren Stoa selten, vgl im übrigen unten → 257, 3 ff.

[87] Vgl dazu → Leisegang 1159 f.

[88] ed J Martin (1953). Weitere Belege bei → Leisegang 1159 f.

Oft wird die φύσις als höchstes Prinzip der sichtbaren Welt von Gott unterschieden, vgl Gott als der πατὴρ τῆς ἀπλάτου (*unbegrenzt*) φύσεως, die wiederum von der κοσμικὴ φύσις differenziert wird Preis Zaub II 7, 511f (3.Jhdt nChr), ähnlich Herm Trismeg fr 23, 10—13 bei Stob Ecl I 388, 13—389, 4, wonach Gott durch sein Wort die Φύσις schafft, die als schönes weibliches Wesen erscheint, die nun ihrerseits im Schöpfungsgeschehen eine entscheidende Rolle übernimmt[89]. Hier liegen Ansätze zur gnostischen Unterscheidung zwischen der *unteren Natur* u der göttlichen Welt, wie sie im Poimandres vorliegt. Zwar ist die φύσις hier Schöpferin — denn sie empfängt das πνεῦμα u bringt die σώματα hervor Corp Herm 1, 17 —, aber an sich entstammt sie der Finsternis 1, 6 u ist nichts anderes als die sublunare Welt, von der sich der Logos getrennt hat, u daher sind ihre Elemente ἄλογα, dh ὕλη μόνη 1, 10, vgl 1, 14. Damit eng verwandt ist die Rede von den zwei φύσεις: Himmel u Erde, Sonne u Mond, Licht u Finsternis, Nacht u Tag Preis Zaub II 13, 255f (346 nChr). Vgl die Identifizierung des Volkshaufens am Kreuz als κατωτικὴ φύσις Act Joh 100 (→ 271, 6f).

Das Adjektiv φυσικός erscheint in der hell Lit in einer ganz entsprechenden Bdtg[90]: von den wahren u *naturgesetzten* Grenzen der Planetengötter PMich III 149 col 7, 28f, vgl φυσικῶς col 5, 18ff (2.Jhdt nChr), von den durch den Kosmos gehenden Strahlen φυσικαὶ ἀκτῖνες Corp Herm 10, 22. Im Zauber, in dem es um die Beherrschung der Naturkräfte geht, sind φυσικά *magische Kräfte* Geoponica 2, 18, 8[91], vgl φυσικά (sc φάρμακα) Alexander Trallianus Medicus I 15 (4.Jhdt nChr)[92], ferner Geoponica (→ A 91) 2, 42, 3, das Adv 9, 1, 5.

4. Natur und Ethik.

a. Die Antithese Natur-Gesetz[93] ist für viele Jhdt griech Denkens bestimmend gewesen[94]. Die beiden Begriffe wurden erstmals in der ionischen Ethnographie zusammengestellt[95]. Das ist vor allem bei Hdt deutlich, bei dem φύσις nicht nur *die Beschaffenheit des Landes* (→ 248, 40ff), sondern auch *die Ursache der naturgegebenen Eigenart des Menschen* bezeichnet II 45, 2. Davon unterschieden ist der νόμος, die *umweltbedingte Konvention*, die ebenfalls das Erscheinungsbild des Menschen beeinflußt[96]. Diese naturwissenschaftliche Sicht des Menschen ist bes evident in der Schrift von der Umwelt, einer der ältesten hippokratischen Schriften, bei der Darstellung der Völker, die sich ἢ φύσει ἢ νόμῳ unterscheiden Hippocr, De aere aquis locis 14 (CMG I 1 p 96, 2), vgl die Gegenüberstellung von *edelmütig von Natur* εὔψυχος ... φύσει πέφυκεν u verändert *durch die Gesetze* ὑπὸ τῶν νόμων 16 (p 71, 1f)[97]. Auch wenn φύσις sowie νόμος kausal u in ihren Wirkungen komplementär verstanden sind, so steht doch die Einsicht des Verf in ihre grundsätzliche Verschiedenheit u Gegensätzlichkeit außer Frage[98].

Es muß hier offen bleiben, welche Beziehungen zwischen der Antithese φύσις — νόμος u der ionischen Naturphilosophie bestehen[99]. Jedenfalls ist die Antithese erstmals in der

---

[89] Eine eigenartige Variante dazu findet sich schon bei Plat Tim 50b: περὶ τῆς τὰ πάντα δεχομένης φύσεως. φύσις ist hier Bezeichnung des räselhaften ἐν ᾧ, jener Raum-Materie, die etw aus der Welt der Ideen empfängt u dadurch die Dinge der sichtbaren Welt aus sich hervorgehen läßt, vgl → Muth 61—70.

[90] φυσικός in der Bdtg *der betreffenden Art* (zB einer Pflanzensorte) *entsprechend* bei Theophr Hist Plant VIII 4, 4.

[91] ed HBeckh (1895).

[92] ed TPuschmann I (1878) 557.

[93] Zu νόμος im älteren griech Sprachgebrauch s MPohlenz, Nomos, Philol 97 (1948) 135—142; → Heinimann 59—89; → IV 1018, 24ff. Zum Thema Natur u Ethik s ADihle, Artk Ethik, in: RAC VI 649.

[94] Das Folgende zT ausführlicher bei → Köster 524—530.

[95] Der Satz bei Liddell-Scott sv φύσις: κατὰ φύσιν „νόμος πάντων βασιλεύς (Pind fr 169, 1)" geht offensichtlich auf ABoeckh, Pindari Opera II 2 (1821) 640—642 zurück; κατὰ φύσιν ist aber kein Teil des Zitates, vgl Ael Arist Or 45, 52 (Dindorf II 68); Schol zSt

(Dindorf III 408); Pind fr 169 (ed OSchröder [1900] 457f mit Komm ebd).

[96] ADihle, Hdt u die Sophistik, Philol 106 (1962) 208.

[97] Vgl *Lebensgewohnheiten* νόμοι u *Wesen* φύσις des Vaters als Vorbild für die Erziehung des Sohnes Soph Ai 548f; dazu → Pohlenz, Nomos u Physis 427f, gg → Heinimann 38f.

[98] Vgl → Heinimann 15. 25f; → Pohlenz Nomos u Physis 421—425, die sich mit der Frage des ältesten Auftauchens dieser Terminologie in der Medizin beschäftigen. In Hippocr Morb Sacr ist φύσις als opp zu νόμος „nur latent vorhanden" Pohlenz 423.

[99] Im parmenideischen Dualismus heißt die Antithese *Schein* δόξα u *Wahrheit* ἀλήθεια, wenngleich Parm einmal νενόμισται *es ist als Konvention angenommen* im Gegensatz zu ἀλήθεια gebraucht fr 6, 8 (Diels I 233), vgl → Reinhardt 81—88; → Jaeger 302 A 69. φύσει καὶ οὐ νόμῳ Philolaus fr 9 (Diels I 410) ist wohl unecht. καὶ τὸ δίκαιον εἶναι καὶ τὸ αἰσχρὸν οὐ φύσει, ἀλλὰ νόμῳ Archelaus bei Diog L II 16 (Diels II 45, 6f) ist in dieser antithetischen Schärfe der Formulierung si-

Sophistik in ihrer vollen Schärfe erfaßt. So wenig einheitlich die Ansichten der Sophisten auch waren, so scheint doch in der älteren Sophistik mindestens bei Protagoras[100] der Nutzen u Segen der Gesetze betont worden zu sein[101], während erst einige jüngere Sophisten im Namen der Natur sich gg die bestehende *Ordnung* u *ihre Institutionen* νόμος wandten[102]. Bezeichnend dafür ist, was Plat als Rede des Hippias anführt: ἡγοῦμαι ἐγὼ 5 ὑμᾶς συγγενεῖς τε καὶ οἰκείους καὶ πολίτας ἅπαντας εἶναι φύσει, οὐ νόμῳ· τὸ γὰρ ὅμοιον τῷ ὁμοίῳ φύσει συγγενές ἐστιν, ὁ δὲ νόμος τύραννος... Plat Prot 337c—d[103]. Das ausführlichste direkte Zeugnis ist Antiphon fr 44 A (Diels II 346—355)[104]. Es ist eine eindeutige Stellungnahme für die Natur gg Gesetz, Sitte u Konvention, die hier am Anfang der Gesch des antiken Naturrechts steht Antiphon fr 44 A col 2, 26—33 (Diels II 347f)[105]. Während 10 alle Dinge, die auf die Seite der Gesetze τὰ...τῶν νόμων gehören, als *willkürlich* ἐπίθετα u *vereinbart* bezeichnet werden, sind τὰ τῶν φύσει ὄντων ἀναγκαῖα u φύντα *mit Notwendigkeit* u *natürlich gewachsen* col 1, 23—2, 1; 2, 10—15 (Diels II 346f), vgl fr 44 B col 2, 10—15 (Diels II 353). Wichtig ist, daß φύσις u νόμος hier als zwei einander entgegengesetzte Bereiche erscheinen, denen der Mensch gleichermaßen zugeordnet u unterworfen ist[106]. 15

Die Wirkungen dieser sophistischen Naturrechtsanschauung[107] sind in der Lit vom 4. Jhdt vChr an deutlich sichtbar, vgl Isoc Or 4, 105, aber auch in der Komödie, vgl die Bezeichnung widergesetzlicher Liebe als αἱ τῆς φύσεως ἀνάγκαι Aristoph Nu 1075[108], vgl 1078, ferner die Feststellung, daß alle Menschen ἐλεύθεροι τῇ φύσει geschaffen sind Philemon Comicus fr 95, 2—6 (CAF II 508)[109]. 20

b. Aussagen über das Verhältnis von **Natur** und **Erziehung** gibt es schon bei den Vorsokratikern: das Betrachten der Lehren „läßt von selbst ins Wesen (ἦθος)[110] einen jeden wachsen, so wie die Naturanlage (φύσις) einem jeden ist" Emped fr 110, 4f (Diels I 352)[111]. Daß Anlage u Erziehung zusammenwirken, ist ein Gemeinplatz[112]: „Gute Veranlagung haben (φύσιν ἔχειν) ist das Beste, das zweite, etwas 25 lernen" Epicharmus fr 40 (Diels I 204), vgl „Übung gibt mehr aus als gute Anlage (φύσις ἀγαθή)" fr 33 (Diels I 203). Hier kündigt sich schon die sophistische Höherschätzung der Erziehung über die natürliche Anlage an[113], die von Protagoras zur humanistischen Erziehungsdreiheit von Begabung, Übung u Belehrung formuliert wird[114]: φύσεως καὶ ἀσκήσεως διδασκαλία δεῖται u ἀπὸ νεότητος δὲ ἀρξαμένους δεῖ μανθάνειν fr 3 (Diels II 264). 30

So wiederholt Plat nur schon vor ihm Gesagtes, wenn er fragt, ob die Qualifikation für ein bestimmtes Amt neben τέχνη u ἐπιμέλεια[115] nicht auch eine bestimmte φύσις erfordere Resp II 374e[116]. Aber im Gegensatz zu den Sophisten baut Plat nicht auf dem Begriff der φύσις auf[117], auch wenn er damit die *Naturanlage* bezeichnen kann, vgl Resp II 375e[118].

cher nicht authentisch u nach → Pohlenz Nomos u Physis 432f von Hippocr beeinflußt. Zum Ganzen vgl → Heinimann 38—40. 107—114, der mit einem Einfluß der Naturphilosophie rechnet; gg Heinimann → Pohlenz Nomos u Physis 425—433.

[100] Daß die Antithese Nomos-Physis im Denken des Protagoras keinen Platz hatte, so → Heinimann 114—119, ist eine kaum gerechtfertigte Annahme.

[101] Vgl KvFritz, Artk Protagoras, in: Pauly-W 23 (1957) 918. Zu entsprechenden sophistischen Einflüssen bei Hdt s Dihle aaO (→ A 96) 209f. 214—220.

[102] Vgl dazu bes → Pohlenz Mensch 119f u 203f.

[103] Vgl ferner die Anführungen sophistischer Naturauffassung bei Plat Gorg 482e—485a u Resp VI 501b. Diese St nicht als Belege für das Denken der Sophisten gelten zu lassen, ist ganz unbegründet, gg → Beardslee 74f.

[104] Zum Gedankengang des fr → Heinimann 131—141.

[105] Vgl → Leisegang 1134.

[106] Dihle aaO (→ A 96) 211.

[107] Zur weiteren Fortbildung der Antithese in Kulturentstehungstheorien, Erkenntnistheorie u Sprachphilosophie → Heinimann 147—170, im griech u hell Denken im allg

→ Grant 19—28, zur Stoa u zu Philo → 257, 32ff; → 261, 28ff.

[108] Dazu → Heinimann 131f.

[109] Vgl fr adespotum 1423 (FAC IIIa 520). Vgl zu dieser These nach das andersartige Urteil Aristot Pol I 4 p 1254a 14f; 5 p 1254a 17ff.

[110] Zum Verhältnis ἦθος — φύσις → Thimme 48.

[111] Ein ähnlicher Gedanke bei Democr fr 33 (Diels II 153): „Die Erziehung formt den Menschen um u schafft so sein Wesen", jedoch steht für *Wesen schaffen* hier nicht eine Wortverbindung mit ἦθος, sondern φυσιοποιέω.

[112] → Shorey 188. 200f u passim.

[113] → Leisegang 1133f.

[114] Zum Verständnis dieser Dreiheit s WJaeger, Paideia I ³(1954) 394—397, vgl auch → Beardslee 17f A 4; → Jaeger 199f.

[115] Vgl ἐπιστήμη, μελέτη Plat Resp II 374d.

[116] Dazu → Shorey 194—197.

[117] „Praktisch u theoretisch ist die menschliche Physis der Begriff, auf den die Sophisten ihre Tätigkeit als Erzieher gründeten" → Jaeger 199.

[118] Nach Plat sind es vor allem negative Elemente, die *von Natur* allen Menschen, Gerechten wie Ungerechten, eigen sind, wie zB die Habsucht, ὃ πᾶσα φύσις διώκειν πέφυκεν ὡς ἀγαθόν Resp II 359c.

φύσις ist jedoch meist die jeweils für eine besondere Aufgabe vorauszusetzende *Eignung* u damit fast gleichbedeutend mit ἦθος *Wesen*, vgl II 375c[119]. Wie schon Sokrates sich um die ἠθικά bemühte, aber über die Natur nichts sagte Aristot Metaph 1, 6 p 987b 1f, vgl Xenoph Mem I 1, 11, so ist auch nach Plat für die Erziehung die Rede vom κατὰ φύσιν ὀρθὸν βίον unzuträglich Leg X 890a[120]. Demgegenüber betont Plat, daß νόμος u τέχνη in Wahrheit φύσει sind; denn sie sind Erzeugnisse des νοῦς ... κατὰ λόγον ὀρθόν Leg X 890d.

Bei Aristot findet sich zwar die sophistische Dreiheit φύσις, ἔθος, λόγος Pol VII 13 p 1332a 39f, aber die φύσις ist nur Voraussetzung des ethischen Handelns, hingegen ihr Maßstab die *Einsicht* λόγος, die der Mensch zur Erkenntnis von Recht u Unrecht von der *Natur* empfangen hat I 1 p 1253a 9—13[121] u die ein Handeln gg *Gewöhnung u Natur* παρὰ τοὺς ἐθισμοὺς καὶ τὴν φύσιν fordern kann VII 12 p 1332b 1—10. Wohl gibt es ein δίκαιον φυσικόν, wie zB die Liebe zwischen Eheleuten Eth Nic V 10 p 1134b 18f[122], aber die Tugenden sind weder φύσει noch παρὰ φύσιν Eth Nic II 1 p 1103a 23f, vgl p 1103a 19; 4 p 1106a 9f; Eth M I 34 p 1195a 5—7, sondern man erwirbt sie sich, indem **man** der durch den Logos möglichen Einsicht folgend handelt.

c. φύσιν ἔχει kann ganz abgeschwächt[123] im Sinne von *es ist natürlich* verwendet werden, vgl κῶς φύσιν ἔχει; *wie kann es mit natürlichen Dingen zugehen*? Hdt II 45, 3[124]. Ähnlich κ α τ ὰ φ ύ σ ι ν *der Natur entsprechend, normal*, vgl Hdt II 38, 2; Hippocr, De aere aquis locis 22 (CMG I 1 p 75, 16)[125], vom Tod, der im Alter κατὰ φύσιν eintritt Plat Leg XII 958d[126]. Entsprechend π α ρ ὰ φ ύ σ ι ν *was der Natur widerspricht, unnormal*, vgl ὥσπερ ...ζῷα ἐπίστανταί τινα μάχην ἕκαστα οὐδὲ παρ' ἑνὸς ἄλλου μαθόντα ἢ παρὰ τῆς φύσεως Xenoph Cyrop II 3, 9, vom Schicksal des Exilierten Eur Phoen 395, von einer schweren Krankheit, die Leiden παρὰ φύσιν verursacht PMich III 149 col 6, 30f (2.Jhdt nChr).

Vor allem werden diese Wendungen im ethisch wertenden Sinne[127] gebraucht, uz ganz vornehmlich in Bezug auf geschlechtliche Verfehlungen. Bereits bei Plat findet sich eine entsprechende Verurteilung der Päderastie: „wenn jmd das entsprechende, vor der Zeit des Laios bestehende Gesetz einführte", ἀκολουθῶν τῇ φύσει Leg VIII 836c, vgl II 636b. Begründet wird das mit dem Hinweis auf die Tiere, wo nie ein männliches an anderes männliches zu solchem Zweck berührt, διὰ τὸ μὴ φύσει τοῦτο εἶναι ebd[128]. ἡ κατὰ φύσιν ἐπιπλοκή ist der *normale Geschlechtsverkehr* Diod S 32, 10, 4, παρὰ φύσιν γάμος heißt es von einer Heirat, in der die Frau in Wirklichkeit ein Mann ist 32, 10, 9[129]. ἡ παρὰ φύσιν πρὸς τοὺς ἄρρενας μίξις Jos Ap 2, 273, vgl die Anklage gg die Philosophen, daß sie die Aphrodite παρὰ φύσιν gebrauchen (Päderastie) Athen 13, 84 (605d), während es durchaus κατὰ φύσιν ist, daß der Spartaner Cleonymus sich 200 Frauen als Geiseln nimmt 13, 84 (605d—e)[130].

---

[119] Zu φύσις *Charakter* → 248, 15ff; → 263, 32ff.

[120] Dies ist der älteste Beleg für den Begriff *naturgemäßes Leben* in der Akademie, vgl → Pohlenz Stoa I 112.

[121] Der Mensch ist nicht durch Zufall oder von ungefähr ein πολιτικὸν ζῷον, sondern *als Ergebnis seines Werdens* φύσει Pol I 1 p 1253a 2f; ebs ist die Polis *von Natur*, da sie das Ergebnis eines historischen Wachstumsprozesses darstellt I 2 p 1252b 30—34, vgl ὁ λόγος ἡμῖν καὶ ὁ νοῦς τῆς φύσεως τέλος VII 13 p 1334b 14f.

[122] Vgl → Leisegang 1151.

[123] Ein prägnanter Gebrauch liegt vor in ἕκαστον δὲ (sc τῶν νόσων) ἔχει φύσιν τῶν τοιουτέων, καὶ οὐδὲν ἄνευ φύσιος γίγνεται Hippocr, De aere aquis locis 22 (CMG I 1 p 74, 17), vgl „wo der Boden nur für diesen Zweck die *natürliche Beschaffenheit* hat" Plat Leg XII 958d—e.

[124] Vgl dazu → Beardslee 51; → Holwerda 76f.

[125] κατὰ φύσιν *normal* ist bes häufig in der medizinischen Lit; Belege bei → Beardslee 48f, vgl → Heinimann 96f.

[126] Ähnlich von Cic, der sich vor den Häschern verbarg, um dem Tod zu entrinnen, der nur wenig vor der Natur οὐ πολὺ πρὸ τῆς φύσεως zu ihm kam Plut, Comparatio Demosthenis et Ciceronis 5 (I 888b).

[127] παρὰ φύσιν fehlt in den direkten Zitaten der Vorsokratiker. Auf Grund der erhaltenen Referate vermutet → Leisegang 1134, daß es sich auch hier „auf den Menschen, seine naturwidrigen Begierden u Handlungen bezog".

[128] → Beardslee 99 macht auf diese St aufmerksam im Hinblick auf die Meinung, kein antiker Autor verbiete dieses Laster.

[129] Ähnlich vom widernatürlichen Verkehr mit der Ehefrau, der aus physischen Gründen der natürliche Akt nicht möglich ist Diod S 32, 11, 1.

[130] Das Adj wird gleichbedeutend mit κατὰ φύσιν gebraucht: ἀληθὲς καὶ φυσικὸν χρῶμα Dion Hal, De Thucydide 42 (ed HUsener-LRadermacher, Dion Hal Opuscula I [1899] 398).

5. Die Natur als Welt- und Lebensprinzip in der Stoa.

a. Gott, Welt und Natur.

Die Stoa will die sich seit dem 5. Jhdt im griech Denken ständig vertiefenden Gegensätze von Notwendigkeit u Zufall, Natur u Vernunft, naturgemäßem 5 Leben u menschlicher Setzung theoretisch wie praktisch überwinden. Die Natur ist nicht nur εἱμαρμένη (ἀνάγκη φύσεως, → 251, 15ff), sondern zugleich πρόνοια Zeno fr 176 (vArnim I 44f) u, wie Chrysippus hinzufügt, Zeus fr 937 (vArnim II 269, 13f), vgl 1076 (vArnim II 315, 8f). Als göttliche Weltvernunft durchwaltet sie den Haushalt des Alls Chrysippus fr 945 (vArnim II 273, 25—28), vgl 912 (vArnim II 264, 7f) uö. Ebs wird die im φύσις- 10 Begriff liegende Spannung zwischen Allnatur u Einzelwesen aufgehoben. Die Frage nach der Vorstellung des Einzelnen u die Frage nach Gott sind ebs eine Einheit wie die nach der φύσις ἐπὶ μέρους u nach der φύσις τῶν ὅλων Zeno bei Epict Diss I 20, 16 (vgl vArnim I 46, 10f)[131]. Die κοινὴ φύσις ist gleichzeitig der κοινὸς λόγος Chrysippus fr 599 (vArnim II 184, 31f). Als göttliches Weltprinzip ist die φύσις sowohl die unbegrenzte Urmaterie fr 599 15 (vArnim II 185, 1—4), vgl 937 (vArnim II 269, 22f) als auch die φύσις ζωτική, λογική, νοερά, die Aufseherin einer vernünftigen Weltordnung fr 945 (vArnim II 272, 38—273, 1). φύσις u τέχνη sind keine Gegensätze, vgl den oft wiederholten Satz Zenos von der Natur als kunstreichem, schöpferischem Feuer Zeno fr 171 (vArnim I 44, 9f)[132]. So übt die Natur ihre Haushalterschaft auf verschiedene Weise aus[133], gestaltet aber immer kunst- 20 reich u zweckvoll, vgl καὶ τεχνικῶς ἄπαντα διαπλάττει Chrysippus fr 1138 (vArnim II 329, 36) u den aus Aristot (→ 253, 18ff) herrührenden Satz: μηδὲν ὑπὸ φύσεως γίνεσθαι μάτην Chrysippus fr 1140 (vArnim II 330). Zur von der Natur jedem einzelnen Lebewesen bestimmten Ordnung u Schönheit vgl vor allem Epict, zB Diss III 1, 3f[134]. Bes die Haar- u Bartmoden liefern der stoischen Diatribe sinnfällige Beispiele einer grundsätzlich 25 unzulässigen Vergewaltigung der Natur: ein Mann, der seine Körperhaare beseitigt, beschwert sich bei der Natur darüber, daß er als Mann geboren wurde III 1, 27—30. Sind die Haare auch nur *Zugabe der Natur* τῆς φύσεως... πάρεργα, so sind sie doch auch σύμβολα θεοῦ, durch die schon von weitem die Natur eines jeden ausruft ἀνήρ εἰμι...ἰδοὺ τὰ σύμβολα I 16, 9—14. 30

b. Der Mensch als λόγος und φύσις.

Die stoische Telosformel[135] ist der prägnanteste Ausdruck der stoischen Sicht des Verhältnisses von Mensch u göttlicher Allnatur. In ihrer ältesten Form τέλος... τὸ ὁμολογουμένως ζῆν Zeno fr 179 (vArnim I 45, 24; → V 200, 21ff; II 838, 23ff) fehlt der Begriff φύσις, findet sich aber in der von Cleanthes[136] geschaffenen klass Form 35 τέλος ἐστὶ τὸ ὁμολογουμένως τῇ φύσει ζῆν fr 552 (vArnim I 125, 19)[137]. Gemeint ist hier wie

---

[131] Daher kann Epict auch von der göttlichen Natur des Menschen reden; wer diese durch sein Handeln verachtet, ist unter Gottes Zorn Diss II 8, 14, vgl οὐ μεμνήσῃ ... ὅτι συγγενῶν, ὅτι ἀδελφῶν φύσει, ὅτι τοῦ Διὸς ἀπογόνων; I 13, 4, vgl Natura nos cognatos edidit, cum ex isdem et in eadem gigneret Sen ep 15, 95, 52.

[132] Vgl Chrysippus fr 1133 (vArnim II 328, 19f). 1134 (vArnim II 328, 26f) uö. Zum Ganzen → Leisegang 1153f. Auch der aus der sophistischen Kulturentstehungstheorie stammende Satz, daß die τέχνη die φύσις nachahmt, wird wiederholt Cic Nat Deor II 22, 57, aber im stoischen Sinne neu gefaßt: es ist ja die schöpferische Natur selbst, die als Logos den Menschen zur τέχνη befähigt (Posidonius? → Pohlenz Stoa I 227; II 114).

[133] Vgl die stoische Vierteilung der Kräfte der διοίκησις, bei der φύσις speziell das Wachstum der Pflanzen bezeichnet: τὰ μὲν ἕξει διοικεῖται, τὰ δὲ φύσει, τὰ δ' ἀλόγῳ ψυχῇ, τὰ δὲ καὶ λόγον ἐχούσῃ καὶ διάνοιαν Chrysippus fr 460 (vArnim II 150), ferner Sext Emp Math

IX 81ff; Philo Aet Mund 75 uö, vgl das von der Natur gegebene proprium hominis: animus et ratio in animo perfecta Sen ep 4, 41, 8.

[134] Ferner Epict Diss IV 8, 42; 11, 9; 11, 31 uö. In entsprechender Bdtg steht auch das Adj φυσικός: ein Pferd ist unglücklich, wenn es seiner ihm *von Natur eigenen Kräfte* τῶν φυσικῶν δυνάμεων beraubt wird, dh nicht laufen kann, jedoch nicht, weil es nicht Kuckuck rufen kann IV 5, 13, vgl IV 1, 27.

[135] Über die Form der Telos-Formel → Pohlenz Stoa I 116—118; II 67f, zum Ganzen → Bornkamm ΟΜΟΛΟΓΙΑ 152—156, zur Vorgeschichte ebd 139—151; HJonas, Aug u das paul Freiheitsproblem, FRL 44 ²(1965) 27—29; → Köster 527f.

[136] Cleanthes lehnt die etym Spielerei Zenos ab, der ὁμολογουμένως im Sinn seiner Bestandteile versteht u kehrt zum normalen Sprachgebrauch zurück, vgl → Pohlenz Stoa I 113—117.

[137] Diese Form wurde dann von Chrysippus übernommen u als ζῆν κατ' ἐμπειρίαν τῶν φύσει συμβαινόντων interpretiert fr 12 (v Arnim III 5, 19f).

dort die Zueignung οἰκείωσις des eigenen *Wesens*, nämlich des λόγος, dh also: Übereinstimmung mit der Natur wird verstanden als „in Übereinstimmung sein" schlechthin, als Harmonie[138]. Aus der späteren Weiterentwicklung der Telos-Formel[139] ist vor allem die Deutung des Panaetius von Bdtg: ζῆν κατὰ τὰς δεδομένας ἡμῖν ἐκ φύσεως ἀφορμάς bei Cl Al Strom II 21, 129, 4[140]. Das von Natur Gebotene ist so als Urtrieb jedem Menschen bereits von Natur als Anlage mitgegeben[141]. Entsprechend schon Cleanthes: πάντας γὰρ ἀνθρώπους ἀφορμὰς ἔχειν ἐκ φύσεως πρὸς ἀρετήν fr 566 (vArnim I 129). Bei Epict findet sich am häufigsten συμφώνως τῇ φύσει Diss I 2, 6; 4, 14. 18. 29; 6, 21; II 14, 22[142]. Dabei wird vor allem betont, daß der Mensch den λόγος von der Natur empfangen hat Diss I 20, 5, dh λαβών τις παρὰ τῆς φύσεως μέτρα καὶ κανόνας εἰς ἐπίγνωσιν τῆς ἀληθείας Diss II 20, 21, vgl IV 1, 51. Es gehört zum *Wesen* φύσις des Menschen, daß er das ihm Gute nur durch Beitrag zum allg Nutzen erreichen kann Diss I 19, 13. Sogar Epic versteht, ὅτι φύσει ἐσμὲν κοινωνικοί Epict Diss I 23, 1[143]. Die vernünftige Einsicht erkennt diese Natur zB als „Gutes tun, zusammenarbeiten, Fürbitte für andere" u nicht Beißen, Treten, ins Gefängnis werfen, Hinrichten Diss IV 1, 122[144].

c. κατὰ / παρὰ φύσιν in der Stoa.

Seit Zenos Satz στοιχεῖα τῆς εὐδαιμονίας (dh als Ergebnis der ἀρετή) τὴν φύσιν καὶ τὸ κατὰ φύσιν (sc εἶναι) fr 183 (vArnim I 46) ist das κατὰ φύσιν in der Stoa eine außerordentlich häufige Kurzfassung der Telos-Formel (→ 257, 32ff). So entstehen die Gleichungen τὸ κατὰ φύσιν ζῆν = τὸ καλῶς ζῆν = τὸ εὖ ζῆν = τὸ καλὸν κἀγαθόν = ἡ ἀρετὴ καὶ τὸ μέτοχον ἀρετῆς Chrysippus fr 16 (vArnim III 6, 16—18, vgl 7ff). 4 (vArnim III 3). Das auf diese Weise formulierte Ziel des Lebens ist, da es von dem empirisch nicht faßbaren Zustand des vollkommen Weisen gilt, notwendig rein formal definiert, u man erfährt über seinen konkreten Inhalt wenig mehr, als daß es eine Gerechtigkeit sei, die sich aus Gott u aus der κοινὴ φύσις herleite Chrysippus fr 68 (vArnim III 17, 4—7). 326 (vArnim III 80), vgl „alles, was in den eigenen Kräften steht, ständig u unverbrüchlich zu tun, um das zu erlangen, was primär unserer Natur entspricht" τῶν προηγουμένων κατὰ φύσιν Antipater fr 57 (vArnim II 252f). Das Ziel des Handelns κατὰ φύσιν ist die vollkommene Entfaltung des eigenen *Wesens* u, damit identisch, die vollkommene Einsicht in die *Natur*[145].

Freilich orientiert sich die inhaltliche Einzeldefinition guter Handlungen für den προκόπτων, der sich ja im depravierten Zustand befindet, durchaus konkret an der Natur, bezieht sich aber nur auf καθήκοντα. Gesundheit, Stärke, Vollkommenheit der Sinnesorgane usw sind κατὰ φύσιν, Krankheit, Schwäche usw παρὰ φύσιν Chrysippus fr 140 (vArnim III 34, 14—18), vgl Epict Diss II 5, 24f[146]. Alle diese Werte sind aber nur πρῶτα κατὰ φύσιν Chrysippus fr 140 (vArnim III 34, 20—22) oder auch ἀδιάφορα fr 146 (vArnim III 35)[147]. Die gerade in der Stoa sehr reichhaltige Konzipierung von Bestimmungen für ein der Natur gemäßes Verhalten bleibt, wie überh in der nacharistotelischen Philosophie, rein individualethisch bestimmt u läßt lediglich zu, daß sich der Mensch seines Charakters als Gemeinschaftswesen bewußt sein soll (→ 257, 32ff)[148]. Aber ein

---

[138] Also nicht die Übereinstimmung mit bestimmten Gesetzen der Natur als einem Gegenüber des Menschen, vgl → Bornkamm ΟΜΟΛΟΓΙΑ 152—156; zur Frage, wie damit das dialektische Verhältnis zur ἀρετή aufgehoben ist, ebd 152.

[139] s zB die eigene Formulierung Chrysippus: ἀκολούθως τῇ φύσει ζῆν fr 6 (vArnim III 4), vgl fr 7—9 (vArnim III 4), ferner Epict Diss I 17, 13—18; s dazu → Pohlenz Stoa I 117f.

[140] Zitiert bei → Bornkamm Gesetz u Natur 105 A 27; → Pohlenz Stoa I 200.

[141] Vgl → Pohlenz Stoa I 200f. Weitere Voraussetzungen, die ebenfalls der Natur entstammen, sind bei Panaetius Landschaft, Klima, Lebensumstände, Berufswahl, → Pohlenz Stoa I 201.

[142] ὁμολογουμένως τῇ φύσει ζῆν steht bei Epict nur Diss III 1, 25, vgl den von Epict oft benutzten (wiewohl älteren) Begriff προαίρεσις, dh liberum arbitrium, die freie sittliche

Grundentscheidung, die der Natur entsprechen muß Diss I 4, 18; → Pohlenz Stoa I 332—334; II 163f.

[143] Epict Diss II 20, 13; IV 11, 1; vgl Aristoteles' Satz von dem φύσει πολιτικὸν ζῷον (→ A 121).

[144] Vgl Epict Diss III 24, 12; IV 1, 126 uö. Ironisch über Epic: Die Natur des Menschen ist so stark, daß sie selbst Epic zwang zu schreiben, was er schrieb, u so sich selbst anzuklagen Epict Diss II 20, 15—20.

[145] Vgl → Pohlenz Stoa I 188; → Bornkamm ΟΜΟΛΟΓΙΑ 155. Ganz entsprechend zu beurteilen sind die Def des κατὰ φύσιν bei Diogenes Babylonius fr 44 (vArnim III 219); Archedemus fr 21 (vArnim III 264) ua.

[146] Weitere Belege bei → Pohlenz Stoa II 66.

[147] → Pohlenz Stoa I 114. 332; II 163; → Bornkamm ΟΜΟΛΟΓΙΑ 153.

[148] → Bornkamm ΟΜΟΛΟΓΙΑ 155.

wirklich sozialethischer Ansatz kommt nicht in den Blick, da das κατὰ φύσιν ἔχειν τὴν διάνοιαν ja gerade als Loslösung des Einzelnen vom Zwang der Verhältnisse, als Beständigkeit εὐσταθεῖν u Unerschütterlichkeit μὴ ταράττεσθαι verstanden wird Epict Diss III 9, 17—19; 23, 12 uö. Was innerhalb der bestehenden Ordnung κατὰ φύσιν u was παρὰ φύσιν ist, lehrt der gesunde Menschenverstand, vgl die Kritik an dem Vater, der von seiner 5 kranken Tochter fortlief in der Meinung, das sei *natürlich* φυσικῶς Epict Diss I 11, 1ff[149]. So ist tatsächlich oft der Maßstab die bestehende Ordnung als solche: für Zeno ist es παρὰ φύσιν, einer durch Gesetz mit einem anderen verheirateten Frau beizuwohnen u so dessen Haus zu zerstören fr 244 (vArnim I 58, 13—15), u für Epict gilt von dem Stande, in dem man nun einmal sei, κατὰ φύσιν ἔχοντα αὐτὸν τηρεῖν Diss IV 5, 6. 10

d. Naturgesetz.

Die älteren Stoiker sprechen zwar vom λόγος ὀρθός oder vom κοινὸς νόμος[150], aber der Begriff νόμος φύσεως fehlt hier ganz[151]. Am nächsten kommt dem Begriff *Naturgesetz*: (von der Welt als Stadt der Götter und Menschen) κοινωνίαν ... διὰ τὸ λόγου μετέχειν, ὅς ἐστι φύσει νόμος Chrysippus fr 528 (vArnim II 169, 26— 15 29)[152]. Für das zweimalige Vorkommen des Begriffs bei Epict ist wohl eine singuläre u bewußt paradox formulierte St bei Plat verantwortlich: Callicles sagt dort, das Recht des Stärkeren bestehe κατὰ νόμον τὸν τῆς φύσεως Gorg 483e[153]. Vgl νόμος οὗτος φυσικὸς τὸν κρείττονα τοῦ χείρονος πλέον ἔχειν Epict Diss III 17, 6, vgl νόμος ... τῆς φύσεως καὶ τοῦ θεοῦ I 29, 19[154]. Dieser Befund beweist, daß für die griech sprechende Stoa 20 sich die Bezeichnungen der beiden Bereiche νόμος u φύσις nicht so ohne weiteres zum Begriff des Naturgesetzes zusammenfügen ließen.

Als gängiger u häufig gebrauchter Begriff findet sich lex naturae oder lex naturalis erstmals bei Cic[155] u entsprechend νόμος φύσεως bei Philo (→ 262, 18ff)[156]. Von ersterem sind ohne Zweifel Minucius Felix, Octavius (→ A 151) 19, 10 u Lact Inst I 5, 20 ab- 25 hängig[157], während letzterer die Vorstellung vom Naturgesetz bei den griech Vätern entscheidend beeinflußt hat[158].

---

[149] Das Adj wird in diesem Zshg gebraucht von den φυσικαὶ σχέσεις wie Sohn, Vater, Bruder, während die hinzuerworbenen solche sind wie Bürger, Nachbar usw; beide gehören eng zus. Im übrigen steht τὰ φυσικά für die φυσικὴ θεωρία, die höchste der stoischen Disziplinen neben λογικά u ἠθικά, vgl Chrysippus fr 44 (vArnim II 17) uö. Daher auch in entsprechenden Büchertiteln, vgl vArnim III 205, 6ff. Über τὸ φυσικόν als Bezeichnung einer Klasse von Göttern → A 44.

[150] Belege sind zahlreich, vgl Zeno fr 162 (vArnim I 43, 1f); Chrysippus fr 4 (vArnim III 4, 2f). 332 (vArnim III 81, 23f). 614 (vArnim III 158, 18—20) u vArnim IV Regist sv ὀρθὸς λόγος.

[151] Zeno naturalem legem divinam esse censet steht erst bei Cic Nat Deor I 14, 36, u die weiteren Zeugnisse bei Lact Inst I 5, 20 u Minucius Felix, Octavius (ed JBeaujeu [1964]) 19, 10 können nicht als unabhängige Zeugnisse gelten, vgl → Grant 21f. Zum Begriff Naturgesetz in der Stoa vgl → Köster 527—530; zur Verwendung bei Lukrez s KReich, Der historische Ursprung des Naturgesetzbegriffs, Festschr EKapp (1958) 121—134. [Wertvolle Hinweise verdanke ich Professor Zeph Stewart, Harvard University.]

[152] Der Beleg stammt aus Eus Praep Ev 15, 15, 5, der hier Ar Did zitiert; sein Ursprung ist unsicher. Die meisten anderen Belege für den Gebrauch dieses Begriffes durch Chrysippus stammen entweder von Cic (vArnim III 78, 2—4) oder aus Philo (vArnim

III 79, 38—41; 80, 8—12); darüber → 262, 18ff. Der Gedanke freilich, daß die Gesetze des Staates einem allg Gesetz entsprechen, das *durch die Natur* φύσει, κατὰ φύσιν vorgegeben ist, stammt aus Aristot, vgl Rhet I 13 p 1373b 1—18; 15 p 1375a 25—b 6. Eine ähnliche Sicht kommt Demosth Or 18, 275 zum Ausdruck.

[153] Zu dieser Formulierung bei Plat → Leisegang 1144; → Grant 20.

[154] Ebs ist wohl Dion Hal Ant Rom 3, 11, 3 von derselben Platostelle abhängig. Sonst findet sich der Begriff Naturgesetz im moralischen Sinne in der griech Lit außerhalb der jüd u chr Lit nur noch (Pseud-) Ocellus Lucanus (1.Jhdt vChr), De universi natura 49, (ed RHarder, NPhU 1 [1926]) u Dio Chrys Or 80, 5. Vgl → Grant 22; → Köster 523.

[155] Vgl zB Nat Deor I 14, 36; Off III 6, 27. 30f uö.

[156] Vielleicht muß man an eine gemeinsame Quelle für beide denken, wenn auch der Begriff bei Cic typisch röm u bei Philo typisch jüd geprägt ist. Als gemeinsame Quelle käme etwa der Eklektiker Antiochus von Askalon in Frage. [Ich verdanke diesen Hinweis einer unveröffentlichten Arbeit von RHorsley, Cambridge, Massachusetts, USA.]

[157] Zur Nachwirkung des Begriffs lex naturae auf die lat Kirchenväter → Pohlenz Stoa II 218. 222.

[158] Reiche Belege dafür finden sich bei GWHLampe, A Patristic Greek Lexicon Lfrg 4 (1965) sv νόμος II C 4.

Gerade am Begriff des Naturgesetzes wird die Problematik des griechischen
Naturbegriffes besonders deutlich. Die φύσις ist zwar immer letzte Instanz, niemals
etwas Geschaffenes; aber auf der einen Seite ist sie nur rational erkennbar, also
das auf sie bezügliche Wissen einschließlich der aus der Natur abgeleiteten Nor-
5 men völlig der Diskussion unterworfen; auf der anderen Seite schließt das gerade
die menschliche Entscheidungsfreiheit aus, da ja die Erkenntnis der Natur auf
einen lückenlosen Determinationszusammenhang führt, aus dem der Mensch, soweit er selbst Natur ist, nicht entrinnen kann. Freiheit ist dann nur noch in der
Innerlichkeit oder Spiritualisierung möglich, in der entweder der Mensch kraft der
10 Freiheit seiner Seele zur Zustimmung bereit ist (so die mittlere und die spätere Stoa,
der platonisch-akademische Einfluß ist deutlich), oder aber sich ganz von der vor-
findlichen, natürlichen Welt abwendet (so in der Gnosis). Erst der jüdische und
christliche Glaube an die Natur als Schöpfung Gottes war imstande, diese Probleme
zu lösen. Auch hier wurde erst der Begriff des Naturgesetzes sinnvoll, da der
15 Mensch sich auf den Schöpfer und Gesetzgeber als letzte kritische Instanz beziehen
konnte.

B. Jüdische Literatur.

1. Septuaginta und Pseudepigraphen.

Das Wort φύσις hat im Hbr kein Äquivalent u findet sich daher
20 nur gelegentlich in urspr griech abgefaßten Schriften der LXX (3 u 4 Makk, Sap), das
Adj φυσικός fehlt in der LXX ganz. In den Psdepgr stehen φύσις u φυσικός trotz vor-
auszusetzender hbr Grundlage an einigen St der Test XII. Eine Anzahl von St spiegelt
verschiedene geläufige Bdtg des allg griech Sprachgebrauchs wieder: Das *Wesen* (→ 248,
44ff) des Wassers, das darin besteht, daß es löschen kann Sap 19, 20, *Veranlagung* par zu
25 συνήθεια u ἦθος 4 Makk 13, 27, *Arten*[159] (oder *Naturen?*) von Tieren Sap 7, 20, πᾶσα
θνητὴ φύσις *jedes sterbliche Wesen* 3 Makk 3, 29, einmal auch von Gott, der *gemäß (seiner)*
Natur mit den Menschen mitfühlt 4 Makk 5, 25. In 4 Makk wird die alles Leben beherrschende *Allnatur* (→ 253, 27ff) dem Gesetz u — in ganz ungriechischer Weise —
der Vernunft gegenübergestellt. In der Rede des Antiochus erscheint sie als die Spenderin
30 solcher Gaben wie des wohlschmeckenden Schweinefleisches 4 Makk 5, 8f. Aber die
standhafte u fromme Vernunft der Mutter der sieben Märtyrer besiegt sogar die *Natur*.
φύσις ἱερά steht hier par zu Macht der Elternliebe u Bande der Geburt u deren πάθος
15, 13, vgl 16, 3, s auch die Ratgeber in der Seele der Mutter: *Natur*, Geburt, Liebe
zu den Kindern, Qualen der Söhne 15, 25.

35 Die Bdtg *physische Natur* findet sich in den Test XII, vgl vom Schlaf ἔκστασις φύσεως
Test R 3, 1[160], von der Kraft des Zornes, die sich durch Krankheit noch verdoppelt παρὰ
τὴν τῆς φύσεως Test D 3, 5. In der gleichen Bdtg steht das Adj: ἡ φυσικὴ δύναμις, unterschieden von der Hilfe anderer u von der Macht des Reichtums 3, 4, vgl οἱ φυσικοὶ[161]
ὀφθαλμοί 2, 4.

40 Von besonderer Bedeutung sind nur zwei Stellen: Μάταιοι μὲν γὰρ πάντες ἄνθρωποι φύσει[162] (Sap 13, 1). Hier wird den Heiden bescheinigt, daß ihre Unkenntnis
Gottes gerade *von Natur* gegeben ist (vgl 13, 1ff). Im Gegensatz dazu steht Paulus

---

[159] Die Bdtg *Sorte, Art* liegt auch 4 Makk
1, 20 vor, wo von den zwei Arten der Triebe
die Rede ist; jedoch wird hier auf die Bdtg
Gewächs angespielt, die in den Begriffen φυτά
u παραφυάδες weitergeführt wird, vgl 1, 28.

[160] φύσις par zu αἴσθησις als Sitz des Geistes
der Hurerei Test R 3, 3 ist wohl ebs zu deuten;

es sei denn, φύσις hat hier die Bdtg αἰδοῖον
(→ A 36).

[161] Das Wort steht hier nur in einigen Hdschr.

[162] φύσει fehlt in 545c La Sa Sy; Johannes
Damascenus, Sacra Parallela A 12 (MPG 95
[1860] 1156d); B 5 (1277c), ist aber doch
wohl im Text urspr.

R 1, 19—23 [163], obgleich Paulus das Wort φύσις in diesem Zusammenhang nicht
verwendet (s aber Eph 2, 3; → 268, 20ff) [164]. τάξις φύσεως erscheint zweimal in
Test N 3, 4f; die *Naturordnung* ist verkehrt worden durch die „Wächter" (Gn
6, 1—6) sowie durch die Sodomiten, und es geht die Mahnung voraus, dies nicht
zu tun, „da ihr ja den Herrn in allen seinen Werken erkannt habt." Auch hier 5
sind die Beziehungen zu R 1, 18—32 deutlich.

2. Philo.

Das Wort φύσις ist bei Philo außerordentlich häufig. Als
Zentralbegriff seiner Philosophie und seiner Gesetzesauslegung vereint φύσις bei
Philo zum ersten Male in der griechischen Literatur jene Elemente alttestament- 10
lichen und griechischen Denkens, die für das Denken des Abendlandes bestimmend
geworden sind: Gott und natura creatrix, Schöpfung und natürliche Welt, Naturgesetz und göttliche Forderung [165].

a. Gott und die Natur des Alls.

Als das Sein aller Dinge ist die Natur bei Philo personifizierte 15
Schöpferin u Erhalterin der Welt u so mit göttlichen Prädikaten versehen: ἀγένητος u
ἀθάνατος Sacr AC 98—100 [166], ἀόρατος u ἀνωτάτω καὶ πρεσβυτάτη καὶ ὡς ἀληθῶς αἰτία Rer
Div Her 115. Als *Veranlagung* ist sie die Grundlage des Lernens, auf dessen Gipfel Gott
allein führt, ἡ ἀρίστη φύσις Fug 170—172 [167], vgl Rer Div Her 121. Vor allem die sichtbare,
natürliche Welt ist von der φύσις geschaffen u durchwaltet [168]: Der Wechsel von Tag u 20
Nacht Spec Leg II 100. 103, das Licht als Band zwischen Auge u Farbe Sacr AC 36, Zeit
u Häufigkeit des Fruchttragens Congr 4, fruchtbarer Boden, Wasser, mildes Klima,
Früchte u Pflanzen Spec Leg II 172. 205, bes auch die Gaben, die der Kreislauf der Natur
den Menschen gibt I 172, vgl II 173 [169] (→ 253, 11ff). Sie schafft auch den Menschen,
indem sie Wasser u Erde mit göttlicher Kunst zur menschlichen Gestalt formt I 266, 25
ihm die Sinnesorgane gibt Som I 27 usw. Der Mutterleib heißt daher τὸ τῆς φύσεως
ἐργαστήριον Spec Leg III 109 [170].

Vom Menschen gilt im bes, daß ihm die Natur den λόγος gegeben Rer Div Her 302;
Decal 132; Cher 39 [171] u ihn damit als *geselliges* u *zivilisiertes Lebewesen* zur Einmütigkeit

---

[163] Vgl bes die mit Sap 13, 1 eng verwandte
Formulierung ἐματαιώθησαν ἐν τοῖς διαλογισ-
μοῖς αὐτῶν R 1, 21.

[164] Zum Verhältnis von (natürlicher) Gotteserkenntnis u Schuld in Sap 13 vgl → Bornkamm Offenbarung 19f.

[165] Zu φύσις bei Philo vgl vor allem →
Wolfson I 332—347; II 165—200 uö; →
Goodenough 50—53; → Köster 530—540.

[166] Im gleichen Zshg sagt Philo, daß alles
Sterbliche von Gott verschieden ist. Hier
gleitet die Rede von der Natur fast unbemerkt
in die Rede von Gott über, ebs Rer Div Her
114—116, vgl → Goodenough 51. Ferner
→ A 169.

[167] Zu diesem Verständnis der Natur als
γένεσις u ἀρχή vgl Aristot Pol I 2 p 1252b
31ff uö, s → Goodenough 50.

[168] In allen diesen Zshg spricht Philo von
der Physis ganz ähnlich wie Aristot (→
253, 11ff), vgl → Goodenough 51. Ein ganz
anderer Sprachgebrauch liegt dort vor, wo
Philo der stoischen Klassifizierung (→ A 133)

folgt, wonach die φύσις in den Steinen als
ἕξις erscheint, in den Bäumen als φύσις, in
den Tieren als ψυχή u in den Menschen als
νοῦς καὶ λόγος Aet Mund 75; Leg All II 22f;
Deus Imm 35—48 (jedoch ist hier Gott der
Ursprung dieser Ordnung). Eine fünfte Klasse
ist offenbar Philos eigener Zusatz: In den Guten
σπουδαῖοι erscheine die φύσις als ἀρετὴ τελειο-
τάτη Aet Mund 75.

[169] Gerade hier ist der Wechsel von φύσις
u θεός bes auffallend, vgl Leg All I 28 mit
Praem Poen 9; ferner Rer Div Her 164.

[170] Diese Wendung, Aet Mund 66 als Zitat
unbestimmter Herkunft bezeichnet, findet
sich bei Philo sehr häufig, vgl Vit Mos II 84;
Spec Leg III 33; Leg Gaj 56.

[171] Für die Zuordnung des λόγος zum
Menschen vgl die stoische Klassifizierung
(→ A 133). Wieder anders redet Decal 76
vom Menschen als Werk der Natur, das eine
Seele hat u deshalb nichts Seelenloses an-
beten soll.

u Gemeinschaft geschaffen hat Decal 132. Er ist ἡγεμονικὸν φύσει ζῷον Op Mund 84[172], auch φύσει βασιλεύς 85. Die Natur hat alle gleich u frei geschaffen Vit Cont 70, vgl Decal 41. So finden sich bei Philo eine ganze Reihe von Naturrechtsaussagen aus der griech Tradition (→ 255, 5ff)[173].

5　　　Eine andere Prägung des Begriffs liegt dort vor, wo φύσις nur die Welt der sichtbaren Dinge bezeichnet u daher von Gott, den nur die Vernunft schauen kann, unterschieden wird, vgl Abr 58; Vit Mos I 130[174]. Der Reichtum der Natur (Luft, Wasser[175], Erntefrüchte) wird differenziert vom Reichtum, den die Weisheit gibt, aus dem durch Lernen die Tugenden *wachsen* φύεσθαι Virt 6—8. Noch deutlicher abwertend ist die Sicht der 10　φύσις als ungeordnete, seelen- u qualitätslose οὐσία, die der Gegenstand göttlicher Schöpfertätigkeit ist Op Mund 21—23. Im Zshg dualistischer Begrifflichkeit steht die ὁρατὴ φύσις[176] der ἀσώματος καὶ νοητὴ φύσις gegenüber Praem Poen 26[177], bzw alles, was φθαρτὴ φύσις hat gegenüber den *göttlichen Wesen* θεῖαι φύσεις Conf Ling 154[178]. Aber auch der Mensch hat teil am νοῦς u gehört so zu den θειότεραι φύσεις Leg All II 22f[179]; die Seele 15　sehnt sich nach der Wanderung von hier fort, die *ihrer Natur* entspricht ἡ κατὰ φύσιν μετανάστασις Virt 76[180].

b. Natur und Gesetz[181].

Philo redet zwar ganz im stoischen Sinne[182] vom τῆς φύσεως ὀρθὸς λόγος als der *Verfassung* πολιτεία des als Großstaat vorgestellten Kosmos Jos 31. Aber 20　mit den Bezeichnungen νόμος u οἱ τῆς φύσεως θεσμοί Jos 29f[183] für diese Weltverfassung geht er ganz entschieden über diesen stoischen Sprachgebrauch hinaus[184]. Philo hat hier stoisches Erbe u at.liches Gesetzesverständnis verbunden. Die daraus resultierende Vorstellung des νόμος φύσεως steht im Mittelpunkt des Versuches, das jüd Gottesverständnis mit dem griech Naturbegriff zu verschmelzen, entstammt also der jüd Apologetik[185].

25　　　Grundsätzlich bleibt dieses Naturgesetz für Philo immer die Thora, durch die Gott die Welt geschaffen hat Op Mund 13[186] u durch die er für die Schöpfung sorgt: ἐπιμελεῖσθαι γὰρ ἀεὶ τὸ πεποιηκὸς τοῦ γενομένου φύσεως νόμοις καὶ θεσμοῖς ἀναγκαῖον Op

---

[172] Vgl das πολιτικὸν ζῷον des Aristot (→ A 121).

[173] Ebs kennt Philo die sophistische Dreiteilung von Naturanlage, Lehre u Übung, vgl Sobr 38; Sacr AC 5—7. Hierher gehört auch die Unterscheidung von Abraham, Isaak u Jakob als Typen der διδακτική, φυσική (*aus der Naturanlage kommende*) u ἀσκητικὴ σοφία Vit Mos I 76.

[174] Alles, was der sichtbaren Welt angehört, wird häufig mit dem stoischen Ausdruck τὰ ἐν τῇ φύσει bezeichnet, vgl Vit Mos I 130; Omn Prob Lib 108 uö, gelegentlich auch die sichtbare u die vernünftige Welt insgesamt, vgl τὰ ἐν τῇ φύσει κράτιστα, αἰσθητά τε καὶ νοητά Congr 52. Oft heißt der Ausdruck einfach *alles, was es gibt* Virt 117; Abr 35; Decal 111. Ein philosophisch-technischer Gebrauch ist nicht zu erkennen, vgl → Goodenough 50.

[175] Erde, Wasser, Luft u Feuer erscheinen als die μέρη τῆς φύσεως Vit Mos I 143, vgl Omn Prob Lib 43; Som II 122.

[176] Verwandt sind die Begriffe ὑλικὴ φύσις Migr Abr 192; αἰσθητὴ φύσις Praem Poen 36.

[177] Die Unterscheidung der ἀμέριστος u der μεριστὴ φύσις Decal 103 stammt aus Plat Tim 35a, aber die Terminologie ist die Philos.

[178] Vgl ἐναντία φύσει τό τε φθαρτὸν καὶ τὸ ἄφθαρτον dh Mensch u Himmel Op Mund 82; λογικαὶ καὶ θεῖαι φύσεις sind himmlische Mächte Op Mund 144; περίγειοι φύσεις sind die Wesen unterhalb des Mondes Spec Leg I 13f.

[179] Die λογικὴ φύσις des Menschen steht im Kampf mit der ἄλογος φύσις Som I 106—109.

[180] Der αἰσθητὸς ἄνθρωπος ist φύσει θνητός, der ἄνθρωπος κατὰ τὴν εἰκόνα ist ἰδέα, ist νοητός, ἀσώματος ..., ἄφθαρτος φύσει Op Mund 134.

[181] Darüber ausführlich → Köster 532—540.

[182] Vgl Chrysippus fr 327—332 (vArnim III 80f).

[183] Ähnlich Op Mund 143, wo der φύσεως ὀρθὸς λόγος als θεσμός u νόμος θεῖος bezeichnet ist. Das Wort ist bewußt altertümlich, vgl → Köster 532, u spiegelt vielleicht Plat Phaedr 248c wider. Ebs geht das in diesem Zshg bei Philo häufig gebrauchte Wort νόμιμα, zB Migr Abr 94, wohl auf Plat zurück, vgl Phaedr 265a; Leg VII 793a.

[184] Die Betonung der göttlichen Setzung ist ganz unstoisch, vgl → Goodenough 51f.

[185] Zur „grundsätzlichen Identität von Gottes-, Welt- u Daseinserkenntnis" in der jüd Apologetik → Bornkamm Offenbarung 16f. Dieses Motiv hat bei Philo vielfachen Niederschlag gefunden. Zum Begriff vgl noch die Bezeichnung der schriftgelehrten Auslegung als ἐπιστήμη καὶ θεωρία τῶν περὶ φύσιν Vit Mos II 216 u die Gleichsetzung von φυσικοὶ ἄνδρες mit Theologen u Schriftgelehrten Abr 99, sowie die Ansicht der Therapeuten, daß die Worte der Schrift Symbole *der verborgenen Natur* ἀποκεκρυμμένης φύσεως seien Vit Cont 28 (→ A 188).

[186] Hier ist νόμος φύσεως die hinter der Schöpfung stehende Ordnung der Zahl, vgl Op Mund 35. 60 uö, der selbst Gott scheinbar untergeordnet ist, vgl → Goodenough 52f.

Mund 171, vgl Praem Poen 42; Spec Leg III 189. Dem entspricht die Gleichsetzung des wahren Weltbürgers mit demjenigen, der dem Willen der Natur entsprechend handelt Op Mund 3, was wiederum nichts anderes ist als das im AT geforderte Tun des Gesetzes. Dies wird am Beispiel Abrahams gezeigt: Er *erfüllte* ἐποίησεν alle göttlichen Gebote u Gesetze, jedoch οὐ γράμμασιν ἀναδιδαχθείς, ἀλλ᾽ ἀγράφῳ τῇ φύσει, so daß sein Leben dem 5 Gesetz entsprach (νόμιμος), νόμος αὐτὸς ὢν καὶ θεσμὸς ἄγραφος Abr 275f. Viele Einzelgebote werden als Gesetze der Natur vorgestellt u begründet, zB Praem Poen 108; Spec Leg II 129f; III 112; Decal 132; Sobr 25. Typisch ist vor allem die Betonung sexueller Abirrungen als Verletzung des Naturgesetzes Abr 135, vgl Test N 3, 4f (→ 256, 26ff)[187].

Der Gleichsetzung von Gesetz u Natur entsprechend werden νόμιμος, πρέπον, κατὰ φύσιν 10 u ἀκόλουθον τῇ φύσει synon gebraucht, ebs ἔννομος u παρὰ φύσιν, vgl Spec Leg III 47f; Abr 275f, ferner Spec Leg III 39. 49f mit Abr 137. Ähnlich spricht Philo von der κατὰ φύσιν χρῆσις der sieben natürlichen Fähigkeiten des Menschen: Geschlechtskraft, Sprache u die fünf Sinne Mut Nom 111f, u er sieht im Anschluß an die Stoa, vgl Chrysippus fr 389 (vArnim III 94) uö, den Ursprung des Bösen im πάθος, das als ἄλογος καὶ παρὰ φύσιν 15 κίνησις τῆς ψυχῆς definiert ist Spec Leg IV 79, vgl Decal 142. 150; Ebr 105[188].

3. Josephus.

Das Wort φύσις findet sich bei Jos sehr häufig, uz ziemlich gleichmäßig in allen Büchern. Das Wort gehört also seinem eigenen Sprachschatz an u spiegelt wohl im ganzen den vulgären Sprachgebrauch des 1.Jhdt nChr wider. Sehr oft steht 20 φύσις in topographischen Abschnitten zur Bezeichnung der *naturgegebenen Lage* von Orten, Städten usw, oder der *natürlichen Gestalt* einer Landschaft, vgl Bell 1, 22; 2, 191. 371; 3, 48f. 161. 290. 419. 516. 521 uö; Ant 3, 303; 5, 77. 124; 6, 109. 113; 15, 324; 18, 312; Vit 187[189]. Weiter bezeichnet φύσις den *spezifischen Charakter* einer Sache; zB gehört es zur φύσις des Öles, daß es sich leicht erhitzen läßt Bell 3, 274, vgl von der gegensätzlichen 25 φύσις des tiberischen Sees u des Asphaltsees Bell 4, 456. 476, von *der Natur* des Krieges Bell 4, 40, vgl Ant 7, 144, von *der Beschaffenheit* weiterer Plagen Ant 2, 299[190]. ἰδία (αὐτοῦ) φύσις ist *der eigentlich naturgegebene Zustand* Ant 1, 140; 2, 298; Ap 1, 282. τοῦ δικαίου ἡ φύσις ist *das Recht als solches* Ant 17, 118. Eng mit dieser Bdtg verbunden ist die Verwendung von φύσις für *Sorte, Art, Gattung,* zB von Tieren Ant 1, 32; 15, 273 30 oder Früchten Ant 12, 68. Ferner heißt φύσις *Lebewesen* Ant 8, 44.

Vom Menschen gebraucht bezeichnet φύσις *den Charakter, des Menschen eigentliches Wesen.* φύσεως ἰσχύς steht par zu προαίρεσις ἀρετῆς Ant 1, 8. Von Samuel heißt es, er war δίκαιος καὶ χρηστὸς τὴν φύσιν καὶ … φίλος τῷ θεῷ Ant 6, 294[191]. Der überaus häufig verwendete Dat φύσει heißt in diesem Zshg wohl meist nicht einfach *von Natur,* sondern 35 hat mehr die Bdtg *in seinem Wesen* oder *Charakter,* vgl von Hyrcanus, der φύσει *in seinem Wesen* χρηστός war, Aristobulus hingegen hatte *einen entgegengesetzten Charakter* ἐναντίας φύσεως Ant 14, 13; der letztere sah die Ursache von Hyrcanus' Sturz *in dessen Charakter* τὴν ἐκείνου φύσιν Ant 14, 44. φύσει steht in diesem Sinne sowohl von einzelnen Menschen, vgl φύσει δραστήριος *von entschlossenem Wesen* Bell 1, 204[192], als auch 40 von bestimmten Gruppen von Menschen oder ganzen Völkern, vgl ἄνδρες … φύσει φιλελεύθεροι *Männer, deren Freiheitsliebe ein Teil ihres Wesens ist* Bell 4, 246; die Barbaren sind *von Haus aus* treulos Bell 1, 255[193]. Oft redet Jos vom *Wesen des Menschen schlechthin,* jedoch fast immer versteht er darunter etw Negatives. Die ἀνθρωπίνη φύσις neigt zB zur Selbstliebe u zum Haß gg solche Menschen, die an ἀρετή überlegen sind 45 Ant 5, 215[194]. Moses' Gesetz wurde gegeben, damit die φύσις des Menschen ihn nicht

---

[187] Durchweg ist der Begriff des Naturgesetzes dabei nicht einfach aus den sog noachischen Geboten entwickelt, so → Wolfson II 183—187, sondern ist von weitergehender u grundsätzlicher Gültigkeit.

[188] Das Adj φυσικός wird meist neutral gebraucht u heißt *was dem natürlichen Wesen des Menschen entspricht* Deus Imm 80; Spec Leg IV 201 uö. Aber es bezeichnet auch negativ *das unmenschliche Wesen* Spec Leg II 93; III 110. ἡ φυσικὴ πραγματεία ist *die Physik,* einer der drei Teile der Philosophie Mut Nom 75. ἡ φυσικὴ ἀπόδοσις ist *die allegorische Auslegung* Fug 108, daher φυσικῶς *allegorisch* Leg All II 5; III 185, vgl → Leisegang 1137;

ders, Artk Philon, in: Pauly-W 20 (1941) 36 —39.

[189] Vgl εὔφυΐα τοῦ χωρίου Bell 1, 408.

[190] Vgl ferner Bell 4, 472; Ant 7, 306; 10, 209; 12, 63; 18, 76; oft in der Wendung τὴν φύσιν *in Bezug auf seine Natur* Ant 3, 134; 4, 95 oder φύσει *von Natur* 8, 152.

[191] Vgl ferner Ant 2, 141; 6, 290. 318; 7, 9. 43. 110; 8, 49; 9, 1. 178. 260 uö; Vit 134.

[192] Vgl Bell 1, 408. 470; 2, 208; 3, 346f; 4, 310 uö; Ant 2, 56. 161; 3, 190; 7, 130. 252 uö.

[193] Vgl Bell 2, 92; 5, 306. 372; Ant 3, 23; 4, 37; 18, 47; Vit 87.

[194] Vgl Ant 6, 59. 136. 341; 10, 241; 19, 296.

durch Unwissenheit zum Schlechteren treibt Ant 4, 193, vgl 5, 317. Es ist *menschliche Art* ἀνθρώπινος τρόπος, gesittet zu sein, solange die Gelegenheit zum χρῆσθαι τὴν φύσιν fehlt, par zu τολμᾶν ὅσα θέλουσιν Ant 6, 263, vgl 7, 133. Zweimal spricht Jos von höheren Ehren, als *der sterblichen Natur des Menschen* zukommen ἢ κατὰ τὴν θνητὴν φύσιν Ant 15, 372, vgl 19, 345.

Von der menschlichen Natur unterschieden wird die φύσις θεοῦ, par zu den Werken oder Taten Gottes Ant 1, 15. 19. Vom gerechtfertigten Zorn ablassen zu können, ist Zeichen *göttlichen Wesens* Ant 4, 269[195]. Einmal wird auch die Überlegenheit der φύσις von Engelwesen über die menschliche φύσις betont Ant 1, 279. Von der φύσις der Weltelemente spricht Ant 3, 183 f[196].

An einer Reihe von St erscheint die φύσις als selbständig handelnde Macht, zB: *die Natur* hat die Gegend am See Gennesar schön u fruchtbar gestaltet Bell 3, 518, sie freut sich nicht an der Gemeinschaft ungleicher Dinge Ant 4, 228, vgl 4, 226; 6, 9. Die ἱερὰ φύσις befiehlt Vaterliebe auch bei den Tieren Bell 1, 465[197]. Vom *Gesetz der Natur*[198] spricht Jos vor allem in Bezug auf Leben u Tod. Der natürliche Tod ist ein νόμος φύσεως Bell 3, 374; Ant 4, 322. Daß alle Tiere leben wollen, ist ein νόμος φύσεως ἰσχυρός Bell 3, 370, vgl 3, 369. Die Söhne des Herodes, die ihm nach dem Leben trachteten, hatten den τῆς φύσεως δικαιώματα entsagt Ant 17, 108, vgl νόμος φύσεως 17, 95. Aber auch wer das Begräbnis verweigert, verletzt mit den Gesetzen des Vaterlandes ebs *die Gesetze der Natur* Bell 4, 382.

κατὰ φύσιν ist alles, *was der Ordnung u dem Wirken der Natur entspricht*, im Gegensatz zu κατ' ἐπίνοιαν ἀνθρώπου Ant 1, 54 u zu τέχνης μιμήματα Ant 12, 75. Dem normalen Sprachgebrauch folgend bezeichnet Jos die weibliche Regel als κατὰ φύσιν Ant 1, 322, vgl 3, 261. 275, ebs die Geburt der Kinder Ant 2, 292, vgl 3, 88, ebs den ehelichen Verkehr Ap 2, 199[199]. Entsprechend ist körperliche Mißgestalt μὴ κατὰ φύσιν Ant 7, 303; sexuelle Verfehlungen sind παρὰ φύσιν Ap 2, 273. 275 (→ 256, 27 ff).

C. Das Neue Testament.

1. Allgemeines.

Das seltene Vorkommen von φύσις im Neuen Testament[200] ist an sich schon auffallend. Damit paßt das Neue Testament so gar nicht in das allgemeine Bild der hellenistischen Literatur, für die der häufige Gebrauch dieser Wortgruppe bezeichnend ist, sei es als unbewußter, aber geläufiger Ausdruck eines verbreiteten Daseinsverständnisses, sei es als bewußtes Ergebnis einer entsprechenden philosophischen und theologischen Welt- und Seinsdeutung. Hinsichtlich der relativen Seltenheit dieses Wortes gehört das Neue Testament sprachlich auf die Seite des Alten Testaments und eines Teils der jüdischen Literatur. Es handelt sich aber hier nicht einfach um ein zufällig mit dem alttestamentlichen Hintergrund

---

[195] φύσις θεοῦ findet sich ferner Ant 8, 338; 10, 142; Ap 1, 224 (opp φύσις ζῴων ἀλόγων); 2, 168. 180. 250; vgl Ant 8, 107.

[196] Der programmatische Satz, daß des Jos eigene Darstellung von Gesetz u Gesch des jüd Volkes übereinstimmen soll mit τῇ τῶν ὅλων φύσει Ant 1, 24 ist ein Echo von Philo Op Mund 3.

[197] φύσις steht par zu γένεσις *Vaterschaft* Ant 6, 126, par zu εὔνοια *Zuneigung* Bell 1, 77. Es bezeichnet auch die Bande zwischen Vater u Sohn Ant 16, 395; vgl 16, 365; Bell 1, 556. Vatermord ist ein ἀδίκημα καὶ τῆς φύσεως καὶ τοῦ βίου u wer ihn nicht bestraft, ἀδικεῖ τὴν φύσιν Ant 17, 120.

[198] Allg von der Ordnung der Natur steht φύσις par zu τὸ δίκαιον u ἀλήθεια u im Gegensatz zu ἀνομία Bell 1, 544.

[199] Das Adj φυσικός ist meist synon mit κατὰ φύσιν u heißt *naturgegeben, naturgemäß*, vgl Bell 1, 35; 2, 149; 3, 514; 5, 191; Ant 5, 71; 12, 190; 13, 310. Aber auch Störungen der Elemente gelten als φυσικός, zB Erdbeben Bell 1, 377. Das Verlangen nach Freiheit ist *das natürlichste* aller Gefühle Bell 4, 175. Eine besondere Bdtg liegt nur Ant 12, 99 vor, wo λόγοι φυσικοί (moral-?)philosophische Fragen bezeichnet.

[200] Das Subst erscheint 14mal, das Adj dreimal, das Adv einmal.

der Sprache des Neuen Testaments gegebenes Phänomen[201], sondern wenigstens zum Teil auch um eine bewußte theologische Entscheidung, die darauf beruht, daß für „natürliche Theologie" im Denken des Neuen Testamentes sachlich kein Raum da ist[202].

2. Der paulinische Sprachgebrauch.

a. Als Terminus des allgemeinen Sprachgebrauchs steht φύσις in R 11, 21. 24 in den Wendungen κατὰ φύσιν u παρὰ φύσιν. φύσις ist in dieser metaphorischen Rede vom kultivierten Ölbaum (Israel) und der wilden Olive (Heiden) das *natürlich* und ohne künstlichen Eingriff Gewachsene. *Gegen die Natur* dessen, was *seiner Natur nach* ein wilder Ölbaum ist, sind die Zweige (→ III 720, 6ff; VI 989, 25ff) auf einen Baum anderer Art, den edlen Ölbaum, aufgepflanzt[203]. Sie haben somit keinen Vorteil gegenüber jenen Zweigen, die der Natur dieses edlen Ölbaums entsprechen, das heißt auf ihm gewachsen sind.

ἡ ἐκ φύσεως ἀκροβυστία[204] (R 2, 27) meint die Heiden, die *ihrem Wesen nach, in ihrer wahren Natur* Vorhaut sind[205]. Gemeint sind nicht etwa bekehrte Heiden, sondern solche, die es wirklich sind und geblieben sind. Das wird durch ἐκ φύσεως unterstrichen. Darauf kommt es im Zusammenhang gerade an, daß diese echten Heiden im Gericht aufstehen und durch ihre Gesetzeserfüllung (zu R 2, 14 → 267, 7ff) den Juden trotz seiner Kenntnis des geschriebenen Gesetzes und seiner Beschneidung als Übertreter des Gesetzes richten (→ III 590, 4ff). Ganz entsprechend zu verstehen ist φύσει Ἰουδαῖοι Gl 2, 15. Hier allerdings heißt φύσει mehr *der ursprünglichen Herkunft nach*, die unser Wesen bestimmt[206]. In die Gegenwart jedoch reicht dies *im Wesen Jude Sein* nicht hinein, da es durch das *wir sind zum Glauben an Jesus Christus gekommen* (Gl 2, 16) aufgehoben ist[207].

b. Der merkwürdige Ausdruck ἐδουλεύσατε τοῖς φύσει[208] μὴ οὖσιν θεοῖς (Gl 4, 8) erinnert an die hellenistische Unterscheidung der φύσει und

[201] Dies trifft auf die Ev allerdings durchaus zu, da die weithin semitische Grundlage der Ev keinen Anlaß zum Vorkommen des Begriffes gibt, der daher hier ganz fehlt.
[202] Das Fehlen des φύσις-Begriffs in Ag, bes in Kp 17, ist immerhin auffallend. Daß der Begriff in R 1, 18—25 nicht vorkommt, ist kaum ein Zufall (→ 266, 29ff).
[203] Man darf daher nicht fragen (so schon Orig Comm in R VIII 11 zu 11, 16—24 (MPG 14 [1862] 1195a) bei Ltzm R zSt), ob umgekehrt das Aufpfropfen eines Zweiges vom kultivierten Ölbaum auf den wilden Ölbaum zum Zwecke der Kultivierung *natürlicher* wäre. Einmal gibt es das offenbar bei der Ölbaumkultur nicht, vielmehr werden Stecklinge des kultivierten Ölbaumes nochmals veredelt. Zum anderen geht es hier bei φύσις lediglich um *das natürlich Gewachsene*, nicht etwa um das, was normalem Brauch entspricht. WMRamsay, The Olive-Tree and the Wild Olive, Pauline and Other Studies in Early Christian History (1906) 219—250,

weist auf die Sitte hin, alten edlen Ölbäumen, die nicht mehr tragen, einen Zweig vom wilden Ölbaum einzusetzen, um dem Baum neue Kraft zuzuführen. Doch kommt es darauf im paul Bild nicht an. S ferner die weitere Lit bei Mi R[13] 275 u Ltzm R zSt.
[204] Die Worte fehlen in G.
[205] Man darf keinesfalls übersetzen: die Heiden, „die es infolge ererbter Anlage sind", Pr-Bauer sv, oder „die durch die physische Abstammung bedingte Erbmasse", → Pohlenz Pls u Stoa 77. Der Begriff ἀκροβυστία verbietet das, da bei dieser Deutung für die Juden ja keineswegs das Gegenteil zuträfe.
[206] Die Deutung „*das Angeborene* im Gegensatz zu dem später Gelernten", → Bonhöffer 148, entspricht nicht dem, was das Wesen des Juden ausmacht, nämlich die Gesetzeserfüllung, vgl → Flückiger 31.
[207] Zum Zshg von v 15 u 16 vgl das zweimalige ἡμεῖς, s Schlier Gl[13] zu 2, 15.
[208] K *d m* Ir[lat] Ambst lassen φύσει fort, um den ungewöhnlichen Ausdruck zu glätten.

θέσει θεοί (→ 250, 10ff). Paulus spräche dann mit μὴ οὖσιν wahres, wesenhaftes Sein gerade jenen φύσει θεοί ab, die der Grieche als personifizierte göttliche Mächte des Kosmos gelten läßt und verehrt. Es muß jedoch zweifelhaft bleiben, ob Paulus an dieser Stelle wirklich die genannte technische Terminologie des Hellenismus im
5 Sinn hat[209]. Deutlich ist aber die Parallele zu den στοιχεῖα (→ VII 684, 3ff; 685, 7ff; IV 644, 38ff; 1067, 26ff; VI 909, 12ff), den wohl auch personhaft vorgestellten *Weltelementen*, auf die sich Paulus im nächsten Vers bezieht (Gl 4, 9)[210]. Wie einst das Nichtwissen von Gott — Paulus greift hier typische Missionsterminologie auf[211] — gleichbedeutend mit Knechtschaft unter die φύσει μὴ ὄντες
10 θεοί war, so muß für die Galater jetzt die Übernahme des Gesetzes mit einer Rückkehr in die Versklavung unter die Weltelemente gleichbedeutend sein. Durch ἀσθενῆ καὶ πτωχά wird den Weltelementen ihr Anspruch und ihre Macht bestritten. In Gl 4, 8 hätte das einfache μὴ οὖσιν genügt, den vermeintlichen Göttern entsprechend ihr Gott-sein abzustreiten. Das noch vorangestellte φύσει soll diese Bestrei-
15 tung nicht bloß verstärken[212], sondern verdeutlicht, daß die Weltmächte *in ihrem eigentlichen Wesen* keine göttliche Qualität besitzen. Es ist dabei durchaus möglich, daß Paulus gleichzeitig auf den Begriff φύσει θεοί anspielt.

Die einzige Stelle, an der φύσις bei Paulus im Nominativ und absolut erscheint, ist 1 K 11, 14. Zwar tritt hier die *Natur* personifiziert als Lehrerin der Menschen
20 auf. Sie repräsentiert aber nichts anderes als die allgemeine Ordnung der Natur und hat lediglich die Aufgabe, an das zu erinnern, was schicklich und geziemend ist[213]. Der Gedanke an die göttliche Schöpferin und Erhalterin der Welt liegt ganz fern. Das Argument ist typisch popular-philosophisch, noch nicht einmal spezifisch stoisch[214]. Daß die Natur gerade bei der Frage der Haartracht als Zeugin für das
25 Schickliche auftritt, liegt daran, daß in der Diatribe die Frage der menschlichen Haartracht ein beliebter Topos für die Diskussion des Naturgemäßen war (→ 257, 23ff). Der Gebrauch des absoluten φύσις in 1 Kor 11, 14 kann also vielleicht als technisch bezeichnet werden, hat aber keinerlei theologische Bedeutung.

Im deutlichsten Gegensatz zu der Art, in der Paulus sich 1 Kor 11, 14 beiläufig
30 auf die φύσις beruft, fehlt der φύσις-Begriff dort, wo Paulus von der Erkenntnis Gottes an den Werken der Schöpfung in der sichtbaren Welt spricht: R 1, 18—25[215]. Erst bei der Darstellung der Perversion, in die Gott die Menschen dahingegeben

---

[209] Der Hinweis von Schlier Gl[13] zSt auf Luthers Galaterbriefvorlesung zSt (WA 2 p 537, 26): non natura sed opinione et errore hominum dii sunt, hilft nicht weiter, da dieses Urteil auf die θέσει θεοί zuträfe. Aber der paul Ausdruck kann nicht als ungeschickte Umschreibung dessen verstanden werden, was genauer θέσει θεοί heißen müßte.

[210] Zum Zshg von Verehrung der στοιχεῖα u Dienst der kosmischen Mächte vgl GBornkamm, Die Häresie des Kol, Das Ende des Gesetzes [5](1966) 140f; WSchmithals, Die Häretiker in Galatien, Pls u die Gnostiker (1965) 30f; kritisch dgg → VII 684, 3ff.

[211] Vgl Bultmann Theol[6] 70f.

[212] Die Übers von φύσει mit *wirklich*, zB Schlier Gl[13] zSt, ist daher nicht hinreichend.

[213] Vgl die par Ausdrücke πρέπον 1 Kor 11, 13 u συνήθεια 11, 16.

[214] → Pohlenz Pls u Stoa 77. 81; → Bonhöffer 147; ADNock, Early Gentile Christianity and its Hellenistic Background (1964) 95.

[215] Bei Philo fällt in par Aussagen der Begriff φύσις wiederholt (→ 261, 15ff). Abgesehen vom Gebrauch des Wortes φύσις entsprechen die Aussagen über die „natürliche" Gottesoffenbarung in R 1, 19ff völlig der stoischen u jüd-apologetischen Terminologie, vgl bes → Bornkamm Offenbarung 12 —18; WDDavies, Paul and Rabbinic Judaism [2](1955) 116. Lit zur Frage der Beziehungen von R 1, 18—32 zum hell Judt s bei SSchulz, Die Anklage in R 1, 18—32, ThZ 14 (1958) 163 A 2.

hat, findet sich das Wort φύσις, jedoch nur in dem adverbialen Ausdruck παρὰ
φύσιν (R 1, 26) sowie in der adjektivischen Wendung φυσικὴ χρῆσις (R 1, 26 f).
Die Hervorhebung gerade der sexuellen Verfehlungen entspricht zwar den sogenannten noachischen Geboten des rabbinischen Judentums[216], ist aber im Tenor
wie in der Formulierung bei Paulus ganz und gar griechisch als Verfehlung der 5
natürlichen Ordnung (→ 256, 26 ff) charakterisiert[217].

Die wichtigste und zugleich schwierigste Stelle, an der Paulus φύσις verwendet,
ist ὅταν γὰρ ἔθνη ... φύσει τὰ τοῦ νόμου ποιῶσιν (R 2, 14)[218]. Paulus spricht hier
von der Gesetzeserfüllung[219] der Heiden[220] im Gegensatz zum Juden, der nur
Hörer, aber nicht Täter des Gesetzes ist (R 2, 13). Wie schon im Grunde R 1, 18—32 10
indirekt den Angriff auf den Selbstruhm der Juden vorbereitet[221], so schließt nun
R 2, 1 ff ausdrücklich die Juden in das „alle" der dem Gericht verfallenen Menschheit ein. Der Jude, der das Gesetz besitzt, hat einen heilsgeschichtlichen Vorrang
nur insofern, als ihn das Gericht zuerst ereilt[222], das heißt, er hat durch den
Besitz des Gesetzes keinen Vorteil. Sein Bewußtsein, durch das Gesetz dem Heiden 15
überlegen zu sein, wird ihm einmal dadurch streitig gemacht, daß auch Heiden das
vom Gesetz Geforderte tun (R 2, 14)[223], zum anderen durch die Tatsache des Gewissens (v 15). Zwar haben die Heiden das Gesetz nicht — gemeint ist dabei zunächst das Mosegesetz[224] —, aber sie tun es φύσει und sind so sich selbst Gesetz.
Wie überhaupt R 2, 14 f ungewöhnlich stark durch die Aufnahme griechischer Vor- 20
stellungen bestimmt ist[225], so muß auch φύσει hier als typisch griechischer Terminus
gefaßt werden, ohne daß man Paulus damit zum Adepten bestimmter stoischer
Schulauffassungen machen muß[226]. Die enge Verbindung von φύσις und νόμος[227]

[216] Vgl ua Davies (→ A 215) 115—117;
→ Gärtner 76 f; Str-B III 36—43; Test N
3, 4 f (→ 261, 2 ff) u zu Philo → 263, 8 f
u → A 187.

[217] Ein technisch stoischer Gebrauch von
παρὰ φύσιν liegt nicht vor, wie → Bonhöffer
149 mit Recht betont; zum stoischen πρῶτα
κατὰ φύσιν → 258, 31 ff.

[218] Zu den vielfachen Problemen von R
2, 14 f, die hier nicht im einzelnen behandelt
werden können, vgl bes die gründliche, reichhaltige u überzeugende Studie von → Bornkamm Gesetz u Natur 93—118, ferner →
Bonhöffer 149—157; → Pohlenz Pls u Stoa
75—77; → Kuhr 243—261; Ltzm R zSt;
zur kirchlichen Auslegung → Lackmann 95
—107; KHSchelkle, Paulus, Lehrer der Väter
(1956) 81—85; zu der mit dem Verständnis
von φύσις eng verknüpften Frage der Deutung
von συνείδησις R 2, 15 s außerdem noch →
VII 915, 37 ff.

[219] Ganz abwegig ist das Verständnis von
τὰ τοῦ νόμου in dem Sinne, daß die Heiden
negativ das dem Gesetz Zugehörige tun, indem sie sündigen, → Walker 305.

[220] Es ist an die Heiden im allg gedacht,
wann u wo auch immer solches Tun der
Heiden erkennbar ist. Die Einl des Satzes
durch ὅταν (nicht ἐάν!) verbietet es, aus der
St herauszulesen, daß alle Heiden immer so
handeln, → Walker 304, vgl → Pohlenz Pls
u Stoa 75; → Bornkamm Gesetz u Natur

101; Bultmann Theol[6] 262. Gg die seit Aug
verbreitete Deutung von ἔθνη auf die Heidenchristen vgl → Kuhr 244—252. Bereits Luther
lehnte in seiner Vorlesung über den R die
Deutung auf Heidenchristen ebs wie die auf
sündige Heiden ab: medios accipio inter im-
pios gentiles et fideles gentiles (WA 56, 202,
16).

[221] s bes R 1, 32 u das auffallende διό
R 2, 1, vgl → Bornkamm Gesetz u Natur
94—97; → Bornkamm Offenbarung 25 A 52.

[222] Vgl → Bornkamm Gesetz u Natur 97 f
u im Gedankengang von R 2, 11—13 ebd 99.

[223] Man darf nicht zwischen dem „Tun des
Gesetzes" bei den Juden R 2, 13 u der „ern-
sten Bemühung um das Werk des Gesetzes"
bei den Heiden v 14 unterscheiden, → Lackmann 214; vgl dazu auch → IV 1062, 13 ff.

[224] νόμον μὴ ἔχοντα ist gleichbedeutend mit
ἀνόμως v 12, vgl → Bornkamm Gesetz u
Natur 100 f.

[225] Vgl „die ebenfalls dezidiert unjüdische,
aber umso mehr griech Wendung ἑαυτοῖς
εἰσιν νόμος", das griech Motiv des ἄγραφος
νόμος u den nur aus griech Voraussetzungen
erklärbaren Begriff συνείδησις, → Bornkamm
Gesetz u Natur 101 f.

[226] Davor haben → Bonhöffer 153 f u →
Pohlenz Pls u Stoa 75 f mit Recht gewarnt.

[227] φύσει gehört zu τὰ τοῦ νόμου ποιῶσιν u
nicht zu ἔθνη. Daher kann man nicht übersetzen „die Heiden in ihrer Geschöpflichkeit",

weist uns speziell in den Zusammenhang der hellenistisch-jüdischen Apologetik, in
der gerade, wie bei Philo (→ 263, 1ff), von dem Tun des Mosegesetzes *von Natur*
geredet und die Identität des Naturgesetzes mit dem geoffenbarten Gesetz des
Alten Testaments behauptet werden konnte. Paulus appelliert freilich nicht an die
5 Natur als letzte, mit Gott gleichzusetzende Instanz [228], sondern drückt mit φύσει
aus, daß es sich hier um ein Tun der Heiden handelt, das einfach zu ihrem natürlichen Wesen gehört. Im Gegensatz zum jüdischen Bewußtsein, im Gesetz das göttliche Heilsgut schlechthin zu besitzen — der Jude rühmt sich ja des Gesetzes ad
maiorem gloriam dei (vgl R 2, 17) —, betont Paulus, daß der Heide gleichen Be-
10 sitz und gleiches Tun *von Natur* vorweisen kann [229], obwohl er ja gerade nicht das
Mosegesetz hat, sondern *sich selbst Gesetz* ist. In dieser letzteren Wendung, die
den griechischen Gedanken der Autonomie zum Ausdruck bringt [230], ebenso wie in
dem folgenden Hinweis auf das den Heiden ins Herz geschriebene Gesetz, der die
griechische Vorstellung vom ἄγραφος νόμος aufnimmt [231], fehlt jegliche Anspielung
15 auf ein göttliches Handeln. Paulus versucht eben nicht, im apologetischen Sinne
nachzuweisen, daß auch die Heiden an Israels Heilsgütern wenigstens teilweise
Anteil haben, sondern durch die Darlegung der völlig profanen heidnischen Möglichkeit, das vom Gesetz Geforderte zu tun, bestreitet er dem Juden seinen im
Besitz des Gesetzes verankerten heilsgeschichtlichen Ruhm.

20 Offenbar wird auch Eph 2, 3 die Terminologie der jüdischen Apologetik kritisch
interpretiert. Der eigenartige Satz, daß „auch wir τέκνα φύσει ὀργῆς [232] waren",
läßt sich nur von diesen Voraussetzungen her erklären. Nach dem Zusammenhang
muß sich das „wir" auf die Judenchristen beziehen; denn Eph 2, 1f handelt von
den Heidenchristen [233]. Die jüdische Apologetik hatte aber davon geredet, daß nur
25 die Heiden *von Natur* dem Gericht Gottes verfallen sind (vgl Sap 13, 1f; → 260, 40ff),
und daß die Juden durch das Gesetz von der Gewalt der φύσις befreit sind [234]. Der
Verfasser des Epheserbriefes schließt aber nun auch die Juden ausdrücklich mit
unter diese grundsätzliche Verfallenheit der Heiden ein und zeigt durch die Wendung φύσει an, daß sich das Schema der christlichen Bekehrung — einst sündig,
30 jetzt durch Gnade erlöst — auch auf die Judenchristen anwenden läßt (→ V
436, 36ff) [235].

---

so Mi R [13] zSt, vgl dgg → Bornkamm Gesetz
u Natur 103.

[228] Gerade deshalb ist die so beliebte Erklärung, daß letztlich dieser Gesetzesgehorsam der Heiden von Gott gewirkt sei, →
Flückiger 35, vgl → Lackmann 218: φύσει
dh „von Gott angesprochen", ganz abwegig.

[229] Pls versteht also das *von Natur* im
stoischen Sinne naturrechtlich u rationali-
stisch, keinesfalls aber theonom u im Sinne
des „Vernehmen(s) dessen in ihrer *physis*, der
das Geheimnis ... ihrer Physis ist" → Lackmann 218.

[230] Vgl die griech Vorstellung von der Erziehung, die die Gesetzgebung überflüssig
machen kann Plat Resp IV 425c; 427a, dazu
Jaeger aaO (→ A 56) 314; ferner Aristot Eth
Nic IV 14 p 1128a 31; Pol III 8 p 1284a 13f
(→ 255, 21ff). Zum Ganzen → Bornkamm

Gesetz u Natur 104f, weitere Belege 105
A 24f. 27; → Kuhr 257f.

[231] Der Gedanke vom ins Herz geschriebenen Gesetz läßt sich also nicht aus Jer
31, 33 ableiten, da es sich dort ja gerade um
die eschatologische Heilstat Gottes handelt,
vgl → Kuhr 259f, zur griech Herkunft dieses
Gedankens 259; ferner → Bornkamm Gesetz
u Natur 104—108; ENorden, Agnostos Theos
(1913) 11; sowie die → IV 1016 Lit-A angegebene Lit.

[232] Zur Zwischenstellung von φύσει s Pr-
Bauer sv.

[233] Dib Gefbr zSt.

[234] Vgl Jos Ant 4, 193 (→ 263, 46ff).

[235] Worin dieses heidnische Wesen bestand,
wird Eph 2, 1—3 aufgeführt. Es ist also
weder an die Naturanlage noch an die Adams-
kindschaft gedacht, gg Pr-Bauer sv.

3. Das übrige Neue Testament.

a. Jk 3, 7 verwendet φύσις zweimal im geläufigen griechischen Sinne[236] von *jeder Art der Tiere* und vom *menschlichen Wesen* (→ 248, 24ff)[237] innerhalb eines auch sonst in der Antike verbreiteten Bildes, das ebenso im hellenistischen Judentum seine Parallelen hat[238]. ἵνα... γένησθε θείας κοινωνοὶ φύσεως, von den Christen gesagt (2 Pt 1, 4), setzt die geläufige griechische Unterscheidung der vergänglichen, schwachen und sterblichen Natur des Menschen vom unvergänglichen göttlichen Wesen voraus (→ 249, 18ff). Darauf ist ja an der gleichen Stelle auch ausdrücklich angespielt: ἀποφυγόντες τῆς ἐν τῷ κόσμῳ ἐν ἐπιθυμίᾳ φθορᾶς. Dabei ist mit diesen und anderen Ausdrücken in 2 Pt 1, 3f im deutlichen Unterschied vom Urchristentum eine durch und durch hellenistische Frömmigkeitssprache übernommen worden[239], wie sie sich in anderen christlichen Zeugnissen aus dem 2. Jhdt nChr ebenfalls bemerkbar macht[240]. Der Ausdruck *Teilhaber an der göttlichen Natur* setzt an sich ein ganz uneschatologisches Erlösungsverständnis voraus, wie es die Gnosis vertreten hat. Gegenwärtige Teilhabe am göttlichen Wesen und seinen Kräften, dh Vergottung (→ II 310, 40ff), steht hier an der Stelle der urchristlichen Erwartung der zukünftigen Vollendung. 2 Pt hat den Terminus wohl aus der Gnosis übernommen und versucht, ihn in seine Erneuerung der Zukunftserwartung einzubeziehen[241].

b. Das Adjektiv φυσικός findet sich 2 Pt 2, 12, das Adverb an der parallelen Stelle Jd 10. Beide Stellen sind dunkel. Ob der Hinweis auf solche Stellen genügt, die von der natürlichen Einsicht von Menschen und Tieren reden[242], um dadurch den Ausdruck φυσικῶς ὡς τὰ ἄλογα ζῷα ἐπίστανται (Jd 10) zu erklären, ist fraglich. Besser verstehen läßt sich Jd 10 (2 Pt 2, 12 ist davon abhängig)[243] als Polemik gegen die gnostische Bezeichnung der Pneumatiker als φύσει σῳζόμενοι[244]. Diesem gnostischen Anspruch der Rettung von Natur wäre dann an dieser Stelle die Drohung des Zugrundegehens in ihrer nur natürlichen, unvernünftigen (→ IV 145, 18ff)[245], den Tieren vergleichbaren Erkenntnis gegenübergestellt. 2 Pt 2, 12 hat den ursprünglichen Zusammenhang nicht mehr ver-

---

[236] → Bonhöffer 148.
[237] Ersterer Ausdruck auch in der jüd Weisheitsliteratur, vgl Sap 7, 20 (→ 260, 25), der zweite findet sich noch in einer Inschr Antiochus' I. von Commagene, ed LJalabert-RMouterde, Inscriptions grecques et latines de la Syrie I (1929) 51, 46f (1. Jhdt vChr), vgl Deißmann B 284 A 3.
[238] Vgl Dib Jk[11] zSt.
[239] Dazu Kn Pt zSt u bes Wnd Kath Br Exk zu 2 Pt 1, 3f; ferner → Bonhöffer 148. Sehr eng verwandt ist auch der Sprachgebrauch des Jos (→ 263, 43ff).
[240] Belege bei Kn Pt zSt; zum Vorkommen von φύσις in der sonstigen urchr Lit → 270, 30ff.
[241] Vgl, wie 2 Pt 3 gleichzeitig die nun zur Lehre gewordene urchr Eschatologie erneut einschärft u sich damit gg die gnostischen Häretiker wendet.

[242] Vgl Xenoph Cyrop II 3, 9, zitiert bei Wnd Kath Br u Kn Pt zu Jd 10; ferner φυσικῶς καὶ χωρὶς λόγου Diog L X 137 bei Kn Pt zu Jd 10.
[243] Zur Priorität des Jd s Wnd Kath Br Exk zu 2 Pt 2, 1—22; Kn Pt 251—253.
[244] Belegt in der valentinianischen Gnosis bei Cl Al Exc Theod 53, 6 uö (vgl → VII 1001, 17ff). Jd 19 setzt mit ψυχικοί, πνεῦμα μὴ ἔχοντες ebenfalls eine der valentinianischen Gnosis verwandte Unterscheidung der verschiedenen Klassen der Menschheit voraus (→ ψυχικός). Überh ist hier sicher auf technisch gnostische Terminologie angespielt. Das wird schlagend deutlich in dem Vergleich des folgenden τῇ ὁδῷ τοῦ Κάϊν Jd 11 mit τρεῖς φύσεις γεννῶνται, πρώτη μὲν ἡ ἄλογος, ἧς ἦν Κάϊν Cl Al Exc Theod 54, 1. Zur Kain-Spekulation im Judt vgl Kn Pt zu Jd 11.
[245] Zu ἄλογος vgl die in → A 244 angeführte St aus Cl Al Exc Theod 54, 1.

standen und bezieht das Wort nur noch auf den Vergleich mit den Tieren, der dem Anspruch, γνῶσις zu haben[246], gegenübergestellt ist.

D. Zum Vorkommen von φύσις in der sonstigen frühchristlichen Literatur.

1. Apostolische Väter.

Bei den Apost Vät steht φύσις[247] nur einmal bei Barn u zweimal bei Ign[248]. In Barn 10, 7 von der Hyäne, die jährlich ihr *Geschlecht* wechselt, entspricht φύσις dem Wort γένος bzw sexus der par Versionen dieser Fabel[249]. Bei Ign steht φύσις beide Male vom *eigentlichen, wahren Wesen* der Christen: daß die Epheser ihren Namen φύσει δικαίᾳ empfangen Eph 1, 1[250] u daß die Trallianer ihr unbeflecktes Gewissen οὐ κατὰ χρῆσιν, ἀλλὰ κατὰ φύσιν haben Trall 1, 1[251].

2. Apologeten.

Bei Just[252] ist φύσις vor allem *das menschliche Wesen* im allg, vgl von der bösen Begierde, die *von Natur* in jedermann ist Apol 10, 6; *die eigene Natur* kann Wunder nicht vollbringen Apol 19, 6, vgl Dial 10, 2[253]. Dem philosophischen Sprachgebrauch näher steht die Aussage, daß Gott eine Vorstellung ist ἔμφυτος τῇ φύσει τῶν ἀνθρώπων Apol App 6, 3, vgl die wiederholte Feststellung des der menschlichen Natur eigenen Unterscheidungsvermögens zwischen Gut u Böse Apol App 7, 6; 14, 2.

Die Vorstellung vom Naturgesetz ist bei den älteren griech Apologeten selten. Just Dial 45, 3f setzt das Gesetz des Mose mit dem gleich, was *von Natur gut, fromm u gerecht ist*, vgl 47, 2. Ein ausschweifendes Leben wird gelegentlich als παρὰ τὸν τῆς φύσεως νόμον bezeichnet Just Apol App 2, 4, ebs vom Naturgesetz, das die Begattung der Tiere lenkt Athenag Suppl 3, 1[254], vgl auch über die von Gott festgesetzte siderische Ordnung, die niemand überschreitet κατὰ ἀπαραίτητον φύσεως ἀνάγκην Aristid Apol 4, 2[255]. Dieser Sprachgebrauch entspricht völlig dem der jüd Apologetik, wie er bei Philo vorliegt (→ 261, 19ff). Ebenfalls in die Sprache der Apologetik gehört Aristid Apol 13, 5f, wo der heidnischen φυσιολογία περὶ τῶν θεῶν ihre Absurdität nachgewiesen wird, da es keine einheitliche φύσις τῶν θεῶν geben könne, wenn die Götter miteinander im Streit liegen.

3. Apokryphe Apostelgeschichten.

Von den älteren unter ihnen verwenden die Act Joh, Act Andr u Act Thom das Wort φύσις öfter[256], später die Act Phil. Gelegentlich ist φύσις *die natürliche*

[246] Vgl ἐν οἷς ἀγνοοῦσιν 2 Pt 2, 12.
[247] φυσικός fehlt bei den Apost Vät ganz u ist auch sonst in der chr Lit des 2.Jhdt selten, vgl φυσικὸς λόγος par zu θεῖος νόμος Athenag Suppl 3, 1f.
[248] Ign Sm 1, 1 hat die Hdschr A υἱὸν θεοῦ κατὰ φύσιν für κατὰ θέλημα θεοῦ der übrigen Zeugen.
[249] Vgl Ael Nat An 1, 25; Tertullian, De pallio 3, 2 (CSEL 76 [1957] 111). Die einschlägigen St bei Wnd Barn zSt.
[250] Pr-Bauer sv, vgl Bau Ign zSt, deutet φύσις hier als *Naturordnung*, von der die Epheser ihren Namen (ἔφεσις *Wunsch*) empfingen.
[251] Zur Verwandtschaft dieses Sprachgebrauchs mit dem gnostischen (→ 271, 19ff), vgl HSchlier, Religionsgeschichtliche Untersuchungen zu den Ign-Briefen, ZNW Beih 8 (1929) 134f.
[252] Καίσαρος φύσει υἱός Just Apol 1, 1 be-

zeichnet wie sonst im allg griech Sprachgebrauch den *leiblichen* Sohn (→ 247, 15ff).
[253] Ähnlich an der einzigen St bei Dg, an der φύσις vorkommt, von unserer *Natur*, die zu schwach ist, das Leben zu erlangen Dg 9, 6.
[254] Bemerkenswert ist, daß sich der im 2.Jhdt nChr so seltene Begriff νόμος τῆς φύσεως auch einmal in De resurrectione (ed MMalinine ua [1963]) 44, 20 findet, uz in der Gegenüberstellung zur Erkenntnis des Gnostikers. In den fr der stark naturrechtlich orientierten gnostischen Schrift des Epiphanes bei Cl Al Strom III 5, 2—9, 3 hingegen fehlt der Begriff φύσις überh.
[255] Im übrigen schließt der Wortlaut hier eng an das AT an, vgl πρόσταγμα ἔθετο, καὶ οὐ παρελεύσεται ψ 148, 6.
[256] φύσις bzw natura fehlt jedoch in den Act Pl u Act Pt, sowie in den Act Pt et Pl; φυσικός fehlt überh; naturalis findet sich nur einmal Mart Mt 14 (p 233, 24).

Welt als ganze in ihrem Gegenüber zu Gott, der als φύσεως κύριος καὶ κριτής bezeichnet wird Act Thom 143 (p 250, 2)[257]. Die *Natur* verlangt die Liebe der Ehegatten Act Thom 62 (p 179, 3f) u *Natur, Gesetz u Gewissen* erscheinen zus als Rächer des Ehebruchs Act Joh 35 (p 168, 34—169, 1). Nur an wenigen St ist die Natur als solche negativ gesehen, zB als der Bereich, in den sich die Seele verirrt hat Act Andr 15 (p 44, 13f); 5 vgl ἡ κατωτικὴ ῥίζα, ἀφ' ἧς[258] τῶν γινομένων προῆλθεν ἡ φύσις Act Joh 98 (p 200, 15f), dafür steht ἡ κατωτικὴ φύσις 100 (p 201, 1f)[259]. In der Regel jedoch bezeichnet φύσις hier im gnostischen Sinne das *wahre Wesen*, das unveränderlich bleibt u so unwiderruflich das Sein bestimmt: οἴα ἡ ὁδός σου τοιαύτη καὶ ἡ ῥίζα καὶ ἡ φύσις Act Joh 84 (p 193, 23f) uö ähnlich im gleichen Kp, vgl Act Thom 74 (p 189, 8f). Das *wahre Wesen* 10 des Menschen, der gerettet wird, ist ἄνωθεν Act Thom 61 (p 178, 11), es ist seine ἀρχαιόγονος φύσις 43 (p 161, 10). Gottes Heilung wird denen zuteil, die *seines eigenen Wesens* sind 78 (p 193, 17f). Jeder muß *sein wahres Wesen* τὴν ἀληθῆ ... φύσιν erkennen Act Andr 9 (p 42, 3). Der zu Erlösende heißt φύσις σωζομένη 6 (p 40, 24)[260]. Umgekehrt vom *verborgenen Wesen* des Teufels, das durch die Offenbarung entlarvt 15 wird Act Andr 18 (p 45, 26), so vor allem in den Act Thom: die φύσις τοῦ πατρός des Drachens ist die des Teufels, die sich daran erweist, daß er an seinem eigenen Gift stirbt Act Thom 33 (p 150, 11f), vgl 29 (p 146, 10). 31 (p 148, 9f). 32 (p 148, 16f)[261].

4. Gnosis.

Den gleichen Sprachgebrauch zeigt die ägyptische Gnosis. Nach 20 Iren Haer I 1, 14 teilen die Valentinianer die Seelen ein in φύσει ἀγαθαί u φύσει πονηραί. Nach Cl Al Exc Theod 54, 1 (→ A 244) gibt es drei φύσεις, die von Adam abstammen, vgl Iren Haer I 1, 14 u Τρία δὲ γένη ἀνθρώπων I 1, 16. Herakleon bei Orig Comm in Joh 13, 25 zu 4, 24 (p 248, 28ff) spricht von der θεία φύσις u denen, die ihr angehören u daher Pneumatiker sind[262], im Gegensatz dazu der Teufel, dessen *Wesen* nicht aus 25 der Wahrheit ist 20, 28 zu 8, 44 (p 365, 8ff). Bei denen, die dem Teufel angehören, wird zwischen φύσει u θέσει υἱοί unterschieden 20, 24 zu 8, 44 (p 359, 15f), vgl 20, 20 zu 8, 43 (p 352, 22ff). Bei Basilides heißt es vom Geist der mittleren Sohnschaft, er ist οὐχ ὁμοούσιον οὐδὲ φύσιν εἶχε μετὰ τῆς υἱότητος Hipp Ref VII 22, 12, die Sohnschaft hingegen ist κατὰ πάντα τῷ οὐκ ὄντι θεῷ ὁμοούσιος VII 22, 7. Außerdem spielen die Be- 30 griffe κατὰ u παρὰ φύσιν hier eine Rolle: das Ziel der Erlösung ist die große Unkenntnis, in die der Kosmos zurückfällt, ἵνα μένῃ πάντα κατὰ φύσιν καὶ μηδὲν μηδενὸς τῶν παρὰ φύσιν ἐπιθυμήσῃ VII 27, 1, vgl 2—5 sowie VII 22, 13[263].

Köster

---

[257] Vgl Act Joh 112 (p 211, 4); Act Thom 34 (p 152, 10).

[258] So liest KSchäferdiek bei Hennecke[3] II 158; Bonnet bietet ἄφες, vgl Apparat zSt.

[259] Im Gegensatz dazu ἄνω φύσις Act Joh 100 vl (p 201, 4) für ἀνθρώπου (Emendation für ἄνθρωποι) φύσις ebd.

[260] Vgl εὐχαριστοῦμέν σου τῷ χρήσαντι φύσιν φύσεως σωζομένης Act Joh 85 (p 193, 8f); zur Konstr von χρήζω an dieser St vgl οὐδὲν οὐδενὸς χρήζει 1 Cl 52, 1 sowie Pr-Bauer sv χρήζω.

[261] S auch Act Thom 48 (p 164, 13f), ferner die weiteren St der syr Version der Act Thom bei AFJKlijn, The Acts of Thomas (1962) 188f. Verwandt ist Apokryphon des Joh (ed MKrause-PLabib, Die drei Versionen des Apokryphon des Joh, Abh des Deutschen Archäologischen Instituts Kairo Kpt Reihe 1 [1962]) Cod III 17, 11f wonach die Namen der Mächte, die gemäß der *Wahrheit* ἀλήθεια gegeben sind, ihr *wahres Wesen* φύσις enthüllen.

[262] Etw anders unterscheidet das Ev des Philippus (ed WCTill, Patristische Texte u Studien 2 [1963]) Spruch 30 (106, 26ff) zwischen denen, die *durch die Natur* gezeugt sind, dh die Kinder vom Vater, u den aus dem Geist Gezeugten, dh die bekehrten Geschwister, vgl dazu RMcLWilson, The Gospel of Philip (1962) 94f.

[263] Im Apokryphon des Joh (→ A 261) wird ganz entsprechend nach dem Zeitpunkt gefragt, an dem die Seele in die *Natur* φύσις ihrer Mutter zurückkehrt Cod III 35, 21, vgl Cod II 27, 13f; IV 42, 13f.

$$\boxed{φωνή, \; φωνέω, \; συμφωνέω, \; σύμφωνος, \; συμφωνία, \; συμφώνησις}$$

φωνή

Inhalt: A. Griechische Welt: 1. Schrei von Tieren; 2. Stimme des Menschen; 3. Sprechvermögen, Sprache; 4. Ausspruch; 5. Äußerung der Gottheit. — B. Altes Testament: 5 1. Geräusch; 2. Laut von Tieren; 3. Stimme des Menschen; 4. Stimme der Engel; 5. Stimme Gottes. — C. Palästinisches Judentum: I. Apokalyptisches Schrifttum: 1. Geräusch und Ton; 2. Stimme des Menschen; 3. Stimme der Engel; 4. Stimme Gottes. II. Rabbinisches Schrifttum: 1. Geräusch und Ton; 2. Stimme des Menschen; 3. Donner; 4. Stimme Gottes am Sinai; 5. Himmelsstimme. — D. Hellenistisches Judentum: 1. Septuaginta; 2. Aristobul; 10 3. Josephus; 4. Philo. — E. Neues Testament: 1. Geräusch, Ton; 2. Menschliche Stimme; 3. μεγάλη φωνή, 4. Schrei, Wort, Bekenntnis, Sprache; 5. Die Gottesstimme; 6. Die Himmelsstimme. — F. Gnosis. — G. Kirchengeschichte.

A. Griechische Welt.

φωνή[1] ist der von beseelten Wesen in der Kehle erzeugte hörbare
15 *Laut*: φωνὴ ψόφος τίς ἐστιν ἐμψύχου Aristot An II 8 p 420b 5, vgl 29ff; Hist An IV 9 p 535a 27f, ἀὴρ πεπληγμένος Zeno bei Diog L VII 55, ἡ δι' ὤτων ὑπ' ἀέρος ἐγκεφάλου τε καὶ αἵματος μέχρι ψυχῆς πληγὴ διαδιδομένη „ein Schlag, der von der Luft durch die Ohren auf das Gehirn u das Blut übertragen wird u die Seele erreicht" Plat Tim 67b[2]. φωνή wird in der Regel unterschieden von ψόφος, dem unartikulierten *Lärm*, u φθόγγος, das
20 zwar auch den Laut der menschlichen Stimme bezeichnen kann, jedoch oft in weiterem Sinne gebraucht wird.

1. φωνή meint den Schrei von Tieren Hom Od 10, 239; 12, 86. 396, den Sang der Nachtigall Od 19, 521, auch das Zwitschern der Schwalbe Anacreontea 10, 9[3]. Nach Aristot ist die φωνή zwar das für das Tier charakteristische Mittel
25 zur gegenseitigen Verständigung Hist An IV 9 p 535a 26ff, jedoch unterscheidet sie sich von der menschlichen Stimme durch die Einförmigkeit; der Mensch verkehrt durch die artikulierte φωνή Probl 10, 38f p 895a 4ff[4].

2. Ganz überwiegend bezeichnet φωνή die Stimme des Menschen uz sowohl das Stimmorgan Aristot Hist An IV 9 p 535a 32 als auch den von ihm hervor-
30 gebrachten Laut Plat Phileb 17b. Vom gefesselten Prometheus heißt es ἵν' οὔτε φωνὴν οὔτε του μορφὴν βροτῶν ὄψῃ Aesch Prom 21f; ein Blinder sagt: φωνῇ ... ὁρῶ Soph Oed Col 138. Die Variationsmöglichkeit der Stimme wird durch entsprechende Adj zum Ausdruck gebracht Hom Il 18, 219—221; 17, 696; 13, 45; Plat Tim 67b; Aristot Hist An V 14 p 544b 12—545a 22. Ähnlich vielfältig sind die Verben, die das Ertönen-
35 lassen der Stimme bezeichnen: ῥήγνυμι Hdt II 2, 3; Aristoph Nu 356, ἵημι Hdt IV 23, 2,

---

φωνή. Lit: Liddell-Scott, Moult-Mill, Pape, Passow, Pr-Bauer, Preisigke Wört sv.
[1] φωνή ist mit Ablaut von der Wurzel φᾱ-, idg *bhā-, abgeleitet, die ua im Verb φημί (dorisch-aeolisch φᾱμί) *ich sage* vorliegt. Diese Wurzel erscheint zB auch im lat fārī *sprechen*, fābula *Rede, Gerücht*, fācundus *beredt*, im althochdeutschen bannan *befehlen*, ban *Gebot, Verbot*. Hierher gehören auch φήμη (dorisch-aeolisch φᾱμα) *Kunde, Ruf*, lat fāma, infāmis *berüchtigt*, fās das *göttliche Recht*, dann *Rede*, φάτις *Gerücht*, φάσις *Sprache* vgl Boisacq, Hofmann, anders Frisk sv.
[2] Andere Bestimmungen Plut Plac Phil IV

19 (II 902b—e); Sext Emp Math VI 39—41. Die Etymologien φωνή: ... τὰ ἐν τῷ νῷ φωτίζουσα· ἢ τὸ τοῦ νοὸς φῶς Etym M 803, 52f sind erbaulich. Vgl auch → A 63.
[3] ed KPreisendanz (1912). Vgl dazu den Abschnitt über Vogelstimmen bei Poll Onom V 89f.
[4] Als Quelle der φωνή werden in poetischen Texten gelegentlich auch unbeseelte Wesen genannt, so Musikinstrumente Eur Tro 127; Plut Quaest Conv VII 8 (II 713c); Poll Onom IV 86ff; vgl ὀργάνων φωναί Plat Resp III 397a, vgl auch → A 9.

ἀφίημι Jos Ant 15, 52, ἐπαίρω Demosth Or 19, 336. φωνή ist vor allem die laute Stimme, zB der *Schlachtruf* Hom Il 14, 400; 15, 686; (τῇ) φωνῇ heißt *laut* Hom Il 3, 161; εἶπε τῇ φωνῇ τὰ ἀπόρρητα (*das Geheime*) Lys 6, 51. μιᾷ φωνῇ ist *einstimmig* Luc, Nigrinus 14; häufig ist die Wendung vom Sprechen bzw Schreien μεγάλῃ τῇ φωνῇ Achill Tat VIII 1, 1; Polyb 15, 29, 11. Übertragener Gebrauch liegt vor, wo von der φωνὴ νόμου 5 Plat Leg XI 938a, der φωνὴ τῶν πολιτειῶν *Staatsformen* Plat ep 5, 321d. e, der καιροῦ φωνή Demosth Or 1, 2 oder der φωνὴ τῶν πραγμάτων Plut, De Eumene 14 (I 591d) die Rede ist.

3. Es fällt auf, daß das Griech kein bes Wort für Sprache als spezifische Weise menschlichen Existierens besitzt[5]. φωνή wird schon früh als das Vermögen 10 zu sprechen gebraucht. φαίη δ' ἂν ἡ θανοῦσα...εἰ φωνὴν λάβοι *könnte das tote Mädchen sprechen, würde es zustimmen* Soph El 548, παρέσχε φωνὴν τοῖς ἀφωνήτοις τινά Soph Oed Col 1283. Zum Apolloheiligtum von Epidaurus wird ein παῖς ἄφωνος gebracht ὑπὲρ φωνᾶς *um die Kraft des Sprechens zu erlangen* Ditt Syll[3] III 1168, 42—48 (4.Jhdt vChr). Das *Sprechen* διάλεκτος ist ein Artikulieren der Stimme Plat Prot 322a; Aristot Hist An IV 9 15 p 535a 31. In einem literarischen Pap musikalischen Inhalts heißt φωνὴν ἔχω *sich artikuliert ausdrücken* im Unterschied von ἐνθουσιάω PHibeh I 13, 28f (3.Jhdt vChr). Ferner bedeutet φωνή die *Sprache* eines bestimmten Volkes Diog L VIII 3 oder den in einer bestimmten Gegend gesprochenen *Dialekt* φωνὴ Σκυθική Hdt IV 117, φωνὴ ... μεταξὺ τῆς τε Χαλκιδέων καὶ Δωρίδος ἐκράθη Thuc VI 5, 1, vgl Plat Ap 17d; Crat 398d; PGiess 20 I 40, 27 (3.Jhdt nChr). Die φωνὴ βάρβαρος ist die dem Griechen unverständliche *Sprache* Aesch Ag 1051; Plat Prot 341c.

4. Ein einzelner Satz, ein bedeutsamer Ausspruch oder eine gewichtige Erklärung kann ebenfalls φωνή genannt werden: ἡ Σιμωνίδου φωνή der *Ausspruch des Simonides* Plat Prot 341b, αἱ σκεπτικαὶ φωναί Sext Emp Pyrrh Hyp I 14. Im forensi- 25 schen Bereich ist φωνή die *Erklärung* ἔχομεν δὴ φωνὴν τοῦ 'Ασπιδᾶ PRyl II 77, 46 (2.Jhdt nChr), vgl PFlor III 304, 6 (6.Jhdt nChr) oder die testamentarische *Verfügung* des Vaters POxy I 131, 16 (6./7.Jhdt nChr). Schließlich meint φωνή die *Botschaft* πολλάκι[ς] φωνὴν αὐ[τῷ] ἐβάλομεν, ἵνα ἔλθῃ PMich III 220, 20ff (296 nChr), vgl VIII 488, 16 (2.Jhdt nChr).

5. φωνή kann auch die Äußerung der Gottheit sein, so das 30 Organ des göttlichen Machtspruchs, durch den die Sonne u die Sterne geschaffen wurden, ὁρκίζω σε τὸν φωστῆρα καὶ ἄστρα ἐν οὐρανῷ ποιήσαντα διὰ φωνῆς προστάγματος Fluchtafel von Hadrumet Audollent Def Tab 271, 23f (3.Jhdt nChr). Wie alles Göttliche hat die Stimme des Zeus eine numinose Kraft, die den Menschen wie vom Donner rührt u ihn vor Furcht fast sterben läßt[6]. Von daher wird verständlich, daß Celsus die Gottheit Christi 35 ua mit dem Argument bestritt, man hätte dann dessen übermenschliche Natur auch an äußeren Merkmalen wie überragender *Körpergröße, Schönheit, Kraft u Stimme* erkennen müssen ἢ κατὰ μέγεθος ἢ κάλλος ἢ ἀλκὴν ἢ φωνήν Orig Cels VI 75. Für den Menschen bleibt Gott unsichtbar, zeigt sich ihm jedoch durch die Stimme κἂν ἄποπτος ᾖς ὅμως, φώνημ' ἀκούω Soph Ai 15f, vgl Eur Hipp 86. Als Epimenides das Heiligtum der Nymphen 40 bauen wollte, ῥαγῆναι φωνὴν ἐξ οὐρανοῦ· 'Επιμενίδη, μὴ Νυμφῶν, ἀλλὰ Διός Theopompus (4.Jhdt vChr) fr 69 (FGrHist IIb 549). Auch das Heiligtum kann Ausgangsort solch einer *göttlichen Stimme* sein φωνῆς θείας γενομένης... ἐκ τοῦ μητρῴου (Tempel der Göttermutter) Ael Arist Or 40, 22 (Keil); ἦλθεν φωνὴ ἀπὸ τοῦ ἀδύτου, worauf der Ausspruch in direkter Rede folgt Pseud-Callisth I 45, 2f, vgl ... ἐκ τοῦ ἱεροῦ τοῦ Διὸς φωνὴν ἀκοῦσαι 45 Plut Is et Os 12 (II 355e). Nach Plut Ser Num Vind 32 (II 567f) erschallte sie aus einem plötzlich aufleuchtenden φῶς μέγα. Bei der Geburt des Osiris kündigte eine geheimnisvolle Stimme an, der Allherr trete ans Licht: τῇ μὲν πρώτῃ τὸν "Οσιριν γενέσθαι, καὶ φωνὴν αὐτῷ τεχθέντι συνεκπεσεῖν Plut Is et Os 12 (II 355e). Artapanus hellenisiert den Bericht von der Berufung des Mose: Beim feurigen Busch habe ihm eine 50 φωνὴ θεία befohlen, gg Ägypten ins Feld zu ziehen u die Juden zu befreien Eus Praep Ev 9, 27, 21.

Als menschlicher Mittler der Stimme Gottes galt vor allem die Pythia in Delphi. Xenoph läßt den Sokrates in seiner Verteidigungsrede fragen: ἡ δὲ Πυθοῖ ἐν τῷ τρίποδι ἱέρεια οὐ καὶ αὐτὴ φωνῇ τὰ παρὰ τοῦ θεοῦ διαγγέλλει[7]; u dabei auch auf die anderen Mittel 55

---

[5] Vgl MHeidegger, Sein u Zeit [7](1953) 165.
[6] μικροῦ μὲν ἐξέθανον ὑπὸ τοῦ δέους, εἱστήκειν δὲ ὅμως ἀχανής (*mit offenem Mund*) καὶ ὑπὸ τῆς μεγαλοφωνίας ἐμβεβροντημένος Luc Icaromenipp 23.

[7] Vgl Ael Arist Or 45, 11 (Dindorf) von der Pythia: ἡ δὲ ἀπεκρίνατο ὡς ἐδόκει τῷ θεῷ.

verweisen, durch die man bei den Griechen die Weisung der Götter zu erfahren suchte
Ap 12f. Dgg beruft sich Sokrates auf eine ihm erscheinende Stimme Gottes als richtung-
gebende Kraft Plat Ap 31d. Damit geschah ein folgenschwerer Einbruch in die Orakel-
gläubigkeit des Volkes: Nach Sokrates spricht Gott zum Einzelnen, der nach dem Wegfall
5 äußerer Kriterien u fremder Autoritäten selbst darüber entscheiden muß, ob er den Ruf
des Gewissens als Gottes Stimme verstehen u ihm gehorchen will. Auch bei der Gesetzgebung (→ IV 1018, 25ff) ist eine ähnliche Verstellung anzutreffen. Wie im Alten Orient
(Hammurapi, Sinaigesetzgebung) kann bei den Griechen die rechtliche Ordnung auf den
Spruch der Gottesstimme zurückgeführt werden. Nach Ael Arist Or 45, 11 (Dindorf): οὔκουν
10 φασί γ' ἐκεῖνον οὐδὲν θεῖναι Λακεδαιμονίοις ἄνευ τῆς παρὰ τοῦ θεοῦ φωνῆς u nach Oenomaus bei
Eus Praep Ev 5, 28, 2: ἴδωμεν τὴν θείαν φωνὴν καὶ ἃ ἐδίδαξας τὸν Λυκοῦργον hat Lykurg
in Delphi die Gesetze von der Stimme Gottes empfangen[8]. Dieser Gedanke ist abgeschwächt, wenn Antiochus I. von Kommagene (1.Jhdt vChr) zu den von ihm prokla-
mierten Sätzen hl Rechtes einleitend feststellt: νόμον δὲ τοῦτον φωνὴ μὲν ἐξήγγειλεν ἐμή,
15 νοῦς δὲ θεῶν ἐκύρωσεν Ditt Or I 383, 121f. Der König ist inspiriert u als solcher ein
Sprecher Gottes.

Schließlich konnte ein bedeutendes Menschenwort den Rang eines Gottesspruchs
erhalten; hier ist die „Gottesstimme" nur noch Ornament. Die Aussprüche des Hippocr
nahm man auf ὡς θεοῦ φωνὰς καὶ οὐκ ἀνθρωπίνου προελθούσας ἐκ στόματος Suid sv Ἱππο-
20 κράτης (Adler II 662, 31f). Die schmeichelnde Menge konnte dem Nero nach seiner Rückkehr von der griech Kunstreise eine *göttliche Stimme* zuerkennen Philostr Vit Ap IV 39;
Tac Ann 16, 22, 1, vgl Dio C 62, 26, 3[9].

B. Altes Testament.

In der LXX ist φωνή in den weitaus meisten Fällen Wiedergabe
25 des hbr קוֹל, seltener defektiv קֹל, aram קָל; merkwürdigerweise fehlt dazu ein entsprechendes hbr Verbum[10]. קוֹל im AT meint alles, was gehört werden kann.

1. קוֹל, selten mit Artikel, ist das Geräusch, abs stehend im Plur
die *Donnerschläge* Ex 9, 23. 29. 33f; 19, 16; 20, 18; 1 S 12, 17f; Hi 28, 26; 38, 25, vgl
1 S 7, 10; Ps 77, 18; Hi 38, 25; Ex 9, 28. Oft wird קוֹל durch Gen näher bestimmt: das
30 *Tosen* großer Wassermassen Ps 42, 8; 93, 3f; Ez 1, 24; 43, 2, der Urflut Hab 3, 10, das
Rauschen des Regens 1 Kö 18, 41, das *Rollen* eines Erdbebens Ez 37, 7, auch der *Hall* von
Schritten Gn 3, 8; 1 Kö 14, 6; 2 Kö 6, 32, bes sich nähernder Soldaten 2 S 5, 24; 2 Kö
11, 13 par 2 Ch 23, 12, das *Getrappel* von Pferden Jer 4, 29; 47, 3; 2 Kö 7, 6; Ez 26, 10,
das *Rollen* der Räder 2 Kö 7, 6; Ez 3, 13; 26, 10; Na 3, 2; Jl 2, 5 u das *Sausen* der Peitsche
35 Na 3, 2. קוֹל meint ferner den tumultuarischen *Lärm* einer großen, erregten Menschen-
menge 1 Kö 1, 40. 45, einer Stadt 1, 41, vgl קוֹל הֶהָמוֹן(הֲ) 1 S 4, 14; Ez 23, 42, den
Lärm des Heerlagers Ez 1, 24, der Krieger 2 Kö 7, 6, des Krieges Ex 32, 17; Jer 50, 22 u
des Kampfrufes תְּרוּעָה 1 S 4, 6; Ez 21, 27; אֵין קוֹל *kein Laut* war vernehmbar 1 Kö
18, 26. 29; 2 Kö 4, 31[11]. קוֹל meint auch andersartige Geräusche wie das *Rauschen* der
40 Flügel der Cheruben an Gottes Thronwagen Ez 1, 24f; 3, 13; 10, 5 u der wiederbelebten
Gebeine Ez 37, 7, das *Prasseln* des Feuers Jer 11, 16; Jl 2, 5; Qoh 7, 6, das *Rascheln* des
Laubes Lv 26, 36 u das *Knirschen* der Mühlsteine Jer 25, 10; Qoh 12, 4, schließlich auch
das leise *Geräusch* eines feinen Lufthauchs 1 Kö 19, 12. In übertr Sinne bezeichnet קוֹל

---

[8] Organ der Gottesstimme war die Pythia.
[9] Ein eigenartiges Phänomen stellen die
Memnonskolosse in West-Theben, zwei Ko-
lossalstatuen Amenophis III., dar, deren eine
infolge eines um 27 vChr entstandenen Risses
bei Sonnenaufgang tönte. Die zahlreichen
Besucherinschriften bezeichnen diese rätsel-
haften Laute ua als θεία φωνή Preisigke
Sammelbuch V 8213, 2 (130 nChr), ἱερὰ φωνή
8349 A 2 (1./2.Jhdt nChr), φωνή 8359, 5
(1./2.Jhdt nChr) uö. [Kelber]
[10] Vgl aber akkadisch *qâlū sprechen, schrei-*

en, äth kalḥa *schreien* u arab qâla *sagen*.
קוֹל gehört mit dem akkadischen qûlu *Ruf* u
dem ugaritischen ql *Laut* zus. Auch im phö-
nizischen ql, arab qaulun u äth qal begegnet
diese Wurzel. Das Nomen קָהָל (berufene)
Versammlung mag von dieser Wurzel abgeleitet sein, vgl aber JBarr, Bibelexegese u
moderne Semantik (1965) 123—133.
[11] Häufungen von *Geräuschen* finden sich
Ex 32, 17f; 1 Kö 1, 40—45; 2 Kö 7, 6; Ez
1, 24; 3, 13; 26, 10; Na 3, 2; Jl 2, 5.

den *Hall* des Sturzes einer großen Nation oder eines Herrschers Jer 49, 21; Ez 26, 15; 31, 16. קוֹל ist ferner der *Klang* von Musikinstrumenten, vor allem des *Widderhorns* שׁוֹפָר Am 2, 2; Ez 33, 4f; Ex 19, 16; 20, 18; 2 S 6, 15; 15, 10; 1 Kö 1, 41; Jer 4, 21; 6, 17; 42, 14; Ps 47, 6; 98, 6; Hi 39, 24, der *Trompeten* חֲצֹצְרוֹת 2 Ch 5, 13, der *Zither* כִּנּוֹר Ez 26, 13, der *Flöte* עוּגָב Hi 21, 12 u der Glöckchen am Obergewand des Hohenpriesters 5 Ex 28, 35, vgl Sir 45, 9. Ein am Anfang eines Satzes oder Satzteils stehendes קוֹל ist oft interjektionell als Ausruf *Horch!* zu übersetzen, der auf ein Geräusch oder eine Stimme aufmerksam macht[12] Ri 5, 11; Js 13, 4; 40, 3. 6; 52, 8; 66, 6; Jer 3, 21; 4, 15; 8, 19; 10, 22; 31, 15; 50, 28; 51, 54; Mi 6, 9; Zeph 1, 14; Cant 2, 8; 5, 2.

2. Häufig bezeichnet קוֹל den stimmlichen Laut von Tieren: das 10 *Blöken* der Schafe 1 S 15, 14, das *Brüllen* der Rinder Jer 9, 9, das *Schnauben* der Pferde Jer 8, 16, das *Brüllen* des Löwen Jer 2, 15; Am 3, 4; Hi 4, 10; Ez 19, 7. 9, vgl Sach 11, 3, das *Gurren* der Turteltauben Na 2, 8; Cant 2, 14, das *Zwitschern* der Vögel Qoh 12, 4; Ps 104, 12; Zeph 2, 14 u das *Zischen* der Schlange Jer 46, 22.

3. Vor allem ist קוֹל der Laut der menschlichen Stimme קוֹל אָדָם 15 2 Kö 7, 10; Da 8, 16, nicht aber Stimmorgan oder Sprache (→ 272, 28ff). Die Bdtg von קוֹל schwankt zwischen *Laut* u *Stimme*, wo dieser Begriff durch ein Nomen der Gefühlsbewegung näher bestimmt wird, so etwa das *Weinen* קוֹל בְּכִי Js 65, 19; Ps 6, 9, vgl Hi 30, 31; Esr 3, 13, das *Wehklagen* קוֹל צְעָקָה 1 S 4, 14; Jer 51, 54; Ez 27, 28, vgl Sach 11, 3, die *Furcht* קוֹל פְּחָדִים Hi 15, 21, vgl Jer 30, 5, das *Stöhnen* קוֹל אֲנָחָה Ps 102, 6, der *Jubel* קוֹל רִנָּה 20 Js 48, 20 u die stereotype Wendung „lauter Jubel u lautes Jauchzen, die Stimme des Bräutigams u der Braut" Jer 7, 34; 16, 9; 25, 10; 33, 11. Auch für andere Äußerungen des zwischenmenschlichen Verkehrs wird קוֹל als Träger genannt u entsprechend modifiziert, so für den Gesang Ex 32, 18; Js 51, 3; Ps 98, 5, vgl Sir 50, 18, den Gruß Prv 27, 14, die Lästerung Ps 44, 17 u die Verfluchung Lv 5, 1. Die Stärke der stimmlichen 25 Äußerung kann durch verbale Wendungen ausgedrückt werden. Man *äußert* נָתַן die Stimme Am 1, 2; Prv 2, 3; 8, 1 u *ruft* dabei laut Jer 4, 16; 12, 8; 22, 20; 48, 34; Hab 3, 10, man kann sie *erheben* נָשָׂא Ri 9, 7, bes beim Weinen Gn 21, 16; 27, 38; Ri 21, 2; 1 S 11, 4; 24, 17; 30, 4; 2 S 3, 32; 13, 36; Rt 1, 9. 14; Hi 2, 12, aber auch bei Freude u Jubel Js 24, 14[13], oder sie *hochheben* הֵרִים Gn 39, 15. 18; Js 13, 2; 40, 9; 58, 1; Hi 30 38, 34; Esr 3, 12; Sir 51, 9 u dabei *hochfahrend gg jmd sprechen* 2 Kö 19, 22 par Js 37, 23. Man kann mit *hoher Stimme* (בְּ)קוֹל רָם Dt 27, 14, mit *großer*, dh *lauter Stimme* (בְּ)קוֹל גָּדוֹל Gn 39, 14; 1 S 28, 12; 2 S 15, 23; 19, 5; 1 Kö 8, 55; 18, 27f; 2 Kö 18, 28 par Js 36, 13; Ez 8, 18; 11, 13; Prv 27, 14; Esr 3, 12; 10, 12; Neh 9, 4; 2 Ch 32, 18 *schreien* oder mit *schöner Stimme* קוֹל יָפֶה reden Ez 33, 32, sie *lieblich machen* הֵטֵב, dh *freundlich* 35 *sprechen* Prv 26, 25 u sie *vorbeigehen lassen* הֶעֱבִיר, dh in Lager, Stadt u Land etwas allg bekanntgeben Ex 36, 6; Esr 1, 1; 10, 7; 2 Ch 30, 5; 36, 22. Die stimmliche Äußerung ist individuell verschieden. Sie läßt die sprechende Person erkennen, so von der Stimme Jakobs Gn 27, 22, vgl Ri 18, 3; 1 S 24, 17; 26, 17.

קוֹל kommt auch in Zshg vor, wo vom Verkehr des Menschen mit Gott die Rede 40 ist. Es meint abs stehend das Bittgebet Dt 26, 7; 33, 7; Ri 13, 9; 1 S 1, 13; 2 S 22, 7; 1 Kö 17, 22; Js 58, 4; Ps 5, 3; 119, 149; 130, 2; Jon 2, 3 oder erweist sich durch den Kontext als Gebetsklage Dt 1, 45; Ps 55, 18 oder als Gelübde Nu 21, 2f. Durch ein Genitivattribut wird das Beten manchmal als bes laut u vor allem als flehentlich bezeichnet Ps 5, 3; 28, 2. 6; 31, 23; 86, 6; 116,1; 140, 7. Die Äußerung des Beters kann als Dank Jon 45 2, 10, als Jubel Ps 42, 5; 47, 2; 118, 15 u als Lob bestimmt werden Ps 66, 8. קוֹל קָרָא Ps 3, 5; 27, 7, vgl 142, 2; Ez 8, 18 meint *laut beten*; auch Segen 1 Kö 8, 55 u Fluch Dt 27, 14 werden laut rezitiert. קוֹל ist die stimmliche Äußerung des ganzen Volkes, das seinem Gott *antwortet* Dt 26, 7, vor ihm *weint* Ri 2, 4 u *wehklagt* Nu 14, 1, zu ihm um Hilfe *schreit* Nu 20, 16, ihm *einstimmig* Gehorsam verspricht Ex 24, 3, ihn *einstimmig* 50 preist 2 Ch 5, 13 oder aber gg ihn rebelliert Dt 1, 34; Jer 12, 8.

---

[12] Von LXX u Tg wird das abs stehende קוֹל freilich nie interjektionell aufgefaßt, vgl etwa zu Js 40, 3. 6; 52, 8.

[13] Nu 14, 1; Js 3, 7; 42, 2. 11; Hi 21, 12 findet sich diese Wendung auch ohne קוֹל.

4. Relativ selten wird קוֹל auf die Engel bezogen, obwohl man sich die himmlische Welt keineswegs als ton- u sprachlos vorstellt. Nach Ps 19, 2f erzählen die Himmel die Herrlichkeit Gottes, u die Himmelsfeste verkündigt das Werk seiner Hände. Tage u Nächte rufen einander das Gotteslob zu u sorgen so von Anbeginn der Schöpfung für eine lückenlose Tradition[14]. Freilich vermag niemand *ihre Stimme* zu hören v 4. Dgg ist das Rufen der Gott rühmenden Seraphen verständlich, aber so laut, daß der *Hall* die Oberschwellen im Tempel erzittern läßt Js 6, 3f. Auch klingt der Hall der Worte, die der angelus interpres zu Daniel spricht, wie der *Hall einer tosenden Menge* Da 10, 6, vgl v 9. Manchmal bleibt der himmlische Sprecher unerkannt; der Prophet vernimmt nur eine weisunggebende *Stimme* J 40, 3. 6, vgl Ez 1, 28. Nach Da 4, 28 fällt eine *Stimme* vom Himmel u gibt das Strafurteil für Nebukadnezar bekannt.

5. Gottes Selbstoffenbarung geschieht auf akustische Weise; er kann weder gesehen noch begrifflich gedacht werden, vielmehr hört man ihn[15]. Im Unterschied zum naiv-mythologischen Reden Gottes, der sich wie ein Mensch an die Patriarchen, Mose und Josua gewandt hat[16], weist das Wort קוֹל auf die übermenschliche, numinose Macht der göttlichen Offenbarung hin, wobei die Worthaftigkeit in der älteren Tradition zurücktritt.

Von den etwà 560 Vorkommen wird an rund 50 St Gott als Urheber von קוֹל genannt. Die Engel hören auf den *Hall* seines befehlenden Wortes Ps 103, 20, auch Mose gegenüber kann Gott ganz *Stimme* sein, die von der Deckplatte des Cherubenthrones her zu ihm redet Nu 7, 89. Der Hall des Donners gilt als Gottes *Stimme* Am 1, 2; Js 29, 6; 30, 30f, vgl Jer 25, 30; Jl 2, 11; 4, 16; 2 S 22, 14 par Ps 18, 14; *er donnert mit seiner erhabenen Stimme* Hi 37, 4, vgl 1 S 7, 10. Das Rauschen der Cherubenflügel hört sich an *wie die Stimme des Allmächtigen, wenn er redet* Ez 10, 5, vgl 1, 24. Diese Anschauung teilt das alte Israel mit den Assyrern[17] u den Kanaanäern[18]. Jahwes Donnerstimme läßt die Erde zittern[19], wenn er auf Wind u Wolken einherfährt Ps 18, 8—16 par 2 S 22, 8—16; Ps 68, 34; Hab 3, 15f[20] u durch den Donnerhall seine Macht bekundet Js 29, 6; Hi 37, 2—5; 40, 9[21].

---

[14] GvRad, Theol des AT I [5](1966) 373. Diese an die griech Vorstellung von der Sphärenmusik erinnernden Verse haben in den Texten von Ugarit eine Par. Gordon Manual 'nt III 21f = Baal V, III 39f (GR Driver, Canaanite Myths and Legends [1956] 87) = V AB, C 21f (JAistleitner, Die mythologischen u kultischen Texte von Ras Schamra [2][1964] 27) wird vom *Seufzen u Murmeln des Himmels zur Erde, der Ozeane zu den Sternen* berichtet. Dabei fehlt zwar der Begriff ql, statt dessen steht tant, vgl CHGordon, Before the Bible (1962) 192.

[15] Vgl KBarth, Kirchliche Dogmatik I 1 [6](1952) 93.

[16] JLindblom, Die Vorstellung vom Sprechen Jahwes zu den Menschen im AT, ZAW 75 (1963) 263—288.

[17] Die Gleichsetzung von Donner u Gottesstimme findet sich zB auf der 1961 bei Nimrud entdeckten Kurba'il-Statue Salmanassars III (ed u übers JVKinnier Wilson, The Kurba'il Statue of Shalmaneser III, Iraq 24 [1962] 93—96). Auf ihr wird der Gewittergott Hadad gepriesen als der Tapfere, dessen Kraft der Stimme (pî, wörtlich *Mund*) unvergleichlich ist Z 2, der den Regen fallen, die Blitze aufleuchten u die Pflanzen wachsen läßt Z 5, bei dessen Stimme (pi-šu) die Berge wanken u die Meere anschwellen Z 6.

[18] Der Gewittergott Baal *erhebt in den Wol-* ken seine Stimme w⟨y⟩tn qlh b'rpt Gordon Manual 51 V 70 = Baal II, V 8 (Driver [→ A 14] 97) = II AB IV—V (Aistleitner [→ A 14] 41), vgl Ps 18, 14. Da er dabei reichlich Regen gewährt, erhebt er *die Stimme zum Guten* Gordon Manual 1 Aqht I 46 = Aqhat I, I 46 (Driver [→ A 14] 61) = I D 46 (Aistleitner [→ A 14] 77). Wenn die Baalspropheten auf dem Karmel *Stimme u Antwort* ihres Gottes erflehten 1 Kö 18, 26, so haben sie sicherlich auf eine die Dürre beendende Gewittertheophanie gehofft. Vgl auch den im bab Schöpfungsepos Enuma eliš Tafel 7, 47 (Ancient Near Eastern Texts Relating to the Old Testament ed JBPritchard [2][1955] 72) geäußerten Wunsch: *Möge sein* (sc des Gottes Addu) *wohltätiges Brüllen schwer sein über der Erde!*

[19] Vgl dazu die Vorstellung von der *heiligen Stimme,* die widerhallend die Erde erbeben läßt u in Ost u West die Höhen erschüttert Gordon Manual 51 VII 29—34 = Baal II, VII 29—34 (Driver [→ A 14] 101) = II AB VII 29—34 (Aistleitner [→ A 14] 45).

[20] In Palästina kommt das Ps 18, 8ff; 29, 3ff; Ex 19, 16ff u in den kanaanäischen St bezeugte Nebeneinander von Gewitter u Erdbeben vor, vgl MBlanckenhorn, Neue Erdbeben in Jerusalem, ZDPV 51 (1928) 124f.

[21] In den Tammuzliturgien (ed MWitzel, Tammuzliturgien u Verwandtes, Analecta

Ausführlich wird die (Donner-)stimme Jahwes Ps 29, der Schilderung eines vom Westen her aufziehenden Gewitters, dargestellt. Die Doppelbedeutung von קוֹל kommt hier voll zur Geltung: Der *Donner* ist nicht einfach Naturgewalt[22], sondern die grollende, majestätische Stimme Gottes, des Weltschöpfers, Richters u hl Kriegers, die den Chor der Himmlischen zu bewunderndem Lobpreis hinreißt v 9b, aber den Gegnern Israels u bes der 5 Chaosmacht schreckend entgegenschlägt. Bei der Schöpfung wurden die Wasser der Urflut durch die scheltende Donnerstimme Gottes von der Erde weggescheucht Ps 104, 7. Auch die Rettung Israels am Schilfmeer deutet man in der Königszeit als Sieg dieser Stimme Jahwes über die Chaosflut Ps 77, 17—21. Israels Feinde, die Agenten des Chaos, werden im Hl Krieg von Jahwes Donnerstimme erschreckt 1 S 7, 10; Jl 2, 11; Ps 46, 7; 10 diese kündigt das Gericht über die Völker an u vollstreckt es Jl 4, 16; Js 30, 30f; Jer 25, 30f.

Sprechen die klassischen Propheten vom Empfang des Gotteswortes, so erwähnen sie bezeichnenderweise die Stimme Jahwes nicht. Das liegt nicht nur in der außerisraelitischen Herkunft dieser Vorstellung, sondern vor allem in der Tat- 15 sache begründet, daß die Donnerstimme (→ 276, 22ff) zwar Gott als numen tremendum erweist, aber nicht seine Weisung, sein klares Wort offenbart; der Prophet versteht sich aber als Boten dieses Wortes[23]. Nur in der Berufungsvision, und zwar beim Akt der Sendung, erwähnen Jesaja (6, 8) und Ezechiel (1, 28f, vgl 10, 5) die Stimme Jahwes, dh קוֹל ist Anruf, Hinweis auf Gottes gewaltige Gegenwart, 20 aber noch nicht Wort, Offenbarung, Weisung und Spruch.

Das gilt auch für die Darstellung in der älteren Sinaitradition Ex 19, 16—20; 20, 18—21 (E). Danach sind *Donnerschläge* קֹלֹת, Blitze u *Hall* קוֹל des Widderhorns Zeichen für das Kommen Gottes, der in schwerem Gewölk verborgen bleibt. Gott antwortet Mose בְקוֹל Ex 19, 19, wobei hier wohl nicht nur der Hall des Donners, sondern auch die Mose 25 verständliche *Stimme* Gottes gemeint ist[24], vgl Sir 45, 5. Das Volk ist der Gottesrede im Gewitter nicht gewachsen Ex 20, 18f. Epiphaniebedeutung hat der Hall des Widderhorns 2 S 6, 15; Ps 47, 6; 81, 4; 98, 6, der wohl vom Kult her in die Gewittertheophanie der Sinaitradition eingedrungen ist[25].

Das Deuteronomium verstärkt die optischen Erscheinungen der Sinaitheophanie 30 4, 11f; 5, 22f, entscheidend sind jedoch die Stimme Gottes u das Ereignis des Wortempfangs, bei dem das ganze Volk, auch die gegenwärtige Generation, als Zeuge zugegen ist, vgl Dt 5, 4; 9, 15 mit Ex 3, 2; 33, 11. Es nimmt keine Gestalt, sondern nur den *Hall von Worten* wahr 4, 12. Gott läßt seine *Stimme* hören, um Israel zu belehren 4, 36; er spricht den Dekalog aus dem Feuer heraus 4, 12f. 33; 5, 22—24. Nach Dt 5, 25f ist 35 קוֹל die *Stimme*, mit der Gott dem versammelten Israel seinen Willen verständlich bezeugt, wobei an die Donnerschläge von Ex 19 u 20 nicht mehr erinnert wird. Das ist ein unerhörtes Wunder; denn nie hat ein fleischliches Wesen die Stimme eines lebendigen Gottes aus dem Feuer gehört u ist am Leben geblieben 5, 26.

In 1 Kö 19 sind Theophanieerscheinungen u Jahwerede voneinander getrennt. Zwar 40 wird das Kommen Gottes zum Horeb durch kosmische Zeichen Sturmwind, Erdbeben u Feuer angekündigt, aber er ist nicht in ihnen v 11f. Elia erkennt vielmehr am *Laut eines*

Orientalia 10 [1935]) p 9, 64f; 121, 1ff; 157, 7f äußert sich die Klage des von der Unterwelt überfallenen Gottes als brüllender Sturm, der vom Heiligtum ausgeht u über die Welt hinfährt.

[22] Zumal das AT für den Donner auch das Wort רַעַם *Toben*, *Lärmen* besitzt. Es gibt auch Donner, der zwar als von Gott verursacht, aber nicht als dessen Stimme empfunden wird. So etwa, wenn Jahwe zum Unheil über Ägypten es donnern u hageln läßt Ex 9, 23f oder durch einen Gottesmann zu ungewohnter Zeit Donner u Regen sendet 1 S 12, 17f.

[23] In später vorexilischer Zeit hat sich eine „Worttheologie" herausgebildet, GFohrer, Elia (1957) 46. Zu den mannigfachen Formeln, mit denen der Prophet den Empfang des Gotteswortes beschreibt, vgl Lindblom aaO (→ A 16) 282f u CWestermann, Grundformen prophetischer Rede ²(1964).

[24] In den Komm schwankt die Übers zwischen *Donner*, so OEißfeldt, Hexateuchsynopse (1922) zSt, u *hörbare Stimme*, so MNoth, Das zweite Buch Mose, ATDeutsch 5 ⁴(1968) zSt, so auch HSchmid, Mose, Überlieferung u Gesch, ZAW Beih 110 (1968) 57. Zweifelsohne ist vor allem die Stimme gemeint; es bleibt jedoch eine Zwiespältigkeit Donner — Stimme.

[25] WBeyerlin, Herkunft u Gesch der ältesten Sinaitradition (1961) 155.

stillen, schwachen Wehens קוֹל דְּמָמָה דַקָּה [26] v 12b die Gegenwart Gottes, der durch eine Stimme zu ihm spricht v 13. Denn wo Gott den Propheten seinen Willen kundtut, geschieht es im geflüsterten Wort, vgl Ez 3, 10; Hi 26, 14; Js 50, 4f. — Der Psalter bezeugt das Weiterleben der Sinaitradition im Kult, bes in Ps 50 u 81. Dabei wird noch die Gewittertheophanie geschildert 50, 3, vgl 81, 8, aber beherrschend ist das allen verständliche Gotteswort: Der Ruf zum Gericht 50, 4—6, die Anklagerede Gottes 50, 7—23 u die Rezitation der Heilstaten durch eine unbekannte Stimme 81, 5—17.

Dieser Weg vom numinosen Wie des Offenbarungsempfanges zum klar verständlichen Was wird am Ende der vorexilischen Zeit vollendet, vor allem bei Jeremia, im Deuteronomium und im deuteronomistischen Geschichtswerk. Die Wendung vom *Hören auf Gottes Stimme* wird in der Paränese und Predigt stereotyp gebraucht [27]. Da die grundlegende Offenbarung des Gotteswillens zeitlich weit zurückliegt, muß sie in der Predigt aktualisiert und als der im Hier und Jetzt ergehende Ruf Gottes verkündigt werden. So ist Ps 95, 7 die Stimme Gottes das durch Mose befohlene, aber heute gepredigte und in die Entscheidung stellende Wort. Das Halten des tradierten Bundesrechtes wird als *Hören auf Gottes Stimme* beschrieben, eine Formel, die wohl auf das Verlesen des Gesetzes im Kult zurückgeht (Dt 4, 30; 8, 20; 13, 5. 19; 15, 5; 26, 14; Ri 2, 2; 6, 10; 1 S 12, 14; 15, 1ff; 2 Kö 18, 12). Dieses *Hören auf Gottes Stimme* wird Inbegriff der Jahweverehrung (Jos 24, 24), des wahren Gehorsams (Jer 3, 13. 25; 7, 23. 28; 18, 10; 22, 21; 26, 13; 40, 3; 42, 6. 13. 21), es entscheidet über Wohl und Wehe Israels (Dt 8, 20; 28, 45; 30, 20; Jos 5, 6). Es ist fast gleichbedeutend mit dem Halten von Gottes Geboten (Dt 13, 5; 26, 17; 27, 10; 28, 1. 15. 45; 30, 8. 10), seiner Bundessatzung (2 Kö 18, 12).

In einem anderen Bereich der isr Frömmigkeit wird die Stimme Jahwes durch das predigende Wort der personifizierten Weisheit aktualisiert: auf den freien Plätzen Prv 1, 20, auf den Höhen am Wege u mitten auf den Steigen läßt sie ihre Stimme erschallen Prv 8, 1. Auch in die Formen der prophetischen Verkündigung ist gelegentlich der Weckruf der um Gehör heischenden Weisheit eingedrungen Js 28, 23; 32, 9, vgl Ps 49, 2f. Allerdings muß man an den Gottesknecht des Dtjs erinnern, der die Wahrheit gerade dadurch zu den Völkern bringt, daß er *seine Stimme nicht hören läßt auf der Gasse* Js 42, 1f.

C. Palästinisches Judentum.

I. Apokalyptisches Schrifttum.

Die Verwendung von קוֹל bzw dessen Äquivalenten in den apokalyptischen Schriften ist vielfach vom at.lichen Sprachgebrauch bestimmt, bes in den

---

[26] Das *stille, schwache Wehen* muß etw Atmosphärisches meinen, vgl Ps 107, 29, wo דְּמָמָה im Gegensatz zum *Sturm* סְעָרָה steht. Die LXX übersetzt 1 Kö 19, 12b mit φωνὴ αὔρας λεπτῆς, vgl Hi 4, 16 u vRad aaO (→ A 14) II ⁴(1965) 28f. Wie diese Darstellung mit der sonstigen Sinaitradition zusammenhängt, wird nicht ganz klar. Steht 1 Kö 19 in bewußtem Gegensatz zu Ex 19? So Fohrer aaO (→ A 23) 58f, anders R de Vaux, Élie le prophète (1956) 67. Man könnte auch daran denken, daß in 1 Kö 19 die Andersartigkeit der Jahweoffenbarung gegenüber der des Gewittergottes Baal hervorgehoben wird. Auch Jahwe sendet Feuer 1 Kö 18, 38, vgl 2 Kö 1, 9—12, dazu Wolken, Sturm u Regen 1 Kö 18, 45. Aber er ist nicht an sie gebunden u kann seine Macht auch dadurch erweisen, daß er den Himmel verschließt, so daß weder Tau noch Regen fallen 1 Kö 17, 1 u auch der Gewittergott Baal schweigen muß 1 Kö 18, 26. 29. Vor allem wird die Zwiespältigkeit von Ex 19 aufgelöst: Gott „geht zwar im Sturm, Erdbeben u Feuer vorüber, aber er ist nur dann verweilend gegenwärtig, wenn er sich aus der Windstille von Elia vernehmen läßt" HGese, Bemerkungen zur Sinaitradition, ZAW 79 (1967) 145f.

[27] Sie erscheint schon Ex 19, 5, kann aber dort eine später eingesetzte Bundesverpflichtung sein. Beyerlin aaO (→ A 25) 78—90 hält die Wendung שָׁמַע בְּקוֹל יהוה allerdings für vordeuteronomisch. Sie ist jedoch eines der wichtigsten Kennzeichen der Paränese im Dt u deuteronomistischen Geschichtswerk.

Schriften von Qumran. Es zeigt sich jedoch eine Verschiebung von der Bdtg *Geräusch* zu der von *Stimme*, was bes für die Auffassung der Gottesstimme wichtig ist.

1. קוֹל bezeichnet Geräusche, zB das *Tosen* der vielen Wasser 1 QH 2, 16. Diese Wendung gilt dem Toben der Gegner u rückt diese in den Bereich der Chaosmacht[28], vgl Ps 93, 4, zu deren endzeitlichen Manifestationen auch der *Hall* der Wolken gehört 1 QH 3, 13, vgl 3, 16. קוֹל wird bes in Verbindung mit dem Krieg der Endzeit erwähnt, zu dem „der Hall einer großen Menge u der Lärm göttlicher Wesen u Menschen" gehören 1 QM 1, 1, dann der *Ton* der Widderhörner, mit denen die Kriegsschar einen schreckenden Kampflärm erzeugt 1 QM 8, 10f; 9, 1, schließlich der jeweils verschiedene Signalton der von Priestern geblasenen Trompeten (→ VII 81, 29ff) 1 QM 8, 5. 7. 9. 12. 14; 16, 5. 7; 17, 10[29]. In der Adlervision des 4 Esr haben zwei der vier Symboltiere eine Stimme, so der Adler (dh Rom) 11, 7—11 u der Löwe (dh der Messias), der ersterem mit Menschenstimme das Strafgericht ankündigt 11, 37—45, vgl 12, 32.

2. Wichtiger ist קוֹל als stimmliche Äußerung des Menschen, modifiziert als Jubel, mit dem man die großen Taten Gottes preist 1 QH 11, 25f; Test Jos 8, 5, als Jauchzen beim Endsieg 1 QM 12, 15, vgl 11, 25f, als Seufzen angesichts der Drangsal der Gegenwart 1 QH 9, 4, als törichtes Gelächter 1 QS 7, 14, als Äußerung des Gebets Test Jos 9, 4. Die Sprechfähigkeit des Menschen soll vor allem dem Loben Gottes dienen 1 QH 1, 28—30. Hellenistisch gefärbt mag die beginnende Reflexion über die Befähigung zum Reden sein. In 1 QH 1, 27—29 wird das Sprechen als Schöpfungswunder beschrieben. Die Zeit vor der Erschaffung der Welt wird charakterisiert als Epoche, in der sonus vocis hominum nondum erat 4 Esr 6, 39. Die Endzeit wird wunderbare Sprechphänomene bringen: Einjährige Kinder werden mit ihren Stimmen sprechen 4 Esr 6, 2[30] u die Steine ihre Stimmen erheben 5, 5. Gn 4, 10 wird im Sinne des nun in Palästina einsetzenden Glaubens an die Fortexistenz der Seele interpretiert: Die Seele Abels erhebt im Totenreich ihre Stimme u läßt sie bis zum Himmel dringen äth Hen 22, 5f[31].

3. Die Engel preisen Gott *einstimmig* äth Hen 47, 2; 61, 7. 9. 11, vgl Apk Abr 18, 2; slav Hen 19, 6. Himmlische *Stimmen* rühmen auch die Treue des Menschen, so etwa die Abrahams Jub 17, 15, u Michael, der Offenbarer des Jub, spricht mit der Stimme Gottes baqāla 'ĕgziabḥēr Jub 2, 1. Michael übermittelt Abraham den göttlichen Befehl zum Verlassen der Heimat Jub 12, 22, vgl Gn 12, 1—3; dem Esra befiehlt ein Engel, *auf seine Stimme zu hören* 4 Esr 8, 19. Umgekehrt hören die Dämonen auf die *Stimme* Mastemas Jub 10, 8. Die *Stimmen* der zum Endkrieg ausziehenden himmlischen Heerscharen werden wohl zum Kampfruf erhoben 1 QH 3, 35, vgl 1 QM 1, 11. Nach 4 Esr 13, 3f läßt die *Stimme* des „Menschenähnlichen" alle Gegner wie Wachs zerfließen, vgl 13, 10 (nach Js 11, 4) u 13, 33 (→ VIII 429, 24ff).

4. Die apokalyptische Anschauung von Gottes Stimme ist einerseits von der Erwartung einer neuen endzeitlichen Offenbarung, andererseits vom gesteigerten Empfinden der göttlichen Transzendenz bestimmt. Das Wunder der Gottesstimme wird von der fernen Vergangenheit u der nahen Zukunft erzählt. Dementsprechend wird die at.liche Tradition umgedeutet. Der Donner (→ 276, 22ff) ist von der Wortoffenbarung getrennt[32]. Er wird zwar von Gott gesandt Sib 3, 1. 302. 433 u

[28] Anders im Hymnus an den Schöpfer 11 QPsᵃ col 26, 10 (DJD IV [1965] 47), wo הֲמוֹן מַיִם רַבִּים theophanieartig gedacht ist.

[29] Die Pferde müssen so abgerichtet werden, daß sie jede Art von *Hall*, dh Trompetenblasen u Kriegslärm, ertragen können 1 QM 6, 13.

[30] Vgl dazu äth Hen 106, 3: Der neugeborene Noah betet zu Gott.

[31] Doch findet sich weiterhin der Glaube, daß das Blut der Gerechten nach Vergeltung schreie Jub 4, 3; 2 Makk 8, 3f; äth Hen 47, 1.

[32] Apk Abr 17, 12 heißt es noch in einem hymnischen Gebet, Gottes *Stimme* sei wie der Donner, aber nach 18, 13 hört Abraham Gottes *heilige Stimme wie eines Mannes Stimme*. Der Donner fehlt in den — allerdings knappen — Hinweisen auf das Sinaigeschehen Jub 1, 1—3; 1 Q 34ᵇⁱˢ col 2, 6f (DJD I 154); 4 Esr 1, 18f; in der die äußeren Begleiterscheinungen breit ausmalenden Wiedergabe des Pseud-Philo, Antiquitates Biblicae 11, 5 (ed GKisch, Publications in Mediaeval Studies 10 [1949]) ist er ein Element neben anderen.

dient wie die Blitze zum Segen oder Fluch nach Gottes Geheiß äth Hen 59, 1—3; aber
die *Stimmen des Donners*, die im Himmel aufbewahrt sind äth Hen 69, 23, werden nach
Jub 2, 2 der Regie bestimmter Engel unterstellt u wie andere Naturphänomene behandelt[33]. Bei der Exegese des Sinaigeschehens wird die Wortoffenbarung bes betont. Von
5   der Sinaigemeinde gilt: μεγαλεῖον δόξης εἶδον οἱ ὀφθαλμοὶ αὐτῶν καὶ δόξαν φωνῆς αὐτοῦ
ἤκουσεν τὸ οὖς αὐτῶν Sir 17, 13. Speziell Mose hat Gottes Herrlichkeit gesehen u seine
Stimme gehört 45, 3—5, vgl Pseud-Philo (→ A 32) 11, 6. 14.

Ebs werden in einem hymnischen Stück der Kriegsrolle die Vertreter des wahren
Israel als *Hörer der herrlichen Stimme* u als *Schauer der hl (Engel)* bezeichnet 1 QM 10, 10f;
10   auch in 1 QH fr 12, 5[34] erscheint die *herrliche Stimme*. An den deuteronomistischen
Sprachgebrauch erinnert die Verwendung von קֹול in der Damask. Die von Mose geführten
Israeliten hörten *auf die Stimme ihres Schöpfers, auf die Gebote ihres Lehrers* 3, 7f (4, 7),
wobei Mose als Lehrer u Deuter der Gottesstimme gilt. In der Gegenwart wird die Stimme
Gottes durch den Lehrer der Sekte aktualisiert u der Thoragehorsam als *Hören auf die*
15   *Stimme des Lehrers der Gerechtigkeit* interpretiert Damask 20, 32 (9, 53), vgl 20, 28
(9, 50)[35]. Die Transzendenz Gottes tritt bes da in Erscheinung, wo in haggadischen
Berichten geheimnisumwitterte Gestalten des AT durch eine vom Himmel her kommende Stimme angeredet werden, hinter der Gott als Urheber steht, so Henoch äth Hen
13, 8, Noah äth Hen 65, 4 u Baruch s Bar 13, 1; 22, 1. Bei der Einsetzung des Hohen-
20   priesters der Endzeit werden sich die Himmel öffnen, u aus dem Heiligtum der Herrlichkeit wird Heiligkeit auf ihn herabkommen μετὰ φωνῆς πατρικῆς ὡς ἀπὸ ᾿Αβραὰμ πρὸς
᾿Ισαάκ Test L 18, 6, dh Gott spricht zu ihm wie ein Vater zu seinem Sohn, vgl Gn 22, 2. 7f.
Universale Geltung hat die Ankündigung des Endgerichts, so 4 Esr 5, 7: Et dabit vocem
noctu, quem[36] non noverunt multi, omnes autem audient vocem eius. Im Abschnitt
25   4 Esr 6, 13—29 wird eine machtvolle Stimme, deren Schall dem von vielen Wassern
gleicht 6, 17, durch ihren Inhalt als Stimme des Weltenrichters erkannt 6, 18—29.

II. Rabbinisches Schrifttum.

Auch im rabb Schrifttum hat קֹול den vom AT vorgegebenen Be-
deutungsumfang. Er meint nie die *Sprache* לָשֹׁון oder das *Wort* דִּבּוּר, aber sonst alles,
30   was akustisch vernehmbar ist: *Geräusch, Ton* u *Stimme*.

1. קֹול ist das Geräusch, zB des sich öffnenden Tores Tamid
3, 7f, der Schaufel 3, 8, des Auswerfens einer Grube BQ 5, 6, der störende *Lärm* des
Hammers u der Mühlsteine, der spielenden Kinder u der ein- u ausgehenden Menschen
BB 2, 3 u das Klagegeschrei Ber 9, 3. Man weiß von drei *Geräuschen*, die man überhört,
35   obwohl sie von einem Ende der Erde zum anderen dringen: den *Hall* der Räder des
Sonnenwagens, dem *Lärm* der Stadt Rom u dem *Geräusch* der Seele, die sich beim Tod
vom Leibe trennt bJoma 20 b. קֹול ist ferner der *Ton* des Widderhorns RH 3, 7 u anderer Musikinstrumente Tamid 3, 8.

2. קֹול bedeutet vor allem die *Stimme*[37], durch die sich der
40   Mensch vernehmbar macht bBer 24 b. קֹול ist Prinzip der Individuation: Neben Aussehen u Denken ist die *Stimme* ein wesentliches Kennzeichen des einzelnen Menschen

---

[33] Merkwürdigerweise werden Jub 2, 2 die
Stimmen neben Donner u Blitz genannt, dh
קֹול ist in seine Bdtg *Donner* u *Stimme*
aufgespalten.
[34] ed AHabermann, Megilloth midbar
Yehuda (1959) 140.
[35] Vielleicht ist in 1 QH 14, 17 zu ergänzen: *denn sie [haben] nicht [auf] deine [Stimme
gehört]*, so JLicht, Megillath ha-Hodayoth
(1957) 94. Der in Test B 11, 2 verheißene
Geliebte des Herrn wird in einigen Hdschr
charakterisiert als ἀκούων τὴν φωνὴν αὐτοῦ (sc

κυρίου). Bar 1, 18. 21; 2, 5ff; 3, 4 steht die
deuteronomistische Wendung *Hören auf die
Stimme Jahwes* als Inbegriff für rechten Thoragehorsam, vgl AKahana, הספרים החיצונים
II ³ (1960) 355—361.
[36] Hdschr quam; emendiert von GHBox,
IV Ezra, in: RHCharles, The Apocrypha and
Pseudepigrapha of the Old Testament II
(1913) zSt.
[37] In der Bdtg *stimmlicher Laut* der Tiere
findet sich das Wort zB vom Raben Qoh r
10 zu 10, 20 u vom Schaf Qinnim 3, 6.

bSanh 38a. Die Stimme kann das Herz erfreuen bBer 57b; Gott verlangt danach, die liebliche Stimme Israels zu hören MEx 7, 3 zu 19, 17 (p 215, 1). Lieblich ist die Stimme Israels beim Gebet MEx 2, 2 zu 14, 13 (p 94, 12) nach Cant 2, 14. Im Unterschied vom AT wird bei Gebet u Gottesdienst die laute Stimme als unziemlich empfunden, weil sie menschlichem Geltungsbedürfnis entspringen kann[38]. Aber wegen der Ketzer hat man 5 angeordnet, das „Höre Israel!" laut zu rezitieren bPes 56a. Wer Gutes leistet, macht keinen Lärm Gn r 16, 3 zu 2, 13. קֹול bezeichnet ferner das *Gerede* jJeb 13, 1 (13c 46); jKet 6, 1 (30c 55), auch das *Gerücht* bGit 89a. b. In übertr Sinne wird von der *Stimme* der Schriftrolle RH 3, 7 u des Gehinnom gesprochen bAZ 17a. Saras Stimme wird als Stimme des hl Geistes erklärt Gn r 45, 2 zu 16, 2. Nach Pesikt r 35 (161a) wird drei 10 Tage vor der Ankunft des Messias Elia erscheinen, sich auf die Berge Israels stellen, vgl Js 52, 7, u seine Stimme von einem Ende der Welt bis zum andern hören lassen: Er verkündigt die Offenbarung der Herrlichkeit u Königsherrschaft Gottes allen Menschen.

3. קֹול ist abs stehend der **Donner**, bes im Plur bBB 16a; MEx 15 7, 1 zu 19, 2 (p 205, 20). Wichtig ist die Deutung der *Donnerstimmen* קֹולֹות. Sie gehen von Gott aus bBB 16a u können als Mittel von weltumspannender Kundgebung zeichenhafte Bdtg haben. Der Tod eines Rabb wurde drei Stunden lang durch Blitze u Donnerschläge verkündigt jPea 1, 1 (15d 40f). Donnerschläge bilden das sechste der sieben Vorzeichen, die das Kommen des Messias anmelden bSanh 97a; bMeg 17b. 20

4. Eingehend hat sich die rabb Exegese mit dem **Sinaigeschehen** u den קֹלֹות von Ex 19f befaßt. Während MEx in den קֹלֹות von Ex 19, 16 verschiedenartige *Donnerschläge* קֹולֵי קֹולֹות sieht 7, 3 zSt (p 214, 7f), ähnlich Tanch לֶךְ לֶךְ 6 zu Gn 14, 1 (Buber 63), u nach bJoma 4b die Stimme Gottes Ex 24, 1 nur für Mose vernehmbar gewesen sein soll, hat nach Ex r 28, 6 zu 20, 1 Gott am Sinai direkt u nicht 25 etwa durch eine Bath Qol (→ 282, 1ff) zu Israel gesprochen; das Volk hat seine Herrlichkeit gesehen u seine Stimme gehört Ex r 29, 4 zu 20, 2. Angesichts der nüchternen u an Offenbarungen armen Gegenwart erscheint das Sinaigeschehen voller Wunder Ex r 5, 9 zu 4, 27. Die Spekulation entzündet sich bes am Plur *Stimmen* Ex 19, 16 u an der Tatsache, daß man diese schauen konnte Ex 20, 18. Die Steigerung erfolgt in 30 zweifacher Richtung: Man hebt sowohl die numinose Gewalt als auch die weltweite Ausstrahlungskraft[39] u Anpassungsfähigkeit der Gottesstimme hervor. Die Macht der Gottesstimme ließ die Seelen der Hörer entfliehen Ex r 5, 9 zu 4, 27 (Wünsche 56); 29, 4 zu 20, 2. Ihre Sichtbarkeit wird von RAkiba damit erklärt, daß das flammende Wort auf die Tafeln aufschlug u die Gebote einschrieb MEx 7, 9 zu 20, 18 (p 235, 8—10). 35 Ferner wird behauptet, Gottes Stimme sei um die ganze Welt herumgegangen, die Israeliten hätten sie nacheinander aus den vier Himmelsrichtungen, vom Himmel u von der Erde her vernommen, seien ihr entgegengelaufen u hätten sie bereitwillig aufgenommen Ex r 5, 9 zu 4, 27. RJochanan b Nappacha (um 250 nChr) erklärt auf Grund des Plur קֹלֹת, die Gottesstimme habe sich in 70 Stimmen nach den 70 Sprachen der 40 Erde geteilt, so daß ein jedes Volk sie in seiner eigenen Sprache hören konnte ebd[40], vgl bSchab 88b (Schule RJischmaels, um 130 nChr).

5. Nach der Zerstörung des zweiten Tempels setzte sich bei den Rabb die Meinung durch, mit den letzten Propheten Hag, Sach u Mal sei der hl Geist

---

[38] Wer die Tephillah hörbar rezitiert, gilt als kleingläubig, wer sie gar mit lauter Stimme sagt, als Lügenprophet bBer 24b. Das Amen der responsio soll nicht lauter klingen als der Segensspruch, die Übers nicht lauter vorgetragen werden als die Schriftlesung. Denn Gott selbst hat nach Ex 19, 19 seine Stimme der des Mose angepaßt (so wird das בְּקֹול verstanden) bBer 45a, vgl MEx 7, 4 zu 19, 19 (p 216, 16).

[39] Der Donner erfüllt die Welt. Die Thora wurde absichtlich nicht im Land Israel, son-

dern in der Wüste, dh einem neutralen u allen Völkern zugänglichen Ort gegeben, damit jedes der Völker sie vorurteilsfrei annehmen könne MEx 7, 1 zu 19, 2 (p 205, 16— 18) u 7, 5 zu 20, 2 (p 222, 2—6) uö.

[40] Ähnlich Tanch שְׁמֹות zu Ex 4, 27 (Buber 13f), wonach sich die Gottesstimme zunächst in 7 Stimmen teilte, nach Ps 29, wo das Wort קֹול 7 mal erwähnt ist. Nach SDt 343 zu 33, 2 offenbarte sich Gott bei der Übergabe der Thora in 4 Sprachen, vgl MEx 7,5 zu 20, 2 (p 221, 9ff).

aus Israel gewichen (→ VI 383, 37ff), an seiner Statt[41] habe Gott eine Himmelsstimme ausgehen lassen TSota 13, 2f (Zuckermandel 318f); bSota 48b; bSanh 11a[42];
bJoma 9b. Die Bezeichnung בַּת קוֹל, aram בְּרַת קָלָא, meint das auf Erden hörbare
Echo[43] einer gewöhnlich vom Himmel ausgehenden Stimme, die Gottes Urteil kundtut.
Dabei sind altorientalische[44], at.liche[45] u vor allem apokalyptisch-visionäre (→ 280, 16ff)
Traditionen aufgenommen u unter dem Eindruck der Transzendenz Gottes[46] ausgebildet
u formal fest geprägt worden[47]. Auch der populäre Orakelglaube der hell Welt hat
eingewirkt. Die rabb Bath Qol ist auf keinen Fall als Fortsetzung der Gottesoffenbarung in Thora u Propheten zu denken, die für diese Weltzeit als abgeschlossen gilt;
sie ist auch nicht etwa Ersatz für Prophetie u hl Geist[48]. In der Apokalyptik, im NT
u bei Jos ist jedoch von kritischer Distanz noch wenig zu spüren[49]; dort erscheint das
unabgeschwächte קוֹל bzw φωνή. Diese Wertschätzung gilt zT auch noch für die tan-
naitische Zeit, bes für die Schule Hillels[50]. So soll der mehrjährige Lehrstreit zwischen
den Schulen Schammais u Hillels durch eine Bath Qol zugunsten der letzteren entschieden worden sein jBer 1, 7 (3b 75f); bErub 13b. Andererseits hat RJehoschua
b Chananja (2.Jhdt nChr) eine Intervention der Himmelsstimme zugunsten des halachischen Urteils des Eliezer b Hyrkanos abgelehnt, uz im Blicke auf die am Sinai gegebene Thora u den von ihr geforderten Mehrheitsbeschluß (Ex 23, 2) bBM 59b Bar;
bSanh 104b[51]. Im Unterschied vom Geistbesitz stellt die Bath Qol keine dauernde
Verbindung zwischen Gott u Menschen her. Sie gilt auch nicht bestimmten Erwählten,
sondern kann an Heiden u Gottlose gerichtet sein. Sie erscheint meist im Bereich der
volkstümlichen u legendarischen Haggada sowie der erbaulich ausschmückenden Bibelexegese. Gewöhnlich geht die Bath Qol vom Himmel aus bChag 14b; bBB 74b; bSanh
11a ua, seltener werden andere Stätten der Gottesgegenwart als Orte der Herkunft
genannt, so der Sinai/Horeb Ab 6, 2; bBer 17b oder das Allerheiligste des Tempels
TSota 13, 5 (Zuckermandel 319); bSota 33a; jChag 2, 1 (77b 60f), vgl Ez 43, 6f; Jos
Ant 13, 282. An manchen St wird deutlich, daß Gott selbst der Sprecher ist[52]. Gele-

---

[41] Die Verwandtschaft der Bath Qol mit
dem hl Geist erhellt aus einem Vergleich der
St Cant r 8 zu 8, 10 mit Lv r 6, 1 zu 5, 1,
ferner bGit 57b mit Eka r 1, 423 zu 1, 16
(Wünsche 86). Auch die Tatsache, daß nach
bBer 3a, vgl Tg zu Cant 2, 12, die Bath Qol
wie eine Taube gurrt, könnte für diese Verwandtschaft sprechen, vgl die Taubengestalt
des hl Geistes Mk 1, 10 (→ VI 68, 8ff) u Gn
1, 2. Zur Verwandtschaft von Bath Qol zu hl
Geist s Bacher Term II 206.
[42] מַשְׁמִיעִין (der Plur umschreibt Gott als
den Urheber) TSota 13, 2 (Zuckermandel 318)
ist ursprünglicher als מַשְׁמִשִׁין bSanh 11a. Die
These vom Weichen des Geistes ist wohl auch
als Abwehr des Anspruchs auf Geistbesitz in
der Qumransekte, bei den Zeloten u Christen
zu verstehen. Der hl Geist, der von den Rabb
als Geist der Prophetie gedeutet wurde, soll
erst in der Endzeit wieder gegeben werden.
[43] So jedenfalls Ex r 29, 9 zu 20, 2 (Wünsche
214), wo vom Echo der menschlichen Stimme
geredet wird. Ob בַּת (statt בֶּן) die Schwäche
des Echos bezeichnen soll, ist fraglich. Nach
MMaimonides, Moreh Nebuchim 2, 42 (ed
JGoldmann [1960]) haben Hagar, Manoah u
dessen Frau lediglich eine Bath Qol gehört,
da sie keine Propheten waren.
[44] In der von Berossus überlieferten Form
der Sage vom bab Sintfluthelden wird dessen
Entrückung zu den Göttern den Zurückblei-
benden durch eine Himmelsstimme φωνή ἐκ
τοῦ ἀέρος bekanntgegeben fr 4 (FGrHist IIIc
380).
[45] Vgl Nu 7, 89; Js 40, 3. 6; 1 Kö 19, 12f
u vor allem Da 4, 28: Eine Stimme fiel vom
Himmel.

[46] Die Wendung בַּת קוֹל soll auf jeden
Fall den Eindruck verhindern, man könne
Gottes Stimme direkt sprechen hören.
[47] Meist wird die Himmelsstimme mit der
stereotypen Wendung eingeführt: Eine Bath
Qol ging (vom Himmel) aus u sprach יָצְאָה
בַּת קוֹל (מִן־הַשָּׁמַיִם) וְאָמְרָה, aram נָפְקַת בְּרַת
קָלָא, vgl dazu ἦλθεν οὖν φωνή ἐκ τοῦ οὐρανοῦ
J 12, 28 u רוּחַ הַקֹּדֶשׁ אָמְרָת (→ A 41). Der
Inhalt der Botschaft ist kurz u manchmal
fest geformt.
[48] Cant r 8 zu 8, 10 (Wünsche 187) gilt die
Bath Qol als geringer Rest (vgl Js 1, 9) der
Prophetie.
[49] Dalman WJ I 168 meint, urspr habe
man sich die Bath Qol nicht als Offenbarung
minderen Grades gedacht.
[50] Nach TNazir 1, 1 (Zuckermandel 283)
ließ die Schule Schammais in halachischen
Fragen kein Zeugnis auf Grund einer Bath
Qol zu אֵין מְעִדִים עַל בַּת קוֹל, die Schule Hillels
gestattete es. Vgl dazu AGuttmann, The Significance of Miracles for Talmudic Judaism,
HUCA 20 (1947) 363—406.
[51] Die wachsende Skepsis gegenüber Zeichen u Wundern bHullin 43a; bJeb 121b;
bBer 60a mag auch in der Antithese gg das
Christentum begründet sein, vgl BGerhards-
son, Memory and Manuscript, Acta Seminarii
Neotestamentici Upsaliensis 22 (1961) 213.
[52] So zB wenn die Bath Qol als Subj eingeführt wird, wo nach dem AT Gott selber
der Sprecher war Tg zu Cant 2, 14; Tg zu Thr
3, 38, oder wenn sie nach bGit 56b verkündigt, was in den par St Gn r 10, 7 zu 2, 1
(Wünsche 43); Lv r 22, 3 zu 17, 3; Nu r 18, 22

gentlich ist die Bath Qol von Erscheinungen begleitet, wie sie im AT zur Theophanie
gehören, so etwa vom Donner jPea 1, 1 (15d 40f) oder Erdbeben bMeg 3a; jChag 2, 1
(77a 69f). Jedoch verrät sich eine distanzierende Tendenz, wenn behauptet wird, das
Schlimme werde durch die Bath Qol angekündigt, während aus Gottes Mund nichts
Böses hervorgehe Tg zu Thr 3, 38. Aufgabe der Bath Qol ist es, ein wichtiges Urteil 5
bekanntzugeben, das entweder dem menschlichen Geist nicht erschwinglich ist oder aber
im Gegensatz zur communis opinio steht. Sie wendet sich oft an die Welt, ruft auf den
Gipfeln der Berge nach allen Richtungen Lv r 27, 2 zu 22, 27 u unter Umständen bei
Tag u Nacht Ab 6, 2; bBer 3a; 17b. Die Form ihrer Botschaft erinnert manchmal
an die Sprüche der Propheten. Sie kann Bußruf Eka r Einl 25, 10 (Wünsche 32), Weheruf 10
Ab 6, 2 u Ablehnung der Buße sein bChag 15a oder auch frommer Wunsch Tanch בָּא
2 zu Dt 26, 16 (Buber 45). Sie verklagt die Welt Ab 6, 2; bBer 17b u ist Israels Für-
sprecherin unter den Völkern Cant r 8 zu 8, 10 (Wünsche 187); sie orakelt über den Einbruch
der messianischen Zeit bSanh 94a. Der Inhalt ihrer Botschaft betrifft meist bedeutende Einzelpersonen: Dem vermessenen Regenten — Nebukadnezar ist Deckname für Titus — wird 15
Gottes Strafe angekündigt bGit 56b, ebs dem Messiasprätendenten Bar Kosibah jTaan
4, 8 (68d 73), sie verwirft den bewußten Übertreter des Gesetzes Elisa bAbuja bChag
15a u tröstet den bekümmerten Rabbi Qoh r 9 zu 9, 7 (Wünsche 121f). Vor allem verkündigt sie Gottes Ja zum verkannten Gerechten u korrigiert damit das vordergründige Urteil
der Welt. Sie ehrt den Gelehrten Hillel TSota 13, 3f (Zuckermandel 318f); bSota 48b; 20
bSanh 11a u offenbart das kosmische Verdienst des bescheidenen Asketen Chanina bBer
17b; bTaan 24b. Sie nimmt das Urteil des Endgerichts vorweg, indem sie die Teilhabe am
Leben der kommenden Welt zuspricht. Das tut sie bes in der Todesstunde des Märtyrers
bBer 61b; bGit 57b; Eka r 1, 423 zu 1, 16 (Wünsche 86); bAZ 10b; 18a. Die Rolle der Bath
Qol wurde von den Exegeten auch in die Gesch des Alten Israel zurückgetragen Qoh 25
r 9 zu 9, 7 (Wünsche 121); bSota 10b; bJoma 22b; bMak 23b; bSchab 149b; SDt 357 zu 34, 5;
bSchab 56b; bJoma 22b (Rab); TSota 13, 5 (Zuckermandel 319); jSota 9, 15 (24b 27f), vgl
Jos Ant 13, 282f; bBB 3b. Die Bath Qol war überall da am Werk, wo ein unprophe-
tischer Mensch die Erkenntnis erhielt, die ihn zu einem Werkzeug Gottes machte bMak
23b. Der Wunsch nach einer Konkretisierung der blassen Vorstellung hat die Bath Qol 30
in die Nähe von Orakelwesen u Divination gebracht. Auch ein unerwartetes menschliches Wort konnte als göttlicher Wink u damit als Bath Qol beurteilt werden: Das
zufällige zweimalige *Ja* oder *Nein* eines Mannes in der Stadt oder einer Frau auf dem
Feld bMeg 32a, auch die Stimme eines Kindes[53], das gerade ein Schriftwort rezitiert
jSchab 6, 1 (8c 56), vgl bChul 95b. Nur selten schaltet sich die Bath Qol in die Ar- 35
beit der Rabb ein. Sie rügt den Mangel an Beschäftigung mit verborgenen Dingen
jSota 7, 5 (22a 9f), verbietet die Veröffentlichung eines Tg für die Ketubim bMeg 3a,
zeigt das Recht zur Einschaltung eines zusätzlichen Monats an PREl 8 (p 58f) u
weist in einem juristisch unlösbaren Fall den rechten Weg Jeb 16, 6. Auch hier bleibt
ihr Urteil situationsgebunden: ihre Weisung wird nie allgemeingültige Halacha, vgl 40
bSanh 104b.

Diese Weisung gibt die Bath Qol manchmal durch ein Wort der Schrift bSota 21a;
bSanh 104b; bGit 57b; bestimmte Schriftworte sollen Äußerungen einer Bath Qol sein,
zB Js 35, 3f nach Lv r 19, 5 zu 15, 25; Sach 11, 17 nach Eka r 2, 64 zu 2, 1 (Wünsche 101);
Jer 3, 14 nach Rt r 6, 4 zu 3, 13. Auch aktualisiert die Bath Qol das Gotteswort, be- 45
zieht es auf einen bestimmten Fall der Gegenwart bGit 56b; jSchab 6, 8 (8c 55. 69f.
72). Sie erklärt auch einen auffallenden textlichen Tatbestand bSanh 94a oder ein
schwer verständliches Wort des AT bMeg 29a; bSchab 56b, ferner St, an denen ein
Einwand gg die Gerechtigkeit Gottes erhoben werden könnte bSanh 94a, vgl Eka r
Einl 24, 19 (Wünsche 29)[54]. 50

D. Hellenistisches Judentum.

1. Die Septuaginta folgt — von wenigen spezifisch semitischen
Wendungen abgesehen[55] — dem at.lichen Gebrauch von קוֹל. Sie gibt das Wort fast
durchweg mit φωνή wieder, obwohl diese im Griech (→ 272, 14ff) stärker auf die laut-

---

zu 16, 35 (Wünsche 457) Gott selbst gesagt hat.
Auch mit der Einführung der 1. Pers wird auf
Gott als den Sprecher hingewiesen, zB *meine
Kinder* bBer 3a, *mein Geheimnis* bSanh 94a.
[53] Vgl dazu das Urteil von RJochanan b
Nappacha (3. Jhdt): „Seit dem Tag, da das
Heiligtum zerstört wurde, wurde die . Gabe

der Prophetie den Propheten genommen u
den Narren u Kindern gegeben" bSanh 11a.
[54] Weitere Belege bei Bacher Term II
206f.
[55] Zur Wiedergabe des interjektionellen
קוֹל → A 12. Auch wird הֶעֱבִיר קוֹל nicht
formal gleich, aber sachlich richtig übersetzt.

liche Kundgebung lebendiger Wesen beschränkt ist. Griech gedacht ist es, wenn φωνή in Gn 11, 1 für דְּבָרִים u Dt 28, 49 für לָשׁוֹן steht u *Sprache* bedeutet, so auch 2 Makk 7, 8. 21 u ἡ Ἑβραϊς φωνή 4 Makk 12, 7. Der Plur קוֹלוֹת *Donnerschläge* wird durch φωναί wiedergegeben Ex 9, 23; 19, 16, in 20, 18 allerdings durch φωνή, wobei an die re-
5 dende *Stimme* Gottes gedacht ist[56]. Die Offenbarung Gottes geschieht ausschließlich durch das Wort. At.liche St, die von der Gottschau sprechen oder zu sprechen scheinen, werden von LXX oft so wiedergegeben, daß das Sehen wegfällt, vgl Ex 24, 9—11; Hi 19, 25—27; 35, 13f; ψ 16 (17), 15; 41 (42), 3; anders Js 6, 1. 5[57]. φωνή κυρίου steht deshalb Gn 15, 4 für דְּבַר יהוה, außerdem wird עַל־פִּי יהוה) gelegentlich durch διὰ φω-
10 νῆς κυρίου wiedergegeben Nu 3, 16. 39. 51; 4, 37. 41. 45; 9, 20; 10, 13.

          2. Gg eine anthropomorphe Auffassung von der göttlichen Stimme wehrt sich Aristobul (170—150 vChr) bei Eus Praep Ev 13, 12, 3f. Er meint, man solle die göttliche Stimme *nicht vom gesprochenen Wort, sondern vom Wirken* her verstehen, weil die ganze Weltschöpfung von Mose *als göttliche Worte bezeichnet worden* sei 13, 12, 3.
15 Der Lehre Moses seien Pythagoras, Sokrates u Plato gefolgt, wenn sie bei der Betrach- tung des von Gott beständig geschaffenen u erhaltenen Weltgebäudes Gottes *Stimme* erwähnen 13, 12, 4.

          3. Josephus gebraucht φωνή auch in der Bdtg *Sprache* (→ 273, 9ff): ἡ Ἑλληνικὴ φωνή Ap 1, 1, vgl 1, 50. 73. Von der Eselin Bileams sagt er: φωνὴν ἀνθρωπίνην
20 ἀφεῖσα κατεμέμφετο τὸν Βάλαμον Ant 4, 109. Die Vorstellung von der Gottesstimme — er vermeidet allerdings die Wendung φωνὴ θεοῦ — benützt er dazu, um die Distanz zwi- schen Gott u Mensch deutlicher zum Ausdruck zu bringen. Nicht Gott selbst, sondern eine θεία φωνή richtet dem Abraham die böse Kunde von der künftigen Gefangenschaft Israels in Ägypten aus Ant 1, 185, vgl Gn 15, 13. Das Rufen Gottes aus dem feurigen
25 Busch erklärt Jos als Akt des Feuers, die eine Stimme fand u Worte gebrauchte Ant 2, 267. Die Donnerschläge der Sinaitheophanie werden κεραυνοί genannt[58] u haben nichts mit Gottes Reden zu tun Ant 3, 80—88. Am Sinai vernahm zunächst Mose allein eine ἄφθαρτος φωνή Ant 3, 88, dann aber hörte Israel φωνῆς ὑψόθεν παραγενο- μένης εἰς ἅπαντας, die den Dekalog verkündigte 3, 90. Diese direkte Offenbarung sollte
30 verhindern, daß der Adel der Gottesworte durch menschliche Wiedergabe beeinträch- tigt u verzerrt werde 3, 89[59]. Die geheimnisvolle leise Stimme von 1 Kö 19, 12 wird als φωνὴ θεία erklärt, die das Schweigen gebrochen habe Ant 8, 352; schon vor dem Erdbeben sei Elia am Horeb von einer φωνή τις ἐξ ἀδήλου angesprochen worden 8, 350, vgl 1 Kö 19, 9. Auch in nachbiblischer Zeit ergeht die Stimme Gottes; Jos mag von
35 der Vorstellung der Bath Qol (→ 282, 1ff) beeinflußt sein. Nach ihm ging die Stimme vom Tempel aus[60]. Hyrkan I. hörte beim Darbringen des Rauchopfers eine Stimme, die ihm den soeben errungenen Sieg seiner Söhne verkündigte; mit ihr kam die Gott- heit selbst ihm gegenüber zu Wort Ant 13, 282. Vor dem Ausbruch des Jüd Krieges hörten die Priester im Tempel Bewegung u Schlagen u dann eine Stimme wie *aus*
40 *einem Mund rufend* φωνῆς ἀθρόας: „Laßt uns von hier weggehen!" Bell 6, 299[61]. Die gleiche unheilvolle Bdtg hat die Stimme, die von Jesus Ananos Søhn 4 Jahre vor dem Ausbruch des Krieges vernommen und bekanntgemacht wurde: φωνὴ ἀπὸ ἀνατολῆς, φωνὴ ἀπὸ δύσεως, φωνὴ ἀπὸ τῶν τεσσάρων ἀνέμων, φωνὴ ἐπὶ Ἱεροσόλυμα καὶ τὸν ναόν, φωνὴ ἐπὶ νυμφίους καὶ νύμφας, φωνὴ ἐπὶ τὸν λαὸν πάντα Bell 6, 301, vgl Ἰερ
45   7, 23. 34.

---

[56] Bemerkenswert ist die Ausschmückung von Ex 19, 13b HT: „Wenn das Widderhorn ertönt, sollen sie auf den Berg hinaufgehen", dgg LXX: ὅταν αἱ φωναὶ καὶ αἱ σάλπιγγες καὶ ἡ νεφέλη ἀπέλθῃ ἀπὸ τοῦ ὄρους, ἐκεῖνοι ἀναβή- σονται ἐπὶ τὸ ὄρος.

[57] Zur Auffassung der Wortoffenbarung vgl Jer 25, 30 HT, wonach Gott brüllend seine Stimme erheben wird, dazu Ἰερ 32, 30: κύριος ἀφ' ὑψηλοῦ χρηματιεῖ (HT: יִשְׁאָג), ἀπὸ τοῦ ἁγίου αὐτοῦ δώσει φωνὴν αὐτοῦ.

[58] Bzw ψόφος Ant 3, 81. Jos überläßt es dem Leser, ob er an die Theophanieerschei- nungen glauben will oder nicht.

[59] Grundsätzlich bleibt Moses Mittlerrolle erhalten. Israel soll im Gesetz den göttlichen Urheber erkennen, obwohl es durch eine menschliche Zunge verkündigt wird Ant 3, 85. Bei all den Äußerungen Moses glaubte man, Gott selbst reden zu hören 4, 329.

[60] Vgl dazu Sir 45, 5; Apk 16, 1. 17; 19, 5; 21, 3.

[61] Gemeint ist der Auszug der göttlichen Herrlichkeit zus mit den Cheruben; er weist auf das kommende Strafgericht hin, vgl Ez 10, 18—22; 11, 22f.

4. Philos Gebrauch von φωνή als akustisch vernehmbarer Äußerung lebender Wesen verrät den Einfluß griech Geistes (→ 272, 13 ff). Er reflektiert auf wissenschaftliche Art über die menschliche Stimme, die sich dem Urteilsvermögen nicht entziehen kann Som I 28 [62]. Dabei achtet er stärker auf den Vorgang des Sprechens als auf dessen Wirkung in den verschiedenen Lebenssituationen. Die empirisch- 5 wissenschaftliche Betrachtungsweise wird mit der theol-spekulativen verbunden: Die Stimme sollte dem Preis des Schöpfers aller Dinge dienen; denn die ὄργανα τῆς φωνῆς sind nicht menschlicher Besitz, da eine kleine Krankheit die Zunge lähmen kann Cher 116. Die menschliche Stimme ist Instrument der Vernunft, des νοῦς. Unter den Lebewesen besitzt nur der Mensch eine *artikulierte Stimme* φωνὴ ἔναρθρος, die so zum κῆρυξ 10 u ἑρμηνεύς des νοῦς wird; der λόγος, die vernünftige Rede, ist somit Äußerung der vom νοῦς gelenkten φωνὴ ἔναρθρος Som I 29, vgl Vit Mos II 16. Die Stimme offenbart wie ein Licht alle Gedanken; Philo nennt sie deshalb φωνὴ τηλαυγεστάτη *weithin glänzende Stimme* Det Pot Ins 128 [63]. Analog zur Bildung der vom νοῦς gestalteten Rede versteht Philo den Vorgang der prophetischen Inspiration: Der göttliche Geist bedient sich 15 des menschlichen Stimmapparates als eines Mediums u bringt ihn zum Erschallen u Ertönen Spec Leg IV 49.

φωνή ist für Philo ferner die *Sprache*. Die Schlange im Paradies redete mit *menschlicher Sprache* ἀνθρώπου προϊέμενος φωνήν Agric 96. Vor der Sprachverwirrung hatte die Menschheit eine einzige Sprache Conf Ling 1 nach Gn 11, 1. 20

Der bibl Bericht vom Sinaigeschehen gibt Philo die Gelegenheit, die Eigenart der **göttlichen Stimme** aufzuzeigen. Er muß mit manchen der Traditionen vertraut gewesen sein, die auch bei den rabb Spekulationen über die Gottesstimme (→ 281, 21 ff) erscheinen, aber er geht exegetisch einen anderen Weg. Philo betont wie die Rabb das Wunder der Gottesstimme Decal 33 u der sie begleitenden Donnerschläge u Blitze 44, 25 wobei er zwischen beiden deutlich unterscheidet. Auch ist die Gottesstimme Organ der Offenbarung, durch das Gott den Dekalog dem versammelten Israel verkündigt 32. Aber der Vorgang der Offenbarung wird nicht als akustisch vernehmbare Wortverkündigung, sondern als ein an die Seele gerichtetes, optisch geschildertes Geschehen begriffen; Sprechen u Hören sind ausdrücklich ausgeschaltet Migr Abr 47 ff; Decal 33 ff. Das liegt 30 im Wesen der Gottesstimme begründet, die Philo als ein einzigartiges Phänomen beschreibt. Sie ist nicht wie die menschliche Stimme durch ein Sprechorgan erzeugt worden Decal 32 f u bedarf darum nicht eines aufnehmenden Ohres 35; vielmehr hat sie als seelisches Gebilde auf die Seelen der Menschen gewirkt. Die Gottesstimme am Sinai wurde als ἦχος ἀόρατον u ψυχὴ λογική eigens von Gott geschaffen. Als vernunftbegabte 35 Seele war sie der Sprache mächtig u ließ eine *artikulierte Stimme* φωνὴ ἔναρθρος wie einen Lufthauch ertönen 33. Anders als die menschliche Stimme nahm die Gottesstimme bei größer werdender Entfernung nicht etwa ab, sondern zu, da sie auf das Ohr des von Gott erfüllten Geistes traf 35. Stark beeindruckt ist Philo von der Sichtbarkeit der Gottesstimme Ex 20, 18. 22; Dt 4, 12, jedoch tritt auch hier die Tendenz der psycho- 40 logisierenden u ethisierenden Deutung hervor. Grundsätzlich ist die Stimme Gottes sichtbar u hat sich am Sinai in eine feuerrote Flamme verwandelt Decal 33, weil Gott nicht Worte, sondern Taten redet 47. Nach Migr Abr 47 hat Israel die Gottesstimme wie ein Licht gesehen [64]; denn Gottes Worte sind ein strahlendes Aufleuchten der Tugend u einer Vernunftquelle gleich. Aus Dt 4, 12 wird geschlossen, Gottes Stimme 45 werde nicht in Begriffe gefaßt u mit dem Ohr vernommen, sondern mit dem Auge der Seele geschaut Migr Abr 48. 52 [65]. Daß sie nach Dt 4, 36 aus dem Feuer kam, wird so erklärt: Gottes Worte sind geläutert wie Gold im Feuer u wirken beim Empfang wie Feuer, das sowohl leuchtet als auch brennt. Den Gehorsamen werden sie zum Licht, während die Gottlosen vom Feuer der Begierden entflammt sind Decal 48 f. Das op- 50 tische Bild dient somit lediglich der Objektivität der Gottesstimme, die sonst ganz vergeistigt u auf den Einzelnen bezogen wäre. Die Universalität der Sinaigesetzgebung wird auf den Trompetenschall beschränkt, der auch die Nichtanwesenden erschreckt u sie auf die Größe des Geschehens aufmerksam gemacht hat Spec Leg II 189. Die Offenbarung hingegen gilt nur Israel, das sich verhielt wie der Myste, der das Sein *ohne* 55

---

[62] Ferner Vit Mos II 239; Spec Leg I 147; IV 49; Migr Abr 47; Sacr AC 23; Deus Imm 25; Poster C 106; Op Mund 121.

[63] Hier wird stoischer Einfluß sichtbar; denn in der Stoa wird die φωνή als φῶς τοῦ νοῦ erklärt, HSteinthal, Gesch der Sprachwissenschaft bei den Griechen u Römern I² (1890) 285.

[64] Nach Ex 20, 18, wo wie in LXX der Sing φωνή gesetzt wird.

[65] Vgl Vit Mos II 213: Gott hat das Gebot der Sabbatheiligung gesprochen ἄνευ προφήτου... διὰ φωνῆς — τὸ παραδοξότατον — ὁρατῆς.

Stimme, allein durch die Seele schaut ἄνευ φωνῆς μόνῃ ψυχῇ τὸ ὂν θεωρεῖν Gig 52, im Einklang mit dem Ideal des schauenden Weisen Migr Abr 38 u des βίος θεωρητικός 47 [66].

E. Neues Testament.

1. φωνή meint — meistens an Stellen, die vom Alten Testament her beeinflußt sind — das Geräusch, den Ton.

Es wird bestimmt als das *Rauschen* von Flügeln u *Rollen* von Rädern Apk 9, 9 u das *Knirschen* der Mühlsteine Apk 18, 22, ferner als das *Tosen* von vielen Wassern Apk 1, 15; 14, 2; 19, 6, als *Hall* des Donners Apk 6, 1; 14, 2; 19, 6 u als das *Geräusch* einer zahlreichen Volksmenge Apk 19, 1. 6; damit wird die numinose Gewalt der Stimmen von Himmelswesen veranschaulicht. Schließlich ist φωνή das *Sausen* des Windes J 3, 8, vielleicht auch Ag 2, 6. φωνή meint ferner die *Melodie* von Musikinstrumenten, so von Flöten u Zithern 1 K 14, 7, das *Signal* der Trompete 1 K 14, 8, dabei ist es unterschieden von φθόγγος, dem einzelnen *Ton* [67]. φωνή ist der *Hall* von Trompeten Apk 1, 10; 4, 1; 8, 13b, von singenden Zitherspielern Apk 14, 2, von Zitherspielern, Sängern, Flötisten u Trompetern Apk 18, 22. Dann bezeichnet sie den *Hall* gesprochener Worte Lk 1, 44; Hb 12, 19 u des Jammergeschreis Mt 2, 18; in Apk 10, 3 meint sie ein lautes *Rufen*, das mit dem Brüllen des Löwen verglichen wird.

2. φωνή ist die Stimme des Menschen.

Die menschliche Stimme ist individuell verschieden: Die Magd Rhode erkennt den Petrus an seiner *Stimme* Ag 12, 14; die Schafe kennen die φωνή des Hirten, der sie beim Namen (→ V 281, 18 ff) *ruft* φωνεῖ J 10, 3f; der Freund des Bräutigams freut sich, wenn er dessen *Stimme* vernimmt J 3, 29 [68]. Die Trostlosigkeit des zerstörten Babylon, das Deckname für Rom ist, wird Apk 18, 23 durch die at.liche Wendung illustriert, die *Stimme von Bräutigam u Braut* würden darin nicht mehr vernommen. Pls möchte den Galatern gegenüber ἀλλάξαι τὴν φωνήν, dh in einer anderen Tonart mit ihnen verkehren Gl 4, 20.

φωνή als *Stimme* erscheint in at.lichen Zitaten. Mt läßt die Stimme Rahels wegen des Kindermords von Bethlehem klagen 2, 18 [69]. Johannes der Täufer ist der eschatologische Rufer, φωνὴ βοῶντος, in der Wüste Mk 1, 3 Par [70]. Sein Dienst wird im Vierten Ev als so bedeutsam beurteilt, daß der Täufer sich selbst als *Stimme eines Rufers in der Wüste* (→ II 656, 43 ff) bezeichnen u damit seinen endzeitlichen Auftrag beschreiben muß J 1, 23, vgl dazu Just Dial 88, 7. Im Sammelbericht Mt 12, 18—21 ist Js 42, 1—4 zitiert, wobei der Evangelist das οὐδὲ ἀκούσει τις ἐν ταῖς πλατείαις τὴν φωνὴν αὐτοῦ zu dem von Mk 3, 12 übernommenen Schweigegebot Jesu in Beziehung setzt, das somit eine Begründung durch die Schrift erhält.

---

[66] Philo stellt auf Grund von Ex 6, 12 Mose als einen „Mann ohne Sprache" dar Det Pot Ins 38. Er war fähig, Gedanken ohne Worte erfassen zu können, was nach Pos nur den Göttern möglich ist, vgl Cic Divin I 57, 129 u HLeisegang, Philo v Alexandria. Die Werke in deutscher Übers, ed LCohn uam III ²(1962) zSt.

[67] φωνή ist das, was das Instrument „zu sagen hat", die geordnete Abfolge von Tönen, die *Melodie*. In R 10, 18 versteht Pls das Wort φθόγγος im Zitat Ps 19, 5 als den *Schall* der universalen Verkündigung des Gottesworts.

[68] Hinter J 3, 29f mag ein Wortspiel mit den aram Begriffen stehen: קָלָא *Stimme*, כַּלְתָא *Braut*, קְלַל *abnehmen* u כְּלַל *völlig sein*, MBlack, An Aramaic Approach to the Gospels and Acts ³(1967) 147.

[69] Das wird von Just Dial 78, 8 weiter ausgeführt.

[70] Gemeinsam ist Qumran u den Ev die eschatologische Interpretation von Js 40, 3. Aber die Evangelisten legen Wert auf die 1 QS 8, 14, vgl 9, 16 weggelassene Einl קֹל קוֹרֵא u verbinden die Ortsbestimmung „in der Wüste" der LXX folgend u gg den HT mit dem Rufenden: Der Täufer steht in der Wüste u richtet von dort aus seinen Ruf an die Welt, während die Vorbereitung des Gotteswegs, die für die Qumrangemeinde das Hinausgehen in die Wüste erfordert, nach den Evangelisten nicht räumlich fixiert ist u überall erfolgen kann, vgl OBetz, Offenbarung u Schriftforschung in der Qumransekte, Wissenschaftliche Untersuchungen z NT 6 (1960) 155—158.

Die Wendungen, mit denen das Erheben der Stimme, das laute Reden u Rufen bezeichnet wird, erinnern an die LXX, finden sich aber auch sonst im Griech (→ 273, 1). Lk, dessen Stil bes stark an der LXX orientiert ist, liebt den Ausdruck (ἐπ)αίρω (τὴν) φωνήν, hbr קוֹל נָשָׂא, dem ein Verbum des Sagens folgt, so etwa bei den um Erbarmen rufenden Aussätzigen Lk 17, 13 u beim Gebet der Urgemeinde Ag 4, 24. 5 Auch das affektgeladene, vom Geist der Verblendung oder dem hl Geist geleitete Rufen kann damit gemeint sein: Die Vergottung der Ap in Lystra Ag 14, 11 u die an das „Kreuzige!" erinnernde Forderung der empörten Juden Ag 22, 22, aber auch die vom Geist eingegebene Rede des Petrus an Pfingsten Ag 2, 14 u der Jesus geltende, ebenfalls als inspiriert zu denkende Makarismus einer Frau Lk 11, 27. Semitisierend 10 ist auch ἐλάλησαν ... τὰς ἑαυτῶν φωνάς Apk 10, 3 u λαλέω μεγάλα *hochfahrend reden* Apk 13, 5, vgl Da 7, 8. 11. Dem instrumentalen קָרָא בְּקוֹל entspricht das wiederum bei Lk häufig erscheinende λέγω, κράζω, κηρύσσω (ἐν) φωνῇ μεγάλη, das ebenfalls für das Reden erregter oder auch vom Geist bewegter Menschen gebraucht wird Lk 23, 23; Ag 7, 57. 60; 26, 24. Das μεγάλη φωνῇ gehört vor allem zum Loben Gottes Lk 17, 15; 15 19, 37; Apk 7, 10[71].

3. Durch die Umstandsbestimmung μεγάλη φωνῇ ist vor allem das Reden von Engeln, Geistern und Geistträgern charakterisiert.

Damit hängt wohl auch zus, daß nach Apk 6, 10 die Seelen der Märtyrer *mit lauter Stimme* nach Vergeltung schreien[72]. Die Engel preisen Gott μεγάλη φωνῇ Apk 5, 12 oder 20 verkündigen so ein eschatologisches Urteil Gottes, damit es von den Erdenbewohnern vernommen werde Apk 14, 7. 9; 18, 2, vgl 8, 13; 14, 18[73]. Die Macht der Stimmen dieser übermenschlichen Wesen wird ferner durch Vergleiche zum Ausdruck gebracht, die von at.lichen Reden Gottes auf das der Gottesboten übertragen sind. So klingt das Schreien μεγάλη φωνῇ wie das Brüllen eines Löwen Apk 10, 3, vgl Am 1, 2; Hos 11, 10, 25 wie der *Hall* einer Trompete Apk 1, 10 u das *Tosen* von vielen Wassern Apk 1, 15; 14, 2; 19, 6, vgl Ez 1, 24; 43, 2. Eines der Tiere am Thronwagen redet ὡς φωνὴ βροντῆς Apk 6, 1[74]. Von daher erklärt sich, daß die Himmelsstimme J 12, 29f von einigen Hörern als Engelrede, von anderen als Donnerhall (→ I 638, 37ff) verstanden werden kann. Die Stimme des erhöhten Menschensohnes klingt wie das *Rauschen* vieler Wasser Apk 1, 15[75]. 30 Zu den Begleiterscheinungen der Wiederkunft Christi gehört neben dem Schall der Posaune Gottes auch die *Stimme* eines Erzengels 1 Th 4, 16 (→ III 657, 39ff).

Von daher gesehen dürfte Markus den lauten Schrei, mit dem Jesus auf Golgatha verschieden ist, epiphan verstanden haben. Denn das ἀφεὶς φωνὴν μεγάλην (Mk 15, 37) beendet die Finsternis und wird mit dem Bekenntnis des Centurio zum 35 Gottessohn in einen ursächlichen Zusammenhang gebracht (15, 37. 39)[76]; außerdem

---

[71] Weil das Loben in pneumatischer Freude geschieht, äußert es sich μεγάλη φωνῇ, vgl RDeichgräber, Gotteshymnus u Christushymnus in der frühen Christenheit, Studien z Umwelt des NT 5 (1967) 213.

[72] Diese Aussage erinnert an die im Totenreich klagende Seele Abels äth Hen 22, 5—7. Vom Blut Christi wird gesagt, es spreche stärker als das Abels Hb 12, 24, jedoch ist hier das anklagende durch ein fürbittendes Reden ersetzt.

[73] Apk 8, 13 erscheint ein Adler als Bote des Gerichts u läßt φωνῇ μεγάλη einen Weheruf erschallen; Apk 14, 18 wird so ein Befehl an einen der Verderberengel übermittelt, vgl Apk 7, 2; 14, 15. Semitisierend ist das instrumentale ἐν, hbr בְּ Apk 14, 7. 9. 15; 18, 2.

[74] Das Geräusch der Bewegung des Thronwagens ist hier auf das Reden eines der Tiere übertragen, vgl Ez 1, 24.

[75] Nach 4 Esr 11, 37 wie die eines Löwen. Ein später Midr weiß vom inthronisier-

ten Messias, er werde בְּקוֹלוֹ verkündigen, das *Heil sei nahe herbeigekommen* קָרְבָה יְשׁוּעָה AJellinek, Bet ha-Midrasch III (1855) 73.

[76] So hat Orig das Bekenntnis gedeutet: Et vide, si dicere possumus secundum unum quidem modum, quia miratus est in his, quae dicta fuerant ab eo ad deum cum clamore et magnitudine sensuum, secundum quod capiebat intelligere suspicans admiratus est et dixit: „Vere hic homo Filius erat Dei" Orig Comm in Mt 140 zu 24, 57 (GCS 38, 290). Urspr bezog sich das φωνὴν μεγάλην Mk 15, 37 auf das Rezitieren von Ps 22, 2 in Mk 15, 34, u nur durch den Einschub des Abschnitts vom Elia-Mißverständnis wird der Eindruck eines unartikulierten Todesschreis erweckt, vgl HGese, Ps 22 u das NT, ZThK 65 (1968) 16; TBoman, Die Jesusüberlieferung im Lichte der neueren Volkskunde (1967) 226—228; GBertram, Die Leidensgeschichte Jesu u der Christuskult, FRL 32 (1922) 78. 90—92.

mag Jl 4, 15 f LXX hinter diesem Bericht stehen[77]. Später hat man den wortlosen Schrei als ein letztes Wort des Gekreuzigten tradiert: Mt 27, 50 wird es durch ein πάλιν an v 46 angeschlossen, wonach Jesus φωνῇ μεγάλῃ den Vers Ps 22, 2 gerufen hat. Lk 23, 46 stirbt Jesus nach dem mit φωνῇ μεγάλῃ gesprochenem Gebet (Ps 5 31, 6, vgl Ag 7, 59).

Nach Ag 12, 21 f wird Agrippas Rede vor den Tyrern u Sidoniern mit dem Zuruf gefeiert: θεοῦ φωνὴ καὶ οὐκ ἀνθρώπου. Weil sich der König als einen Sprecher der Gottheit, vielleicht sogar als deren Inkarnation verehren ließ[78], wird er von Gott bestraft 12, 23. Auch die unreinen Geister, die Dämonen, verfügen als übermenschliche Wesen über die 10 Macht der lauten Stimme. κράζω, φωνέω, βοάω φωνῇ μεγάλῃ wird speziell als Begleitmoment des Ausfahrens aus einem Besessenen erwähnt Mk 1, 26; Ag 8, 7, gehört aber auch zu den Mitteln, mit denen sich der Dämon des Exorzisten erwehren will Lk 4, 33; Mk 5, 7, vgl Lk 8, 28 (→ III 901, 6 ff).

Durch die laute Stimme kann sich auch die **wunderwirkende Kraft Gottes** 15 im Menschen bekunden.

Pls ruft in Lystra den Befehl, der Lahme solle sich auf die Füße stellen, μεγάλῃ φωνῇ aus Ag 14, 10. Neben dem Heilungswunder selbst mag auch die machtvolle Stimme das Urteil der Heiden, sie seien Zeugen einer Epiphanie geworden, mit herbeigeführt haben v 11. Wenn Jesus *mit lauter Stimme* rufend den Lazarus aus dem Grab hervor- 20 gehen heißt J 11, 43, so antizipiert er die in die Gräber dringende Stimme des Menschensohnes, der die Toten ins Leben u zum Gericht rufen wird J 5, 28 f[79].

Die Berufungsvision des Pls vor Damaskus wird von Lk auch als Audition geschildert: Eine Stimme wird vernommen Ag 9, 4. 7; 22, 7. 9; 26, 14, die als vom Himmel ausgehend gedacht ist u sich dem Pls als die Stimme Christi offenbart 9, 5. Nach Ag 25 9, 7 hören die Begleiter des Pls die *Stimme* ἀκούοντες τῆς φωνῆς, sehen aber niemanden[80]; nach Ag 22, 9 ist das Umgekehrte der Fall. Der gemeinsame Skopus dieser widersprüchlich berichteten Einzelheit will sagen, daß den Begleitern zwar die Realität des theophanen Geschehens deutlich war, daß sie aber die Offenbarung als solche nicht verstanden; sie galt nur dem Erwählten Ag 22, 14.

30   **4.** φωνή ist ferner der inhaltlich bestimmte **Schrei**, das bedeutsame, autoritative **Wort**, das feierliche **Bekenntnis** und die **Sprache**.

Das Bekenntnis der Epheser zur Lokalgöttin Artemis erscholl als *einstimmiger Schrei* u Akklamationsruf φωνὴ ἐγένετο μία ἐκ πάντων Ag 19, 34. Die Ag 22, 14 erwähnte φωνὴ ἐκ τοῦ στόματος αὐτοῦ ist nicht wie Ag 9, 4. 7 die Stimme Jesu, sondern das durch ihn 35 gegebene *Wort* der Berufung. Ebs wird die φωνῆ ἐνεχθεῖσα αὐτῷ 2 Pt 1, 17 das bei der Verklärung Jesu ergehende *deklarative Wort* sein, obwohl auch die Übers *Stimme* möglich ist. Nach Ag 13, 27 werden beim jüd Gottesdienst am Sabbat die φωναὶ τῶν προφητῶν als Schriftlektion zu Gehör gebracht; das Zeugnis von Mose u den Propheten ist als rufendes Gotteswort aktualisiert. Ag 24, 21 wird die μία αὕτη φωνή, die Pls vor dem 40 Synedrium ausgerufen hat, inhaltlich als feierliches *Bekenntnis* zur Auferstehung bestimmt. Solcher Sprachgebrauch ist dem griech insofern verwandt, als dort φωνή auch die *Maxime* eines Philosophen bedeuten kann (→ 273, 23 ff). In 2 Pt 2, 16, wo das Reden der Eselin Bileams so dargestellt wird: ὑποζύγιον ἄφωνον ἐν ἀνθρώπου φωνῇ φθεγ-ξάμενον, ist φωνή die *Sprache* u ἄφωνος meint *sprachlos*[81]. In gleicher Weise werden diese

---

[77] Nach der Ankündigung von Sonnen- u Mondfinsternis wird gesagt, der Herr werde aus Zion rufen u von Jerusalem her seine Stimme erheben, so daß Himmel u Erde erschüttert würden Jl 4, 15 f LXX.

[78] SLösch, Deitas Jesu u antike Apotheose (1933) 14 f denkt an die göttliche Verehrung, wie sie im Herrscherkult der Antike üblich war u speziell an eine Gleichsetzung Agrippas mit dem Sonnengott; denn Jos spricht in seinem par Bericht Ant 19, 344 f auch von dem strahlenden Glanz, der von dem König ausging, vgl auch Dio C 59, 7, 1; 29, 5—7 von Caligula.

[79] Der Glaube an die Wunderkraft der machtvollen Stimme Jesu erscheint bes deutlich in den Act Phil, wonach Jesus vom Himmel her zum Ap spricht u die Menge gewaltig erschrickt, weil der Klang der Stimme stärker als der Donner ist. Philippus heilt den erblindeten Hohenpriester Ananias mit den Worten *im Namen der Kraft der Stimme meines Herrn Jesus* Act Phil 22.

[80] Dabei erinnert die Terminologie von Ag 9, 7 an die Sinaitradition Dt 4, 12.

[81] Vgl Jos Ant 4, 110.

beiden Begriffe 1 K 14, 7 f. 10 f verwendet, wo Pls das ungedeutete Zungenreden mit
der Unverständlichkeit fremder Sprachen vergleicht τοσαῦτα εἰ τύχοι γένη φωνῶν εἰσιν
ἐν κόσμῳ, καὶ οὐδὲν ἄφωνον *es gibt ja so viel Sprachen in der Welt, u nichts ist ohne Sprache*
v 10[82]. Aber man muß die δύναμις τῆς φωνῆς, die Bdtg der jeweiligen Sprache kennen,
damit man dem Redenden nicht als ein βάρβαρος gegenüberstehe v 11.   5

5. Auch im Neuen Testament finden sich Hinweise auf die
Gottesstimme der Sinaitradition; denn das endzeitliche Reden Gottes durch
Christus mußte einerseits zur apokalyptischen Erwartung einer direkten Begegnung
mit Gott in der Endzeit in Beziehung gebracht und andererseits gegen das rabbinische Dogma von der endgültigen unüberholbaren Offenbarung am Sinai be- 10
hauptet werden[83].

In der Johannesapokalypse werden Donnerstimmen als redend eingeführt.
Dabei ist an die der rabbinischen Spekulation (→ 281, 36 ff) über die Gottesstimme am Sinai zugrundeliegende Tradition Ps 29, 3—9 gedacht, wenn Apk 10, 3
sieben Donnerstimmen in ihrer eigenen Sprache auf das Schreien eines riesigen 15
Engels antworten. Aber dieses Reden soll nicht aufgezeichnet werden (10, 4),
wahrscheinlich deshalb, weil es unverständlich ist. Das Gegenteil gilt von dem,
was der erhöhte Menschensohn mit mächtiger Stimme wie Trompetenschall verkündigt (Apk 1, 10—12). Dieses Wort ist Offenbarung für die Gemeinde, die durch
Jesu Opfertod zum Königtum und Priestervolk Gottes und damit zum Erben der 20
Sinaiverheißung geworden ist (Apk 1, 6, vgl Ex 19, 6). An Ex 20, 18 erinnert Apk
1, 12, wo vom Schauen einer himmlischen Stimme die Rede ist; auch sie geht
vom Menschensohn aus (1, 15). Damit wird in der Endzeit das Reden Gottes
durch die Weisung des Menschensohnes ersetzt. Die Zeichen der Sinaitheophanie
werden in plerophorer Wendung auf die welterschütternde Katastrophe des End- 25
gerichts übertragen; nebeneinander erscheinen βρονταὶ καὶ φωναὶ καὶ ἀστραπαὶ καὶ
σεισμός (Apk 8, 5, vgl 4, 5; 11, 19; 16, 18, ferner Jub 2, 2).

An die universal interpretierte Sinaitradition erinnert der lk Bericht vom ersten
Pfingstfest (→ VI 44, 2 ff) der Christen Ag 2[84]. Der vom Himmel her kommende Hall
u der mächtige Wind v 2 sind wie das Feuer Elemente der Theophanie, vgl Js 66, 15 ff, 30
u Vorboten der Wortoffenbarung. Die Feuerzungen v 3 erinnern an die Tatsache, daß
Gott am Sinai aus dem Feuer gesprochen hat Dt 4, 12, u an die philonische Exegese[85].
Das Sprachenwunder der Jüngerverkündigung gleicht dem — freilich erst später be-
zeugten — rabb Sprachenwunder der Gottesstimme am Sinai (→ 281, 39 ff)[86]; auf das
Sprachenwunder ist wohl die v 6 erwähnte φωνή zu beziehen[87]. Die Gottesrede wird 35
demnach durch das inspirierte Zeugnis der Jünger ersetzt u damit entmythologisiert.
An die Stelle des Gesetzes tritt das Ev von den großen Taten Gottes in Christus.

---

[82] Der Begriff γλῶσσα *Sprache* wird in
1 K 14 durch φωνή ersetzt, weil er beim
Thema Glossolalie als *Zunge* gebraucht ist.
Bei οὐδὲν ἄφωνον wird nicht allg an die lebenden Wesen, sondern spezieller an die menschlichen Sprachgruppen, die Völker, gedacht.
[83] Ihr setzt Pls die universale Geltung des
Kerygmas entgegen, die durch das mythische
Reden der himmlischen Wesen von ψ 18 veranschaulicht wird, welches Pls auf die Verkündigung des Ev bezieht: εἰς πᾶσαν τὴν γῆν
ἐξῆλθεν ὁ φθόγγος αὐτῶν R 10, 18.
[84] Bemerkenswert ist die Tatsache, daß
man Jub 6 die at.lichen Bundesschlüsse auf
das Datum des Wochenfestes verlegt hat,

ferner in Qumran eine endzeitliche Ausgießung des Geistes durch Gott erwartet hat
1 QS 4, 20—22 nach Ez 36. Zu Pfingsten vgl
GKretschmar, Himmelfahrt u Pfingsten, ZKG
66 (1954/55) 209—253; AJaubert, La Notion
d'Alliance dans le Judaisme aux abords de
l'ère chrétienne (1963).
[85] Philo Decal 33 (→ 285, 41 f).
[86] Vgl Ex r 5, 9 z 4, 27; bSchab 88 b. Die
Ag 2, 11 erwähnte Verherrlichung der großen
Taten Gottes gehört zur Liturgie des Bun-
desfestes.
[87] Thes Steph sv u ihm folgend ΔΔημητράκος, Μέγα λεξικὸν τῆς Ἑλληνικῆς γλώσσης IX
(1951) sv verstehen φωνή Ag 2, 6 als *Gerücht*.

Deutlich wird jeder jüdische Anspruch auf Alleinbesitz und volles Verständnis des Gotteswillens im Vierten Evangelium abgelehnt. In scheinbarem Widerspruch zu Dt 4, 12 erklärt der johanneische Jesus den Juden: οὔτε φωνὴν αὐτοῦ πώποτε ἀκηκόατε οὔτε εἶδος αὐτοῦ ἑωράκατε (J 5, 37)[88]. Johannes versteht die Schrift
5 als prophetische Offenbarung und wie R 1, 2 als vorausverkündigte Christusbotschaft. Die Stimme Gottes wird für ihn in der Gegenwart mit dem Zeugnis des Sohnes laut und das Hören auf Jesu Stimme besonders betont (J 5, 25. 28; 10, 3. 16. 27; 18, 37); denn mit dem Erscheinen des Logos erreicht das Offenbarungsgeschehen seinen kritischen Höhepunkt, der auch über die Zukunft entscheidet.
10 Das zeigt ein Vergleich von 5, 28 mit v 25: ἀμὴν ἀμὴν λέγω ὑμῖν ὅτι ἔρχεται ὥρα καὶ νῦν ἐστιν ὅτε οἱ νεκροὶ ἀκούσουσιν τῆς φωνῆς τοῦ υἱοῦ τοῦ θεοῦ καὶ οἱ ἀκούσαντες ζήσουσιν. Wer die jetzt rufende Stimme glaubend vernimmt, schreitet aus dem Raum des Todes in den Bereich des Lebens, der endzeitlichen Existenz (5, 24, vgl 6, 63. 68; 10, 3. 28; 12, 47). Das bedeutet einen Protest gegen den jüdischen Glauben
15 an den lebenschaffenden Gehorsam gegenüber der Thora. Die vertiefte Deutung des ἀκούω τῆς φωνῆς beherrscht auch die Hirtenrede J 10: Die Stimme des Hirten hören (v 2f. 16. 27) heißt εἰδέναι τὴν φωνὴν αὐτοῦ und ihr folgen (v 4); umgekehrt entziehen sich die Schafe der ihnen unbekannten Stimme eines Fremden durch die Flucht (v 5). Die völkischen Schranken sind beseitigt: Auch außerhalb der Herde
20 gibt es Schafe, die auf die Stimme des Hirten hören werden und darum Anschluß an die Herde finden sollen (v 16). Nur wer zu den Erwählten zählt, kann Jesu Stimme hören, sie glaubend und gehorchend als das endzeitliche Wort der Gnade und der Wahrheit annehmen. An den Erwählten ist auch in dem deklaratorischen Satz gedacht, mit dem Jesus den Dialog mit Pilatus abschließt: πᾶς ὁ ὢν ἐκ τῆς
25 ἀληθείας ἀκούει μου τῆς φωνῆς (18, 37). Man muß im Bereich der Wahrheit stehen und sich nicht etwa von der Wirklichkeit der Welt her verstehen, um in Jesu Stimme den redenden Gott hören zu können (8, 47, vgl 3, 3. 21).

Die Stimme des Offenbarers ist wohl auch J 3, 8 mit gemeint. Dort wird mit dem Bild vom Wind[89] auf das unbegreifliche Wunder der Wiedergeburt aus dem
30 Geist hingewiesen: τὸ πνεῦμα ὅπου θέλει πνεῖ, καὶ τὴν φωνὴν αὐτοῦ ἀκούεις, ἀλλ' οὐκ οἶδας πόθεν ἔρχεται καὶ ποῦ ὑπάγει. Der Logos gehört zur Welt des Geistes, und die Juden wissen nicht, woher er kommt und wohin er geht (8, 14); sie hören nur seine φωνή.

Auch im Hebräerbrief spielen die Begriffe *Reden* u *Hören* eine wichtige Rolle[90].
35 Das Sinaiereignis soll dem Christen die Bdtg des Neuen Bundes u der endzeitlichen Begegnung mit Gott deutlich machen[91]. Bei der Schilderung der Theophanie Hb 12, 18—21 wird neben den beiden Paaren von sichtbaren Erscheinungen Feuer u dunkles Gewölk,

---

[88] Nach AGuilding, The Fourth Gospel and Jewish Worship (1960) 77. 83 sollen die ersten Kp des Dt den liturgischen Hintergrund zu J 5 bilden; Dt 4, 12 wird mit J 5, 37 zusammengestellt.

[89] J 3, 8 erinnert formal an at.lich-spätjüd Aussagen, in denen Gottes unbegreifliches Walten mit dem Wehen des Windes verglichen wird Qoh 11, 5; Prv 30, 4; Sir 16, 21; 4 Esr 4, 5—11.

[90] EGräßer, Der Glaube im Hb, Marburger Theol Studien 2 (1965) 24 A 64.

[91] Dem betastbaren, dh irdischen Berg Sinai Hb 12, 18 werden der (unanschauliche) Zion u die himmlische Stadt Gottes v 22, dem Erdbeben der Theophanie die endzeitliche Erschütterung von Himmel u Erde v 26, der isr Kultgemeinde die Festversammlung der Erwählten u Engel v 22, dem auf Erden Weisung gebenden Gott der vom Himmel her redende gegenübergestellt v 25.

Finsternis u Sturmwind v 18 als drittes ἦχος σάλπιγγος (vgl Ex 19, 19) καὶ φωνὴ ῥημάτων
(vgl Dt 4, 12) Hb 12, 19 genannt. Die Wortoffenbarung bildet als letztes Glied zwar
formal den Höhepunkt, jedoch liegt der Nachdruck auf der numinosen Macht der Theophanie[92], die ungleich stärker beim bevorstehenden Kommen Gottes zum Endgericht
manifest werden soll. Hat Gottes Stimme damals die Erde erbeben lassen, so wird 5
dann auch der Himmel mit erschüttert, vgl Hag 2, 6, u alles Geschaffene verwandelt
werden Hb 12, 25—29[93]. Der Offenbarungscharakter der Gottesstimme am Sinai
wird zugunsten der paränetisch benutzten Theophanie abgewertet: Das Wort wurde
am Sinai von Engeln gesprochen Hb 2, 2, vgl Gl 3, 19, Gott hat zu den Vätern
durch die Propheten geredet Hb 1, 1, u was Israel in der Wüste sah, waren die Werke 10
Gottes 3, 9. Die Mahnung, in der letzten bösen Zeit standhaft zu bleiben, wird Hb
3, 7f. 15; 4, 7 mit dem Hinweis auf ψ 94, 7f gestützt: σήμερον ἐὰν τῆς φωνῆς αὐτοῦ ἀκού-
σητε, μὴ σκληρύνητε τὰς καρδίας ὑμῶν ... Mit dem endzeitlichen Reden Gottes durch
den Sohn Hb 1, 2 ist das große „Heute" (→ VII 273, 37ff) angebrochen, das mit der
Sabbatruhe des Eschaton (→ VII 19, 25ff; 34, 27ff) enden wird. Bis zu ihrem Ein- 15
treffen wird Gottes mahnende u tröstende Stimme in der Predigt der Gemeinde laut.

6. In der Johannesapokalypse wird des öfteren davon gesprochen, daß eine Stimme vom Himmel her 10, 8; 11, 12; 14, 13, vgl 4, 1 oder im
Himmel ertönt. Spezieller werden das himmlische Heiligtum 16, 1, vgl Js 66, 6, oder
der ihm benachbarte Thron Gottes als Herkunftsort genannt Apk 19, 5; 21, 3; beide 20
sind 16, 17 miteinander verbunden, 9, 13 ist der Altar genannt. Noch fehlt das Abstrakte u Stereotype der rabb Bath Qol. Manchmal wird die jeweilige Stimme kurz
charakterisiert 1, 10; 4, 1; 11, 15; 14, 2; 16, 1, auch läßt sich der Sprecher aus dem
Kontext erschließen: der Menschensohn 1, 10—13; 4, 1, die vier Wesen an Gottes Thron
11, 15, Gott 16, 17, vgl 10, 8; schließlich ist der menschliche Hörer vom Geist inspi- 25
riert 1, 10. Als Inhalt gibt die Stimme nur selten einen offenbarenden oder klärenden
Bescheid. Viel häufiger ist es ein die Offenbarung betreffender Befehl an den Hörer
1, 11, vgl 14, 13; 10, 4. 8f oder ein Auftrag an himmlische Wesen, der zum Ablauf des
eschatologischen Dramas gehört 9, 13f; 16, 1, schließlich eine Feststellung, mit der ein
eschatologischer Akt als abgeschlossen bestätigt wird 11, 15; 12, 10; 16, 17, vgl 21, 3. 30
In 4, 1 führt der Träger der Stimme in die himmlischen Geheimnisse ein; 18, 4—20
hält er eine Drohrede, 19, 5 fordert er zum Lobpreis Gottes auf.

Das gesteigerte Bewußtsein von der Transzendenz Gottes wird in der Apostelgeschichte manchmal durch die Himmelsstimme zum Ausdruck gebracht. Ag 7, 31
wird die Selbstoffenbarung Gottes am feurigen Busch eingeleitet durch die Wendung 35
ἐγένετο φωνὴ κυρίου[94]. In Verbindung mit einem Gesicht ergeht eine Stimme an Petrus,
die ihm eine unerwartete, ja Anstoß erregende halachische Entscheidung[95] bekannt-
gibt u seinen Einwand mit einer kategorischen Erklärung über das Handeln Gottes
zurückweist Ag 10, 13—15; das ereignet sich dreimal v 16. Diese Stimme wird Ag
11, 9 als φωνὴ ἐκ τοῦ οὐρανοῦ bezeichnet, unterscheidet sich aber von der Bath Qol durch 40
die Ermöglichung eines Dialogs u die personale Näherbestimmung: Petrus sieht den
Herrn als den Sprecher an 10, 14; 11, 8.

Näher bei der rabbinischen Bath Qol (→ 282, 1f) steht die Himmelsstimme, die in den synoptischen Berichten von der Taufe und Verklärung
Jesu erwähnt ist und diese Berichte eng miteinander verbindet. Zweck der Him- 45
melsstimme ist die göttliche Bestätigung der voraufgehenden Bezeugung der Messianität Jesu durch Menschenmund (Mk 1, 7 Par; 8, 29—33 Par). Die Einleitungs-
formel bezeichnet den Herkunftsort: φωνή ... ἐκ τῶν οὐρανῶν (Mk 1, 11 Par; → V
530, 22ff; VIII 369, 6ff), mit dem rabbinischen Zusatz λέγουσα (Mt 3, 17), bei der
Verklärungsgeschichte: φωνὴ ἐκ τῆς νεφέλης (Mk 9, 7) mit dem Zusatz λέγουσα (Mt 50

---

[92] Die Hörer weigerten sich, die Stimme
weiterhin anzuhören, vgl Ex 20, 18f; selbst
Mose war voll Furcht u Zittern v 21, vgl
Dt 9, 19.
[93] Die Sinaitradition wird vor allem unter
dem Eindruck von Js 65, 17; 66, 22; Da 7
eschatologisch überboten. Dabei werden Erwartungen sichtbar, wie sie auch in den
apokalyptischen Schriften hervortreten, vgl

äth Hen 1, 4—9, zum Erdbeben am Sinai
4 Esr 1, 18, zur kosmischen Katastrophe
1 QH 3, 13—15. 19—36, vgl OBetz, The
Eschatological Interpretation of the Sinai-
Tradition in Qumran and in the New Testament, Revue de Qumran 6 (1967) 89—108.
[94] Vgl Jos Ant 2, 267.
[95] Gerhardsson aaO (→ A 51) 231.

17, 5 Par). Ungewöhnlich ist die direkte Anrede σύ εἶ (Mk 1, 11 Par)[96] und die messianische Deklaration[97], die verrät, daß Gott selbst als der himmlische Sprecher gedacht ist[98]. Im Unterschied von der Bath Qol, die sich meist an die Allgemeinheit wendet, wird vor allem im markinischen Taufbericht Jesus als der eigentliche
5 Empfänger dargestellt[99]. Die Einschränkung des Hörerkreises wird durch die Direktheit und unabgeschwächte Geltung der Himmelsstimme aufgewogen. In der Verklärungsgeschichte überträgt die Mahnung der Himmelsstimme: ἀκούετε αὐτοῦ (Mk 9, 7) die Autorität Moses auf Jesus (Dt 18, 15). Nach 2 Pt 1, 16—18 will der Verfasser des Briefes ein Augenzeuge der Verherrlichung Jesu und ein Hörer der
10 an ihn ergangenen Himmelsstimme gewesen sein. Hier wird das volle Verstehen der Gottesstimme durch die anwesenden Jünger vorausgesetzt und als Unterpfand für die Wahrheit der Christusbotschaft der Apostel gegeben: ταύτην τὴν φωνὴν ἡμεῖς ἠκούσαμεν ἐξ οὐρανοῦ ἐνεχθεῖσαν (v 18)[100]. Die Verklärung soll auf dem heiligen Berg stattgefunden haben (v 18), wobei vielleicht an den Berg Zion gedacht
15 ist[101].

Eigenartig interpretiert wird die synpt Tradition von der Taufe Jesu im J o h a n n e s -
e v a n g e l i u m. Die Aufgabe der Himmelsstimme wird von einem menschlichen Boten
übernommen u in Verkündigung umgesetzt 1, 33 f; der Empfänger ist nicht mehr Jesus
selbst, zumal dieser im Joh-Ev als allwissend dargestellt ist. Dementsprechend ist
20 auch die Verklärung Jesu umgestaltet 12, 20 ff. Die Himmelsstimme gibt Gottes Antwort auf Jesu Bitte um Verherrlichung. Sie deklariert nicht mehr die längst bekannte
Messianität, sondern die Tatsache der Verklärung, die als Verherrlichung des Namens
Gottes gedeutet wird: ἦλθεν οὖν φωνὴ ἐκ τοῦ οὐρανοῦ· καὶ ἐδόξασα (sc τὸ ὄνομά μου) καὶ
πάλιν δοξάσω v 28. Ausdrücklich wird gesagt, die Stimme sei nicht um Jesu willen,
25 sondern für die Menge geschehen v 30. Aber sie wird wie in der synpt Darstellung verkannt; nach dem Urteil der Hörer hat es gedonnert bzw ein Engel gesprochen v 29.
Hier zeigt der Evangelist, daß das unvermittelte Reden Gottes vom Himmel her am
Unvermögen der menschlichen Hörer scheitert. Die Anschauung von der Himmelsstimme wird somit abgelehnt u mit ihr auch die jüd Spekulation über den Empfang
30 der Gottesstimme am Sinai.

F. Gnosis.

In den gnostischen Schriften offenbart sich die unweltliche Macht
der Erlösung als *Stimme* bzw als *Ruf* (syr u mandäisch qālā, kpt t-smē, p-hrai, p-hrou).
Die mandäische u die manichäische Gnosis lassen sich geradezu als Religionen des Rufes
35 oder des Hörens bezeichnen[102]. Da der wahre Gott der Gnosis weltentrückt u unbekannt
ist, kann seine Stimme nicht direkt vernommen werden. Die Erlösung des Menschen
geschieht deshalb durch himmlische Gesandte oder den von oben kommenden Ruf.
Dabei ist der Einfluß jüd Vorstellungen, nämlich des angelus interpres der Apokalyptik,
der auf Erden predigenden Weisheit u der rabb Bath Qol (→ 280, 16 ff; 282, 1 ff) unver-
40 kennbar, jedoch geht die gnostische Deutung des Rufes über sie hinaus.

---

[96] Anders Mt 3, 17; Mk 9, 7 Par.

[97] Alle Berichte haben ὁ υἱός μου ὁ ἀγαπητός, nur Lk 9, 35: ὁ υἱός μου ὁ ἐκλελεγμένος, vgl J 1, 34 Cod ℵ* sy^sc uam. Vgl bBer 17 b.

[98] Sie ist aus at.lichem Material gebildet, das damit als Weissagung auf den Messias erscheint. Als Par sind wichtig Test Jud 24 u die Einsetzung des endzeitlichen Hohenpriesters Test L 18, 6, bei der Gott μετὰ φωνῆς πατρικῆς ὡς ἀπὸ ᾿Αβραὰμ πρὸς ᾿Ισαάκ spricht, vgl Gn 22, 2. 7 f.

[99] Lk 3, 21 f bietet ein großes Publikum, Mt 3, 17 ist die Deklaration eine Proklama-

tion in der 3. Pers. Mk 9, 7 f Par wird die Himmelsstimme akustisch auch von den Jüngern vernommen, bleibt aber in ihrer eigtl Bdtg unerkannt, vgl HBaltensweiler, Die Verklärung Jesu (1959) 115; CGFBrandon, Jesus and the Zealots (1967) 277.

[100] φέρομαι (→ 59, 16 ff) wird vom Verkündigtwerden göttlicher Rede bzw inspirierter Botschaft gebraucht, vgl 2 Pt 1, 21; 2, 11. Zu 1, 17 f vgl Plut, De Caesare 1 (I 707 e).

[101] Vgl Ps 2, 6; J 12, 28.

[102] Jonas Gnosis I 120.

1. Beim Menschen ist qālā die laute *Stimme* des um Erlösung Flehenden O Sal 42, 19f, vgl Pist Soph 39 (GCS 45 p 39, 17); 40 (GCS 45 p 41, 16); Ps des Heraclides[103] 188, 7 (dort φωνή unübersetzt), der unterdrückten Schwachen, der gewaltigen Kämpfer oder der fluchenden u zaubernden Frauen Mandäische Zaubertexte 1a, 4—8; 2[104]. Gut griech bezeichnet t-smē, gleichbedeutend mit φωνή, in Sophia 5 Jesu Christi 81, 13[105] die Lehr-*Meinung* der Philosophen. Nach Corp Herm 12, 13 hat auch das Tier φωνή, den λόγος als den Sinn der Sprache nur der Mensch.

2. Weit häufiger ist qālā bzw t-smē die überirdische, nicht-weltliche Stimme, der Erlösung bringende *Ruf*. Die Exegese bibl Traditionen wird auf spekulative Weise ausgeführt. Eine φωνή ἀπὸ τοῦ φωτός fordert Elohim auf, in die 10 himmlische Welt einzutreten Hipp Ref V 26, 16 (System des Justin), vgl Corp Herm 1, 4—5. Eine Stimme tröstet die verzweifelte Sophia durch ein kurzes Offenbarungswort Apokryphon des Joh (aaO [→ A 105]) 47, 14—16 = Cod II 14, 13—15[106]; sie befiehlt Noah den Bau der Arche Lidz Ginza R 409, 2. In O Sal 24, 1—6 wird die Himmels-stimme des synpt Taufberichtes als die in die ganze Welt gehende, ja bis in die Unter- 15 welt dringende Stimme der Taube gedeutet. Nach Ev Pt 9, 35 erschallte unmittelbar vor der Auferstehung Christi eine große Stimme im Himmel, wenig später fragte eine zweite Himmelsstimme: „Hast du den Schlafenden (dh den Toten) gepredigt?" 10, 41. Die Stimme des auf einem hohen Berg stehenden Erlösers Christus dringt bis zu den Enden der Erde O Sal 33, 3; seine Stimme hat das Leben gezeugt Ev Veritatis[107] 31, 15f. 20 Auch in der Gnosis kann betont werden, im Hades sei die Gestalt des Erlösers nicht gesehen, aber seine Stimme gehört worden Cl Al Strom VI 6, 45, 1f, vgl Adumbrationes in ep canonicas zu 1 Pt 3, 19 (GCS 17, 205) sowie die entsprechende Aussage von der Stimme des Himmelsmenschen in der Naassenerpredigt Hipp Ref V 8, 14. Christus hat sich beim Ölsakrament den Versiegelten allein durch seine Stimme geoffenbart 25 Act Thom 27, u Joh hat beim Gekreuzigten lediglich dessen göttliche Stimme, nicht aber die Gestalt wahrgenommen[108]. Den Kindern des Bräutigams ist es erlaubt, ins Brautgemach zu gehen, während die anderen nur die Stimme der Braut hören Ev nach Philippus[109] 130, 20.

Bei den **Mandäern** wird die Transzendenz des heilbringenden Rufes räumlich be- 30 schrieben: Er kommt aus dem oberen Königreich Lidz Ginza L 547, 14—19, aus der Höhe ebd; Lidz Joh 217, 16, aus dem Verborgenen 186, 3, von außen her 225, 5, dem Lichtort Lidz Ginza R 367, 11. Die nichtweltliche Herkunft u heilbringende Wirkung dieses Rufes bzw der Stimme wird auch durch Adj ausgedrückt: Die Stimme ist hell Lidz Ginza L 464, 7, hehr R 16, 7, rein 322, 36, wundersam 130, 24f; 302, 29, sanft 35 112, 28, lieblich 367, 10; 395, 29—32, laut Lidz Joh 186, 3. Gelegentlich geht der Ruf von bestimmten Heilsgestalten aus: von Mandā dē Hayyē, der an den Enden der Erde stehend nach den Erwählten ruft Lidz Ginza R 397, 16—20, von dem Gesandten des Lichtes 58, 5—9 u anderen Himmelsboten 92, 20—36; 112, 26—29, von den Helfern u Geleitsmännern der Seele 308, 21f; L 464, 7—25, vom Hirten Lidz Joh 43f u vom 40 reinen Fischer 160f. Bei den Manichäern ist mit dem *ersten, heiligen Ruf*, dem *großen Ruf* Christus gemeint Psalmbuch (→ A 103) 138, 7, der himmlische Bote kann *Ruf* genannt werden 199, 9. Wichtig ist vor allem der *Ruf des Lebens* qālā dē hayyē Lidz Joh 170, 16; 171, 14—16; Lidz Ginza R 5, 12f; 18, 14; 68, 24 uä; Lidz Liturg 151, 9f, der seine Bezeichnung wohl der Tatsache verdankt, daß er vom Ort des Lichtes herkommt 45 u das Leben schenkt, vgl Lidz Ginza R 275, 13—20. Der *Ruf* steht par zur Rede L 464, 7—9. Die mandäische Lehre wird auf den außerweltlichen *Ruf* zurückgeführt, der die Summe der erlösenden Offenbarung R 322, 20ff; 381, 21ff u die Grundregeln für eine wahre Existenz enthält Lidz Joh 225f; Ginza R 58, 9—12; 387, 1—388, 2. Erste Pflicht des Menschen ist das glaubende Hören auf diesen Ruf Lidz Ginza R 50 253, 23f; 225, 36 u das ihn Vernehmenlassen, dh die Verbreitung der mandäischen

---

[103] ed CRCAllberry, A Manichean Psalm-Book II (1938) 187—202.

[104] ed MLidzbarski, Ephemeris für semitische Epigraphik I (1902) 90. 96.

[105] ed WCTill, Die gnostischen Schriften des kpt Pap Berolinensis 8502, TU 60 (1955).

[106] ed MKrause—PLabib, Die drei Versionen des Apokryphon des Joh im kpt Museum zu Alt-Kairo, Abh des Deutschen Archäologischen Instituts Kairo, Kpt Reihe 1 (1962).

[107] ed MMalinine, HCPuech, GQuispel (1956).

[108] σχῆμα μὴ ἔχοντα ἀλλά τινα φωνὴν μόνον, φωνὴν δὲ οὐ ταύτην τὴν ἡμῖν συνήθη, ἀλλά τινα ἡδεῖαν καὶ χρηστὴν καὶ ἀληθῶς θεοῦ, λέγουσαν πρός με... Act Joh 98, vgl 99: οὔτε ἐγώ εἰμι ὁ ἐπὶ τοῦ σταυροῦ, ὃν νῦν οὐχ ὁρᾷς ἀλλὰ μόνον φωνῆς ἀκούεις.

[109] ed WCTill, Patristische Texte u Studien 2 (1963).

Lehre 68, 24; 92, 10; 141, 22[110], Sünde ist das Abweichen von diesem *Ruf* 130, 36f. Der weckende *Ruf* von außen ist nötig, weil der Mensch im Schlaf (→ VIII 555, 33ff) des Vergessens liegt. Die Vorstellung von den in der Unterwelt schlafenden Seelen ist in der Gnosis auf die Erde u die Menschenwelt übertragen worden. Ein perati-
5 sches Fr beginnt: *Ich bin der Ruf des Schlaf-Erweckens im Äon der Nacht* Hipp Ref V 14, 1. Der dem Königssohn des Perlenliedes[111] nachgesandte Brief wird ganz *Rede*, bei seiner *Stimme* wacht der Schläfer auf 51f; 64, auch das Strahlenkleid läßt den *Hall* qālā seiner Melodien vernehmen 88—90. Der mandäische *Ruf* weckt Adam aus dem Schlaf des Vergessens Lidz Joh 245f u rüttelt die schlafenden, dh irrenden Seelen auf
10 Lidz Ginza R 308, 21—26. Er bewahrt die Gläubigen vor dem Straucheln L 561, 7; 564, 6, festigt R 322, 37 u erleuchtet sie 370, 16; er sichert damit die Rückkehr der Seele zur himmlischen Heimat 275, 13—23. Der gnostische *Ruf* erfüllt somit eine ähn-liche Aufgabe wie die at.liche Thora, die den judenfeindlichen Mandäern als Buch des Frevels u des Truges gilt Lidz Joh 198f, u wie der erleuchtende u bewahrende hl Geist,
15 der ebenfalls als sein Gegenteil verschrieen wird: Die Unholde der Rūhā, die Dämonen, wollen den *Ruf* des Lebens hemmen u beseitigen Lidz Ginza R 383, 9, vgl 120, 32.

3. Auch den gnostischen Dualismus beherrscht die Anschauung vom Ruf. Das Gegenstück zur Stimme der Heilsboten u zum rettenden Ruf sind die Stimmen der bösen Mächte u der *rebellische Ruf* Lidz Liturg 272, 10 oder der *nichtige*
20 *Ruf* Lidz Ginza R 25, 6; 362, 28. Die Rūhā läßt beim Auftreten Jesu einen *Ruf* zum Zeugnis über ihn erschallen 50, 37, Muhammed verbreitet einen *Ruf, der kein Ruf ist* 30, 15f. Auch auf der Gegenseite gibt es die Gestaltwerdung des Rufes: Die Planeten u Tierkreisbilder sind zu konkreten Wesen verdichtete *Rufe* 90, 26—34.

G. Kirchengeschichte.

25 Ign gebraucht das Bild vom einstimmig singenden Chor dazu, um die Einheit der Gemeindeglieder zu stärken, die σύμφωνοι ὄντες ἐν ὁμονοίᾳ... ἐν φωνῇ μιᾷ durch Christus dem Vater lobsingen sollen Eph 4, 2. Wahrscheinlich denkt er an das einstimmig gesungene Trishagion der Liturgie, an das 1 Cl 34, 5—7 u Pass Perp et Fel 12, 1 erinnert wird[112]. Ign kann sich als Medium der Gottesstimme bezeichnen,
30 wenn der inspirierte Bischof μεγάλη φωνῇ, θεοῦ φωνῇ die Gemeindeglieder an Bischof, Presbyterium u Diakone binden will Phld 7, 1[113]. Dem Polykarp, der das Stadion zum Martyrium betritt, ruft eine nur den anwesenden Christen vernehmbare φωνὴ ἐξ οὐρανοῦ zu: Ἴσχυε, Πολύκαρπε, καὶ ἀνδρίζου Mart Pol 9, 1[114]. Barn 9, 2 wird ein Agraphon an-geführt, das den Gewinn des ewigen Lebens vom genauen Hören auf *die Stimme des*
35 *Sohnes* abhängig macht ἀκοῇ ἀκουσάτω τῆς φωνῆς τοῦ παιδός μου. Dabei wird die Tradition von der Himmelsstimme bei der Verklärung Jesu paränetisch ausgewertet, vgl auch Dt 18, 15—18.

Bei den Apologeten verbinden sich griech u at.licher Sprachgebrauch: φωνή ist das *gesprochene Wort* im Gegensatz zur Tat Just Dial 131, 2, sowie die *Sprache* Apol
40 31, 1. 3. 4; Tat Or Graec 1, 3; 37, 1. Die φωνή τοῦ θεοῦ wurde durch die Propheten ver-kündigt u von den Ap Christi erneut bekanntgemacht Just Dial 119, 6. φωνή ist auch der *Ruf*, mit dem Christus einst den Abraham aus der bösen Umwelt herausrief Gn 12, 1 u mit dem er die Christen in gleicher Weise beruft 119, 5. Als αἱ φωναί (αὐτοῦ, sc Gottes) werden Zitate aus dem AT bezeichnet Just Dial 21, 1; 33, 1, uz gleichbedeutend
45 mit οἱ λόγοι 64, 7, vgl αἱ φωναὶ τῶν προφητῶν Athenag Suppl 9. Wichtig ist, daß Papias die mündliche Jesustradition als *lebendige Stimme* bezeichnet: Er schätzt τὰ παρὰ ζώσης φωνῆς καὶ μενούσης höher ein als τὰ ἐκ τῶν βιβλίων, mit den ersteren meint er τοὺς τῶν πρεσβυτέρων...λόγους, die für ihn echte u zuverlässige Überlieferung darstellen Eus Hist Eccl III 39, 4.

---

[110] *Rufer des Rufs* ist ein Titel für den manichäischen Missionar, u noch im Islam heißt die Missionsverkündigung „Ruf", der Missionar „Rufer" Jonas Gnosis I 120 A 1.
[111] Übers AAdam, Die Ps des Thomas u das Perlenlied als Zeugnisse vorchr Gnosis, ZNW Beih 24 (1959) 49—54.
[112] Vgl äth Hen 39, 12f u DFlusser, Sanc-tus u Gloria, Festschr OMichel (1963) 133.

[113] Vgl dazu Ant Christ V 220.
[114] Die Himmelsstimme erscheint auch sonst in den chr Märtyrerlegenden, wobei sie den Märtyrern die himmlische Herrlichkeit zuspricht, vgl HGünther, Die chr Legende des Abendlandes (1910) 134.

φωνέω

1. Griechische Welt.

φωνέω bezeichnet das Hervorbringen eines Tones oder Lautes bei Musikinstrumenten, Tieren u Menschen. Ein Musikinstrument φωνεῖ Eur Or 146; das φωνεῖν des Donners meint, daß er etw Bedeutungsvolles zu sagen hat, als Orakel dient 5 Xenoph Ap 12. In der Regel wird jedoch φωνέω nur von lebenden Wesen, die eine Lunge u Kehle besitzen, gebraucht, so wenn die Tiere „Laut geben" Aesopus, Fabulae 249[1]; Aristot Hist An VI 28 p 578a 32. Das gilt auch vom Gesang der Vögel VIII 3 p 593a 14, dgg sollte das Geräusch von Knorpeltieren nicht mit φωνέω, sondern mit ψοφέω bezeichnet werden IV 9 p 535b 25f. Vor allem ist jedoch der Mensch Subj des φωνέω, 10 das dann zunächst das Erheben der Stimme, das An-Reden meint: ὄπα φωνέω *die Stimme ertönen lassen* Hom Il 2, 182; 10, 512; Od 24, 535. Meist folgt ein zweites Verbum des Sagens, zB προσηύδα Hom Il 1, 201; 2, 7; 4, 284, φωνήσας προσέφη Il 14, 41, in umgekehrter Reihenfolge: ἔπος φάτο φώνησέν τε Od 4, 370. φωνέω ist auch, die Rede unmittelbar einführend, das *Sprechen* selbst Aesch Sept c Theb 434, vgl Ag 205. 1334; 15 Choeph 314; Prom 1063, μέγα φωνέω *laut prahlen* Eum 936, ἀνήρ … φωνέω μέγιστον *ein Mann, der die lauteste Stimme hat* Hdt IV 141, vgl VII 117, 1. Abs stehend meint φωνέω das *laute Rufen*, zB in Freude Soph Trach 202, das *Singen* Theocr Idyll 16, 44, oder *das Wort ergreifen*. So heißt es in den Bestimmungen für den religiösen Verein der Iobakchen: μηδεὶς δ' ἔπος φωνείτω μὴ ἐπιτρέψαντος τοῦ ἱερέως ἢ τοῦ ἀνθιερέως Ditt 20 Syll[3] III 1109, 108f (178 nChr), vgl 1 QS 6, 12f. Dann ist φωνέω das *Zurufen* einer Versammlung zu einem Vorschlag oder Bericht: οἱ βουλευταὶ ἐφώνησαν POxy XVII 2110, 6 (370 nChr), vgl BGU III 925, 8 (3. Jhdt nChr). τὰ φωνηθέντα sind *die gesprochenen Worte* Plat Soph 262c; Tim 72a. Mit dem Dat der Pers ist φωνέω das *Rufen zu, antwortend Bescheid geben* Soph Oed Tyr 1121 oder das *Anrufen* der Gottheit im 25 Gebet Oed Col 1485. Wird φωνέω mit dem Acc der Pers verbunden, so hat es die Bdtg *rufen, beim Namen rufen* Soph Ai 73, im Pass *geheißen werden* Nicander (3.Jhdt vChr) fr 2 (FGrHist IIIa 87). Folgt dem Acc der Pers ein Inf, so meint φωνέω *befehlen* Soph Ai 1047. Mit dem Acc der Sache heißt φωνέω *von etw reden, etw erzählen* Soph Oed Col 1402f; Aesch Choeph 283, auch *zitieren* Pseud-Plat Ax 366c. 30

2. Hellenistisches Judentum.

a. In der Septuaginta wird φωνέω nur sparsam gebraucht[2]; lediglich an zehn St dient es der Übertragung eines hbr bzw aram Begriffs. Es bezeichnet das *Erklingen* der Trompete Am 3, 6; 1 Makk 9, 12 u das *Lautgeben* von Tieren Js 38, 14; Jer 17, 11; Zeph 2, 14. Bezeichnenderweise wird das Sprechen, das zB einem Götzen 35 nicht mögliche *Hervorbringen eines Lautes in der Kehle*, durch φωνέω wiedergegeben ψ 113, 15, vgl 134, 17; 3 Makk 2, 22. Dann wird das befremdlich klingende *Murmeln* (HT: הגה hi) der Toten- u Wahrsagegeister durch φωνέω ἐκ τῆς κοιλίας übertragen Js 8,19. Die Totengeister אֹבוֹת selbst werden als οἱ ἀπὸ (ἐκ) τῆς γῆς φωνοῦντες interpretiert Js 8, 19; 19, 3; diesen Ausdruck setzt Js 29, 4 für den Sing אוֹב. Δα 5, 7 steht 40 ἐφώνησε φωνῇ μεγάλῃ für קְרָא בְחַיִל. 4 Makk 15, 21 ist φωνέω das laute *Rufen* der Stimmen der sieben Märtyrerbrüder, 1 Ἔσδρ 9, 10 die zustimmende *Antwort* einer versammelten Menge, 1 Ἔσδρ 4, 41 das hymnische, 9, 47 Cod B das liturgische *Sprechen* des Volkes u 1 Ch 15, 16 das *Singen* bzw *Spielen* der Leviten. Sir 45, 17 ist es als *lautes Unterrichten* des Volkes im Gesetz zu verstehen, jedoch muß dort wohl φωνῆσαι Cod 45 BS durch φωτίσαι Cod A ersetzt werden. Schließlich heißt φώνησον αὐτὸν πρός με *rufe ihn zu mir, laß ihn zu mir kommen* Tob 5, 9 Cod BA.

b. φωνέω meint bei Philo das *Erheben der Stimme*, das Offenzur-Sprache-Bringen u dient dem λόγος προφορικός, der die Gedanken ausspricht u verdolmetscht; der νοῦς bedarf der Zunge u der anderen φωνητήρια ὄργανα, damit die Ge- 50 danken geboren u ans Licht gebracht werden können Det Pot Ins 127. In übertr Sinne steht φωνέω bei Philo für das *Ansprechen*, das Beeindrucken u In-Beschlag-Nehmen der menschlichen Sinne durch die Gegenstände der sichtbaren Welt Leg All III 44.

φωνέω. [1] ed AHausrath, Corpus Fabu-larum Aesopicarum I 2[2] (1959).

[2] Meist steht καλέω für קרא u βοάω für זעק, צעק קרא.

3. Neues Testament.

a. φωνέω, das in den Briefen fehlt, meint das *laute Sprechen, Rufen* oder *Schreien* von Menschen, Engeln oder Dämonen, das durch die Wendung φωνῇ μεγάλῃ verstärkt werden kann (Mk 1, 26; Lk 23, 46; Ag 16, 28; 5 Apk 14, 18); es ist an diesen Stellen bedeutungsgleich mit κράζω (→ III 900, 43ff). Bei Lukas unterstreicht φωνῆσαι *die Stimme erheben* die Dringlichkeit des Redens (Lk 8, 54; 16, 24; Ag 10, 18; 16, 28), Lk 23, 46 steht es für den lauten Gebetsruf, Lk 8, 54 meint es das eschatologische Machtwort des Messias, der die Toten erweckt. Ferner verwenden Lukas und Johannes φωνέω mit dem Akkusativ der 10 Person in der Bedeutung von καλέω (→ III 489, 3ff) und προσκαλοῦμαι (→ III 501, 30ff) *herbeirufen, senden nach, kommen lassen* (Lk 16, 2; 19, 15; Ag 9, 41; 10, 7; J 2, 9; 4, 16; 9, 18. 24). Der Ruf nach dem Retter und Bringer des eschatologischen Heils ist wohl gemeint, wenn Jesus am Kreuz nach dem Urteil einiger Juden den Elia ruft (Mk 15, 35 Par; → I 626, 7ff). Mk 10, 49 wird das Herbei15 rufen des Blinden durch andere vollzogen, ist aber als der Ruf Jesu verstanden, der für den Rettung Suchenden die Wende bedeutet. φωνέω wird hier wie καλέω (→ III 489, 12ff) eschatologisch qualifiziert als das bevollmächtigte Rufen in den Raum des Heils. Dasselbe ist der Fall, wenn Philippus den Nathanael zu Jesus ruft (J 1, 48, vgl v 45) oder wenn Martha heimlich ihre Schwester *ruft* und ihr 20 sagt: ὁ διδάσκαλος πάρεστιν καὶ φωνεῖ σε (J 11, 28). Die vom Hirten beim Namen *Gerufenen* (J 10, 3) erkennen an dieser Auszeichnung ihre Verbundenheit mit ihm und ihr Berufensein in den Bereich des Heils. Analog zu Lk 8, 54 (→ ++, ++) ist es zu verstehen, wenn Jesus den Lazarus aus dem Grab gerufen hat: es ist gleichbedeutend mit ἐγείρω ἐκ νεκρῶν *vom Ort der Toten,* dem Hades, *auferwecken* 25 (J 12, 17). φωνέω τοὺς φίλους (Lk 14, 12) meint *die Freunde einladen;* gewöhnlich wird dafür καλέω (→ III 489, 3ff) verwendet (vgl 14, 8. 10. 12f). Schließlich hat das so konstruierte φωνέω die Bedeutung *nennen, anreden als:* φωνεῖτέ με· ὁ διδάσκαλος (J 13, 13; → III 1093, 10ff).

b. φωνέω meint ferner das *Krähen* des Hahnes Mk 14, 30[3]. 68. 72[4]; 30 Mt 26, 34[5]. 74f; Lk 22, 34. 60f; J 13, 38; 18, 27. Weil der Hahn noch vor Anbruch des Tages, nämlich von kurz nach Mitternacht an bis etwa 2.30 Uhr, in Palästina zu krähen pflegt[6], heißt die dritte Nachtwache von Mitternacht bis drei Uhr ἀλεκτοροφωνία *die Zeit des Hahnenschreis* (קְרִיאַת הַגֶּבֶר)[7].

---

[3] Das Fajjumfragment (ed EKlostermann, Apocrypha II, KlT 8 ³[1929] 23) verwendet hier für das Krähen des Hahnes das Verbum κοκκύζω, vgl Poll Onom V 89.

[4] Mk 14, 68 fehlt das Krähen des Hahnes bei א BL W sy[s] uam. D Θlat uam haben an das δίς bzw ἐκ δευτέρου φωνεῖν v 30. 72 angeglichen.

[5] L λ Or haben πρὶν (πρὸ) ἀλεκτοροφωνίας (vgl Mk 13, 35) statt πρὶν ἀλέκτορα φωνῆσαι.

[6] Vgl Dalman Arbeit I 2, 636—638; HKosmala, The Time of Cock-Crow, Annual of the Swedish Theological Institute II (1963) 118f; Str-B I 993. Nach BQ 7, 7; TBQ 8, 10 (Zuckermandel 361) sollten in Jerusalem keine Hühner gehalten werden, weil sie die Reinheit der Opfertiere gefährden konnten,

vgl CAlbeck, שׁשׁה סדרי משׁנה IV (1958) zu BQ 7, 7; jedoch werden sich die Sadduzäer u das Volk kaum an diese Bestimmung gehalten haben, Dalman Orte 299.

[7] Lk 1, 42 wird von BWAD א uam ἀναφωνέω statt ἀναβοάω verwendet. Hier ist der Sprachgebrauch der LXX maßgebend, nach dem ἀναφωνέω das *Anstimmen* von Lobgesang, Harfen u Lautenspiel bezeichnet 1 Ch 15, 28; 16, 4f. 42; 2 Ch 5, 13. Darüber hinaus will Lk wohl die Tatsache zum Ausdruck bringen, daß die Sprecherin vom Geist erfüllt ist v 41. Das in LXX ebenfalls liturgisch verwendete ἐπιφωνέω 1 ᾽Εσδρ 9, 47; 2 Makk 1, 23; 3 Makk 7, 13 *laut zurufen* erscheint Ag 12, 22 in der Szene von der Vergötterung des Herodes Agrippa in der Bdtg *akklamieren.*

4. Die Apostolischen Väter.

In der urchr Lit außerhalb des NT kommt φωνέω merkwürdigerweise nicht vor, weder bei den sog Apost Vät noch bei den Apologeten.

† *συμφωνέω*, † *σύμφωνος*, † *συμφωνία*, † *συμφώνησις*

A. Griechische Welt. 5

1. συμφωνέω.

a. συμφωνέω meint *zusammenstimmen, in Einklang, Harmonie sein mit.* In wörtlicher Bedeutung ist es das *Zusammenklingen* mehrerer Musikinstrumente, zB der Zithern Callixenus (3.Jhdt vChr) fr 2 (FGrHist IIIc 175,12). Von der Sphärenmusik sagt Plat Resp X 617b: ἐκ πασῶν (sc Sirenen) μίαν ἁρμονίαν συμφωνεῖν. 10 Die Konsonanten werden συμφωνούμενα genannt, weil sie mit den Vokalen *zusammenklingen* Dion Hal, De Demosthene 43[1]. Ebs bezeichnet συμφωνέω das *Zusammenstimmen* von Steinen eines Bauwerks: θριγκούς (*Friese*) ... συμφωνοῦντας πρὸς ἀλλήλους δοκίμως Ditt Syll[3] III 972, 80—85 (175—172 vChr); συμφωνοῦσιν αἱ ἁρμογαί (*Kanten*) Herm v III 5, 1 aE, vgl aA; συμφωνοῦντες ταῖς ἁρμογαῖς αὐτῶν μετὰ τῶν ἑτέρων λίθων 15 III 5, 2, vgl 2, 6; μὴ συμφωνοῦντες (sc λίθοι) τοῖς ἑτέροις λίθοις s IX 6, 4.

b. Häufiger ist die übertragene Bedeutung *im Einklang stehen, harmonieren mit.* Original u Abschrift zweier Texte sind *gleichlautend* POxy VIII 1115, 18f (284 nChr); *mit früher gemachten Aussagen übereinstimmen* τοῖς προειρημένοις συμφωνέω Plat Resp III 398c, vgl Leg IX 860e. Das negierte συμφωνέω 20 besagt die Diskrepanz zweier Größen: τὰ ἔργα οὐ συμφωνεῖ ἡμῖν τοῖς λόγοις Plat La 193e; οὐ ... συμφωνοῦσι πραγματεῖαι καὶ φροντίδες καὶ ὀργαὶ καὶ χάριτες μακαριότητι Epic ep 1, 77 (Usener 28); ἔσχε (sc Agesilaus) γὰρ διττὰς ἐπιθυμίας... οὐ συμφωνούσας... ἀλλήλαις Isoc Or 5, 87. Im Bereich des menschlichen Denkens u Urteilens meinen Akt u Med von συμφωνέω *dieselbe Ansicht vertreten*; opp ist διαφωνέω Plat Phaed 101d oder ἀμφισβητέω 25 Diod S 5, 69, 1; ἐν μὲν ἄρα τοῖς συμφωνοῦμεν, ἐν δὲ τοῖς οὐ Plat Phaedr 263b; betreffs der göttlichen Herkunft der gesetzlichen Ordnung μιᾷ δὲ φωνῇ καὶ ἐξ ἑνὸς στόματος πάντας συμφωνεῖν ὡς πάντα καλῶς κεῖται θέντων θεῶν Plat Leg I 634e; ταῦτα... σχεδὸν συμφωνοῦσι πάντες *darüber sind sich fast alle einig* Theophr, De causis plantarum VI 9, 2, im Med I 1, 1; ἔδοξε τῇ ... συμφωνεῖν κρίσει Ditt Syll[3] II 827 col 5, 9 (116—117 nChr); ξυμφωνέω 30 περί τινος Democr fr 107 (Diels II 164); Dion Hal Ant Rom 2, 47, 2. Das Pass συμφωνεῖται bedeutet *es gilt als ausgemacht* Diod S 1, 26, 8, vgl 20, 5.

c. συμφωνέω *übereinkommen, handelseinig werden* erscheint beim Abschluß politischer Verträge u vor allem wirtschaftlicher Abkommen: συμφωνήσας Ἡρακλείδης μετὰ Θοτέως Pap Cairo Zeno III 59330, 2f[2] (3.Jhdt vChr); συμφωνέω περί 35 τινος Polyb 2, 15, 5; ἐννόμιον συνεφωνήθη μὴ δεῖν πράσσειν ἐγχωρίους *vertragsgemäß war keine Pachtzahlung erforderlich für Einheimische* Ditt Or II 629, 173f (2.Jhdt nChr). Wie τὸ συμφώνημα bedeutet τὸ συμφωνηθέν *das Übereinkommen, das Vereinbarte* Diod S 30, 19, im Plur τὰ συμφωνηθέντα ἐμοὶ καὶ 'Αντιφάνει POxy II 260, 7 (59 nChr); ἀπέχω τὴν συμπεφωνημένην αὐτοῦ τειμήν BGU VII 1643, 20 (2.Jhdt nChr); μισθοῦ τοῦ συμπεφω- 40 νημένου BGU IV 1125, 5 (13 vChr). Schließlich ist συμφωνέω das *Sich-Einigen* zu einem schlechten Zweck, das *Konspirieren*: οὐθὲν γὰρ φοβερὸν μήποτε συμφωνήσωσιν οἱ πλούσιοι τοῖς πένησιν ἐπὶ τούτους (sc τοὺς μέσους, dh zur Unterdrückung der Mittelklasse) Aristot Pol IV 12 p 1296b 40f.

2. σύμφωνος. 45

a. σύμφωνος meint *zusammenstimmend* im Klang, *zusammentönend,* dann *übereinstimmend, gleichlautend, harmonisch:* φθόγγοι... σύμφωνοι δι' ὁμοιό-

---

συμφωνέω κτλ. [1] ed HUsener u LRadermacher, Dion Hal Opuscula I (1899) 226. [2] ed CCEdgar, Catalogue Général des

Antiquités Égyptiennes du Musée du Caire 85 (1928).

τητα, opp ἀνάρμοστος Plat Tim 80a, vgl Leg VII 812d—e. Bei Geschrei ist σύμφωνος *widerhallend* Soph Oed Tyr 421. In der Harmonielehre wird σύμφωνος von ἀντίφωνος Aristot Probl 19, 16 p 918b 30, aber auch von ὁμόφωνος unterschieden 19, 39 p 921a 7.

Meist wird σύμφωνος in **übertragenem Sinne** gebraucht. Man spricht im Bereich der Akustik von *harmonischen Zahlen* ἐπισκοπεῖν τίνες σύμφωνοι ἀριθμοὶ καὶ τίνες οὔ Plat Resp VII 531c, weiterhin von σύμφωνοι εἰκόνες Pseud-Aristot Mund 5 p 396b 14f u σύμφωνοι φοραί (*Bewegungen, Impulse*) Aristot An I 3 p 406b 31. Allg bezeichnet σύμφωνος das zutreffende, sachgemäße Verhältnis zweier Aussagen, Sachverhalte oder Dinge: σύμφωνα οἷς τὸ πρῶτον ἔλεγες Plat Gorg 457e; σύμφωνος τῷ ὀνόματι Crat 395e. Die Theorie *stimmt* mit den beobachteten Fakten *überein* Theophr Ign 8, 61; σύμφωνον τοῖς φαινομένοις Epic ep 2, 112 (Usener 52), vgl 2, 86 (36). Zwei Urkunden *stimmen* miteinander *überein*: ἐξέλαβα τὰ προκίμενα σύμφωνα τοῖς ἐν καταχωρισμῷ „Ich empfing den vorliegenden Schriftsatz wortgetreu gleichlautend mit dem Original im Archiv" BGU II 562, 22 (2. Jhdt nChr). Bes wichtig ist σύμφωνος im Bereich der Ethik; dort ist der Gegenbegriff ἀσύμφωνος Plat Resp III 402d. Im Leben sollen Worte u Taten miteinander im Einklang stehen ὁ βίος σύμφωνος τοῖς λόγοις πρὸς τὰ ἔργα Plat La 188d. Die innere Harmonie des Weisen entsteht vor allem dadurch, daß Lust- u Schmerzempfindungen mit den Geboten des Logos übereinstimmen τὸν τὰς ἡδονὰς καὶ λύπας κεκτημένον συμφώνους τοῖς ὀρθοῖς λόγοις καὶ ἑπομένας Leg III 696c. Von Scipio rühmt Polyb 31, 25, 8: ὁμολογούμενον καὶ σύμφωνον ἑαυτὸν κατασκευάσας κατὰ τὸν βίον. σύμφωνον wird unpers verwendet, um die Übereinstimmung zweier Parteien auszudrücken σύμφωνόν ἐστί τινι πρός τινα Polyb 6, 36, 5; σύμφωνός εἰμί τινι 30, 8, 7. ἐκ συμφώνου[3] meint *in gegenseitiger Übereinstimmung, nach Übereinkunft* Pap Primi 1, 22[4] (108 nChr); PGreci e Latini 13, 1341, 18 (5. Jhdt nChr); καθὼς ἐκ συμφώνου ὑπηγόρευσαν „gemäß dem, was die Vertragsparteien in gegenseitiger Übereinstimmung dem Notar diktierten" PLond II 334, 18f (166 nChr); PHamb I 15, 8 (209 nChr); PStraßb I 14, 13f (211 nChr); BGU II 446, 13 (2. Jhdt nChr).

    b. τὸ σύμφωνον ist die *Übereinkunft, Vereinbarung* [τὸ σύ]μφωνον κύριον *die Vereinbarung soll rechtskräftig sein* Preisigke Sammelbuch I 5810, 19 (322 nChr); τῶν . . . ἀνενεγκόντων ὡς μὴ πληρωθέντων τοῦ συμφώνου τοῦ πρὸς αὐτούς *sie meldeten, daß sie nicht vertragsmäßig bezahlt wurden* POxy VIII 1103, 6 (360 nChr). τὰ σύμφωνα sind die getroffenen *Vereinbarungen* POxy VI 914, 9 (5. Jhdt nChr); καὶ οὐ συνέθετο σύνφωνα ἐργάσασθαι[5], ἀλλὰ πρὸς ἡμέραν *er schloß keinen Dienstvertrag* (zu festen Sätzen auf längere Zeit), *sondern tageweise* PGen I 76, 17ff (3.—4. Jhdt nChr).

    c. Das Adv συμφώνως findet sich Pseud-Plat Epin 974c, vgl Diod S 1, 98, 9; 15, 18, 2, συμφώνως ἔχω τινί Ptolemaeus, Geographia[6] I 17, 2.

    d. Wird σύμφωνος pass gebraucht, so meint es *vereinbart* . . . ἕως συνθήκας ποιησάμενοι συμφώνους ὅρους ἔθεντο τῆς χώρας Diod S 5, 6, 4. Es hat dann eine ähnliche Bdtg wie ὁμόλογος, vgl σύμφωνον καὶ ὁμόλογον ταῖς πόλεσιν ὑπὲρ τῆς πανηγύρεως Ditt Or II 444, 1 (2./1. Jhdt vChr).

3. σ υ μ φ ω ν ί α.

    a. συμφωνία findet sich zuerst bei Plat u meint zunächst das harmonische *Zusammenklingen* der Töne in der Musik, die *Harmonie* τὴν ἐν τῇ ᾠδῇ ἁρμονίαν, ἣ δὴ συμφωνία καλεῖται Plat Crat 405c.d, vgl Tim 67c; Symp 187b, opp ἑτεροφωνία Leg VII 812d u dann das *Zusammenstimmen* zweier Töne, den Akkord Resp VII 531a. c. Aristot An Post II 2 p 90a 18f definiert συμφωνία als λόγος ἀριθμῶν ἐν ὀξεῖ ἢ βαρεῖ, ferner als κρᾶσις . . . λόγον ἐχόντων ἐναντίων πρὸς ἄλληλα Probl 19, 38 p 921a 2f. Er unterscheidet συμφωνία als das harmonische *Zusammenklingen* verschiedener Stimmen vom bloßen *Einklang* ὁμοφωνία Pol II 5 p 1263b 35. Die pythagoreische Lehre von der Sphärenmusik bezeichnet er als οἱ τῶν συμφωνιῶν λόγοι Cael II 9 p 290b 22; dabei gilt ihm συμφωνία als das harmonische *Zusammenklingen* vieler Töne[7].

---

[3] Vgl Deißmann NB 82f, vgl LO 176.

[4] ed EKießling, Sammelbuch griech Urkunden aus Ägypten Beih 2 (1961).

[5] So liest UWilcken, Zu den Genfer Papyri, APF 3 (1906) 402 statt ἐργάσαιτο, vgl FPreisigke, Berichtigungsliste der griech Papyrusurkunden aus Ägypten I (1922) 167.

[6] ed CMüller I 1 (1883).

[7] συμφωνία ist auch das *Zusammenpassen* der Speisen. Von einem Koch meint Damoxenus (4./3. Jhdt vChr) fr 2, 54 (FAC IIIa 214): μείξας πάντα κατὰ συμφωνίαν.

b. Später ist συμφωνία das *Konzert* mehrerer Instrumente Para-doxographus Florentinus[8] 43 u konkret das *Orchester* PFlor I 74, 5 (181 nChr); POxy X 1275, 9 (3.Jhdt nChr). Auch ein einzelnes Musikinstrument kann damit gemeint sein, vielleicht da, wo Polyb 30, 26, 8 von Antiochus Epiphanes berichtet: καὶ τῆς συμφωνίας προκαλουμένης (sc ὁ βασιλεύς) ἀναπηδήσας ὠρχεῖτο, sicher ist es 26, 1, 4 gemeint: ἐπικω- 5 μάζων (*herumschwärmen*) μετὰ κερατίου (*Pfeife*) καὶ συμφωνίας. Suet Caes IV 37 er-zählt ähnlich von Caligula: discumbens de die inter choros et symphonias, vgl Pos fr 14 (FGrHist II a 229): χορῷ μεγάλῳ καὶ παντοίοις ὀργάνοις καὶ συμφωνίαις. Nach Plin Hist Nat 8, 64, 157 muß symphonia ein Windinstrument sein, nach Isidor, Etymologiae[9] 3, 22, 14 eine Trommel[10]. 10

c. In übertragener Bedeutung ist συμφωνία die *Harmonie* von rechtem Denken u Leben. Epikur gebraucht es für die *Übereinstimmung* der Theorie mit den beobachteten Tatsachen: ἔχειν τοῖς φαινομένοις συμφωνίαν ep 2, 86 (Usener 36). Ein Epikureer erwähnt τὴν πρὸς τὰ πάθη συμφωνίαν Polystratus, Περὶ ἀλόγου καταφρο-νήσεως[11] col 7b 4f. Die Stoiker geben nach Stob Ecl II 74, 4f folgende Def: συμφωνίαν 15 δὲ εἶναι ὁμοδογματίαν περὶ τῶν κατὰ τὸν βίον. Gal, Komm zu Hippocr, De natura hominis II 6, 134 (CMG V 9, 1 p 69) spricht von einer συμφωνία τῶν ἱστορησάντων (*Forscher*) u be-zeichnet das opp als διαφωνία Komm zu Hippocr Acut I 14, 440 (CMG V 9, 1 p 127f). Die Weisheit besteht nach Plat in der Harmonie des Denkens: πῶς... ἄνευ συμφωνίας γένοιτ' ἂν φρονήσεως καὶ τὸ σμικρότατον εἶδος; οὐκ ἔστιν, ἀλλ' ἡ καλλίστη καὶ μεγίστη τῶν συμφωνιῶν 20 μεγίστη δικαιότατ' ἂν λέγοιτο σοφία Leg III 689d, vgl συμφωνία τῷ καλῷ λόγῳ Resp III 401d u συμφωνία (sc τῆς ψυχῆς) ἑαυτῇ Tim 47d. Wie die Saiten eines Musikinstruments stimmt der Weise die rationalen u sinnlichen Kräfte der Seele nach dem Maß der Ein-sicht aufeinander ab u bringt Gefühle u Begehren mit den Geboten des Logos in Ein-klang. Auf diese Weise entsteht die *innere Ausgewogenheit*, die *harmonische Überein-* 25 *stimmung* des Menschen mit sich selbst Plat Leg III 689d, vgl 696c; Resp VIII 554e. Die durch Einsicht ausgebildete Schönheit der Seele soll in einer schönen körperlichen Gestalt ihre harmonische Entsprechung finden, damit ein Idealbild des Menschen entstehe Resp III 402d; IX 591d; Gorg 479b. Die συμφωνία τῷ καλῷ λόγῳ als Ziel der menschlichen Bildung wird an der Musik verdeutlicht: Die Erziehung in 30 der Musik steht an erster Stelle, weil Rhythmus u Harmonie der Töne am ehesten den Weg zur Seele finden u das Urteil bilden können Resp III 401d. *e.* Die griech Philosophie entdeckt eine συμφωνία als harmonische Ordnung, die das Wesen des Kosmos ausmacht u sein Bestehen sichert. Die Harmonie der Welt beruht auf dem Beieinander u Zusammen-wirken einander entgegengesetzter ἐναντία Größen Pseud-Aristot Mund 5 p 396 a 33—397 b 8, 35 vgl Plat Symp 187a. Dabei gilt Heracl[12] als Vater des Gedankens, daß entgegengesetzte Kräfte die Welt zur einheitlichen Größe machen.

d. Im wirtschaftlichen Verkehr ist συμφωνία wie τὸ σύμφωνον u τὸ συμφώνημα die *Verabredung, Übereinkunft*: ἀπὸ τῆς συμφωνίας ἧς ἐποίησας πρὸς τοὺς ἐργάτας PLond III 1173, 7 (125 nChr), vgl Ostraka 364 (1.Jhdt nChr). 40

B. Altes Testament und Judentum.

1. In der Septuaginta bedeutet συμφωνέω das *gemeinsame Handeln* u *Planen*: das Sich-Versammeln (HT: חָבַר) der konspirierenden Könige im Tal Siddim Gn 14, 3, das Lagern des syr Heeres in Ephraim, das unter dem Eindruck des gemeinsamen Vorgehens von Syrien u Nordisrael als συνεφώνησεν Αραμ πρὸς τὸν Εφραιμ 45 übersetzt wird Js 7, 2. In 4 Βασ 12, 9 meint συμφωνέω das gemeinsame *Zustimmen* zum königlichen Befehl, 4 Makk 14, 6 wird die gemeinsame Bereitschaft zum Martyrium mit συνεφώνησαν πρὸς τὸν θάνατον beschrieben. Ähnlich dient das Adj σύμφωνος der Über-einstimmung des Handelns mit einer gesetzten Norm. Qoh 7, 14 ist es Wiedergabe von לְעֻמַּת *entsprechend:* Gott hat Gutes u Böses dem Menschen in gleichem Maße verordnet 50 τοῦτο σύμφωνον τούτῳ ἐποίησεν. Man preist den Priester Eleasar: ὦ σύμφωνε νόμου καὶ φιλόσοφε θείου βίου 4 Makk 7, 7 u rühmt die sieben Brüder: ὦ πανάγιε συμφώνων ἀδελφῶν

---

[8] ed HÖhler (Diss Tübingen [1913]), zum Wortgebrauch p 146.
[9] ed WLindsay (1911).
[10] Zur Verwendung des Begriffs symphonia als eines Musikinstruments vgl die Belege bei PBarry, Da 3, 5 sumphonyah, JBL 27 (1908) 103—108.
[11] ed CWilke (1905).
[12] Vgl fr 10 (Diels I 153).

ἑβδομάς 4 Makk 14, 7. Dabei wird ihr Entschluß, den Märtyrertod zu erleiden, dem
einträchtigen Gehorsam der Glieder des Leibes gegenüber den Befehlen der Seele verglichen: καθάπερ αἱ χεῖρες καὶ οἱ πόδες συμφώνως τοῖς τῆς ψυχῆς ἀφηγήμασιν κινοῦνται, οὕτως
οἱ ἱεροὶ μείρακες (jungen Männer) ἐκεῖνοι ὡς ὑπὸ ψυχῆς ἀθανάτου τῆς εὐσεβείας πρὸς τὸν
5   ὑπὲρ αὐτῆς συνεφώνησαν θάνατον 4 Makk 14, 6. συμφωνία in der Bdtg Übereinstimmung,
Harmonie erscheint lediglich 4 Makk 14, wo es v 3 die Eintracht der sieben Brüder bezeichnet. Δα 3, 5. 15, vgl Da 3, 5. 7. 10. 15 Θ meint dieser Begriff ein Musikinstrument,
der als Fremdwort in das Aram bzw Hbr übernommen wurde, aram Text סוּמְפֹנְיָה Da
3, 5. 15; סִימְפֹנְיָה Kᵉtib, סוּמְפֹנְיָה Qᵉrē' Da 3, 10. Gemeint ist wohl eine Art *Doppel-
10   flöte*[13] oder *Dudelsack*[14].

2. Nach den rabbinischen Texten ist die סִימְפֹנְיָה aus Metall
gefertigt, bzw metallüberzogen u besitzt einen Behälter Kelim 11, 6 (par *Flöte*), vgl
16, 8 u T BM 1, 7 (Zuckermandel 579).

3. Für Philo ist συμφωνία der *Zusammenklang* von Musikinstru-
15   menten Sacr AC 74, von Quarten, Quinten u Oktaven Som I 28. Die beste, nicht in
Anschlag u Tönen einer *melodischen Stimme* ἐμμελοῦς φωνῆς, sondern in der *Übereinstimmung* ὁμολογία der Handlungen des menschlichen Lebens bestehende *Harmonie*
vollbringt die gut gestimmte Seele τὴν πασῶν ἀρίστην συμφωνίαν ἀπεργάσεται Deus Imm
25.

20   **4.** Josephus bezeichnet durch συμφωνέω das *Übereinstimmen*
der von verschiedenen Geschichtsschreibern gegebenen Darstellungen Ant 1, 107[15];
Ap 1, 17 u das gemeinsame Streben der wahrhaftigen griech Philosophen u der Juden,
eine wahre u geziemende Anschauung von Gott zu finden Ap 2, 255. Er rühmt die herrliche συμφωνία in Denken u Leben des jüd Volkes, die in der Einheitlichkeit der Lebens-
25   führung u in der gleichen, mit dem Gesetz übereinstimmenden Auffassung von Gott
begründet sei εἷς δὲ λόγος ὁ τῷ νόμῳ συμφωνῶν περὶ θεοῦ Ap 2, 179—181.

5. Im at.lich-spätjüd Sprachschatz fehlen die aus der griech Harmonielehre (→ 298, 42ff) stammenden Begriffe, u von einer theoretischen Betrachtung
der Musik findet sich keine Spur. Allerdings wird man auf die harmonische Ordnung
30   der von Gott geschaffenen Welt aufmerksam. Schon in den vorchr apokalyptischen
Kreisen hat die Beschäftigung mit Kalenderfragen u die Erwartung einer Neuschaffung
der Welt am Ende der Zeit dazu geführt äth Hen 2—5. 72—82. Aber während die griech
Philosophie das Bild vom harmonischen Kosmos durch empirisches Studium u rationale
Durchdringung der einzelnen Phänomene gewinnt (→ 299, 32ff), studiert der jüd
35   Mensch das ihm vorgegebene Gottesgesetz u benützt es als Hilfe u Maßstab für die Betrachtung der Welt. Ästhetische Grundsätze liegen ihm fern. Was die Welt zusammenhält, ist Gottes Gebot, nicht eine vom Einzelnen zu erprobende ratio u zu entdeckende
Harmonie. Der im Gesetz geoffenbarte Gotteswille wird darum auch zur Norm des
rechten Handelns u Lebens, u der ideale Mensch ist, wo spät u unter griech Einfluß von
40   unserer Begriffsgruppe Gebrauch gemacht wird, als ein σύμφωνος νόμου bezeichnet
4 Makk 7, 7, vgl Jos Ap 2, 181. Im übrigen wird die der Welt eingestiftete göttliche Ordnung nicht so sehr im Leben des Einzelnen, als vielmehr in der vom Gesetz bestimmten
Gemeinschaft sichtbar. Beispiel dafür ist etwa die Qumrangemeinde, in der Begriffe wie
סֶרֶךְ u תִּכּוּן (*Regel, Ordnung*) eine wichtige Rolle spielen, vgl zB 1 QS 2, 21; 5, 1; 6, 8f; 8,4.

45   **C. Neues Testament.**

1. συμφωνέω meint im Neuen Testament *passen zu, über-*
einstimmen, *übereinkommen*, und zwar im Blick auf Sachen, Worte und Personen.

---

[13] So GFMoore, Συμφωνία not a Bagpipe,
JBL 24 (1905) 166—175; CAlbeck in:
ששה סדרי משנה VI (1958) z Kelim 11, 6
denkt ebenfalls an eine Art *Flöte*. Str-B
IV 396. 400: Doppelflöte, Sackpfeife; Jastrow
sv: a wind instrument, double flute, bagpipe.

[14] So ABentzen, Daniel, Hndbch AT I
19 ²(1952) zSt; PBarry, On Lk 15, 25, συμφωνία: bagpipe, JBL 23 (1904) 180—190;
Barry aaO (→ A 10) 99—121.

[15] συμφωνοῦσιν τοῖς ὑπ' ἐμοῦ λεγομένοις Ant
1, 107 steht in gleicher Bdtg wie μαρτυροῦσι
δέ μου τῷ λόγῳ ebd.

Lukas hat das Gleichnis vom Flicken auf dem alten Kleid um einen Zug erweitert: Der von einem neuen Gewand abgetrennte Flicken *wird nicht zum alten passen* τῷ παλαιῷ οὐ συμφωνήσει (Lk 5, 36). Ähnlich ist συμφωνέω Ag 15, 15 gebraucht. Nach der beim Apostelkonvent geäußerten Ansicht des Jakobus *stimmen die Worte der Propheten* mit den wunderbaren Begebenheiten auf dem Missionsfeld *überein*: 5 τούτῳ συμφωνοῦσιν οἱ λόγοι τῶν προφητῶν. Das *Zusammenstimmen* von Schriftwort und eschatologischem Ereignis liegt im Heilsplan Gottes begründet (vgl ὁ θεὸς ἐπεσκέψατο 15, 14)[16]. Hinsichtlich des Inhalts des gemeinsamen Gebets wird συμφωνέω Mt 18, 19 gebraucht: ἐὰν δύο συμφωνήσωσιν...περὶ παντὸς πράγματος οὗ ἐὰν αἰτήσωνται. Der Übereinkunft der Menschen folgt die Zustimmung Gottes, der 10 in einer ähnlichen Weise mitbeteiligt ist wie Christus bei den Zweien und Dreien, die in seinem Namen versammelt sind (v 20). Das Einverständnis mit böser Absicht wird in der Frage des Petrus an Sapphira aufgedeckt: τί ὅτι συνεφωνήθη ὑμῖν πειράσαι; *Warum habt ihr euch verabredet?* (Ag 5, 9; → VI 406, 14ff)[17]. Im Gleichnis von den Arbeitern im Weinberg findet sich συμφωνέω zur Bezeichnung einer 15 erfolgreichen geschäftlichen Abmachung (→ 297, 33ff); allerdings handelt es sich hier lediglich um die mündliche Vereinbarung des Arbeitslohnes für einen Tag (Mt 20, 2. 13)[18].

2. Die vorwiegend bei geschäftlichen Abmachungen und fast technisch gebrauchte Wendung ἐκ συμφώνου (→ 298, 22ff) drückt 1 K 7, 5 20 die Übereinstimmung zweier Partner in einer Frage der praxis pietatis aus. Paulus rät den Ehegatten: μὴ ἀποστερεῖτε ἀλλήλους, εἰ μήτι ἂν ἐκ συμφώνου πρὸς καιρὸν ἵνα σχολάσητε τῇ προσευχῇ. Diese Vereinbarung entspricht der v 4 erwähnten Ordnung, nach welcher keiner der Ehegatten eigenmächtig über seinen Leib verfügen kann.

3. Der Bruder des Verlorenen Sohnes erkennt die Fest- 25 freude im Haus des Vaters daran, daß er συμφωνία καὶ χοροί *Flötenspiel und Reigentanz* vernimmt (Lk 15, 25). Die Bedeutung von συμφωνία ist umstritten[19]. Wahrscheinlich ist an eine Doppelflöte gedacht (→ 300, 7ff).

---

[16] In einer Fünferreihe rhetorischer Fragen steht 2 K 6, 15 der Mittelsatz: τίς δὲ συμφώνησις Χριστοῦ πρὸς Βελιάρ; Das seltene συμφώνησις ist hier ähnlich gebraucht wie μετοχή u κοινωνία. Diese Fragen sind in der Terminologie der Qumranschriften, bes des Abschnitts 1 QS 3, 13—4, 26 abgefaßt.

[17] Diese pass Konstr weicht von der in den Pap üblichen ab, wo die vereinbarte Sache mit Präp oder ὥστε mit Inf angeschlossen wird, u gleicht dem lat convenit inter vos mit Inf, was im Text von Cod D συνεφώνησεν ὑμῖν noch deutlicher wird.

[18] Dabei ist die Konstr an den beiden St nicht ganz gleich. Der verhandelnde Partner wird entweder durch eine Präp μετὰ τῶν ἐργατῶν v 2 oder durch einen einfachen Dat an das Verbum συμφωνέω angeschlossen: οὐχί...συνεφώνησάς μοι; v 13. Ähnlich wird der ausgehandelte Lohn bestimmt: ἐκ δηναρίου v 2 oder einfacher Gen pretii δηναρίου v 13.

[19] Hier ep 21, 29 denkt an *gemeinsamen Gesang* consonantia. Wellh Lk zSt übersetzt *Dudelsack*; AMerx, Die vier kanonischen Ev nach ihrem ältesten bekannten Texte I (1897) übersetzt „Symphonie" u erläutert dies als „Hirtenpfeife" II 2 (1905) zSt; MJLagrange, Évangile selon Saint Luc, Études Bibliques 8(1948) zSt übersetzt des instruments; Kl Lk zSt *Musik*. Zur Diskussion vgl Barry aaO (→ A 10) 103—108 u Moore aaO (→A 13) 166—175.

D. Kirchengeschichte.

1. Ignatius von Antiochien benutzt die Wortgruppe συμ-φωνέω, συμφωνία, σύμφωνος, um die Einheit der Kirche darzustellen. Dabei erinnert er deutlich an die urspr Beziehung dieser Begriffe zu Saitenspiel u Chorgesang (→ 298, 2f. 42ff). Den Ephesern schreibt er, Jesus Christus werde bei ihnen ἐν τῇ ὁμονοίᾳ ὑμῶν καὶ συμφώνῳ ἀγάπῃ besungen 4, 1, u ermahnt sie, ein *Chor* χορός zu werden, ἵνα σύμφωνοι ὄντες ἐν ὁμονοίᾳ, χρῶμα θεοῦ λαβόντες ἐν ἑνότητι, ἄδετε ἐν φωνῇ μιᾷ διὰ Ἰησοῦ Χριστοῦ 4, 2. Die Einheit der Kirche ist schon von Christus vollzogen, aber sie muß von den Gemeindegliedern in einmütiger Gesinnung bewährt werden; eben das wird mit dem Bild vom Chor zum Ausdruck gebracht. Dabei beruht die harmonische Einheit der Kirche nicht etwa auf monotoner Einheitlichkeit, sondern auf der Geltung hierarchisch geordneter Beziehungen: Gemeindeglieder-Bischof, Bischof-Christus, Christus-Gott, ἵνα πάντα ἐν ἑνότητι σύμφωνα ᾖ 5, 1. Zu συμφωνέω bei Herm → 297, 14ff.

2. συμφωνέω u σύμφωνος dienen in den kosmogonischen Spekulationen der Gnosis dazu, die harmonische Übereinstimmung der himmlischen Äonen im Gegensatz zum Chaos der materiellen Welt zum Ausdruck zu bringen. Diese Begriffe erscheinen unübersetzt mehrfach im Berliner kpt Cod 8502, einer Sammlung gnostischer Traktate[20]. Die vom unsterblichen Menschen, dh Gott (→ VIII 479, 23ff), geschaffenen Äonen, Kräfte u Reiche *stimmen miteinander überein* συμφωνεῖν Sophia Jesu Christi (→ A 20) 109, 14, ebs *stimmte* der Menschensohn mit der Sophia, seiner Paargenossin, *überein*, als er sich offenbarte 102, 15—18. Dgg führt die fehlende Übereinstimmung, das eigenmächtige Handeln eines Partners innerhalb einer Syzygie, zum Verhängnis. Nach dem Apokryphon des Johannes (→ A 20) muß die Sophia, der letzte der himmlischen Äonen, es bereuen, daß sie ein Wesen aus sich heraus hatte entstehen lassen, obwohl ihr Paargenosse, der männliche jungfräuliche Geist 37, 5, *nicht* mit ihr *übereingestimmt* hatte 45, 2—4, vgl 46, 12—14; dieser Fehltritt führt zur Entstehung der materiellen Welt. Der *Paargenosse* σύζυγος der Sophia wird im Apokryphon des Johannes 37, 7. 9 geradezu σύμφωνος genannt.

Betz

φῶς, † φωτίζω, † φωτισμός,

† φωτεινός, † φωσφόρος, † φωστήρ,

† ἐπιφαύσκω, † ἐπιφώσκω

Inhalt: A. Die Wortgruppe im Griechischen: 1. Sprachgebrauch; 2. Bedeutung; 3. Licht und Erleuchtung in der Philosophie; 4. Licht im Kult. — B. Die Wortgruppe im Alten Testament: 1. Der altorientalische Hintergrund; 2. Sprachgebrauch; 3. Allgemeines; 4. Gott; 5. Die Welt; 6. Eschatologie; 7. Anthropologie. — C. Judentum (außer Philo): 1. Allgemeines; 2. Besonderheiten; 3. Das Schrifttum von Qumran; 4. Das rabbinische Schrifttum. — D. Hellenismus, Gnosis: 1. Allgemeines; 2. Philo; 3. Die

---

[20] ed WCTill, Die gnostischen Schriften des kpt Pap Berolinensis 8502, TU 60 (1955).

φῶς κτλ. Vorbemerkung: RBultmann stellte seine reiche Materialsammlung zur Verfügung.
Lit: → VII 424 Lit-A; Allgemein: GMensching, Die Lichtsymbolik in der Religionsgeschichte, Studium Generale 10 (1957) 422—432. — Zu A u D: → 8 Lit-A;

CBaeumker, Witelo, Beiträge zur Gesch der Philosophie des MA 3, 2 (1908) 357—514; GPWetter, Phos, Skrifter utgifna af Kungliga Humanistiska Vetenskaps-Samfundet i Uppsala 17, 1 (1915); FJDölger, Die Sonne der Gerechtigkeit u der Schwarze, Liturgiegeschichtliche Forschungen 2 (1918) 37—48; ASchneider, Die mystisch-ekstatische Gottesschau im griech u chr Altertum, Philosophisches Jbch 31 (1918) 24—42; ders, Der Ge-

danke der Erkenntnis des Gleichen durch Gleiches in antiker u patristischer Zeit, Festschrift CBaeumker (1923) 65—76; FJDölger, Sol Salutis. Gebet u Gesang im chr Altertum, Liturgiegeschichtliche Forschungen 4/5 ²(1925); JStenzel, Der Begriff der Erleuchtung bei Plat, Die Antike 2 (1926) 235—257; Reitzenstein Hell Myst 220—334; JPascher, Η ΒΑΣΙΛΙΚΗ ΟΔΟΣ. Der Königsweg zu Wiedergeburt u Vergottung bei Philo v Alexandreia, Studien zur Gesch u Kultur des Altertums 17, 3/4 (1931) Regist sv Lichtgott, Lichtkleid, Lichttheologie; Ant Christ V 1—43; EBevan, Symbolism and Belief (1938) 129—250; WVölker, Fortschritt u Vollendung bei Philo v Alexandrien, TU 49, 1 (1938) 178—192. 304—307; HWesthoff, Die Lichtvorstellung in der Philosophie der Vorsokratiker (Diss Erlangen [1947]); RBultmann, Zur Gesch der Lichtsymbolik im Altertum, Exegetica (1967) 323—355; WBeierwaltes, Lux intelligibilis. Untersuchung zur Lichtmetaphysik der Griechen (Diss München [1957]); DTorrant, Greek Metaphors of Light, The Classical Quarterly 54 (1960) 181—187; WBurkert, Iranisches bei Anaximandros, Rhein Mus 106 (1963) 97—134; MTreu, Licht u Leuchtendes in der archaischen griech Poesie, Studium Generale 18 (1965) 83—97; CJClassen, Licht u Dunkel in der früh-griech Philosophie, Studium Generale 18 (1965) 97—116. — Zu B: CClemen, Fontes historiae religionis Persicae (1920); ders, Die griech u lat Nachrichten über die persische Religion (1920); FCumont, Die Mysterien des Mithra ³(1923) Regist sv Sonne; EBenvéniste, The Persian Religion according to the Chief Greek Texts (1929) 69—117; OGvWesendonck, Bemerkungen zur iranischen Lichtlehre, ARW 31 (1934) 177—187; JBidez-FCumont, Les mages hellénisés II (1938) 72—79; HGMay, The Creation of Light in Gn 1, 3—5, JBL 58 (1939) 203—211; THopfner, Plut über Isis u Osiris II (1941) 201—211; GWidengren, Stand u Aufgabe der iranischen Religionsgeschichte, Numen 1 (1954) 16—83; 2 (1955) 46—134; WvSoden, Licht u Finsternis in der sumerischen u bab-assyrischen Religion, Studium Generale 13 (1960) 647—653; JHempel, Die Lichtsymbolik im AT, Studium Generale 13 (1960) 352—368; WHinz, Zarathustra (1961) 166—203; EHornung, Licht u Finsternis in der Vorstellungswelt Altägyptens, Studium Generale 18 (1965) 73—83; CColpe, Lichtsymbolik im alten Iran u antiken Judt, Studium Generale 18 (1965) 116—133. — Zu C: SAalen, Die Begriffe „Licht" u „Finsternis" im AT, im Spätjudt u im Rabbinismus, Skrifter utgitt av det Norske Viden-

skaps-Akademi i Oslo, Historisk-filosofisk Klasse 1951, 1 (1951); KSchubert, Die Religion des nachbiblischen Judt (1955) 87—94; Regist sv Licht; GScholem, Die jüd Mystik in ihren Hauptströmungen (1957) 43—86. — Zu D: JKroll, Die Lehren des Herm Trismeg, Beiträge zur Gesch der Philosophie des MA 12, 2—4 (1914); WBousset, Rezension von JKroll, Die Lehren des Herm Trismeg, GGA 176 (1914) 697—755; CHDodd, The Bible and the Greeks (1935) Regist sv φῶς; TSäve-Söderbergh, Studies in the Coptic Manichaean Psalm-Book (1949) 155—163; AJFestugière, La révélation d' Hermès Trismégiste I ²(1950); II (1949); III (1953); IV ²(1954); AAdam, Texte zum Manichäismus, KlT 175 ²(1969); JDaniélou, Philon d' Alexandrie (1958) 149—153; AAdam, Die Psalmen des Thomas u das Perlenlied als Zeugnisse vorchr Gnosis, ZNW Beih 24 (1959) 34f. 42—44. 56. 68—72; ESDrower, The Secret Adam (1960) 56—64; KRudolph, Die Mandäer I. Prolegomena: Das Mandäerproblem, FRL 56 (1960) Regist sv Lichtsymbolik uam; II. Der Kult, FRL 57 (1961) Regist sv Lichtgewand, Lichtwelt uam; SSchulz, Die Bdtg neuerer Gnosisfunde für die nt.liche Wissenschaft, ThR NF 26 (1960) 209—266; AWlosok, Laktanz u die philosophische Gnosis, AAHdbg 1960, 2 (1960); FNKlein, Die Lichtterminologie bei Philon vAlexandrien u in den hermetischen Schriften (1962). — Zu E II: SAalen, Der Begriff des Lichtes in den synpt Ev, Svensk Exegetisk Årsbok 22/23 (1957/58) 17—30. — Zu E IV 1: GPWetter, Ich bin das Licht der Welt, Beiträge zur Religionswissenschaft 1, 2 (1913/14) 166—201; HPreisker, Jüd Apokalyptik u hell Synkretismus im Joh-Ev, dargelegt am Begriff „Licht", ThLZ 77 (1952) 673—678; EHaenchen, Aus der Lit zum Joh-Ev, ThR NF 23 (1955) 295—335; HBecker, Die Reden des Joh-Ev u der Stil der gnostischen Offenbarungsrede, FRL 68 (1956); REBrown, The Qumran-Scrolls and the Johannine Gospel and Epistles, in: The Scrolls and the NT, ed KStendahl (1957) 183—207; FMCross, The Ancient Library of Qumran (1958) 153—162; SSchulz, Die Komposition des Joh-Prologs u die Zusammensetzung des 4. Ev, Studia Evangelica I, TU 73 (1959) 351—362; ders, Komposition u Herkunft der joh Reden, BWANT 81 (1960) 99—102; KGKuhn, Joh-Ev u Qumrantexte, Festschr OCullmann (1962) 111—122; HBraun, Qumran u das NT I (1966) 96—138. — Zu E IV 2: OSchaefer, „Gott ist Licht", 1 Joh 1, 5. Inhalt u Tragweite des Worts, ThStKr 105 (1933) 467—476; CHDodd, The First Epistle of John and the Fourth Gospel, The Bulletin of the John Ry-

A. Die Wortgruppe im Griechischen.

1. Sprachgebrauch.

a. Das Subst φῶς[1] *Licht* ist seit Hom[2] belegt. Dgg treten die für uns in Frage kommenden Derivate meist spät u selten auf. — *b.* φωτίζω heißt intr *leuchten*, von der Flamme Theophr Ign 4, 30, trans *erleuchten, ans Licht bringen*, von der Sonne δοκεῖν . . . φωτίζειν τὸν κόσμον Diod S 3, 48, 4, in übertr Bdtg *bekanntmachen*, zB ὡς ἂν πεφωτισμένων τῶν πραγμάτων ὑπὸ τῆς ἀληθείας Luc, De calumnia 32, ἡ μὲν οὖν ἀνθρωπίνη βοήθεια παντάπασιν ἦν ἀσθενής, ἡ τύχη δὲ ἐφώτισε τὴν ἀλήθειαν ἧς χωρὶς ἔργου οὐδὲν τέλειον Charito III 3, 8[3], vgl Polyb 30, 8, 1; Epict Diss I 4, 31; ἐπεὶ δὲ ἡ τοῦ δαιμονίου πρόνοια . . . τὰ κεκρυμμένα βουλεύματα . . . εἰς φῶς ἄγει Dion Hal Ant Rom 10, 10, 2. Jüd Einfluß zeigt wohl Audollent Def Tab 242, 13 (3. Jhdt nChr): ὁρκίζω σε τὸν θεὸν τὸν φωτίζοντα καὶ σκοτίζοντα τὸν κόσμον. Auch die Mysteriensprache verwendet das Wort, zB Vett Val IX 15 (p 359, 22): πεφωτισμένην τὴν μυσταγωγίαν ἐκτήσω, vgl VII 2 (p 271, 14 ff). — *c.* φωτισμός *Erstrahlen, Leuchten* ist selten. Belege finden sich seit etwa 300 vChr, vgl zB Plut Fac Lun 16 (II 929 d); 18 (II 931 a)[4]. — *d.* Entsprechendes gilt von φωστήρ *Leuchtkörper, Glanz*. Das Wort wird bes für die Gestirne verwandt: οἱ δύο φωστῆρες (sc Sonne u Mond) Simpl In Epict 27 (Dübner 72, 6 f), ὁρκίζω σε τὸν φωστῆρα καὶ ἄστρα ἐν οὐρανῷ ποιήσαντα Audollent Def Tab 271, 23 f (3. Jhdt nChr)[5]. Im übertr Sinn wird ein König φωστήρ genannt Themist Or 16, 204 c. Von den Augen als φωστῆρες ist Vett Val II 36 (p 110, 22) die Rede. Die Bdtg *Glanz* findet sich Anth Graec 11, 359, 7. — *e.* φωσφόρος heißt als Adj *das Morgenlicht bringend*, von der Ἕως Eur Ion 1157, von Dionysos Aristoph Ra 342. Als Subst heißt es der *Morgenstern* Tim Locr 96 e; 97 a; Pseud-Aristot Mund 2 p 392 a 27; Cic Nat Deor II 20, 53[6]. — *f.* φωτεινός (→ VII 425 A 7) *licht* ist Gegensatzbildung zu σκοτεινός u findet sich im wörtlichen u übertr Sinn, von der Sonne Xenoph Mem IV 3, 4, in Gegenüberstellung zu σκοτεινός III 10, 1; Plut Col 7 (II 1110 b)[7]. Übertr heißt φωτεινός *klar*, vom λόγος Plut Lib Educ 13 (II 9 b). — *g.* ἐπιφαύσκω u ἐπιφώσκω[8] *erstrahlen, anbrechen*, sind selten u spät bezeugt, zB PLond I 130, 39 (1./2. Jhdt nChr). Sie ersetzen offenbar älteres διαφαύσκω (-φώσκω) u ὑποφαύσκω *der Tag bricht an*, zB ἅμ' ἡμέρῃ . . . διαφωσκούσῃ Hdt III 86, 1, ὑποφωσκούσης (vl: ὑποφασκούσης) ἕω Aristot Probl 25, 5 p 938 a 32, ὑποφαύσκοντος 8, 17 p 888 b 27, ἄρτι διαφαύσκοντος Polyb 31, 14, 13, s auch Orph Hymn (Quandt) 50, 9; Act Thom 34 (p 151, 11).

2. Bedeutung.

Bei dem Subst φῶς sind wörtliche, bildliche u übertr Bdtg aus frühester Zeit belegt. Für die Bdtg des Phänomens des Lichts sind verwandte Wörter

---

lands Library 21 (1937) 129—156; JDupont, Jésus-Christ, Lumière du monde, Essais sur la christologie de St Jean (1951) 61—105; EHaenchen, Neuere Lit zu den Joh-Briefen, Die Bibel u wir. Gesammelte Aufsätze II (1968) 235—311.

[1] φῶς ist aus φάος (→ A 2) kontrahiert, dieses aus *φαϝος entstanden. Es gehört zum Aor φά(ϝ)ε die Morgenröte *erschien* Hom Od 14, 502 u zum reduplizierten Praes πιφαύσκω Hom Od 11, 442 u spätere Dichter *ans Licht bringen*, Med *zeigen*. Weiter wird es zu φαίνω (→ 1 A 1) *zeigen*, φαίνομαι *erscheinen*, Aor ἐφάνην, Perf πέφηνα (→ ebd) gestellt, doch ist das lautliche Verhältnis von φαϝ- zu φαν-, das an χάος neben χαίνω Perf κέχηνα *sich auftun, klaffen* erinnert, unklar. Weitere Verwandte s Boïsacq, Hofmann, Frisk sv φάος — Vom kontrahierten φῶς aus sind im Attischen die anderen Kasus φωτός, φωτί usw statt φάεος, φάει usw neu gebildet worden. [Risch]

[2] Hom hat nie φῶς, sondern entweder φάος, zB Od 23, 371, was auch noch später vorkommt, zB Aristoph Eq 973, oder die zer-

dehnte Form φόως Od 5, 2, s Liddell-Scott sv φάος.

[3] ed WEBlake (1938). Weitere Belege bei → Festugière IV 100 A 1.

[4] Weitere Belege bei Pass, Liddell-Scott, Pr-Bauer sv.

[5] Zu den Belegen in der LXX → 310, 19 ff; für das Judt vgl noch Sib 3, 88; Test L 14, 3; Jud 25, 2; gr Hen 104, 2 (ed CBonner, The Last Chapters of Enoch in Greek, Studies and Documents 8 [1937]), für das NT Phil 2, 15. In 1 Ἐσδρ 8, 76; Apk 21, 11 heißt φωστήρ *Glanz*.

[6] S Wnd Kath Br zu 2 Pt 1, 19. Dölger will Ant Christ V 1—43 unter dem φωσφόρος nicht den Morgenstern, sondern die Sonne verstehen, was im Zshg besser passen würde. Doch sind seine Belege für diese Bdtg prekär.

[7] Zur Wortbildung → VII 425 A 7.

[8] Bloßes φαύσκω, φώσκω kennen nur späte Lexikographen, zB Etym M 673, 51, doch haben Hom u die folgenden Dichter ein trans πιφαύσκω (→ A 1). — Das ω von -φωσκω ist wohl als Anlehnung an φῶς zu erklären. [Risch]

wie αὐγάζω (→ I 505, 5ff), λάμπω (→ IV 17, 1ff), σέλας, φέγγος usw mit zu berücksichtigen (→ A 135). Wörtlich bezeichnet φῶς *a.* das *Tageslicht* ἤδη μὲν φάος ἦεν ἐπὶ χθόνα Hom Od 23, 371, τὸ ἡμερινὸν φῶς Plat Resp VI 508c. ἐν φάει heißt *am Tage* Hom Od 21, 429, ἅμα φάει *mit Tagesanbruch* Plut, De Aristide 15 (I 327d). Opp ist νύξ Aesch Prom 24, ζόφος Hom Od 3, 335; — *b.* das *Licht* der Sonne κατέδυ λαμπρὸν φάος ἠελίοιο 5 Hom Il 1, 605 u der übrigen Himmelskörper σελάνας ἐρατὸν φάος Pind Olymp 10, 75, vgl Plat Resp VII 516a—b; — *c.* insgesamt das *Hell-Sein* auf der Erde, Rückkehr aus dem Hades ist Rückkehr ans Licht Soph Phil 624f; El 419; — *d.* weiter den *Schein* von Lichtern Hom Od 19, 33f; Aesch Choeph 863; — *e.* die *Lichter* selbst, *Lampen* φῶτα BGU III 909, 16 (359 nChr), φῶς ποιέω *Feuer anzünden* Xenoph Hist Graec VI 2, 29[9]. 10

Das Licht ist nicht nur Medium des Sehens Plat Resp VI 508a; Epict Diss I 6, 6. 8, sondern wird auch selbst zum Gegenstand des Sehens. Das zeigt sich in den Attributen, die ihm beigelegt werden: φάος ἱερόν Hes Op 339, ἡμέρας ... ἁγνὸν φάος Eur fr 443 (TGF 495), vgl Soph El 86; οὐράνιον Soph Ant 944; γλυκερόν Hom Od 16, 23; ἡδὺ γὰρ τὸ φῶς βλέπειν Eur Iph Aul 1218f; φέγγος ἱλαρόν Aristoph Ra 456, καθαρόν Pind Pyth 9, 90; 15 λαμπρόν 8, 97[10]. Das unterscheidet die Griechen völlig von den Orientalen[11]. Der grundlegende Zshg von Licht u Sehen erscheint in den Ausdrücken φάος ὀμμάτων *Licht der Augen* Pind Nem 10, 40f, φάεα *die Augen* Hom Od 16, 15, ὄσσε φαεινώ *die lichten Augen* des Zeus Il 16, 645, vgl vom inneren Auge τὴν τῆς ψυχῆς αὐγήν Plat Resp VII 540a. Zur Beziehung von Licht u Sehen → 307, 10ff[12]. Das Licht ist die Möglichkeit des Er- 20 fassens u damit der Bewältigung der Welt. Sehen des Lichts ist Leben ὄφρα δέ μοι ζώει καὶ ὁρᾷ φάος ἠελίοιο Hom Il 18, 61. 442[13], Scheiden vom Licht ist Sterben (→ VII 426, 1ff) Hom Il 18, 10f; Aristoph Ach 1185. Aus diesem Verhältnis zum Licht als der Möglichkeit des Lebens, nicht nur im Sinn des Vorhandenseins, sondern des erfüllten Lebens, ergibt sich die bildliche u die übertr Bdtg des Wortes: ὅτι γὰρ ἀσμένοις τοῖς 25 ἀνθρώποις καὶ ἱμείρουσιν ἐκ τοῦ σκότους τὸ φῶς ἐγίγνετο, ταύτῃ ὠνόμασαν „ἱμέραν" (dh ἡμέραν) Plat Crat 418c—d. Damit ist angedeutet, daß das Dasein des Lichts keine Selbstverständlichkeit ist. Zur Bezeichnung der Richtung vgl Plat Resp VII 518a (vom Vorgang des Sehens): ἐκ φωτὸς εἰς σκότος — ἐκ σκότους εἰς φῶς. φῶς wird zur Bezeichnung des Heils überh. Das Licht kann Gegenstand des Preisens sein, zB das *strahlende* 30 *Licht* der Freiheit Aesch Choeph 809f. Damit wird zum Ausdruck gebracht, daß der Mensch nicht einfach schon im Heil ist. Licht ist die Welt der Götter, vgl Hom Od 6, 43ff; Pseud-Aristot Mund 6 p 400a 6ff[14]. Licht ist Rettung φάος δ' ἑτάροισιν ἔθηκεν Hom Il 6, 6 u Hoffnung Soph Ant 599f. Der Retter erscheint als Licht καὶ τῷ μὲν φάος ἦλθεν Hom Il 17, 615, vgl 16, 39; Soph El 1224. 1354f, ebs der erfreuliche Mensch: ἦλθες, 35 Τηλέμαχε, γλυκερὸν φάος Hom Od 16, 23. φάος ist synon mit *Freude* Aesch Pers 300; φῶς ... μακάριον (sc die Hochzeit) τῇ παρθένῳ Eur Iph Aul 439. Eine Frau ist φῶς τῆς οἰκίας Ditt Syll[3] III 1238, 2 (um 160 nChr). Positiver Sinn liegt auch da vor, wo Licht scheinbar neutral die *Öffentlichkeit,* das *Bekannte* bezeichnet Pind Nem 4, 37f, ἐς φῶς ... εἶμι Soph Phil 1353; ἐς φῶς λέγω 581, vgl Athen 11, 114 (506c); Plat Leg IV 724a; 40 VI 788c, übertr auch Plat Phaedr 261e. Der Heilssinn zeigt sich, wenn man auf das opp σκότος (→ VII 425, 9ff), das Unbekannte, das der Erhellung bedarf, achtet: κλεπτῶν γὰρ ἡ νύξ, τῆς δ' ἀληθείας τὸ φῶς Eur Iph Taur 1026. Mit der Bdtg Öffentlichkeit berührt sich der Sinn *Ruhm* Pind Pyth 4, 271.

Licht begleitet die Manifestation des Göttlichen Eur Ba 1082f. Bei der Entrückung 45 des Emped erstrahlt φῶς οὐράνιον καὶ λαμπάδων φέγγος Diog L VIII 68[15]. Der urspr Sinn hält sich auch in der Beschreibung der geistigen Erleuchtung durch das Licht der Erkenntnis Plut Aud 17 (II 47c); Quomodo quis suos in virtute sentiat profectus 5 (II 77d); Plat (→ 307, 3ff). Erkenntnis führt zum Sich-Verstehen in der Welt. Dabei ist vorausgesetzt, daß dieses erst entdeckt werden muß; daraus erklären sich das Bild 50 des Weges (→ 315, 5ff) u die Beschreibung des Vorgangs der Erkenntnis durch Verben wie *aufstrahlen.* Die Richtung des Weges wird durch Präp angezeigt, die den διάνοια wird abgewandt ἐκ τῶν σκοτεινῶν καὶ ταρακτικῶν u zugewandt πρὸς τὰ φωτεινὰ καὶ λαμπρά Plut, Consolatio ad uxorem 8 (II 610e).

---

[9] Ant Christ V 27 A 72.
[10] Die Attribute sind zusammengestellt bei → Beierwaltes 99f. „Es sind teils Worte, die auf den numinosen Charakter des Lichtes hinweisen, teils rühmende Bezeichnungen, die aus dem Dank für die Gabe des Lichtes entspringen ..., teils solche, die sein Wesen allg kennzeichnen" → Beierwaltes 99; s noch → Dölger Sol 358 A 1; Ant Christ V 1—43.
[11] Im AT findet man nur an einer einzigen

späten St ein Prädikat, Qoh 11, 7: „Und süß ist das Licht u köstlich den Augen, die Sonne zu schauen".
[12] → Bultmann 337f.
[13] Vgl Aesch Pers 299; Choeph 61ff; Soph Oed Tyr 375; μηκέτ' ὄντα ... ἐν φάει Phil 415.
[14] → Beierwaltes 13.
[15] → Beierwaltes 14—17, der freilich zu Unrecht Licht u Glanz einfach identifiziert.

3. Licht und Erleuchtung in der Philosophie.

a. Bei den Vorsokratikern ist zwar gelegentlich vom Licht die Rede, aber dieses wird zunächst nicht als Element angesehen, u Licht wird nicht zum Begriff. Das hängt mit der Gesamtfragestellung zus. Sie geht auf das Seiende; dieses wird zunächst als Urstoff gesucht[16]. φῶς wird lediglich als physikalisches Phänomen erklärt, durch das Element des Feuers (→ VI 929, 30ff). Es bewegt sich fort, ist ausströmende Substanz Emped bei Aristot An II 7 p 418b 20ff; dgg polemisiert Aristot ebd. φῶς ist also Gegenstand, nicht Prinzip der Erklärung[17]. Die Schwierigkeit für die theoretische Erfassung liegt darin, daß die Erfahrung von hell u dunkel anderer Art ist als etwa die von warm u kalt. Sie ist nicht in gleicher Weise unmittelbar. Das Licht ist zunächst Medium, nicht Gegenstand der Wahrnehmung. Aber die Theorie behandelt es als solchen. Sie wird mit den verschiedenen Weisen der Wahrnehmung vorerst nicht fertig. Der übertr Sinn deutet sich dann bei Heracl fr 26 (Diels I 156) an: ἄνθρωπος ἐν εὐφρόνηι φάος ἅπτεται ἑαυτῶι ἀποσβεσθεὶς ὄψεις „Der Mensch zündet sich in der Nacht ein Licht an, wenn sein Augenlicht erloschen ist"[18]. Den entscheidenden Fortschritt bringt Parmenides. Er schildert in dem berühmten fr 1 (Diels I 228) den Weg vom Hause der Nacht zum Licht, den Weg der Wahrheit als den Weg zum Sein, das eo ipso Licht-Sein ist[19]. Der mythische Ausgangspunkt ist noch zu erkennen, wenn die Erleuchtung auf Gott zurückgeführt wird. In Wirklichkeit ist sie die Erfahrung des reinen Denkens, in dem das Sein erfahren wird. Licht ist die notwendige Voraussetzung aller Einsicht. „Aber nachdem alle Dinge Licht (φάος) u Nacht (νύξ) benannt u das, was ihren Kräften gemäß ist, diesen u jenen als Namen zugeteilt worden, so ist alles voll zugleich von Licht u unsichtbarer (ἄφαντος) Nacht, die beide gleich (-gewichtig); denn nichts ist möglich, was unter keinem von beiden steht" Parm fr 9, 1ff (Diels I 240f). Das gilt rein urteilsmäßig u ist nicht etwa moralisch gemeint. Dunkel ist nicht Schuld, sondern bloße Gegenüberstellung zum Licht fr 8, 54 (Diels I 239). Es entsprechen sich die Struktur des Kosmos u des Erkenntnisorgans[20]. Es gilt das Prinzip, daß Gleiches durch Gleiches erkannt wird Parm nach Theophr, De sensu 1, 3, vgl Plat Resp VI 508b.

b. Nicht grundsätzlich weiterentwickelt ist die Begrifflichkeit im frühen Dualismus. Nach den Orphikern sind zuerst das Chaos u die Nacht u der finstere Erebus u der weite Tartarus Aristoph Av 693ff; Hipp Ref IV 43, 12; 44, 1; Orph Fr (Kern) 65; Polemik dgg findet sich Aristot Metaph 11, 6 p 1071b 26ff[21]. Durch die Paarung von Eros u Chaos wird unser Geschlecht ans Licht gefördert. Trotz der Gestalt des Gottes Phanes u seiner Tochter Nyx kommt es nicht zur terminologischen Ausbildung des Gegensatzes.

c. Bei den Pythagoreern erscheinen Licht u Finsternis in der Reihe ihrer zehn antithetischen Prinzipien Alkmaion nach Aristot Metaph 1, 5 p 986a 22ff; φῶς ist ἐπιφάνεια sichtbare Oberfläche, diese ist χρῶμα, u dieses ist wiederum πέρας[22], vgl Aristot, De sensu et sensibilibus 3 p 439a 30f. Alexander Polyhistor sagt über die

---

[16] Verfehlt ist die These von → Westhoff 5f. 56, der Sonnenkult sei der Ursprungsort der griech Lichtmetaphysik u die Lichtvorstellung der Vorsokratiker sei die direkte Fortsetzung des Sonnenkultes. Er stützt sich auf Plat Crat 397c—d. Aber die St trägt die Beweislast nicht. Im alten Griechenland gab es keinen Sonnenkult, s Nilsson II 839; → Bultmann 332; → Beierwaltes 4. Daran ändern auch die Belege über Gebete zur Sonne → Festugière IV 245 A 3 nichts. → Westhoff 6. 15f. 55—57 setzt fälschlich Licht u Feuer gleich. Beides ist grundsätzlich zu unterscheiden, trotz Emped fr 84 (Diels I 342), wo die Identifizierung von Licht u Feuer der Erklärung des Sehvorgangs dient; er kommt durch das Ausstrahlen von Feuer aus den Augen zustande.

[17] Zur Fragestellung vgl Aetius, De placitis reliquiae VI 15 (ed HDiels, Doxographi Graeci [1879] 405f): εἰ ὁρατὸν τὸ σκότος.

[18] Gemeint ist das Licht der Weisheit, →

Beierwaltes 94 A 3, bzw die Fackel des Logos, FJBrecht, Heraklit (1936) 54.

[19] S WKranz, Über Aufbau u Bdtg des Parmenideischen Gedichtes, SAB 1916, 47 (1916) 1158—1176; WJaeger, Paideia I³ (1954) 240; ders, Die Theol der frühen griech Denker (1953) 122; BSnell, Die Entdeckung des Geistes ³(1955) 197—200; HFränkel, Parmenidesstudien, NGG 1930 (1930) 153—192; ders, Dichtung u Philosophie des frühen Griechentums ³(1969) 398—422; → Beierwaltes 34—36; KDeichgräber, Parmenides' Auffahrt zur Göttin des Rechts, AAMainz (1958) 629—724; ASchwabe, Hes u Parm, Rhein Mus 106 (1963) 134—142; WBurkert, Das Prooem des Parm u die Katabasis des Pythagoras, Phronesis 14 (1969) 1—30.

[20] → Beierwaltes 34—36.

[21] → Dölger Sonne 42—44.

[22] Vgl Jaeger Theol aaO (→ A 19) 79. 126; → Beierwaltes 30—33.

Pythagoreer: ἰσόμοιρά τ' εἶναι ἐν τῷ κόσμῳ φῶς καὶ σκότος, καὶ θερμὸν καὶ ψυχρόν, καὶ ξηρὸν καὶ ὑγρόν fr 93, 26 (FGrHist III A 116)[23].

d. Plato entfaltet eine ausgesprochene Lichtmetaphysik[24]. Licht ist nicht etwa Bild für das wahre Sein, sondern das wahre Sein ist licht; daher kann es erhellen, u der Mensch gewinnt die Erleuchtung durch Aufstieg zum Sein. Vom Auf- 5 stieg zum Licht redet Resp VII 517b; 521c[25]. Erkenntnis setzt Lichtsein der Ideen voraus, u umgekehrt lichtet die Erkenntnis das Sein: das ἀγαθόν ist τοῦ ὄντος τὸ φανό-τατον Resp VII 518c, ähnlich vom Schönen Phaedr 250d. Zur Identität von Gutem u Schönem vgl Resp VI 508a—509d mit Symp 210e—212a[26]. Licht u Wahrheit entsprechen sich: ὃν (sc die Sonne) τἀγαθὸν ἐγέννησεν ἀνάλογον ἑαυτῷ Resp VI 508b. Von 10 der Schau des Guten selbst u dessen Lichtcharakter redet Resp VII 540a: ... ἀνακλί-ναντας (*aufwärts richten*) τὴν τῆς ψυχῆς αὐγὴν (*Auge*) εἰς αὐτὸ ἀποβλέψαι τὸ πᾶσι φῶς παρ-έχον, καὶ ἰδόντας τὸ ἀγαθὸν αὐτό, παραδείγματι χρωμένους ἐκείνῳ ... [27]. Zur Erleuchtung gehört das Moment der Plötzlichkeit Ep 7, 341c[28]. Die Erleuchtung ist nicht subjektives Erlebnis, sie erschließt vielmehr das gegenseitige Verstehen der Wissenden. Der 15 Sinn ist kein mystischer, sondern ein durch u durch rationaler, kein moralischer, sondern ein ontologischer[29]. Im Forschen versteht sich der Mensch von der Erschließung des Obj her. Weder die Konturen der Dinge noch die des Subj noch die Grenze zwischen Subj u Obj verschwinden — trotz der Grenzmöglichkeit der Blendung Resp VII 516a[30]. Das gilt auch da, wo sich Plat der Sprache der Mysterien bedient Symp 210a; τελέους 20 ἀεὶ τελετὰς τελούμενος Phaedr 249c[31]. Plat kennt keinen dunklen Ur- oder Ungrund[32], vgl die Schilderung des Aufstiegs: γνῶναι ἂν ὅτι ἐκεῖνός ἐστιν ὁ ἀληθῶς οὐρανὸς καὶ τὸ ἀληθινὸν φῶς καὶ ἡ ὡς ἀληθῶς γῆ Phaed 109e.

e. Aristoteles bestimmt das Wesen des Lichts folgendermaßen: φῶς δέ ἐστιν ἡ τούτου ἐνέργεια τοῦ διαφανοῦς ᾗ διαφανές. δυνάμει δέ, ἐν ᾧ τοῦτ' ἐστί, καὶ 25 τὸ σκότος An II 7 p 418b 9ff; δοκεῖ ... τὸ φῶς ἐναντίον εἶναι τῷ σκότει 418b 18. Vgl weiter ἡ γὰρ αὐτὴ φύσις ὁτὲ μὲν σκότος ὁτὲ δὲ φῶς ἐστιν 418b 31f, ἔστι δὲ τὸ σκότος στέρησις τῆς τοιαύτης ἕξεως ἐκ διαφανοῦς, ὥστε δῆλον ὅτι καὶ ἡ τούτου παρουσία τὸ φῶς ἐστιν 418b 18—20, ferner 419a 11; III 3 p 429a 3. In III 5 p 430a 14f wird die Tätigkeit des νοῦς mit einem Licht verglichen. Plat geht vom Lichtsein der Dinge aus, bei Aristot bringt der νοῦς 30 den Gegenstand zum Leuchten[33].

4. Licht im Kult.

Lichteffekte spielen eine Rolle im Totenkult. Lichter vertreiben die Dämonen[34]. Bes instruktiv sind die Mysterien, so die eleusinischen Hipp Ref V 8, 40, vgl Firm Mat Err Prof Rel 22, 1[35]. Man sieht eine gewisse Entwicklung. Als Kon- 35

---

[23] Dazu vgl FJacoby, FGrHist IIIa 293f.
[24] Vgl vor allem den Schluß des VI. u den Anfang des VII. Buches der Resp, ferner Ep 7 (die Frage der Echtheit kann beiseite bleiben).
[25] PFriedländer, Platon I ³(1964) 69.
[26] → Beierwaltes 80—82; GKrüger, Einsicht u Leidenschaft (1939) 157—165.
[27] → Beierwaltes 52: „Das intelligible Licht ist dem sinnlichen logisch u ontologisch vorgeordnet." → Stenzel 243: „Anstatt daß ein allzu helles Licht diese Welt im Dunkel verschwinden läßt, wird alle Schau des Ewigen, Unveränderlichen immer wieder zu ihrer Durchdringung verwendet. Die Welt wird grade (sic!) durch den Aufweis eines in ihr verborgenen, geist- u sinnbezogenen Kerns in ihrer diesseitigen Göttlichkeit gleichsam transparent u strahlt das Licht der auf sie gerichteten Schau von ihrem innersten Grunde selbst zurück."
[28] → Stenzel 252. Zum Verständnis der Wahrheit als Unverborgenheit (mit MHeid-

egger, Platons Lehre von der Wahrheit [1947] gg Friedländer aaO [→ A 25] I 233—248): → Beierwaltes 74—79; EHeitsch, Wahrheit als Erinnerung, Herm 91 (1963) 36—52. Metaphorischer Gebrauch liegt Plat Phaedr 261e; Ep 7, 341d; Leg VII 788c vor.
[29] → Stenzel 257: „Die Erleuchtung über gut u böse bedeutet für Platon Erkenntnis der Welt durch sachlichste (sic!) Wissenschaft; sie ist nicht Regung des verantwortlichen Gewissens, keine Erlösung durch göttliche Gnade, keine Leitung durch einen mit einem Charisma begabten Führer."
[30] Das sieht man ua aus der Fortsetzung der oben angegebenen St, wo Sein im Licht u im Dunkel gegenübergestellt u die Erkenntnisstufen bis zur Schau des ἀγαθόν dargestellt werden Resp VII 516c—518d.
[31] → Beierwaltes 25; → Bultmann 342.
[32] → Beierwaltes 77.
[33] → Beierwaltes 95.
[34] → Cumont 47. 54.
[35] Rohde I 285; → Wetter Phos 98—101.

stante kann die Begrüßung des erstrahlenden neuen Lichts angesehen werden ἄι]δε [36],
νύμφε, χαῖρε, νύμφε, χαῖρε νέον φῶς Firm Mat Err Prof Rel 19, 1 [37]. In der klass Zeit meint
das Licht nicht die persönliche Erleuchtung, sondern die Epiphanie, die Lichtschau.
Eine Epiphanie des Dionysos ist beschrieben Soph Ant 1146 ff; Oed Col 1047 ff; Eur Ba
594 ff; Aristoph Ra 343 ff (→ 340 A 315; IV 18, 27 ff). Das Element der Epiphanie
bleibt bis in die Spätzeit. Doch wird hier der Weg durch das Mysterium zum mystischen Aufstieg Apul Met XI 23, mit Wechsel von Licht u Dunkel: σκότους τε καὶ φωτὸς
ἐναλλὰξ αὐτῷ (sc dem Mysten) φαινομένων Dio Chrys Or 12, 33. Das Interesse konzentriert
sich nicht auf den Gegensatz von Licht u Finsternis, sondern auf das Ziel, vgl Apul
Met XI 23. Das sieht man schon am Niederschlag der Mysterienmotive in der Lichtsymbolik der klass Zeit (→ 307, 20 ff), ebs Plut Is et Os 77 (II 382 c—d); ἐλλάμπω ist
in Jambl Myst fast term techn, vgl zB II 6 (p 81).

B. Die Wortgruppe im Alten Testament.

1. Der altorientalische Hintergrund.

Überall schimmert das urspr Verständnis vom Licht als der
natürlichen Helligkeit des Tages durch. Der orientalische Sprachgebrauch löst sich
nicht aus dem Zshg von Licht u Lichtkörper, er bleibt im Naturhaften. Sonne, Licht,
Leben u Heil gehören zus [38]. Meist redet man überh von der *Sonne*. Die Bindung des
Lichtes an diese zeigt beispielhaft der Hymnus Echnatons [39]. Erst von diesem Ansatz
her werden die Lichtprädikate auch auf andere Träger übertragen [40]. Für Babylonien
gilt trotz des ganz anderen Weltbildes Ähnliches. Auch hier bleibt das Licht an seinen
Träger gebunden. Die Lichtprädikation hat ihren Sitz vor allem in Hymnen. Šamaš
ist der „Aufheller der Finsternis, Erleuchter des Dunkels, der die Dunkelheit aufbricht,
die weite Erde erleuchtet, den Tag erhellt" [41]. Er wird gebeten (von Nabonid): „Schenke
mir ein Leben für fernste Tage, daß ich für immer in deinem Lichte bleibe" [42]. Die
äußerste Grenze der Reflexion, die dem orientalischen Denken erreichbar ist, bildet das

[36] Die Lesung ἰδέ (statt ἄιδε) verteidigt
MJVermaseren, Mithras. Gesch eines Kults
(1965) 117; zu νύμφε statt νύμφιε → Bidez-
Cumont 154.
[37] Zur Verbreitung des Rufes s Ant Christ
V 1—43 passim. Lychnomantik findet sich
Preis Zaub I 4, 978 f (4. Jhdt nChr): ὁρκίζω σε,
ἱερὸν φῶς, ἱερὰ αὐγή, πλάτος, βάθος, μῆκος,
ὕψος, αὐγή (vgl Eph 3, 18), s auch 959 ff;
Nilsson II 508.
[38] Physisches u eigtl Leben werden auch
da nicht unterschieden, wo der Gedanke an
das Weiterleben im Jenseits eine beherrschende Rolle spielt, wie etwa in Ägypten.
Das eigtl Leben ist das glückliche, erfüllte,
diesseitige Leben. Zu Kosmologie u Jenseits-
vorstellung → Hornung 73—81; ders, Nacht
u Finsternis im Weltbild der alten Ägypter
(Diss Tübingen [1956]).
[39] Übers zB AOT 15. Weitere Lieder bei
AErman, Die Lit der Ägypter (1923) 187—192.
Wie wenig das Licht von der Sonne abstrahiert
wird, zeigt der Hymnus in Ancient Near
Eastern Texts relating to the Old Testament
ed JBPritchard [2] (1955) 367 f (→ VII 428 A 31).
Instruktiv sind auch die monumentalen
Quellen, zB JBPritchard, The Ancient Near
East in Pictures (1954) Nr 408 f. 411, zur
Deutung der Hände des Sonnengottes, die
das göttliche Licht-Kraft-Fluidum ausströ-
men, s FPreisigke, Vom göttlichen Fluidum
nach ägyptischer Anschauung, Pap-Institut
Heidelberg I (1920) 6—10, vgl ERGoodenough,
Jewish Symbols in the Greco-Roman Period

V (1956) 146 f; V Abb 183 (Sonne, Ausströmen
von Wasser, Lebenszeichen ankh, s dazu
p 186). Vgl noch AMassart, L'emploi, en
Égyptien, de deux termes opposés pour ex-
primer la totalité, Festschr ARobert (1957)
38—46.
[40] Hymnus an den Nil (Erman aaO [→
A 39] 195): „Du Licht, das aus der Finsternis
kommt, du Fett für sein Vieh". Nach →
Hornung 81 kennt die Finsternis, abgesehen
vom Gott Kuk, keine Personifizierung. „Das
Licht dgg tritt stets gestaltet auf", personifiziert in Sonne, Gestirnen, „im König wie in
der kultischen Flamme, als Auge u als
Schlange".
[41] AFalkenstein u WvSoden, Sumerische u
akkadische Hymnen u Gebete (1953) 247, vgl
AOT 247.
[42] Falkenstein-vSoden (→ A 41) 288; schon
bei den Sumerern findet sich Entsprechendes:
„... Die große Himmels[herrin], Inanna, will
ich grüßen, das hl Licht, das den Himmel erfüllt, will ich grüßen. Inanna, die weithin wie
die Sonne leuchtet, ... die Heldin des Himmels, die volles Licht ausgießt ..." Falkenstein-vSoden 90. „Dein Fürst ist ein hohes
Licht, ein großer Sturm" 132. „Das reine,
blendende Sonnenlicht ist er", heißt es im
Tempelbauhymnus des Gudea von Lagaš 156.
Šamaš wird „zum eigtl Schützer des Rechtes,
da sein strahlendes Licht alles durchdringt"
→ vSoden 649. Das Licht wird auch zum
besonderen Gott verselbständigt: Kusku,
Kämmerer des Enlil ebd 651 f.

Paradox, daß man mitten im Lichte von der Finsternis umhüllt sein kann. Der sog sumerische Hiob spricht: „Mein Gott, dein Tag strahlt prächtig über das Land. Für mich ist der Tag schwarz" Inschr von Nippur Z 68 (um 1700 vChr)[43].

Iran: Im älteren Avesta, den Gathas, spielt die Begrifflichkeit von Licht u Finsternis keine Rolle. Sie fehlt in der St von den beiden Geistern, der für die religions- 5 geschichtliche Beurteilung der Qumran-Texte (→ 317, 21ff) eine Schlüsselstellung zukommt[44]. Man kennt zwar einen hellen Bereich des Heils u einen dunklen des Unheils[45], aber zur terminologischen Ausbildung des Gegensatzes kommt es nicht[46]. Die einzige St, die einer terminologischen Ausbildung wenigstens nahe zu kommen scheint, ist Yasna 44, 5[47]: „Das frag ich dich, recht tu es mir kund, Herr! Welcher Meister 10 schuf die Lichter u die Finsternisse? Welcher Meister schuf Schlaf u Wachen? Wer ist's, durch den Morgen, Mittag u Abend sind, den Verantwortungsbewußten an seine Pflicht zu mahnen?"[48] Das Licht ist auch bei Zarathustra so wenig wie im übrigen alten Orient vom naturhaften Substrat gelöst. So ist die Ableitung der jüd u dann der chr sowie der gnostischen dualistischen Redeweise von Licht u Finsternis aus der per- 15 sischen Religion problematisch, zumal sich eine innerjüdische Entwicklung beobachten läßt (→ 315, 25ff). Jedenfalls haben wir für den Zeitraum, der in Frage kommt, kein Quellenmaterial[49].

Immerhin ist auf die Argumente für eine Frühdatierung der iranischen Licht-Finsternis-Terminologie hinzuweisen. Sie spielt im jüngeren Avesta eine erhebliche Rolle u 20 beherrscht völlig das manichäische Schrifttum[50]. Dieser Befund lädt zu Rückschlüssen auf eine frühere Zeit ein[51]. Ein bes Problem stellen die griech Nachrichten über den

---

[43] ed u übers SNKramer, „Man and his God", Festschr HHRowley, VT Suppl 3 (1955) 170—182.

[44] Yasna 30, 2—5: „... Vernehmet mit den Ohren höchste Werte, betrachtet mit helllichtem Sinn die beiden Bekenntnisse der Entscheidung ... Die beiden Geister zu Anfang, die Zwillinge, durch ein Traumgesicht sich offenbarend, sie sind im Sinnen, Reden, Handeln das Bessere u das Böse. Zwischen diesen beiden schieden recht für sich die Klugen, nicht die Törichten. Als aber diese beiden Geister aufeinandertrafen, da stifteten sie erstmals Leben u Tod, u daß am Ende bösestes Dasein harrt der Lügenknechte — des Rechtgläubigen aber der Beste Sinn. Von diesen beiden Geistern erkor sich der Lügengeist, Bösestes zu wirken, das göttliche Recht aber [erwählte] der Heilige Geist, der die festesten Himmel zum Gewand hat" (übers → Hinz 169f). Vgl KGKuhn, Die Sektenschrift u die iranische Religion, ZThK 49 (1952) 296—316; HLommel, Die Religion Zarathustras (1930) 22f; HSNyberg, Die Religionen des Alten Iran, Mitteilungen der Vorderasiatisch-Ägyptischen Gesellschaft 43 (1938) 102—109; → Hinz 107—109.

[45] Die Erklärung von → Festugière III 24, vgl 87 A 2, der iranische Dualismus sei ein Dualismus in der Welt, der griech ein solcher zwischen einer diesseitigen u einer geistigen Welt, wird dem Befund in St wie Yasna 28, 2f (→ Hinz 168) nicht gerecht.

[46] Yasna 43, 16 (→ Hinz 184): „Im sonnenhaften Reiche möge Andacht (Armaiti) sein"; Yasna 31, 7 (→ Hinz 172): „Der als erster darauf sann, die seligen Gefilde mit Lichtern zu durchfluten", vgl den Komm → Hinz 205. 212; Nyberg aaO (→ A 44) 127. Yasna 50, 10 (→ Hinz 200): „Die Lichter der Sonne, der Tage flammender Morgenglanz"; Yasna 31, 20 (→ Hinz 174): „Wer zum Rechtgläubigen sich gesellt, nennt künftig jubelndes Glück (HHum-

bach, Die Gathas des Zarathustra I [1959] 94: *Glücksglanz*) sein eigen. Langes Schmachten in Finsternis, ekle Speise, Weheruf — in solches Dasein, ihr Lügenknechte, wird auf Grund eurer Taten euch die eigene Wesenheit führen."

[47] → Hinz 185.

[48] Die Ähnlichkeit mit Js 45, 7 ist so groß, daß man bei Dtjs persischen Einfluß annehmen wird, vgl RMayer, Die bibl Vorstellung vom Weltenbrand, Bonner Orientalische Studien NS 4 (1956) 128. Doch liegt die Weiterentwicklung, die Lösung von der naturhaften Grundlage, gerade in dem für uns entscheidenden Punkt. Vgl für Zarathustra noch Lommel aaO (→ A 44) 199f. Nach OGvWesendonck, Das Weltbild der Iranier (1933) 212 findet sich erst im jüngeren Avesta ausgesprochene Lichtreligion.

[49] Wie „Belege" zustande kommen, sieht man bei Nyberg aaO (→ A 44) 130: „Hertels (JHertel, Die Sonne u Mithra im Avesta, Indoiranische Quellen u Forschungen 9 [1927] 17. 78; ders, Beiträge zur Erklärung des Awestas u des Vedas, ASG 40, 2 [1929] 20) Übers von Asa als ‚Licht des Heils' läßt sich zwar nicht etym so rechtfertigen, wie er es will, u sie ist einseitig, aber sie ist der Sache nach (!) nicht unrichtig u deckt eine wesentliche Seite des Begriffsumfangs von Asa."

[50] Zum jüngeren Avesta → A 48; → Wesendonck passim. Die parthisch-gnostischen Texte finden sich bei CColpe, Die religionsgeschichtliche Schule, FRL 78 (1961) 72—88 (Lit); GWidengren, Iranisch-semitische Kulturbegegnung in parthischer Zeit, Arbeitsgemeinschaft für Forschung des Landes Nordrhein-Westfalen 70 (1960). Zum Manichäismus → 330, 13ff.

[51] Die manichäische Sprache ist nicht aus chr Tradition abzuleiten. Andrerseits gilt gg Rückschlüsse aus dem manichäischen Schrifttum die Warnung: „Es sei hinzugefügt, daß

persischen Dualismus dar[52]. Nach Plut Is et Os 46f (II 369e—f) kennt Zarathustra zwei Götter: ... τὸν μὲν ἐοικέναι φωτὶ μάλιστα τῶν αἰσθητῶν, τὸν δ' ἔμπαλιν σκότῳ καὶ ἀγνοίᾳ ... ὁ μὲν 'Ωρομάζης ἐκ τοῦ καθαρωτάτου φάους ὁ δ' 'Αρειμάνιος ἐκ τοῦ ζόφου γεγονὼς πολεμοῦσιν ἀλλήλοις. Der eine Gott gleicht dem Licht, der andere dem Dunkel u der Unwissenheit; in der Mitte steht Mithra als μεσίτης (→ IV 608, 30ff)[53]. Einen weiteren Beleg bietet Hipp Ref I 2, 12: Διόδωρος δὲ ὁ 'Ερετριεὺς καὶ 'Αριστόξενος[54] ὁ μουσικός φασι πρὸς Ζαράταν τὸν Χαλδαῖον ἐληλυθέναι Πυθαγόραν. τὸν δὲ ἐκθέσθαι αὐτῷ δύο εἶναι ἀπ' ἀρχῆς τοῖς οὖσιν αἴτια, πατέρα καὶ μητέρα. καὶ πατέρα μὲν φῶς, μητέρα δὲ σκότος. Zaratas soll gelehrt haben δύο δαίμονας εἶναι, τὸν μὲν οὐράνιον, τὸν δὲ χθόνιον I 2, 13[55].

2. Sprachgebrauch.

Beherrschend ist die Wortgruppe אור, die in wörtlicher, vom natürlichen Licht u seinem Aufstrahlen, wie in übertr Bdtg gebraucht wird.

Das Verbum אור *leuchten* steht im q vom Anbruch des Tages 2 S 2, 32, vom *Hell-werden* der Augen 1 S 14, 27. 29, vgl das hi Ps 13, 4. Übertr Bdtg liegt אֹרִי Js 60, 1 vor. Entsprechend heißt das hi *leuchten lassen, erleuchten*. Die Nacht wird *leuchten, Licht ausstrahlen* wie der Tag Ps 139, 12. Gott wird gebeten, sein Angesicht *leuchten zu lassen* Ps 31, 17. Sein Gebot *erleuchtet* die Augen Ps 19, 9.

Das Substantiv אור bezeichnet das Tageslicht Ri 16, 2 u das Licht der Gestirne Js 30, 26, vgl auch מָאוֹר *Stern* Gn 1, 14. 16, das in der LXX mit φωστήρ (→304, 15ff) wiedergegeben wird u in der gleichen Bdtg auch Sap 13, 2; Sir 43, 7 begegnet. Licht charakterisiert das natürliche Leben Ps 38, 11; 56, 14 wie das geistige Ps 37, 6; 97, 11; 112, 4; 119, 105. Gott hüllt sich in Licht Ps 104, 2 (→ 312, 14); er ist das Licht

---

die manichäische Auffassung von Licht u Finsternis keine zwingende Konsequenz aus den zoroastrischen oder zervanischen Voraussetzungen ist" Colpe aaO (→ A 50) 126. Zu erwähnen ist auch die entfaltete Licht- u Licht/Finsternisterminologie der indischen Texte. Licht ist Sein, Heil. „Wir haben jetzt Soma getrunken, wir sind Unsterbliche geworden. Wir sind zum Licht gelangt, wir haben die Götter gefunden" Rigveda VIII 48, 3, übers KFGeldner, Vedismus u Brahmanismus, Religionsgeschichtliches Lesebuch, ed ABertholet 9 ²(1928) 57. „Aus dem Nichtsein führe mich zum Sein, aus der Finsternis führe mich zum Licht, aus dem Tod führe mich zur Unsterblichkeit" S'athapatha-Brāhmana 14, 4, 1, 30, Geldner 75, vgl Regist sv Licht usw; dazu IGonda, Die Religionen Indiens I (1960) 91—95.

[52] → Clemen Fontes passim; → Clemen Nachrichten passim; → Benveniste passim; → Bidez-Cumont I. II passim. Wertlos ist das angebliche Basilides-Fr bei Hegemonius, Acta Archelai (ed CHBeeson, GCS 16 [1906] 67, 7—11). Basilides trägt die Lehre von den zwei Prinzipien Licht u Finsternis als Lehre der Barbaren, dh der Perser, vor. Das antimanichäische Machwerk ist ohne Quellenwert sowohl für Basilides (HLeisegang, Die Gnosis ⁴[1955] 204, anders offenbar CHDodd, The Interpretation of the Fourth Gospel ²[1953] 103f) als auch für die persische Religion, deren manichäische Modifikation vorausgesetzt ist. Vgl den Bericht über Mani bei Hegemonius 7, 1—13, 3.

[53] Die St wird stark beachtet, weil in der Umgebung Theopomp zitiert wird. Sollte die Darstellung aus diesem stammen, hätten wir einen Beleg aus dem 4. Jhdt vChr. Aber die Analyse ergibt, daß sie nicht zum Theopompzitat gehört. Die ausdrückliche Nennung Theopomps zeigt, daß er für das Vorausgehende nicht Quelle ist, s dazu FJacoby, FGrHist IId 365 zu Theopompus fr 65. → Bidez-Cumont II 72—79 zeigen, daß Plutarchs Bericht in sich nicht einheitlich ist, anders → Benveniste 112f, der ihn für eine authentische Darstellung des Zervanismus erklärt. Diese Behauptung erledigt sich schon durch die falsche Etymologie des Mithra, vgl noch → Hopfner II 155—169. Es bleibt weiter fraglich, wie weit in die Darstellung griech Terminologie einwirkt, um den allg bekannten Dualismus der Perser auszudrücken, vgl noch Plut Quaest Rom 25 (II 270c) u vor allem Diog L prooem 8 (→ Bidez-Cumont II 9), der sich auf Aristot, De philosophia fr 6 (ed RWalzer [1934]) u Eudoxus von Cnidus beruft u von zwei Prinzipien spricht, aber den Licht-Finsternis-Dualismus terminologisch nicht erwähnt. Zur Frage der Darstellung des Orientalischen bei den Griechen s auch JKerschensteiner, Plat u der Orient (1945) 66f.

[54] Ein Schüler des Aristot; → Bidez-Cumont I 33.

[55] → Clemen Nachrichten 187f meint, die Benennung des Vaters als Licht u der Mutter als Finsternis sei Übertragung pythagoreischer Lehre auf Zarathustra. Zur Sache vgl Plut, De animae procreatione in Timaeo 2 (II 1012e); Hipp Ref VI 23, 4; ferner Cl Al Strom I 15, 69, 6—70, 1 (→ Bidez-Cumont II 36) unter Berufung auf Alexander Polyhistor fr 94 (FGrHist III A 118).

der Frommen Mi 7, 8f[56] u die Möglichkeit des Lebens: In seinem Lichte schauen wir das Licht Ps 36, 10. Die Erleuchtung geschieht durch das Wort, also die Thora Ps 19, 9.

Die wichtigsten weiteren Vokabeln sind נֵר *Leuchte* Ps 119, 105, נגה *leuchten* Js 9, 1, נֹגַהּ *Glanz* Js 60, 19, נהר *leuchten* Js 60, 5 u יפע *aufstrahlen* Dt 33, 2. Von den 200[57] St der Wurzel אור im HT werden 137 mit φῶς (110mal) u Verwandten wiedergegeben. An den übrigen St treten die übrigen griech Vokabeln auf, die fast alle zu demselben Wortfeld gehören, zT bezeichnen sie nur die Tageszeit. Dgg bezeichnet φῶς vor allem in den Weisheitsschriften u bei Js die schöpfungsgemäße (Hiob), gottgegebene Lebenssphäre der Menschen[58].

Das Licht ist nicht, wie bei den Griechen, selbst Gegenstand des Sehens; es bekommt bezeichnenderweise keine Attribute[59]. Von einer theol Ausbildung der Lichtterminologie kann man nur mit Vorbehalt sprechen[60]. Der übertr Gebrauch setzt seinerseits ein bestimmtes Verständnis des menschlichen Daseins in der Welt voraus, nämlich als Bewegung in einem Raum, der helle oder finstere Sphäre sein kann. Vor Augen steht die doppelte Möglichkeit des Heils oder Unheils, wobei sich das Denken natürlich auf das Heil richtet, das gesucht u geschützt werden muß, nicht auf das jederzeit bereite Unheil. Diese Struktur des Verständnisses deckt sich übrigens mit der frühgriechischen.

3. Allgemeines.

Licht ist zunächst physische, erfahrene Helligkeit, die Sphäre des natürlichen Lebens (→ 305, 20ff) mit dem Rhythmus von Tag und Nacht[61]. Es wird aber nicht als Phänomen betrachtet oder als der Zustand erfahren, in dem Sehen, Bewegung und Besorgen des Lebens möglich ist[62]. Das Leben ist das diesseitige Dasein[63]. Die Welt wird nicht einer jenseitigen Lichtwelt gegenübergestellt, und das irdische Licht wird noch nicht aus einem jenseitigen abgeleitet. Wohl ist Gott von Lichtglanz umgeben, aber es ist bezeichnend, daß sich das Reden von Gottes כָּבוֹד (→ II 249, 6ff) und vom Licht kaum berühren. Auch wo sie kombiniert sind, sind die Begriffe nicht synonym, so zum Beispiel Ps 104, 1f, wo הוֹד וְהָדָר für כָּבוֹד eintreten. Gut tritt der Unterschied — neben der Verwandtschaft — Js 60, 1—3 hervor. Die *Herrlichkeit* ist um und an Jahwe; sie macht sein Wesen aus. Anders verhält es sich mit dem Licht: Jahwe „ist" nicht „Licht", sondern von ihm heißt es: *Der Herr ist mein Licht* (Ps 27, 1); er ist der, der *sein Licht* leuchten läßt (Hi 37, 3). Licht bezeichnet einen Bezug, nicht ein Sein. Licht bezeichnet das Leben schlechthin, und zwar nicht als Vorhandensein, sondern als Möglichkeit, bezeichnet also das Heil, vgl *Licht und Leben* (Ps 36, 10; 56, 14). *Das Licht sehen* (→ 305, 21ff) ist leben (Hi 3, 16; 33, 28. 30)[64]. Es gehört zum

---

[56] BReicke, Mik 7 såsom „messiansk" Text, med särskild hänsyn till Mt 10, 35f och Lk 12, 53, Svensk Exegetisk Årsbok 12 (1947) 263—286.

[57] Nach Mandelkern.

[58] Z 7—10 von Bertram.

[59] Die einzige St, wo es durch ein Adj — in prädikativer Stellung — charakterisiert wird, ist spät u zeigt hell Einschlag: Qoh 11, 7 (→ A 11), vgl Eur Iph Aul 1218.

[60] Gg → Aalen Licht u Finsternis 3. Der Lichtbegriff ist ohne Bdtg für das Verständnis des Gesetzes (ausgenommen ist die individualisierende Gesetzesbetrachtung der Weisheit) u der Gesch. ZB findet er sich im Hexateuch außerhalb der Theophanien am Sinai nur in

profaner Bdtg. Aus LXX ist vielleicht Hos 10, 12 von Interesse (→ I 700 A 50); נִיר (*Neubruch*) וְעֵת wird als נֵר דַּעַת gelesen u mit φωτίσατε ἑαυτοῖς φῶς γνώσεως wiedergegeben. Findet man hier die Spur eines Vorbildes für den philonischen Erleuchtungsgedanken im alexandrinischen Judt? → Wlosok 83 A 60.

[61] → Hempel 352 betont, der Wechsel von Licht u Finsternis sei im AT ein tageszeitliches, nicht ein jahreszeitliches Erlebnis.

[62] Zu den Ausdrücken *das Licht sehen* u *Augenlicht* → 305, 16ff.

[63] Anders dann im Judt (→ 315, 15ff).

[64] → Aalen Licht u Finsternis 65 will unterscheiden zwischen *das Licht sehen*, dh leben u *Licht sehen*, dh Heil erfahren. Aber wo von

Heil, daß man im Hellen ist. Auch im Alten Testament bedeutet das Licht das Sich-Verstehen, die Freiheit von der Angst: *ein Licht erstrahlt dem Gerechten und Freude den redlichen Herzen* (Ps 97, 11).

Der existentielle Charakter des Redens vom Licht zeigt sich in der Art und Weise, wie man von ihm spricht. Vom Licht spricht der Preisende (Ps 104, 2), Gegenstand sind die Theophanie (Hi 37, 15) und die Schöpfung (Js 45, 7); Gottes Manifestation muß durch Lobpreis erschlossen werden[65]. Vom Licht sprechen ebenso der Bittende (Ps 43, 3) und der Weisheitslehrer (Prv 4, 18). In formaler Hinsicht erscheint das Licht als Sphäre, in der sich der Mensch bewegt, und selbst als Bewegung, besonders wo verbaler Sprachgebrauch herrscht: *Licht strahlt auf* (Js 9, 1); *daß ich vor Gott wandle im Licht des Lebens* (Ps 56, 14).

4. Gott.

Gott ist der souveräne Herr über Licht und Finsternis (Am 5, 8). Licht ist seine Sphäre, sein Gewand (Ps 104, 2)[66]. Er hat die Weltordnung mit dem festen Rhythmus von Tag und Nacht geschaffen. Aber er durchbricht sie, wenn er will, indem er die Finsternis über Ägypten schickt oder die Sonne stillstehen läßt (Jos 10, 12f). *Licht* ist Jahwe in Aktion (Ps 44, 4). In diesen Sachzusammenhang gehören auch das Leuchten seines Angesichts (Ps 4, 7, vgl Nu 6, 25f; Ps 80 passim; Ps 31, 17; 67, 2; 119, 135), seine Manifestation in der Licht ausstrahlenden Wolke (Hi 37, 15) und in der Erscheinung der Feuersäule (Ps 78, 14) sowie die Theophanie (Ex 24, 15ff; Ps 29; 97, 1ff; Ez 1, 1ff)[67]. Jahwe strahlt Licht aus (Hab 3, 4), er erhellt (Js 42, 16ff); darum gibt es kein Dunkel, das vor ihm birgt (Ps 139, 11f). Er holt das Verborgene ans Licht (Hi 12, 22, vgl 28, 11; 34, 22). In seiner Sphäre wandeln sich die natürlichen Verhältnisse.

5. Die Welt.

Die Ansätze zur Reflexion über Licht/Dunkel und Gott kommen zur klarsten Entfaltung, wo die Welt als Schöpfung beschrieben ist. So verschieden die weltanschaulichen Motive sind, so einheitlich ist die Intention auf Gottes absolute Souveränität. Auch wo die Finsternis als vorgegebener Urzustand erscheint, also das mythische Chaosmotiv zugrundeliegt, da ist die Pointe nicht, daß sie einst selbständig war, sondern daß sie jetzt nichts mehr ist als gebändigte Größe. Zu Gn 1, 1 → 313, 5ff; Hi 38, 8f. 19 → 313 A 72[68].

Licht im Zshg des Lebens die Rede ist, ist dieses nicht neutral verstanden. Das zeigt sich auch im Ausdruck *Augenlicht* (→ 314, 29) Ps 13, 4; 38, 11. Wie das Leben überh, so ist das Augenlicht wunderbares Geschenk Gottes Prv 29, 13, vgl 15, 30. Übertr Bdtg hat אוֹר Ps 19, 9: „Jahwes Gebot ist lauter; es gibt den Augen Licht." Die Gegenseite (→ VII 429, 23ff) Thr 5, 17.

[65] Diesen Sinn hat auch die Übertragung aus der hymnischen in die lehrhafte Form Gn 1.

[66] Die Aufzählung ist urspr ägyptisch; aber gerade die Nennung des Lichts ist original.

[67] AWeiser, Die Darstellung der Theophanie in den Ps u im Festkult, Festschr ABertholet (1950) 513—531.

[68] Schwierig ist Hi 26, 10: „Gott zog einen Kreis über den Wassern bis zur Vollendung von Licht u Finsternis". Drei Deutungen sind möglich: a. Innen ist Licht, außen Finsternis, so GHölscher, Das Buch Hiob, Hndbch AT I 17 ²(1952) zSt. — b. Bei Tage ist das Licht innen, die Finsternis draußen; bei Nacht ist

Die höchste Stufe der Reflexion wird in zwei St erreicht, deren Vorstellungsbild verschieden ist. Die eine ist Js 45, 7: Gott schuf Licht u Finsternis, Heil u Unheil[69]; die Kosmologie dient hier als Begründung u Folie für die Aussage über das Heils- u Unheilswirken Gottes. Bei Dtjs finden wir erstmals eine klare Überlegung über das Verhältnis von Kosmologie u Soteriologie[70]. Die zweite, mit anderem Vorstellungsmaterial 5 arbeitende St ist Gn 1; sie dient ebenfalls der Abwehr der bab Kosmogonie (→ A 72), deren Vorstellungen neben anderen durchschimmern, aber depotenziert sind. Hier steckt die Reflexion im Motiv der Welterschaffung durch das Wort[71] u in der Auseinanderlegung von Licht u Lichtträgern. Das Licht wird vor den Gestirnen geschaffen. Damit kommt es in einer Weise in den Blick, die im alten Orient ohne Vorbild ist[72]. 10 Die Spannung zwischen Stoff u denkender Verarbeitung ist in der Darstellung noch zu erkennen, zumal der Stoff selbst in sich nicht einheitlich ist. Am Anfang haben wir die Scheidung von Licht u Finsternis, also ihre Zuweisung an bestimmte Orte. Dann aber ist das Licht von Sonne u Mond getragen; das ergibt den Rhythmus von Tag u

---

es umgekehrt, so KBudde, Das Buch Hiob, Handkomm AT II 1 [2](1913) zSt: „bis zum Aufhören des Lichtes bei der Finsternis". — c. Wahrscheinlich ist doch gesagt, daß sich innerhalb des Horizontes Licht u Finsternis ablösen; draußen ist das Nichts, vgl v 7. Im Hintergrund erkennt man die Vorstellung von der Wende der Sonne Ps 19, 7; Qoh 1, 5, vom ägyptischen Sonnenweg. In v 11 sind die Himmelssäulen erwähnt, zwischen denen die Sonne heraustritt. [Galling]

[69] Zur Analyse vgl KElliger, Dtjs in seinem Verhältnis zu Tritjs, BWANT 63 (1933) 244f, wonach v 1—7 ein Kyroslied sind; vgl RRendtorff, Die theol Stellung des Schöpfungsglaubens bei Dtjs, ZThK 51 (1954) 3—13. Der Zshg ist polemisch, aber schwerlich gg iranischen Dualismus gerichtet. Die Aussage klingt ja auffallend an Yasna 44, 5 (→ Hinz 185; → 309, 10ff) an. Durch den Sing *Licht und Finsternis* ist die Spiritualisierung fortgeschritten. Ist bei Zarathustra die Schlußpointe ethisch, so ist sie bei Dtjs soteriologisch: Gottes Souveränität erstreckt sich über Heil u Unheil. Handelt es sich bei dem Nebeneinander von יצר u ברא nur um poetische Abwechslung? Dafür spricht, daß ברא mit חֹשֶׁךְ verbunden ist, vgl nachher das Nebeneinander von ברא u עשׂה u die Zusammenfassung mit עשׂה (כָּל־אֵלֶּה). Die Polemik wird sich gg bab Polytheismus (u Mythisierung des Chaos?) richten.

[70] Zum Gebrauch der Schöpfungsterminologie → III 1005, 23ff; zur Analogie von Welt u Gesch Israels s Rendtorff aaO (→ A 69) passim, vgl auch die Intensität der Licht-Aussage über den Knecht Jahwes Js 42, 6; 49, 6.

[71] Zum religionsgeschichtlichen Hintergrund s GvRad, Theol des AT I [5](1966) 156f. Wie in Js 45, 7 finden wir hier das Stichwort ברא. Dazu vermerkt vRad, daß mit der Tätigkeit des Schaffens nie ein vorgegebener Stoff genannt sei.

[72] Das Licht wird so zur Bedingung der Schöpfung, vgl GvRad, Das erste Buch Mose, ATDeutsch 2/4 [8](1967) 39 zu 1, 3—5: „Ohne Licht keine Schöpfung; erst das Licht löst die im Dunkel verschwimmenden Konturen der Dinge heraus." Zur Trennung des Lichtes

von den Gestirnen ebd: „Die merkwürdige Trennung von Licht u Gestirnen war dem Orientalen keine unvollziehbare Vorstellung, weil er Licht u Finsternis nicht so ausschließlich mit den Himmelskörpern in Verbindung brachte (Hi 38, 19f)." Eine Berührung mit Hi 38, 19f (Licht u Dunkel haben ihren Ort) besteht in der Tat, vgl Hölscher aaO (→ A 68) zSt. Aber anders als Gn 1 ist auf ihr Verhältnis zu den Gestirnen nicht reflektiert. Zur Scheidung von Licht u Finsternis: Nach Berosus fr 1 (FGrHist IIIc 371) durchschneidet Bel die Finsternis. Aber diese Angabe ist nicht zuverlässig. JBidez, Les écoles chaldéennes sous Alexandre et les Séleucides, Annuaire de l'Institut de Philologie et d'Histoire Orientales 3 (1935) 48—52 vermutet iranischen Einfluß. Eine Spur der Trennung meint FDornseiff, Antikes zum AT, Kleine Schriften I (1956) 211f bei Hes Theog 371f zu finden: Helios, Selene, Eos seien Kinder der Theia (ϑέα *Schau, Licht*). Aber Theia ist nur eine von vielen Gestalten, u „diese gebar sie, dem Hyperion in Liebe verbunden" 374. Auch der Hinweis (FDornseiff, Altorientalisches in Hesiods Theogonie, ebd 48 A 25) auf Sanchunjaton nach Philo von Byblos bei Eus Praep Ev I 10, 1ff ist verfehlt. Nach diesem ist am Anfang die dunkle Luft u das Chaos. Dann entsteht Môt wie ein Ei u leuchtet auf ἐξέλαμψε Μώτ, ebs Sonne, Mond usw. Als die dunkle Luft hell wurde καὶ τοῦ ἀέρος διαυγάσαντος, entstanden die Wolken usw, vgl OEißfeldt, Sanchunjaton von Berut u Ilumilku von Ugarit, Beiträge zur Religionsgeschichte des Altertums 5 (1952) 9. 59—67. → May 206—209 verweist auf den ugaritischen Baal, dessen Kampf mit den Wassern in der Finsternis stattfindet, woraus sich ergebe, daß nach dem Kampf der Tag der Schöpfung, des Lichts erscheine. Auch die ägyptischen Analogien versagen — trotz SHerrmann, Die Naturlehre des Schöpfungsberichtes, ThLZ 86 (1961) 413—424, vgl das von ihm vorgelegte Material u SMorenz, Ägyptische Religion (1960) 184f. Zur Gefahr des Gestirnkultes, den die Trennung von Licht u Gestirn abwehrt, vgl Hi 31, 26ff. Dieselbe Vorstellung wie Gn 1 (Unabhängigkeit des Lichts von den Lichtkörpern) findet → May 211 auch in Js 24, 23; 60, 19f; Sach 14, 7 (→ 314, 11).

Nacht. Dort dominiert der Raum-, hier der Zeitaspekt[73]. Aber gerade das Schweben der Vorstellung zeigt die Entmächtigung der mythischen Vorlage. Vor allem bestimmt die Lösung des Lichts vom Lichtkörper auch das Verhältnis zur Finsternis (→ VII 430, 20 ff).

5   **6. Eschatologie.**

Die pointierte These des Amos, daß der Tag Jahwes Finsternis, nicht Licht sei (Am 5, 18. 20; → VII 431, 6 ff), setzt eine Erwartung dieses Tages als Licht, Heil voraus. Diese hält sich auch durch die Drohung hindurch. Wenn auch der Anbruch der Endzeit finster ist, so bleibt doch die Hoffnung auf
10 eine wunderbare Zeit des Lichtes für Israel: Sonne und Mond werden wunderbar strahlen (Js 30, 26)[74], der Wechsel von Tag und Nacht hört auf (Sach 14, 6 f)[75]. Am stärksten spirituell ist Js 60, 19 f: „Nicht soll die Sonne dir dienen zum Licht am Tage, und zum Schein soll der Mond dir nicht leuchten. Denn Jahwe soll dir zum ewigen Licht sein und dein Gott zu deinem Schmuck ... und zu Ende sind
15 die Tage deiner Trauer" (vgl 60, 1—5).

7. **Anthropologie.**

Zu beachten sind außer den Proverbien, Psalmen, Hiob, Sapientia und Sirach die weisheitlichen Stilelemente bei den Propheten[76]. Die Sprachbildung setzt auch hier auf der positiven Seite ein, beim Licht und beim
20 Vorgang der Erleuchtung. Formal wird das Licht einerseits als daseiend, andrerseits als kommend beschrieben (→ Z 6 ff). Das Besondere ist die Verwendung der Begrifflichkeit im Rahmen des Daseinsverständnisses dieser Literatur, besonders ihres Bildungs-Ideals[77]. Der Weise ist der Erleuchtete, dh Fromme, Gute, Glückliche. Die Weisheit wird mit dem Licht verglichen; von ihr strahlt *Glanz*
25 φέγγος aus (Sap 7, 10), vgl das Bild Qoh 2, 13: die Weisheit übertrifft die Torheit wie das Licht die Finsternis. Durch sie wird man erleuchtet (Qoh 8, 1). Den Sinn erschließen analoge Zusammenstellungen wie Licht und Wahrheit (Ps 43, 3), Licht und Gerechtigkeit (Sap 5, 6; Sir 32, 16) und die Lichtprädikation des Gesetzes: *Das Gebot Jahwes ist lauter; es erleuchtet die Augen* (Ps 19, 9, vgl Prv 6, 23). Das
30 Licht ist als vorhanden betrachtet: Wandeln im *Licht des Lebens* (Ps 56, 14) und als kommend: *Dem Rechtschaffenen strahlt in der Finsternis Licht auf* (Ps 112, 4). So vielfältig die Nuancen sind, so ist doch ein einheitliches Substrat vorhanden:

---

[73] vRad aaO (→ A 71) 157 bemerkt, daß Tag u Nacht verschieden eingestuft werden. Diese ist Rest des Chaosdunkels, jener Licht vom Schöpfungslicht. Das ist richtig. Aber die Spannung mit dem Motiv vom rhythmischen Gleichgewicht ist nicht behoben, KGalling, Der Charakter der Chaosschilderung in Gn 1, 2, ZThK 47 (1950) 145—157. → Hempel 356 bezeichnet die Stellung Gottes zur Finsternis in Gn 1 als „ambivalent": Sie ist nicht geschaffen, sondern eingegrenzt, damit anerkannt; sie wird Bestandteil des Tages.
[74] Die naive Glosse *wie das Licht von sieben Tagen* fehlt in LXX. Die St ist spät; hier kommt es nur auf das Bestehen dieser Vorstellung als solcher an.
[75] Zum unsicheren Text s ESellin, Das Zwölfprophetenbuch, Komm AT 12 [2.3] (1929) u FHorst, Die Zwölf kleinen Propheten, Hndbch AT I 14 [3] (1964) zSt.
[76] JFichtner, Js unter den Weisen, ThLZ 74 (1949) 75—80; JLindblom, Wisdom in the Old Testament Prophets, Festschr HHRowley, VT Suppl 3 (1955) 192—204.
[77] Zur Weisheit als Form der Lebensbewältigung s vRad aaO (→ A 71) 430—454.

Weisheit ist Gottesfurcht (→ 194, 4 ff), also Kenntnis des Willens Gottes. Diese hat
man nicht einfach, sondern man muß sie durch Lernen erwerben und muß ihren
Weg gehen; es ist der Weg zum Glück. Repräsentativ ist etwa Ps 119, das Lied
von der Thora als der erleuchtenden Macht: Gottes *Wort ist meines Fußes Leuchte
und Licht auf meinen Wegen* (v 105, vgl v 130). Das Bild vom Wege kann ver- 5
schieden gefaßt werden als Gehen in der Helligkeit (Prv 4, 18; Qoh 2, 13f) oder
als Gehen im Dunkel mit einer Leuchte (Hi 29, 3).

Es lassen sich zwei Hauptstilformen unterscheiden, die sich natürlich durchdringen, der Gebetsstil[78] mit der Bitte um Jahwes Licht (Ps 4, 7; 43, 3) und der
eigentliche Weisheitsstil, in dem die individuelle Thematik der Moral und weisen 10
Bewältigung des Lebens und seiner Situationen herrscht. Hier wie dort gilt die
Überzeugung vom Zusammenhang von Verhalten und Ergehen[79]. Einen Sonderfall, der sachlich schon in die Phase des Judentums gehört, bildet die Geschichts-
deutung Sap 17f (→ 317, 6 ff).

C. Judentum (außer Philo). 15

1. Allgemeines.

Die Begrifflichkeit wird auf denselben Gebieten verwendet
wie im Alten Testament: Kosmologie (→ 312, 25 ff), Eschatologie (→ 314, 6 ff)
und Ethik (→ 314, 17 ff). Auch der formale Sinn hält sich durch: Licht ist die
Helligkeit der Welt, ist Heil, übertragen die Weisheit, die Möglichkeit der Erhellung 20
des Menschen durch diese. Gott läßt sein Licht strahlen (äth Hen 38, 4), τοῖς
ἐκλεκτοῖς ἔσται φῶς καὶ χάρις (äth Text: *Freude*) καὶ εἰρήνη ... δοθήσεται τοῖς ἐκλεκτοῖς σοφία (gr Hen 5, 7f); Gott erleuchtet die Verständigen (s Bar 38, 1). Der
Zusammenhang von Weisheit und Gesetz wird ebenso gewahrt wie derjenige von
Welt/Weltordnung und Sich-Verstehen auf die Welt. Dennoch treten tiefgreifende 25
Wandlungen ein. Das Weltbild hat sich verändert, die räumliche Weltansicht
herrscht vor[80]. Das Weltbild wird statisch und der Gedanke der Gesetzmäßigkeit
abstrakt (→ VII 432 A 58f)[81]. Das Heil wird jenseitig, also primär als Heil bzw
Unheil des Einzelnen gesehen. Zwar verschwindet der Gedanke des Gottesvolkes

---

[78] Gebetsstil findet sich natürlich vor allem
in den Ps. Zum Gesamtbefund in ihnen vgl
AMGierlich, Der Lichtgedanke in den Ps,
Freiburger Theol Studien 56 (1940).

[79] Es ist nicht angemessen, von einem quasi
mechanisch funktionierenden Vergeltungsdogma zu reden. Der Zshg ist ja im Akt des
Gebets selbst in die Schwebe gebracht, wenn
der unglückliche Fromme auf seine Gerechtigkeit hinweist. (Zum Verständnis der Gerechtigkeit vgl vRad aaO [→ A 71] 382—430).
Der Zshg besteht nicht als theoretische Kausalität, sondern als Anredesituation. Theoretisch entfaltet wird das „Dogma" gerade erst,
wenn es in die Krise geraten ist, nämlich bei
Hiob. Andrerseits ist festzustellen, daß der
Hinweis auf Gott als den Urheber von Glück
oder Unglück zurücktritt. Das hängt mit der

ganzen Weltansicht der Weisheit zus, „die
sich des Phänomens auf empirischem Wege,
also von außen her, bemächtigt" vRad 398.
Es dominiert nicht das Verständnis des Un-
glücks als Strafe Gottes, sondern als Folge der
ungerechten Tat: Wer seinen Eltern flucht,
dessen Licht erlischt in der Finsternis Prv
20, 20, vgl die Bestreitung dieser Anschauung
Hi 21, 17f.

[80] → Aalen Licht u Finsternis 96.

[81] → Aalen Licht u Finsternis 159—161.
Aalens These vom kosmischen Gleichgewicht,
das die jüd Weltanschauung bestimme, greift
über den Textbefund hinaus, vgl NADahl, Be-
grepene „lys" og „morke" i jodedømmen,
Norsk teologisk Tidsskrift 53 (1952) 77; JJervell, Imago Dei, FRL 76 (1960) 32 A 51.

nicht, aber er gewinnt einen neuen Sinn; er bezeichnet die Gesamtheit der erwählten Einzelnen, die am Heil der kommenden Welt Anteil erhalten. Die Dualität
wird schroffer: Dem Licht des Gesetzes wird die Finsternis Adams gegenübergestellt (s Bar 17f)[82].

5   Der Wandel läßt sich an der neuen Darstellung der Schöpfung ablesen[83]. Die
Trennung der Erschaffung des Lichts von der Erschaffung der Gestirne wird rück-
gängig gemacht Jub 2, 2ff, die Scheidung von Licht u Finsternis erfolgt erst 2, 8, beide
sind räumlich bestimmte Größen geworden 2, 16. An die Stelle der Bewegung tritt in
Jub die Aufzählung statischer Weltfaktoren[84]. Eine Modifikation findet sich slav Hen
10   25ff: Zunächst ist nur das Urlicht, die Erschaffung der Sonne folgt erst 29, 1. Damit
gewinnen die Gestirne eine erhöhte Bdtg. Die Weltordnung ist an die Gestirnbahnen,
nicht mehr so sehr an den Wechsel von Tag u Nacht gebunden[85]. Der Jahresrhythmus
gewinnt die Oberhand über den Tagesrhythmus[86]. Die innere Konsequenz wird sichtbar, wenn man nur das Licht selbst von der Schöpfung ausnimmt. Es ist nicht ge-
15   schaffen, sondern war vorher als Urlicht in den Behältern; vgl die *Vorratskammern
des Lichts* s Bar 59, 11, das Urlicht 4 Esr 6, 38—40[87]; Pseud-Philo, Antiquitates biblicae[88] 28, 8f; hb Hen 48 A 1[89]; auch slav Hen B 29, 1 (Bonwetsch 80), wo die Sonne
von dem großen Licht gebildet wird; weiter PsClem Recg[90] II 67, 1; II 49, 1—51, 1,
vgl II 61, 5: lumen immensum ..., cui tenebrae nullae succedunt[91]. Zugleich neigt
20   man dazu, keine תֹהוּ vor der Schöpfung mehr anzunehmen[92]. Licht u Finsternis
werden als kosmische Sachverhalte räumlich neutralisiert Jub 2, 16; 4, 6. Zu den Örtern
der Lichter vgl äth Hen 17, 3; 41, 3ff; 60; 71, 4; 72ff; 4 Esr 6, 40. Das Licht bleibt
die übergeordnete Größe.

25   Der Verlagerung ins Räumliche in der Kosmologie entspricht allerdings die Intensivierung des Zeitelements in der Eschatologie, die jetzt in den apokalyptischen Stil
übergeht äth Hen 58, 6; 38, 7; 92, 4f; 108, 11ff[93]. Der Welt tritt eine künftige Welt
gegenüber. Schon im AT konnte die Endzeit als Zeit der Helligkeit geschildert werden.
Jetzt wird daraus die Helligkeit einer jenseitigen Welt, wodurch die diesseitige verdun-
30   kelt wird (→ I 204, 32ff). Die Finsternis wird vernichtet äth Hen 58, 6; 92, 4f; es
herrscht ewige Helligkeit 38, 2. Der Wechsel von Licht u Finsternis hört auf 4 Esr
7, 39ff; Urzeit u Endzeit entsprechen sich. Zur Heilserwartung gehört der Topos vom
Leuchten der Seligen s Bar 51, 3. 10. Zum Gegensatz zwischen dieser u künftiger Welt
vgl s Bar 48, 50.

35   Der unverkennbare Stil herrscht auch in der Anthropologie u Ethik. Nach wie
vor gilt die Thora als Licht[94] s Bar 17f. Sie ist die Macht, die der Finsternis gegenübersteht Sap 18, 4; Test XII (→ 318, 25ff); sie wird symbolisiert durch die Menora[95].

---

[82] Vgl im übrigen zu den Texten von
Qumran u den Test XII → 317, 20ff.
[83] JBSchaller, Gn 1. 2 im antiken Judt
(Diss Göttingen [1961]).
[84] → Aalen Licht u Finsternis 101. 164.
Sir 43, 1ff ist gegenüber Ps 19 der Parallelismus von Tag u Nacht gebrochen. Die Him-
melslichter sind aus dem Zeitschema heraus-
genommen u zu Obj im Raum geworden, →
Aalen Licht u Finsternis 161, vgl weiter äth
Hen 69, 16—25; Sib 1, 1ff.
[85] Vgl die dominierende Stellung der Sonne
an der freilich unzuverlässigen St slav Hen
A 27, 3f (Bonwetsch 25). Die Astronomie
wird für das Weltverstehen bedeutsam, vgl
äth Hen 72—82.
[86] Vgl die Bdtg des Kalenderproblems in
Jub u den Qumran-Texten. Es ist sympto-
matisch, daß auf der anderen Seite die Gestirne personifiziert werden äth Hen 43, 1
usw. Die räumliche Auffassung u die Bindung
an die Gestirne führt zur Frage, wo sich
diese befinden, wenn sie nicht am Firmament
stehen äth Hen 72, 5. Nach Vit Ad 19 werden
die Himmelsleuchten beseelt vorgestellt; Eva
richtet eine Bitte an sie. Vgl Apk Mos 34—36:
Sonne u Mond treten fürbittend für Adam ein.

Ihr Licht aber verlieren sie gegenüber dem
Licht des Alls, dem Vater der Lichter. [Ber-
tram]
[87] Zum Text → Aalen Licht u Finsternis
167 A 3.
[88] ed GKisch, Publications in Mediaeval
Studies 10 (1949).
[89] S Odeberg III 63.
[90] ed BRehm, GCS 51 (1965).
[91] HJSchoeps, Theol u Gesch des Judenchristentums (1949) 312.
[92] → Aalen Licht u Finsternis 163: Das
Meer erscheint zwar als Chaosmacht äth Hen
60, 7f; 69, 18; slav Hen 28, 4. Aber das sind
nur mehr Reminiszenzen. Nach äth Hen
69, 16ff ist das Meer geschaffen, die Abgründe
sind befestigt.
[93] Zur Entstehung der Apokalyptik vgl
OPlöger, Theokratie u Eschatologie, Wissenschaftliche Monographien zum AT u NT 2[3]
(1968).
[94] GVermes, „The Torah is a Light", VT 8
(1958) 436—438.
[95] Über die Menora äußern sich Philo Rer
Div Her 221—225; Vit Mos II 102f u Jos
Bell 5, 217; Ant 3, 144—146. 182; vgl die rabb
Belege bei Str-B III 716—718. Ihr Licht ist

Der Zshg von Weisheit u Gesetz besteht weiter[96]. Dazu kommt nun eine Verankerung in der kosmischen Ordnung. Licht u Finsternis werden moralische Qualitäten[97]; der Gedanke der Entscheidung wird zugespitzt s Bar 18, 1f; Test XII.

2. Besonderheiten.

In hell Form findet sich der Gedanke von der Weisheit als dem Urlicht Sap 7, 29f[98]. Im selben Buch dient die Licht-Finsternis-Begrifflichkeit einem Geschichtsbild mit eschatologischem Einschlag 17f[99]. Der bibl Schöpfungsbericht wird mit Hilfe griech Philosophie ausgelegt. Gott gab uns den siebenten Tag: ἣ δὴ καὶ πρώτη φυσικῶς ἂν λέγοιτο φωτὸς γένεσις, ἐν ᾧ τὰ πάντα συνθεωρεῖται. μεταφέροιτο δ' ἂν τὸ αὐτὸ καὶ ἐπὶ τῆς σοφίας· τὸ γὰρ πᾶν φῶς ἐστιν ἐξ αὐτῆς Aristobul bei Eus Praep Ev 13, 12, 9f. Beachtlich ist die Ausbildung einer Bekehrungssprache, die sich an die kosmologische Ausdrucksweise anlehnt Test XII (→ 318, 25ff). Die schönsten Beispiele bietet Joseph u Aseneth[100] 8, 10f: Κύριε ... ὁ ζωοποιήσας τὰ πάντα καὶ καλέσας ἀπὸ τοῦ σκότους εἰς τὸ φῶς καὶ ἀπὸ τῆς πλάνης εἰς τὴν ἀλήθειαν καὶ ἀπὸ θανάτου εἰς τὴν ζωήν, σὺ αὐτὸς κύριε ζωοποίησον καὶ εὐλόγησον τὴν παρθένον ταύτην. καὶ ἀνακαίνισον τῷ πνεύματί σου, vgl 15, 13. Beachtlich ist, daß daneben der Gedanke vom inneren Licht steht: ὅτι πᾶσαν ἀποκρυβὴν αὐτὸς (sc Joseph) ὁρᾷ καὶ οὐδὲν κρυπτὸν λέληθεν αὐτῷ διὰ τὸ φῶς τὸ μέγα τὸ ὂν ἐν αὐτῷ 6, 3. Hier zeigt sich bereits die Gnostisierung, vgl Philo Spec Leg IV 192. Zu beachten ist ferner die ethische Verwendung in den Tugend- u Lasterkatalogen[101].

3. Das Schrifttum von Qumran.

a. Die für das Judt insgesamt charakteristischen Merkmale sind auch hier vorhanden; dazu kommt nun ein ausgesprochen dualistischer Sprachgebrauch[102]. Freilich ist dadurch die traditionelle Redeweise, die sich am positiven Lichtgedanken u an der Bewegung, dem Aufstrahlen, orientiert, nicht verdrängt worden (→ VII 433 A 64)[103]. Eine Besonderheit, die mit dem Dualismus zusammenhängt, ist die

---

nach 4 Esr 10, 21f mit der Zerstörung des Tempels erloschen. Aber das Weiterleben der Thora dokumentiert sich in den bildlichen Darstellungen des Leuchters; das Material bei Goodenough aaO (→ A 39), bes III Abb 59f. 440. 639 u dazu IV 136; III Abb 292 u dazu IV 119; zur Deutung der Menora bei Philo u Jos IV 82—88, bei den Rabb IV 88—92; vgl im übrigen III u IV Regist sv Menorah.

[96] Das ganze Buch des Siraciden!

[97] → Aalen Licht u Finsternis 178—183.

[98] UWilckens, Weisheit u Torheit, Beiträge zur historischen Theol 26 (1959) 188—190.

[99] Der eschatologische Einschlag betrifft den Darstellungsstil, vgl GKuhn, Beiträge zur Erklärung des Buches der Weisheit, ZNW 28 (1929) 335f. → Aalen Licht u Finsternis 173 A 2 unterstreicht, daß die ägyptische Finsternis aus der Unterwelt stammt u nicht mehr nur Plage ist; sie ist ethisch qualifiziert. Entsprechend ist auf der anderen Seite das Licht dasjenige des Gesetzes.

[100] ed MPhilonenko, Studia Post-Biblica 13 (1968).

[101] AVögtle, Die Tugend- u Lasterkataloge im NT, exegetisch, religions- u formgeschichtlich untersucht, NT Abh 16, 4/5 (1936); SWibbing, Die Tugend- u Lasterkataloge im NT, ZNW Beih 25 (1959) 33—42. 61—64. Wibbing 12 fragt nach den religionsgeschichtlichen Voraussetzungen der dualistischen Verklammerung der paul Kataloge u verfolgt sie an Hand des Doppelkataloges 1 QS 4, 3ff.

Daß ein religionsgeschichtlicher Zshg mit spätjüd Dualismus besteht u daß er sich gerade im Gebrauch von Licht u Finsternis anzeigt, ist selbstverständlich. Doch stellt die Katalogform in der Qumran-Schrift selbst ein Problem dar. Die Tradition der Kataloge gehört sonst ausschließlich dem hell Judt an, das sie aus der popularphilosophischen Ethik des Hell übernahm. Richtig ist der Hinweis auf den sachlichen Zshg mit dem Zwei-Wege-Schema. Nur ist dieses nicht der Ursprungsort der Gegenüberstellung von Tugend- u Lastertafeln.

[102] Vgl noch äth Hen 41, wo sich die Trennung zwischen Licht u Finsternis u zwischen den Geistern der Menschen entsprechen, sowie äth Hen 108, 11ff. Bes stark dualistisch ist slav Hen 25f: Das Licht ist der Äon, in dem die ganze Schöpfung enthalten ist. Es wird nach oben befohlen, ein finsterer Äon nach unten, → Dodd Bible 111—113; mit Recht nimmt EHaenchen, Aufbau u Theol des „Poimandres", Gott u Mensch (1965) 341 A 5 an, daß hier eine unjüdische Äonenlehre eingebrochen ist. Immerhin bestehen im Judt die Voraussetzungen für solche Einbrüche. Über die Fortführung des Dualismus der Qumran-Texte in den PsClem s OCullmann, Die neuentdeckten Qumrantexte u das Judenchristentum der PsClem, Festschr RBultmann, ZNW Beih 21 ²(1957) 38.

[103] OBetz, Offenbarung u Schriftforschung in der Qumransekte, Wissenschaftliche Untersuchungen zum NT 6 (1960) 111—114.

Lösung von den Naturphänomenen. Wo diese beschrieben werden, treten *Licht* u *Fin-*
sternis zurück 1 QH 1, 10 f; 1 QM 10, 11 ff. Im Vordergrund steht der eschatologische
Entscheidungsdualismus, der das ganze Schrifttum beherrscht, der freilich nur in einer
verhältnismäßig schmalen Streuung eine dualistische Licht-Finsternis-Sprache hervor-
5   treibt 1 QS 3, 13 ff; 1 QM 1, 1 ff; 13, 5. 9 ff[104]. Ist diese auf iranischen Einfluß zurückzuführen? Die Problematik ist oben angedeutet (→ 309, 4 ff); wir besitzen kein direktes iranisches Material aus alter Zeit. Andererseits zeigt der Dualismus der dualistischen Qumran-Stellen iranische Züge[105]. Ist es Zufall, daß der dualistische Sprach-
charakter gerade in dem Abschnitt von den zwei Geistern erscheint (→ VI 388, 9 ff)[106]?
10   Vorläufig können wir lediglich den synkretistischen Prozeß als solchen feststellen[107]. Zu
beachten ist, daß der Entscheidungsdualismus durch eine Zuspitzung des Monotheismus
in der Kosmologie überhöht wird[108].

Licht u Finsternis sind bestimmende Sphären, zugleich aber auch Wege, auf denen
man wandelt. Die Entscheidung zwischen den beiden Wegen (→ V 53, 48 ff) ist durch
15   die beiden Geister vorweggenommen. Dadurch wird der Aufruf an den Einzelnen nicht
aufgehoben, sondern intensiviert[109]. Die *Söhne des Lichts* (→ A 303) 1 QS 1, 9; 2, 16;
3, 13. 24 f; 1 QM passim bringen sich ihr Sein zum Bewußtsein durch den Rückblick
auf die Vergangenheit sowie durch die Wiederholung des Sündenbekenntnisses u den
hymnischen Dank für die Rettung[110], durch das Vollbringen der Werke des Lichtes,
20   das erst durch die Versetzung ins Licht möglich ist. Dazu gehört vor allem die Scheidung von den Kindern der Finsternis u der Haß gg sie 1 QS 1, 3 f usw. Zum Dualismus
gehört die Eschatologie: der jetzige Kampf ist Vorwegnahme des letzten Kampfes, vgl
die Kriegsrolle 1 QM. Die beiden Möglichkeiten des Menschseins sind endgültig: ewiges
Leben im ewigen Licht oder ewiges Verderben 1 QS 4, 7 f. 17 f.

25   *b.* Verwandt, aber mit stärkerer hellenistischer Farbe[111], sind die
Testamente der zwölf Patriarchen. Deutlich ist die Tradition der Weisheit. Auch
hier dominiert das Licht, vgl Licht des Gesetzes Test L 14, 4, der Erkenntnis 4, 3; 18, 3,
der Gerechtigkeit Seb 9, 8. Doch besteht die Neigung, auch die Gegenseite mitzu-
nennen L 14, 4; 18, 3; Jos 20, 2. Die wichtigsten Momente sind der Gedanke der Ord-
30   nung N 2, 7; A 5, 2 u daraus abgeleitet die Forderung der Entscheidung, vgl ἐκλέξασθε
ἑαυτοῖς ἢ τὸ φῶς ἢ τὸ σκότος, ἢ τὸν νόμον ἢ τὰ ἔργα τοῦ Βελίαρ L 19, 1. Auch hier gilt,
daß das Sein den Werken voraus ist; man kann die Werke des Lichts nur tun, wenn
man sich im Bereich des Lichts befindet bzw erleuchtet ist N 2, 10, vgl den Zshg. Der
Gedanke der individuellen Bekehrung (→ 317, 11 ff; 324, 15 ff) ist ausgebildet, die μετάνοια
35   vertreibt das Dunkel G 5, 7.

---

[104] Sonst dominiert „Licht", vgl auch 1 Q
Livre des Mystères 1, 1, 5 f (DJD I 103). An
die Form אורתום bzw אורתים 1 QH 4, 23
knüpft sich die Frage, ob damit das Urlicht
bezeichnet sei. Doch erklärt sie RMeyer, Besprechung von HBardtke, Hbr Konsonanten-
texte, ThLZ 80 (1955) 420 als Dialektform zu
'ôratām *ihre Erleuchtung*, vgl auch GJeremias,
Der Lehrer der Gerechtigkeit, Studien zur
Umwelt des NT 2 (1963) 204 A 6.
[105] Kuhn aaO (→ A 44) 296—316; EKamlah, Die Form der katalogischen Paränese im
NT, Wissenschaftliche Untersuchungen zum
NT 7 (1964) 49 f. 163—171.
[106] Die Antwort wird noch durch die Tatsache erschwert, daß der wichtigste Abschnitt,
1 QS 3, 13—4, 26, nicht einheitlich ist. Hinter
4, 14 liegt ein Bruch. Vorher herrscht die abs
Alternative der doppelten Prädestination, daß
man dem einen oder dem anderen Geist u
Bereich angehört. Nachher aber herrscht ein
ethischer Aspekt, so daß der Mensch mehr
oder weniger Anteil an beiden Bereichen hat.
An der Bruchstelle verschwindet auch die Terminologie von Licht u Finsternis, vgl JBecker,
Das Heil Gottes, Studien zur Umwelt des
NT 3 (1964) 83—89.

[107] Über die Mehrschichtigkeit des Dualismus in Qumran s HWHuppenbauer, Der
Mensch zwischen zwei Welten, Abh Th ANT
34 (1959); zur Frage des Einflusses der iranischen Lichtsymbolik auf das Judt →
Colpe 133: (vorläufig) „plädiere ich dafür, daß
wir von Konvergenz u nicht von Einfluß
sprechen", vgl auch → Hinz 161—165.
[108] Auch die תהומות sind geschaffen 1 QH
1, 13 f; vgl auch 1 QM 10, 13.
[109] Das versteht man aus der Struktur des
Erwählungsgedankens. Die Prädestinations-
lehre wird dem Angehörigen der erwählten
Gruppe als der Grund seiner Zugehörigkeit
mitgeteilt. Dadurch wird ihm seine Befindlichkeit, zu der die rigorose Forderung gehört,
erschlossen (→ VII 433 A 70—72).
[110] Zum Verhältnis von Stil u Inhalt der
Ps von Qumran s SSchulz, Zur Rechtfertigung aus Gnaden in Qumran u bei Pls, ZThK
56 (1959) 167—177; Jeremias aaO (→ A 104)
168—267.
[111] Vgl die psychologischen Termini διάνοια Test R 3, 12 uö, νοῦς Test R 3, 8 uö.

4. Das rabbinische Schrifttum[112].

Die jüd Entwicklung setzt sich fort[113]. Die Intensität der Qumran-Texte findet sich hier nicht[114]. Das Neue liegt nicht so sehr im formalen Sprachgebrauch[115] als in der Weiterentwicklung des Verständnisses der Größen, die mit *Licht* bezeichnet werden, vor allem des Gesetzes. *Licht* wird von der Heilszeit u dem Messias gebraucht: „In jener Stunde (sc wenn sich der Messias offenbart) läßt Gott das Licht des Königs, des Messias u Israels aufleuchten, u alle Völker der Welt sind in Finsternis u Dunkel. Dann werden sie alle zum Licht des Messias u Israels kommen" Pesikt r 36 (162b)[116]. Das Licht des Messias kann mit dem Urlicht identifiziert werden, das Gott zurückzog u für die Gerechten aufbewahrte Pesikt r 36 (161a)[117]. *Licht der Welt* אוֹרוֹ שֶׁל עוֹלָם oder נֵרוֹ heißen Gott Nu r 15, 5 zu 8, 2, Israel Cant r 1 zu 1, 3 (Wünsche 22), einzelne Menschen, zB Rabb AbRNat A 25 (Schechter p 79), das Gesetz bBB 4a, der Tempel bBB 4a[118]. Licht sind die Werke der Gerechten. Auf sie wird Gn 1, 3 gedeutet: „Vom Anfang der Weltschöpfung an hat Gott die Werke der Gerechten u die Werke der Gottlosen geschaut ... ,die Erde war eine Wüste u Leere', das geht auf die Werke der Gottlosen. ,Und Gott sprach: Es werde Licht!', das geht auf die Werke der Gerechten" Gn r 2, 5 zu 1, 3[119]. Licht umstrahlt die Geburt des Gottesmannes, des Sohnes (Mose) bSota 12a; 13a[120]. Licht ist schließlich die menschliche Seele: „Was du in deinem Herzen denkst, deine Seele teilt ihm (sc Gott) alle Worte mit, eine Leuchte Gottes ist die Seele des Menschen" Pesikt r 8 (29a)[121].

D. Hellenismus, Gnosis.

1. Allgemeines.

Die Übergänge von der klassischen Periode in das hellenistische Denken sind schwer zu fassen. Es herrscht größte Mannigfaltigkeit, da einerseits klassische Tradition und klassischer Sprachgebrauch fortgesetzt werden, andererseits Heilslehren religiösen Stils, zT in Vermengung mit Elementen der Philosophie (vgl das Kunterbunt in den Hermetica), mehr und mehr zu Wort kommen. So herrscht einerseits nach wie vor der Bildcharakter des Redens vom Licht: Licht ist Gleichnis für das philosophisch-spekulativ Erfaßte (→ 306, 2ff). Andrerseits erscheint das Licht in den Heilslehren als die Realität der Heilsmacht, die wiederum als Heils-Sphäre vorgestellt sein kann. Über diese Abgrenzung des philosophischen und des „religiösen" Typs hinaus sind keine Regeln festzustellen.

---

[112] Jastrow, Levy Chald Wört sv; → Aalen Licht u Finsternis 258—324; Str-B I 161f. 236—238; II 427f; II u IV Regist sv Licht.

[113] Gelegentlich wird gefragt, woher das Licht erschaffen wurde Gn r 3, 4 zu 1, 3, s Bacher Pal Am I 120. 545 A 4; HFWeiß, Untersuchungen zur Kosmologie des hell u palästinischen Judt, TU 97 (1966) 107—110; VAptowitzer, Zur Kosmologie der Agada. Licht als Urstoff, MGWJ 72 (1928) 363—370, dgg Weiß 107—110.

[114] Bedingte Ausn bilden Texte mit gnostischem Einschlag wie Gn r u hb Hen. Zur jüd Gnosis vgl MFriedländer, Der vorchr jüd Gnosticismus (1898); → Scholem 43—86; → Schubert 87—94. Es fehlt die dualistische Entgegensetzung zur Finsternis.

[115] Natürlich ist auch hier Licht gleichbedeutend mit Heil, zB Tg Prof zu Js 60, 1,

s Str-B II 427f, oder mit der Thora, zB bBB 4a, s Str-B I 237.

[116] Str-B I 151, vgl 161f; II 348.

[117] Str-B II 348. Die Bezeichnung *Licht* für die präexistente Seele des Messias findet sich Gn r 85, 1 zu 38, 1, s Str-B II 346 u gelegentlich — in der Auslegung einer Schriftstelle, aber nicht terminologisch ausgebildet — für den Messias Gn r 1, 6 zu 1, 1, s Str-B I 67.

[118] Str-B I 236—238. Auf einem Mosaik aus der Synagoge von Beth-Alpha (6.Jhdt nChr) ist Gott in einer Wolke verborgen, die Licht ausstrahlt, Goodenough aaO (→ A 39) III Abb 638 (überinterpretiert I 246—248). Zur Thora vgl noch Str-B II 357 u die Menora-Symbolik (→ A 95).

[119] Str-B I 239. Vgl Mt 5, 16.

[120] RMach, Der Zaddik in Talmud u Midr (1957) 69f.

[121] Str-B I 432.

Deutlich hebt sich erst als ein Endprodukt der Entwicklung eine durchschnittliche spätantike Lichtmetaphysik heraus[122].

Die Entwicklung dokumentiert sich auf verschiedenen Gebieten (→ 321, 1ff) u auf verschiedenen literarischen Stufen. Diese Verschiedenheit ist bei der Beurteilung der Texte zu beachten. Ein Beleg aus einem Zauberpapyrus darf nicht verallgemeinernd auf „den" Hellenismus übertragen werden, u auf keinem der Gebiete verläuft die Entwicklung gradlinig im Sinne eines folgerichtigen Prozesses. Die klass Tradition läßt sich bei Plutarch verfolgen, der im wesentlichen die platonische Linie popularphilosophisch auszieht. Wir finden den Vergleich Leuchter-Seele Plut Def Orac 18 (II 419f), Licht-Wahrheit Def Orac 42 (II 433d), Licht-Erkenntnis Lat Viv 4 (II 1129a—b); einen Schritt weiter führt 6 (II 1130b). Gegensätze sind gehäuft, unter ihnen auch φωτίζομαι u πικραίνομαι Col 7 (II 1120e). Die Verknüpfung des Gedankens der Erleuchtung mit Mysterienterminologie ist bei Plat vorgebildet (→ 307, 20ff): ὥσπερ γὰρ οἱ τελούμενοι κατ' ἀρχὰς μὲν ἐν θορύβῳ καὶ βοῇ συνίασι πρὸς ἀλλήλους ὠθούμενοι, δρωμένων δὲ καὶ δεικνυμένων τῶν ἱερῶν προσέχουσιν ἤδη μετὰ φόβου καὶ σιωπῆς, οὕτω καὶ φιλοσοφίας ἐν ἀρχῇ καὶ περὶ θύρας πολὺν θόρυβον ὄψει . . . ὁ δ' ἐντὸς γενόμενος καὶ μέγα φῶς ἰδών . . . Plut, Quomodo quis suos in virtute sentiat profectus 10 (II 81d—e), vgl De anima 2[123]. Die Helligkeit der jenseitigen Welt wird in literarischen Mythen beschrieben Ser Num Vind 22—24 (II 563b—564d)[124]; Gen Socr 21 (II 589f)[125]; Fac Lun 26 (II 940f—942d)[126]. Von bes Bdtg ist die Schrift Is et Os, vor allem 51ff (II 371ff). Osiris ist der Nous u Logos, das erste, lichtgestaltige Noëton[127]. Die eigtl philosophische Entwicklung führt über Stationen wie Philo bis zum Neuplatonismus[128]. Der urchr Lit steht das hell Erbauungsschrifttum näher, vor allem die Hermetica (→ 325, 33ff). Die unterste Stufe stellt die magische Lit dar, in der sich die Lichtmetaphysik u ihre Sprache niederschlagen. Es besteht starker jüd Einfluß, vgl zB Audollent Def Tab 242, 13 (3.Jhdt nChr) (→ 304, 11f). Als Größe sui generis ist die Gnosis zu erkennen. An ihrem Rande gibt es zwar vielfache Schattierungen mehr philosophischen oder mehr erbaulichen Stils, synkretistische Übergangserscheinungen, aber im Kern ist eine in sich geschlossene Sinnganzheit zu erkennen, deren Wirkung auch in den Randerscheinungen festzustellen ist. In der Gnosis wird der orientalische Einschlag eindeutig faßbar[129].

Licht bedeutet natürlich auch im Hellenismus Heil. Aber dieses wird jetzt anders verstanden bzw in anderem gefunden, und die Vorstellung vom Licht selbst wandelt sich entsprechend. Das Licht wird jetzt als Sphäre aufgefaßt, zugleich

---

[122] → Wetter Phos 103—106 führt die Entwicklung auf orientalischen Einfluß zurück. Die Belege sind meist spät, weisen aber zT auf frühere Zeit zurück, vor allem, soweit sie den Kult betreffen. Für die Gnosis ist in der Tat der orientalische Einschlag unbestreitbar. Im übrigen ist auch mit innerer Entwicklung im Hell zu rechnen. Überh ist die Alternative äußerer Einfluß oder Eigenentwicklung zu einfach-kausalistisch.

[123] ed GNBernardakis, Plut Moralia VII (1896) 23, 7ff. Zur St vgl → Beierwaltes 25. Eine kurze Übersicht über die Gesch des Platonismus gibt HDörrie, Artk Platonismus, in: RGG³ V 411—415 (Lit).

[124] Plut formuliert hier in Anlehnung an den Mythos des Er Plat Resp X 614b—615d, aber durchsetzt mit pythagoreischen u heraklitischen Elementen, wozu die eigene Erfindung des Plut kommt, vgl KZiegler, Artk Plut, in: Pauly-W 21 (1951) 849f; GMéautis, Plutarque. Des délais de la justice divine (1935) 57—74.

[125] In Anlehnung an Plat Phaedr, Ziegler aaO (→ A 124) 891.

[126] Ziegler aaO (→ A 124) 855f; WHamilton, The Myth in Plutarch's De facie, The Classical Quarterly 28 (1934) 24—30.

[127] Über die Wechselwirkung zwischen mystischer Plato-Interpretation u philosophischer Auslegung realer Mysterienerlebnisse → Wlosok 56—59. Vgl noch Apul, De Deo Socratis 3 u Max Tyr 11, 9a—10e, → Wlosok 226. 255f. An der letzten St erscheint bes schön der mystische Stil der Plat-Auslegung Phaedr 247c.

[128] Der Neuplatonismus als solcher ist hier nicht zu besprechen, sondern nur, soweit einzelne St für den Hell im allg bezeichnend sind. Material bei → Wetter Phos 46—97 u → Baeumker 357—371. Zu Procl u Jambl s Nilsson II 652f.

[129] Das gilt bei allem Streit über die Herkunft einzelner Motive u die Stärke der einzelnen Komponenten. Für die Motive vgl Reitzenstein Hell Myst Regist sv Gnosis, Gnostizismus uä; Reitzenstein Poim 58—160; WBousset, Hauptprobleme der Gnosis, FRL 10 (1907) passim; FCumont, Die orientalischen Religionen im röm Heidentum ⁴(1959) Regist sv Gnosis; Nilsson II 582—622 u passim; HJunker, Über iranische Quellen der hell Aionvorstellung, Vorträge der Bibliothek Warburg 1921/22 (1923) 145f. Für die Hermeneutik ist grundlegend Jonas Gnosis I 1—80.

als Substanz. Das erste Motiv stellt sich im Weltbild dar, in der Gegenüberstellung von diesseitiger Welt und oberer Lichtwelt, das zweite in der Anthropologie, in dem Gedanken der Lichtseele. Die Synthese bildet die Himmelfahrt der
Seele[130]. *Erleuchtung* ist Aufstieg und zugleich Verwandlung (Corp Herm 1), sie
ist die Bedingung der Erkenntnis[131]. So scharf obere und untere (sublunare) Sphäre 5
getrennt sind, so ist doch der beherrschende Gegensatz weniger der von Licht und
Finsternis als der von göttlichem und irdischem bzw menschlichem Licht (Philo
Rer Div Her 264)[132]. Die Finsternis ist, außer in einem abgrenzbaren Teil der
Gnosis, nicht aktive Gegenmacht, sondern der Raum und die Befindlichkeit, die
man hinter sich läßt, die ἄγνοια (→ I 120, 11 ff)[133]. Das Denken ist nicht am Vor- 10
handensein des Gegensatzes, sondern an der Bewegung, dem Vorgang der Epiphanie, des Aufstrahlens, der Erleuchtung orientiert. Ist Licht das wahre, jenseitige Sein, so ist das irdische Licht im Verhältnis dazu σκοτεινὸν φῶς (→ VII
434, 30 ff)[134]. Damit stehen wir am Umschlag in die gnostische Reflexion.

Es ergibt sich: Lichtmetaphysik liegt schon bei Plato vor (→ 307, 3 ff). Während 15
bei ihm das Licht die Beschaffenheit der Ideenwelt ist, wird es im Hellenismus zum
gestaltlosen Lichtreich. Neu ist der Gedanke der göttlichen Macht als Licht, der
Erleuchtung als Vergottung. Wie sich die Verhältnisbestimmung zwischen Lichtreich
und Welt verändert, so auch das Verständnis des Erkenntnisvorgangs: Nicht mehr
durch rationale Erkenntnis gelangt man ins Licht, sondern durch Verwandlung in 20
überweltliche Substanz. Die Philosophie der Erleuchtung und die Lichtreligion
nähern sich einander.

---

[130] WBousset, Die Himmelsreise der Seele,
ARW 4 (1901) 136—169. 229—273. Die Spätantike bringt den Einbruch der Astral-
religiosität aus dem Osten. Jetzt gibt es
Gestirn- u Sonnenkult, der der klass Zeit
fremd war. Trotz Verschärfung des Dualismus
ist dies noch nicht Gnosis, vgl Cumont aaO
(→ A 129) 112—123; ders, Astrology and Religion among the Greeks and Romans (1912)
73—102; FBoll, Sternglaube u Sterndeutung
(1931) 15—29; → Bultmann 345—352; ders,
Das Urchr im Rahmen der antiken Religionen (1949) 163—180.

[131] Das alte Prinzip „Gleiches wird durch
Gleiches erkannt" gewinnt neuen Sinn. Um
das Licht sehen zu können, bedarf es nicht
nur des Aufstrahlens desselben, sondern der
Substanzgleichheit des Erkennenden mit ihm
Philo Deus Imm 78; Plut Is et Os 77 (II
382d—e); Ascl 18. 32; vgl die Klage der Seelen
ἄθλιαι γὰρ κατεκρίθημεν καὶ τὸ βλέπειν ἡμῖν
οὐκ ἄντικρυς ἐχαρίσθη, ὅτι χωρὶς τοῦ φωτὸς ἡμῖν
τὸ ὁρᾶν οὐκ ἐδόθη Herm Trismeg fr 23, 36
bei Stob Ecl I 396, 12f. Über Erleuchtung →
Festugière IV 241—257.

[132] Vgl die Wortbildung ἀφώτιστος. Das
urspr negative Wort wird jetzt zum „positiv
schlechten Begriff" → Wetter Phos 63; vgl
die analogen Wörter ἄγνωστος, ἀχάριστος (→
χάρις).

[133] Corp Herm 1, 28; 7, 2, vgl ὥσπερ γὰρ
ἡλίου καταλάμψαντος οὐ πέφυκε τὴν αὐγὴν ὑπο-
μένειν τὸ σκότος, ἐξαίφνης δὲ ἀφανὲς ἄρδην

καθίσταται ... Jambl Myst III 13 (p 130, 9f),
vgl Philo Deus Imm 123.

[134] Zur Verknüpfung von Licht u Leben
Corp Herm 1, 32 (→ 326, 8ff; II 842, 13f);
zu Licht u Welt bzw Menschen s WBousset,
Kyrios Christos, FRL 21 ²(1921) 173; →
Wetter Licht der Welt 166—201. Alexander
von Abonuteichos läßt seinen Gott Glykon
sich präsentieren: εἰμὶ Γλύκων, τρίτον αἷμα
Διός, φάος ἀνθρώποισιν Luc Alex 18, s OWeinreich, Alexandros der Lügenprophet u seine
Stellung in der Religiosität des 2. Jhdt nChr,
N Jbch Kl Alt 47 (1921) 145: „Ich zweifle
nicht, daß der Gott, wenn er nicht im Orakel-
hexameter, sondern in Prosa geredet hätte,
gesagt haben würde: ἐγώ εἰμι usw." Vgl Luc
Alex 43 sowie Macrob Sat I 23, 21: Ἥλιε
παντοκράτορ, κόσμου πνεῦμα, κόσμου δύναμις,
κόσμου φῶς. Zu Isis → A 341; für die Gnosis
vgl Corp Herm 1, 6 (→ A 187); 13, 19; „Ich
wurde der Leuchtende, der Sohn Gottes genannt" O Sal 36, 3, vgl auch Cl Al Exc Theod
34, 1—35, 1; zu den Mandaica → 327, 23ff.
Die Verbindung mit der Idee vom Urmenschen
findet sich bei Zosimus fr 49, 10 (Berthelot
232): καὶ ταῦτα μόνοι Ἑβραῖοι καὶ αἱ ἱεραὶ Ἑρ-
μοῦ βίβλοι περὶ τοῦ φωτεινοῦ ἀνθρώπου καὶ τοῦ
ὁδηγοῦ αὐτοῦ υἱοῦ θεοῦ, καὶ τοῦ γηΐνου Ἀδάμ,
καὶ τοῦ ὁδηγοῦ αὐτοῦ ἀντιμίμου τοῦ δυσφημίᾳ
λέγοντος ἑαυτὸν εἶναι υἱὸν θεοῦ πλάνη. Vgl τὸ
δὲ προσηγορικὸν αὐτοῦ (sc des Urmenschen)
ὄνομα φῶς καλεῖται ... ὅτε ἦν φῶς ἐν τῷ Παρα-
δείσῳ ... 49, 6f (p 231).

2. Philo.

Daß Philo nicht zum antithetischen, sondern zum Erleuchtungs-Typ gehört, zeigt schon der Befund der Wortgruppe σκότος (→ VII 435, 14ff)[135]. So deutlich die platonische Tradition (→ 307, 3ff) ist[136], so deutlich ist auch die Weiter-führung u Potenzierung derselben im hell-protognostischen Stil[137] (→ 319, 22ff): σο-φία δὲ οὐ μόνον φωτὸς τρόπον ὄργανον τοῦ ὁρᾶν ἐστιν, ἀλλὰ καὶ αὐτὴν ὁρᾷ Migr Abr 40, vgl Det Pot Ins 117; die Weisheit ist Licht der Seele Spec Leg I 288; Congr 47; Quaest in Ex II 7, vgl Spec Leg III 6. Die Potenzierung zeigt sich, wenn man den philoni-schen Gottesgedanken u die Beziehung von Weisheit u Logos berücksichtigt. Aaron wird als Logos gedeutet, der Berg Hor (LXX: Ωρ) Nu 20, 25 natürlich als Licht: τὸ γὰρ τέλος τοῦ λόγου ἀλήθειά ἐστιν ἡ φωτὸς τηλαυγεστέρα, εἰς ἣν σπουδάζει ὁ λόγος ἐλθεῖν Leg All III 45. φῶς u σκότος sind von Bdtg bei der Darstellung des Weltbildes, vgl vor allem Op Mund passim u ἐκ δὲ σκότους φῶς ἐργασάμενος Spec Leg IV 187. Zur Ausdrucksweise mit ἐκ → 305, 53f. Stoischer Einschlag liegt Abr 205 vor: καὶ τὸ φῶς ἐν οὐρανῷ μὲν ἄκρατον καὶ ἀμιγὲς σκότους ἐστίν, ἐν δὲ τοῖς ὑπὸ σελήνην ἀέρι ζοφερῷ κεκραμένον φαίνεται, vgl 156ff[138]. Die jüd Komponente setzt sich in der Auffassung der Welt als Schöpfung durch[139]. Der beherrschende Gegensatz ist nicht Licht — Dunkel, sondern himmlisches — irdisches Licht. Auch bei Philo liegt eine eigtl Lichtmetaphysik vor. Das Licht-Sein der göttlichen Welt ist die Voraussetzung des irdischen Lichts u des Sehens wie der übernatürlichen Möglichkeit der Lichtschau im mystischen Aufstieg Op Mund 71. Vor dem sichtbaren Licht ist die Idee des Lichts geschaffen ἀόρατον καὶ νοητόν Op Mund 31[140]. Scharfe Unterscheidung von erstem u zweitem Licht findet sich Som I 115—117[141]. Gott ist die Quelle des reinsten Lichtglanzes Mut Nom 6. Das klingt emanatistisch[142], zumal Philo platonisierend sagen kann, daß Gott Licht sei Som I 75; er ist die Sonne der Sonne[143]. Doch wird der Emanationsgedanke umgebogen durch die Feststellung, daß Gott nicht nur Archetyp jedes anderen Lichts sei, sondern auch vor jedem anderen Archetyp sei Som I 75, u durch die Lehre von den δυνάμεις: nicht Gott selbst strahlt aus, sondern seine Kräfte[144]. Als Mittelgröße kann der Logos eingeschoben sein, der ebenfalls Licht ist; das intelligible Licht ist εἰκών des göttlichen Logos Op Mund 31. *Bild* bezeichnet einen substantiell verstandenen Zshg. Der Logos ist φῶς ψυχικόν Leg All III 171 u das Urbild der Sonne Som I 85, vgl I 75, wo Gott das Urbild ist, u I 87, wo die Sonne Symbol Gottes ist. Bei Philo bestehen zwei Schemata nebeneinander: a. das Seiende — Ideen = göttliches Licht — Welt; b. das Seiende — göttliches Licht — Ideen — Welt. Der zweite Typ findet sich Op Mund 69ff; Mut Nom 178ff; Rer Div Her 263ff; Gig 52ff[145]. Wenn das Licht göttlich heißt, so ist der Ausdruck gut griech (→ 305, 32f), aber der Sinn ist verändert Migr Abr 39; Rer Div

---

[135] φῶς u Derivate kommen ungefähr 250-mal vor. Hinzu kommen Synonyma wie αὐγή, φέγγος usw mit Kompos. Das Verbum φωτίζω spielt außer Fug 139 keine Rolle; dafür treten die Kompos der Synonyma ein, weiter λάμπω (→ IV 17, 1ff) mit Kompos, ἀνατέλλω, ἀνα-φαίνομαι uam, → Klein 50—61. Der typisch philonische Stil, von Licht u Dunkel zu reden, ist: ἐπεὶ καὶ φωτὸς ἐπιλάμψαντος ἀφανίζεται τὸ σκότος Deus Imm 123. Nach → Klein 23. 32f ist Finsternis einfach Abwesenheit des Lichts.

[136] Die übrigen Einflüsse u ihr gegenseitiges Verhältnis können hier dahingestellt bleiben. Platonisch ist Spec Leg I 288: διανοίας δὲ φῶς ἐστι σοφία . . . Dem entspricht auf der Gegen-seite die ἀφροσύνη als σκότος. Übertr Gebrauch im Stil der griech Tradition liegt auch Leg All III 167 vor: φῶς δὲ ψυχῆς ἐστι παιδεία, vgl über die ἄγνοια Ebr 154—161.

[137] S dazu vor allem Jonas Gnosis II 1, 70—121 u → Wlosok 50—114.

[138] Zur Vorstellung von der Luft s HLeise-gang, Der Heilige Geist (1919) 24—36.

[139] Das tritt bes deutlich in der Auslegung des bibl Schöpfungsberichtes in Op Mund hervor, wobei Plat Tim 28a einen Ansatz für die Synthese bietet. Aber diese ist dann etw durchaus Neues. Zur Auslegungsgeschichte von

Plat Tim 28a im Altertum → Wlosok 252—256.

[140] → Klein 39.

[141] → Völker 178.

[142] FWEltester, Eikon im NT, ZNW Beih 23 (1958) 32—34. 105f.

[143] ὁ δὲ θεὸς καὶ νόμων ἐστὶ παράδειγμα ἀρχέ-τυπον καὶ ἡλίου ἥλιος, νοητὸς αἰσθητοῦ, παρ-έχων ἐκ τῶν ἀοράτων πηγῶν ὁρατὰ φέγγη τῷ βλεπομένῳ Spec Leg I 279. Der Logos ist übergangen, → Wlosok 91; → Klein 31—33. 37.

[144] → Pascher 191—228; → Völker 283f; HAWolfson, Philo II ²(1963) Regist sv δύ-ναμις, → Daniélou 149—153. Daß die Iden-tifikation von Gott u Licht nur uneigentlich-metaphorisch gemeint sei, betont → Klein 17.

[145] → Pascher 167. Zum sachlichen Ver-hältnis der beiden Reihen mit u ohne Logos → Wlosok 90: „Der Logos als das Urbild des Lichtes oder der Sonne meint das gött-liche Licht selbst." Nach Eltester aaO (→ A 142) 33 weicht Philo, wenn er Dinge der intelligiblen Welt als εἰκόνες bezeichnet, von Plat ab, der nur innerhalb der Sinnenwelt von εἰκόνες spricht. Eine Epiphanie des Bildes Gottes ist beschrieben Vit Mos I 66; → Klein 66—68.

Her 264 (→ 321, 5ff), vgl Som I 72; Deus Imm 78. Ein kosmologischer Dualismus ist von diesem Ansatz her nicht möglich[146].

Durch die Ausarbeitung der Transzendenz Gottes ist das platonische Weltverständnis transponiert u ein neues Weltbild entstanden. Die Welt samt der Ideenwelt ist durch den Gottesgedanken eingeklammert[147]. Es handelt sich nicht um eine formale Erwei- 5 terung, sondern um eine qualitative Veränderung. Sowohl die Ideenwelt als auch die empirische Welt sind an einen anderen Ort gerückt. Das In-der-Welt-Sein ist anders verstanden. Die höchste Möglichkeit platonischer Transzendenz war die Idee des Guten Resp VI 509 b[148]. Indiz für die philonische Steigerung der Transzendenz sind die negativen Lichtattribute: ἀσώματον Conf Ling 61, ἀγένητον Ebr 208[149], ἀόρατον Op Mund 31[150]. 10

Kosmologie u Anthropologie entsprechen sich. Das Licht-Sein des Logos bedeutet die Möglichkeit der Offenbarung bei Wahrung der Transzendenz. Er ist die erleuchtende Kraft bei der Bekehrung Conf Ling 63. Auf den anthropologischen Sinn des Logos kann die Gewand-Allegorese stoßen Fug 108 ff[151]; Som I 216 ff[152]. Auch in der Anthropologie u Erkenntnislehre werden die platonischen Aussagen überboten. Zwar herrscht 15 auch hier zunächst formale Übereinstimmung, wenn die Erkenntnis als Erleuchtung verstanden wird: ἡ θεία σύνταξις (*Anordnung*) αὕτη τὴν ὁρατικὴν ψυχὴν φωτίζει τε ὁμοῦ καὶ γλυκαίνει, φέγγος μὲν τὸ ἀληθείας ἀπαστράπτουσα, πειθοῖ δέ, ἀρετῇ γλυκείᾳ, τοὺς διψῶντας καὶ πεινῶντας καλοκἀγαθίας ἐφηδύνουσα (*erquicken*) Fug 139, vgl 137 f sowie Leg All I 46; III 171; Virt 164. Es gilt der Grundsatz, daß Gleiches nur durch Gleiches 20 erkannt, Licht nur durch wesenhaft Lichthaftes erblickt wird Spec Leg I 42. Der Grundsatz ist alt-griech (→ 305, 11 ff); es besteht ein ontologischer Zshg von Erkennen u Gegenstand. Er ist nun bei Philo in der bekannten Weise gesteigert. „Gott ist sein eigenes Licht u wird durch dieses allein gesehen … zur Wahrheit gelangen nur die Menschen, die die Vorstellung von Gott durch Gott gewinnen, die Vorstellung vom 25 Licht durch das Licht" Praem Poen 45 f[153], vgl Cher 97; Deus Imm 58 f u die Nähe von φῶς, λόγος, σοφία, πνεῦμα zueinander, zB: Die Weisheit ist θεοῦ τὸ ἀρχέτυπον φέγγος Migr Abr 40[154]. Formale Übereinstimmung mit Plat besteht auch darin, daß das Auge von der Überfülle des göttlichen Lichts geblendet wird Op Mund 69—71; Quaest in Ex fr 1[155], vgl Migr Abr 38—42[156]. Aber schon hier ist Plat überboten: Im Schauen 30 transzendiert der Mensch sich selbst. Bedingung der Schau ist die Vertreibung des menschlichen νοῦς durch das göttliche πνεῦμα. Wenn das göttliche Licht aufstrahlt, erlischt das menschliche Op Mund 69—71; Som I 118; ἐξοικίζεται μὲν γὰρ ἐν ἡμῖν ὁ νοῦς κατὰ τὴν τοῦ θείου πνεύματος ἄφιξιν, κατὰ δὲ τὴν μετανάστασιν αὐτοῦ πάλιν εἰσοικίζεται· θέμις γὰρ οὐκ ἔστι θνητὸν ἀθανάτῳ συνοικῆσαι. διὰ τοῦτο ἡ δύσις τοῦ λογισμοῦ καὶ τὸ περὶ 35 αὐτὸν σκότος ἔκστασιν καὶ θεοφόρητον μανίαν ἐγέννησε Rer Div Her 265, vgl 263 f[157]. Der

---

[146] Die Reihen von Gegensätzen Rer Div Her 207 ff; Gig 41 beweisen nichts dgg, vgl den Zshg.

[147] S Jonas Gnosis I passim u II 1, 87 f. Eltester aaO (→ A 142) 33: „Die platonische Idee, die im Tim ein dem Demiurgen außerhalb seiner selbst liegendes Vorbild ist, wird zum Schöpfungsgedanken Gottes." Vgl Op Mund 24.

[148] Vgl noch Phaedr 247 b. c, → Beierwaltes 46.

[149] Vgl von den Ideen Plat Tim 52 a, ferner 28 a. 29 a.

[150] Zum Verhältnis zu Plat s noch Wolfson aaO (→ A 144) I 200—217, der eine ungeschaffene (nach Plat) u eine geschaffene Ideenwelt unterscheiden will. Nach → Daniélou 169 ist das Simplifizierung. Vielmehr hat die Ideenwelt an der Ambiguität des Logos selbst teil.

[151] → Pascher 61—64.

[152] → Pascher 174—184.

[153] Vgl dazu Jonas Gnosis II 1, 86—88. Wenn → Völker 163 A 7 die Rede von der Erleuchtung als Bedingung der Erkenntnis für bildlich hält, ist das Wesentliche nicht gesehen.

[154] Vgl Corp Herm 2, 12 vl (Nock-Fest I 37, 6, vgl dazu I 40 A 16); → Pascher 135 f. In diesem Zshg gehört auch der Vorrang des

Sehens vor dem Hören Migr Abr 38 ff. 47 ff; Jonas Gnosis II 1, 95—97, doch s auch → Klein 48 f.

[155] ed RMarcus, Philo Suppl II (1961) 258.

[156] → Völker 178; → Pascher 13—23. 162. Das Vorbild bieten Plat Resp VII 516a; Soph 254a, aber bei Plat besteht die Möglichkeit der Gewöhnung, vgl Resp VII 516a, bei Philo handelt es sich um Transzendierung der menschlichen Möglichkeiten.

[157] → Klein 21 f. Die Erklärung, einerseits geschehe eine Läuterung des Nous, andrerseits seine Vernichtung (→ Völker 303 f), genügt nicht. Es bestehen in der Tat Unausgeglichenheiten; aber diese bedürfen selbst der Erklärung. Sie bestehen, weil die vorhandene Reflexion mit den platonischen Darstellungsmitteln u deren Denkvoraussetzungen, dem Leitbild der griech Theorie, nicht angemessen auszudrücken ist, s Jonas Gnosis II 1, 79 f. Einerseits ist ja die Bedingung dieser Erkenntnis die Entweltlichung. Andrerseits muß gezeigt werden, daß es der Mensch ist, der auf diesem Wege zu seinem Ziel gelangt. So kommt es zu dem Widerspruch, daß der Nous als das Auge der Seele (vgl Plat Resp VII 533 d; Soph 254a, auch Symp 219a, zur Verbreitung dieses Ausdrucks s → Kroll 18—21; Dib Gefbr zu Eph 1, 18) das Erkenntnisorgan

Königsweg führt auch über die Ideenwelt hinaus zur Gottschau. Die direkte Erkenntnis Gottes überbietet die indirekte aus seinen Werken Leg All III 101. Die Einklammerung der Welt in der Kosmologie hat ihre Entsprechung in der Anthropologie. Die Wanderung ins Licht ist Abr 70 beschrieben [158], der Weg zum Lichtgott Mut Nom 4ff [159]. Die platonische Erkenntnis ist in Mystik umgeschlagen [160]. Philo geht im Ausdruck bis an die Grenze der Behauptung der Vergottung Quaest in Ex (→ A 155) fr 1 [161]. Aber er überschreitet sie nicht; denn Aufstieg/Erkenntnis setzt Offenbarung voraus, deren Prae gewahrt bleibt Plant 23—27 [162]. Die ontologische Voraussetzung der Seelenerleuchtung ist das Sein Gottes als der geistigen Sonne Virt 164, vgl Leg All I 46; Conf Ling 60f. Außerdem ist ein Korrektiv darin gegeben, daß der Lichtgedanke mit dem Gesetz verbunden wird Spec Leg I 279 nach Plat Resp VI 509a; Fug 137—139 (→ 316, 34ff) [163]. Wissen enthält in sich das Wissen vom Anspruch Gottes. Dieses drückt sich in griech Terminologie im Reden vom Licht der Tugend aus Leg All I 18. 46; Plant 40 [164]. Wissen führt zur Aufdeckung des Sünders Deus Imm 135. Endlich ist auf die Bekehrungsterminologie (→ 317, 11ff) hinzuweisen. Die Bekehrung ist Übertritt aus der Finsternis ins Licht: ... ὥσπερ ἐκ βαθέος ὕπνου διοίξας τὸ τῆς ψυχῆς ὄμμα καὶ καθαρὰν αὐγὴν ἀντὶ σκότους βαθέος βλέπειν ἀρξάμενος ἠκολούθησε τῷ φέγγει καὶ κατεῖδεν, ὃ μὴ πρότερον ἐθεάσατο, τοῦ κόσμου τινὰ ἡνίοχον καὶ κυβερνήτην ἐφεστῶτα καὶ σωτηρίως εὐθύνοντα τὸ οἰκεῖον ἔργον ... Abr 70 [165].

3. Die Gnosis — allgemeine Züge.

Grundlegend für das Verständnis der gnostischen Lichtmetaphysik ist die Unterscheidung der beiden Haupttypen, des syr-ägyptischen u des iranischen [166]. Beim ersten führt die Bewegung von oben nach unten, vom Urlicht zur Finsternis, die durch Emanation, also Abschwächung, oder einen Fall (bzw die Kombination von beidem) entsteht. Im zweiten Typ setzt die Bewegung mit dem Aufstand der Ur-Finsternis gg die Lichtwelt ein. Dort wird die Finsternis, hier ist sie präexistent. Der syr-ägyptische Typ ist der normale; sein Welt- u Erlösungsschema ist genuin gnostisch. Im iranischen Typ sind das dualistische Weltschema u Kampfmotiv vorgegeben u nachträglich gnostisch-soteriologisch verwandelt [167]. Ihn stellt ein Teil des mandäischen Schrifttums u natürlich der Manichäismus dar. Iranischer Einschlag zeigt sich auch bei den Peraten Hipp Ref V 12—18 u Sethianern V 19—22 [168].

---

ist, daß dann aber die menschliche Möglichkeit, also der Nous, überstiegen werden soll. Einerseits wird im griech Sinne behauptet, Gott sei nur dem Nous faßbar Philo Spec Leg I 20, vgl Plat Phaedr 247c, andererseits gilt er als auch dem Nous unfaßlich Philo Deus Imm 62, vgl Quaest in Ex II 45 zu 24, 16; vgl einerseits Mut Nom 6, andrerseits 7. Die Einheit von Gottes- u Selbsterkenntnis kann also nicht mehr platonisch u nicht mehr stoisch gefaßt werden. Die Einheit aber als überweltliche Möglichkeit positiv darzustellen, dafür entwickeln erst Christentum u Gnosis die erforderliche Begrifflichkeit. Ein Ausgleichsversuch wird Som II 231ff unternommen: Der Nous sei ein Mittleres zwischen Gott u dem Menschen geworden. Der Sache wird die Paradoxie Poster C 15 besser gerecht: καταλαβεῖν (Subj ist die forschende, Gott liebende Seele) ὅτι ἀκατάληπτος ὁ κατὰ τὸ εἶναι θεὸς παντὶ καὶ αὐτὸ τοῦτο ἰδεῖν ὅτι ἐστὶν ἀόρατος, vgl Som I 66. Zur Reflexion vgl auch Abr 119; Som I 118f, dazu Jonas Gnosis II 1, 105 A 1.

[158] → Pascher 140 vergleicht damit den 22. Yašt (übers JDarmesteter, The Zend-Avesta II, SBE 23, 314—323; vgl auch GWidengren, Iranische Geisteswelt [1961] 171—175).

[159] → Pascher 13—36.

[160] Wenn Philo die höchste Möglichkeit in Mysteriensprache schildert, so beweist das noch nicht, daß er sich an ein wirkliches Mysterium anschließt, vielmehr folgt er der platonischen Tradition. Es gibt eine platonisierende Mysterientheologie, → Wlosok 58. Zu beachten ist der Zshg von Mysteriensprache u Selbstverständnis einer Gemeinde Som II 252; Cher 27. 42. 48; Migr Abr 35, → Wlosok 97—100.

[161] Vor der Erleuchtungsmystik treten die Aussagen über die persönliche Zukunft (Unsterblichkeit) zurück, vgl immerhin Vit Mos II 288.

[162] Leisegang aaO (→ A 138) 221—229.

[163] ERGoodenough, By Light, Light (1935) 72—94; → Wlosok 97—107. Die Verknüpfung Licht-Gesetz liegt nicht so offen zutage wie das bisher Besprochene, läßt sich aber durch Einbeziehung des Logosbegriffs sichtbar machen.

[164] Aber der griech Tugendbegriff ist „ausgehöhlt"; der Weg zu Gott führt nicht mehr über die Selbstvollendung, sondern über die Selbstaufgabe des Menschen in der Erkenntnis der eigenen Nichtigkeit Rer Div Her 30; Mut Nom 54; dazu Jonas Gnosis II 1, 38—43.

[165] Vgl die Fortsetzung u → Klein 22—24; → Wlosok 81—84. Vgl den Erweckungsruf Som I 165, → Wlosok 137—139. 149. 159— 164; Virt 179, vgl Corp Herm 1, 23; 7, 1—3 (→ 327, 14ff).

[166] Jonas Gnosis I 256f. 283f. 328—331.

[167] Jonas Gnosis I 283. 328—331.

[168] Jonas Gnosis I 341f.

Nur im zweiten Typ können sich Licht u Finsternis im strengen Sinn dualistisch
gegenüberstehen. Im ersten dgg ist die Finsternis, existential verstanden, das Woraus
des Erlösungsvorganges. Der Blick richtet sich hier zunächst auf das Licht als das
Ziel des Weges der Gnosis (→ I 694 A 21). Daher ist in der Liturgie, im Gebet u Hymnus
fast ausschließlich vom Licht die Rede. Die quantitative u intensive Ausbreitung der 5
negativen Entsprechung, des Redens von der Finsternis, entspricht dem Grade der
theoretischen Reflexion auf das Woraus der Erlösung[169]. Ihren existentiellen Ausdruck
findet dieser Rückblick des Erleuchteten auf seine Verlorenheit in der Klage der irrenden Seele[170]. Je stärker diese entfaltet ist, desto stärker wird auch in diesem Typ die
dualistische Spannung, ohne daß jedoch iranische Antithetik vorliegt. Das bedeutend- 10
ste Dokument der Klage aus der Finsternis ist die Pist Soph (→ 334, 4ff; VII
438, 14ff).

Was sich im außergnostischen Hell anbahnt, wird in der Gnosis vollendet; Licht
ist der jenseitige, gestaltlose Weltraum u die Substanz, die sich aus ihm ergießt[171].
Licht ist das Selbst des zu Erlösenden u des Erlösten. An das Ziel, ins Licht, kommt, 15
wer aus dem Licht ist, dh selbst Licht ist Corp Herm 1, 17. Erleuchtung ist in gnostischer Dialektik die Erweckung des in der Finsternis (dh Materie) gefangenen Licht-
funkens u zugleich Erfüllung mit Lichtsubstanz, Verwandlung in Licht, Vergottung[172].
Die Erlösung vollzieht sich — wieder dialektisch — als Aufstieg des Erlösten ins Licht
Corp Herm 1, 32, als Rückkehr in die Heimat Corp Herm 7, 2: ζητήσατε χειραγωγὸν τὸν 20
ὁδηγήσοντα ὑμᾶς ἐπὶ τὰς τῆς γνώσεως θύρας, ὅπου ἐστὶ τὸ λαμπρὸν φῶς, τὸ καθαρὸν σκότους[173]. Das innere Verhältnis von himmlischem Ursprung, Selbstentfremdung, Erweckung durch den Ruf (→ 292, 31ff) oder Himmelsbrief u Rückkehr als Zu-sich-
Kommen kann durch das Motiv vom Himmelsgewand als dem eigtl Selbst dargestellt
werden, am schönsten im Lied von der Perle Act Thom 108—113[174]. Licht u Leben sind 25
nicht nur verwandt, sondern identisch. Als das Licht ist das Leben jenseitig, unweltlich
(→ II 842, 13ff)[175].

Licht ist der gnostische, fremde, gestaltlose Gott, der mit dem Lichtreich identisch
ist Corp Herm 1; 13, 18, das Selbst des zu Erlösenden, das Licht der Erleuchtung γνῶσις
ἁγία, φωτισθεὶς ἀπὸ σοῦ, διὰ σοῦ τὸ νοητὸν φῶς ὑμνῶ χαίρω ἐν χαρᾷ νοῦ 13, 18, nämlich 30
die Erkenntnis des Lichterbes. Der Gnostiker besitzt dadurch im Rückblick die Erkenntnis der Herkunft 1, 21, im Vorblick die Erkenntnis des Ziels 1, 32.

4. Corpus Hermeticum.

Hier ist bei aller Motivverwandtschaft mit Philo (→ 322, 1ff)
die gnostische Transformation weit besser zu fassen als bei jenem. Die Lichtterminologie 35

---

[169] Im Sinne des Schemas der Valentinianer
Cl Al Exc Theod 78, 2: ἡ γνῶσις, τίνες ἦμεν,
τί γεγόναμεν· ποῦ ἦμεν [ἢ] ποῦ ἐνεβλήθημεν· ποῦ
σπεύδομεν, πόθεν λυτρούμεθα· τί γέννησις, τί
ἀναγέννησις, vgl Jonas Gnosis I 261.
[170] Auch hier herrscht die Dialektik. Die
Klage setzt Einsicht in die himmlische Herkunft u die jetzige Verlorenheit, also Erkenntnis voraus. In Wirklichkeit ist die Klage Rückblick, freilich an der Grenze: Der Erlöste hat
keinen Zeitraum zwischen der Erlösung u
seiner Gegenwart hinter sich; denn das ganze
Erlösungsschema ist an sich zeitlos.
[171] Die Jenseitigkeit ist im Vergleich zum
außergnostischen Dualismus potenziert. Auch
die Welt der Ideen, des Geistes ist in den diesseitigen Kosmos einbezogen u mit ihm ver-
teufelt, Jonas Gnosis I 161—170.
[172] An sich widersprechen sich ja Seelenpräexistenz u Verwandlung. Darin zeigt sich
die Spannung zwischen Ausdrucksmittel u
Sinn. Der Sinn ist die Erlösung, also Neuheit. Dazu paßt die metaphysische Begründung nur in der Intention, nicht in der Vor-

stellung. Es ist ders Widerspruch wie zwischen Zeitlosigkeit u Resten des Zeitschemas
im Rückblick u Vorblick. Auch Corp Herm
11, 20 findet sich der Grundsatz, daß Gleiches
durch Gleiches erkannt wird (→ 323, 20f;
A 131). [Bertram]
[173] Die gnostische Reflexion zeigt sich darin,
daß der Aufstieg gebrochen ist: Er führt durch
die kosmische Mauer, die Welt u Lichtreich
trennt, durch die Tore, an den Wächtern (→
238, 4ff) vorbei, Jonas Gnosis I 146—156. 205
—210 u passim.
[174] Übers des syr Textes bei → Adam
Thomas-Ps 49—54. Zum Gewand-Motiv vgl
Reitzenstein Hell Myst Regist sv Gewand;
→ Klein 61—66.
[175] Bultmann J 25f. ZB Corp Herm 1, 9.
12. 17. 21; 13, 9. 12. 18f. Unendliche Variationen finden sich bei den Mandäern, vgl die
Formel: „Im Namen des großen Lebens sei
verherrlicht das hehre Licht" Lidz Joh 4, 13f;
12, 1; 17, 11f u passim; Ginza R 271, 18; Lidz
Liturg 177, 5; 190, 1 uö, vgl Ginza R 54, 25
uö.

ist auf die dualistischen[176] Traktate Corp Herm 1. 4. 6. 7. 13 beschränkt[177]. In Corp Herm 1 wird die Finsternis in charakteristischer Weise vom Licht umklammert: Zuerst ist das Licht, dh Gott u seine Lichtwelt 1, 1—4[178]. Erst aus ihm erscheint das Dunkel[179]. Das Licht ist sowohl Sphäre — so setzt es die Kosmogonie voraus — als auch Substanz, was in der Anthropologie zutage tritt[180]. Im Vergleich zum wahren Licht ist das irdische nur σκοτεινὸν φῶς 1, 28[181]. Die Klammer zwischen Kosmologie u Anthropologie bildet auch im Poimandres der Logos, der als Gottes Sohn φωτεινός ist 1, 5f[182], entsprechend der Anthropos 1, 17[183]. Die Konstante zwischen Gott u dem erlösungsbedürftigen Menschen ist das Licht, vor allem in der kennzeichnenden Verbindung *Licht* u *Leben* (→ A 175)[184]. Im Poimandres ist der Lichtnous zweigeschlechtig 1, 9[185]. Das wird dahin ausgewertet, das Leben sei das weibliche, das Licht das männliche Prinzip im Menschen: ὁ δὲ ῎Ανθρωπος ἐκ ζωῆς καὶ φωτὸς ἐγένετο εἰς ψυχὴν καὶ νοῦν, ἐκ μὲν ζωῆς ψυχήν, ἐκ δὲ φωτὸς νοῦν 1, 17. Das ist eine sekundäre Spekulation. Urspr sind *Licht* u *Leben* die Ur-Einheit, vgl 1, 32. Das Verhältnis von Licht als Sphäre u als Substanz, von Welt- u Erlösungslehre drückt sich auch in der Lehre von den δυνάμεις aus. Diese bilden das Reich des Lichts u machen zugleich in ihrer Gesamtheit den Menschen aus 13, 8f, vgl 1, 9; 13, 18—20[186].

---

[176] Die Einteilung in dualistische (→ Z 1) u monistische (2. 5. 8. 14; Ascl) Traktate (→ Bousset 749) hat sich durchgesetzt. Mischtypen sind Traktat 9. 10. 12 u 16.

[177] → Klein 18f. σκότος fehlt im Hymnus, zB Corp Herm 13, 17—20, u im Gebet, zB 1, 31f. Darin zeigt sich die Strukturverschiedenheit zwischen den beiden Weisen der gnostischen Selbstverwirklichung, der liturgischen, die sich am Weg ins Licht orientiert, u der ethischen, die sich im Kampf mit der Finsternis befindet u daher diese auch theoretisch angehen muß. Nicht wesentlich ist für die Bestimmung des Lichtgedankens der Streit darüber, wie weit Corp Herm 1 von Gn 1 abhängig sei. Es lassen sich Anklänge feststellen, etwa 1, 5. 7. 11f. 17f. 19. Aber sie bleiben äußerlich. Literarische Abhängigkeit ist nicht zu erweisen, gg → Dodd Bible 147, vgl Eltester aaO (→ A 142) 81f. Der Ablauf der Kosmogonie ist von der biblischen grundverschieden: Am Anfang ist nicht Chaos, sondern das Licht. → Dodd Bible 107 meint, die Abfolge von Gn 1 sei absichtlich umgekehrt worden. Es liegt vielmehr eine kosmogonische Lehre vor, die mit Gn 1 nichts zu tun hat. Schöpfung ist Emanation aus dem Urlicht; in dieser wird eine Dualität angelegt, da das Dunkel aus dem Licht herausgesetzt ist. Zur sachlichen Bewertung von Anklängen u Unterschieden s Haenchen aaO (→ A 102) 340—344.

[178] → Festugière IV 41f. Haenchen aaO (→ A 102) 341 stellt mit Recht gg → Dodd Bible 108 fest, daß das Licht nicht nur das Göttliche symbolisiert, sondern das Göttliche ist, vgl Corp Herm 1, 6. 12. 21.

[179] Woher die Motive in der Kosmogonie des Poimandres stammen, ist noch nicht geklärt. Scott II 6. 123—126, vgl Haenchen aaO (→ A 102) 342f bestimmt die Elemente als stoisch (Vierzahl), → Klein 87—89 als iranisch (Fünfzahl). Doch ist die Fünfzahl nur zu postulieren, nicht zu belegen. Wenn die Grundlage iranisch sein sollte, so müßte man doch feststellen, daß der für die Vorlage zu erwartende Angriff der Finsternis auf das Licht völlig umgestaltet worden wäre. Die Finsternis bewegt sich nicht von unten, sondern gerade von oben σκότος κατωφερές Corp Herm

1, 4, vgl Haenchen aaO (→ A 102) 341. Dem Dunkel kommt nicht „die gleiche uranfängliche Existenz" zu wie dem Licht, → Klein 93. Präexistent ist es nicht abs, sondern nur in Bezug auf den menschlichen Körper Corp Herm 1, 20. Es gibt in der Kosmogonie keinen Kampf zwischen beidem, sondern erst in der Ethik, in der Vertreibung der τιμωρίαι durch die δυνάμεις Corp Herm 13, 11f. 17ff, vgl σκοτομαχέω 1, 23 als ethischer Kampf.

[180] Corp Herm 13 kann seine Soteriologie ohne den mythisch-kosmologischen Apparat von Corp Herm 1 darlegen, → Klein 107—116.

[181] Dieser Ausdruck geht grundsätzlich über Philo Som I 79 hinaus, wo nur eine Verhältnisbestimmung, nicht eine direkte Bezeichnung des αἰσθητὸν φῶς vorliegt. Darin u in der Auffassung vom σῶμα ist ein Ansatz für die asketische Ethik gegeben, deren Sinn Entweltlichung ist.

[182] Der Text von Corp Herm 1, 6 ist unsicher; zu lesen ist mit Nock-Fest I 8, 18f: τὸ ἐν σοὶ βλέπον καὶ ἀκοῦον.

[183] Vgl Just Dial 121, 2 u die Funktion des πνεῦμα bei den Sethianern Hipp Ref V 19, 2—19 sowie φωτεινὸν πνεῦμα V 19, 17. Über das Verhältnis von Logos, zweitem Nous (Demiurgen) u Anthropos s Haenchen aaO (→ A 102) 351f. 356f.

[184] → Dodd Bible 133—136; Dodd aaO (→ A 52) 345—354; EPeterson, Εἷς Θεός, FRL 24 (1926) 38f.

[185] Vgl Nock-Fest I 20 A 24.

[186] Vgl Philo → 322, 25ff mit A 144; zu den Reihen Herm s IX 15, 3 → Festugière III 153—174, zum Hymnus Corp Herm 13, 18—20 → Festugière IV 246—251. Es tritt das ungriechische Element hervor: Die δυνάμεις etablieren sich im Menschen als fremde Macht. Tugend ist göttliche Kraft, die der Mensch nicht durch eigene Leistung erwerben kann. Die ethische Existenz ist eine transmundane Möglichkeit. In der Aufzählung Corp Herm 13, 8f verschwimmen moralische u mystische Begriffe. Eben darin stellt sich der Lebensstil der Gnosis dar. Es liegt nicht Moralisierung der Mystik vor, sondern eine Moral neuer Art, welche Verwandlung voraussetzt.

Die Lichtkosmologie ist im Vorgang der Offenbarung die erste Antwort auf das Begehren nach Erkenntnis 1, 3, in welcher die Selbsterkenntnis mitgemeint ist, wie im Lauf der Darstellung des Poimandres deutlich wird. In der Erkenntnis begreift der Mensch seinen Ursprung im Licht u den Weg der Rückkehr dorthin[187]. Bedingung der Erkenntnis ist die Erleuchtung, u diese ist Einfluß von Kraft 1, 32; 13, 21[188], Vergot- 5 tung: τὸ πᾶν τὸ ἐν ἡμῖν, σῷζε ζωή, φώτιζε φῶς 13, 19[189]. Diese wird in der Ekstase vorweggenommen[190]. Die innere Spannung der gnostischen Anthropologie (→ A 190) verschwindet im Gedanken der Wiedergeburt[191]. Die Organe müssen verwandelt werden, um erkennen zu können, vgl Preis Zaub I 4, 529ff (4. Jhdt nChr); Corp Herm 13, 3. Aber Voraussetzung dafür ist das urspr Lichtwesen des Menschen. Dargestellt wird auf diese 10 Weise der Vorgang des Zu-sich-Findens aus der radikal gefaßten Selbstentfremdung. Die praktische Durchführung dieses Selbstverständnisses ist die Askese. In ihr tritt das Selbst sich als Himmelswesen gegenüber.

Zum Gesamtbild gehört der Missionsgedanke mit der Bekehrungsterminologie 1, 27 —32; 7[192]. Ausgangspunkt ist der gnostische Gedanke, daß die Geretteten wenige 15 sind[193] u daß sie durch den Ruf (→ 292, 31ff) erweckt werden müssen[194]. Erwecken kann nur der Erleuchtete. Die Mission ist seine Pflicht; die Ekstase ist Prophetenweihe: ... ἐνδυνάμωσόν με, καὶ τῆς χάριτος ταύτης φωτίσω τοὺς ἐν ἀγνοίᾳ τοῦ γένους, μοῦ ἀδελφούς, υἱοὺς δὲ σοῦ. διὸ πιστεύω καὶ μαρτυρῶ· εἰς ζωὴν καὶ φῶς χωρῶ 1, 32. Der Gedanke der Entscheidung ist durch den der Seelenpräexistenz nicht aufgehoben, sondern gerade 20 dargestellt[195].

5. Die Mandäer.

Der Befund ist von überquellender Fülle, aber nicht einheitlich, da im mandäischen Schrifttum syr-ägyptischer u iranischer Typ kombiniert sind (→ 324, 21ff), mit historischem u hermeneutischem Vorrang des ersten[196]. Außerdem 25 sind die Formen u Gattungen zu berücksichtigen: Darstellung der Kosmogonie, Sendung des Offenbarers, Hymnen mit Klage u Jubel der Seele, Weckrufe, Gebete usw. Die Soteriologie kann sich weithin von der mythischen Einkleidung lösen u rein darstellen (→ 328, 25ff), so in den Liturgien u in den Hymnen des Linken Ginza, wo die Struktur des Erlösungsvorganges rein zutage tritt. Die präexistente Lichtseele ist in die Tibil 30 geworfen Lidz Ginza L 454, 17f uö[197], klagt, wird gerufen[198], erweckt, steigt auf, vgl zB Ginza L 459, 20—460, 34 (→ A 218)[199].

[187] Die Selbstpräsentation, mit welcher die Offenbarung beginnt τὸ φῶς ἐκεῖνο ... ἐγώ Corp Herm 1, 6 ist nicht mit dem joh ἐγώ εἰμι gleichzustellen. Es handelt sich einfach um den Stil der Deutung des zuvor erschienenen Lichtes, um Identifikation. Anders wieder die Selbstvorstellung ἐγώ εἰμι ὁ Ποιμάνδρης 1, 2.

[188] Vgl ferner ἧκέ μοι, τὸ πνεῦμα τὸ ἀεροπετές ... καὶ ἔμβηθι αὐτοῦ (sc des Kindes, das als Medium dient) εἰς τὴν ψυχήν, ἵνα τυπώσηται τὴν ἀθάνατον μορφὴν ἐν φωτὶ κραταιῷ καὶ ἀφθάρτῳ Preis Zaub II 7, 559—564 (3. Jhdt nChr).

[189] Die Fortsetzung πνεῦμα θεέ ist korrupt. Ist mit BKeil zu lesen: πνευμάτιζε θεέ, vgl Nock-Fest II 208 zu Z 17? S → Klein 114f.

[190] Jonas Gnosis I 200—203. Auch im Corp Herm besteht die Spannung von Rückkehr an den eigenen Lichtursprung u Verwandlung (→ A 172), vgl 1, 6. 17 mit 1, 26 u εἰς ζωὴν καὶ φῶς χωρῶ 1, 32. Sie stellt den gnostischen Widerspruch dar, daß ich nicht bin, der ich sein soll, u mich nur gewinne durch die Preisgabe meiner selbst, vorgestellt als Vernichtung des σῶμα, bewirkt durch Askese.

[191] Sie ist Thema von Corp Herm 13, vgl Mithr Liturg 165f.

[192] Vgl Philo (→ 324, 14ff), Test XII (→ 318, 34f), Joseph u Aseneth (→ 317, 11ff).

[193] Corp Herm 9, 4; Ascl 9. 22; Herm Trismeg fr 11, 4 bei Stob Ecl I 277, 21f.

[194] ... ἤργμαι κηρύσσειν τοῖς ἀνθρώποις τὸ τῆς εὐσεβείας καὶ γνώσεως κάλλος, Ὦ λαοί, ἄνδρες γηγενεῖς, οἱ μέθῃ καὶ ὕπνῳ ἑαυτοὺς ἐκδεδωκότες καὶ τῇ ἀγνωσίᾳ τοῦ θεοῦ, νήψατε, παύσασθε δὲ κραιπαλῶντες (*berauscht sein*), θελγόμενοι (*betäubt*) ὕπνῳ ἀλόγῳ Corp Herm 1, 27, vgl auch 7, 2. Der gnostische Weckruf ist behandelt bei Jonas Gnosis I 120—122; → Becker 21f; → 329, 27ff; A 312.

[195] Zu berücksichtigen ist, daß das gnostische Ich, wie der gnostische Gott, gestaltlos ist. Es ist nicht Individuum, sondern Negierung der Individualität.

[196] Bes in der doppelten Kosmogonie Lidz Ginza R 3. Buch, vgl die Analyse bei Jonas Gnosis I 262—283 u Lidz Ginza R 277—280. Die iranischen Teile bilden nicht die Grundlage, s Jonas Gnosis ebd; → Rudolph I 145. Wir können uns auf den ersten Typ konzentrieren, da der zweite beim Manichäismus (→ 330, 13ff) zu besprechen ist. Über den Anteil des Mandäismus an der Entstehung des Manichäismus → Rudolph I 176—195; → 330, 14ff.

[197] Jonas Gnosis I 106—109.

[198] Zur Reihenfolge von Ruf u Klage → 329, 40ff.

[199] Zur Totenmesse Masiqtā, dh Aufstieg der Seele → Rudolph II 259—278.

Das Licht ist jenseitig. Außer *Licht* nhur sind *Glanz* ziw, *Herrlichkeit* ʿqar zu berücksichtigen, die weithin synon stehen, zB Lidz Ginza R 6, 8ff, vgl 11, 4ff. „Das
Leben ruht im eigenen Glanz u Licht" Lidz Liturg 95, 8. Der *Lichtkönig* ist *der reine*
Glanz u das große Licht, das nicht vergeht Ginza R 5, 18f. Synon sind *Licht* u *Glanz,*
auch wenn das Lichtkleid erwähnt wird; der Gesandte ist mit Licht, Glanz bekleidet
Ginza R 143, 9f. 32; 145, 27ff. Die Empfänger der Offenbarung hören: „Bekleidet euch
mit Glanz u bekleidet euch mit Licht u ziehet hinaus auf dem Weg des Lebens" Ginza
R 255, 30ff[200]. Als Beispiel des Stils kann Lidz Liturg 8, 10ff dienen: „Im Namen
des Lebens. Es leuchtete das Licht, es leuchtete das Licht, es leuchtete das Licht des
großen ersten Lebens. Es leuchtete die Weisheit u Erleuchtung, die Einsicht u die
Lobpreisung des ersten Mānā, der aus seinem Ort gekommen war." Mit Ausn der iranischen Partien war das Licht vor der Finsternis. Es ist gestaltlos, grenzenlos[201]; Licht
u Gottheit sind identisch. Auch diese ist ohne Persönlichkeit, ist formloses Sein, das
Leben. Sie kann gar nicht anders als durch die unendlichen Licht- u Lebensprädika-
tionen beschrieben werden, vgl die Formel „Im Namen des großen Lebens sei verherrlicht das hehre Licht" (→ A 175). „Er ist das Licht, an dem keine Finsternis, der Lebendige, an dem kein Tod, der Gute, an dem keine Schlechtigkeit ... ist" Ginza R
6, 26ff[202]. In solchen Prädikationen stellt sich die Unweltlichkeit dieser Welt, dieses
Gottes dar[203]. Das charakteristische Attribut des Lebens u folglich dann auch des
Gesandten des Lebens ist „fremd", zB in der stehenden Formel „Im Namen des großen,
fremden Lebens aus den Lichtwelten, des erhabenen, das über allen Werken (sc über
der Welt) steht" Ginza R 31, 2f; 65, 21f; 149, 1f; 251, 6f; 239, 25f, vgl 251, 1f; 15, 28f;
Liturg 3, 4f[204]. Das Licht hat mit der irdischen Helligkeit nicht nur nichts zu tun,
sondern sie sind einander sogar feind[205].

Die mythische Kosmogonie hat auch bei den Mandäern soteriologischen Sinn, wenn
dieser auch oft von phantastischen Wucherungen verdeckt ist[206]. Das Urlicht entfaltet
sich, das Ursein kommt in eine Bewegung, für die es dann kein Halten mehr gibt[207].
Eine nicht ganz damit übereinstimmende Vorstellung ist die von der Mischung, durch
welche die Welt entsteht: „Da brachten sie lebendiges Wasser u schütteten es in das
trübe Wasser; sie brachten leuchtendes Licht u warfen es in die düstere Finsternis"
Lidz Joh 56, 15—17. Da die Welt nur durch die in sie zerstreuten Lichtteile Leben
hat — ein Zustand absoluter Perversion! —, hat sie am Licht ihr eigenes Interesse (→ VII
437, 1ff)[208]. Die Welt zerfällt, wenn ihr die Lichtteile entzogen sind Ginza L 517, 8ff.

---

[200] Natürlich kann einmal nuanciert werden: Wenn der Gesandte mit dem Lichtgewand bekleidet wird, geht sein *Glanz* auf
Lidz Liturg 233, 7—234, 6, vgl Ginza R
143, 10 mit 143, 32. Es ist aber künstlich,
wenn der Glanz als der männliche, das Licht
als der weibliche Aspekt unterschieden werden (→ 326, 10ff), so Alf Trisar Suialia II
3b (übers ESDrower, The Thousand and
Twelve Questions, Deutsche Akademie der
Wissenschaften zu Berlin. Institut für Orientforschung 32 [1960] 211), danach → Drower
6. Personifiziert ist der Glanz in Ziwa oder
Jawar-Ziwa, → Drower 15f.

[201] Lidz Ginza R 75, 16ff: „Für das Leben
gab es keine Grenze, u es wurde nicht bekannt,
wann es entstand." Danach ist auch Lidz
Liturg 91, 2 zu verstehen: Nichts war, als
das Licht nicht war. Hier ist natürlich nicht
an ein Ur-Nichts gedacht, sondern die Ursprünglichkeit des Lichts ausgesprochen. Daß
daneben die Finsternis als urspr u autogene
Größe auftritt Lidz Joh 216, 14f; Ginza R 277,
erklärt sich aus dem iranischen Einschlag,
Jonas Gnosis I 268.

[202] Jonas Gnosis I 243—251; → Rudolph
I 122.

[203] Auch der Lichtkönig — von den Sonder-
problemen der Lichtkönigspartien kann hier
abgesehen werden — ist keine Gestalt. →
Drower 56 sagt über ihn u sein Pendant, den
Finsternskönig: but these are epithets, de-
scriptive of characteristics rather than names

of beings. Auch die personifizierten Emanationen des Lichts, die Uthras, u die Gesandten
entbehren der Gestalt. Für den hauptsächlichen Gesandten, Manda d'Haijē, zeigt das
schon sein Name an.

[204] Jonas Gnosis I 96f.

[205] Die Exponenten kosmischer, siderischer
Helligkeit, die Planeten, gehören zur Finsternis, dh zur Welt. Symbol der Weltfremdheit
des Lichts ist die kosmische Mauer, die vom
Offenbarer durchstoßen werden muß (→
329, 13f) Lidz Ginza R 197, 15 uö.

[206] Von einer Darstellung der Mythik kann
abgesehen werden, da der Sinn von *Licht*
gerade in den unmythischen Partien, etwa
im Linken Ginza, bes klar ist.

[207] Jonas Gnosis I 263. Vgl Lidz Ginza R
66, 14ff. Die personifizierte Darstellung der
Bewegung sind die Uthras, → Drower 56
—65. Diese „verließen die Gesellschaft des
Lebens u liebten die Gesellschaft der Finsternis" Lidz Ginza R 69, 10f. Zu den Einzelheiten vgl vor allem Ginza R 3. Buch
sowie Jonas Gnosis I 262—283. Der Umschlag
von der Passivität der Finsternis in Aktivität
ist dargestellt in Ptahil-Uthra, Jonas Gnosis
I 272. Die Bewegung wird zum Fall; man
beachte den Ausdruck „geworfen sein". Die
Seele klagt: „Warum entblößten sie mich
meines Glanzes, brachten mich hin u warfen
mich in das körperliche Gewand?" Lidz
Ginza L 461, 6f uö.

[208] Lidz Joh 216, 14ff (iranisch).

Mythisch dargestellt ist das Licht als die Lebenskraft der Welt in der Erschaffung Adams Ginza R 108, 16ff. Der von den Planeten (→ A 205) geschaffene Körper wird erst lebendig, wenn die himmlische Lebenssubstanz in ihn gegeben ist. Das Licht ist unverlierbar. Allerdings ist das kein Trost, solange die Seele gefangen ist. Die Unverlierbarkeit wird erst durch den Ruf erfahren u dient der Selbstvergewisserung des 5 Gnostikers. Zur Warnung kann durchaus auch gesagt werden, daß man aus dem Licht ausgerissen werden kann Ginza R 324, 15.

Der Mythos stellt das Schicksal der einzelnen Seele dar. Auch der Mensch in seinem finsteren Hause lebt noch vom Licht, das in ihm ist u sein wahres Wesen ausmacht Ginza L 514, 13ff; Liturg 102, 12. Die Erlösung widerfährt ihm durch den Gesandten 10 aus dem Lichtreich[209]. Dieser wird mit Licht u Glanz bekleidet u steigt in die Welt herab Ginza R 142ff als „der fremde Mann, der durch die Welten drang, kam, das Firmament spaltete u sich offenbarte" Ginza R 197, 15ff. Die Jenseitigkeit der Offenbarung ist durch die kosmische Mauer symbolisiert (→ A 205). Der Gesandte ist Abbild des Vaters Ginza R 152, 28ff. Die Bekleidung stellt sein Wesen dar, ist also Sym- 15 bol des übernatürlichen Offenbarungscharakters der Erlösung[210]. Verwandt ist auch das Symbol des Wohlgeruchs Ginza R 327, 31ff. Beim Abstieg verkleidet sich der Offenbarer Liturg 184, 1f uö[211].

Die Offenbarung ist Selbstoffenbarung des Gesandten. Er erhebt den Ruf: „Der Gesandte des Lichtes bin ich, den der Große in diese Welt gesandt hat ... Ein jeder, 20 der seine Rede in sich aufnimmt, dessen Augen füllen sich mit Licht" Ginza R 58, 17ff, vgl 59, 1f. „Ich bin das Leben, das von jeher war, ich bin die Kušta (→ I 241, 12f) ... Ich bin der Glanz, ich bin das Licht" Ginza R 207, 34ff[212]. Offenbarung ist Erleuchtung: „Das Herz, in dem ich Platz nahm, erleuchtete u erhellte ich über die Maßen ... Wer sich durch die Erleuchtung erleuchten läßt, wird am Lichtort aufgestellt werden" Ginza R 25 327, 33ff[213]. Die Erleuchtung eröffnet also den Aufstieg[214]: „Heil den Wahrhaftigen! Sie steigen empor u schauen den Lichtort" Ginza R 376, 11ff. Der Inhalt der Offenbarung kann in der Form des Weckrufs vorgetragen werden (→ 327, 15ff): „Stehet auf, ihr Liegenden, die ihr daliegt ... Stehet auf, verehret u preiset das große Leben, preiset das Abbild, des Lebens Abbild, das in hehrem Licht glänzt u leuchtet" Liturg 30 178, 3—5 (→ A 194). Der Seele wird ihre Herkunft aus dem Licht enthüllt: „Du bist ein Anteil der Lichterde" Ginza L 458, 22. „Du, Erwählte, kamst nicht von hier ... Dein Ort ist der Ort des Lebens, deine Wohnung ist die Wohnung des Lichtes" Liturg 158, 6f. Der Gang der Erlösung ist dadurch bestimmt, daß der Offenbarer u der Angerufene der Substanz nach identisch sind[215]. Der Erlöser sammelt also sich selbst 35 ein[216]. Die Identität drückt sich auch in der Verwendung des Abbild-Gedankens aus: Abbild ist sowohl der Offenbarer (→ Z 19ff)[217] als auch der Erweckte: „Ich gehe meinem Abbild entgegen, u mein Abbild geht mir entgegen" Ginza L 559, 29ff. *Abbild* bedeutet substantielle Einheit.

Zunächst aber löst der Weckruf in den Erweckten die Erkenntnis der Verlorenheit, 40 die Klage der verirrten Seele aus: „Als Adam dies hörte, jammerte er über sich u weinte" Ginza L 431, 4. Dieser mythische Vorgang der Erweckung ist auch da die sachliche Voraussetzung, wo die Klage am Anfang steht u die himmlische Offenbarung u Erlösung die Antwort darauf ist. Die Klagelieder sind ja Lieder der Gnostiker. Wer

---

[209] Zur Sendung vgl vor allem Lidz Ginza R 5. Buch.

[210] Zum Motiv von Abbild u Gewand vgl vor allem das Lied von der Perle 2. 8. 14. 61. 70—85. 95—97 (→ Adam Thomas-Ps 49—54).

[211] Auch dieses Motiv ist weit verbreitet Asc Js 9, 13ff; 10, 14ff, s HSchlier, Religionsgeschichtliche Untersuchungen zu den Ignatiusbriefen, ZNW Beih 8 (1929) 7—17.

[212] Analyse bei ESchweizer, Ego Eimi, FRL 56 ²(1965) 70—72.

[213] Vgl Lidz Ginza R 145, 27ff; 381, 35ff; Ginza L 441, 12ff. Praktisch wirkt die Erleuchtung den Lobpreis u die mandäische Sittlichkeit.

[214] Vgl Lidz Ginza L 513, 23ff. Im Psalm wird die Kušta angeredet Ginza R 271, 26f: „Du bist der Weg der Vollkommenen, der Pfad, der zum Lichtort emporsteigt." Das Symbol des Weges ist gemeingnostisch;

Gnosis wird als γνῶσις ὁδοῦ definiert (→ I 694 A 21; V 47, 1ff), vgl Lidz Ginza R 20, 3; 23, 2; 68, 10; 148, 10; 264, 7 uö.

[215] Der Urmensch als Haupt des Seelenstammes Lidz Ginza R 242, 34ff, → Rudolph I 152f. Die Identität von Urmensch u Seele ist Lidz Ginza L 486, 14ff uö belegt. Da es keine Abgrenzung der Individualität gibt, ist Mānā Kollektiv- wie Einzelseele, vgl Ginza R 333, 23ff. Das Fehlen jeder Form von Licht u Seele drückt sich im Gedanken der *Gemeinschaft* Laufā aus: Sünde ist die Unterbrechung derselben, Verlorenheit ist „Abgeschnitten-Sein", → Rudolph II 149—153; Bultmann J 409 A 6.

[216] → Rudolph I 159.

[217] Der „Helfer" spricht: „Du bist mein Abbild. Ich will dich emporheben u in meinem Gewande bewahren" Lidz Ginza L 461, 31f.

klagt, ist bereits erweckt; vgl dazu vor allem Ginza L 2. Buch[218]. Der Klage folgt
der Jubel in der Selbsterkenntnis: „Aus dem Lichtort bin ich hervorgegangen" Ginza R
377, 31. Der Erleuchtete ruft dem Kosmos zu: „Ich u die Wurzel meines Vaters steigen
empor; das Haus wird um euch verlassen" Ginza L 457, 23f. Am Ende ist das Licht
siegreich. Die praktische Seite dieser Lehre ist die Verehrung des Lichts im Kult[219].
Die Lichtsymbolik dient, verbunden mit der Wassersymbolik, der Deutung der Taufe[220].

In Beziehung[221] zu den mandäischen Schriften stehen die Thomas-Psalmen aus
dem kpt manichäischen Psalm-Buch[222], die sich von ihrer rein manichäischen Umgebung
abheben[223]. Sie gehören zwar zum iranischen Typ, zeigen aber in mancher Hinsicht
ein proto-manichäisches, ein etwa mandäisches Stadium[224]. Mit dem Manichäismus
haben sie den Aufstand der Finsternis u den dramatischen Sieg des Lichts, die Struktur
der Erlösung als Drama, gemein[225].

6. Der Manichäismus (→ VII 437, 24ff).

Hier stellt sich das Metaphysische — anders als in der syr-
ägyptischen Gnosis einschließlich des Mandäismus — als Natursystem dar[226]. Der syr-
ägyptische Typ bestimmt den Gegensatz als denjenigen von wahrem, dh jenseitigem u
diesseitigem, dh trügerischem Licht (→ 324, 21ff)[227]. Im manichäischen System ist
die Welt selbst gespalten. Das sichtbare Licht von Sonne u Mond ist wahres Licht.
Die himmlischen Lichtkörper haben ihre feste Stellung in der Erlösungshandlung, nämlich in der Entmischung der beiden Elemente Licht u Finsternis[228]. Die Dualität entsteht nicht durch Fall u Schuld, also durch eine Bewegung von oben nach unten, vielmehr stehen sich zwei uranfängliche Reiche gegenüber[229]. Nicht Bewegung, sondern
Kampf ist das Grundmotiv Kephalaia (→ A 228) Einl p 4, 1ff. Der Gegensatz ist absolut[230]. Wie es in der Kosmologie keine Abstufungen gibt, sondern den Widerstreit,
so in der Psychologie u Ethik keine Schattierungen von Gut u Böse, sondern das Ent-
weder-Oder[231]. Die Finsternis ist keinen Augenblick passiv. Durch ihren Ansturm u

---

[218] Lidz Ginza L 454, 14—455, 26: „Ein
Mānā bin ich des großen Lebens. Wer hat
mich in der Tibil wohnen lassen? ... Als der
Mānā dieses sagte, stieg sein Ruf zum Lichtort empor. Manda d'Haijē hörte seinen Ruf
u sandte seinen Boten zu mir ..." Dieser
ruft: „Leuchte u erleuchte, Mānā. Ich bin zu
dir gekommen u werde dich nicht verlassen.
Wenn man dich ruft, steig zum Lichtort
empor!"

[219] → Rudolph II 217. Zum Kult gehört
die weiße Sakraltracht, → Rudolph II 50.

[220] → Rudolph II 103: „Die Lichtwelt ist
bei der Taufe u ihren Handlungen gegenwärtig", vgl 62f.

[221] → Säve-Söderbergh 155—163.

[222] ed u ins Englische übers CRCAllberry,
A Manichaean Psalm-Book II, Manichaean
Manuscripts in the Chéster Beatty Collection
II (1938) 203—228; deutsche Übers der Tho-
mas-Ps bei → Adam Thomas-Ps 2—28.

[223] Zum zeitlichen Ansatz → Adam
Thomas-Ps 32. Freilich überzeugt seine Annahme, Sap 18, 14—16 sei von Thomas-Ps
(→ A 222) 1 (p 203, 1—205, 9) abhängig,
nicht. Sap muß für die Datierung außer Betracht bleiben.

[224] → Adam Thomas-Ps 30 bemerkt zu dem
mythologischen Thomas-Ps 1: „Ein Dualismus ist zweifellos vorhanden, aber in unent-
wickelter Form; die systematische Durch-
denkung kann sowohl zum Monismus als auch
zum prinzipiellen Dualismus führen." Über
das geschichtliche Verhältnis von Mandäismus
u Manichäismus → Rudolph I 176—195.

[225] Der Vater ist das freudige Licht

Thomas-Ps (→ A 222) 1 (p 203, 3—6). Er beruft die Äonen des Lichts — das Drama
kommt in Gang. Das Ziel: „Dann soll das
Licht zum Lichte kommen u die Finsternis
vernichtet werden von ihrem Ort" Thomas-
Ps 9 (p 215, 24ff).

[226] Jonas Gnosis I 316f.

[227] Religionsgeschichtlich beurteilt ist der
syr-ägyptische Typ die gnostische Transformation des iranischen Dualismus (→ VII 437
A 119). Er ist nicht von Haus aus gnostisch
entworfen, sondern nachträglich „adaptiert",
Jonas Gnosis I 329.

[228] Kephalaia I (ed HJPolotsky-ABöhlig,
Manichäische Hdschr der Staatlichen Museen
Berlin I [1940]) 65 (p 158, 31f): Die Sonne ist
„das Tor des Lebens u das Fahrzeug [des]
Friedens zu diesem großen Äon des [Lichtes]".
Psalmbuch (→ A 222) 223 (p 10, 30—32) nach
der Übers → Adam Texte 41: „Die Sonne u
der Mond wurden aufgestellt u in die Höhe
gesetzt, damit die Seele gereinigt würde. Täglich wird das Gereinigte zur Höhe hinaufgenommen."

[229] Buch der Riesen, erhalten in Auszügen
bei Severus von Antiochien, Hom 123 (syr),
übers → Adam Texte 11. Die Bewegung der
Finsternis ist die des Aufstandes (→ VII
438, 1ff mit A 121).

[230] Vgl Gegenüberstellungen in Kephalaia
(→ A 228) 4f (p 25, 7—30, 11); Psalmbuch (→
A 222) 223 (p 9, 12ff, übers → Adam Texte
39—42).

[231] Daß sich Kosmologie u Anthropologie
entsprechen, gilt natürlich auch für den Manichäismus, vgl die Entsprechung von Kosmos

Sieg über den Urmenschen kommt es zur Mischung der Elemente Psalmbuch (→ A 222) 223 (p 10, 6 ff) [232]. Dadurch wird der Prozeß der Entmischung zugleich notwendig u möglich. Er vollzieht sich als kosmischer Prozeß, in welchem Sonne, Mond u der Zodiakus die Transportmittel für das Licht bilden (→ VII 438 A 122). Der Ausgang des Kampfes ist gewiß. Das Licht ist der Finsternis überlegen, da diese etw außerhalb 5 ihrer selbst begehrt u in sich gespalten ist, während das Licht mit sich eins ist u nur sich selbst will (→ VII 438 A 123 f) [233]. „Als sie (sc die fünf Häuser der Finsternis, das Pendant zu den fünf Größen des Lichts) nun untereinander Krieg führten, wagten sie ihre Hand zu legen an das Land des Lichtes; sie dachten bei sich, sie vermöchten es zu erobern, aber sie wissen nicht, daß sie das, was sie zu tun gedachten, auf sich selbst 10 herabziehen werden" Psalmbuch (→ A 222) 223 (p 9, 21 ff) [234].

Das soteriologische Drama wird mythisch dargestellt — mit einem riesigen Apparat von Hypostasen, Gesandten, Lichtjungfrauen usw [235] — als Sendung u Fall des ersten Gesandten sowie dessen Befreiung, existentiell als Ruf u Antwort sowie als Erleuchtung mit Klage u Jubel: „Möge der große Glanz kommen u den Weg vor mir erleuchten" 15 Manichäische Homilien p 6, 19 f [236]. Auch der manichäische Erlöser ist mit den Angerufenen konsubstantial u sammelt also sich selbst [237]. Das Drama ist eschatologisch gerichtet, nämlich auf einen endgültigen Zustand der Trennung der feindlichen Elemente, den Triumph des Lichts, das Ende der Finsternis, die ja nichts ist.

Der Sinn des Dualismus ist die Entscheidung auf Grund der Erkenntnis, daß bereits 20 vorentschieden ist, da das Selbst aus dem Licht stammt. Es herrscht missionarisches Pathos; denn die Enthüllung des Weltprozesses durch die Predigt ist selbst ein Akt der Entmischung, der Erlösung (→ VII 438, 9 ff mit A 125). Der einzelne Erwählte verwirklicht sie durch das ethische Handeln, das sein Pathos von der kosmischen Dimension des zu Leistenden erfährt. 25

7. Die Oden Salomos (→ VII 436, 15 ff) [238].

Licht ist der Ort des Erlösten. „Und ich wurde emporgehoben in das Licht u ging vorüber vor seinem (sc des Herrn) Angesicht" 21, 6. „Ich stieg hinauf zum Licht der Wahrheit wie auf einem Wagen" 38, 1. Zum Weg bzw der Wanderung ins Licht vgl 11, 18 f; 7, 13 f, zur *Himmelfahrt der Seele* 35, 7. Zugleich ist Licht 30 das Wesen des Erlösten. Das Wesen wird wieder durch das Gewand dargestellt: „Und ich zog die Finsternis aus u tat das Licht an" 21, 3 [239]. Licht ist jenseitig, Gottes Licht, das die Finsternis vertreibt. „Denn er ist meine Sonne, u seine Strahlen haben mich aufstehen lassen, u sein Licht hat alle Finsternis von meinem Angesicht vertrieben" 15, 2. Aber im jüd bestimmten Denken der Oden kommt es nicht zur Preisgabe der 35 Welt; diese ist Schöpfung. Jüd Tradition u Gnostisierung zeigen sich nun auch im Lichtbegriff, in der Zusammenstellung von *Licht* u *Leben* 10, 1 f; 38, 1 ff; 41, 11 ff. Licht ist Erkenntnis 6, 17 f; 7, 13 f, Wahrheit 12, 1 ff; 25, 7. 10; 38, 1, Freude 15, 1 ff; 32, 1; 41, 1 ff, Liebe 41, 6. Alle diese Begriffe sind dadurch bestimmt, daß Licht die Offen-

u Körper Kephalaia (→ A 228) 70 (p 169, 24 ff). Auch im Manichäismus besteht der Mensch lediglich als das unweltliche, gestaltlose Selbst, das nicht abstrakt als seiend bestimmt wird, sondern hinsichtlich seiner Erlösungsbedürftigkeit u -fähigkeit. Zum Selbst s Colpe aaO (→ A 50) 91—96. Der Mensch ist nicht ein Wesen, das Tugenden u Laster hat, dh tut, sondern er ist in seinen Tugenden u Lastern als die Summe derselben existent. Das ist schön im Motiv vom himmlischen Doppelgänger dargestellt, s Reitzenstein Hell Myst 265—275; vgl die δυνάμεις Corp Herm 13, 8 f. 18 ff (→ A 186); Kol 3, 5 ff.

[232] → Adam Texte 40.

[233] Kephalaia (→ A 228) 52 (p 128, 3 ff); Jonas Gnosis I 290.

[234] → Adam Texte 39 f.

[235] Vgl etwa die Deutung aller Väter des Lichts Kephalaia (→ A 228) 11 (p 43, 23—44, 18). Eine übersichtliche Zusammenfassung findet sich Psalmbuch (→ A 222) 223 (p 9—11, übers → Adam Texte 39—42) u im Be-

richt des Theodor bar Kōnai, Liber scholiorum 11 (→ Adam Texte 15—23). Der Dialog zwischen Gesandtem u Urmensch Psalmbuch p 197, 9—202, 9.

[236] ed HJPolotsky, Manichäische Hdschr der Sammlung AChester Beatty I (1934).

[237] Colpe aaO (→ A 50) 93. Manichäische Homilien (→ A 236) p 7, 11 ff: „Er [gab] uns das Wissen vom Anfang; er lehrte uns die [Mysterie]n(??) der Mitte u auch die Trennung des Endes."

[238] RMGrant, Notes on Gnosis, Vigiliae Christianae 11 (1957) 149—151 erklärt die Oden nunmehr auf Grund des Vergleichs mit dem Ev Veritatis (ed MMalinine, HCPuech, GQuispel [1956]) für valentinianisch; vgl O Sal 23, 1—4 mit Ev Veritatis 16, 31—35; O Sal 38, 6—12 mit Ev Veritatis 17, 14—16. 19—21; 18, 20 f. 24; 41, 17 ff. 26; 42, 33—35.

[239] Der bekannte Bekehrungsstil (→ 327, 14 ff) klingt an, vgl 11, 11; 25, 7 f u die Missionspredigt O Sal 33 mit dem Schluß des Poimandres Corp Herm 1, 27—32.

barung ist, uz die im Wort verkündete 6, 7; 10, 1; 32, 1f[240]. Das Wort kann direkt
als Licht bezeichnet werden: „Denn wie seine (sc des Wortes) Wirkung, so seine Erwartung; denn Licht u Helligkeit für das Denken ist es" 12, 7, vgl 12, 3, ferner: „Und
das Licht strahlte aus von dem Wort, das von jeher in ihm war" 41, 14. Demgegenüber tritt der Mythos zurück[241].

Gnostisch ist das Verhältnis von Erlöser u Erlöstem; über diesen werden dieselben
Aussagen gemacht wie über jenen. Er heißt *der Leuchtende, der Sohn Gottes* 36, 3.
„Und leuchten soll unser Angesicht in seinem Lichte" 41, 6, dh die Erlösten sind in
Licht verwandelt[242].

8. Christliche Gnosis[243].

Sie bringt kaum neue Momente im Verständnis von Licht, sondern
variiert weitgehend traditionelle Vorstellungen über das Licht, seine Emanationen u
Erscheinungen, seine Exponenten samt den Gegenkräften, über die Archonten, den
Fall (meist der Sophia), den Aufstieg u den Weg an den Archonten vorbei. Übrigens ist
die Lichtterminologie nicht überall gleichmäßig stark benutzt. Sie tritt zB im Thomas-
Ev[244] zurück. Das hängt in diesem Fall mit der Bindung an den synpt Stoff zus. Wo
dennoch vom Licht die Rede ist, ist der gnostische Charakter offensichtlich. Synpt
Lichtworte Mt 5, 14. 16; 6, 22f werden gnostisiert: „Es ist Licht drinnen in einem
Lichtmenschen, u er leuchtet der ganzen Welt. Wenn er nicht leuchtet, ist Finsternis"
Thomas-Ev (→ A 244) Logion 24 (86, 7ff). Der Sinn ergibt sich aus Logion 77 (94, 22ff):
„Jesus sprach: Ich bin das Licht, das über allen ist. Ich bin das All" neben Logion 50
(89, 33ff): „Wir sind aus dem Licht gekommen, dem Ort, wo das Licht aus sich selbst
geworden ist"[245]. Jesus ist mit dem Vater konsubstantial, vgl Ev Veritatis (→ A 238)
31, 13f: „Es redete durch seinen (sc Jesu) Mund das Licht u seine Stimme, die (Subj)
das Leben (Obj) gezeugt hatte". Übrigens darf die Statistik des Vorkommens nicht
überschätzt werden. Es kommt vielmehr auf den Charakter der Begrifflichkeit an[246].

Das Gemeinsame in den disparaten gnostischen Formen u Entwürfen[247] ist der Grundsinn: Die Bewegung führt in den meisten Dokumenten von oben nach unten, durch

[240] Bultmann J 24 A 4.
[241] Er ist mehr im Hintergrund als Gegenstand der Darstellung, vgl die Oden vom
Wort u von der Erscheinung der „Güte"
O Sal 12. 33.
[242] Vgl überh die Aussagen des gnostischen
Ich über sich selbst, die weithin Erlöserprädi-
kationen sind, zB O Sal 17, ferner 9, 2; 10;
31, 8—13; 42. Zur Identität von Erlöser u
Erlöstem s Colpe aaO (→ A 50) 180f. In
8, 22; 42, 18 tritt der „erlöste Erlöser" auf,
mit → Adam Thomas-Ps 34f trotz HM
Schenke, Der Gott „Mensch" in der Gnosis
(1962) 30 A 120.
[243] An Quellen sind außer dem Ev Veritatis
(→ A 238) u den im Folgenden genannten
noch aufzuführen die sog Titellose Schrift
über den Ursprung der Welt, ed ABöhlig-
PLabib, Deutsche Akademie der Wissenschaften zu Berlin, Institut für Orientforschung 58
(1962); Das Wesen der Archonten, ed RABullard, The Hypostasis of Archons, Patristische
Texte u Studien 10 (1970), deutsche Übers bei
JLeipoldt-HMSchenke, Kpt-gnostische Schriften aus den Pap-Cod von Nag-Hamadi, Theol
Forschung 20 (1960) 71—78; die Apokalypsen
des Pls, des Jakobus I u II u des Adam, ed
ABöhlig-PLabib, Kpt-gnostische Apokalypsen aus Cod V von Nag Hammadi, Wissenschaftliche Zschr der Martin-Luther-Universität Halle-Wittenberg Sonderband (1963);
De resurrectione, ed MMalinine uam (1963); Ep
Iacobi Apocrypha, ed MMalinine uam (1968).
Zum Ganzen s HCPuech, in: Hennecke ³ I

158—271; WCvUnnik, Ev aus dem Nilsand
(1960); JMRobinson, The Coptic Gnostic Library Today, NT St 14 (1967/68) 356—401.
[244] ed AGuillaumont uam (1959). Lit-
Bericht bei EHaenchen, Lit zum Thomas-Ev,
ThR NF 27 (1961) 147—178. 306—338.
[245] Vgl Ev des Philippus, ed WCTill,
Patristische Texte u Studien 2 (1963) Logion
10 (101, 14ff); Ev Veritatis (→ A 238) 35, 1ff;
RMcLWilson, Studies in the Gospel of Thomas
(1960) 106f; ders, The Gospel of Philip (1962)
72f; BGärtner, The Theology of the Gospel
of Thomas (1961) 206—209; EHaenchen, Die
Botschaft des Thomas-Ev (1961) 39f.
[246] So ist im Philippus-Ev (→ A 245) die
Zahl des Vorkommens ebenfalls gering. Aber
die gnostischen Motive sind da: die Prädikation als vollkommen Logion 77 (118, 5); 106
(124, 27); 125 (133, 16. 18. 26), das Gewand-
motiv 106 (124, 25ff). Auch der gnostische Prä-
destinations-Gedanke ist da: „Wenn ein
Blinder u ein Sehender im Dunklen sind,
unterscheiden sich die beiden nicht voneinander. Wenn das Licht kommt, dann wird
der Sehende das Licht sehen, u der Blinde
wird im Dunkeln bleiben" Logion 56 (112, 5
—9). Vgl auch: „Der du den Vollkommenen,
das Licht, mit dem hl Geiste (sc der Achamot,
vgl Iren Haer I 1, 7f) vereinigt hast, vereinige
die Engel auch mit uns, den Bildern (εἰκών)"
Logion 26 (106, 11—14).
[247] Neben ungeheuerlichen künstlichen Spekulationen, vgl Pist Soph, die beiden Bücher des
Jeû (übers CSchmidt u WTill, GCS 45 ³[1959])

Emanation aus dem Urlicht Apokryphon des Joh (→ A 247) 32, 19—33, 7 [248] u Fall der
Sophia [249]. So stark der Gegensatz von Licht u Finsternis hervortreten kann (→ VII
438, 14 ff) [250], die Priorität des Lichts als des Ur-Seins wird doch gewahrt [251]. Seine Ge-
staltlosigkeit erkennt man an den negativen Beschreibungen Gottes, des Lichts Apokryphon des Joh (→ A 247) 22, 19—25, 8; 26, 2. 12, vgl Sophia Jesu Christi (→ A 247) 5
84, 1—86, 1. Die Redeweise ist durchweg nicht bildlich, sondern eigtl: Das Licht ist
Gott u seine Welt, Offenbarung, das gnostische Selbst. Der wahre Gott ist *im reinen
Licht, in das kein Augenlicht zu blicken vermag* Apokryphon des Joh (→ A 247) 22, 23
—23, 2. Er ist *das unermeßliche Licht* 24, 6 f. „Er, der (nur) nach sich selbst verlangt,
in der Vollendung des Lichts, begreift (νοεῖν) das lautere (ἀκέραιον) Licht" 25, 9—12 [252]. 10
Die Lichtattribute zeigen sein Wesen an: Es ist unbeschreiblich Pist Soph 143 (GCS 45 p
245, 35), unendlich II. Buch des Jeû (→ A 247) 45 (p 309, 2), unvergänglich Unbekanntes altgnostisches Werk (→ A 247) 9 (p 345, 25), unermeßlich Apokryphon des Joh
(→ A 247) 24, 6 f, vollkommen Ev des Philippus (→ A 245) Logion 77 (118, 5); 106
(124, 27 f) [253]. Das Heil widerfährt als Erleuchtung. Dabei findet man wieder die be- 15
kannte Bekehrungssprache (→ 327, 14 ff): Bekehrung ist Übertritt aus dem Dunkel
ins Licht Act Thom 28 (p 145, 13 f); 157 (p 267, 1). Bei den Valentinianern empfängt
man das Licht durch das Sakrament des Brautgemachs Ev des Philippus (→ A 245)
Logion 127 (134, 4—18). Wie der eigtl Sinn durchgehalten wird, selbst wenn man spi-
ritualisierende Exegese des NT treibt, kann das Beispiel der Basilidianer zeigen: ἐπ- 20
έλαμψεν ⟨οὖν⟩ ὁ υἱὸς τοῦ μεγάλου ἄρχοντος τῷ υἱῷ τοῦ ἄρχοντος τῆς ἑβδομάδος τὸ φῶς, ὃ εἶχεν
ἅψας αὐτὸς ἄνωθεν ἀπὸ τῆς υἱότητος, καὶ ἐφωτίσθη ὁ υἱὸς τοῦ ἄρχοντος τῆς ἑβδομάδος, καὶ
εὐηγγελίσατο τὸ εὐαγγέλιον τῷ ἄρχοντι τῆς ἑβδομάδος Hipp Ref VII 26, 5. Das Licht
kommt weiter bis zu Jesus, καὶ ἐφωτίσθη συνεξαφθεὶς τῷ φωτὶ τῷ λάμψαντι εἰς αὐτόν.
τοῦτό ἐστι, φησί, τὸ εἰρημένον „πνεῦμα ἅγιον ἐπελεύσεται ἐπὶ σέ VII 26, 8 f. Sind die di- 25
rekten Lichtattribute meist negativ (→ 328, 12 ff), so zeigt sich der positive, also
im Sinn der Gnosis weltnegative Sinn in der Verbindung mit Existenzbegriffen wie
Erkenntnis Ev Veritatis (→ A 238) 30, 4 ff u Wahrheit. Jesus Christus „erleuchtete
die, die in der Finsternis sind auf Grund der Vergessenheit. Er erleuchtete sie. Er
gab ihnen einen Weg. Dieser Weg aber ist die Wahrheit" 18, 16 ff, vgl 36, 11 [254]. Eine 30
Häufung der Begriffe (ewiges) Leben, Samen, Pleroma, Geist usw findet sich 43, 9 ff:
„Sie sind es, die geoffenbart werden in Wahrheit, die im wahren u ewigen Leben sind.
Und sie reden über das Licht, das vollkommen ist, das voll ist von dem Samen des
Vaters, das in seinem Herzen ist u in dem Pleroma. Es freut sich in ihm sein Geist,
u er lobt den, in dem er ist; denn er ist gut. Und seine Kinder sind vollkommen, u 35
sie sind seines Namens würdig; denn solche Kinder sind es, welche er, der Vater,
liebt" [255]. Erkenntnis ist auch hier Erkenntnis seiner selbst als Lichtwesen. „Wenn
das Licht aufleuchtet, weiß dieser dort (sc der, der geträumt hat) in Bezug auf die
Furcht, die er empfangen hat, daß es nichts ist" 28, 28 ff. Auf der Gegenseite steht
die ontologisch beurteilt negative Materie, die als Finsternis aktiver Faktor ist (→ VII 40
439, 2 ff) [256].

In den wirren Spekulationen über Kosmos u Mächte, in den phantastischen Perso-
nifizierungen gnostischer Kräfte u Pseudokräfte, die oft nur durch die Verselbständi-

---

u das Unbekannte altgnostische Werk (übers
Schmidt-Till ebd), das Ev nach Maria (ed
WTill, TU 60 [1955]), das Apokryphon des
Joh (ed Till ebd) u die Sophia Jesu Christi
(ed Till ebd), gibt es Lieder, zB O Sal, die
das gnostische Selbstverständnis rein zum
Ausdruck bringen, Meditationen wie das Ev
Veritatis (→ A 238), nicht zu vergessen die
gnostischen Evangelien, zu denen das fälsch-
lich so genannte Ev Veritatis nicht gehört.
[248] Vgl auch die Nag-Hamadi-Fassungen bei
MKrause-PLabib, Die drei Versionen des
Apokryphon des Joh, Abh des Deutschen
Archäologischen Instituts Kairo. Kpt Reihe 1
(1962).
[249] Das gilt sogar da, wo die Finsternis im
Aufstand erscheint, vgl Pist Soph 15 f (GCS 45
p 15, 3—16, 2).
[250] Vertreter des iranischen Typs sind die
Sethianer u Peraten (→ 324, 28 ff). Zur
Gestalt der Sophia in den kpt-gnostischen
Texten → VII 512, 10 ff.
[251] Titellose Schrift (→ A 243) 145, 24 ff

findet sich die thematische Behandlung dieser
Fragen mit Polemik gg die Behauptung, zuerst sei das Chaos gewesen. Dieses stamme
aus dem Schatten (es ist also Nicht-Sein) an
der Außenseite des Urlichts. Es verdankt seine
Existenz also diesem.
[252] Zahllose Beispiele in der Pist Soph u in
den anderen kpt-gnostischen Schriften; s die
Regist bei Schmidt-Till GCS 45 (→ A 247) sv
Licht, Till TU 60 (→ A 247) sv ⲞⲨⲞⲈⲒⲚ.
[253] Weitere Belege bei Schmidt-Till GCS 45
(→ A 247) Regist sv Licht, Lichtjungfrau,
Lichtreich, Lichtschatz usw.
[254] Die in der → A 238 angegebenen Ausg
fehlenden p 33—36 sind als Suppl ed
MMalinine uam (1961).
[255] S auch die Regist bei Schmidt-Till aaO
(→ A 247), Till aaO (→ A 247), Malinine ua
aaO (→ A 238) sv ⲞⲨⲀⲈⲒⲚ Leben, ⲰⲚⲌ
Samen, σπέρμα, πλήρωμα, Geist, πνεῦμα.
[256] Vgl Pist Soph Regist sv Finsternis.

gung der Spekulation entstehen, erkennt man immer noch das gnostische Existenz-
Schema. Das urspr Sein wird — ausgelöst etwa durch Spiegelung der Unvergänglichkeit
unten im Wasser Das Wesen der Archonten (→ A 243) 135, 11ff — in einer Fallbewe-
gung verlassen. Es folgt die Klage der gefallenen Sophia bzw Seele: „O Licht der Lichter,
an welches ich von Anfang an geglaubt habe, höre nun jetzt, o Licht, auf meine μετάνοια" Pist Soph 32 (GCS 45 p 28, 24—31). Zu Beginn der Rettung heißt es: „Ich schrie
zu dir, o Licht der Lichter, in meiner Bedrängnis, u du erhörtest mich" 52 (p 63, 31f).
„Ich bin aus dem Chaos gerettet u erlöst aus den Banden der Finsternis. Ich bin zu
dir, o Licht, gekommen" 68 (p 96, 1f), vgl auch Apokryphon des Joh (→ A 247) 46, 13
—15. Auf die Klage hin erbarmt sich Gott über den gefangenen Lichtteil Apokryphon
des Joh (→ A 247) 52, 17ff u sendet die Offenbarung von oben, die Erlösung. „Darauf
sprachen seine Jünger zu ihm: ‚Rabbi, offenbare uns das Mysterium des Lichtes deines
Vaters, da wir dich sagen hörten: Es gibt noch eine Feuertaufe, u es gibt noch eine
Taufe des hl Geistes des Lichtes, u es gibt eine geistige Salbe, welche die Seelen zu dem
Lichtschatz führen . . .' Es sprach Jesus zu ihnen: ‚Es gibt kein Mysterium, das vor-
züglicher ist als diese Mysterien, nach welchen ihr fragt, indem es eure Seele zu dem
Licht der Lichter, zu den Örtern der Wahrheit u der Güte, zum Orte des Heiligen aller
Heiligen führen wird, zu dem Orte, in dem es weder Frau noch Mann gibt, noch gibt
es Gestalten (μορφαί) an jenem Orte, sondern ein beständiges, unbeschreibbares Licht'"
Pist Soph 143 (GCS 45 p 245, 20—35).

E. Neues Testament.

I. Das Vorkommen.

Am häufigsten steht das Subst φῶς, das Verbum φωτίζω kommt
elfmal vor, davon zweimal in Zitaten Apk 21, 23; 22, 5. φωτισμός steht 2 K 4, 4. 6,
φωτεινός Mt 6, 22 Par u 17, 5, φωστήρ Phil 2, 15; Apk 21, 11, φωσφόρος 2 Pt 1, 19, ἐπιφαύσκω Eph 5, 14, ἐπιφώσκω Mt 28, 1; Lk 23, 54. Nur das Subst φῶς gewinnt theol
Rang, u auch dieses nur im Joh-Ev u 1 J. Der Gebrauch des Verbums φωτίζω hält
sich in bescheidenem Rahmen. Vorausgesetzt ist ein durchschnittlicher hell-jüd Sprachgebrauch, der nun auf die Christgläubigen übertragen wird. Eine Theorie der Erleuchtung wird noch nicht entwickelt.

II. Synoptiker und Apostelgeschichte.

1. Gelegentlich liegt wörtlicher Gebrauch vor, so im
verbreiteten Motiv von der Lichterscheinung bei der Epiphanie (Mt 17, 5). Von
hier aus ist auch der Vergleich angeregt λευκὸς ὡς τὸ φῶς (Mt 17, 2); zur Sache
ist auch Ag 12, 7 zu vergleichen[257]. Licht vom Himmel[258] erstrahlt bei der Christus-
erscheinung vor Damaskus (Ag 9, 3; 22, 6. 9. 11; 26, 13). φῶς bezeichnet auch den
Lichtträger oder Lichtkörper: das Feuer (Mk 14, 54; Lk 22, 56; → 305, 10),
die Lampe (im Bildwort Lk 8, 16), die Fackel (Ag 16, 29)[259]. Die Anlehnung an
jüdische Sprache ist deutlich in der Bezeichnung Gottes als des *Vaters der Lichter*,
sc der Gestirne (Jk 1, 17; → V 1015, 6ff)[260]. Wörtlicher Gebrauch findet sich auch
Mt 6, 23 Par[261]. Offenbar liegt ein Erfahrungssatz zu Grunde, der dann auf das

---

[257] → Beierwaltes 14—16. Wie stark die
Tradition dieses Motivs ist, zeigt die Tatsache, daß es auch in die Gnosis eindringen
konnte, obwohl es der Konzeption derselben
widerspricht, da für die Gnosis, abgesehen
vom Manichäismus, sichtbares Licht kein
wahres Licht ist. Dennoch findet sich Lichterscheinung bei der Epiphanie Pist Soph 2
(GCS 45 p 3, 16ff).
[258] Xenoph Cyrop IV 2, 15; Dio Chrys Or
12, 29, vgl auch das himmlische Licht bei der

Entrückung des Empedokles Diog L VIII
68.
[259] Vgl die Lampen Ag 20, 8.
[260] Apk Mos 36. 38 (→ A 388).
[261] ESjöberg, Das Licht in dir, Studia
Theologica 5 (1951) 89—105; HJCadbury, The
Single Eye, HThR 47 (1954) 69—74; CEd-
lund, Das Auge der Einfalt (1952); Jeremias
Gl⁷ 162f; → Aalen Licht in Synpt 21—23.
Lk 11, 33 wird die LA φῶς statt φέγγος jetzt
durch p⁷⁵ gestützt.

innere Licht angewendet wird[262]; *Licht* ist hier nicht Element, sondern die Licht-
quelle. Es besteht keine dualistische Anthropologie. Matthäus versteht — im
Sinn der Deutung — offenbar schon v 22 und v 23a als Allegorie auf das innere
Licht[263].

                         2. In bildlichem Sinn steht φῶς in der auf das Paradox 5
zielenden Wiedergabe von Js 8, 23f in Mt 4, 16[264]. ἀνατέλλω ist Motivwort[265].
Die Alternativfrage, ob das Licht die Person oder die Lehre des Messias symboli-
siere[266], verkennt das Verhältnis von Person und Lehre bei Matthäus und die Stellung des Zitates im Kontext. Die Lichtsymbolik ist nicht auf eine Person einzuschränken; die Lehre ist eingeschlossen[267]. Daß Personen als Licht bezeichnet 10
werden (Mt 5, 14. 16), hat sein Vorbild im Alten Testament (Js 42, 6; 49, 6)
und seine Parallelen im Judentum[268] und Griechentum (→ 305, 34f). Im
Neuen Testament wird diese Ausdrucksweise noch Lk 2, 32[269]; Ag 13, 47;
R 2, 19 (→ 337, 1ff) gebraucht. Auch der Ausdruck *Licht der Welt* (J 8, 12;
12, 35) ist jüdisch (→ 319, 11f; VII 394, 9ff)[270]. Den Sinn von Mt 5, 14ff legt 15
Matthäus durch das angeschlossene Bildwort und durch v 16 fest. Weil sowohl
v 14a als auch v 16 von ihm selbst formuliert sind (vgl Mk 4, 21; Lk 8, 16 [→
IV 326, 27ff]; 11, 33), ist die Verschiebung von v 14a: *Licht* = die Jünger zu v 16:
Licht = ihre Werke nur eine scheinbare; die Person ist nicht eine Größe, die außer-
halb ihrer Werke existent ist[271].

                                                                 20

---

[262] Vgl auch → Beierwaltes 42 A 3;
Sjöberg aaO (→ A 261) 94, der aber das
Licht in dir auf Teilhabe an der Lichtwelt
deutet 103f. Aber das beweist nichts für die
Deutung, u die Parallele Joseph u Aseneth
(→ A 100) 6, 3 kann nur vom inneren Licht
u dem Vermögen des Gnostikers, in das
Innere zu blicken, verstanden werden; Joseph bleibt nichts verborgen διὰ τὸ φῶς τὸ
μέγα (!) τὸ ἐν αὐτῷ, vgl Philo Spec Leg IV
192, doch auch Prv 20, 27.

[263] Anders Lk, vgl Jeremias Gl⁷ 162f.

[264] Der Text kann nicht aus LXX abgeleitet werden. HT hat die Verben im Perf
רָאוּ bzw נָגַהּ, LXX im Imp Aor bzw im Fut
ἴδετε bzw λάμψει, Mt wieder im Aor εἶδεν
bzw ἀνέτειλεν. KStendahl, The School of St
Matthew, Acta Seminarii Neotestamentici
Upsaliensis 20 (1954) 104—106 stellt mit
Recht fest, daß die Wahl des Aor bewußt
ist u die Erfüllung der Verheißung anzeigt.
Bezeichnend ist die Ausarbeitung des Para-
doxes: Die Offenbarung geschieht im verachteten Land, s ELohmeyer, Galiläa u Jerusalem (1936) 36f. GStrecker, Der Weg der
Gerechtigkeit, FRL 82 ²(1966) 63—66
schreibt die Neufassung des Textes einer von
Mt benutzten Zitatensammlung zu.

[265] Auch φῶς μέγα findet sich in verschiedenen Bdtg: Aesch Pers 300f übertr ἐμοῖς μὲν
εἶπας δώμασιν φάος μέγα καὶ λευκὸν ἦμαρ
νυκτὸς ἐκ μελαγχίμου (= μέλανος), zur Wendung *Licht sagen* vgl Ag 26, 23 (→ 336, 8f).

Eine andere Verwendung begegnet Luc, Nigrinus 4: ἔχαιρον δ᾽ αὖ ὥσπερ ἐκ ζοφεροῦ τινος
ἀέρος τοῦ βίου τοῦ πρόσθεν ἐς αἰθρίαν τε καὶ
μέγα φῶς ἀναβλέπων, vgl Joseph u Aseneth
(→ A 100) 6, 3.

[266] Vgl Kl Mt zSt.

[267] Das gilt trotz der jüd messianischen
Lichtsymbolik (→ 316, 24ff; 319, 5ff); Str-B
I 161f.

[268] ZB Test L 14, 3α: Ihr seid die φωστῆρες
Israels; Str-B I 237; → Aalen Licht in Synpt
25—27.

[269] Vgl Test L 18, 3. φῶς ist wahrscheinlich
Apposition zu σωτήριον, so Kl Lk zSt, es ist
also par zu δόξα.

[270] Die Welt ist natürlich die Menschenwelt, nicht das All, vgl den rabb Ausdruck
נרו של עולם bzw אורו של עולם Str-B I 237. Ins Gnostische ist das Wort übertragen Thomas-Ev
(→ A 244) Logion 24 (86, 7ff), vgl 50 (89, 33ff);
→ 332, 17ff. Mt knüpft an das jüd Erwäh-
lungsbewußtsein an u überträgt es auf die
Jünger.

[271] Im Bild: Das Licht ist nicht von der
Lichtquelle zu lösen, wie ja schon sprachlich
sowohl im Hbr u Aram wie im Griech beides
ineinander übergeht. → Aalen Licht in Synpt
17—19 weist darauf hin, daß die Pointe des
Bildes nicht vom Hellsein eines Raumes,
sondern vom Anblick eines Lichtpunktes u
seines Ausstrahlens her zu verstehen ist. Er
formuliert: „Es ist also nicht so, daß die
Jünger dadurch ihr Licht leuchten lassen, daß

3. Übertragen meint *Licht* die Öffentlichkeit (Mt 10, 27 Par)[272]. Ist eine ursprünglich profane Warnung aufgegriffen (→ III 703, 44ff; 708, 22ff; V 552 A 93)[273]? Jedenfalls ist das Wort jetzt sowohl in der Logienquelle[274] als auch bei Markus eine Verheißung mit Reflexion auf zwei verschiedene
5 Epochen der christologisch interpretierten Heilsgeschichte. Matthäus wandelt ab: Was Jesus gelehrt hat, wird von den Jüngern verkündigt werden. Lukas: Was ihr im Geheimen gehört habt, wird öffentlich gesagt werden (→ VII 442, 1ff)[275]. Wie abgeschliffen der Sinn sein kann, wo *Licht* die Öffentlichkeit bedeutet, zeigt der Ausdruck *Licht verkünden* (Ag 26, 23)[276]. Der aus dem Judentum und der
10 Gnosis bekannte Missionsstil wird aufgenommen (Ag 26, 18)[277]: Bekehrung (→ VII 727, 31ff) ist Bewegung aus der Finsternis ins Licht (Eph 5, 8; 1 Pt 2, 9; → VII 442, 22ff)[278].

Singulär ist innerhalb der Synoptiker der Ausdruck *Kinder des Lichts* (Lk 16, 8). Außerhalb der Synoptiker steht er noch J 12, 36; 1 Th 5, 5; Eph 5, 8; vgl noch
15 Ign Phld 2, 1[279]. Der Sinn ist innerhalb des Neuen Testaments nicht einheitlich. Von einem technischen Gebrauch kann man nicht sprechen. Der Sinn ergibt sich — anders als in den Qumran-Texten (→ 318, 16ff) — aus dem jeweiligen Kontext. Lukas stellt den *Kindern des Lichts* nicht die Kinder der Finsternis gegenüber, sondern die *Kinder dieses Äons*. Wie er das versteht, zeigt Lk 20, 34[280].

20　　　　　　　　　　**III. Paulus und Deuteropaulinen.**

1. Der Sprachgebrauch des Paulus[281] hält sich im wesentlichen innerhalb der Grenzen des Gemeinjüdischen. Der Sinn an der einzelnen Stelle ist kaum technisch; er ist durch den jeweiligen — im allgemeinen eschatologischen — Kontext bestimmt. Das gilt auch im Blick auf das Verbum φωτίζω:
25 Der Jüngste Tag (→ II 955, 10ff) ist der Tag, der das Verborgene ans Licht bringt ... ἕως ἂν ἔλθῃ ὁ κύριος, ὃς καὶ φωτίσει τὰ κρυπτὰ τοῦ σκότους (1 K 4, 5). Was Paulus meint, zeigt die parallel formulierte Fortsetzung καὶ φανερώσει τὰς

---

sie gute Werke tun, sondern wenn sie ihr Licht leuchten lassen, tun sie gute Werke" 31. Der Wandel wird schon Prv 4, 18 als Licht bezeichnet. Der Anstoß, auf den Leuchter gehöre die Lehre, nicht der Wandel (Wellh Mt zSt), ist unberechtigt. „Aber dabei ist verkannt, daß hier nicht mehr von dem Leuchter oder der Lampe, sondern von dem Licht φῶς gesprochen wird, daß auch v 14f einen Unterschied von Lehre u Wandel leugnen, daß endlich ein at.liches Wort ganz ähnlich lautet ... (Prv 4, 18)" Loh Mt zu 5, 16.

[272] Es bestehen klass u jüd Parallelen (→ 305, 38ff; 319, 11ff).

[273] Bultmann Trad 99f.

[274] Schon in der Logienquelle sind v 26 u 27 verbunden, vgl Lk 12, 2f.

[275] Der Zshg mit der jeweiligen Geschichtsauffassung ist bei beiden deutlich; für Mt s Strecker aaO (→ A 264) 190.

[276] Aesch Pers 300f (→ A 265).

[277] Vorlage ist Js 35, 5; 42, 7. 16, vgl 61, 1 (Lk 4, 18). HWindisch, Pls u Christus, UNT 24 (1934) 137 weist auf die Übernahme von Motiven aus der Berufung Jeremias Jer 1, 7 u des Gottesknechtes Js 42, 7. 16 hin.

[278] Die Wendung ist klass u jüd (→ 308, 2ff; 317, 11ff). Bekehrungssprache ist zB: καὶ ἤγαγε (sc Κύριος) αὐτοὺς ἐκ σκότους εἰς φῶς Test Jos 19, 3.

[279] Die bekanntesten formalen Parallelen bieten die Qumrantexte (→ 318, 16ff), vgl aber auch die gnostischen Belege (→ A 303).

[280] Es liegt der bekannte Dualismus von dieser u der künftigen Welt vor. Der Ausdruck ist Analogiebildung zum rabb *Sohn der künftigen Welt*, s Str-B II 219; HBraun, Spätjüdhäretischer u frühchristlicher Radikalismus II, Beiträge zur historischen Theol 24 ²(1968) 39 A 1.

[281] Als echte Briefe gelten aus methodischen Gründen R, 1. 2 K, Gl, Phil, 1 Th, Phlm.

τὰς βουλὰς τῶν καρδιῶν und 2 K 5, 10[282]. Die jüdische Anschauung von Israel als dem Licht der Völker (→ 319, 11f) und vom Licht der Thora/Erkenntnis (→ 317, 1; 319, 4f) bestimmt die Ausführungen von R 2, 19, wo der jüdische Gedanke polemisch gegen den Anspruch des Judentums aufgegriffen wird (→ 227, 3ff)[283]. Das jüdische Weltbild liegt 2 K 11, 14 zu Grunde: Der Satan als der Herr der 5 Finsternis und die Engel des Lichts stehen im Kampf, und jener gebraucht die Kriegslist, sich als Lichtengel zu tarnen[284]. Mit der Apokalyptik wird die eschatologische Existenz als das Leuchten der Erwählten dargestellt (Phil 2, 15)[285]. Das Neue ist die paulinische Vergegenwärtigung: Diese Existenz ist bereits jetzt im Verhältnis der Gemeinde zur Welt verwirklicht. Paulus überträgt also den 10 Israel-Gedanken in seiner eschatologischen Fassung auf die Gemeinde[286].

Im selben Sinn ist der von Paulus aufgenommene Ausdruck *Kinder des Lichts* (→ 336, 13ff; A 279) abgewandelt (1 Th 5, 5; → II 956, 30ff; IV 1119, 36ff)[287]. Verwandt ist R 13, 12, nur ist der Duktus des Gedankens umgekehrt: Im 1 Th führt der Weg von der traditionellen Eschatologie zur Aktualisierung in der Par- 15 änese. Hier dagegen wird eine breit angelegte Paränese eschatologisch begründet[288]. Einsatzpunkt ist die Naherwartung des „Tages". Dann aber erscheinen Licht und Finsternis als zwei Sphären, dh qualifizierende Mächte[289]. Der Wechsel von ἔργα auf der negativen zu ὅπλα (→ V 294, 3ff) auf der positiven Seite ist sicher bewußt und unterstreicht den ethischen Appell[290]. 20

Die wichtigste Stelle ist 2 K 4, 4—6 mit ihrer εἰκών-Christologie und dem Entscheidungsdualismus[291], der durch den Schöpfergedanken überhöht ist. Die Entsprechung von Schöpfungs- und Bekehrungssprache ist im Judentum ausgebildet (→ 317, 11ff; VII 442, 22ff)[292]. Sie ist von Paulus weiterentwickelt durch den Gedanken der neuen (→ III 451, 22ff) Schöpfung[293], der wieder die Gegenwärtig- 25

---

[282] S Wnd 2 K zSt. Der Parallelismus in 1 K 4, 5 läßt fragen, ob ein Zitat aus einer apokryphen Schrift zugrunde liegt, Joh W 1 K u Ltzm K zSt.
[283] Die jüd Farbe ist so intensiv, daß Ltzm R zSt eine jüd Missionsschrift als Vorlage annimmt. Zur Sache vgl äth Hen 105; Sap 18, 4; Jos Ap 2, 291ff.
[284] S Wnd 2 K zSt; zur Dualität vgl 1 QS 3, 20f; 1 QM 13, 10ff. Täuschende Verwandlung des Satans findet sich Vit Ad 9; Apk Mos 17.
[285] Δα 12, 3; Sap 3, 7; äth Hen 108, 11ff; 4 Esr 7, 97. 125; s Bar 51, 1ff, vgl Bousset-Greßm 277.
[286] Loh Phil zSt will φωστήρ nicht von den Gestirnen u deren Leuchten verstehen. Er faßt φαίνομαι nicht als *strahlen* (→ 2, 8ff), sondern als *erscheinen*: „unter denen ihr erscheint wie Leuchter in der Welt". Aber entgegen seiner Behauptung ist φωστήρ im Sinn von *Gestirn* gut belegt (→ 304, 15ff). Über den Sinn an dieser St entscheidet der Zusatz ἐν κόσμῳ.
[287] Das Thema ist die Eschatologie als solche 1 Th 5, 1. Sie wird nun in Paränese überführt. In 5, 2 ist ἡμέρα der eschatologische Gerichtstag. Dann verschiebt sich aber der Sinn auf den Tag als Helligkeit, also als

Möglichkeit der Lebensführung, opp νύξ, s Dib Th zSt. Pls greift traditionelle Stilmittel der eschatologischen Paränese auf, vgl Lk 21, 34—36. Typisch für ihn ist die Loslösung der Hoffnung von bestimmten Vorstellungen über die Vorgänge beim Weltende durch den εἴτε — εἴτε-Satz 1 Th 5, 10.
[288] Vgl Phil 4, 5; Hb 10, 25ff; 1 Pt 1, 5ff; Did 16; Barn 21, 3; Ign Eph 11, 1; Herm v II 3, 4. Zum Bild von der Waffenrüstung s Dib Gefbr zu Eph 6, 10 (→ V 296, 6ff).
[289] Die Gen bei ἔργα u ὅπλα sind in demselben Sinne wie ἔργα τῆς σαρκός u καρπὸς πνεύματος Gl 5, 19. 22 zu verstehen. 1 QM 15, 9: „... Und in (!) Finsternis sind alle ihre Werke." Damit sind sie durch diese qualifiziert.
[290] Vgl wieder Gl 5, 19ff; ἔργα fällt ja aus dem Bild, anders 1 QM 15, 9 (→ A 289).
[291] Dualistisch ist der Ausdruck ὁ θεὸς (!) τοῦ αἰῶνος τούτου, vgl 1 K 2, 8; Eph 2, 2; J 12, 31.
[292] Gn 1, 3 ist nach Js 9, 1 oder 2 Βασ 22, 29 umgeformt. Zur Sache → 317, 11ff; R 2, 19; 1 Th 5, 4f; Eph 5, 8; 1 Pt 2, 9.
[293] Vgl 2 K 5, 17. Das Stichwort καινός steht im Bekehrungszusammenhang Joseph u Aseneth (→ A 100) 8, 11 im Kompos ἀνακαινίζω, vgl Barn 6, 11.

keit des eschatologischen Heilsgeschehens ausspricht[294]. Der Sinn von φῶς ergibt
sich aus der Verknüpfung mit γνῶσις und dem Verbum λάμπω (→ IV 25, 20ff).
Dieses weist nicht auf das Licht als Element, sondern auf die ausgelöste Bewegung,
den Vorgang des Aufstrahlens samt der Wirkung[295], der Erkenntnis[296]. Schwerlich
5 ist die dualistische Paränese 2 K 6, 14ff authentisch[297], die formal von der Un-
möglichkeit der κοινωνία ἀνομοίων handelt, inhaltlich die Erwählten durch ethischen Appell von den Ungläubigen scheidet.

2. Kolosser- und Epheserbrief setzen die geläufige
Sprache voraus. Der Epheserbrief zeigt die intensiveren Farben, die an 2 K 6, 14
10 (→ Z 4ff) und damit an Qumran und die Test XII erinnern (→ 318, 13ff)[298]. In Kol
1, 12 ist φῶς der jenseitige Lichtraum, näherhin als βασιλεία Christi charakterisiert.
Als Raum ist er natürlich auch hier Machtsphäre[299] (→ VII 443, 17ff). Für die Interpretation ist der Bekenntnis-Stil zu beachten[300]. Die realisierte Eschatologie der
Stelle — die Versetzung ins Licht als bereits geschehene Errettung — darf nicht
15 zu spiritualer Auslegung des Lichtes bzw Reiches verleiten (→ I 108, 35ff)[301].
Die Gegenwärtigkeit des Heils hebt weder die realistisch gedachte Jenseitigkeit
des Lichtreiches noch die Tatsache auf, daß sich die Erlösten noch in der Bewegung nach oben befinden (Kol 3, 1ff. 5ff).

Der Stil eschatologischer Licht-Finsternis-Paränese (→ 337, 14ff) ist Eph 5, 8—10
20 aufgenommen und in den Rahmen des Schemas der Gegenüberstellung von Einst
σκότος und Jetzt φῶς gefügt[302]. An sich lädt der Satz *Ihr seid Licht* zu gnostischer
Interpretation ein, so daß auch *Kinder des Lichts* gnostisch aufzufassen wäre: Ihr
seid himmlischen Ursprungs[303]. Doch ist φῶς hier nicht Substanz (→ A 302),
sondern Sphäre, und auch das ist zum Bild verblaßt[304]. Es ist nicht an Präexistenz

---

[294] Vgl die Thematik des Zshg, nach der es
um die Legitimität des Apostelamts geht. Die
Erleuchtung ist an die Verkündigung gebunden, u diese wiederum gewinnt ihre Legitimität dadurch, daß der Prediger nicht sich
selbst verkündigt, sondern den Herrn.

[295] Ltzm K zSt faßt λάμπω zweimal als
aufleuchten. Aber der Sinn ist beim zweiten
Vorkommen *hell werden lassen*, vgl Philo
Praem Poen 25: ... πλὴν οἷς ἂν ὁ θεὸς αὐγὴν
ἐπιλάμψῃ τῆς ἀληθείας, mit Eltester aaO (→
A 142) 132 A 8. φωτισμός hat v 4 akt, intr
Bdtg: das Leuchten des Ev, v 6 pass: die
Erkenntnis *wird erleuchtet*, dh geht als Licht
auf, s Eltester 132 A 9, anders Wnd 2 K zSt,
der φωτισμός zweimal als *Lichtglanz* faßt.

[296] Vgl zu diesem Gedanken im AT →
314, 21ff; in den Test XII → 318, 26f,
im Corp Herm → 327, 1ff, in den O Sal
→ 331, 36ff.

[297] Der Stil erinnert an die Test XII, vgl
Test L 19, 1 (→ 318, 30f); JGnilka, 2 K
6, 14—7, 1 im Lichte der Qumranschriften u
der Test XII, Festschr JSchmid (1963) 97f.

[298] KGKuhn, Der Eph im Lichte der Qumrantexte, NT St 7 (1960/61) 334—346.

[299] Zum kosmologischen Sinn vgl Eph
6, 10ff, s Dib Gefbr zSt. Nach 1 Tim 6, 16
wohnt Gott in einem φῶς ἀπρόσιτον, vgl ἀπρόσ-

ιτον φῶς Cl Al Exc Theod 12, 3, lumen inac-
cessibile Act Verc 20 (p 66, 26). 'Das Gegenstück im traditionellen Weltbild bietet Ps Sal
14, 9: ἡ κληρονομία αὐτῶν ᾅδης καὶ σκότος καὶ
ἀπώλεια, vgl 14, 5.

[300] Vgl 1 Pt 2, 9, wo aber übertr Bdtg vorliegt. Zum Stil s EKäsemann, Eine urchr
Taufliturgie, Exegetische Versuche u Besinnungen I [5](1968) 44—46.

[301] Vgl vielmehr die gesamte Eschatologie
des Kol: Wir sind schon mit Christus auferstanden 2, 12; das meint aber, daß wir suchen
können, was droben ist. Wir haben das Leben,
aber es ist verborgen mit Christus in Gott
3, 1ff.

[302] Kuhn aaO (→ A 298) 339f betont, daß
kein Substanz-, sondern ein Entscheidungsdualismus vorliegt.

[303] ὅτι ἄυλος ὑπάρχεις, ὅτι ἅγιος, ὅτι φῶς, ὅτι
συγγενὴς τοῦ ἀγεννήτου Act Andr 6. — Der Terminus *Söhne* bzw *Kinder des Lichtes* ist in der
Gnosis belegt, zB 1. Apokalypse des Jakobus
(→ A 243) 25, 17f; Das Wesen der Archonten
(→ A 243) 145, 14, vgl Thomas-Ps (→ A 222)
1 (p 204, 9); 2 (p 205, 24) uö. [Kelber]

[304] Dib Gefbr zSt. Die Einwirkung der
paul paränetischen Tradition ist zu berücksichtigen, in welcher φῶς bildlich gebraucht
wird.

eines Licht-Ich gedacht, sondern an Neuschöpfung im Sinne von Eph 2, 9 f[305]. Die nähere Bestimmung ἐν κυρίῳ ist zu beachten[306], ebenso das paulinische, nicht-gnostische Vorbild für die Ausdrücke τέκνα (1 Th 5, 5) und καρπὸς (Gl 5, 22, vgl R 13, 12) τοῦ φωτός. Das Lichtsein vollzieht sich in der Lebensführung. Darin ist das paulinische Verhältnis von Indikativ und Imperativ durchgehalten. Die 5 Trennung von der Finsternis realisiert sich im neuen Wandel[307]. Den Übergang vom Einst zum Jetzt und die Voraussetzung für die neue Existenz bildet der Akt der *Erleuchtung,* der mit Verwendung des verbreiteten Bildes vom Auge des inneren Erkenntnisorgans (→ IV 964 A 14) als Erleuchtung der *Augen des Herzens* bezeichnet wird (Eph 1, 18)[308]. Gemeint ist die Fähigkeit zur aktiven Gnosis, wie sie der 10 Epheserbrief meditativ betreibt. Charakteristisch ist die Aufnahme des μυστήριον-Schemas (→ IV 826, 23 ff), das sich schon im Kolosserbrief findet, in Eph 3, 9[309]. Die Enthüllung wird durch das Verbum φωτίζω *ans Licht bringen* bezeichnet (1 K 4, 5; 2 Tm 1, 10)[310]. Inhalt ist die Kenntnis der Heilsökonomie.

Ein Sonderproblem stellt Eph 5, 14 (→ III 990, 21 ff; VIII 503, 23 ff)[311] mit 15 dem seltenen ἐπιφαύσκω (→ 304, 27 ff), zumal es sich um ein Zitat handelt, einen Dreizeiler mit Homoioteleuton[312]. Die Form des Weckrufs und die inhaltlichen Parallelen weisen in das Milieu der Gnosis[313]. Die Parallelen aus den Qumran-

---

[305] Zur Weiterentwicklung bei Cl Al u Lact → Wlosok 222 A 104.

[306] Auch im Eph weist die ἐν-Formel auf den Christus extra nos, FNeugebauer, In Christus (1961) 175—181, der allerdings die Unterschiede zwischen Homologumena u Kol/Eph einebnet; MBouttier, En Christ (1962) 139—142.

[307] Das geforderte Gute wird in paul Tradition in popularethischen Begriffen angezeigt. Die nähere inhaltliche Erläuterung geben die Kataloge.

[308] Das Bild von der Erleuchtung des Auges ist alt (→ 305, 16 ff). Zum Ausdruck *Auge des Herzens* s Dib Gefbr zSt; 1 Cl 36, 2; 59, 3; Corp Herm 4, 11; 7, 7.

[309] Das Schema, von Urzeiten her verborgen — jetzt enthüllt, ist R 16, 25—27 breit entfaltet, s EKamlah, Traditionsgeschichtliche Untersuchungen zur Schlußdoxologie des Römerbriefs (Diss Tübingen [1955]).

[310] Schlier Eph³ zu 3, 9.

[311] S Dib Gefbr zSt; Schlier Eph³ zSt; Peterson aaO (→ A 184) 132f; BNoack, Das Zitat in Eph 5, 14, Studia Theologica 5 (1951) 52—64; Kuhn aaO (→ A 298) 341—345. Unklar ist, worauf sich in der Einführung des Zitates διό bezieht, was also begründet werden soll. Ein Bezug auf v 8a (Dib Gefbr zSt) wäre hart, s Kuhn 342.

[312] Reitzenstein Ir Erl 135—137, vgl 6 u Hell Myst 64, faßt es als gnostischen Weckruf. Er vergleicht damit das manichäische Turfan-Fr M 7, 89—95 (ed FCAndreas-WHenning, Mitteliranische Manichaica aus Chinesisch-Turkestan, SAB 1934 [1934] 872): „Schwer ist die Trunkenheit, in der Du schlummerst, wach auf u blicke auf mich! Heil über Dich

von der Welt des Friedens, aus der ich Deinetwegen ausgesandt bin", vgl Reitzenstein Hell Myst 58 u Colpe aaO (→ A 50) 41f. 69. Er stellt ferner daneben aus einer alchimistischen Schrift Z 125—128 (ed RReitzenstein, Zur Gesch der Alchemie u des Mystizismus, NGG 1919, 1 [1919] 17): τότε φωτίζεται τὸ σῶμα καὶ χαίρεται ἡ ψυχὴ καὶ τὸ πνεῦμα ὅτι ἀπέδρα τὸ σκότος ἀπὸ τοῦ σώματος καὶ καλεῖ ἡ ψυχὴ τὸ σῶμα τὸ πεφωτισμένον· ἔγειραι ἐξ Ἅιδου καὶ ἀνάστηθι ἐκ τοῦ τάφου καὶ ἐξεγέρθητι ἐκ τοῦ σκότους, vgl Reitzenstein Hell Myst 314. Eine dritte Parallele steht im Lied von der Perle Act Thom 110f (→ Adam Thomas-Ps 51f): „Erhebe dich u steh auf von deinem Schlafe ἀνάστηθι καὶ ἀνάνηψον ἐξ ὕπνου u vernimm die Worte unseres Briefs … Und wie er mich mit seinem Ruf erweckt hatte, so geleitete er mich auch mit seinem Licht." → Adam Thomas-Ps 59 nimmt an, daß die Vorlage von Eph 5, 14 vom Perlenlied abhängig sei.

[313] Der Weckruf gehört nicht zur Apokalyptik, wie Noack aaO (→ A 311) 62 es sagt. Auch die aus der syr Didaskalie 21 (übers HAchelis-JFlemming, TU 25, 2 [1904] p 110, 5—7, vgl Didask V 16, 4) herangezogene St: „Ihr seid schon gläubig geworden u auf ihn getauft u ein großes Licht ist über euch aufgegangen" ist nicht stringent. Zum Weckruf vgl noch Corp Herm 1, 28: τί ἑαυτούς, ὦ ἄνδρες γηγενεῖς, εἰς θάνατον ἐκδεδώκατε …; O Sal 8, 3: „Stehet auf u stehet fest, die ihr zeitweilig darniederlagt!" Zum Inhalt noch O Sal 11, 13f; 15, 1ff; 41, 13f. S Jonas Gnosis I 126—133; → Becker 21f; GSchille, Frühchristliche Hymnen (1962) 94—101.

22 *

texten[314] genügen zur Erklärung nicht. Im jetzigen Briefzusammenhang ist der Gedanke ethisiert. Aber darunter ist ein physisches Substrat zu erkennen[315].

3. Das Mysterien-Schema liegt auch 2 Tm 1, 10 zugrunde: Christus hat das Leben *ans Licht gebracht*, dh nicht nur gezeigt, sondern wirksam manifestiert[316].

IV. Johannesevangelium und Johannesbriefe.

Die Gesch der neueren joh Forschung[317] ist zugleich die Gesch der wechselnden religionsgeschichtlichen Einordnung. Folgende Ableitungen werden vertreten: aus dem AT, der jüd-alexandrinischen Religionsphilosophie (Philo) mit wechselnder Veranschlagung der stoischen (Logos) u platonischen (Dualismus) Komponente, der Gnosis (Hermetica, O Sal, Mandaica). Durch die Qumrantexte ist das Problem von neuem aufgeworfen. Für die Erfassung der Begrifflichkeit von Licht u Finsternis genügt die Ableitung aus dem AT so wenig wie für den Begriff des Logos, obwohl sie immer noch vertreten wird[318]. Die vorhandenen Beziehungen dürfen in keinem Fall eng-literarisch, im Sinne direkter Abhängigkeit von bestimmten Schriften, verstanden werden. Das gilt, wie früher angesichts der Hermetica u Mandaica, so heute angesichts der Schriften von Qumran.

Hinsichtlich der Motive u Denkstrukturen ist der Begriff des Dualismus zu einfach, um wirklich zur Erhellung zu dienen. Es gibt dualistische Entwürfe völlig verschiedener Struktur, etwa den platonischen u den iranischen (→ 324, 28 ff), der in Qumran modifiziert ist. Mit den Qumrantexten gemeinsam ist dem Joh-Ev, daß es sich um Entscheidungsdualismus (→ 318, 2 ff) ohne ausgeführten Mythos handelt. Aber im Joh-Ev steht im Zentrum die Gestalt des Offenbarers, die dort fehlt; denn die Messiasse u die Lehrer der Gerechtigkeit sind keine Offenbarer. Die Zwei-Geister-Lehre von 1 QS (→ VI 388, 9 ff) hat bei Joh kein Äquivalent. Für die Bestimmung des Johanneischen kommt man nicht ohne einen Begriff von Gnosis aus, der am Phänomen orientiert ist[319].

---

[314] 1 QH 4, 5 f: „Ich preise dich, Herr, daß du mein Angesicht erleuchtet hast für deinen Bund ..., u sicher wie die Morgenröte bist du mir erschienen zu Li[cht] ם[או]רתל‏" (→ A 104), vgl 1 QH 4, 23; s Kuhn aaO (→ A 298) 341—345.

[315] Vielleicht gibt Cl Al (dazu → Dölger Sol 364—370) noch einen Hinweis auf die Herkunft (→ Wlosok 159—164); denn er zitiert Eph 5, 14 mit dem Zusatz κύριος hinter χριστός, u es folgt ein weiterer Dreizeiler ὁ τῆς ἀναστάσεως ἥλιος, ὁ πρὸ ἑωσφόρου γεννώμενος, ὁ ζωὴν χαρισάμενος ἀκτῖσιν ἰδίαις Cl Al Prot IX 84, 2. Vorher steht ebenfalls ein Aufruf mit zwei Dreizeilern Prot VIII 80, 1 ff unter Benutzung von Prv 6, 9. 11 a. Gedanken u Sprache weisen in das Milieu des alexandrinischen Judt. Das wird noch deutlicher, wenn man annimmt, daß urspr nur κύριος statt χριστός dastand. → Wlosok 161 vermutet Einfluß dionysisch-orphischer Sprache (ἐπιφαύσκω), vgl ferner den Mysterienruf Aristoph Ra 340 ff: ἔγειρε φλογέας λαμπάδας ἐν χερσὶ γὰρ ἥκει τινάσσων (*schwingen*), Ἴακχ' ὦ Ἴακχε, νυκτέρου τελετῆς φωσφόρος ἀστήρ. φλογὶ φέγγεται δὲ λειμών. Doch ist die Aristoph-St nicht das direkte Vorbild, gg JLeipoldt, Die alt-

christliche Taufe religionsgeschichtlich betrachtet, Wissenschaftliche Zschr der Karl-Marx-Universität Leipzig, Gesellschafts- u sprachwissenschaftliche Reihe 3 (1953/54) 72, s GWagner, Das religionsgeschichtliche Problem von R 6, 1—11, Abh Th ANT 39 (1962) 82 f; GDelling, Der Gottesdienst im NT (1952) 51.

[316] S Dib Past⁴ zSt. Bei der Formulierung wirkt der feste sprachliche Zshg von *Licht* u *Leben* ein Corp Herm 13, 19 (→ 327, 5 f mit A 189), vgl 13, 9. 13; Philo Fug 139 (→ 323, 15 ff; vgl den Sprachgebrauch → 320, 32 ff).

[317] WFHoward, The Fourth Gospel in Recent Criticism and Interpretation ⁴(1955); PHMenoud, L' Évangile de Jean d'après les recherches récentes ²(1947); ders, Les études johanniques de Bultmann à Barrett, in: L'Évangile de Jean, Recherches bibliques 3 (1958) 11—40; Dodd aaO (→ A 52) passim.

[318] ZB von JDupont, Essais sur la christologie de St Jean (1950) 95—105.

[319] Jonas Gnosis passim, Bultmann J 9—12 u passim. Die isolierende Aufspaltung der einzelnen gnostischen Schriftengruppen (Dodd aaO [→ A 52] 10—130) ergibt kein zutreffendes Bild.

1. In den johanneischen Schriften kulminiert der neutestamentliche Gebrauch von *Licht* und *Finsternis*. Auch in ihnen gibt es den wörtlichen Sinn. φῶς ist das natürliche *Licht* des Leuchters (J 5, 35), die Helligkeit (3, 20f; → VI 557, 16ff)[320], die vom Bösen als dem Lichtscheuen gemieden wird. Zwischen bildlichem und eigentlichem Sinn ist nicht immer klar zu unterscheiden. 12, 35f spielt vom einen zum anderen hinüber, zwischen *Tageslicht* und *wahrem Licht* (→ VII 445, 5ff)[321]. φῶς[322] ist die Tageshelle, sie dient als Bild für das Da-Sein der Offenbarung, die sich nachher als mit dem Offenbarer identisch erweist. Offenbarung wiederum ist Erhelltsein, das die Bewegung ermöglicht. Ihr Dasein ist auf eine bestimmte Zeit begrenzt, im historischen Kontext zunächst auf die Zeit des historischen Daseins Jesu (vgl 9, 5). Aber das ist nur die vordergründige Aussage. Das Licht strahlt ja heute in der Gemeinde, in der Predigt. Aber auch das jetzige Scheinen des Lichts ist nicht grenzenlos, dh nicht ins Belieben gestellt. Das Angebot der Offenbarung kann versäumt werden. In dieser Feststellung drückt sich der Gedanke der Entscheidung, der Unwiederholbarkeit derselben, der Kontingenz der Offenbarung aus. Im Aufruf, die einmalige Chance wahrzunehmen, liegt nun der eigentliche Sinn von Licht vor. Er ist erkennbar in der Aufforderung, ,,an das (!) Licht zu glauben" (12 ,36), ebenso in der Verknüpfung von Glaubendem und Glaubensgegenstand im Ausdruck υἱοὶ φωτός (→ 318, 16ff; A 303)[323]. Die Identifizierung des Lichtes mit der Offenbarung und der Offenbarung mit dem Offenbarer[324] bedeutet eine Ausscheidung der metaphysischen und kosmologischen Spekulation. Darin unterscheidet sich das Johannesevangelium grundlegend von der Gnosis (→ 325, 13ff). Es macht keine gegenständliche Aussage über eine Lichtwelt. Es bezeichnet auch nicht Gott als Licht[325], sondern dessen Manifestation in Jesus[326]. Licht ist zum reinen Existenzbegriff geworden. Sein Wissen kann — ohne daß ein metaphysischer Rest bleibt — erschöpfend durch die Bestimmung des Glaubens und Erkennens angezeigt werden[327]. Die Konzentration auf die

---

[320] Über die verschiedenen Bdtg im Joh-Ev s Bultmann J 23. Wörtlicher Gebrauch findet sich J 5, 35, wo λύχνος zunächst Bild ist, das dann mit φῶς als Metapher fortgeführt wird, Bultmann J 199 A 5. Die Lampe ist Symbol des Vergänglichen Lidz Ginza R 256, 8f: ,,Diese anderen Seelen, ⟨die⟩ sterben, nehmen ein Ende u verlöschen gleich einer Lampe". Zu J 11, 9f: *Licht dieser Welt* — inneres Licht vgl Philo Spec Leg IV 192, zur Analyse s Bultmann J zSt, der die ὅτι-Sätze als Glossen des Evangelisten zu seiner Quelle erklärt. Bildlicher Gebrauch liegt J 3, 20f vor. Dazu kommt dann der spezifisch joh Gebrauch (→ 344, 13ff).

[321] Bultmann J 271. Nach Bultmann J 237. 271 A 2; 304 A 1 ist dies der Abschluß einer aus der Quelle der Offenbarungsreden übernommenen Lichtrede, deren Fr über Kp 8—12 verstreut seien. Ähnlich, aber mit abweichender Rekonstruktion im einzelnen → Becker 114—116; dieser schließt J 8, 30ff an 12, 36 an. Zum Stil (Imp, Charakteristik der Glaubenden im Part) → Becker 65f.

[322] Zunächst ist man wegen des artikellosen σκοτία genötigt, die St bildlich zu verstehen. Aber schon der Imp führt, wie Bultmann J zSt bemerkt, auf den metaphorischen Sinn.

[323] Zu den Bedeutungsnuancen im NT vgl 1 Th 5, 5; Eph 5, 8; Lk 16, 8. Zum joh Sinn vgl J 1, 12f. Der von Hause aus jüd Ausdruck ist im joh Kontext durch den Gedanken der Wiedergeburt bestimmt J 3, 1ff.

[324] ,,Die Offenbarung wird nie zum Offenbarten; das Licht, das der Glaubende hat, ist immer das Licht, das Jesus ist" Bultmann J z 8, 12, dgg HHMalmede, Die Lichtsymbolik im NT (Diss Bonn [1959]) 331.

[325] Das tut erst der 1 J, aber auch er in unspekulativem Sinn (→ 345, 16ff).

[326] Das Verhältnis von Gott u Offenbarung wird nicht als Ausgang derselben aus dem Licht (Emanation) beschrieben, sondern als Sendung.

[327] In dieser Hinsicht hebt sich J von den Qumrantexten deutlich ab. Man vergleiche die Aussagen über den Satan bzw Belial (→ VII 152, 10ff), über die beiden Geister (→ VI 388, 1ff) u die St der Qumrantexte, in denen das Licht Sphäre der Seligen ist. J

Person des Offenbarers spricht sich am klarsten aus in dessen Selbstprädikation
ἐγώ εἰμι (→ II 350,14ff) τὸ φῶς τοῦ κόσμου (8,12)[328]. Unbeschadet des Streits,
ob ἐγώ Subjekt oder Prädikat sei (→ A 328), gilt, daß diese Sätze nicht bildlich,
sondern eigentlich gemeint sind: Jesus ist nicht im bildlichen Sinn Licht oder ein
5 Licht, ein Erleuchtender, sondern ist das wahre Licht[329]. Der bestimmte Artikel
bezeichnet die Exklusivität der Offenbarung[330]. In den beiden Wiederholungen
des Satzes (9, 5; 12, 46)[331] fehlt freilich der Artikel. Das entspricht einfach dem
Kontext. 9, 5 ist in Anlehnung an das Bildwort 9, 4 so formuliert, daß zugleich
die Zeitlichkeit der Offenbarung (→ 343,18ff) gezeigt wird; der Ton liegt ganz auf
10 Licht. 12, 46 ist auf die Zweckbestimmung der Offenbarung (ἵνα...) hin formuliert[332]. Der Genitiv τοῦ κόσμου bedeutet *für die Welt*[333]. Der Ausdruck *Licht der
Welt* gleicht nur äußerlich dem gleichlautenden rabbinischen (→ 319,11ff)[334].
Der johanneische Satz kann insofern als dualistisch bezeichnet werden, als Licht
und zunächst unerhellte, auf Erleuchtung angewiesene Welt konfrontiert sind.
15 Darin steht er den Licht-Aussagen von Qumran (→ 318, 2ff) nahe[335], unterscheidet
sich aber von ihnen in der oben angedeuteten Weise, daß keine Belehrung über
eine vom Offenbarer unabhängige Sphäre des Lichtes gegeben wird. Dadurch
wird der Begriff des Glaubens pointiert[336].

    Die Bezeichnung der Gottheit oder des Offenbarers als Licht der Welt kann
20 weder aus dem Alten Testament noch aus der griechischen Tradition abgeleitet
werden[337]. Die Belege führen uns in die Welt des hellenistischen Synkretismus (→
321,17f) und der Gnosis (→ 325,28f; A 134). Den Sinn dieses Licht-Seins

---

sagt nicht: „in das Licht hinüberschreiten",
sondern *in das Leben hinübergehen* J 5, 24.
Die Verwandtschaft von φῶς u δόξα bestätigt
das noch, vgl Dodd aaO (→ A 52) 201—212.
Auch δόξα ist Manifestationsbegriff, nicht be-
schreibbare Substanz oder Sphäre, s Bultmann
J 44 A 1.
[328] Schweizer aaO (→ A 212) 164 uö; Bultmann J 167f A 2 u passim. Bultmann rechnet
J 8, 12 zum Typ der „Rekognitionsformel"
(ἐγώ εἰμι als Antwort auf die Frage: Wer ist
der Erwartete?). In dieser sei ἐγώ Prädikat.
Er gesteht aber zu, daß in der von ihm angenommenen Quelle ἐγώ Subj gewesen sein
könne. Abgesehen von der Frage, ob eine
Quelle zugrundeliegt, ist ἐγώ im Kontext als
Subj zu fassen. Daß es im Satz betont ist,
besagt nichts dgg. Der Satz ist nicht zu übersetzen: „Das wahre Licht bin ich", sondern:
„Ich bin das wahre Licht". Er ist nicht polemisch entworfen, sondern thetisch, als Darstellung des sprechenden Ich (vgl Bultmann
J 261), so übrigens auch die mandäischen
Parallelen bei Bultmann J 167f A 2 u Schweizer 64—80. τὸ φῶς ἐκεῖνο ἐγώ Corp Herm 1, 6
ist keine Parallele, weil dort erschienenes
Licht nachträglich als Erscheinung des Poimandres gedeutet wird.
[329] Bultmann J 261: „Er gibt das Licht,
u ist es zugleich; er gibt es, indem er es ist, u er
ist es, indem er es gibt." Der Hinweis auf das
altorientalische Motiv vom Strahlen des Königs

(CSpicq, Agapè dans le Nouveau Testament
III, Études Bibliques [1959] 42 A 3) trägt
nichts aus, trotz βασιλεύς J 18, 37.
[330] Damit sind in der Tat andere Ansprüche,
die Offenbarung zu sein, abgewiesen. Aber das
ist kein Argument für die Bestimmung des
ἐγώ als Prädikat.
[331] Bultmann J 236f nimmt die Reihenfolge 9, 1—41; 8, 12; 12, 44—50 an. 12, 46
rechnet er nicht zur Quelle, sondern erklärt
den Vers als bloße Variation der vorausgehenden St 8, 12. Zu 9, 5 → Becker 115.
[332] Bultmann J 262 A 6 stößt sich, im Sinne
seiner Quellenscheidung konsequent, am Fehlen des Artk. Aber dieses ergibt sich aus dem
Kontext.
[333] Vgl 1, 4: τῶν ἀνθρώπων (→ 343, 6f).
Anders der Gen τῆς ζωῆς 8, 12, der wohl
epexegetisch zu verstehen ist: *Licht, das
Leben ist*. Ganz anders 11, 9.
[334] Der rabb Ausdruck ist bildlich.
[335] → Braun 122—124.
[336] Es ist nicht zufällig, daß Qumran keinen
dem joh entsprechenden Welt-Begriff kennt.
אור עולמים 1 QS 4, 8; 1 QM 17, 6; 1 QH
12, 15 heißt *ewiges Licht*, vgl „zum Licht der
vollkommenen Erleuchtung auf ewig" 1 QH
18, 29; dazu gibt es wiederum bei J keine
Entsprechung.
[337] → Braun 123. 127f gg FNötscher, Zur
theol Terminologie der Qumrantexte, Bonner
Bibl Beiträge 10 (1956) 92—103 uö.

zeigt der Begriff ζωή (→ II 874, 18ff)[338], der nicht Lebendigkeit, sondern Leben schaffende Kraft bedeutet[339]. Die Verknüpfung beider Begriffe bestimmt den Prolog (1, 1—18)[340]. Zwei Gleichungen stehen nebeneinander: a. Das Leben war das Licht der Menschen[341]; b. der Logos war das (wahre) Licht. Ausgangspunkt ist der Begriff des Lebens. Offenbar soll der als problematisch empfundene Sinn 5 von φῶς sichergestellt werden[342]. Der Genitiv τῶν ἀνθρώπων (1, 4) entspricht dem Genitiv τοῦ κόσμου (8, 12): Die Welt ist die Menschenwelt[343]. Im kettenartigen Stil des Prologs[344] wird dann das zweite Stichwort von 4b so aufgenommen, daß das bisherige Prädikat Subjekt wird: καὶ τὸ φῶς ἐν τῇ σκοτίᾳ (→ VII 444, 2ff) φαίνει καὶ ἡ σκοτία αὐτὸ οὐ κατέλαβεν (1, 5)[345]. Die Aktivität des Lichtes, die im Licht- 10 sein selbst gegeben ist und sich darin erschöpft, ist durch das Verbum φαίνω (v 5; → 1, 4ff) angezeigt, die positive Wirkung durch φωτίζω (v 9). In diesem Punkt ergänzt der Prolog die Verheißung von 8, 12.

Schwierigkeit bereiten die Tempora: in v 4 zweimal ἦν[346], dann v 5 das Praes φαίνει u der Aor κατέλαβεν, in den eingeschobenen v 6—8 wieder ἦν u v 9 dann φωτίζει. 15 Die Erklärung wird durch die Unsicherheit der Analyse erschwert. v 9 gehört sicher zur Quelle, v 5 dgg könnte vom Evangelisten als Übergang zu v 6—8 gebildet sein. Er vollzieht ja schon an dieser St den Übergang von der Präexistenz zur geschichtlichen Epiphanie. Dann sind die Tempora verständlich; der Aor berichtet das geschichtliche Schicksal Jesu, das Praes stellt fest, daß die Offenbarung dennoch fortdauert. v 9 ist 20 in der jetzigen Fassung des Prologs unverständlich[347], wird aber durch die kritische

---

[338] Die Verknüpfung von Licht u Leben ist an verschiedenen St nachgewiesen: für das Griechentum → 305, 21ff, im AT Hi 33, 30; Ps 36, 10, im Judt Ps Sal 3, 12; äth Hen 58, 3, in den Hermetica → 326, 8ff, den Mandaica → 328, 1ff u den O Sal → 331, 36ff; s Dodd aaO (→ A 52) 345—354. In den Qumrantexten kommt der Ausdruck *Licht des Lebens* 1 QS 3, 7 vor. Aber *Leben* ist in Qumran kein „zentraler Heilsbegriff", → Braun 112, vgl 96—98; so spielt auch der Gegensatz von Leben u Tod keine Rolle.

[339] Bultmann J 21 mit A 3.

[340] Neuere Analysen finden sich bei EKäsemann, Aufbau u Anliegen des joh Prologs, Exegetische Versuche u Besinnungen II ³(1968) 155—180; RSchnackenburg, Logos-Hymnus u joh Prolog, BZ NF 1 (1957) 69—109; → Schulz Joh Reden 7—56; → Schulz Joh-Prolog; JATRobinson, The Relation of the Prologue to the Gospel of John, NT St 9 (1962/63) 120—129; EHaenchen, Probleme des joh „Prologs", Gott u Mensch (1965) 114—143.

[341] Isis ist φῶς πᾶσι βροτοῖσι Anubis-Hymnus von Kios Z 7 (1./2.Jhdt nChr), ed WPeek, Der Isishymnus von Andros u verwandte Texte (1930) 139. Sarapis heißt κοινὸν πᾶσιν ἀνθρώποις φῶς Ael Arist Or 45, 39 (Keil).

[342] Bultmann Theol⁶ 372f: „Die Begriffe Licht, Wahrheit, Leben u Freiheit erläutern sich gegenseitig, wie umgekehrt die Begriffe Finsternis, Lüge, Tod u Knechtschaft."

[343] Vorher ist der Logos als Mittler der Schöpfung charakterisiert, jetzt als Licht der Menschen. Man beachte, wie v 9—11 κόσμος u ἄνθρωπος ausgetauscht werden, τὰ ἴδια u οἱ ἴδιοι, vgl 3, 19; Bultmann J zu 1, 10.

[344] Bultmann J 2f.

[345] καταλαμβάνω (→ IV 10, 5ff) kann *ergreifen, überfallen* bedeuten. Das Wort wird auch sonst von der Finsternis oder Nacht im Verhältnis zum Licht bzw Tag gebraucht J 12, 35, vgl τῆς δὲ νυκτὸς ἤδη καταλαμβανούσης Diod S 20, 86, 3. Manche Ausleger (→ IV 10, 39ff, vgl Schl J zSt) finden daher J 1, 5 ein mythisches Kampfmotiv: Die Finsternis konnte das Licht nicht *überwältigen*. Aber die Bdtg *überwältigen* ist nicht zu belegen, *überfallen* paßt nicht. Trotz 12, 35 ist wegen der analogen Aussagen οὐκ ἔγνω 1, 10 u οὐ παρέλαβον 1, 11 die Bdtg *begreifen* anzunehmen. Auch der Rückgriff auf eine etwaige aram Vorlage führt zu keinem andern Urteil, gg WNagel, „Die Finsternis hat's nicht begriffen" (Joh 1, 5), ZNW 50 (1959) 132—137. MBlack, An Aramaic Approach to the Gospels and Acts ³(1967) 10f erschließt ein aram Wortspiel: לָא קַבְּלֵיהּ קַבְלָא. Zur Sache vgl O Sal 42, 3f: „. . . weil ich mich verbergen sollte vor denen, die mich nicht ergreifen, aber ich werde sein bei denen, die mich lieben."

[346] Die vl ἐστίν א D it syᶜ ist sekundär.

[347] Im vorausgehenden Satz ist der Täufer Subj, in v 9 wieder der Logos, ohne daß dies formal kenntlich gemacht ist. Die Härte bleibt auch, wenn man φῶς als Subj nimmt: „Das wahrhaftige Licht, das jeden Menschen erhellt, war ein solches, das in die Welt kommt" Bau J zSt. Doch ist diese Auffassung unwahrscheinlich. Die Begründung, was in die Welt komme, könne nur das Licht sein, erledigt sich durch die Tatsache, daß diese Wendung eine geläufige jüd Umschreibung für den Menschen ist.

Analyse durchsichtig: Das Subj ist dasselbe wie in v 5 oder 4[348]. Freilich stellt dann das Praes φωτίζει vor dieselbe Frage wie in v 5, diesmal sicher für die Quelle: Sollte schon diese hinter v 4 von der geschichtlichen Offenbarung gehandelt haben?[349]

Das Lichtattribut ἀληθινός (→ I 251, 22ff) in v 9 ist ausschließlich zu verstehen: 5 Nur dieses Licht ist in Wirklichkeit Licht[350]. Der Gedanke wird durch die gnostischen Analogien deutlich. Allerdings fehlt bei Johannes sowohl der gnostische Substanzgedanke als auch die spekulative Kosmologie vollständig (→ 320, 32ff)[351]. Das Prosazwischenstück v 6—8 bringt eine Abgrenzung gegen die hypothetische oder wirkliche Behauptung, ein anderer, nämlich der Täufer, sei das Licht, dh der 10 Offenbarer[352]. φωτίζω (1, 9) bedeutet *mit Licht erfüllen*; die Erleuchteten sind Kinder des Lichts (→ 341, 18f). Erst die Erleuchtung ermöglicht das Erkennen der Finsternis.

Der unmythologische Sinn kommt in 3, 19 zum Ausdruck: Das Erscheinen des Lichts ist das Gericht (→ III 939, 17ff)[353], das sich als die Scheidung zwischen 15 Glauben und Unglauben vollzieht. Die Entscheidung des Menschen ist nicht frei im Sinne eines liberum arbitrium. Ihr voraus liegen die bösen Werke[354]. Die Begründung: „Sie haßten (→ IV 695, 30ff) das Licht; denn ihre Werke waren böse"[355] ist nicht psychologisch gemeint, sondern sie weist auf die Vor-Entscheidung hin. Das zeigt die weitere Begründung durch den Erfahrungssatz v 20, in dem mit dem 20 Sinn von φῶς gespielt wird. Er knüpft an die oft belegte Redewendung von der Lichtscheu des Bösen an[356] und variiert sie im Sinne des Entscheidungsdualismus[357]. Die Offenbarung bringt ans Licht, was der Mensch in Wirklichkeit ist. Das ist die Krisis[358]. Die Werke sind durch ihren Ort qualifiziert[359]. Und

---

[348] Christus das Licht: κατὰ οὖν τοῦ μόνου ἀμώμου καὶ δικαίου φωτός, τοῖς ἀνθρώποις πεμφθέντος παρὰ τοῦ θεοῦ Just Dial 17, 3. Vgl noch Act Phil 18. 112, ferner 20. 124 sowie Ant Christ V 8—43. Orig Comm in Joh 1, 25 zu 1, 1 (p 30, 33ff) spiritualisiert: Der σωτήρ ist *das Licht der geistigen Welt* u *die wahre Sonne*; → Dölger Sol 157—170.

[349] So Käsemann aaO (→ A 340) 166f, der annimmt, die Quelle schließe mit v 12. v 5 sei schon in dieser auf die geschichtliche Offenbarung bezogen. Dann machen die Tempora keine Schwierigkeit.

[350] ἀληθινός von Gott ausgesagt J 17, 3; als Lichtattribut Plot Enn VI 9, 4, 20; Sen ep 15, 93, 5 (vera lux). Zu Plat → 307, 3ff.

[351] Zum Verhältnis zum mandäischen substanzhaften Lichtverständnis vgl KSchaedel, Das Joh-Ev u „die Kinder des Lichts (Diss Wien [1953]) 52—64; → Schulz Joh Reden 101.

[352] JATRobinson, Elijah, John and Jesus, Twelve New Testament Studies (1962) 28—52 bestreitet, daß es sich um wirkliche Polemik handelt, da es nach dem Tod des Täufers keine Anhänger desselben gegeben habe, die nicht zugleich Christen gewesen seien. Vgl dgg RSchnackenburg, Das vierte Ev u die Johannesjünger, Historisches Jbch der Görres-Gesellschaft 77 (1957) 21—38.

[353] Zus mit 5, 24f eine der programmatischen Formulierungen der joh Eschatologie, Bultmann J 113 mit A 1.

[354] Zum Offenbarungsdualismus gehört ein Prädestinationsgedanke. Auch darin besteht eine formale Übereinstimmung mit den Qumrantexten (→ A 109).

[355] „Mehr lieben als ..." J 3, 19 ist ausschließlich gemeint, wie der Zshg u die Wiederaufnahme durch *hassen* im nächsten Satz zeigen, vgl Lidz Ginza R 285, 31f: „die den Ruf des Lebens verlassen u den Ruf der Finsternis lieben". Die Parallele mit 1 QS 4, 24f *Hassen der Bosheit* ist nur scheinbar u formal.

[356] Prv 7, 9; Hi 24, 16; 38, 15; Sir 23, 18f; κλεπτῶν γὰρ ἡ νύξ, τῆς δ' ἀληθείας τὸ φῶς Eur Iph Taur 1026, vgl Philo Spec Leg I 319—323. „Die Bösen sind blind u sehen nicht. Ich rufe sie zum Licht, doch sie vergraben sich in die Finsternis. ‚O ihr Bösen‘, rufe ich ihnen zu, ‚die ihr in die Finsternis hinabsinkt, richtet euch auf u fallet nicht in die Tiefe!'" Lidz Joh 203, 19—23.

[357] Nur formal verwandt ist Philo Spec Leg I 54: σκότος αἱρούμενοι πρὸ αὐγοειδεστάτου φωτός, da der charakteristische Dualismus fehlt.

[358] Vgl den Wechsel von ἐλέγχω mit φανερόω, vgl Eph 5, 11. 13.

[359] „Sie sind die Gemeinde des Frevels, u in Finsternis sind alle ihre Werke, nach ihr geht ihr Begehren" 1 QM 15, 9. οὐδὲ ἐν σκότει ὄντες δύνασθε ποιεῖν ἔργα φωτός Test N 2, 10, vgl Test L 19, 1 (→ 318, 30f). „In der Entscheidung des Glaubens oder Unglaubens

umgekehrt sind Licht und Finsternis als Ort der Werke unspekulativ verstanden. So wird die Entstehung der Finsternis nicht kosmologisch oder heilsgeschichtlich erklärt.

2. Der 1. Johannesbrief weicht trotz seines allgemein johanneischen Gepräges vom Evangelium ab [360]. Es findet sich nur das Substantiv 5 φῶς und dieses nur an zwei Stellen (1, 5. 7 und 2, 8—10 mit dem Gegenbegriff σκοτία 2, 11).

> Das Urteil über die St ist von der literarkritischen Analyse abhängig. Auch wenn sich die Analyse bewähren sollte [361], daß der Abschnitt 1, 5—10 außer v 5a. 7c. 9d u ebs 2, 9—11 zu einer Quellenschicht, den Offenbarungsreden, gehören, während 2, 7f 10 den Stil der homiletischen Überarbeitung ders durch den Verf des Briefes zeigen [362], müßte die Quelle [363] als chr Dokument angesehen werden [364]. Dann entfällt freilich ein wesentliches Kriterium für eine Quellenscheidung überh [365]. Aber auch wenn man an ihr festhält, paßt 1, 9 nicht zur Quelle [366]. Es empfiehlt sich, die St ohne Rücksicht auf Quellenhypothesen zu interpretieren [367]. 15

Die leitende These ist: *Gott ist Licht* (1, 5). Die Lichtprädikation des Evangeliums ist also auf Gott übertragen. Das ist mehr als eine formale Veränderung, da dadurch der Sinn von Licht verändert ist; der Artikel fehlt. Pointe ist nicht die Exklusivität Gottes als des wahren Lichts (trotz 2, 8; → 346, 13f), sondern die Bestimmung seines Wesens in der Linie der Tradition: φῶς ist in 1, 5 nicht 20 eigentlich, sondern übertragen gebraucht (→ VII 445, 11ff). Gut johanneisch ist dabei das Fehlen metaphysischer Lichtspekulation [368]. Die Aussage wird durch die Negierung des Gegenteils untermauert [369]. Die Verschiebung gegenüber dem Evan-

---

kommt zutage, was der Mensch eigtl ist u immer schon war. Aber es kommt so zutage, daß es sich jetzt erst entscheidet" Bultmann J 115.

[360] → Dodd Epistle of John 155f; → Haenchen Joh-Briefe 266f. 282; RBultmann, Die drei Johannesbriefe, Kritisch-exegetischer Komm über das NT 14 ⁸(1969) 9; anders Schnckbg J² 34—38.

[361] RBultmann, Analyse des 1 J, Exegetica (1967) 106f, vgl auch Wnd Kath Br zSt.

[362] RBultmann, Die kirchliche Redaktion des 1 J, Exegetica (1967) 381—393 modifiziert die frühere Analyse: καὶ τὸ αἷμα κτλ 1, 7c gehöre zur Tertiärschicht des Briefes, den nachträglichen kirchlichen Glossen. Der Passus störe Rhythmus u Gedanken, gehöre also nicht zur Quelle. Er stamme aber auch nicht vom Verf des Briefes, da er sich auch mit dem von diesem geschaffenen Kontext stoße.

[363] Gg Bultmann aaO (→ A 361) 121, der sie für vorchr-gnostisch hält.

[364] HBraun, Literaranalyse u theol Schichtung im 1 J, Gesammelte Studien zum NT u seiner Umwelt ²(1967) 214.

[365] EKäsemann, Ketzer u Zeuge, Exegetische Versuche u Besinnungen I ⁵(1967) 182 A 47; → Haenchen Joh-Briefe 254.

[366] Braun aaO (→ A 364) 214 verweist zur Begründung auf den Plur τὰς ἁμαρτίας u auf den Gedanken der Vergebung. Damit gibt der antithetische Aufbau von 1, 8—10 kein Kriterium für Quellenscheidung mehr her.

[367] Daran ist auch angesichts der Analyse von WNauck, Die Tradition u der Charakter des 1 J, Wissenschaftliche Untersuchungen zum NT 3 (1957) festzuhalten, vgl → Haenchen Joh-Briefe 242—255. Nauck geht von dem — schon von Bultmann aaO (→ A 361) 111 uö festgestellten — Wechsel von Konditionalstil (ἐὰν . . .) u Partizipialstil in den beiden hier in Frage kommenden Abschnitten aus. Aber trotz Reihenbildung liegt keine Poesie — u demzufolge poetische Quelle — vor, sondern pure Prosa, → Haenchen Joh-Briefe 245, die vom Verf ad hoc gestaltet ist. Die von Nauck 23—28 beigezogenen Parallelen werfen nur Licht auf eine Stiltradition, vgl die Antithesen: „Ein jeder, der sündlos befunden wird, wird zu dir zum Ort des Lichtes emporsteigen. Wer nicht sündlos befunden wird, . . ." Lidz Joh 84, 2ff. Zum Konditionalstil vgl Lidz Ginza R 20, 19ff: „Wenn ihr, meine Auserwählten, auf das hört, was ich euch sage, . . . will ich euch Glanz von mir in Fülle u Licht von mir ohne Ende gewähren. Wenn ihr auf das, was ich euch sage, nicht hört, . . ." Zum Partizipialstil vgl Ginza R 237, 3ff: „Ein jeder, der diese Gestalt den Menschen offenbart, die unwürdig sind, . . . wird das Licht nicht schauen. Wer jedoch . . ."

[368] Das zeigt sich gerade durch den Vergleich mit St wie Philo Som I 75 (→ 322, 23ff).

[369] Der Satz kann — für sich genommen — gnostisch verstanden werden. Er ist offenbar in antignostischer Absicht so formuliert, um den Gegnern ihre Behauptung, Lichtmen-

gelium zeigt sich unter anderem darin, daß Licht nicht mit dem Weltbegriff in Beziehung gesetzt wird[370]. Das Ziel der Aussage ist paränetisch[371]. Mit antignostischer Zuspitzung wird die Folgerung aus dem Satz, daß Gott Licht sei, gezogen[372]: Gemeinschaft mit Gott, dem Licht, erweist sich durch den Wandel im

5 Licht[373], in der Wahrheit[374] (→ I 241, 23ff), dh in der Liebe. Sie konkretisiert sich in der Gemeinschaft μετ᾽ ἀλλήλων (1, 7)[375]. Dieser Wandel ist von paradoxer Struktur. Zum Wandel im Licht, also in Sündlosigkeit, gehört es, immer wieder seine Sünden zu bekennen (→ I 310, 16ff)[376]. Die Alternative zwischen den beiden Möglichkeiten des Wandels ist absolut; es gibt keine Schattierungen zwischen Licht

10 und Finsternis[377]. 2, 7 führt den Gedanken weiter und begründet die Forderung durch den Hinweis auf das alte/neue (→ II 551, 37ff) Gebot[378]. Dient φῶς vorher der Charakteristik der menschlichen Haltung, so jetzt der Bestimmung des Verhältnisses zu Gott[379]. Die Möglichkeit des Wandels ist darin gegeben, daß das *wahre*[380] *Licht* (2, 8; → I 251, 26ff) jetzt schon scheint. Die Finsternis ist im Ver-

15 gehen[381]. Die Bruderliebe (2, 9; → IV 696, 10ff; 697, 27ff), das Halten der Ge-

---

schen zu sein, zu entreißen. Zum Stil vgl Lucretius, De rerum natura (ed JMartin [1953]) I 4f. 22f. „Er ist das Licht, an dem keine Finsternis, der Lebendige, an dem kein Tod ...“ Lidz Ginza R 6, 26ff, ferner Test L 19, 1 (→ 318, 30f); Test N 2, 7; äth Hen 58, 3ff; ὅνπερ τρόπον καὶ τὸ φῶς ἐν οὐρανῷ μὲν ἄκρατον καὶ ἀμιγὲς σκότους ἐστίν Philo Abr 205. Vgl auch 1 QS 11, 11; 1 QH 1, 8; 10, 9, doch hat in Qumran der Dualismus keinen dem joh vergleichbaren Antithesenstil hervorgebracht, → Haenchen Joh-Briefe 260.

[370] Anders als im Joh-Prolog u im Ausdruck φῶς τοῦ κόσμου (→ 342, 2). Im Joh-Ev ist κόσμος die Schöpfung, der Ort, wohin das Licht scheint; auch in ihrem Abfall wird sie von Gott festgehalten (→ III 894, 23ff). Er hat sie geliebt u ihr daher seinen Sohn gesandt. Im 1 J ist κόσμος die vorhandene Welt, von der sich der Gläubige zu distanzieren hat (→ III 896, 9ff).

[371] Braun aaO (→ A 364) 214; Nauck aaO (→ A 367) 59—62: Die ethischen Motive bestimmen die metaphysischen, nicht umgekehrt. Das bedeutet freilich gerade nicht eine Ethisierung des Gottesgedankens, wie FMußner, ZΩΗ. Die Anschauung vom „Leben“ im Vierten Ev, Münchener Theol Studien I 5 (1952) 169f die St versteht: Gott sei Licht, „sofern er die Verkörperung des sittlich Guten ist“, sondern umgekehrt die Ableitung des Sittlichen aus einem Vorgegebenen. Spekulativ-verengend ist die Auslegung von Schnckbg 1 J zSt: Licht habe den Sinn „der göttlichen Wesensfülle u sittlichen Heiligkeit“. Der Satz ist vielmehr überh keine Def, sondern die Verweigerung einer solchen. Vgl die Formulierung 1, 7.

[372] Man kann ergänzen: Licht „ist“ man nicht im Sinne des gnostischen Selbstbewußtseins.

[373] Zur Auswechselbarkeit von Sein u Tun vgl 1 QS 3, 13f. Zum paränetischen Zweck

wird jetzt gesagt, daß Gott *im Licht* ist 1 J 1, 7, vgl 1 Tm 6, 16. Hier ist Licht also die jenseitige Welt. Das Nebeneinander von v 5 u 7 zeigt die unspekulative Tendenz. περιπατέω ἐν τῷ φωτί bedeutet J 8, 12 das Leben überh, 1 J 1, 7 dgg eine bestimmte Lebensform.

[374] πᾶσα ἀλήθεια ὑπὸ τοῦ φωτός ἐστιν Test A 5, 3. Das Zwei-Wege-Schema, das in 1 QS 3, 13ff ausgebaut ist, steht im 1 J im Hintergrund.

[375] So ist zu lesen! Bultmann aaO (→ A 362) 392 A 12; Käsemann aaO (→ A 365) 183 A 47.

[376] Betont wird nicht das Bewußtsein, sondern das Bekenntnis der Sündigkeit. Das steht in Antithese zum gnostischen Enthusiasmus. Von den Sündenbekenntnissen der Frommen in Qumran unterscheidet sich 1 J durch die Verbindung mit der Christologie, wodurch die Struktur verändert wird, → Haenchen Joh-Briefe 260.

[377] Darin besteht Übereinstimmung mit den Qumrantexten, vgl etwa 1 QS 4, 17f.

[378] Die Terminologie stammt wieder aus J 13, 34. Aber im Brief ist der eschatologische Sinn der Neuheit in einen kirchlichen Traditionsgedanken umgesetzt: Neu ist das Gebot, weil es von Jesus gebracht wurde — daß es schon im AT steht, ist nicht berücksichtigt —, alt ist es für die jetzigen Gläubigen, da es bereits eine kirchliche Tradition besitzt.

[379] Bultmann aaO (→ A 361) 111.

[380] φῶς ἀληθινόν ist ein joh Nachklang, ist aber nicht mehr im strengen dortigen Sinn (→ 344, 4ff) gemeint, sondern polemisch: Nicht Licht u Finsternis stehen sich gegenüber, sondern wahres u falsches Licht. Der Sinn von ἀληθινός ist durch die vorausgehende Antithese → ψεῦδος — ἀλήθεια gegeben.

[381] Das Licht hat, wie im Joh-Ev, seine Zeit, aber dort wird sie eschatologisch be-

bote ist nicht nur Erkenntnisgrund, sondern Realgrund der Gemeinschaft mit Gott. Man gewinnt diese durch den Wandel im Licht[382].

V. Übriges Neues Testament.

1. Der Hebräerbrief gebraucht zweimal das Verbum φωτίζω von den Christen, und zwar beim Rückblick auf den Anfang des Christen- [5] standes (6, 4; 10, 32; → I 382, 2ff; IV 1001, 11ff). Es ist dabei an die Taufe gedacht. Doch liegt noch kein prägnanter Gebrauch des Verbums und keine feste Taufterminologie (→ 349, 4ff) vor[383]. Gewiß geschieht die Erleuchtung bei der Taufe, aber das Wort bezeichnet dieselbe noch nicht technisch[384], sondern den Vorgang der Erleuchtung als solchen[385].   [10]

2. Im Jakobusbrief wird 1, 17f der Satz, daß alle gute Gabe von oben ist[386], durch den Hinweis auf Gott als den *Vater der Lichter* begründet[387]. Dieser Ausdruck ist kaum belegt; er klingt apokalyptisch[388]. Ob an beseelte Sterne gedacht ist (→ V 1015, 13), ist kaum auszumachen[389]. Die an sich kosmologische Aussage ist mit einer soteriologischen verknüpft; dadurch kommt ein [15] jüdisch-gnostischer Klang herein[390].

---

messen; der Ton liegt auf der Gefahr des „Zu spät". Im 1 J ist das Maß das kirchengeschichtliche.

[382] Braun aaO (→ A 364) 223, der sich freilich auf die LA μετ' αὐτοῦ beruft; die exegetische Feststellung ist unabhängig davon richtig.

[383] Gg EKäsemann, Das wandernde Gottesvolk, FRL 55 ²(1957) 119 A 4.

[384] Vgl Wnd Hb zu 6, 4: „Die Erleuchtung ist hier noch die wunderbare neue Erkenntnis, die durch das Hören der Predigt aufgeht, nicht der Akt der Taufe selbst." Fraglich ist seine weitere Erklärung: „Die himmlische Gabe wird nicht das Ganze des in Christus dargebotenen Heils (Riggenbach), sondern etwas Konkretes, wahrscheinlich nach Ag 2, 38; 10, 45; 11, 17; 1 Pt 1, 12 (ἀπ' οὐρανοῦ) der Hl Geist sein; dann liegt in γευσαμένους τε ... καὶ μετόχους γενηθέντας synon Parallelismus der Glieder vor."

[385] Philo Fug 139; → Klein 53f. Ferner Ign R inscriptio; Reitzenstein Hell Myst 292.

[386] HGreeven, Jede Gabe ist gut. Jk 1, 17, ThZ 14 (1958) 1—13.

[387] Zur Negierung der Dunkelheit → 321, 12ff; Pseud-Aristot Mund 6 p 400a 9.

[388] Der Ausdruck findet sich nur Apk Mos 36 Cod D (ed ACeriani, Monumenta sacra et profana V 1 [1868] 23) u arm Übers, vgl Kp 38 der arm Übers bei EPreuschen, Die apokryphen gnostischen Adamschriften aus dem Arm übersetzt u untersucht, Festschr BStade (1900) 182, der beidemal *Vater des Lichts* über-

setzt, vgl Kautzsch Apkr u Pseudepigr II 526; ferner Test Abr B 7 (p 111,11). φῶτα sind *Gestirne* ψ 135, 7; 'Ιερ 4, 23. Zum Gebrauch des Wortes Vater vgl Hi 38, 28 sowie τοῦ κόσμου πατήρ Philo Spec Leg I 96. Keine Parallele ist שַׂר אוֹרִים 1 QS 3, 20.

[389] Verwandte Motive begegnen bei Philo: Vater u Sterne Op Mund 56f; Som I 73, Unwandelbarkeit Gottes Poster C 19. 3, Gegenüberstellung von Unwandelbarkeit Gottes u wandelbarer Schöpfung als Beweggrund zum Glauben Leg All II 89. Zum Motiv der Unveränderlichkeit vgl 1 QS 3, 15ff; Dib Jk¹¹ 133 A 3.

[390] Zu βουληθεὶς ἀπεκύησεν ἡμᾶς ... Jk 1, 18 s HSchammberger, Die Einheitlichkeit des Jk im antignostischen Kampf (1936) 58f, der aber unrichtig behauptet, ἀποκυέω könne nur vom weiblichen Prinzip ausgesagt werden, vgl dgg πατήρ ὁ Νοῦς ... ἀπεκύησεν Ἄνθρωπον Corp Herm 1, 12, wobei im Augenblick nicht auf den mannweiblichen Charakter des hermetischen Gottes reflektiert wird, ähnlich Corp Herm 1, 9. Licht u Zeugung sind verbunden Corp Herm 1, 9. 12; 9, 3. Einseitig soteriologisch deutet Schrenk (→ V 1015, 6ff), einseitig kosmologisch CMEdsman, Schöpferwille u Geburt Jk 1, 18, ZNW 38 (1939) 11—44. Die Ableitung aus dem AT, die LEElliott-Binns, James I. 18: Creation or Redemption?, NT St 3 (1956/57) 148—161 versucht, genügt nicht. AMeyer, Das Rätsel des Jk, ZNW Beih 10 (1930) 279—281 will die St aus der Tradition über Josephs Traum deuten. In diesem

3. 1. Petrus 2, 9 (→ III 41, 14ff) ist ein Beispiel für den aus dem Judentum übernommenen Bekehrungsstil (→ 317, 11ff)[391]. Das apokalyptische Motiv von der Helligkeit der Endzeit, in der Gott selbst oder sein Vertreter das Licht ist, ist Apk 18, 1 aufgenommen, vgl 21, 23; 22, 5[392].

F. Alte Kirche.

1. Die Apostolischen Väter[393].

Die Lichtbegrifflichkeit spielt keine große Rolle. Von Interesse sind diese Schriften mehr als Glieder in der Traditionskette. Die Blüte der Lichtsymbolik setzt bei Cl Al ein. Einigemal steht das Wort *Licht* in Zitaten aus dem AT, ohne daß es ausgewertet würde 1 Cl 16, 12; Barn 3, 4; 14, 7f. Wie sich der at.liche Sprachgebrauch fortsetzt u wie er zur gewohnten Redeweise wird, zeigt 1 Cl 36, 2[394]: (voran geht das Zitat von ψ 49, 16—23) ... διὰ τούτου (sc Jesus Christus) ἠνεῴχθησαν ἡμῶν οἱ ὀφθαλμοὶ τῆς καρδίας, διὰ τούτου ἡ ἀσύνετος καὶ ἐσκοτωμένη διάνοια ἡμῶν ἀναθάλλει (*blüht auf*) εἰς τὸ φῶς, διὰ τούτου ἠθέλησεν ὁ δεσπότης τῆς ἀθανάτου γνώσεως ἡμᾶς γεύσασθαι (folgt Zitat Hb 1, 3f). φῶς ist hier übertr die *Erleuchtung* als Zustand. Die Verbindung von φῶς, γνῶσις, Leben (ἀθάνατος als Attribut von γνῶσις) ist fest geworden, so auch 1 Cl 59, 2[395], mit dem beliebten Bekehrungsstil: Der geliebte παῖς Jesus Christus, [unser Herr][396], δι᾽ οὗ ἐκάλεσεν (sc Gott) ἡμᾶς ἀπὸ σκότους εἰς φῶς, ἀπὸ ἀγνωσίας εἰς ἐπίγνωσιν δόξης ὀνόματος αὐτοῦ (→ 317, 11ff)[397]. Wie sich das Vokabular abgreift, läßt 2 Cl 1, 4 erkennen: τὸ φῶς γὰρ ἡμῖν ἐχαρίσατο[398], ebs Dg 9, 6, wo Jesus in einer langen Aufzählung ua auch *Licht* heißt. Nach Ign R inscriptio ist die angeredete Gemeinde *geliebt u erleuchtet*; R 6, 2: ἀφετέ με καθαρὸν φῶς λαβεῖν meint mit φῶς den himmlischen Lichtraum, wie die Fortsetzung ἐκεῖ παραγενόμενος ἄνθρωπος ἔσομαι zeigt. Das Motiv der Himmelsreise ist angedeutet[399], aber im Sinne der Martyriumsidee der Ignatianen abgewandelt[400]; Phld 2, 1: τέκνα οὖν φωτὸς ἀληθείας, φεύγετε τὸν μερισμὸν καὶ τὰς κακοδιδασκαλίας. Von größerem Interesse ist Eph 19, 2f; aber die Bdtg der St hängt nicht am Lichtbegriff als solchem, sondern am mythischen Rahmen, der kosmischen Schilderung der Geburt des Erlösers[401].

Did 1—6 u Barn 18—21 nehmen die jüd Zwei-Wege-Lehre[402] auf. Der Sinn wird beleuchtet durch den Vergleich von Did 1, 1: ὁδοὶ δύο εἰσί, μία τῆς ζωῆς καὶ μία τοῦ θα-

---

erscheint Jakob als der Vater der Sterne. Der ganze Abschnitt ist in Meyers Gliederung des Briefes von der Symbolik Rubens, des Erstgeborenen ἀπαρχή, bestimmt.

[391] Vgl Ag 26, 18; JHElliott, The Elect and the Holy, Nov Test Suppl 12 (1966) 43f.

[392] Vgl Js 60, 11ff. 19f; Ez 43, 2.

[393] Lit: FXFunk-KBihlmeyer, Die Apost Vät ²(1956) LII—LIV; JAFischer, Die Apost Vät, Die Schriften des Urchr I ⁵(1966) 6—23. 119—141.

[394] Kn Cl zSt: v 1f zeigt liturgische Prägung u hebt sich in Stil u Inhalt vom durchschnittlichen Moralismus des 1 Cl ab. Zur Analyse vgl auch AvHarnack, Einführung in die alte Kirchengeschichte (1929) 113f: v 2b schließe sich besser an v 1 als an v 2a an; ist 2a vom Verf eingeschoben? Dgg spricht aber, daß das Ganze Erläuterung von σωτήριον ist.

[395] Beginn des großen Schlußgebets 1 Cl 59, 2—61, 3, stilgemäß eröffnet mit Prädikation Gottes als des Schöpfers, damit verknüpft der Hinweis auf Erwählung u Berufung. Die St ist nicht für den Stil des Verf, sondern den der Liturgie typisch.

[396] S Textherstellung u Apparat bei Funk-Bihlmeyer u Fischer aaO (→ A 393).

[397] In v 3 Anklang an Eph 1, 17f.

[398] Im Rahmen des Schemas Einst — Jetzt wird das Einst als Götzendienst, Tod, Finsternis, Dunkel dargestellt 2 Cl 1, 6; der Übergang ins Licht wird durch ἀναβλέπω bezeichnet. Traditionell ist auch der Rückgriff auf die Schöpfungsterminologie, der Ruf aus dem Nichtsein ins Sein 1, 8.

[399] Vgl O Sal 21, 5: „Ich ward emporgehoben in das Licht"; 38, 1: „Ich stieg empor zum Licht der Wahrheit wie auf einem Wagen."

[400] S Schlier aaO (→ A 211) 136—140. 172f.

[401] Christus ist der neue Stern mit einem unaussprechlichen Licht, durch welches die ἄγνοια zerstört wird Ign Eph 19, 2f, vgl auch καινὸς ἄνθρωπος 20, 1; Schlier aaO (→A 211) 28—32.

[402] Zu Ursprung u Verbreitung des Zwei-Wege-Schemas u der Verbindung mit Licht u Finsternis → V 42, 1ff; slav Hen A 30, 15 (Bonwetsch 29): „Und ich zeigte ihm zwei Wege, Licht u Finsternis". Zu den Qumrantexten, bes 1 QS 3, 19ff → 318, 1ff. Wie

νάτου[403] mit Barn 18, 1: ὁδοὶ δύο εἰσὶν διδαχῆς καὶ ἐξουσίας, ἥ τε τοῦ φωτὸς καὶ ἡ τοῦ σκότους[404]. διαφορὰ δὲ πολλὴ τῶν δύο ὁδῶν. ἐφ᾽ ἧς μὲν γάρ εἰσιν τεταγμένοι φωταγωγοὶ ἄγγελοι τοῦ θεοῦ, ἐφ᾽ ἧς δὲ ἄγγελοι τοῦ σατανᾶ.

2. Die Taufe als φωτισμός[405].

Der technische Gebrauch von φωτισμός für die Taufe, der im NT 5
noch nicht vorliegt (→ 347, 4ff)[406], ist bei Justin ausgebildet: καλεῖται δὲ τοῦτο
τὸ λουτρὸν φωτισμός, ὡς φωτιζομένων τὴν διάνοιαν τῶν ταῦτα μανθανόντων Apol 61, 12,
vgl 65, 1; Dial 122, 5[407]. Eine andere Erklärung bietet Cl Al Paed I 6, 26, 2, bei dem
die Taufe ua φώτισμα heißt: φώτισμα δὲ δι᾽ οὗ τὸ ἅγιον ἐκεῖνο φῶς τὸ σωτήριον ἐποπτεύεται,
τουτέστιν δι᾽ οὗ τὸ θεῖον ὀξυωποῦμεν[408]. Die Ausgestaltung des Lichtmotivs kann sich 10
ändern, Licht kann die Form von Lichterscheinungen annehmen[409]. So ist es gelegentlich auch in den nt.lichen Taufbericht eingedrungen[410]. Es findet sich in apokryphen
Ev[411], so dem Ev Eb nach Epiph Haer 30, 13, 7[412].

Conzelmann

dort jeder Weg seinen personalen Repräsentanten (Geist) hat, so sind nach Barn 18, 1
über den Weg des Lichtes φωταγωγοὶ ἄγγελοι
τοῦ θεοῦ gesetzt, über den Weg der Finsternis,
den Weg des Schwarzen 20, 1, die Engel des
Satans. Durch die Pluralität der Repräsentanten ist der Dualismus eingeschränkt. Dgg
hat Did 1, 1 lat (s Apost Vät Apparat zSt) den
Sing: in his constituti sunt angeli duo, unus
aequitatis, alter iniquitatis. LWBarnard, The
Epistle of Barnabas and the Dead Sea Scrolls,
The Scottish Journal of Theology 13 (1960)
45—49.
[403] Der lat Text fügt hinzu lucis et tenebrarum. J-PAudet, La Didachè, Études Bibliques
(1958) 154 hält den lat Text nicht für die
Übers der griech Did, sondern der gemeinsamen Vorlage von Did u Barn, wofür man
auf Barn 19, 2 hinweisen kann, wo θανάτου
stehen blieb, vgl Did 5, 1.
[404] Dazu dann Barn 19, 1 u 19, 12, vgl
Did 4, 14. Auf der Gegenseite steht 20, 1 nicht
σκότος, sondern die Personifizierung *der*
Schwarze.
[405] FCumont, Lux perpetua (1949) 422—
428; → Beierwaltes 104—107; Malmede aaO
(→ A 324) 318—325. 576—600; → Wlosok
249f; Nauck aaO (→ A 367) 61f; JYsebaert,
Greek Baptismal Terminology (1962) 158—178.
[406] Doch kann man Hb 6, 4; 10, 32 eine
Vorstufe finden (→ 347, 4ff). Die syr Übers
haben in diesem Sinn abgewandelt. Zur Beziehung von Licht u Taufe vgl auch Kol
1, 12ff; Eph 5, 14.
[407] → Wetter Phos 1. Reitzenstein Hell
Myst 265 hält die Erklärung von Just für
„rationalistische Umdeutung"; urspr erkläre

sich dieser Sprachgebrauch aus der Vorstellung
vom Lichtgewand, mit dem der Initiand bekleidet wird. Dgg wendet → Wlosok 249 ein,
der Ausdruck könne nicht aus den Mysterienweihen abgeleitet werden, da er dort nicht zu
belegen sei: „die zugefügte Erklärung gibt in
knapper Form das Erleuchtungsverständnis
der philosophischen Gnosis wieder, das im
hell Judt begegnete u Just nach dem Zeugnis
Dial 121, 2 . . . durchaus bekannt war."
[408] Dazu → Wetter Phos 16f. Weiteres
bei → Wlosok 249f; → Beierwaltes 105.
[409] Act Pl (gr) 2, 28—36 (p 34); Act Thom
25 (p 140, 18; die Überlieferung schwankt
zwischen ἐβάπτισεν u ἐφώτισεν), vgl 119
(p 229, 15f); Act Pl et Thecl 34. S CMEdsman,
Le baptême du feu, Acta Seminarii Neotestamentici Upsaliensis 9 (1940) 158—174. 182
—190, freilich dominiert πῦρ. Zu Jesus als
dem geleitenden Licht vgl EPeterson, Einige
Bemerkungen zum Hamburger Papyrusfragment der Act Pl, Frühkirche, Judt u Gnosis
(1959) 192—198.
[410] Mt 3, 15a (g¹). CPeters, Nachhall außerkanonischer Ev-Überlieferung, Acta Orientalia 16 (1938) 258—294; zur Frage der Rückführung auf Tat ders, Das Diatessaron Tat,
Orientalia Christiana Analecta 123 (1939)
151f. Vgl Just Dial 88, 3: κατελθόντος τοῦ
Ἰησοῦ ἐπὶ τὸ ὕδωρ καὶ πῦρ ἀνήφθη ἐν τῷ
Ἰορδάνῃ.
[411] HWaitz, Neue Untersuchungen über die
sog judenchristlichen Ev, ZNW 36 (1937) 60
—81; PVielhauer, in: Hennecke³ I 75—90.
[412] καὶ εὐθὺς περιέλαμψε τὸν τόπον φῶς μέγα
Ev Eb fr 3 (Klostermann 14), vgl fr 4
Hennecke³ (I 103).

χαίρω, χαρά, συγχαίρω, χάρις, χαρίζομαι,
χαριτόω, ἀχάριστος, χάρισμα, εὐχαριστέω,
εὐχαριστία, εὐχάριστος

χαίρω, χαρά, συγχαίρω

10   **A. Die Wortgruppe in der Profangräzität.**

1. Sprachgebrauch.

a. Als Phänomen, nämlich als unmittelbares Empfinden,
besser Sich-Empfinden, als Bei-sich-Sein gerade im Hingegeben-Sein[1], ist die Freude
eindeutig; ebs sind es ihre Äußerungen bis hin zu den Freudentränen Aesch Ag 270.
15   541. Sie ist überall ein Kulminationspunkt des Daseins: „Freude, schöner Götter-
funken". Sie tendiert über sich selbst hinaus[2]. Als unmittelbares Gefühl löst sie keine
Probleme aus. Diese entstehen erst, wenn sich der Mensch in der ethischen Reflexion
als von der Lust (→ II 913, 15ff) überwältigt u in die Unfreiheit gedrängt sieht.

b. χαίρω[3] heißt *sich freuen, fröhlich sein*[4]; als Sitz der Empfin-
20   dung gibt Hom den θυμός Il 7, 191f u andere anthropologische Orte an[5]. Formen:

χαίρω κτλ. Lit: Zu A: OLoew, Χάρις
(Diss Marburg [1908]); ENorden, Die Geburt des Kindes (1924) 57f; HGGadamer,
25 Platos dialektische Ethik. Phänomenologische
Interpretationen zum „Philebos" (1931) 131
—159; MPohlenz, Die Stoa I ²(1959) Regist
sv χαρά; JLatacz, Zum Wortfeld „Freude"
in der Sprache Hom (1966). — Zu B:
SMowinckel, Psalmenstudien II (1921) 18f.
130—145; KGrzegorzewski, Elemente vorder-
orientalischen Hofstils auf kanaanäischem
Boden (Diss Königsberg [1937]) 34—44;
LKöhler, Theol des AT ⁴(1966) 137f. —
Zu C: HvArnim, Quellenstudien zu Philo
von Alexandria, PhU 11 (1888) 127—130;
HWindisch, Die Frömmigkeit Philos (1909)
52—60; HLewy, Sobria Ebrietas, ZNW
Beih 9 (1929) 34—40; WVölker, Fortschritt
u Vollendung bei Philo von Alexandrien, TU
49,1 (1938) 260—350. — Zu D: AFridrichsen,
Le problème du miracle dans le christianisme
primitif, Études d'histoire et de philosophie
religieuses 12 (1925) 94—96; EGulin, Die
Freude im NT I. II, Annales Academiae Scien-
tiarum Fennicae Series B 26, 2 (1932); 37, 3
(1936); SLyonnet, χαῖρε κεχαριτωμένη, Biblica
20 (1939) 131—141; JSchniewind, Die Freude
im NT, Nachgelassene Reden u Aufsätze (1952)
72—80; JDPlenter, De blijdschap in Paulus'
brieven (Diss Groningen [1953]); WNauck,

Freude im Leiden, ZNW 46 (1955) 68—80;
ABduToit, Aspekte der Freude im chr Abendmahl (Diss Basel [1965]).
¹ Sie braucht keinen Gegenstand. Sie kann
ihn haben, aber auch dann bedeutet sie den
Einklang des Sich-Freuenden mit sich selbst.
Über das „Woran" vgl → Gadamer 154f:
Sie ist *a.* Vor-Freude auf etw Künftiges;
b. Freude über etw Anwesendes; *c.* reine
Freude nur als Freude an etw ebenfalls
Anwesendem. Sie kann Gemeinschaft stiften,
bes als Festfreude, vgl das Friedensfest bei
Aristoph Pax 291.
² → Gadamer 131: „Freude ist nicht einfach
ein Zustand oder ein Gefühl, sondern eine
Weise des Offenbarmachens der Welt. Freude
ist bestimmt aus der Entdecktheit von Seiendem in seiner Erfreulichkeit."
³ Etymologie: Zur idg Wurzel *g'her-
begehren, gern haben vgl deutsch gern, (be)geh-
ren. [Risch] Siehe auch Hofmann sv; Schwyzer
I 714; Frisk sv.
⁴ Opp ist λυπέομαι (→ IV 314, 9ff) Soph Ai
555; Demosth Or 18, 292; μισέω (→ IV 687,
18ff) Plat Leg II 656b. → Latacz 125f.
⁵ Vgl χαίρων ἐνὶ θυμῷ Od 8, 395, sowie
χαρείη δὲ φρένα μήτηρ Il 6, 481; ὁ δὲ φρεσὶν ᾗσι
χάρη Il 13, 609; κῆρ Od 20, 89. Vgl Liddell-
Scott sv χαίρω.

Der Aor ist seit Hom, zB Il 7, 54, normalerweise ἐχάρην, dazu das Fut χαρήσομαι. Vom Praes aus wird seit Hom, zB Il 20, 363, das Fut χαιρήσω gebildet, dazu vereinzelt der Aor ἐχαίρησα[6]. Das Med χαίρομαι ist Aristoph Pax 291 als Barbarismus gebraucht. Die Konstr kann mit Dat der Pers Hom Od 3, 52, εἰκότως σοι χαίρουσιν οἱ Λακεδαιμόνιοι ἅτε πολλὰ εἰδότι Plat Hi I 285e oder mit Dat der Sache, zB νίκῃ Hom Il 7, 312, erfolgen, ferner mit ἐπί mit Dat Xenoph Cyrop VIII 4,12; Eur Ba 1039f oder mit πρός mit Dat der Sache Eupolis fr 327 (CAF I 345). Selten wird es mit ἐν Aesch Eum 996 oder mit Acc c Part χαίρω δέ σ' εὐτυχοῦντα Eur Rhes 390 verbunden. Mit dem Acc des inneren Obj kommt χαρὰν χαίρω vor: χαίροντες ἀνδραπόδων τινὰ χαρὰν Plut Suav Viv Epic 8 (II 1901e), mit Part χαίρω ... ἀκούσας Hom Il 19,185, mit ὅτι Hom Od 14, 51f. Negiert steht χαίρω bes mit Fut οὐ ... χαιρήσεις *das wirst du bereuen* Aristoph Pl 64. Wie alle Bezeichnungen von Empfindungen wird das Wort gern mit verwandten Ausdrücken zusammengestellt, vor allem mit εὐφραίνω (→ II 770,19ff), vgl die Häufung ἥδομαι καὶ χαίρομαι (→ 351, 37ff) κεὐφραίνομαι Aristoph Pax 291, ebs das Subst χαρά, zB ἡδονὴ καὶ τέρψις καὶ χαρά Plat Phileb 19c. χαῖρε ist schon bei Hom Gruß, vor allem bei der Begegnung Hom Od 1,123, mit der Erwiderung χαίρω Aesch Ag 538f, aber auch beim Abschied Hom Od 5, 205, vgl auch ἐάω χαίρειν τι *eine Sache aufgeben* Plat Prot 347e, beim Tod Soph Ai 863; Plat Phaed 116d, auf Grabinschriften, zB IG[1] 7, 203 uö[7]. Hesych bemerkt sv χαίρειν: ἐρρῶσθαι. τὸ χαίρειν ταῖς ἐπιστολαῖς (→ A 9) προσετίθεσαν. ἔστι δὲ καὶ ἀπαλλασσομένων προσαγόρευσις. Bei Luc, Pro lapsu inter salutandum 1ff wird der Morgengruß χαῖρε scharf, aber ironisch vom Abendgruß ὑγίαινε unterschieden; entsprechend unterscheidet Suet Caes VII Galba 4 salvere u valere. Zum abendlichen Lichtsegen χαῖρε, νέον φῶς → 352, 34f. χαῖρε ist vor allem auch Gruß an Götter, es ist festes Stilelement im Hymnus, als Abschluß Hom Hymn Merc 579 usw, am Anfang zB im Hymnus an Helios Preis Zaub I 4, 640f (4. Jhdt nChr)[8]. χαίρειν ist Formel des Briefeingangs in dem Muster: Absender — dem Empfänger — χαίρειν (→ 384, 8)[9].

c. Das Subst χαρά[10] ist nomen actionis: das *Sich-Freuen*, die *Fröhlichkeit* Soph Ant 392[11]. Der Stimmungsgehalt kann durch die Wendung *mit Freude erfüllen* unterstrichen werden, die Verben hierfür sind πληρόω Jos Bell 3, 28; Ag 13, 52; 2 Tm 1, 4; Dg 10, 3, ἀναπίμπλαμαι Philo Det Pot Ins 123, ἐμπίμπλημι Eur Phoen 170; Jos Ant 3, 99, vgl Mart Pol 12,1, ferner Demosth Or 18, 217: ζήλου καὶ χαρᾶς καὶ ἐπαίνων ἡ πόλις ἦν μεστή. Präpos Wendungen sind zu Floskeln geworden: μετὰ πολλῆς χαρᾶς BGU IV 1141, 3 (13 vChr)[12].

2. Philosophie.

a. In der Philosophie wird die Freude zum Gegenstand der Reflexion. Bei Plato sind χαρά u ἡδονή noch kaum unterschieden (→ II 913, 21ff; 921 A 65). Der Gebrauch des Subst tritt gegenüber dem des Verbums zurück[13]. Plat leitet

---

[6] [Risch]. Siehe Liddell-Scott sv; Schwyzer III Regist sv ἐχάρην, ἐχαίρησα, χαιρήσω.

[7] WPeek, Griech Grabgedichte, Schriften u Quellen der Alten Welt 7 (1960), Verzeichnis der Gedichtanfänge sv χαῖρε.

[8] Trotz Plat Ep 3, 315c!

[9] Der Inf ist nicht imperativisch, sondern elliptisch: ὁ δεῖνα τῷ δεῖνι χαίρειν sc λέγει vel εὔχεται, s GAGerhard, Untersuchungen z Gesch des griech Briefes I, Philol 64 (1905) 27—65, bes 27—38; Bl-Debr § 389; 480, 5. Zum Briefgruß überh: FZiemann, De epistularum Graecarum formulis solemnibus quaestiones selectae, Diss phil Hal 18, 4 (1910); Wendland Hell Kult 411—417; ORoller, Das Formular der paul Briefe, BWANT 58 (1933) 61f. 447—459; AStrobel, Der Gruß an Maria (Lk 1, 28), ZNW 53 (1962) 92 A 30 (Lit). Beispiele auch bei Moult-Mill sv. Im NT ist diese Formel Ag 15, 23; 23, 26; Jk 1, 1 verwendet, sonst überall die zweigliedrige Form des Grußes mit χάρις (→ 384, 6ff).

[10] Suid sv χαρά (Adler IV 786): ἡδονή, εὐφροσύνη, τέρψις. Hesych führt sv χαρά auf: ἡδονή, ἀγαλλίασις, εὐφροσύνη. Man sieht, daß sich Stimmung u Äußerung ders überschneiden.

[11] Im NT ist χαρά auch metonymisch der *Grund zur Freude*: „Siehe, ich verkündige euch große Freude" Lk 2,10.

[12] Moult-Mill sv χαρά. Vgl μετὰ παρρησίας πάσης Ag 4, 29; ἐν πάσῃ ἀσφαλείᾳ Ag 5, 23, vgl Ditt Syll[3] II 547, 30 (3. Jhdt vChr). Vgl weiter μετὰ πάσης προθυμίας Ditt Syll[3] I 532, 6f (218/17 vChr). Solche Wendungen sind in Ehreninschriften gebräuchlich. Von da dringen sie in die rhetorische Geschichtsschreibung ein, ESkard, Epigraphische Formeln bei Dion Hal, Symb Osl 11 (1932) 55—60, bes 57.

[13] Das Stichwort, unter dem das Problem von Lust u Glück, Lust u Tugend hauptsächlich verhandelt wird, ist vor allem bei Aristot ἡδονή.

ἡδονή u χαρά etym ab: ἥ τε γὰρ „ἡδονή", ἡ πρὸς τὴν ὄνησιν ἔοικε τείνουσα πρᾶξις τοῦτο ἔχειν τὸ ὄνομα ... Es folgen λύπη uam; „χαρά" δὲ τῇ διαχύσει καὶ εὐπορίᾳ τῆς ῥοῆς τῆς ψυχῆς ἔοικε κεκλημένη Crat 419b. c. Es folgen τέρψις, εὐφροσύνη[14]. Die Thematik von Lust/Unlust u Gutem ist im Philebus besprochen, vgl die Ausgangslage bei der These des Philebus: Φίληβος μὲν τοίνυν ἀγαθὸν εἶναί φησι τὸ χαίρειν πᾶσι ζῴοις καὶ τὴν ἡδονὴν καὶ τέρψιν Phileb 11b[15]. Charakteristisch ist Resp V 462b: οὐκοῦν ἡ μὲν ἡδονῆς τε καὶ λύπης κοινωνία συνδεῖ, ὅταν ὅτι μάλιστα πάντες οἱ πολῖται τῶν αὐτῶν γιγνομένων τε καὶ ἀπολλυμένων παραπλησίως χαίρωσι καὶ λυπῶνται; dgg wirkt die Sonderung ἰδίωσις auflösend, ὅταν οἱ μὲν περιαλγεῖς, οἱ δὲ περιχαρεῖς γίγνωνται ἐπὶ τοῖς αὐτοῖς παθήμασι τῆς πόλεώς τε καὶ τῶν ἐν τῇ πόλει ebd.

b. Bei **Aristoteles** verschwindet χαρά fast völlig hinter ἡδονή. Ein Anflug von begrifflicher Unterscheidung erscheint Eth Nic II 4 p 1105b 19ff bei der Bestimmung der Tugend: In der Seele finden sich πάθη, δυνάμεις, ἕξεις. Die χαρά gehört zu den πάθη, denen ἡδονή oder λύπη folgen[16].

c. Bei den **Stoikern** wird die χαρά zu einem Spezialfall der ἡδονή, die zu den vier Grundaffekten λύπη / φόβος, ἡδονή / ἐπιθυμία gehört. Da die Stoiker im Gegensatz zu Platonikern u Peripatetikern alle Affekte als Fehlurteile des λόγος negativ werten, ist die χαρά negativ bestimmt[17]. Um diese der Vulgärmeinung extrem zuwiderlaufende Auffassung abzuschwächen, entwickeln die Stoiker die Lehre von den εὐπάθειαι, den *guten Stimmungen* der Seele, die von den *Affekten* πάθη geschieden werden[18]. Die χαρά ist eine εὐπάθεια[19]: εἶναι δὲ καὶ εὐπαθείας φασὶ τρεῖς, χαράν, εὐλάβειαν, βούλησιν. καὶ τὴν μὲν χαρὰν ἐναντίαν φασὶν εἶναι τῇ ἡδονῇ, οὖσαν εὔλογον ἔπαρσιν (vgl Philo Spec Leg II)· τὴν δ' εὐλάβειαν τῷ φόβῳ, οὖσαν εὔλογον ἔκκλισιν Diog L VII 116[20]. Die Freude gehört zu den prima bona Sen ep 7, 66, 5, sie ist dem Weisen vorbehalten: gaudium nisi sapienti non contingere; est enim animi elatio suis bonis verisque fidentis 6, 59, 2. Das χαίρειν ist ein κατόρθωμα Stob Ecl II 96, 20f. Plut sagt von den Stoikern: αἰδεῖσθαι τὸ αἰσχύνεσθαι καλοῦσι καὶ τὸ ἥδεσθαι χαίρειν καὶ τοὺς φόβους εὐλαβείας De virtute morali 9 (II 449a)[21]. — Bei den **Cyrenaikern** wird die χαρά als τέλος bestimmt: τέλος δ' ὑπελάμβανε χαρὰν καὶ λύπην. τὴν μὲν ἐπὶ φρονήσει, τὴν δ' ἐπὶ ἀφροσύνῃ· ἀγαθὰ δὲ φρόνησιν καὶ δικαιοσύνην, κακὰ δὲ τὰς ἐναντίας ἕξεις, μέσα δὲ ἡδονὴν καὶ πόνον Theodorus bei Diog L II 98.

3. Religiöser Zusammenhang.

χαρά bezeichnet im Hell die religiöse Festfreude. Sie ist eine Grundstimmung der Mysterienfrömmigkeit (→ A 111); so ist als Mysterienruf überliefert χαῖρε νύμφε, χαῖρε νέον φῶς Firm Mat Err Prof Rel 19, 1, u in den Osirismysterien

---

[14] Zur Erklärung vgl Crat 415c.d: ἀρετή bedeutet πρῶτον μὲν εὐπορίαν, ἔπειτα δὲ λελυμένην τὴν ῥοὴν τῆς ἀγαθῆς ψυχῆς εἶναι ἀεί. Eine andere Etymologie findet sich Plat Leg II 654a; Aristot Eth Nic VII 12 p 1152b 6f.

[15] Vgl ἡδονή, τέρψις, χαρά Phileb 19c. Opp sind ἀλγέω 35e; 36a, vgl ἀνιάομαι Gorg 497a, λυπέομαι 494b, auch λύπη Phileb 36a. Das erkenntnistheoretische Problem, ob es wahre u falsche Lust bzw Unlust gebe — dahinter steht das Problem der Wahrheit der Vorstellungen — wird Phileb 36e—38a erörtert.

[16] Anders 4 Makk 1, 22: Die χαρά folgt der ἡδονή, sie resultiert aus dem befriedigten Verlangen nach Lust.

[17] Vgl → vArnim 128f.

[18] [Dihle].

[19] Ansätze zu einer Differenzierung sind schon bei den Vorsokratikern da, vgl Suid sv: χαρά· ἡδονή, εὐφροσύνη, τέρψις. τινές φασι κατὰ τὸ ὑποκείμενον ταὐτὸν σημαινόμενον εἶναι. Πρόδικος δὲ ἐπειρᾶτο ἑκάστῳ τῶν ὀνομάτων τούτων ἴδιόν τι σημαινόμενον ὑποτάσσειν, ὥσπερ

καὶ οἱ ἀπὸ τῆς Στοᾶς, χαρὰν μὲν λέγοντες εὔλογον ἔπαρσιν, ἡδονὴν δὲ ἔπαρσιν ἄλογον, τέρψιν δὲ τὴν διὰ θεωρίας ἡδονήν, εὐφροσύνην δὲ τὴν διὰ λόγων ἡδονήν. νομοθετούντων δέ ἐστι τοῦτο. τὸ μὲν γὰρ εἰπεῖν ἡδονὴν χαρὰν οὐχ ἁμάρτημα, ὥσπερ οὐδὲ τὸ τὴν μονάδα ἀδιαίρετον· οὐδὲ γὰρ τὸ τὴν χαρὰν χαρὰν εἰπεῖν ἢ τὴν μονάδα μονάδα. Am Übergang zur Stoa stehen Überlegungen über den rechten Gegenstand der Freude, Gnomologium Vaticanum (ed LSternbach, Texte u Komm 2 [1963]) Nr 497: Ὁ αὐτὸς (sc Sokrates) εἶπεν· εἰ [ἐν] τῷ πλουτεῖν τὸ χαίρειν συνῆν, πολλοῦ ἂν ἦν ἄξιον· νῦν δὲ ταῦτα χωρίζεται· ὁ γοῦν Μενέλαος παρὰ τῷ ποιητῇ (vgl Hom Od 4, 93) φησιν· ὡς οὗτοι χαίρων τοῖσδε κτεάτεσσιν ἀνάσσω, vgl Stob Ecl V 766, 16ff· Plut Aud Poet 6 (II 25a).

[20] Ebs Pseud-Andronicus Rhodius, De passionibus I 6, ed XKreuttner (Diss Heidelberg [1885]) 20, vgl vArnim III 105, 28.

[21] Zum Ganzen s ABonhöffer, Epictet u die Stoa (1890) 293f.

wird gerufen: εὐρήκαμεν, συγχαίρομεν Athenag Suppl 22, 6; Firm Mat Err Prof Rel 2, 9, vgl Apul Met XI 24, 5. Im Attiskult werden am 25. März die Hilarien begangen Macrob Sat I 21, 10[22]. Die eschatologische Intention, die in der Freude als solcher liegt, erscheint jetzt auch als eschatologische Vorstellung, zB in der Erwartung des Weltheilandes (→ VII 1012, 5ff)[23]. Damit befinden wir uns im Stimmungsmilieu der Geburts- 5 geschichte Jesu Lk 1f (→ 357, 23ff).

B. Altes Testament.

Im AT[24] liegen Empfindung u Äußerung der Freude unmittelbar beisammen. Das spiegelt sich in der Zusammenstellung verwandter Ausdrücke u in der Übers ins Griech. Das gew hbr Äquivalent ist שָׂמַח, שִׂמְחָה. Dazu kommen חֶדְוָה 10 u Ausdrücke für die Äußerung der Freude רָנַן, גִּיל, שׂוּשׂ, עָלַץ usw[25]. In den Ps wird שָׂמַח mit εὐφραίνομαι (→ II 770, 19ff) übersetzt[26]. Es steht oft zus mit ἀγαλλιάομαι (→ I 18, 18ff) ψ 9, 3; 30, 8; 89, 14[27].

Die Freude ist nicht auf das Innerliche begrenzt. Sie hat ihren Grund, und sie äußert sich, ist also auf Teilnahme aus, vor allem als Festfreude (→ 354, 4ff). 15 Sie ist eine Verfassung des ganzen Menschen. Das ist gemeint, wenn als Organ das Herz (→ III 609, 12ff) genannt ist (Hab 1, 15 LXX, vgl ψ 83, 3[28]). Anlässe und Gegenstände sind vielfältig, so zB Gott und sein Heilshandeln (Ps 5,12; 9, 3; 16, 9; 32,11; 33,1; 40,17; 63,12; 64,11; 68, 4; Neh 8,10; Js 35,10; 51,11; 65,18). Der spezielle Anlaß liegt in konkreten Erweisen des Heils: Gott hilft (vgl 25 Ex 18, 9—11; 1 S 2,1f; Ps 33, 21; 149, 2). Gegenstand der Freude ist Gottes

---

[22] HHepding, Attis, RVV 1 (1903) 167f; FCumont, Die orientalischen Religionen im röm Heidentum (1930) 53—55.
[23] Die Wurzeln sind alt. Hom Hymn Ap 90: Δῆλος μὲν μάλα χαῖρε γόνῳ ἑκάτοιο ἄνακτος, vgl 125f. Theogn 1, 9f von der Geburt des Apollo: ἐγέλασσε δὲ Γαῖα πελώρη (*gewaltig*), γήθησεν δὲ βαθὺς πόντος ἁλὸς πολιῆς· (*grau*). Ditt Syll[3] II 797, 5—9 (37 nChr): ἐπεὶ ἡ κατ᾽ εὐχὴν πᾶσιν ἀνθρώποις ἐλπισθεῖσα Γαΐου Καίσαρος Γερμανικοῦ Σεβαστοῦ ἡγεμονία κατήγγελται, οὐδὲν δὲ μέτρον χαρᾶς εὕρηκ[ε]ν ὁ κόσμος, πᾶσα δὲ πόλις καὶ πᾶν ἔθνος ἐπὶ τὴν τοῦ θεοῦ ὄψιν ἔσ[π]ευκεν, ὡς ἂν τοῦ ἡδίστου ἀνθρώποις αἰῶνο[ς] νῦν ἐνεστῶτος... Am bekanntesten ist Vergil Ecl 4, 50ff. Die Erwartung reicht in den Alten Orient zurück, s HWindisch, Die Orakel des Hystaspes (1929) 65 A 2; → Norden 57. Aus Ägypten vgl den Hymnus auf Osiris: „Die beiden Länder waren erfreut darüber, daß er (sc Osiris) auf dem Thron seines Vaters erschienen war" (übers HKees, in: Religionsgeschichtliches Lesebuch, ed ABertholet 10 ²[1928] 28), aus Assyrien die Inschr des Assurbanipal col II Z 13—15 (ed MStreck, Assurbanipal, Vorderasiatische Bibliothek 7, 2 [1916] 261), der von sich sagt: „Durch die Nennung meines gewichtigen Namens freuten sich, jauchzten die vier Weltgegenden. Die Könige des oberen (u) unteren Meeres ... sandten anläßlich der Ausübung der Königsherrschaft durch mich Freudenbotschaften", s auch WStaerk, Die Erlösungserwartung in den östlichen Religionen. Soter II (1938) 242,

vgl 370. Vgl weiter Sib 3,785: εὐφράνθητι, κόρη, καὶ ἀγάλλεο, 8, 474f: τικτόμενον δὲ βρέφος ποτὶ δ᾽ ἔπτατο γηθοσύνη χθών, οὐράνιος δ᾽ ἐγέλασσε θρόνος καὶ ἀγάλλετο κόσμος.
[24] Im alten Ägypten begegnet die Freude über die Schönheit des Gottes als Motiv, vgl das Gebet an die Sonne aus dem Totenbuch der Nacht: „Die Götterschaft jubelt bei deinem Aufgang, u die Erde freut sich bei dem Anblick deiner Strahlen. Die Menschheit zieht jauchzend täglich hinaus, um deine Schönheit zu schauen" (übers GRoeder, Urkunden zur Religion des alten Ägypten [1915] 3). Gegenstand der Freude ist dann — begreiflicherweise — die Schönheit des Königs als Abbild der göttlichen, → Grzegorzewski 38. Schau dieser Schönheit bedeutet Leben: „Ihre Arme beten deinen Ka an, denn du belebst die Herzen durch deine Schönheit" Kleiner Atonhymnus (übers Roeder 67).
[25] Das Material ist aufgeschlüsselt bei PHumbert, „Laetari et exultare" dans le vocabulaire religieux de l'Ancien Testament, Rev HPhR 22 (1942) 185—214.
[26] Bei Dtjs ist εὐφραίνομαι meist Übers von רָנַן, ἀγαλλιάομαι ist Übers von גִּיל Js 49,13 uö u הִתְהַלֵּל 41,16.
[27] Vgl auch die Synon in Js 66,10: εὐφράνθητι, Ιερουσαλημ, καὶ πανηγυρίσατε ἐν αὐτῇ, ... χάρητε χαρᾷ ....
[28] ἡ καρδία (HT: לֵב) μου καὶ ἡ σάρξ (HT: בָּשָׂר) μου ἠγαλλιάσαντο ἐπὶ θεὸν ζῶντα.

Gesetz (Ps 119,14) und Gottes Wort (Jer 15,16), umgekehrt ist Freude Lohn für Gesetzestreue (Js 65,13f; Prv 10, 28)[29]. Natürlich kennt das Alte Testament die profane Freude, zB über die Hochzeit (Jer 25,10), es spricht vom Wein, der des Menschen Herz erfreut (Ps 104,15). Aber am häufigsten ist das Vorkommen in
5 kultischem Zusammenhang: Freude als Festfreude und Äußerung derselben[30]. Kultische Freude spricht sich Ps 33; 95; 98, 4 aus. Bei der Ernte wird die Freude rituell begangen (Js 9, 2; Ps 126, 5f), vgl das rituelle Weinen bei der Aussaat (Ps 126, 5f). Gott selbst freut sich (Js 65,19; 62, 5; Zeph 3,17). Als Erstattung des Dankes an ihn ist die Freude geboten (Dt 16,13—15, vgl 12, 6f; 2 Ch 30, 21ff, vgl
10 Jub 49, 22). Im Fest zeigt sich, was es heißt, vor Gott fröhlich zu sein (Dt 12,7; Ps 16,11), und was es heißt, daß Gott selbst Gegenstand der Freude ist (Ps 84, 3; 89,17; 149, 2). Gott bedeutet nicht neutral Macht, sondern primär positiv Heil[31]. Der Bezug auf ihn spricht sich als hymnischer Jubel aus (Jl 2, 21. 23; ψ 95, vgl Ps 89,13; 98, 8). In der Weisheitsliteratur wird die Freude am Gesetz gepriesen
15 und durch diesen Lobpreis eingeübt (Ps 119,14, vgl 1, 2). Im Vergleich zu den ursprünglichen Äußerungen ist dies eine sekundäre Stufe der Reflexion[32].

Es entspricht der inneren Intention der Freude selbst, wenn der alttestamentliche Sprachgebrauch in die Eschatologie einmündet (Ps 14, 7 = 53, 7; Ps 126, 2. 5f; Js 9, 2; 12, 6; 25, 9; 51, 3; 61, 10; 65, 17—19; 66, 14; Sach 2, 14; 8, 19; → A 34).
20 Die Wurzeln findet man in der Verknüpfung von Freude und Königsherrschaft[33]. Höhepunkt sind die Stellen in den prophetischen Schriften, die aufrufen: χαῖρε (Zeph 3, 14—17; Jl 2, 21—27; Sach 9, 9f)[34].

C. Judentum.

1. Qumran.

25　　　　　　Die Synon des AT sind auch hier vorhanden: שׂמח steht neben שׂושׂ u גיל 1 QM 13,12f. Ebs sind die Motive des AT aufgenommen: Freude Gottes 1 QM 4,14, Freude an seiner mächtigen Hand 13,12f; Gott erfreut: „Fröhlich laß in deiner Wahrheit אמת die Seele deines Knechtes werden" 1 QH 11, 30. Beherrschend ist der eschatologische Charakter der Freude, der im bewußten Anschluß an die Bibel
30 ausgesprochen wird: „Freue dich שׂמח sehr, Zion, erscheine mit Jubel רנה, Jerusalem, u alle Städte Judas, jauchzet גיל!" 1 QM 12,13, vgl Ps 97, 8; Sach 9, 9. Die Freude ist Signum der Zeit Gottes; bes kennzeichnend ist 1 QM 1, 9: „Friede u Segen, Herrlichkeit u Freude שׂמחה u Länge der Tage für alle Söhne des Lichts"[35], vgl 14, 4. *Ewige*

---

[29] Vgl οὐκ ἔστιν χαίρειν τοῖς ἀσεβέσιν Js 48, 22; 57, 21.

[30] → Mowinckel 18f, vgl 130—145. Humbert aaO (→ A 25) nimmt heidnischen Ursprung des technisch-kultischen Sinns von שׂמח u גיל an, vgl Ri 16, 23: Die Fürsten der Philister versammeln sich לִזְבֹּחַ זֶבַח־גָּדוֹל לְדָגוֹן אֱלֹהֵיהֶם וּלְשִׂמְחָה, vgl ferner Hos 9,1; 2 S 6,12; 2 Kö 11,14. 20; Js 9, 2; 22,13; 30, 27ff.

[31] Heil erscheint als Hulderweis Ps 4, 8; 92, 5, zB als Vergebung Ps 32; 51.

[32] → Köhler 198.

[33] Bes groß ist die Freude über Geburt u

Regierungsantritt. Die Herrschaftszeit wird vorgreifend als Heilszeit charakterisiert, vgl → Grzegorzewski 34—44; GvRad, Theol des AT I[6](1969) 334.

[34] Grundlegend ist Zeph 3, 14—17. v 14f ist ein Thronbesteigungslied, ebs v 16—18a, KElliger, Das Buch der zwölf kleinen Propheten II, AT Deutsch 25[5](1964) zSt.

[35] Vgl auch: ὅτι ἀγαθὰ καὶ ἡ χαρὰ καὶ ἡ τ[ιμὴ] ἡτοίμασται καὶ ἐγγέγραπται ταῖς ψ[υχαῖς] τῶν ἀποθανόντων εὐσεβῶν gr Hen 103, 3 (ed CBonner, The last Chapters of Enoch in Greek, Studies and Documents 8 [1937]). Über die eschatologische Linie im hell Judt → 356, 7ff.

Freude ist festes Stichwort 1 QS 4, 7; 1 QH 13, 6; 18, 15; 1 QH fr[36] 7, 5. Die Erwählten wissen sich bereits jetzt in Gottes Schutz u können sich trotz des gegenwärtigen Leidens freuen: „Und es wurde mir deine Zurechtweisung zur Freude שמחה u Wonne ששון u meine Plagen zur Heilung...u die Verachtung meiner Feinde zur Ehrenkrone u mein Straucheln zu ewiger Stärke" 1 QH 9, 24f, vgl 1 QM 13, 12f[37].   5

2. Rabbinisches Schrifttum[38].

Auch hier ist die Freude ua Festfreude (→ 354, 5ff)[39]. Ihr Spender ist Gott: „So bereitete Gott Israel eine Freude, als er sie (sc aus Ägypten) erlöste. Gott sagte: Wer meine Kinder liebt, der komme u freue sich mit meinen Kindern" Ex r 18,10 zu 12, 29 (Wünsche 143); „Gepriesen sei er, der seinem Volke Israel 10 Festtage zur Freude u zum Gedächtnis gegeben hat" bBer 49a. Darum ist es Pflicht, sich zu freuen: „Es ist Pflicht, seine Kinder u Familienangehörigen am Fest zu erfreuen (Dt 16,14). Womit erfreut man sie? Mit Wein" bPes 109a. Man soll Gott *mit Freuden* dienen; Midr Ps 100, 3 zu 100, 2[40] stellt gegenüber: *Dienet Gott mit Freuden* Ps 100, 2 u *Dienet dem Herrn mit Furcht* Ps 2,11. Gott wird sich über die Werke der Gerechten 15 freuen u Israel über die Taten Gottes Pesikt 27 (171a)[41]. Die Freude ist Freude vor Gott[42] שמחה בשמים MEx משפטים 20 zu 23,15 (p 333,12). „Es ist Freude vor Gott, wenn die ihn Erzürnenden aus der Welt verschwinden" SNu 117 zu 18, 8 (Kuhn 371). Hier ist wie Lk 15,7 die Freude *vor Gott* zunächst die Freude im Himmel. Aber *Freude für Israel ist wie Freude vor Gott* MEx בשלח 2 zu 17,15 (p 186,12).   20

Zum Fest gehört das Mahl[43]: *Es gibt keine Freude[44] ohne Essen u Trinken* bMQ 9a. Das wirkt sich auch terminologisch aus: שמחה gewinnt den Sinn von *Freudenmahl*, speziell *Hochzeit*[45]: „Gleich einem König, der seinem Sohn eine שמחה machte u seine Feinde tötete. Der König sprach: Wer mich erfreut hat, der komme zur שמחה meines Sohnes..." Ex r 18,10 zu 12, 29 (Wünsche 143).   25

Für den joh Sprachgebrauch bedeutsam ist der Begriff der *vollkommenen Freude* שמחה שלימה[46]: „Die Freude in dieser Welt ist nicht vollkommen; aber in Zukunft wird unsere Freude vollkommen sein" Pesikt 29 (189a. b). „Wenn sie (sc die Propheten) aber zu ihr sagen: Siehe dein König kommt zu dir, gerecht u heilvoll (Sach 9, 9)[47], dann wird sie sagen: Das ist eine vollkommene Freude" הא חדותא שלימה Midr 30 HL 1 zu 1, 4 (Wünsche 29).

3. Philo.

Bei Philo hat die Wortgruppe[48] eine hervorragende Bdtg[49]. Eine allg Bestimmung gibt Leg All III 86f. Der spezifisch religiöse Charakter der Freude[50]

---

[36] Sukenik 55.
[37] Sieben Freuden der Seligen kennt 4 Esr 7, 88ff, entsprechend sieben Qualen der Verdammten 7, 81ff.
[38] Siehe Levy Wört sv שָׁמַח; שִׂמְחָה; חֲדִי, חֶדְוָא, חֶדְוְתָא; חֲדִי, חֶדֵי, חֲדָא, vgl Jastrow sv.
[39] Bes das Passa wird als Freudenfest aufgefaßt, vgl Ex r 18,11 z 12, 41 u das Material bei BReicke, Diakonie, Festfreude u Zelos, Uppsala Universitets Årsskrift 1951, 5 (1951) 182—185. Zur Verknüpfung von Heilserwartung mit Festen im Judt s Moore II 40—51, mit dem Passa AStrobel, Die Passa-Erwartung als urchr Problem in Lk 17, 20f, ZNW 49 (1958) 164—171. Zum Laubhüttenfest allg vgl JJeremias, Golgotha, Angelos Beih 1 (1926) 81—84; HRiesenfeld, Jésus transfiguré, Acta Seminarii Neotestamentici Upsaliensis 16 (1947) 24—28. 43—53. 278f; Str-B II 774— 812, zu seinem freudigen Charakter 804—807.
[40] Str-B IV 844.
[41] Str-B IV 851.

[42] Die folgenden Belege bei Str-B II 209.
[43] Str-B II 143f.
[44] So übersetzt Str-B II 143; LGoldschmidt, Der bab Talmud III (1933) gibt שמחה mit *Festlichkeit* wieder.
[45] Str-B I 972f; Dalman WJ I 96 (→ 358, A 69).
[46] Str-B II 429. 566.
[47] Zu Sach 9, 9 in der rabb Lit vgl Str-B I 842—844.
[48] Außer χαίρω, χαρά ist vor allem γέγηθα zu beachten. Das Lachen ist Äußerung geistiger Freude Abr 201; die Verknüpfung wird durch den Namen „Isaak" hergestellt.
[49] → Windisch 56: „Diese Seelenstimmung bezeichnet das religiöse Erlebnis in seiner vollkommensten u reinsten Form; sie ist für Philos Welt- u Gottesauffassung, für seine Frömmigkeit bes charakteristisch."
[50] → Windisch 59: „So ist die Freude für Philo eine spezifisch religiöse Stimmung."

erweist sich in ihrer engen Beziehung zur religiösen „Trunkenheit" Rer Div Her 315[51]. Verknüpfungen mit anderen Begriffen zeigen ihre Struktur an: ἀρετή, εἰρήνη u εὐπάθεια Leg All I 45, εὐπάθεια Abr 201, εὐφροσύνη Leg All III 81. 87. Die Freude ist Frucht der Tugend Leg All III 247; Abr 204; Praem Poen 27. 31, vgl Det Pot Ins 120f, oder der δικαιοσύνη 123. χαρά u ἐλπίς fallen Det Pot Ins 120, vgl Leg All III 86, unter den Oberbegriff der εὐπάθειαι (→ Z 27ff) — die χαρά kann' auch als höchste εὐπάθεια bezeichnet werden Praem Poen 32[52] —, sie beziehen sich auf den gegenwärtigen bzw künftigen Besitz des Guten: τὸ μὲν οὖν ἔχειν ἀποτελεῖ χαράν, κτημάτων τὸ κάλλιστον, τὸ δὲ σχήσειν προσδοκᾶν τὴν τροφὴν φιλαρέτων ψυχῶν ἐλπίδα Det Pot Ins 120. Die entsprechenden negativen Begriffe sind λύπη (→ IV 320, 37ff) u φόβος (→ 203, 33ff). Durch diese Verhältnisbestimmung unterscheidet sich Philo von der Stoa (→ 352, 15ff). Das at.liche Symbol der Freude ist Isaak[53]. Die Freude ist schon wirksam, wenn sie verkündigt wird Leg All III 87, vgl ἐλπὶς χαρά πρὸ χαρᾶς Mut Nom 163. Sie ist die Befindlichkeit der seligen Weisen Det Pot Ins 135; Plant 38[54]. Die Freude wird Rer Div Her 315 als τέλος bestimmt. Theologisch wird die religionspsychologische Beschreibung der Freude durch ihre Rückführung auf Gott. Diese bleibt nicht nur formale Behauptung aus Tradition, sondern wird am Phänomen selbst aufgezeigt. Ihre Gegenstände sind zB Gesundheit, Freiheit, Ehre Leg All III 86, das Gute u Schöne Praem Poen 32, vgl Mut Nom 163; Spec Leg II 48, Gott Praem Poen 32; Ebr 62, Gottesdienst Rer Div Her 7. Wie sich diese Gegenstände zu der Tatsache verhalten, daß die Freude keinen Bezugspunkt braucht, zeigt die grundlegende Erklärung Det Pot Ins 135—137: Die angegebenen Gründe u Bezüge der Freude sind durchaus ungegenständlicher Art. Der Weise weiß das. Für ihn gilt: ἐπεὶ οὖν ἐν τοῖς τῆς ψυχῆς μόνοις ἀγαθοῖς ἡ ἀνόθευτος (*echte*) χαρά καὶ ἀκιβδήλευτος (*unverfälschte*) εὑρίσκεται, ἐν ἑαυτῷ δὴ πᾶς σοφὸς χαίρει, οὐκ ἐν τοῖς περὶ αὐτόν 137. Mit dem Nachweis, daß die Freude Geschenk Gottes ist Leg All III 219; Abr 203ff; Spec Leg II 53—55; Quaest in Gn IV 19, verändert sich auch die anthropologische Analyse. Mit dieser stellt sich Philo in Gegensatz zur Stoa, obwohl er deren Bestimmung der Freude als εὐπάθεια übernimmt (→ Z 5ff). Der stoische Weise erwirbt sich die Freude als die Harmonie der Seele[55] durch seine eigene Aktivität. An deren Stelle tritt bei Philo das radikale Angewiesensein gerade des Weisen: Gott allein ist die Freude eigentümlich τὸ χαίρειν μόνῳ θεῷ οἰκειότατόν ἐστιν Abr 202. Nur bei Gott ist Freude Cher 86[56]. Das zu wissen, ist Weisheit. Damit ist das Verständnis von Weisheit gegenüber der Stoa radikal umgebaut (→ VII 501, 1ff)[57]. Das zeigt sich am Verständnis der Tugend. Wer die Tugend hat, hat ständige Freude Mut Nom 167; den Schlechten ist sie nicht gewährt Mut Nom 168—171. Tugend u Weisheit sind fest miteinander verknüpft: Die Weisheit schafft Freude Mut Nom 264. Was von Gott gilt, daß ihm die Freude eigen ist, kann auf den Weisen übertragen werden: σοφοῦ τὸ χαίρειν ἴδιον Det Pot Ins 138[58], dh die Möglichkeit des Weisen transzendiert die menschlichen Möglichkeiten[59]. Die Überbietung der griech wie der at.lichen Tradition wird an der Berührungsstelle erkennbar: Was Gott eigen ist, ist unvermischte Freude, diese erreicht der Mensch nur in der mystischen Vereinigung mit ihm Cher 86f; Som II 249 (→ Z 32). Die antike Möglichkeit, den Aufstieg der Seele zu Gott zu denken, ist durch den Gedanken der Vollkommenheit qualitativ überboten[60]. Das

[51] → Lewy 34—37. Natürlich sind beide Zustände nicht identisch. χαρά bezeichnet sowohl den augenblicklichen Ausbruch als auch die dauernde Stimmung. Der Rausch dgg ist an sich augenblicklich. Auch ist bei ihm stärker an die erregende Ursache, das πνεῦμα, gedacht, → Lewy 36 A 3. χαρά umfaßt alle Grade der Intensität. Nur auf der obersten Stufe fällt sie mit der „nüchternen Trunkenheit" zus, → Lewy 37.

[52] Vgl → vArnim 127.

[53] Auch der Name Hanna, gew mit χάρις erklärt (→ 380, 7f), wird auf die Freude bezogen Ebr 145f: γέγηθεν.

[54] EBréhier, Les idées philosophiques et religieuses de Philon d'Alexandrie ³(1950) 234f. 254f; → Windisch 56f.

[55] Sen ep 6, 59,14; → Lewy 36 A 2.

[56] Entsprechendes gilt vom Logos Det Pot Ins 129. 131. Man muß sich wundern, daß der Mensch in diesem Meer von Plagen Festfreude aufbringen kann Spec Leg II 53, vgl 52; → Windisch 56.

[57] Die Strukturveränderung findet auch in der Kosmologie ihren Niederschlag: Das Lachen muß in die Welt hineinkommen, muß geschaffen werden Det Pot Ins 124. Gott mischt den Nöten des Gewordenen zur Linderung etw Freude bei Abr 207. Gewiß sind genuin jüd Motive wirksam Mut Nom 169 mit Zitat von Js 48, 22; Som II 175f mit Dt 30, 9f; vgl Quaest in Gn IV 138; Praem Poen 32 mit Ps 9, 3; 32,11; 104, 34; 149, 2. Aber es ist doch etw ganz Neues entstanden.

[58] Sara lacht u bekommt Angst, sie habe sich ein Vorrecht Gottes angemaßt. Aber sie bekommt ihren Anteil an der Freude zugesprochen Abr 204ff. Gott schenkt sein Eigenes Mut Nom 131. → Windisch 56f.

[59] Grundlegend ist Jonas Gnosis II 1 p 38—43.

[60] Das sieht man an der Beschreibung der Gaben, die der Vollkommene empfängt: πίστις, χαρά, ὅρασις θεοῦ Praem Poen 24—51. → Lewy 35f; Jonas Gnosis II 1 p 70—121.

Moment der Vermittlung zwischen Gott u Mensch erscheint in der Gestalt des Logos als des Spenders der Freude Som I 71; II 249. Erst unter diesen Voraussetzungen kann auch von der Gegenbewegung die Rede sein, daß der Mensch Gott erfreut, nämlich durch die Tugenden Som II 178f. An diesen freut sich Gott, nicht an Opfern; er ist ja bedürfnislos Spec Leg I 271, vgl II 35.   5

D. Neues Testament.

1. Sprachgebrauch.

Während ἀγαλλιάομαι (→ I 18, 18ff) in der biblischen Tradition in religiöser Bedeutung verwendet wird, ist χαίρω an sich ein profanes Wort. Doch ergibt sich die Färbung jeweils aus dem Kontext, und χαίρω kann mit ἀγαλ- 10 λιάομαι synonym sein (Apk 19, 7).

> Wie in der Prof-Gräz u im AT ist χαίρω mit verwandten Verben zusammengestellt: ἀγαλλιάομαι Mt 5, 12; 1 Pt 4, 13; Apk 19, 7, εὐφραίνομαι Lk 15, 32; Apk 11, 10. Das Part qualifiziert bei Lk Handlungen: *voll Freude* Lk 19, 6 usw; mit dem Acc des inneren Obj steht Mt 2, 10: χαρὰν χαίρω[61], vgl φόβον φοβέομαι Mk 4, 41 (→ 205, 15f), mit 15 Dat[62] χαρᾷ χαίρω J 3, 29, vgl Js 66,10. Der Gegenstand bzw Grund kann durch die Präp ἐπί mit Dat Mt 18,13; Lk 1,14; 13,17; Ag 15, 31; R 16,19; 1 K 13, 6; 2 K 7,13; Apk 11,10, διά mit Acc J 3, 29; 1 Th 3, 9 u ἐν Phil 1,18a, durch ὅτι Lk 10, 20 (bis); J 11,15; 14, 28; 2 K 7, 9. 16; Phil 4,10; 2 J 4, vgl 2 K 13, 9 oder durch Part Mt 2,10; Lk 23, 8; J 20, 20; Ag 11, 23; Phil 2, 28; Mk 14,11, vgl Ag 13, 48; Kol 2, 5; 3 J 3 an- 20 gegeben werden[63].

Die griechische Briefgrußformel mit χαίρειν (→ 351, 12f) steht im Neuen Testament nur dreimal (Ag 15, 23; 23, 26; Jk 1, 1). Die Verwendung der griechischen Grußformel (→ 351, 2ff) χαῖρε (Mk 15,18; Mt 26, 49; 27, 29; J 19, 3)[64] stellt nur an einer Stelle ein Problem: beim Gruß des Engels an Maria χαῖρε κεχα- 25 ριτωμένη (Lk 1, 28). Manche Exegeten wollen hier χαῖρε nicht als Grußformel verstehen *Sei gegrüßt!*[65], sondern als Aufforderung *Freue dich!*[66]. Aber der tiefere Sinn der Stelle liegt nicht im Sinn von χαίρω für sich, sondern im Zusammenspiel mit κεχαριτωμένη (→ 383, 18ff)[67]. Der Grußcharakter erscheint auch im Imperativ Plural (Phil 3, 1a; 4, 4)[68]. Die besondere Bedeutung des Verbums und des 30

---

[61] Vgl Jon 4, 6, s Bl-Debr § 153,1. Ähnlich mit Attraktion 1 Th 3, 9: ἐπὶ πάσῃ τῇ χαρᾷ ᾗ χαίρομεν.

[62] Bl-Debr § 198, 6.

[63] Pr-Bauer sv χαίρω.

[64] Vgl 2 J 10f: Den Irrlehrern ist der Gruß, also die kirchliche Gemeinschaft, zu verweigern, vgl Mt 10,12f. Vgl den jüd Grundsatz, mit Irrlehrern nicht zu reden, bei Just Dial 38,1.

[65] Vor allem, wenn sie annehmen, es liege ein hbr Urtext zugrunde.

[66] → Lyonnet 132—135, der auf die vier at.lichen St mit dem Imp χαῖρε hinweist Zeph 3,14; Jl 2, 21; Sach 9, 9; Thr 4, 21; vgl noch Tob 13, 15 Cod AB (→ 354, 21f), meint, χαῖρε entspreche nicht dem einfachen hbr Friedensgruß, sondern der Ankündigung der messianischen Freude. Dem hbr Gruß würde εἰρήνη ent-

sprechen. Im selben Sinn äußert sich RLaurentin, Struktur u Theol der lk Kindheitsgeschichte (1967) 75—78. → Lyonnet 134 will Alliteration erkennen u nimmt als semitisches Original מוּחַנָּה רְנִּי an; ähnlich HSahlin, Der Messias u das Gottesvolk, Acta Seminarii NeotestamenticiUpsaliensis 12 (1945) 380—382: רְנִּי חֲנִינָה.

[67] Strobel aaO (→ A 9) 86—110; 87 A 5 Lit. Sein Argument, der Aufruf zur Freude würde den Imp des Aor erfordern, ist allerdings angesichts der at.lichen Färbung der St nicht zwingend.

[68] Zum Imp χαίρετε → Gulin I 171—176. Phil 3,1a ist vielleicht Einl eines Schlußgrußes, s GFriedrich, Der Brief an die Philipper, NT Deutsch 8 ¹²(1970) zSt; 4, 4 steht in einem Briefschluß, bes wenn man 4,10ff einem anderen Brief zuweist, s Friedrich zu 4,10.

Substantivs[69] liegt nicht im Wortsinn als solchem, sondern in den Sachzusammenhängen, in denen *Freude* auftaucht[70].

2. Synoptiker und 1. Petrusbrief[71].

Die Wortgruppe ist nur bei Lukas stärker vertreten[72]. Freude herrscht über das Finden des Verlorenen (Lk 15, 5—7. 9f. 32; → VI 491, 7ff), darüber, daß man seinen Namen im Himmel geschrieben weiß (Lk 10, 20 [→ I 770, 16ff], vgl 10, 17)[73]. In der lukanischen Vorgeschichte (1, 14; 2, 10) herrscht die intensive Freudenstimmung der hellenistischen σωτήρ-Religiosität (→ 353, 3ff; VII 1015, 30ff)[74]. Aber die Stimmung zieht sich dann durch das ganze Buch hindurch als Freude über Jesu Taten (13, 17; 19, 6), als Stimmung des Volkes (18, 43; 19, 37). Lukas setzt einen Schlußakzent, wenn die Jünger nach der Himmelfahrt μετὰ χαρᾶς μεγάλης nach Jerusalem zurückkehren (24, 52). Damit ist zugleich die anbrechende Zeit der Kirche gekennzeichnet. Diese Bestimmung gilt auch, wenn die Kirche dem Leiden ausgesetzt ist (→ Z 18ff)[75]. Freude ist — vor der Folie des augenblicklichen Erschreckens (→ 360, 15ff)[76] — der Zustand, der durch die Epiphanie ausgelöst wird: ἐχάρησαν χαρὰν μεγάλην σφόδρα (Mt 2, 10). Entsprechend sind Jesu Taten im Epiphaniestil geschildert[77].

Der scheinbar paradoxe Gedanke der Freude im Leiden ist im Judentum vorgebildet[78]. Er erfährt verschiedene — naheliegende — Ausprägungen. In der Tradition der jüdischen Weisheit steht Jk 1, 2: πειρασμοί sind Grund zur Freude (→ VI 29, 14ff). Diese sind Erziehungsmittel Gottes und Gelegenheit zur Bewährung[79]. Daß feste Tradition vorliegt, zeigt die verwandte Stelle 1 Pt 1, 6f[80]. Hier

---

[69] Neben dem wörtlichen Gebrauch findet sich metonymischer: Gegenstand oder Zustand der Freude, zB Mt 25, 21. 23. Andere deuten aufgrund des rabb Sprachgebrauchs (→ 355, 7ff) χαρά an dieser St als *Freudenfest, Freudenmahl*, s Dalman WJ I 96; er vergleicht ua 2 Ch 30, 23; Neh 12, 27.

[70] Als Gottes Freude Lk 15, 7, Jesu Freude J 15, 11; 17, 13, im Zshg mit dem Hl Geist Gl 5, 22 usw.

[71] → Gulin I 101 A 1: Bei Mk erscheine die Freude überh nicht im soteriologischen Zshg, bei Mt nur 18, 13, vielleicht auch 2, 10. Gulin gibt den Befund jedoch nicht angemessen wieder. Die freudige Aufnahme des Wortes Mk 4, 16 ist Missionsstil, vgl 1 Th 1, 6. Die Hochzeit Mk 2, 18ff ist Freudenzeit u wird als solche zur Metapher. Zur Freude über das Leiden Mt 5, 12 → 359, 7ff.

[72] → Gulin I 95—108; AHarnack, Beiträge z Einl in das NT III: Die Ag (1908) 207—210.

[73] Demgegenüber wird die thaumaturgische Macht abgewertet.

[74] Für das Judt vgl Sib 3, 785f (vgl Sach 2, 14); 3, 619; 6, 20; 8, 474f. Zur *großen Freude* als Zeichen der Heilszeit s MDibelius, Jungfrauensohn u Krippenkind, Botschaft u Gesch I (1953) 61f.

[75] → Gulin I 121 urteilt: „Die soteriologische Freude des dritten Ev suchen wir in

der Ag vergeblich." Er verkennt die spezielle Abzweckung der beiden Bücher u die Übertragung des Heilsgeschehens in den Kirchenstil. Vgl noch ἀγαλλιάομαι (→ I 19, 33ff).

[76] Die Verbindung von Freude u Schrecken findet sich noch Orph Hymn (Quandt) 73, 6ff.

[77] → Gulin I 100f. Aristoph Pl 637f sagt der Chor über das vollbrachte Wunder: λέγεις μοι χαράν, λέγεις μοι βοάν, u Karion entgegnet: Πάρεστι χαίρειν, ἤν τε βούλησθ' ἤν τε μή.

[78] 2 Makk 6, 30 u 4 Makk 10, 20 uö; s Bar 48, 48—50; 52, 5—7; 54, 16—18. HWSurkau, Martyrien in jüd u frühchr Zeit, FRL 54 (1938); EGSelwyn, The First Epistle of St Peter ²(1947) 126—129. 301. 439—459; → Nauck 73—79.

[79] Zum Gedanken der Bewährung in der Versuchung vgl Sap 3, 4—6; Test Jos 2, 7. Zu 1 QH 9, 24f → 355, 1ff.

[80] ἀγαλλιᾶσθε wird man nach v 8 nicht als Imp, sondern als Ind fassen, uz als wirkliches, nicht als futurisches Praes. ἐν ᾧ versteht man am einfachsten allg, etwa *darum,* → Nauck 71. Die Ähnlichkeit von Jk 1, 2 u 1 Pt 1, 6 beruht nicht auf literarischer Abhängigkeit der einen Schrift von der anderen, sondern auf Verarbeitung verwandter Traditionen, vgl ELohse, Paränese u Kerygma im 1 Pt, ZNW 45 (1954) 68—89.

wird nun der allgemeine Leidensgedanke aktualisiert auf das Leiden um des Glaubens willen und die Bewährung des Glaubens[81]. 1 Pt 4, 12—14 begründet das Leiden christologisch: Es ist Teilhabe an den Leiden Christi[82]. 1 Pt 2, 20—24; 3, 17 (vgl 4, 1) entwickeln diesen Gedanken weiter im Sinn der Vorbildlichkeit des Leidens Christi weiter[83]. Das Motiv „Freude im Leiden" wird zugespitzt auf „Freude über 5 das Leiden" (Ag 5, 41). Das ungerechte Leiden ist χάρις παρὰ θεῷ (1 Pt 2, 20, vgl die christologische Fortsetzung). Die Verknüpfung von Freude und Verfolgung bildet ein festes Element des neutestamentlichen Glaubensverständnisses (Mt 5, 11 f Par)[84]. 1 Pt 4, 12—14 zeigt noch eine weitere Komponente des Glaubens, die eschatologische, die Hoffnung auf die künftige δόξα[85]. Dieselbe Tradition — Leiden 10 μετὰ χαρᾶς um des Glaubens willen im Blick auf die baldige Rettung — ist auch Hb 10, 32—39 variiert, und zwar mit Betonung der kirchlichen Gemeinschaft[86].

3. Paulus und Deuteropaulinen.

a. Nie erscheint die χαρά[87] als profane Stimmung. Sie ist bei Paulus mit seiner Arbeit als Apostel verknüpft. Sie ist χαρὰ τῆς πίστεως (Phil 15 1, 25)[88], eine Frucht des Geistes (Gl 5, 22). Damit ist auf das eschatologische und paradoxe Moment in ihr hingewiesen[89]. „Das Reich Gottes ist Gerechtigkeit und Friede und Freude" (R 14, 17; → II 414, 31 ff)[90]. Der eschatologische Sinn zeigt sich auch in der Zusammenstellung mit ἐλπίς (R 12, 12; 15, 13; → II 416, 5 ff)[91]. Den sachlichen Zusammenhang beider erhellt R 5, 1 ff mit Hilfe des Gegenbegriffs 20 θλῖψις[92]. Freude ist Aktualisierung der Freiheit, welche in der Gemeinschaft kon-

---

[81] Auch diese Variation ist im Judt vorgebildet, vgl 1 QS 10, 17; 1 QH 9, 24 f (→ 355, 1 ff); Jdt 8, 25.

[82] Zur Leidensgemeinschaft mit Christus vgl Phil 3, 10; R 8, 17; Kol 1, 24 u ELohse, Die Briefe an die Kolosser u an Philemon, Kritisch-exegetischer Komm über das NT 9, 2 [14](1968) zSt; zur Frage des Verhältnisses von Leiden Christi u Martyrium ders, Märtyrer u Gottesknecht, FRL 64 [2](1963) 193—203; Lohse aaO (→ A 80) 82—85. 88 f.

[83] Selwyn aaO (→ A 78) zSt; Bultmann Theol[6] 532.

[84] Zum einheitlichen Stil der St → Nauck 69—73. JDupont, Les Béatitudes [1](1954) 96 —101. 128—141; ders, Les Béatitudes I [2](1958) 223—243. 244—250. Wichtig ist der Unterschied der Tempora: Mt hat Imp Praes, Lk Aor, vgl Bl-Debr § 335. Der Aor entspricht dem pointierenden Zusatz ἐν ἐκείνῃ τῇ ἡμέρᾳ, der durch Ag 5, 41 kommentiert wird.

[85] Zur Sache vgl R 8, 17 ff; s Bar 48, 50; 52, 6 f.

[86] Im Sinn des Motivs vom wandernden Gottesvolk. Zum Schlußteil des Hb s EKäsemann, Das wandernde Gottesvolk, FRL 55 [2](1957) 8—39. In Hb 12, 11 wird das Leiden durch den Gedanken der παιδεία (→ V 620, 19 ff) gedeutet: Diese wird als λύπη erfahren, aber später enthüllt sich der positive

Ertrag. Ein antiker Gemeinplatz ist hier aufgenommen, Wnd Hb zSt.

[87] Opp λύπη, λυπέομαι 2 K 6, 10; 7, 4 ff, κλαίω R 12, 15.

[88] Loh Phil zSt.

[89] Vgl den Kontext von Gl 5, 22. χαρά steht im Tugendkatalog, dem der Katalog der Werke des Fleisches gegenübersteht. Wenn auch die Aufzählung nicht systematisch geordnet ist, so ist doch die Nähe zu εἰρήνη zu beachten, vgl R 14, 17 (→ Z 16 ff); 15, 13. Vgl Js 55, 12; Philo (→ 355, 33 ff); weiter Jub 23, 29; äth Hen 5, 7. 9; s Bultmann J 386 A 5.

[90] Das meint nicht, das Reich Gottes sei eine spirituale Größe, sondern das Eschaton bestimmt die Gegenwart. Zum eschatologischen Sinn vgl 1 K 6, 9, dazu 1 K 4, 20. Der Zusatz ἐν πνεύματι ἁγίῳ kennzeichnet Gerechtigkeit, Frieden, Freude als eschatologische Heilsgüter; es besteht kein Grund, ihn nur auf die Freude zu beziehen.

[91] τῇ ἐλπίδι R 12, 12 bedeutet nicht *über die Hoffnung*, sondern *in der Hoffnung*, vgl das par τῇ θλίψει ὑπομένοντες, Bl-Debr § 196. R 15, 13 ist die ἐλπίς Folge der χαρά. Doch ist fraglich, wie weit man den Wortlaut pressen darf.

[92] Ganz anderen Sinn hat die Verknüpfung von ἐλπίς u χαρά bei Philo, nämlich psychologischen (→ 356, 12 ff).

kret wird (R 12,15)[93]. Am schärfsten ist die Dialektik in 1 K 7, 30 zugespitzt: Die sich Freuenden sollen sein ὡς μὴ χαίροντες[94]. Die Freude ist ein wesentlicher Faktor im Verhältnis von Apostel und Gemeinde. Paulus bittet um die Fürbitte der römischen Gemeinde, damit er mit Freude kommen kann (R 15, 32). Die Freude ist gegenseitig (Phil 2, 28f; 2 K 2, 3 im Gegensatz zu λύπη). Es handelt sich um mehr als um Stimmung. Die Freude wird 1 Th 3, 9 mit dem Wortspiel εὐχαριστέω auf Gott oder Phil 3,1; 4, 4.10 mit der Formel ἐν κυρίῳ, die ekklesiologischen Sinn hat, auf den Herrn bezogen. Die Freude im Verhältnis vom Apostel zur Gemeinde ist eschatologisch: Er wird bei der Parusie die Gemeinde als sein Werk vorweisen (1 Th 2,19, vgl Phil 4,1). Derselbe Gedanke steht hinter dem Präskript des Philipperbriefs. Phil 2,17f findet sich neben dem Simplex χαίρω noch συγχαίρω, worin sich die Wechselseitigkeit spiegelt (→ Z 13ff).

Besondere Beachtung verdient der Philipperbrief[95]. Die „Stimmung" ist bereits am Anfang durch μετὰ χαρᾶς charakterisiert (1, 4)[96]. Sie wird in 1, 18 „kirchlich" begründet: Sie erwächst aus der Tatsache, daß Christus verkündet wird. Das Spiel zwischen dem Präsens χαίρω und dem Futur χαρήσομαι lenkt den Blick auf das künftige Gericht und die Rechenschaft, die abzulegen ist (2, 16; 4, 1). Intendiert ist, daß diese Freude nicht bloße Vor-Freude ist. Sie ist die Bezogenheit auf die Zukunft, die in der Gegenwart als Freude erfahren wird[97]. Als χαρὰ πίστεως (1, 25, vgl Ag 8, 39; 13, 48; Mt 13, 44) schließt sie die Bereitschaft zum Martyrium in sich; die physische Vernichtung kann sie nicht zerstören.

Die Paradoxie, die in der Freude steckt, ist keine andere als die der eschatologischen Weltbewältigung. Die χαρά wird angesichts der θλῖψις behauptet (2 K 7, 4—16, vgl Phlm 7; 1 Th 1, 6; 2 K 8, 2; 6, 10)[98]. Paulus verweist auf das Vorbild (→ IV 669,16ff) seiner selbst und des Herrn (1 Th 1, 6; → IV 672, 30ff). Das Wort spiegelt die Dialektik der apostolischen Autorität (2 K 1, 24; → III 1097, 29ff) und die Bestimmung der apostolischen Existenz als weltlicher Ohnmacht (2 K 13, 9).

b. Die Deuteropaulinen ergeben sachlich nichts Neues. χαίρω kommt Kol 1, 24; 2, 5, χαρά Kol 1,11; 2 Tm 1, 4 vor. Das wichtigste Moment in der nachpaulinischen Briefliteratur ist das Motiv „Freude im Leiden" (→ 358, 18ff; → A 82).

---

[93] An sich ist diese Aufforderung eine Sentenz in jüd Weisheitsstil, vgl Sir 7, 34, aber auch die hell Version Epict Diss II 5, 23. Sie kann Ausdruck des Opportunismus sein: Hängt den Mantel nach dem Wind! Aber im Zshg des Kirchenverständnisses ist sie Aufruf zur positiven Teilnahme am Leben der Gemeinde. Jüd Material bei Str-B III 298.

[94] Im Zshg der umfassenden Darstellung des eschatologischen Verhältnisses zur Welt, s Bultmann Theol[6] 352f.

[95] Die Frage der literarischen Einheitlichkeit des Briefes braucht nicht berücksichtigt zu werden, da sich die Wortgruppe durchgehend findet.

[96] Vgl Kol 1,11. Zur Analyse des Satzes s Dib Gefbr zSt. ἐπί ist zu bitten zu ziehen.

[97] Bultmann Theol[6] 340. Diese Intention spricht sich indirekt in dem εἴτε-εἴτε-Satz Phil 1, 20 (vgl 2 K 5, 9) aus: Das Heil ist unabhängig vom menschlichen Schicksal des Pls. Loh Phil zu 1,18 uö will Freude im ganzen Brief prägnant, als Freude am Martyrium, verstehen. Aber es ist einfach vom formalen Sinn von Freude auszugehen. Der jeweilige Sinn ergibt sich aus dem Kontext.

[98] Vgl Bultmann Theol[6] 351; zum Stil von 2 K 6,10 s Wnd 2 K zSt. Ohne das Stichwort χαρά zeigt denselben Sachzusammenhang auch R 8, 31ff.

4. Die johanneischen Schriften.

J 4, 36 nimmt das Bild von der Erntefreude (→ 354, 2ff)
auf. Die johanneische Pointe liegt in der Gleichzeitigkeit der Säenden und Ern-
tenden. Ähnlich ist die Anknüpfung an das verbreitete Motiv (→ 354, 2f;
I 652, 24ff; IV 1094, 1ff) von der Hochzeitsfreude (J 3, 29)[99]. Der johanneische 5
Sinn ist: Die alte Zeit ist abgelaufen, mit Jesus ist die Freudenzeit da[100]. Das Bild
wird in die johanneische, eigentliche Bedeutung überführt mit dem Satz, daß die
Freude (sc des Täufers) erfüllt *ist*. Erfüllt (→ VI 296, 20ff) meint nicht, daß die
Freude einen Gipfelpunkt erreicht hat, sondern daß sich ihr Gegenstand eingestellt
hat[101]. Erfüllung und Freude sind im ganzen Johannesevangelium auf die Person 10
Jesu bezogen. J 8, 56 ist χαίρω von ἀγαλλιάομαι abgehoben: Dieses ist der Vorgriff,
die Freude dagegen der Zustand der Erfüllung. Die Ausdrucksweise in 3, 29 macht
es wahrscheinlich, daß hier schon auf die vollkommene Freude (→ 355, 26ff) hingewiesen wird,[102] welche den Gipfelpunkt des johanneischen Sprachgebrauchs darstellt (J 15, 11; 16, 24; 17, 13; 1 J 1, 4; 2 J 12)[103]. In den Abschiedsreden wird die 15
Ausführung über diese Freude durch J 14, 28 vorbereitet: Die Jünger müßten sich
über Jesu Tod freuen; denn er bedeutet die Erhöhung; dadurch kann Jesus beim
Vater für die Seinen die Wohnung bereiten. Die Verbundenheit der Jünger mit
ihm ist nicht psychologisch bestimmt; sie bezieht sich nicht auf seine irdische
Person. Freilich wird ihre λύπη nicht getadelt. Aber auch sie wird ins Theolo- 20
gische erhoben, sie entsteht aus dem Gestaltwandel der Offenbarung. λύπη (→
IV 323, 15ff) und χαρά stoßen aneinander (J 16, 20—22), und die theologische
Funktion der λύπη ist zu zeigen, daß durch die Auferstehung der Tod nicht annul-
liert, sondern zur Heilstat gemacht wird. Das eschatologische Wesen dieser Freude
erkennt man auch an der Verknüpfung mit εἰρήνη (J 14, 27)[104]. Sie ist gaudium 25
alienum, Jesu Freude in ihnen (15, 11). Das ist mit dem Attribut „vollkommen"
gesagt (vgl 16, 24). Daß man durch das Halten der Gebote in diese Freude kommt,
will nicht sagen, daß ethisches Handeln der Weg ins Heil sei, sondern ist im Rahmen
der gesamten Darlegungen über das Liebesgebot zu verstehen. Die Liebe ist nicht
Mittel, um die eschatologische Existenz zu gewinnen; sie ist vielmehr die Durch- 30
führung derselben. Das Wesen der Freude wird plastisch vor der Folie des Kosmos.
Diesem ist die λύπη der Jünger eine Freude (16, 20), weil er durch die Vernichtung
Jesu zu siegen glaubt. Aber sein Sieg ist nur ein Augenblick[105]. Diesen Durchstoß
durch die λύπη in die χαρά hat die Gemeinde zwar in der Verheißung hinter sich,
nicht aber in der Empirie; denn der Haß der Welt (→ IV 696, 5ff) bleibt, er be- 35
stimmt die Lage der Kirche in der Welt (15, 18f; 17, 14). Aber gerade darin stellt
sich die Unverlierbarkeit der Freude dar. Die Voraussetzung ihrer Vollkommenheit ist gerade der Umstand, daß sie keinen anschaulichen Grund hat[106].

[99] → Gulin II 34. Zum Ausdruck χαρᾷ
χαίρω → 357, 15f; Radermacher 128f. Vgl den
Mysterienruf → 352, 33ff.

[100] Anders Mk 2, 18—20: Jetzt ist Freudenzeit; dann folgt als Zwischenetappe eine Zeit
der Trauer. Dasselbe Motiv ist in den joh
Abschiedsreden aufgenommen u abgewandelt:
Die Zwischenzeit ist auf einen Augenblick
zusammengezogen.

[101] → Gulin II 34.
[102] Bultmann J 127.
[103] Bultmann J 387 A 1 u 2; Schl J 108f, Zum
rabb Vorbild für den Ausdruck → 355. 26ff.
[104] Bultmann J 386 A 5.
[105] Zum Bild von der Freude über die
Geburt des Kindes (16, 21) → A 23.
[106] Bultmann J 449: „Die eschatologische
Freude hat kein angebbares Woran. Sie freut

Praktisch ist die Freude die Möglichkeit des Gebets, das die Erfüllung bei sich hat (16, 24)[107].

E. Die Apostolischen Väter.

Es genügt, wenige St herauszugreifen. Gott „hat sich (sc durch die Erschaffung der Welt) mit guten Werken geschmückt u freute sich". So machten es auch die Gerechten, u nach diesen Vorbildern sollen wir es tun 1 Cl 33, 7 f[108]; μία προσευχή, μία δέησις, εἷς νοῦς, μία ἐλπὶς ἐν ἀγάπῃ, ἐν τῇ χαρᾷ τῇ ἀμώμῳ (vgl Ign Eph Inscriptio), ὅ ἐστιν Ἰησοῦς Χριστός, οὗ ἄμεινον οὐθέν ἐστιν Ign Mg 7, 1[109]. Freude ist Lohn für überschüssige gute Werke Herm s V 3, 3[110].

F. Die Gnosis.

Freude herrscht über die Gottschau[111]. Erleuchtung, Schau bestimmen wie in den Mysterien (→ 352, 33 ff) so auch in der Gnosis die Freude. Das Neue besteht in der Verwandlung der Ontologie u Anthropologie: Die Freude ist nicht mehr eine Befindlichkeit, sondern ein realer Bestandteil des Menschen, eine der δυνάμεις, die sein Wesen ausmachen[112]. Einige Beispiele aus der chr, mandäischen u manichäischen Gnosis seien genannt. „Wie Zorneslauf gg den Frevelmut, so (ist) Lauf der Freude auf die Geliebte zu, u er bringt von ihren Früchten ungehindert ein. Meine Freude ist der Herr u mein Lauf auf ihn zu" O Sal 7, 1f, vgl 7, 17; 8, 1; 23, 1; 31, 3, par mit *Leben* 31, 6f. „Den Seligen (kommt) die Freude aus ihrem Herzen u das Licht von dem, der in ihnen wohnt" 32, 1. In den Act Thom ist erotische Symbolik u Lichtsymbolik gnostiziert, kompakt im Hochzeitslied 6f (p 109, 1—110, 20), vgl weiter 14 (p 120); 27 (p 142, 15f). Das sog Ev Veritatis beginnt: „Das Ev der Wahrheit ist Freude für die, die die Gnade empfangen haben vom Vater der Wahrheit" Ev Veritatis[113] 16, 31. Aus den kpt-gnostischen Schriften ist zu nennen: „Und es (sc das All) freute sich u jubelte u gebar in seiner Freude Myriaden von Myriaden Äonen; sie wurden ,die Geburten der Freude' genannt" Unbekanntes altgnostisches Werk 2[114] (p 337, 23ff). „Und er gab ihnen das Lob, die Freude, den Jubel, die Fröhlichkeit, den Frieden (εἰρήνη), die Hoffnung (ἐλπίς), den Glauben (πίστις), die Liebe (ἀγάπη) u die unveränderliche Wahrheit (ἀλήθεια)" 15 (p 357, 1ff).

In den mandäischen Schriften ist nicht häufig von der Freude die Rede. Aber wo sie auftaucht, da als selbstverständliches Charakteristikum des Heils: Die Seligen in der Lichtwelt *freuen sich, hüpfen, springen* Lidz Liturg 38, weiter wird erwähnt der *große Tag der Freude* 134, *Freude* steht par zu *Leben* 196, vgl O Sal 31, 6f. Für die Manichäer ist die Erlösung Aufstieg in den ἀήρ der Freude[115].

---

sich an gar nichts, — vom Standpunkt des κόσμος aus gesehen". Vgl Philo → 356, 17ff.

[107] Bultmann J 450f: „Gott spendet Erfüllung, indem er sich dadurch zu Jesus — zu seinem eigenen Werk der Offenbarung — bekennt."

[108] Vgl noch χαρά par ἀγαλλίασις 1 Cl 63, 2.

[109] *Freude* auch im Präskript von Ign Phld.

[110] Vgl Herm v I 3, 4; III 3, 2; 12, 3; s I 10.

[111] Die Schau des Mysten ist voller ἡδονή u χαρά Mithr Liturg 10, 21f, vgl auch das Schlußgebet des Λόγος τέλειος Preis Zaub I 3, 599f, s Reitzenstein Hell Myst 285f; Bultmann J 387 A 1. Ähnliches findet sich in der Beschreibung des Isismysteriums Apul Met XI 24, 6.

[112] χαῖρε λοιπόν, ὦ τέκνον, ... ἦλθεν ἡμῖν γνῶσις χαρᾶς. παραγενομένης ταύτης, ὦ τέκνον, ἡ λύπη φεύξεται εἰς τοὺς χωροῦντας αὐτήν Corp Herm 13, 8. Gegenüber steht die λύπη als zweite der τιμωρίαι. Der mit Freude erfüllte Myste kann Gott preisen χαίρω ἐν χαρᾷ νοῦ 13, 18; dieser freut sich über Hymnen Herm Trismeg fr 23, 69, bei Stob Ecl I 407, 11ff.

Gnostischer Offenbarungsstil findet sich fr 23, 29f. 51 bei Stob Ecl I 393, 26ff; 402, 14ff. Gott freut sich, daß seine Werke sich bewegen. Mit der Lehre von den δυνάμεις ist die Struktur der Ethik von Grund auf verwandelt. Die Tugenden sind nicht mehr Eigenschaften des Subj, sie konstituieren dieses vielmehr so, daß es nur in ihnen existent ist, Heil nicht nur hat, sondern ist. Entsprechendes gilt auf der Unheilsseite. Siehe A-JFestugière, La révélation d'Hermès Trismégiste III (1953) 153—174.

[113] ed MMalinine uam (1956).

[114] übers CSchmidt-WTill, Kpt-gnostische Schriften, GCS 45 ³(1959). Weiteres Material bei WCTill, Die gnostischen Schriften des kpt Pap Berolinensis 8502, TU 60 (1955) Regist sv ⲣⲁϣⲉ. Vgl weiter die Regist der → 332 A 243—245 genannten Schriften sv ⲣⲁϣⲉ bzw ⲣⲉϣⲉ.

[115] A Manichaean Psalm-Book 245, ed CRCAllberry, Manichaean Manuscripts in the Chester-Beatty-Collection II (1938) 52, 18.

χάρις, χαρίζομαι, χαριτόω, ἀχάριστος

A. Profangräzität.

1. Sprachgebrauch.

a. Grundlage des Sprachgebrauchs ist die Verwandtschaft mit
χαίρω[1]. χάρις ist das *Erfreuende*[2] ναυσιφορήτοις δ' ἀνδράσι πρῶτα χάρις ἐς πλόον ἀρχομέ- 10
νοις πομπαῖον ἐλθεῖν οὖρον (*günstiger Wind*) Pind Pyth 1, 33f; ὄλωλα, τέκνον, οὐδέ μοι
χάρις βίου *das Leben hat für mich keinen Reiz mehr* Eur Hipp 1408. Das Erfreuende ist
zum einen der Zustand, der Freude erweckt, zum anderen die Tat, die Freude bereitet
(→ 351, 27ff). Zum Zshg von χαίρω u χάρις[3] vgl Eur Ion 646f: ἔα δ' ἔμ' αὐτοῦ ζῆν·
ἴση γὰρ ἡ χάρις, μεγάλοισι χαίρειν σμικρὰ ϑ' ἡδέως ἔχειν, Hippocr, De aere aquis locis 22 15
(CMG I 1 p 75, 8ff): τιμώμενοι χαίρουσιν οἱ θεοὶ καὶ θαυμαζόμενοι ὑπ' ἀνθρώπων καὶ ἀντὶ
τουτέων χάριτας ἀποδιδοῦσιν. Hier ist das typische Motiv der Erwiderung zu erkennen.

Weiteres in: Manichäische Homilien, ed
HJPolotsky, Manichäische Hdschr der Samm-
lung AChester Beatty I (1934) Regist sv ⲣⲉⲩⲉ;
Kephalaia zB 83 (p 200, 27f); 84 (p 205, 20;
206, 9) ed HJPolotsky-ABöhlig, Manichäische
Hdschr der staatlichen Museen Berlin 1 (1940).

χάρις κτλ. Lit: Allgemein: GPWetter,
Charis, UNT 5 (1913). — Zu A: OLoew, χάρις
(Diss Marburg [1908]); JStenzel, Rezension
von FTaeger, Thukydides, GGA 188 (1926)
203f. — Zu B: NGlueck, Das Wort ḥesed im
at.lichen Sprachgebrauch als menschliche u
göttliche gemeinschaftsgemäße Verhaltungs-
weise, ZAW Beih 47 ²(1962); WFLofthouse,
Ḥen and Ḥesed in the Old Testament, ZAW 51
(1933) 29—35; LGulkowitsch, Die Entwicklung des Begriffes ḥāsīd im AT (1934);
CHDodd, The Bible and the Greeks ²(1954)
59—65; JAMontgomery, Hebrew *hesed* and
Greek *charis*, HThR 32 (1939) 97—102;
NHSnaith, The distinctive Ideas of the Old
Testament (1944) 94—130; HJStoebe, Gottes
hingebende Güte u Treue חֶסֶד וֶאֱמֶת. I: Bdtg
u Gesch des Begriffes חֶסֶד (Diss Münster
Maschinenschrift [1950]); ders, Zu Js 40, 6,
Wort u Dienst NF 2 (1950) 122—128; ders,
Die Bdtg des Wortes ḥäsäd im AT, VT 2
(1952) 244—254; WLReed, Some Implications
of ḥēn for Old Testament Religion, JBL 73
(1954) 36—41; ARJohnson, Hesed and ḥāsîd,
Festschr SMowinckel (1955) 100—112; DRAp-
Thomas, Some Aspects of the Root hnn in the
Old Testament, Journal of Semitic Studies 2
(1957) 128—148; GFarr, The Concept of
Grace in the Book of Hosea, ZAW 70 (1958)
98—107; EEFlack, The Concept of Grace in
Biblical Thought, Festschr HCAlleman (1960)
137—154; AJepsen, Gnade u Barmherzigkeit
im AT, Kerygma u Dogma 7 (1961) 261—271;

KKoch, ... denn seine Güte währet ewiglich,
Ev Theol 21 (1961) 531—544; KWNeubauer,
Der Stamm ch n n im Sprachgebrauch des
AT (Diss Berlin Kirchliche Hochschule [1964]);
AEGoodman, חסד and תודה in the Linguistic
Tradition of the Psalter, Festschr DWThomas
(1968) 105—115. — Zu D: Trench 99—104;
JMoffatt, Grace in the NT (1931); WManson,
Grace in the NT, in: The Doctrine of Grace,
ed WTWhitley (1932) 33—60; ALang, Die
Gnade in den joh Schriften, Christentum u
Wissenschaft 8 (1932) 408—414; JWobbe, Der
Charis-Gedanke bei Pls, NTAbh 13, 3 (1932);
RWinkler, Die Gnade im NT, ZSTh 10 (1933)
642—680; RHomann, Der Begriff der
Gnade in den synpt Ev, ZSTh 11 (1934)
328—348; Bultmann Theol⁶ 281—305 u
Regist sv Gnade u χάρις; CRSmith, The Bible
Doctrine of Grace (1956); WGrundmann, Die
Übermacht der Gnade, Nov Test 2 (1958)
50—72. — Zu E: AHarnack, „Sanftmut,
Huld u Demut" in der alten Kirche, Festschr
JKaftan (1920) 113—129; NBonwetsch, Zur
Gesch des Begriffs Gnade in der alten Kirche,
Festschr AHarnack (1921) 93—101; WRoslan,
Die Grundbegriffe der Gnade nach der Lehre
der Apost Vät, Theol Quart 119 (1938) 200
—225. 275—317. 470—503; TFTorrance, The
Doctrine of Grace in the Apostolic Fathers
(1948).

[1] Zur Etymologie → 350 A 3, doch ist
die Bildung der Formen mit -ι- oder -ιτ- (Gen
χάριτος, Acc χάριν u χάριτα) singulär. [Risch]
Die Vermischung von Dental- u Vokalstamm
ist bei χάριν u ἔριν alt, Schwyzer I 464; Bl-
Debr § 47, 3. Das NT hat überwiegend χάριν,
χάριτα steht Ag 24, 27 Cod B uam; Jd 4.
[2] χάρις hat also trans Bdtg. Die *Fröhlichkeit*
ist χαρά, → Loew 32.
[3] Vgl Hesych sv χάρις, δωρεάς.

In dem Wort χάρις zeigt sich das spezifisch griech Verhältnis zur Welt. χάρις ist das erfreuliche Wesen, die *Anmut*[4], die nicht vom Schönen her aufgefaßt ist, sondern vom Erfreuenden des Schönen her Aesch Ag 417, vgl 421f; Plat Leg II 667b—d; sie ist der erfreuliche Zustand, die *Gunst* des Schicksals Aesch Ag 484, das Reizvolle bei Pers Eur Ba 236 (→ Z 8); vgl ferner Plut Amat 5 (II 751d): χάρις . . . ἡ τοῦ θήλεος ὕπειξις (*Willfährigkeit*) τῷ ἄρρενι κέκληται πρὸς τῶν παλαιῶν. Im Hell wird χάρις zum *Liebes-zauber* (→ 366, 19) Luc Alex 5, vgl Preisigke Sammelbuch I 4324,7f. Im Plur steht es in ähnlichem Zshg: οἰνῶπας (*tiefrot*) ὄσσοις χάριτας 'Ἀφροδίτης ἔχων Eur Ba 236, von Worten Hom Od 8,175; Demosth Or 4, 38. Auch hier ist das Moment des Erfreulichen der Ausgangspunkt, zB Plat Gorg 462c, wo χάρις neben ἡδονή steht. χάρις als Wirkung ist die *Gunst*, die erwiesene u die empfangene, wobei Erweis u Empfang zusammen-gesehen sind χάρις χάριν γάρ ἐστιν ἡ τίκτουσ' ἀεί Soph Ai 522, vgl Oed Col 779; Eur Herc Fur 134; Aristot Rhet II 7 p 1385a 16. Entsprechendes gilt für die Götter Hippocr, De aere aquis locis 22 (CMG I 1 p 75, 8ff; → 363 ,16f), vgl Ditt Syll[3] II 708, 25. 30f (um 100 vChr). Die χάρις kann Gesinnung oder Empfindung, etwa *Sympathie*, sein (→ Z 44ff)[5], weiter deren Äußerung in Gebärde u Tat, die *Gefälligkeit* Hom Od 5, 307, entsprechend χαρίζομαι (→ 365, 17ff) Plat Tim 20b, mit Gen obj *aus Gefälligkeit gegen* . . . τῶν Μεσσηνίων χάριτι πεισθείς Thuc III 95,1. Als *Gefälligkeit* ist χάρις eine Tat, die Freude bereitet μίαν δὲ νῷν δὸς χάριν, ἄναξ, ἱκνούμεθα Eur Herc Fur 321, vgl 327. Politischer Bezug findet sich in der Rede des Perikles Thuc II 40, 4[6]: Die χάρις Athens gg andere Staaten wird durch die Konsequenz der Gewährung zum ὀφείλημα. Auch wo man von der χάρις der Götter redet, ist diese von der objektiven erfreuenden Wirkung her gesehen Aesch Ag 182; 581. Zugeordnete Verben sind ua δίδωμι Aesch Prom 821f; Eur Herc Fur 321; Menand Epit 55, ἀποδίδωμι Ditt Syll[3] III 1268 col 1,14 (3. Jhdt vChr), φέρω Hom Il 5, 211, vom Empfänger her ἐξαιτέομαι Soph Oed Col 586, λαμβάνω Soph Oed Tyr 1004, εὑρίσκω in der LXX (→ 379, 8). Das Moment der Gegen-seitigkeit führt zu den Bdtg der geschuldete *Erweis* mit ὀφείλω Aesch Prom 985 u der geleistete, der *Dank* Soph Ant 331, vgl die Wendung τοῖς θεοῖς χάρις Xenoph An III 3,14. Diese Bdtg ist nicht primär, sondern ergibt sich von gratia reddita her: φι-λότητος ἀμειβόμεναι χάριν Soph El 134; τὴν ἀμοιβὴν τῆς πρὸς τοὺς εὐεργέτας χάριτος Diod S 1, 90, 2. Das Spiel mit den beiden Bdtg *Gabe* u *Dank* findet sich Soph Oed Col 779; Ai 522, der Gedanke der Wechselseitigkeit Aristot Eth Nic V 8 p 1133a 3—5. Freilich kann die Freiwilligkeit betont werden Aristot Rhet II 7 p 1385a 17ff (→ 365, 5ff). Auch diese Bdtg drückt sich in der Verbindung mit Verben aus: χάριν ἔχω *in Gunst stehen* Eur Or 244 u *danken* Xenoph An II 5,14; in der epistolarischen Wendung χάριν ἔχω θεοῖς πᾶσιν POxy I 113,13 (2. Jhdt nChr)[7], häufig οἶδα, zB Hdt III 21, 3[8], γιγνώ-σκω Philostr Vit Ap II 17 (p 60, 5), ἀποδίδωμι Plat Resp I 338b, volkstümlich von der geschuldeten Pietät: der Frühverstorbene konnte seinen Eltern nicht den *geschuldeten Dank* abstatten, er starb οὐδὲ γονεῦσιν ἑοῖς ἀποδοὺς χάριν Gr VI I 1822,7 (2. Jhdt vChr)[9]. Präpos Wendungen sind: ἐς χάριν *zu Gefallen* Soph Oed Tyr 1353, πρὸς χάριν, mit πράσ-σω Soph Oed Col 1774ff, mit λέγω Eur Hec 257. χάριν mit Gen heißt *um willen*[10], *jmd zu Gefallen*, μηδὲ ψεύδεσθαι γλώσσης χάριν Hes Op 709 *der Zunge zuliebe, aus Nach-giebigkeit gg die Zunge; mit Rücksicht auf, wegen*.

Das Wort ist in klass Zeit weit gestreut. χάρις ist die *Gunst* der Götter Aesch Ag 182; 581[11]. Sehr häufig steht es bei Eur, zB Ba 534—536[12], in der Prosa bei Plat Leg VII 796c; VIII 844d. Obwohl man von der Gunst der Götter redet, ist χάρις kein zen-

---

[4] Das Wort wird mit verwandten Wörtern zusammengestellt, zB κάλλος Hom Od 6, 237; Sir 40, 22, κόσμος Plut, De Demosthene 7 (I 849b). Opp ist λύπη Soph El 821; Tob 7,17. Die Anmut ist freilich vergänglich: ἐρωτηθείς τί τάχιστα γηράσκει εἶπε (sc Aristot)· „χάρις" Gnomologium Vaticanum (ed LSternbach, Texte u Komm 2 [1963]) Nr 138.

[5] Sie steht neben εὔνοια Plat Leg XI 931a, πραότης Plut Col 2 (II 1108b), ἐπιείκεια Isoc Or 4, 63, ἔπαινος Plut Adulat 11 (II 55b). Opp ist ἔχθρα Demosth Or 19, 85, ὀργή 19, 91, φόβος Thuc I 9, 3.

[6] → Stenzel 204.

[7] Siehe Preisigke Wört sv χάρις. Vgl Hb 12, 28.

[8] *Dank wissen* trifft den Sinn nicht genau. Der Grieche denkt nicht an eine zurückzu-gebende, sondern an die empfangene χάρις, also: scio gratum mihi factum esse, → Loew 9.

Der Grund für etw kann durch den Gen Xenoph Cyrop I 6,11 oder den Dat Plut Alex 62 (I 699f) angegeben werden, weiter durch Part σωθέντες Xenoph An II 5,14.

[9] Vgl WPeek, Griech Grabgedichte (1960) 160,7. Vgl GrVI I 1680,10 (3./2. Jhdt vChr; Peek 163,10). Der Tote betrügt die Eltern um den Lohn ihrer Liebeserweise; er liegt im Grab τὰς γονέων ψευσάμενος χάριτας GrVI I 1584, 4 (2./1. Jhdt vChr; Peek 211, 4).

[10] Schwyzer II 551f: χάριν ist urspr Satz-apposition *als Gefälligkeit*, vgl gratia; κακῆς γυναικὸς χάριν ἄχαριν ἀπώλετο Eur Iph Taur 566.

[11] Das Motiv von der Gunst der Götter muß mit der Idee der göttlichen Gerechtigkeit zu-sammengesehen werden, s HPatzer, Die An-fänge der griech Tragödie (1962) 169.

[12] Dazu → Moffatt 27.

traler religiöser Begriff (→ A 11). Daß χάρις auch kein philosophischer Begriff wird, zeigt der Befund bei Plat; es heißt da zB *Wohlgefallen* Gorg 462c; Soph 222e, *Gunst, Gewogenheit* Symp 183b, *Freude, Vergnügen* Phaedr 254a, *was* (den Göttern) *gefällt* Leg VII 976c, *Gunst* Leg VIII 844d, *Dank* χάριν ἔχω Phileb 54d; vgl das Verbum χαρί- ζομαι (→ Z 17ff). Aristot definiert dann den Begriff Rhet II 7 p 1385a 17ff: ἔστω 5 δὴ χάρις, καθ' ἣν ὁ ἔχων λέγεται χάριν ὑπουργεῖν δεομένῳ μὴ ἀντὶ τινός, μηδ' ἵνα τι αὐτῷ τῷ ὑπουργοῦντι, ἀλλ' ἵνα ἐκείνῳ τι, vgl Eth Nic V 8 p 1132b 21ff[13]. Von dem Stoiker Cleanthes ist der Buchtitel περὶ χάριτος überliefert Diog L VII 175[14]. Die Stoa betont die Gesinnung: itaque negamus quemquam scire gratiam referre nisi sapientem: non magis quam beneficium dare quisquam scit nisi sapiens Sen ep 10, 81, 10. Der ästhe- 10 tische Grundsinn hält sich aber auch in der Ethik durch: Die χάρις fügt zur ἀρετή das- selbe hinzu, was καλός zu ἀγαθός hinzufügt[15].

In der Hermeneutik der Historiographie sind χάρις u ἀπέχθεια Motive, die den Histo- riker zur Entstellung der Tatsachen verleiten können Luc, Quomodo historia sit con- scribenda 38[16]. Sie entsprechen studium u ira in der berühmten Erklärung Tac 15 Ann I 1, 3

b. Das Verbum χαρίζομαι ist vom Subst her bestimmt: *Erfreu- liches erweisen, sich* in Wort u Tat *gefällig erweisen* Hom Od 14, 387; Ditt Syll[3] I 354, 5 (3. Jhdt vChr); Diod S 14, 11, 1; Jos Ant 17, 222. Es hat den Dat[17] der Pers bei sich, zB τοῖς θεοῖς Xenoph Mem IV 3, 16, vgl Cyrop III 2, 29, den Acc der Sache, zB δῶρα 20 Hom Od 24, 283. χαρίζομαι im Pass bedeutet *angenehm sein*, bes im Perf: κεχάριστο δὲ θυμῷ Hom Od 6, 23, so vor allem das Part Perf, von einer Pers: ἐμῷ κεχαρισμένε θυμῷ Hom Il 5, 243, von Sachen: κεχαρισμένα δ' αἰεὶ δῶρα θεοῖσι δίδωσι 20, 298f, vgl Plat Euthyphr 14b[18].

c. χαριτόω ist nicht vor LXX Sir 18, 17 belegt. 25

d. ἀχάριστος heißt *ohne Charme*, von Worten Xenoph An II 1, 13; es bedeutet auch *undankbar* Hdt I 90, 4[19].

2. Sonderentwicklungen im Hellenismus.

a. Die spätantike Entwicklung[20], die für das NT bedeutsam ist, verläuft in zwei Richtungen[21]: χάρις wird stehender Ausdruck für die *Gunsterweisungen* 30 des Herrschers, häufig in Inschr: τῆι τοῦ θεοῦ Κλαυδίου χάριτι Edikt des Tiberius Ale- xander Ditt Or II 669, 28f (68 nChr), vgl das Dokument des Kaiserkultes Ditt Syll[3] II 798, 8ff (Zeit des Caligula): οὗτοι δ' ἐ(κ) τῆς Γαΐου Καίσαρος χάριτος εἰς συναρχίαν τη- λικούτων θεῶν γεγόνασι βασιλεῖς, θεῶν δὲ χάριτες τούτῳ διαφέρουσιν ἀνθρωπίνων διαδοχῶν, ᾧ ἡ νυκτὸς ἥλιος καὶ τὸ ἄφθαρτον θνητῆς φύσεως, vgl noch Ditt Syll[3] II 814, 17ff (Rede 35 des Nero). Meist wird der Plur gebraucht, in der konkreten Bdtg *Geschenk*, neben δωρεαί Ditt Syll[3] II 814, 18f. Im Sing kann χάρις auch *gnädige Gesinnung* heißen, neben φιλανθρωπία (→ 108, 8ff) Ditt Or I 139, 20f (2. Jhdt vChr), es kann aber auch der Er- weis betont werden, vgl ἔργα χάριτος Ditt Or I 383, 9 (1. Jhdt vChr). χάρις als *gnädige Gabe* ist Ditt Syll[3] II 814, 20ff von εὔνοια unterschieden. Natürlich bleibt auch in der 40 Spätantike die ethische Bdtg erhalten. Bei Plut steht es neben πραότης Col 2 (II 1108b), εὔνοια Adulat 34 (II 72f); De Romulo 15 (I 26b); De amicorum multitudine 2 (II 93f), φιλία De Lycurgo 4 (I 41c). Das Wort wird auch von anderen Würdenträgern gebraucht,

---

[13] ADihle, Die Goldene Regel, Studien- hefte z Altertumswissenschaft 7 (1962) 66 A 3.

[14] Fr davon finden sich bei Sen Ben VI 12, 2; 10, 2; V 14, 1. Chrysippus schreibt περὶ χαρίτων, s vArnim III 205, 27ff u die Auf- zählung der Fr ebd. Zur Charis in der Stoa vgl MPohlenz, Die Stoa I [3](1964) 141; über die weitere Tradition bis Sen Ben vgl Pohlenz I 317f.

[15] → Stenzel 203.

[16] GAvenarius, Lukians Schrift zur Ge- schichtsschreibung (1956) 49—54.

[17] Zum Dat bei Verben der freundlichen u feindlichen Einstellung u deren Äußerung Schwyzer II 144f.

[18] Pass im NT: 1 K 2, 12; Phlm 22; Ag 3, 14; s Bl-Debr § 311, 2.

[19] Das Verbum ἀχαριστέω steht Ditt Syll[3] I 495, 159 (um 230 vChr), in magischem Zshg: τοὺς δὲ ἀπαλλαγέντας καὶ ἀχαριστήσαντα[ς] BGU IV 1026, 22, 16 (4. Jhdt nChr).

[20] → Wetter passim; → Moffatt 52—67.

[21] Vom technischen Gebrauch von χάρις *Schenkungsurkunde*, zB εἰς ἕτερόν τι δαπα- νήσ[εσ]θαι τὴν χάριν *die Schenkungsurkunde zu einem anderen Zweck verwenden* POxy IV 705, 63 (um 200 nChr), kann hier abgesehen werden, s dazu Preisigke Wört sv.

so in der Ehreninschrift für den Präfekten Ägyptens Ditt Or II 666,7f (Zeit Neros): διὰ δὲ τὰς τούτου χάριτας καὶ εὐεργεσίας, Z 21: τὰς ἰσοθέους αὐτοῦ χάριτας. Ein Sonderfall ist der *Gnadenerweis* im Prozeß. PFlor I 61, 61f (um 87 nChr) lautet der Spruch des Statthalters: χαρίζομαι δέ σε τοῖς ὄχλοις (sc zur Entscheidung)[22]. In den heidnischen Märtyrerakten[23] heißt es: καὶ τοῦτο ἡμῖν χάρ[ισ]αι, Κύριε Καῖσαρ POxy I 33 col 2,15f (2. Jhdt nChr). Von der *Gnade* Gottes ist naturgemäß nicht in den Inschr die Rede, wohl aber in der Philosophie Epict Diss I 16,15. Die Philosophenschulen streiten über Gottes ira u gratia (→ V 389, 5ff), vgl das Referat bei Lact, De ira dei 2,7f; 4,1—5,7. Die Epikureer bestreiten jeden Affekt, neque ira neque gratia teneri Cic Nat Deor I 17, 45. Die Stoiker dgg schreiben Gott gratia zu, nicht aber ira Lact, De ira dei 2, 8. Vom Empfänger der Gnade her ist χάρις der *Dank* an den Wohltäter, wobei der Grundsatz der Angemessenheit gilt χάριτας ἀξίας ἀποδιδόναι τοῖς εἰς [αὐ]τοὺς εὐεργετοῦσι Ditt Syll³ II 613, 36f (um 185 vChr).

b. Die zweite Entwicklung: χάρις wird zur Macht, die geradezu substantiell wird[24]. Natürlich wohnt in der χάρις von Anfang an eine *Macht*[25], uz eine übernatürliche, die Macht der Liebe Eur Hipp 527, des Eides Eur Med 439. Aber im Hell wandelt sich das Machtverständnis von Grund auf[26]. Macht wird zur Potenz, die aus der Überwelt einströmt, religiöse Qualität Corp Herm 1, 32; 13, 12; Ascl 41[27]. Sie erscheint im θεῖος ἀνήρ[28], u sie äußert sich im Zauber[29].

Conzelmann

B. Altes Testament.

Die LXX (→ 379, 6ff) verwendet χάρις vor allem zur Wiedergabe des hbr חֵן.

1. חנן und Derivate.

a. Das Nomen חֵן ist als substantivierter Inf der Form qill vom Verbum חנן herzuleiten[30]. Wenn man[31] den Versuch gemacht hat, חנן als denominiertes Verbum von urspr חֵן herzuleiten, so ist darin der weiten u frühen Verbreitung des Verbalstammes, der keine entsprechende Verbreitung des Nomens חֵן gegenübersteht, nicht genügend Rechnung getragen. Der Verbalstamm ist als ḫanānu im Mittel- u Neubabylonischen[32] u als enēnu(m) (enānum) im Altakkadischen, Alt- u Jungbaby-

---

[22] Vgl Mk 15,15; s Deißmann LO 229.

[23] Jetzt bei HMusurillo, Acta Alexandrinorum (1961) 54.

[24] Die Entwicklung ist von → Wetter 40—46 herausgearbeitet.

[25] → Moffatt 21—29. Er behauptet einen von Anfang an vorhandenen chthonischen Aspekt der χάρις 29. Von da aus erkenne man, wie χάρις, die *Gunst* aus einer übernatürlichen Quelle, den spezifisch religiösen Sinn zwischen Machtwirkung u Zauber gewinne. Er verweist auf Aesch Sept c Theb 702f; Soph Oed Col 1751f; Eur Heracl 1036f. Hier ist die qualitative Verwandlung des Denkens verkannt.

[26] Diese Wandlung ist eine umfassende u zeigt sich in einer breiten Begrifflichkeit, zB πνεῦμα (→ VI 349, 9ff uö), δόξα (→ II 255, 21ff), überh in allen Begriffen der Manifestation. Auch die analoge Wandlung der Formbegriffe μορφή (→ IV 750,12ff), σχῆμα (→ VII 954, 29ff), εἰκών (→ II 386,15ff) usw ist zu berücksichtigen. Es handelt sich um eine Revolution nicht nur des Denkens, des Weltbildes, sondern der letzten Voraussetzungen eines Weltbildes, um die am deutlichsten in der Gnosis greifbare Entwertung der griech

ontologischen Kategorien. Zu Philo → Wetter 46. Vgl die Verwandtschaft der Gnade bzw Güte von O Sal 33 mit der γνῶσις Corp Herm 1, 26; 13, 8; νοῦς Corp Herm 4, 2f, → Wetter 111.

[27] → Moffatt 52—55.

[28] LBieler, ΘΕΙΟΣ ΑΝΗΡ I (1935) 52—56. Die χάρις äußert sich in der Schönheit des θεῖος ἀνήρ Porphyr Vit Pyth 18, vgl schon Hom Od 6, 235f. Sie erweist sich ferner in der Rede Luc Demon 6, vgl Philostr Vit Ap V 37 (p 198, 26f). In der chr Lit finden sich verwandte Motive Prot Ev Jk 7, 3; Act Pl et Thecl 3, dazu Bieler 50—52.

[29] δός μοι πᾶσαν χάριν, πᾶσαν πρᾶξιν (→ VI 643,13f) Preis Zaub I 4, 3165; δὸς δόξαν (→ II 255, 21ff) καὶ χάριν 4,1650. Vgl weiter 4,198. 1616f. 2437ff u die Belege bei → Wetter 131 —140.

[30] HBauer-PLeander, Historische Grammatik der hbr Sprache des AT (1922) § 61d.

[31] WJGerber, Die hbr Verba denominativa, insbesondere im theol Sprachgebrauch des AT (1896) 207.

[32] BMeißner-WvSoden, Akkadisches Handwörterbuch I (1965) sv ḫanānu.

lonischen, sowie im Altassyrischen in der Bdtg *Vergünstigung gewähren* belegt[33]. In den El-Amarna-Texten[34] schreibt Rib-Addi von Byblos an den Pharao: „Wenn der König, mein Herr, sich meiner erbarmt (ji-iḫ-na-nu-ni) u mich nach der Stadt zurückbringt, dann werde ich sie schützen wie früher" Tafel 137, 81ff u in einem Schreiben Labajas, der vor dem Pharao seine Unschuld beteuert, ist ganz ähnlich zu hören: „Es 5 möge uns gnädig sein (ji-en-ni-nu-nu-mi) der König!" Tafel 253, 24f. Das Verbum ist dann außer im Hbr noch im Ugaritischen, Aram, Syr u Arab zu finden[35].

b. Das Verbum חנן kommt im Grundstamm[36] 56mal vor[37] u bezeichnet das gütige, in hilfreicher Tat sich erweisende Sich-Hinkehren einer Pers zu einer anderen. Man[38] hat eine Grundbedeutung *sich beugen, geneigt sein* vermutet. 10 In חנן wird aber nicht nur eine gütige Gesinnung ausgesagt u von diesem innerlichen Gestimmtsein dann die äußere Tat der Hilfe als etw anderes abgelöst. Vielmehr meint das Verbum d i e i n e i n e m b e s t i m m t e n g ü t i g e n T u n s i c h d e m a n d e r e n z u -w e n d e n d e H a l t u n g e i n e r P e r s o n[39]. Das wird etwa da bes deutlich erkennbar, wo die Gabe, in der sich die Zuwendung manifestiert, in einer Konstr mit doppeltem 15 Acc ohne weitere Präp mit Acc angeschlossen wird. So ist Jahwe nach Gn 33, 5 (E) dem Jakob in der Gabe seiner Kinder *gnädig* gewesen. Nach Ps 119, 29 *begnadet* Jahwe mit dem Gesetz[40].

Meist wird חנן allerdings mit dem einfachen Acc der Pers, an der das חנן geschieht, konstruiert. Darin wird das Gefälle des Verbums, das die gnädige Zuwendung zu einem 20 anderen ausdrückt, ganz deutlich. Nur ganz am Rande kann dabei auch einmal eine unpers Größe genannt sein, etwa wenn Ps 102, 15 davon redet, daß die Knechte Jahwes Zions Steine *lieben* רצה u daß es sie des Schuttes Jerusalems *jammert* חנן Po'el[41]. Man hat stark unterstrichen, daß in der Prägung von חנן nicht nur das Subj des Handelns, sondern auch das Obj, der Empfänger der Handlung, entscheidend mitgedacht sei: 25 חנן antwortet auf einen Mangel, ein Fragen. So kann es denn geradezu durch ענה *ant-worten* ersetzt werden[42]. Es meint den Vorgang, in dem sich der, der etw hat, dem, der nichts hat, gütig zuwendet, wobei es aber nicht nur um einen unpers Vorgang der Übereignung von Dingen geht, sondern um die im Herzen beteiligte Zuwendung des Handelnden zu dem, an dem gehandelt wird. 30

חנן ist keineswegs schon von Haus aus ein theol geprägtes Verbum. Die Gestalt des Menschen, der sich des *Armen* אֶבְיוֹן Prv 14, 31 u *Niedrigen* דָּל Prv 28, 8 erbarmt, indem er *gibt* נוֹתֵן Ps 37, 21 u *leiht* מַלְוֵה Ps 37, 26; 112, 5, vgl Prv 19, 17, tritt vor allem im Weisheitsbereich auf. Daneben aber kann sich das חנן im Kriege da, wo der Bewehrte dem Wehrlosen entgegentritt, zeigen[43]. Solches *Verschonen* des Schwachen erfährt 35 seine bindende Festigung, wo mit den Unterworfenen ein Bund geschlossen wird Dt 7, 2. Das חנן wird aber von Hiob auch da gefordert, wo er als der Gottgeschlagene die Bedrängnis durch die Reden seiner Freunde erleidet Hi 19, 21. Dann kann חנן einmal auch ganz verblassen zur Bezeichnung freundlicher Rede Prv 26, 25.

---

[33] Meißner-vSoden aaO (→ A 32) sv enēnum I.

[34] ed JAKnudtzon, Vorderasiatische Bibliothek 2, 1 (1915).

[35] → Neubauer 5—9 mit A 23—45.

[36] Zum hitp → 369, 1ff. Das ho kommt Js 26, 10 u Prv 21, 10 vor, das pi Prv 26, 25, das Po'el Ps 102, 15 u Prv 14, 21. Das scheinbare ni in Jer 22, 23 ist Textfehler.

[37] In der LXX wird חנן q in 43 Fällen mit ἐλεέω bzw ἐλεάω, zehnmal mit οἰκτ(ε)ίρω u je einmal mit δέομαι Mal 1, 9 u προσκαλέομαι Hi 19, 17 wiedergegeben, dazu ist noch das ἀνθέξεται an der allerdings sehr frei wiedergegebenen St Hi 33, 24 u erwähnen.

[38] Ges-Buhl sv; → Ap-Thomas 128—130.

[39] Die weitergehende These von → Neubauer 55: „In seiner eigtl, frühen Hauptbedeutung drückt ch n n eine Verpflichtung des Herrn aus, in Form eines gemeinschaftsgemäßen Verhaltens des Herrn gg seinen Knecht" führt mit der Akzentuierung der Verpflichtung ein Element ein, das dem Verbum חנן nicht eigen ist.

[40] Es ist von da aus zu fragen, ob nicht auch das אוֹתָם (allerdings Mask) in Ri 21, 22 zu belassen u die Aussage dahingehend zu verstehen ist, daß die ihrer Töchter beraubten Einwohner von Silo die Benjaminiten durch die Überlassung ders *begnaden*.

[41] Hier möchte es zunächst scheinen, als bezeichne חנן lediglich eine innere Empfindung. Das eigtl hilfreiche Handeln wird dann nach v 17 von Jahwe erwartet. Allerdings zeigt gleich nachher v 18, daß auch die Menschen, welche die Not Zions jammert, durch ihr flehendes Beten an der Wende des Geschickes Zions mit mehr als nur einem Gefühl beteiligt sind. Zum bittenden Eintreten vgl auch Hi 33, 24.

[42] → Stoebe ḥäsäd 245 mit A 4.

[43] Vgl die negativen Aussagen Dt 28, 50; Thr 4, 16.

c. Seine eigentliche Entfaltung erfährt das Verbum חנן
dann allerdings da, wo es mit der Gottesaussage verbunden wird. In 41 von den
56 Vorkommen des Grundstammes von חנן im alttestamentlichen Kanon ist Jahwe
Subjekt der Aussage. 26 Stellen entfallen auf die Psalmen, wo das חָנֵּנִי im Munde
5 des Beters des Klageliedes nicht weniger als 19mal zu vernehmen ist [44]. Jahwe,
den der Beter im Zusammenhange damit gerne ausdrücklich mit Namen anruft [45],
wird mit diesem Ruf angerufen, das Gebet zu erhören (Ps 4, 2), zu heilen (6, 3; 41, 5),
das Elend des Beters vor seinen Feinden anzusehen (9, 14), ihn zu erlösen (26, 11),
ihn aufzurichten (41, 11), seine Sünde zu tilgen (51, 3), seinem Knecht seine Stärke
10 zu verleihen (86, 16). Zur Begründung der Bitte kann auf die eigene Schwachheit
des Beters (6, 3), sein Alleinsein (25, 16), seine Bedrängtheit (31, 10; 123, 3), sein
Schreien (86, 3), aber auch auf sein Halten der Gebote (26, 11) verwiesen werden.
In den zuerst genannten Begründungen verrät sich die Gewißheit des alttestamentlichen Glaubens, daß Jahwe sich allezeit gerade den Schwachen und Verlo-
15 renen zuzuwenden liebt. Die spezifisch alttestamentliche Prägung dieses Hilfe-
schreis, der im Gebet der Völker aller Welt zunächst seine reichen Parallelen findet,
ist dann da zu finden, wo der Beter an die Bundeshuld [46] oder geradezu an Jahwes
eigenes Wort [47] appelliert. Von diesem Hintergrunde her erfährt auch der Segensspruch des Priesters, der um die gnädige Zuwendung Jahwes bittet, sein eigent-
20 liches Gewicht. Scheint es in dem Spruch Josephs über Benjamin: „Gott sei dir
gnädig, mein Sohn!" (Gn 43, 29) um einen allgemein gebräuchlichen Segenswunsch
zu gehen, so verweist der Segen Aarons (Nu 6, 25) [48], in dem nach Nu 6, 27 der
Name Jahwes auf das Volk gelegt wird, auf einen Gnadenwillen Jahwes, der sich
seinem Volke in seinem besonderen Bund versprochen hat. Daß dieses Gnädig-
25 sein dann aber doch allezeit Jahwes freie Gabe bleibt, wird im Wort an den Bundes-
mittler Mose in ärgerniserregender Härte zu Gehör gebracht: „Ich bin gnädig,
wem ich gnädig bin, und erbarme mich, wes ich mich erbarme!" (Ex 33, 19) [49].
חנן tritt hier, wie noch öfters (Js 30, 18; 27, 11, vgl auch Ps 102, 14), neben das
verwandte רחם. Daß das Erbarmen Jahwes sich auch mit dem Gerichte des Hei-
30 ligen paaren kann, wird in Am 5, 15 erkennbar, wo als äußerste Möglichkeit eines
allenfalls noch denkbaren Erbarmens das Gnädigwerden Jahwes gegenüber dem
Reste Josephs ausgesagt wird. Im weiteren fällt aber auf, daß abgesehen von dieser
Stelle die große Schriftprophetie in ihren Unheils- wie Heilsworten die Erwähnung
von חנן völlig vermissen läßt [50].
35   Welche Bedeutung die Rede vom Gnädigsein Jahwes für den alttestamentlichen
Glauben hat, wird weiter aus der gewichtigen, im liturgischen Gebrauch behei-

---

[44] Ps 9, 14 ist so zu lesen. Vgl dazu weiter
das zweimalige חָנֵּנוּ Ps 123, 3.
[45] Der Eigenname יהוה steht Ps 6, 3;
9, 14; 30, 11; 31, 10; 41, 5. 11; 123, 3, אֱלֹהִים
51, 3; 56, 2; 57, 2, אֲדֹנָי 86, 3.
[46] כְּחַסְדְּךָ Ps 51, 3, dazu → 374, 24.
[47] כְּאִמְרָתֶךָ Ps 119, 58. — 2 Kö 13, 23 redet
offen vom Erbarmen Jahwes um des Bundes
mit den Vätern willen.
[48] Er findet in Ps 67, 2 seinen Widerhall.
[49] So empfiehlt es sich nicht, חנן in seinem

theol Verständnis zu eng mit dem Bund zu
verbinden, wie das → Neubauer 145 tut:
„Der Stamm ch n n drückt in seiner theol
Verwendung, wie in der profanen, das gemeinschaftsgemäße Verhalten des Herrn seinem
gemeinschaftstreuen Knecht gegenüber aus."
Vgl auch → A 39.
[50] Es steht Js 27, 11; 30, 18f; 33, 2 im q,
26, 10 im ho in sekundären St; Jer 22, 23 ist
Textfehler. Das hitp kommt Hos 12, 5 vor
(→ 369, 21). Mal 1, 9 findet es sich bei einem
späten Ausläufer der Prophetie.

mateten Prädikation חַנּוּן וְרַחוּם[51] erkennbar. In dieser Reimbildung, die wieder die Stämme חנן und רחם verbindet, ist eine der relativ seltenen adjektivischen Prädikationen Jahwes zu finden. Entsprechend der Bedeutung von חנן und רחם will sie nicht als eine Aussage über ein Sein, sondern über ein Handeln Jahwes verstanden sein. Den elf Belegen für die Doppelformel[52] stehen nur zwei Stellen mit verein- 5 zeltem חַנּוּן[53] gegenüber. Sie ist mit der einzigen Ausnahme von Ps 112, 4[54] immer auf Gott bezogen. Ihre eigentliche Heimat ist die gottesdienstliche Beschreibung und Rühmung Jahwes. So findet sie sich denn auch in der feierlichsten Namensproklamation Jahwes im Rahmen der Sinai-Bundesgeschehnisse (Ex 34, 6). Die Stelle dürfte als die Ätiologie eines gottesdienstlichen Geschehens am Heiligtum 10 zu verstehen sein.

d. Neben dem Grundstamm von חנן tritt vor allem noch das hitp mit 17 Belegen stärker heraus[55]. Mit ihm wird das Tun dessen beschrieben, der das חָנֵּנִי ruft. Es ist auch hier zu erkennen, daß das Verbum keineswegs an den religiösen Bereich gebunden bleibt. Es redet davon, wie Joseph aus seiner Bedrängnis 15 heraus seine Brüder *anfleht* Gn 42, 21, wie der bedrohte Scharführer Elia 2 Kö 1, 13, der kranke Hiob seine Knechte Hi 19, 16 u Esther den persischen König *bittet* Est 4, 8; 8, 3. Daneben redet allerdings eine Mehrzahl von St dann auch vom *Flehen* vor Jahwe: Mose *bittet* Jahwe, das Land schauen zu dürfen Dt 3, 23. Im Zshg von Salomos Tempelweihgebet ist mehrfach vom *Bittflehen* die Rede 1 Kö 8, 33. 47. 59; 9, 3; 2 Ch 6, 24. 37, 20 auch Jakobs Hos 12, 5 u der Psalmbeter Ps 30, 9; 142, 2 Gebet kann mit diesem Verbum beschrieben werden.

e. Vom hitp von חנן her sind dann auch die zwei substantivischen Bildungen mit t-Präfix zu verstehen[56]. Die Ersetzung des תְּחִנַּת עַבְדְּךָ von 1 Kö 8, 30 durch תַּחֲנוּנֵי עַבְדְּךָ in der chronistischen Parallele 2 Ch 6, 21 weist תַּחֲנוּנִים als 25 das der jüngeren Zeit geläufigere Wort aus. Zugleich zeigt die Ersetzung, daß die Worte in jüngerer Zeit als bedeutungsgleich verstanden wurden. Aber auch diese Nomina zeigen noch die Freiheit der Anwendungsmöglichkeit auf das Flehen vor Menschen u vor Gott. Die Baruocherzählung kann die Bitte Jer an Zedekia u die Bitte des Volkes vor Gott gleichermaßen als תְּחִנָּה bezeichnen, vgl Jer 37, 20; 38, 26 mit 36, 7. 30 Ebs kann תַּחֲנוּנִים vom *Flehen* des Armen vor dem hartherzigen Reichen gebraucht werden Prv 18, 23, während es anderswo, zumal in den Ps, das *Bittgebet* vor Jahwe meint Ps 28, 2. 6; 31, 23 uö.

Daneben ist nun allerdings zu erkennen, daß תְּחִנָּה auch einmal das *Erbarmen* des Eroberers gegenüber dem Besiegten Jos 11, 20 u das *Erbarmen* Jahwes gg sein Volk 35 Esr 9, 8 aussagen kann, dh die bisher noch fehlende Substantivbildung zum Grundstamm von חנן bietet. An einer einzigen St, Jer 16, 13, findet sich in dieser gleichen Bdtg auch das sonst nicht mehr belegte חֲנִינָה *Gnade, Erbarmen*. נתן חֲנִינָה umschreibt hier in gewichtiger substantivischer Formulierung das schlichtere חנן.

f. Man möchte nun die substantivische Entsprechung zum ver- 40 balen חנן in erster Linie in dem substantivierten Inf חֵן (→ 366, 25f) erwarten. Analog dem נתן חֲנִינָה von Jer 16, 13 scheint sich auch hier die Redewendung נתן חֵן nahe-

---

[51] Die Reihenfolge der Worte kann auch umgestellt werden.
[52] Ex 34, 6; Jl 2, 13; Jon 4, 2; Ps 86, 15; 103, 8; 111, 4; 112, 4; 145, 8; Neh 9, 17. 31; 2 Ch 30, 9.
[53] Ex 22, 26; Ps 116, 5. An dieser letzteren St ist allerdings in dem bald darauf folgenden מְרַחֵם unschwer der Nachhall des Entsprechungswortes רַחוּם zu erkennen.

[54] Die hier vorliegende Anwendung der Formel auf den Gerechten ist wohl aus der heimlichen Anlehnung des Ps 112 an Ps 111 zu verstehen, vgl 112, 3b mit 111, 3b, auch 112, 8a mit 111, 8a. Dazu WZimmerli, Zwillingspsalmen, Festschr JZiegler (1972).
[55] Die LXX überträgt das hitp mit (κατα-)δέομαι, im Buch 'Εσϑ mit παραιτέομαι 4, 8 u ἀξιόω 8, 3.
[56] Dazu Bauer-Leander aaO (→ A 30) § 61nη; xη.

zulegen, die als vollere Entfaltung des חנן das Gnadenhandeln, das im Verbum חנן
von einem Subj her auf das Obj des Gnadenempfängers hin ausgesagt wird, substantivisch herausstellt. Nun ist in der Tat die Formulierung נתן חֵן mehrfach zu finden
Gn 39, 21; Ex 3, 21; 11, 3; 12, 36; Ps 84, 12; Prv 3, 34; 13, 15. Genaueres Zusehen
führt aber auf die überraschende Wahrnehmung, daß diese Phrase anders gelagert ist
als das נתן חֲנִינָה von Jer 16, 13 u somit auch auf eine ganz andere Prägung des חֵן-
Begriffes gegenüber dem חֲנִינָה der genannten St führt. Blieb das חֲנִינָה ganz im Gefälle der verbalen Aussage חנן, indem es die *gnädige Guttat*, die vom Geber ders herkommt, aussagte u somit die Beziehung auf den Geber anklingen ließ, so zeigt חֵן eine
ganz auffallende Ablösung der gnädigen Guttat vom Geber u die Verlagerung des dadurch geschaffenen Wertes in den Gabeempfänger[57]. חֵן ist die *Angesehenheit, Anmut*,
dann oft mit stark ästhetischer Akzentuierung die *Schönheit* u der *Liebreiz* des mit חֵן
Begabten. So will Jahwe den ausziehenden Israeliten *Wohlangesehenheit* in den Augen
der Ägypter geben, so daß diese den Israeliten beim Auszug ihre kostbaren Gefäße
leihen Ex 3, 21; 11, 3; 12, 36. Ps 84, 12 sagt, daß Jahwe den Seinen *Gnade u Herrlichkeit* gebe. So wie כָּבוֹד die gravitas, die den Menschen auszeichnende Gewichtigkeit
u Würde bezeichnet, so חֵן die dem Menschen eignende *Wohlgefälligkeit*, die nun von
den anderen an ihm wahrgenommen wird. Möchte man in Prv 3, 34 noch etw von der
alten Relation zwischen dem reichen Geber u dem armen Empfänger, die im Verbum
חנן zu erkennen war, finden, wenn hier Jahwe gerade den Armen חֵן verleiht, so ist
etwa in Prv 13, 15 ganz deutlich, daß ein nun den Menschen auszeichnendes, an ihm
hängendes Gut gemeint ist, wenn hier gesagt wird, daß gute Einsicht *Gunst* einbringt.
Ganz deutlich ist diese Umprägung in Gn 39, 21, der einzigen St, die חֵן mit Suffix
bietet, zu erkennen. Hier heißt es: „Jahwe war mit Joseph... u gab ihm *Gunst* וַיִּתֵּן
חִנּוֹ in den Augen des Gefängnisobersten". Das Suffix von חֵן geht dabei nicht, wie
man es von dem verbalen חנן her erwarten möchte, auf den Spender des חֵן, sondern
auf den Empfänger; oder soll man nun geradezu sagen: den Eigentümer des חֵן?(!) חֵן
strahlt von dem Träger auf einen Dritten aus. In dem von Jahwe verliehenen חֵן ist
nicht weiter auf das Gnadenverhältnis, das zwischen Geber u Beschenktem besteht,
reflektiert, sondern auf das Verhältnis zwischen dem חֵן-Träger u dem Dritten, vor
dessen Augen der חֵן des חֵן-Trägers seine Wirkung tut.

g. Diese Beziehung ist dann ganz deutlich in der Phrase, die in
nicht weniger als 43 von den insgesamt 70 חֵן-St im hbr Kanon vorliegt: *Gnade finden
in den Augen* eines anderen... מָצָא חֵן בְּעֵינֵי. Hier ist von einer Aktivität des חֵן-
Spenders, wie sie in der Grundform des verbalen חנן beschlossen lag, gar nicht mehr
die Rede. חֵן ist Qualifikation des חֵן-Trägers, die dieser *vor den Augen*, dh also unter
der distanzierend ausgesagten Betrachtung eines anderen gewinnen oder, wie die Formel
lautet, *finden* kann. Da das מצא den Weg, auf welchem dem Menschen חֵן zukommt,
nicht näher kennzeichnet, liegt über diesem Vorgang ein Schimmer des Geheimnisses.

Diese Formel kann auf die Beziehung von Gott u Mensch angewendet werden. *Noah
fand Gnade in den Augen Jahwes* Gn 6, 8 (J). Darin schwingt nun unzweifelhaft etw
vom Geheimnis freier göttlicher Entscheidung mit, nach der hier Noah *Wohlangesehenheit* bei Gott findet. Nicht anders verhält es sich da, wo Jahwe zu Mose sagt: „Ich
habe dich mit Namen erkannt (→ I 698, 10ff mit A 37), u du hast Gnade gefunden in
meinen Augen" Ex 33, 12[58]. An anderen St dgg zeigt sich, daß die Redewendung stärker
formelhaften Klang bekommt. Wenn Mose nach Nu 11, 15 in einem auffallenden Oxy-
moron sagen kann: „Töte mich doch (dh laß mich doch sterben), wenn ich Gnade gefunden habe in deinen Augen", so würde man die Wendung sinngemäß übertragen
können: „Tu mir den Gefallen!" oder: „Bitte, bitte! Töte mich doch".

Ungleich häufiger aber findet sich die Wendung ... מצא חֵן בְּעֵינֵי im profanen Sprachgebrauch. Jakob schickt Esau Geschenke u fügt begründend dazu: *damit ich Gnade
finde in deinen Augen* Gn 32, 6, vgl 33, 8. Hier geht es noch um die ausgesprochene Ab-

---

[57] Dieses Abrücken der Struktur von חֵן
gegenüber derjenigen der verbalen Formulierung wird in den Erörterungen über חֵן meist
übersehen, vgl etwa → Snaith 94—130; →
Reed 36—41.

[58] Die Formulierung ist in Ex 33, 13. 16f
nicht weniger als viermal wiederholt, vgl noch
34, 9, u bildet die Basis für die kühnen Bitten
Moses.

sicht, Versöhnung vor dem Zorn des Bruders zu erlangen, was an die früher erwähnte Bdtg auch des Verbums חנן erinnert (→ 368, 14ff). Mit der gleichen Formel ist von dem *Ansehen* geredet, das sich Joseph im Hause des Potiphar erwirbt Gn 39, 4, oder vom *Wohlgefallen*, das eine Frau bei ihrem Manne gewinnt bzw nicht gewinnt Dt 24, 1[59]. Daneben sind aber auch hier Belege zu finden, in denen die Phrase, zumal in ihrer Verwendung im Konditionalsatz *wenn ich Gnade gefunden habe in deinen Augen*, zur reinen Formel der Höflichkeitssprache verblaßt ist[60].

h. Wie wenig von dem vollen Gewicht der Gottesgnade noch in der Vokabel חֵן liegt, ist daran zu ermessen, daß das Wort im Gebetbuch des Psalters mit seiner Fülle von verbalen חנן-Formulierungen im Zshg der Bitten völlig fehlt. Nur zweimal ist חֵן im Psalter zu finden, einmal in der schon erwähnten Wendung, daß Jahwe *Gnade u Herrlichkeit* gibt Ps 84, 12, u zum anderen da, wo von der *Anmut* auf den Lippen des königlichen Bräutigams die Rede ist 45, 3. Diesem fast völligen Fehlen von חֵן in den Ps steht die stattliche Zahl von 13 Belegen in den Prv gegenüber, wo vom *Wohlgefallen*, das einer *vor Gott u den Menschen* gewinnt 3, 4, vom *lieblichen Kranz* לִוְיַת חֵן 1, 9; 4, 9, von dem *Schmuck für den Hals* חֵן לְגַרְגְּרֹתֶיךָ 3, 22 u der *anmutigen Gazelle* 5, 19 unter Verwendung des nun rein ästhetisch akzentuierten חֵן geredet wird. So steht חֵן in 31, 30 par zu יֹפִי; bei Qoh aber ist unter diesem Wort von der dem Menschen zufallenden *Gunst* die Rede 9, 11; 10, 12.

Das Wort חֵן, das im übrigen fast nie mit Artikel und nie im Plural verwendet wird, hat somit eine eigenartige Sinnverschiebung durchgemacht. In dem vom Grundstamm des Verbums ausgesagten Gnadenerweis (→ 367, 8ff) hat sich das darin enthaltene Element der Zuteilung eines Gutes verselbständigt und zu einem teilweise stark ästhetisch akzentuierten Element der Qualifikation des Gnadempfängers gewandelt. In dem חֵן חֵן, mit dem nach Sach 4, 7 die Gemeinde die Wiederauffindung des Tempelgrundsteins begrüßt[61], ist ein ganz verselbständigtes: „Gut! Gut!" oder: „Schön! Schön!"[62] zu hören. Eine stärkere Annäherung an die Grundbedeutung von חנן scheint man lediglich in Sach 12, 10 finden zu können. Wenn hier von der Ausgießung einer רוּחַ חֵן וְתַחֲנוּנִים die Rede ist, in der das Haus Davids und die Bewohner von Jerusalem zur Klage über den geheimnisvollen Unbekannten, den sie durchbohrt haben, bewegt werden, so scheint חֵן in seiner wortspielartigen Verbindung mit תַּחֲנוּנִים wieder von seinem verbalen Ursprung her verstanden zu werden. An die Stelle der Verhärtung der Jerusalemer tritt die Fähigkeit des *Erbarmens*[63] und des *Bittflehens*. Hier möchte man חֵן in seiner Bedeutung an חֲנִינָה und die Nebenbedeutung von תְּחִנָּה heranrücken.

Die auffallende Fixierung der Bdtg von חֵן, die dieses in seinem Normalgebrauch stark vom Bedeutungsgehalt des Verbums abrückt, schafft nun aber eine spürbare Lücke im Wortfeld von חנן. Unter den Derivaten von חנן fehlt ein klares substantivisches Entsprechungswort zu חנן. Die gelegentliche Verwendung von תְּחִנָּה u חֵן, die normalerweise ganz anders akzentuiert sind, zeigt den nur ganz spärlich gemachten Versuch, die Lücke doch mit einer Ableitung von חנן zu schließen. Daß das nicht häufiger auf diesem Wege geschieht, hängt nun wohl doch damit zus, daß sich in die Lücke im Wortfeld ein anderes Subst geschoben hat, das die Lücke wirklich zu füllen vermag: das Wort חֶסֶד, das die LXX in der Regel mit ἔλεος überträgt. Diese Übers,

---

[59] Vgl dazu bes auch Est 2, 15. 17; 5, 2 mit seiner jüngeren Formulierung נָשָׂא חֵן.

[60] In dieser Höflichkeitssprache findet sich dann auch die demütige Selbstbezeichnung *dein Knecht* Gn 19, 19 (→ V 657, 6ff).

[61] KGalling, Die Exilswende in der Sicht des Propheten Sach, VT 2 (1952) 27.

[62] ESellin, Das Zwölfprophetenbuch, Komm AT 12 [2.3] (1930) übersetzt „Bravo, bravo ihm!".

[63] THRobinson-FHorst, Die Zwölf Kleinen Propheten, Hndbch AT I 14 [3] (1964) übersetzt mit *Mitleid*, KElliger, Das Buch der Zwölf Kleinen Propheten II, ATDeutsch 25 [5] (1964) zSt u Sellin aaO (→ A 62) mit *Rührung*.

die חֶסֶד mit dem griech Nomen wiedergibt, das zu ἐλεέω, dem LXX-Äquivalent von
חנן, gehört, kann die Nähe der beiden Wörter deutlich machen. Mit ἔλεος wird aber
auch חֲנִינָה übertragen.

2. חֶסֶד (→ II 475, 30 ff).

a. Die nochmalige Berücksichtigung von חֶסֶד legt sich auch von
der Wahrnehmung her nahe, daß einerseits in der jüngeren Sprache des AT ein auf-
fallendes Zusammenrücken von חֵן u חֶסֶד erfolgt[64], wobei allerdings dann חֶסֶד seine
ältere Eigenart zugunsten der Bdtg von חֵן verliert, u daß andererseits auch die jüngeren Übersetzer חֶסֶד u χάρις immer entschiedener aufeinander beziehen[65].

Die → II 476, 1 ff erwähnte These[66], nach welcher חֶסֶד eine dem Recht-Pflicht-Ver-
hältnis entsprechende Verhaltensweise ist, hat in neuerer Zeit lebhafte Bestreitung
erfahren[67]: Von der einen Seite wird חֶסֶד als Ausdruck für eine gütige Gesinnung oder
Freundlichkeit verstanden[68]. Darin, daß dann auch von einem עָשָׂה חֶסֶד-Erweis (חֶסֶד עָשָׂה)
die Rede sein kann, soll ein sekundärer Einfluß von der verwandten Vokabel רַחֲמִים
(→ V 161, 32 ff) her, die von Hause aus die einzelne Guttat meint, zu erkennen sein.
Von anderer Seite[69] wird die logische Zerreißung von gutem Willen u gutem Werk abgelehnt u der komplexe Inhalt von חֶסֶד festgehalten, so daß eine einheitliche Übers
fast unmöglich ist. Aber auch hier wird die Verbindung von חֶסֶד mit dem Bundes-
verhältnis entschieden abgelehnt u darauf hingewiesen, daß die ausdrückliche Verbindung von חֶסֶד u בְּרִית im AT keineswegs sehr oft belegt sei[70].

Dieser Widerspruch richtet sich ohne Zweifel mit Recht gg eine zu straff rechtliche
Fassung des חֶסֶד-Verständnisses u eine zu enge Beziehung desselben auf einen fixierten
Bund. חֶסֶד enthält immer wieder ein Element spontaner Freiheit des Güteerweises
u -verhaltens u ist keinesfalls auf das Geschuldete u Pflichtmäßige zu reduzieren.
Andererseits aber verkennt diese Polemik dann doch wieder das in den Texten erkennbare Wesen des חֶסֶד als eines Verhaltens in der Beziehung u der Bewährung dieser
Beziehung. Es ist erwiesene oder zum Erweis bereitstehende Huld in einer Beziehung.
חֶסֶד ist, so sehr in dem ihm oft zugesetzten Suffix auch immer wieder die Richtung
vom חֶסֶד-Spender her sichtbar gemacht wird, doch nie nur vom Einzelnen her gedacht.
Es setzt eine bestehende Gemeinschaft voraus und unterscheidet sich
dadurch von חנן, bei dem es um das Gefälle vom einen zum anderen
hin (→ 367, 20f), nicht aber um die Bewährung einer Gemeinschafts-
beziehung geht. So ist vom חֶסֶד zwischen Gastgeber u Gast Gn 19, 19, zwischen
Verwandten Gn 47, 29, Verbündeten 1 S 20, 8, zwischen Herrscher u Gefolgsmann
2 S 16, 17, aber auch zwischen dem durch eine Hilfeleistung einem anderen Verbundenen u jenem anderen Ri 1, 24; Jos 2, 12. 14 die Rede[71]. Diese Güte im Bereich eines
bestimmten Verhältnisses ist auch in 1 Kö 20, 31, einer St, an der man am ehesten
noch eine freie *Barmherzigkeit* ausgesagt finden möchte, zu erkennen. Wenn hier die
Ratgeber des in dem eroberten Aphek am Leben gefährdeten Benhadad diesem raten,
mit einem Trauergewand an den Lenden u Stricken um den Kopf zum König von
Israel hinauszugehen u sich ihm zu ergeben, weil ja die Könige von Israel als מַלְכֵי חֶסֶד
bekannt seien, dann raten sie Benhadad, sich auch nach seinem äußeren Habitus in
die Lage des Schutzflehenden zu begeben u darauf zu vertrauen, daß der König von
Israel sich auf dieses Sonderverhältnis zwischen Menschen hin anreden lasse u darin
die gnädige Huld des Schutzgebers gewähre.

Die freie Beweglichkeit, mit der vor allem in den älteren erzählenden Texten חֶסֶד
in den verschiedensten menschlichen Beziehungen ohne jeden besonderen theol Akzent
auftritt, legt es nahe, in חֶסֶד zunächst einen im zwischenmenschlichen Bereich be-

---

[64] Bes deutlich etwa in Est 2,17. Nach →
Neubauer 29f liegen חֵן u חֶסֶד schon an ihrem
Ursprung kaum unterscheidbar nebeneinander; → A 39. 49.
[65] → Dodd 61; → Montgomery 100.
[66] → Glueck 3—21 u passim.
[67] → Stoebe ḥäsäd 247f; → Jepsen 264
—267.

[68] → Stoebe ḥäsäd 247f.
[69] → Jepsen 266.
[70] → Jepsen 265.
[71] → Johnson 107f tastet nach dem rechten
Ausdruck für חֶסֶד, der zwischen *Gnade* mercy
u *geschuldeter Pflicht* liegen müßte, u bringt die
Begriffe loyalty u devotion, die je eine Seite
des חֶסֶד-Begriffes betonen, in Vorschlag.

heimateten Begriff zu sehen. Eine nähere etym Erhellung des Wortes, das aus dem Bereich einer soziologisch festgefügten Volksgruppe zu stammen scheint, ist bis heute noch nicht möglich. Das Wort ist zwar wohl nachbiblisch im Neuhbr, jüd Aram u Syr wiederzufinden[72], hat aber in den älteren semitischen Sprachen noch keine Entsprechung gefunden. Die Verbindung mit arab ḥsd *sich zusammentun, um jmd beizu-* 5 *stehen*[73] ist zweifelhaft[74]. Das Subst hat im Hbr keine verbale Entsprechung[75].

Das im zwischenmenschlichen Bereich gebrauchte חֶסֶד ist dann auch in die Nähe der Aussagen vom Bundschluß geraten. Daß aber die Alternativfrage: Ist חֶסֶד die Voraussetzung des Bundes[76], oder ist umgekehrt der Bund Voraussetzung des חֶסֶד[77]? verfehlt ist, kann das Nebeneinander von Gn 21, 23 u 1 S 20, 8 zeigen. Bittet an der 10 erstgenannten St Abimelech den Abraham, ihm חֶסֶד zu erweisen, wie er ihm solchen erwiesen habe, u aus diesem Grunde einen Bund mit ihm zu schließen, so appelliert nach der zweiten St David an den Bund, den Jonathan mit ihm geschlossen hat, u bittet, daß Jonathan um dieses Bundes willen חֶסֶד an ihm erweise. Beide St zeigen, wie dann auch einmal aufgrund eines חֶסֶד-Erweises oder einer בְּרִית der Gegenerweis 15 des חֶסֶד erbeten werden kann. An solchen St könnte sich am ehesten noch das Empfinden einer gewissen Pflichtgemäßheit des חֶסֶד einstellen.

Bedeutsam ist, daß חֶסֶד schon im profanen Gebrauch gerne mit אֱמֶת (→ I 233, 4ff; VI 185, 31ff) verbunden wird. Der dem חֶסֶד eigene Zug der Beständigkeit u des in Treue Gültigen ist darin ausdrücklich in einer Zweitvokabel herausgestellt[78]. 20

b. Seine eigentliche Bedeutsamkeit erhält der חֶסֶד-Begriff im Alten Testament dann aber in seiner Verbindung mit Jahwe. Er bietet sich hier in besonderer Weise an, um das Geschehen im Bund zwischen Jahwe und Israel zu kennzeichnen. So ist denn zu sehen, daß er Eingang findet in die großen 25 hymnischen Prädikationen Jahwes, in denen alttestamentlicher Glaube das Wesen Jahwes zu beschreiben sucht. In der zweiten Jahweprädikation des Dekalogs, die an das zweite Gebot angeschlossen ist (Ex 20, 5b—6), wird die innere Spannung, die dann in der Geschichte des alttestamentlichen Bundesvolkes vor seinem Gott zum Austrag gelangt, in der Verbindung zweier Aussagen über Jahwe erkennbar: Jahwe, der im Bunde seinem Volke Zugewendete, ist zugleich der um sein Recht 30 Eifernde (אֵל קַנָּא)[79]. Die חֶסֶד-Aussage gehört auf die Seite der Aussagen, die Jahwes Bundeshuld an seinem Volke aussagen. So wird Jahwe als der Gott prädiziert, „der Bundeshuld übt (עֹשֶׂה חֶסֶד) auf tausend Generationen hinaus[80] an denen, die mich lieben und meine Gebote halten". Die Verwendung des עשה חֶסֶד macht deut-

---

[72] Ges-Buhl sv חסד I.

[73] So erwägt es → Glueck 67f im Gefolge von FSchulthess, Homonyme Wurzeln im Syr (1900) 32, anders → Snaith 95—98, der auf arab ḥsd *beneiden* zurückgehen u darin die Wurzel finden möchte, von der auch חֶסֶד *Schmach* Lv 20, 17 herzuleiten sein soll.

[74] Vgl die Bedenken von TNöldeke, Neue Beiträge zur semitischen Sprachwissenschaft (1910) 93.

[75] Das Ps 18, 26 = 2 S 22, 26 belegte hitp ist denominiert.

[76] In dieser Richtung möchte man die Ausführungen von → Stoebe ḥäsäd 247f verstehen.

[77] Vgl etwa → Snaith 95: אַהֲבָה is the cause of the covenant; חֶסֶד is the means of its continuance.

[78] DMichel, ʾÄmät. Untersuchung über „Wahrheit" im Hbr, Archiv für Begriffs-

geschichte 12 (1968) 56: „In der Wendung ḥäsäd u ʾämät bezieht sich ʾämät auf die Erfüllung eines Versprechens, einer Verheißung, eines Eides, eines Segens oder eines Zeichens. Die beiden Wörter stehen in dieser Wendung also nicht parataktisch, sondern ʾämät ist als qualifizierende Apposition zu ḥäsäd zu deuten. Die feste Reihenfolge der Wörter ist also sachlich begründet. — Im Deutschen geben wir in diesem Fall am besten „u (zwar) ʾämät" durch ein Adj wieder: versprochener, zugeschworener, verheißener oä ḥäsäd".

[79] WZimmerli, Das Gesetz u die Propheten. Zum Verständnis des AT, Kleine Vandenhoeck-Reihe 166/168 ²(1969) 88—91.

[80] Dt 7, 9 expliziert das לַאֲלָפִים von Ex 20, 6 ausdrücklich in לְאֶלֶף דּוֹר.

lich, daß es sich auch hier nicht um eine Seinsbeschreibung, sondern um den Hinweis auf die sich in Tat umsetzende Huld handelt. In dem *auf Tausende hinaus* wird festgehalten, daß der חֶסֶד, der in der ersten Dekalogpräambel (Ex 20, 2) seine geschichtliche Explikation im Hinweis auf das Credogeschehen der Herausführung aus Ägypten erfährt, ungleich mächtiger ist als der brennende Zorn des Eifernden. So kehrt חֶסֶד auch an anderer Stelle in den Jahweprädikationen wieder, mögen sie dann noch den Hinweis auf den Sünde Heimsuchenden enthalten oder sich einseitig auf die Heilsformulierung beschränken. Statt des einfachen עָשָׂה חֶסֶד (Ex 20, 6; Dt 5, 10; Jer 9, 23; 32, 18) kann es steigernd heißen רַב חֶסֶד וֶאֱמֶת (Ex 34, 6; Ps 86, 15)[81] oder נֹצֵר חֶסֶד (Ex 34, 7) oder חָפֵץ חֶסֶד (Mi 7, 18). Es kann חֶסֶד ausdrücklich durch den Hinweis auf den Bund ergänzt werden[82].

Die weiteren Elemente der Prädikation aber erläutern, was mit dem חֶסֶד-Tun Jahwes gemeint ist: Das אֵל רַחוּם וְחַנּוּן (→ 368, 35ff) zeigt die innere Nähe des חנן zu dem עָשָׂה חֶסֶד. In dem אֶרֶךְ אַפַּיִם, das mehrfach als erstes Glied dem (וֶאֱמֶת) רַב חֶסֶד vorangestellt wird Ex 34, 6; Nu 14, 18; Jl 2, 13; Jon 4, 2; Ps 86, 15; 103, 8; Neh 9, 17, kommt wie in נֹשֵׂא עָוֹן וָפֶשַׁע וְחַטָּאָה Ex 34, 7, vgl Nu 14, 18 die *Huld*, die Sünde vergibt, zum Ausdruck, ebs in טוֹב וְסַלָּח Ps 86, 5 u in אֱלוֹהַּ סְלִיחוֹת Neh 9, 17. Das הָאֵל הַנֶּאֱמָן von Dt 7, 9 bringt das sonst in אֱמֶת ausgesagte Moment der Treue noch voller zur Sprache. Das Wissen um die Wende des Unheils äußert sich in der nachexilischen Zeit in dem נִחָם עַל־הָרָעָה der jüngeren Prädikationen von Jl 2, 13 u Jon 4, 2.

Im weiteren entfaltet sich dann vor allem in den Psalmen das volle Leben des Glaubenden und Rufenden angesichts des göttlichen חֶסֶד. So verschwindend selten חֵן in den Psalmen begegnet, so reich ist nun das Vorkommen von חֶסֶד. Nicht weniger als 127 von den insgesamt 237 Stellen von חֶסֶד im hebräischen Kanon entfallen allein auf die Psalmen[83]. Unter diesen 127 Vorkommen entfallen nur drei auf den zwischenmenschlichen חֶסֶד (109, 12. 16; 141, 5). Unter ausdrücklicher Beschwörung des göttlichen חֶסֶד, der hier als der große Hintergrund einer göttlichen Gesamthaltung hinter den einzelnen חֶסֶד-Erweisen gesehen wird[84], ruft der Beter seinen Gott an und bittet Jahwe zu hören (119, 149), zu retten (109, 26), zu erlösen (44, 27), zu beleben (119, 88. 159), zu vergeben (25, 7). Im Dankliedbericht kann gerühmt werden, wie Jahwe in seinem großen חֶסֶד dem Beter den Besuch des Heiligtums gewährt (5, 8) oder sich des Unheils gereuen läßt (106, 45). Es kann in Verbalsätzen erzählt werden, daß Jahwe in seinem חֶסֶד des Beters Elend angesehen (31, 8), ihn gestützt (94, 18) hat, ihn nicht hat fallen lassen (21, 8), ihn vor den Feinden gerettet (59, 11), die Feinde selber vernichtet (143, 12), gerecht vergolten (62, 13), den Beter vom Tode errettet (86, 13) hat. Neben der Verbindung חֶסֶד וֶאֱמֶת (25, 10; 40, 11; 57, 4; 61, 8; 85, 11; 86, 15; 89, 15, vgl 26, 3; 57, 11; 69, 14; 115, 1; 117, 2; 138, 2; 77, 9 vl) finden sich טוֹב וָחֶסֶד (23, 6) und חֶסֶד וּמִשְׁפָּט (101, 1). Als Parallelausdrücke zu חֶסֶד begegnen *Heil* יְשׁוּעָה (13, 6; 18, 51; 119, 41), *Erbarmen* רַחֲמִים (25, 6; 40, 12; 51, 3; 103, 4, vgl Thr 3, 22), *Gerechtigkeit* (dh Heil) צְדָקָה (Ps 36, 11; 103, 17, vgl 40, 11), *Gerechtigkeit und Recht* (33, 5), *Erlösung* (130, 7), *Treue* (36, 6; 88, 12;

---

[81] Ohne אֱמֶת Nu 14, 18; Jl 2, 13; Jon 4, 2; Ps 86, 5; 103, 8. גְּדָל־חָסֶד heißt es Ps 145, 8.
[82] שֹׁמֵר הַבְּרִית וְהַחֶסֶד Dt 7, 9; 1 Kö 8, 23; Da 9, 4; Neh 1, 5; 9, 32, vgl Dt 7, 12.
[83] Dazu zwei Vorkommen in den Klageliedern, 3, 22 u 3, 32.

[84] עַל־חַסְדְּךָ Ps 6, 5; 44, 27; 115, 1, כְּחַסְדְּךָ 25, 7; 51, 3; 109, 26; 119, 88. 124. 149. 159, בְּחַסְדְּךָ 31, 17, בְּרָב־חַסְדְּךָ 69, 14, כְּטוּב חַסְדֶּךָ 109, 21 vl; 69, 17 vl. Vgl auch das לְמַעַן טוּבְךָ 25, 7.

89, 2f. 34; 92, 3; 100, 5, vgl 40, 11; 89, 50). Wie wenig der חֶסֶד selbstverständliche, bloße Pflicht des Bundesherrn ist, wird aus der Verbindung mit der Rede vom Wunder (107, 8. 15. 21. 31) oder geradezu aus der Bitte um das Wunder des חֶסֶד (17, 7; 31, 22) erkennbar, auch darin, daß über dem חֶסֶד sich Freude (31, 8; 90, 14; 101, 1) und Lobpreis (138, 2) erheben und daß man von ihm als einer Krone (103, 4) 5 reden kann. Unter Verwendung räumlicher Kategorien kann von der Größe des חֶסֶד geredet werden, dessen die Erde voll ist (33, 5; 119, 64) und der bis zum Himmel reicht (36, 6; 57, 11; 103, 11; 108, 5). Bis in Ewigkeit dauert Jahwes חֶסֶד (89, 3; 103, 17; 138, 8). Aus der Tiefe der großen Zerschlagenheit heraus wagt der Beter 10 der Klagelieder zu glauben, daß der חֶסֶד auch jetzt noch kein Ende habe (Thr 3, 22).

Eine Grenze nur scheint gesetzt zu sein: „Kann denn im Tode von deiner Bundeshuld חֶסֶד erzählt werden, von deiner Treue in der Totenwelt?" (Ps 88, 12). Möchte es von daher scheinen, daß der Mensch dann doch mit allen Kräften zuerst einmal 15 nach dem Leben als dem höchsten Gut, das ihm auch die Begegnung mit dem חֶסֶד ermöglicht, greifen müßte, so steht dem in einer seltsam unlogischen Weise, die für die Bedeutung des חֶסֶד höchst aufschlußreich ist, die Aussage gegenüber: „Deine Bundeshuld (חַסְדְּךָ) ist besser als das Leben" (63, 4). Darin wird erkennbar, wie voll es dem Glauben Israels letzten Endes um die im חֶסֶד ausgesagte Zuwendung 20 Jahwes geht. Neben ihr wird auch ein vom חֶסֶד isoliertes Leben schal und des Begehrens nicht wert.

> Vom חֶסֶד Jahwes kann dann gelegentlich fast wie von einer Persönlichkeit geredet werden: Jahwe sendet ihn 57, 4, der חֶסֶד wird beordert 42, 9, er kommt entgegen 59, 11. 18 vl; 89, 15, begegnet 85, 11, folgt dem Menschen 23, 6. Zu des Menschen 25 Verhalten vor dem חֶסֶד aber gehört neben dem *Gedenken* 106, 7, dem *Betrachten* 48, 10, *Verstehen* 107, 43 des חֶסֶד auch — u darin verrät sich erneut die Freiheit, in der Jahwe seinen חֶסֶד-Erweis nie einfach als Pflicht zuteilt —, das *Warten* auf den חֶסֶד 33, 18. 22; 147, 11[85]. Neben der Beziehung des חֶסֶד auf den Bund mit Israel 106, 45 findet sich auch seine besondere Beziehung auf den Davidbund 89, 29[86]. 30

Das Rühmen Jahwes über den Reichtum seines חֶסֶד hat sich zu festen liturgischen Formulierungen verdichtet. Hier ist der antiphonische Kehrvers: *Denn in Ewigkeit währt sein* חֶסֶד zu erwähnen[87], der seinen Sitz im Leben im Gesang der heilsgeschichtlichen Hymnen (Ps 136) durch die Gemeinde, dann aber auch in der Antwort auf die Dankliederzählung im Danklied des Einzelnen (107) hat. Der Ein- 35 zelne läßt sich mit dem, wofür er zu danken hat, in den Lobpreis der Gemeinde hineinnehmen. Nach dem chronistischen Geschichtswerk erschallt er bei den großen gottesdienstlichen Anlässen der Gemeinde (1 Ch 16, 34; 2 Ch 5, 13; 7, 3. 6; Est 3, 11), ja selbst im heiligen Kriege, der unter diesem Gesang zum Siege führt (2 Ch 20, 21). Und dann kann der Tag der zukünftigen Wende des Geschickes als 40 der Tag geschildert werden, an dem dieser Gesang laut wird (Jer 33, 11, vgl weiter noch Sir 51, 12a—o[88]).

---

[85] WZimmerli, Der Mensch u seine Hoffnung im AT, Kleine Vandenhoeck-Reihe 272 (1968) 33—48 uö.

[86] Neben der singularischen findet sich Ps 89, 2. 50, dazu Js 55, 3, wie auch sonst noch gelegentlich die pluralische Rede von den Er-

weisen der (Bundes-)Huld, so Ps 17, 7; 25, 6; 106, 7. 45; 107, 43; 119, 41, vgl auch Thr 3, 22.

[87] → Koch 531—544.

[88] ed ILévi, The Hebrew Text of the Book of Ecclesiasticus, Semitic Study Series 3 [3](1969) 73f.

Ist der Psalter vom Hinweis auf den göttlichen חֶסֶד beherrscht, so ist an anderer St zu sehen, wie nun auch nach der Beziehung von göttlichem u menschlichem חֶסֶד gefragt wird. Die reifsten Formulierungen in dieser Richtung sind wohl in den Führungsgeschichten von Gn 24 u im Büchlein Ruth zu finden. Hier wird, ohne daß die Verbindung explizit herausgehoben würde, sichtbar gemacht, wie im Raum des barmherzigen Hulderweises Jahwes[89], der den Menschen geheimnisvoll durch scheinbare Zufälle[90] zu führen vermag, auch Menschen dafür offen werden, untereinander חֶסֶד zu erweisen Gn 24, 49; Rt 1, 8; 3,10.

c. Noch fehlt der Blick auf die Propheten. Es darf wohl als eine nachträgliche Bestätigung der hier vertretenen חֶסֶד-Auffassung gewertet werden, daß sich die חֶסֶד-Aussagen — abgesehen von den liturgischen Prädikationen Jahwes — am nachdrücklichsten bei den drei Propheten finden, bei denen auch die Bundesaussage auftritt: Hos, Jer u Dtjs[91]. Dabei ist festzustellen, daß die חֶסֶד-Aussage hier noch in einer neuen theol Wendung auftaucht. Zu den urspr Aussagen von dem zwischenmenschlichen חֶסֶד u dem spezifisch at.lichen Reden vom חֶסֶד Jahwes, das im Bekenntnis zur Bundesbeziehung Jahwes zu Israel verankert ist, tritt nun die Ausweitung zur Rede vom חֶסֶד des Menschen gegenüber Gott[92]. Wenn Hos der an den Dekaloggeboten orientierten Scheltrede 4, 2 die vertiefende Zusammenfassung 4, 1 voranstellt: „Es ist keine Treue אֱמֶת, keine Liebe חֶסֶד u keine Gotteserkenntnis im Lande" u wenn noch deutlicher 6, 4 die in einem ergreifenden Bußlied des Volkes ausgesprochene Hinkehr des Volkes zu Jahwe mit der Feststellung beantwortet: „Eure Liebe חַסְדְּכֶם ist wie die Morgenwolke, wie der Tau, der rasch vergeht", so ist darin offensichtlich das Bundesverhalten Israels vor seinem Gott, das in freier, spontaner Liebe kräftig werden sollte, gemeint. So kann denn Jer, der in Hos Spuren geht, in der Schilderung der lichten Frühzeit des Volkes par zu חֶסֶד das Wort אַהֲבָה gebrauchen, um jene gute Brautzeit zu kennzeichnen 2, 2. Es redet hier von der Zeit, die dann auch Dt 6, 5; 11, 1 das Gebot der Liebe zu Jahwe bewußt herausstellt — ohne allerdings im Dt das Wort חֶסֶד für diese Liebe des Menschen zu Jahwe zu gebrauchen. Wenn Hos 2, 21f חֶסֶד neben Gerechtigkeit u Recht, Erbarmen, Treue u Gotteserkenntnis als den von Jahwe selber bezahlten Brautpreis nennt, so will er darin zum Ausdruck bringen, daß der volle חֶסֶד im Volke Gottes nur als gnädige Gabe Gottes selber möglich werden kann, vgl noch Hos 6, 6; 10,12; 12,7; Jer 9, 23; 16, 5; 31, 3. Bes deutlich wird der Heilscharakter des חֶסֶד dann nochmals bei Dtjs, wo 54, 8f. 10 mit dem Noah- u 55, 3 mit dem Davidbund verdeutlicht wird, was es um die Bundeshuld Jahwes zu Israel ist[93]. Es ist bezeichnenderweise nicht der Bund der Mosezeit mit seiner an den אֵל קַנָּא erinnernden Gesetzesmitteilung, von dem her die Zusicherung der Bundeshuld deutlich gemacht wird. Noah- wie Davidbund, die hier genannt werden, sind reine Gnadenbünde. חֶסֶד ist Zuwendung in Gnade.

Ein Problem stellt das חֶסֶד von Js 40, 6 dar. LXX dürfte mit ihrer Übers πᾶσα δόξα ἀνθρώπου auf dem richtigen Wege sein, wenn sie hier nicht menschliches חֶסֶד-Tun findet, sondern an den Zerfall der menschlichen Lebenspracht denkt[94]. Damit aber gerät חֶסֶד an dieser St ganz in die Nähe der Bdtg von חֵן, das in Ps 84, 12 mit כָּבוֹד (LXX: δόξα) verbunden war. Diese überraschende Angleichung des Verständnisses von חֶסֶד an חֵן ist mit Sicherheit dann in späteren St zu finden. Est 2, 9. 17 ist חֶסֶד ganz in den Sprachgebrauch von חֵן hereingezogen u zur Bezeichnung des Wohlgefallens geworden, das der Esther vor dem Haremswächter u dem persischen König zuteil wird[95]. Damit verliert es aber seine Stellvertretungsfunktion im Wortfeld des Verbums חנן.

---

[89] Gn 24,12.14. 27; Rt 2, 20. Gg → Glueck 6f ist hier חֲסָדוֹ auf Jahwe zu beziehen, vgl etwa WRudolph, Das Buch Ruth. Das Hohe Lied. Die Klagelieder, Komm AT 17,1—3 (1962) zSt.

[90] Vgl das קרה Gn 24,12; Rt 2, 3.

[91] Im Nachhall auch bei Tritjs 57,1; 63,7.

[92] Von → Jepsen 269 kaum zu Recht bestritten.

[93] An beiden St ist חֶסֶד par mit בְּרִית verbunden.

[94] Die Deutung von → Stoebe Wort u Dienst 124 auf die Treue bzw Untreue des Menschen ist nicht überzeugend. → Snaith 105 deutet es unter Weglassung des theol Akzentes auf die (Un-)Festigkeit steadfastness im Sinne der fehlenden Dauer, die dem Menschen eigen ist.

[95] Vgl noch Da 1, 9. Ist auch Gn 39, 21 schon in dieser Richtung zu verstehen?

d. In der Breite der sonstigen alttestamentlichen Aussagen aber kann חֶסֶד diese Stellvertretungsfunktion erfüllen. Gewiß, als ein von vornherein an einer zwischenmenschlichen Beziehung orientierter Begriff stellt es kein absolutes Synonym zu dem fehlenden, in seltenen Fällen durch eine Zweitverwendung von תְּחִנָּה und חֵן gestellten Substantivbegriff zum Verbum חנן dar. 5 Dieses sagt das gnädige Zugehen auf einen Schwächeren, Bedrängteren, Ärmeren aus, wobei die Ausgangsrichtung vom Stärkeren zum Schwächeren im Verbum gegeben ist. חֶסֶד denkt demgegenüber an das rechte, in freier Güte geschehende Verhalten in einer vorgegebenen Beziehung. Weil dabei aber auch an ein klares Zugehen auf den anderen in einer Gütebeziehung gedacht ist, ist das stellver- 10 tretende Eintreten von חֶסֶד für das in dieser Bedeutung fehlende Substantiv zu חנן möglich.

In seinem inhaltlichen Gehalt ist חֶסֶד, das muß abschließend festgehalten werden, entscheidend von der Art des Gemeinschaftsverhältnisses bestimmt, auf das es bezogen ist. Wo חֶסֶד in theol Verwendung auf den Bund (→ II 109, 25ff) ausgerichtet 15 ist, wird das Verständnis von dem des vorausgesetzten Bundes abhängen. Neh 13, 14 kann zeigen, wie da, wo die gesetzliche Gebotserfüllung den Bund zu bestimmen beginnt, auch die Rede vom menschlichen חֶסֶד-Erweis vom Gebot u seiner Erfüllung bestimmt ist.

e. Anhangsweise muß noch auf das von חֶסֶד abgeleitete Adj 20 חָסִיד [96] hingewiesen werden. Wie חֶסֶד kommt es vor allem in den Ps vor. 25 Psalmvorkommen stehen nur 7 Vorkommen außerhalb ders gegenüber[97]. חָסִיד nimmt an der Bewegung des Subst חֶסֶד teil. Wenn Jer 3, 12 Jahwe in seinem Umkehrruf an das abtrünnige Israel sagt: „Ich will nicht finster auf euch blicken, denn ich bin חָסִיד ..., ich trage nicht ewig nach", so wird darin die schenkende Bundeshuld Jahwes in der 25 Weise der Jahweprädikationen u mancher Psalmaussagen umschrieben. Jahwe ist akt Geber des חֶסֶד. In der Beziehung auf den Menschen bleibt die Deutung offen: Ist an die Empfänger des göttlichen חֶסֶד (pass) oder an Leute, die selber חֶסֶד üben (akt), gedacht? Grammatisch sind beide Möglichkeiten gegeben. Bedeutsam ist auf jeden Fall die Erwähnung in Ps 50, 5, wo Jahwe zur Sammlung seiner חֲסִידִים, die beim Opfer 30 den Bund geschlossen haben, auffordert. Beim Bundschluß dürfte auch die Bezeichnung חָסִיד einen ausgezeichneten Ort haben.

Zimmerli

C. Judentum.

1. Qumran und Testamente der zwölf Patriarchen. 35

a. In den Schriften von Qumran[98] dominiert חסד (→ 372, 5ff). Vom Stamm חנן (→ 366,25ff) findet sich nur einmal das Subst חנינה 1 QH 11, 29 u 15mal das Verbum חנן, zB: „Und mich, deinen Knecht, hast du mit dem Geist der Erkenntnis begnadet" 1 QH 14, 25. Zu beachten ist die Verknüpfung mit *Gerechtigkeit*: „Siehe, du hast begonnen, deinem Knecht Huld חסד zu erweisen, du bist mir gnädig חנן im 40

---

[96] → Gulkowitsch passim. Die LXX verwendet zur Übertragung von חָסִיד meist ὅσιος, je einmal εὐλαβούμενος u εὐσεβής. In der Anwendung auf Gott ist es Jer 3,12 mit ἐλεήμων übertragen, daneben Ps 145,17 auch einmal mit ὅσιος, → Dodd 60; → Snaith 123—127.
[97] 1 S 2, 9; 2 S 22, 26; 2 Ch 6, 41 sind im Grunde noch zu den Psalmstellen zu schlagen.

[98] FNötscher, Zur theol Terminologie der Qumran-Texte, Bonner Bibl Beiträge 10 (1956) 161f, vgl 183f; HBraun, Spätjüd-häretischer u frühchr Radikalismus I, Beiträge zur historischen Theol 24, 1 ²(1969) Regist sv חסד; WZimmerli, חסד im Qumranschrifttum, Festschrift ADupont-Sommer (1971)

Geiste deines Erbarmens רימחמ u um ... deiner Herrlichkeit willen. Dein, ja dein ist
die Gerechtigkeit; denn du hast alles getan" 1 QH 16, 8f. Dieselbe Verknüpfung ist
auch bei חסד hergestellt, am klarsten 1 QS 11,12—14: „Wenn ich wanke, sind Gottes
Gnadenerweise חסדים meine Hilfe für immer. Wenn ich strauchle durch Schuld des
Fleisches, bleibt meine Rechtfertigung durch Gottes Gerechtigkeit ewig bestehen, wenn
er meine Bedrängnis löst u ... in seinem Erbarmen mich nahen läßt. Durch seine
Gnade חסדים kommt meine Rechtfertigung, in seiner wahren Gerechtigkeit richtet
er mich. In der Fülle seiner Güte טוב entsühnt er alle meine Vergehen u durch seine
Gerechtigkeit reinigt er mich ...". Dem Sinn nach ist חסד kaum von רחמים u חנן
unterschieden. Die *Gnade*, das *Erbarmen* ergänzen die *Gerechtigkeit* 1 QH 7,18f; 11,
4—9. 30f (→ A 182)[99]. חסד ist einerseits Norm des Verhaltens zum Mitgenossen des
Bundes (→ 372, 46ff), daher der Ausdruck אהבת חסד 1 QS 2, 24; 5, 4. 25; 8, 2; 10, 26,
im gleichen Sinn רוב חסדים 1 QS 4, 5[100]. Andererseits ist חסד Grundbegriff für das
Verhalten Gottes (→ 373, 21 ff). In immer neuen Wendungen werden der *Gott der Gnaden*
1 QM 14, 8, *die Fülle seiner Gnade* 1 QS 4, 4, vgl 5, *seine ewigen Gnaden* 1 QS 10, 4 gepriesen. Auf seine *Gnade* stützt sich der Fromme 1 QS 10,16[101]. Er harrt auf Gottes
Gnade 1 QH 7,18 (vgl Ps 33,18; 147,11), vgl 1 QH 9,14. Sie erweist sich in der Drangsal[102]. Aber nie sprengt der Gnadengedanke den Rahmen des Gesetzes, im Gegenteil,
er konstituiert gerade die Thora-Verschärfung. Die Einsicht in das Angewiesensein auf
Gottes Gnade wird durch das Prinzip der Gesetzesleistung aufgehoben[103].

b. Der Befund in den Test XII ist unerheblich. Joseph εὗρεν
χάριν (→ 364, 26; 379, 8) ἐνώπιον θεοῦ καὶ ἀνθρώπων Test R 4, 8, vgl Test S 5, 2. Test S
4, 5: Wandelt in ἁπλότης, damit euch Gott χάρις, δόξα u εὐλογία gebe. Test L 18, 9:
φωτισθήσονται (sc die Völker) διὰ χάριτος θεοῦ. Test Jud 2, 1: καὶ ἔδωκέ μοι Κύριος
χάριν ἐν πᾶσι τοῖς ἔργοις μου, vgl Test B 4, 5: καὶ τὸν ἔχοντα χάριν ἀγαθοῦ πνεύματος ἀγαπᾷ
κατὰ τὴν ψυχὴν αὐτοῦ.

2. Rabbinisches Schrifttum.

Das rabb Schrifttum zeigt keine Bedeutungsentwicklung (→
366, 21 ff)[104]. Das Subst חסד bedeutet *Gunst, Anmut*[105], das Verbum חנן *jmd günstig*
sein, sich erbarmen ואיחון למן דאיחון Tg O zu Ex 33,19. Charakteristisch ist das
Morgengebet bBer 60b: „Mache mich heute u an jedem Tage zu חן u חסד u רחמים
in deinen Augen u in den Augen aller, die mich sehen. Erweise mir gute Gnaden! Gepriesen seist du, Jahwe, der gute Gnaden erweist seinem Volke Israel!" Gott zieht
über die Menschen den *Faden der Huld* חוט של חסד bTamid 28a, mit Verweis auf
Prv 28, 23, das חן bietet[106].

Das zentrale Problem ist das Verhältnis von Gnade und Werken. Es gilt der
Grundsatz: „Lohn empfängt man nur für eine Tat" (MEx 1, 5 zu 12, 6 [p 14, 12f])[107].
„Gnade ist es, was du an uns getan hast, weil in unseren Händen keine guten Werke
waren" (MEx 3, 9 zu 15, 13 [p 145, 15]), dh die Gnade tritt nur da ein, wo die
Werke fehlen; sie ist Ergänzung[108]. Das gilt unbeschadet der Tatsache, daß die
Bedürftigkeit des Menschen hoch angesetzt werden kann. „Tu Gnade an meinem
Herrn Abraham (Gn 24,12). ... RChaggai hat im Namen des RJizchaq gesagt:
Alle bedürfen der Gnade; auch Abraham, um dessentwillen die Gnade in der Welt

---

[99] Nötscher aaO (→ A 98) 183f.
[100] Braun aaO (→ A 98) 37 A 10.
[101] Analog auf seine Wahrheit 1 QH 10,17.
[102] Braun aaO (→ A 98) 45 A 1.
[103] Braun aaO (→ A 98) 46f.
[104] Siehe Levy Wört, Jastrow sv חָנַן, חָנָא, חַנְנָא.

[105] bSota 47a: „Drei Arten von Anmut gibt
es: die Anmut des Ortes bei den Einwohnern,
die Anmut der Frau bei ihrem Manne, die Anmut der Ware bei dem Käufer."
[106] Str-B I 788.
[107] Str-B III 201.
[108] Vgl die Belege bei HJSchoeps, Paulus
(1959) 217.

waltet, bedurfte der Gnade" (Gn r 60, 2 zu 24,12)[109]. Auch wird die Freiheit des Schenkens Gottes betont[110]. Dennoch bleibt der Gnadengedanke grundsätzlich im Schema des Gesetzes eingefangen[111]. Im Verständnis der Gnade führt von der Synagoge keine Linie zum Neuen Testament[112]. Das Judentum kann die Alternative „Werke oder Gnade" nicht annehmen[113].

3. Septuaginta[114].

a. χάρις ist nicht Übers von חֶסֶד[115], sondern von חֵן (→ 366, 5f)[116]. Die Ausdrucksweise ist durch das Hbr bestimmt: χάριν εὑρίσκω Gn 6, 8 uö, δίδωμι Ex 3, 21; ψ 83, 12 uö. Beim Vergleich der Bedeutungsstreuung ist zu beachten, daß das Hbr u Aram kein Wort für Dank, Dankbarkeit besitzen[117]. Im Unterschied sowohl zur Prof-Gräz als auch zum hbr חֵן wird das Wort begrifflich nicht weiterentwickelt[118]. Das läßt sich etwa im Buch der Sprüche, in dem HT u LXX stark voneinander abweichen, beobachten: *Anmut* Prv 1, 9; 3, 22, *gefällige Rede* 10, 32, *erwiesene Gunst* 3, 34; Gutes tun ist der Weg, *Wohlgefallen* bei Gott u damit Glück zu gewinnen 11, 27, vgl 12, 2; Bitte um *Gunst* 30, 7, *Beliebtheit* 22, 1, *Dank* 28, 23. Auch Sap bleibt im Rahmen des Gewohnten 3, 9. 14; 4,15; 8, 21; 14, 26; 18, 2. Eine gewisse Neigung zu dem Wort hat Sir, bei dem es — ohne die Präp χάριν — 31mal vorkommt[119]. χ ά ρ ι ς wird in der LXX nicht zum theologischen Begriff.

b. Das Verbum χαρίζομαι, das fast nur bei Sir u Makk vorkommt, heißt einfach *schenken* Sir 12, 3; 2 Makk 3, 31. 33 usw[120].

---

[109] AMeyer, Das Rätsel des Jk, ZNW Beih 10 (1930) 100f.

[110] Tanch ואתחנן 3 (Sundel 101a): „Warum hat Mose nur mit dem Wort ‚Flehen‘ תחנונים gebetet, wie es heißt: Da flehte ich ואתחנן (Dt 3, 23) ... (Hinweis auf Ex 33,19). Gott sprach zu ihm: Ich bin keinem Menschen verpflichtet, was ein Mensch auch tun mag an Gebotserfüllungen, umsonst חנם vergelte ich ihm." Vgl Dt r 2,1 z 3, 23 (Wünsche 18f). Zu Ex 33,19 in der rabb Lit s Str-B IV 489.

[111] *Gnade* hebt das Denken in Werken u Verdiensten nicht auf. Zum Verhältnis von Lohnordnung u Gnadenordnung s Str-B IV 490: „Die alte Synagoge hat die Idee des Gnadenlohnes nicht festgehalten. Das hatte seinen Grund darin, daß ihre Lohnlehre in völlige Abhängigkeit von ihrer Rechtfertigungslehre geriet." Vgl weiter Moore II 93—95.

[112] Gg Schoeps aaO (→ A 108) 217: „Pls hat im Grunde nur eine alte jüd Lehrmeinung in eigenen Worten wiedergegeben." Ebd A 1: „Im Grunde braucht man nur das jüd Gebetbuch aufzuschlagen." Die von ihm zitierten Belege beweisen das Gegenteil, zB Pesikt r 21 (98b): „Auch wenn wir unsere frommen Werke betrachten, sind wir beschämt über ihre Geringfügigkeit im Verhältnis zu Gottes Wohltaten an uns." Schoeps kommt denn auch konsequent zur Ablehnung der Gnadenlehre des Pls.

[113] Ergänzend bemerkt → Moffatt 33—36, daß im jüd Gebrauch des Wortes Assoziationen bestanden, die es Pls nicht ohne weiteres nahelegten, vor allem die der Launenhaftigkeit des Gebers u die des Verdienstes beim Empfänger.

[114] Zur Gnadenlehre im hell Judt ADNock, Paulus (1940) 60.

[115] Diese Wortgruppe wird mit ἔλεος übersetzt (→ II 475, 30ff). Ausn ist Est 2,17, hier ist חֵן וָחֶסֶד nur mit χάρις wiedergegeben.

[116] 62 von den insgesamt 70 Erwähnungen von חֵן im hbr Kanon sind mit χάρις wiedergegeben, vgl dazu noch εὐχάριστος Prv 11,16 u ἐπιχαρής Na 3, 4, weiter ἔλεος Gn 19,19; Nu 11,15 u ἐλεήσει Hi 41, 4. [Zimmerli]

[117] PJoüon, Reconnaissance et action de grâces dans le NT, Recherches de Science Religieuse 29 (1939) 112—114.

[118] → Manson 36—38. Zwar ist die χάρις jetzt auf das Verhalten Gottes bezogen, aber sie wird nicht zur grundlegenden Charakteristik desselben.

[119] Die hbr Äquivalente, die an 13 St erhalten sind, weisen eine ungleich weitere Streuung auf. Zwar hält חֵן auch hier zahlenmäßig den Vorsprung 4, 21; 7,19. 33; 32,10 (HT: 35,10); 41, 27 (HT: 42,1c); 45,1 (HT: 44, 23f), daneben tritt aber טוב 3, 31(?), טובה 8,19; 12,1; 20,13, רחמים 3,18, יפי 40,22 u חסד 40,17. [Zimmerli]

[120] Schlier Gl[13] 149 A 3: In der LXX heißt χαρίζομαι nur *schenken*; die Bdtg *sich gnädig erweisen* liegt erst ep Ar 38. 228 vor.

4. Philo[121].

Im Worte χάρις spiegelt sich deutlich der komplexe Charakter des Denkens Philos[122]. Anknüpfung an das AT u Weiterentwicklung werden zB in der Erklärung des Ausdrucks χάριν εὑρίσκω Leg All III 78 (→ Z 21 ff) anschaulich. An Gn 6, 8: Νῶε εὗρε χάριν wird die Alternative geknüpft ἆρ' οὖν τοιοῦτόν ἐστι τὸ δηλούμενον, ὅτι χάριτος ἔτυχεν, ἢ ὅτι χάριτος ἄξιος ἐνομίσθη; Deus Imm 104 (→ Z 25), vgl Quaest in Gn I 96[123]. Die at.liche Symbolgestalt ist Hanna Deus Imm 5; Ebr 145; Som I 254 (→ 356 A 53), ebs Henoch, dessen Name Poster C 35. 41; Conf Ling 123 mit *deine Gnade* übersetzt wird. Gottes χάριτες sind seine guten Gaben insgesamt Deus Imm 108, wie die χάρις die sie bewirkende Macht ist Congr 96[124]. Die χάρις ist nicht eine bestimmte, zu definierende Gabe. Ihr Inhalt ergibt sich aus dem Ganzen des Verständnisses vom Walten Gottes als des Schöpfers, Erhalters, Weltregenten, Erlösers[125]. Die Fähigkeit, die Gabe zu empfangen, ist zwar verschieden Ebr 32[126]. Doch liegt das systematische Schwergewicht darin, daß Gott ständig akt ist: τὸ δὴ „θεὸς αἰώνιος" ἴσον ἐστὶ τῷ ὁ χαριζόμενος οὐ ποτὲ μὲν ποτὲ δὲ οὔ, ἀεὶ δὲ καὶ συνεχῶς, ὁ ἀδιαστάτως (*unaufhörlich*) εὐεργετῶν, ὁ τὴν τῶν δωρεῶν ἐπάλληλον φορὰν ἀπαύστως συνείρων (*zusammenfügend*), ὁ τὰς χάριτας ἐχομένας ἀλλήλων ἀνακυκλῶν (*wiederholend*) δυνάμεσιν ἑνωτικαῖς καθαρμοσάμενος, ὁ μηδένα καιρὸν τοῦ ποιεῖν εὖ παραλείπων, ὁ κύριος ὤν, ὡς καὶ βλάπτειν δύνασθαι Plant 89, vgl die fortwährende Wirksamkeit seiner χάριτες Spec Leg I 285; Conf Ling 182[127]. χάρις ist die Ausstattung des Menschen durch die Schöpfung[128]: Der Fromme versteht diese als χάρις (→ A 128). Die Bdtg von χάριν εὑρίσκω (→ 378, 8 f; 379, 21) wird folgendermaßen erklärt: τὸ δὲ χάριν εὑρεῖν οὐκ ἔστιν μόνον … ἴσον τῷ εὐαρεστῆσαι, ἀλλὰ καὶ τοιοῦτον· ζητῶν ὁ δίκαιος τὴν τῶν ὄντων φύσιν ἐν τούτῳ εὑρίσκει ἄριστον εὕρημα, χάριν ὄντα τοῦ θεοῦ τὰ σύμπαντα, γενέσεως δὲ οὐδὲν χάρισμα Leg All III 78, vgl Deus Imm 104—108. Das Neue bei Philo ist die Entwicklung auf seine Vorstellung von den δυνάμεις[129], auf Hypostasierung hin.

Ihre Zuspitzung bekommt die Auffassung von der Gnade in der Erlösungslehre. Diese ist durch die philonische Schwebe bestimmt: Der Mensch kann sich reinigen u — ist unfähig dazu[130]. Für Gott ist das uns Unmögliche möglich Spec Leg I 282. Verdienst gibt es nicht Sacr AC 54—57. Auf der anderen Seite sind Gottes Gaben vollkommen Sacr AC 57; Migr Abr 31. Aber Philo kann auch ausführen, daß die χάρις nur dem Frommen zukommt Leg All III 14. Man muß ihrer würdig sein, sonst entschwindet sie[131]. Man kann aufgrund dieses Befundes bei Philo ein „katholisches" Schwanken zwischen Gnade u Selbsttätigkeit des Menschen finden[132] oder von hell-jüd Synergismus sprechen, sofern in der Tat die Gnade Hilfe zum Erwerb der Tugend

---

[121] HWindisch, Die Frömmigkeit Philos (1909) 15—23. 104—113; → Wetter 44—46 u St-Regist sv Philo; → Moffatt 45—51; HAWolfson, Philo I (1948) 445—455; JDaniélou, Philon d'Alexandrie (1958) 175—181; → Torrance 6—10.

[122] Daher rühren die entgegengesetzten Urteile der Forscher über sein Verständnis der Gnade. Begünstigt wird das Schillern der Aussagen durch die Konvergenz von חֵן u χάρις in der Bdtg *Anmut, Gunst*.

[123] Der griech Text der St ist hsgg von PWendland, Neu entdeckte Fr Philos (1891) 49 f.

[124] EBréhier, Les idées philosophiques et religieuses de Philon d'Alexandrie ³(1950) 148 f.

[125] Philo unterscheidet im Gott den Gnadenaspekt θεός u den Herrschafts-, Strafaspekt κύριος: τὰς δὲ τοῦ ὄντος πρώτας δυνάμεις, τήν τε χαριστικήν, καθ' ἣν ἐκοσμοπλάστει, ἣ προσαγορεύεται θεός, καὶ τὴν κολαστικήν, καθ' ἣν ἄρχει καὶ ἐπιστατεῖ τοῦ γενομένου, ἣ προσονομάζεται κύριος Rer Div Her 166, vgl Som I 162 f; Spec Leg I 307. → Wetter 13: „Χαριστικός ist also nicht ein essentielles, sondern ein akt Attribut, ein Ausdruck für Gottes schöpferische, θυμός u κολάζειν für Gottes strafende Tätigkeit, nicht für eine göttliche Gesinnung." Beachtlich ist die Auslegung von Gn 17, 4

Mut Nom 57—59; vgl damit Epict Diss I 16, 15—21.

[126] Bréhier aaO (→ A 124) 278.

[127] Vgl Jos Ap 2, 190: Gott ist ἔργοις μὲν καὶ χάρισιν ἐναργής (*offenbar*).

[128] Gegenüber stehen sich zwei Geschlechter, das Kains, das behauptet, δωρεὰν εἶναι τῆς ἑαυτῶν ψυχῆς πάνθ' ὅσα ἐν τῷ νοεῖν ἢ αἰσθάνεσθαι ἢ λέγειν, u das Seths: οἱ δ' ὅσα ἐν γενέσει καλὰ μὴ σφετεριζόμενοι (*in Besitz nehmen*), χάρισι δὲ ταῖς θείαις ἐπιγράφοντες Poster C 42, vgl Conf Ling 123. 127.

[129] Sie sind die jungfräulichen Töchter Gottes Migr Abr 31. Verwandt sind χάριτες, ἀρεταί, λόγοι, δυνάμεις, → Wetter 46. Grundlegend ist der Gedanke der Kraft.

[130] Vom Seufzen derer, die bereuen u Gott um Hilfe bitten, ist Leg All III 211—213 die Rede, vgl 215 im Anschluß an Ex 20, 24: ὁρᾷς ὅση τοῦ αἰτίου (*Urheber*, sc aller Dinge) ἡ χάρις φθάνοντος τὴν ἡμετέραν μέλλησιν καὶ προαπαντῶντος εἰς εὐεργεσίαν παντελῆ τῆς ψυχῆς, vgl auch Som II 25.

[131] Vgl die Folgen des Sündenfalls Op Mund 168: νυνὶ δὲ αἱ ἀέναοι πηγαὶ τῶν τοῦ θεοῦ χαρίτων ἐπεσχέθησαν, ὅτε ἤρξατο κακία τὰς ἀρετὰς παρευημερεῖν (*kräftiger gedeihen als*), ἵνα μὴ ὡς ἀναξίοις χορηγῶσιν.

[132] → Wetter 45.

ist. Man kann aber nicht behaupten, daß hervorragende Einzelne die Gnade nicht brauchen[133]. Vielmehr schenkt Gott einzelnen die Vollkommenheit, daß sie nämlich die Tugend ohne eigene Anspannung besitzen[134]. Das Normale ist freilich, daß man sich anstrengen muß. Aber auch dann kann man von einem Synergismus höchstens von außen her reden. Doch trifft eine solche objektivierende Abwägung über die eigene 5 Aktivität des Menschen nicht das, was Philo meint. Denn zum Ringen um die Tugend gehört bei ihm konstitutiv das Bekenntnis, daß sie nicht die eigene, sondern Gottes Leistung ist[135]. Der Mensch beginnt, indem er seine Nichtigkeit erkennt u eingesteht, u der Weg der Tugend ist die Verwirklichung dieses Bekenntnisses. Darin hat sich das Verständnis der Tugend gegenüber dem griech (→ 365,30ff) vollst gewandelt, nicht 10 nur im Sinne einer Weiterentwicklung, etwa durch die Verbindung mit jüd Gedanken; vielmehr ist durch einen Sprung eine neue Stufe der Reflexion erreicht[136]. Ich erfahre mich selbst, indem ich mich Gott eingestehe. Von diesem Ansatz aus zeigt sich zwar keine systematische Einheit aller Aussagen über den Menschen u seine Fähigkeiten, wohl aber ein zentraler Punkt, von dem aus die Vielfalt der Aussagen ihren Bezug ge- 15 winnt u sich ein einheitlicher, neuer, subjektiver Denkstil zeigt, in dem die Alternative von χάρις u Selbsttätigkeit aufgehoben ist. Dadurch bekommt die Betonung der Distanz, der Sünde[137], ihre eigentümliche Radikalität[138]. Vor diesem Hintergrund hebt sich die Größe der Gnade ab[139]. Derjenige, der in dem Sinn fromm ist, daß er sich bekennend preisgibt, wird von den göttlichen Kräften getrieben Congr 38, vor dem Bösen geschützt 20 Leg All II 32. Nie kommt er also über die χάρις hinaus.

D. Neues Testament.

Das Subst χάρις fehlt bei Mk, Mt, im 1 u 3 J; im Joh-Ev steht es nur 1, 14—17, im 1 Th u Phlm nur in Grußworten[140]. Das Verbum χαρίζομαι steht nur bei Lk u Pls, samt Kol u Eph[141], χαριτόω Lk 1, 28; Eph 1, 6. Die Präp χάριν[142] 25 (→ A 10), in der Koine häufig, ist im NT selten; gg den Usus der Koine u anders als ἕνεκα wird es nachgestellt Lk 7, 47[143]; Gl 3,19; Eph 3,1.14; 1 Tm 5,14; Tt 1, 5.11; voran steht es 1 J 3,12.

Zur Erfassung des neutestamentlichen Sinns nützt die Herleitung vom alttesta- mentlichen חן (→ 366, 22ff) nicht viel. Wohl ist bei Lukas der alttestamentliche 30

[133] Vgl Wolfson aaO (→ A 121) I 447—452, der auf Noah Leg All III 77 u Mose Leg All III 135 hinweist.

[134] Das unterscheidet Mose von Aaron: Mose bekommt nicht die Keule, ὅτι ὁ μὲν τέλειος ὢν βραχὺ καὶ ταπεινὸν οὐδὲν φρονεῖ... Leg All III 134 (Auslegung von Lv 7, 34); ἄπονος δ᾽ ἐστὶν ᾧ ὁ θεὸς χαρίζεται κατὰ πολλὴν περιουσίαν τὰ ἀγαθὰ τέλεια 135. Für Noah ist der Befund ders Leg All III 77f.

[135] ... ὅτι δεῖ τὸν ὑπὲρ ἀρετῆς πόνον μὴ ἑαυτῇ προσάγειν τὴν ψυχήν, ἀλλ᾽ ἀφελεῖν ἀφ᾽ ἑαυ- τῆς καὶ θεῷ ἀνενεγκεῖν, ὁμολογοῦσαν ὅτι οὐχ ἡ ἰσχὺς αὐτῆς οὐδὲ ἡ δύναμις περιεποίησε τὸ καλόν, ἀλλὰ ὁ καὶ τὸν ἔρωτα χαρισάμενος Leg All III 136, vgl Agric 168f.

[136] Jonas Gnosis II 1 spricht von einer gnostisierenden „Aushöhlung des griech Tu- gendbegriffes" 41. Konstitutiv wird die „Nicht- zurechnung an das Ich" 39. „Mitvollzug oder Nichtvollzug jener Nichtigkeitsreflexion des Selbst im Vollzug der Akte, die einstmals für sich die Güter der Seele, Selbstwerte der Per- sönlichkeit darstellten, entscheidet erst dar- über, ob in ihnen Tugend oder nicht vielmehr das Gegenteil betätigt wird" 39. „Während für das Griechentum von Plato bis Plotin der Weg zu Gott über die sittliche Selbstvoll- endung des Menschen geht, geht er bei Philo über die Selbstaufgabe in der Erkenntnis der eigenen Nichtigkeit" 41f. Vgl die Gegenüber-

stellung der beiden menschlichen Möglich- keiten Sacr AC 2.

[137] Daniélou aaO (→ A 121) 176.

[138] „λάβε μοι" (Gn 15, 9) ... πρῶτον μέν, ἴδιον, φησίν, οὐδὲν ἔχεις ἀγαθόν, ἀλλ᾽ ὅ τι ἂν νομίσῃς ἔχειν, ἕτερος παρέσχηκεν. ἐξ οὗ συνάγεται ὅτι θεοῦ τοῦ διδόντος κτήματα πάντα, ἀλλ᾽ οὐ τῆς μεταίτου (bettelnd) καὶ τὰς χεῖρας εἰς τὸ λαβεῖν προτεινούσης γενέσεως. δεύτερον δέ, κἂν λάβῃς, λάβε μὴ σεαυτῷ, δάνειον δὲ ἢ παρακατα- θήκην νομίσας τὸ δοθὲν τῷ παρακαταθεμένῳ καὶ συμβαλόντι ἀπόδος, πρεσβυτέραν χάριν χάριτι νεωτέρᾳ, προκατάρχουσαν ἀντεκτινούσῃ (er- widernd) δικαίως καὶ προσηκόντως ἀμειψάμενος Rer Div Her 102—104.

[139] τί οὖν ἂν ἐπιλίποι καλὸν τοῦ τελεσφόρου (Erfüllung spendend) παρόντος θεοῦ μετὰ χαρί- των τῶν παρθένων αὐτοῦ θυγατέρων, ἃς ἀδιαφθό- ρους καὶ ἀμιάντους ὁ γεννήσας πατὴρ κου- ροτροφεῖ; τότε μελέται μὲν καὶ πόνοι καὶ ἀσκήσεις ἡσυχάζουσιν, ἀναδίδοται δὲ ἄνευ τέχνης φύσεως προμηθείᾳ πάντα ἀθρόα πᾶσιν ὠφέλιμα. καλεῖται δ᾽ ἡ φορὰ τῶν αὐτοματιζομένων ἀγαθῶν ἄφεσις, ἐπειδήπερ ὁ νοῦς ἀφεῖται τῶν κατὰ τὰς ἰδίας ἐπιβολὰς (Intention) ἐνεργειῶν... Migr Abr 31f.

[140] Daher → Wetter 2: „dieses Wort, das im NT eine so geringe Rolle spielt".

[141] Zum Vorkommen im Pass → A 18.

[142] Bl-Debr § 216, 1.

[143] Das οὗ χάριν dieser St ist nach Bl-Debr § 456, 4 kausal gemeint.

Einschlag deutlich (→ Z 14ff); aber gerade da, wo dies der Fall ist, wird χάρις
nicht zum theologischen Begriff. Auch חֶסֶד[144] (→ 372, 5ff) führt nicht weiter,
da es auf ἔλεος (→ II 475, 31ff) hinführt. Anders als in der jüdischen Vorgeschichte
zeigt χάρις Affinität zu dem unreflektierten Gebrauch von πνεῦμα. Wie der Geist,
5 so ist die χάρις sowohl augenblicklich als auch dauernd gegeben(→ VI 403, 26ff)[145].

1. Lukas.

Im synoptischen Schrifttum ist der Gebrauch der Wort-
gruppe auf Lukas begrenzt. Ob er durch seine Sondertraditionen auf sie gestoßen
wurde, ist eine offene Frage.

10   *a.* Die profane Bedeutung des Subst *Gunst, Gefallen* mit dem
Beigeschmack des Fragwürdigen liegt Ag 24, 27; 25, 3. 9 vor[146]. Profan ist auch die
Verwendung in Ag 2, 47; 4, 33: Die chr Gemeinde genießt beim Volk *Gunst*[147], ferner
χάριν ἔχω *dankbar sein* Lk 17, 9.

          b. Der religiöse Gebrauch lehnt sich zunächst an das AT
15 an (→ 366, 22ff), schon in der Ausdrucksweise *Gnade finden* Lk 1, 30[148]; Ag 7, 46,
geben Ag 7, 10, vgl Gn 39, 21. Gottes *Gnade* ruht auf dem Kinde Lk 2, 40[149]. Züge des
θεῖος-ἀνήρ-Motivs schlagen wie Ag 7, 20ff durch die at.liche Sprache durch: προέκοπτεν
ἐν τῇ σοφίᾳ καὶ ἡλικίᾳ καὶ χάριτι παρὰ θεῷ[150] καὶ ἀνθρώποις Lk 2, 52[151]. Religiös dürfte
die Bdtg auch Lk 6, 32. 33. 34 sein: ποία ὑμῖν χάρις ἐστίν; vgl τίνα μισθὸν ἔχετε; Mt 5, 46.
20 Lk dürfte das Moment des göttlichen *Wohlgefallens* andeuten[152].

          c. Wo Lukas selbständig gestaltet, heben sich bestimmte
Intentionen heraus: χάρις ist Charakteristik der Heilsbotschaft bzw der Botschaft
als Heilsbotschaft. *Worte der Gnade*[153] (Lk 4, 22[154], vgl Ag 20, 24[155].32; Kol 4, 6) ist
Umschreibung des Evangeliums, dessen Inhalt sich aus dem Kontext ergibt. Zum
25 Evangelium treten bestätigend die Wunder (Ag 14, 3)[156]. χάρις dient weiter der
Schilderung des geisterfüllten Menschen: Stephanus ist πλήρης χάριτος καὶ δυνάμεως

---

[144] → Dodd 61f: In nt.licher Zeit habe
χάρις eher Affinität zu חֶסֶד als zu חֵן.

[145] → Wetter 126.

[146] Zum Acc χάριτα in Ag 24, 27; Jd 4 →
A 1.

[147] → Wetter 146f u Haench Ag⁶ z 4, 33
deuten als *Gnade*. Dafür spricht die Analogie
zu δύναμις, dgg Ag 2, 47 (→ Z 11f).

[148] Lk 1, 30 erklärt κεχαριτωμένη 1, 28 (→
383, 19f).

[149] Statt ἐπ' αὐτό schreibt D: ἐν αὐτῷ. ἔλεος
steht mit ἐπί c Acc PsSal 4, 25; 11, 9; 13, 12.

[150] Vgl hbr בְּעֵינַי, zB Ex 33, 12 (LXX: παρ'
ἐμοί).

[151] Zum Motiv vgl 1 S 2, 26. σοφία u χάρις
stehen noch Ag 7, 10 nebeneinander, vgl auch
die Doppelausdrücke σοφία καὶ πνεῦμα 6, 10,
πίστις καὶ πνεῦμα 6, 5, χάρις καὶ δύναμις 6, 8.

[152] Anders Pr-Bauer sv χάρις: „Was für
eine Art von Gunst wird euch da zuteil?"
vgl 1 K 9, 16 vl; 1 Pt 2, 19; Did 1, 3; Ign Pol
2, 1; 2 Cl 13, 4. Diese St zeigen, daß diese Verwendung von χάρις nicht spezifisch lk ist.

HKöster, Synpt Überlieferung bei den Apost
Vät, TU 65 (1957) 44. 224f neigt dazu, die
lk St der Redaktion des Evangelisten zuzu-
schreiben. Das zwingt zu der schwierigen
Konsequenz, daß die Vorlagen von Did u Ign
Lk kannten (→ 390, 18ff).

[153] Das Schillern von χάρις zwischen *Anmut*
u *Gnade* ist bewußt. Anmutige Worte sind
ψ 44, 3 gemeint: ἐξεχύθη χάρις ἐν χείλεσίν σου.

[154] → Wetter 147—149 will χάρις auch in
diesem Zshg dynamistisch deuten, also *mächtige Worte*, vgl Just Dial 9, 1: οὐ κενοῖς ἐπιστεύσαμεν μύθοις οὐδὲ ἀναποδείκτοις λόγοις, ἀλλὰ
μεστοῖς πνεύματος θείου καὶ δυνάμει βρύουσι
(*strotzen*) καὶ τεθηλόσι (*überfließen*) χάριτι.

[155] Haench Ag⁶ zu 20, 24 meint, Lk wolle ein
paul Stichwort anklingen lassen. Aber der Ausdruck ist rein lk.

[156] χάρις u δύναμις müssen deutlicher aus-
einandergehalten werden, als es bei → Wetter
geschieht. Wo die Botschaft beschrieben wird,
sind sie unterschieden. Sie rücken zus, wo der
Pneumatiker charakterisiert wird.

(Ag 6, 8)[157]. Das Walten der Gnade erweist sich in der Ausbreitung der Kirche (Ag 11, 23, Wortspiel mit χαίρω). Über den Kirchengedanken kommt es zum Gebrauch des Wortes für den Gnadenstand überhaupt, vgl den Ausdruck προσμένω τῇ χάριτι τοῦ θεοῦ (Ag 13, 43)[158]. Man wird der Gnade Gottes (Ag 14, 26), des Herrn (Ag 15, 40) übergeben[159]. Paulinisch klingt Ag 15,11: διὰ τῆς χάριτος τοῦ κυρίου Ἰησοῦ πιστεύομεν σωθῆναι[160]. Doch ist der spezifisch paulinische Sinn zum geläufigen Ausdruck der erbaulichen Sprache verblaßt[161]. Unklar ist Ag 18, 27: συνεβάλετο (sc Apollos) πολὺ τοῖς πεπιστευκόσιν διὰ τῆς χάριτος[162].

d. Das Verbum χαρίζομαι steht zweimal in juristischem Kontext, vom Gunsterweis im Prozeß, freilich jeweils in entgegengesetztem Sinn: Barabbas wird dem Volk *geschenkt,* dh er wird freigelassen (Ag 3,14)[163]. Paulus soll den Juden überlassen werden — ein fataler Gunsterweis des römischen Statthalters (Ag 25,11.16)[164]. Gott *schenkt* dem Paulus das Leben seiner Reisegefährten (Ag 27, 24). Typisch lukanischer Stil herrscht in dem kleinen redaktionellen Summar Lk 7, 21, in der Skizze des Bildes Jesu[165]. Dieses wird durch Lk 4, 22 beleuchtet, bzw Lk 7, 21 ist Paradigma für jenes Programm. Das Wunder dient wieder der Beglaubigung[166]. Ebenfalls lukanisch redigiert ist Lk 7, 42f.

e. χαριτόω *Gnade erweisen, begnaden, segnen* wird im NT nur in Beziehung auf die göttliche χάρις gebraucht[167]: χαῖρε κεχαριτωμένη Lk 1, 28 (→ 357, 9ff; 382 A 148)[168].

f. ἀχάριστος *undankbar* Lk 6, 35 ist der Redaktion des Lk zuzuschreiben. Der Gebrauch des Wortes hängt mit dem von χάρις in v 32. 33. 34 (→ 382, 18f) zus[169].

2. Paulus.

Bei Paulus ist χάρις der zentrale Begriff, der am klarsten sein Verständnis des Heilsgeschehens ausdrückt[170]. Im Sprachgebrauch herrscht

[157] Das durative πλήρης wechselt mit dem augenblicklichen πλησθείς, ohne daß die Unterscheidung klar durchgehalten wird, πλήρης auch Mart Pol 7, 3, πεπληρωμένος Ign R Inscriptio.
[158] Vgl προσμένω τῷ κυρίῳ Ag 11, 23.
[159] Vgl παρατίθεμαι ὑμᾶς τῷ κυρίῳ καὶ τῷ λόγῳ τῆς χάριτος αὐτοῦ Ag 20, 32.
[160] Zu πιστεύομεν σωθῆναι vgl Bl-Debr § 397, 2. *Durch die Gnade* ist nicht mit πιστεύομεν, sondern mit σωθῆναι zu verbinden.
[161] Sprecher ist Petrus; er redet wie Pls 13, 38f. Die paul Antithese von Gnade u Werken fehlt.
[162] διὰ τῆς χάριτος kann auf συνεβάλετο bezogen werden: *Er war den Gläubigen durch die Gnade eine große Hilfe.* Weniger wahrscheinlich ist die Verbindung mit τοῖς πεπιστευκόσιν: *den durch die Gnade gläubig Gewordenen.*
[163] Der Widersinn des Verhaltens der Juden u ihre Schuld sind durch Kontrastierung betont: τὸν ἅγιον καὶ δίκαιον ἠρνήσασθε —

ἄνδρα φονέα. Vgl Diod S 13, 59, 3: ἐχαρίσατο δ' αὐτῷ τοὺς συγγενεῖς, sowie Jos Vit 355.
[164] Vgl das Subst χάρις Ag 24, 27; 25, 3. 9. Zur Sache vgl Jos Vit 53; PFlor I 61, 61 (um 87 nChr); → A 194.
[165] Vgl Ag 10, 38: Jesus als εὐεργετῶν καὶ ἰώμενος. Das ist θεῖος-ἀνήρ-Stil, s HConzelmann, Die Apostelgeschichte, Hndbch NT 7 (1963) zSt.
[166] Doch ist das Skandalon nicht vergessen v 23, s HConzelmann, Die Mitte der Zeit, Beiträge zur historischen Theol 17 [5](1964) 178f.
[167] Pr-Bauer sv.
[168] MCambe, La ΧΑΡΙΣ chez Saint Luc, Rev Bibl 70 (1963) 193—207.
[169] JDupont, Les béatitudes [2](1958) 151 A 1. → Wetter 119: ἀχάριστος ist, wie ἀγνωσία θεοῦ, ein „positiver" Begriff, vgl Just Dial 96, 3: τὸν ἥλιον αὐτοῦ ἀνατέλλοντα ἐπὶ ἀχαρίστους καὶ δικαίους.
[170] Bultmann Theol[6] 281—285. 287—291; → Moffatt 131—296.

bezeichnenderweise der Singular[171]. Natürlich hat das Wort nicht an allen Stellen
den spezifischen Sinn der paulinischen Gnadenlehre. Es kommt in der Bedeutung
Dank vor, in der Wendung χάρις τῷ ϑεῷ (R 6, 17; 7, 25; 1 K 15, 57; 2 K 8, 16;
9, 15)[172]. χάρις heißt als Bezeichnung der Kollekte *Dankesgabe* (1 K 16, 3; 2 K
8, 1ff). Dunkel ist 1 K 10, 30: *mit Dank genießen*[173].

a. Eine Sonderstellung hat der Gebrauch im B r i e f g r u ß[174]
χάρις ὑμῖν καὶ εἰρήνη (R 1, 7 usw) und entsprechend im Schlußgruß (1 Th 5, 28 usw).

χάρις klingt hier an das Stichwort des griech Briefgrußes χαίρειν (→ 351, 25f) an.
Aber es ist in das zweigliedrige, orientalische Grußformular Da 4, 1 Θ eingebaut: Pls
übernimmt den Friedensgruß u ergänzt ihn durch den Gnadengruß[175]. Man hat die
paul Grußformel als eine vorpaulinische liturgische Formel bezeichnet[176]. Sowohl der
Sprachgebrauch, das Fehlen des Artk als auch die Theol seien unpaulinisch. Das
Fehlen des Artk ist in der Tat im frühchristlichen liturgischen Stil zu beobachten.
Doch kann auch Pls selbst in diesem Stil formulieren[177]. Ein Unterschied zum orientalischen Vergleichsmaterial liegt darin, daß bei Pls das ganze Präskript Bestandteil
des Briefes ist, während im Orient urspr die Nennung des Absenders ל — מן Diktat-
formel ist[178].

b. Das spezifisch Paulinische ist die Verwendung des
Wortes für die Freilegung der Struktur des H e i l s g e s c h e h e n s. Sprachlicher
Ausgangspunkt ist die Bedeutung *Erfreuen durch Schenken*, der *geschenkte*, nicht
verdiente *Gunsterweis*. Dabei ist das Moment der Freiheit des Schenkens konstitutiv (δωρεάν R 3, 24f; vgl 4, 1ff; 5, 15. 17). Paulus orientiert sich, anders als
Philo (→ 380, 1ff), nicht an der Frage nach dem Wesen Gottes, sondern an der
geschichtlichen Manifestation des Heils in Christus. Er spricht nicht vom „gnädigen Gott", sondern von der Gnade, die im Kreuz Christi verwirklicht ist (Gl
2, 21, vgl v 15—20) und in der Verkündigung aktuell geschieht[179]. Wenn Gottes
Gunst mit dem Kreuzesgeschehen identisch ist, so ist dessen Absolutheit festgestellt. Wir werden allein durch die *Gnade* gerettet[180]. Sie wird dem Sünder er-

---

[171] → Wetter 27: „Es ist, als ob Pls den
Plur von χάρις vermeiden wollte." Wo er von
der Mehrzahl der Gaben spricht, sagt er
χαρίσματα (→ 395, 11ff) R 11, 29.

[172] → Wetter 206f; Bl-Debr § 128, 6.

[173] Nach Ltzm K zSt handelt es sich um
den Ausruf eines Starken; dgg Bultmann
Theol⁶ 220.

[174] Zum griech Briefformular: ORoller, Das
Formular der paul Briefe, BWANT 58 (1933)
46—91; Wendland Hell Kult 411—417.
Zum paul Briefformular: ELohmeyer, Brief-
liche Grußüberschriften, ZNW 26 (1927) 158
—173; GFriedrich, Lohmeyers These über das
paul Briefpräskript kritisch beleuchtet, ThLZ
81 (1956) 343—346.

[175] Lehnt Pls sich an den Gebrauch von
ἔλεος für das übliche εἰρήνη an? Vgl die Kombination beider Begriffe s Bar 78, 2: „So spricht
Baruch, der Sohn Nerijas, zu den Brüdern,
die gefangen sind: Erbarmen u Friede sei mit
euch."

[176] Lohmeyer aaO (→ A 174) 161f.

[177] Friedrich aaO (→ A 174) 344—346.

[178] Aramaic Documents of the Fifth Century
BC, ed GRDriver ²(1957) Nr 2. 3. 13; vgl auch
Pap Murabba'ât 17 A (8. Jhdt vChr; DJD II
96).

[179] Die Gnade ist nicht eine bisher unbekannte, gnädige Gesinnung, sondern der jetzige
Gnadenerweis des Richters, der den Schuldigen
rechtfertigt, Bultmann Theol⁶ 284. Es ist
bezeichnend, daß keine Spannung oder Gegenüberstellung von Gnade u Zorn vorkommt.
Das Opp zu ὀργή ist nicht χάρις, sondern
δικαιοσύνη R 1, 17f; vgl die Gedankenführung
bei R 4, 15f, der einzigen St, wo ὀργή u χάρις
zusammenstehen. Die Frage der Philosophie
nach den Affekten Gottes (→ 366, 7ff;
V 386, 5ff) trägt für das Verständnis des paul
Begriffes nichts aus.

[180] Die Gnade unterstützt nicht das Bemühen des Menschen um das Gute. Sie macht
das Bemühen, durch eigene Leistung zu bestehen, zunichte, Bultmann Theol⁶ 284. Ein
Aspekt der Gnade ist ihre Neuheit: Sie ist an
keine menschliche Voraussetzung gebunden,
sondern negiert jede menschliche Vorbereitung.
Sie ist die augenblickliche Neuschöpfung des
Empfängers der Gnadenbotschaft; sie macht
ihn zum gerechtgesprochenen Sünder. Die
Verwandlung ist also unmystisch verstanden.

wiesen (R 3, 23f; 5, 10, vgl Gl 2, 17—21; R 11, 32), sie ist das Ganze des Heils
(2 K 6, 1), jeder Christ besitzt sie (1 K 1, 4). Der Konkretion der Gnade in Christus entspricht die Konkretion des sola gratia (R 4, 4)[181] im sola fide (R 3, 24ff;
4, 16), also im Selbstverständnis des Gläubigen und im speziellen Selbstverständnis
des Paulus als Amtsträger. Durch das sola fide ist das Gesetz als Heilsweg ausge- 5
schlossen (R 3, 21ff; 4, 16), da das Gesetz im Gegensatz zur χάρις steht (R 6, 14f;
Gl 2, 21; 5, 4). R 4, 14—16 treten χάρις und πίστις gemeinsam dem νόμος gegenüber. Das Verständnis des sola gratia könnte ohne die Sicherstellung durch das
sola fide formal bleiben, dh sich im Rahmen des Gesetzes, der Aneignung des Heils
durch Werke halten[182]. 10

Die Gnade ist nicht nur der Grund der Rechtfertigung (R 3, 24f; 5, 20f), sie
stellt sich vielmehr auch in dieser dar; denn die Rechtfertigung ist nicht die subjektive Aneignung des in Christus objektiv verwirklichten Heils. Das Heilsgeschehen ist an sich selbst auf den Sünder gerichtet und führt die Rechtfertigung
mit sich; so wird es im Glauben empfangen. Die Tragweite der Rechtfertigung 15
als der Übermittlung des Lebens angesichts des Todes zeigt R 5[183]. Hier erscheint
der Zusammenhang von Gnade als Geschehen und Gnade als Besitz oder „Stand"
(R 5, 2)[184]. Daß dieser „Stand" (→ VI 219, 27ff) nicht habituell verstanden ist,
liegt schon im Begriff selbst: Die Gnade bleibt Geschenk, sie ist im Wort zugesprochen[185]. Man wird in sie berufen (Gl 1, 6.15)[186], hat also weder Anspruch 20
noch Verdienst. Sie wird anschaulich in der Zerstörung des Selbstruhms (R 3, 27),
im paradoxen Sich-Rühmen im Herrn (1 K 1, 29. 31), im Kreuz (Gl 6,14), in der
Schwachheit (2 K 12, 9). Die Gnade *genügt*; 2 K 12, 9 mischen sich zwei Gedanken: *a*. Mehr bekommst du nicht, die Bitte des Paulus wird abgeschlagen; *b*. mehr
brauchst du nicht, vgl die positive Erklärung: ἡ . . . δύναμις ἐν ἀσθενείᾳ τελεῖται. 25

---

[181] Vgl Gn 18, 3. Der Gedanke ist freilich
nicht von χάρις aus entwickelt, sondern von
πίστις u δικαιοσύνη aus.
[182] Das ist der Fall beim Gnadengedanken
der Qumranschriften (→ 377, 35ff). Wie sich
sola gratia u sola fide zueinander verhalten,
zeigt vor allem der 2 K. Die paul Begriffsent-
faltung läßt sich zB an 2 K 8 darstellen,
Wnd 2 K zu 8, 1: „χ. ist 1. die göttliche Huld
u ihr objektiver Erweis für alle Menschen
v 9; 2. der den einzelnen Christen zuteil gewordene besondere Gnadenerweis 8, 1, der
persönliche Besitz an Gnadenkraft 8, 1; 9, 8.
14; vgl 1 K 1, 4; 15, 10; endlich 3. das von
der göttlichen Gnade gezeugte, chr Gnaden-
oder Liebeswerk", die Auswirkung der Gnade
8, 4. 6. 7. 19, vgl 1 K 16, 3.
[183] → Wetter 40 sieht in R 5 Sünde, Tod u
Gnade als Hypostasen an. Es handelt sich aber
lediglich um die verbreitete personifizierende
Ausdrucksweise. Der Übergang zur Bdtg
Gabe ist deutlich. Wie der Gedanke läuft, zeigt
sich am Anfang des Kp: R 5, 1ff ist Auslegung
des Bekenntnissatzes 4, 25. Aus diesem wird
gefolgert, daß wir im Frieden stehen, also im
eschatologischen Heil, uz durch Christus,
durch den wir den Zugang zu diesem Gnadenstand haben. χάρις ist Gabe, Wirkung u Er-

gebnis der Wirkung zugleich. Die Einheit dieser Momente ist durch die Identifizierung der
Gnade mit dem Werk Christi gegeben.
[184] Der Text ist unsicher: Ist τῇ πίστει
urspr? Die Vorstellung vom Gnadenstand
bestimmt auch den Ausdruck *unter der Gnade*
R 6,14, vgl opp *unter dem Gesetz*, ferner *in
Gnade* 2 K 1, 12, wo wieder das nicht-habituelle
Verständnis zu greifen ist. → Wetter 76 will
ἐν lokal verstehen, wie in der Wendung *in
Christus*. Aber ἐν hat weder hier noch dort
lokalen Sinn, sondern kann instrumental sein
Gl 1, 6; Kol 3, 16; 4, 6; 2 Th 2, 16. Zu ἐν χάριτι
vgl noch Ign Eph 20, 2; Mg Inscriptio; Sm
9, 2; 13, 2. Entsprechendes: ἐν γνώσει Corp
Herm 9, 4; ἐν ἀγνοίᾳ 1, 32.
[185] Der Geschenkcharakter drückt sich in
der Verbindung von χάρις u δίδωμι aus, bes
wenn Pls von seinem Amt spricht (→ 386,
25ff), aber auch von der der Gemeinde
gegebenen Gnade 2 K 8, 1, vgl 1 K 1, 4.
[186] Zur Sache vgl 1 K 15, 10. Der Berufende
ist Gott, nach Ltzm Gl zu 1, 6 möglicherweise
Christus, vgl R 1, 6; dgg Schlier Gl[13] zu 1, 6.
Man wird ἐν in Gl 1, 6 nach 1, 15 instrumental
verstehen. Möglich ist auch *zur Gnade berufen*,
vgl 1 K 7, 15. OGlombitza, Gnade — das entscheidende Wort. Erwägungen zu 1 K 15, 1
—11, Nov Test 2 (1958) 281—290.

In diesem Sinn der Theologie des Kreuzes bestimmt die χάρις die Gestalt der Verkündigung, damit des Verkündigers und des Glaubenden überhaupt. Der Selbstruhm ist auch dadurch ausgeschlossen, daß man der Gnade zwar gewiß sein kann — auch das Moment der Heilsgewißheit ist im Begriff selbst gegeben —, sie aber

5 nicht sicher hat (→ VI 169 A 9): Man kann aus ihr *herausfallen* (Gl 5, 4)[187].

c. Die Macht der Gnade (→ 366, 14 ff) wird an ihrer Wirkung, der Überwindung der Sünde, aufgewiesen (R 5, 20 f)[188]. Das Verständnis ihrer Überlegenheit ist nicht quantitativ, sondern qualitativ-strukturell. Sie ist der Sünde und deren Wirkung, dem Tode, nicht nur überlegen; sie ist auch strukturell

10 verschieden: Sie kommt nicht schicksalhaft, wie der Tod. Sie ist freie Erwählung (R 11, 5 f), ist also — quantitativ betrachtet — Ausnahme[189]. Das Verständnis der Gnade als Macht ist geschichtlich: Sie aktualisiert sich in der geschichtlichen Kirche (Phil 1, 7), zB in der Kollekte, die Paulus für die Urgemeinde sammelt (2 K 8). Sie ermöglicht Freigebigkeit (2 K 8, 1, vgl 9, 8), ihr Ziel ist *jedes gute*

15 *Werk* (2 K 9, 8). Sie wird zur Forderung (2 K 6, 1; Gl 5, 4 ff), und zwar so, daß sie die Leistung ermöglicht. Diese kann sich daher nicht zum Werk verselbständigen; sie hält gerade als Leistung den Gläubigen in der Gemeinschaft der Gnade fest. Die radikalen Konsequenzen dieses Verständnisses der Gnade — Christus das Ende des Gesetzes — verteidigt Paulus im Galater- und Römerbrief. In R 6, 1

20 wird der tatsächliche oder als möglich angenommene Vorwurf aufgegriffen, die Verabsolutierung des Gnadengedankens führe in Libertinismus. Paulus weist ihn nur formal-pauschal, nicht argumentierend zurück. Das ist sachgemäß, da die gegnerische Logik nur Scheinlogik ist. Sie verkennt, daß die Gnade Zuspruch und als solcher Vernichtung der Sünde ist[190].

25 *d.* Die spezielle Gnade des Paulus ist sein Apostelamt[191] χάρις καὶ ἀποστολή (R 1, 5). Er hat es empfangen (R 1, 5); es wurde ihm gegeben (R 12, 3; 15, 15, vgl 1 K 3, 10)[192]. *Gnade* ist die Befindlichkeit seiner Amtsführung (2 K 1, 12). Sein Besuch in einer Gemeinde ist eine Gnade (2 K 1, 15).

e. Das Verbum χαρίζομαι hat nicht die scharfe Prägung

30 des Substantivs. Es ist überall von der Grundbedeutung *schenken* aus zu verstehen. Das Paulinische liegt weniger im Sprachgebrauch als im Kontext, so Gl 3, 18[193]. In soteriologischem Zusammenhang steht das Wort R 8, 32, nämlich in

---

[187] *Herausfallen* ist nicht lokal gemeint, es handelt sich um bildliche Redeweise. Vgl ἐκπεσεῖν καὶ στέρεσθαι τῆς πρὸς τὸν δῆμον εὐνοίας Plut Tib Gracch 21 (I 834 e). Zur Sache vgl 1 K 10, 12.

[188] Vgl die Ausdrucksweise ὑπερεπερίσσευσεν (→ VI 60, 8 ff), vgl damit auch περισσεύω 2 K 4, 15 u dazu BNoack, A Note on 2 K 4, 15, Studia Theologica 17 (1963) 129—132. Zur Sache vgl → Grundmann 50—72.

[189] Ausn ist die Erwählung nicht nur in dem Sinn, daß die Erwählten eine kleine Gruppe sind. In der geringen Zahl stellt sich dar, daß die Erwählung Wunder ist, nicht Normalfall, mit dem man rechnen kann.

[190] Vgl die Betonung: Wir sind — in der Freiheit — *unter* der Gnade R 6, 14 f.

[191] ASatake, Apostolat u Gnade bei Pls, NT St 15 (1968/69) 96—105.

[192] Zum Sinn vgl 1 K 15, 10; Gl 2, 9.

[193] Zu pathetisch Schlier Gl[13] zSt: „Dem Abraham hat sich Gott durch Verheißung gnädig erwiesen." Ebd A 3: Vielleicht liege eine Anspielung auf die Terminologie des Erbrechts vor: Der Testator behält sich das Recht vor, ἢ προσδιατάσσων ἢ ἑτέροις χαριζόμενος ἢ καὶ ἄλλο τι βουλόμενος Mitteis-Wilcken II 2, Nr 305, 26 (Hinterlegungsurkunde; 156 nChr). Pr-Bauer sv χαρίζομαι läßt offen: a. *aus Gnade schenken*, falls aus dem Zshg zu ergänzen ist

einer Auslegung des Kerygmas. 1 K 2, 12 bezeichnet das Partizipium den Gegenstand der Theologie und kommt so der Bedeutung des Substantivs nahe. Das Leiden ist Geschenk (Phil 1, 28f, vgl 2, 17; 1 Pt 4, 12f → 389, 18ff). Vorpaulinisch ist Phil 2, 9 (→ VIII 18,18ff; 607,1ff): Die Einsetzung Jesu in die Würde des κύριος ist geschenkter Lohn für seinen Gehorsam. Von der Grundbedeutung 5 her ergibt sich auch ein spezieller Fall des Schenkens, das *Verzeihen* (2 K 12,13; → 388, 9ff; I 155, 26ff)[194].

3. Deuteropaulinen und übrige Briefe außer Johannesbriefen[195].

a. Kolosser 1, 6 bedeutet χάρις das Evangelium, die 10 heilsame Lehre; *die χάρις Gottes hören und erkennen* bedeutet Christ werden. Wegen der bereits etwas abgeschliffenen Bedeutung des Wortes wird man den seltsamen Ausdruck ἐν τῇ χάριτι ᾄδοντες (Kol 3,16; → I 164, 23ff) nicht allzu scharf ausdeuten dürfen[196]. In Kol 4, 6 kann das Wort *Gnade* oder *Anmut* bedeuten. Nach dem Zusammenhang ist die letztere Bedeutung vorzuziehen[197]. 15

Der Epheserbrief hat das Wort allerdings als *Gnade* verstanden (4, 29). In dem hymnisch stilisierten Proömium spielt er mit den Worten: εἰς ἔπαινον δόξης τῆς χάριτος αὐτοῦ, ἧς[198] ἐχαρίτωσεν ἡμᾶς ἐν τῷ ἠγαπημένῳ ... κατὰ τὸ πλοῦτος τῆς χάριτος αὐτοῦ (1, 6f). χάρις ist die in Christus erwiesene *Gunst* Gottes, deren Inhalt in Anlehnung an die Tauflehre umschrieben wird: ἀπολύτρωσις, ἄφεσις τῶν παρα- 20 πτωμάτων (1,7, vgl Kol 1,14. 20). Aufschlußreich für die theologiegeschichtliche Stellung ist 2, 5—8. Der Stil von v 7 erinnert an das Proömium. Dann sind aber in den Abschnitt zwei bewußt paulinisch formulierte Passagen eingesprengt[199], die das „orthodoxe" Verständnis der Gnade sicherstellen sollen[200]. Anknüpfung

---

τὴν κληρονομίαν, b. *sich jmd gnädig erweisen.* Belege bei Pr-Bauer.

[194] Belege für die Bdtg *verzeihen* bei Pr-Bauer sv χαρίζομαι. Man darf also nicht einen eng begrenzten Ursprung dieser Bdtg annehmen, wie das Loh Kol[13] 115 A 2 will: „Diese im NT dem Pls eigentümliche Färbung scheint dem Schuldrecht zu entstammen." Er verweist auf Lk 7, 42; ferner Philo Spec Leg II 39: τὰ δάνεια χαρίζεσθαι u PFlor I 61, 61 (um 87 nChr).

[195] Eine zusammenfassende Charakteristik gibt Bultmann Theol[6] 559: „Ganz allg wird von der göttlichen χάρις nicht selten geredet (2 Th 1,12; 2,16; 1 Tm 1,14; Ag 11, 23; 14, 26; 15, 40; 1 Cl 30, 2f; 50, 3; 2 Cl 13, 4; Ign Sm 12, 1; Pol 2, 1; Herm m X 3, 1). Dann ist χάρις von ἔλεος ... kaum unterschieden. χάρις u ἔλεος werden kombiniert nicht nur in den Grußwünschen (1 Tm 1, 2; 2 Tm 1, 2; Tt 1, 4 vl; 2 J 3; Ign Sm 12, 2), sondern auch sonst (Hb 4, 16); für χάρις kann ἔλεος eintreten (Eph 2, 4; Tt 3, 5). Übrigens kann die χάρις auch in der Gewährung der Buße gesehen werden (1 Cl 7, 4, wo offenbar nicht allein an die Taufbuße gedacht ist wie Ag 5, 31; 11, 18)."

[196] → Wetter 77f versteht ἐν lokal. Aber im Kol herrscht nicht die von Wetter angenom-

mene massiv-realistische Vorstellung von der Gnade. Der Sprachgebrauch ist einfach ein popularisierter paulinischer. Dib Gefbr[2] zSt deutet *mit Dank,* entsprechend dem Kontext (εὐχάριστοι — χάριτι — εὐχαριστοῦντες). Dgg spricht der bestimmte Artk (p[46] B D* G). Dib Gefbr[3] zSt übersetzt daher: *singet, da ihr in Gnaden seid!* Das entspricht in der Tat dem durchschnittlichen Sprachgebrauch von der χάρις als dem chr Stand.

[197] Dafür spricht die Fortsetzung ἅλατι ἠρτυμένος.

[198] Es ist umstritten, wie die Attraktion ἧς ἐχαρίτωσεν aufzulösen ist: ᾗ oder ἥν? Mit Vorbehalt spricht sich für ᾗ Bl-Debr § 294, 2 aus; → Wobbe 49 begründet das: „Die Huld Gottes ist aber nicht der **Inhalt,** sondern der **Grund** der Begnadigung. Mithin ist ἧς aus dem Dat ᾗ entstanden."

[199] Beachte den Wechsel der Pers!

[200] Der Abschnitt erschließt sich der Interpretation nur, wenn man ihn als Bearbeitung von Kol 2, 9ff erkennt. Durch die „paulinischen" Einschübe fängt der Verf des Eph eine mögliche gnostische Interpretation des Kol auf, die an die Verlegung der Auferstehung aus der Zukunft in die Vergangenheit Kol 2,12

an Paulus und deuteropaulinische Verschiebung des Sinnes sind auch Eph 3, 2. 7f zu erkennen[201]. Der Amtsgedanke des Paulus wird im Sinne des spezifischen Kirchen- und Traditionsgedankens des Epheserbriefs umgesetzt. Stereotyp (→ 364, 23ff) ist die Verbindung mit δίδωμι (4, 7. 29)[202].

5   Der 2. Thessalonicherbrief bringt sachlich nichts Neues. 2 Th 2, 16 ist Imitation paulinischer Ausdrucksweise. Undeutlich ist 1, 12: Ist zu übersetzen *nach der Gnade unseres Gottes und des Herrn Jesus Christus* oder *nach der Gnade unseres Gottes und Herrn Jesus Christus* ?[203]

Das Verbum χαρίζομαι bedeutet *verzeihen* (Kol 3, 13), und zwar als gefor-
10 dertes gegenseitiges Verhalten in der Gemeinde. Begründet wird die Forderung mit dem Vorbild des Schenkens Christi. Der Epheserbrief wandelt ab: Gottes Geschenk in Christus (4, 32). Das Verbum bezeichnet den gnädigen Erlaß der Verfehlungen (Kol 2, 13; → VII 785, 10ff; 793, 9ff)[204].

χαριτόω *begnaden* steht Eph 1, 6. Der Sinn ist durch die Verknüpfung mit
15 χάρις gegeben (→ 383, 18ff).

b. In den Pastoralbriefen[205] hat χάρις die profane Bedeutung *Dank* (1 Tm 1, 12)[206]. Dann findet sich die kennzeichnende Verbindung mit ἔλεος in Grußworten (→ A 195). χάρις ist die *Amtsgnade* (2 Tm 2, 1). Anlehnung an Paulus und Weiterentwicklung liegen in 2 Tm 1, 9 vor. Der Gegensatz von
20 χάρις und ἔργα ist aufgenommen, aber modifiziert durch das formelhafte Bekenntnis im Epiphanie-Stil[207]. Wie bei Paulus beschreibt χάρις das Selbstbewußtsein des Apostels, freilich im Sinne des Apostelbildes des Nachfahren[208]. Derselbe Epiphanie-Stil herrscht Tt 2, 11: Offenbarung ist Epiphanie der Gnade[209]. Die verwandte Stelle Tt 3, 4—7 zeigt, daß χάρις durch χρηστότης, φιλανθρωπία (→
25 111, 7ff) ersetzt werden kann; dazu tritt in v 5 ἔλεος. Auch hier ist der Gegensatz

anknüpfen könnte, vgl die Polemik 2 Tm 2, 18. Eph übernimmt zwar aus Kol den Aor συνήγειρεν Eph 2, 6, stellt aber den ungnostischen Sinn sicher. Übrigens zeigen sich auch in den „paulinischen" Einsprengungen nachpaulinische Elemente. Eph sagt nicht δικαιωθέντες, sondern σεσωσμένοι. δικαιόω fehlt im Kol u Eph überh, u der Sinn von δικαιοσύνη ist ethisiert, s Bultmann Theol[6] 529.

[201] Vgl Dib Gefbr[3] zu 3, 2. 8. Die paulinisierende Tendenz zeigt der Vergleich mit Kol 1, 25, wo das Stichwort χάρις fehlt.

[202] → Wetter 122 stellt zutreffend fest, daß in 4, 29 Gnade „zu einem nur pneumatischen Begriffe verblaßt" ist. Das gilt auch für 4, 7, vgl ferner Jk 4, 6; 1 Pt 5, 5.

[203] Setzt man korrekten Gebrauch des Artk voraus, so ist nur die zweite Übers möglich. Für die erste kann man anführen, daß die Wendungen „Gott u der κύριος" u „κύριος Ἰησοῦς Χριστός" fest sind u daß der Verf daher möglicherweise nicht bemerkte, daß der Artk eingefügt werden mußte, CMasson, Les deux Épîtres de Saint Paul aux Thessaloniciens, Commentaire du Nouveau Testament 11a (1957) zSt; BRigaux, Les Épîtres aux Thessaloniciens, Études Bibliques (1956) 643.

[204] Die St ist eine Paraphrase von R 6, 1 —11. Im Unterschied zur Vorlage ist unsere Auferweckung mit Christus in die Vergangenheit verlegt; sie ist mit der Sündenvergebung (in der Taufe) identifiziert, vgl Kol 1, 14.

[205] → Moffatt 303—313; → Manson 52—55; Bultmann Theol[6] 535f.

[206] → Moffatt 304 weist darauf hin, daß der Ausdruck χάριν ἔχω nicht paul ist.

[207] Siehe dazu Dib Past[4] zSt; EPax, ΕΠΙΦΑΝΕΙΑ, Münchener Theol Studien I 10 (1955) 239—241. Obwohl der Wortlaut dazu einladen könnte, die Gnade als Hypostase zu deuten, vgl bes O Sal 33, zeigt der Kontext, daß sie die Heilsgabe ist, wie die ἀγάπη 1 K 13; zur Analogie s CSpicq, Agapè dans le Nouveau Testament III, Études Bibliques (1959) 20.

[208] Zur Stellung der Past am Übergang → Moffatt 312.

[209] Tt 2, 11 erinnert an die Epiphanie des Logos J 1, 1ff; man darf aber auch hier, wie 2 Tm 1, 9 (→ A 207), keine Hypostasierung ansetzen. Im Zshg ist der Hinweis auf die Offenbarung paränetisches Motiv.

[210] → Moffatt 308, der freilich angesichts von v 4 von Personifizierung spricht 306. Zur Charakteristik der Gnade als σωτήριος Tt 2, 11, s Spicq aaO (→ A 207) 21 A 1.

zu den Werken aufgenommen und der Zusammenhang von Gnade und Rechtfertigung betont; χάρις ist aber im Kontext speziell auf die Taufgnade bezogen[210].
1 Tm 1,14 ist die Trias Glaube — Liebe — Hoffnung abgewandelt zu χάρις, πίστις,
ἀγάπη [211].

c. Auch der Hebräerbrief[212] stellt χάρις neben ἔλεος 5
(4, 16, vgl 1 Tm 1, 2 usw; → A 195). Die Gnade ist in Christus, dem Hohenpriester,
verkörpert; man empfängt sie am Throne Gottes, vgl 7, 25[213]. Die charakteristischen Themen und Motive erscheinen jeweils im Kontext: Der soteriologische
Hauptbegriff ist nicht χάρις, sondern διαθήκη (→ II 133, 39ff). Das christologische
Thema begegnet in der schwierigen Stelle 2, 9 (→ V 933, 28ff)[214]. Der Hebräer- 10
brief spricht nicht von der Gnade Jesu Christi, sondern von seinem Leiden durch
Gottes Gunst[215]. Den Zusammenhang von Tod Christi („Blut"), Bund und Gnade
führt Hb 10, 29 aus[216]. Zur Gegenüberstellung des alten und neuen Bundes gehört
die Antithese von Gnade und Speise (13,9); der neue Bund ist die Krise des Kults,
wie bei Paulus die Krise des Gesetzes[217]. Als Konsequenz ergibt sich die Paränese 15
an das wandernde Gottesvolk, die Warnung vor der Gefahr des Zurückbleibens
(12,15).

d. Auch im 1. Petrusbrief ist von der χάρις mit Selbstverständlichkeit die Rede (1, 10)[218], ohne daß der Begriff noch die theologische
Gedankenformung bestimmt[219]. Das Schwergewicht liegt bei der paränetischen 20
Frucht, dem Verstehen des Leidens als Gnade (2,19f; →358, 18ff; 387, 2f; IV 323,

[211] → Wetter 114f.
[212] → Moffatt 345—357. *Dank* heißt χάρις
Hb 12, 28, vgl 1 Tm 1,12.
[213] Zu προσέρχομαι in diesem Zshg EKäsemann, Das wandernde Gottesvolk, FRL 55
⁴(1961) 31. Zum *Gnadenthron* vgl τὸν ἐλέου
βωμόν Philo Exsecr 154. → Wetter 33 vermerkt,
daß der Gedanke nicht mehr an Gottes Heil
in Christus, sondern „an den Sünden der Menschen orientiert" ist.
[214] Wnd Hb zSt übersetzt: *damit er durch
Gottes Gnade* (?) *für jedermann den Tod koste*.
Er fragt, ob eine Textlücke vorliegt. „In jedem
Falle steht das ὅπως-sätzchen nicht am richtigen Platze". Gg die vl χωρὶς θεοῦ spricht der
Kontext, vgl v 10; χωρίς wird verteidigt von
JCO'Neill, Hebrews 2, 9, JThSt NS 17 (1966)
79—82. HStrathmann, Der Brief an die Hebräer, NT Deutsch 9 ⁹(1968) zSt: Der Abschnitt
ist beherrscht von v 10: „Es war Gott angemessen". Also bezieht sich die Hauptaussage
von v 9 wohl ebenfalls auf das Leiden, da
v 10 den v 9 begründet. Nun scheint hier aber
von der Erhöhung die Rede zu sein. Dazu
paßt wieder der Finalsatz nicht. Der Tod liegt
vor der Erhöhung. Lösung: *Ehre u Herrlichkeit* beziehen sich nicht auf die Erhöhung,
sondern auf die hohepriesterliche Würde, vgl
5, 4f; Ex 28, 2. Der Finalsatz ist streng zu
fassen; er erklärt den Passus *wegen des Todesleidens*. v 10 kann anknüpfen an *durch Gottes
Gnade*.
[215] Zur Bdtg des Todes Christi im Hb s Kä

semann aaO (→ A 213) 98—105. Gg Strathmann aaO (→ A 214) zu 2, 9 hält er am Gedanken der Erhöhung fest. Diese macht deutlich, daß der Tod Jesu einen anderen Charakter hat als der Tod der übrigen Menschen.
„Die den Christus erhöhende u krönende
Gnade stellt heraus, daß Jesus den Tod ὑπὲρ
παντός empfunden hat u empfinden sollte.
Denn sie bestimmte ihn zum Führer u konnte
ihn nur durch Leiden als solchen vollenden"
Käsemann 103. Denn nur durch das Leiden
konnte der Bann der Materie durchbrochen
werden.
[216] AWArgyle, Grace and the Covenant,
Exp T 60 (1948/49) 26f vergleicht zur Verknüpfung von Gnade u Bund חֶסֶד u בְּרִית
1 Kö 8, 23; Neh 1, 5; 9, 32; Da 9, 4, vgl auch
Damask 19,1 (8, 21). Der Ausdruck πνεῦμα
τῆς χάριτος erinnert an Sach 12,10 LXX:
πνεῦμα χάριτος καὶ οἰκτιρμοῦ.
[217] Richtet sich die Polemik auf jüd Speisevorschriften Wnd Hb zSt oder auf judaistische
Gnosis Mi Hb¹² zSt?
[218] Zur Ausdrucksweise χάρις εἰς vgl 1 K
15,10. Der durchschnittliche Begriff liegt auch
dem Ausdruck οἰκονόμοι ... χάριτος 1 Pt 4,10
zugrunde: Die Gnade ist die Kraft des Zusammenlebens in der Gemeinde, vgl 5,10.
[219] χάρις ist praktisch synon mit σωτηρία,
→ Wetter 84; Bultmann Theol⁶ 532; dieser
weist darauf hin, daß nicht mehr von der
Rechtfertigung die Rede ist; außer 1,10 vgl
1,13; 5,12.

41ff). Der Sinn wird durch das dazugefügte Stichwort κλέος beleuchtet[220]. Die hellenistische Tendenz erscheint 2 Pt 3,18 in der Kombination mit γνῶσις[221]. Unklar ist Jk 4,6: μείζονα δὲ δίδωσιν χάριν[222].

4. Johannes.

Das johanneische Schrifttum verzichtet fast ganz auf die Wortgruppe[223]. Außer in einigen Grußformeln wie 2 J 3, wo χάρις neben ἔλεος und εἰρήνη steht, sowie Apk 1,4; 22,21 steht χάρις nur noch J 1,14. 16f. Hier bezeichnet das Wort den Ertrag der Offenbarung des Logos, in Anlehnung an den paulinischen Gegensatz von Gnade und Gesetz[224]. Aber dieser wird nicht entfaltet. Die Aussage bleibt im Johannesevangelium singulär. Der Sinn wird vielmehr durch die Verbindung mit ἀλήθεια (→ I 245, 23ff)[225] und πλήρωμα (→ VI 301, 11ff)[226] bestimmt.

E. Apostolische Väter[227].

Der nt.liche Briefgruß ist in Anlehnung an 1 K u 1 Pt aufgenommen 1 Cl Inscriptio, vgl den Schlußgruß 65, 2, weitere Grußformeln Barn 21, 9; Pol 14, 2; Ign Sm 13, 2, neben ἔλεος, εἰρήνη, ὑπομονή steht χάρις Ign Sm 12, 2. Im übrigen herrscht der durchschnittliche Sprachgebrauch (→ A 195): χάρις bedeutet *Dank, Gunst, Lohn.* Der Gebrauch wird in der interessanten Überlieferungsgeschichte des Logions Mt 5, 46 Par (→ A 152) sichtbar. In der Fassung: ποία γὰρ χάρις, ἐὰν ἀγαπᾶτε τοὺς ἀγαπῶντας ὑμᾶς[228]; erscheint es Did 1, 3, weiter in zersagter Form 2 Cl 13, 4a: οὐ χάρις ὑμῖν, εἰ ἀγαπᾶτε τοὺς ἀγαπῶντας ὑμᾶς, ἀλλὰ χάρις ὑμῖν, εἰ ἀγαπᾶτε τοὺς ἐχθροὺς καὶ τοὺς μισοῦντας ὑμᾶς[229], vgl Ign Pol 2, 1: καλοὺς μαθητὰς ἐὰν φιλῇς, χάρις σοι οὐκ ἔστιν[230].

[220] Man kann hier einen Lohngedanken finden, EGSelwyn, The first Epistle of St Peter ³(1949) 176, vgl → Wetter 209; aber daran ist nicht gedacht. Es kommt auf das Verstehen des Leidens durch die Leidenden, nicht durch distanziert Betrachtende an.

[221] Jd 4 wird von 2 Pt übergangen.

[222] Der Sinn ist unsicher. Wnd Kath Br zSt rechnet mit Textverderbnis, Dib Jk¹¹ zSt versucht, den Satz als Übergang zu verstehen, der das nächste Zitat vorbereite: „Dafür verleiht er, wenn ihr ihm treu seid, auch um so größere Gnade."

[223] χαρίζομαι u χαριτόω fehlen. εὐχαριστία steht Apk 4, 9; 7,12, εὐχαριστέω J 6,11. 23; 11,41; Apk 11,17 (→ 401, 6ff).

[224] EHaenchen, Probleme des joh „Prologs", Gott u Mensch (1965) 132f schreibt v 17 einer Quelle zu, die näher bei Pls stehe als der Verf des 4. Ev. Aber die St ist nicht wirklich paul. Bultmann J 53 A 4 stellt mit Recht fest, daß dem Sinn von χάρις J 1,17 eher das paul πνεῦμα entsprechen würde.

[225] LJKuyper, Grace and Truth, The Reformed Review 16 (1962) 1—16 leitet aus der at.lichen Kombination von חֶסֶד u אֱמֶת ab.

[226] In v 14 ist πλήρης schwierig. Mit Bultmann J 49 A 2 ist es wohl nicht zu δόξα zu ziehen, sondern entweder zu ὁ λόγος (so sicher, wenn v 14 u 16 urspr zusammengehören, s Bultmann J 49 A 1) oder als indeklinabel

zu αὐτοῦ. Zum Logos vgl Philo Som I 75; II 245; Rer Div Her 188. Gottes διαθήκη ist πλήρης χαρίτων Som II 223, vgl 183. Bei der Prophetenweihe der Markosier ist die Offenbarung als Empfang der χάρις dargestellt: λάμβανε πρῶτον ἀπ' ἐμοῦ, καὶ δι' ἐμοῦ τὴν χάριν ... ἰδοὺ ἡ χάρις κατῆλθεν ἐπὶ σε Iren Haer I 7, 2 (I 118), vgl Corp Herm 1, 32; Ascl 41; Did 10, 6 (→ 391, 1ff). Die Wendung χάριν ἀντὶ χάριτος drückt die Unerschöpflichkeit der Gnade aus, vgl Philo Poster C 145 sowie χάρις ἐπὶ χάριτι Sir 26,15.

[227] → Bonwetsch 93—96; → Torrance 36 —132.

[228] Zur Frage nach dem Traditionszusammenhang s Köster aaO (→ A 152) 224f: Es „läßt sich aus dieser St allein keine Sicherheit darüber erlangen, ob die Logiensammlung neben Mt auch Lk benutzte oder neben Mt nur noch die Einwirkung freier Überlieferung vorliegt". JPAudet, La Didachè (1958) 183 —186 bestreitet die Einwirkung von Mt u Lk; er erklärt überdies Did 1, 3b—5 für Interpolation.

[229] Köster aaO (→ A 152) 75—77 vermutet, daß 2 Cl Lk kennt u die St aus dem Gedächtnis anführt.

[230] Köster aaO (→ A 152) 44f. Ohne χάρις bei Just Apol I 15, 9: εἰ ἀγαπᾶτε τοὺς ἀγαπῶντας ὑμᾶς, τί καινὸν ποιεῖτε; vgl EMassaux, Le texte du Sermon sur la montagne de Mat-

In der Did[231] ist von Interesse 10, 6[232]: ἐλθέτω χάρις καὶ παρελθέτω ὁ κόσμος οὗτος. Wenn χάρις zu lesen ist[233], dann ist damit die sakramentale *Gnade* bezeichnet, also zusammenfassend das messianische Heil, oder — weniger wahrscheinlich — der Herr selbst; χάρις wäre dann Synon zu λόγος[234]. Im 1 Cl[235] ist *Gnade* der Heilsertrag der Bekehrung[236]. Die Propheten sind οἱ λειτουργοὶ τῆς χάριτος τοῦ θεοῦ 8, 1[237]. Der Christenstand ist das *Joch* (→ II 898, 31 ff) *seiner Gnade* 16, 17. Die Antithese zu den Werken fehlt; vielmehr wird Anweisung gegeben, wie man durch das rechte Verhalten die Gnade erlangt 30, 2 f. Dazu gehört der Aufruf zur Einheit durch den Hinweis auf den einen Gott, den einen Christus, den einen Geist der Gnade, die eine Berufung in Christus 46, 6[238]. Der Befund bei Ign[239] ist nur scheinbar reicher. In Wirklichkeit herrscht auch hier der allg verblaßte Gebrauch: Die χάρις ist eine in der Gemeinde Sm 9, 2; 13, 2; R Inscriptio; Mg 8, 2 u speziell im beamteten Bischof wirksame Kraft Mg 2, 1; Pol 1, 2[240]. Sie ist das Ganze des Heils Eph 11, 1; Mg 8, 1; Sm 6, 2, der gnädige Wille Gottes oder Christi R 1, 2; Phld 8, 1; 11, 1; Sm 11, 1. Auch hier fehlt wie bei der πίστις die Antithese zu den Werken[241]. Die Gnade wird zum Motiv des Aufrufs zur Einigkeit Eph 20, 2[242], der Warnung vor Heterodoxie Sm 6, 2. An einigen St wird ein persönlicher Ton vernehmbar. Ign vertraut auf die *Gnade Gottes* im Blick auf die Gemeinde Phld 8, 1, vgl Pol 7, 3, u vor allem R 1, 2: Es ist *Gnade*, wenn er sein Los, das Martyrium, erlangt 6, 2[243]. Pol 1, 3 ist der Gegensatz zu den Werken reproduziert, ohne theol zum Zuge zu kommen, vgl Eph 2, 8 f; Tt 3, 5; 1 Cl 32, 3. Auch Barn[244], 2 Cl[245] u Herm[246] beleben das Bild nicht durch neue Züge.

Dasselbe gilt für die Verben χαρίζομαι[247] u χαριτόω. Mit χαρίζομαι wird Gottes *Schenken* bezeichnet, so beim Sakrament Did 10, 3[248], vgl weiter Ign Eph 1, 3; 2 Cl 1, 4; Herm s IX 28, 6; ebs ist χαριτόω Herm s IX 24, 3[249] gebraucht.

F. Gnosis.

χάρις ist kein tragender Begriff. Die spätantiken Züge treten klar hervor: χάρις ist Kraft (→ 366, 14 ff)[250]. Die gnostische Intensivierung kann sich in der Auffassung von der Einflößung dieser Kraft, der Erleuchtung, anzeigen, so im Schlußgebet des Poimandres Corp Herm 1, 32[251]. Dazu kommt jetzt die Hypostasie-

---

thieu utilisé par Saint Justin, Ephemerides theologicae Lovanienses 28 (1952) 428—431; JCO'Neill, The Theology of Acts (1961) 32.

[231] → Torrance 36—43.

[232] Die kpt Version setzt nicht χάρις, sondern κύριος voraus. Diese LA bevorzugt MDibelius, Die Mahl-Gebete der Did, Botschaft u Gesch II (1956) 125; anders HLietzmann, Messe u Herrenmahl ³(1955) 237.

[233] Vgl die Konfrontation mit κόσμος.

[234] Siehe Lietzmann aaO (→ A 232) 237 A 2. Vgl FJDölger, Sol Salutis (1925) 204—209.

[235] → Torrance 44—55.

[236] 1 Cl 7, 4 wird erläutert durch 12, 7; 49, 6. χάρις steht neben ἔλεος 50, 2 f.

[237] Vgl 1 Cl 23, 1: Der allbarmherzige u wohltätige Vater spendet seine *Gnaden.* Zum Plur vgl Philo (→ 380, 9 f).

[238] Vgl zu diesem Stil der Erweiterung einer triadischen Formel Eph 4, 4—6.

[239] → Torrance 56—89.

[240] → Wetter 70 faßt χάρις in Mg 2, 1 als Hypostase, vgl Eus Hist Eccl II 1, 10; V 1, 6. Der Kontext spricht dgg. Vgl χάρισμα Ign Sm Inscriptio; Ign Pol 2, 2; Bultmann Theol⁶ 547.

[241] Bultmann Theol⁶ 547.

[242] Aber sie wird es nur nebenbei. Hauptmotiv ist die Einheit des Glaubens.

[243] Unklar ist der Sinn von Ign Sm 11, 1: *Ich bin nicht wert, von dort* (sc Antiochien) *zu sein,* ... κατὰ θέλημα (Gottes) δὲ κατηξιώθην, οὐκ ἐκ συνειδότος, ἀλλ᾽ ἐκ χάριτος θεοῦ, ἣν εὔχομαι

τελείαν μοι δοθῆναι. Bau Ign zSt: „Entweder schließt die allein wirksame göttliche Gnade jedes menschliche ‚Mitwissen' aus, oder fühlt sich Ign im Gegensatz zu dem Urteil des ‚Gewissens' durch die Gnade als würdig angenommen."

[244] → Torrance 100—110. Außer Barn 5, 6; 9, 8; 14, 9 ist zu erwähnen ἔμφυτον τῆς δωρεᾶς πνευματικῆς χάριν εἰλήφατε 1, 2, → Wetter 125, ferner 14, 9, wo χάρις Zusatz im Zitat von Js 61, 1 f ist, u der Schlußgruß 21, 9.

[245] → Torrance 126—132. χάρις steht nur im Herrenwort 2 Cl 13, 4 (→ 390, 20 f).

[246] → Torrance 111—125.

[247] Von den Apologeten ist zu erwähnen: τὰ μυστήρια χαρίζεσθαι ὑμῖν τοῦ θεοῦ Just Dial 131, 4, vgl auch 119, 5; von den Götzen wird gesagt πῶς ἄλλοις σωτηρίαν χαρίσονται; Aristid Apol 3, 2. [Bertram]

[248] Bei den par zum Sakrament genannten Schöpfungsgaben *Speise* u *Trank* steht ἔδωκας.

[249] Vgl Jk 1, 5 u Wnd Kath Br zSt.

[250] Eus Hist Eccl II 1, 10: Philippus kommt nach Samarien, θείας τε ἔμπλεως δυνάμεως κηρύττει πρῶτος τοῖς αὐτόθι τὸν λόγον, τοσαύτη δ᾽αὐτῷ θεία συνήργει χάρις, ὡς καὶ Σίμωνα τὸν μάγον μετὰ πλείστων ὅσων τοῖς αὐτοῦ λόγοις ἐλχθῆναι.

[251] ἐπίνευσόν μοι καὶ ἐνδυνάμωσόν με, καὶ τῆς χάριτος ταύτης φωτίσω τοὺς ἐν ἀγνοίᾳ τοῦ γένους, μοῦ ἀδελφούς, υἱοὺς δὲ σοῦ Corp Herm 1, 32. Zum Erleuchtungsgedanken → 327, 1 ff. Vgl

rung der χάρις[252], bes schön in den OSal, in denen die ṭaibutha *Gnade*[253] als Pers auftritt OSal 33[254]. Dieselbe Gestalt, die nichts anderes als eine Variation der Sophia
darstellt (→ VII 508, 3ff), ist im Hintergrund der Epiklesen Act Thom 27. 50 zu erkennen, wo sie εὐσπλαγχνία heißt[255]. Im übrigen ist der gelegentliche Gebrauch des
Wortes in den Act Thom unspezifisch[256]. Ebs verhält es sich in den Act Joh, vgl im
Hymnus Jesu: δόξα σοι χάρις 94. Das Wort steht in Serien von soteriologischen Begriffen 98. 106.

Das Verhältnis von χάρις als Gabe u als Hypostase mag folgende Übersicht veranschaulichen: Gabe ist sie in der Eucharistie der Markosier. Die Teilnehmerinnen trinken
das Blut der χάρις: ἡ πρὸ τῶν ὅλων, ἡ ἀνεννόητος καὶ ἄρρητος Χάρις πληρῶσαι σου τὸν ἔσω
ἄνθρωπον, καὶ πληθῦναι ἐν σοὶ τὴν γνῶσιν αὐτῆς ... λάμβανε πρῶτον ἀπ' ἐμοῦ, καὶ δι'
ἐμοῦ τὴν χάριν Iren Haer I 7, 2 (I 117f). Gabe ist sie auch in kpt-gnostischen Schriften.
Im Ev nach Maria 9,16[257] fragen die Jünger, wie sie den Heiden das Ev predigen sollen.
Maria antwortet: „Weinet nicht ... denn seine χάρις wird mit euch allen sein." Der
bei den Markosiern erkennbare Zshg von Soteriologie — χάρις als Gabe — u Hypostasierung ist bei den Valentinianern deutlich ausgearbeitet. „Die Vollkommenen werden
durch einen Kuß schwanger u gebären. Deswegen küssen auch wir uns gegenseitig. Wir
empfangen die Schwangerschaft aus der χάρις, die wir untereinander haben" Philippus-
Ev Spruch 31 (107, 2ff)[258]. Vgl Ev Veritatis[259] 35, 36ff: „Ebs füllt das πλήρωμα, das
nicht mangelhaft ist, den Mangel, das (sc πλήρωμα) er (sc der Vater) von sich gegeben
hat, um zu füllen das, was er (sc der Bedürftige) entbehrt, damit er also die Gnade
empfange. Denn zur Zeit, da er Mangel litt, hatte er nicht die Gnade" u die patristischen Berichte: Der Αὐτοπάτωρ, der im Anfang das All in sich umschloß, ... ὃν καλοῦσί
τινες Αἰῶνα ἀγήρατον, ἀεὶ νεάζοντα, ἀρρενόθηλυν, ὃς πάντοτε περιέχει τὰ πάντα καὶ οὐκ ἐν-
περιέχεται, τότε ἡ ἐν αὐτῷ Ἔννοια ἠθέλησεν — ἐκείνη, ἥν τινες Ἔννοιαν ἔφασαν, ἕτεροι
Χάριν· οἰκείως, διὰ τὸ ἐπικεχορηγηκέναι αὐτὴν θησαυρίσματα τοῦ Μεγέθους τοῖς ἐκ τοῦ
Μεγέθους, οἱ δὲ ἀληθεύσαντες Σιγὴν προσηγόρευσαν Epiph Haer 31, 5, 3f; τοῦτον (den
Aion) δὲ καὶ προαρχὴν καὶ προπάτορα καὶ Βυθὸν καλοῦσιν ... συνυπάρχειν δ' αὐτῷ καὶ Ἔννοιαν, ἣν δὴ καὶ Χάριν καὶ Σιγὴν ὀνομάζουσι Iren Haer I 1,1 (I 8f). Im valentinianischen
Komm zum Prolog des Joh-Ev wird J 1,14 ausgelegt: ἀκριβῶς οὖν καὶ τὴν πρώτην ἐμήνυσε
τετράδα· Πατέρα εἰπών, καὶ Χάριν, καὶ τὸν Μονογενῆ, καὶ Ἀλήθειαν Iren Haer I 1,18
(I 80)[260]. Üppig wuchert die Spekulation in den kpt-gnostischen Schriften. Pist Soph 60
(p 76, 33ff) zitiert ψ 84,11f mit den Begriffen Gnade, Wahrheit, Gerechtigkeit, Friede
u kommentiert: „Die Gnade nun ist die Lichtkraft, die durch das erste Mysterium herausgekommen ist", Pist Soph 61 (p 78, 21ff): „Die Gnade ist das πνεῦμα, das aus der
Höhe durch das erste Mysterium herausgekommen ist." In der Sophia Jesu Christi
(→ A 257) 87f preist der Erlöser den Reichtum, der im seienden Geist ist. „Zufolge
seiner Güte u seiner Liebe (ἀγάπη) wollte er durch sich selbst Früchte hervorbringen, damit
er nicht allein seine Güte genieße ... Herrlichkeit, Unvergänglichkeit u seine grenzenlose
Gnade (χάρις) ..." 88, 2ff. Aus dem Licht, dh Christus treten vier große Lichter in Erscheinung, „die χάρις, die σύνεσις, die αἴσθησις u die φρόνησις. Die χάρις (gehört) zum ersten

---

das Schlußgebet des Ascl 41: gratias tibi
summe, exsuperantissime; tua enim gratia
tantum sumus cognitionis tuae lumen conse-
cuti u dazu Reitzenstein Hell Myst 286f.
   [252] GBornkamm, Mythos u Legende in den
apokryphen Thomas-Akten, FRL 49 (1933)
94: „Es liegt im Wesen dieser Hypostasenbil-
dungen, daß sie bald als die Gottheit selbst,
bald als die göttliche Wirkung erscheinen, bald
eine feste Gestalt, bald ein χάρισμα bedeuten."
   [253] Die Entsprechung von ṭaibutha u χάρις
ist direkt belegt durch den kpt Text von Ode
25, 4 u den neu entdeckten griech Text der
Ode 11,1, ed MTestuz, Pap Bodmer X—XII
(1959) 60, vgl auch AAdam, Die urspr Sprache
der Salomo-Oden, ZNW 52 (1961) 146f.
   [254] Sie tritt wie die Weisheit als Jungfrau
auf. Es ist bezeichnend, daß sich daneben
auch die gew Bdtg als Gabe findet O Sal 34, 6;
24,3; *Ohne Entgelt empfing ich deine Gnade*
5, 3 syr Version.
   [255] Bornkamm aaO (→ A 252) 89—94. „Die
Feier der Eucharistie wird ganz im Sinne des
ἱερὸς γάμος vollzogen, wir dürfen die Χάρις u
die Ἀχαμώθ des νυμφών-Sakramentes (sc der

Valentinianer) also ohne weiteres identifizieren." Bornkamm 93f vergleicht außer O Sal 33
den ophitischen Zauberspruch der Seele, die
das Äonenreich durchzieht: jede Bitte schließt
ἡ χάρις συνέστω (μοι), (ναὶ) πάτερ, συνέστω
Orig Cels VI 31. Doch liegt hier keine Hypostasierung vor.
   [256] Die Gnade geht mit Thomas: „Kommt
zu dem wahrhaft Guten, damit ihr durch ihn
die Gnade empfanget u sein Zeichen euren
Seelen einsetzt" 28 (p 145,14ff).
   [257] ed WCTill, Die gnostischen Schriften
des kpt Pap Berolinensis 8502, TU 60 (1955).
   [258] ed WCTill, Patristische Texte u Studien
2 (1963). Die *Vollkommenen* sind wohl die
Gnostiker,   anders   JLeipoldt-HMSchenke,
Kpt-gnostische Schriften aus den Pap-Cod
von Nag Hamadi, Theol Forschung 20 (1960)
43 A 7: die Äonen. Vgl noch Spruch 106
(124, 22ff); 114 (127,15ff).
   [259] ed MMalinine uam (1961). Zum umstrittenen valentinianischen Charakter desselben s Jonas Gnosis I³ 408—418.
   [260] Zus mit Λόγος, Ζωή, Ἄνθρωπος, Ἐκκλησία ist damit die Achtheit beisammen.

Licht, Harmozêl, das ist der Engel (ἄγγελος) des Lichtes im ersten Äon (αἰών), bei dem drei Äonen (αἰών) sind: die χάρις, die Wahrheit, die μορφή" Apokryphon des Joh (→ A 257) 33, 6—11. Im unbekannten altgnostischen Werk²⁶¹ 7 heißt es: „Du bist, du bist der μονογενής, das Licht u das Leben u die χάρις."

χάρισμα

5

A. Sprachgebrauch¹.

χάρισμα, Verbalsubstantiv zu χαρίζομαι, ist ein seltenes u spätes Wort², eine der in der Koine³ beliebten Bildungen mit -μα. Bei Philo ist es Leg All III 78⁴ u in einem Fr⁵ belegt, ferner BGU IV 1044, 5 (4. Jhdt nChr); II 551, 3 (arab Zeit); Preisigke Sammelbuch I 4789,7 (byzantinisch); PLond I 77, 24 (8. Jhdt nChr); 10 dazu noch Alciphr Ep III 17, 4. Es bezeichnet das Ergebnis⁶ der als Aktion verstandenen χάρις, ohne immer scharf von diesem Wort unterschieden zu sein⁷: *Gunstbezeugung, Wohltat, Geschenk.* Da das erhaltene außerneutestamentliche Material so gut wie nichts austrägt, ist der jeweilige Kontext bestimmend.

B. Septuaginta und Judentum.

15

חֶסֶד wird ψ 30, 22 Θ mit χάρισμα *Barmherzigkeit* übersetzt (LXX: ἔλεος). Sir hat das Wort zweimal, aber beidemal nicht in einhelliger Textüberlieferung; Sir 7, 33: Man soll einem Toten nicht die letzte χάρις (Cod S: χάρισμα) versagen, dh die *Ausübung der Barmherzigkeit* durch die Bestattung gewähren⁸; 38, 30 Cod B heißt es *das liebliche Werk.* Philo macht kaum einen Unterschied zu χάρις, vgl Leg All III 78 20 (→ A 4). Sib 2, 54: πᾶσά τε γὰρ ψυχὴ μερόπων (*der Menschen*) θεοῦ ἐστι χάρισμα⁹.

---

²⁶¹ übers CSchmidt-WCTill, Kpt-gnostische Schriften I, GCS 45 ³(1959) 344, 11 ff.

χάρισμα. Lit: → χαίρω κτλ, χάρις κτλ Lit-A. Zum Phänomen: FTaeger, Charisma. Studien zur Gesch des antiken Herrscherkultes I (1957). II (1960). — Zu C: HWeinel, Die Wirkungen des Geistes u der Geister im nachapostolischen Zeitalter bis auf Iren (1899); FJAHort, The Christian Ecclesia (1900) 153—170; HGunkel, Die Wirkungen des hl Geistes ³(1909); FGrau, Der nt.liche Begriff Charisma (Diss Tübingen [1947]); TNSterrett, New Testament charismata (Diss Dallas [1952]); JBrosch, Charismen u Ämter in der Urkirche (1951); GFriedrich, Geist u Amt, Wort u Dienst NF 3 (1952) 61—85; EKohlmeyer, Charisma oder Recht?, Zschr der Savigny-Stiftung, Kanonistische Abteilung 38 (1952) 1—36; HDWendland, Das Wirken des Hl Geistes in den Gläubigen nach Pls, ThLZ 77 (1952) 457—470; OPerels, Apostolat u Amt im NT, Schriften des Theol Konvents Augsburgischen Bekenntnisses 5 (1953) 24—39; HGreeven, Die Geistesgaben bei Pls, Wort u Dienst NF 6 (1959) 111—120; WSchrage, Die konkreten Einzelgebote in der paul Paränese (1961) 141—146; IHermann, Kyrios u Pneuma, Studien zu AT u NT 2 (1961) 69—85; GHasenhüttl, Charisma. Ordnungsprinzip der Kirche, Ökumenische Forschungen I 5 (1969); HSchürmann, Die geistlichen Gnadengaben in den paul Gemeinden, Ursprung u Gestalt (1970) 236—267.

¹ Auszuklammern ist hier das allg Phänomen des Charismatischen. Siehe dazu → Taeger passim; Gvan der Leeuw, Phänomenologie der Religion ²(1956) Regist sv Charismata.

² S Liddell-Scott, Preisigke Wört, Pr-Bauer sv.

³ Schwyzer I 128: „Ionisch scheint das Überwiegen der Bildungen auf -μα gegenüber denen auf -σις in der Koine."

⁴ Vgl LCohn, Philo von Alexandria, NJbch Kl Alt 1 (1898) 539 A 1, der χάρισμα beim ersten Vorkommen streichen u beim zweiten durch χάρις ersetzen will.

⁵ ed JRHarris, Fragments of Philo Judaeus (1886) 84.

⁶ Schwyzer I 522: „Später grundsätzlich nomina rei actae (im Gegensatz zu -μός u -σις), sind sie (sc die Neutra auf -μα) daneben schon früh auch Sachbezeichnungen." Auch nach Bl-Debr § 109, 2 bezeichnen Ableitungen auf -μα meist das Ergebnis einer Handlung. Doch ist im NT Vorsicht geboten, trotz Bl-Debr § 109, 2, wo behauptet wird, die Taufe sei βαπτισμός, in βάπτισμα dgg sei das Ergebnis eingeschlossen; dies ist zu schematisch.

⁷ GPWetter, Charis, UNT 5 (1913) 174: „Wie χάρισμα auf das Gebiet von χάρις übergreift, so auch χάρις auf das von χάρισμα" R 15,15.

⁸ Vgl VRyssel, Kautzsch Apkr u Pseudepigr zu Sir 7, 33; → Grau 16—19.

⁹ χάρισμα fehlt bei Jos. [Rengstorf]

C. Neues Testament.

1. Allgemeines.

Das Wort findet sich nur bei Paulus, in den Pastoral-
briefen und einem Nachklang in 1 Pt 4, 10, bei Paulus nur im Römerbrief und
5 in den beiden Korintherbriefen, immer in soteriologischem Zusammenhang[10]. χάρισμα wird von Paulus einerseits mit χάρις verbunden, andererseits mit πνεῦμα,
sofern er die pneumatischen Erscheinungen als χαρίσματα bezeichnet[11]. Außer dem
jeweiligen Kontext ist der Gesamttenor der drei Briefe zu beachten: χάρισμα erscheint in allen drei Briefen bereits im Proömium (→ 402, 11ff). 1 K 1, 7, im
10 typischen ὥστε-Satz, korrespondiert es mit χάρις v 4 (→ 402, 19f). Diese konkretisiert sich in bestimmten *Gaben* (R 12, 6; 1 K 12, 11), Fähigkeiten, von denen
zwei für die korinthische Gemeinde besonders kennzeichnende angeführt werden:
λόγος und γνῶσις (vgl 1 K 12, 8). Das ist ein Vorblick auf die ausführliche Besprechung der χαρίσματα in 1 K 12—14[12]. Zu beachten ist auch der Anklang an
15 εὐχαριστέω (→ 402, 22ff) und der eschatologische Ausblick[13]. Dieser wird sich
später als Kriterium der enthusiastischen Wertung der Gaben durch die Korinther
erweisen[14]. Die Zukunft ist dabei nicht bloß apokalyptisch als noch ausstehende
Zeit verstanden; vielmehr ist durch die χάρις die Gegenwart als Zeit des Geistes
eschatologisch bestimmt. Es herrscht die Dialektik: Die Gabe ist da, aber ihr
20 Besitz ist nur vorläufig. Die Vorläufigkeit erscheint in dem Hinweis: ὃς καὶ βε-
βαιώσει (1 K 1, 8), er ist an die Adresse derer gerichtet, die meinen, schon als Pneumatiker fest zu sein[15]. Das Ganze der geschenkten Heilsgabe ist χάρισμα (2 K
1, 11)[16]. Dieselbe Bedeutung erscheint auch R 5, 15f im Zusammenhang der Adam-
Christus-Typologie[17], die durchbrochen wird, um die *Übermacht der Gnade* auszu-
25 drücken. χάρισμα ist das Ergebnis derselben bzw die Heilstat samt ihrer Wir-

[10] Den Ansatzpunkt für die Bdtg kann R 11, 29 beleuchten: χαρίσματα καὶ κλῆσις. Der Satz ist als allg Sentenz formuliert, aber auf Israel bezogen. Die Gaben sind R 9, 4f genauer bezeichnet.

[11] Es ist nicht festzustellen, ob es Pls selbst war, der χαρίσματα als Bezeichnung der πνευματικά (→ VI 435, 11ff) in den Sprachgebrauch einführte.

[12] Auch wenn man den 1 K in mehrere Briefe zerlegt, bleiben prooem u Kp 12—14 beisammen, s WSchmithals, Die Gnosis in Korinth, FRL 66 ²(1965) 85. 89.

[13] Eschatologisch orientiert sind die prooem von 2 K, Phil u 1 Th.

[14] Heinr 1 K zSt versteht χάρισμα 1 K 1, 7 in einem weiteren Sinn als in Kp 12—14, von allen „übernatürlichen Kräften u Segnungen", Joh W 1 K zSt dgg im speziellen Sinn der πνευματικά. Die Alternative ist aber schief. Pls verallgemeinert den Sinn von χάρισμα, nur nicht von den Phänomenen her, sondern vom Gesichtspunkt der Gnade her.

[15] ὑστερέομαι v 7 kann heißen *Mangel haben*; dann wäre aber der Gen zu erwarten. ἐν weist eher auf die Bdtg *zurückstehen*, s Schl K zSt mit Verweis auf 2 K 11, 5; vgl Plat Resp VI 484d: μηδ᾽ ἐν ἄλλῳ μηδενὶ μέρει ἀρετῆς ὑστε-

ροῦντας. Dennoch ist die erstere Bdtg anzunehmen (→ VIII 595, 25ff). Es kommt hier nicht auf den Vergleich an, sondern auf den positiven Hinweis auf den Reichtum der Korinther.

[16] Andere fassen enger: „das Gnadengeschenk der Errettung aus Todesgefahr" Pr-Bauer sv. S aber Wnd 2 K zSt: Die Bdtg *gnädiger Eingriff* ist „mW sonst nicht nachgewiesen".

[17] EBrandenburger, Adam u Christus, Wissenschaftliche Monographien zum AT u NT 7 (1962) 219—231.

[18] Faßt man χάρισμα als *Gnadengabe*, „muß man ... das Fehlen einer genauen, logisch-begrifflichen Parallelität in Kauf nehmen", Brandenburger aaO (→ A 17) 219f. Um eine solche zu gewinnen, fassen es manche als *Gnadentat*, s GBornkamm, Paul Anakoluthe im R, Das Ende des Gesetzes ⁵(1966) 85; CKBarrett, A Commentary on the Epistle to the Romans, Black's New Testament Commentaries (1957) zu 5,15, also inhaltlich als gleichbedeutend mit δικαίωμα. Aber genauer Parallelismus ist diesen Sätzen nicht abzufordern, u παράπτωμα ist das Ganze, die Tat Adams u ihre Wirkung. Entsprechend ist auch χάρισμα zu verstehen.

kung[18], vgl die Häufung der Umschreibungen: ἡ χάρις . . . καὶ ἡ δωρεὰ ἐν χάριτι, δώρημα, δικαίωμα[19]. Stärker formal, *Gabe*, ist der Sinn R 6, 23[20] und im Proömium (R 1,11), wo der Sinn durch πνευματικόν bestimmt ist: Als Apostel hat Paulus χάρισμα πνευματικόν anzubieten; er korrigiert sich sofort dahin, daß es sich um wechselseitiges Geben und Nehmen handelt (vgl R 14,19). χάρισμα ist hier all- 5 gemein das, was mit der πίστις gegeben ist, nämlich seine Predigt, vgl den Kontext[21]. Das Moment der Individualisierung erscheint 1 K 7,7: Jeder hat seine Gabe von Gott[22]. Im Kontext begrenzt diese Feststellung die Forderung der Ehelosigkeit, die Paulus für den Idealfall hält, aber nicht als Gesetz auferlegt[23].

2. Die χαρίσματα. 10

a. Als χαρίσματα bezeichnet Paulus 1 K 12—14 und R 12 die ekstatischen Erscheinungen im Gemeindegottesdienst, die als Wirkungen des Geistes gelten, vor allem Glossolalie und Prophetie[24]. Nach dem korinthischen Maßstab des ekstatischen Erlebens rangiert die Glossolalie als die Himmelssprache zuoberst. Paulus unterwirft das Phänomen, das auch er als geistgewirkt anerkennt, 15 dem Kriterium der χάρις[25]. Zunächst konstatiert er die Zweideutigkeit der Ekstase als solcher (1 K 12,1—3); dann stellt er als Kriterium das κύριος-Bekenntnis fest, da dieses selbst Wirkung des Geistes ist; es folgt die Explikation durch Rück-führung des Verständnisses der Phänomene auf den Gottesgedanken und den Kirchengedanken (v 4ff). Gott gibt nicht allgemeine Erscheinungen, sondern 20 schenkt jedem das „Seine"; gerade so wird die Kirche als der Leib Christi ge-baut. Die Konsequenz dieser Interpretation ist, daß die πνευματικά nicht das Ewige im Heute sind; vielmehr stellen sie unseren künftigen Besitz in der Form der Vorläufigkeit dar. Alles, was dem Aufbau dient, ist χάρισμα, nicht nur das ekstatische Wirken, sondern auch die profane, alltägliche Dienstleistung[26]. Ein 25

[19] Auf der Gegenseite stehen παράπτωμα, κρίμα, κατάκριμα. Zum Stil s Bl-Debr § 488, 3: Die Bildungen auf -μα gehören „zu den deliciae hell Stilkünstler".
[20] Im Gegensatz zu ὀψώνιον: Der Tod ist die angemessene Vergeltung für die Sünde. Dgg kommt das Leben als *Geschenk*.
[21] Anders Mi R[14] zSt: Pls stelle sich als Pneumatiker vor. Er wolle mit den röm Pneumatikern ins Gespräch kommen, aber zugleich seine Autorität ihnen gegenüber behaupten.
[22] Betont ist im Kontext nicht, daß jeder Christ eine Gabe hat, obwohl Pls das annimmt, sondern daß Gott die Gaben zuteilt.
[23] Nicht die Ehe ist hier als χάρισμα bezeich-net, s Ltzm K zu 1 K 7,7. Zur religions-geschichtlichen Voraussetzung — ἐγκράτεια als Gabe Gottes — vgl Sap 8, 21; ep Ar 237, s Joh W 1 K zu 7,7.
[24] Den Wandel im Verständnis der χαρί-σματα illustriert die Deutung von FCBaur, Pls (1845) über → Gunkel, → Weinel, Wetter aaO (→ A 7) zur Gegenwart. Baur 559: Die Charis-mata sind „an sich . . . nur die Gaben u An-lagen, die jeder zum Christentum mitbringt". Zu Charismata werden sie dadurch, daß aus ihnen quasi als dem Stoff durch die Einwir-kung des Geistes „das christliche Bewußtsein u Leben in seinen verschiedenen individuellen Formen sich gestaltet". Baurs idealistische Deutung des Geistes wird durch die Motiv-forschung der religionsgeschichtlichen Schule überholt. Sie zeigt, daß der Geist nicht als Steigerung des Natürlichen, sondern als eine übernatürliche Potenz verstanden wird. Seine Wirkungen sind ungeistig im Sinne des ideali-stischen Verständnisses von Geist u Bewußt-sein: Er reißt in die Ekstase.
[25] Die Verknüpfung mit χάρις ist in 1 K 12 nicht ausdrücklich hergestellt. Daher wird bestritten, daß χάρισμα bei Pls enger mit χάρις zusammenhänge. Aber in R 12 ist der Bezug da. Die enge Verwandtschaft von 1 K u R ist zu beachten. R 12, 3 ist noch der Glaubens-begriff aufgenommen; das führt zu einer Individualisierung der Gaben nach dem μέτρον πίστεως, vgl Bultmann Theol[6] 326: Dieses „ent-spricht dem Anteil an den χαρίσματα . . . Denn wie sich die πίστις in einzelnen konkreten Ver-haltungen individualisiert, so individualisiert sich auch die göttliche χάρις in einzelnen kon-kreten Gnadengaben".
[26] Profanisierung ist nicht im Sinne einer Verweltlichung des Gnadenverständnisses ge-

exegetisches Problem ist die triadische Gliederung, die Paulus durchführt (1 K
12, 4—6): Er teilt die Gaben in χαρίσματα, διακονίαι (→ II 87, 15 ff) und ἐνεργήματα (→ II 650, 43 ff) auf und bezieht sie auf den Geist, den Herrn und Gott. Es
ist fraglich, ob eine genaue Entsprechung zwischen χαρίσματα und Geist, vermittelt
5 durch πνευματικά, διακονίαι und Herr, ἐνεργήματα und Gott besteht[27]. Beachtet
man das rhetorische Element, wird man nicht schematisieren. Auf der Seite Gottes
liegt eine Klimax vor, nicht aber auf der Seite der Gaben bzw Wirkungen[28]. Die
rhetorische, triadische Darstellung faßt die Vielheit der Erscheinungen zur Einheit
der göttlichen Manifestation zusammen und zeigt zugleich, daß jeder eine Gabe,
10 seine Gabe, besitzt. Die Trias hat theologische Relevanz für das Sich-Verstehen
in der Kirche. Das Verhältnis von Einheit der Geistwirkung und Vielheit der
Äußerungen zeigt sich darin, daß die χαρίσματα, διακονίαι, ἐνεργήματα nicht drei
verschiedene Gruppen von Wirkungen sind, sondern lediglich verschiedene Bezeichnungen, ferner daß alles Wirkung des einen Geistes ist (v 11)[29]. Die Wirkungen
15 sind übernatürlich, aber nicht magisch oder mechanisch; denn man kann diese
Gaben pflegen ζηλόω (vgl 12, 31 mit 14, 1)[30]. Die einzelnen aufgezählten Gaben
sind nur zum Teil sicher zu bestimmen und voneinander abzugrenzen.

Mit der Aufnahme der kirchlichen Dienstleistungen unter die Charismen ist eine
folgenreiche Entwicklung eingeleitet und eines der schwersten Probleme der frühen
20 Kirchengeschichte gestellt: das Verhältnis von Geist und Amt. Die berühmte
Einteilung in Charismatiker und Amtsträger[31] läßt sich nicht halten, wenigstens
nicht nach dem Selbstverständnis der frühen Kirche[32]. Sie beruht auf der Entgegensetzung von Amt/Recht und Geist[33]. Aber der Geist setzt selbst Recht[34].

---

meint, sondern als radikale Entweltlichung:
Auch das Religiöse wird noch als Weltliches
durchsichtig. Es geht gg die Verdinglichung
des Geistes, gg die Selbstmächtigkeit des
Pneumatikers.
[27] Joh W 1 K zu 12, 4 behauptet die Entsprechung, Ltzm K zu 1 K 12, 4 f bestreitet sie.
[28] Anders → Hermann 71—76, der auf beiden Seiten eine Klimax sieht.
[29] διαιρέω betont nicht die Verschiedenheit,
sondern bedeutet *zuteilen*.
[30] Es besteht freilich ein literarkritisches
Problem, das zugleich ein theol Sachproblem
ist: Gehört 1 K 13 urspr in diesen Zshg? Ist
also die Abstufung der Charismen in höhere
u niedere original paul? Wie verhält sich die
komplexe Überordnung der Trias Glaube-
Hoffnung-Liebe zu ihrer inneren Abstufung,
zur Überordnung der Liebe? Auch wenn die
literarkritische Frage offen bleibt, ist doch der
Sachzusammenhang paul: Die von den Korinthern für ewig gehaltenen Erscheinungen sind
in Wahrheit vergänglich. Das zeigt sich von
den bleibenden Faktoren her, die nicht Phänomene im selben Sinn wie jene sind. 1 K 13, 8
—11 ist in Antithese zur korinthischen Wertung der Erscheinungen formuliert; 13, 13 hat
eine polemische Spitze, s GBornkamm, Der
köstlichere Weg, Das Ende des Gesetzes
[5](1966) 93—112; ders, Die Erbauung der

Gemeinde als Leib Christi, ebd 117: „Die
Charismen tragen das signum der Vergänglichkeit im Unterschied zur Liebe, die nicht hin-
fällt, u sie sind nichts ohne die Liebe.“
[31] Ltzm K zu 1 K 12, 28 zu ἀντιλήμψεις u
κυβερνήσεις: Diese Begriffe werden die Tätigkeit der „technischen Beamten“ bezeichnen,
der διάκονοι u ἐπίσκοποι. „Zu den charismatischen Ämtern im engeren Sinne gehören sie
... nicht u werden deshalb auch v 29 f wieder
fortgelassen“ (→ A 32).
[32] Damit fällt auch die These von der doppelten Organisation, dh Gemeindeämter einerseits u wandernde Charismatiker mit gesamt-
kirchlicher Stellung anderseits, s HGreeven,
Propheten, Lehrer, Vorsteher bei Pls, ZNW 44
(1952/53) 1—43: Propheten u Lehrer sind
gerade an die einzelne Gemeinde gebunden.
Ebs HvCampenhausen, Kirchliches Amt u
geistliche Vollmacht in den ersten drei Jhdt,
Beiträge zur historischen Theol 14 [2](1963) 65 f.
Geist u Recht stehen nicht im Gegensatz zueinander.
[33] RSohm, Kirchenrecht I (1892) passim.
[34] vCampenhausen aaO (→ A 32) 62: Der
Geist ist „das organisierende Prinzip der chr
Gemeinde“. S EKäsemann, Sätze hl Rechtes im NT, Exegetische Versuche u Besinnungen II [3](1968) 248—260; Bultmann Theol[6]
456 f.

b. Die Pastoralbriefe entwickeln den Gedanken des Amtscharismas: Es wird in der Ordination verliehen (1 Tm 4,14; 2 Tm 1,6; → VI 450, 3ff; 666 A 92). Vom χάρισμα der gewöhnlichen Christen ist nicht mehr die Rede[35]. Nach 1 Pt 4,10 (→ IV 142, 20ff; V 153, 24ff)[36] ist χάρισμα jede Dienstleistung, wenn sie dem Liebesgebot entspricht. Im Grunde ist die Geistbegabung 5 zur christlichen Eigenschaft geworden[37].

D. Alte Kirche.

In den Apost Vät[38] ist der Befund unerheblich. Man bemerkt Formalisierung Did 1, 5[39]. 1 Cl 38, 1 schließt die Wohltaten des Schöpfers ein[40]. Justin argumentiert gg das Judt mit den Charismen Dial 88, 1, vgl 82, 1[41]: Die großen Gaben 10 sind vom Judt auf das Christentum übergegangen. Iren Haer V 6,1 (II 334) führt mit ihrer Hilfe den Beweis für die göttliche Kraft der Kirche[42].

εὐχαριστέω, εὐχαριστία, εὐχάριστος.

Inhalt: A. Profangräzität: 1. Zum Sprachgebrauch; 2. Zur Bedeutung. — B. Judentum. — C. Neues Testament: 1. Evangelien, Apostelgeschichte, Johannesapokalypse; 15 2. Paulus; 3. Deuteropaulinen. — D. Alte Kirche.

A. Profangräzität.

1. Zum Sprachgebrauch.

a. Die Wortgruppe ist nicht attisch, vgl Phryn Ecl 11[1]. Εὐχάριστος *angenehm* findet sich zuerst Hdt I 32, 9 u Xenoph Oec 5,10, *dankbar* zuerst Xenoph 20 Cyrop 8, 3, 49. Die Mehrzahl der Belege gehört der nachklassischen Zeit an. Das Verbum εὐχαριστέω bedeutet *jmd eine Gunst erweisen*: καὶ τὸ εὐχαριστεῖν ἐπὶ τοῦ διδόναι χάριν, οὐκ ἐπὶ τοῦ εἰδέναι Poll Onom V 141, vgl φιλόδωρος δὲ καὶ εὐχάριστος, ἐπὶ γὰρ τούτῳ τάττεται τοὔνομα 140. Es wird mit Dat der Pers gebraucht: τῶι δήμωι τῶι Δηλίων IG² XI 4, 665, 24f (3. Jhdt vChr). Durch eine Gunst verpflichtet man zum *Dank* εὐχαριστήσεις 25 μοι Witkowski 12, 6; τοῦτο δὲ ποιήσας εὐχαριστήσεις ἡμῖν PPetr II 15, 3, 6f (beide 3. Jhdt vChr). So kommt es zur Bdtg *dankbar sein, Dank abstatten* Polyb 16, 25, 1 usw; τοῖς ὄχλοις Diod S 20, 34, 5. Empfänger sind Götter ἐπὶ μὲν τῶι ἐρρῶσθα[ί] σε εὐθέως τοῖς θεοῖς εὐχαρίστουν Wilcken Ptol 59, 9f (168 vChr) u Menschen τὴν πρὸς Ἀλέξανδρον εὐχαριστίαν Diod S 17, 59,7. Der Grund für den Dank kann durch Präp angegeben sein: 30

[35] → Grau 80—89 stellt die Tendenz zur Versachlichung fest: Das χάρισμα ist nicht mehr Gabe, sondern eine Kraft, die in den Menschen gelegt wird. Zur Amtsgnade s vCampenhausen aaO (→ A 32) 125f.
[36] → Grau 90—94.
[37] vCampenhausen aaO (→ A 32) 89.
[38] GBardy, La théologie de l'église de S Clément de Rome à S Irénée, Unam Sanctam 13 (1945) 128—156.
[39] Zur Did s Bardy aaO (→ A 38) 134—138; → Grau 95—97.
[40] Weitere St: Ign Sm Inscriptio; Eph 17, 2; Pol 2, 2; Bardy aaO (→ A 38) 138—143.
[41] Zu Just u Iren: Wetter aaO (→ A 7) 182—187.
[42] Wetter aaO (→ A 7) 184: Die Gnade löst sich von ihren Trägern; sie wird zur selbständigen Kraft.

εὐχαριστέω κτλ. Lit: TSchermann, εὐχαριστία u εὐχαριστεῖν in ihrem Bedeutungswandel bis 200 nChr, Philol 69 (1910) 375—410; HGreeven, Gebet u Eschatologie im NT, Nt.liche Forschungen III 1 (1931); GHarder, Pls u das Gebet, Nt.liche Forschungen I 10 (1936); JMNielen, Gebet u Gottesdienst im NT (1937); PSchubert, Form and Function of the Pauline Thanksgivings, ZNW Beih 20 (1939); PJoüon, Reconnaissance et action de grâces dans le Nouveau Testament, Recherches de science religieuse 29 (1939) 112—114; EMócsy, De gratiarum actione in epistolis paulinis, Verbum Domini 21 (1941) 193—201. 225—232; GDelling, Der Gottesdienst im NT (1952) 99—118.
[1] Andere Kompos sind auch attisch, zB εὔχαρις, ἀχάριστος u ἀχαριστέω, s Liddell-Scott sv.

ἐπί τινος Ditt Syll³ II 798,16f (37 nChr); Ditt Or II 456, 63f (1. Jhdt vChr)², ἐπί τινι
Wilcken Ptol 59, 9f (→ 399, 1f); περί τινος Ditt Or II 456, 54; Philo Spec Leg I 211;
1 Th 1, 2, 1 K 1, 4, ὑπέρ τινος Philo Mut Nom 222; Epict Diss IV 1,105, ἐν Philo
Spec Leg II 175³; Aristid Apol 15,10⁴, durch ὅτι Epict Diss I 4, 32⁵. Ungewöhnlich
ist das Pass Hippocr ep 17 (Littré IX 372; → A 65). Das Moment des Dankens kann
zurücktreten gegenüber der formalen Bdtg *beten*, zB τοῖς θεοῖς PTebt I 56, 9f (2. Jhdt
vChr).

        b. Das Substantiv εὐχαριστία findet sich häufig in Inschr⁶, bes
in Ehrendekreten, u kann da *Dankbarkeit* Ditt Or I 227, 6 (3. Jhdt vChr); Demosth Or
18, 91 (→ Z 24 ff) oder *Erstattung von Dank* bedeuten Ditt Syll³ II 798, 5 (37 nChr):
εἰς εὐχαριστίαν θεοῦ, Ditt Or I 199, 31 (6. Jhdt nChr); Sap 16, 28; Corp Herm 1, 29.
Eine Def von εὐχαριστία gibt Pseud-Andronicus Rhodius, De passionibus II 7⁷: εὐχαριστία δὲ ἐπιστήμη τοῦ τίσι καὶ πότε παρεκτέον χάριν καὶ πῶς καὶ παρὰ τίνων ληπτέον.

        c. εὐχάριστος, opp ἀχάριστος Hdt I 90, 4, bedeutet *angenehm*, vom
glücklichen Sterben Hdt I 32, 9. *Dankbar* heißt es häufig in Inschr mit dem Schema
γενόμενος ὁ δῆμος εὐχάριστος (→ Z 23—26), *wohltätig* in dem Epitheton des Ptolemaeus
II. Euergetes PLond III 879, 11 (123 vChr): Πτολεμαίου θεοῦ Εὐεργέτου καὶ Σωτῆρος
ἑαυτῶν Εὐχαρίστου⁸. τὸ εὐχάριστον ist die *dankbare Gesinnung* Epict Diss I 6, 1.

2. Zur Bedeutung.

        a. Die durch die Wortgruppe bezeichnete Haltung entspricht
dem Ideal der μεγαλοψυχία: εὐχάριστον καὶ μεγαλόψυχον von Alexander dem Großen
Diod S 18, 28, 5. Neben der allg volkstümlichen Bewertung der Dankbarkeit heben
sich der öffentliche profane Gebrauch, der religiöse Gebrauch in einer Gruppe von Inschr
u der private Gebrauch in Briefen heraus. Öffentlicher profaner Gebrauch liegt in
Ehreninschriften⁹ vor. Den durchschnittlichen Stil zeigt etwa Ditt Syll³ II 709,14 (um
107 vChr): ἐφ' οἷς ὁ δᾶμος εὐχαριστῶν ἐτίμασε ταῖς καθηκούσαις αὐτὸν τιμαῖς. Hier haben
wir den grundlegenden Gedanken der Angemessenheit von Verhalten u Gegenverhalten,
vgl Ditt Or II 458, 16f (um 9 vChr): Es ist schwer, solchen Wohltaten εὐεργετήματα
des Kaisers κατ' ἴσον ε[ὐχαριστ]εῖν (→ Z 8ff). Ebs wird das Subst gebraucht Ditt
Syll³ II 800, 33ff (42 nChr): ὅπως ἦι πᾶσιν ἀνθρώποις γνωστὰ ἅ τε τῶν ἀγαθῶν ἀνδρῶν
εὐεργεσία ἅ τε τᾶς πόλιος εἰς τοὺς ἀξίους εὐχαριστία, vgl Ditt Syll³ II 731, 40ff (1. Jhdt
vChr). Das Adj erscheint in formelhafter Wendung: ἵνα οὖν καὶ ὁ ἡμέτερος δῆμος εὐχάριστος ᾦμ φαίνηται Ditt Syll³ II 587, 15f (um 196 vChr). Das Hinüberspielen ins Religiöse erscheint im Herrscherkult: εἰς εὐχαριστίαν τηλικούτου θεοῦ (sc des Kaisers, des
neuen Helios) Ditt Syll³ II 798, 5 (37 nChr); man beachte die Häufung von χάρις (→
365, 32ff) im Kontext Z 8f. Die Polis faßt einen Beschluß, δι' οὗ εὐχαριστήσουσι
μὲν ἐπ' αὐτῶν τῆι μητρὶ αὐτῶν... Ditt Syll³ II 798, 16f (37 nChr). Charakteristisch
religiös ist der Gebrauch in einer Gruppe von Dankurkunden für Heilungen¹⁰ Ditt
Syll³ III 1173, 9f (2. Jhdt nChr)¹¹: καὶ ἐσώθη καὶ δημοσίᾳ ηὐχαρίστησεν τῷ θεῷ καὶ ὁ
δῆμος συνεχάρη αὐτῷ¹². Corp Herm 13, 18: εὐχαριστῶ σοι, πάτερ, ... ὁ σὸς Λόγος δι'
ἐμοῦ ὑμνεῖ σέ. δι' ἐμοῦ δέξαι τὸ πᾶν λόγῳ, λογικὴν θυσίαν erscheint das Dankgebet als das
vernünftige Opfer, mit dem der Betende das All Gott darbringt¹³.

        Eine Danksagung an die Gottheit wird zum Bestandteil des privaten¹⁴ Briefs.
Aufschlußreich ist der Brief der Isias an ihren Bruder Hephästion, weil der εὐχαριστῶ-

---

² Gg → Schubert 150f.
³ Vgl → Schubert 129.
⁴ Vgl → Schubert 106f.
⁵ Pseud-Callisth II 22,11 ist der ὅτι-Satz
explizierend, nicht begründend.
⁶ In den Pap tritt das Subst völlig zurück.
⁷ ed CSchuchhardt (Diss Heidelberg [1883])
25, 16f, vgl vArnim III 67,12f.
⁸ Diese Bdtg wird gew auch in Wilcken Ptol
41,13 (um 160 vChr) gefunden: δι' ὑμᾶς τοὺς
εὐχαρίστους θεούς, was Wilcken mit *gnaden-
reich* übersetzt. Anders → Schubert 165:
Voraus steht πρὸς τὸ θεῖον εὐσέβειαν καὶ πρὸς
πάντας ἀνθρώπους εὐγνωμοσύνην. Dafür erweisen
sich die Götter *dankbar*.
⁹ → Schubert 143—158.

¹⁰ Weinreich AH passim.
¹¹ Weinreich AH 108f. 115 A 3.
¹² Das Stehende des Motivs zeigt sich in den
beiden weiteren Berichten Z 13f u Z 17f.
¹³ [Bertram]
¹⁴ Die Danksagung an die Gottheit ist nicht
Teil des öffentlichen Briefs, → Schubert 170.
Eine gewisse Ausn macht die ἔντευξις BGU I
327,10ff (166 nChr); → Schubert 177f. Vgl
die Wendung χάριν ἔχω θεοῖς πᾶσιν POxy I
113,13 (2. Jhdt nChr) uä Wendungen bei Preisigke Wört sv χάρις. → Schubert 159 unterscheidet einen dreifachen Gebrauch von
εὐχαριστῶ in den Briefen: Dank an Götter,
Dank an andere Pers, Gunst erweisen. Zweck
ist jeweils, das Hauptthema des Briefes einzu-

Satz den eigtl Gegenstand des Schreibens einführt[15]: ἐπὶ μὲν τῶι ἐρρῶσθα[ί] σε εὐθέως τοῖς θεοῖς εὐχαρίστουν Wilcken Ptol 59, 9f (168 vChr). Als festen Bestandteil des Briefstils zeigt den Dank der berühmte Brief des Apion: ᾽Απίων ᾽Επιμάχῳ τῶι πατρὶ καὶ κυρίῳ πλεῖστα χαίρειν. πρὸ μὲν πάντων εὔχομαί σε ὑγιαίνειν καὶ διὰ παντὸς ἐρ⟨ρ⟩ωμένον εὐτυχεῖν μετὰ τῆς ἀδελφῆς μου καὶ τῆς θυγατρὸς αὐτῆς καὶ τοῦ ἀδελφοῦ μου. εὐχαριστῶ τῷ κυρίῳ 5 Σεράπιδι, ὅτι μου κινδυνεύσαντος εἰς θάλασσαν ἔσωσε εὐθέως BGU II 423, 1—8 (2. Jhdt nChr)[16]. Die Wünsche, die dem Präskript folgen, werden zum Kontext gerechnet; sie sind nicht so stark gebunden wie das Formular[17].

b. Die Kompos mit εὐ- dringen langsam u spät vor (→ 397, 19ff). In den Fr der älteren Stoa begegnet nur einmal εὐχαριστία (→ 398, 12ff). Für die 10 ethische Beurteilung der Dankbarkeit ist Epict exemplarisch, der auch wegen der sachlichen Nähe zu Philo zu beachten ist[18]. τὸ εὐχάριστον ist Diss I 6, 1ff als fundamentale ethische Haltung dargestellt; ohne sie ist selbst die δύναμις ὁρατική wertlos I 6, 4. Eine kleine Summe der Ethik mit der Verpflichtung zum Dank gg Gott als Schlußakzent steht IV 4, 14f. 18, vgl den religiösen Ton IV 4, 29—32; I 16, 15ff; IV 15 1, 105. Mit I 19, 25 vgl Did 9f; Aristid Apol 15, 10 (→ 405, 18f). Bei der Beurteilung der religiösen Komponente ist zu beachten, daß der Zusatz τῷ θεῷ zur Redensart verblaßt ist, vgl I 10, 3.

B. Judentum.

a. Das Hbr hat kein Äquivalent zur Wortgruppe, bzw diese 20 wird nicht zur Wiedergabe hbr Wörter gebraucht[19]. Der religiöse Dank stellt sich dar im Dankopfer תּוֹדָה[20] u im Danklied[21], dem kollektiven, zB Ps 136[22], u dem individuellen, zB Ps 116[23]. Die Wortgruppe εὐχαρ- findet sich — ausgenommen εὐχάριστος Prv 11,16 — erst in den Apkr u bezeichnet die Abstattung des Dankes[24]. Der Dank richtet sich an Menschen 2 Makk 12, 31; ᾽Εσθ 8,12d; Sap 18, 2, vor allem aber an Gott 25 2 Makk 10,7: ὕμνους ἀνέφερον vl εὐχάριστουν uä LA; Jdt 8, 25; 3 Makk 7, 16. Weisheitlicher Stil begegnet Sap 16, 28; Sir 37,11, epistolarer 2 Makk 1,10f im Brief der Jerusalemer an Aristobul: ... χαίρειν u ὑγιαίνειν. ἐκ μεγάλων κινδύνων ὑπὸ τοῦ θεοῦ σεσωσμένοι μεγάλως εὐχαριστοῦμεν αὐτῷ[25]. 2 Makk 1,11ff ist Prototyp der paul Briefeingänge[26]: Der Satz mit εὐχαριστοῦμεν steht unmittelbar hinter der eröffnenden Formel. 30 Er führt den Hauptgegenstand des Briefes ein. Der Dank ist an Gott gerichtet; er wird doppelt begründet, zuerst durch Part[27], dann mit γάρ[28].

Bei ᾽A ist εὐχαριστία Übers von תּוֹדָה Lv 7, 12; ψ 41, 5; 49, 14; 68, 31; 106, 22; 146, 7; Am 4, 5[29].

---

führen 180, vgl 176.178. Nichts trägt für uns die schematische Klassifizierung der Briefformen durch die späte Rhetorik aus; vgl die Def der εὐχαριστική bei Pseud-Procl, Περὶ ἐπιστολιμαίου χαρακτῆρος 6 (Epistolographi 8): εὐχαριστική ἐστι δι᾽ ἧς χάριν γινώσκομέν τινι διά τι. Zum Briefformular allg vgl Wendland Hell Kult 411—417, zur Danksagung ORoller, Das Formular der paul Briefe, BWANT 58 (1933) 62—65.

[15] → Schubert 161f.
[16] Deißmann LO 145—150.
[17] Die Entwicklung des Briefstils rekonstruiert Roller aaO (→ A 14) 62—65. 459—467 folgendermaßen: Am Anfang der Entwicklung ist ein Gesundheitswunsch üblich. Dieser stirbt im echt griech Brief seit dem 2. Jhdt vChr (!) ab, bzw wird verkürzt u mit der salutatio verbunden. Erst im 2. Jhdt nChr taucht als neue Form auf: πρὸ μὲν πάντων u Gesundheitswunsch. Sie erscheint fast unvermittelt; zZt des Pls wirkt seine Fassung des Kontexteingangs altfränkisch. Da unser erhaltenes Material einseitig auf Ägypten begrenzt ist, ist Rollers Urteil mit Vorsicht aufzunehmen.
[18] → Schubert 132—142.

[19] → Joüon 112—114.
[20] Zum Wandel im Sprachgebrauch u dem Aufsteigen der Wortgruppe -χαρ- vgl θυσία σωτηρίου Lv 3, 1 mit der Wiedergabe χαριστηρίους θυσίας Jos Ant 3, 228.
[21] GvRad, Theol des AT I ⁶(1969) 370: Der Beter spricht nicht in erster Linie zu Jahwe, sondern zur Gemeinde. CWestermann, Das Loben Gottes in den Ps ³(1963) 13 kritisiert die Bezeichnung „Danklieder" überh.
[22] OEißfeldt, Einl in das AT ³(1964) 162f.
[23] Eißfeldt aaO (→ A 22) 163—166. LXX übersetzt die Begriffe für Lobpreis nicht, so θυσία αἰνέσεως ψ 49,14, u ἐξομολογέομαι ψ 105,1; 106,1. 8 uö; vgl 104,1.
[24] → Joüon 112—114 will für LXX nur die Bdtg *Dank erstatten*, nicht *dankbar sein*, gelten lassen, ebs für das NT.
[25] FMAbel, Les livres des Maccabées (1949) 289f; JPAudet, La Didachè (1958) 386f.
[26] → Schubert 117—119.
[27] Vgl Phlm 4; 1 Th 1, 2; R 1,10; Phil 1, 4; Eph 1,16; Kol 1, 3f.
[28] Vgl die ὅτι-Sätze 1 K 1, 4f; R 1, 8; 1 Th 2,13; 2 Th 1, 3; 2,13.
[29] Andere Kompos von -χαρ- sind εὔχαρις

    b. Die sachliche Entsprechung im jüd nichtgriechischen Schrifttum ist בְּרוּךְ, dem normalerweise εὐλογητός (→ II 761, 38ff) entspricht[30]. Unter den Gegenständen des Dankes ist der im Blick auf das NT wichtigste der für Speise u Trank: „Es ist dem Menschen verboten, irgend etw von dieser Welt ohne Benediktion zu genießen" bBer 35a. „Über gute Botschaften sagt man: Gelobt sei, der gut ist u Gutes tut! Über die schlimmen Nachrichten aber sagt man: Gelobt sei der Richter der Wahrheit! ... Der Mensch ist verpflichtet, eine Segensformel über das Böse zu sagen, wie er einen Segensspruch über das Gute sagt" bBer 54a. Der Dank währt in Ewigkeit: „In der Zukunft werden alle Opfer aufhören; aber das Opfer des Dankes wird in Ewigkeit nicht aufhören. Und ebs werden alle Bekenntnisse aufhören; aber das Bekenntnis des Dankes wird in Ewigkeit nicht aufhören" Pesikt 9 (79a). Der klass Ausdruck des Dankes ist das SchE.

    c. Bedeutsam ist der Befund bei Philo[31] (→ 404 A 75; 405, 16ff). Während er εὐλογέω nur unter dem Einfluß der Bibelsprache gebraucht[32], ist die Wortgruppe εὐχαρ- häufig[33]. Das zentrale Thema ist der Dank an Gott: τίνι γὰρ εὐχαριστητέον ἄλλῳ πλὴν θεῷ; Deus Imm 7. Man dankt für Gottes Gaben, vgl die Liste der Gaben Mut Nom 222f[34], uz im Sinne der innerlichen Gottesverehrung[35], also nicht durch materielle Opfer[36], vgl Rer Div Her 199: τὸν κόσμον, ὃν διὰ συμβόλου τοῦ θυμιάματος οἴεται δεῖν εὐχαριστεῖν τῷ πεποιηκότι, vgl 200 u die Ausführung 226: τὸ μὲν θυμιατήριον εἰς τὴν ὑπὲρ (→ A 34) τῶν στοιχείων εὐχαριστίαν ἀνάγεται ... ἡ δὲ τράπεζα εἰς τὴν ὑπὲρ τῶν θνητῶν ἀποτελεσμάτων εὐχαριστίαν ... ἡ δὲ λυχνία εἰς τὴν ὑπὲρ τῶν κατ' οὐρανὸν ἁπάντων ... Vielmehr dankt man durch das Gebet Plant 126: ἑκάστη μέν γε τῶν ἀρετῶν ἐστι χρῆμα ἅγιον, εὐχαριστία δὲ ὑπερβαλλόντως· θεῷ δὲ οὐκ ἔνεστι γνησίως εὐχαριστῆσαι δι' ὧν νομίζουσιν οἱ πολλοὶ κατασκευῶν ἀναθημάτων θυσιῶν ... vielmehr δι' ἐπαίνων καὶ ὕμνων, uz solche des νοῦς[37]. Dieser Dank ist als geschuldete Erstattung für die empfangenen Gaben notwendig: ὅτι οἰκειότατόν ἐστιν ἔργον θεῷ μὲν εὐεργετεῖν, γενέσει δὲ εὐχαριστεῖν μηδὲν ἔξω τούτου πλέον τῶν εἰς ἀμοιβὴν ἀντιπαρασχεῖν δυναμένη Plant 130[38], vgl Spec Leg I 224: ὕμνοις τε καὶ εὐδαιμονισμοῖς καὶ εὐχαῖς θυσίαις τε καὶ ταῖς ἄλλαις εὐχαριστίαις .... ἀμείβεσθαι[39]. Dank ist aber nicht menschliche Leistung Leg All I 82. Beide Gedanken gehören zus: Ihre Einheit ist im Ganzen der philonischen Mystik verständlich. Das Gebet verfolgt keinen Zweck außerhalb seiner selbst: τῷ γὰρ εὐχαρίστῳ μισθὸς αὐτὸ τὸ εὐχαριστεῖν αὐταρκέστατος Plant 136[40].

Sap 14, 20, ἄχαρις Sir 20,19 u ἀχάριστος Sap 16, 29; Sir 29,16. 25; 18,18; 4 Makk 9,10.

[30] Zur Synonymität von εὐχαριστέω u εὐλογέω s Audet aaO (→ A 25) 386—394, vgl auch → Harder 4—129.

[31] ÉBréhier, Les idées philosophiques et religieuses de Philon d'Alexandrie ³(1950) 227—230; HWindisch, Die Frömmigkeit Philos (1909) 66—68; HAWolfson, Philo II ²(1948) 237—252; → Schubert 122—131.

[32] Schl Theol d Judt 109 A 1: εὐλογέω gehört nicht zur eigenen Sprache Philos. Wolfson aaO (→ A 31) 241 will die Synonymität von εὐχαριστέω u εὐλογέω für Philo modifizieren. Auch bei Jos ist εὐλογέω Bibelsprache, vgl Schl Theol d Judt 108f. εὐλογέω ist synon mit εὐχαριστέω Jos Ant 8,111; vgl aber 6,145: Nach dem Sieg über die Amalekiter begrüßt Saul Samuel τῷ θεῷ ... εὐχαριστῶ δόντι μοι τὴν νίκην mit 1 Βασ 15,13: εὐλογητὸς σὺ τῷ κυρίῳ.

[33] Philo hat weitere Kompos, zB εὐχαριστικός (dreimal), εὐχαριστητικός (viermal), εὐχαριστήριος (dreimal).

[34] Die Konstr erfolgt hier mit ὑπέρ, vgl 2 K 1,11; nach → Schubert 124f bedeutet ὑπέρ *anstelle von* (→ VIII 515, 30ff); danach erklärt er auch 2 K 1,11 (→ 403, 3f).

[35] Bréhier aaO (→ A 31) 227—230. Das materielle Element des Opfers ist wertlos. Wertvoll werden alle Opfer erst durch die

Gesinnung, u dann sind alle gleich Quaest in Ex II 99. Die Moralität für sich allein genügt nicht, sie muß vom Bewußtsein ihres göttlichen Ursprungs begleitet sein, muß also Gehorsam sein Congr 80. So wird sie zum inneren Gottesdienst, vgl bes Sacr AC 74f. 80—86. 97. 101—104, zur Sache auch Jos Ant 8,111.

[36] Das äußere Opfer wird nicht abgelehnt. Zur Frage, in welchem Sinn es bleiben kann, → A 35, vgl auch HWenschkewitz, Die Spiritualisierung der Kultusbegriffe Tempel, Priester u Opfer im NT, Angelos Beih 4 (1932) 76—79.

[37] Der Einbau der Tugenden in den Gottesdienst ist stoischer Einschlag. Aber Philo erreicht die Assimilation, indem er die Tugenden als Gebote u entsprechend das Gebet als geboten versteht, s Wolfson aaO (→ A 31) 238.

[38] εὐχαριστεῖν wird gleich darauf durch ἀντιχαρίσασθαι variiert. Hier haben wir den bekannten (→ 398, 26ff) u von Philo stark unterstrichenen Gedanken vom Dank als Rückerstattung. Das Verhältnis des Dankens ist angemessen.

[39] Dies ist also der übergeordnete Begriff. Dann wird alles zusammengefaßt durch αἴνεσις.

[40] Philo treibt Namensetymologie; er deutet Juda als ὁ εὐλογῶν Plant 135; Isaschar, dessen Name *Lohn* bedeute (Gn 30,18), sei geboren μετὰ τὸν εὐχάριστον Ἰούδαν 136, vgl Som II 34.

C. Neues Testament.

1. Evangelien, Apostelgeschichte, Johannesapokalypse.

a. Profan ist das Verbum Lk 17, 16 u das Subst Ag 24, 3[41] gebraucht.

b. εὐχαριστέω bezeichnet nach jüdisch-hellenistischem Vorbild allgemein das *Dankgebet* (J 11, 41; Ag 28, 15; Apk 11, 17) und speziell das Tischgebet (Mk 8, 6; Mt 15, 36; J 6, 11. 23; Ag 27, 35[42]; zu Paulus → 402, 7ff). εὐχαριστέω und εὐλογέω (→ II 759, 8ff) können synonym gebraucht werden. Das zeigt der Vergleich von Mk 8, 6 mit 6, 41[43]. Danach ist der Wechsel von εὐχαριστήσας (8, 6) mit εὐλογήσας (8, 7) zu beurteilen (→ II 760, 23ff)[44]. Es liegt keine Abstufung in Art oder Grad des Dankes vor. Die Wiederholung desselben entspricht einfach der jüdischen Vorschrift, über jeder Speise die Benediktion zu sprechen (→ 400, 1ff)[45]. Daher sind die beiden Stichworte auch nicht als symbolische Anspielung auf die Eucharistie zu deuten[46], wohl aber konnten sie später leicht so aufgefaßt werden. Entsprechendes gilt für J 6, 11. 23[47].

c. Aus der jüdischen Sitte ergibt sich auch das Vorkommen von εὐχαριστέω im Abendmahlsbericht (→ VI 153, 19ff; III 730, 1ff)[48]. Mk 14, 22f und Mt 26, 26f haben beide Segenstermini: λαβὼν ἄρτον εὐλογήσας ἔκλασεν — λαβὼν ποτήριον εὐχαριστήσας ἔδωκεν. Paulus hat nur εὐχαριστήσας beim Brot (1 K 11, 24), Lukas hat zunächst in dem vorangestellten Fragment der zweiten Quelle[49] καὶ δεξάμενος ποτήριον εὐχαριστήσας εἶπεν (22, 17), er ersetzt dann in v 19 das εὐλογέω des Markus durch εὐχαριστέω beim Brot[50]; beim Becher übergeht er das εὐχαριστέω des Markus, vgl Paulus. Für den Streit, ob die paulinische oder mar-

---

[41] Es handelt sich um einen Topos der profanen Rede, die eröffnende *captatio benevolentiae*, s HConzelmann, DieApostelgeschichte, Hndbch NT 7 (1963) zSt. Vgl Philo Leg Gaj 284: ὅπως διὰ πάντων τῶν τῆς οἰκουμένης μερῶν ᾄδηταί σου τὸ κλέος καὶ οἱ μετ' εὐχαριστίας ἔπαινοι συνηχῶνται, s auch Flacc 98f. Die Wendung μετὰ (πάσης) εὐχαριστίας, vgl Ag 4, 29; 2 Makk 3, 22; Jos Bell 3, 398, entspricht dem Stil der Ehreninschriften Ditt Syll³ I 532, 7; II 547, 30 (beide 3. Jhdt vChr). Von da drang er in die Geschichtsschreibung ein, s ESkard, Epigraphische Formeln bei Dion Hal, Symb Osl 11 (1932) 57.

[42] Die Deutung von Ag 27, 35 als Präfiguration der Eucharistie, so BReicke, Die Mahlzeit mit Pls auf den Wellen des Mittelmeers Ag 27, 33—38, ThZ 4 (1948) 401—410, ist phantastisch.

[43] Zur Synonymität → A 30. 32, vgl 1 K 14, 16. Mt geht beidemal mit Mk, Lk 9, 16 ebenfalls; vgl noch Apk 4, 9 mit 7, 12.

[44] Kl Mk zSt zieht in v 7 die LA εὐχαριστήσας (D q) vor.

[45] Als synon hat auch Mt εὐλογέω u εὐχαριστέω verstanden, da er die Segnung von Brot u Fischen einmal durch εὐλογέω 14, 16, das

andere Mal durch εὐχαριστέω 15, 36 bezeichnet. Zur Fassung des Mt s HJHeld, Mt als Interpret der Wundergeschichten, in: GBornkamm, GBarth, HJHeld, Überlieferung u Auslegung im Mt, Wissenschaftliche Monographien zum AT u NT 1 ⁵(1968) 171—177.

[46] HGBoobyer, The Eucharistic Interpretation of the Miracles of the Loaves in St Mark's Gospel, JThSt NS 3 (1952) 161—171: Das Wunder ist von Mk symbolisch, aber nicht eucharistisch verstanden.

[47] Bultmann J 157 A 5.

[48] Vgl JJeremias, Die Abendmahlsworte Jesu ⁴(1967) 106f. 167; JBetz, Die Eucharistie in der Zeit der griech Väter I 1 (1955) 157 —162; HSchürmann, Der Paschamahlbericht Lk 22, (7—14) 15—18, NTAbh 19, 5 (1953) 28—30; ders, Der Einsetzungsbericht Lk 22, 19—20, NTAbh 20, 4 (1955) 45—47; TSchaefer, Eucharistia, Erbe u Auftrag. Benediktinische Monatsschrift NF 36 (1960) 251 —258.

[49] Die lange Textfassung ist als urspr vorausgesetzt.

[50] Obwohl er εὐλογέω noch mehrfach hat: außer in der Vorgeschichte noch Lk 9, 16 nach Mk 6, 41; Lk 24, 30. 50f. 53; Ag 3, 26.

kinische Fassung älter sei, ergibt der Gebrauch von εὐχαριστέω und εὐλογέω nichts[51]. Denn wenn auch εὐλογέω der jüdischen Segensformel an sich besser entspricht, so ist doch im griechisch sprechenden Judentum εὐχαριστέω in synonymem Gebrauch (→ 400, 13 ff). Ob bei der Übersetzung das eine oder das andere Wort gewählt
5 wird, ist rein zufällig[52], wie auch das Nebeneinander bei Markus zeigt[53]. Von technischem Gebrauch kann noch nicht gesprochen werden[54].

2. Paulus.

a. Hervorstechend ist der briefstilistische Gebrauch in den Proömien[55]. Diese sind fester Bestandteil des Briefs[56]. Sie sind meist mit εὐχαριστῶ
10 eingeleitet[57]. Paulus steht in der hellenistischen Tradition (→ 351, 25 f; 384, 6 ff)[58]. Wichtig ist der Nachweis, daß die briefstilistische Danksagung bereits zum Kontext gehört und sogar dazu dienen kann, das Hauptthema einzuführen. So kann sie bei Paulus mit dem Corpus des Briefs verschwimmen (1 Th, vgl 2 Th); doch ist sie meist formal klar abgesetzt. Der Befund der privaten Briefe darf nicht
15 einfach auf Paulus übertragen werden. Die Proömien gehen zwar auf die besondere Lage einer Gemeinde ein und sind auf den passenden Ton gestimmt, aber sie sind meist zu einem Abschnitt sui generis gestaltet, wie die konstante Struktur zeigt[59]. Es gibt zwei Varianten: εὐχαριστῶ mit bis zu drei Partizipien (so 1 Th 1, 2 ff; Phil 1, 3 ff; Phlm 4 ff, vgl Eph 1, 15 ff) und εὐχαριστῶ . . . ὅτι (so 1 K 1, 4 f;
20 R 1, 8, vgl 2 Th 1, 3). Einen Mischtyp stellen die Proömien des 1. Thessalonicher- und des Römerbriefs dar[60].

b. Außerhalb der Proömien: εὐχαριστῶ steht formelhaft 1 K 1, 14[61], beim Dank an Mitarbeiter R 16, 4[62], vom Gebet bei der Mahlzeit 1 K 10, 30, vgl 31[63]; R 14, 6. Der systematische Hintergrund ist der dem Schöpfer
25 geschuldete Dank (R 1, 21; → 399, 25 ff). Die Stellung im Gottesdienst zeigt 1 K

---

[51] Gg Jeremias aaO (→ A 48) 106. 167.
[52] Unhaltbare Folgerungen aus der Wahl von εὐχαριστέω durch Lk bei Schürmann Paschamahlbericht aaO (→ A 48) 28—30.
[53] Daß Mk nicht unbedingt einen Unterschied machen will, bemerkt Schürmann Paschamahlbericht aaO (→ A 48) 29; anders Jeremias aaO (→ A 48) 170.
[54] Trotz Schürmann Paschamahlbericht aaO (→ A 48) 55: εὐχαριστέω sei schon früh eucharistischer Terminus, unter Verweis auf objektlosen Gebrauch u Kol 4, 2.
[55] → Schubert 4—39; Wendland Hell Kult 413f; Dib Th Exk zu 1 Th 1, 2; GHBoobyer, „Thanksgiving" and the „Glory of God" in Paul (Diss Heidelberg [1929]).
[56] Außer Gl, wo eine begründete Ausn vorliegt: In dieser Situation kann Pls nicht für die Gemeinde danken.
[57] Ausn ist 2 K 1, 3, wo das prooem mit dem analogen εὐλογητός eröffnet wird; ebs Eph 1, 3, der aber 1,15 noch eine „Eucharistie" hinzufügt, also eine Synthese herstellt. NADahl, Adresse u Proömium des Eph, ThZ 7 (1951) 241—264 will die beiden Stichworte

verschiedenen Gattungen zuweisen — zu schematisch (→ 402, 8 ff). JCambier, La bénédiction d'Eph 1, 3—14, ZNW 54 (1963) 58—104.
[58] Doch sind in der Ausführung die jüd liturgischen Stilelemente zu beachten.
[59] Analyse bei → Schubert 10—39.
[60] In Analogie zum hell Privatbrief findet → Schubert 183 auch bei Pls die Regel, daß das prooem im intimeren Brief formal besser ausgearbeitet sei: Phlm, 1 Th, Phil, Kol gegenüber R, 1 K, 2 Th.
[61] C D G it 𝔎 uam fügen τῷ θεῷ ein. Der Dat ist fest 1 K 14, 18. Er steht auch beim Verbalsubstantiv 2 K 9, 11 f, der einzigen St im NT, vgl den klass Sprachgebrauch u den der Pap, s Bl-Debr § 187, 8; Mayser II 2, 146.
[62] Mit Hinweis auf die Kirche. Der Kirchengedanke ist im Kontext durch die ekklesiologische ἐν-Formel angezeigt.
[63] ELohse, Zu 1 K 10, 26. 31, ZNW 47 (1956) 277—280: Pls nimmt die jüd Vorschrift auf, über jeder Speise den Segen zu sprechen (→ 400, 1 ff), wendet sie aber nicht legalistisch an. Zu 1 Tm 4, 3 f → 404, 14 ff.

14, 16 f [64]. Das Überragen von Lob und Dank gegenüber der Bitte erhält seine besondere Nuance dadurch, daß das Gebet geistgewirkt ist (→ Z 20 ff). Es ist also nicht nur geschuldet, sondern auch von Gott ermöglicht. Sein Zweck ist die Verherrlichung Gottes (2 K 1, 11) [65]. Man kann diese Stelle mit 1 Th 3, 9; 2 K 4, 15; 9, 11 f zusammenfassen und den Gedanken der oratio infusa finden, durch welche die von Gott geschenkte Gnade zu diesem zurückströmt [66]. Dadurch wird seine δόξα gemehrt (→ VI 265, 22 ff) [67]. Weniger wahrscheinlich ist die Erklärung dieser Aussage aus dem jüdischen Verständnis von Kult und Gebet: Diese dienen der Mehrung der Ehre Gottes, und sie müssen von Gott selbst ermöglicht sein [68]. Gottes vorausgehende Tat ist die Voraussetzung dafür, daß man zur εὐχαριστία aufrufen kann, allgemein paränetisch 1 Th 5, 18 [69] (→ III 59, 21 ff) oder in speziellerem Sinn, so zur Kollekte der heidenchristlichen Gemeinden als einer „Eucharistie" (2 K 9, 11) [70]. Auch hier ist damit der Gedanke der Mehrung der Ehre Gottes verbunden (v 12 f).

Zwischen Gott und Jesus wird im Gebet unterschieden: An diesen kann man eine private Bitte richten (2 K 12, 8), nicht das „offizielle" Gebet [71]. Das Dankgebet ist Gott vorbehalten. Christus ist nicht Empfänger, sondern Vermittler desselben: εὐχαριστῶ τῷ θεῷ μου διὰ Ἰησοῦ Χριστοῦ (R 1, 8) [72].

3. Deuteropaulinen.

Die Deuteropaulinen zeigen keine wesentliche Änderung, da das Charakteristische des Paulus nicht im Sprachgebrauch von εὐχαριστέω liegt, sondern im Verständnis des Gebets als Wirkung des Geistes (R 8, 26; → VI 428, 25 ff). Die Verbindung von Dank, Freude und Bekenntnis zeigt Kol 1, 12 [73]. εὐχαριστέω

---

[64] Im Kontext ist die Synonymität mit εὐλογέω deutlich. Die vl εὐχαριστῶ ... λαλῶν 14, 18 ist falsch, s Bl-Debr § 415: Das Part zur Ergänzung der Verben der Gemütsbewegung ist im NT fast erloschen.

[65] Zu beachten ist das Wortspiel χάρισμα-εὐχαριστέω. Auffällig ist das Pass (→ 398, 4 f). Als Parallelen werden angeführt Hippocr ep 17 (Littré IX 372); Philo Rer Div Her 174. Doch hat Hippocr nicht εὐχαριστεῖταί τι, sondern τις: Eine Pers empfängt Dank: ὁ σὸς πρόγονος Ἀσκληπιὸς νουθεσίη (*Warnung*) σοι γινέσθω, σῴζων ἀνθρώπους κεραυνοῖσιν ηὐχαριστῆται *wurde zum Dank dafür durch Blitze getötet.* Ähnlich Philo, → Schubert 46—48.

[66] Dib Th zu 1 Th 3, 9.

[67] Vgl Herm m X 3, 2f, s Dib Herm zSt; Herm s II 7; Philo Plant 126 (→ 400, 22 ff). Zu ἐκ πολλῶν προσώπων vergleicht Wnd 2 K 50 Δα 3, 51—90; Philo Rer Div Her 226.

[68] 1 Ch 29, 14; → Harder 132. 138—151.

[69] Zu εὐχαριστέω ἐν → Schubert 106 f. 129. 141 (→ 398, 3 f).

[70] Zur literarischen u historischen Einordnung s WSchmithals, Die Gnosis in Korinth, FRL 66 ²(1965) 90 f. 93; GBornkamm, Die Vorgeschichte des sog 2 K, SAH 1961, 2 ²(1965) 31 f.

[71] Schon aus diesem Grund ist die vl zu Phil 1, 3, die den Dank an den κύριος umadressiert, sekundär.

[72] → Harder 175—182 faßt den Ausdruck *danken durch Christus* formelhaft. Er meine nicht die Vermittlung durch Christus, sei vielmehr nach 1 Βασ 22, 13. 15; 2 Βασ 5, 19; Philo Deus Imm 7; Plant 126. 131; Spec Leg I 275; Jos Ant 8, 112 zu interpretieren; er deute die Art u Weise, nämlich die neue chr Art des Betens an. Damit ist aber die Funktion Christi im Heilsgeschehen verkannt. Durch ihn haben wir Zugang zu Gott, also die Möglichkeit des Gebets R 5, 2. Er tritt für uns ein R 8, 34. Der Zshg von Herr, Geist u Gebet ist zu beachten; vgl noch Kol 3, 17.

[73] Vgl χάρις im prooem 1, 6. EKäsemann, Eine urchr Taufliturgie, Exegetische Versuche u Besinnungen I ⁴(1965) 34—51 findet drei Stufen der Verarbeitung: 1. Bekenntnis v 13 f u Hymnus v 15—20; auch v 12 sei Tradition; 2. Verarbeitung zu einer Taufliturgie; 3. Einarbeitung in Kol. Sicher ist v 13 f schon Tradition, doch ist der Bezug auf die Taufe nicht eindeutig, s Dib Gefbr³ zSt. Ob v 13 f schon vor der Abfassung des Briefs mit v 15 ff verbunden war, ist „äußerst fraglich", Dib Gefbr³ 11.

wird wohl nicht technisch, als Bezeichnung des Gemeindebekenntnisses, zu fassen sein[74]; eher ist auf die liturgische Tradition des Judentums hinzuweisen[75]. Der technische Sinn wird in der Tat weder durch den allgemeinen neutestamentlichen Sprachgebrauch noch durch den Kontext nahegelegt. Der Aufruf zum Dank wird Kol 2, 7 christologisch begründet (vgl 1 Th 5, 18)[76]. Dank ist Inhalt der allgemeinen Paränese (Kol 3, 15)[77]. Durch v 16f wird die Forderung mit dem Gottesdienst verklammert, mit der Zusammenfassung: εὐχαριστοῦντες τῷ θεῷ — δι' αὐτοῦ. Die Stelle ist Eph 5, 20 aufgenommen[78]. Das Gebet — a potiori als Dankgebet bestimmt — ist die rechte Weise der eschatologischen Wachsamkeit (Kol 4, 2, vgl Phil 4, 6)[79].

Der Aufzählung von Wörtern für das Gebet (1 Tm 2, 1) ist keine scharfe begriffliche Unterscheidung abzufordern (→ 401, 9ff). Doch heben sich die beiden Richtungen Dank und Bitte klar heraus. Aus der engen Verbindung von beiden erklärt sich auch die Merkwürdigkeit der Wendung *Dank für alle Menschen*[80]. 1 Tm 4, 3f (→ A 63) polemisiert gegen die gnostisch begründete Forderung von Speise-Askese durch Hinweis auf die Sitte des Tischgebets, die hier mit dem Glauben an Gott als den Schöpfer verknüpft wird: Von den Speisen her sind keine Gesetze aufzustellen; Norm ist das Verhalten gegen Gott. In diesem Sinn ist die Danksagung die Bedingung des Genießens.

D. Alte Kirche[81].

a. Im Kontext der Briefe steht εὐχαριστῶ Ign Phld 6, 3; 11, 1; Sm 10, 1; Eph 21, 1, vom Gebet eines Einzelnen ist die Rede Herm s V 1, 1; VII 5; IX 14, 3; v IV 1, 4, zum Gebet aufgefordert wird Herm s VII 5; 1 Cl 38, 2. 4; 2 Cl 18, 1, vgl Barn 7, 1.

---

[74] Käsemann aaO (→ A 73) 43; dgg findet Dib Gefbr³ zSt auch hier das Motiv der oratio infusa; dies ist aber unwahrscheinlich. GBornkamm, Das Bekenntnis im Hb, Studien zu Antike u Christentum ²(1963) 196: Das Bekenntnis Hb 13, 15 ist die εὐχαριστία, s HLietzmann, Die Anfänge des Glaubensbekenntnisses, Festschr AHarnack (1921) 241f.

[75] Entsprechend ידה, vgl die regelmäßige Einl der Ps von Qumran אודכה אדוני 1 QH 2, 20 uö; ידה ist in LXX gew mit ἐξομολογέομαι übersetzt, aber im hell Judt tritt dafür εὐχαριστέω ein, vgl zB Jdt 8, 25; Philo (→ 400, 13ff); Jos (→ A 32); Orig Orat 14, 5: τὸ „ἐξομολογοῦμαι" ἴσον ἐστὶ τῷ „εὐχαριστῶ." JMRobinson, Die Hodajot-Formel in Gebet u Hymnus des Frühchristentums, Festschr EHaenchen, ZNW Beih 30 (1964) 194—235; ELohse, Die Briefe an die Kolosser u an Philemon, Kritisch-exegetischer Komm über das NT 9, 2 ¹⁴(1968) 68—70.

[76] Formal weist Kol 2, 7 auf die Lehrtradition hin; aber diese ist ja christologische Lehre.

[77] Die Forderung taucht scheinbar unvermittelt auf, doch das entspricht dem durch-schnittlichen Stil der Paränese. Aufgenommen ist sie Eph 5, 4, wo zu fragen ist, ob nicht Parechese mit εὐτραπελία vorliegt. Seit Orig bei Cramer Cat VI 190 wird εὐχαριστία hier als εὐχαριτία *Anmut der Rede* gedeutet, s OCasel, Εὐχαριστία — εὐχαριτία, BZ 18 (1929) 84f.

[78] Kol 3, 16: ᾄδοντες . . . τῷ θεῷ, Eph 5, 19: . . . τῷ κυρίῳ. Kol 3, 17: εὐχαριστοῦντες τῷ θεῷ . . . δι' αὐτοῦ (sc den Herrn Jesus), Eph 5, 20: εὐχαριστοῦντες . . . ὑπὲρ πάντων ἐν ὀνόματι τοῦ κυρίου ἡμῶν Ἰησοῦ Χριστοῦ τῷ θεῷ, dh Eph hat πάντα ἐν ὀνόματι κυρίου Ἰησοῦ Kol 3, 17 zu εὐχαριστοῦντες gezogen, s CLMitton, The Epistle to the Ephesians (1951) 62f. 80f. Es ist künstlich, εὐχαριστοῦντες den vorausgehenden Part unterzuordnen: Singt . . ., indem ihr Dank sagt! u εὐχαριστέω vom Dankgebet beim Herrenmahl zu verstehen. Es liegt vielmehr paränetische Aufreihung vor, vgl 1 Th 5, 18; πάντοτε Eph 5, 20 ist wie ἐν παντί 1 Th 5, 18 zu verstehen.

[79] Eph 6, 18 hat das Stichwort εὐχαριστία nicht übernommen.

[80] Siehe Dib Past⁴ zSt.

[81] → Schubert 100—105; Betz aaO (→ A 48) 157—162.

b. Von besonderem Interesse ist der eucharistische Gebrauch Did 9f; Ign Eph 13,1; Phld 4; Sm 7,1; 8,1; Just Apol I 65, 3—66, 3. Zunächst werden durch die Wortgruppe das Dankgebet bezeichnet, das für die Feier des Abendmahls konstitutiv ist Did 9,1—3; Just Dial 41,1. 3; 70, 4; 117, 2; Apol I 65, 3. 5; 66, 2; 67, 5, dann aber auch die Elemente Did 9,1. 5, ebs Ign (→ Z 11—16); Iren Haer IV 31, 4; 5 V 2, 3 u schließlich die ganze Abendmahlshandlung Did 9,1. 5; Ign (→ Z 11—16); Iren bei Eus Hist Eccl V 24, 17. Grundlegend ist Did 9f, wo die Ansätze des technischen Sprachgebrauchs schon zu erkennen sind: περὶ δὲ τῆς εὐχαριστίας, οὕτως εὐχαριστήσατε. Der Gedanke des Dank-Opfers erscheint, vgl 14, 1f. Zwar ist der *Dank* noch das Sprechen des Gebets 9, 2; 10, 1f, aber dann auch das dadurch Gesegnete, die 10 eucharistische Speise 9, 5[82]. Ign Eph 13, 1 fordert zur Zusammenkunft auf εἰς εὐχαριστίαν θεοῦ καὶ εἰς δόξαν, entweder *zur Danksagung* oder *zum Herrenmahl Gottes*[83]. σπουδάσατε οὖν μιᾷ εὐχαριστίᾳ χρῆσθαι Ign Phld 4 ist entweder nach Eph 13, 1 zu verstehen[84] oder auf die Elemente zu deuten[85], vgl Sm 7, 1: εὐχαριστίας καὶ προσευχῆς ἀπέχονται (sc die Gegner), διὰ τὸ μὴ ὁμολογεῖν τὴν εὐχαριστίαν σάρκα εἶναι τοῦ σωτῆρος ἡμῶν 15 Ἰησοῦ Χριστοῦ. Im 2. u 3. Jhdt[86] kommen die Theologen unter dem Einfluß Philos (→ 400, 13ff) dazu, εὐχαριστεῖν u εὐχαριστία fast ausschließlich für das Opfer der εὐχαριστία zu verwenden. Einige bezeichnende St: Aristid Apol 15,10: εὐχαριστοῦντες αὐτῷ κατὰ πᾶσαν ὥραν ἐν παντὶ βρώματι καὶ ποτῷ καὶ τοῖς λοιποῖς ἀγαθοῖς. Just Apol I 13,1f: ... λόγῳ εὐχῆς καὶ εὐχαριστίας ἐφ᾽ οἷς προσφερόμεθα πᾶσιν, ὅση δύναμις, αἰνοῦντες ... ἐκείνῳ 20 δὲ εὐχαρίστους ὄντας διὰ λόγου πομπὰς καὶ ὕμνους πέμπειν ὑπέρ τε τοῦ γεγονέναι καὶ τῶν εἰς εὐρωστίαν πόρων πάντων ... καὶ τοῦ πάλιν ἐν ἀφθαρσίᾳ γενέσθαι διὰ πίστιν τὴν ἐν αὐτῷ ..., Just Dial 117, 2: ὅτι μὲν οὖν καὶ εὐχαὶ καὶ εὐχαριστίαι, ὑπὸ τῶν ἀξίων γινόμεναι, τέλειαι μόναι καὶ εὐάρεστοί εἰσι τῷ θεῷ θυσίαι, καὶ αὐτός φημι (sc in Übereinstimmung mit dem hell Judt), vgl noch Dial 41; 70, 1. 4. 25

Conzelmann

---

† **χάραγμα**

1. χάραγμα ist das eingravierte oder -geätzte, -gebrannte, -geschriebene *Zeichen* oder *Mal*. Dem urspr Sinn von χαράσσω (→ 406, 1f; 407, 10ff) am nächsten kommt der früheste Beleg Soph Phil 267, wo χάραγμα den *Biß* einer Schlange bezeich- 30 net. Sonst bedeutet das Wort eine *Inschrift*, zB Anth Graec 7, 220, 2, überh alles *Geschriebene* διὰ χαραγμάτων εὔχο[μαι] PLond V 1658, 8 (4. Jhdt nChr), auch den einzelnen *Schriftzug* τὰ χαράγματα χειρός Anth Graec 9, 401, 3, vor allem jedoch den aufgedrückten bzw eingeprägten *Stempel*, zB als *Brennstempel* zur Zeichnung von Kamelen Pap Grenfell II 50a 5 (142 vChr)[1], häufig als amtlicher Stempel auf Schriftstücken, 35 zB auf beglaubigten Abschriften von Dokumenten Preisigke Sammelbuch I 5231, 11; 5275, 11 (beide 11 nChr); 5247, 34 (47 nChr)[2], bes kaiserliche *Stempel* zur Beglaubigung der Rechtskraft von Erlassen uä[3]. Das *Gepräge* von Münzen bezeichnet χάραγμα (→ 407, 23f) zB bei Plut Ages 15 (I 604c); De Lysandro 16 (I 442b); Apophth Lac Agesilaus 40 (II 211b) uö; POxy I 144, 6 (580 nChr). Von daher heißt es auch allg *Geld* 40 ἦν μὲν γὰρ τὸ χάραγμα φέρῃς, φίλος· οὔτε θυρωρὸς ἐν ποσὶν οὔτε κύων· ἐν προθύροις δέδεται Anth Graec 5, 30, 3f.

---

[82] Kn Did zSt. Vgl Just Apol I 66,1: καὶ ἡ τροφὴ αὕτη καλεῖται παρ᾽ ἡμῖν εὐχαριστία. Zu den Mahlgebeten der Did: MDibelius, Die Mahl-Gebete der Did, Botschaft u Gesch II (1956) 117—127 zeigt den jüd Ursprung der Gebete. Audet aaO (→ A 25) 389. 399 betont den Zshg von εὐχαριστέω u εὐλογέω. Der Sinn sei also nicht *wir danken dir*, sondern *wir preisen dich*.
[83] So übersetzt Bau Ign die St.
[84] Bau Ign zSt.
[85] JAFischer, Die Apost Vät, Schriften des Urchr I ⁵(1966) 197 A 13.

[86] Zu den frühen Apologeten → Schubert 106—114. Einen weiteren Ausblick gibt → Schermann passim.

χάραγμα. [1] ed BPGrenfell-ASHunt, New Classical Fragments and other Greek and Latin Pap (1897). Vgl χαρακτήρ (→ 407, 23f) BGU I 88, 6 (147 nChr).
[2] Zu χάραγμα u πτῶμα in den Pap-Urkunden vgl JCNaber, Observatiunculae ad papyros iuridicae, APF 1 (1901) 316—320.
[3] Diese tragen die Jahreszahl u den Namen des regierenden Kaisers, vgl dazu Deißmann NB 68—75; Deißmann LO 289f.

2. In der Septuaginta fehlt χάραγμα. χαράσσω steht Sir 50, 27 im Sinne von *aufschreiben*, u Ez 4,1 Σ gibt es das קקר des HT wieder, vgl auch διαχαράσσω Js 49,16 Θ, während LXX an beiden St mit διαγράφω bzw ζωγράφω übersetzt. Vgl ἐντολάς... κεχαραγμένας Aristid Apol 15, 3.

3. Apk 13, 11—18 wird das Erscheinen des zweiten Tieres beschrieben, das als Pseudoprophet des ersten Tieres (→ III 135, 22ff) auftritt, für dessen Kultbild es religiöse Anerkennung fordert. Die Szene steigert sich sodann dadurch, daß das Kultbild selbst lebendig wird und zu reden beginnt (v 15). Es fordert ausnahmslos von allen Menschen, ἵνα δῶσιν αὐτοῖς χάραγμα ἐπὶ τῆς χειρὸς αὐτῶν τῆς δεξιᾶς ἢ ἐπὶ τὸ μέτωπον αὐτῶν, καὶ ἵνα μή τις δύνηται ἀγοράσαι ἢ πωλῆσαι εἰ μὴ ὁ ἔχων τὸ χάραγμα τὸ ὄνομα τοῦ θηρίου ἢ τὸν ἀριθμὸν τοῦ ὀνόματος αὐτοῦ (v 16f). Daß hier der religiöse Totalanspruch des Kaiserkultes gemeint ist, ist eindeutig. Darauf weist wahrscheinlich auch die Wahl des Begriffes χάραγμα, wenn damit auf den Kaiserstempel (→ 405, 37f) angespielt wird[4]. Die geforderte Annahme des χάραγμα aber meint der Sache nach eine religiöse Signierung mit dem Zeichen des Tieres, das auf die rechte Hand oder auf die Stirn (→ IV 638, 26ff) eingebrannt wird. Solche Signierung als Stigmatisation[5] war in der Antike weit verbreitet (→ VII 659, 26ff). Wie Sklaven durch στίγματα als Eigentum ihres Herrn gekennzeichnet wurden, so ließ man sich vielfach in entsprechender Weise an Heiligtümern die Zeichen von Gottheiten einbrennen (→ VII 661, 31f)[6]. Das *Zeichen* des Tieres wird Apk 13,18 als der in der Zahl 666 (→ I 462,12ff) verschlüsselte Name (→ V 280, 6ff) des Tieres beschrieben. Ist damit Nero gemeint[7], so würde sich der Sinn dieser Zahl am besten in den Kontext einfügen. Dann tritt hier kraß der Anspruch des Kaisers gegen den Anspruch Christi, dessen Siegel (→ VII 951, 20ff) die zu ihm gehörigen 144000 Knechte Gottes tragen (Apk 7,1—8). Daß dieser politisch-religiöse Gegensatz im Blick steht, ergibt sich auch aus den Stellen im weiteren Text der Apokalypse, an denen auf 13,16f zurückgegriffen wird. Der Engel bedroht Apk 14, 9. 11 alle diejenigen, die das χάραγμα des Tieres angenommen haben, mit endzeitlichem Zorn. Dessen Vollzug wird 16, 2, das Gericht über das Tier und seinen Pseudopropheten 19, 20 beschrieben, während 20, 4 alle diejenigen, die nicht das Tier bzw sein Bild angebetet und nicht sein Malzeichen auf Stirn und Hand angenommen haben, als zu endzeitlichen Richtern Erhobene erscheinen.

---

[4] So Deißmann LO 289f, dem sich Loh Apk, ELohse, Die Offenbarung des Joh, NT Deutsch 11 [9](1971) zSt uam anschließen.

[5] Die geläufige Bezeichnung dafür ist σφραγίς (→ VII 939, 1ff) oder στίγμα (→ VII 657, 28ff), außer Apk aber nirgendwo χάραγμα. Doch vgl χαράσσω für Signierung von Juden mit dem Efeublatt des Dionysos durch Ptolemäus IV Philopator 3 Makk 2, 29.

[6] Vgl zB Philo Spec Leg I 58. Grundlegend das Material bei FJDölger, Sphragis, Studien zur Gesch u Kultur des Altertums 5, 3/4 (1911) 39—44; HLilliebjörn, Über religiöse Signierung in der Antike (Diss Uppsala [1933]). Weitere Lit bei Schlier Gl[13] zu 6,17; Oe Gl 164.

[7] Zu dem vom Verf der Apk im Blick auf Nichteingeweihte beabsichtigten Rätsel der Zahl 666 vgl Loh Apk zSt. Überzeugender als sein Lösungsvorschlag, die Zahl als Dreieckszahl zu erklären u so auf die Zahl 8 zurückzuführen, die Apk 17,11 genannt wird, ist der Vorschlag, den zuletzt wieder Lohse aaO (→ A 4) zSt vertritt: 666 wird als Gematrie, uz unter Zugrundelegung der Zahlenwerte des hbr Alphabets, verstanden u als „Neron Qesar" aufgelöst, während θηρίον denselben Zahlenwert 666 ergibt, dazu vgl zuletzt HB Rosén, Palestinian κοινη in Rabbinic Illustration, Journal of Semitic Studies 8 (1963) 65, der annimmt, θηρίον sei im Hbr תרּיון transscribiert worden.

Ag 17, 29 (→ V 187, 43ff) heißt es in der Areopagpredigt des lukanischen Paulus: οὐκ ὀφείλομεν νομίζειν, χρυσῷ ἢ ἀργύρῳ ἢ λίθῳ, χαράγματι τέχνης καὶ ἐνθυμήσεως ἀνθρώπου, τὸ θεῖον εἶναι ὅμοιον. χάραγμα wird hier im Sinne von *Machwerk* gebraucht. Was Menschen von sich aus geprägt haben, kann dem Göttlichen nicht gleich sein[8], wie umgekehrt die Menschen als Geschöpfe Gottes *seines Geschlechtes* (v 28) und 5 also ihm nahe (v 27) sind.

Wilckens

┌──────────────┐
│ † χαρακτήρ   │
└──────────────┘

A. Im Griechentum.

χαρακτήρ ist urspr ein nomen agentis: *einer, der* χαράσσει. Das 10 Verbum, vom Subst χάραξ abgeleitet, hat die Bdtg *zuspitzen, wetzen* Hes Op 387. 573 u wird von da aus später im technischen Sinne zur Bezeichnung des *Schreibens* auf Holz, Stein oder Erz Anth Graec 7,710, 8 sowie bes zum term techn der *Münzprägung* Aristot Pol I 9 p 1257a 35—41; fr 485 p 1557a 36; fr 551 p 1569a 30[1]. Da zu der Zeit, als die Münzprägung aufkam, die nomina agentis im Ionischen u Attischen regel- 15 mäßig mit -της gebildet wurden u das alte Suffix -τηρ nur noch bei Werkzeug- u Gerätebezeichnungen produktiv geblieben war[2], ist anzunehmen, daß χαρακτήρ von Anfang an eine Sachbezeichnung war *Prägestock*[3] IG[2] II/III 2 Nr 1408,11f, vgl 1409, 5 (beide um 385 vChr)[4], dann *Prägung, Münzbild, Siegelabdruck* Plat Polit 289b; Aristot Pol I 9 p 1257a 41. Verallgemeinert kann χαρακτήρ dann einen *Münztypus* bezeichnen ἦν 20 δ' ὁ ἀρχαῖος χαρακτὴρ δίδραχμον Aristot, Atheniensium Res publica 10, 2[5], schließlich die *Münze* selbst[6]. Im Plur kann χαρακτήρ einfach *Geld, Vermögen* bedeuten PFlor I 61, 21f (1. Jhdt nChr)[7]. Entsprechend heißen auch *Stempel,* zB Brennstempel, mit denen Kamele gezeichnet werden (→ VII 658,7ff) BGU I 88,7 (147 nChr), u *Siegel* BGU III 763,7 (3. Jhdt nChr) χαρακτῆρες[8]. Ist hier die offizielle, autoritative Kenn- 25 zeichnung gemeint, so kann χαρακτήρ auch ganz allg *Zeichen* heißen, bes *Buchstaben,* zumal wenn diese einen nicht allg verständlichen Sinn ausdrücken wie zB auf Rezepten des Arztes Gal, De compositione medicamentorum per genera II 22 (Kühn 13, 995), vgl auch die Gruppe von χαρακτῆρες, die am Schluß eines Krankenberichtes bei Hippocr Epid III 1,1 Cod V (Kühlewein I 215) stehen, u dazu Gal, Komm zu Hippocr Epid III 30 1, 4 (Kühn 17,1 p 524—528); 2, 5 (p 619), auch in magischen Texten (→ A 39), zB Preis Zaub I 5, 311, vgl Jul Or 7, 216c; Jambl Myst III 13 (p 129,16[9]; 131, 4ff); ferner Luc Hermot 44: εἰ μηδὲ γράμματα γράφοιμεν ἐπὶ τῶν κλήρων, ἀλλά τινα σημεῖα καὶ χαρακτῆρας (dh Hieroglyphen im Unterschied zu γράμματα). Kann so der Zeichencharakter eines

---

[8] Dieser Topos urchr Missionspredigt, vgl R 1, 23, sowie späterer Apologetik, vgl bes Aristid Apol 13,1; Just Apol I 9,1, steht im Traditionszusammenhang mit der diaspora-jüdischen Propaganda, vgl Sap 13,10. Zum Ganzen vgl PDalbert, Die Theol der hell-jüd Missionsliteratur unter Ausschluß von Philo u Jos, Theol Forschung 4 (1954) 129 sowie bes WNauck, Die Tradition u Komposition der Areopagrede, ZThK 53 (1956) 11—52.

χαρακτήρ. Lit: Liddell-Scott, Pr-Bauer, Preisigke Wört sv; JGeffcken, Charakter, Exp T 21 (1910) 426f; FJDölger, Sphragis, Studien zur Gesch u Kultur des Altertums 5, 3/4 (1911); AKörte, ΧΑΡΑΚΤΗΡ, Herm 64 (1929) 69

—86; FWEltester, Eikon im NT, ZNW Beih 23 (1958) 52—54; RWilliamson, Philo and the Epistle to the Hebrews, Arbeiten zur Lit u Gesch des hell Judt 4 (1970) 74—80.

[1] Dazu vgl → Körte 70f.
[2] Vgl zB λαμπτήρ *Leuchter,* κρατήρ *Misch-krug.*
[3] [Z 14—20 von Risch]
[4] Vgl → Körte 72f.
[5] ed FGKenyon (1920).
[6] Belege bei → Körte 75.
[7] Belege bes bei Preisigke Wört sv.
[8] Torzollquittungen tragen am Schluß den Vermerk χωρὶς χαρακτῆρος Preisigke Wört sv.
[9] Vgl Jamblique, Les mystères d'Égypte, ed EdesPlaces (1966) 116 A 1.

solchen χαρακτήρ für den Uneingeweihten auch völlig verschwinden, so bleibt doch für den Begriff wesentlich, daß χαρακτήρ das *Gepräge* von etw ist, *Zeichen* von einem bezeichnenden Zeichen her, die *Form*, in der dieses seine Gestalt abdrückt bzw eingraviert hat. So kann auch die *Kopie* eines Buches χαρακτήρ heißen: ἑώρακα γὰρ ἐγὼ ἐν
5 χαρακτῆρι γραφῆς Ἐνώχ Test S 5, 4.

Von der Bdtg *Prägung, Münzbild* her erklärt sich, daß die frühesten Belege[10] die *typischen Gesichtszüge* eines Menschen bzw eines Volkes bezeichnen. Am χαρακτήρ τοῦ προσώπου erkennt Astyages den jungen Kyros Hdt I 116, 1; ähnlich ist wohl auch Κύπριος χαρακτήρ Aesch Suppl 282 gemeint[11]. Die euripideische Medea klagt, es gebe
10 keinerlei χαρακτῆρες an den Menschen Leib, an denen man den Schlechten unter den Guten erkennen könne Eur Med 519. Als erster hat Theophr in seinem 319 vChr erschienenen Werk Ἠθικοὶ χαρακτῆρες eine Art moralischer Typologie ausgearbeitet. Es handelt sich um eine Zusammenstellung von 30 kurzen Skizzen über Menschentypen, deren gesamtes Verhalten jeweils von einer hervorstechenden schlechten Eigenschaft
15 geprägt ist. Diese wird eingangs in einer Def beschrieben u daraufhin in einem höchst prägnant gezeichneten moralischen Charakterbild erläutert. Bei diesen *Charakterbildern* spielt nicht ein psychologisches Interesse an der individuellen Eigenart von Menschen eine Rolle; das Anliegen des Buches ist vielmehr durchweg moralisch-paränetischer Art[12]. Entsprechendes gilt dann auch von Menand Komödien, vgl seine Maxime ἀνδρὸς χα-
20 ρακτὴρ ἐκ λόγου γνωρίζεται fr 66 (Körte)[13]. Die Nachwirkung solcher „Charakter"-bilder in der späteren hell Lit ist stark, vgl zB die Charakterisierung des Sokrates bei Cic, De fato 5, 10[14]; doch der Begriff χαρακτήρ in diesem speziellen Sinn hat sich in der Antike nicht allg eingebürgert[15], das blieb erst unserer modernen Sprache vorbehalten[16].

χαρακτήρ kann auch schon früh die *Eigenart der Sprache* bzw *Sprechweise* bezeichnen.
25 Hdt I 142, 4 stellt im Blick auf die verschiedenen ionischen Dialekte fest: οὗτοι χαρα-κτῆρες γλώσσης τέσσερες γίνονται, vgl I 57, 3; Diod S 1, 8, 4 (vgl Diels II 136, 2); Soph fr 178 (TGF 171). Mehr den *Redestil* meint Aristoph Pax 217—220. Hier knüpft die spätere Rhetorik an, in deren Sprache χαρακτήρ zum term techn für die *Stilart* χαρα-κτὴρ λέξεως geworden ist[17]. Vielleicht hat Theophr diesen rhetorischen Fachbegriff
30 gebildet[18]. Die Geprägtheit der Sprechweise des einzelnen Dichters, Redners, Philo-sophen, der *individuelle Stil*, wird ebenfalls als χαρακτήρ bezeichnet[19]. Auch die ver-

---

[10] χαρακτήρ fehlt bei den Vorsokratikern, Thuc, Xenoph u den attischen Rednern. Es kommt bei Aristoph einmal u bei Plat zweimal vor. Im ganzen zählt → Körte 74 A 1 nur 15 voraristotelische Belege.

[11] χαρακτήρ *Gesichtszug* findet sich auch in Inschr, zB Ditt Or II 508,13 (2. Jhdt nChr). Vom *Aussehen* von Embryonen spricht Soranus, De gynaecis (CMG IV) I 33, 5.

[12] In Zielsetzung u Methode steht Theophr in peripatetischer Schultradition. Bezeugt sind χαρακτῆρες sowohl von dem Peripatetiker Ariston von Keos — über ihn vgl WKnögel, Der Peripatetiker Ariston von Keos bei Philodem, Klass-philologische Studien, hsgg EBickel u CJensen 5 (1933); FWehrli, Die Schule des Aristot. Lykon u Ariston von Keos (1952) 27—67 — als auch von Satyros bei Athen 4, 66 (168c). — Aus dieser Tradition dürfte auch Pos geschöpft haben, der im paränetischen Teil seiner Ethik von ethologia als exemplarischer Schilderung guter u schlechter Verhaltenstypen spricht, während andere dafür den Terminus χαρακτηρισμός verwenden sep 15, 95, 65. [Dihle]

[13] → Körte 78 A 1 hält Menand für einen Schüler Theophr; dgg zB ORegenbogen, Artk Theophrastos, in: Pauly-W Suppl VII 1358.

[14] Vgl Regenbogen aaO (→ A 13) 1506f.

[15] Vgl dazu zB Philodem Philos, Περὶ κακιῶν X col 6, 34. Auch Epict Diss III 22, 80 spricht von der Vorbildlichkeit des „Charakters" des Diogenes im Umgang mit seinem Schüler. Vgl allg die Mahnung τάξον τινὰ ἤδη χαρα-

κτῆρα σαυτῷ καὶ τύπον, ὃν φυλάξεις ἐπί τε σεαυτοῦ ὦν καὶ ἀνθρώποις ἐντυγχάνων Ench 33,1, vgl ἰδιώτου στάσις καὶ χαρακτήρ· οὐδέποτε ἐξ ἑαυτοῦ προσδοκᾷ ὠφέλειαν ἢ βλάβην, ἀλλ' ἀπὸ τῶν ἔξω. φιλοσόφου στάσις καὶ χαρακτήρ· πᾶσαν ὠφέλειαν καὶ βλάβην ἐξ ἑαυτοῦ προσδοκᾷ 48,1.

[16] Dazu → Körte 85f.

[17] So zB Dion Hal, De Lysia 11 (ed HUse-ner-LRadermacher I [1899] 19, 22). So sind wahrscheinlich auch die χαρακτῆρες des Hera-clides Ponticus zu verstehen, vgl FWehrli, Die Schule des Aristot. Herakleides Pontikos (1953) 13.

[18] Dazu grundlegend JStroux, De Theo-phrasti virtutibus dicendi (1912), auch JLücke, Beiträge zur Gesch der genera dicendi u genera compositionis (Diss Hamburg [1952]). Am frühesten ist die Lehre in lat Fassung bei dem Auctor ad Herennium IV 11,16 (ed CL Kayser [1854]) sowie bei Cic Orator 11, 36, vgl 39,134 bezeugt, vgl ferner Gellius, Noctes Atticae 6,14 (ed CHosius [1903]); Pseud-Demetr 36; Dion Hal (→ A 17), De Demos-thene 33 (p 203, 9).

[19] Beispiele bei → Körte 82. In der anony-men ὑπόθεσις zu Eur Rhes wird ein Drama aus stilkritischen Erwägungen dem Eur ab-gesprochen u mutmaßlich dem Soph zuer-kannt. Ähnlich spricht Dion Hal (→ A 17), De Dinarcho 1 (p 297, 1ff), dem Redner Dinarchus einen individuell geprägten *Stil* ab, wie ihn Lys u Isoc gehabt hätten, vgl noch De Lysia 15 (p 25, 9); De Demosthene 9 (p 144,13; 148,10); Ep ad Pompeium 1, 5 (ed

schiedenen Arten des Philosophierens werden als χαρακτῆρες beschrieben [20]. Schließlich kann χαρακτήρ allg die *unterscheidende Eigenart* bedeuten. Die Sprache des Weisen, sagt Plat Phaedr 263b, muß die Eigenart der Dinge genau zum Ausdruck bringen: εἰληφέναι τινὰ χαρακτῆρα ἑκατέρου τοῦ εἴδους, ἐν ᾧ τε ἀνάγκη τὸ πλῆθος πλανᾶσθαι καὶ ἐν ᾧ μή. Entsprechend gebraucht Simpl, Comm in Aristot Cat 7 [21] den Begriff in der 5 Logik zur Bezeichnung der Kategorie des πρός τι: καθ᾽ αὑτὰ μὲν οὐκ ἔστιν, οὐ γάρ ἐστιν ἀπόλυτα, κατὰ διαφορὰν δὲ πάντως ἔσται· μετὰ γάρ τινος χαρακτῆρος θεωρεῖται... πρός τι μὲν λέγουσιν, ὅσα κατ᾽ οἰκεῖον χαρακτῆρα διακείμενά πως ἀπονεύει πρὸς ἕτερον.

B. Im Judentum.

1. In der Septuaginta ist χαρακτήρ nur dreimal bezeugt [22]. 10 Lv 13, 28 ist von der *Narbe*, die von einer Verbrennung herrührt, als χαρακτήρ τοῦ κατα-καύματος die Rede, 4 Makk 15, 4 von der Ähnlichkeit zwischen Eltern u Kindern als einem χαρακτήρ, den jene diesen *eingeprägt haben* ἐναποσφραγίζομεν. 2 Makk 4, 10 gebraucht Ἑλληνικὸν χαρακτῆρα für charakteristische Züge der hell Kultur, Abschaffung der väterlichen Gesetze u Einführung von *gesetzeswidrigen Bräuchen* 4, 11 wie dem 15 Bau eines Gymnasiums uam durch Jason [23].

2. Ein ähnliches Bedeutungsfeld zeigt auch der Sprachgebrauch bei Josephus. Bei ihm bedeutet χαρακτήρ *Gesichtszug* Ant 2, 97; 13, 322, vgl auch 10, 191. Ferner heißt es *persönliche Eigenart* Bell 2, 106, auch *Buchstabe, Schrift* Ant 12, 14f. 36, vgl Test S 5, 4. 20

3. Philo gebraucht häufig das Bild vom Siegel (→ VII 946, 8ff) bzw Münzgepräge. Mit ihm erläutert er zunächst die stoische Wahrnehmungslehre Deus Imm 43: φαντασία δέ ἐστι τύπωσις ἐν ψυχῇ [24]. Die Seele gleicht einer Wachstafel, die sich die Wahrnehmungen eindrücken läßt ὥσπερ δακτύλιός τις ἢ σφραγὶς ἐναπεμάξατο τὸν οἰκεῖον χαρακτῆρα, u diese bewahrt sie, bis das Vergessen sie auslöscht, vgl Rer Div 25 Her 180f. Diese stoische Lehre mitsamt ihrem Leitbild des Prägevorgangs hat Philo seiner Anthropologie zugrunde gelegt. Die Seele wird, wenn sie wie weiches Prägewachs τὸν τῆς τελείας ἀρετῆς χαρακτῆρα annimmt, zum Lebensbaum, jedoch zum Baum der Erkenntnis des Guten u Bösen, wenn sie τὸν τῆς κακίας annimmt Leg All I 61. Die καλοκἀγαθία, in ihrem Wesen unvergänglich, hat sich als solche der Seele des Mose 30 χαρακτῆρι θείῳ τυπωθείσῃ eingeprägt Virt 52. Mit diesem Prägebild ist jene εἰκών (→ II 392, 37ff) gemeint, die der Mensch nach Gn 1, 26f bei seiner Erschaffung von Gott empfangen hat u durch die er Gott ähnlicher geworden ist als alle übrigen Lebewesen. Diese Ähnlichkeit bezieht sich nicht auf irgendeine leibliche Prägung σώματος χαρα-κτῆρι (→ 408, 9ff), sondern auf den νοῦς, der nach dem Archetypus des göttlichen 35 Geistes geschaffen ist u insofern ihm gleicht Op Mund 69. So gleicht der Protoplast nach seinem Leibe dem Kosmos u nach seinem Geiste Gott καὶ τῆς ἑκατέρου φύσεως ἐναπεμάττετο (*prägte aus*) τῇ ψυχῇ τοὺς χαρακτῆρας 151 [25]. Indem die Seele des Men-

HUsener-LRadermacher II 1 [1929]); Cic, Ep ad Quintum fratrem II 16, 5; Epict Diss II 17, 35.

[20] Vgl zB Epict Diss III 23, 33ff, der nachweisen will, daß zu den drei traditionellen χαρακτῆρες der Philosophie προτρεπτικός, ἐλεγκτικός, διδασκαλικός die Epideiktik, wie sie sich als χαρακτήρ der Rhetorik herausgebildet habe, nicht hinzugehören könne. Zum Ganzen vgl EGSchmidt, Die drei Arten des Philosophierens. Zur Gesch einer antiken Stil- u Methodenscheidung, Philol 106 (1962) 14—28.

[21] ed KKalbfleisch, Commentaria in Aristotelem Graeca 8 (1907) 166, 14ff.

[22] Außerdem ψ 48, 15 ᾽Α, wo χαρακτήρ für צוּר *Fels*, so das Q°re᾽ des HT, oder für צִיר *Gestalt*, so das K°tib, einzutreten scheint. Der HT ist verderbt u in וְיִצְרָם *ihr Gebilde* zu emendieren. [Bertram]

[23] Vgl dazu Polyb 18, 34, 7: χαρακτήρ als *Sitte, Brauch* im negativen Sinn im Blick auf Bestechlichkeit.

[24] Ein Lehrsatz der stoischen Schule, vgl Chrysippus bei Alex Aphr An 135v (Bruns 68, 11). Die Vorstellung vom Siegel geht auf Plat Tim 50c zurück, dazu vgl → Dölger 65 —69; vgl auch Plut Is et Os 54 (II 373a), dazu → Eltester 59—68.

[25] Dazu vgl Op Mund 146: πᾶς ἄνθρωπος κατὰ μὲν τὴν διάνοιαν ᾠκείωται λόγῳ θείῳ, τῆς μακαρίας φύσεως ἐκμαγεῖον (*Abdruck*) ἢ ἀπόσπασμα (*Bruchstück*) ἢ ἀπαύγασμα γεγονώς, κατὰ δὲ τὴν τοῦ σώματος κατασκευὴν ἅπαντι τῷ κόσμῳ. Dazu bemerkt → Eltester 53 zu Recht: „Hier steht das Motiv des Prägebildes unmittelbar neben dem Emanationsgedanken.“ Vgl Mut Nom 223: Der λογισμός ist τελειότατον δὲ καὶ θειότατον ἔργον, τῆς τοῦ παντὸς ψυχῆς

schen um Gott, dem sie gleicht, weiß, δέξηται χαρακτῆρας ἐξουσίας τε καὶ εὐεργεσίας αὐτοῦ καὶ τῶν τελείων μύστις γενομένη τελετῶν Sacr AC 60. Was dieser χαρακτήρ sei, zeigt Philo Leg All III 95—104 in einer Namensallegorie von Bezaleel: Dieser Name heißt ἐν σκιᾷ θεοῦ. Dieser Schatten Gottes ist der Logos, durch den Gott die Welt geschaffen hat.

5 Er ist das Urbild ἀρχέτυπον, das als solches wiederum ἀπεικόνισμα ἑτέρων ist. Er selbst ist Abbild Gottes, so daß eine Stufenreihe von Abb entsteht: ὥσπερ γὰρ ὁ θεὸς παράδειγμα τῆς εἰκόνος, ἣν σκιὰν νυνὶ κέκληκεν, οὕτως ἡ εἰκὼν ἄλλων γίνεται παράδειγμα. Diese andern sind die Menschen; denn nach Gn 1, 26f ist der Mensch nach dem Bilde Gottes geschaffen, dh τῆς μὲν εἰκόνος κατὰ τὸν θεὸν ἀπεικονισθείσης, τοῦ δὲ ἀνθρώπου κατὰ τὴν

10 εἰκόνα λαβοῦσαν δύναμιν παραδείγματος 96. So hat die Seele des Menschen ihr göttliches *Gepräge* erhalten ὁ ἐπιγινόμενος χαρακτήρ 97, nämlich in der ihr eingegebenen Fähigkeit zur Gotteserkenntnis 97—101. Dem entspricht die voranstehende Erörterung über die Erschaffung des Menschen 96, bei der im Blick auf den zweistufigen Abbildungsvorgang der Nachdruck auf der Gleichheit des jeweils Abgebildeten mit dem sich abbildenden

15 Urbild als der ihm dadurch eröffneten Teilhabe am Urbild, nicht aber auf dem im Abbildcharakter enthaltenen Moment von Ungleichheit u Nichtentsprechung liegt. Der Unterschied zwischen *Bild* παράδειγμα, ἀρχέτυπον bzw im Blick auf den Logos εἰκών u *Abbild* ἀπεικόνισμα, χαρακτήρ hat also seinen Sinn darin, daß das Bild sich im Abbildungsvorgang selbst in das Abbild hinein einzeichnet, so daß es im Abbild selbst

20 zugänglich ist. Von daher ist zu verstehen, daß im Sprachgebrauch Philos die εἰκών-Aussagen in die χαρακτήρ-Aussagen übergehen können: Die εἰκών in ihrer Funktion der Selbstmitteilung — Gott gegenüber dem Logos, der Logos gegenüber der Seele des Menschen — ist dem Prägestock gleich, der sein Prägebild in das Wachs einprägt (→ 407, 18f), vgl Ebr 133. 137; Rer Div Her 38. Die Verbindung zu Gott hat der Mensch

25 durch den Logos. Als λογικὴ ψυχή hat Gott dem Menschen als einzigem Lebewesen den aufrechten Gang gegeben, der seine schöpfungsmäßig in ihm angelegte Gottunmittelbarkeit andeutet: εἶπεν αὐτὴν τοῦ θείου καὶ ἀοράτου πνεύματος ἐκείνου δόκιμον εἶναι νόμισμα σημειωθὲν καὶ τυπωθὲν σφραγῖδι θεοῦ, ἧς ὁ χαρακτήρ ἐστιν ὁ ἀΐδιος λόγος Plant 18, vgl Det Pot Ins 83: τύπον τινὰ καὶ χαρακτῆρα θείας δυνάμεως, ἣν ὀνόματι κυρίῳ Μωυσῆς εἰκόνα

30 καλεῖ 26.

C. Im Neuen Testament.

Im Neuen Testament kommt χαρακτήρ nur Hb 1, 3 (→ VIII 584, 6ff) vor 27: ὃς ὢν ἀπαύγασμα τῆς δόξης καὶ χαρακτὴρ τῆς ὑποστάσεως αὐτοῦ, φέρων τε τὰ πάντα τῷ ῥήματι τῆς δυνάμεως αὐτοῦ. Die beiden Sätze entsprechen

35 den beiden voranstehenden (v 2b. c), indem sie, Erhöhung und Präexistenz Christi zusammenschauend 28, in hymnischem Stil das ewige oder besser das verewigte Wesen des Sohnes (→ IV 340 A 5) besingen. Die beiden Glieder der ersten Aussage (v 3a) stehen im Parallelismus membrorum, besagen also intentional dasselbe. Wie δόξα (→ II 236, 37ff) und ὑπόστασις (→ VIII 571, 11ff) 29 synonym

40 stehen, insofern Gottes Herrlichkeit sein Wesen ist, so ist auch mit ἀπαύγασμα (→ I 505, 26ff) und χαρακτήρ dieselbe Funktion des Sohnes zum Ausdruck gebracht. Indem in ihm als dem Erhöhten Gottes Herrlichkeit sich eingeprägt hat, ist er deren Abglanz und Prägebild. Der Sinn von ἀπαύγασμα und χαρακτήρ kann durch

---

ἀπόσπασμα ἤ, ὅπερ ὁσιώτερον εἰπεῖν τοῖς κατὰ Μωυσῆν φιλοσοφοῦσιν, εἰκόνος θείας ἐκμαγεῖον ἐμφερές. Diese St zeigt, daß Philo der Emanationsterminologie die εἰκών-Terminologie vorzieht.

26 Eine bemerkenswerte Veränderung hat die philonische Lehre in der Gnosis (→ 412, 19ff) erfahren: In der Lehrschrift der Naassener bei Hipp Ref V 8,13—15 ist der himmlische Anthropos in seinem Wesen ἀχαρακτήριστος, der irdische Adam dgg κεχαρακτηρισμένος.

27 Zu Hb 1, 3 vgl Mi Hb12; CSpicq, L'Épître aux Hébreux II, Études Bibliques (1953) zSt; GBornkamm, Das Bekenntnis im Hb, Studien zu Antike u Urchr 2(1963) 197—200; EKäsemann, Das wandernde Gottesvolk, FRL 55 2(1957) 61—71; → Eltester 149—151.

28 Darin entspricht Hb 1, 2—4 dem Hymnus Kol 1,15—20.

29 Zu ὑπόστασις vgl bes HDörrie, Ὑπόστασις. Wort- u Bedeutungsgeschichte, NGG 1955, 3 (1955); ders, Zu Hb 11,1, ZNW 46 (1955) 196—202.

Sapientia[30] und Philo (→ 409, 21ff) am besten erklärt werden, sofern man lediglich den Überlieferungszusammenhang beachtet, dem alle drei zugehören[31]. Wie der Logos Philos und die Weisheit aus Sap 7 Abbild Gottes sind, indem Gottes Wesen als seine strahlende Lichtherrlichkeit sich in ihnen einprägt, so ist Christus als der Sohn das Prägebild des Wesens Gottes (vgl Kol 1,15). Wie aber zugleich 5 der Logos und die Weisheit Gott vollauf repräsentieren und zur Wirkung kommen lassen, so auch der Sohn nach Hb 1,3. Sein Abglanz- und Geprägesein enthält Gottes Herrlichkeit nicht nur in sich, sondern eröffnet diese zugleich sowohl gegenüber dem Kosmos, indem er als dessen Beherrscher das All durch das Wort göttlicher Allmacht trägt, als auch besonders gegenüber den Menschen, indem er durch 10 seine Erniedrigung und Erhöhung für sie zur *Ursache ewigen Heiles* geworden ist (Hb 5,9), weil Gott auf dem Wege der Nachfolge die ihm zugehörigen Menschen als seine Söhne zur Herrlichkeit führt (2,10)[32]. In dem Abbild-Charakter des Sohnes liegt also die wesentliche Voraussetzung des gesamten Heilswerkes Christi. Darin ist der Hebräerbrief besonders von Philo unterschieden. Während Philo 15 seine Logoslehre als Anthropologie gestaltet und dementsprechend den soteriologischen Sinn der εἰκών-Vorstellung in der Gotteserkenntnis zur Wirkung kommen läßt, stellt der Hebräerbrief den erniedrigten und erhöhten Christus als *Prägebild* Gottes heraus und entfaltet demgemäß die Heilsbedeutung im Blick auf das Verhältnis der Christen zu Christus in der Homologie[33]. 20

D. Bei den Apostolischen Vätern.

Eine eigenartige Auslegung von Gn 1, 26f liegt 1 Cl 33, 4 vor: ταῖς ἱεραῖς καὶ ἀμώμοις χερσὶν ἔπλασεν (sc ὁ θεὸς τὸν ἄνθρωπον) τῆς ἑαυτοῦ εἰκόνος χαρακτῆρα,

---

[30] Sap 7, 25f wird das Verhältnis der Weisheit zu Gott terminologisch ähnlich beschrieben wie Hb 1, 3: ἀτμὶς γάρ ἐστιν τῆς τοῦ θεοῦ δυνάμεως καὶ ἀπόρροια τῆς τοῦ παντοκράτορος δόξης εἰλικρινής... ἀπαύγασμα γάρ ἐστιν φωτὸς ἀιδίου καὶ ἔσοπτρον ἀκηλίδωτον (*fleckenlos*) τῆς τοῦ θεοῦ ἐνεργείας καὶ εἰκὼν τῆς ἀγαθότητος αὐτοῦ. Zur Interpretation vgl UWilckens, Weisheit u Torheit, Beiträge zur historischen Theol 26 (1959) 188—190. Das führt zugleich in die Nähe zu Philo, dessen Sprache ebenfalls Hb 1, 3 anklingt, vgl bes Som I 188. Zum Zshg zwischen der Logos-Lehre Philos u der hell-jüd Weisheitsüberlieferung → VII 501, 25ff, vgl HAWolfson, Philo I ³(1962) 253 —261. Zur philonischen σοφία als εἰκών vgl bes Leg All I 43 mit III 96 u Conf Ling 146, s → Eltester 34; JJervell, Imago Dei, FRL 76 (1960) 136—140.

[31] Sap 7, 25f, Philos Lehre vom Logos als Bild u vom κατ' εἰκόνα ἄνθρωπος, Hb 1, 3 u Kol 1,15ff (→ II 386, 25ff) sind verschiedene Ausprägungen einer im hell Zeitalter verbreiteten orientalischen religiösen Bild-Vorstellung, die zuerst von EKäsemann, Leib u Leib Christi, Beiträge zur historischen Theol 9 (1933) 81—87; ders, Eine urchr Taufliturgie, Exegetische Versuche u Besinnungen I ⁴(1965) 39—43 beachtet u von Jervell aaO (→ A 30)

umfassend dargestellt worden ist, vgl zu εἰκών im griechischsprachigen Raum auch → Eltester. Galt von jeher im Alten Orient im Bilde das Abgebildete als selbst präsent, Jervell 125, so kann in dieser Vorstellung die Selbstkundgabe des Göttlichen durch eine Offenbarergestalt zum Ausdruck gebracht werden: Der Offenbarer als Bild des Gottes trägt dem Menschen den Gott selbst zu. Im jüd Traditionsbereich, in dem diese Anschauung sich am frühesten greifen läßt, wird so die Erschaffung u Konstitution Adams als des Urmenschen beschrieben. Locus classicus dafür ist Gn 1, 26f, welche St nicht nur bei Philo, sondern auch in fast allen gnostischen Anthropos-Systemen eine wesentliche Rolle spielt, während in allen Sophia-Systemen die Bild-Funktionen auf die Weisheit übertragen werden, vgl Jervell 122—170, bes 136—140.

[32] Insofern ist in der pass Bdtg von χαρακτήρ u ἀπαύγασμα auch ein akt Moment enthalten, vgl Käsemann aaO (→ A 27) 61f. Wie χαρακτήρ das *eingeprägte Bild* bedeutet, so hat auch ἀπαύγασμα die Grundbedeutung *Widerschein*, nicht *Ausstrahlung* (→ I 505, 27ff), so richtig Wnd Hb, Mi Hb¹² zSt.

[33] Zu dieser soteriologisch wesentlichen Bdtg des Festhaltens am Christus-Bekenntnis vgl bes Bornkamm aaO (→ A 27) 200—203.

eigenartig insofern, als der κατ' εἰκόνα ἄνθρωπος nicht selbst als Bild Gottes, sondern vielmehr als Gepräge von Gottes Bilde verstanden wird. εἰκών wird hier als das Urbild aufgefaßt, dessen Abbild dem Menschen bei der Schöpfung eingeprägt worden ist. Die εἰκών selbst ist Gottes eigenes Bild τῆς ἑαυτοῦ εἰκόνος[34], dh aber er selbst in seiner Wesensgestalt. Vielleicht wirkt hier auf den Sprachgebrauch die hymnische Tradition von Hb 1, 3 ein.

Ign Mg 5, 2 gebraucht das Bild von der Münzprägung, um den Unterschied zwischen Christus-Zugehörigen u Weltkindern zum Ausdruck zu bringen: ὥσπερ γάρ ἐστιν νομίσματα δύο, ὃ μὲν θεοῦ, ὃ δὲ κόσμου, καὶ ἕκαστον αὐτῶν ἴδιον χαρακτῆρα ἐπικείμενον ἔχει, οἱ ἄπιστοι τοῦ κόσμου τούτου, οἱ δὲ πιστοὶ ἐν ἀγάπῃ χαρακτῆρα θεοῦ πατρὸς διὰ Ἰησοῦ Χριστοῦ[35]. Mit dem „Charakter" Gottes, den die Christen durch Jesus Christus empfangen haben, ist, wie die Fortsetzung des Satzes zeigt, die Teilhabe an seinem Leiden als Voraussetzung der Teilhabe an seinem Leben gemeint, die den Christen als Christen „charakterisiert". Ign Tr inscriptio: ἀσπάζομαι ... ἐν ἀποστολικῷ χαρακτῆρι hat χαρακτήρ eine ganz abgegriffene Bdtg: *Ich grüße euch in der Weise* (oder *nach dem Vorbild*) *der Apostel*, wobei das Bewußtsein des eigenen Abstandes von den Ap die Formulierung prägt[36], vgl im Unterschied dazu 1 K 9, 2.

Wilckens

E. In der Gnosis.

In der Prophetenweihe des Corp Herm spricht zu Beginn seiner Ekstase Tat zu Herm Trismeg: τὸ γὰρ μέγεθος βλέπω τὸ σὸν τὸ αὐτό, ὦ πάτερ, σὺν τῷ χαρακτῆρι Corp Herm 13, 5; doch er wird im Folgenden belehrt, daß dieses Sehen der Gestalt noch Täuschung sei u die wahre Schau Gottes erst da sich ereigne, wo er durch Ekstase auch die letzten Reste der Körperlichkeit, wozu μέγεθος, χαρακτήρ uam gehören, hinter sich gelassen habe[37]. Ähnlich wird im Unbekannten altgnostischen Werk[38] 2 (p 337, 19f) die zwölfte Tiefe ua als *unerkennbar, merkmallos* (-χαρακτήρ), ... *unbeschreibbar, undenkbar* bezeichnet, jedoch paradox hinzugefügt: „in der alle Merkmale (χαρακτῆρες) sind", ähnlich 9 (p 346, 3ff). Der Eingeborene ist aus dem *Merkmal-* (χαρακτήρ-) u *Gestaltlosen* (σχῆμα-) ... herausgekommen 7 (p 343, 11ff); der αὐτοπάτωρ wird in dem Typus (τύπος) der merkmallosen (-χαρακτήρ) Neunheit aufgestellt 12 (p 351, 27f). Im Gegensatz hierzu macht das 1. Buch Jeû (→ A 38) über die Gestalt (τύπος oder χαρακτήρ) der Emanationen des Urseins recht bestimmte Aussagen; der Cod Brucianus überliefert sogar Zeichnungen dieser χαρακτῆρες, zB 1. Buch Jeû 6 (p 262, 32; 263, 11); 8 (p 265); 12 (p 269, 1); 14 (p 271) usw. Die Nähe zu magischen[39] Vorstellungen u Praktiken ist unverkennbar, so auch im ophitischen Zauberspruch der Seele: σύ ... Ἰαλδαβαώθ ... ἔργον τέλειον υἱῷ καὶ πατρί, χαρακτῆρι τύπου ζωῆς σύμβολον ἐπιφέρων *durch die Gestalt des Abbildes*[40] *das Zeichen des Lebens tragend* Orig Cels VI 31 (p 101, 7—8).

χαρακτήρ begegnet auch in Zshg, wo von der Gestaltwerdung der an sich formlosen Materie durch Einwirkung der oberen Welt die Rede ist (→ A 26). So überträgt nach der Lehre der Peraten der Sohn die πατρικοὶ χαρακτῆρες auf die ὕλη, die offenbar daraufhin Gestalt annimmt Hipp Ref V 17, 5. 7f; doch diese χαρακτῆρες fallen dem Demiurgen in die Hände, ὃς ἀναλαβὼν τοὺς διαδοθέντας ἀπὸ τοῦ υἱοῦ χαρακτῆρας ἐγέννησεν ἐνθάδε[41] V 17, 7. Wenn sich nun ein Mensch bewußt wird, ein πατρικὸς χαρακτήρ ἄνωθεν μετενηνεγμένος ἐνθάδε σωματοποιηθείς zu sein, ist er der Erlösung sicher V 17, 6. So können

---

[34] Damit ist nicht Christus als εἰκὼν θεοῦ im Sinne von Kol 1, 15 gemeint, wie J A Fischer, Die Apost Vät, Schriften des Urchr I [5](1966) 65 A 186 als Auslegungsmöglichkeit erwägt. Richtig Pr-Bauer sv χαρακτήρ. Zum Sprachgebrauch vgl Ditt Or I 383, 60; 404, 25 (beide 1. Jhdt vChr). So ist auch Herm s IX 9, 5 von der *außerordentlich schönen Gestalt* εὐειδέσταται τῷ χαρακτῆρι von Frauen die Rede.

[35] Parallelstellen aus Cl Al Strom I 28, 176, 3; VII 15, 90, 5 sowie Exc Theod 86, 2 notiert Bau Ign zSt.

[36] Vgl Bau Ign zSt.

[37] Vgl Reitzenstein Poim 217; Nock-Fest II 211 A 29.

[38] übers C Schmidt-W C Till, Kpt-gnostische Schriften I, GCS 45 ³(1959).

[39] Zu χαρακτήρ in Magie und Theurgie vgl Audollent Def Tab p LXXIII; C Bonner, Magical Amulets, HThR 39 (1946) 40f. 45; E R Dodds, Die Griechen u das Irrationale (1970) 159f.

[40] W Foerster, Die Gnosis I (1969) 128 übersetzt „mit der Prägung des Schlages das Zeichen des Lebens tragend", doch ist die Bdtg *Schlag* für τύπος sehr selten (→ VIII 246, 15f).

[41] H Leisegang, Die Gnosis [4](1955) 146 paraphrasiert wohl zutreffend „u die Welt hier unten schuf".

die Peraten die Gnostiker geradezu ἐξυπνισμένους καὶ γεγονότας πατρικοὺς χαρακτῆρας nennen V 17, 8. Entsprechendes wird von der gnostischen Sekte der Doketen berichtet. Der Demiurg verspottet die αἰώνιοι χαρακτῆρες, die hier unten festgehalten sind Hipp Ref VIII 10, 1; doch der Dritte Äon legt eine Feste zwischen Himmel u Erde, um zu verhindern, daß noch weitere χαρακτῆρες aus der jenseitigen Welt in die Finster- 5 nis hinabgezogen werden VIII 9, 4f; X 16, 4.

Kelber

χαρίζομαι → 363, 1ff
χάρις → 363, 1ff
χάρισμα → 393, 5ff
χαριτόω → 363, 1ff

**χείρ, χειραγωγέω, χειραγωγός,
χειρόγραφον, χειροποίητος,
ἀχειροποίητος, χειροτονέω**

βραχίων (→ I 638, 1ff)
δάκτυλος (→ II 21, 7ff)
δεξιός (→ II 37, 1ff)

† χείρ 15

Inhalt: A. χείρ im griechischen Sprachgebrauch: 1. χείρ zur Bezeichnung der Hand des Menschen; 2. χείρ in übertragener Bedeutung. — B. χείρ/יָד im Alten Testament und nachbiblischen Judentum: 1. χείρ/יָד zur Bezeichnung der Hand des Menschen; 2. χείρ/יָד in übertragener Bedeutung; 3. Die Hand Gottes; 4. Die Handauflegung. — C. χείρ im Neuen Testament: 1. χείρ zur Bezeichnung der Hand des Menschen; 2. χείρ 20 in übertragener Bedeutung; 3. Die Hand Gottes; 4. Die Handauflegung. — D. χείρ bei den Apostolischen Vätern.

A. χείρ im griechischen Sprachgebrauch.

1. χείρ zur Bezeichnung der Hand des Menschen.

a. Die Hand des Menschen[1] wird von Aristot An III 8 p 25 432a 1f das ὄργανον ὀργάνων genannt. Wie die ψυχή des Menschen die Bewegung der Hände bestimmt, so setzen die Hände die Geräte, deren der Mensch sich bedienen will, in Tätigkeit Aristot Gen An I 22 p 730b 9—19[2]. Durch Hände u Füße vollzieht der Mensch Bewegung u Handlung[3]. Da die Kraft des Armes durch die Hand wirksam

---

χείρ. Lit: Köhler-Baumg sv יָד; Liddell-Scott, Pr-Bauer sv; Weinreich AH 1—75; JBehm, Die Handauflegung im NT (1911); CHTurner, χειροτονία, χειροθεσία, ἐπίθεσις χειρῶν, JThSt 24 (1923) 496—504; JCoppens, L'Imposition des mains et les rites connexes dans le Nouveau Testament et dans l'église ancienne (1925); PGaltier, Artk Imposition des mains, in: Dictionnaire de Théologie Catholique 7 (1927) 1302—1425; GRévész, Die menschliche Hand (1944); GWHLampe, The Seal of the Spirit (1951) 223—231; ELohse, Die Ordination im Spätjudt u im NT (1951); DDaube, The New Testament and Rabbinic Judaism (1956) 224—246; ULuck, Hand u Hand Gottes. Ein Beitrag zur Grundlage u Gesch des bibl Gottesverständnisses (Habilitationsschrift Münster [Maschinenschrift] 1959); SMorenz, HDWend-

land, WJannasch, Artk Handauflegung, in: RGG³ III 52—55; JYsebaert, Greek Baptismal Terminology, Graecitas Christianorum Primaeva I (1962) Regist sv χείρ; JKParratt, The Laying on of Hands in the New Testament, Exp T 80 (1969) 210—214; KGrayston, The Significance of the Word Hand in the New Testament, Festschr BRigaux (1970) 479—487.

[1] χείρ, Gen χειρός, Plur χεῖρες, Dat Plur χερσίν; ionisch u poetisch auch χερός, χέρες usw.

[2] Zur bevorzugten Bewertung, die der rechten Hand vor der linken zugemessen wird, → II 37, 21ff.

[3] Hände u Füße des Menschen werden häufig zus genannt, vgl zB οὐ χερός, οὐ ποδός, οὗ τινος ἄρχων Soph Phil 859; χειρὶ καὶ ποδί Philo Poster C 151; χερσὶ καὶ ποσί Agric 22.

wird, kann χείρ auch den *Arm* des Menschen bezeichnen: ἐν χερσὶ γυναικῶν ... πεσέειν Hom Il 6, 81f; ἀποταμόντα ἐν τῷ ὤμῳ τὴν χεῖρα Hdt II 121 ε 4; χεῖρες εἰς ὤμους γυμναί Longus I 4, 2; ἐν τῇσι χερσὶ τῆς' ἐμῇσι Herond Mim 5, 83. Die durch die Hand ausge-übten Tätigkeiten werden in zahlreichen Wendungen beschrieben: οὐκ ἐχρήσατο τῇ
5 χειρί Hdt IX 72, 2; εἵρετο ὅ τι οὐ χρᾶται τῇ χειρί III 78, 5; ταῖς ἰδίαις χερσίν *eigen-händig* Diog L II 13; Diod S 16, 33, 1; 17, 17, 7; ἄγομαί τι ἐς χείρας *etw unternehmen*, so zB μέλλοντι δέ οἱ ἐς χείρας ἄγεσθαι τὴν τελετὴν ἐγένετο φάσμα μέγιστον Hdt IV 79, 1, vgl ferner I 126, 6; VII 8 aA. *Etw unter den Händen haben* bedeutet *mit etw be-schäftigt sein*, so zB: ἔχοντος δέ οἱ ἐν χερσὶ τοῦ παιδὸς τὸν γάμον Hdt I 35, 1; τά τε τῶν
10 ξυμμάχων διὰ χειρὸς ἔχειν Thuc II 13, 2; ἃ εἶχον ἐν ταῖς χερσίν PPetr II 9, 2, 4 (3. Jhdt vChr). Ein Mensch nimmt den anderen bei der Hand: χειρὸς ἔχων Μενέλαον Hom Il 4, 154, vgl auch 1, 323; 24, 361; Od 1, 121. Durch Handschlag wird die Begrüßung vollzogen: ἔν τ' ἄρα οἱ φῦ χειρί Hom Il 6, 253 uö. Die Hand wird erhoben zum Gruß χερσίν τ' ἠσπάζοντο Hom Od 3, 35, flehentlich zum Himmel χεῖρ' ὀρέγων εἰς οὐρανὸν ἀστε-
15 ρόεντα Hom Il 15, 371, vgl ferner 3, 275; 7, 130; Od 11, 423, zur Bekundung der Zu-stimmung ὅτῳ δοκεῖ ... ταῦτα, ἀράτω τὴν χεῖρα Xenoph An V 6, 33. Wird auf der einen Seite durch die Hand anderen Menschen Zuneigung u Verbundenheit bezeugt[4], so be-dient man sich auf der anderen Seite auch bei der Begegnung mit dem Feind der Tätig-keit der Hand. Das Erheben der Hände dient dem Angriff oder der Verteidigung: οὔ
20 τις ... σοὶ κοίλης παρὰ νηυσὶ βαρείας χεῖρας ἐποίσει Hom Il 1, 88f; ἐς χειρῶν τε νόμον ἀπι-κέσθαι Hdt IX 48, 2; ἄνδρας ... χείρας ἀνταιρομένους Thuc III 32, 2. Vom Nahkampf bzw Handgemenge ist in den folgenden Ausdrücken die Rede: ἐπειδὴ γὰρ ἐν χερσὶν ἐγί-γνοντο τοῖς ἐναντίοις Thuc V 72, 3; καὶ ἦν ἡ μάχη καρτερὰ καὶ ἐν χερσὶ πᾶσα IV 43, 2; βου-λόμενοι ἐς χεῖρας ἐλθεῖν IV 33, 1; ἐς χεῖρας ἦσαν IV 72, 3, vgl IV 126, 5.

25   *b.* Auch die Götter handeln durch die Hand, indem sie diese schützend über einzelne Menschen halten Hom Il 9, 420 oder mit der Hand un-mittelbar in irdisches Geschehen eingreifen 15, 694f. Durch die Berührung oder das Auflegen der Hand übertragen die Götter Heil u Segen auf die Menschen[5]. So wird wiederholt gerühmt, der Gott Asclepius habe geheilt, indem er Kranke mit der Hand
30 anrührte φανεὶς ὁ θεὸς χεῖρα ὤρεξεν Ael Arist Or 42, 10 (Keil), vgl Ael fr 99; Ditt Syll[3] III 1170, 23 (2. Jhdt nChr) uö. Menschliche Wundertäter vermitteln Kräfte der Ge-nesung, indem sie Kranken die Hände auflegen[6]. So wird von Apollonius von Tyana berichtet, er habe eine Totenerweckung vollbracht, indem er ein Mädchen, das auf einer Bahre tot dalag, berührte u leise zu ihr sprach: οὐδὲν ἀλλ' ἢ προσαψάμενος αὐτῆς
35 καί τι ἀφανῶς ἐπειπὼν ἀφύπνισε τὴν κόρην τοῦ δοκοῦντος θανάτου Philostr Vit Ap IV 45.

2. χείρ in übertragener Bedeutung.

Von der Grundbedeutung χείρ *Hand* ist eine nach verschiedenen Seiten erweiterte Verwendung des Wortes abgeleitet worden: *a.* Unter Verwendung von χείρ kann von der rechten oder linken *Seite* gesprochen werden: ἐπ' ἀριστερὰ χειρός
40 Hom Od 5, 277, vgl δεξιὰ χείρ (→ II 37, 3). — *b.* Der durch die Hand tätige Mensch sucht vielfach Gewalt über andere auszuüben, so daß χείρ häufig in der Bdtg *Gewalt* begegnet: καὶ γὰρ δύναμις ὑπὲρ ἄνθρωπον ἡ βασιλέος ἐστὶ καὶ χεὶρ ὑπερμήκης Hdt VIII 140 β 2; πολλοὶ δὲ διέφευγον πελτασταὶ ὄντες ὁπλίτας ἐξ αὐτῶν τῶν χειρῶν Xenoph An VI 3, 4; τὰς τοῦ Σελεύκου χείρας διαφυγών Diod S 18, 73, 4; ἐν χειρί τινα δίκην ἔχοντα Plat Theaet 172e.
45 Hat man etw in der Hand, so übt man die Kontrolle darüber aus: διὰ χειρῶν ἔχουσι μᾶλλον τὴν πολιτείαν Aristot Pol V 8 p 1308a 27. — *c.* Mit der Hand packt der Mensch seine Arbeit an, so daß χείρ auch vom *Werk* gebraucht werden kann, zB im Gegensatz zu den Worten: ἔπεσιν καὶ χερσὶν ἀρήξειν Hom Il 1, 77; εἰ δέ τις ὑπέροπτα χερσὶν ἢ λόγῳ πορεύεται Soph Oed Tyr 883f; ταῖς τῶν γυναικῶν χερσί *durch die Frauen* Diod S 3, 65, 3.
50 — *d.* Da der Mensch mit der Hand schreibt, kann χείρ auch die Bdtg *Handschrift* erhalten: κατὰ τὴν [χ]εῖρα [κα]ὶ [τὴν] πραγματε[ί]αν τοῦ [ποιητο]ῦ Philodem Philos, Περὶ ποιημάτων[7] V col 4, 33f; τοῖς φρουράρχοις ἐπιστέλλειν τῇ ἑαυτοῦ χειρί *eigenhändig den Befehlshabern schreiben* Jos Ant 14, 52[8]. — *e.* Schließlich kann χείρ auch die *Handvoll*, die *Schar* be-zeichnen: πολλῇ χειρὶ ἐπεβοήθουν Thuc III 96, 3; ἐστρατηλάτεε χειρὶ μεγάλῃ πλήθεος Hdt
55 VII 20, 1.

---

[4] Streicheln mit der Hand χειρί τέ μιν κατέρεξεν Hom Il 1, 361; Ausbreiten der Hände bzw Arme als Zeichen liebevoller Zugehörig-keit: ἄμφω χεῖρε φίλοις ἑτάροισι πετάσσας 4, 523; 13, 549.
[5] Zahlreiche Belege bei Weinreich AH pas-sim, vgl auch KSudhoff, Die Handanlegung des

Heilgottes, Archiv für Gesch der Medizin 18 (1926) 235—250.
[6] Belege bei Weinreich AH 45—48.
[7] ed CJensen (1923).
[8] Zur eigenhändigen Unterschrift unter an-tiken Briefen vgl Deißmann LO 132f. 137f (→ 419, 32f).

B. χείρ / יָד im Alten Testament und nachbiblischen Judentum.

Fast überall da, wo in LXX das Wort χείρ gebraucht wird, entspricht dieses hbr יָד. Daneben finden sich gelegentlich noch folgende Äquivalente: 1. כַּף *die innere Handfläche*, zB Ri 6, 13f; — 2. חֹפֶן bzw der Dual חָפְנַיִם *die hohlen Hände*, zB Ez 10, 2 Cod A; — 3. שֹׁעַל *die Vertiefung der Hand, die hohle Hand* Js 40, 12; — 4. תָּו *das Handzeichen* Hi 31, 35; — 5. יָמִין *die rechte Hand*, zB Gn 48, 14[9]. Da es sich bei all diesen Ausdrücken um die Hand des Menschen handelt, kann im Folgenden grundsätzlich von der Entsprechung χείρ / יָד ausgegangen werden.

1. χείρ / יָד zur Bezeichnung der Hand des Menschen.

a. Der Mensch wirkt in seinem Tun u Handeln durch die Hand[10], so daß sein Schaffen das Werk seiner Hände genannt wird Dt 28, 12; 31, 29; Ps 90, 17 uö. Die Hand kann an manchen St geradezu den Menschen selbst bezeichnen, zB *keine Hand*, dh kein Mensch, *soll ihn berühren* Ex 19, 13. Wie in der ganzen Antike, so wird auch im AT der rechten Hand gegenüber der linken bevorzugter Wert zugeschrieben (→ II 37, 21ff)[11]; die Rechte vermittelt den stärkeren Segen Gn 48, 14, der Platz zur Rechten ist der Ehrenplatz Ps 110, 1. Die Tätigkeiten, die mit den Händen ausgeübt werden, werden von zahlreichen Verben beschrieben: Geben u Nehmen werden mit der Hand vollzogen, durch Handschlag wird ein Versprechen besiegelt 2 Kö 10, 15; Ez 17, 18. Wird die Hand auf den Mund gelegt, so ist verstummendes Schweigen zum Ausdruck gebracht Hi 21, 5; Prv 30, 32. Zum Zeichen der Freude wird in die Hände geklatscht Ez 25, 6, die Hände werden zum Gebet Ps 28, 2[12]; 63, 5 oder zum Schwur erhoben Ex 6, 8; Nu 14, 30; Dt 32, 40 uö. Die emporgereckte Hand zeigt die Entschlossenheit des Menschen an, die sogar dahin gehen kann, daß er in trotzigem Frevel vorsätzlich gg das göttliche Gebot verstößt Nu 15, 30, vgl Damask 8, 8 (9, 19); 10, 3 (10, 16); 19, 21 (9, 19); 1 QS 5, 12; 8, 17. 22; 9, 1. Das *Füllen der Hände* bedeutet die Belehnung mit einem Amt, bes mit dem Priesteramt Ex 28, 41; 29, 9 uö.

b. Zum Sprachgebrauch im nachbiblischen Judentum ist noch bes darauf hinzuweisen, daß die Reinheitsgebote vor allem die Hände betreffen u daher sorgsame Befolgung der Vorschriften über das Abspülen der Hände erforderlich machen[13]. Durch Berührung überträgt sich Reinheit oder Unreinheit der Gegenstände, die die Hände betasten. Als Bücher, die die Hände verunreinigen, gelten infolge der ihnen anhaftenden Heiligkeit kanonische Schriften Jad 4, 6[14], so daß nach deren Gebrauch die Hände gewaschen werden müssen (→ III 983, 30ff). Zum Gebet werden die Hände ausgebreitet[15].

2. χείρ / יָד in übertragener Bedeutung.

Der Bedeutungsgehalt des hbr Wortes יָד kann in verschiedener Richtung entfaltet werden: *a.* יָד dient vielfach als Orientierungsbegriff u zeigt dann die rechte oder linke *Seite* an: Jonathan will neben seinen Vater treten לְיַד־אָבִי 1 S 19, 3, Absalom sagt, daß Joab einen Acker neben ihm אֶל־יָדִי habe 2 S 14, 30. In der Bdtg *Seite* wird יָד auch bei topographischen Bestimmungen verwendet: עַל־יַד הַיְאֹר *am Ufer des Flusses* Ex 2, 5, עַל יַד הַיַּרְדֵּן Nu 13, 29. — *b.* Häufig bringt יָד die *Gewalt* zum Ausdruck, die der Mensch durch die Hand ausübt, u steht dann auch im Sinne von *Kraft, Streitmacht*: „Jahwe hat das ganze Land in unsere Hand, dh Gewalt gegeben" Jos 2, 24, vgl weiter Jos 6, 2; 8, 1; 10, 8. 19; Ri 3, 28; 4, 7. 14; 7, 9. 15 uö. Israel wird in die Hand fremder Völker gegeben Ri 4, 2; 6, 1; 10, 7; 15, 12 uö, aber Jahwe

---

[9] Nu 14, 17 gibt Cod A hbr כֹּחַ durch χείρ wieder, Cod B durch ἰσχύς.
[10] Zum Folgenden vgl → Luck 18—31.
[11] → Lohse 14.
[12] Vgl die eindrückliche Darstellung der zur Anrufung erhobenen Hände auf der einen

Tafel der Rachegebete von Rheneia bei Deißmann LO 352. [Bertram]
[13] Belege u ausführliche Darstellung bei Str-B I 698—704.
[14] Vgl Str-B IV 348.
[15] Vgl Jos Ap 1, 209, weitere Belege Str-B II 261.

errettet sein Volk von der Hand der Feinde Ri 2, 18; 8, 22. 34 uö. Edom zieht Israel entgegen בְּעַם כָּבֵד וּבְיָד חֲזָקָה Nu 20, 20, die Hand Israels lastet immer schwerer auf Jabin Ri 4, 24[16]. — *c.* יָד, Plur יָדוֹת kann auch vorspringende Gegenstände bezeichnen, die mit Händen Ähnlichkeit haben, so die *Zapfen* an der Bretterwand der Stiftshütte Ex 26, 17. 19; 36, 22. 24, die *Halter* der Räder des Kerubenwagens im Tempel 1 Kö 7, 32f oder auch den *Wegweiser* Ez 21, 24. — *d.* Sehr häufig steht יַד in Verbindung mit Präp, verliert dabei meist seine eigene Bdtg u dient dann weithin nur noch zur Verstärkung der Präp: *Durch die Hand jmd* kann man etw senden 1 Kö 2, 25, befehlen Jer 39, 11, ja sprechen Jer 37, 2. Gott redet *durch die Hand der Propheten* 1 S 28, 15; Ez 38, 17 uö, vgl ferner 1 QS 1, 3; 8, 15; Damask 4, 13 (6, 9); 5, 21 (8, 2).

3. Die Hand Gottes.

a. An mehr als 200 Stellen spricht das Alte Testament von der Hand Jahwes[17]. Dabei ist stets an Gottes Handeln gedacht, durch das er sich in seinem Schaffen und Wirken mächtig erweist.

Jahwe legt Hand an jmd Ex 7, 4, er reckt seine Hand aus Ez 6, 14, er wendet Js 1, 25 u schwingt seine Hand Js 11, 15. Seine Hand hat die Erde gegründet u die Himmel ausgespannt Js 45, 11f; 48, 13. Himmel u Erde sind das Werk der Hände Gottes Ps 8, 7; 102, 26; Hi 34, 19; Js 66, 1f. Wie sie die Schöpfung vollbracht haben, so werden Gottes Hand u sein Arm auch die Erlösung ins Werk setzen Js 51, 5. 9; 52, 10. Vor allem aber weiß Israel von dem immer wieder erfahrenen Geschichtshandeln Jahwes zu sagen, das seine Hand vollbracht hat. In der Überlieferung vom Auszug Israels aus Ägypten wird in ständiger Wiederholung betont, daß Jahwe mit starker Hand u ausgerecktem Arm sein Volk aus der Knechtschaft erlöst u in die Freiheit geführt hat Ex 13, 3. 14. 16; Dt 3, 24; 4, 34; 5, 15; 6, 21; 7, 8; 9, 26; 11, 2; 26, 8 uö. Pharao erfuhr die starke Hand Jahwes, die er gg Ägypten ausreckte Ex 3, 19f. Israel sah die große Hand, die Jahwe an den Ägyptern erzeigte Ex 14, 31[18]. Weil Israel in der Gesch ständig das Wirken der Hand seines Gottes erfuhr, darum preist es im Gottesdienst in Bekenntnis u Lob die Heilstaten, die die Hand Jahwes vollbracht hat Ps 89, 11f. 14; 98, 1 uö. Gottes Handeln in der Gesch kann ebs wie die Schöpfung das Werk seiner Hände genannt werden Js 5, 12; Ps 111, 7. Wie Gott einst geholfen hat, so wird er auch in der Zukunft seine Hand ausrecken zu wunderbarer Tat u Hilfe Jer 6, 12; 15, 6; 16, 21; 51, 25; Js 25, 9f; 26, 11. Seine Hand ist nicht zu kurz zu Befreiung u Hilfe Js 50, 2; 59, 1. Die Hand Jahwes greift auch in das Leben einzelner Menschen ein, die in Gottes Dienst genommen werden sollen. Sie befähigt den Propheten Elia, vom Karmel bis nach Jesreel vor Ahabs Wagen herzurennen 1 Kö 18, 46. Die Ermächtigung zum Gottesspruch wird nach 2 Kö 3, 15 durch die Hand Jahwes gewirkt. Sie kommt über Jesaja Js 8, 11, trifft den Propheten Jeremia Jer 15, 17 u beschlagnahmt Ezechiel für den prophetischen Auftrag, der ihm befohlen wird Ez 1, 3; 3, 14. 22; 8, 1; 33, 22; 37, 1; 40, 1. Mit dem Wort Jahwes ist sein geschichtsmächtiges Handeln, das durch seine Hand geschieht, unlöslich verbunden.

b. Die Redeweise von der Hand Gottes ist in den Texten aus Qumran verschiedentlich aufgenommen worden. In der Kriegsrolle wird mehrfach an die Überlieferung des hl Krieges (→ VI 511, 25ff) angeknüpft u der Sieg über die Feinde, die Scharen Belials, der Hand Gottes zugeschrieben 1 QM 11, 1. 7f. 11, bzw es wird darum gebeten, Gott möge seine Hand auf den Nacken seiner Feinde legen 1 QM 12, 11; 19, 3. Auf die Trompeten der Gefallenen (→ VII 82, 10ff) soll geschrieben werden „Hand der Stärke Gottes im Kampf, zu fällen alle Gefallenen der Treulosigkeit" 1 QM 3, 8, u auf den Feldzeichen soll neben anderen Namen auch „die Rechte Gottes" stehen 1 QM 4, 7. Der Beter weiß sich im Gedenken an Gottes Hand getröstet 1 QH 4, 35f; denn aus ihr kommt vollkommener Wandel 1 QS 11, 10f, vgl 1 QS 11, 2.

---

[16] Jüd Belege für die Bdtg *Gewalt* bei Schl Mt zu 17, 22.

[17] Vgl WZimmerli, Ez, Bibl Komm AT 13 (1969) 47—50; → Luck passim. Zu vergleichen sind auch die St, an denen von der Rechten Gottes gesprochen wird (→ II 37, 6ff).

[18] Das Problem, wo der Ursprung dieser Vorstellung von der Hand Jahwes zu suchen sei, ist von → Luck eingehend untersucht worden. Er vermutet, die Erfahrung Israels, daß Jahwe im hl Kriege (→ VI 507, 15ff) auf wunderbare Weise eingriff, habe in der Rede von der Gotteshand ihren Ausdruck gefunden 61—76. Religionsgeschichtliches Material zur altorientalischen Vorstellung von der Gotteshand ebd 42—54.

c. Im hellenistischen Judentum dgg wird nur selten von der Hand Gottes gesprochen, zB Sib 3, 672. 795. Meist sucht man die Redeweise von der Hand Gottes zu vermeiden oder ihr durch Umdeutung einen anderen Sinn zu geben. Aristobul bei Eus Praep Ev 8, 10, 8 erklärt die bibl Aussagen über Gottes Glieder alle- gorisch u sagt, unter den Händen Gottes sei seine Macht zu verstehen. Aus der Tran- [5] szendenz Gottes folgt auch für Philo, daß die anthropomorphe Redeweise von Gott unangemessen sei: οὔτε ποσὶν οὔτε χερσὶν οὔτε ἄλλῳ τῶν ἐν γενέσει κεχρημένος μέρει τὸ παράπαν οὐδενί Conf Ling 98. Wenn bei Philo doch gelegentlich die Hand Gottes ge- nannt wird, so will er darunter Gottes wirkende Macht verstanden wissen: τὸ ἡτοι- μάσθαι ὑπὸ χειρῶν θεοῦ, τῶν κοσμοποιῶν αὐτοῦ δυνάμεων Plant 50. Josephus ist gleich- [10] falls bestrebt, Anthropomorphismen von Gott fernzuhalten, u spricht daher nur da von der Hand Gottes, wo er sich unmittelbar an at.liche St anschließt, so zB πολὺ κρεῖττον εἰς τὰς τοῦ θεοῦ χεῖρας ἐμπεσεῖν ἢ τὰς τῶν πολεμίων Ant 7, 323 nach 2 S 24,14[19].

d. Auch die Rabbinen sind außerordentlich zurückhaltend gegenüber der Erwähnung von Gliedern Gottes. In den Tg wird das Bestreben spür- [15] bar, den Begriff יַד יְהוָה durch andere Ausdrücke zu ersetzen[20]. Während es Ex 14, 8 heißt, die Israeliten seien durch Gottes Hand aus Ägypten ausgezogen, wird der Vers vom Tg J I folgendermaßen wiedergegeben: „Die Israeliten zogen aus mit erhobener Hand." MEx בשלח 1 zu 14, 8 (p 90,12) wird gesagt: „Und die Israeliten gingen hinaus mit erhobener Hand, dh mit freiem Haupte[21]." [20]

4. Die Handauflegung.

a. Vom Auflegen der Hände[22] wird im AT u nachbiblischen Judt in verschiedenen Zshg gesprochen: Zum Segen werden die Hände erhoben. Durch das Auflegen der Hände geht der Segen auf den anderen Menschen über Gn 48, 14, so daß er nicht mehr zurückgeholt werden kann Gn 27, 35. Zur Kraftübertragung [25] dient das Auflegen der Hände auch in prophetischen Zeichenhandlungen 2 Kö 13, 16. Niemals aber ist im AT u in der rabb Überlieferung im Zshg mit Heilungswundern von der Handauflegung die Rede[23]. bBer 5b heißt es lediglich, RJochanan (gest 279) sei zum erkrankten RChijja bAbba (um 280) gekommen u habe zu ihm gesagt: „Gib mir deine Hand." Die Wirkung sei auf der Stelle eingetreten: „Er gab ihm seine Hand, [30] u jener richtete ihn auf." Wohl aber wird im Gn-Apokryphon die Handauflegung in einer Heilungsgeschichte erwähnt. Abraham betete für den erkrankten Pharao u legte ihm die Hände auf, „u die Plage wich von ihm, u der böse [Geist] entfernte sich [von ihm], u er lebte" 1 Q Gn-Apokryphon 20, 28f[24].

b. Der at.lich-jüd Begriff des Aufstützens der Hände, hbr [35] סָמַךְ, סְמִיכָה, סְמִיכוּת, wird griech durch ἐπιτίθημι τὴν χεῖρα bzw τὰς χεῖρας oder ἐπίθεσις τῶν χειρῶν wiedergegeben. Das Aufstemmen der Hände wird beim Brandopfer Lv 1, 4; 8, 18; Ex 29, 15; Nu 8, 12, beim Mahlopfer Lv 3, 2. 8. 13; beim Ersatzopfer Lv 8, 22; Ex 29, 19 u beim Sündopfer Lv 4, 4. 15. 24. 29. 33; 8, 14; Ex 29, 10; Nu 8, 12; 2 Ch 29, 23 angeordnet[25]. Beim Versöhnungsfest legt der Hohepriester dem Sündenbock, der [40]

---

[19] Ant 3, 101 ist χείρ die Hdschr auf den Gesetzestafeln.

[20] Vgl → Luck 116—118: יָד wird vornehm- lich durch גְּבוּרָה oder רוּחַ ersetzt, vgl auch Str-B II 723f.

[21] Gottes Hand wird gelegentlich auch in der jüd Kunst dargestellt. So ist in der Syn- agoge von Dura Europos in Bildern beschrie- ben, wie die Verheißungen von Ez 37 in Er- füllung gehen u Gottes Hand die Toten auf- erweckt, vgl HRiesenfeld, The Resurrection in Ez 37 and in the Dura Europos Paintings, Uppsala Universitets Årsskrift 1948, 11 (1948) 32—34. 36f sowie CHKraeling, The Syna- gogue, The Excavations at Dura-Europos. Final Report VIII 1 (1956) Tafel 69. 71, vgl

eine ähnliche Darstellung der Hand Gottes beim Schilfmeerwunder Tafel 53.

[22] Religionsgeschichtliches Vergleichsmate- rial zur Handauflegung → Lohse 15.

[23] וְהֵנִיף יָדוֹ 2 Kö 5, 11 wird jedoch 4 Βασ 5, 11 durch καὶ ἐπιθήσει τὴν χεῖρα wieder- gegeben.

[24] ed NAvigad-YYadin (1956); zSt vgl JAFitzmyer, Some Observations on the Gn Apocryphon, The Catholic Biblical Quarterly 22 (1960) 284; DFlusser, Healing through Laying-on of Hands in a Dead Sea Scroll, Israel Exploration Journal 7 (1957) 107f; HBraun, Qumran u das NT I (1966) 89f.

[25] In den Zshg der Opfervorschriften gehört auch die durch Handauflegung vollzogene Weihe der Leviten Nu 8, 10.

der mit den Sünden Israels beladen u in die Wüste geschickt wird, die Hände auf
Lv 16, 21. Ist bei letzterem Brauch die Bdtg des Ritus im Sinne einer Übertragung deutlich zu erkennen, so muß doch mit dem Aufstützen der Hände auf die Opfertiere
eine andere Vorstellung verbunden gewesen sein. Wahrscheinlich sollte eine Beziehung
5 zwischen dem Opfertier u dem Opfernden hergestellt werden, damit das Opfer ihm
zugut angenommen werden möchte[26].

  c. Durch Aufstützen der Hände wird auch die Einset-
zung in ein Amt vorgenommen[27]. In der Priesterschrift wird erzählt, Mose
habe Josua die Hände aufgelegt und ihn zu seinem Nachfolger eingesetzt. Die
10 Handauflegung ist dabei als Übertragungsritus verstanden; denn Josua sollte mit
der Kraft ausgestattet werden, deren er zur Ausübung seines Amtes bedurfte.
Nach Dt 34, 9 wurde er mit dem Geist der Weisheit erfüllt, während er nach Nu
27, 18—20 schon vorher im Besitz von רוּחַ war und nun die Hoheit הוֹד Moses
empfing. Die Übertragung dieser Gabe geschah vor versammelter Gemeinde, um
15 die Legitimität der Nachfolge öffentlich zu bestätigen (Nu 27, 21—23).
  Nach dem Vorbild der Amtseinsetzung Josuas und unter ausdrücklicher Berufung auf diese[28] haben die Rabbinen die von ihnen geübte Ordination gestaltet.
Als sich im 2. und 1. Jhdt vChr ein fester Stand von Schriftgelehrten herausbildete,
wurde es üblich, durch einen öffentlichen Akt die Bevollmächtigung eines Kan-
20 didaten zur Wahrnehmung der Rechte und Pflichten eines Rabbi (→ IV 435, 18ff;
VI 963, 14ff) vorzunehmen. Zwar sind Ordinationen unter Angabe der Namen der
ordinierten Gelehrten erst von der zweiten Hälfte des 1. Jhdt nChr an bezeugt[29].
Aber mit Sicherheit ist anzunehmen, daß die rabbinische Ordination älteren Ursprungs ist und mit der Entstehung des Standes der Schriftgelehrten aufgekommen
25 sein muß[30]. Wenn ein Student nach jahrelangem Studium die notwendigen Kenntnisse in der Schriftauslegung und dem Verständnis der Tradition erworben hatte,
wurde er von seinem Lehrer unter Mitwirkung von zwei Assistenten ordiniert
(Sanh 1, 3; TSanh 1, 1 [Zuckermandel 414]). Durch das Aufstützen der Hände,
das in Gegenwart von Zeugen erfolgte, wurde sichtbar angezeigt, daß die bis auf
30 Mose zurückreichende Kette der Tradition um ein weiteres Glied vermehrt werden
sollte, indem dem nunmehr autorisierten Gelehrten von seinem Lehrer die Gabe
der Weisheit übereignet wurde[31]. Nur auf dem Boden Palästinas durfte die einmalige, unwiederholbare Handlung der Ordination vorgenommen werden[32]. Auf
Grund dieser Bevollmächtigung durfte der Ordinierte selbständige Lehr- und
35 Rechtsentscheidungen treffen, den Titel Rabbi führen (→ VI 963, 1ff) und die
ihm gebührende Ehre und Achtung entgegennehmen[33].

---

[26] Vgl → Lohse 23—25. Zu vergleichen ist
der Brauch, daß der Zeuge einem Verurteilten
die Hände aufzulegen hat Lv 24,14. Dadurch
ist er gehalten, sich dazu zu bekennen, daß es
auf Grund seiner Zeugenaussage zur Verurteilung gekommen ist.
[27] Vgl JNewman, Semikhah (1950); →
Lohse 19—66.
[28] Vgl die rabb Auslegung von Nu 27,15—23
u Dt 34, 9, bes SNu 140 zu 27,18 u SDt 357
zu 34, 9; weitere Belege bei Str-B II 647f u
→ Lohse 25—27.

[29] RJochanan bZakkai (gest um 80) ordiniert seine Schüler REliezer u RJosua jSanh
1, 3 (19a 49f).
[30] Zur Frage des Alters der rabb Ordination
→ Lohse 29—35.
[31] Vgl die Belegsammlung bei Str-B II 647
—661.
[32] bSanh 14a; weitere Belege → Lohse 48.
[33] Über die weitere Gesch der Ordination u
die später eingetretenen Wandlungen der
סְמִיכָה → Lohse 35—41; → Daube 232f.

C. χείρ im Neuen Testament.

1. χείρ zur Bezeichnung der Hand des Menschen.

a. Häufig wird in den Schriften des NT die Hand des Menschen erwähnt[34]. Mit der Hand verrichtet er seine Arbeit 1 Th 4, 11; 1 K 4, 12; Eph 4, 28; Ag 20, 34. Bisweilen werden die Glieder[35] des Menschen geradezu als selbständig 5 handelndes Subj aufgeführt: ἐὰν σκανδαλίσῃ σε ἡ χείρ σου Mk 9, 43 Par; Mt 5, 30; ὁ . . . αἱ χεῖρες ἡμῶν ἐψηλάφησαν 1 J 1, 1, vgl auch 1 K 12, 15. 21. Meist aber ist die Hand als das Organ genannt, durch das der Mensch seinen Willen verwirklicht. Mit der Hand werden Ähren zerrieben Lk 6, 1, die Hand wird an den Pflug gelegt Lk 9, 62, in ihr befindet sich eine Wurfschaufel Mt 3, 12 Par, ein Becher Apk 17, 4. In der Hand wird 10 eine Waage getragen Apk 6, 5, mit den Händen werden Palmzweige gehalten Apk 7, 9, mit der Hand wird gewinkt Ag 12, 17; 13, 16; 19, 33; 21, 40. Die Hand wird ausgestreckt Mk 3, 5 Par; Mt 8, 3; 12, 49; 14, 31; 26, 51; J 21, 18; Ag 26, 1, sie wird hinübergereicht J 20, 20. 25. 27. Ein Mensch gibt dem anderen die Hand oder faßt ihn bei der Hand Mk 1, 31 Par; 5, 41 Par; 8, 23; 9, 27; Ag 3, 7; 9, 41; 23, 19; von Gott heißt es, 15 daß er die Israeliten beim Auszug aus Ägypten bei der Hand gefaßt habe Hb 8, 9 aus ᾽Ιερ 38 (31), 32. Gewalttätig wird Hand an einen anderen gelegt Mk 14, 46 Par; Lk 20, 19; 21, 12; 22, 53; J 7, 30. 44; Ag 4, 3; 5, 18; 12, 1; 21, 27. Auf die Hand, dh auf einen ihrer Finger, wird ein Ring gesteckt Lk 15, 22; die Hand kann von der Krankheit der Auszehrung befallen werden Mk 3, 1. 3. 5 Par. Ein eindrucksvolles Wunder wird 20 Ag 28, 3f berichtet: Eine Giftschlange beißt sich an der Hand des Paulus fest, schadet ihm aber nicht. Auf die Hand macht man den Menschen ein χάραγμα (→ 406, 5ff) zum Zeichen der Zugehörigkeit Apk 13, 16; 14, 9; 20, 4. Die Hände können schlaff herabhängen Hb 12, 12, sie werden zum Segen Lk 24, 50, zum Gebet 1 Tm 2, 8 (→ 415, 13f) oder zum Schwur Apk 10, 5f erhoben. Die Götzen sind θεοὶ οἱ διὰ χειρῶν 25 γινόμενοι Ag 19, 26, vgl Ag 7, 41; Apk 9, 20; Gott aber läßt sich nicht bedienen ὑπὸ χειρῶν ἀνθρωπίνων Ag 17, 25. Die Reinheitsgebote des jüd Gesetzes ordnen das Waschen der Hände an Mk 7, 2. 3. 5 Par (→ 415, 27ff). Ohne Bezug auf die rituellen Gebot wird Mt 27, 24 das Händewaschen zur Betonung der Unschuld erwähnt; Jk 4, 8 wird ermahnt: καθαρίσατε χεῖρας, ἀμαρτωλοί u damit die sittliche Reinheit gefordert. Mit 30 der Hand taucht man beim gemeinsamen Mahl in die Schüssel ein Mt 26, 23; Lk 22, 21[36]. Unter den Briefen, die der Ap diktiert hat, vgl R 16, 22, steht ὁ ἀσπασμὸς τῇ ἐμῇ χειρὶ Παύλου 1 K 16, 21; 2 Th 3, 17; Kol 4, 18, vgl Gl 6, 11; Phlm 19[37].

b. Wie die Menschen so haben auch die Engel Hände, ἐπὶ χειρῶν ἀροῦσίν σε *sie werden dich auf ihren Armen tragen* Mt 4, 6 Par nach Ps 91, 12, vgl ferner 35 Ag 7, 35; Apk 8, 4; 10, 2. 5. 8. 10; 20, 1. Der Auferstandene zeigt den Jüngern seine Hände Lk 24, 39. 40 vl, u der Seher schaut, wie der Menschensohn sieben Sterne Apk 1, 16 bzw eine Sichel Apk 14, 14 in Händen hält.

2. χείρ in übertragener Bedeutung.

a. Öfter bezeichnet χείρ die *Gewalt*, die der Mensch durch die 40 Hand anwendet: Der Menschensohn wird preisgegeben (→ II 172, 8ff) εἰς χεῖρας ἀνθρώπων Mk 9, 31 Par; 14, 41 Par; Lk 24, 7, vgl J 10, 39. Gott errettet ἐκ χειρὸς πάντων τῶν μισούντων ἡμᾶς Lk 1, 71, ἐκ χειρὸς ἐχθρῶν Lk 1, 74. Pls entflieht τὰς χεῖρας des Aretas 2 K 11, 33 u Petrus ἐκ χειρὸς ῾Ηρῴδου Ag 12, 11, vgl ferner Ag 21, 11; 24, 7 vl; 28, 17. Von der schützenden Gewalt, die die Hand Christi ausübt, ist im Joh-Ev die 45 Rede: ὁ πατὴρ . . . πάντα δέδωκεν ἐν τῇ χειρὶ αὐτοῦ J 3, 35; πάντα ἔδωκεν αὐτῷ ὁ πατὴρ εἰς τὰς χεῖρας J 13, 3 (→ V 893, 37f), vgl weiter J 10, 28f.

---

[34] Zur Deklination vgl → A 1. J 20, 25 AB findet sich der Acc χεῖραν, der gelegentlich in Pap bezeugt ist; Belege bei Bau J zSt, vgl Bl-Debr § 46, 1.
[35] Hände u Füße Mt 22, 13; Lk 24, 39; J 11, 44; Ag 21, 11; καὶ τὰς χεῖρας καὶ τὴν κεφαλήν J 13, 9.

[36] Mk 14, 20 heißt es: ὁ ἐμβαπτόμενος μετ᾽ ἐμοῦ, Mt 26, 23: ὁ ἐμβάψας μετ᾽ ἐμοῦ τὴν χεῖρα, u Lk 22, 21 ist die Hand Subj: ἰδοὺ ἡ χεὶρ τοῦ παραδιδόντος με μετ᾽ ἐμοῦ ἐπὶ τῆς τραπέζης.
[37] Zum eigenhändig geschriebenen Briefschluß vgl Deißmann LO 137f; ORoller, Das Formular der paul Briefe, BWANT 58 (1933) 187—191 uö (→ 414 A 8).

27 *

b. Wie im at.lichen Sprachgebrauch (→ 416, 6ff) dient χείρ
nach einer Präp zu deren Verstärkung u verliert dabei weitgehend seine eigene Bdtg[38]:
διὰ χειρός, hbr בְּיַד, heißt *durch*[39]: αἱ δυνάμεις τοιαῦται διὰ τῶν χειρῶν αὐτοῦ γινόμεναι Mk
6, 2; das Gesetz wurde ἐν χειρὶ μεσίτου übergeben Gl 3,19, vgl weiter Ag 5,12; 14, 3;
5   19,11; ἀποστείλαντες πρὸς τοὺς πρεσβυτέρους διὰ χειρὸς Βαρναβᾶ καὶ Σαύλου Ag 11, 30,
vgl weiter Ag 15, 23; 2, 23; 7, 25[40].

3. Die Hand Gottes.

Im NT wird die Hand Gottes nur da genannt, wo entweder Sätze aus
dem AT angeführt werden oder aber at.licher Sprachgebrauch aufgenommen wird. Zitate
10   liegen Lk 23, 46 (aus Ps 31, 6) u R 10, 21 (aus Js 65, 2) vor. Nur im lk Doppelwerk
ist häufiger von der Hand Gottes die Rede, wobei sicherlich bewußt an bibl Wendungen
angeknüpft worden ist Lk 1, 66; Ag 4, 28. 30; 7, 50; 11, 21; 13, 11. In den übrigen
Schriften des NT wird die *Hand Gottes* nur noch J 10, 29; Hb 1, 10; 10, 31 u 1 Pt 5, 6
erwähnt[41].

15   Gottes Hand hat in der Schöpfung gewirkt (Ag 7, 50, vgl Js 66, 2) und handelt
in der Geschichte, indem sie schützend und helfend (Lk 1, 66; Ag 11, 21), aber auch
strafend eingreift (Ag 13, 11). Warnend wird darauf hingewiesen: φοβερὸν τὸ ἐμπεσεῖν εἰς χεῖρας θεοῦ ζῶντος (Hb 10, 31; → 417, 12f). An keiner Stelle geht die
Bedeutung des verhältnismäßig selten verwendeten Ausdrucks von der Hand Gottes
20   über den Gehalt der alttestamentlichen Aussagen (→ 416, 11ff) hinaus[42].

4. Die Handauflegung (→ VIII 161, 29ff).

a. Wie in antiken Wundergeschichten (→ 414, 25ff)
so ist auch in den neutestamentlichen Berichten über Krankenheilungen häufig
die Handauflegung erwähnt[43]: Jesus berührt die Kranken mit der Hand, und sie
25   werden gesund. So bittet Jairus, Jesus möge kommen und seiner schwerkranken
Tochter die Hand auflegen, damit sie wieder genese. Er ist überzeugt, daß durch
diese Berührung Heilkraft auf das Kind überströmen wird (Mk 5, 23 Par, vgl auch
5, 41 Par). Man bringt einen Taubstummen zu Jesus, damit er ihn durch Handauflegung heile (Mk 7, 32). Dem Blinden von Bethsaida legt Jesus die Hand auf
30   die Augen und gibt ihm das Augenlicht wieder (Mk 8, 23. 25). Einen epileptischen
Knaben faßt Jesus bei der Hand, läßt ihn aufstehen und macht ihn gesund (Mk 9,
27 Par). Eine verkrümmte Frau ruft Jesus um Erlösung von ihrer Krankheit an.
Durch die Berührung seiner Hand wird sie aufgerichtet und lobt Gott für seine Tat
(Lk 13, 13). Die Kranken, an denen Jesus vorübergeht, haben nur den einen Wunsch,
35   den Heiland zu berühren, damit Heilkraft auf sie übergehe (Mk 3, 10 Par; 6, 56
Par; Lk 6, 19 uö). Jesus faßt die Schwiegermutter des Petrus bei der Hand und

---

[38] Vgl Bl-Debr § 217, 2.
[39] Meist bleibt χείρ in diesen Verbindungen
im Sing, doch heißt es Ag 14, 3: διὰ τῶν
χειρῶν αὐτῶν. Vgl Bl-Debr § 140.
[40] ἐκ χειρὸς αὐτῆς *von ihr* Apk 19, 2.
[41] → Luck 6. 130—132.
[42] Zur Ergänzung wäre noch das Vorkommen von δεξιά (sc χείρ) zu berücksichtigen, vor
allem die häufige Verwendung von Ps 110,1
im christologischen Schriftbeweis (→ II

38, 20ff). Zur Darstellung der Hand Gottes
in der Kunst vgl HJursch, Artk Hand Gottes
in der Kunst, in: RGG³ III 52 u die dort
angegebene Lit.
[43] Vgl → Behm 102—116, ferner → Lohse
69f; → Wendland 53f. Zur Handauflegung
bzw der Funktion der Hand bei der Ölsalbung
der Kranken vgl GBertram, Die Krankensalbung im NT, Evangelische Krankenpflege 11
(1962) 121—129.

befreit sie vom Fieber (Mk 1, 31 Par). Er reckt seine Hand aus, berührt die Aus-
sätzigen und macht sie rein (Mk 1, 41 Par). An einem Sabbat heilt er einen
Wassersüchtigen durch Berührung mit der Hand (Lk 14, 4). In den Summarien
Mk 6, 5 und Lk 4, 40 wird berichtet, daß Jesus seine Wunder durch Auflegen der
Hände tat. Das Heilandswirken setzt sich durch die Hände der Apostel fort, die 5
in der Vollmacht Jesu handeln (Mk 16, 18; Ag 5, 12. 15). Petrus heilt den lahmen
Bettler vor dem Tempel, indem er ihn bei der Hand nimmt (Ag 3, 7). Tabitha wird
durch Petrus aus dem Tode erweckt, er faßt sie bei der Hand und richtet sie auf
(Ag 9, 41). Der vor Damaskus erblindete Saulus erhält das Augenlicht durch
die Handauflegung des Ananias zurück (Ag 9, 12. 17). Auch durch die Hände des 10
Paulus werden Krafttaten gewirkt (Ag 19, 11); auf Malta heilt er den kranken
Vater des Publius, indem er ihm die Hände auflegt (Ag 28, 8)[44].

Die häufige Erwähnung der Berührung mit der Hand oder des Auflegens der
Hände ist also ein typischer Zug in den Wundergeschichten[45]. Jesus wird als der
Heiland gezeichnet, der im Besitz göttlicher Kraft ist (→ III 211, 30ff). Durch 15
die Berührung geht diese Kraft auf die Kranken und Elenden über, so daß sie
geheilt werden (Lk 5, 17; 6, 19). Doch im Unterschied zu den antiken Wundergeschichten (→ III 209, 26ff) wirkt nach den neutestamentlichen Berichten nicht
eine magische Praxis Heilung und Genesung, sondern entscheidend sind das voll-
mächtige Wort Jesu und der Glaube, der ihm entgegengebracht wird. Seine Heil- 20
kraft ist an kein Mittel und an keinen Weg der Übertragung gebunden; denn auch
über die Ferne wirkt sein Wort (Mt 8, 8. 13 par Lk 7, 7. 10; J 4, 50—52)[46].

b. Zur Erteilung des Segens und Spendung des
Geistes werden die Hände aufgelegt. Zu Jesus werden Kinder gebracht, ἵνα
αὐτῶν ἅψηται (Mk 10, 13), bzw ἵνα τὰς χεῖρας ἐπιθῇ αὐτοῖς καὶ προσεύξηται (Mt 19, 13, 25
vgl Lk 18, 15)[47], καὶ ἐναγκαλισάμενος αὐτὰ κατευλόγει τιθεὶς τὰς χεῖρας ἐπ' αὐτά (Mk
10, 16 Par)[48]. Ag 8, 17f; 19, 6 und Hb 6, 2 wird die Handauflegung im Zusammenhang mit der Taufe genannt: ἐπετίθεσαν τὰς χεῖρας ἐπ' αὐτούς, καὶ ἐλάμβανον
πνεῦμα ἅγιον (Ag 8, 17), καὶ ἐπιθέντος αὐτοῖς τοῦ Παύλου χεῖρας ἦλθε τὸ πνεῦμα τὸ

---

[44] Zu vergleichen ist auch Apk 1, 17: Der
erhöhte Menschensohn legt dem wie tot zu
Boden gesunkenen Joh die rechte Hand auf u
spendet zum Leben erweckende Kraft.

[45] Vgl Bultmann Trad 237f. Für die spätere
Zeit vgl Ev Veritatis (ed MMalinine uam
[1956]) 30, 19—21: „Nachdem er (sc Jesus)
dem, der auf dem Boden ausgestreckt war,
seine Hand gegeben hatte, ließ er (der Geist)
ihn fest sein auf seinen Füßen", Übers nach
HMSchenke, Die Herkunft des sog Ev Veritatis (1959) 46.

[46] Daß die Handauflegung beim Wunder
auch für die Berichterstatter nicht als der
unbedingt notwendige Weg der Kraftübermitt-
lung gilt, zeigt sich auch daran, daß deren Erwähnung bei dem einen Evangelisten gelegentlich fehlt, während sie in den Parallelberichten
der andern genannt wird. So nennt Mt 20, 34
die Berührung der Augen der Blinden, wäh-

rend nach Mk 10, 52 u Lk 18, 42f die Heilung
durch das Wort Jesu geschieht.

[47] Vgl Str-B I 807f: Der Vater segnet die
Kinder, der Lehrer die Schüler. Soph 18, 5
(Str-B II 138) wird berichtet, daß in Jerusalem die Eltern am Versöhnungstag ihre Kinder
fasten ließen u sie am Abend zu den Schriftgelehrten brachten, damit diese sie segneten
u für sie beteten, vgl → Lohse 51. GFriedrich,
Beobachtungen zur messianischen Hohepriestererwartung in den Synpt, ZThK 53 (1956)
294—297 erwägt, ob Jesu Handeln nicht als
priesterliches zu verstehen sei.

[48] Da die Perikope schon sehr bald als Begründung für die Praxis der Kindertaufe herangezogen worden ist, vgl JJeremias, Die Kindertaufe in den ersten vier Jhdt (1958) 61
—68, wird die Handauflegung dann auch dem
bei der Taufe üblichen Brauch entsprechend
verstanden worden sein.

ἅγιον ἐπ᾽ αὐτούς (Ag 19, 6)[49]. Die Handauflegung (→ VI 412, 4ff), die bei der Taufe vorgenommen wird, ist als Mittel, durch das der Geist (→ VI 410, 33ff) auf die Täuflinge kommt[50], und als das sichtbare Zeichen dafür verstanden, daß Gott seine Zusage wahr macht und die Gabe des Geistes spendet[51]. Dem Ver-
5 fasser der Apostelgeschichte ist es in Kapitel 8 besonders wichtig hervorzuheben, daß die samaritanischen Christen erst mit der Aufnahme durch die Jerusalemer Apostel im vollen Sinne Glieder der einen Kirche geworden sind und daß dadurch der heilsgeschichtlich vorgezeichnete Weg eingehalten wurde[52]. Die Verbindung mit der einen Kirche, deren Boten von Jerusalem ausgehen, wird auch den Johannes-
10 jüngern zuteil, als sie durch Paulus getauft und ihnen die Hände zum Empfang des Geistes aufgelegt werden (Ag 19, 6).

c. Zur Einsetzung in ein Amt werden die Hände aufgelegt, um den Amtsträger mit göttlicher Kraft auszurüsten[53]. Ag 13, 1—3 ist von der Erteilung eines Auftrags an Barnabas und Saulus die Rede. Nach-
15 dem sie auf Weisung des Geistes ausgesondert worden sind, fastet die Gemeinde, betet, καὶ ἐπιθέντες τὰς χεῖρας αὐτοῖς ἀπέλυσαν[54]. Von der Übertragung eines Amtes durch die Ordination wird Ag 6, 1—6 (→ VIII 162, 5ff) gesprochen: Die sieben Hellenisten (→ II 508, 26ff), denen die Apostel unter Gebet die Hände auflegen, werden in ihr Amt eingesetzt und durch die höchste kirchliche Autorität bestätigt
20 (Ag 6, 6)[55]. Wenn auch infolge der Hervorhebung dieses Gedankens, auf den es dem Verfasser der Apostelgeschichte vor allem ankommt, der historische Hinter-grund der Überlieferung von der Institution des Siebenerkreises nicht mehr sicher aufgehellt werden kann, so darf doch mit hoher Wahrscheinlichkeit angenommen werden, daß bereits das palästinische Judenchristentum an die rabbinische סְמִיכָה
25 (→ 418, 16ff) angeknüpft und die Handauflegung zur Einsetzung von Amts-trägern verwendet hat. Von der rabbinischen Ordination ist die in der christlichen Gemeinde geübte Amtseinsetzung dadurch unterschieden, daß der Geist bei der Bestimmung der auszuwählenden Diener des Wortes entscheidend mitwirkt und deren Bestallung nicht nur durch die Handauflegung, sondern vor allem auch
30 unter Gebet geschieht.

[49] Vgl auch Ag 9, 17: Durch die Handauf-legung erhält Saulus das Augenlicht wieder u wird mit hl Geist erfüllt.

[50] Die Freiheit des Geistes bleibt gleichwohl gewahrt; denn in anderen Gesch wird von der Herabkunft des Geistes gesprochen, ohne daß die Hände aufgelegt wurden Ag 2, 1—13; 10, 44—48. Dabei wird in der Ag allerdings be-tont, daß Taufe u Geistempfang notwendig zusammengehören.

[51] Vgl N Adler, Taufe u Handauflegung, NT Abh 19, 3 (1951); → Lampe 223—231.

[52] Dieser Gedanke, nicht die Bdtg der Hand-auflegung, steht im Mittelpunkt, vgl Haench Ag[14] zSt. Daß die Handauflegung nicht als Zauber mißbraucht werden darf, wird Ag 8, 18 f an dem Beispiel des Simon Magus gezeigt.

[53] → Daube 233—246 hat nachdrücklich betont, daß die Handauflegung bei der Ein-setzung von Amtsträgern, bei der an die rabb

סְמִיכָה angeknüpft wird, von dem Auflegen der Hände bei Krankenheilungen deutlich unter-schieden werden muß.

[54] Ag 13, 1—3 kann daher nicht als Ordination bezeichnet werden, es handelt sich vielmehr um Beauftragung u Aussendung zweier vom Geist bestimmter Missionare, vgl → Lohse 71—74.

[55] Zu beachten sind die unverkennbaren Bezugnahmen auf Nu 27, 15—23: a. ἐπισκέ-ψασθε Ag 6, 3 — ἐπισκεψάσθω κύριος ὁ θεός Nu 27, 16; b. Jahwe nennt Josua einen ἄνθρωπον, ὃς ἔχει πνεῦμα ἐν ἑαυτῷ Nu 27, 18 — Ag 6, 3: ἄνδρας . . . πλήρεις πνεύματος καὶ σοφίας, vgl auch v 5; c. Josua wird vor den Priester Eleazar gestellt Nu 27, 19 — die Sieben werden vor die Apostel gestellt Ag 6, 6; d. die Hände werden aufgelegt Nu 27, 18. 23 — Ag 6, 6. Da Nu 27, 15—23 den Rabb als Schriftbegründung für die Ordination dient, soll der bewußte Anschluß an Nu 27 in Ag 6, 1—6 offenbar

Ein deutliches Bild der christlichen Ordination, die von der judenchristlichen Kirche Palästinas aus auch in den von Paulus gegründeten Gemeinden Eingang gefunden hat, zeichnen die Pastoralbriefe[56]. Charisma und Amt sind hier eng miteinander verknüpft: Nachdem Prophetenstimmen auf Timotheus als den aus- zuwählenden Amtsträger hingewiesen haben (1 Tm 1, 18; 4, 14), ist ihm durch 5 Handauflegung das von Gott gewährte Charisma (→ 397, 1ff), dessen er zur Führung seines Amtes bedarf, verliehen worden. Die ἐπίθεσις τῶν χειρῶν stellt also nicht nur ein begleitendes Zeichen dar, sondern dient zur Übermittlung der Gabe, mit der Gott den Amtsträger ausstattet. Wird 2 Tm 1, 6 an das χάρισμα τοῦ θεοῦ erinnert, ὅ ἐστιν ἐν σοὶ διὰ τῆς ἐπιθέσεως τῶν χειρῶν μου, so wird 1 Tm 4, 14 10 (→ VI 666 A 92) auf das χάρισμα hingewiesen, ὃ ἐδόθη σοι διὰ προφητείας μετὰ ἐπι- θέσεως τῶν χειρῶν τοῦ πρεσβυτερίου. Wenn einerseits der Apostel, andererseits das Presbyterium als Ordinatoren genannt werden, so wird daraus zu schließen sein, daß ähnlich wie bei der rabbinischen Ordination (→ 418, 25ff) auch bei der christ- lichen Amtsübertragung der Ordinator zusammen mit Assistenten die Hände auf- 15 legte[57]. Der viel persönlicher gehaltene zweite Timotheusbrief erinnert allein an die Handauflegung des Apostels, während der erste Timotheusbrief, der mehr den Charakter einer Gemeinderegel hat, ausdrücklich auf die ἐπίθεσις τῶν χειρῶν durch das πρεσβυτέριον Bezug nimmt. Von einer auf bestimmte Personen beschränkten Weihegewalt ist nicht die Rede, sondern Gottes berufender und sendender Wille 20 bestimmt den Gehalt der Ordination, durch die der Amtsträger öffentlich vor der Gemeinde legitimiert, mit dem Amtscharisma ausgestattet und in das Amt der Wortverkündigung eingesetzt wird. Ihm obliegt es, die Gemeinde zu leiten; darum wird ihm die besondere Verantwortung vor Augen gehalten, die er gerade bei der Auflegung der Hände zu wahren hat: χεῖρας ταχέως μηδενὶ ἐπιτίθει (1 Tm 5, 22). 25 Diese kurze Mahnung ist entweder als eine Warnung zu verstehen, nicht vorschnell Ordinationen vorzunehmen, oder es ist an die Aufnahme reuiger Sünder gedacht, die der Amtsträger nur nach sorgfältiger Prüfung vornehmen soll, um nicht mit- verantwortlich für fremde Sünde zu werden[58].

D. χείρ bei den Apostolischen Vätern. 30

Der Sprachgebrauch in den Schriften der Apost Vät weist keine wesentlichen Besonderheiten auf.

---

anzeigen, daß die Einsetzung der Sieben als chr Ordination vorzustellen ist, vgl Haench Ag[14] zu 6, 3; → Lohse 77.

[56] Vgl HSchlier, Die Ordnung der Kirche nach den Past, Die Zeit der Kirche [4](1966) 129—147; → Lohse 80—87; ders, Artk Ordi- nation, in: RGG[3] IV 1672f; ESchweizer, Gemeinde u Gemeindeordnung im NT, Abh Th ANT 35 [2](1962) 187—192; LGoppelt, Die ap u nachapostolische Zeit, Die Kirche in ihrer Gesch I 1 [2](1966) 136f; EKäsemann, Das Formular einer nt.lichen Ordinationsparä- nese, Exegetische Versuche u Besinnungen I [5](1967) 101—108; CSpicq, Les Épîtres Pasto- rales II [4](1969) 722—730.

[57] → Daube 244f sucht 1 Tm 4, 14 anders

zu erklären, indem er die ἐπίθεσις τῶν χειρῶν τοῦ πρεσβυτερίου, hbr סְמִיכַת זְקֵנִים, deutet als the leaning on of hands on persons in order to make elders, Rabbis, of them, vgl auch DDaube, Evangelisten u Rabb, ZNW 48 (1957) 124f. Ihm stimmt zu JJeremias, ΠΡΕΣΒΥΤΕ- ΡΙΟΝ außerchristlich bezeugt, ZNW 48 (1957) 130: „Handauflegung, die die Presbyterwürde verleiht"; vgl auch ders, Zur Datierung der Past, Abba (1966) 314—316. Die Bedenken, die dgg geltend zu machen sind, wurden von GBornkamm (→ VI 666 A 92) angeführt, vgl auch Schweizer aaO (→ A 56) 190 A 812.

[58] Vgl NAdler, Die Handauflegung im NT bereits ein Bußritus? Zur Auslegung von 1 Tm 5, 22, Festschr JSchmid (1963) 1—6.

1. Von der Hand des Menschen ist an einer Reihe von St die Rede. Der Mensch arbeitet mit den Händen Did 4, 6, die Hand wird drohend geschüttelt Mart Pol 9, 2, sie wird ausgestreckt Did 4, 5; Barn 19, 9, zu Gott emporgereckt 1 Cl 2, 3; 29, 1; der Töpfer nimmt den Ton in die Hand u bildet das Gefäß 2 Cl 8, 2. Barn 16, 7 wird kritisch vom Tempel gesagt, er sei οἰκοδομητὸς ... διὰ χειρός.

2. In übertragener Bedeutung bezeichnet χείρ mehrfach die *Gewalt*. Holofernes wurde von Gott übergeben ἐν χειρὶ θηλείας 1 Cl 55, 5. Mit Hi 5, 20 wird 1 Cl 56, 9 gesagt: ἐν πολέμῳ δὲ ἐκ χειρὸς σιδήρου λύσει (sc Gott) σε, vgl weiter Did 16, 4; Barn 5, 5. ἐν χειρί hat man das, womit man gerade beschäftigt ist: ἐν χερσὶν ὁ ἀγών *der Wettkampf ist unsere gegenwärtige Aufgabe* 2 Cl 7, 1. ὑπὸ χεῖρα findet sich Herm v III 10, 7; V 5; m IV 3, 6 im Sinne von *bei jeder Gelegenheit, fortwährend*[59].

3. Von der Hand Gottes wird in at.lichen Zitaten bzw in Aufnahme at.licher Wendungen gesprochen. Die Schöpfung ist das Werk der Hände Gottes Barn 15, 3, vgl Gn 2, 2; 1 Cl 27, 7, vgl ψ 18, 2; Barn 5, 10, der den Menschen schuf ταῖς ἱεραῖς καὶ ἀμώμοις χερσὶν ἔπλασεν τῆς ἑαυτοῦ εἰκόνος χαρακτῆρα 1 Cl 33, 4. Die Gesetzestafeln, die Mose auf dem Sinai empfing, waren τῷ δακτύλῳ τῆς χειρὸς τοῦ κυρίου beschrieben worden Barn 4, 7; 14, 2, vgl Ex 31, 18; 34, 28. Gottes Hand greift strafend 1 Cl 28, 2, heilend 1 Cl 56, 7 (vgl Hi 5, 18) u schützend in das Leben der Menschen ein 1 Cl 60, 3, vgl Js 51, 16; Sap 5, 16.

4. Die Handauflegung ist bei den Apost Vät lediglich Barn 13, 5 nach Gn 48, 14 erwähnt: Jakob kreuzt die Hände, legt die Rechte auf das Haupt Ephraims u erteilt dem jüngeren Sohn Josephs den Segen.

† χειραγωγέω, χειραγωγός

1. Das Verbum χειραγωγέω *an der Hand führen* ist im Griech öfters gebraucht worden, so zB τρέμοντα δ' αὐτὸν ἤδη Ἔρως ἐχειραγώγει Carmina anacreontea[1] 1, 9f, ποῖ τοῦτον ἀπάγεις, ὦ Ἀργειφόντα, χειραγωγῶν Luc Tim 32, vgl auch Diod S 13, 20, 4. In LXX begegnet das Verbum nur Ri 16, 26 Cod A: τὸ παιδάριον τὸν χειραγωγοῦντα αὐτόν, vgl Jos Ant 5, 315, u Tob 11, 16 vl, nirgendwo aber das Subst ὁ χειραγωγός, das *einen, der einen anderen an der Hand führt* bezeichnet, so zB: οὐ γὰρ ἂν ἐχρῶντο συμβούλοις καὶ στρατηγοῖς καὶ νομοθέταις ὥσπερ τυφλοῖς χειραγωγοῖς Plut Comm Not 10 (II 1063b), vgl auch An seni sit gerenda res publica 21 (II 794d); ζητήσατε χειραγωγὸν τὸν ὁδηγήσοντα ὑμᾶς ἐπὶ τὰς τῆς γνώσεως θύρας Corp Herm 7, 2.

2. Im Neuen Testament dienen Verbum und Substantiv dazu, um die Hilflosigkeit des Blinden zu veranschaulichen. Der vor Damaskus erblindete Saulus wird von seinen Begleitern bei der Hand genommen und in die Stadt geführt (Ag 9, 8; 22, 11). Der Zauberer Barjesus wird plötzlich blind καὶ περιάγων ἐζήτει χειραγωγούς (Ag 13, 11).

† χειρόγραφον

1. Mit eigener Hand wird eine *Urkunde* ausgestellt, insbesondere ein *Schuldschein*, um zum Beweis bestehender Verpflichtungen zu dienen: ἐλεγχόμενοι γὰρ κατὰ πρόσωπον ὑπὸ τῶν ἰδίων χειρογράφων Polyb 30, 8, 4, καὶ οἱ δεδανεικότες τὰ συμ-

---

[59] Vgl Bl-Debr § 232, 1; Pr-Bauer sv χείρ.

χειραγωγέω κτλ. [1] ed KPreisendanz (1912).

χειρόγραφον. Lit: Deißmann LO 281—284; GMegas, Das χειρόγραφον Adams. Ein Beitrag

zu Col 2, 13—15, ZNW 27 (1928) 305—320; HBurnickel, Das χειρόγραφον im ptolemäischen Recht (Diss Erlangen [1950]); ABlanchette, Does the cheirographon of Col 2, 14 represent Christ himself?, The Catholic Biblical Quarterly 23 (1961) 306—312.

βόλαια τά τε ναυτικά καὶ κατὰ χειρόγραφα καὶ κατὰ παραθήκας Ditt Syll³ II 742, 50f (um 85 vChr). In LXX begegnet das Wort nur im Buch Tob: καὶ ἔδωκεν αὐτῷ τὸ χειρόγραφον 5, 3; 9, 5.

2. An der einzigen Stelle, an der sich im Neuen Testament das Wort χειρόγραφον findet, hat es die Bedeutung *Schuldschein*: ἐξαλείψας 5 τὸ καθ' ἡμῶν χειρόγραφον (Kol 2,14; → II 234, 30ff). Wenn hier von der Tilgung des gegen uns zeugenden Schuldscheines (→ VII 577,1ff) durch Gott gesprochen wird, so ist offenbar an einen im Judentum mehrfach geäußerten Gedanken angeknüpft worden, nach dem Gott die Schuld der Menschen aufzeichnen und nach den Schuldscheinen durch die Engel die Schuld einfordern und die Strafe vollstrecken 10 läßt[1]. Kol 2,14 ist dieses Bild[2] aufgenommen und in den Zusammenhang eingefügt worden, der vom neuen Leben derer handelt, die mit Christus begraben und auferweckt worden sind[3]. Es ist aber nicht auf einen Mythos angespielt, von dem später in einigen Auslegungen dieser Stelle durch die Kirchenväter die Rede ist[4]: der mit der Hand ausgestellte Schuldschein sei das Dokument des Schuldvertrages, 15 den der Mensch mit dem Teufel abgeschlossen und durch den er sich für die Leistungen, die der Satan ihm erweisen sollte, zur Hingabe seines Lebens in Sünde und Tod verpflichtet habe[5]. Das Bild vom Schuldschein dient vielmehr dazu, die voranstehende Aussage χαρισάμενος ἡμῖν πάντα τὰ παραπτώματα zu unterstreichen: Gott hat die Sünden vergeben, er hat den Schuldschein ausgelöscht[6], indem er ihn 20 fortnahm und an das Kreuz Christi heftete[7].

† χειροποίητος, ἀχειροποίητος

1. Das Adj χειροποίητος *von Händen gemacht* ist seit Hdt belegt u hebt den Gegensatz des von Menschen gefertigten Werkes zum natürlich Gewordenen

---

[1] Ab 3,16 (RAqiba), weitere Belege bei Str-B III 628.

[2] Das himmlische Schuldbuch wird in der Anonymen Apokalypse (jüd Ursprungs, kpt erhalten, hsgg u übers GSteindorff, Die Apokalypse des Elias, eine unbekannte Apokalypse u Bruchstücke der Sophonias-Apokalypse, TU 17, 3 [1899]) χειρόγραφον genannt: Engel des Herrn schreiben die guten Werke der Gerechten auf das χειρόγραφον 3,13ff (Steindorff 39), ebs die Engel des Anklägers alle Sünden der Menschen 4, 3ff (ebd 41). Vgl noch slav Hen B 53, 3 sowie Apokalypse des Pls 17: Et venit angelus anime peccatricis habens in manibus cirographum (ed MRJames, Apocrypha anecdota I, TSt II 3 [1893] 20), vgl zSt HDuensing, Hennecke³ II 538. [Kelber]

[3] Vgl Dib Gefbr zSt.

[4] Belege bei → Megas 314f. 317 u Loh Kol zSt.

[5] Loh Kol zSt sucht diesen Sinn auch dem Satz von Kol 2,14 abzugewinnen, gelangt dabei jedoch zu einer gewaltsamen Umdeutung des Textes. Denn in diesem ist keinerlei Andeutung, die auf einen Teufelspakt hinweisen

könnte, vorhanden. Zur Kritik vgl auch Dib Gefbr zSt.

[6] Vgl „mögest du auswischen mein χειρόγραφον" Anonyme Apokalypse 12,7f (Steindorff aaO [→ A 2] 55) sowie „lösche aus ... all unsere Schuldbriefe" Gebet Abinu Malkenu Z 14 (ed WStaerk, Altjüdische liturgische Gebete, KlT 58 ²[1930] 28), vgl Str-B III 628. [Kelber]

[7] Deißmann LO 282f nimmt an, daß das folgende Part προσηλώσας auf einen uns unbekannten Brauch hinweise, nach dem es üblich gewesen sei, „eine Schuldhandschrift (oder eine andere Urkunde) durch den griech Kreuzbuchstaben Chi (χ) zu durchkreuzen u dadurch zu annullieren". Doch ist nicht von einer Durchkreuzung des χειρόγραφον die Rede, sondern vom Tilgen des Schuldscheines u Anheften an das Kreuz. Das aus dem Schuldrecht genommene Bild des χειρόγραφον wird sofort wieder verlassen; daher ist weder τοῖς δόγμασιν noch προσηλώσας vom Schuldrecht her zu erklären.

χειροποίητος, ἀχειροποίητος. Lit: AW Argyle, „Outward" and „Inward" in Biblical Thought, Exp T 68 (1956/57) 196—199.

hervor: λίμνη ... χειροποίητός ἐστι καὶ ὀρυκτή Hdt II 149, 1f, vgl ferner Hdt I 195, 2; Thuc II 77, 4; Plat Critias 118c; Xenoph An IV 3, 5; πῦρ ... χειροποίητον Jos Ant 4, 55; λίμνη ... χειροποίητος Diod S 13, 82, 5, vgl ferner 15, 93, 4; 17, 71, 7; Jos Bell 1, 419; 7, 294; Ant 15, 324; Philo Vit Mos II 51. 88. 168 uö. In der LXX gibt χειρο-
5 ποίητος fast durchweg hbr אֱלִיל wieder[1] u charakterisiert die Götzen als von Menschen-hand gefertigt: οὐ ποιήσετε ὑμῖν αὐτοῖς χειροποίητα Lv 26, 1; ἐποίησαν χειροποίητα Js 46, 6, vgl auch Sib 3, 606: χειροποίητα (sc εἴδωλα) σέβοντες, ebd 618: ἔργα δὲ χειροποίητα πυρὸς φλογὶ πάντα πεσεῖται.

2. Im Neuen Testament zeigt χειροποίητος an allen
10 Stellen, an denen es verwendet wird, den Gegensatz des von Menschenhänden Errichteten zum Werk Gottes an. Das Logion Mk 14, 58 stellt den ναὸν τοῦτον τὸν χειροποίητον dem nicht mit Händen gemachten Tempel gegenüber (→ IV 887, 31ff; V 141, 32ff), der binnen kürzester Frist errichtet werden soll. Ag 7, 48 und 17, 24 wird ausdrücklich betont, daß Gott οὐκ ἐν χειροποιήτοις ναοῖς (→ IV
15 890, 10ff) κατοικεῖ (→ V 156, 24ff). Und Hb 9, 11. 24 wird das himmlische Heilig-tum, in das Christus eingetreten ist, durch den Gegensatz zum irdischen Tempel in seiner Unvergleichlichkeit hervorgehoben. Eph 2, 11 wird gesagt, die Heiden seien ὑπὸ τῆς λεγομένης περιτομῆς ἐν σαρκὶ χειροποιήτου Unbeschnittenheit genannt worden. Indem die am Fleisch vollzogene Beschneidung als von Menschenhand
20 vorgenommen bezeichnet wird, ist an den Gegensatz zu Gottes Tat gedacht und damit dem Urteil, das die Beschnittenen über die Heiden fällen, nur relative Gül-tigkeit zuerkannt. Kol 2, 11 wird von der mit Händen vollzogenen Beschneidung die περιτομὴ ἀχειροποίητος unterschieden, mit der die Christen beschnitten worden sind (→ VI 82, 30ff). Durch die περιτομὴ τοῦ Χριστοῦ sind sie als die, die in der
25 Taufe mit Christus begraben und auferweckt worden sind, frei von der Herrschaft der Mächte und Gewalten. Im Unterschied zu allem Irdischen wird das himm-lische Haus (→ V 149, 29ff), von dem Paulus 2 K 5, 1 spricht, nicht mit Händen gemacht sein. Nach dem Tode wird Gott uns nicht nackt lassen, sondern nach dem Ende des irdischen Lebens wird er für uns eine neue Wohnung, mit der wir über-
30 kleidet werden sollen (→ II 320, 20ff), bereit halten.

† χειροτονέω

1. Das Erheben der Hand, durch das man in einer Wahl seine Zustimmung zum Ausdruck bringt, wird durch χειροτονέω bezeichnet: ὑμεῖς δὲ πάντα λογισάμενοι ταῦτα χειροτονεῖθ᾽ ὅ τι ἂν ὑμῖν δοκῇ μάλιστα συμφέρειν τῇ πόλει Isoc Or 7, 84;
35 τὰς ἐμὰς γνώμας ἐχειροτόνει *er stimmte für meine Auffassungen* Demosth Or 18, 248, vgl auch Plat Leg VI 755e. 756a. Von der Wahl zur Erfüllung eines bestimmten Auf-trages ist Philo Spec Leg I 78 die Rede; um die gesammelten hl Gelder zu überbringen, wählt man aus jeder Stadt die angesehensten Männer als Boten aus. χειροτονέω kann aber auch die Bdtg *ernennen* annehmen[1], so zB τὸν ὑπὸ τοῦ θεοῦ κεχειροτονημένον βασιλέα

---

[1] τὰ χειροποίητα, hbr מִקְדָּשׁ, bezeichnet Js 16, 12 das heidnische Heiligtum.

χειροτονέω. Lit: CHTurner, χειροτονία, χειροθεσία, ἐπίθεσις χειρῶν, JThSt 24 (1923) 496—504; MASiotis, Die klass u chr Cheiro-tonie in ihrem Verhältnis, Θεολογία 20 (1949) 314—334.

[1] Die Bdtg *auswählen* kann χειροτονέω schon im 5. Jhdt vChr erhalten, weil nach attischer Rechtsgewohnheit bei Abstimmungen über eine Gesetzesvorlage sowie im Schwurgerichts-u im Rechenschaftsablageverfahren nicht durch Handerhebung, sondern durch *Stimm-steine* ψῆφοι bzw Bohnen, Metallscheiben oder dgl abgestimmt wurde, vgl Aristoph Ach 607; Av 1571 uö. [Dihle]

Jos Ant 6, 312, vgl ferner 13, 45; βασιλεύς... ὑπὸ θεοῦ χειροτονηθείς Philo Praem Poen 54; Joseph βασιλέως ὕπαρχος ἐχειροτονεῖτο Philo Jos 248. In der LXX findet sich das Wort nicht, nur das Subst χειροτονία Js 58, 9 in der Bdtg *Handausstrecken* für das *Weisen mit dem Finger*, hbr אֶצְבַּע שְׁלַח. Das Subst χειροτονία fehlt jedoch im NT u wird bei den Apost Vät lediglich Barn 3, 5 gebraucht. 5

2. In der Bedeutung *auswählen* ist χειροτονέω 2 K 8, 19 verwendet[2]; ein von der Gemeinde gewählter Vertreter soll den Apostel auf der Kollektenreise begleiten[3]. Ag 14, 23 ist nicht an eine Wahl durch die Gemeinde gedacht, sondern die Presbyter werden durch Paulus und Barnabas ernannt und dann unter Beten und Fasten in ihre Ämter, die sie in den Gemeinden in Pisidien 10 und Lykaonien ausüben sollen, eingesetzt[4].

Lohse

† Χερουβίν

1. Im Alten Testament werden die כְּרוּבִים[1] als mythische Engelwesen genannt, die den Gan Eden bewachen Gn 3, 24, auf denen Jahwe daher- 15 fährt Ps 18, 11, die sich am Gottesberg befinden Ez 28, 14—16, den göttlichen Thron-wagen tragen Ez 10, 1—22 u über denen Jahwe thront 1 S 4, 4; 2 S 6, 2; 2 Kö 19, 15; Js 37, 16; Ps 80, 2; 99, 1; 1 Ch 13, 6. Jahwe spricht מִבֵּין שְׁנֵי הַכְּרֻבִים Ex 25, 22; Nu 7, 89 uö. Häufig ist die Erwähnung der Keruben mit der Lade verbunden. 1 S 4, 4 wird von der Lade Jahwes, der über den Keruben thront, gesprochen. In den Beschrei- 20 bungen der Kultgeräte des Allerheiligsten werden auch die Nachbildungen der Keruben aufgeführt, die mit ihren Flügeln den Sühnedeckel der Lade bedecken Ex 25, 18—20; 37, 7—9; 1 Kö 6, 23—32; 8, 6f uö. Die aus Gold Ex 25, 18; 37, 7; 1 Ch 28, 18 bzw aus Holz gebildeten u mit Gold überzogenen 1 Kö 6, 23. 28 Gestalten der beiden Keruben stehen zu beiden Enden der כַּפֹּרֶת, die Gesichter einander zugekehrt Ex 25, 19[2]. 25

2. Im nachbiblischen Judentum[3] werden die Keruben, die der Seher als feurig beschreibt äth Hen 14, 11, verschiedentlich als eine unter den Klassen der Engelscharen aufgeführt äth Hen 61, 10; 71, 7, die um Gottes Thron stehen slav Hen 21, 1; A 20, 1[4] u als deren Haupt der Erzengel Gabriel eingesetzt ist äth Hen 20, 7. At.liche Wendungen werden aufgenommen, wenn von Gott, der über den Ke- 30 ruben thront Sib 3, 1, u vom Kerubenwagen Sir 49, 8; Apk Mos 22 die Rede ist[5]. Aus

---

[2] Vgl Wnd 2 K zSt.
[3] Die durch die Gemeinde vorgenommene Wahl wird auch Ign Pol 7, 2; Phld 10,1; Sm 11, 2 u Did 15,1 durch χειροτονέω angezeigt.
[4] Die Bdtg *einsetzen* liegt auch Tt 1, 9 vl (Minuskel 460: μὴ χειροτονεῖν διγάμους) u in der später hinzugefügten subscriptio zum Tt u 2 Tm vor.

Χερουβίν. Lit: Pr-Bauer sv; AJacoby, Zur Erklärung der Kerube, ARW 22 (1924) 257 —265; PDhorme-LHVincent, Les Chérubins, Rev Bibl 35 (1926) 328—358. 481—495; WF Albright, What were the Cherubin? The Bibli-cal Archaeologist 1 (1938) 1—3; Str-B III 168f; JMichl, Artk Engel II, in: RAC V 62f; TKlauser, Artk Engel X, ebd 288.
[1] Zur Etymologie des Namens vgl Köhler-Baumg sv.

[2] Zu den at.lichen Belegen vgl weiter HSchmidt, Kerubenthron u Lade, Festschr HGunkel, FRL 36 (1923) 120—144; Eichr Theol AT II[5] 136—138; LKöhler, Theol des AT [4](1966) 146.
[3] In der LXX wird das hbr Wort durch χερουβ wiedergegeben, im Plur ist die Schreib-weise nicht einheitlich χερουβειμ, χερουβειν, χερουβιμ, χερουβιν. Jos Ant 7, 378 findet sich der Plur τοὺς Χερουβεῖς, Ant 8,72 τὰς Χερου-βεῖς. Das grammatische Genus ist meist Neutr, gelegentlich Mask, so Ex 25,19; 38, 6f LXX (HT: 37, 7ff); Jos Ant 7, 378, Fem ist es Jos Ant 8,72f. Philo gebraucht durchgehend das Neutr τὰ Χερουβίμ Cher 1. 11. 20f. 23. 25. 28f; Fug 100.
[4] Vgl Str-B III 582.
[5] In den bisher veröffentlichten Texten aus Q werden die כְּרוּבִים nur an einer St erwähnt:

dem Namen כְּרוּבִים wollen die Rabb ableiten, daß sie wie Knaben gestaltet seien. RAbbahu (um 300) deutet כְּרוּב, aram כְּרַבְיָא als כְּ *wie* u רוּבָה, aram רַבְיָא *Knabe, Jüngling* bChag 13b. Philo dgg setzt eine andere Erklärung voraus, wenn er zum Namen bemerkt: ἃ πατρίῳ μὲν γλώττῃ προσαγορεύεται Χερουβίμ, ὡς δ' ἂν Ἕλληνες εἴποιεν, ἐπίγνωσις καὶ ἐπιστήμη πολλή Vit Mos II 97. Hinter der allegorischen Auflösung ἐπί-γνωσις καὶ ἐπιστήμη πολλή steht vermutlich die Deutung von כְּרוּבִין aus הַכָּרָה *Erkennen,* רוֹב *Menge* u בִּינָה *Einsicht*[6]. Cher 28 erläutert Philo: ἀρχῆς μὲν οὖν καὶ ἀγαθότητος τῶν δυεῖν δυνάμεων τὰ Χερουβὶμ εἶναι σύμβολα. Bes Interesse gilt den beiden Kerubengestalten, die im ersten Tempel im Allerheiligsten gestanden hatten. Jos beschreibt sie im Anschluß an den at.lichen Bericht u bemerkt: τὰς δὲ Χερουβεῖς οὐδεὶς ὁποῖαί τινές εἰσιν εἰπεῖν οὐδ' εἰκάσαι δύναται Ant 8, 73. Während die Rabb sich durchweg die Keruben als Knaben- oder Jünglingsgestalten vorstellten bChag 13b; bSukka 5b[7], spricht Jos Ant 3, 137 von ζῷα πετεινά u Philo Vit Mos II 97 von zwei geflügelten Wesen πτηνῶν δυοῖν[8].

Der geheimnisvolle Name Χερουβίν wird auch in antiken Zauberpapyri des öfteren genannt, um durch seine Kraft magische Wirkung auszuüben. So findet sich die Formel ἐγώ εἰμι ὁ ἐπὶ τῶν δύο χερουβείν Preis Zaub II 13, 255. 334 (346 nChr), oder es wird der ἐπὶ τὰ Χερο[υ]βὶν καθήμενος angerufen Preis Zaub II 7, 634 (3. Jhdt nChr), vgl auch Preis Zaub I 4, 3061 (3./4. Jhdt nChr): ὃν ὑμνοῦσι τὰ πτερυγώματα τοῦ χερουβίν *die geflügelten Wesen des Cherubin,* sowie II 7, 265: ἐπὶ χερουβὶν καθήμενον.

3. Im Neuen Testament sind nur Hb 9, 5 die Χερουβίν[9] erwähnt. Innerhalb der Schilderung, die vom irdischen Heiligtum gegeben wird, werden die verschiedenen Kultgegenstände aufgeführt, unter denen der Verfasser τὴν κιβωτὸν τῆς διαθήκης im Allerheiligsten besonders hervorhebt (v 4), um dann fortzufahren: ὑπεράνω δὲ αὐτῆς Χερουβὶν δόξης κατασκιάζοντα τὸ ἱλαστήριον (v 5)[10]. Als Träger göttlicher Herrlichkeit stehen die Χερουβίν[11] über dem Sühnedeckel[12] und beschatten ihn mit ihren ausgebreiteten Flügeln[13].

Lohse

---

† χήρα ὀρφανός → V 486, 47ff

הכרובים ... מברכים 4 QSl 40, 24, 3, ed JStrugnell, The Angelic Liturgy at Qumrân — 4 Q Serek Šîrôt 'ôlat Haššabāt, in: Congress Volume Oxford 1959, VT Suppl 7 (1960) 336.
[6] Vgl Str-B III 168.
[7] Weitere Belege bei Str-B III 168.
[8] Rabb Aussagen über die Frage, wie die Keruben zueinander stehen, bei Str-B III 169.
[9] Die Schreibung des Wortes ist in den Hdschr unterschiedlich: Χερουβίν Cod א D, Χερουβείν Cod B. Spätere Hdschr gleichen enger an das hbr Wort an: Χερουβείμ Cod AP, Χερουβίμ Cod KL.
[10] Zur Erklärung vgl OMoe, Das irdische u das himmlische Heiligtum. Zur Auslegung von Hb 9, 4f, ThZ 9 (1953) 23—29.

[11] Da der Verf des Hb Χερουβίν neutrisch gebraucht, wird er sich unter ihnen nicht Knaben- oder Jünglingsgestalten, sondern geflügelte Wesen vorstellen, vgl Mi Hb[12] zSt.
[12] Zur späteren antiochenischen Überlieferung, nach der die Keruben von Jerusalem nach Antiochia gekommen sein sollen, vgl WJDulière, Les Chérubins du troisième Temple à Antioche, Zschr für Religions- u Geistesgeschichte 13 (1961) 201—219.
[13] In der urchr Lit außerhalb des NT kommt das Wort Χερουβίν nicht vor. Die Σεραφιν, auf deren Trishagion Apk 4, 8 angespielt wird, vgl Js 6, 2f, werden im NT nicht genannt. In der späteren chr Lit u Ikonographie stehen Cherubim u Seraphim häufig nebeneinander.

lage der Witwe im Alten Testament; 3. Die Witwenfreundlichkeit des Alten Testaments. III. Die Witwe im antiken Judentum. — C. χ ή ρ α im Neuen Testament: 1. Markus; 2. Lukas; 3. Paulus; 4. Pastoralbriefe: a. Die Witwen im Verband der Familie, b. Jüngere verwitwete Frauen, c. Die „eigentlichen Witwen", d. Der Dienst in der Gemeinde; 5. Jakobusbrief; 6. Die Witwe als Bild. — D. Die Witwe in der alten Kirche: 1. Anknüpfung an 5 die biblischen Aussagen; 2. Organisation der Witwenfürsorge; 3. Haustafeln für die Witwen; 4. Das Institut der Gemeindewitwen.

A. Gemeingriechischer Sprachgebrauch.

χήρα *Witwe*, seit Hom, zB Il 6, 408f; 22, 484, bezeugt[1], wird von der idg Wurzel ghē- *verlassen, leer lassen* (vgl althochdeutsch gān, gehen) abgeleitet. 10 Im Griech gehört ua hierher (mit Ablaut) χῶρος, χώρα *leerer Raum, Gegend, Land*[2]. Der urspr Sinn von χήρα ist also etwa die *herrenlos Gelassene*[3]. Darum kann χήρα nicht nur die *Witwe*, sondern überh die *ohne Mann Lebende* bezeichnen. Hesych sv gibt ausdrücklich beide Bdtg an: ἡ τὸν ἄνδρα στερηθεῖσα γυνή u ἡ μετὰ γάμου μὴ συνοικοῦσα ἀνδρί[4]. Gegenüber dem Fem ist das Mask χῆρος *Witwer* jünger, zB Callim Epigr 15, 4, 15

χήρα Lit: Moult-Mill, Preisigke Wört sv. MBeth, Artk Witwe, in: Handwörterbuch des Deutschen Aberglaubens 9 (1938/41) 668 —680; JBlinzler, Artk Witwe, in: Lex ThK² 10,1204f; AvandenBorn, Artk Witwe, in: Bibel-Lexikon, ed HHaag ²(1968) 1892f; HLeclercq, Artk Veuvage, veuve, in: DACL 15, 2, 3007—3026; JLeipoldt, Die Frau in der antiken Welt u im Urchr (1962) 205—210; JMüller-Bardorff, Artk Witwe, in: Bibl-Historisches Handwörterbuch, ed BReicke u LRost III (1966) 2177f; SSolle, Artk χήρα, in: Theol Begriffslexikon zum NT, ed LCoenen uam I (1967) 358—360; RThurnwald, Artk Witwe, in: RLV 14, 436—440. Vgl auch → A 3. 11. 13. 16. 22. 40. 41. 73. 84. 101. 115. 167. 174.
[1] In der klass Lit nach Hom findet sich χήρα relativ selten. Es steht zwar bei Aesch fr 474 col 2, 30 (ed HJMette, Die Fr der Tragödien des Aesch [1959]); Soph Ai 653; Eur Tro 380; aber es fehlt zB bei Hes, Hdt, Xenoph, Aristoph, Demosth.
[2] Vgl auch χωρέω *Raum geben, fassen*, χωρίς *ohne*. Zu demselben Grundstamm gehören vermutlich χαίνω, χάσκω *gähnen, klaffen*, χάσμα, χάος *Kluft, leerer Raum, Chaos*, so Hofmann 417; Prellwitz Etym Wört 506f. Im mykenischen Griech ist diese Wurzel vermutlich im Part Perf Med ke-ke-me-na (κεχεμένα?) erhalten, das dazu verwendet wird, die Rechtsstellung bestimmter Landstücke zu charakterisieren. Die urspr Bdtg ist etwa *unbebaut* bzw *herrenlos gelassen*, s CJRuijgh, Études sur la grammaire et le vocabulaire du grec mycénien (1967) 365f. [Risch]
[3] Vgl OSchrader, ANehring, Artk Witwe, Reallexikon der idg Altertumskunde II ²(1929) 661, ferner die χηρωσταί Hom Il 5,158 Seitenverwandte, welche herrenlos gewordenes Erbe (χηρο-) an sich nehmen, ähnlich Hes Theog 606f. Nach Bildung u Bdtg eng damit verwandt ist heres, wer einen verwaisten Besitz empfängt, der *Erbe*, s Walde-Hofmann sv. χηρωστής wurde später, analog ὀρφανιστής, im Sinn von *Interessenvertreter für Witwen* verstanden, s Liddell-Scott sv χηρωσταί, auch zur sprachlichen Ableitung des Wortes.
[4] In der Lit ist dieser Gebrauch freilich nicht häufig; aber vgl schon Eur Andr 347f: ἢ σφ᾽ ἄνανδρον ἐν δόμοις χήραν καθέξεις πολιόν; Die Hinzufügung von ἄνανδρον will diese Bdtg unterstreichen. Vielleicht bedeutet χήρα Paus VIII 22, 2 als Bezeichnung der Hera, nach παῖς u τελεία die *Erwachsene*, hier urspr die *alte Frau* [Risch]. Wenn aber Hera diesen Namen in einer Zeit erhält, in der sie sich von Zeus getrennt hatte, schwingt für Paus jener Sinn des ἄνανδρος zum mindesten mit. Nach PsClem Hom 2, 20,1 blieb Justa, die Kanaanäerin Mt 15, 22, von ihrem heidnischen Mann vertrieben, χήρα. Vgl auch Philo Det Pot Ins 147 (→ 436,7ff) sowie 1 Tm 5, 5 (→ 444, 20ff). Genau entsprechend kann χηρεύω (→ 433, 27f) *ohne Mann leben* bedeuten, μίαν ἡμέραν οὐκ ἐχήρευσεν, ... ἵνα μὴ χηρεύσειεν παρ᾽ ἀνδρὸς ὡς ἄνδρ᾽ ἐβάδιζεν Demosth Or 30, 33, vgl Soph Oed Tyr 479. Bei dem lat Äquivalent vidua ist diese Bdtg häufiger belegt, nämlich *a. gattenlos, unverheiratet*, zB Liv I 46,7; Mart 7,73; vgl auch Digesta Iustiniani 50,16, 242, 3 (ed TMommsen-PKrüger, Corpus Iuris Civilis I ¹⁹[1966] 920): „Viduam" non solum eam, quae aliquando nupta fuisset, sed eam quoque mulierem, quae virum non habuisset, appellari ait Labeo, mit einer beigefügten etym Erläuterung: viduam dictam esse sine duitate (*Zweiheit*), wobei die Vorsilbe ve- den Mangel, das Fehlen angibt, vgl Bildungen wie vecors u vesanus *wahnsinnig*; *b.* (in der Ehe) *nicht ehelich lebend*, zB Plaut, Miles Gloriosus 965f. Nach Tertullian, Ad uxorem I 6 (CSEL 70) sind die Priesterinnen der afrikanischen Ceres solche viduae, welche manentibus in vita viris ... toro (*Lager*) decedunt, hier im selben Sinn auch viduitas. Im gleichen Zshg findet sich viduari Tertullian, De monogamia 17, 4 (CSEL 76). Das ganze Feld der Bdtg umfaßt der gleichfalls volksetymologische Versuch bei Macrob Sat I 15,17: vidua, id est a viro divisa.

u viel seltener, im NT nur einmal als Konjektur (→ A 112). Dgg findet sich das Adj χῆρος *entblößt, verlassen, verwitwet* auch schon bei Hom, zB μήτηρ χήρη Il 22, 499, u auch weiterhin, meistens bei Dichtern, zB χῆρος πόσις *verwitweter Mann* Anth Graec 7, 522, 4, χῆρα μέλαθρα *verlassene Gemächer* Eur Alc 862f[5]. Synon mit χήρα wird seit

5 Hom, zB Il 2, 289, bis in die Spätzeit γυνὴ[6] χήρα[7] gebraucht, zB Aesopus, Fabulae 55. 58[8]; Plut Apophth Antigonus 5 (II 182b); vgl weiter POxy VIII 1120,12 (3. Jhdt nChr): γυνὴ χήρα καὶ ἀσθενής, BGU II 522,7 (2. Jhdt nChr): γυνὴ χήρα καὶ ἀβοήθητος (→ 431, 37f), ferner → 433, 22f. Auch die verbalen Ableitungen χηρόω *zur Witwe machen* u χηρεύω *Witwe sein, zur Witwe machen*, beide auch im übertr Sinn, finden sich

10 seit Hom, zB χήρωσας γυναῖκα *du hast zur Witwe gemacht* Il 17, 36; χήρωσε δ' ἀγυιάς *er entvölkerte die Straßen* 5, 642[9], ähnlich Eur Cyc 304: χηρεύσῃ λέχος; *soll dein Ehebett verwitwet, einsam werden?* Eur Alc 1089; vgl weiter Hom Od 9,124; Soph Oed Tyr 479; Demosth Or 30,11; Achill Tat IV 1, 2; → A 4. Das abgeleitete Subst χηρεία die *Witwenschaft* findet sich zuerst bei Thuc II 45, 2: ἐν χηρείᾳ ἔσονται, vgl → 433, 26; 436,13f

15 χήρευσις vorhellenistisch nur im Recht von Gortyn[10], aber mehrfach in der LXX (→ 433, 28ff).

B. Die Witwe außerhalb des Neuen Testaments.

I. Die Witwe in der heidnischen Umwelt der Bibel[11].

1. Seit alters ist es das am meisten gefürchtete und be-
20 klagte Schicksal der Frau[12], daß sie zur Witwe wird[13]. Wenn ihr Mann starb, konnte sie in ihre eigene Familie zurückkehren, sofern gleichzeitig der Kaufpreis an die Erben des Mannes bzw die Mitgift von diesen an die Familie der Frau zurückgezahlt wurde. Sonst mußte sie in der Familie des Mannes bleiben; hier nahm sie noch mehr als dort eine untergeordnete und oft demütigende Stellung ein.
25 Vielfach war ihr die Wiederverheiratung verwehrt (→ 431,1ff). Manche Witwe wird darum den Tod bei der Bestattung des Mannes (→ A 204) einem weiteren Leben vorgezogen haben[14].

---

[5] Der übertr Gebrauch des Adj χῆρος wie auch der Verben χηρόω u χηρεύω (→ Z 9ff; 436,15ff) ist im Gegensatz zu ὀρφανός (→ V 487,11ff; 488, 3f) relativ häufig, vgl auch → A 9.

[6] Auch γυνή allein kann *Witwe* bedeuten, vgl Pap Bruxelles E 7616 (ed MHombert-CPréaux, Recherches sur le recensement dans l'Égypte Romaine, Papyrologica Lugduno-Batava 5 [1952]) col 4,16; 14,18; 15,17.

[7] Analog steht neben dem Subst ὀρφανός auch ὀρφανά τέκνα Hes Op 330, ὀρφανὸς παῖς, zB Philo Spec Leg II 108, beides verbunden bei Jos Ant 4, 240: γυναιξί τε χήραις καὶ παισὶν ὀρφανοῖς. — Vgl auch γυνὰ κερεύουσα (dh γυνὴ χηρεύουσα) im Recht von Gortyn (ed ESchwyzer, Dialectorum Graecarum exempla epigraphica potiora [1923] Nr 179 col 3, 44f, vgl Z 53 [5. Jhdt vChr]).

[8] ed BEPerry, Aesopica I [1952] 342f. 344.

[9] Hier taucht im Hintergrund schon das Bild der „verwitweten Stadt" auf (→ 448, 6); vgl noch Ἄργος δὲ ἀνδρῶν ἐχηρώθη Hdt VI 83,1; πολλῶν ἂν ἀνδρῶν ἤδ' ἐχηρώθη πόλις Solon 24, 25 (Diehl³ I 45); Δύμην ... χηρεύουσαν ἀνδρῶν τότε Plut Pomp 28 (I 633e).

[10] Schwyzer aaO (→ A 7) Nr 179 col 2, 53f.

[11] Vgl FCFensham, Widow, Orphan, and

the Poor in Ancient Near Eastern Legal and Wisdom Literature, Journal of Near Eastern Studies 21 (1962) 129—139; LLeleux, De la condition légale de la veuve, Thèse Caen 1886/87 (1887); TMayer-Maly, Artk vidua (viduus), in: Pauly-W 8a (1958) 2098—2107; Schrader aaO (→ A 3) 661f.

[12] Ähnlich dem Schicksal des Kindes, das zur Waise wird; vgl Andromache zu Hektor: μὴ παῖδ' ὀρφανικὸν θήῃς χήρην τε γυναῖκα Hom Il 6, 432; αὐτοὺς (sc die gefallenen Helden) μὲν ἀπεστέρησαν βίου (*das Leben nehmen*), χήρας δὲ γυναῖκας ἐποίησαν, ὀρφανοὺς δὲ τοὺς αὑτῶν παῖδας ἀπέλιπον Lys Or 2,71; vgl auch den kpt Cod 32, 9, 20—22: „Sie haben sich niedergelegt in die Gräber ... ihre Frauen wurden zu Witwen (χήρα), ihre Söhne wurden zu Waisen (ὀρφανός)" Ägyptische Urkunden aus den königlichen Museen zu Berlin: Kpt Urkunden I (1904) p 53.

[13] Vgl CSpicq, La parabole de la veuve obstinée et du juge inerte, aux décisions impromptues, Rev Bibl 68 (1961) 73: Die Witwe ist le type de l'être faible et sans appui, qui socialement n'existe pas.

[14] Vgl HHirt, Die Indogermanen II (1907) 443f; → Beth 669f; VHehn, Kulturpflanzen u Haustiere ⁸(1911) 540.

Vielerorts war die Wiederheirat der Witwe in der alten Welt verpönt, u der Verzicht darauf wird gerühmt [15] CIG II 2471; CIL III 3572 [16]; Paus II 21, 7. Tertullian, der den bei den Heiden geschätzten Brauch des Verzichtes auf eine Wiederheirat der Witwe als Waffe für seinen Kampf um die monogamia *die einmalige Ehe* einsetzt De monogamia 17, 5 (CSEL 76), deutet den Entschluß, fortan als μόνανδρος, univir(i)a [17] zu leben, [5] als Totenopfer für den verstorbenen Mann Ad uxorem I 6 (CSEL 70); De monogamia 17, 3 (CSEL 76); vgl auch De exhortatione castitatis 13, 3 (CCh 2). Vor allem wird die nur einmal verheiratete Witwe in kultischem Zshg bevorzugt Paus VII 25, 13; Tertullian, De monogamia 17, 4f (CSEL 76); De exhortatione castitatis 13, 1f (CCh 2); Ad uxorem I 6 (CSEL 70). Die Hochschätzung der univira zeigt sich darin, daß im [10] röm Reich eine zum zweiten Mal verheiratete Frau einige Rechte einbüßte u daß eine Frau um so weniger Achtung genoß, je mehr Ehen sie einging Cic Att 13, 29, 1 [18]. In ausgesprochenem Gegensatz dazu steht die Gesetzgebung des Augustus, der im Zuge seiner Bevölkerungspolitik die Witwen zwischen 20 u 50 Jahren unter ein Ehegebot stellte Lex Julia et Papia Poppaea [19]. An Kritikern dieser Gesetze hat es nicht gefehlt, vgl [15] Tertullian Apol 4, 8; De monogamia 16, 6ff (CSEL 76). Das röm Judt bezeugt durch einige Grabinschriften die gleiche Hochschätzung der μόνανδρος wie seine Umwelt, uz als ein Zeichen besonderer Pietät gegenüber dem verstorbenen Mann [20] CIJ I 81. 392. Sonst scheint jedoch im bibl [21] u außerbiblischen Judt eine ein- oder zweimalige Wiederheirat der Witwe, vgl zB Ket 1, 1f [22], allg üblich [23] gewesen zu sein; vor einer drei- oder [20] gar viermaligen wird freilich gewarnt bJeb 64b; bKet 43b. Im übrigen scheint schon in frühen Zeiten sowohl im idg Raum Rig-Veda 10, 40, 2 [24] wie im semitischen Raum (→ 435, 27ff) die Ordnung der Leviratsehe für den Fall bestanden zu haben, daß der Ehemann ohne männliche Nachkommen gestorben war.

Auf jeden Fall gehören in der patriarchalisch bestimmten Gesellschaft die Frau, die [25] den Gatten, u das Kind, das den Vater verloren hat, zu den in mehrfacher Hinsicht sozial u wirtschaftlich, rechtlich u religiös Benachteiligten u oft Bedrückten. Sie gleichen einander darin, daß sie des Ernährers u Beschützers beraubt sind [25]. So werden auch seit den ältesten Zeiten Witwen u Waisen sehr häufig nebeneinander gestellt oder zu einem Paar verbunden (→ 436, 19ff; 437, 11ff A 12). Darum vernimmt man in den [30] antiken Schriften, bes in der orientalischen Gesetzes- u Weisheitsliteratur, immer wieder die Klage über die Schutz- u Hilfsbedürftigkeit der Witwe, die sie mit Waisen, Armen u Fremdlingen teilt, insbesondere über die Ungerechtigkeit, der sie bei den sozial Stärkeren ausgesetzt ist, u die Anklage gg diejenigen, welche die Witwe bedrängen. Die uralte Rechtsbedrängnis [26] der Witwen wird ua darin offenbar, daß sie oft als Schuld- [35] sklaven verkauft werden [27]. Auch im griech Bereich sind ἀβόηθος u ἀσθενής beinahe synon mit χήρα [28]. Zur Existenz der Witwe gehört die Klage über erlittene Gewalt POxy VIII 1120, 12 (3. Jhdt nChr) u die geringe Achtung, in der sie steht [29]. Freilich

---

[15] Vgl JLeipoldt, Jesus u die Frauen (1921) 141 A 426.
[16] Weitere inschriftliche Belege bei WKunkel, Röm Privatrecht ³(1949) 275 A 4; HPreisker, Christentum u Ehe in den ersten drei Jhdt (1927) 62 A 319—321; GDelling, Pls Stellung zu Frau u Ehe, BWANT 56 (1931) 137 A 40. Vgl auch Tac, De origine et situ Germanorum 19, 2.
[17] Vgl JBFrey, La signification des termes Μόνανδρος et Univira, Recherches de Science Religieuse 20 (1930) 48—60.
[18] Vgl WABecker-HGöll, Gallus II (1881 57.
[19] ed CGBruns, Fontes iuris Romani antiqui ⁷(1909) 115f; vgl Mayer-Maly aaO (→ A 11) 2104f; KunkelaaO (→A 16) 274f; MKaser, Röm Privatrecht, Hndbch AR X 3, 3 ⁵(1966) 221f.
[20] Siehe HJLeon, The Jews of Ancient Rome (1960) 129f.
[21] Vgl die baldige Wiederheirat der Abigail 1 S 25, 39—42.
[22] SKrauss, Talmudische Archäologie II (1912) 515; LNDembitz, Artk Widow, in: Jew Enc 12, 515.
[23] Es wurde lediglich festgestellt, daß die Wiederheirat — u ebs die Einl der Leviratsehe Jeb 4, 10 — erst nach Ablauf von drei Monaten nach dem Tode des Mannes erfolgen durfte,

vgl KHRengstorf, Jebamoth, Die Mischna III 1 (1929) 49.
[24] übers KFGeldner, Der Rig-Veda III, Harvard Oriental Series 35 (1951).
[25] Im dichterischen Gebrauch können χήρα bzw vidua u ὀρφανός bzw orbus (→ V 486, 48) geradezu synon gebraucht werden. Catullus, Carmina 66, 21 (ed WKroll ⁵[1968]) meint mit orbum cubile dasselbe wie Ovid, Amores II 10, 17 u Statius, Silvae III 5, 60 (ed AMarastoni [1961]) mit cubile viduum.
[26] Vgl Fensham aaO (→ A 11) 139.
[27] Vgl Thr 1, 1: *Zur Witwe werden* u *dienstbar werden* sind synon Parallelen.
[28] Vgl die Bittschriften BGU II 522, 7 (2. Jhdt nChr) u POxy VIII 1120, 12 (3. Jhdt nChr), aus denen man zugleich den moralischen Anspruch auf Hilfe heraushören kann. Eine Folge ihrer bedrängten Lage ist auch die notorische Sparsamkeit der Witwe Aesopus, Fabulae (→ A 8) 55 u 58, vgl weiter Philo Spec Leg IV 176: ἀσθενὲς δὲ καὶ ταπεινὸν χήρα καὶ ὀρφανὸς καὶ ἐπήλυτος *Proselyt* sowie als Beispiel die Schilderung ihrer Lage als Witwe, welche die Mutter des Chrys gibt, Chrys Sacerdot I 2, 11—22.
[29] Vielleicht ist in der LA χηρεύουσα Test Jud 12, 2 eine semitische Sitte angedeutet,

spendet Perikles Thuc II 45, 2 den Kriegerwitwen ein verhaltenes Lob, u seit dem
Durchbruch der Frauenemanzipation im frühen Hell gab es auch Witwen, namentlich
fürstlichen Standes, die über Besitz u Macht verfügten [30]. Auch die alte röm Bestimmung,
daß Witwen (u Waisen Cic Rep II 20, 36) röm Rittern ihre Auslagen für den Staat durch
5   regelmäßige Beiträge zu vergüten hatten Liv I 43, 9, setzt wohlhabende Witwen voraus.

2. Ebenso alt wie Klage und Anklage wegen der Witwen-
not ist aber auch der Appell: Witwen und Waisen muß geholfen werden, und zwar
wird dieser Appell vor allem an die Herrschenden gerichtet. Davon zeugen die
„Fürstenspiegel" im Orient von der Urzeit bis in die Spätzeit [31]. Von besonderer
10 Bedeutung ist dabei der schon im alten Orient lebendige Glaube, daß bestimmte
Gottheiten sich um die Not der Witwen kümmern und ihre Helfer sind (→ VI
891, 17 f mit A 49), so in Ägypten der Sonnengott Amon-Re oder auch Ptah [32],
bei den Semiten namentlich der Sonnengott Schamasch [33]. Hierzu gesellt sich der
Jahwe-Glaube des Alten Testaments (→ 435, 5 ff).

15   Aus der griech Welt erfahren wir wenig [34] über Rechtsschutz u Fürsorge für Witwen.
Pseud-Demosth Or 43, 75 wird ein athenisches Gesetz angeführt, das bestimmt: „Der

derzufolge sich eine zur Witwe Gewordene
sieben Tage lang öffentlich feilbieten mußte;
vgl eine verwandte bab Sitte bei Hdt I
199, 4 f. Für den röm u wahrscheinlich auch
den hell Raum vgl Terentius, Heauton Ti-
morumenos (ed RKauer-WMLindsay [1926])
953 f: „Er wagte keiner Witwe das zu tun,
was er mir getan!" Auch sonst spiegelt sich
die Schmach der Witwe in den spätantiken
Komödien, zB in der Gestalt der Sostrata
in Terentius, Adelphoe, vgl 932: Kein Mensch
beachtet die Verlassene.
[30] zB Tomyris, Königin der Massageten, die
große Gegnerin des Kyros Hdt I 205 f; 212, 3;
214, 1. 4, Kratesipolis, die Herrscherin von
Sikyon, Diod S 19, 67, 1 f u die Romanfigur der
Melite bei Achill Tat V 11, 5 f.
[31] Vgl die Reformtexte Urukaginas von
Lagasch (um 2375 vChr; s WRöllig, Artk Uru-
kagina, in: Lexikon der Alten Welt, ed CAndresen uam [1965] 3171) bei AScharff-
AMoortgat, Ägypten u Vorderasien im Altertum (1950) 243: „Der Waise u der Witwe tat
der Mächtige kein Unrecht an." Hier handelt
es sich nicht nur um Hofstil, vgl LDürr, Ursprung u Ausbau der isr-jüd Heilandserwar-
tung (1925) 19—21. — In seinem berühmten
Gesetzeskodex col 24, 61 f (AOT 407) rühmt
sich Hammurapi, er habe dafür gesorgt, daß
Waise u Witwe ihr Recht bekämen. Vor allem
um ihretwillen begrenzte er die Periode der
Schuldsklaverei auf drei Jahre, zB col 3, 61 ff
(AOT 392), vgl Fensham aaO (→ A 11) 131.
— Für die ugaritische Lit vgl das Aqhat-
Gedicht 2 Aqht (II D) col 5, 7: „Er (sc Dani-il,
der Vater des Aqhat) richtete das Recht der
Witwen, er fällte das Urteil den Waisen"
übers JAistleitner, Die mythologischen u kul-
tischen Texte aus Ras Schamra, Bibliotheca
Orientalis Hungarica 8 [2](1964) 70, 3, auch bei
GRDriver, Canaanite Myths and Legends
(1956) 52 f; CHGordon, Ugaritic Literature,
Scripta Pontifici Instituti Biblici 98 (1949)
88; AJirku, Kanaanäische Mythen u Epen aus

Ras Schamra-Ugarit (1962) 120, vgl Fens-
ham 134. Versäumnis in der königlichen
Pflicht gegenüber Witwen u Waisen ist hier
ein Gegenstand der Anklage, vgl die Keret-
Legende II K col 6, s 45—50, bei Aistleitner
104; Text u engl Übers bei Driver 47 u
JGray, The KRT Text in the Literature of
Ras Shamra [2](1964) 29. — Für das alte
Ägypten vgl die Lehre des Königs Meri-ka-re
(um 2025 vChr) bei AErman, Die Lit der
Ägypter (1923) 111 f, vgl Fensham 132 f;
Dürr 26. Dementsprechend behauptet der
Gaufürst Ameni unter Sesostris I. (1971—
1925 vChr): „Es gab . . . keine Witwe, die ich
bedrängte . . . ich gab der Witwe ebs wie der,
die einen Gatten hatte", bei AErman-HRanke,
Ägypten u ägyptisches Leben im Altertum
[2](1923) 105, vgl Fensham 132, hier ein weiterer Text aus der ägyptischen Weisheitsliteratur, in dem ein Oberverwalter als *Vater
der Waise u Gatte der Witwe* (vgl → 436, 41)
gepriesen wird. — Die altorientalischen Fürstenspiegel mit ihrer Witwenfreundlichkeit
wirken noch lange nach. So appelliert die
weise Frau von Thekoa in der erfundenen
Gesch von der Witwe an das Verpflichtungs-
gefühl Davids; als König muß er sich der
bedrängten Witwe annehmen 2 S 14, 5—7,
ferner → 450, 32 ff; Prv 29, 14; Philo Spec
Leg IV 176; Decal 42; PRyl II 114, 5 (um
280 nChr; auch bei Moult-Mill sv χήρα), vgl
auch Hier Comm in Jer (CSEL 59) IV 35, 4
zu 22, 1—5 (→ 450, 34 f).
[32] Vgl den Rechenschaftsbericht Ramses III.
(gest 1168 vChr) an Ptah bei GRoeder, Die
Ägyptische Götterwelt (1959) 55; Fensham
aaO (→ A 11) 133.
[33] Vgl FMTdeLiagre-Böhl, De Zonnegod als
de Beschermer der Nooddruftigen, Opera
Minora (1953) 188—206; Fensham aaO (→
A 11) 130.
[34] In den Inschr kommt χήρα äußerst selten
vor. Ditt Syll[3] I 531, 17 (3. Jhdt vChr) geht es
um Fragen des Rechts einer χήρα ἐλευθέρα
καὶ ἐξ ἐλευθέρων.

Archon soll sich kümmern um die Waisen u ... um diejenigen Frauen, die in den Häusern ihrer verstorbenen Männer wohnen bleiben aufgrund der Angabe, sie seien schwanger." Eine Witwe, die beim Tode ihres Mannes ein Kind erwartete, durfte also wie eine solche mit Kindern im Hause des verstorbenen Mannes bleiben; sie hatte dann ein Recht auf Unterhalt aus dem Vermögen des Mannes. War sie ohne Kinder, so mußte 5 sie — nur mit Rückzahlung der Mitgift — in ihr Elternhaus zurückkehren[35]. Wichtig ist, daß die Vorstellung von den Göttern als Schützern der Armen, einschließlich der Witwen, im Westen kaum ausgebildet ist[36]. Nur der Fremdling ist ein Schutzbefohlener der Götter, bes des Zeus; bloß gelegentlich werden daneben auch Arme u Schutzflehende erwähnt (→ V 16, 33ff). Unter diesen Voraussetzungen konnte sich keine Fürsorge 10 für notleidende Witwen entwickeln. Das gilt sogar für die sicher zahlreichen Kriegerwitwen. In Verbindung mit dem Kriegswesen entstand wohl eine Wohlfahrtspflege, in die außer den Kriegsinvaliden zwar die Waisen u Eltern gefallener Krieger, nicht aber deren Witwen einbezogen wurden[37]. Dgg wurde von den Römern die Witwenversorgung gesetzlich geregelt[38]. Doch ist das Recht der Witwe weithin durch andere, erbrecht- 15 liche Gesichtspunkte eingeschränkt. Erst unter Justinian wurde die sog Quart der Witwe festgelegt, dh die vidua inops et indotata soll ein Viertel der Hinterlassenschaft eines wohlhabenden Gatten erhalten[39].

II. Die Witwe im Alten Testament.[40]

1. Der Sprachgebrauch von χήρα in der Septuaginta.

20

In der LXX tritt χήρα fast durchweg für hbr אַלְמָנָה[41] (אִשָּׁה) ein[42]; daneben steht mehrfach die Form γυνὴ χήρα (→ 430, 4ff; A 90), zB 2 Βασ 14, 5; 3 Βασ 17, 9f; 4 Makk 16, 10. Gelegentlich hat χήρα auch in der LXX die weitere Bdtg *die ohne Mann* bzw *von ihrem Mann Getrennte* (→ 429, 12ff), so 2 Βασ 20, 3: χῆραι ζῶσαι *ohne Mann lebend*[43]. Die LXX gebraucht auch einige Ableitungen, die im NT fehlen: χηρεία der *Witwenstand* Js 54, 4 (HT: אַלְמְנוּת); 47, 9 (HT: אַלְמֹן); Mi 1,16; χηρεύω *als Witwe, im Witwenelend leben* Jdt 8, 4; Ἰερ 28 (51), 5 (HT: אַלְמָן *verwitwet*) (→ 436, 14ff); 2 Βασ 13, 20[44], χήρευσις *Witwenschaft*, außer Jdt 8, 6: ἡμέραι τῆς χηρεύσεως αὐτῆς, durchweg in bezug auf die Witwenkleidung (→ 434, 22ff) ἱμάτια τῆς χηρεύ- 30 σεως Gn 38,14. 19 (HT: בִּגְדֵי אַלְמְנוּת); Jdt 8, 5; 10, 3; σάκκος 10, 3 vl; στολή 16,7.

25

2. Die Notlage der Witwe im Alten Testament.

Auch im Alten Testament steht zunächst die Notlage der armen[45] Witwe (→ 431, 25ff) im Vordergrund. Eine Frau, die zur Witwe ge-

[35] Vgl JHLipsius, Das Attische Recht u Rechtsverfahren (1905—1915) 495; HBolkestein, Wohltätigkeit u Armenpflege im vorchr Altertum (1939) 281f.

[36] Vgl Bolkestein aaO (→ A 35) 423—425 uö.

[37] Vgl GBusolt-HSwoboda, Griech Staatskunde II, Hndbch AW IV 1,1 ³(1926) 1045 A 1; 1094 mit A 1; 1220.

[38] Nach Dion Hal Ant Rom 2, 25, 5 bestimmte ein auf Romulus zurückgeführtes Gesetz, daß die Witwe eines ohne Nachkommen u Testament verstorbenen Mannes Alleinerbin des Nachlasses sei; sonst falle dieser ihr u den Kindern zu gleichen Teilen zu, vgl Leleux aaO (→ A 11) 19f.

[39] Vgl Mayer-Maly aaO (→ A 11) 2102—2104.

[40] Vgl IBenzinger, Artk Familie u Ehe bei den Hebräern, in: RE³ 5,745—747; FNötscher, Bibl Altertumskunde, Die hl Schrift des AT. Erg-Bd 3 (1940) 88f.

[41] Zur Ableitung vgl HBauer, Das Originalwort für „Witwe" im Semitischen, ZDMG 67

(1913) 342—344: Er leitet אלמנה von אל u מרא *Herr, Mann* ab, also *die keinen Mann hat*; anders Ges-Buhl sv.

[42] Ob ἄνανδρος 4 Makk 16,14 vl, von ADeißmann, in: Kautzsch Apkr u Pseudepigr zSt, für den urspr Text gehalten, synon mit χήρα ist, wie zB Eur Cyc 306, ist wegen des sonstigen Gebrauchs von ἄνανδρος 4 Makk 5, 31; 6, 21; 8,16 im Sinne von *unmännlich* fraglich. Eur Andr 341 u 347 stehen beide Bdtg nahe beneinander.

[43] χῆραι ζῶσαι ist eine mangelhafte Übers von אַלְמְנוּת חַיּוּת *Witwenschaft bei Lebzeiten des Mannes*; vgl Ges-Buhl sv חַיּוּת.

[44] Vgl auch Test Jud 12,1; χηρεύουσα in v 2 (→ A 29) ist wohl nicht die urspr LA.

[45] Ein Paradigma ist die Witwe 2 Kö 4, 1—7: sie hat *rein nichts im Hause außer einem Krug Öl* u Schulden, die ihr Mann ihr hinterlassen hat u für die der Gläubiger ihre

macht wird, ist zu beklagen, darum die Verurteilung der Fürsten, die solches tun (Ez 22, 25). Witwenschicksal kann allerdings auch göttliche Strafe sein, darum die Drohung: „Wenn du sie (sc Waisen und Witwen) bedrückst, ... werde ich euch mit dem Schwerte töten, so daß eure Frauen Witwen und eure Kinder Waisen 5 werden" (Ex 22, 22f); darum auch das Gebet gegen die Widersacher des Propheten „ihre Frauen sollen der Kinder beraubt, sollen Witwen werden (Jer 18, 21, vgl ψ 108, 9).

Auch im AT stehen die Witwen in fast stereotyper Verbindung mit ähnlich benachteiligten u bedrückten Gruppen, den Waisen (→ V 487, 6ff), zB Js 1, 23; Jer 5, 28; 10 Hi 22, 9; 24, 3, auch Thr 5, 3, den Fremdlingen (→ V 9, 14f), zB Ex 22, 21f; Dt 10, 18; 24, 17, den Armen, zB Js 10, 2; Sach 7, 10; Sap 2, 10, dem Tagelöhner Mal 3, 5. Immer wieder ertönt die Klage über das gg Witwen begangene Unrecht, zB Js 10, 2; Ez 22, 7; Hi 24, 3, vgl 22, 9, u bes Ps 94, 6, u über das den Witwen vorenthaltene Recht Js 1, 23; Jer 5, 28. Oft wird die Warnung vor Unrecht gg die Witwen Ex 22, 22; Dt 24,17; 15 27,19; Jer 22, 3; Sach 7,10 u die Forderung, der Witwe zu ihrem Recht zu verhelfen Js 1, 17, erhoben. Aus diesen u anderen St wird deutlich, daß die Not der Witwe vor allem im Bereich des Rechtes lag: Es war schwer für sie, ihr Recht zu erlangen (→ 438,11ff), u oft wurde sie um ihr Recht gebracht (→ 437,13ff). Dem vielfältigen rechtlichen u sozialen Notstand der Witwen entspricht ihre geringe Achtung (→ 431, 39) 20 unter den Menschen, vgl den Ausdruck *Schmach der Witwenschaft* Js 54, 4. Sie spiegelt sich auch in dem stolzen Wort *ich werde nicht sitzen als Witwe, nicht kinderlos werden* Js 47, 8, wie in der entsprechenden Androhung der Witwenschaft u der gleichfalls verachteten Kinderlosigkeit v 9[46]. Ein Ausdruck dieser Geringschätzung der Witwe ist vielleicht auch die bes Kleidung (→ 433, 29f; A 81), die sie tragen muß Gn 38,14. 19; 25 Jdt 8, 5; 10, 3; 16, 7 u zu der auch der σάκκος gehört, vgl noch Jdt 9, 1 (→ VII 59, 1f mit A 25)[47], nicht aber der Schleier, vgl Gn 38, 14. 19, der außerhalb des Hauses das ehrende u schützende Kennzeichen der noch nicht verheirateten wie der verheirateten Frau ist; doch ist anderswo der Schleier gerade ein Bestandteil der Witwenkleidung[48]. Vor allem aber ist schon im sog Heiligkeitsgesetz eine geringere Schätzung der Witwe 30 erkennbar: Sie — u sogar ihre Verlobte, deren Bräutigam gestorben ist — ist der Ehe mit dem Hohenpriester nicht würdig Lv 21,14, genausowenig wie eine Geschiedene u eine Dirne![49] Nach dem kultischen Zukunftsprogramm Ez 44, 22 darf sogar keiner der einfachen Priester eine Witwe heiraten, außer der Witwe eines Priesters.

3. Die Witwenfreundlichkeit des Alten Testaments.

35 Dieser geringen Einschätzung der Witwe setzen die Erzähler des Alten Testaments die Bilder großer, nach ihrem Verständnis aus verschiedenen Gründen bewunderungswürdiger Witwen entgegen: Tamar (Gn 38; → A 131 aE), die Witwe von Zarpath (1 Kö 17) und Judit (vgl besonders Jdt 8, 4—8;

---

beiden Söhne in Anspruch nimmt. Natürlich gab es aber auch in at.licher Zeit wohlhabende Witwen (→ 432,1ff), die nach dem Tode ihrer Männer den ganzen Besitz behielten, zB Abigail 1 S 25, 39—42, vgl v 18, u Judit, vgl Jdt 8,1—7.

[46] „Kinderlosigkeit ist Schande; das schlimmste Los der Frau ist, als kinderlose Witwe ins Vaterhaus zurückgeschickt zu werden", HGunkel, Genesis, Handkomm AT 1,1 [3](1910) zu 38,11; doch sind die antiken Urteile über diese Möglichkeit nicht einheitlich (→ 430,19ff). Vgl noch Jer 18, 21, ferner Js 49, 21 LXX: ἐγὼ ἄτεκνος καὶ χήρα.

[47] Primär ist das Witwenkleid natürlich das Trauergewand, das aber nicht wie heute eine Zeitlang, sondern das ganze Leben lang getragen werden mußte, entsprechend dem antiken Grundsatz (→ A 204): Die Ehe wird auch durch den Tod nicht aufgelöst, vgl 2 S 14, 2. 5 sowie Gunkel aaO (→ A 46) zu Gn 38,14. Zur Witwentracht außerhalb der Bibel vgl → Beth 678f.

[48] Vgl OBöcher, Dämonenfurcht u Dämonenabwehr, BWANT 90 (1970) 301f; BRehfeldt, Artk Schleier, in: RGG[3] V 1422.

[49] Maßgebend ist allerdings das Prinzip der „Heiligkeit", demzufolge der Hohepriester nur eine Unberührte heiraten darf. Vgl Jos Ant 3, 277, wo aber das Wort χήρα vermieden u dafür präziser τεθνηκότος ἀνδρός gesagt wird, sowie Jeb 6, 4, wo schon eine Ausn für den Fall gestattet wird, daß sich ein Priester vor seiner Ernennung zum Hohenpriester mit einer Witwe verlobt hatte. Auch sonst kamen gelegentlich Ehen v Hohenpriestern mit Witwen vor, vgl JJeremias, Jerusalem zZt Jesu [3](1962) 174—177.

16,1—25). Darüber hinaus ist das ganze Alte Testament [50] (aber → Z 15 ff) ähnlich witwenfreundlich wie etwa die altorientalischen Fürstenspiegel (→ 432, 8 ff) [51], nur mit dem wesentlichen Unterschied, daß sich die Mahnungen zur liebevollen Rücksicht auf die Witwen im Alten Testament an alle Frommen richten.

Die Begründung aber ist hier wie dort die gleiche [52]: Gott ist ein Hort u Helfer der 5 Witwen Ps 146, 9, der Richter, der den Witwen Recht schafft Dt 10, 18; Ps 68, 6. Er stellt das Unrecht gg sie unter das ius talionis Ex 22, 21—23, vgl Ps 109, 9, u unter den Fluch Dt 27, 19 wie umgekehrt die Fürsorge für die Witwen unter seine Segensverheißung Jer 7, 6. Er ist selbst Zeuge zugunsten der Witwen 3 Βασ 17, 20 [53] wie Zeuge gg ihre Unterdrücker Mal 3, 5. Auch hier fällt wieder die juristische Termi- 10 nologie auf, die teils in der Rechtsnot der Witwen (→ 431, 25 ff; 434, 15 ff) begründet ist, teils in der Bildvorstellung des göttlichen Gerichts [54]. Angesichts solcher Aussagen muß es als Höhepunkt geweissagten Unheils erscheinen, wenn sich Gott selbst der Waisen u Witwen im eigenen Volke nicht erbarmt Js 9, 16.

Wie die Belege zeigen, sind die Hauptvertreter dieser Motive die Propheten u das 15 Dt, aber in ihrem Gefolge auch die Weisheitsliteratur; vgl hier ua das Bekenntnis Prv 15, 25: *Gott garantiert die Grenze der Witwe* mit em Gebot Prv 23, 10: *Verrücke nicht die Grenze der Witwe* [55], wie auch in der außerbiblischen Lit Gesetz u Weisheit in dieser Materie einander entsprechen [56]. Die Witwenfreundlichkeit des at.lichen Gesetzes wird durch eine Reihe von Einzelbestimmungen bes im Dt dokumentiert. Das Gelübde 20 einer Witwe gilt ohne Einschränkung Nu 30, 10, anders als bei einer Jungfrau u einer Ehefrau. Die Witwe erhält zus mit dem Leviten, dem Fremdling u der Waise Anteil am Zehnten Dt 14, 29; 26, 12 f [57]. Die Nachlese auf dem Feld, am Ölbaum u im Weinberg soll dem Fremdling, der Waise u der Witwe gehören 24, 19—21 [58]; vgl auch Rt 2, 2 f. Die Witwe soll mit Sklaven, Leviten, Fremdling u Waise an der Erntefreude, 25 dh auch an den Festmahlzeiten des Wochen- u des Laubhüttenfestes, beteiligt werden Dt 16, 11. 14; 14, 29; 26, 12. Das Witwenkleid ist unpfändbar 24, 17 [59]. Ein gewisser Schutz der kinderlosen Witwe wird auch durch die Schwagerehe [60] gewährleistet, wenn

[50] Vgl Dib Herm zu m VIII 10.

[51] In den Fürstenspiegeln des AT, bes Ps 101; 2 S 23, 3 f, kommt die Witwe nicht vor. Die Selbstrechtfertigung Hiobs 31, 16; 29, 12 f gegenüber den ungerechtfertigten Anklagen seines Freundes Eliphas 22, 9 erinnert in etwa daran; vgl auch → A 31 ggE.

[52] Daß dem AT die entsprechenden Ansprüche der Heiden für ihre Gottheiten bekannt waren, verrät Ps 82, 3 f; vgl Fensham aaO (→ A 11) 134 f. Sie werden jedoch ausdrücklich bestritten: χήραν οὐ μὴ ἐλεήσωσιν οὔτε ὀρφανὸν εὖ ποιήσουσιν (sc die Götzen) ep Jer 37.

[53] μάρτυς τῆς χήρας ist wohl im Sinn von *Zeuge ihrer Unschuld* — im Blick auf das Wort von ihrer Schuld 3 Βασ 17, 18 — gemeint, wie 1 S 12, 5 f; Hi 16, 19; 1 Makk 2, 37 (→ IV 486, 18 ff). Möglich ist auch die Deutung: Elia ruft Gott als *Bürge* für das Recht der Witwe auf bes Schutz an (→ A 100) wie anderswo für die Wahrung des Vertragsrechts, vgl Gn 31, 44; 1 Βασ 20, 23. 42, auch ψ 88, 38; Hb 7, 22 (→ II 329, 14 ff). [Bertram]

[54] Vgl noch Jer 49, 11 (der Sinn ist kontrovers); Prv 15, 25 (→ 436, 26); Σιρ 35, 14 (32, 17 HT, ed RSmend [1906]).

[55] Statt עוֹלָם ist Prv 23, 10 wohl אַלְמָנָה zu lesen, vgl BHK; CSteuernagel bei Kautzsch zSt. Auffällig ist eine Parallele hierzu aus dem ägyptischen Weisheitsbuch des Amenemope 6 (AOT 40): „Greife nicht die Grenzen (des Ackers) einer Witwe an." Vgl auch HRinggren, Sprüche, AT Deutsch 16, 1 (1962) zu Prv 23, 10 f.

[56] Vgl Fensham aaO (→ A 11) 129—139.

[57] Ähnlich Jos Ant 4, 240. Nach dieser Bestimmung handelt Tob: ἐδίδουν αὐτὰ τοῖς ὀρφανοῖς καὶ ταῖς χήραις καὶ προσηλύτοις Tob 1, 8 Cod S.

[58] Lv 23, 22 werden nur der Arme u der Fremdling genannt.

[59] Vgl dgg Dt 24, 12 f: Der Mantel eines Armen darf als Pfand genommen, muß allerdings vor der Nacht zurückgegeben werden, sowie Hiobs Anklage: „Den Esel der Waisen treiben sie (die Frevler) hinweg, sie nehmen das Rind der Witwe als Pfand" Hi 24, 3.

[60] War die Schwagerehe nicht möglich, so mußte die kinderlose Witwe in ihr Vaterhaus zurückkehren (vgl → 433, 4 f; 436, 35 ff; A 46) Lv 22, 13. Zur Schwagerehe im AT vgl FHorst, Artk Leviratsehe, in: RGG³ IV 338 f (Lit); ELövestam, Artk Schwagerehe, in: Biblisch-Historisches Handwörterbuch III, ed BReicke u LRost (1966) 1746 f (Lit); CHPeisker, Artk Schwagerehe, in: Evangelisches Kirchenlexikon III, ed HBrunotte uam (1959) 874; Benzinger aaO (→ A 40) 745—747; RZehnpfund, Artk Trauergebräuche bei den Hebräern, in: RE³ 20, 87; ISchefelowitz, Die Leviratsehe, ARW 18 (1915) 250—256; OEißfeldt, Einl in das AT ³(1964) 653 A 1 (Lit); Jeremias aaO (→ A 49) 408 mit A 114. Zur Leviratsehe außerhalb der Bibel vgl → Beth 675 f; Schefelowitz 250—254; → Thurnwald 437—440; ders, Artk Levirat, in: RLV 7, 286 —289; Fensham aaO (→ A 11) 136 f.

auch in der Bestimmung 25, 5—10 dies nicht ausdrücklich hervorgehoben wird u der
eigtl Zweck der Schwagerehe die Gewinnung männlicher Nachkommen für den ohne
solche Verstorbenen u damit die Erhaltung des Namens u des Sippeneigentums war.

III. Die Witwe im antiken Judentum[61].

5
Bei Jos u Philo steht neben χήρα gelegentlich auch γυνὴ χήρα
(→ 433, 22f), so Jos Ant 4, 240; 8, 320, vgl Philo Deus Imm 136. Vereinzelt bedeutet
χήρα auch die *von ihrem Gatten getrennt lebende Frau* (→ 429, 12ff). Nur so kann man
die auffallende Wendung χήρα θεοῦ Philo Det Pot Ins 147 verstehen; denn damit ist
nach der Allegorese Philos eine Menschenseele gemeint, die den Logos nicht als Gatten
10
hat. Sonst aber zieht Philo für die Bdtg *alleinstehende Frau* das Part χηρεύουσα vor,
zB Spec Leg II 30f[62], oder das adj χήρα, so Deus Imm 138: πᾶσα διάνοια χήρα καὶ ἐρήμη
κακῶν[63]. Auch sonst findet sich das Adj χῆρος, zB Mut Nom 149: τὰ... ἐρῆμα καὶ φρονήσεως, sowie die Ableitungen χηρεία, zB διὰ χηρείαν ἐπιστήμης Ebr 5, vgl Vit Mos II
240 (→ 430, 13f), u χηρεύω sowohl in der Bdtg *verwitwet sein* Deus Imm 137 als auch
15
ohne Mann leben Spec Leg III 27, meist aber im übertr Sinn (→ Z 46ff; 430, 9ff), so
Det Pot Ins 149: χηρεύσει... ἐπιστήμης *sie wird von der Erkenntnis getrennt leben*; vgl
dazu Pseud-Plat Alc II 147a (→ V 487, 12f), auch Orig Princ IV 2, 4 (p 313, 16f).

In der Sache nimmt das Judt die at.lichen Motive auf: Es verbindet oft die Witwe
u die Waisen, dazu zB die kinderlosen Greise, so Philo Decal 42. Die Witwen sind vor-
20
nehmlich Opfer der Gottlosen, die Sap 2, 10: μὴ φεισώμεθα χήρας sprechen, vgl Philo
Vit Mos II 240: παρ' οἷς χηρεία... γυναικῶν γέλως[64]. Gott aber ist der Hort der Witwen;
bei ihm *werden sie nicht zu den Verachteten u Unangesehenen gerechnet* 241. Insbesondere ist Gott der Erhörer ihrer Gebete οὐ μὴ ὑπερίδῃ ἱκετείαν ὀρφανοῦ καὶ χήραν, ἐὰν ἐκχέῃ
λαλιάν *wenn sie den Redestrom* (ihrer Klage vor ihm) *fließen läßt* Σιρ 35, 14 (17) u der
25
Schützer gg Ungerechtigkeit, vgl schon Prv 15, 25: ἐστήρισεν... ὅριον χήρας (→ 435, 16ff).
Gott nimmt sich der Waisen u Witwen an, weil sie ihre Versorger — jene die Eltern,
diese die Männer — verloren haben u den so Vereinsamten keine Hilfe von Menschen
mehr bleibt Philo Spec Leg I 310. Darum verschmäht er es nicht, ein unparteiischer
Richter für προσήλυτοι ἢ χῆραι zu werden, würdigt sie vielmehr in ihrer Niedrigkeit
30
seiner Fürsorge, indem er Könige, Tyrannen u andere Inhaber von Machtpositionen
hintansetzt 308; ähnlich auch IV 177f: Gott spricht Recht für die Witwe, weil ihr der
Gatte genommen ist, der sie anstelle der Eltern in Pflege u Schutz nahm.

Dem entspricht die Auslegung der Thora[65] sowie ihre Ergänzung durch weitere
witwenfreundliche Bestimmungen u Praktiken. Die Witwe darf für die Dauer ihrer
35
Witwenschaft im Hause ihres Mannes u von seinem Vermögen leben Ket 4, 12[66]; sie
braucht nicht unter die väterliche potestas zurückzukehren, vgl Ket 4, 2. Sie hat das
Recht, ihr Geld[67] im Tempel zu verwahren 2 Makk 3, 10; 4 Makk 4, 7; Jos Bell 6, 282[68].
Wie am Zehnten u an der Ernte des Sabbatjahres erhalten Witwen u Waisen auch Anteil an der Kriegsbeute 2 Makk 8, 28. Die Paränese setzt die Mahnungen der Pro-
40
pheten u des Dt fort, so Sir 4, 10: γίνου ὀρφανοῖς[69] ὡς πατὴρ καὶ ἀντὶ ἀνδρὸς τῇ μητρὶ
αὐτῶν u slav Hen 42, 9 in einer von neun Seligpreisungen: „Selig, welcher richtet ein
gerechtes Gericht der Waise u der Witwe u einem jeden Gekränkten hilft"[70].

Philo vertritt auf der einen Seite die at.lich-jüd Stellung zu den Witwen (→ 435, 1ff),
auf der anderen Seite bezieht er auch die Witwe in seine allegorische Deutung ein, so
45
Som II 273: Die Witwen u Waisen von Dt 26, 13 sind οἱ... ἀπωρφανισμένοι καὶ κεχη-

---

[61] Dembitz aaO (→ A 22) 514f; Krauss
aaO (→ A 22) 53f.
[62] Vgl IHeinemann, in: Die Werke Philos
von Alexandria, hsgg LCohn uam II (1910)
186 A 3.
[63] HLeisegang, in: Die Werke Philos aaO
(→ A 62) III (1919) 323 A 1.
[64] Vgl Apk Elias hbr p 17, 1 (3, 2 bei Rießler): „Sie ... erschlagen auf der Straße Witwen u Waisen" u dazu Ps 94, 6.
[65] Philo Spec Leg II 108 wendet die Bestimmung des Sabbatjahres speziell auf Witwen u Waisen an.
[66] Vgl Jeremias aaO (→ A 49) 150.

[67] Auch die Rabb haben die Erinnerung an
einige reiche Witwe (→ A 45) bewahrt, zB
an die Schwiegertochter des Nikodemon b
Gorion bKet 65a; AbRNat A 6 (Schechter
p 31, 24—27).
[68] Von einem ähnlichen Recht der röm
Witwen berichtet Liv 24, 18, 13f.
[69] ὀρφανός bedeutet hier *Halbwaise*, wie auch
sonst oft, wo ὀρφανός neben χήρα steht.
[70] Dieselbe Seligpreisung schließt auch den
ein, der Nackte bekleidet u Hungrigen das
Brot bricht. Die Rechtshilfe für Witwe u Waise
gehört also hier zu den Werken der Barmherzigkeit; zu diesen vgl Str-B IV 559—610.

ρευκότες γενέσεως (*geschaffene Welt*), θεὸν δὲ τὸν τῆς ψυχῆς θεραπευτρίδος ἄνδρα[71] καὶ πατέρα γνήσιον ἐπιγεγραμμένοι. Ähnlich ist die Deutung der Witwe Deus Imm 136: Sie ist eine χήρα... τῷ χηρεύειν τῶν... παθῶν. Ein Gegenstück dazu ist die χήρα θεοῦ Det Pot Ins 147, die *von Gott getrennt lebende* Seele, die χηρεύσει ἐπιστήμης (→ 436,16f), so daß sie, auf sich selbst geworfen, dem Laster ergeben Schuld auf sich lädt[72].   5

C. χήρα im Neuen Testament[73].

Nur in zwei Quellen der synpt Überlieferung von Jesus spielen Witwen eine Rolle, nicht in Q u nicht im Sondergut des Mt, wohl aber bei Mk u im Sondergut des Lk.

1. Markus[74].   10

Jesus nimmt Mk 12, 40 Par die prophetische Klage über das den Witwen und Waisen[75] zugefügte Unrecht auf (→ 434,7ff) und kehrt sie in scharfer Form gegen gewisse Schriftgelehrte[76]. Sie befolgen scheinbar die prophetische Forderung (→ 434,14ff), den Witwen zum Recht zu verhelfen, lassen sich aber ihre Anwaltstätigkeit so hoch bezahlen, daß die Witwen ihr Eigentum 15 (→ V 134,19ff) an ihre Rechtshelfer verlieren. Vielleicht[77] ist auch das μακρὰ προσεύχεσθαι als teuer bezahlte Fürbitte für die Sache der Witwe zu verstehen[78]. Auf jeden Fall ist dieses Logion ein Musterbeispiel dafür, wie Jesus als der wahre Anwalt der Unterdrückten und Ausgebeuteten auftrat[79]. Durch das Stichwort χήρα mit Mk 12, 40 verbunden, sachlich als Gegenstück zu verstehen, ist Mk 12, 41 20

---

[71] Philo wendet das Bild der Gottesehe, welches das AT nur im kollektiven Sinne kennt, bereits im individuellen Sinne an; vgl zu 1 Tm 5,12 (→ A 137).

[72] Vgl Leisegang aaO (→ A 63) 323 A 1.

[73] BReicke, Glauben u Leben der Urgemeinde, Abh Th ANT 32 (1957) 117f; HW Surkau, Artk Armenpflege IV, in: RGG³ I 620; GUhlhorn, Die chr Liebestätigkeit ²(1895) 49. 54f, ferner → A 84. 88. 101. 115. 167.

[74] Unter den Deutungsversuchen der auffälligen Bezeichnung Jesu als ὁ υἱὸς τῆς Μαρίας Mk 6, 3 findet sich auch der, Jesus sei damit als Sohn einer Witwe gekennzeichnet, so schon ERenan, Les évangiles et la seconde génération chrétienne (1877) 542, im Anschluß daran JBlinzler, Die Brüder u Schwestern Jesu, Stuttgarter Bibelstudien 21 (1967) 72: „Mk wird den Ausdruck *Sohn der Maria* deswegen gewählt oder als angemessen übernommen haben, weil seiner Meinung nach Maria zZt von 6, 3 Witwe u Jesus ihr einziger Sohn war." Vgl ESchweizer, Das Ev nach Mk, NT Deutsch 1 ²(1968) zSt: „Zum mindesten muß man also annehmen, daß der Vater schon längere Zeit tot ist", s auch EHaenchen, Der Weg Jesu ²(1968) zSt; EStauffer, Jeschu b Mirjam, Festschr MBlack (1969) 121.

[75] Mk 12, 40 (nicht Lk 20, 47) fügen gewichtige Textzeugen (DW φ it) καὶ ὀρφανῶν hinzu (→ V 487 A 3). Die geläufige Verbindung von Witwen u Waisen findet sich im NT sonst nur Jk 1, 27 (→ 447, 6ff).

[76] Auch Mt 23 bieten zahlreiche Textzeugen das Logion, als Weheruf in die zweite Pers umgeformt, teils vor, teils nach v 13. IAbrahams, Widows' Houses, Studies in Pharisaism and the Gospels I (1917) 79 macht wohl mit Recht geltend, daß die Anklage nicht allen Schriftgelehrten gelten konnte, uz mit dem Hinweis auf ähnliche rabb Worte, zB Ex r 30, 8 zu 31, 2 (Wünsche 220): „Die Witwe u die Waisen berauben bedeutet Gott berauben". Vgl die positive Formulierung des sachlich gleichen Gedankens Mt 25, 40; Jk 1, 27. Abrahams 80 möchte Jesu Anklage vielmehr so verstehen, daß wohlhabende Witwen durch allzu viele milde Gaben, die ihnen seitens der Pharisäer oder der Priester nahegelegt wurden, an den Bettelstab gebracht wurden.

[77] Diese Deutung wäre dann möglich, wenn καί mit der westlichen Überlieferung in Mk 12, 40 u Lk 20, 47 zu streichen ist. Falls es urspr ist, wird der unerträgliche Gegensatz zwischen einer unmenschlichen Scheinmoral u einer zur Schau getragenen Scheinfrömmigkeit gegeißelt.

[78] Vgl Grundm Mk zSt, der auf Ass Mos 7, 6 als Parallele hinweist.

[79] Jesus ist aber darum noch kein Sozialrevolutionär, vgl MHengel, War Jesus Revolutionär? (1970).

—44 Par[80]. Die Witwe[81], die Jesus den habgierigen Schriftgelehrten und zugleich den opferfreudigen Reichen gegenüberstellt, gibt ὅλον τὸν βίον αὐτῆς *ihren ganzen Lebensunterhalt* (→ VIII 596, 32ff)[82]. Eine solche totale Gabe setzt ein totales Vertrauen auf Gott und seine Fürsorge, speziell für die Witwen, voraus[83].

5 ## 2. Lukas.

Zu den beiden Stücken aus der Markus-Überlieferung (Lk 20, 47; 21, 1—4) fügt Lukas aus seiner Sonderüberlieferung drei weitere Stücke zum Thema Jesus und die Witwen hinzu. Das Verhalten der Witwe in der Parabel Lk 18, 2—5 (→ IV 383, 13ff)[84] ist ein gleichnishaftes Vorbild für das Gebet, das 10 sich durch nichts abhalten und einschüchtern läßt und darauf vertraut, daß es gewiß erhört wird. Es wird sich wohl um eine Geldangelegenheit handeln, bei der die Witwe ihr Recht ohne eine richterliche Verfügung gegen einen vermutlich mächtigen Prozeßgegner nicht durchsetzen kann[85]. Mit Rücksicht auf diesen hatte der Richter den Prozeß anscheinend auf die lange Bank geschoben[86] und lange 15 nicht gewagt[87], ihn zugunsten der Witwe zu entscheiden. Sie aber läßt nicht locker, vgl διά γε τὸ παρέχειν μοι κόπον (v 5, vgl 11, 7), flößt dem Richter sogar geradezu Furcht ein ἵνα μὴ εἰς τέλος ἐρχομένη ὑπωπιάζῃ με[88] und erreicht schließlich ihr Ziel[89].

---

[80] Nach ADrews, Das Markusevangelium (1928) 284 soll die Gesch eine vom Evangelisten Mk gebildete Veranschaulichung von 2 K 8, 2. 12. 14 sein. Bei Mk ist die Gesch wohl seiner Kompositionstechnik zum Opfer gefallen.

[81] Die Gesch setzt wie Lk 7, 12 voraus, daß die Frau an ihrer Kleidung als Witwe erkennbar war (→ 434, 22ff).

[82] Vgl Julian v Ägypten Anth Graec 6, 25, 6: Die schlichte Gabe, das Fischernetz, das der greise Fischer Kinyres den Nymphen weiht, ὅλος ἔσκε βίος. Zu Jesu Feststellung (v 43f), daß die Gabe der Witwe vergleichsweise weit größer ist als die Gabe der Reichen, vgl zB Sen Ben I 8, 1f; weitere St bei Wettstein zu Mk 12, 43; Bultmann Trad 32f; Kl Mk zSt; Abrahams aaO (→ A 76) 81.

[83] Gerade dieses entscheidende Moment fehlt aber in der immer wieder angeführten buddhistischen Parallele (Text bei JBAufhauser, Buddha u Jesus in ihren Paralleltexten, KlT 157 [1926] 13—16), die allerdings in einem Zug überraschend ähnlich ist, der Gabe von zwei Kupfermünzen als einziger Habe eines armen Weibes. Dagegen ist der Zug, daß dieses Weib eine Witwe war, den beiden Überlieferungen nicht gemeinsam; in der buddhistischen Geschichte ist es ein armes, lediges Mädchen, vgl GAvandenBerghvanEysinga, Indische Einflüsse auf evangelische Erzählungen, FRL 4 ²(1909) 50—52; GFaber, Buddhistische u nt.liche Erzählungen (Diss Bonn [1913]) 55—57; RGarbe, Indien u das Christentum (1914) 33f; AEspey, Deutscher Glaube. Die wichtigsten buddhistischen Parallelen zu nt.lichen Erzählungen u ihre ethi-

sche Würdigung (1915) 40—43; HHaas, „Das Scherflein der Witwe" u seine Entsprechung im Tripitaka (1922) 12f; HWSchomerus, Ist die Bibel von Indien abhängig? (1932) 120f; Clemen 251—253.

[84] Vgl Jülicher Gl J II 276—290; Jeremias Gl[7] 153—157; ELinnemann, Gleichnisse Jesu ³(1964) 125—130. 178—181; Spicq aaO (→ A 13) 68—90; GDelling, Das Gleichnis vom gottlosen Richter, ZNW 53 (1962) 1—25.

[85] Vgl die Pap, in denen Witwen als Bittsteller auftreten (→ A 28).

[86] Er handelt damit gg die geltende jüd Prozeßpraxis, nach der die Klagen v Waisen u Witwen vor andern zu behandeln waren, vgl Dembitz aaO (→ A 22) 514.

[87] Vgl Jeremias Gl[7] 134. 123 A 2; Spicq aaO (→ A 13) 74 A 2.

[88] Zwei Übers (→ VIII 589, 8ff) sind möglich: *a.* „damit sie nicht schließlich daherkommt u mir mit der Faust ins Gesicht schlägt" oder freier, aber idiomatischer „die Augen auskratzt"; → II 424, 35f mit A 25; WMichaelis, Die Gleichnisse Jesu ³(1956) 234; Spicq aaO (→ A 13) 75f mit A 6; Delling aaO (→ A 84) 12f mit A 45—47, *b.* „damit sie nicht immerfort gelaufen kommt u mich so völlig kaputt macht"; vgl Bl-Debr § 207, 3; WGrundmann, Das Ev nach Lk, Theol Handkommentar zum NT 3 (1961) zSt; Jeremias Gl[7] 153. Sprachlich wahrscheinlicher ist die erste Deutung; vgl Delling 12 mit A 48.

[89] Die angefügte Deutung v 7f gibt der Bitte u ihrer Erfüllung eschatologischen Sinn (→ 447, 17ff u bes Spicq aaO [→ A 13] 88 —90), der dem Parallelgleichnis Lk 11, 5—8 fehlt.

An dem Beispiel der Witwe[90] von Zarpath (Lk 4, 25f), einer der erwählten Witwen[91] (→ 434, 34ff; 448, 33ff) der Bibel, wird gezeigt, wie Gott[92] seine Boten von ihren menschlichen Bindungen, speziell von denen an das eigene Volk, löst und ihnen bei Heiden Zugang verschafft. Bei der Witwe von Nain, deren Sohn Jesus vom Tode erweckt (Lk 7, 11—17)[93], liegt im Unterschied von Lk 4, 26 (→ A 90) der 5 Nachdruck auf χήρα, der mit dem Tod ihres μονογενὴς υἱός (7, 12) zum zweiten Male ihres Ernährers und Beschützers beraubten Frau. Jesu Erbarmen mit der weinenden[94] Witwe[95] ist vielleicht als ein messianischer Zug zu verstehen.

Das Interesse des Lukas für die Witwen gehört in das größere Kapitel seiner Vorliebe für die Bedrängten und Geringgeachteten, insbesondere für die Armen 10 und die Frauen. Gleich am Anfang seines Evangeliums stellt er neben die erwählte, demütige Jungfrau (1, 26—38) und gläubige Mutter (2, 19) sowie neben den Propheten Simeon (2, 25ff) die vorbildliche und zugleich charismatische Witwe, die Prophetin (→ VI 837, 29ff) Hanna (2, 36—38). In der Angabe, daß Hanna nach kurzer Ehe[96] wohl über 60 Jahre Witwe blieb, werden gewisse asketische Motive 15 sichtbar, insbesondere die Hochschätzung der univira (vgl 1 Tm 5, 9; → 431, 1ff). Mit ihrem Verzicht auf die zweite Ehe und dem diesem Verzicht entsprechenden Fasten (v 37)[97] werden zweifellos die übrigen Vorzüge Hannas in innerem Zusammenhang[98] gesehen: ihr Prophetentum, das sie dem Kinde Jesus gegenüber bewährt (v 38), ihr Zeugentum, ein Vorbild für das vollgültige Zeugnis der Frau in 20 der christlichen Gemeinde[99], ihre Unermüdlichkeit im Gebet[100] (vgl Lk 18, 3ff;

---

[90] γυνὴ χήρα findet sich im NT nur hier (→ 430, 4ff). Wellh Lk zSt vermutet, daß der urspr aram Text nicht ארמלא *Witwe*, sondern ארמיא *Syrerin* lautete, weshalb Σύρα statt χήρα zu lesen wäre, also ähnlich wie Mk 7, 26 Bℵ: Σύρα Φοινίκισσα. An dieser St liest umgekehrt sy⁵ χήρα (statt Ἑλληνίς) Τυροφοινίκισσα. Wellhausens Vermutung hat sachlich eine gewisse Wahrscheinlichkeit, weil im Zshg der Nachdruck nicht darauf liegt, daß die Frau Witwe, sondern daß sie Ausländerin wie Naeman ὁ Σύρος v 27 war.

[91] Auch in der rabb Lit werden dieser Witwe bes Ehrungen zuerkannt. Nach Midr Ps 26, 7 zu 26, 9 (bei Str-B IV 1134) war ihr Sohn der Prophet Jona, dessen späteres Schicksal gleichfalls als Totenerweckung gedeutet wurde, vgl Mt 12, 40. Nach Seder Elijjahu Rabba 18 (Friedmann p 97f; bei Str-B IV 782 mit A 1) wird der Sohn dieser Witwe als Messias b Joseph (→ χρίω C VI 7) wiederkommen.

[92] ἐπέμφθη Lk 4, 26 ist ein passivum divinum, ebs wie ἐκλείσθη v 25 u ἐκαθαρίσθη v 27.

[93] Lk 7, 15 spielt wörtlich auf die Gesch von der Witwe von Zarpath 3 Βασ 17, 23 an. Auch zu der par Elisa-Gesch 2 Kö 4, 8—37 besteht schon insofern eine Beziehung, die dem palästinensischen Leser auffallen mußte, als Nain nahe bei Sunem liegt, vgl HJHoltzmann, Die Synpt, Hand-Commentar z NT I 1 ³(1901) zSt.

[94] Tränen können fast als stehendes Attribut der Witwe bezeichnet werden Hi 31, 16; Thr 1, 2; Σιρ 35, 15 (32, 18 HT, ed RSmend [1906]); ferner 4 Makk 16, 10, wo πολύθρηνος freilich nicht nur *tränenreich*, sondern auch *beweinenswert* bedeuten kann, so Rießler 725; vgl auch Ag 9, 39. Auf der anderen Seite gilt es als bes Not, wenn die Witwen die Totenklage verweigern, vgl Hi 27, 15 (→ A 108), oder sie nicht halten können, vgl Ps 78, 64; die LXX hat den Satz hier ins Pass umgesetzt: αἱ χῆραι αὐτῶν οὐ κλαυσθήσονται.

[95] Es fällt auf, daß im Unterschied zu Lk 8, 50, vgl auch Mk 5, 36; J 11, 21f. 26f. 40; Ag 9, 38, vom Glauben der Witwe nichts gesagt wird.

[96] Nach einer alten syr Überlieferung waren es nur sieben Tage Lk 2, 36 sy⁵ Ephr.

[97] Ein Fasten der Witwe wird vielfach bezeugt, wird aber anderswo in Zshg mit Opfern für den verstorbenen Gatten gebracht, vgl → Thurnwald 439.

[98] Vgl Ag 21, 9 u dazu GStählin, Die Apostelgeschichte, NT Deutsch 5 ³(1968) zSt.

[99] Vgl das Seitenstück am Schluß des Ev, 24, 9f, dazu MHengel, Maria Magdalena u die Frauen als Zeugen, Festschr OMichel (1963) 243—256.

[100] So wie Witwe u Tränen (→ A 94) sind auch Witwe u Beten Korrelatbegriffe. Wenn schon die Witwe vor Menschen oft als Bittstellerin erscheint, vgl → A 28; 2 S 14, 5; Lk 18, 3, so erst recht vor Gott, vgl Σιρ 35, 14 (32, 17 HT, ed RSmend [1906]); Jdt 9, 4 (hier drückt die betonte Wendung ἐμοῦ τῆς χήρας möglicherweise einen bes Anspruch auf Erhörung aus); 1 Tm 5, 5, dem Helfer der Witwen κατ' ἐξοχήν. Dieses Motiv (→ 438, 3f;

→ 438, 8 ff) und — in beidem begründet — ihr steter Aufenthalt im Tempel (vgl v 49). Gerade auch damit ist diese Prophetin ein Vorbild der ersten Jüngergemeinde (Lk 24, 53; Ag 2, 46).

In der Apostelgeschichte bietet Lukas zwei Beispiele für die urchristliche
5 Witwenfürsorge. Nach Ag 6, 1 [101] war in der jerusalemischen Urgemeinde eine διακονία καθημερινή eingerichtet, bei der die Bedürftigen der Gemeinde täglich gespeist wurden (vgl v 2), darunter in erster Linie die Witwen. Ihre besondere Hervorhebung mag darin begründet sein, daß die Urgemeinde die Anordnungen des Deuteronomiums (→ 435, 19 ff) zugunsten der Witwen ganz anschaulich ver-
10 wirklichen wollte [102]. Zahlreiche Diasporajuden nahmen in höherem Alter ihren Wohnsitz in Jerusalem und stellten oft ihren Besitz der Gemeinde zur Verfügung (Ag 2, 45; 4, 32. 34 f) [103]. Bei ihrem Tod hinterließen viele von ihnen Witwen, die ohne die organisierte Hilfe der Gemeinde unversorgt gewesen wären, weil sie keine Verwandten am Ort hatten. Wenn die Klage der Hellenisten (→ II 508, 26 ff) [104]
15 über die Vernachlässigung ihrer Witwen zu Recht bestand, so könnte das damit zusammenhängen, daß die Witwenfürsorge der Urgemeinde in den Händen von Palästinensern lag [105], die dann, als die Spannung zwischen der palästinensischen Gruppe (→ III 392, 29 ff) und dem Diasporateil der Urgemeinde wuchs, die hellenistischen Witwen nachlässiger bedienten als die palästinensischen [106]. Ein Beispiel
20 der Fürsorge einzelner für die Witwen der Gemeinde ist Tabitha [107] (Ag 9, 36—41), welche die Witwen mit selbstgefertigten Gewändern kleidete (v 39). Es könnte freilich auch sein, daß Tabitha das im Auftrag der Gemeinde von Joppe tat (→ 449, 24 ff) und daß sich diese darum beim Tod der Tabitha in so ungewöhnlicher Weise engagierte (v 38). Aus v 41, wo die χῆραι neben den ἅγιοι besonders er-
25 wähnt werden, könnte man weiter schließen, daß die Witwen schon damals einen besonderen Stand bildeten (→ A 144) [108]. Die Erweckung der Tabitha geschah also wie die Totenerweckungen in Zarpath (→ 439, 1 ff) und Nain (→ 439, 4 ff) zugunsten von Witwen.

A 53), das im NT nicht expressis verbis erwähnt wird, steht jedoch auch hinter dem totalen Witwenopfer von Mk 12, 42—44 u der Gleichsetzung von Witwenfürsorge u Gottesdienst Jk 1, 27 (→ 447, 8 ff).

[101] Vgl J Viteau, L' institution des diacres et des veuves; Revue d'Histoire Ecclésiastique 22 (1926) 513—518.

[102] So Reicke aaO (→ A 73) 118; über Witwenspeisungen aus der Zeit nach dem NT → 450, 19 ff.

[103] Stählin aaO (→ A 98) zu 4, 36 f; vgl Haench Ag[14] zu 6, 1, der darauf hinweist, daß die selbständige Witwenfürsorge der Urgemeinde deren fortgeschrittene Lösung aus dem jüd Gemeindeverband mit seiner organisierten Armenfürsorge anzeigt.

[104] Vgl Haench Ag[14] zu 6, 1, bes 214 A 1.

[105] Cod d u h lesen Ag 6, 1: a ministris Hebraeicorum.

[106] Haench Ag[14] 221 f.

[107] Man könnte vermuten, daß Tabitha selbst eine Witwe war, weil man in v 39—41

die Erwähnung ihres Mannes erwarten müßte, wenn sie verheiratet war. Dieselbe Vermutung liegt nahe für Lydia Ag 16, 14 f, Maria, die Mutter des Markus Ag 12, 12, die Maria von R 16, 6, Phoebe R 16, 1 f, welche διάκονος τῆς ἐκκλησίας u προστάτις Fürsorgerin (→ VI 703, 3 ff) πολλῶν genannt wird, wohl auch für Chloe 1 K 1, 11 sowie für Tryphaina, Tryphosa u Persis R 16, 12, deren κοπιᾶν gerühmt wird. Diese Frauen könnten im Blick auf die für sie bezeugten Dienste als Vorläuferinnen der Gemeindewitwen von 1 Tm 5, 3 ff (→ 445, 17 ff) angesehen werden. Alle Genannten müßten wohl als wohlhabende Witwen gelten (→ 432, 1 ff; A 45. 67).

[108] Vgl J Wellhausen, Kritische Analyse der Ag, AGG 15, 2 (1914) 19; fraglich ist dgg seine Vermutung, daß die Witwen in v 39 „als Corona von Klageweibern" erscheinen. Ähnlich urteilt Haench Ag[14] zSt. Daß die Totenklage an sich den Witwen zukam, ist selbstverständlich; vgl als Gegenstück Hi 27, 15: „Ihre, se der Ruchlosen u Tyrannen, Witwen beweinen sie, se ihre ruchlosen Männer, nicht".

3. Paulus.

In den Briefen des Paulus[109] erscheinen die Witwen im Rahmen seiner Behandlung von Ehefragen (1 K 7). Zwischen Anweisungen für die Verheirateten (v 2—7. 10—16) stellt Paulus Ratschläge für Unverheiratete[110] und Witwen (v 8f). Auf beide Gruppen kommt Paulus in späteren Abschnitten des Kapitels nochmals zu sprechen, auf die παρθένοι[111] und ἄγαμοι v 25—38, auf die Witwen v 39f. In beiden Abschnitten über die Witwen steht die Frage der Wiederverheiratung (→ 446, 5ff) im Vordergrund. Paulus stellt sie ganz der freien Entscheidung der Betroffenen anheim: ἐλευθέρα ἐστὶν ᾧ θέλει γαμηθῆναι (v 39). Freilich sollten sie es nach der Meinung des Paulus nur dann tun, wenn ihr Geschlechtstrieb, der gerade bei jungen verwitweten Frauen besonders mächtig ist (vgl 1 Tm 5, 6. 11. 14f)[112], es ihnen unmöglich macht, ohne Schaden ehelos zu bleiben. Wer dies aber kann, der hat ein χάρισμα (1 K 7, 7) wie Paulus. Wer kraft dieses χάρισμα im ehelosen Stande bleibt, der hat das bessere Teil erwählt (vgl v 8[113]), ja, den stellt Paulus unter eine Seligpreisung (v 40)[114].

4. Pastoralbriefe[115].

Der umfangreichste neutestamentliche Abschnitt, der von den Witwen handelt, findet sich 1 Tm 5, 3—16 im Rahmen von verschiedenartigen

---

[109] Die Frage, ob Pls selbst Witwer war, wird verschieden beantwortet. JJeremias, War Pls Witwer?, ZNW 25 (1926) 310—312 entscheidet wegen des Pflichtgebots der Verheiratung für rabb Gelehrte positiv: „Er wird Witwer gewesen sein, als er den 1. Korintherbrief schrieb, vermutlich schon, als ihn der Ruf Christi traf" 312. Die Einwände von EFascher, Zur Witwerschaft des Pls u der Auslegung von 1 K 7, ZNW 28 (1929) 62—69, widerlegt JJeremias, Nochmals: War Pls Witwer?, ebd 321—323. Wie Fascher entscheiden auch MDibelius-WGKümmel, Pls ³(1964) 33 negativ, uz wegen der zwiespältigen Haltung des Pls in 1 K 7: „Wem diese Frage solche Schwierigkeit bereitet, der besitzt keine eigene Erfahrung von der Ehe: Pls war Junggeselle, nicht Witwer." Vgl noch → I 650 A 25. Cl Al Str III 6, 53, 1, auch bei Eus Hist Eccl III 30, 1 zitiert, schloß aus Phil 4, 3, wo er σύζυγος als *Gattin* verstand, u 1 K 9, 5, daß Pls verheiratet war; vgl auch Pseud-Ign Phld 4, 5 (ed FXFunk, Opera Patrum Apostolicorum II [1881]).

[110] Aus dem Gebrauch von ἄγαμος in 1 K 7 wird man schließen können, daß dabei in erster Linie an Geschiedene (vgl v 11) gedacht ist: v 34 wird ἡ γυνὴ ἡ ἄγαμος von der παρθένος unterschieden. Vgl Jeremias aaO (→ A 109) 310 A 2; Joh W 1 K zu 7, 8.

[111] JMFord, Levirate Marriage in St Paul (1 K 7), NT St 10 (1963/64) 362 deutet παρθένοι hier als die nur einmal verheirateten Witwen. Diese Deutung wie die anderer St — so seien zB virginitas u continentia Tertullian, De monogamia 3, 1 (CSEL 76) austauschbar

Ford 363 A 5 — ist jedoch wenig wahrscheinlich.

[112] Manche Ausleger, zB PSchmiedel, Die Briefe an die Thessalonicher u an die Korinther, Hand-Commentar zum NT II 1 ²(1892) u Joh W 1 K zu 7, 8f, neigen dazu, v 8f allg auf die Unverheirateten, vorzugsweise aber auf Männer zu beziehen, weil v 8b αὐτοῖς, nicht αὐταῖς steht, weil das Akt von γαμέω vor allem in bezug auf die Männer gebraucht wird (vgl aber v 28. 34) u weil dann v 39 ausdrücklich von den verwitweten Frauen redet. Bei diesem Verständnis liegt es allerdings nahe, τοῖς χήροις statt ταῖς χήραις zu lesen, so Schmiedel, oder es ganz wegzulassen, so Weiß.

[113] Die Wiedergabe von καλὸν αὐτοῖς mit „göttliches Geschenk" durch Schl K zSt ist wohl nicht ganz zutreffend.

[114] p⁴⁶ u Cl Al Strom III 12, 80, 1 bieten den eindrucksvolleren Positiv μακαρία statt des Komp μακαριωτέρα.

[115] Vgl JCKvHofmann, Die hl Schrift NT 6 (1874) 153—170; Wbg Past 170—186; WLock, A Critical and Exegetical Commentary on the Pastoral Epistles, ICC (1924) 56 —61; Schl Past 136—145; Dib Past⁴ 57—60; JJeremias, Die Briefe an Timotheus u Titus, NT Deutsch 9 ⁹(1968) 31—34; GHoltz, Die Past, Theol Handkommentar zum NT 13 (1965) 114—123; NBrox, Die Past, Regensburger NT 7, 2 (1969) 184—198; JMüller-Bardorff, Zur Exegese von 1 Tm 5, 3—16, Festschr EFascher (1958) 113—133; HWBartsch, Die Anfänge urchr Rechtsbildungen, Theol Forschung 34 (1965) 112—143; → I 788, 34ff; 789, 10ff. Weitere Lit bei Pr-Bauer sv χήρα.

Anweisungen für die Amtsführung eines Gemeindeleiters. Man kann den Abschnitt als die älteste christliche Witwenordnung (→ A 144) bezeichnen[116]. Ihr Zielpunkt ist die Einrichtung der Gemeindewitwen, der ὄντως χῆραι, von denen zwei andere Gruppen von Witwen (im weiteren Sinn) unterschieden werden.

5 　　　　　　　　　　*a*. Die Witwen im Verband der Familie werden eigentlich nur erwähnt, um zu begründen, inwiefern sie einerseits für den Dienst in der Gemeinde, als „Witwe" im technischen Sinn (→ 444, 11 ff), andererseits als Objekt der Gemeindefürsorge (→ 440, 5 ff) nicht in Betracht kommen. Sie haben andere Aufgaben und sollen, wenn nötig, von anderen versorgt werden:
10 „Wenn eine Witwe Kinder oder Enkel[117] hat, sollen sie zunächst einmal lernen, am eigenen Haus Gott zu ehren und die Dankespflicht gegen die Vorfahren zu erfüllen" (1 Tm 5, 4).

　　　　　Schon seit den Tagen der alten Kirche[118] stehen hier zwei Auslegungen einander gegenüber: 1. μανθανέτωσαν ist auf die Kinder u Enkel zu beziehen (→ IV 412, 28 ff).
15 Dafür spricht der Übergang vom Sing zum Plur: πρόγονοι kann dann auf die verwitweten Mütter u Großmütter[119] gedeutet u εὐσεβέω im Sinn von *pietätvoll behandeln, ehrendes Verhalten* gg das eigene Haus *üben*[120] verstanden werden[121]. 2. Das Subj von μανθανέτωσαν sind die Witwen, die noch Kinder u Enkel zu versorgen haben. Hierfür spricht, daß so der harte, nicht kenntlich gemachte Subjektswechsel vermieden wird;
20 zu dem freilich ähnlich harten Übergang vom Sing zum Plur[122] vgl den gleichartigen Übergang in 2,15. πρῶτον besagt dann: *zunächst*, ehe sie sich um ein Witwenamt bewirbt, soll sie dem eigenen[123] Haus dienen; denn der Dienst in ihm ist eine Lehrzeit für den Dienst am Haus Gottes. εὐσεβέω τι, nur hier in den Past, muß nach dem häufigen Gebrauch von εὐσέβεια (→ VII 182, 33) u εὐσεβῶς ζῆν in den Past gedeutet werden:
25 *seine Frömmigkeit an etw beweisen*[124]. Indem die Witwe so an Kindern u Enkeln handelt, vergilt sie das, was sie selbst von den Ahnen empfing[125]. Nicht unmöglich ist es auch, den Satz auf die ganze Hausgemeinschaft, also auf die Witwe u ihre Kinder zu beziehen. Ähnlich ist es auch in v 8 die Frage, ob mit τις eine Witwe oder ihre Angehörigen gemeint sind[126]. Bei jeder dieser Deutungen würde v 8 besser un-
30 mittelbar nach v 4 stehen u dann von dem Sinn dieses Verses bestimmt werden[127]. In jedem Fall besagt der Satz: Glaube u tätige Liebe, zumal gg die in der gleichen Hausgemeinschaft lebenden Familienangehörigen[128], sind untrennbar. Das kann gut an die Adresse derjenigen Witwe gerichtet sein, die ihre nächste Pflicht versäumt, um sich von der Gemeinde in Pflicht u Fürsorge nehmen zu lassen[129].

[116] Eine Witwenordnung ist in außerchristlichen Pflichtentafeln unbekannt, vgl KWeidinger, Die Haustafeln, UNT 14 (1928) 71. Zu Pol 4, 3 → 453, 28 ff.

[117] ἔκγονα will wohl als Gegenstück zu πρόγονοι verstanden sein: Der Dienst der πρόγονοι, von denen jeder Mensch lebt, verpflichtet zum Dienst an den ἔκγονοι (→ Z 25 f).

[118] Vgl Wbg Past zSt.

[119] Jeremias aaO (→ A 115) übersetzt *die gealterten Angehörigen*.

[120] WFoerster, Εὐσέβεια in den Past, NT St 5 (1958/59) 216.

[121] Dies ist die Deutung von Dib Past[4], Jeremias aaO (→ A 115), Holtz aaO (→ A 115), Lock aaO (→ A 115) zSt.

[122] Deshalb hält CFDMoule (brieflich) diese Deutung für inconceivable. Aus dem gleichen Grunde haben jüngere Textzeugen den Sing μανθανέτω bzw discat für den Plur eingesetzt, weil sie die andere Deutung für unwahrscheinlich hielten.

[123] Das betonte ἴδιον hat bei der Beziehung

auf die Witwen mehr Sinn als bei der anderen Deutung.

[124] Cr-Kö sv εὐσεβέω übersetzt *seiner Pflicht* gg jmd *in Gottesfurcht Genüge leisten*.

[125] Vgl Jos Ap 2, 206. Diese Deutung würde nur dann an εὐσεβέω „scheitern", so Dib Past[4] zSt, wenn es feststünde, daß dieses ein Wechselbegriff zu τιμάω ist; vgl aber → Z 23 ff mit A 124.

[126] Vgl Schl Past zu 1 Tm 5, 4. 6. 8; er bezieht τις auf beide, Wbg Past zSt dgg auf den Hausvater, der rechtzeitig für Frau u Kinder Vorsorge treffen soll, uz mit Verweis auf Xenoph Cyrop VIII 1,1.

[127] τὴν πίστιν ἤρνηται v 8 ist dann das Gegenstück zu ἀπόδεκτον ἐνώπιον τοῦ θεοῦ v 4.

[128] οἰκεῖοι die *in der gleichen Hausgemeinschaft Lebenden* hat einen engeren Sinn als ἴδιοι die *Angehörigen* (→ V 137, 22 ff); Schl Past zSt.

[129] Möglicherweise waren manche der Witwen dazu übergegangen, statt demütiger Bitten Ansprüche vorzubringen; solche könnte man nach Schl Past 137 hinter v 4. 11 u 16 vermuten.

b. Zu den Witwen im weiteren Sinn gehören auch jüngere verwitwete Frauen, die das Leben gleichsam noch vor sich haben. Auch sie haben noch andere Aufgaben[130] und sollen darum (noch) nicht mit dem Dienst in der Gemeinde betraut werden. Wenn der ὄντως χήρα (1 Tm 5, 5) die σπαταλῶσα (v 6), die *leichtfertige, ihrem Vergnügen lebende* Witwe[131] gegenübergestellt wird, so beruht der Gegensatz vor allem darauf, daß σπαταλάω, wie ζῶσα τέθνηκεν zeigt, die innere Lösung von Gott einschließt. Die Hingabe an die sinnliche Begier tötet, dh trennt von Gott[132], und schließt die Annahme durch ihn im Jüngsten Gericht aus (v 7)[133]. Wenn solche jüngeren Witwen (→ I 789, 17 ff), die irrigerweise mit dem Gemeindewitwenamt betraut worden waren[134], *sich in ihrer Sinnlichkeit innerlich von Christus lösen, wollen sie* (wieder) *heiraten* (v 11)[135]. Das bedeutet aber, daß sie die Verpflichtung ihres Amtes verleugnen, weil damit der ausdrückliche, durch ein Gelübde bekräftigte(?)[136] Verzicht auf eine zweite Ehe verbunden war. Daß der Eintritt in das Witwenamt als ein Verlöbnis mit Christus aufgefaßt wurde[137], legt die Fortsetzung nahe: *Damit ziehen sie sich das Urteil zu, daß sie die erste* (→ VI 867, 22 f) *Treue* (sc gegen Christus[138]) *gebrochen haben* (v 12). Eine weitere Verirrung solcher ihrem Versprechen untreu werdenden Witwen ist (→ IV 412, 19 ff): Sie mißbrauchen ihren Auftrag als Gemeindewitwen, Hausbesuche

---

[130] Vgl Schl Past zu 1 Tm 5, 13.
[131] Zu σπαταλάω vgl Sir 21, 15; Jk 5, 5. Das Motiv der leichtfertigen Witwe (→ A 140), die aus der Trauer um den eben verstorbenen Mann allzu rasch zu neuen Liebesfreuden überwechselt u den Toten bedenkenlos der neuen Liebe opfert, ist ein altes Wandermotiv, das wahrscheinlich, wie viele andere Sagen- u Novellenmotive, von Indien nach dem Osten wie nach dem Westen gewandert ist. Die älteste bekannte Fassung im Westen, die Gesch der Matrone von Ephesus, steht bei Petronius, Satyricon 111, 1—112, 8 (ed KMüller [1961]), ähnlich bei Phaedrus, Fabulae 543 (Perry aaO [→ A 8] 598f), anders Vita Aesopi 129 (Perry 74f. 105), vgl ERohde, Zum griech Roman, Rhein Mus NF 48 (1893) 126 A 1; EGrisebach, Die treulose Witwe u ihre Wanderung durch die Weltliteratur ²(1877); TBenfey, Pantschatantra I (1859) 460, der 436—461 das Motiv in einen weiten Zshg verwandter Gesch einordnet; → Beth 675. Eine üble Vertreterin dieses Typus ist die vermeintliche Witwe Melite in dem Roman Achill Tat V 11, 5—VIII 14, 5, vgl bes V 12, 3; 15, 5 (→ 432, 1 ff mit A 30). Gegenstücke dazu sind die junge Witwe Ismenodora Plut Amat 2 (II 749 d. e). 10 (754 e—755 b), bes aber die treue Witwe, die ihren ermordeten Mann an dem Mörder rächt, zB Kratesipolis Diod S 19, 67, 1 f (→ 432, 1 ff mit A 30), die Galaterin Kamma Plut, Mulierum Virtutes 20 (II 257 e—258 c); Amat 22 (II 768 b—d); Polyaen Strat VIII 39 u die Gestalt der Charite in dem Roman Apul Met VIII 1—14; vgl ERohde, Der griech Roman u seine Vorläufer ³(1914) 590 mit A 1. Als treue Witwe will der Jahwist auch Tamar zeichnen, die kein Mittel scheut, um ihrem

kinderlos verstorbenen Mann männliche Nachkommen zu verschaffen Gn 38.
[132] Vgl Apk 3, 1f u vor allem R 7, 8—11 sowie die rabb Belege bei Str-B III 652; I 489.
[133] ἀνεπίλημπτος v 7 kann sich auch auf das bevorstehende Gericht beziehen, vgl 6, 14, so Schl Past zSt, freilich auch auf eine spätere Wählbarkeit als Gemeindewitwe, vgl 3, 2.
[134] Vgl Schl Past zSt.
[135] Die Gedanken von v 6 u 11 verbindet Pseud-Ign, Ad Antiochenses 11, 1 (→ A 109): αἱ χῆραι μὴ σπαταλάτωσαν, ἵνα μὴ καταστρηνιάσωσι τοῦ λόγου.
[136] Die Zürcher Bibel übersetzt ἡ πρώτη πίστις v 12 mit *das frühere Gelöbnis* u erklärt dazu: „Gemeint ist das Versprechen, Witwe bleiben zu wollen."
[137] Jeremias aaO (→ A 115) zu 1 Tm 5, 11. In ders Richtung, aber darüber hinaus geht JMoffatt, Love in the New Testament (1930) 220 f, wenn er πρώτη πίστις wie folgt deutet: marriage bond between Christ and the widow who took service in the church, a bond to which she pledged fidelity. Er fügt hinzu, 1 Tm 5, 12 sei die erste St, wo der Gedanke eines Ehebundes zwischen Christus u einem Individuum auftaucht, die Quelle des nubere deo in der späteren Kirche; vgl jedoch → A 71!
[138] πρώτη πίστις kann sich nicht auf den Treueschwur gg den verstorbenen Mann beziehen, so Pr-Bauer sv πίστις 1 b; sv ἀθετέω, sondern nur auf die Treue gg Christus, sofern man im Witwenstande ganz ihm leben wollte (→ I 789, 19 ff). Fraglich ist aber auch die Deutung von Schl Past zSt u WMichaelis (→ VI 867, 22 f): πίστιν ἀθετέω *den Glauben aufgeben* mit Hinweis auf v 8.

in der Gemeinde zu machen (→ I 789, 1ff)[139], indem sie mit ihrem Herumlaufen von Haus zu Haus[140] ihrer Neugier, Geschwätzigkeit und noch schlimmeren Neigungen frönen[141] (vgl 2 Tm 3, 6f). Wegen solcher Gefahren gibt der Verfasser geradezu mit apostolischer Vollmacht die Weisung, daß die jüngeren Witwen —
5 anstatt für das Witwenamt zu kandidieren — wieder heiraten sollen, weil sonst üble Nachrede droht und damit ein Einfallstor (→ V 473, 32ff) für den allzeit wachen Widersacher entsteht[142]; denn schon manche Witwe ist der größten Gefahr erlegen, daß sich die Nachfolge gegenüber Christus (vgl v 8. 11f) in eine solche gegenüber dem Satan verkehrt (v 15; → V 473, 32ff)[143]. Die Aufgaben, die der
10 jungen Witwe durch eine zweite Ehe zufallen (v 14), sollen an die Stelle des gefährlichen Müßigganges (v 13) treten.

c. Alles bisher von den Witwen Gesagte bildet im Sinn des Verfassers nur den Hintergrund für die eigentlichen Witwen, denen das Hauptinteresse der vorliegenden Witwenordnung[144] gilt (→ I 788, 24ff). Gleich
15 am Anfang (1 Tm 5, 3) steht eine vielleicht traditionelle Regel[145]: χήρας τίμα, mit der gegenüber der mehrfach bezeugten Geringschätzung der Witwen (→ 431, 39) ein neuer, durch den Anklang an das vierte Gebot (Ex 20, 12) noch verstärkter Ton angeschlagen wird. Gerade im Blick auf die Witwen ist es aber wichtig, daß τιμάω (→ VIII 180, 17ff) wie ἐπισκέπτομαι (→ II 599, 35ff; → 447, 10ff) auch die
20 tätige Fürsorge einschließt (v 17, → VIII 178, 5f; 180, 15ff). Die Regel χήρας τίμα wird aber sofort auf die ὄντως χῆραι eingeschränkt. Die angeschlossene Wendung καὶ μεμονωμένη (v 5) ist geradezu als Interpretation[146] von ἡ ὄντως χήρα zu verstehen: die tatsächlich alleinstehende Witwe[147], die Witwe ohne Anhang, für

---

[139] Vgl Dib Past⁴ zSt.

[140] Die *herumlaufende Witwe* scheint nach bSota 22a; jSota 3, 4 (19a 45, bei Str-B III 653) eine geläufige Vorstellung gewesen zu sein (→ 450, 44f).

[141] Zu diesen Verirrungen der jungen Witwen vgl Jeremias aaO (→ A 115) zSt; Schl Past zSt.

[142] ὁ ἀντικείμενος ist wohl ein kollektiver Sing für die christus- u kirchenfeindliche Welt, auf die die Past an mehreren St Rücksicht nehmen, zB 1 Tm 3, 7, wo zu dieser Rücksicht gleichfalls sofort die Sorge vor dem Teufel tritt, vgl 5, 15.

[143] Wodurch es zu dieser Abwendung von Christus zur Nachfolge Satans bereits gekommen ist, wird nicht einmal angedeutet, könnte aber mit den Andeutungen von v 13 zusammenhängen.

[144] Man hat bezweifelt, ob in dem Abschnitt 1 Tm 5, 3—16 wirklich bereits die Anfänge des altkirchlichen Witweninstituts gefunden werden dürfen. So meint zB FBlanke, Die Frau als Wortverkündigerin in der alten Kirche, in: FJLeenhardt-FBlanke, Die Stellung der Frau im NT u in der alten Kirche (1949) 64, der Abschnitt habe nur die Witwe als Unterstützungsempfängerin im Auge. Aber allein der wie ein term techn gebrauchte Begriff καταλέγω v 9 u das dadurch gleichfalls als term techn erwiesene παραιτέομαι v 11 sowie die in v 9f aufgezählten Bedingungen

weisen auf eine bestimmte, mindestens in Ansätzen vorhandene Organisation hin. So wird man in 1 Tm 5, 3—16 mit Recht das älteste Zeugnis für einen besonderen chr Witwenstand sehen dürfen, uz neben Ign Sm 13, 1; Ign Pol 4, 1 u Pol 4, 3; so Dib Past⁴ 58, ähnlich → I 789, 5ff uam. Schon Cl Al Paed III 12, 97, 2 hatte die Witwen mit den Ältesten, Bischöfen u Diakonen zusammengestellt, für die alle in der Schrift ὑποθῆκαι *Anweisungen* gegeben seien. Tatsächlich kann man an dem Wort χήρα eine allmähliche Technisierung beobachten, ähnlich wie an πρεσβύτερος. Nach → Leipoldt 133f stehen in den Past zwei Gemeindeverfassungen nebeneinander, eine mit den Ämtern des Bischofs 1 Tm 3, 1—7; Tt 1, 7—9 u des Diakons 1 Tm 3, 8—13 sowie der Diakonisse 1 Tm 3, 11 u eine andere unter einem Leiter, der noch keinen Titel hat, nämlich Timotheus u Titus, mit Ältesten 1 Tm 5, 17—22; Tt 1, 5f u Witwen 1 Tm 5, 3—16. Funk zu Const Ap III 1, 1 meint nur in 1 Tm 5, 3—8 Anweisungen für die Witwen, in v 9 —13 dgg nur für die Diakonissen finden zu dürfen. Damit greift seine Deutung jedoch der späteren Entwicklung vor (→ 453, 5ff).

[145] Jeremias aaO (→ A 115) zSt.

[146] Das καί ist explikativ, vgl Pr-Bauer sv I 3.

[147] Hier klingt wahrscheinlich die → 429, 12ff behandelte Bdtg von χήρα mit: *die allein*, speziell *die ohne Mann lebende Frau*.

den sie Verpflichtungen hätte. Der Begriff der ὄντως χήρα καὶ μεμονωμένη schließt aber offenbar noch ein weiteres Merkmal ein: Sie ist entschlossen, auf eine neue Ehe zu verzichten. Dabei ist es nicht entscheidend, ob sie objektiv zu alt ist oder ob sie sich subjektiv zu alt fühlt. Entscheidend ist der Entschluß, fortan μεμονῶσθαι und damit — das legt v 12 nahe — in einen besonderen Treuebund mit Christus 5 zu treten (→ 443,11ff). Dieser Entschluß ist vermutlich[148] die Voraussetzung für die folgende Feststellung: Sie hat ihre (einzige) Hoffnung auf Gott gesetzt[149], den Hort der Witwen. Darum ist eine solche Witwe im eigentlichen Sinn auch eine besonders treue Beterin wie Hanna (→ 439,13ff). Dabei ist wohl, ebenso wie 1 Th 5,17, nicht ein „immerwährendes Gebet" gemeint, sondern eins, das dem 10 νυκτὸς καὶ ἡμέρας ὑπερεκπερισσοῦ δεῖσθαι des Paulus (1 Th 3,10) entspricht, der ja gleichzeitig, ebenfalls νυκτὸς καὶ ἡμέρας, arbeitete (1 Th 2,9; 2 Th 3,8). Auch die Gemeindewitwe hatte wohl noch andere Aufgaben (→ 446,21ff), nicht nur die des Gebets[150]; wohl aber entspricht eine jederzeit zum Beten bereite Haltung dem Gottvertrauen und dem Treuegelöbnis der ὄντως χήρα, die sich von der Ge- 15 meinde hatte in Pflicht nehmen lassen.

d. Diese Merkmale einer ὄντως χήρα sind zugleich die inneren Voraussetzungen für die Wahl zum Dienst in der Gemeinde. Von den äußeren Vorbedingungen dieser Wahl redet v 9: χήρα καταλεγέσθω. Das muß nicht notwendig bedeuten, daß es schon damals einen „Katalog" gab, in welchen 20 die zum Dienst gerufenen Gemeindewitwen eingetragen wurden; καταλέγω bedeutet hier und anderswo[151] *durch Wahl in eine Körperschaft aufnehmen.* Schon dieser Begriff macht wahrscheinlich, daß die Gemeindewitwen bereits damals eine „halbklerikale" (→ I 789,8) Körperschaft bildeten[152]. Das Gegenstück ist παραιτέομαί (→ I 195,9ff) τινα *jemandes Wahl ablehnen;* v 11 zeigt, daß diese negative 25 Entscheidung Sache des Gemeindeleiters war, der eine Vorauswahl unter den zur Verfügung Stehenden traf, während das Passiv καταλέγομαι (v 9) wohl eine Wahl durch die Gemeinde andeutet. Die Vorbedingungen einer Wahl (vgl 1 Tm 3,1—13; Tt 1,6—9) zur Gemeindewitwe sind folgende: Die Kandidatin muß ohne Familie sein (v 5), zu deren Fürsorge sie verpflichtet wäre (→ 444,20ff). Sie muß sich 30 in guten Werken bewährt haben (v 10)[153], in einem Alter von wenigstens sechzig Jahren (→ 452,17ff) stehen (v 9), bei dem man eine reife Lebenserfahrung und ein gewisses Gefeitsein gegen sittliche Gefahren (vgl v 11—15) voraussetzen darf[154].

---

[148] Natürlich könnte der Gedanke auch nur der sein: Eine fromme Christin, die nach dem Tode ihres Mannes allein im Leben steht, wendet ihren Sinn ganz auf Gott. Wahrscheinlich hat der Verf aber schon von v 3 ab bei den ὄντως χῆραι die Gemeindewitwen vor Augen.

[149] Vgl 6,17: ἠλπικέναι ... ἐπὶ θεῷ τῷ παρέχοντι ἡμῖν πάντα πλουσίως εἰς ἀπόλαυσιν. Die Witwe darf jedoch nicht nur diese allg chr Hoffnung hegen, sondern das ihr von der Bibel zugesprochene besondere Gottvertrauen.

[150] So Schl Past zu 1 Tm 5,10; Jeremias aaO (→ A 115) zu 1 Tm 5,3 (→ 439,21).

[151] Belege bei Liddell-Scott, Pr-Bauer sv.

[152] Darum kann man die Übers von Tertullian, Ad uxorem I 7 (CSEL 70): adlegi in ordinem kaum „allzu klerikal" nennen, wie Dib Past⁴ zu 1 Tm 5,9 es tut.

[153] Listen wie die hier gebotene (vgl noch 6,18, aber auch R 12,13) sind ein Zeichen der zweiten Generation, vgl HPreisker, Das Ethos des Urchr ²(1949) 200 mit A 2; Jeremias aaO (→ A 115) zSt. Bei τεκνοτροφέω braucht nicht an das Aufziehen v Waisenkindern gedacht zu werden; näher liegt es, nach v 4 u 8 an die eigenen Kinder der Witwe zu denken. Zu ξενοδοχέω → V 19,21ff, zu ἁγίων πόδας νίπτω → V 24 A 177; VI 632,8ff; Str-B III 653; Holtz aaO (→ A 115) zSt.

[154] χήρα kann hier deswegen jedoch nicht als *alte Frau* (→ A 4) gefaßt werden; denn die πρεσβύτεραι werden vorher v 2 erwähnt.

Sie darf nur einmal verheiratet gewesen sein (→ 439, 14 ff) und muß auf eine zweite Ehe verzichtet haben (v 9).

> Die Deutung der Wendung ἑνὸς ἀνδρὸς γυνή ist umstritten; manche Ausleger[155] finden darin nur die Ablehnung derer, die in der Ehe oder in ihren Ehen ein lockeres Leben
> 5 geführt hatten[156]. Andere[157] beziehen die Bestimmung auf den Ausschluß solcher Frauen, die nach einer Scheidung[158] wieder geheiratet hatten; denn die Wiederheirat Geschiedener, insbesondere wiederholt Geschiedener, artete in jener Zeit vielfach in sukzessive Polyandrie aus (→ I 789, 10 ff). Die Ausleger, die diese Deutung vertreten, verweisen meist zusätzlich auf das Urteil Jesu in Mt 5, 32 u Mk 10, 11 Par[159]. Diese
> 10 Deutung des Passus ἑνὸς ἀνδρὸς γυνή ist möglich. Aber es ist zu fragen, ob nach der Zeit u Lage, aus der die Past zu verstehen sind, die Deutung auf die einmalige Ehe schlechthin nicht wahrscheinlicher ist[160].

> Jesus scheint nach seiner Stellungnahme zu der die Schwagerehe (→ 431, 21 ff) betreffenden Frage Mk 12, 24—27 Par mit dem gesamten Judt nichts gg die Wieder-
> 15 heirat der Witwe (→ 431, 18 ff) eingewendet zu haben, während er die Wiederheirat Geschiedener scharf ablehnt Mk 10, 12 Par. Auch Pls stellt der Witwe die Wiederheirat grundsätzlich frei R 7, 2 f, vgl 1 K 7, 39. 9 (→ 441, 8 ff). Bei Lk kommt jedoch ganz unverhohlen der Lobpreis der nur einmal verheirateten Witwe zum Vorschein Lk 2, 36 f (→ 439, 14 ff). In diese Stimmung ordnen sich auch die diesbezüg-
> 20 lichen Bestimmungen der Past ein, vgl 1 Tm 5, 5. 9. 11 f (→ 445, 1 ff).

Die Frage nach den Aufgaben der Gemeindewitwen[161] erhält in der Witwenordnung von 1 Tm 5 keine eindeutige Antwort. An erster Stelle steht sicher das, was die ὄντως χήρα vor allem auszeichnet: Gebet und Fürbitte (v 5). Es ist der höchste Dienst der Frau wie der des Mannes (1 Tm 2, 8), bei der Witwe wohl 25 im besonderen als stellvertretender Dienst für die Gemeinde gedacht. Man wird darüber hinaus auch an das denken dürfen, was den πρεσβύτιδες Tt 2, 3—5 ans Herz gelegt wird: jüngere Frauen zum rechten Ehe- und Familienleben anzuleiten (→ I 789, 7 f)[162]. Wenn das Verhalten der innerlich abtrünnig gewordenen Witwen (v 13) tatsächlich eine Karikatur des rechten Verhaltens ist (→ 443, 18 ff), dann 30 waren den Gemeindewitwen auch Hausbesuche zu Liebesdiensten und Seelsorge aufgetragen. Möglich ist ferner, daß befähigte und unter Umständen begüterte Witwen mit der Leitung von Hausgemeinden betraut waren[163], ob auch mit der Wortverkündigung, ist fraglich (→ 454, 12 ff)[164].

Die χῆραι stehen vielmehr par zu den καλῶς προεστῶτες πρεσβύτεροι v 17.

[155] zB Dib Past⁴ zSt.

[156] So wird dann auch die entsprechende Bestimmung μιᾶς γυναικὸς ἀνήρ für Bischöfe 1 Tm 3, 2, Diakone 1 Tm 3, 12 u Älteste Tt 1, 6 gedeutet.

[157] Schl Past zSt; Str-B III 648; Jeremias aaO (→ A 115) 20 f. 33; → I 789, 10 ff.

[158] Diese Deutung wird mit dem Hinweis begründet, daß den jüngeren Witwen eine zweite Ehe geradezu empfohlen wird v 14 (→ 444, 3 ff), so Schl Past 99; Jeremias aaO (→ A 115) zSt.

[159] Vgl Schl Past zu 1 Tm 3, 2 u 5, 9: Nach dem Urteil Jesu hatte diejenige, die eine frühere Ehe gelöst u darauf eine zweite geschlossen hatte, genauso wie die, die mit einem zweiten Mann in Unzucht lebte, nur einen Mann. Die Ehe ist unlösbar; sie besteht fort. Vgl → A 47; → 451, 19 f mit A 204.

[160] So zB Delling aaO (→ A 16) 136—138; Preisker aaO (→ A 16) 148.

[161] In v 10 werden kaum die Aufgaben der Gemeindewitwen aufgeführt, so Dib Past⁴ zSt, sondern Gesichtspunkte für die Überprüfung ihres Lebens vor der Wahl, wie Dibelius dann selber sagt.

[162] GBlum, Das Amt der Frau im NT, Nov Test 7 (1964/65) 159 A 1 nennt es geradezu die Hauptaufgabe der Witwen.

[163] Außer an die → A 107 Genannten könnte man noch an Nympha Kol 4, 15 denken, wo allerdings ein großer Teil der Überlieferung den männlichen Namen Nymphas bezeugt.

[164] Tt 2, 3 sollen jedoch die älteren Frauen καλοδιδάσκαλοι sein; vgl ferner die Ehefrau Priscilla Ag 18, 26 sowie Euodia u Syntyche Phil 4, 2 f: ἐν τῷ εὐαγγελίῳ συνήθλησάν μοι, falls hier nicht an den Leidenskampf der Missionare gedacht ist, vgl LZscharnack, Der Dienst der Frau in den ersten Jhdt der chr Kirche (1902) 47—50. 79 f.

Am Schluß der Witwenordnung (v 16) wird nochmals (→ 444, 17 ff) der Gesichtspunkt der Fürsorge für die Witwen (→ 440, 4 ff uö)[165] aufgegriffen. Sie ist in erster Linie Pflicht der Angehörigen einer Witwe, besonders etwa ihrer Tochter, wenn sie schon eine christliche Hausmutter ist[166], und erst in zweiter Linie die der Gemeinde, deren Gaben womöglich nur den ὄντως χῆραι zugute kommen sollen. 5

5. Jakobusbrief[167].

Die Pflicht der Witwenfürsorge hat auch in der Paränese des Jakobusbriefs ihren Platz: ἐπισκέπτεσθαι ὀρφανοὺς καὶ χήρας[168] ἐν τῇ θλίψει αὐτῶν (1, 27)[169] wird geradezu mit einer θρησκεία καθαρὰ καὶ ἀμίαντος παρὰ τῷ θεῷ καὶ πατρί gleichgesetzt. ἐπισκέπτομαι meint nicht nur den teilnehmenden 10 Besuch, sondern das aktive Sichkümmern aus dem Bewußtsein der Verantwortung für den anderen heraus (→ II 599, 35 ff). Das Wort reiht sich also an die alttestamentlichen Mahnungen zu Hilfe und Schutz für die Witwen (→ V 487, 18 ff; 435, 1 ff) an, geht aber über diese durch die Gleichsetzung solcher Hilfe mit dem Dienst für Gott[170] hinaus. 15

6. Die Witwe als Bild.

Die Deutung des Gleichnisses (→ IV 192, 28 ff; VIII 437, 18 ff)[171] von dem gottlosen Richter und der bittenden Witwe (Lk 18, 2—5; 438, 8 ff) versteht die Witwe als Bild für die ἐκλεκτοὶ τοῦ θεοῦ (v 7 f), dh das eschatologische Gottesvolk, das bei seinem gläubigen (v 8) Flehen um die endliche ἐκ- 20 δίκησις (→ II 444, 6 ff) der Erhörung gewiß sein darf (→ 438, 8 ff A 100). Ein Gegenbild hierzu zeichnet der Seher Johannes mit der Gestalt der Hure Babylon. Sie sagt in ihrem Herzen: κάθημαι βασίλισσα καὶ χήρα οὐκ εἰμὶ καὶ πένθος οὐ μὴ ἴδω (Apk 18, 7). Der Seher hat ihr damit einen Ausspruch beigelegt, der teils Zitat, teils Anspielung auf Worte des alttestamentlichen Babel (Js 47, 5—9; → 434, 19 ff) 25

---

[165] Vgl Dib Herm zu m VIII 10 u Bau Ign zu Sm 6, 2.

[166] So Schl Past zSt. Ein erheblicher Teil der Überlieferung des westlichen u des Reichstextes liest allerdings: εἴ τις πιστὸς ἢ πιστή.

[167] Vgl Hck Jk, Dib Jk[11], Schl Jk, JSchneider, Die Kirchenbriefe, NT Deutsch 10 [10](1967); FMußner, Der Jk, Herders Theol Komm NT 13, 1 [2](1967) zu 1, 27.

[168] Zu dem stehenden Begriffspaar Witwen u Waisen → A 12; 431, 29 ff uö.

[169] MBlack, Critical and exegetical notes on three New Testament texts Hb 11, 11; Jd 5; Jk 1, 27, Festschr EHaenchen, ZNW Beih 30 (1964) 45 lenkt die Aufmerksamkeit auf eine interessante Textform in dem neugefundenen p[74]: ἐπισκέπτεσθαι ὀρφανοὺς καὶ χήρας ἐν τῇ θλίψει αὐτῶν ὑπερασπίζειν (statt ἄσπιλον ἑαυτὸν τηρεῖν) ἀπὸ τοῦ κόσμου *sich um Waisen kümmern u Witwen in ihrer Bedrängnis seitens der Welt beschützen.* Man wird zugeben müssen, daß diese LA ihre Vorzüge hat, zumal dabei die wenig schöne Gleichsetzung des Sich-Unbefleckt-Erhaltens von der Welt mit einem reinen u unbefleckten Gottesdienst wegfällt. ὑπερασπίζω ist eine in der LXX häufige Vokabel, wo sie allerdings meist mit dem Gen oder mit ὑπέρ u Gen konstruiert wird, aber zweimal, Prv 2, 7 u Sach 9, 15, hier wenigstens als vl, auch mit Acc. Man wird freilich abwarten müssen, ob die LA noch weitere Zeugen findet. Sonst wird man sie mit Black doch als eine „bes glückliche Verderbnis" des überlieferten Textes ansehen müssen.

[170] Es ist der Geist der Propheten u Jesu, der hier lebendig ist, vgl zB Hos 6, 6; Mt 9, 13; 12, 7 u bes 25, 40.

[171] Nach Jülicher Gl J II 284; Bultmann Trad 189 uam ist die Deutung sekundär. Aber Sprache u Gedanke sprechen für die Echtheit, vgl Delling aaO (→ A 84) 13—25; Jeremias Gl[7] 155 mit A 2 uam. Auf jeden Fall ist die kollektive Deutung der Witwe auf das eschatologische Gottesvolk urchr.

ist. Die äußersten Gegensätze von Frauenschicksalen sind Königin und Witwe. Während Jesus das eschatologische Gottesvolk mit der Witwe vergleicht, nennt sich Babylon — Deckname für die Weltmacht Rom — selbst Königin; aber bald wird sich das Schicksal einer jeden in das Gegenteil verkehren. Die jetzt noch
5 einer bedrängten Witwe gleicht, wird zur königlichen Braut (21, 2; → IV 1098, 26ff) und das stolze Babylon zur Witwe (vgl 18,17. 19 ἠρημώθη), zu einem Opfer vieler Plagen, um schließlich verbrannt zu werden (18, 8).

    Diese Bilder gehören in den Kreis eines bibl Urbildes, das die Einzelbilder der Braut u des Bräutigams, der Heirat u des Hochzeitmahls, des Brautführers u der Hochzeits-
10 gäste, der Treue u Untreue, der Trennung der Ehe u der Witwenschaft umschließt. Mit diesem Bilderkreis beschreiben AT u NT das Verhältnis Gottes zu seinem Volk (→ I 651, 24ff; IV 1097, 31ff; VI 532, 7ff; 586, 34ff; 594, 9ff). Wenn das Volk seine Treue gg Gott bricht, zerbricht seine „Ehe" mit Gott, wird es zur χήρα. Es leuchtet unmittelbar ein, daß das Wort χήρα in diesem Zshg nicht Witwe, sondern die *verein-*
15 *samte, von ihrem Mann verlassene Frau* (→ 429, 12ff)[172] bedeutet. Auf diese Weise beschreiben die Propheten des Exils das selbstverschuldete Elend Israels Jer 51, 5; Thr 1, 1; Js 49, 21. Zur gleichen Zeit aber erklingt schon die Verheißung eines neuen (Ehe-)Bundes Js 54, 4—6, vgl auch Hos 2, 21f. Eben das, was die at.lichen Propheten für das alte Gottesvolk verkündeten, verkündet das NT für das Gottesvolk der Endzeit:
20 Jetzt ist es in der hoffnungslosen Lage einer Witwe wie dereinst Israel im Exil, wie es scheint, von Gott verlassen. Aber es wird zur Braut werden, die bei der Parusie ihrem himmlischen Bräutigam entgegengeht Apk 22, 17. 20.

    In dieser Anwendung des Witwenbildes vereinigen sich zwei Motive (vgl 4 Esr 10, 25 —27): das Gottesvolk als Ehefrau u die alte, aus der außerbiblischen Welt geläufige
25 Darstellung von Städten als Frauen[173]. Jerusalem u Babylon repräsentieren die zwei Völker, aus denen in der Sicht der Bibel die Menschheit besteht, das Volk mit Gott (die „Braut") u das Volk ohne Gott (die „Witwe").

D. Die Witwe in der alten Kirche[174].

1. Anknüpfung an die biblischen Aussagen.

30   In der altkirchlichen Lit ist zunächst die vielfältige Anknüpfung an die bibl Aussagen über die Witwe zu beobachten. Man zitiert aus der Bibel, bes oft Js 1, 17, so zB 1 Cl 8, 4; Just Apol 44, 3; 61, 7; Didask II 42, 1; 51, 1, u Js 1, 23, so zB Just Dial 27, 2; Const Ap II 17, 2. Man weist auf die Vorbilder rechten Witwen-

---

[172] Freilich ist die Übers *Witwe* nicht unmöglich; denn die Bibel scheut sich nicht, im Bilde sogar den Tod Gottes ins Auge zu fassen, wenn sie zB vom *Testament* Gottes redet Gl 3, 15. 17, vgl Hb 9, 16 f (→ II 132, 5 ff; 133, 40 ff).

[173] Vgl HSteuding, Artk Lokalpersonifikationen, in: Roscher II 2, 2092 f; JMCToynbee, Roma and Constantinopolis in Late-Antique Art from 312 to 365, JRS 37 (1947) 135—144; SZimmer, Zion als Tochter, Frau u Mutter. Personifikation von Land, Stadt u Volk in weiblicher Gestalt (Diss München [1959]), dazu Gl 4, 22—31; Mt 23, 37; 21, 5; J 12, 15. Vgl auch Sib 5, 169 f über Rom: χήρη καθεδοῖο παρ' ὄχθας, καὶ ποταμὸς Τίβερίς σε κλαύσεται ἣν παράκοιτιν *als Witwe nun mögest du sitzen am Ufer, und es wird dich der Tiber als seine Gemahlin beweinen.* Als eigentümliches Gegenstück speziell zu Apk 18, 7 vgl Sib 3, 77: ἔνθ' ὁπόταν κόσμου παντὸς χήρη βασιλεύσῃ sc Kleopatra, deren Regierung hier als Vorzeichen des Weltendes angesehen wird.

[174] HAchelis, Artk Diakonissen, in: RE³ 4, 616—620; Blanke aaO (→ A 144) 64—68; LBopp, Das Witwentum als organische Gliedschaft im Gemeinschaftsleben der alten Kirche (1950); RHConnolly, Didascalia Apostolorum. The Syriac Version translated (1929); RFrick, Artk Weibliche Diakonie, in: Evangelisches Kirchenlexikon, ed HBrunotte-OWeber I (1956) 922; AHarnack, Die Lehre der zwölf Apostel, TU 2, 1—2 (1884) 235; Hennecke² 566—583; AKalsbach, Die altkirchliche Einrichtung der Diakonissen bis zu ihrem Erlöschen, Röm Quartalsschrift Suppl 22 (1926); JMayer, Monumenta de viduis, diaconissis virginibusque tractantia (1938); PPhilippi, Thesen zur theol Erfassung des altkirchlichen Diakonissenamts, Die Innere Mission 55 (1965) 370 f; Testamentum Domini Nostri Jesu Christi, ed IERahmani (1899); WRiedel, Die Kirchenrechtsquellen des Patriarchats Alexandrien (1900); Uhlhorn aaO (→ A 73) 97—101; Viteau aaO (→ A 101) 513—536; Zscharnack aaO (→ A 164) 100—144.

tums hin, bes auf die Witwe von Zarpath, auf Judit, Hanna u die Witwe am Gottes-
kasten, meist in Paaren geordnet, vgl Didask III 1, 3; Const Ap III 7, 6. 8; VIII 25, 2.
Das alte Motiv der Witwennot (→ 430,18ff; 433, 31ff; 436, 19ff) findet seinen Ausdruck in dem Begriffspaar (→ 431, 28ff) χῆραι καὶ ὀρφανοί, zB Barn 20, 2; Apk Pt
15, 30; Herm s IX 26, 2[175], vgl Sib 2, 76: ὀρφανικοῖς χήραις, sowie in der häufigen Zu- 5
ordnung der Witwen zu den Armen (→ 434,11), zB Pol 6,1; Herm m VIII 10; Act
Verc 17 (p 65, 22); PsClem Recg III 66, 8[176], den ὑστερούμενοι *Notleidenden*, zB Herm m
VIII 10[177]; s V 3,7; IX 27, 2, den θλιβόμενοι[178] *Bedrängten*, zB Ign Sm 6, 2[179]; Herm s
I 8; Const Ap II 25, 2; Eus Hist Eccl VI 43,11, u den Fremdlingen, zB Didask IV 4,1;
Const Ap II 25, 2. Dem entspricht wiederum (→ 431, 30ff; 434,11ff; 437,11ff) die 10
Klage über Mißachtung u Mißhandlung der Witwen, zB Barn 20, 2; Ign Sm 6, 2, u die
Mahnung zur Fürbitte, zB Const Ap VIII 10,10, u Fürsorge für sie, zB Herm s V 3,7:
δώσεις αὐτὸ (sc das durch Fasten Gesparte) χήρᾳ ἢ ὀρφανῷ ἢ ὑστερουμένῳ, vgl PsClem
Recg III 66, 8 (→ A 176), oft in positiver u negativer Fassung, so Herm s I 8; m VIII
10, oder im Blick auf die Bedränger der Witwen nur negativ, zB Didask IV 3,1: μα- 15
κάριός ἐστιν, ὃς ἄν . . . μὴ θλίβη τόπον *(Stellung, Stand)*[180] ὀρφανοῦ ξένου τε καὶ χήρας. Als
entscheidendes Motiv solcher Paränese wird Const Ap IV 1, 2 nach Ps 68, 6 geltend
gemacht, daß Gott ὁ πατὴρ τῶν ὀρφανῶν καὶ κριτὴς τῶν χηρῶν ist (→ 432,10ff; 435, 5ff;
436, 21ff; 438, 3f; A 100). Wohltaten für Witwen usw haben ihren festen Platz[181] unter
den Werken der chr Liebe, die Gott gefallen. Wer daher etw **zur** Bezeugung seines 20
Dankes gg Gott tun will, der spendet für die Witwen[182]. In dieselbe Richtung weist
negativ die Schilderung der Höllenstrafen, die Reiche μὴ ἐλεήσαντες ὀρφανοὺς καὶ χήρας
Apk Pt 15, 30 zu gewärtigen haben[183].

2. Organisation der Witwenfürsorge.

Die nt.lichen Linien werden ferner weitergeführt, indem die 25
Organisation der Witwenfürsorge (→ 440, 4ff; 447,1ff. 7ff) ausgebaut u in den Kirchenordnungen in Einzelbestimmungen festgelegt wird. Nach Kirchenordnung Hipp 24[184]
sollen von den Oblationen, den Naturalspenden[185], der Gemeindeglieder Witwe u Kranke
regelmäßig ihren Anteil erhalten. Nach dem Bericht des Bischofs Cornelius von Rom
an Fabius von Antiochien gibt es in der röm Gemeinde über 1500 Witwen u Notleidende, 30
οὓς πάντας ἡ τοῦ δεσπότου χάρις καὶ φιλανθρωπία (sc durch die Gaben der Gemeinde) δια-
τρέφει Eus Hist Eccl VI 43,11. In Antiochien umfaßt der κατάλογος der täglich ver-
sorgten Witwen u Jungfrauen zZt des Chrys sogar 3000 Namen neben zahlreichen
anderen Unterstützungsempfängern Hom in Mt 66, 3 zu 20, 29f (MPG 58 [1862] 630).
Auch in den jungen Kirchen der Missionsgebiete wird sogleich eine Organisation der 35
Witwen zum Zweck ihrer Betreuung gebildet, vgl Act Thom 59: εἶχεν (sc Thomas)
γὰρ ἐν ταῖς πόλεσιν (sc Indiens) συνηθροισμένας (sc die Witwen). Der Bischof Eleusius
von Cyzikus (zwischen 350 u 360) hat zugleich mit dem Kampf gg die heidnischen
Heiligtümer die Errichtung von Heimen für kirchliche Witwen χηροτροφεῖα u Jungfrauen παρθενῶνες betrieben Sozomenus, Historia Ecclesiastica V 15, 5[186]. 40

---

[175] Vgl als Gegenstück Aristid Apol 15, 7
(dazu JGeffcken, Zwei griech Apologeten,
Sammlung wissenschaftlicher Komm zu griech
u röm Schriftstellern 5 [1907] 90); Just Apol
67, 6. Bezeichnend ist auch, daß in Didask u
Const Ap auf Buch III περὶ χηρῶν das Buch IV
περὶ ὀρφανῶν folgt.

[176] ed BRehm-FPaschke, GCS 51 (1965).

[177] Vgl Dib Herm zSt.

[178] Dies findet sich auch als Fremdwort im
Lat: sive viduae sive thlibomeni Cyprianus
ep 8, 3 (ed GHartel, CSEL 3, 2 [1871]).

[179] Vgl Bau Ign zSt.

[180] Vgl Ap Kirchenordnung 1. 23 (Harnack
aaO [→ A 174] 225. 236), auch Const Ap III
19, 2, weiter 'Pr-Bauer sv τόπος 2b; WNauck,
Probleme des frühchristlichen Amtsverständ-
nisses, ZNW 48 (1957) 213f; → VIII 208,10ff.

[181] Wie im Lasterkatalog die χήρᾳ καὶ ὀρφανῷ οὐ προσέχοντες aufgeführt werden Barn
20, 2, so findet sich im Katalog der chr Tugenden χήραις ὑπηρετεῖν Herm m VIII 10.

[182] So zB Act Pl (kpt) 34, 2f (p 57), bei
Hennecke[3] II 253; Act Verc 17 (p 65, 22);
Act Thom 59.

[183] Bezeichnend sind auch die Bilder des
Segens, den man von Gaben für Witwen er-
hoffen darf. Diese sind ein für den Himmel
bleibender Besitz der Spender Herm s I 8f
sowie durch ihre Gebete eine Schutzwache
für jene Cl Al Quis Div Salv 34, 2f u bes oft
ein Gottesaltar, zB Pol 4, 3; Pseud-Ign, Ad
Tarsenses 9,1 (→ A 109, bei Ign Eph 5, 2;
Tr 7, 2; Phld 4 wird dgg die Kirche θυσια-
στήριον θεοῦ genannt); Tertullian, Ad uxorem
I 7 (CSEL 70); Didask III 10,7; IV 5,1; Const
Ap II 26, 8; III 6, 3; 14,1, vgl Funk zu
Didask II 26, 8; Testamentum Domini I 40
(Rahmani aaO [→ A 174] 97).

[184] ed BBotte, La tradition apostolique de
Saint Hippolyte, Liturgiewissenschaftliche
Quellen u Forschungen 39 [2](1963), vgl Hen-
necke[2] 581.

[185] Vgl Hennecke[2] 570 mit A 1.

[186] ed JBidez-GCHansen, GCS 50 (1960).

Die verantwortlichen Träger der Witwenfürsorge sind in erster Linie die Bischöfe Ign Pol 4,1; Didask II 4,1. Sie haben die Witwenlisten zu führen καταλέγειν u die unterstützungswürdigen Witwen einzutragen ἐγγράφεσθαι Chrys Sacerdot III 16, 296f. Didask III 4, 2, auch II 27, 3, bestimmt ausdrücklich, daß die Spender von Gaben diese den Witwen nicht direkt geben sollen. Der Bischof soll sie vielmehr empfangen u als ein guter Haushalter verwalten Const Ap II 25, 2, ähnlich schon Didask II 25, 2, sowie Const Ap III 3, 2. Die Leitung προστασία der Witwenfürsorge ἡ τῶν χηρῶν θερα- πεία ist neben der Betreuung der Jungfrauen u dem Schiedsrichteramt eine der schwie- rigsten Amtsobliegenheiten des Bischofs Chrys Sacerdot III 16, 295f. In der Praxis sollen sich die Bischöfe allerdings der Presbyter u Diakonen bedienen Const Ap VIII 47, 41. Bei Polykarp sind es noch speziell die Presbyter, denen die Weisung gilt: μὴ ἀμελοῦντες χήρας ἢ ὀρφανοῦ ἢ πένητος 6,1. Didask IV 5, 3 jedoch werden dazu die Bi- schöfe zus mit den Diakonen aufgefordert. In der Hauptsache scheinen die Diakone — entsprechend der damals üblichen Deutung von Ag 6,1ff — mit der Witwenfürsorge betraut gewesen zu sein; das setzt Herm s IX 26, 2 voraus, ebs Act Thom 59. Unter bzw neben den Diakonen erscheinen schon früh auch Frauen (→ 440,19ff) in solchem Dienst. So war wahrscheinlich die Herm v II 4, 3 angesprochene Grapte eine Dia- konisse [187], der neben der leiblichen Fürsorge auch die Seelsorge für Witwen u Waisen oblag: νουθετήσει (→ IV 1015 A 14; 1016, 2ff) τὰς χήρας καὶ τοὺς ὀρφανούς. Eine bes Form der Witwenfürsorge, die gleichfalls alte Vorbilder hat (→ 435, 25ff; 440, 5ff), sind die Witwenmahlzeiten, die wohlhabende Laien veranstalteten [188]. Endlich gehört zur Fürsorge für die Witwen seitens der Diakone auch die Anordnung, daß ihnen im Gottes- dienst neben den Matronen bestimmte Plätze angewiesen werden sollen Didask II 57, 8, vgl Const Ap II 57,12 (→ A 213; 454, 24ff).

Die Anordnungen für die Witwenfürsorge enthalten auch Bestimmungen über Miß- bräuche. Die Diakone sollen einerseits ihren Dienstauftrag nicht zur eigenen Berei- cherung ausnutzen Herm s IX 26, 2; vgl Mk 12, 40 (→ 437,13ff), andererseits keine Gaben von Übeltätern aller Art annehmen Const Ap IV 6, 6; οἱ ἐκθλίβοντες χήραν καὶ ὀρφανὸν καταδυναστεύοντες, u ihre Gaben müssen zurückgewiesen werden IV 6, 4. Auch in anderer Weise werden der Witwenfürsorge Grenzen gezogen. Eine arme, verheiratete Frau muß uU einer Witwe, welche die Mittel hat, sich selber zu ernähren, vorgezogen werden Didask II 4, 2. Mit der von Konstantin herbeigeführten Wende erscheint auch in der Witwenfürsorge ein neues, im Grunde aber uraltes (→ 432, 8f) Motiv: Die Fürsorge für die Witwen u Waisen (→ V 487, 3ff) ist Sache des Staates Hier Comm in Jer IV 35, 4 zu 22, 1—5 (CSEL 59). Dementsprechend hat Konstantin gewisse rechtliche Erleichterungen, zB Steuerprivilegien u Prozeßhilfen, für Witwen gesetzlich festgelegt [189].

3. Haustafeln für die Witwen.

Auch für die nunmehr sich als notwendig erweisenden Haustafeln für die Witwen konnten die Kirchenordnungen an nt.liche Ansätze 1 Tm 5, 4ff an- knüpfen (→ 442,1ff; 444,13ff). Diesen Gegenstand behandeln ziemlich ausführlich Di- dask III 5,1—11, 5 [190] u Par, aber noch ausführlicher die Const Ap. Hier wird zunächst eine Art Idealbild der chr Witwe gezeichnet 5,1f. Bald aber konzentrieren sich die Weisungen auf das, was eine rechte Witwe nicht tun soll. Vor allem soll sie nicht — so wenig wie die Laien u die anderen Frauen — selbständig lehren [191] 5, 3—6, 2. Sie soll auch nicht von Haus zu Haus laufen (→ 443,18ff), um zu schwätzen [192] u sich zu bereichern 6, 3—7, 5. In diesem Zshg steht 6, 4 das Wortspiel: Witwen, die immer aufs Nehmen ausgehen, sind nicht χῆραι, sondern πῆραι [193] *Reisetaschen, Bettelsäcke* [194]. Danach wird noch einmal die vorbildliche Witwe vorgeführt, die zu Hause bleibt u betet, deren Gebet wegen ihrer Gottergebenheit u Sittsamkeit erhört wird 7, 6—8 (→ A 100) u die sich dem Bischof unterordnet 8,1—5. Es folgen eine Beschreibung der falschen Witwen 10, 1f sowie nachdrückliche Warnungen vor dem Neid, vor dem Weiter- sagen der Namen von Spendern 10, 3—11 u vor übler Nachrede 10,12—11, 5. Das hier

---

[187] Dib Herm zSt; vgl Zscharnack aaO (→ A 164) 80f.
[188] Kirchenordnung Hipp 30 (→ A 184); s auch Hennecke² 582, vgl dazu 570; Cano- nes Hipp 35 (Riedel aaO [→ A 174] 223); auch Didask II 28,1; Canones Hipp 32 (Riedel 221).
[189] Mayer-Maly aaO (→ A 11) 2106.
[190] Vgl Connolly aaO (→ A 174) XLII— XLV.

[191] Auf einer früheren, charismatischen Stufe der Ämter rechnete man mit einer Mit- teilung von Offenbarungen an die Witwe wäh- rend ihres Gebetes (→ 439,13ff); Ap Kirchen- ordnung 21 (Harnack aaO [→ A 174] 235).
[192] Vgl Tertullian, Ad uxorem I 8 (CSEL 70).
[193] So auch schon Didask III 6, 4, deren syr Übers nur πηρούς *Blinde* statt πήρας las.
[194] Vgl Pr-Bauer sv πήρα, Deißmann LO 87f; SKrauss, Die Instruktion Jesu an die Ap, Angelos 1 (1925) 99f.

u ähnlich bei Chrys Sacerdot III 16, 297 entstehende Bild der chr Witwen jener Zeiten ist zwar wenig schmeichelhaft, aber lebenswahr.

Zur Lebensordnung der altkirchlichen Gemeindewitwen gehören mancherlei asketische Züge. Wie schon in der jüd Frömmigkeit u von daher in der Urchristenheit (→ 439,14ff) ist mit dem Beten das Fasten eng verbunden, zB Kirchenordnung Hipp 23 (→ A 184)[195]; 5 Canones Hipp 32[196]; Canones des Basilius 36[197]. In denselben Zshg gehören die Anweisungen für die Witwen, nicht viel Wein zu trinken[198] Ap Kirchenordnung 21[199], nicht viel zu lachen Canones des Basilius 36[200], ihren Besitz für arme Gläubige zu verwenden Testamentum Domini I 40[201], vor allem aber die immer wiederkehrende Mahnung zu einem zurückgezogenen Leben[202], zB Didask III 6, 3; 7, 6 u bes Testamentum 10 Domini I 42[203], sowie die Forderung der μονογαμία, dh die Verwerfung der Wiederheirat für eine Witwe (→ 431,1ff, vgl 441,7ff; 446, 3ff).

Die Meinungen in dieser Frage sind allerdings geteilt. Auf der einen Seite stehen die Ebioniten, die nach Epiph Haer 30, 18, 2 weitere Ehen ohne Einschränkung gestatten, angeblich ἄχρι καὶ δευτέρου καὶ τρίτου καὶ ἑβδόμου γάμου. Auf der anderen Seite 15 steht Tertullian, der sich expressis verbis gg Pls u seine Freigabe der Wiederheirat für Witwen R 7, 2f (→ 441, 8ff) wendet De monogamia 10, 1 (CSEL 76). De exhortatione castitatis 9, 1 (CCh 2) behauptet er, für Pls sei im Grunde ein secundum matrimonium ... species stupri *eine Art Hurerei*. Nach Tertullian dauert die Ehe der Christen über das Grab hinaus fort[204] De monogamia 10, 2 (CSEL 76). Die von Gott ver- 20 hängte Witwenschaft soll vielmehr als eine Gelegenheit zu gottgefälliger Kontinenz angesehen werden Ad uxorem I 7 (CSEL 70). Den Witwern empfiehlt Tertullian, De exhortatione castitatis 12, 2 (CCh 2) u ähnlich De monogamia 16, 4 (CSEL 76), Witwen als geistliche Ehefrauen für die Verwaltung des Hauses zu sich zu nehmen, also ein (unverfänglicheres) Seitenstück zu den virgines subintroductae. Grundsätzlich im 25 gleichen Sinn äußert sich Orig Hom in Lk 17 zu 2, 36 (GCS 49, 109f). Die allg Praxis lag offenbar in der Mitte zwischen diesen Extremen. Einer jungen Witwe gestand man als Gewohnheitsrecht zu, sich wieder zu verheiraten. Es ist freilich bezeichnend, daß die Unterstützung junger Witwen zu dem Zweck empfohlen wird, daß sie sich nicht aus Not zu einer zweiten Ehe gedrängt sehen Didask III 2, 1. Die Canones des Basilius 30 lassen zwar eine zweite Ehe gelten 11[205], bestimmen aber, daß kein Kleriker über einer zweiten Ehe beten soll 72[206]. Weitere Ehen galten geradezu als Unzucht, vgl Const Ap III 2, 2; Canones des Basilius 11[207]. Die starken asketischen Strömungen in der Kirche haben schließlich bewirkt, daß die chr Kaiser im Gegensatz zu Augustus (→ 431,12ff) poenas secundarum nuptiarum festgelegt haben, vgl Cod Theodosianus 3, 8f[208]. 35

4. Das Institut der Gemeindewitwen.

Das Institut der Gemeindewitwen wird weiter ausgebaut (→ 444,12ff)[209]. Manches an der Entwicklung u Ausgestaltung dieser wichtigen alt-

[195] s auch Hennecke[2] 581.

[196] Riedel aaO (→ A 174) 220, vgl auch Canon 9 (Riedel 205).

[197] Riedel aaO (→ A 174) 225.

[198] Die Vorschrift gleicht wörtlich der für die Diakone in 1 Tm 3, 8: μὴ οἴνῳ πολλῷ προσέχουσα. Als Grund wird angegeben, sie solle zu nächtlicher Dienstleistung fähig bleiben, vgl aber Kirchenordnung Hipp 30 (→ A 184); s auch Hennecke[2] 582.

[199] Harnack aaO (→ A 174) 235.

[200] Riedel aaO (→ A 174) 254.

[201] Rahmani aaO (→ A 174) 97.

[202] Darum wird im Unterschied zu 1 Tm 5, 4 den Gemeindewitwen geraten, ihre Kinder, gleichsam als pueri oblati, der Gemeinde zu übergeben, damit sie zum Priesterdienst erzogen werden Testamentum Domini I 40 (Rahmani aaO [→ A 174] 97).

[203] Rahmani aaO (→ A 174) 101.

[204] Hier klingt ein Motiv an, das anderswo den Freitod bzw die erzwungene Verbrennung der Witwe begründet. Weil der Tod die Ehe nicht scheiden kann, gibt es grundsätzlich

keine Existenz als Witwe. Dahinter steht als urspr Vorstellung, daß man nach dem Tode eine Fortsetzung der Ehe erwartet, vgl Leipoldt aaO (→ A 15) 81f mit A 562—568; Delling aaO (→ A 16) 137 mit A 41. Für den Brauch der Witwentötung bei den Griechen u ihren thrakischen Nachbarn vgl Paus IV 2,7; Hdt V 5, bei den Indern Diod S 19, 33, 3—34, 6; Cic Tusc V 78, dazu Hehn aaO (→ A 14) 540; Hirt aaO (→ A 14) 444. 494. 715; → Beth 669—673; GWilke, Artk Witwentötung, in: RLV 14, 440—442; ERohde, Der griech Roman u seine Vorläufer [3](1914) 119 mit A 1; RGarbe, Die Witwenverbrennung, Beiträge zur indischen Kulturgeschichte (1903) 141—182; HvGlasenapp, Artk Witwenverbrennung, in: RGG[3] VI 1787.

[205] Riedel aaO (→ A 174) 240.

[206] Riedel aaO (→ A 174) 267.

[207] Riedel aaO (→ A 174) 240.

[208] ed TMommsen-PMMeyer I 2 [2](1954); vgl Mayer-Maly aaO (→ A 11) 2105.

[209] PsClem Hom 11, 36,2 wird bereits dem Petrus die Einrichtung des Witwenamtes

kirchlichen Einrichtung ist allerdings unklar u kontrovers, zB die Einordnung der Witwen in den Klerus (→ Z 28ff). In den Kirchenordnungen, die zum großen Teil bes Abschnitte über die Witwen enthalten [210], wird oft auch nicht scharf unterschieden zwischen den in der χηρεία [211] *Witwenschaft* lebenden u den im χηρικόν [212] *Witwenamt*
5 tätigen Witwen [213], so daß es nicht in jedem Fall möglich ist zu entscheiden, ob von dem einen oder von dem anderen die Rede ist (→ A 144). Für die Aufnahme in den Stand der Gemeindewitwen gelten bestimmte Bedingungen, welche diejenigen von 1 Tm 5 (→ 445,18ff) teils aufnehmen, teils abwandeln, teils ergänzen. Seit dem Tode des Mannes muß eine geraume Zeit verstrichen sein, so daß die Witwe sich im Witwen-
10 stand zu bewähren Gelegenheit hatte Kirchenordnung Hipp (→ A 184) 10 [214]; Testamentum Domini I 40 [215]; Const Ap VIII 25, 2; vgl auch Epitome 16, 2 der Const Ap [216]. Sie darf nur einmal verheiratet gewesen sein Orig Hom in Lk 17 zu 2, 36ff (GCS 49,110, 5), vgl Tertullian, De exhortatione castitatis 11, 2 (CCh 2). Sie muß als Witwe einen un-bescholtenen Lebenswandel geführt Const Ap VIII 25, 2; Epitome 16, 2 der Const Ap [216]
15 u sich namentlich in der Fürsorge für ihre Familie wie in der Erziehung ihrer Kinder bewährt haben Const Ap VIII 25, 2; Testamentum Domini I 40 [217]. Als kanonisches Alter für die Einsetzung zur Gemeindewitwe wird nicht mehr allg [218] an der Bestim-mung von 1 Tm 5, 9 (mindestens 60 Jahre, → 445, 31ff) festgehalten. Nach Didask III 1,1 soll eine Witwe nicht weniger als 50 Jahre alt sein; später ist man aus prak-
20 tischen Gründen noch weiter heruntergegangen [219]. Die Einsetzung der Gemeinde-witwe geschieht nicht in der Form der Ordination, sondern nur durch Segenswort u Gebet [220] Kirchenordnung Hipp (→ A 184) 10 [221]; Canones Hipp 9 [222]. Mit der Er-nennung zur Gemeindewitwe übernimmt diese durch ein Gelübde die Verpflichtung, Witwe zu bleiben (→ 443,11ff). Wer dieses Gelübde bricht, wird von Gott zur Re-
25 chenschaft gezogen werden, vgl Didask III 1, 2. Die Zahl der Gemeindewitwen liegt in der ersten Zeit nicht fest. Erst Ap Kirchenordnung 21 [223] u Testamentum Domini I 34 [224] wird die Zahl drei genannt.

Uneinheitlich erscheint das Verhältnis der Witwen zum höheren Klerus. Einerseits scheinen sie diesem zugerechnet zu werden. So stellt Cl Al Paed III 12, 97, 2
30 die Witwen mit den Ältesten, Bischöfen u Diakonen zus, vgl Orig Hom in Lk 17 zu 2, 36ff (GCS 49,110, 4f); Tertullian, De monogamia 11,1 (CSEL 76); auch Didask III 11, 5, während die Parallele in Const Ap III 15, 5 nach der Nennung von Bischof,

---

χηρικὰ συστησάμενος zugeschrieben; aber die Stücke der PsClem, welche die Kirchenverfas-sung betreffen, gehören zu den jüngsten Tei-len, vgl CSchmidt, Studien zu den PsClem, TU 46,1 (1929) 58 mit A 1. 309.

[210] Kirchenordnung Hipp 10 (→ A 184); s auch Hennecke² 577; Didask III (über das Witweninstitut in der Didask vgl HAchelis, Die Didask, TU 25, 2 [1904] 274f); Const Ap III; Ap Kirchenordnung 21 (Harnack aaO [→ A 174] 235; s auch Hennecke² 568); Testa-mentum Domini I 40—43 (Rahmani aaO [→ A 174] 95—105); Canones des Basilius 36 (Riedel aaO [→ A 174] 254—257).

[211] Für den schon der LXX geläufigen (→ 433, 27) Begriff χηρεία vgl Const Ap III 1, 2: μὴ φέρουσα τὴν ἐν νεότητι χηρείαν u das Gegenstück III 1, 4: δῶρον ἔχουσα χηρείας *das Charisma der* freiwillig bewahrten *Witwen-schaft.*

[212] χηρικόν ist wie χήρα (→ 430,1ff) ein substantiviertes Adj: das *Witweninstitut*, vgl PsClem Hom 11, 36, 2; Const Ap III 1, 2; 2,1; VIII 25, 2, der ordo viduarum, vgl PsClem Recg VI 15, 5 (→ A 176); im selben Sinn steht τὸ τάγμα τῶν χηρῶν Pseud-Ign, Ad Philippenses 15,1 (→ A 109). Zu diesen u weiteren Be-zeichnungen des Witwenamts vgl Kalsbach aaO (→ A 174) 95f.

[213] Im Testamentum Domini werden diese Witwen „kanonische Witwen" bzw „Witwen mit Vorrang in der Sitzordnung" genannt, vgl Rahmani aaO (→ A 174) 163.

[214] Vgl Hennecke² 577. Für solche, die erst kürzere Zeit verwitwet sind, aber das Witwen-amt anstreben, wird eine Probezeit festgesetzt Const Ap VIII 25, 3, vgl auch Epitome 16, 3 der Const Ap (Funk II 82). Man kann nicht leugnen, daß bei der Beurteilung der Witwen schon seit nt.licher Zeit asketische Tendenzen wirksam waren (→ 431,1ff; 439,14ff; 441, 7ff; 446,1ff). Aber erst seit dem 2. Jhdt werden sie so beherrschend, daß es hauptsächlich die Fähigkeit zur Kontinenz ward, die für das Witwenamt qualifiziert, so daß in Kleinasien u Syrien der Viduat zu einer Organisation von verwitweten u jungfräulichen Asketinnen wird, vgl Kalsbach aaO (→ A 174) 95.

[215] Rahmani aaO (→ A 174) 95.

[216] Funk II 82.

[217] Rahmani aaO (→ A 174) 95.

[218] Vgl jedoch Const Ap III 1,1; Canones des Basilius 30 (Riedel aaO [→ A 174] 254).

[219] Vgl Funk zSt. Im Testamentum Domini wird keine Bestimmung über das Alter für die Witwenweihe getroffen.

[220] Dasselbe gilt für die Einsetzung von Lektoren, Subdiakonen u Jungfrauen. Testa-mentum Domini I 41 (Rahmani aaO [→ A 174] 99) enthält das Formular eines Weihegebets für Witwen, das der Bischof sprechen soll.

[221] s auch Hennecke² 577.

[222] Riedel aaO (→ A 174) 205.

[223] Harnack aaO (→ A 174) 235; s auch Hennecke² 56°.

[224] Rahmani aaO (→ A 174) 83.

Presbyter u Diakon fortfährt μήτε ἄλλος τις ἐκ τοῦ καταλόγου τοῦ ἱερατικοῦ[225]. Speziell als eine kultische Einheit erscheinen die Witwen mit anderen Amtsträgern in Testamentum Domini I 23[226], vgl arab Didask 38, 21[227]. Schillernd sind die Aussagen Tertullian Praescr Haer 3 (p 4, 2) u PsClem Hom 3, 71, 5.

Diese schwankende Einordnung der Gemeindewitwen korrespondiert mit dem ähn- 5 lich schillernden Verhältnis der Witwen zu den Gruppen der Jungfrauen u Diakonissen in der Gemeinde (→ II 93, 29ff). Nach Ign Sm 13, 1 gab es Jungfrauen, die man Witwen nannte; zuweilen wurden also, wohl aus Mangel an geeigneten Witwen, auch Jungfrauen in den Orden der kirchlichen Witwen aufgenommen[228]. Einen solchen, allerdings extremen Fall scheint Tertullian Virg Vel 9, 2 vor Augen zu 10 haben. Oft werden die Witwen mit den Jungfrauen eng zusammengefaßt, zB Tertullian Praescr Haer 3 (p 4, 2); Kirchenordnung Hipp (→ A 184) 23[229]. Auch in der Zeit, in der die Witwen nicht mehr zum Klerus gerechnet wurden, scheinen beide, die Gemeindewitwen wie die virgines sacratae, eine immerhin klerikerähnliche Stellung (→ 445, 22ff) innegehabt zu haben[230]. 15

Ähnlich ungleichmäßig ist in der alten Kirche das Verhältnis der Witwen zu den weiblichen Diakonen, die vom 4. Jhdt ab Diakonissen genannt wurden[231]. Da in diesem Amt die Funktionen der Leitung u Aufsicht sowie der geistlichen u leiblichen Betreuung (→ 450, 17ff) eine untrennbare Einheit bildeten (→ VI 700, 18ff), waren die Diakonissen in gewisser Weise den Witwen vorgeordnet[232], die keine leitenden Auf- 20 gaben hatten. So wird sich zB die sonderbare Zuordnung der Diakonissen zum Heiligen Geist[233] u die Anwendung des Altarbildes (→ A 183) auf die Witwen u Waisen Didask II 26, 8 erklären[234]. Wahrscheinlich wurden die Diakonissen, zum mindesten in späterer Zeit, aus dem Kreis der Jungfrauen u erst in zweiter Linie aus dem der Witwen gewählt Const Ap VI 17, 4[235]. In diesem Sinn kann die arab Didask 38, 21[236] von 25 Witwen sprechen, die Diakonissen sind. Jedenfalls scheinen die beiden Stände auch später nicht identisch zu sein, vgl Testamentum Domini I 23[237].

Im Unterschied zu den spärlichen Angaben in 1 Tm 5 erfahren wir über die Aufgaben der Gemeindewitwen (→ 446, 21ff) für die Zeit nach dem NT wesentlich mehr. An erster Stelle werden wie 1 Tm 5, 5 das Gebet[238] u die Fürbitte genannt Pol 30 4, 3; Kirchenordnung Hipp (→ A 184) 23[239]; Didask III 7, 6f. Bes ausführlich handelt hiervon Testamentum Domini I 42f[240]: Die Witwen sollen entweder allein beten oder besser noch mit Jungfrauen, zu Hause oder in der Kirche[241], vorzugsweise bei Tages-

---

[225] Über Spuren einer Zählung von fünf Ämtern Bischof, Presbyter, Diakon, Lektor u Witwe vgl CSchmidt aaO (→ A 209) 305f. Man kann also nicht so bestimmt von einer strengen Scheidung von vidualer u klerikaler Betätigung seit 1 Tm 5 reden, wie es Kalsbach aaO (→ A 174) 97 tut; vgl auch → 452, 2ff.

[226] Rahmani aaO (→ A 174) 35. 37.

[227] Funk II 132.

[228] Vgl Bau Ign zSt.

[229] Vgl Funk zu Didask III 1, 1.

[230] Vgl FHKettler, Artk Virgines sacratae, in: RGG³ VI 1407.

[231] Das Wort διακόνισσα kommt wohl zuerst im Kanon 19 von Nicaea vor (ed JDMansi, Sacrorum conciliorum nova et amplissima collectio 2 [1759] 677). Möglicherweise sind schon in R 16, 1 u 1 Tm 3, 11 die ersten Spuren dieses Amtes zu sehen (→ II 93, 17ff; VI 703, 3f). Dann wäre die διάκονος die älteste weibliche Amtsträgerin in der Kirche, vgl → Leipoldt 133 mit A 30.

[232] Vgl Const Ap VIII 19; 20, 2 mit 25, 2: Die Diakonisse wird durch Handauflegung des Bischofs ordiniert, die Witwe nicht (→ 452, 20ff). Anders Rahmani aaO (→ A 174) 165.

[233] Diese Zuordnung weist auf die Herkunft aus einer semitischen Sprache, in der der Geist Fem ist, vgl Ev Hebr Fr 5. Anders Const Ap II 26, 6.

[234] Vgl Connolly aaO (→ A 174); Funk zSt.

[235] Vgl Connolly aaO (→ A 174) XLII.

[236] Funk II 132.

[237] Rahmani aaO (→ A 174) 37 u dazu 163 —166.

[238] Wie sehr dies allerdings institutionalisiert wird, zeigt Act Verc 19, wo jede Witwe für ihr Mitbeten sogar ein Goldstück erhält. Mit den viduae sind hier seniores verbunden, womit wohl nicht männliche Älteste, so GFicker, in Hennecke² 240, gemeint sind, sondern die älteren Frauen wie Tt 2, 3. So übersetzt auch MRJames, The Apocryphal NT (1924) 321: I have bidden the widows and old women to assemble ... in my house. WSchneemelcher, in Hennecke³ II 207 läßt die Frage offen.

[239] s auch Hennecke² 581.

[240] Rahmani aaO (→ A 174) 100—105. Gerade diese späte Kirchenordnung aber zeigt, daß von den früheren Merkmalen einer guten Witwe keineswegs das Gebet allein übrig bleibt, gg Kalsbach aaO (→ A 174) 95.

[241] Als Vorbild schwebt Hanna Lk 2, 37 vor, wenn es Testamentum Domini I 40 (Rahmani aaO [→ A 174] 95) heißt: Die Gemeindewitwe soll Tag u Nacht (vgl 1 Tm 5, 5) beim Altar verweilen. Die in diesem Kp gegebenen Weisungen sind allerdings, wie das Folgende zeigt, nicht als pedantisch zu erfüllendes Gesetz gemeint.

anbruch u um die Mitternacht[242]. Neben dem Gebet wird bes nachdrücklich die Aufgabe der Krankenpflege hervorgehoben. Nach Ap Kirchenordnung 21[243] wird eine der drei zu bestellenden Witwen als Pflegerin für die von Krankheiten heimgesuchten Frauen eingesetzt. Nach Testamentum Domini I 40, vgl auch Canones Hipp 9[244], soll eine Gemeindewitwe zus mit einem oder zwei Diakonen am Sonntag Krankenbesuche machen. Aus Luc Pergr Mort 12 kann man schließen, daß auch der Besuch von Gefangenen zu den Aufgaben der Gemeindewitwen gehört. Nach Pseud-Clemens, De virginitate 2, 4, 3f[245] wird eine der Gemeindewitwen, uz matrona, quae et senili aetate et morum gravitate omnes antecellit, für die Aufgabe der Gastfreundschaft (vgl 1 Tm 5,10; → A 153) an den Wanderpredigern bestimmt. So ergibt sich das Bild, daß die chr Witwen im selben Maße Werkzeuge wie Empfänger der Gemeindefürsorge waren. Aus einzelnen St geht hervor, daß die Witwen, obwohl ihnen kein eigtl Lehramt zugebilligt wird, vgl Didask III 5, 6 (→ 450, 43f), doch mit der Unterweisung von weiblichen Katechumenen u chr Jungfrauen betraut wurden Orig Hom in Js 6, 3 zu 6, 9 (GCS 33, 273); Testamentum Domini I 40[246].

Die Wirksamkeit der Gemeindewitwen begründet, daß ihnen hohe Ehre zukommt, wie es häufig in der altchristlichen Lit betont wird. Damit wird die Mahnung, die am Anfang der nt.lichen Witwenordnung (→ 444,14ff) steht, von Geschlecht zu Geschlecht weitergegeben, vgl PsClem Hom 3,71, 5; Canones Hipp 9[247]. Tertullian, Ad uxorem I 8 (CSEL 70) ordnet die Witwen über die Jungfrauen, u noch Chrys Hom de viduis 2 (MPG 51 [1862] 323) stellt den Satz auf[248]: προστάτις ἡμῶν ἐστιν ἡ ὄντως χήρα. Praktisch wird die Ehrung der Witwen damit realisiert, daß sie zus mit den anderen Klerikern ein bes Konklave bilden Testamentum Domini I 23[249]; arab Didask 38, 21[250], daß sie beim Gottesdienst bevorzugte Plätze einnehmen, uz auf der linken Seite hinter den Presbytern, par zu den Diakonen auf der rechten Seite hinter dem Bischof Testamentum Domini I 23[251], daß sie das hl Abendmahl unmittelbar nach den Diakonen vor den Lektoren, Subdiakonen, Exorzisten usw empfangen I 23[252]. Darüber hinaus werden der treuen Witwe eschatologische Ehren in Aussicht gestellt. Sie „wird auf Erden von Menschen geehrt werden u im Himmel von Gott die ewige Herrlichkeit erlangen" Didask III 1, 3. Die Witwen, „die rechtschaffen gedient haben, werden von den Erzengeln verherrlicht werden" Testamentum Domini I 40[253], vgl ebd I 42[254].

Am Ende des Altertums ist der ordo der Gemeindewitwen nicht mehr vorhanden. Schon die Zeit des Chrys kannte ihn nicht mehr; denn dieser sagt Hom de viduis 3 (MPG 51 [1862] 323): καθάπερ γάρ εἰσι παρθένων χοροί, οὕτω καὶ χηρῶν τὸ παλαιὸν ἦσαν χοροί. Vermutlich ist diese altkirchliche Institution in den sich immer mehr verbreitenden Nonnenklöstern u im kirchlichen Dienst der Nonnen aufgegangen.

Stählin

---

[242] Gebetsformulare für diese Zeiten bietet Testamentum Domini I 43 (Rahmani aaO [→ A 174] 100—105). Eine deutsche Übers der laus nocturna viduarum steht bei Blanke aaO (→ A 144) 67f.

[243] Harnack aaO (→ A 174) 235.

[244] Rahmani aaO (→ A 174) 97; Riedel aaO (→ 174) 205.

[245] ed FXFunk-FDiekamp, Patres Apostolici II (1913).

[246] Rahmani aaO (→ A 174) 97.

[247] Riedel aaO (→ A 174) 205.

[248] Zu seiner Zeit existierte das altkirchliche Witweninstitut freilich nicht mehr (→ Z 33f).

[249] Rahmani aaO (→ A 174) 35—37.

[250] Funk II 132.

[251] Rahmani aaO (→ A 174) 37.

[252] Rahmani aaO (→ A 174) 47.

[253] Rahmani aaO (→ A 174) 97.

[254] Rahmani aaO (→ A 174) 101.

χιλιάς, χίλιοι

A. χιλιάς / χίλιοι im griechischen Sprachgebrauch.

Das Zahlwort χίλιοι[1] ist im Griech seit Hom — bei ihm nur im Neutr — bezeugt: χίλια μέτρα Il 7, 471; χίλι' ἄρ' ἐν πεδίῳ πυρὰ καίετο Il 8, 562; χίλι' (sc πρόβατα) ὑπέστη Il 11, 244; αἰχμοφόροι Περσέων οἱ ἄριστοί τε καὶ γενναιότατοι χίλιοι 5 Hdt VII 41, 1. Bei Thuc II 80, 4—7 werden genannt: χίλιοι ὁπλῖται ... χίλιοι Πελο-ποννησίων, βάρβαροι δὲ Χάονες χίλιοι ἀβασίλευτοι ... Ὀρέσται δὲ χίλιοι ... χιλίους Μακε-δόνων. Diog L IV 37 erwähnt χιλίας (sc δραχμάς). Bei zusammengesetzten Zahlen kann die zu 1000 hinzugefügte Zahl voranstehen oder auch folgen: διακόσια καὶ χίλια στάδια Isoc Or 4, 87; τριήρων διακοσίων καὶ χιλίων Isoc Or 4, 93, aber: χιλίους καὶ πεντακοσίους 10 τῶν πολιτῶν Aeschin Or II 77. Im Zshg mit der Zahl 1000 stehen Kollektivwörter viel-fach im Sing: χιλίην ... ἵππον *tausend Mann Reiter* Hdt V 63, 3; ἵππος ἄλλη χιλίη ἐκ Περσέων ἀπολελεγμένη Hdt VII 41, 1; ἵππον ἔχω εἰς χιλίαν Xenoph Cyrop IV 6, 2; χιλίαν ὁλοκαύτωσιν 3 Βασ 3, 4.

In zahlreichen Wortverbindungen wird χιλι- als Vorsilbe verwendet. So bezeichnet 15 χιλιέτης bzw χιλιετής die Zeit von 1000 Jahren, während der nach Plat Resp X 615a; 621d die Seele des Menschen ihre Wanderung vollzieht. Der χιλιάρχης, seit Hdt VII 81 belegt, bzw χιλίαρχος, seit Aesch Pers 304 belegt, ist der Anführer von 1000 Mann[2]. Da dieses Wort der einzige mit χιλι- zusammengesetzte Ausdruck ist, der im NT be-gegnet, brauchen die übrigen mit χιλι- gebildeten Wörter hier nicht im einzelnen auf- 20 geführt zu werden.

Das Mehrfache von 1000 wird durch Vorsetzen der Zahladverbien vor χίλιοι ange-zeigt δισχίλιοι, τρισχίλιοι usw: δισχιλίην ἵππον καὶ δισχιλίους τοξότας καὶ δισχιλίους σφεν-δονήτας καὶ δισχιλίους ἱπποδρόμους ψιλούς Hdt VII 158, 4; τρισχίλιαι ἵπποι Hom Il 20, 221; στάδιοι δὲ τῆς ὁδοῦ ἑξήκοντα καὶ ὀκτακόσιοι καὶ τετρακισχίλιοι Hdt II 9, 1. 25

Mit dem Wort χιλιάς[3], Gen χιλιάδος, wird die Anzahl von 1000 bzw die *Tausendschaft* angegeben: πολλέων ... χιλιάδων ὀργυιέων (*Klafter*) Hdt II 28, 4; πολλὰς χιλιάδας ταλάν-

---

χιλιάς, χίλιοι. Lit: Liddell-Scott, Pr-Bauer sv; JWBailey, The temporary Messianic Reign in the Literature of Early Judaism, JBL 53 (1934) 170—187; WBauer, Artk Chiliasmus, in: RAC II 1073—1078; HBieten-hard, The Millenial Hope in the Early Church, The Scottish Journal of Theology 6 (1953) 12—30; ders, Das tausendjährige Reich [2](1955); JDaniélou, La typologie millé-riste de la semaine dans le christianisme primitif, Vigiliae Christianae 2 (1948) 1—16; AGelin, Artk Millénarisme, Dictionnaire de la Bible Suppl 5 (1957) 1289—1294; LGry, Le Millénarisme dans ses origines et son déve-loppement (1904); HKraft, Artk Chiliasmus, in: RGG³ I 1651—1653; WMetzger, Das Zwischenreich. Ein Beitrag zum exegetischen Gespräch der Kirche über den Chiliasmus, Festschr TWurm (1948) 100—118; JSicken-berger, Das tausendjährige Reich in der Apk, Festschr SMerkle (1922) 300—316; JFWal-voord, A Millennialism in the Ancient Church, Bibliotheca Sacra 106 (1949) 291—302; AWikenhauser, Das Problem des tausend-jährigen Reiches in der Apk, Röm Quartal-schrift 40 (1932) 13—25; ders, Die Herkunft der Idee des tausendjährigen Reiches in der

Apk, ebd 45 (1937) 1—24; ders, Weltwoche u tausendjähriges Reich, Theol Quart 127 (1947) 399—417.

[1] Eigtl γείλιοι, so zB im Ionischen, verwandt mit altindisch sa-hásra-m *tausend*, s Boisacq, Hofmann, Frisk sv. Über das ī in attisch χίλιοι vgl Schwyzer I 193. [Risch]

[2] χιλίαρχος, vgl auch Jos Ant 7, 368; 12, 301; 17, 215, ist in nt.licher Zeit der röm tribunus militum, der Befehlshaber einer Kohorte. χιλίαρχος ist auch als Fremdwort von den Rabb übernommen u verwendet worden, vgl Krauss Lehnw II 285f. 546. In der Bdtg tri-bunus militum wird das Wort öfter im NT ge-braucht J 18, 12; Ag 21, 31—33. 37; 22, 24. 26—29; 23, 10. 15. 17—19. 22; 24, 7 (vl). 22; 25, 23; dgg Mk 6, 21; Apk 6, 15; 19, 18 all-gemeiner von höheren Offizieren.

[3] χιλιάς ist nach Schwyzer I 596f ein Kollek-tivum, u diesen Sinn hat es offensichtlich im ganzen Altertum nicht verloren. Dies zeigt ein Vergleich der Verwendung von δισχίλιοι, τρισχίλιοι κτλ mit δύο, τρεῖς κτλ χιλιάδες für das Vielfache von 1000, wonach ersteres mehr als zehnmal so häufig ist als letzteres. Lediglich Hdt macht eine Ausn. Er gebraucht δύο κτλ χιλιάδες relativ häufig, nämlich elfmal, δισχίλιοι

τῶν Hdt II 96, 5; Ξέρξη δὲ . . . χιλιὰς μὲν ἦν ὧν (sc τῶν νεῶν) ἦγε πλῆθος Aesch Pers 341f; ἐννέα χιλιάδας ἐτῶν *9 (Perioden) zu je 1000 Jahren* Plat Phaedr 256e/257a. Der Plur χιλιάδες dient auch dazu, die nicht mehr überschaubare, große Zahl auszudrücken: αἱ δ᾽ ἀνάριθμοι μήλων χιλιάδες Theocr 16, 90f; ἑκατοντάδας καὶ χιλιάδας βιβλίων *Bücher zu*
5   *Hunderten u Tausenden* Luc Hermot 56.

In den Pap der hell u röm Zeit fehlt χιλιάς offenbar. Der einzige greifbare Beleg ist POxy XVI 1909 (7. Jhdt nChr). Man verwendet für das Vielfache von 1000 δισχίλιοι PGreci e Latini 8, 987, 4 (2. Jhdt vChr); Wilcken Ptol II 176, 7 (140 vChr); BGU VI 1391, 6 (112 vChr); τρισχίλιοι BGU VI 1345, 4 (100 vChr); 1353, 4 (3./2. Jhdt vChr);
10   τετρακισχίλιοι ebd 1386, 7 (112 vChr) usw[4].

B. χιλιάς / χίλιοι im Alten Testament und Judentum.

1. **Zum Sprachgebrauch im Alten Testament** ist zunächst zu bemerken, daß in der **Septuaginta** χιλιάς *Tausendschaft* mehr als 250mal vorkommt u an allen St, denen ein HT zugrundeliegt, dem Wort אֶלֶף entspricht. χίλιοι ist weit-
15   aus seltener verwendet u bezeichnet wie אֶלֶף die Zahl 1000, so zB χίλια δίδραχμα אֶלֶף כֶּסֶף Gn 20, 16; χίλιοι ἑπτακόσιοι ἑβδομήκοντα πέντε σίκλοι *(Schekel)* Ex 39, 2 (HT: 38, 25); ἡ πόλις, ἐξ ἧς ἐξεπορεύοντο χίλιοι Am 5, 3; τόπος, οὗ ἐὰν ὧσιν χίλιαι ἄμπελοι χιλίων σίκλων Js 7, 23; χίλια ἔτη ἐν ὀφθαλμοῖς σου (sc Gottes) ὡς ἡ ἡμέρα ἡ ἐχθές, ἥτις διῆλθεν, καὶ φυλακὴ ἐν νυκτί ψ 89, 4. χιλιάς wird häufig in Listen, die Zählungen wiedergeben, gebraucht,
20   so zB: ἡ ἐπίσκεψις αὐτῶν ἐκ τῆς φυλῆς Ρουβην ἐξ καὶ τεσσαράκοντα χιλιάδες καὶ πεντακόσιοι Nu 1, 21; ἐκ τῆς φυλῆς Συμεων ἐννέα καὶ πεντήκοντα χιλιάδες καὶ τριακόσιοι Nu 1, 23; ferner 1, 25. 27. 29. 31. 33. 35. 37. 39. 41. 43. 46; Ez 45, 1. 3. 5. 6; 48, 8 — 10. 13. 16 (bis). 18. 20f. 35. Oft dient der Plur χιλιάδες dazu, die große, nicht mehr überschau-bare Zahl anzuzeigen. Von Gott heißt es, daß er ἔλεος erweist εἰς χιλιάδας Ex 20, 6;
25   34, 7; Dt 5, 10; ᾽Ιερ 39 (32), 18. Der Beter rühmt, daß τὸ ἄρμα τοῦ θεοῦ μυριοπλάσιον, χιλιάδες εὐθηνούντων *(gesegnet, in Blüte sein)* seien ψ 67, 18, u bekennt: κρείσσων ἡμέρα μία ἐν ταῖς αὐλαῖς σου (sc Gottes) ὑπὲρ χιλιάδας ψ 83, 11. Unübersehbar sind die Scharen der Engel, die dienend um Gottes Thron stehen: χίλιαι χιλιάδες ἐθεράπευον αὐτὸν καὶ μύριαι μυριάδες παρειστήκεισαν αὐτῷ Δα 7, 10[5].

30   2. **Die zahllosen Engelheere** werden · in den Büchern der jüd Apokalyptik wiederholt genannt. Äth Hen 14, 22 ist von zehntausendmal Zehntau-senden die Rede, die um Gottes Thron stehen, u äth Hen 40, 1 berichtet der Seher, daß er tausendmal Tausende u zehntausendmal Zehntausende, eine unzählige u un-berechenbar große Menge, vor dem Herrn der Geister stehen sah[6]. Äth Hen 10, 17 wird
35   den Gerechten zugesagt, daß sie dem kommenden Verderben entfliehen u leben werden, bis sie tausend Kinder zeugen. In jenen Tagen sollen die Weinstöcke Wein im Über-fluß hervorbringen, dann „wird ein Maß tausend tragen“ 10, 19[7]. Für die Messiaszeit wird s Bar 29, 5 verheißen, daß an einem Weinstock 1000 Ranken sein werden, eine

---

κτλ jedoch insgesamt 60mal. Dieser außer-attische Sprachgebrauch steht aber isoliert. Wie sparsam das Wort überh gebraucht wird, zeigt sein Fehlen bei den zehn attischen Red-nern u bei Thuc, Aristot u Xenoph; je einmal haben es Plat (→ 455, 16f), Luc (→ 456, 4f), Plut, De Agesilao 16 (I 603c) u Dio C 68, 2, 1. [Kelber]

[4] Zu μυριάς in röm Zeit vgl PTebt II 308, 8 (174 nChr); Pap Panopolis (ed TCSkeat [1964]) 2, 30 uö (2./3. Jhdt nChr). Es ist wohl schon in ptolemäischer Zeit gängig gewesen, vgl PGreci e Latini 4, 393, 6 (242 vChr); Pap Cairo Zeno III 59480, 7 (um 250 vChr; ed CCEdgar, Catalogue Général des Antiquités Égyptiennes du Musée du Caire 85 [1928]). Das Vielfache von 10000 wird mit δύο μυριάδες Pap Panopolis 2, 30 uö, τρεῖς μυριάδες PGreci e Latini 4, 393, 6 (242 vChr) usw ausgedrückt. [Kelber]

[5] Die Häufigkeit von χιλιάς in der LXX gegenüber dem sonst sparsamen Gebrauch bei den Griechen (→ A 3) ist dem Einfluß des Hbr zuzuschreiben. Trotzdem drückt die LXX die Tausender von 2000 bis 7000 nur 27mal mit δύο κτλ χιλιάδες u 117mal mit δισχίλιοι κτλ aus. [Kelber]
[6] Vgl auch Sophonias-Apokalypse 1, 27ff (ed GSteindorff, Die Apokalypse des Elias, eine unbekannte Apokalypse u Bruchstücke der Sophonias-Apokalypse, TU NF 17, 3 [1899] 113) sowie Anonyme Apokalypse 13, 2f (Steindorff 57), dasselbe von den Strafengeln ebd 4, 15ff (Steindorff 41); weitere St bei Loh Apk zu 5, 11. Test Jud 4, 1 sagt Juda, er habe zus mit seinen Brüdern im Kampf 1000 Män-ner verfolgt u 200 von ihnen u 4 Könige getötet.
[7] Im griech Text steht an beiden St χιλιάς.

Ranke aber 1000 Trauben u eine Traube 1000 Beeren tragen werde, eine Beere aber ein Kor Wein ergeben soll. In den Spekulationen, die man über die Dauer dieses dem Ende entgegeneilenden Äons u über die kommende Heilszeit anstellt, spielt auch die Zahl 1000 eine bes Rolle. Verschiedenen Überlegungen liegt offenbar das Schema einer großen Weltwoche (→ VII 19, 25ff) zugrunde, nach dem der Bestand der Welt auf 5 insgesamt 7000 Jahre berechnet wird[8]. So ist Test Abr B 7 (p 112, 2f) von 7000 Zeiten αἰῶνες gesprochen, die sich erfüllen müssen, u Pseud-Philo, Antiquitates biblicae[9] 28, 2 heißt es: Haec fundamenta erunt hominibus habitantibus in eis annis VII, wobei die Zahl Sieben nach Ps 90, 4 von sieben Jahrtausenden zu verstehen ist[10]. Nach slav Hen 33, 1 ist offenbar das kommende achte Jahrtausend als Anfang des neuen Äons vorge- 10 stellt, während die 7000 Jahre der Weltwoche den sieben Tagen der Schöpfungswoche entsprechen[11]. PREl 19 (p 141) heißt es, daß Gott sieben Äonen geschaffen habe, sechs zum Gehen u Kommen der Menschen, der siebente aber solle ganz Sabbat u Ruhe im ewigen Leben sein[12]. In anderen Äußerungen werden 6000 Jahre für den Bestand der Schöpfung angegeben. So ist nach bSanh 97a—b Bar in der Schule des Elias gelehrt 15 worden, die Welt werde 6000 Jahre bestehen — 2000 Jahre ohne Thora, 2000 Jahre mit Thora u 2000 Jahre Zeit des Messias[13]. Nach der samaritanischen Eschatologie sollte die Dauer der Welt ebenfalls 6000 Jahre betragen[14]. Unterschiedlich ist auch die Zeit der zukünftigen Messiasherrschaft berechnet worden. Manche Gelehrte gaben dafür die Dauer von 1000 Jahren an, andere sprachen von 2000 Jahren oder gar unter Berufung 20 auf Js 62, 5 von 7000 Jahren[15]. Wenn auch die Auffassung einer tausendjährigen Dauer der Messiaszeit erst im 1. Jhdt nChr bezeugt ist, so ist es doch sehr wahrscheinlich, daß es sich um eine ältere Tradition handelt[16], nach der man schon in vorchr Zeit lehrte, daß das Messiasreich 1000 Jahre währen werde[17].

3. In den Texten von Qumran ist die Zahl 1000 im Zshg mit 25 der militärischen Gliederung der Gemeinde von Bdtg[18]. Die Gemeinde ist eingeteilt לאלפים ומאות וחמישים ועשרות 1 QS 2, 21f, vgl Damask 13, 1f (15, 4). Über jeder Tausendschaft steht ein Befehlshaber, der sie zum Kampf führt 1 QM 4, 2; 1 QSa 1, 14. 29. Die Scharen der Erwählten Gottes sollen gemustert werden לאלפיהם ולרבואותם zus mit den Heiligen u den Engeln 1 QM 12, 4. Der Bundesgemeinde gilt nach Dt 7, 9 30 die Verheißung, daß diejenigen, die Gottes Gebote halten, tausend Geschlechter lang leben werden Damask 7, 6 (8, 21); 19, 1f (8, 21f); 20, 22 (9, 45)[19].

4. Der Sprachgebrauch des Josephus[20] entspricht vollauf der im Griech üblichen Verwendung von χίλιοι u χιλιάς. Ventidius sandte auf Weisung des Antonius dem Herodes χιλίους ἱππεῖς Bell 1, 317. Johannes von Gischala schickte τῶν 35 περὶ αὐτὸν ὁπλιτῶν ἐπιλέξας τοὺς πιστοτάτους ἐκ τῶν χιλίων Vit 95. 1 Βασ 18, 7 wird Ant 6, 193 wiedergegeben: ὡς πολλὰς Σαοῦλος ἀπώλεσε Παλαιστίνων χιλιάδας ... ὡς μυριάδας Δαυίδης ἀφανίσειε. Durch das vor χίλιοι gesetzte Zahladverb wird das Mehrfache von 1000 bezeichnet: περὶ δὲ δισχιλίους Bell 1, 172; δισχιλίους ἐπιλέκτους ... δισχιλίους ἱππεῖς Bell 2, 500; τρισχιλίους τοξότας ebd; τρισχιλίους ... στρατιώτας Vit 213; μετὰ τρισ- 40 χιλίων ὁπλιτῶν Vit 233; μετὰ τετρακισχιλίων Bell 2, 501; τετρακισχίλιοι τὸν ἀριθμὸν ὄντες Vit 371; πίπτουσι μὲν πεντακισχίλιοι Bell 1, 172; δραχμὰς εἴκοσιν καὶ μυριάδας καὶ πεντακισχιλίας πεντακοσίας Ant 11, 16; πεντακισχιλίους ἐξ αὐτῶν ὁπλίτας Vit 212; εἰς ἑξακισχιλίους Bell 4, 115; περὶ ἑξακισχιλίους τῶν πολεμίων Ant 14, 33; τοὺς ὡπλισμένους ὄντας εἰς ὀκτακισχιλίους Bell 1, 172. 45

[8] Zur Vorstellung von der Weltwoche vgl → Wikenhauser Weltwoche passim; ferner Str-B III 826f; IV 989—994; Bousset-Gressm 246f; Volz Esch 143f.

[9] ed GKisch, Publications in Mediaeval Studies 10 (1949).

[10] zSt → Wikenhauser Weltwoche 400f.

[11] Zu der schwer verständlichen St vgl Volz Esch 35. 339; Str-B IV 990; zu Barn 15, 4 → 460, 9ff. 23f.

[12] Vgl Str-B III 687; Volz Esch 144.

[13] Vgl Str-B III 826; IV 990; vgl auch bAZ 9a (Str-B IV 991f). Weitere Belege aus späterer Zeit Str-B IV 991f.

[14] Vgl Volz Esch 35. 143f.

[15] Belege bei Str-B III 824—827.

[16] Vgl Str-B III 827, vgl auch Testamentum Isaak 8, 20 (Rießler 1146): Diejenigen, die sich der Notleidenden erbarmen, „dürfen sich am tausendjährigen Mahle gleich von der ersten Stunde an beteiligen"; zSt vgl → Wikenhauser Weltwoche 400.

[17] χίλιοι u χιλιάς finden sich gelegentlich als Fremdwörter bei den Rabb, vgl Krauss Lehnw II 285.

[18] Übersicht über die St bei KGKuhn, Konkordanz zu den Qumrantexten (1960) sv.

[19] Angemerkt sei, daß Damask 10, 21 (13, 7) der Sabbatweg auf 1000 Ellen eingeschränkt wird, während man nach Damask 11, 5f (13, 15) am Sabbat hinter dem Vieh 2000 Ellen hergehen darf, um es außerhalb der Stadt zu weiden (→ VII 12, 7ff).

[20] χίλιοι u χιλιάς stehen bei Philo nur in Zitaten aus dem AT.

C. χιλιάς / χίλιοι im Neuen Testament.

1. Im Neuen Testament findet sich eine Reihe von Zahlenangaben, in denen χίλιοι und χιλιάς verwendet werden[21]. 2 Pt 3, 8 wird nach Ps 90, 4 festgestellt, ὅτι μία ἡμέρα παρὰ κυρίῳ ὡς χίλια ἔτη καὶ χίλια ἔτη ὡς 5 ἡμέρα μία. Die Größe der Schweineherde, in die die unreinen Geister gefahren sind, betrug nach Mk 5, 13 ὡς δισχίλιοι[22]. Ag 2, 41 heißt es, daß am Pfingsttage *an 3000 Seelen* ψυχαὶ ὡσεὶ τρισχίλιαι zur Gemeinde hinzugekommen seien, Ag 4, 4 sogar, daß ἐγενήθη ἀριθμὸς τῶν ἀνδρῶν ὡς χιλιάδες πέντε[23]. Im Zusammenhang mit der Überlieferung von der wunderbaren Speisung, die Jesus einer großen Menge 10 zuteil werden ließ, wird einerseits gesagt, daß πεντακισχίλιοι ἄνδρες (Mk 6, 44, vgl Lk 9, 14; Mt 14, 21[24]; J 6, 10, ferner Mk 8, 19; Mt 16, 9) gesättigt worden seien; andererseits wird in der Parallelüberlieferung (Mk 8, 9. 20 Par) von τετρακισχίλιοι gesprochen. Ag 21, 38 wird der Aufstand des Ägypters erwähnt, der τοὺς τετρακισ-χιλίους ἄνδρας τῶν σικαρίων (→ VII 280, 6ff) in die Wüste geführt hat. Auf das 15 Beispiel der Tage des Elia, in denen ein Rest in Israel treu blieb und 7000 Mann ihre Knie nicht vor der Baalsgottheit beugten (1 Kö 19, 18), bezieht sich Paulus R 11, 4. Aus der Geschichte Israels ist auch der Hinweis auf das warnende Geschick der Wüstengeneration genommen, die Gottes Strafgericht erfuhr, so daß ἔπεσαν μιᾷ ἡμέρᾳ εἴκοσι τρεῖς χιλιάδες[25] (1 K 10, 8). Lk 14, 31 (→ VI 514 A 93) wird 20 die Frage gestellt, ob nicht ein König, der einen anderen König bekriegen will, sich zunächst überlegen muß, εἰ δυνατός ἐστιν ἐν δέκα χιλιάσιν ὑπαντῆσαι τῷ μετὰ εἴκοσι χιλιάδων ἐρχομένῳ ἐπ' αὐτόν.

2. In der Apokalypse des Johannes ist mit den Zahlen, die an vielen Stellen genannt werden, auch ein geheimnisvoller Sinn ver-25 bunden. Dieser ist sowohl von der apokalyptischen Tradition her bestimmt als auch von der Bedeutung, die der Seher den übernommenen Überlieferungen jeweils in dem Zusammenhang gibt, in dem er sie nun seinerseits verwendet[26]. Apk 5, 11 wird im Anschluß an Da 7, 10 von μυριάδες μυριάδων καὶ χιλιάδες χιλιάδων ge-sprochen, die in den himmlischen Lobpreis einstimmen (→ 456, 31ff mit A 6). 30 Apk 7, 4 wird die Zahl der Versiegelten mit ἑκατὸν τεσσεράκοντα τέσσαρες χιλιάδες angegeben (→ II 324, 2ff). Diese Zahl setzt sich aus je 12 000 Versiegelten aus jedem der zwölf Stämme Israels zusammen (Apk 7, 5—8) und zeigt somit an, daß das ganze Gottesvolk Gott zu eigen gehört und unter seinem Schutz bewahrt bleiben wird. Die Kirche aus Juden und Heiden ist dieses mit dem Zeichen ver-35 sehene Eigentum Gottes, das inmitten aller Schrecken und Bedrängnisse ge-borgen bleiben wird. Apk 11, 3 und 12, 6 nennt der Seher ἡμέρας χιλίας διακοσίας ἑξήκοντα, die 42 Monaten (vgl Apk 11, 2; 13, 5) bzw 3½ Jahren (vgl

---

[21] Das NT drückt das Vielfache von 1000 zweimal mit χιλιάς u achtmal mit δισχίλιοι κτλ aus. [Kelber]
[22] Die Zahlenangabe fehlt in den Parallelen bei Mt u Lk.
[23] Zur Frage nach dem historischen Wert dieser Zahlenangaben vgl Haench Ag[14] zSt.
[24] Mt 14, 21 vergrößert die Zahl noch, in-

dem er ausdrücklich bemerkt: πεντακισχίλιοι χωρὶς γυναικῶν καὶ παιδίων.
[25] Nu 25, 9 ist jedoch nicht die Zahl von 23 000, sondern von 24 000 angegeben.
[26] Zu den im folgenden genannten St sind jeweils die Komm zur Apk zu vergleichen, bes Bss Apk, Loh Apk u ELohse, Die Offenbarung des Joh, NTDeutsch 11 ³(1971).

Apk 12,14) entsprechen. Nach Da 7, 25: 12,7 aber umfaßt diese Frist — die halbe Siebenzahl — den Zeitraum der schwersten Bedrängnis, der nach dem von Gott festgelegten Plan ablaufen und zu Ende gehen wird. In dem Erdbeben, das über die Stadt (→ VII 336, 5ff), ἥτις καλεῖται πνευματικῶς Σόδομα καὶ Αἴγυπτος, ὅπου καὶ ὁ κύριος αὐτῶν ἐσταυρώθη (Apk 11, 8), kommen wird, sollen ὀνόματα ἀνθρώ- 5 πων χιλιάδες ἑπτά getötet werden (Apk 11, 13). Auf dem Zion sieht Johannes das Lamm stehen καὶ μετ' αὐτοῦ ἑκατὸν τεσσεράκοντα τέσσαρες χιλιάδες, die das Zeichen des Eigentums des Lammes und seines Vaters tragen (Apk 14,1. 3), durch das sie von den Anhängern des Tieres unterschieden sind. Wie in Apk 7,1—8 ist auch hier von dem Gottesvolk die Rede, das an der Stätte der endzeitlichen Be- 10 wahrung (→ VII 335, 35ff) in den Schrecken der Endzeit behütet bleibt und schließlich errettet werden soll. Das Gericht aber, das über die Erde hereinbrechen soll, wird so furchtbar sein, daß das Blut aus der Kelter bis an die Zügel der Pferde quellen wird ἀπὸ σταδίων χιλίων ἑξακοσίων (Apk 14, 20). Wunderbar ist die Ausdehnung der Himmelsstadt, des neuen Jerusalem, die ἐπὶ σταδίων δώδεκα χιλιάδων 15 gemessen wird und deren Länge, Breite und Höhe gleich (→ III 344,17ff) sein sollen (Apk 21,16).

3. Apk 20 schildert der Seher, wie der Drache auf **tausend Jahre** gebunden wird (v 2), ἵνα μὴ πλανήσῃ ἔτι τὰ ἔθνη, ἄχρι τελεσθῇ τὰ χίλια ἔτη (v 3). Die Getreuen aber, die Christi Eigentum sind und um seines Zeugnisses 20 willen das Leben gelassen hatten, werden auferweckt und herrschen μετὰ τοῦ Χριστοῦ χίλια ἔτη (v 4). Während οἱ λοιποὶ τῶν νεκρῶν οὐκ ἔζησαν ἄχρι τελεσθῇ τὰ χίλια ἔτη (v 5), sind sie dem zweiten Tod entnommen und werden mit Christus 1000 Jahre herrschen (v 6). Wenn aber τελεσθῇ τὰ χίλια ἔτη, λυθήσεται ὁ σατανᾶς ἐκ τῆς φυλακῆς αὐτοῦ (v 7). Nach einem letzten, furchtbaren Angriff der satanischen 25 Gewalten werden diese endgültig niedergeworfen (20, 8—10), so daß nach dem Endgericht (20, 11—15) die neue Welt Gottes anheben kann (21, 1—22, 5).

Diese vom Seher entfaltete Vorstellung des sog tausendjährigen Reiches ist auf dem Hintergrund jüd-apokalyptischer Traditionen zu verstehen, die der Verf der Apk aufnimmt u verwendet. In der Erwartung eines messianischen Zwischenreiches, das dem 30 Ende u der kommenden Gottesherrschaft vorangehen soll äth Hen 91,12f; 93,1—14; Sib 3, 652—660; 4 Esr 7, 28f; s Bar 29, 3; 30,1—5; 40, 3, sind zwei verschiedene Formen eschatologischer Hoffnung miteinander verbunden[27]. Nach der älteren Vorstellung soll der Messias als endzeitlicher König erscheinen, der das Reich Davids wiederherstellen u zu herrlichem Glanz emporführen wird. In der Apokalyptik aber bildet 35 sich daneben eine ganz andere Auffassung von der zukünftigen Heilszeit aus; danach wird der göttliche Gesandte vom Himmel erscheinen, die Toten werden bei seiner Ankunft auferstehen, u alle Menschen müssen vor seinen Richtstuhl treten. Die ältere, nationale Hoffnung sucht man später mit der universalen Eschatologie zu verknüpfen, indem das Reich des Messiaskönigs vor das Ende der Welt u den Anbruch des neuen 40 Äons gesetzt wird. Die irdische Messiaszeit wird dadurch zu einer befristeten Epoche, auf die noch einmal vor Beginn der zukünftigen Welt ein letzter Ansturm der chaotischen Mächte folgen wird.

Diese jüdische Erwartung des Zwischenreiches hat in einer verchristlichten Gestalt in die Johannesapokalypse Eingang gefunden; denn für die christliche Ver- 45 kündigung ist Jesus sowohl der Messiaskönig als auch der Menschensohn, und darum ist alle eschatologische Erwartung an seinen Namen geknüpft. Im messiani-

---

[27] Vgl Volz Esch 71—77.

schen Zwischenreich sollen die vollendeten Zeugen mit Christus herrschen und daher schon ·vor dem Ende an seinem königlichen Regiment teilhaben.

Die Dauer des Zwischenreiches wird in der jüd Apokalyptik verschieden angegeben. Nach 4 Esr 7, 28f wird der Messias 400 Jahre lang herrschen, dann aber wird er sterben 5 u mit ihm alle, die Menschenodem haben; danach sollen die Toten auferstehen, u das Endgericht wird stattfinden. Die Zahl tausend hängt wahrscheinlich mit der Vorstellung von der Weltwoche zus[28], nach der 6000 Jahre lang die Weltgeschichte ihren Gang nehmen u die letzten 1000 Jahre der große Weltensabbat herrschen soll (→ VII 19, 35ff). Am deutlichsten ist dieser Gedanke Barn 15, 4 ausgesprochen, wenn dort im Anschluß 10 an Gn 2, 2 gesagt wird, Gott vollende alles in 6 Tagen, ein Tag Gottes aber nach Ps 90, 4 auf 1000 Jahre berechnet wird. Daraus folgt, daß sich das Weltall in 6 Tagen, dh 6000 Jahren, vollenden, dann aber der Sabbat Gottes als der siebente Tag folgen wird, an dem der Sohn Gottes zum Gericht u zur Heraufführung der neuen Welt erscheinen wird Barn 15, 5.

15 Der Seher Johannes richtet sein Interesse allein auf dieses Ende, die letzten tausend Jahre, die das göttliche Zeitmaß des Zwischenreiches ausmachen, und ruft der leidenden Kirche das Trostwort zu, daß die Zeugen, die den Tod erlitten haben, zum tausendjährigen Reich auferstehen sollen[29].

D. χιλιάς / χίλιοι bei den Apostolischen Vätern.

20 In den Schriften der Apost Vät wird die Zahl 1000 nur im 1 Cl u im Barn erwähnt. 1 Cl 34, 6 wird Da 7, 10 Θ angeführt: μύριαι μυριάδες παρειστήκεισαν αὐτῷ, καὶ χίλιαι χιλιάδες ἐλειτούργουν αὐτῷ, 1 Cl 43, 5 nennt τὰς ἑξακοσίας χιλιάδας τῶν ἀνδρῶν aus ganz Israel, u Barn 15, 4 (→ Ζ 9ff; 457, 4ff) zitiert ψ 89, 4, um damit zu begründen, ὅτι ἐν ἑξακισχιλίοις ἔτεσιν συντελέσει κύριος τὰ σύμπαντα[30].

25 *Lohse*

χλιαρός → II 878, 30ff

---

† χοϊκός

A. Griechentum.

Das Wort wird erst im Zshg mit Gn 2, 7 bei Pls, in der chr Si-30 byllistik u Gnosis wichtig. Außerhalb dieses jüd-chr Theologumenons ist es nur bei den Lexikographen Hesych u Suid sv (Adler IV 813, 19), sowie bei einem anonymen chr Rhetor, Progymnasmata 6[1] nachzuweisen. Es handelt sich also um eine neue Sprachschöpfung (des Pls?), die erst aufgrund der LXX-Übers von Gn 2, 7 möglich wurde. Wohl heißen Helden mythischer Vorzeit Aesch Suppl 250f; Hdt VIII 55 oder die aus der Saat der 35 Drachenzähne Entstandenen fr adespotum 84 (TGF 855) *erdgeboren* γηγενής. Doch gab es sie nur in der Vorzeit[2], während jetzt Menschen u Tiere von einander gezeugt u geboren werden Plat Polit 269b; Aristot Gen An III 11 p 762b 29ff. Davon zu unter-

---

[28] Vgl → Bietenhard Reich 44—51.
[29] Zur weiteren Entfaltung der Vorstellung vom tausendjährigen Reich in der alten Kirche vgl → Bauer 1075—1078; → Kraft 1651 —1653.
[30] Von χιλίαρχοι wird 1 Cl 37, 3 in einer Aufzählung militärischer Führungsstellen gesprochen.

χοϊκός. Lit: Cr-Kö, Liddell-Scott, Pass, Pr-Bauer, Thes Steph sv; EBrandenburger, Fleisch u Geist, Wissenschaftliche Monographien zum AT u NT 29 (1968); HMSchenke, Der Gott „Mensch" in der Gnosis (1962).
[1] ed CWalz, Rhetores Graeci I (1832) 613, 4f: Leib als χοϊκὸν βάρος.
[2] Vgl noch Eur Ion 20. 267. 1466 u für Pos MPohlenz, Die Stoa I [4](1970) 234.

scheiden ist die Formung aus Erde, meist πηλός, die Hes Op 70ff, vgl Theog 571ff von Pandora, Aristoph Av 686 vom Menschen überh, berichtet[3]. Nach Plat Leg V 727e ist die Seele höher zu schätzen als der Leib; „denn nichts Erdgeborenes ist höher zu schätzen als das Olympische".

B. Altes Testament.

5

1. Der jahwistische Schöpfungsbericht erzählt Gn 2, 7, Jahwe habe den Menschen aus *Staub und Erde* geschaffen und ihm den Lebensodem eingeblasen. Psalmen, Hiob und Prediger nehmen das auf. Am häufigsten erscheint עָפָר *Staub*. Aus Staub ist der Mensch entstanden (Gn 2, 7; Hi 8, 19; Qoh 3, 20). Darum bleibt er Staub sein Leben lang (Gn 3, 19; Ps 103, 14; Qoh 10 12, 7)[4], und Staub ist das Fundament seines Lebens (Hi 4, 19). So kehrt er denn auch zum Staub zurück (Ps 22, 30; Qoh 3, 20; Hi 7, 21; 17, 16; 20, 11; 21, 26, vgl 19, 25) und wird selbst wieder Staub (Gn 3, 19; Hi 10, 9; 34, 15). Sobald Jahwe ihren Geist wieder einzieht, sind die Menschen nur noch Staub (Ps 104, 29)[5]. Staub kann daher geradezu Bezeichnung der Toten werden (Ps 30, 10). Daß der Mensch 15 *Staub* oder *Fleisch* ist (vgl Ps 103, 14 mit 78, 39), zeigt seine Schwäche und ruft daher Jahwes Erbarmen hervor.

Daß auch der Terminus אֲדָמָה *Erde* aus Gn 2, 7 aufgenommen wird, ist zu erwarten. Von *Erde* genommen kehrt der Mensch wieder in sie zurück Gn 3, 19. Wenn sein *Geist* רוּחַ ihn verläßt, wird er wieder zu Erde Ps 146, 4 u schläft im Erdenstaub Da 12, 2. 20 Daneben findet sich die Aussage, daß der Mensch aus *Lehm* חֹמֶר bestehe Hi 33, 6. Etw anders sind die Aussagen Js 64, 7 u Jer 16, 8 akzentuiert, wo die abs Verfügungsgewalt Gottes über den Menschen im Bild von Töpfer u Lehm dargestellt ist, vgl Hi 10, 9.

2. χοϊκός fehlt in der Septuaginta. Daß der Mensch aus Staub entstanden ist, Staub ist u wieder zu Staub werden soll, wird gelegentlich mit πηλός 25 (→ Z 1.21; HT: חֹמֶר), meist mit χοῦς Gn 2, 7 (HT: עָפָר), auch χῶμα Hi 17, 16 (HT: עָפָר) oder γῆ (→ Z 8ff; HT: עָפָר); (→ Z 18ff; HT: אֲדָמָה), manchmal mit der Zufügung καὶ σποδός (→ A 4) wiedergegeben. Der יֵצֶר entsprechende Ausdruck πλάσμα (→ 462, 12. 18ff; 464, 12ff) findet sich nur Ps 103, 14; Js 29, 16; 45, 10 vl in unserem Sinn, aber abs gebraucht u noch nicht mit χοῦς verbunden[6]. 30
γηγενεῖς bezeichnet alle Menschen ψ 48, 3 (par υἱοὶ τῶν ἀνθρώπων), bes als sterbliche Prv 2, 18; 9, 18[7]. Auffällig ist ᾽Ιερ 39 (32), 20. Hier werden nur die Nichtisraeliten so genannt. Einen Schritt weiter geht Sap 7, 1f, wo Adam so heißt, uz als Stammvater der *Sterblichen*, die aus Beischlaf u Lust als *Fleisch* gebildet werden[8]. Ausgesprochen dualistisch ist Sap 9, 15: Das *erdhafte* γεῶδης Zelt beschwert den νοῦς[9]. 35

C. Judentum.

1. In der Apokalyptik treten die seit Js 31, 3 durch Geist u Fleisch bestimmten Sphären immer stärker als himmlische u irdische auseinander (→

---

[3] Vgl auch Hes fr 268. Doch stammt der Gedanke erst aus der Orphik, vgl zB Orph Fr 233 (Kern). [Dihle] — Zu πηλός → VII 1035 A 160.

[4] עָפָר וָאֵפֶר *Staub u Asche* Gn 18, 27, vgl Hi 30, 19; 42, 6; Sir 10, 9; 17, 32.

[5] In LXX finden sich ψ 103, 29 wie Qoh 12, 7 πνεῦμα, uz als entweichendes, zu Gott zurückkehrendes, nicht aber als überlebendes, u χοῦς zus, → Brandenburger 61.

[6] Das Verbum πλάσσω steht Gn 2, 7.

[7] Test Jos 2, 5 steht γηγενής par zu ἄνθρωπος u υἱὸς ἀνθρώπου als Gegensatz zu Gott. Aristobulus fr 4 bei Eus Praep Ev 13, 12, 5 (p 194, 5) heißt Mose ὑλογενής, so die Hdschr, vielleicht ist ὑδογενής zu konjizieren. Anders zu verstehen ist γήϊνος Hi 4, 19 Σ.

[8] → Brandenburger 106f.

[9] Vgl Vit Ad 27, wo der Verweis auf den *Kot der Erde* Gott zum Erbarmen bewegt (→

VII 108,14ff). Das Irdische ist zwar vergänglich s Bar 48, 50; 4 Esr 7, 31; 8, 53[10] u
wird einst verwandelt werden s Bar 49, 3, auch können Erdbewohner nur Irdisches,
Himmlische allein Himmlisches erkennen 4 Esr 4, 21. Aber an sich ist der *Staub*, aus
dem Adam geschaffen wurde, Gottes Schöpfung[11], u die Sünde ist nur auf Adams Fall,
5   nicht auf seine Staubbeschaffenheit zurückzuführen 4 Esr 3, 4—7. 21; s Bar 48, 42—50;
54, 19. Auch ist der anthropologische Gegensatz von Geist u Fleisch hier nicht wesentlich[12].

2. Daß der Mensch aus *Staub* עָפָר gebildet ist, unterstreicht in
den Qumrantexten seine Begrenztheit 1 QS 11, 21; 1 QH fr[13] 2, 4, ja seine Unrein-
10   heit 1 QH 12, 24—27, vgl 1, 21 f. Er ist *Staub* 1 QH 11, 3; 12, 25. 27; 18, 4. 12. 24. 27,
Staub u Asche 1 QH 10, 5; 1 QH fr 2, 7, vgl 3, 6, ein *Staubgebäude* (→ VII 112 A 125)
oder *Staubgebilde* 1 QH 18, 31; 1 QH fr 3, 5. 14 (→ 461, 28 ff)[14]. Das Wort steht
par zu *Fleisch* 1 QH 15, 21 (→ VII 110, 29 ff). Aber Gottes Geist hat sich mit solchem Staub verbunden 1 QH fr 2, 9. So kann auch betont werden, daß Gott für dieses
15   Staubgebilde ein ewiges Ziel hat 1 QH 3, 20 f. Doch wird der Mensch zu (seinem) Staub
zurückkehren 1 QH 10, 4. 12; 12, 26. 31; 1 QH fr 1, 4; 4, 11, vgl 1 QS 11, 22. Das Wort
Erde אֲדָמָה findet sich nur noch in 1 QH 10, 3, par zu *Staub u Lehm*[15]. Weit wichtiger
wird aber der Terminus חֹמֶר *Lehm*, uz ausschließlich in der Verbindung *Lehmgebilde*[16]
1 QH 1, 21 b; 3, 23 f uö (→ VII 110, 27 ff), gerne in Parallele zu *Staub* 1 QH 12, 26;
20   18, 12. Auch kann gesagt werden, daß Gott sich am Staub u Lehmgebilde mächtig
erweist u den *Wurm der Toten* aus dem Staub in die Gemeinde erhöht 1 QH 11, 3. 12.
Wichtiger ist, daß der Mensch als *Fleisch* oder *Staub*, gelegentlich aber auch als *Geist*
oder als *Fleischesgeist* (→ VII 111, 2 ff; 112, 34 ff) der Sünde verfallen ist (→ VII 110, 26 ff),
wobei freilich *Geist* meist den sich für Gott entscheidenden Menschen, nicht aber den
25   an sich guten[17] bezeichnen kann (→ VI 388, 27 ff). So ist schwerlich von einem Gegensatz eines anthropologisch verstandenen Geistes zu Fleisch u Staub zu reden (→ VII
113, 11 ff)[18].

3. χοϊκός fehlt bei Philo; doch findet sich die ganze Bedeutungs-
skala mit dem Subst χοῦς verbunden.

30   *a.* Der Mensch ist aus Staub geschaffen Migr Abr 3, *geformter*
πεπλασμένος *Staub* Rer Div Her 58, *Asche* 29. An allen drei St findet sich daneben
auch γῆ. So heißen denn Menschen u Tiere *erdgeboren* γηγενής Op Mund 69. 82. 156;
Spec Leg II 124. 160; Leg All I 79; II 16; Som I 68; Praem Poen 9. Häufig ist das
Irdische wie schon im AT zugleich das Fleischliche Quaest in Gn II 46[19] u Körperliche
35   Leg All I 1 uö. Dabei kann sogar der erdgebundene νοῦς Leg All I 88. 90. 95[20] mit
ihnen zus dem πνεῦμα θεῖον gegenüber stehen (→ VII 1049, 44 ff), der freilich von den
Erdenkindern zur Fleischesnatur verfälscht ist Gig 65[21]. Philo kann überh vom AT

461, 16 f); ihm ist aber vielleicht der Hinweis auf die Vernunftbegabung schon entgegengesetzt, vgl zSt CFuchs, Kautzsch
Apkr u Pseudepigr II 516 A b.

[10] Erdbewohner sind alle, Gerechte u Ungerechte 4 Esr 6, 18. *Erde* u *Staub* ist einfach die
vergehende Welt, in der die Toten liegen 7, 32.

[11] πλάσμα τῶν χειρῶν αὐτοῦ Apk Mos 37.
Ders Ausdruck *Gebilde deiner Hände* (→ A 16)
begegnet 4 Esr 3, 5; freilich ist es *sterbliches
Gefäß*, von dem der Gerechte sich einst trennen darf 7, 88; 14, 14.

[12] Es gibt *Geister des Himmels* u *Geister
der Erde* äth Hen 15, 10, *Geister in der Seele
des Fleisches* 16, 1. Eine Präexistenz des Geistes
oder der Seele fehlt völlig, → Brandenburger
78; zum Ganzen 60—85.

[13] ed AMHabermann, Megilloth Midbar
Yehudah (1959).

[14] Der einfache Ausdruck *Gebilde* begegnet
1 QH 18, 11. 13, vielleicht auch 1 QH fr 3, 11;
52, 3.

[15] Falls man, wie JMaier, Die Texte vom
Toten Meer (1960) zSt, am Ende von Z 3
ורק[חמר] ergänzt.

[16] 1 QS 11, 22 als Interpretation im Parallelismus zu *Gebilde der Hand* (→ A 11).

[17] Nur 1 QH 4, 29—31 kann gefragt werden,
ob die Gegenmacht zu *Fleisch, Lehmgebilde* u
Sünde der Geist Gottes, so Maier aaO (→ A 15)
zSt, oder der von Gott dem Menschen geschaffene Geist sei, so SSchulz, Zur Rechtfertigung
aus Gnaden in Qumran u bei Pls, ZThK 56
(1959) 164; → Brandenburger 92.

[18] Etw weitergehend → Brandenburger 86
—96; doch vgl 96: Das Fleisch, wie auch der
verkehrte Geist 1 QH 3, 21, kann gereinigt
werden, u die im Geist wirksame Gotteskraft
ist Hilfe für das Fleisch. Es ist auch zuzu-
gestehen, daß ein hell Jude die Aussagen anders interpretieren könnte, → Brandenburger
95. Völlig anders ist die Zwei-Geister-Lehre
1 QS 3, 13 ff, → Brandenburger 96—99; → VI
387, 43 ff.

[19] Weitere Texte → Brandenburger 115.

[20] Vgl ὁ . . . ἐκ τῆς ὕλης (sc νοῦς) Leg All I 42
u dazu → Brandenburger 150 f.

[21] Plut Gen Socr 22 (II 591 d) kann das
von einigen Seelen, aber gerade nicht vom

her νοῦς, zB Leg All I 32f[22] oder αἴσθησις u λόγος mit σῶμα, zB 103 (→ VII 1049, 48ff), sowie ψυχή mit σάρξ zusammenstellen, zB Deus Imm 2 (→ VII 121, 22ff)[23], wobei freilich die aus dem Pneumatischen stammende Seele fast überall in relativer Überordnung gesehen wird, vgl Deus Imm 2 (→ VII 1050,13ff; 121, 34ff). Er kann sogar ausdrücklich sagen, daß der irdischen Stätte des Ebenbildes Gottes, dem Körper, keine Seele 5 gegeben ist, die Gott von sich aus schauen könnte; erst der von oben kommende Hauch von Gottes eigener Göttlichkeit ermöglicht dies Det Pot Ins 86. Diese Inspirationstheorie, nach der αἴσθησις u νοῦς, für Philo die ψυχή, vor dem göttlichen λόγος untergehen, sich selbst aufgeben müssen, ist schon vorphilonisch Som I 118f, vgl Rer Div Her 265f[24]. So tritt Gottes πνεῦμα oder λόγος Leib u Seele gegenüber (→ VII 1049, 40ff)[25]. 10

Die Seele wurzelt mit ihrem Fuß, der Sinnlichkeit, auf der Erde u reicht mit ihrem Haupt, dem reinsten Geist, in den Himmel Som I 146[26]. So sehr dem irdischen νοῦς das Geschlecht der Sehenden entgegengesetzt wird, so ist doch der μέσος νοῦς charakteristisch für die ganze Welt, dessen Kräfte nach beiden Seiten tendieren Plant 45f. Die Seele kann sich ebs den Feinden Gottes anschließen Gig 66 wie, vom λόγος gerufen, 15 alles Irdische, Körperliche u Sinnliche erstarren u sich mit himmlischem Wissen füllen lassen Leg All III 168.172, vgl Som I 86. So können denn auch *Asche u Staub* Conf Ling 79 oder *Erde* Leg All III 161 wie der Leib (→ VII 121, 34ff; 1050, 27ff) der Seele entgegengesetzt werden, wobei diese sogar mit dem πνεῦμα θεῖον identifiziert wird Op Mund 134f. Soll man auch für das physische u sinnliche Leben des irdischen Körpers danken, 20 so ist doch der νοῦς der eigtl Mensch im Menschen, der Unsterbliche im Sterblichen Congr 96f. Er steigt von oben herab zur Seele, die in ihrer irdischen Behausung versklavt ist Rer Div Her 268. 274[27]. So ist der Mensch als σύνθετος χοῦς, Fleisch u künstlich geformte Statue nur Gehäuse, Last u Leiche für die Seele Agric 25; Deus Imm 150 (vgl → VII 1051, 3ff). 25

Wichtig ist, daß das Irdische oder Fleischliche nicht nur vergänglich u begrenzt, sondern eindeutig dem Himmlischen entgegengesetzt ist. So werden der νοῦς u das Unkörperliche oder auch die Seele mit dem Himmel, die Sinnlichkeit u das Körperliche mit der Erde gleichgesetzt Leg All I 1; III 161f (→ A 61). Mit dem Irdischen befaßt sich nur die Seele des Schlechten (Kain ist Landarbeiter, nicht Landwirt) Agric 22, 30 vgl Migr Abr 9; Som I 177; Mut Nom 34. Laster u Leidenschaften sind im Niedrigen, Irdischen, Vergänglichen zuhause Leg All II 89. Kain wohnt *in der Erde* Det Pot Ins 163; der Gottlose, bes Edom, ist *irdisch* Poster C 101; Migr Abr 146; Deus Imm 144. 148. 159. 166. 180. So wird alles Irdische u Sterbliche, der Körper zur Fremde, zu Ägypten Conf Ling 79—81; Congr 20; Agric 64f. In ihm wohnen die der Seele scha- 35 denden Sinne u Leidenschaften Det Pot Ins 109f, vgl Plant 43f. Weil die Menschen Fleisch sind, kann das göttliche Pneuma in ihnen nicht bleiben Gig 19. 29. Daher muß alles Fleischliche aus der Seele herausgehauen werden Ebr 69, u der Geist des Weisen wird, aus dem Göttlichen, dem Enthusiasmus, ins Körperliche u Fleischliche zurückkehrend, wieder Mensch Som II 232f[28]. Damit hängt zus, daß der Königsweg von 40 allem Irdischen weg nicht abwärts, sondern aufwärts zum Himmel führt Deus Imm 151. 159; Rer Div Her 78f; Leg All II 89. Die geläuterten Seelen können aus dem irdischen Körper emporsteigen, den Himmel u die Unsterblichkeit eintauschen, während andere zur Erde sinken Rer Div Her 239. Das ist keineswegs auf die Zeit nach dem Tode beschränkt. Es gibt Weise, die im Himmel leben, während andere Menschen im Hades zuhause sind, 45 wieder andere im Zwischenraum auf- u absteigen Som I 151f, vgl Rer Div Her 78[29].

νοῦς sagen (→ VII 1039,19ff), → Brandenburger 144 A 4.

[22] Vgl 4 Esr 7, 62; HAWolfson, Philo I ³(1962) 387 zu Leg All I 32.

[23] Vgl noch Cher 113: Der Mensch ist σῶμα u ψυχή u besitzt νοῦς, λόγος, αἴσθησις.

[24] → Brandenburger 130—132. 135.

[25] Mit → Brandenburger 132f. 141—144 wird man die dualistisch orientierte Weisheitsliteratur als Vorstufe sehen, um so mehr als πνεῦμα θεῖον u σοφία gleichgesetzt werden können Gig 22—27. Schon in ihr sind griech anthropologischer Dualismus u jüd Entgegensetzung von Gott u Mensch, die sich zum eigtl Sphärendenken steigert (→ 461, 37ff), verbunden, vgl 4 Esr 5, 22: Der *Geist der Einsicht* dringt in die 5,14 mit dem Leib zusammengesehene Seele ein.

[26] Ähnlich Det Pot Ins 84f: Die Wurzeln der Denkseele erstrecken sich in den Himmel,

so daß nur der Mensch, dessen Kopf sich nach oben richtet (→ VII 1035, 23f), Himmelspflanze heißen kann, vgl CSpicq, L'Épître aux Hébreux I, Études Bibliques ²(1952) 52f. Zum Bild vgl Sap 18,16 (Logos); Pseud-Philo, Antiquitates Biblicae 12, 8 (ed GKisch, Publications in Mediaeval Studies 10 [1949]) (Israel).

[27] Dazu → Brandenburger 155f. Ähnlich Ebr 101, vgl ERGoodenough, An Introduction to Philo Judaeus ²(1962) 151—155.

[28] Vgl → Brandenburger 136. 142.

[29] Der religionsgeschichtliche Hintergrund wird am schönsten bei Plut Fac Lun 28—30 (II 943a—945e) klar: Die sich vom Leibe lösenden Seelen steigen bis zum Mond auf, wo sie als Dämonen weilen, wieder zurücksinken oder, zum reinen νοῦς geläutert, zur Sonne aufsteigen. Der νοῦς steht so viel über der ψυχή wie diese über dem σῶμα 28 (II 943a). Die

b. Am interessantesten ist die Auslegung von Gn 1f. Zunächst beschäftigt sich Philo mit dem eingehauchten göttlichen πνεῦμα von Gn 2, 7. Leg All III 161 wird die St einfach auf die beiden Bestandteile des Menschen, nämlich den Körper aus Erde u die Seele aus Äther, den göttlichen *Fetzen* ἀπόσπασμα, ausgelegt. Det Pot Ins 80—84 wird πνεῦμα, das das Bild der Gotteskraft ist, als Substanz der ψυχή, nicht aber der Fleisches-, sondern der Denkseele aus νοῦς u λόγος betrachtet. Rer Div Her 55f steht der Fleischesseele die *Seele der Seele*, dh das göttliche πνεῦμα, gegenüber[30]. Ähnliches erschließt Op Mund 69 aufgrund von Gn 1, 26f: Der irdische Mensch γηγενής ist Gottes Bild, freilich nur in seinem νοῦς[31]. Ebd 25 ist er aber nur Abbild des Bildes; Bild ist der höhere λόγος, Abbild der menschliche, der νοῦς Rer Div Her 230f.

Nach Op Mund 134—136 ist nicht der nach Gottes Bild *gewordene* γεγονώς Mensch, sondern erst der zweite, nur *gebildete* (δια)πλασθείς Mensch von Gn 2, 7 ein Mischgebilde aus Irdischem u Göttlichem, da sein σῶμα χοῦς, seine ψυχή aber πνεῦμα θεῖον ist[32], so daß er an sterblicher wie unsterblicher Natur Anteil hat. Auch er, der γηγενής[33], ist doch an Leib u Seele herrlicher als alle Nachkommen[34]. Als Stammvater kann er daher auch πρῶτος ἄνθρωπος Abr 56 heißen (→ 466, 14ff). Auch Leg All I 31. 42. 53—55. 88—90; II 4f unterscheidet zwei Menschen, von denen der eine als *himmlisch*, nach Gottes Bild u Idee *geprägt*, *geworden* oder *geschaffen*, der andere als *irdisch* γήϊνον πλάσμα bezeichnet wird[35]. Dieser ist aus χοῦς oder γῆ, dh dem Zerstreuten Leg All I 31, Nicht-eins-Seienden, vgl Som II 70, *gebildet*[36]. Aber auch er ist nicht der irdische Mensch, sondern ist sein irdischer, aus ὕλη geschaffener νοῦς, der durch die ihm eingehauchte Kraft wahre Lebens-ψυχή wird Leg All I 32f[37]. Erst durch Gottes eingehauchtes πνεῦμα ist jedoch der νοῦς oder die ψυχή fähig, Gott zu erkennen I 37f[38]. Noch schärfer ist der Gegensatz zwischen dem ersten erdgeschaffenen, körperlichen Menschen u dem zweiten körperlosen, dem Typus des Wiedergeborenen, in Quaest in Ex II 46, vgl Leg All I 5 u → A 52.

Will man die verschiedenen Aussagen kombinieren, könnte man den λόγος, dh den höheren λόγος oder die Idee, als Gottes Bild, den menschlichen νοῦς, den κατ' εἰκόνα geschaffenen Menschen, als sein Abbild Rer Div Her 231 ansehen u ihn also mit dem ersten himmlischen Menschen von Leg All I 31; II 4 identifizieren[39]. Dann wäre der irdische Mensch nochmals sein Abbild. Nun heißt es aber einerseits der λόγος selbst ὁ

---

dahinter liegende Vorstellung von den übereinander liegenden Stufen der immer immaterieller werdenden Weltelemente wird noch bei Philo sichtbar: Die Vögel sind der Schwäche weniger unterworfen als Land- u Wassertiere Cher 89. Die Luft ist Zwischensubstanz zwischen Erde u Wasser einerseits, dem Äther anderseits Som I 144f, wo auch die von Plut Fac Lun 5 (II 921f) erwähnte Theorie über das Mondgesicht auftaucht. Zum Ganzen vgl ESchweizer, Die Elemente der Welt Gl 4, 3. 9; Kol 2, 8. 20, Beiträge zur Theol des NT (1970) 155—161.

[30] Gn r 14, 8 zu 2, 7 setzt dem Lebensgeist, der נִשְׁמַת חַיִּים, den Auferstehungsgeist Gottes von Ez 37, 14 entgegen, vgl BSchneider, The Corporate Meaning and Background of I Cor 15, 45b, The Catholic Biblical Quarterly 29 (1967) 463. Vielleicht spiegeln die von WCvan Unnik, Three Notes on the 'Gospel of Philip', NT St 10 (1963/64) 467f zusammengestellten Texte ähnliche jüd Auslegungen.

[31] Den sterblichen, untergeordneten Teil der Seele schaffen die Kräfte, das λογικόν u ἡγεμονεῦον, den wahren Menschen, den νοῦς, aber Gott selbst Fug 69—71.

[32] Ähnlich Jos Ant 1, 34.

[33] So von Adam auch Abr 12. 56; Virt 199. 203 (→ 460, 33ff).

[34] Vgl Sir 49, 16. Zur Konzeption eines kosmischen Adam vgl die riesenhaften Ausmaße seines Körpers Philo Quaest in Gn I 32, seine Zusammensetzung aus den vier Himmelsrichtungen Sib 3, 25f, auch Zosimus fr 49, 6

(Berthelot II 231, 1ff), vgl → Schenke 52. Zum Ganzen ESchweizer, Die Kirche als Leib Christi in den paul Homologumena, Neotestamentica (1963) 274f; → Schenke 127 —129.

[35] Der erste Mensch ist durch das πνεῦμα geprägt, daher der unsterbliches Leben hervorbringende Baum des Lebens, der zweite ist des gemischten, irdischen Körpers teilhaftig, nicht der ἄπλαστος u ἁπλῆ φύσις Plant 44. Zur Umbildung seinshafter Konzeptionen in ethische vgl EBrandenburger, Adam u Christus, Wissenschaftliche Monographien zum AT u NT 7 (1962) 124—127.

[36] Vgl χοϊκὸς πλασθείς Sib 8, 445.

[37] Während Leg All I 33. 37 vom πνεῦμα sprechen, unterscheidet I 42 πνοή davon u gesteht das πνεῦμα nur dem Gn 1, 27 geschaffenen νοῦς zu.

[38] Ebs Rer Div Her 57f das πλάσμα γῆς, der πεπλασμένος χοῦς bedarf der göttlichen Hilfe. Die disparaten Vorstellungen Philos, die alle nur den Doppelcharakter des Menschen mit ganz verschiedenem mythischen Material beschreiben, sind gut zusammengestellt bei LSchottroff, Der Glaubende u die feindliche Welt, Wissenschaftliche Monographien zum AT u NT 37 (1970) 127—130.

[39] Leg All II 4 sagt eindeutig, daß Gottes Bild, nach dem der erste Mensch sich sehnt, das Prägebild (→ 409, 31ff) ist. Vgl Det Pot Ins 87: Auch das Abbild des Urbildes, die Seele, ist noch unsichtbar.

κατ' εἰκόνα ἄνθρωπος Conf Ling 146, andererseits ist der sinnlich wahrnehmbare Mensch u Kosmos die εἰκών der εἰκών Op Mund 25, nämlich des λόγος Gottes, so daß Philo tatsächlich doch nur mit zwei Stufen rechnet, wobei die obere als λόγος = Gottes Bild oder als λόγος = nach Gottes Bild geschaffener himmlischer Mensch, die untere als nach Gottes Bild geschaffener irdischer νοῦς oder als sinnlich wahrnehmbarer Mensch 5 erscheint[40].

c. Das führt zur Vorstellung von zwei Menschenklassen, von denen die Angehörigen der einen kraft des göttlichen Geistes durch λογισμός leben, die der andern durch Blut u Fleischeslust Rer Div Her 57, vgl Leg All II 4f uö (→ 461, 37ff; 463, 26ff)[41], oder von drei Menschenklassen, wenn man die Mittelstellung der Seele u 10 ihre Möglichkeiten zum Guten oder Bösen beachtet (→ 463, 11ff)[42]. Das erste ist schon durch den at.lichen u apokalyptischen, erst recht durch den weisheitlichen u qumranischen Dualismus vorgegeben, das andere entspricht der mittleren Stellung der ψυχή (→ A 29) u kommt Philos ethischem Interesse außerordentlich entgegen (→ Z 18f). 15

Nach Quaest in Gn I 8 sind schon vor Philo die zwei Menschen platonisierend als die unsichtbare Idee u die der Sinnenwelt angehörende Konkretion „Mensch" interpretiert worden, während Philo selbst dgg eine ethische Auslegung stellt, die den Mischcharakter des zum Guten wie zum Schlechten fähigen, konkreten Menschen betont[43]. Dann ist die Idee Mensch für Philo mit der εἰκών Gottes Leg All I 33. 42. 53f. 92 iden- 20 tisch. Schon längst vor Philo galt aber die Weisheit, für Philo identisch mit dem λόγος[44], als *Bild Gottes*[45] Leg All I 43; Rer Div Her 112; Op Mund. 25[46]. Interpretiert man Gn 1, 27 mit „als εἰκών", so ist dort die Erschaffung der Weisheit oder des Logos als des Urbildes des Menschen, also der Idee Mensch bezeugt Leg All I 43; Conf Ling 146[47]. Die σοφία ist aber längst schon als das im AT genannte πνεῦμα Gottes verstanden 25 (→ VI 369, 23ff). Damit ist für Philo das Tor für eine ethische Interpretation geöffnet. Ursprung der Mythologie von den zwei Menschen u Grund für die Schwierigkeiten der philonischen Terminologie wäre dann nicht ein Urmensch-Mythos, sondern die platonische Überlieferung, vor allem aber die schon dualistisch geprägte σοφία-Tradition[48]. Von ihr stammt die schroffe Gegenüberstellung der zwei Menschenklassen (→ V 537, 33ff). 30 **Der erste Mensch von Gn 1, 26f ist dann platonisch gesprochen die Idee Mensch, jüdisch die Weisheit oder der Logos oder der Geist Gottes, bzw der ganz von ihm geprägte pneumatische Mensch**[49]**. Der zweite Mensch von Gn 2, 7 ist dann der irdische, zur ψυχή gewordene**[50]**.**

4. Die Entwicklung im Judt ist interessant. In bestimmten 35 Teilen des AT wird Ursprung u Ziel des Menschen im *Staub* gesehen, was dann auch die dazwischen liegende Periode seines Lebens qualifiziert. Damit wird seine Begrenztheit, Ohnmacht, Sterblichkeit, nicht aber seine Sünde umschrieben. Er soll gerade dazu stehen, daß er Staub ist; denn dies bewegt Gott zum Erbarmen. Daß er so von Gott gebildet worden ist, ist selbstverständlich u nicht bes betont. In Qumran tritt der 40 Ausdruck *Fleisch* in Parallele dazu, u die Vorstellung von der Sündhaftigkeit findet

---

[40] Auch Brandenburger aaO (→ A 35) 118f.
[41] Vgl JPascher, Η ΒΑΣΙΛΙΚΗ ΟΔΟΣ. Der Königsweg zu Wiedergeburt u Vergottung bei Philo von Alexandrien, Studien zur Gesch u Kultur des Altertums 17, 3/4 (1931) 127 —131; EBréhier, Les idées philosophiques et religieuses de Philon d'Alexandrie, Études de philosophie médiévale 8 (1925) 121f.
[42] Vgl die Irdischen, Himmlischen u Göttlichen Gig 60 u dazu 12f: Seelen, die in den Körper hinabsteigen u darin ertrinken oder daraus wieder aufsteigen oder nie hinabgestiegen sind.
[43] Brandenburger aaO (→ A 35) 126f. Vgl HConzelmann, Der erste Brief an die Korinther, Kritisch-exegetischer Komm über das NT 5 [11] (1969) 340.
[44] Leg All I 43 par zu Conf Ling 146; vgl Pascher aaO (→ A 41) 115—117; Wolfson I aaO (→ A 22) 253—261.
[45] Vgl vor allem Sap 7, 25f: „Hauch der Macht Gottes, klarer Ausfluß der Herrlichkeit ..., Abglanz..., fleckenloser Spiegel...", εἰκών

seiner Güte." Vgl die gleiche Sprache in 2 K 3, 18—4, 6.
[46] Der Logos ist der ideale Kosmos, die εἰκών, nach der der Mensch von Gn 1, 27 u der ganze wahrnehmbare Kosmos geprägt wurde. Vgl auch Agric 51 mit Deus Imm 31f, ferner Spec Leg III 83. 207. Nach Som II 45 ist der Logos Bild u Idee, wonach der Kosmos geprägt wurde, nach Op Mund 20 der Ort, an dem alle Ideen weilen.
[47] Nach Conf Ling 146 heißt der Logos, nach Op Mund 134 die Idee Mensch ὁ κατ' εἰκόνα ἄνθρωπος.
[48] So etwa → Schenke 121—124; → Brandenburger 225—227; anders Brandenburger aaO (→ A 35) 122—124.
[49] Nur dem ersten Menschen kommt das πνεῦμα zu (→ 464, 1ff).
[50] Obwohl Philo ψυχή in diesem Zshg nicht negativ wertet, kann er das für das Böse stets offene Psychische durchaus mit dem Fleischlichen zusammenfassen (→ 463, 8ff); vgl Conzelmann aaO (→ A 43) 340f.

sich mindestens im Kontext (→ VII 111, 16 ff). Hier häuft sich der Terminus *Gebilde*,
der auch abs gebraucht die Gebrechlichkeit des Menschen Gott gegenüber unterstreicht.
Bei Philo beweist schon die Tatsache, daß der Mensch ein *Gebilde* ist, die Minderwertig-
keit des irdischen gegenüber dem himmlischen Menschen (→ 464, 12 ff). Jetzt wird
5   der Staub zu dem, was der Mensch als das Böse oder Versucherische fliehen u verlassen
muß. Qumran wie Philo wurzeln vermutlich in einer schon dualistisch geprägten Weisheitstradition, wobei Philo auch direktere Einflüsse platonischen Denkens verrät.

D. Das Neue Testament.

1 K 15, 47—49 (→ II 394, 38 ff; VIII 475, 26 ff) wird der
10   erste Mensch, Adam, nach Gn 2, 7 als χοϊκός bezeichnet, ein sonst im Griechischen
unbekanntes (→ 460, 29 ff) Adjektiv, dem zweiten Menschen aus dem Himmel [51]
(→ V 528, 37 ff), Christus, entgegengestellt, wobei jeder Mensch einen ganzen
Stamm irdischer oder himmlischer Menschen prägt. Das weist auf Philo hin (→
464, 12 ff). Völlig anders aber als dort ist der himmlische Mensch jetzt der zweite,
15   dh er ist rein christologisch gefaßt (→ VIII 475, 3 ff) [52]. Was dem irdischen entgegengesetzt werden kann, liegt also nicht im Menschen oder seinem Urbild, sondern kommt ihm ganz von außen her als Geschenk des Christus zu [53]. Das bleibt
zwar mit der Vorstellung von Sphären und ihrer entsprechenden Stofflichkeit [54]
(→ 461, 37 ff) verbunden (Phil 3, 21), doch liegt Paulus nur an der Erfüllung des
20   Seins mit dem Herrn [55], das freilich erst im himmlischen Sein unangefochten gelebt
werden kann. Anders als Philo (→ 464, 12 ff) nimmt Paulus ἔπλασεν aus Gn 2, 7
in keiner Weise auf, betont also nicht den Unterschied von geschaffenem und un-
geschaffenem Menschen. Auch das zeigt, daß Urmensch-Mythen bzw die Präexistenz Christi [56] keine Rolle spielen, sondern eine Adam-Christus-Theologie, die
25   vorpaulinisch vielleicht in einer Menschensohnchristologie (vgl auch → A 7) wurzelt [57]. Der Mensch aus dem Himmel ist also der Christus der Parusie, worauf

---

[51] v 47b fehlt das Adj, JHéring, La première
Épître de Saint Paul aux Corinthiens, Commentaire du Nouveau Testament 7 (1949) zSt.
Falls ἐξ οὐρανοῦ die Menschwerdung, nicht die
Parusie meint (doch → A 58), könnte man
daran denken, daß einer in Korinth drohenden
doketischen Christologie kein Vorschub geleistet werden soll. Doch wird das Wort ab
v 48b ohne Hemmungen verwendet.
[52] HDWendland, Die Briefe an die Korinther, NT Deutsch 7 [12](1968) zu 15, 45. Immerhin findet sich Philo Quaest in Gn II 56 ein
Ansatz: Noah ist als Anfänger einer neuen
Menschheit den Himmlischen gleich u Typus
des Wiedergeborenen (→ 464, 24 ff). Nach
Schottroff aaO (→ A 38) 142 f, vgl 167—169
ist aber der entscheidende Unterschied die
rein negative Interpretation von Gn 2, 7 f,
zu der es keine Analogien gibt. Für Pls
ist der unerlöste Mensch identisch mit der
Welt. Pls kämpft also nicht nur gg ein
rein zeitliches Prae, sondern gg die Konzeption eines Doppelwesens Mensch, das auch
eine göttliche Komponente schon immer in
sich trägt. Darum gibt es in der Gnosis zwar
Parallelen zur Christusgestalt, die sogar die
menschlich-geschichtliche Entscheidungsfreiheit durchaus einschließen können, aber keine
zur Rolle Adams ebd 133—135, bei Philo umgekehrt keine zur Christusgestalt ebd 130.
[53] Dieses Anliegen findet sich teilweise
schon in der Weisheitstradition u prägt sich
dort wie bei Philo in der Aufnahme der at.-
lichen Pneuma-Vorstellung anstelle der platonischen Ideenlehre aus (→ 465, 16 ff).
[54] Die Stofflichkeit ist einseitig bei WBousset, Der erste Brief an die Korinther, in: Schr
NT II[3] zu 15, 47 betont.
[55] Das genügt 1 Th 4, 17 zur Bezeichnung
des Endzustandes, vgl Phil 3, 9—11.
[56] ESchweizer, Erniedrigung u Erhöhung
bei Jesus u seinen Nachfolgern, Abh Th
ANT 28 [2](1962) 67—69; ders, Aufnahme u
Korrektur jüd Sophia-Theol im NT, Neotestamentica (1963) 110—121, ferner Conzelmann aaO (→ A 43) 338—341.
[57] Schweizer Erniedrigung aaO (→ A 56)
112 f; ders, Kirche aaO (→ A 34) 272—292;
ferner CKBarrett, The First Epistle to the
Corinthians, Black's New Testament Commentaries (1968) 373—377; vorsichtig auch
→ VIII 412, 35 ff; 475, 10 ff, bes 476, 37 ff;
skeptisch Schottroff aaO (→ A 38) 133 f.

auch πνεῦμα ζωοποιοῦν (v 45) weist. Von seiner Auferstehung ist im Zusammenhang allein die Rede; sie qualifiziert ihn als Himmelsmenschen (→ V 542, 9ff)[58].
Als χοϊκός ist der Mensch von dem abgehoben, was der auferstandene Christus schon
ist und was er durch ihn einst sein wird. Das paulinische Denken steht also der
rabbinischen Gegenüberstellung des zum Leben erweckenden Geistes von Ez 37,14 5
zu dem von Gn 2,7 (→ A 30) nahe.

E. Die Gnosis.

Bei Simon Magus(?) ist die weltschaffende εἰκών dem über den
Wassern schwebenden Geist Gottes, der „siebenten Kraft", gleichgesetzt. Sie wird
aber Teil des Doppelwesens Mensch Hipp Ref VI 14, 3—6. Schon bei ihm steht neben 10
den beiden Gn-St auch die Doppelheit des κατ᾽ εἰκόνα als Geist u des καθ᾽ ὁμοίωσιν
Geschaffenen. Sie wird nach Iren Haer I 1,10 (I 49), vgl Cl Al Exc Theod 50,1—3 bei
den Ptolemäern auf den materiellen u seelisch-göttlichen Teil des Menschen, bei den
Valentinianern nach Cl Al Strom IV 13, 90, 3f auf seine seelische u geistige Natur bezogen[59]. Bei den Naassenern wird die πλάσμα-Terminologie mit χοϊκόν oder πήλινον 15
verbunden Hipp Ref V 7, 36 u dem von oben kommenden εἶδος, dem ἄνωθεν ἄνθρωπος,
entgegengesetzt V 7, 30. 36; 8,13, was zur Scheidung von ὑλικοί[60] καὶ χοϊκοί u πνευμα
τικοί führt 8, 22 (→ VII 1084,12ff). Himmel u Erde sind nach dem Gnostiker Justin
mit πνεῦμα u ψυχή gleichzusetzen 26, 36[61]. Mit dem Begriff des Irdischen verbindet
sich der scharfe Gegensatz von oben u unten, seelisch u geistig auch in der Schrift „Vom 20
Wesen der Archonten"[62] 135,17—27. Hierzu gehört auch die Verbindung der abzuhauenden χοϊκὰ μέρη (→ 463, 38) mit der unteren Schöpfung im Gegensatz zur ἄνω
οὐσία, der neuen Schöpfung, in der Naassenerpredigt Hipp Ref V 7,15; ferner das Apokryphon des Joh Cod II 14,13ff[63] u Satornil nach Iren Haer I 18[64]. Valentin hingegen vertritt nach Hipp Ref VI 37,7f[65] die Dreiteilung (→ A 29; VII 1048, 6f), bei 25

---

[58] Vgl auch die Qualifikationen in v 50. 53f.
Ähnlich OCullmann, Die Christologie des NT
[4](1966) 171—174; OMoe, Der Menschensohn
u der Urmensch, Studia Theologica 14 (1960)
123 A 1. Beide beziehen v 47b freilich weder
auf Präexistenz noch auf Parusie, sondern
fassen es als allg Herkunftsaussage auf. Auf
ewige Göttlichkeit bezieht diese Wendung
EBAllo, Première Épître aux Corinthiens,
Études Bibliques [2](1956) zu 15, 47. Die grundsätzliche Frage nach der Bdtg dieser apokalyptischen Aussagen behandelt WGrundmann,
Überlieferung u Eigenaussage im eschatologischen Denken des Ap Pls, NT St 8 (1961/62)
16f. Joh W 1 K zu 15, 45 wendet ein, daß
v 45b wie 45a von der Schöpfungsgeschichte
reden müsse. Aber davon ist auf keinen Fall
die Rede, sondern nur von Geburt oder Parusie des letzten Adam, die so oder so in der
Endzeit erfolgt. Außerdem beschreibt zB der
heutige Tag von Dt 29, 3 nach R 11, 8 auch
die Gegenwart des Pls, obwohl 1 Kö 19,10—18
im gleichen Zshg nach v 3f eindeutig von der
damaligen Zeit des Elia spricht, mit der die
jetzige Zeit nur verglichen wird v 5a. Auch
Conzelmann aaO (→ A 43) zSt will ἐξ οὐρανοῦ
par zu ἐκ γῆς verstehen; doch kann es ja
nicht heißen *aus himmlischem Stoff*, u das Adj
steht erst v 48f.
[59] → Schenke 120f. Weiteres bei Conzelmann aaO (→ A 43) Exk ψυχή zu 2,14. Die
verschiedenen gnostischen Mythen von der
Erschaffung Adams, die seine dualistische
Natur, bes seine relative Ausgrenzung aus der

Welt beschreiben, bei Schottroff aaO (→
A 38) 4—41.
[60] Das System des Gnostikers Justin hat
stattdessen ψυχικοί Hipp Ref V 26, 32; 27, 3.
[61] Vgl die Auslegung von Ps 50, 4 in bSanh
91a.b (Str-B I 581): Seele u Leib.
[62] ed RABullard, Patristische Texte u Studien 10 (1970). Deutsche Übers bei JLeipoldt-
HMSchenke, Kpt-gnostische Schriften aus den
Pap-Cod von Nag-Hamadi, Theol Forschung 20 (1960) 72. Vgl → Schenke 61;
Brandenburger aaO (→ A 35) 95.
[63] ed MKrause-PLabib, Die drei Versionen
des Apokryphon des Joh, Abh des Deutschen
Archäologischen Instituts Kairo, Kpt Reihe 1
(1962) 14, 28: ὕλη, 15, 9. 25: ψυχικός, 15,17:
σάρξ, vgl Cod III 21,16ff.
[64] → Schenke 57f. 35f. 96; Brandenburger
aaO (→ A 35) 83—93. — Beim Gnostiker hört
die ψυχή bzw der νοῦς auf, *irdisch* χοϊκός zu
sein; sie wird νοερός bzw ἐπουράνιος 1. Buch des
Jeû 2f (übers CSchmidt-WCTill, Kpt-gnostische Schriften I, GCS 45 [3][1959] 258,12f;
259,16ff), vgl das Irdischwerden par zu Verderben ebd 4 (p 260,12ff). [Kelber] Zur Vorstellung von den irdischen Gliedern vgl Kol
3, 5 u ESchweizer, Die Sünde in den Gliedern,
Festschr OMichel (1963) 437—439.
[65] Doch ist dies ein Komm des Hipp zu
einem mehrdeutigen, echten Fr. Falls der
Brief an Rheginos von Valentin stammt, ist
dort die Dreiteilung Geist-Seele-Fleisch bezeugt De Resurrectione 45, 40—46, 2 (ed
MMalinine uam [1963]).

30 *

der dann in seiner Schule die ψυχικοί zwischen χοϊκοί u πνευματικοί treten Herakleon fr 46[66] bei Orig Comm in Joh 20, 24 zu 8, 44 (p 359), vgl fr 15 ebd 10, 37 zu 2,19 (p 212)[67]. Ebs spricht die noch unveröffentlichte Schrift „Der Gedanke der großen Kraft" aus Cod VI von Nag Hammadi von der Folge des fleischlichen Äons Noahs, des nt.lichen, seelischen u des dritten, kommenden Äons[68]. Die kpt-gnostische Apokalypse des Pls[69] 20, 8ff; 21,15ff; 22, 9f weiß von dem Gericht über die Seelen, das diese wieder in die Körper zurückwirft, während die Ap als erwählte Geister dem entnommen sind[70]. Die Apokalypse des Adam[71] spricht von Seelen, die Gott erkennen 83,11—14 oder Böses tun u sterben können 84, 2f. 12—14, während das πνεῦμα des Gnostikers dem entnommen ist 76, 24—27, vgl 66, 21—23; 75, 5ff. In der nichtchristlichen Gnosis Corp Herm 1 fehlt χοϊκός, doch erscheinen das ὑλικὸν σῶμα 24, der Mensch nach dem Bilde Gottes 12, bzw nach dem εἶδος des ῎Ανθρωπος 17, vgl 24, der Mensch als Doppelwesen ψυχή u νοῦς aus Erde, Wasser, Feuer einerseits u Äther anderseits 15. 17[72], sowie die γηγενεῖς in Trunkenheit u Schlaf 27.

Schweizer

χρῆμα, χρηματίζω, χρηματισμός

---

† χρῆμα

1. Mit χρή *Notwendigkeit, es ist nötig* verwandt[1], hat die Abstraktbildung χρῆμα *etwas Nötiges* an sich nicht die neutrale Bdtg *Sache*, wie es bisweilen scheint, sondern vielmehr eine faktitive, wie *Angelegenheit*, τὴν τελευτὴν παντὸς χρήματος ὁρᾶν *auf den Ausgang jeder Angelegenheit schauen* Hdt I 33, oder eine quantitative, wie *Stück, Menge, Quantum*, ὑὸς[2] χρῆμα... μέγα *ein großes Exemplar von einem Eber* I 36,1. Bes geht es um Finanzielles, gelegentlich im Sing in der Bdtg *Geldsumme*, ἐπὶ κόσῳ... χρήματι *für wieviel Geld* III 38, 3, gew u meistens formelhaft im Plur in der Bdtg *Wertgegenstände*, πρόβατα καὶ ἄλλα χρήματα *Schafe u andere Güter* Xenoph An V 2, 4, auch kollektiv in der Bdtg *Reichtum*, Geld- u Sach-*Kapital*, οἱ τὰ χρήματα ἔχοντες Xenoph Mem I 2, 45.

---

[66] ed WVölker, Quellen zur Gesch der chr Gnosis, Sammlung ausgewählter kirchen- u dogmengeschichtlicher Quellenschriften NF 5 (1932) 83f u 70.

[67] Meist findet sich ὑλικοί, zB Cl Al Exc Theod 56, 3, doch steht auch χοϊκός Iren Haer I 1,10 (I 49). 14, wahrscheinlich Cl Al Exc Theod 54, 2. Hipp Ref VI 34, 5f ist χοϊκός synon mit ὑλικός. Doch auch χοῦς u ὕλη werden unterschieden: Der Leib stammt aus dem χοῦς, das Fleisch aus der ὕλη Iren Haer I 1,10 (I 51).

[68] Vgl die Inhaltsangabe bei MKrause, Der Stand der Veröffentlichung der Nag Hammadi Texte, in: Le origini dello Gnosticismo, ed UBianchi, Numen Suppl 12 (1967) 73. Zu den Nag Hammaditexten, bes zu der „Exegese über die Seele", vgl den großen Sammelbericht in Gnosis u NT, ed KWTröger (1971?) Kp 1.

[69] ed ABöhlig-PLabib, Kpt-gnostische Apokalypsen aus Cod V von Nag Hammadi, Wissenschaftliche Zschr der Martin-Luther-Universität Halle-Wittenberg, Sonderband (1963).

[70] Ähnlich 1. Apokalypse des Jakobus (→ A 69) 33,10f; 34, 23f.

[71] ed Böhlig-Labib aaO (→ A 69).

[72] Vgl das γήϊνον σῶμα, in das die böse Seele kommt Corp Herm 1,10.19, den Gegensatz von γήϊνος ᾿Αδάμ u φωτεινὸς ἄνθρωπος Zosimus

fr 49,10 (Berthelot II 232, 20f) u die die griech Wertung gerade umkehrende Anschauung syr Schatzhöhle 3, 2 (Rießler 945), wonach Satan, der den *Staub*, nämlich den kosmischen Adam, nicht anbeten will, als immaterielles Wesen *Feuer u Geist* ist, also dem höchsten Element zugehört. Parallelen zur positiven Würdigung der mit dem πνεῦμα verwandten Seele Corp Herm 13,12 in Cod VI 54, 25ff der Funde von Nag Hammadi (bisher nicht ediert) u dazu KWTröger, Mysterienglaube u Gnosis in Corp Herm XIII, TU 110 (1971) 90. 101f. Für die unterschiedliche Wertung der Seele in der Gnosis vgl auch Schottroff aaO (→ A 38) 17f. 25—27.77.

χρῆμα. Lit: GRedard, Recherches sur χρή, χρῆσθαι, Bibliothèque de l'École des Hautes Études, Sciences Historiques et Philologiques 303 (1953) 82—91; LBergson, Zum periphrastischen χρῆμα, Eranos 65 (1967) 79—117.
[1] Auch an die epischen Komparativformen χερείων, χέρηες *geringer* wurde gedacht, Walde-Pok I 604; Pokorny I 443. → Redard 11 u Frisk 1119 lehnen allerdings solche Etymologien ab.
[2] Zum Charakter dieses Gen → Bergson 110—115; Schwyzer II 122.

2. In der Septuaginta entspricht χρῆμα verschiedenen hbr Vokabeln, ua כֶּסֶף *Geld*, נְכָסִים *Reichtümer*, רְכוּשׁ *Gesammeltes*. Während der Landnahmebericht eine naive Freude über die Kriegsbeute verrät Jos 22, 8, weist die jüdhell Weisheitsliteratur eine gewisse Abstandnahme vom materiellen Reichtum auf Sir 5, 8; 10, 8; 14, 3. 5; 21, 8 uö.

3. Im Neuen Testament steht einmal der Singular in der Bedeutung *Geldsumme*: Barnabas πωλήσας ἤνεγκεν τὸ χρῆμα *verkaufte* den Acker *und brachte die Kaufsumme* (Ag 4, 37). Mehrmals erscheint der Plural im Sinne von *Reichtum* oder *Kapital*. Der zu Jesus kommende Jüngling ist ein Inhaber vieler κτήματα *Besitztümer* (Mt 19, 22 par Mk 10, 22; vl: χρήματα). Jesus bemerkt dazu, mit welcher Mühe οἱ τὰ χρήματα ἔχοντες *die Inhaber des Kapitals* (→ 468, 26) in das Reich kommen (Mk 10, 23 Par). Nach einem Zusatz in einigen Handschriften meint er damit τοὺς πεποιθότας ἐπὶ χρήμασιν *die, die sich auf Reichtum verlassen* (Mk 10, 24)[3]. Simon Magus προσήνεγκεν... χρήματα *brachte* den Aposteln *Geld* (Ag 8,18) in der Meinung, man könne die Gottesgabe des πνεῦμα *durch Geld* erwerben (8, 20). Felix erwartet, ὅτι χρήματα δοθήσεται αὐτῷ *daß ihm* von Paulus *Geld gegeben würde* (24, 26). So beleuchtet die Vokabel die Einstellung Jesu und der Apostel zum Reichtum (→ VI 325,1ff): Nicht die Erscheinung, aber jede persönliche Abhängigkeit und jeder unwürdige Gebrauch davon werden abgelehnt.

4. Im urchristlichen Schrifttum außerhalb des NT kommt χρῆμα nur einmal in einem Gleichnis vor, das ein Zusammenwirken der Güter des Reichen mit den Gebeten des Armen beleuchten soll Herm s II 5.

† χρηματίζω

1. Aus χρῆμα im Sinne von *Angelegenheit, Geschäft* (→ 468, 20) gebildet, bedeutet χρηματίζω *eine Angelegenheit irgendwie behandeln*. Es wird von klass Schriftstellern gerne auf öffentliche Behörden bezogen, ἀπεχώρησαν... οἱ 'Αθηναίων πρέσβεις ὕστερον ἐφ' ἅπερ ἦλθον χρηματίσαντες *nachdem sie die Angelegenheiten geregelt hatten, für die sie hergekommen waren* Thuc I 87, 5.

a. Die hell Amts- u Geschäftssprache macht daraus einen allg Ausdruck für obrigkeitliches Eingreifen, als B e h ö r d e oder O b r i g k e i t *sich mit etw befassen, etw behandeln, beantworten*, zB ἐ]πέδωκα ἔντευξιν... τῶι στρατηγῶι, ἣν χρηματίσας ἀπέσ[τειλε *ich reichte dem Strategen ein Gesuch ein, das er behandelte u weiterleitete* Pap Enteuxeis[1] 75, 9f (3. Jhdt vChr). Nicht selten erscheint die Gottheit als die sich äußernde Instanz, περὶ δὲ τῶν χρησμῶν ἔφησε μὴ χρηματίζειν τὸν θεὸν καθόλου περὶ θανάτου *im Blick auf die Orakel sagte er, die Gottheit beantworte überh nicht Fragen über den Tod* Diod S 15,10, 2. Für den Empfänger einer Instruktion kann eine Passivform stehen, wie in der Bemerkung über Mose, εἰς τὴν σκηνὴν εἰσιὼν ἐχρηματίζετο περὶ ὧν ἐδεῖτο *in die Stiftshütte eingetreten, wurde er über das, was er brauchte, instruiert* Jos Ant 3, 212. Die sprachliche Ähnlichkeit mit χράω *ein Orakel geben*, zB Hdt I 55, 2, u χρησμός *Orakel* hat diesen religiösen Gebrauch des Wortes gefördert.

b. Das Wort bezeichnet auch ein öffentliches Auftreten, als R e c h t s s u b j e k t oder U n t e r n e h m e r *unter dem u dem Titel tätig sein*, dh öffentlich

---

[3] Vgl Hi 6, 20 LXX.

χρηματίζω. Lit: GRedard, Recherches sur χρή, χρῆσθαι, Bibliothèque de l'École des Hautes Études, Sciences Historiques et Philologiques 303 (1953) 91; LRobert, Hellenica 11f (1960) 454—456; J u LRobert, Bulletin épigraphique, Revue des Études Grecques 74 (1961) 214 Nr 501; 229 Nr 602; 241 Nr 725; 75 (1962) 205 Nr 307; 211 Nr 336.
[1] ed OGuéraud, ΕΝΤΕΥΞΕΙΣ, Publications de la Société Royale Égyptienne de Papyrologie, Textes et Documents I (1931).

als etw auftreten, offiziell heißen, zB χρηματίζω βασιλεύς *offiziell als König auftreten* Polyb 5, 57, 2; 30, 2, 4; Μάρκος Ἀντώνιος Δεῖος καὶ ὡς χρηματίζω *u was ich alles heiße* POxy I 100, 1 (2. Jhdt nChr)[2].

2. In der Septuaginta entspricht bei Jer χρηματίζω dem hbr רֶּבַּד *reden,* στῆθι ... καὶ χρηματιεῖς ... ἅπαντας τοὺς λόγους, οὓς συνέταξά σοι αὐτοῖς χρηματίσαι *stell dich hin ... u teile alle Worte mit, die ich dir befohlen habe, ihnen bekanntzugeben* Ἰερ 33 (26), 2; λόγον ἐχρημάτισαν ἐν τῷ ὀνόματί μου *sie haben in meinem Namen eine Offenbarung verkündigt* 36 (29), 23; γράψον πάντας τοὺς λόγους, οὓς ἐχρημάτισα πρὸς σέ *die ich dir offenbart habe* 37 (30), 2. Das mit Jahwe als Subj allzu konkret wirkende Verb שָׁאַג *brüllen* wird Ἰερ 32 (25), 30 zweimal durch χρηματίζω wiedergegeben.

3. Im Neuen Testament kommen beide hellenistischen Ausprägungen von χρηματίζω vor.

a. In den Kindheitserzählungen, in der Korneliusgeschichte und im Hebräerbrief wird durch χρηματίζω zum Ausdruck gebracht, daß Gott durch Offenbarungen jemanden *instruiert.* Meistens begegnen dabei Passivformen mit persönlichem Subjekt, der Empfänger der Offenbarung ist nämlich ein Werkzeug des göttlichen Waltens. Die Mitteilung ist oft imperativisch. So heißt es bei den Magiern χρηματισθέντες κατ' ὄναρ sie wurden *durch einen Traum instruiert,* so und so zu reisen (Mt 2, 12), ebenso bei Joseph (2, 22); bei Kornelius: ἐχρηματίσθη ὑπὸ ἀγγέλου ἁγίου *er wurde von einem heiligen Engel instruiert,* Petrus holen zu lassen (Ag 10, 22); bei Mose in bezug auf die Einrichtung des alttestamentlichen Gottesdienstes: καθὼς κεχρημάτισται Μωϋσῆς μέλλων ἐπιτελεῖν τὴν σκηνήν *so wie Mose instruiert worden ist, als er das Zelt herstellen wollte* (Hb 8, 5; → 469, 38) und bei Noah in bezug auf die Herstellung der Arche: χρηματισθεὶς Νῶε περὶ τῶν μηδέπω βλεπομένων *über das noch nicht Sichtbare instruiert,* stellte er dieses Rettungsmittel her (11, 7). Wo die Mitteilung einfach aufklären soll, steht eine unpersönliche Konstruktion: ἦν αὐτῷ (sc Simeon im Tempel) κεχρηματισμένον ὑπὸ τοῦ πνεύματος *ihm war vom Geist* (als Antwort auf seine Gebete) *mitgeteilt worden* (Lk 2, 26)[3]. Einmal steht χρηματίζω mit solcher Offenbarungsbedeutung im Aktiv, aber eben, weil hier die göttliche Aktivität die Pointe ist, während bei den Israeliten als Empfängern die Verstocktheit betont werden soll: οὐκ ἐξέφυγον ἐπὶ γῆς παραιτησάμενοι τὸν χρηματίζοντα *sie konnten nicht entkommen, als sie auf der Erde den* (sc Mose) *abwiesen, der Instruktionen gab* (Hb 12, 25a), oder nach einer anderen Lesart: τὸν ἐπὶ γῆς παραιτησάμενοι χρηματίζοντα *als sie den abwiesen, der auf der Erde Instruktionen gab*[4]. Der Gedanke wird dann so ausgeführt: Wieviel mehr gilt das für solche Christen, οἱ τὸν ἀπ' οὐρανῶν ἀποστρεφόμενοι *die den vom Himmel Gekommenen* (Jesus) *verwerfen* (12, 25b). In diesem Fall wird durch χρηματίζω das alttestamentliche Gesetz als der Erlaß eines Souveräns dargestellt.

b. In zwei Fällen wird χρηματίζω bei Menschen forensisch in dem Sinne benutzt, daß sie öffentlich *als etwas hervortreten.* Um 40 herum

---

[2] Später wie *sein, werden* gebraucht, Sophocles Lex sv.

[3] D it ziehen jedoch die persönliche Konstr vor.

[4] p[46]* KLP uam. Mi Hb[12] 472 A 1.

kam es dazu, χρηματίσαι ... πρώτως ἐν Ἀντιοχείᾳ τοὺς μαθητὰς Χριστιανούς *daß zum
ersten Male in Antiochia die Jünger öffentlich als Christianer* (→ 470, 1; III 519, 17 ff)
bekannt wurden (Ag 11, 26)[5]. Wenn eine noch verheiratete und nicht verwitwete
Frau sich einem anderen Mann hingibt, μοιχαλὶς χρηματίσει *wird sie öffentlich als
Ehebrecherin gelten* (R 7, 3). 5

† χρηματισμός

1. Das Wort ist seit Plat bezeugt, dort im Sinne von *Gelderwerb*,
ἰάτρευσίς τε καὶ ὁ ἄλλος χρηματισμός *Ausübung der Heilkunst u anderer Gelderwerb* Resp
II 357 c. Als allg hell Wort für Amtsakt, Rechtsakt kann χρηματισμός bedeuten *offizielle Antwort, Instruktion, Verfügung,* zB τῆς ἐντε[ύ]ξεως καὶ τῆς (!) πρὸς αὐτὴν χρηματισμοῦ 10
τὸ ἀντίγραφον *die Abschrift des Gesuchs u der Antwort darauf* Ditt Or II 736, 21—23
(2./1. Jhdt vChr). Religiös verwendet, nimmt es die Bdtg *göttliche Antwort, Weisung* an,
τῷ δὲ ὀνείρῳ ὅραμα τε καὶ χρηματισμός *zum Traum gehören die Vision u die Orakelantwort*
Artemid Onirocr I 2 (p 5, 19 f).

2. In der Septuaginta finden sich die profane Bdtg *Depesche,* 15
ἐπιδόντες τὸν ὑπογεγραμμένον χρηματισμόν *nachdem sie die unterschriebene Depesche über-
bracht hatten* 2 Makk 11, 17, u die religiöse Bdtg *Orakel,* nämlich einmal als Übers des
hbr משׂא Prv 31, 1, das entweder *Orakel* bedeuten Js 13, 1 oder Völkername sein kann
Gn 25, 14, u einmal ohne hbr Vorlage, χρηματισμοῦ γενηθέντος *aufgrund einer göttlichen
Weisung* 2 Makk 2, 4. 20

3. Im Neuen Testament steht χρηματισμός nur ein-
mal, nämlich bei Paulus. Die heilige Schrift hatte geschildert (1 Kö 19, 10. 14),
wie Elia ἐντυγχάνει τῷ θεῷ (→ VIII 243, 49 ff) *Gott anruft* gegen Israel (R 11, 2).
Paulus fragt dazu: ἀλλὰ τί λέγει αὐτῷ ὁ χρηματισμός; *doch was teilt ihm die göttliche
Antwort mit?* (11, 4 a), und dann führt er das Wort über den Rest Israels (1 Kö 25
19, 18) als Inhalt dieses χρηματισμός an (11, 4 b)[1]. Elia ist aber trotz der terminologischen Verbindung von ἐντυγχάνω und χρηματισμός weder als ein Bittschriften
einreichender Rechtsanwalt noch als ein Inkubation übender Mantiker, sondern
als ein Offenbarungen empfangender Gottesmann gedacht.

4. Bei den Apostolischen Vätern wird die Rede Gottes aus 30
dem brennenden Dornbusch als ein χρηματισμός *eine göttliche Instruktion* bezeichnet
1 Cl 17, 5. Gemeint ist der Mose gegebene Auftrag.

Reicke

---

[5] EPeterson, Christianus, in: Frühkirche,
Judt u Gnosis (1959) 64—69; EJBickermann,
The Name of Christians, HThR 42 (1949)
108—124; CSpicq, Ce que signifie le titre de
chrétien, Studia Theologica 15 (1961) 69—72
(Lit).

χρηματισμός. Lit: GRedard, Recherches
sur χρή, χρῆσθαι, Bibliothèque de l'École des
Hautes Études, Sciences Historiques et Philologiques 303 (1953) 91; J u LRobert, Bulletin
épigraphique, Revue des Études Grecques 75
(1962) 205 Nr 307.
[1] Mi R[13] zSt.

```
┌─────────────────────────────────┐
│     χρηστός, χρηστότης,          │
│   χρηστεύομαι, χρηστολογία       │
└─────────────────────────────────┘
```

ἔλεος → II 474, 10ff
ἐπιείκεια → II 585, 8ff
μακροθυμία → IV 377, 1ff
φιλανθρωπία → 107, 3ff

5   † χρηστός

A. Der Sprachgebrauch im Griechischen.

1. χρηστός, seit Hdt I 41, 2; 42, 2; III 78, 2 uö; Aesch Pers 228 bezeugt, hat als urspr Verbaladjektiv zu χρῆσθαι *in Gebrauch nehmen*[1] die Grundbedeutung *tüchtig, brauchbar, nützlich, zweckentsprechend, sachgemäß, gut in seiner Art*[2].
10   Das Wort bringt also ein Verhältnis zum Ausdruck, in welchem die so bezeichneten Pers oder Sachen zu anderen oder zu ihrer Zweckbestimmung stehen. Darin liegt ein wesentlicher Bedeutungsunterschied zu ἀγαθός (→ I 10, 1ff). Zwar kann ἀγαθός auch die Bdtg *nützlich* haben u damit eine Relation ausdrücken, jedoch dient χρηστός im Gegensatz zur Hauptbedeutung von ἀγαθός nie zur Bezeichnung des Guten als solchem
15   im idealen u formalen Sinn sowie von materiellen u immateriellen Gütern. Als Relationsbegriff kann χρηστός je nach den Umständen vielfältig wechselnde Bdtg annehmen. ἡ χρηστὴ μέλιττα Aristot Hist An IX 40 p 624b 23 ist *die Arbeitsbiene* im Gegensatz zur Drohne. Eine οἰκία χρηστή Plat Gorg 504a ist *ein geordnetes Hauswesen* im Gegensatz zu einem *zerrütteten* μοχθηρά. Nahrungsmittel mit dem Epitheton χρηστός sind
20   *gesund* oder auch *wohlschmeckend*, zB ποτόν, σῖτος Plat Resp IV 438a[3]. Von Phryne wird erzählt: πέμψαντος δέ τινος αὐτῇ τῶν γνωρίμων οἶνον χρηστὸν μέν, ὀλίγον δέ, καὶ λέγοντος ὅτι δεκαέτης ἐστίν, 'μικρὸς ὡς πολλῶν ἐτῶν' ἔφη Athen 13, 49 (585e). σφάγια χρηστά Hdt IX 61, 3; 62, 1 sind *günstige Opfer*; eine τελευτὴ χρηστή VII 157, 3 ist *der günstige Ausgang* einer Sache. Auch üble Dinge können als solche durch χρηστός charakterisiert
25   werden, so ein τραῦμα als eine *tüchtige Wunde* Luc, Symposium 44 u ein δῆγμα als ein *tüchtiger Biß* Alex 55. Oft erläutern sich χρηστός u der damit verbundene Gegenbegriff in ihrer speziellen Bdtg gegenseitig, so χρηστός u πονηρός Plut Phoc 10 (I 746e); Plat Prot 313d, τὸ χρηστόν u τὸ αἰσχρόν Soph Phil 476, χρηστά u λυπρά Eur Med 601. Das substantivierte Adj, meist im Plur, kann die speziellen Bdtg *Wohltat(en)* Hdt I 41, 2;
30   42, 2, *gute Widerfahrnisse* Aesch Pers 228, *Erfolg, Glück* Eur Hec 1227 uam annehmen. Diese Beispiele zeigen, daß die Relation der Brauchbarkeit oder Nützlichkeit eine entsprechende Qualität voraussetzt oder einschließt, so daß χρηστός auch die gute Qualität eines Dinges als solche bezeichnen kann[4].

2. Hiermit erklärt sich, daß das Wort auf Personen angewandt
35   diese im moralischen Sinn als *tüchtig, ehrenwert, anständig, brav, rechtschaffen* qualifiziert. Soph Oed Tyr 609f sagt, es sei nicht richtig, die κακοί als χρηστοί anzusehen u umgekehrt, u Eubulus fr 117, 6ff (FAC II 136) stellt Typen von *verbrecherischen* u *edlen* Frauen des Heldenepos als κακαί u χρησταί einander gegenüber. In gleicher Gegenüberstellung begegnet die Wendung ἤθη χρηστά, die mit Sicherheit zuerst durch den von Pls 1 K
40   15, 33 zitierten Vers aus Menand fr 187 (Körte): φθείρουσιν ἤθη χρήσθ' ὁμιλίαι κακαί bezeugt ist. ἤθη χρηστά sind also *gute Sitten, ein guter Charakter* im vollen Sinn moralischer Integrität. Aristot Poët 15 p 1454a 16ff erklärt es im Hinblick auf das Streben nach den ἤθη als erstes Ziel, ὅπως χρηστὰ ᾖ. In Texten der hell Zeit begegnet die Wendung im Sing oder Plur als geläufiger Ausdruck für *sittliche Lebensführung* u *humane*

χρηστός. Lit: JZiegler, Dulcedo Dei. At.liche Abh 13, 2 (1937); CSpicq, Bénignité, mansuétude, douceur, clémence, Rev Bibl 54 (1947) 321—339; LRStachowiak, Chrestotes. Ihre bibl-theol Entwicklung u Eigenart, Studia Friburgensia NF 17 (1957).
[1] Über χράομαι vgl GRedard, Recherches sur χρή, χρῆσθαι, Bibliothèque de l'École des Hautes Études, Sciences Historiques et Philologiques 303 (1953) 11—47.
[2] Über χρηστός vgl Redard aaO (→ A 1) 98—100.
[3] Vgl → Stachowiak 31 A 1.
[4] → Stachowiak 24f vermutet eine vorliterarische Entwicklung des Wortes von einem Qualitäts- zu einem Relationsbegriff.

Gesinnung, kurz für *einen guten Charakter* im vollen Sinn ep Ar 290; POxy III 642 (2. Jhdt nChr); XIV 1663, 11 (2./3. Jhdt nChr). Als Relationsbegriff bezeichnet χρηστός eine Pers als *tüchtig, geeignet* für eine bestimmte Funktion oder Aufgabe. Wenn also die Ionier Hdt V 109, 3 versichern, sie wollten sich des ihnen gegebenen militärischen Befehls als χρηστοί entledigen, so wollen sie sich als *zuverlässig* u *tapfer* erweisen, vgl VI 13, 2. Von οἰκέται χρηστοί sagt Xenoph Oec 9, 5, sie seien εὖνοι. Ein χρηστὸς περὶ τὴν πόλιν Lys 14, 31 ist *ein verdienter Mann*. Der Sykophant, der Aristoph Pl 900 den Anspruch erhebt, ein χρηστὸς . . . καὶ φιλόπολις zu sein, wäre es, wenn er sich der Landarbeit widmen oder ein anständiges Handwerk lernen wollte. Mit Bezug auf ihre Leistung u Bdtg für das Gemeinwohl heißen wohl auch die Optimaten bei Pseud-Xenoph Ath I 4. 6 οἱ χρηστοί — par οἱ πλούσιοι I 4 —, u Menand fr 534 (Körte) kennzeichnet τὰ χρηστὰ πράττειν als ἔργον ἐλευθέρου. Als Geschlechtswesen ist der ein χρηστός, der von seinen Geschlechtsfunktionen kräftigen Gebrauch zu machen vermag; Eunuchen sind dgg οὐ χρηστοί Hippocr, De genitura 2 (Littré VII 472). Wird jmd in seinem Verhältnis zu anderen als χρηστός bezeichnet, so hat das Wort die prägnante Bdtg *gütig, mild, freundlich*. Das gilt für den Herrn im Verhältnis zum Sklaven Antiph fr 265 (FAC II 296); Menand Mon 858⁵, aber auch für das mitmenschliche Verhalten überh Menand fr 179b (Körte); Demosth Or 59, 2. Plut Phoc 10 (I 746c. d) stellt dem χρηστός, den er als εὐμενὴς (*wohlgesinnt*) πᾶσι καὶ κοινὸς καὶ φιλάνθρωπος beschreibt u durch Beispiele schöner Hilfsbereitschaft charakterisiert, den τραχὺς (*barsch*) . . . καὶ σκυθρωπός (*mürrisch*) gegenüber. Daß das Wort jedoch nicht eigtl die Haltung des Überlegenen kennzeichnet, zeigt seine Verwendung in der leicht abfälligen bis spöttischen Bdtg *treuherzig, gutmütig, einfältig* bis *töricht* Plat Phaedr 264b; Theaet 161a, auch in der leicht ironischen Anrede χρηστέ *mein Bester* Demosth Or 18, 318 uö. Gleichwohl gehört das Wort bereits bei Soph Oed Col 1014 zu den den Herrscher auszeichnenden Prädikaten u wird zum charakteristischen Ausdruck für die herrscherliche *Milde, Großmut* u *Freigebigkeit* Stob Ecl IV 268,15—17; Dio Chrys Or 1,11ff⁶. Auch andere hochgestellte Pers werden als χρηστοί gepriesen, unter denen die obersten Heerführer bes auffallen Soph Oed Col 1430; Aristoph Thes 832; Plut Phoc 6 (I 744b)⁷. Daß, je länger je mehr, daraus eine Höflichkeitsformel wurde, aus der auf ein wirkliches ἦθος χρηστόν des Betreffenden keine Schlüsse mehr zu ziehen sind, liegt in der Natur der Sache. Das gilt auch für die stehende Anrede χρηστέ an die Verstorbenen auf hell Grabinschriften⁸, was auf Grund des häufig damit verbundenen πασίφιλε im Sinn von *liebenswert, teuer* zu deuten sein dürfte. Allg wird der τρόπος χρηστός als Ausfluß einer natürlichen Anlage des Menschen verstanden: κακοὺς ἢ χρηστοὺς ποιεῖ . . . ἡ φύσις Aeschin Or II 152. Dio C 44, 47, 1 spricht von ἔμφυτος χρηστότης. Diese Naturanlage erhöht Wert u Wirkung anderer, dem Betreffenden eigenen Tugenden u macht den Menschen liebenswerter: φιλεῖ γὰρ πρὸς τὰ χρηστὰ πᾶς ὁρᾶν Soph El 972; ὅταν φύσει τὸ κάλλος ἐπικοσμῇ τρόπος χρηστός, διπλασίως ὁ προσιὼν ἁλίσκεται Menand fr 570, vgl fr 531 (Körte).

3. Χρηστός ist auch als Eigenname geläufig⁹. So ist es zB Pap Grenfell I 49,11 (220/1 nChr)¹⁰ für einen ἡγεμών, in einer Inschr aus Pantikapaion CIJ I 683, 5 (1. Jhdt nChr) für eine Jüdin Χρηστή u bei Eus Hist Eccl X 5, 21 für einen Bischof von Syrakus zZt Konstantins bezeugt. Hierhin gehört die von Suet Caes Claudius 25 bezeugte Namensform Chrestus für Christus u das von ihr abgeleitete Chrestiani Tac Ann 15, 44, 2¹¹. Es handelt sich offenbar nicht um Itazismen (so → 575 A 546), sondern um ein Verständnis des Christusnamens, das den Griechen näher lag als seine Ableitung von χρίω¹².

---

⁵ ed SJaekel, Menandri Sententiae (1964).
⁶ Weitere Belege bei → Stachowiak 27 A 1 u 2.
⁷ Weiteres bei → Stachowiak 28 A 2. 3. 5.
⁸ s die im wesentlichen aus augusteischer Zeit stammenden Grabinschriften bei HLietzmann, Jüd-griech Inschr aus Tell-el-Yehudieh, ZNW 22 (1923) 280—286, vgl weiterhin Griech Grabgedichte, ed WPeek, Schriften u Quellen der Alten Welt 7 (1960) Regist sv χρηστός sowie IG 9, 2; 12, 3.7 Regist sv χαῖρε; IG 12, 8. 9 Regist sv χρηστός.
⁹ Zum Folgenden vgl FBlass, ΧΡΗΣΤΙΑΝΟΙ-ΧΡΙΣΤΙΑΝΟΙ, Herm 30 (1895) 465—470; Bl-Debr § 24; Meyer Ursprung III 307 A 1.
¹⁰ ed BPGrenfell, An Alexandrian Erotic Fragment and other Greek Pap chiefly Ptolemaic (1896).

¹¹ SBenko, The Edict of Claudius of A. D. 49 and the Instigator Chrestus, ThZ 25 (1969) 406—418 lehnt die Beziehung des suetonischen impulsore Chresto auf Christus ab. Chrestus sei aller Wahrscheinlichkeit nach ein extremistischer Führer, ein Zelot, in der jüd Gemeinde in Rom gewesen. Vgl auch EKoestermann, Ein folgenschwerer Irrtum des Tac?, Historia 16 (1967) 460. Zu Tac Ann 15, 44, 2 vgl AWlosok, Rom u die Christen (1970) 8—12. Wlosok entscheidet sich für die LA Chrestiani, weil sie darin „die gut belegte vulgäre Namensform für die Christen" sieht 9. Tac benutze diese Namensform zu einem grimmigen Wortspiel 10.
¹² Z 40—47 nach einem Beitrag von Bertram.

4. Als Epitheton von Göttern begegnet χρηστός nur in Ausnahmefällen. MAnt IX 11 sagt über die Götter: συνεργοῦσιν, εἰς ὑγίειαν, εἰς πλοῦτον, εἰς δόξαν· οὕτως εἰσὶ χρηστοί. Die Übertragung einer hinter solchem Verhalten stehenden sittlichen Tugend der Güte u Freundlichkeit auf die Götter wurde jedoch offensichtlich vermieden, wohl wegen des leicht suspekten, ins Verächtliche abgleitenden (→ 473, 21ff) u daher als der göttlichen Majestät unangemessen empfundenen Charakters dieser Tugend. Plut Superst 6 (II 167e) kennt solche, die dem mit Verachtung widerstreben. So kommt es erst spät zu Aussagen wie bei Ar Did fr 29, 5 (→ 109, 11f): θεόν, εὐεργετικὸν ὄντα καὶ χρηστὸν καὶ φιλάνθρωπον δίκαιόν τε καὶ πάσας ἔχοντα τὰς ἀρετάς. Vgl die Inschr aus El Kab Preisigke Sammelbuch I 158: Ἀνδρόμαχος Μακεδὼν ἀφίκετο πρὸς Ἀμενώθην χρηστὸν θεόν . . . καὶ ἐμαλακίσθη καὶ ὁ θεὸς αὐτῶι ἐβοήθησε αὐθημερί.

B. Septuaginta und jüdische Literatur.

1. Die Septuaginta.

a. Die LXX benutzt χρηστός vereinzelt zur Wiedergabe verschiedener hbr Ausdrücke, um **Sachen** als *vorzüglich, echt, kostbar* zu beschreiben, zB Feigen טוֹב Jer 24, 2. 3. 5, Edelsteine יָקָר Ez 27, 22; 28, 13, Erz 1 Ἔσδρ 8, 56, Gold טָב Da 2, 32. Die dem hbr טוֹבִים וְנִהְיָה nachgebildete persönliche Wendung ἐγενόμεθα χρηστοί Ἰερ 51 (44), 17 hat in Wirklichkeit den unpers Sinn *es ging uns gut*[13] u beschreibt das Wohlergehen, die angemessenen, günstigen Lebensverhältnisse des Volkes.

b. Überwiegend wird das Wort aber auf **Personen** angewandt. Hier ist es mit der einzigen Ausn von Prv 2, 21, wo es für die יְשָׁרִים — par ἄκακοι (HT: תְּמִימִים) — steht, Wiedergabe von טוֹב u nimmt damit zunächst den Grundsinn dieses Wortes *brauchbar, nützlich, zwecksentsprechend, gut* auf. Aber seine im klass Gebrauch bereits angelegte Beziehung auf das persönliche Verhalten (→ 472, 34ff), sein ethischer, bes sozialethischer, etwa mit *gütig* wiederzugebender Sinn wird vorherrschend. Während die Anrede des Antiochos an die Juden χρηστοὶ Ἰουδαῖοι 2 Makk 9, 19 eine konventionelle Höflichkeitsformel ist, will er mit der Selbstcharakteristik χρηστὸς καὶ ἀγαπώμενος ἤμην ἐν τῇ ἐξουσίᾳ μου 1 Makk 6, 11 offenbar die *Milde* u *Güte* seines Regimentes beschreiben (→ 473, 24ff). Wenn Ewil-Merodach dem begnadigten Jojachin ἐλάλησεν χρηστά Jer 52, 32, so sind darunter zweifellos *huldvolle, freundliche Worte* zu verstehen. ψ 111, 5 wird der οἰκτίρμων (HT: חוֹנֵן) u κιχρῶν (HT: מַלְוֶה) ein ἀνὴρ χρηστός (HT: אִישׁ טוֹב) genannt. Offensichtlich heißt also derjenige χρηστός, der von einer durch Rang, Stellung, Macht, Reichtum uam begründeten Überlegenheit über andere einen *wohltätigen* Gebrauch macht.

c. Da in der von der Bibel geprägten Denkweise das Gefühl eines Hiatus, wie ihn der Grieche zwischen aristokratisch-majestätischer Überlegenheit u menschenfreundlicher Herablassung empfindet (→ 473, 21ff), nicht besteht, begreift es sich ohne Schwierigkeit, daß hier das Wort χρηστός seine am meisten charakteristische Verwendung in der anbetenden Lobpreisung Gottes findet[14]. Der Ruf ἐξομολογεῖσθε τῷ κυρίῳ, ὅτι χρηστός, ὅτι εἰς τὸν αἰῶνα τὸ ἔλεος αὐτοῦ begegnet öfter in Ps u prophetischen Texten ψ 105, 1; 135, 1; Δα 3, 89, vgl ψ 99, 4f; Ἰερ 40 (33), 11[15]. ψ 51, 11 heißt Gottes ὄνομα χρηστόν, wobei wiederum die Berufung auf sein ἔλεος (HT: חֶסֶד) nicht fehlt. Ja, dieses letztere nennen ψ 68, 17; 108, 21 selbst χρηστός. In diesen Formeln interpretieren sich die Worte χρηστός (HT: טוֹב) u ἔλεος (HT: חֶסֶד) mit erwünschter Deutlichkeit gegenseitig: Wenn Jahwe durch ἔλεος (HT: חֶסֶד) getreu seinen Bundesverheißungen u seinem Wesen als Bundesgott gemäß handelt (→ II 475, 30ff), so erweist er sich als χρηστός. Darum kann man auf den κύριος χρηστός vertrauen u hoffen ψ 33, 9; Na 1, 7. Die einzelnen Elemente, die in seinem Wesen als χρηστός eingeschlossen

---

[13] → Ziegler 24 erwägt die konkrete Bdtg *wir wurden dick, fett.*

[14] Den Charakter einer Doxologie (Beracha) hat auch das in die Schilderung des Schöpfers u Weltregierers eingestreute χρηστὸς ὑπάρχει Sib 1, 159. Sie stellt ihn als den dar, der sich dem Flehen der sündigen Geschöpfe gnädig zuneigt.

[15] ψ 117, 1 übersetzt טוֹב in der gleichen Wendung mit ἀγαθός.

sind, werden in Aussagenreihen wie den folgenden entfaltet: χρηστὸς καὶ εὐθὴς ὁ κύριος (HT: יְהוָה טוֹב־וְיָשָׁר) ψ 24, 8, zu verbinden mit Dt 32, 4, wo Gott יָשָׁר — hier mit ὅσιος übersetzt — u δίκαιος (HT: צַדִּיק) heißt. ψ 85, 5 nennt Gott χρηστὸς καὶ ἐπιεικής (→ II 585, 35f) καὶ πολυέλεος, ψ 144,7—9 fügt ua hinzu: οἰκτίρμων, ἐλεήμων, μακρόθυμος, spricht aber auch von seiner δικαιοσύνη. Derartige für die Spätzeit charakteristische 5 Häufungen haben auch Sap 15,1: χρηστὸς καὶ ἀληθής, μακρόθυμος καὶ ἐλέει διοικῶν u 2 Makk 1, 24: φοβερὸς καὶ ἰσχυρὸς καὶ δίκαιος καὶ ἐλεήμων ὁ μόνος βασιλεὺς καὶ χρηστός[16]. Diese Texte zeigen aber auch, daß die Strenge, die durch das Gesetz demütigt u Gericht u Gerechtigkeit übt, Voraussetzung u Hintergrund der χρηστότης, ja in ihr enthalten ist, ein Gedanke, den bes ψ 118, 39—41. 65—68 ausführt u mit der Wendung τὰ κρί- 10 ματά σου χρηστά klar zum Ausdruck bringt[17].

2. Philo.

Philo gebraucht χρηστός in der Wendung τὰ παρόντα ἀγαθὰ καὶ χρηστά Spec Leg I 284 in der unprofilierten Bdtg *gut, brauchbar*. In der — auch im Plur — häufig begegnenden Wendung ἐλπὶς χρηστή Som II 94 uö[18] dürfte schon die 15 spezielle Bdtg *hilfreich, freundlich* anklingen. Sie ist überall dort gesichert, wo χρηστός in einer Reihe mit φιλάνθρωπος, zB Fug 96 von der διάταξις der Schrift, oder mit κοινωνικός steht, zB Spec Leg II 104 von den in der Schrift enthaltenen ἤθη. Bei Anwendung auf Pers hat χρηστός natürlich den Sinn einer hervorragenden Tugend u wird auch hier häufig durch den Zshg mit anderen Begriffen wie φιλάνθρωπος u ἥμερος Virt 20 182 uam erläutert. Es ist der Mensch der ἤθη χρηστά *von guten Sitten* Det Pot Ins 38 (opp ἤθη πονηρά Virt 196). Wenn das von einem Proselyten nach seiner Bekehrung gesagt wird Virt 182 oder wenn dem χρηστός in Aussicht gestellt wird, daß nur er mit Erhörung rechnen kann, wenn er Gott anruft Leg All III 215, so ist deutlich, daß für Philo der Begriff nicht nur philosophische, sondern theol Prägung hat u als Entspre- 25 chung zur Güte u Freundlichkeit Gottes, der der Fromme nacheifert, zu verstehen ist. Als spezielle Auswirkung solcher Tugend nennt Philo Spec Leg III 116 die Aufnahme ausgesetzter Kinder ein ἔργον χρηστόν, während die aussetzenden Eltern Virt 131 zynisch χρηστοὶ καὶ περιμάχητοι *sehr geschätzt* genannt werden. Auf Herrscher u ihre Tätigkeit angewandt (→ 473, 24ff) hat das Wort die gesteigerte Bdtg *huldvoll, gnädig*, so in 30 den Wendungen χρηστὸς αὐτοκράτωρ Flacc 83 u ἀποκρίσεις χρηστότεραι Leg Gaj 333. Das immerhin darin liegende leicht Ironische u der Charakter der Willkür fehlen dem Wort völlig, wenn Philo — etw formelhaft — vom χρηστὸς θεός spricht. Die Wendung besagt zunächst, daß Gott seinem Namen u Wesen gemäß handelt Leg All III 73; Det Pot Ins 46, worin der Begriff *gütig, freundlich* wohl eingeschlossen, manchmal auch, wie 35 Mut Nom 253, eigtl gemeint oder durch par Synonyma wie φιλάνθρωπος Abr 203 oder κολάζων δὲ ἐπιεικῶς τε καὶ πράως Det Pot Ins 146 ausdrücklich gesichert ist.

3. Josephus.

Jos gebraucht χρηστός sowohl in der allg Bdtg von *sittlich gut* (opp πονηρός), so Ant 2,149 für Jakob u 9,133 sogar für den, der sich an der Nieder- 40 metzelung von Übeltätern ergötzt, als auch in dem besonderen Sinn von *freundlich, gütig, mild gesinnt, wohlwollend*. Ant 6, 92 flehen die Hebräer Samuel ὡς πατέρα χρηστὸν καὶ ἐπιεικῆ um Fürbitte bei Gott an, u 7, 270 wird David bescheinigt, daß er sich gg Sauls Geschlecht μέτριος καὶ χρηστός *nachsichtig, freundlich* erwiesen hat. Wie die Griechen (→ 473, 34ff) beurteilt Jos ein solches Verhalten als Naturanlage; denn er 45 nennt Samuel δίκαιος u χρηστὸς τὴν φύσιν Ant 6, 294, Ptolemaeus χρηστὸς δὲ ὢν φύσει καὶ δίκαιος 13,114 u David einen χρηστὸς καὶ ἥμερος τὴν φύσιν 7, 43. Vielfach bezeichnet das Wort aber zugleich auch die aus dem freundlichen Verhalten hervorgehenden Eigenschaften u Wirkungen. So hält Artaxerxes den Aman, den er einen χρηστὸς σύμβουλος nennt, für einen *wohlgesinnten* wie auch für einen *guten, brauchbaren* Ratgeber Ant 50 11, 255. Seine freundliche Gesinnung gg Esau läßt Jakob durch seine Leute χρηστοῖς λόγοις kundtun 1, 330. Wenn Jonathan dem David χρηστὰ καὶ σωτήρια τὰ παρὰ τοῦ πατρός verheißt 6, 212, so sind Sauls *freundliche Gesinnung* u das *günstige Geschick*, das

---

[16] → Stachowiak 8—18 sucht die Nuancen in der Anwendung von χρηστός auf Gott in den Ps, prophetischen u spätkanonischen Schriften genauer zu differenzieren.
[17] → Stachowiak 32f findet die Verbindung der Güte Gottes mit seiner Gerechtigkeit u deren Begründung in seiner Allmacht u Erhabenheit in den PsSal weiter entwickelt u verstärkt.
[18] Siehe Leisegang sv χρηστός.

für David daraus folgt, zugleich gemeint. Umgekehrt besagt die Wendung περὶ αὐτῶν οὐδὲν ἔτι χρηστὸν προσδεχομένων 14, 354, daß man sich für Hyrkan u Phasael, die von den Parthern heimtückisch gefangen genommen wurden, *keiner freundlichen Gesinnung* u folglich *keines guten Geschicks* zu versehen hat.

C. Neues Testament.

1. Lk 5, 39 heißt es mit einem nach Ausweis der jüdischen und hellenistischen Parallelen[19] profanen Sprichwort vom Wein (→ V 164, 29ff): ὁ παλαιὸς χρηστός ἐστιν. Den profanen Wortgebrauch hat ferner Paulus durch die 1 K 15, 33 aus Menander zitierten ἤθη χρηστά (→ 472, 38ff) ins Neue Testament eingeführt. Er versteht darunter dem Zusammenhang nach offenbar einen zuchtvollen, Ausschweifungen vermeidenden Lebenswandel (→ VII 590, 10ff).

2. Die für den neutestamentlichen Sprachgebrauch wichtigen und entscheidenden Texte sind die, in denen Gott selbst in seinem Handeln und Verhalten gegenüber den Menschen als χρηστός *mild, gütig, hilfreich* bezeichnet wird. Damit schließt das Neue Testament an den Sprachgebrauch der Septuaginta an (→ 474, 35ff). Ist es jedoch schon nicht ohne Bedeutung, daß das, was dort anbetender Lobpreis ist, hier als lehrhafte Aussage in Verkündigung und Paränese erscheint[20], so greift diese vor allem inhaltlich über die alttestamentliche Gottesverkündigung hinaus. Wenn Jesu Wort, daß Gott χρηστός ἐστιν ἐπὶ τοὺς ἀχαρίστους καὶ πονηρούς (Lk 6, 35), auch seine Parallelen[21] hat, so erhält es im Zusammenhang der Verkündigung Jesu doch einen von allen Vorbehalten freien, entschränkten Sinn. Denn die Interpretation dieses Satzes ergibt sich aus den Gleichnissen von dem Gott, der das Verlorene liebt, sucht und rettet (Lk 15). Im Heilandsruf (→ 88, 11ff) ὁ ζυγός μου χρηστός (Mt 11, 30) hat Jesus ipso verbo diese seine Botschaft der jüdischen gegenübergestellt und in das Wort χρηστός die ganze Fülle der in seiner Botschaft und Person offenbaren Güte und Freundlichkeit Gottes gelegt[22] (→ II 902, 15ff).

Paulus beschreibt R 2, 4 mit dem Neutrum des substantivierten Adjektivs τὸ χρηστόν[23] — neben dem Substantiv χρηστότης (→ 480, 1ff) — die ἀνοχὴ καὶ μακροθυμία Gottes, die den Sünder εἰς μετάνοιαν... ἄγει. Als Alternative steht dem

---

[19] In der rabb Lit begegnet die sprichwörtliche Gleichsetzung von חמר עתיק *altem Wein* u חמרא טבא Qoh r 3 zu 3, 2 (Wünsche 41). Sie steht auch hinter der Belehrung Ab 4, 20, daß einer, der von den Alten, statt von Kindern lernt, gleich ist einem שותה יין ישן, vgl auch Sir 9, 10; SLv בחוקותי 3 zu 26, 10 u bBer 51a. Vgl ferner die reichen Nachweise aus griech u lat Lit bei Wettstein zSt.

[20] Bes sinnfällig bei der Zitierung von ψ 33, 9: γεύσασθε ... ὅτι χρηστὸς ὁ κύριος in der Form von 1 Pt 2, 3: ἐγεύσασθε ὅτι χρηστὸς ὁ κύριος.

[21] Rabbinisches bei Str-B I 374—377. Für die hell Lit vgl Sen Ben IV 26, 1: Si deos, inquit, imitaris, da et ingratis beneficia: nam et sceleratis sol oritur et piratis patent maria.

[22] HDBetz, The logion of the easy yoke and of rest (Mt 11, 28—30), JBL 86 (1967) 10—24 erläutert das Logion nach einer kritischen Forschungsübersicht aus seinem Ursprung in der Weisheits-Lit auf dem Hintergrund seiner Verwendung in Pist Soph 95 (p 140, 19—22) u Thomas-Ev 90 (ed AGuillaumont uam [1959]) sowie durch Parallelisierung mit Mt 28, 18—20 u den Makarismen der Bergpredigt.

[23] Damit kann sowohl die Haltung, Gesinnung der Güte u Freundlichkeit im Sinne des abstrakten Subst als auch das konkrete Handeln, ja ein bestimmter einzelner Akt, worin diese Haltung sich auswirkt, gemeint sein, vgl Bl-Debr § 263, 2. Beide Bdtg sind, wie sich zeigen wird, für τὸ χρηστόν an unserer St anzunehmen.

die ὀργή (→ V 426, 17ff; 433, 33ff) am Tage des Gerichts für den unbußfertigen Ver-
ächter des χρηστὸν τοῦ θεοῦ gegenüber. Da nach R 3, 26 ἀνοχή (→ I 361, 15ff)
eine *Zeit der Geduld, des Ansichhaltens* Gottes vor der Sündensühne durch Christus
bezeichnet, wird man das χρηστὸν τοῦ θεοῦ, das die ἀνοχή zum Inhalt hat, bestimmen können als ein geduldiges Ansichhalten Gottes gegenüber den Sünden seines 5
Volkes in der Zeit vor Christus[24]. Andererseits kehrt das 2, 4 im Wechsel mit τὸ
χρηστόν gebrauchte Substantiv χρηστότης in 11, 22 wieder und bedeutet dort das
durch den apostolischen Auftrag an Paulus bewerkstelligte Heil für die Heiden,
also einen speziell in und durch Christus vollzogenen Gnadenakt Gottes. In der
Zusammenschau dieser Texte ergibt sich also, daß Paulus mit dem χρηστὸν τοῦ 10
θεοῦ ein durchgehendes, von Gott seit eh und je geübtes, an, in und durch Christus
aber in besonderer Weise und in besonderen Akten vollzogenes und universal gewordenes Gnadenhandeln meint. Man könnte von einer heilsgeschichtlichen Konkretisierung dessen sprechen, was Jesus mit seinen Worten von seinem χρηστὸς
ζυγός und vom χρηστὸς θεός sagt. 15

Die durchgehende Identität des Gnadenhandelns Gottes in der Zeit der Väter
und in Christus bringt das schon berührte (→ A 20) Zitat ἐγεύσασθε (→ I 675, 24ff)
ὅτι χρηστὸς ὁ κύριος (1 Pt 2, 3) auf die einfachste Weise zum Ausdruck, indem es
den ψ 33, 9 als χρηστός gepriesenen Gottesnamen κύριος auf Christus bezieht (→
VI 559 A 83)[25]. 20

3. Eph 4, 32 macht, wie der Kontext zeigt, mit seiner
Mahnung γίνεσθε δὲ εἰς ἀλλήλους χρηστοί das Gnadenhandeln Gottes an den Menschen
in Christus für das Verhältnis der Christen untereinander fruchtbar[26]. Die hierbei
vom Standpunkt der urchristlichen Christologie und Soteriologie zu machenden
Einschränkungen dürfen doch nicht überbetont werden. Denn der Gedanke über- 25
schreitet das große Wort nicht, mit dem Jesus selbst seinen Hinweis auf den ὕψιστος
χρηστός (Lk 6, 35f) abschließt: γίνεσθε οἰκτίρμονες, καθὼς ὁ πατὴρ ὑμῶν οἰκτίρμων
ἐστίν.

D. Urchristliche Literatur.

1. Unter Berufung auf die Verheißung χρηστοὶ ἔσονται οἰκήτορες 30
γῆς Prv 2, 21 fordert 1 Cl 14, 3f zum gegenseitigen χρηστεύεσθαι (→ 481, 16ff) auf.
Dem Kontext nach ist damit die imitatio der εὐσπλαγχνία καὶ γλυκύτης des Schöpfers
gemeint. 60, 1 wird mit hymnischen Worten aus Sap 13, 1 Gott selbst als χρηστός
gegenüber dem, der ihm vertraut, gepriesen, so daß Gott im allg Sinn als der treu u
zuverlässig Handelnde, als der den Vertrauenden nicht Enttäuschende oder Zurück- 35
weisende charakterisiert wird. Dg 8, 8 dgg hat die Prädikation Gottes als χρηστός durch
deutliche Bezugnahme auf paul Texte präzis sein Heilshandeln in Christus im Auge.

---

[24] Siehe Zn R, Ltzm R, Mi R [13] zSt.
[25] Vgl die Erörterung der St bei → Ziegler
20f.
[26] Zu dessen Erläuterung wäre etwa mit
Schl Erl zSt auf Kol 3,12; 2 K 6, 6; Gl 5, 22
(→ 480, 30ff) zu verweisen. → Stachowiak
spricht mit Bezug auf diese Texte von „einer
ganz besonderen Verpflichtung zur Nachahmung des Vaters" 92, vgl 98, von „einem lebendigen Widerhall des großen Heilsgeschehens, das sich in jedem Christen vollzog",
vom „Echo der Güte des Vaters in seinen
Adoptivkindern", von „Frucht der Konse-
kration im Hl Geiste" u „Verwirklichung im
ap Leben" 89.

2. Auf das von den Griechen in den Namen Christi u der Christen eingedeutete Verständnis als χρηστός u χρηστοί (Χρηστιανοί) geht die urchr Lit seit Just Apol 4, 1[27] ein: ἐκ τοῦ κατηγορουμένου ἡμῶν ὀνόματος χρηστότατοι ὑπάρχομεν. Vgl 4, 5: Χριστιανοὶ γὰρ εἶναι κατηγορούμεθα· τὸ δὲ χρηστὸν μισεῖσθαι οὐ δίκαιον, ferner Tertullian Apol 3, 5; Nat I 3 (p 63, 4—7); Lact Inst IV 7, 4f. Dasselbe gilt vom Schreiber des Sinaiticus, der Ag 11, 26; 26, 28; 1 Pt 4, 16 die Namensform Χρηστιανοί konsequent gebraucht. Man wird annehmen dürfen, daß in diesem Wortgebrauch der Gedanke einer Widerspiegelung des gnädigen Handelns Gottes im Leben u Wesen der Christen (→ 477, 21ff) noch lebendig ist. Für eine sachlich begründete Änderung des Namens Christi in Χρηστός ist die marcionitische Kircheninschrift in Lebaba südlich Damaskus aus den Jahren 318/319 Zeuge. Bewußte Ablehnung des at.lich-jüd χριστός u Wahl der Gottesbezeichnung χρηστός *der Gute* für den Erlösergott dürfte das Motiv sein[28]. Ein weiteres Beispiel für diese Namensumdeutung ist eine Inschr aus Refâdeh in Syrien mit Χρηστός[29]. Sodann ist die Übertragung von LXX-Zitaten, in denen Gott χρηστός genannt wird, auf Christus (→ 477, 16ff) ein Motiv für die Interpretation des Christusnamens als Χρηστός. Das gilt vor allem von ψ 33, 9: γεύσασθε καὶ ἴδετε ὅτι χρηστὸς ὁ κύριος, der durch Cyr Cat Myst 5, 20 als Einladungsformel durch den eucharistischen Christus in der Abendmahlsliturgie bezeugt ist, vielleicht aber auch schon 1 Pt 2, 3 von der sakramentalen Christusgabe verstanden wurde. Auf den eucharistischen Christus im Sinn der liturgischen Verwendung von ψ 33, 9 verweist wohl auch das οἶνον χρηστόν der Aberkios-Inschr aus Hierapolis in Phrygien Z 16[30]. In der lat Bibel[31], in der häufig dulcis u suavis für χρηστός gebraucht werden, u bei Tertullian, nach dem der Name Chrestiani de suavitate vel bonitate modulatum est Nat I 3 (p 63, 5f), fließt die bibl Idee von der dulcedo dei in das Bild Christi u der Christen ein[32].

† χρηστότης

1. Das Profangriechische.

Das Subst, seit Eur Suppl 872 bezeugt, wird in der Prof-Gräz nur zur Charakterisierung von Pers gebraucht u heißt, den Bdtg des Adj entsprechend, *a. Redlichkeit, Ehrenhaftigkeit, Tüchtigkeit.* Sie ist, mit Verstand gepaart, nach Menand fr 535 (Körte) μέγιστον ἀγαθόν, vgl auch Pseud-Plat Def 412e: χρηστότης ἤθους ἀπλαστία (*Natürlichkeit*) μετ᾽ εὐλογιστίας (*Verständigkeit*)· ἤθους σπουδαιότης. Im Verein mit ἐπιείκεια, εὐγνωμοσύνη uam folgt sie nach Pseud-Aristot, De virtutibus et vitiis 8 p 1251b 33f der ἀρετή. Die Formel χρηστότητος οὔνεκα Aristophon fr 14, 4 (FAC II 528), vgl Timocles fr 8, 17 (ebd 608), gehört offenbar zum Stil öffentlicher Ehrenproklamationen. Im gleichen Sinn ist die PGiess 7, 15 (2. Jhdt nChr) begegnende ehrende Anrede ἡ σὴ χρηστότης zu verstehen, vgl PLond II 411, 16f (4. Jhdt nChr). — *b. Güte, Freundlichkeit, Milde,* uz sowohl im öffentlichen wie im privaten Sinn. *Milde des Herrschers* (→ 473, 24ff) ist χρηστότης, ua gepaart mit φιλανθρωπία u πρόνοια τοῦ κοινοῦ Dio C 73, 5, 2, mit σώφρων καὶ ἐπιεικὴς ἐξουσία Herodian Hist II 9, 9. Privaten Charakter dgg hat χρηστότης in Verbindung mit φιλοστοργία als *Gattenliebe* bei Plut, De Agide 17 (I 802d). Ciceros χρηστότης καὶ φιλανθρωπία war nach Plut, Comparatio Demosthenis cum Cicerone 3 (I 887d) durch seine Reinheit vom Laster der Geldgier gekennzeichnet[1]. Es fehlt jedoch auch nicht an abschätzigen Urteilen über die χρηστότης (→ 473, 21ff), wenn sie zu falscher Nachgiebigkeit, Mangel an Strenge gg das Laster ausartet Menand fr 548 (Körte) oder wenn sich die χρηστότης ... καὶ φιλανθρωπία καὶ ὁ πρὸς τοὺς δεομένους ἅπαντας οἶκτος bei näherem Zusehen als ἄνοια καὶ εὐήθεια καὶ ἀκρισία περὶ τῶν φίλων herausstellt Luc Tim 8 (→ VI 646, 28ff). Der Weise der älteren Stoa ist daher nicht ἐπιεικής gg Straffällige Stob Ecl II 96, 4—9 u lehnt χρηστότης gg die ἐκ νόμου ἐπιβαλλούσας (*auferlegten*) κολάσεις ab Diog L VII 123[2].

---

[27] Vgl Blass aaO (→ A 9) 468—470.

[28] Nach AvHarnack, Die älteste Kircheninschrift, Aus der Friedens- u Kriegsarbeit (1916) 36f; ders, Marcion. Das Ev vom fremden Gott, TU 45 ²(1924) 343*.

[29] ed LJalabert/RMouterde, Inscriptions grecques et latines de la Syrie I (1929) 428; vgl dazu FJDölger, ΙΧΘΥΣ I: Das Fischsymbol in frühchristlicher Zeit ²(1928) 250 u Bd II: Der hl Fisch in den antiken Religionen u im Christentum (1922) 261 A 4.

[30] HStrathmann-TKlauser, Artk Aberkios, in: RAC I 12—17. Zu Z 16 vgl Dölger ΙΧΘΥΣ II aaO (→ A 29) 493, gg AvHarnack, Zur Abercius-Inschr, TU 12, 4b (1895) 16.

[31] → Ziegler 16—45. 63—80.

[32] Z 1—24 von Bertram.

χρηστότης. [1] Weitere Belege bei PrBauer sv.

[2] Vgl, was Aristot Eth Nic IV 11 p 1126a 1—5 über den πρᾶος sagt: ἁμαρτάνειν δὲ δοκεῖ

2. Septuaginta und jüdische Literatur.

a. Die Septuaginta gebraucht χρηστότης in Bezug auf Menschen nur in der Klage ψ 13, 1. 3; 52, 4 א: οὐκ ἔστιν ποιῶν χρηστότητα, wo es die Bdtg *Frömmigkeit, Gerechtigkeit* hat, u Est 8,12c, wo es die *herrscherliche Milde* (→ 473, 24ff) des Ahasveros bezeichnet. Sonst begegnet das Wort nur in hymnischen Lobpreisungen Gottes, uz außer 1 Ἐσδρ 5, 58: ἡ χρηστότης αὐτοῦ καὶ ἡ δόξα εἰς τοὺς αἰῶνας παντὶ Ἰσραηλ ausschließlich in den Ps. Dabei ist das Wort an den meisten St, ebs wie die zugrunde liegenden hbr Worte טוב‎, טובה‎, טוב‎ u טוב‎ hi zweideutig: Es kann die *gütige Gesinnung* oder *Handlungsweise Gottes* wie auch die von ihm geschenkten *Glücksgüter*, den *Wohlstand* bedeuten. Wo es par mit καρπὸς γῆς ψ 84, 13, τροφή ψ 103, 28, πιότης ψ 64, 12³ steht u wo von der χρηστότης τῶν ἐκλεκτῶν par mit εὐφροσύνη τοῦ ἔθνους die Rede ist ψ 105, 5, liegt zweifellos die letztere Bdtg vor. Wo dgg im par Satzglied Gottes ἔλεος ψ 24,7; 118, 65, δικαιοσύνη ψ 144,7, δικαιώματα ψ 118, 68 gepriesen werden, liegt es nahe, an die erstere Bdtg, *die gnädige Haltung u Gesinnung Gottes*, zu denken, ohne daß jedoch die zweite Bdtg ausgeschlossen werden kann. Dasselbe gilt für die Wendungen εὐλογίαι χρηστότητος ψ 20, 4, πλῆθος χρηστότητος ψ 30, 20. Auch ψ 67, 11 ist beim Preis der χρηστότης θεοῦ an die dem Armen geschenkten Güter gedacht.

b. Die Psalmen Salomos machen vom Wort χρηστότης (u χρηστός) reichlichen Gebrauch u unterscheiden scharf zwischen der kargen u selten geübten Güte des Menschen u der χρηστότης Gottes 5, 13f. Diese äußert sich als *Gabenfülle*, die Gottes Barmherzigkeit über die ganze Erde ausschüttet ebd, speziell aber über die Frommen (Armen) Israels 18,1f, vgl 2, 36. Als *Sündenvergebung* widerfährt sie den bußfertigen Sündern 9,7; denen, die Gottes Züchtigungen zur Besserung geführt haben, erweist er sich als χρηστός 10,1f.

c. Bei Philo steht χρηστότης in Tugendkatalogen neben εὐθυμία u ἡμερότης Sacr AC 27, neben ἡμερότης, κοινωνία, μεγαλόνοια, εὐφημία Virt 84, im Wechsel mit φιλανθρωπία (→ 110, 26ff) Vit Mos I 249, während es Leg Gaj 73; Spec Leg II 141, hier im Sinn *guter Bürgergesinnung*, mit dem Wort ein Hendiadyoin bildet. Jedoch tadelt Philo Agric 47 die χρηστότης, wenn sie den Charakter der ἐπιείκεια *Nachgiebigkeit, Weichheit* annimmt, als βλαβερός sowohl für Herrschende wie Beherrschte. Folgt er mit diesem Urteil älterem griech Vorbild (→ 478, 42ff), so steht er mit der vorbehaltlosen Bejahung der χρηστότης θεοῦ auf dem Boden der LXX (→ Z 5ff).

Als Motiv für Gottes Handeln gegenüber den Menschen nennt er Leg All III 73 χρηστότης par mit ἀγαθότης im Unterschied zu einem δυναστείᾳ κράτους αὐτεξουσίῳ χρώμενος. Dabei ist wohl χρηστότης als die bes dem Menschen zugewandte Haltung der *Güte u Milde* zu verstehen, während ἀγαθότης nach Vit Mos II 132 die Art seines Weltregimentes charakterisiert. ἐπιείκεια καὶ χρηστότης (→ II 586, 2ff) Gottes Exsecr 166 besagen, daß er das Vergeben dem Strafen vorzieht.

d. Auch Josephus Ant 11,144 besagt der selten auf Gott angewandte Begriff der χρηστότης, daß Gott in *gnädiger Huld u Großherzigkeit* die verdiente Todesstrafe nachläßt. Häufiger begegnet das Wort als ehrendes Prädikat für hervorragende Gestalten der Gesch, so für die von der Sintflut διὰ χρηστότητα *wegen ihrer Frömmigkeit* Verschonten 1, 96, für Abraham, mit besonderer Betonung seiner *Gastfreundlichkeit* 1, 200, für David, der τῇ χρηστότητι Erbarmen übt 7,184, für Gedalja u seine *menschenfreundliche* Statthalterschaft in Jerusalem 10,164.

3. Neues Testament.

a. Im Neuen Testament begegnet das Wort im Sinne einer menschlichen Eigenschaft in R 3, 12, einem Zitat aus ψ 13, 3 (→ Z 2f).

μᾶλλον ἐπὶ τὴν ἔλλειψιν· οὐ γὰρ τιμωρητικὸς ὁ πρᾶος, ἀλλὰ μᾶλλον συγγνωμονικός. ἡ δ' ἔλλειψις, εἶτ' ἀοργησία τίς ἐστιν εἴθ' ὅ τι δή ποτε, ψέγεται.

οἱ γὰρ μὴ ὀργιζόμενοι ἐφ' οἷς δεῖ ἠλίθιοι δοκοῦσιν εἶναι...

³ χρηστότης statt πιότης liest Cod A ψ 103, 28.

           b. Als Aussage über Gott kommt χρηστότης nur bei
Paulus und in den Deuteropaulinen vor, und zwar im gleichen Sinn wie das Adjektiv
und im Wechsel mit ihm zur Bezeichnung des *gnädigen Verhaltens* und *Gnaden-*
handelns Gottes gegenüber dem Sünder, sowohl vor Christus R 2, 4 (→ 476, 28 ff),
5 wo der πλοῦτος τῆς χρηστότητος (θεοῦ) gerühmt wird, als auch in und durch Christus
R 11, 22 (→ 477, 6 ff; VIII 109, 1 ff). Auch Tt 3, 4 ff wird die Wendung ἡ χρηστότης καὶ ἡ φιλανθρωπία (→ 111, 7 ff) ἐπεφάνη τοῦ σωτῆρος (→ VII 1004, 33 ff) ἡμῶν
θεοῦ durch die Beschreibung der ganzen Fülle des in Christus gekommenen Heils
einschließlich der eschatologischen Vollendung erläutert. Die letztere, als Mit-
10 auferstehen und Mitherrschen mit Christus in der himmlischen Welt beschrieben,
ist auch Inhalt des ὑπερβάλλον πλοῦτος τῆς χάριτος αὐτοῦ ἐν χρηστότητι ἐφ᾽ ἡμᾶς
(Eph 2, 7). Das Wort χρηστότης war also in der apostolischen Zeit Ausdruck für
die umfassende Fülle des christlichen Heils und vollgültiges, wenn auch nicht
gerade häufig gebrauchtes Äquivalent für solche Termini wie χάρις (→ 363, 1 ff),
15 δικαιοσύνη (→ II 194, 1 ff) und andere. Das ist eine sachgerechte Fortbildung des
Gebrauchs, den die Septuaginta von χρηστός (→ 474, 48 ff) macht, eines Gebrauchs, der seinerseits konsequent aus dem Grundsinn des Wortes, der Sach-
gemäßheit (→ 472, 7 ff), abgeleitet ist. Demnach besagt die Bezeichnung des
Heilshandelns Gottes in Christus durch das Wort χρηστότης letztlich, daß dieses
20 Handeln das Gott gemäße ist: In Christus handelt Gott als der, der er seinem
Wesen nach ist, oder umgekehrt: An seinem Handeln in und durch Christus wird
Gott seinem eigentlichen Wesen nach offenbar.

           c. Wenn Paulus nun in den Tugendkatalogen seiner
Briefe den Christen die χρηστότης anempfiehlt, so wird man das Wort ebenso wenig
25 wie die mit und neben ihm in diesen Katalogen aufgezählten, verwandten Tugenden
(→ IV 386, 1 ff) richtig interpretieren, wenn man sie nur als Formeln aus stoisch-
kynischer Tradition allgemein humanitären Inhalts versteht[4]. Vielmehr dürfte
sich darin die große Erfahrung des Apostels ausdrücken, daß Gottes in Christus
offenbare Liebe, durch den Geist in die Herzen der Seinen ausgegossen (R 5, 5),
30 sich dort als χρηστότης gegenüber dem Nächsten auswirkt. Gl 5, 22 erscheint sie
jedenfalls als καρπὸς τοῦ πνεύματος, 2 K 6, 6 steht sie unmittelbar neben dem
πνεῦμα ἅγιον, und Kol 3, 12 wird sie mit dem entsprechenden Verhalten des κύριος
selbst verglichen und begründet.

           4. Die Apostolischen Väter.

35   Dg 9, 1 f. 6; 10, 4 spricht von Gottes χρηστότης, um damit unter
   deutlicher Bezugnahme auf paul Texte das Heilshandeln Gottes in Christus im vollen
   u umfassenden Sinn zu charakterisieren; sie wird 10, 4 auf sein väterliches Handeln
   als Schöpfer, Erhalter, Erlöser u Vollender ausgedehnt. Andere Autoren beziehen das
   Wort auf die Güte Gottes in dem allgemeineren Sinn der at.lichen Texte (→ 479, 7 ff)
40   oder auf einzelne Gnadenerweisungen u -gaben durch Christus. So fordert 1 Cl 9, 1 auf,
   sich der χρηστότης Gottes anheimzugeben, die in Christus der ganzen Welt die von den
   Propheten verheißene Gnade der Buße brachte. 2 Cl 15, 5 bezieht die χρηστότης θεοῦ

---

[4] Siehe hierzu LRStachowiak, Chrestotes.
Ihre bibl-theol Entwicklung u Eigenart, Studia
Friburgensia NF 17 (1957) 93—98-

auf seine Js 58, 9 verheißene Bereitschaft zur Gebetserhörung, während sie 19, 1 das Ziel chr Strebens ist, also wohl allg die Heilsgabe in Christus, an der der Christ teilzuhaben begehrt. Ign wiederum meint mit der χρηστότης Gottes bzw Christi speziell das durch die Auferweckung Christi von den Toten bewirkte Heil, nämlich die Auferweckung der an ihn Glaubenden Mg 10, 1, bzw die dadurch bewirkte Kräftigkeit der 5 sakramentalen σάρξ Christi Sm 7, 1.

† χρηστεύομαι

1. Das in der Prof-Gräz nicht belegte Wort ist zuerst PsSal 9, 6: τίνι χρηστεύσῃ, ὁ θεός; von Gott gebraucht u bezeichnet hier seine *Gnadenerweise* gegenüber denen, die ihn anrufen. 10

2. Paulus beschreibt 1 K 13, 4 das Handeln des Christen als χρηστός (→ 477, 21 ff) und drückt die Verwirklichung der χρηστότης (→ 480, 23 ff) durch das Verbum χρηστεύεσθαι aus, hier als ein Handeln der Liebe charakterisiert. Der Gebrauch des Wortes an dieser Stelle bezeugt seinerseits, welchen Rang die Wortgruppe in der Heilsterminologie des Paulus einnimmt. 15

3. 1 Cl 13, 2 u Cl Al Strom II 18, 91, 2 begegnet das Wort in der als Herrenwort[1] angeführten Aufforderung u Verheißung: ὡς χρηστεύεσθε, οὕτως χρηστευθήσεται ὑμῖν, 1 Cl 13, 1 als ἐπιείκεια u μακροθυμία interpretiert. Wie die fünfte Bitte des Vaterunsers u die Logien Lk 6, 37 f leitet das Wort das *gütige, freundliche Verhalten* zum Nächsten von Gottes Güte u Milde ab. Damit wird 1 Cl 14, 3 die Aufforderung χρηστευσώμεθα ἑαυτοῖς ausdrücklich begründet (→ 477, 3 off). 20

† χρηστολογία

Das Wort ist nur R 16, 18 belegt[1]. Paulus enthüllt damit das verführerische Werben, dem die Briefempfänger ausgesetzt sind, als *freundliche Reden und schöne Worte*, hinter denen sich betrügerische Absichten verbergen.

KWeiß 25

χρηστεύομαι. [1] Über das Verhältnis dieses Herrenwortes zu den kanonischen Parallelen aus der Redenquelle bei Mt u Lk vgl Kn Cl zSt, wo „eine verlorengegangene apokryphe Sammlung" als Quelle für unsere St angenommen wird, während es sich nach WMichaelis, Die apokryphen Schriften zum NT ²(1958) 14 „eher um eine freie Wiedergabe der für solche Variation auch geeigneten Worte Lk 6, 36—38 Par als etwa um deren urspr Fassung" handelt.

χρηστολογία. [1] Der Satz christologum (vl: chrest-) eum appellantes, qui bene loqueretur et male faceret bei Script Hist Aug Pertinax 13, 5 (I 125) gibt ein griech χρηστολόγος wieder.

| χρίω, χριστός, ἀντίχριστος, χρῖσμα, χριστιανός | → ἀλείφω I 230, 1ff
→ μύρον IV 807, 14ff |

Inhalt: A. Zum allgemeinen Sprachgebrauch. — B. מָשַׁח und מָשִׁיחַ im Alten
Testament: I. Allgemeines. II. Die Salbungshandlung im Alten Testament: 1. Das Verbum
5 מָשַׁח und sein Vorkommen; 2. Die Königssalbung: a. Übersicht über das Vorkommen im Alten
Testament, b. Charakteristika der Königssalbung in Israel; 3. Salbung anderer Amtsträger:
a. Der Hohepriester, b. Die Priester, c. Prophetische Amtsträger; 4. Salbung von Gegen-

χρίω κτλ. Lit: Zum Ganzen: ABent-
zen, Messias - Moses redivivus - Menschensohn,
Abh Th ANT 17 (1948); LCerfaux uam, L'At-
tente du Messie, Recherches bibliques 1 (1958);
GFriedrich, Beobachtungen zur messianischen
Hohepriestererwartung in den Synpt, ZThK 53
(1956) 265—311; HGreßmann, Der Messias,
FRL 43 (1929); FHahn, Christologische Hoheitstitel, FRL 83 ³(1966); UKellermann, Die
politische Messias-Hoffnung zwischen den Testamenten, Pastoraltheologie 56 (1967) 362—
377. 436—448; JKlausner, The Messianic Idea
in Israel (1956); SMowinckel, He That Co-
meth (1956). — Zu B: KBaltzer, Das Ende
des Staates Juda u die Messias-Frage, Festschr
GvRad (1961) 33—43; ABentzen, Det sakrale
Kongedømme (1945); KHBernhardt, Das
Problem der altorientalischen Königsideologie
im AT, VT Suppl 8 (1961); PAHdeBoer, De
Zoon van God in het Oude Testament, Leidse
Voordrachten 29 (1958); MBuber, Königtum
Gottes ³(1956); HLEllison, The Centrality of
the Messianic Idea for the Old Testament
(1953); GFohrer, Messiasfrage u Bibelver-
ständnis, Sammlung gemeinverständlicher
Vorträge u Schriften 213f (1957); ARJohn-
son, Sacral Kingship in Ancient Israel ²(1967);
RKnierim, Die Messianologie des ersten Bu-
ches Samuel, Ev Theol 30 (1970) 113—
133; EKutsch, Salbung als Rechtsakt im
AT u im Alten Orient, ZAW Beih 87 (1963);
DLys, L'onction dans la Bible, Les Études
Théologiques et Religieuses 29, 3 (1954) 3—54;
MNoth, Amt u Berufung im AT, Gesammelte
Studien zum AT ³(1966) 309—333; HRing-
gren, König u Messias, ZAW 64 (1952) 120
—147; ders, The Messiah in the Old Testa-
ment, Studies in Biblical Theology 18 (1956);
WRSmith, Die Religion der Semiten (1899)
175f. 295f; RdeVaux, Das AT u seine Lebens-
ordnungen I ²(1964) 169—172; II ²(1966) 239
—241; HWeinel, מָשַׁח u seine Derivate,
ZAW 18 (1898) 1—82; GWidengren, Sakrales
Königtum im AT u im Judt (1955). —
Zu C: PBogaert, Apocalypse de Baruch I,
SCh 144 (1969) 413—425; JBrierre-Narbonne,
Le Messie souffrant dans la littérature rabbi-
nique (1940); ders, Les prophéties messiani-

ques de l'Ancient Testament dans la littérature
juive en accord avec le Nouveau Testament
(1933); REBrown, The Messianism of Qumran,
The Catholic Biblical Quarterly 19 (1957)
53—82; ders, JStarcky's Theory of Qumran
Messianic Development, The Catholic Biblical
Quarterly 28 (1966) 51—57; MBurrows, Die
Schriftrollen vom Toten Meer (1957) 216—
219; ders, Mehr Klarheit über die Schriftrollen
(1958) 257—295; ACaquot, Ben Sira et le
Messianisme, Semitica 16 (1966) 43—68;
JCarmignac, La règle de la guerre des fils de
lumière contre les fils de ténèbres (1958);
JCarmignac-PGuilbert, Les textes de Qumran I (1961) passim; MAChevallier, L'Esprit
et le Messie dans le Bas-Judaïsme et le Nouveau Testament, Études d'Histoire et de
Philosophie Religieuses 49 (1958); JCoppens,
Le Messianisme royal (1968); GDalman, Der
leidende u sterbende Messias der Synagoge
im ersten nachchr Jhdt (1888); RDeichgräber,
Zur Messiaserwartung der Damask, ZAW 78
(1966) 333—343; JWDoeve, Jodendom en
koningschap bij het begin onzer jaartelling,
Vox Theologica 32 (1961/62) 69—83; ADupont-Sommer, Die essenischen Schriften vom
Toten Meer (1960) 387—408; IElbogen, Der
jüd Gottesdienst in seiner geschichtlichen
Entwicklung ⁴(1962) 27—98; KElliger, Studien zum Habakukkommentar vom Toten
Meer, Beiträge zur historischen Theol 15 (1953)
passim; JAFitzmyer, The Aramaic „Elect of
God" Text from Qumran Cave IV, The Catholic Biblical Quarterly 27 (1965) 348—372;
CTFritsch, The So-Called "Priestly Messiah"
of the Essenes, Jaarbericht van het voorazia-
tisch-egyptisch genootschap Ex Oriente Lux
17 (1963) 242—248; JGnilka, Die Erwartung
des messianischen Hohenpriesters in den
Schriften von Qumran u im NT, Revue de
Qumran 2 (1959/60) 395—426; PGrelot, Le
Messie dans les Apocryphes de l'Ancien Testament, in: La Venue du Messie, Recherches
bibliques 6 (1962) 19—50; AHarnack, Judt u
Judenchristentum in Justins Dialog mit
Trypho, TU 39, 1 (1913) 73—78; AJBHig-
gins, The priestly Messiah, NT St 13 (1966/67)
211—239; SHurwitz, Die Gestalt des ster-

ständen. III. מָשִׁיחַ im Alten Testament: 1. Das Vorkommen des Nomens מָשִׁיחַ im Alten Testament; 2. Der König als מְשִׁיחַ יְהוָה: a. Übersicht, b. Saul als מְשִׁיחַ יְהוָה, c. David als מְשִׁיחַ יְהוָה, d. Der davidische König als מְשִׁיחַ יְהוָה, e. Kyros als מְשִׁיחַ יְהוָה; 3. Die Erzväter als Gesalbte; 4. Der gesalbte Hohepriester. IV. Zur Entstehung messianischer Vorstellungen in Israel: 1. Königspsalmen; 2. Jesaja 9, 5f; 3. Jeremia, Hesekiel; 4. Nachexilische Zeit: a. Haggai, 5 b. Sacharja, c. Zusätze zur Verkündigung älterer Propheten, d. Unergiebige Stellen; 5. Problematik des Messianismus. — C. Messianische Vorstellungen im Spätjudentum: I. Terminologisches. II. Septuaginta. III. Apokryphen und Pseudepigraphen: 1. Sirach; 2. Testamente der zwölf Patriarchen; 3. Psalmen Salomos; 4. Äthiopischer Henoch; 5. Sy-

benden Messias, Studien aus dem CGJung-Institut Zürich 8 (1958); GJeremias, Der Lehrer der Gerechtigkeit, Studien zur Umwelt des NT 2 (1963) 268—307; MdeJonge, The Testaments of the Twelve Patriarchs (1953) 83—96; ders, Christian Influence in the Testaments of the Twelve Patriarchs, Nov Test 4 (1960) 182—235; ders, Once more: Christian Influence in the Testaments of the Twelve Patriarchs, ebd 5 (1962) 311—319; ders, The word "anointed" in the time of Jesus, ebd 8 (1966) 132—148; ders, The Role of Intermediaries in God's Final Intervention in the Future according to the Qumran Scrolls, in: Studies in the Jewish Background of the New Testament, ed OMichel uam (1969) 44—63; BJongeling, Le rouleau de la guerre des manuscrits de Qumran (1962) 142—144; KGKuhn, Die beiden Messias Aarons u Israels, NT St 1 (1954/55) 168—179; ders, Achtzehngebet u Vaterunser u der Reim, Wissenschaftliche Untersuchungen zum NT 1 (1950) 10f. 22f. 41f; WSLaSor, The Messianic Idea in Qumran, Festschr ANeuman (1962) 343—364; RBLaurin, The Problem of the two Messiahs in the Qumran Scrolls, Revue de Qumran 4 (1963/64) 39—52; JLiver, The doctrine of the two Messiahs in sectarian literature in the time of the second commonwealth, HThR 52 (1959) 149—185; AMerx, Der Messias oder Ta'eb der Samaritaner, ZAW Beih 17 (1909); JTMilik, Ten Years of discovery in the wilderness of Judea ²(1963) 123—128; Moore II² 323—376; MPhilonenko, Les interpolations chrétiennes des Testaments des Douze Patriarches et les Manuscrits de Qoumran, Cahiers de la Rev HPhR 35 (1960); KSchubert, Die Messiaslehre in den Texten von Chirbet Qumran, BZ NF 1 (1957) 177—197; ders, Die Messiaslehre in den Test XII im Lichte der Texte von Chirbet Qumran, Akten des 24. internationalen Orientalisten-Kongresses München 1957 (1959) 197f; ESjöberg, Der Menschensohn im äth Henochbuch, Acta Regiae Societatis Humaniorum Litterarum Lundensis 41 (1946) 140—146; ders, Der verborgene Menschensohn in den Ev, Acta Regiae Societatis Humaniorum Litterarum Lundensis 53 (1955) 41—98. 247—273; JStarcky, Les quatre étapes du messianisme à Qumrân, Rev Bibl 70 (1963) 481—505; ders, Un texte messianique araméen de la grotte 4 de Qumran, in: Mémorial du cinquantenaire 1914 —1964, Travaux de l'Institut Catholique de Paris 10 (1964) 51—66; EAWcela, The Messiah(s) of Qumrân, The Catholic Biblical Quarterly 26 (1964) 340—349; KWeiss, Mes-

sianismus in Qumran u im NT, in: Qumran-Probleme, ed HBardtke, Deutsche Akademie der Wissenschaften zu Berlin, Schriften der Sektion für Altertumswissenschaften 42 (1963) 353—368; ASvanderWoude, Die messianischen Vorstellungen der Gemeinde von Qumran, Studia Semitica Neerlandica 3 (1957); MZobel, Gottes Gesalbter (1938). — Zu D: OBauernfeind, Die Worte der Dämonen im Mk, BWANT 44 (1927) 67—109; GBertram, Die Leidensgeschichte Jesu u der Christuskult FRL 32 (1922), ders, Die Himmelfahrt Jesu vom Kreuz aus u der Glaube an seine Auferstehung, Festschr ADeißmann (1927) 187 —217; OBetz, Die Frage nach dem messianischen Bewußtsein Jesu, Nov Test 6 (1963) 20—48; GBornkamm, Christus u die Welt in der urchr Botschaft, Das Ende des Gesetzes ⁵(1966) 157—172; WBousset, Kyrios Christos, FRL 21 ²(1921); MBouttier, En Christ, Études d'Histoire et de Philosophie Religieuses 54 (1962); HBraun, Der Sinn der nt.lichen Christologie, Gesammelte Studien zum NT u seiner Umwelt (1962) 243—282; WHBrownlee, Messianic Motifs of Qumran and the New Testament, NT St 3 (1956/57) 12—30. 195 —210; FBüchsel, Die Christologie des Hb, BFTh 27, 2 (1922); RBultmann, Die Frage nach dem messianischen Bewußtsein Jesu u das Petrusbekenntnis, Exegetica (1967) 1—9; ders, Zur Frage der Christologie, Glauben u Verstehen I ⁶(1966) 85—113; ders, Die Christologie des NT, ebd 245—267; LCerfaux, Christus in der paul Theol (1964); OCullmann, Die Christologie des NT ⁴(1966) 111—137; NADahl, Der gekreuzigte Messias, in: Der historische Jesus u der kerygmatische Christus, ed HRistow-KMatthiae (1960) 149—169; ders, Die Messianität Jesu bei Pls, Festschr JdeZwaan (1953) 83—95; EDinkler, Petrusbekenntnis u Satanswort, Signum Crucis (1967) 283—312; JBFrey, Le conflit entre le Messianisme de Jésus et le Messianisme des Juifs de son temps, Biblica 14 (1933) 133— 149. 269—293; GFriedrich, Christus, Einheit u Norm der Christen, Kerygma u Dogma 9 (1963) 235—258; JRGeiselmann, Jesus der Christus (1951); JHéring, Messie juif et Messie chrétien, Rev HPhR 18 (1938) 419—431; EEJensen, The First Century Controversy over Jesus as a Revolutionary Figure, JBL 60 (1941) 261—272; HPKingdon, Messiahship and the Crucifixion, Studia Evangelica 3, TU 88 (1964) 67—86; GKittel, Jesu Worte über sein Sterben, DTh 3 (1936) 166—189; WKramer, Christos Kyrios Gottessohn, Abh Th ANT 44 (1963) 15—59. 131—153. 203—219; ELohse,

A. Zum allgemeinen Sprachgebrauch.

1. χρίω, seit Hom gebräuchlich, fehlt bei den attischen Rednern. Bei Plat begegnet nur eine Form von ἐγχρίω *stechen* (par κεντέω) Phaedr 251d, was auf eine Grundbedeutung *streiten* hinweisen könnte (→ A 1). Auch bei den echten
30 Aristotelica sowie bei den Komödiendichtern außer Aristoph fr 581 (FAC I 730): ὁ δ᾽ αὖ Σοφοκλέους τοῦ μέλιτι κεχριμένου ... wird es nicht gebraucht. Hingegen findet es sich bei den Tragikern, bei Hdt u auch Xenoph. Es begegnet ferner in der nachklassischen Prosa u in außerliterarischen Texten. Es ist in mehreren Dialekten vorklassischer u klass Zeit nachweisbar u ist in der nachklassischen Umgangssprache durch Pap
35 u Inschr als normales Koinewort außerattischer Herkunft bezeugt. Diesem Gebrauch fügt sich die LXX ein, während es im NT allein auf Jesus u nur einmal auf seine Gemeinde 2 K 1, 21 bezogen ist. Sonst werden im NT ἀλείφω (→ I 230, 10ff) u μυρίζω (→ IV 808, 5ff) verwendet.

χρίω bedeutet akt trans *den Körper* oder *Körperteile einreiben, darüber hinstreichen,*
40 med *sich einreiben, über sich hinstreichen*[1]. In Verbindung mit der Benutzung von Ölen

---

Märtyrer u Gottesknecht, FRL 64 ²(1963) 113—199. 220—224; HvanderLoos, Jezus Messias-Koning (1942); TWManson, Jesus the Messiah (1943); ders, The Servant Messiah (1953); OMoe, Das Priestertum Christi im NT außerhalb des Hb, ThLZ 71 (1947) 335 —338; FNeugebauer, In Christus (1961) 44 —130. 150—181; IdelaPotterie, L'onction du Christ, Nouvelle Revue Theologique 80 (1958) 225—252; ders, L'onction du chrétien par la foi, Biblica 40 (1959) 12—69; AEJRawlinson, Christ in the Gospels (1944); ders, The New Testament Doctrine of the Christ (1926); ESchweizer, Erniedrigung u Erhöhung bei Jesus u seinen Nachfolgern, Abh Th ANT 28 ²(1962); GSevenster, De Christologie van het Nieuwe Testament (1946); ders, Artk Christologie I, in: RGG³ I 1745—1762; EStauffer, Messias oder Menschensohn, Nov Test 1 (1956) 81—102; VTaylor, The Names of Jesus (1953) 18—23; ders, The Person of Christ in the New Testament Teaching (1958); PVielhauer, Ein Weg zur nt.lichen Christologie?, Aufsätze zum NT, Theol Bücherei 31 (1965) 141 —198; ders, Zur Frage der christologischen Hoheitstitel, ThLZ 90 (1965) 569—588; ders, Erwägungen zur Christologie des Mk, Aufsätze zum NT Theol Bücherei 39 (1965) 199— 214; AVögtle, Messiasbekenntnis u Petrusverheißung, Das Ev u die Evangelien (1971) 137 —170; HWindisch, Zur Christologie der Past, ZNW 34 (1935) 213—238; WWrede, Das Messiasgeheimnis in den Ev (1901).

[1] Hofmann, Frisk sv; diese Grundbedeutung hat auch eine Entwicklung zu der Bdtg *stechen* ermöglicht. Aesch Prom 566. 597. 675. 880 bezeichnet es den Stich der Bremse, vgl Plat Phaedr 251d. Wahrscheinlich ist χρίω mit litauisch griēti *den Rahm von der Milch abnehmen* verwandt. — Für den gesamten Abschnitt A verdanke ich wichtige Hinweise ERisch, ADihle u HKrämer.

u Fetten (→ II 468, 15ff; IV 807, 15ff) bekommt es dann die Bdtg *bestreichen, salben* u *sich salben*. Das Gift auf dem Festgewand der Deianeira für Herakles χρίει δολοποιὸς ἀνάγκα πλευρὰ προστακέντος ἰοῦ Soph Trach 832f; es wird durch das Gewand in den Körper des Herakles eingerieben. Kamele werden *gestriegelt* ἐχρίσθησαν PFlor III 364, 24 (3. Jhdt nChr). Vom Salben des Körpers nach dem Bad heißt es: καὶ ἔχρισεν λίπ᾽ ἐλαίῳ 5 Hom Od 3, 466; 10, 364, λοῦσαν καὶ χρῖσαν ἐλαίῳ Hom Od 4, 49, vgl auch 6, 96 u 19, 320; 6, 220. Vom Salben durch eine Gottheit spricht Hom Od 18,193f, ferner λοῦσθαι μὲν ὑπὸ τοῦ Διός, χρίεσθαι δὲ ὑπὸ τοῦ Ἡλίου Hdt III 124,1. Von einem Kranken heißt es: καὶ τρίψας μεθ᾽ ὄξους χρῖσον PMasp II 67141, 2 recto 24 (6. Jhdt nChr), von der Salbung der Toten: χρῖσόν τ᾽ ἀμβροσίῃ Hom Il 16, 670, auch 680. Aphrodite ῥοδόεντι δὲ 10 χρῖεν ἐλαίῳ ἀμβροσίῳ den toten Hektor Hom Il 23,186f. Waffen werden mit Fett oder Öl *bestrichen* Hom Od 21,179 (ἐπιχρίω); Xenoph Cyrop VII 1, 2, Pfeile mit Gift Hom Od 1, 262. Medea sagt von dem Prunkgewand, das sie der Braut Jasons übersenden läßt: τοιοῖσδε χρίσω φαρμάκοις δωρήματα Eur Med 789. Mit Lammwolle wird das Gewand der Deianeira für Herakles Soph Trach 675. 689, mit Pech werden Vogelfedern 15 *bestrichen* Hdt IV 195, 2. Übertr heißt es Eur Med 632f: μήποτ᾽, ὦ δέσποιν᾽, ἐπ᾽ ἐμοὶ χρυσέων τόξων ἐφείης ἱμέρῳ χρίσασ᾽ ἄφυκτον (*unfehlbar*) οἰστόν, vgl auch Plut Vit Dec Orat 7 (II 841e): οὐ μέλανι, ἀλλὰ θανάτῳ χρίοντα τὸν κάλαμον. POxy XII 1413,19f. 24 u XIV 1665, 5f (beide 3. Jhdt nChr) hat χρίω die Bdtg *Salböl liefern*. Von der Grundbedeutung *darüber streichen* kommt auch die Bdtg *färben, tünchen, schminken* her, zB 20 zottige, rot gefärbte Ziegenfelle αἰγέας... ψιλὰς περὶ τὴν ἐσθῆτα θυσανωτὰς... κεχρισμένας ἐρευθεδάνῳ (*Färberröte*) Hdt IV 189, 2.

2. χριστός, χριστή, χριστόν ist Verbaladjektiv u bedeutet *aufstreichbar, aufgestrichen, gesalbt*, substantiviert τὸ χριστόν *die Salbe, das Aufstreichmittel*, vgl πότερα δὲ χριστὸν ἢ ποτὸν τὸ φάρμακον; Eur Hipp 516, auch Aesch Prom 480. In 25 der Zusammensetzung ἀρτίχριστον bezeichnet es *frische Salbe* Soph Trach 687. Außerhalb der LXX und des NT und der davon abhängigen Schriften wird χριστός niemals auf Personen bezogen.

3. χρῖσμα, auch χρῖμα, ist alles *Aufgestrichene, Aufgetragene, Salbe, Salbung*, auch medizinisch gebraucht, die *Heilsalbe* Diosc Mat Med I 8, 3; 21; 66, 3, 30 ferner *Mittel zum Aufstreichen, Farbe, Tünche*. Der Gebrauch ist selten, zB τοῦτο τὸ χρῖμα Xenoph Symp 2, 4; πῦρ ἔκαιον καὶ ἐχρίοντο· πολὺ γὰρ ἐνταῦθα ηὑρίσκετο χρῖμα (*Fett*) ᾧ ἐχρῶντο ἀντ᾽ ἐλαίου An IV 4,12f, in magischem Zshg PLond I 121, 873f (3. Jhdt nChr): τῷ σεληνιακῷ χρίσματι, vgl 879; χρῖμα findet sich zB POxy III 529, 3 (2. Jhdt nChr).

Grundmann 35

B. משׁח und מָשִׁיחַ im Alten Testament.

I. Allgemeines.

Mit Salben bezeichnet man das Einfetten des ganzen Körpers oder bestimmter Körperteile durch Bestreichen mit Fett oder Öl (→ 484, 40f)[2]. Dabei ist ein Salben, das das körperliche Wohlbefinden wiederherstellen oder steigern will[3], 40 von einer als Rechtsakt verstandenen Salbungshandlung zu unterscheiden. Die Salbung im Sinne eines Rechtsakts wird nach dem at.lichen Zeugnis durch Ausgießen

---

[2] Im Zshg mit der Salbung verwendet das AT für Öl stets den Terminus שֶׁמֶן, während das Wort יִצְהָר vermieden wird.

[3] Das Öl wirkt Entzündungen entgegen, hat also Heilwirkung; darum wird es von den Ärzten prophylaktisch u zur Therapie verwendet, Dalman Arbeit IV 262; Jos Ant 17,172; BMeißner, Babylonien u Assyrien II, Kulturgeschichtliche Bibliothek I 4 (1925) 312; HGrapow, Von den medizinischen Texten (1955) 51f. Insbesondere an den Toten erweist es seine Heilkraft, indem es ihnen neues Leben gewährleistet, HBonnet, Artk Salben, in: Real-

lexikon der ägyptischen Religionsgeschichte (1952) 647f. Davon abgesehen weiß man die allg kräftigende Wirkung des Öls zu nutzen, s BMeißner, Babylonien u Assyrien I, Kulturgeschichtliche Bibliothek I 3 (1920) 243. Auch zur Reinigung findet das Öl Verwendung, Dalman Arbeit IV 265 A 3. Alles in allem: Die Salbung mit Öl steigert das Wohlbefinden. Auch in Israel benutzt man das Öl seiner heilenden u kräftigenden Wirkung wegen Js 1, 6; 2 Ch 28,15; Lk 10, 34 u schätzt es hoch Dt 28, 40; Mi 6,15. Vgl zum Näheren → II 468,15ff, bes 470, 5ff; → Kutsch 1—6.

von Öl auf das Haupt des Betreffenden vollzogen[4]. Damit knüpft man an den reinigenden Zweck einer Salbungshandlung an[5]. Ziel ist dabei, dem zu Salbenden כָּבוֹד *Kraft, Macht, Glanz* zu verleihen.

Bei den Hethitern gehört es zu den Riten bei der Inthronisation eines Königs, daß er gesalbt wird[6]. Die Salbung bewirkt, daß der Gesalbte als König zu herrschen fähig wird[7]. Die gelegentlich erwähnte Salbung des Königs zum Priester bedeutet grundsätzlich nichts anderes als die Königssalbung[8]. Der Ritus wird durch das Volk, dh durch seine Repräsentanten, Adel u Heerbann, vollzogen[9]. Das „Krönungsöl", das der neue Herrscher anläßlich seiner Thronbesteigung als Huldigungsgabe zu erwarten hat, dürfte freilich nicht schon zu dieser Salbung selbst verwendet worden sein[10]. Die Assyrer u die Babylonier haben den Ritus der Königssalbung wahrscheinlich nicht gekannt[11]. Von einer Salbung des ägyptischen Königs anläßlich seiner Thronbesteigung hören wir ebensowenig etw[12], wohl aber davon, daß er seinerseits hohe Beamte bei der Einsetzung in ihr Amt salbt. Auch die Vasallenfürsten des syrisch-kanaanäischen Bereichs zB werden so gesalbt[13], wobei die Salbung uU Geltung auch für die weiteren Thronerben behält[14]. Der Salbungsritus wird vermutlich auch in den verschiedenen kanaanäischen Stadtstaaten, das jebusitische Jerusalem eingeschlossen, üblich gewesen sein[15]. Weniger sicher ist, ob man den Ritus auch im Aramäerstaat von Damaskus kannte[16].

II. Die Salbungshandlung im Alten Testament.

1. Das Verbum משח und sein Vorkommen[17].

Das Verbum משח begegnet im masoretischen Text insgesamt 69mal, uz ganz überwiegend im q (64mal); nur fünfmal sind ni-Formen belegt. 2 S 3, 39 dürfte die Wurzel משח nicht urspr sein. Js 21, 5 bleibt textlich u dem Sinne nach unsicher. 2 S 1, 21 ist möglicherweise מָשׁוּחַ zu lesen. Hos 7, 3 wird statt des schwierigen וְשָׂרִים מְלֶךְ ein יִמְשְׁחוּ מְלָכִים vorgeschlagen[18]. Wenn in 1 S 10, 1 der längere Text von LXX u Vg urspr ist, würde hier מָשַׁח zweimal vorkommen. Die Bdtg von משח q ist trans; nur Am 6, 6 ist יִמְשְׁחוּ reflexiv zu übersetzen. Durch ein לְ mit Inf[19] wird auf den Sinn der Handlung, ihre Folge oder Wirkung hingewiesen. Auch das Amt, in das man durch den Salbungsritus eingesetzt werden soll, kann mit לְ angefügt werden[20]. Statt לְ mit Subst bzw Inf kann auch וְ mit Verbum finitum eintreten[21]. Wo der Inf

---

[4] Die hbr Sprache scheidet die unterschiedlichen Zwecke des Salbens auch terminologisch voneinander. משח bleibt dem juridisch-sakralen Salbungsakt vorbehalten. Nur Am 6, 6 u Ps 45, 8 wird es als Ausdruck der Salbung zum Zweck der Körperpflege, in den textlich schwierigen Stellen 2 S 1, 21 u Js 21, 5 im Zshg mit der Salbung eines Schildes verwendet. Zu letzterem → A 48.

[5] Belege u deren Interpretation bei → Kutsch 16—33.

[6] Vgl AGoetze, Kulturgeschichte des Alten Orients III 1: Kleinasien, Hndbch AW III 1, 3 (1957) 90 A 3 unter Bezugnahme u teilweiser Übers von Texten aus Keilschrifturkunden aus Boghazköi 24, ed AWalther (1930) Nr 5, 19ff; 9, ed HEhelolf (1923) Nr 13, 7ff.

[7] Belege u deren Interpretation bei → Kutsch 37.

[8] Beleg u dessen Interpretation bei → Kutsch 36f.

[9] → Kutsch 38f.

[10] → Kutsch 66—69.

[11] → Kutsch 40f.

[12] Erörterung des Problems bei → Kutsch 41—52.

[13] → Kutsch 34f.

[14] → Kutsch 35.

[15] Anders → deVaux I 170. 338.

[16] Solches wäre uU aus 1 Kö 19, 15 zu schließen; jedoch ist diese Angabe schon im Vergleich mit 2 Kö 8, 7—15 sehr fragwürdig u entbehrt darüber hinaus jeder historischen Wahrscheinlichkeit.

[17] Vgl die Übersicht bei → Weinel 1—5.

[18] Gg diese seit JWellhausen, Die kleinen Propheten [4](1963) zSt übliche Konjektur wenden sich allerdings neuestens sowohl HW Wolff, Dodekapropheton 1 Hosea, Bibl Komm AT 14, 1 [2](1965) als auch WRudolph, Hosea, Komm AT 13, 1 (1966) zSt.

[19] לְקַדְּשׁוֹ Ex 29, 36; Lv 8, 11f; לְהַכְרִית 2 Ch 22, 7; לְכַהֵן Ex 30, 30; Lv 16, 32.

[20] לְכֹהֵן 1 Ch 29, 22; לְנָגִיד 1 S 9, 16; 10, 1 (zweimal?); 1 Ch 29, 22; לְמֶלֶךְ Ri 9, 15; 1 S 15, 1. 17; 2 S 2, 4. 7; 12, 7; 1 Kö 1, 34. 45; 5, 15; 19, 15f; 2 Kö 9, 3. 6. 12; 1 Ch 11, 3; 14, 8.

[21] וְקִדַּשְׁתָּ ... וּמָשַׁחְתָּ Ex 30, 26. 29; 40, 11; Lv 8, 10; Nu 7, 1; וַיַּמְלִיכוּ ... וַיִּמְשְׁחוּ 2 Kö 23, 30; וּמָשַׁחְתָּ ... וְכִהֲנוּ Ex 40, 15, ... וְקִדַּשְׁתָּ ... וְכִהֲנוּ Ex 28, 41, vgl 40, 13.

constructus ni von מָשַׁח erscheint, finden wir regelmäßig die Konstr mit dem Obj-Acc[22].
Als Derivat von מָשַׁח, abgesehen von מָשִׁיח, erscheint im AT 21mal die Femininbil-
dung der Form qaṭl oder qiṭl מִשְׁחָה, stets mit שֶׁמֶן zu der Wortgruppe שֶׁמֶן הַמִּשְׁחָה *Salböl*
verbunden Ex 25, 6; 29, 7. 21; 31, 11; 35, 8. 15. 28; 37, 29; 39, 38; 40, 9; Lv 8, 2. 10.
12. 30; 21, 10; Nu 4, 16. Erweiterungen stellen die Wendungen שֶׁמֶן מִשְׁחַת־קֹדֶשׁ Ex 5
30, 25 (zweimal); 30, 31 u שֶׁמֶן מִשְׁחַת יְהוָה Lv 10, 7 bzw שֶׁמֶן מִשְׁחַת אֱלֹהִים Lv 21, 12
dar. Nur zweimal findet sich die quṭl-Femininform מָשְׁחָה *Salbung* Ex 29, 29[23]; 40, 15.

2. Die Königssalbung.

a. Übersicht über das Vorkommen im Alten Testament[24].

10

Weitaus am häufigsten ist im Alten Testament von der
Salbung eines Königs die Rede. Diese Königssalbung ist Teilakt einer umfassenderen Inthronisationshandlung, der vermutlich ein ganzes Ritual mit verschiedenen
Handlungen zugrundelag. Die Salbung wird im Alten Testament als wichtigster
oder besonders kennzeichnender Akt gewertet.

15

Unter den Königen, deren Salbung ausdrücklich erwähnt wird, steht David an vor-
derster Stelle 1 S 16, 3. 12f; 2 S 2, 4. 7[25]; 5, 3. 17; 12, 7; Ps 89, 21; 1 Ch 11, 3; 14, 8.
Auch von einer Salbung Sauls ist einige Male die Rede 1 S 9, 16; 10, 1[26]; 15, 1. 17. In
späterer Zeit erscheinen fast nur Davididen als Obj einer Salbungshandlung: Salomo
1 Kö 1, 34. 39. 45; 5, 15; 1 Ch 29, 22, Joas 2 Kö 11, 12; 2 Ch 23, 11 u Joahas 2 Kö 20
23, 30. Auch Absalom 2 S 19, 11 darf man wohl mit in diese Reihe stellen. Als gesalbte
Nicht-Davididen erscheinen der nordisraelitische König Jehu 1 Kö 19,16[27]; 2 Kö 9, 3.
6. 12; 2 Ch 22, 7 u der Aramäerkönig Hasael 1 Kö 19,15. Von der Salbung eines Königs
allg ist in der Jothamfabel Ri 9,7—15[28] die Rede. Jahwe erscheint als Vollzieher der
Salbungshandlung bei der Hochzeit eines ungenannten Königs Ps 45, 8[29]. 25

b. Charakteristika der Königssalbung in Israel[30].

Wo nach den at.lichen Berichten das Volk bzw seine Repräsentanten die Salbungshandlung vornehmen, werden wir mit historisch einigermaßen
sicheren Tatsachen bekanntgemacht. Die ältesten Belege finden wir 2 S 2, 4. 7 u 5, 3. 17.
Zunächst vollziehen die Männer Judas, die das 2,7 genannte Haus Juda repräsentieren, 30
einen Salbungsakt an David u erheben diesen damit zum König über Juda. Später
kommen die Ältesten Israels nach Hebron, um mit David einen Bund zu schließen u
ihn danach zu salben; damit ist David König auch über Israel. Die Salbungshandlung
der isr Ältesten hat somit als legitimer Akt des in Stämme u Sippen organisch gegliederten Volkes, vollzogen durch dessen offizielle Vertreter, zu gelten, während der gleiche 35
Vorgang in Juda eher als eine machtpolitische Maßnahme irgendwelcher zu Einfluß u

---

[22] בְּיוֹם הִמָּשַׁח אֹתוֹ Lv 6, 13; Nu 7, 10. 84 u
אַחֲרֵי הִמָּשַׁח אֹתוֹ Nu 7, 88. Die Verbindung
dürfte trotz → Weinel 4f keinen Bedenken
unterliegen.
[23] Hier eher als Inf constructus q anzusehen.
[24] Zur Vervollständigung des Überblicks ist
zu dieser Liste noch jene andere hinzuzuziehen,
die das Vorkommen des Titels מָשִׁיח für den
regierenden König registriert (→ 492,7ff).
[25] 2 S 3, 39 scheidet aus textkritischen
Gründen aus.
[26] An diesen beiden St wird der Terminus
מֶלֶךְ zugunsten des allgemeineren u feierliche-
ren נָגִיד unterdrückt.

[27] In diesem recht problematischen Text
ist zuvor von einer Salbung des Aramäerkönigs
Hasael, danach des Propheten Elisa die Rede.
[28] Die Jothamfabel, eine Erweiterung der
Abimelechgeschichte, dürfte aus der Königszeit stammen, uz aus Kreisen, die der monar-
chischen Institution ablehnend gegenüberstanden. Eine genauere Datierung ist nicht
möglich.
[29] Vom Salben eines Königs allg ist vielleicht
auch noch Hos 7, 3 die Rede gewesen, wenn die
Konjektur יִמְשְׁחוּ für יְשַׂמְּחוּ berechtigt sein
sollte. Vgl jedoch → A 18.
[30] Zu diesem Abschnitt → Kutsch 52—60.

Ansehen gekommener Männer zu beurteilen ist[31]. Der Salbungsakt verleiht כָּבוֹד; demnach ist die Salbung als Akt der Ermächtigung verstanden worden.

Im Gegensatz dazu ist Subj der Salbung die Einzelperson David, als es um die Einsetzung des Salomo zu seinem Nachfolger geht. In Davids Auftrag vollziehen Ṣadoq u Nathan die Salbungshandlung. Der Text zeigt, was die handelnden Pers angeht, eine leichte Unstimmigkeit, da 1 Kö 1, 34. 45 beide Männer als Handelnde genannt werden, 1, 39 jedoch nur Ṣadoq. Ṣadoq mag der für den Vollzug der Handlung vor allem Verantwortliche gewesen sein[32].

Das Subj der Salbung bleibt bei der Einsetzung Absaloms zum Könige unbestimmt; die Salbungshandlung wird auch nur beiläufig 2 S 19, 11 erwähnt. Auch bei dem Bericht über die Inthronisation des Joas 2 Kö 11, 12 hören wir über den Salbenden nichts[33]. Joahas wird nach 2 Kö 23, 30 durch den עַם הָאָרֶץ, dh durch die freie Bevölkerung des Landes im Staate Juda, gesalbt.

Nur diese Berichte über eine Königssalbung halten einer Nachprüfung auf ihre historische Glaubwürdigkeit hin einigermaßen stand. Sicher bezeugt ist eine Salbungshandlung demnach allein im Bereich des Südstaates Juda, vollzogen an David u seinen Nachkommen auf dem Thron. Initiator der Salbungshandlung ist das Volk, durch Bevollmächtigte vertreten. Das Volk ist es also, das den König zu seinem Amte ermächtigt. In diesem Zshg ist an die Analogie der hethitischen Salbungshandlung zu erinnern (→ 486, 4ff): Nur bei den Hethitern ist die Königssalbung im Alten Orient zweifelsfrei bezeugt; bei ihnen ist das Volk (der Adel, der Heerbann) Subj der Salbungshandlung. Wenn eine Abhängigkeit der Judäer von den Hethitern überh besteht, so wäre zu vermuten, daß die Südreichbewohner den Ritus bei den von hethitischen Bräuchen auch sonst nicht unbeeinflußten Kanaanäern kennengelernt haben, wobei das jebusitische Jerusalem oder eher noch das kanaanäische Hebron eine Vermittlerrolle gespielt haben könnte. Wenn sich die Ältesten des Nordreichs im Falle Davids den Ritus ebenfalls zu eigen machten, so darum, weil sie ihn bei ihren Verhandlungen mit David u den Seinen als einen Inthronisationsritus kennenlernten u übernahmen. Die Schwierigkeiten, die dieser These entgegenstehen, daß nämlich auch die im Norden überlieferte Jothamfabel Ri 9, 7—15 den Salbungsritus kennt, sollen freilich nicht unerwähnt bleiben.

Der Akt der Königssalbung wurde vollzogen, indem man aus einem Horn 1 S 16, 13; 1 Kö 1, 39 oder aus einem Gefäß 1 S 10, 1; 2 Kö 9, 3. 6 Öl auf das Haupt dessen goß, den man salben wollte[34].

Im Gegensatz zu den bisher herangezogenen Belegen können jene St, an denen der König als von Jahwe selbst gesalbt gilt, keinen Anspruch auf Historizität erheben. Eine derartige Salbung durch Jahwe bzw auf seine direkte Veranlassung wird erzählt von Saul 1 S 9, 16; 10, 1; 15, 1. 17, David 1 S 16, 3. 12f; 2 S 12, 7; Ps 89, 21, Hasael u Jehu 1 Kö 19, 15f, Jehu 2 Kö 9, 3. 6. 12; 2 Ch 22, 7. Daß der die Handlung vollziehende Mensch hier als ein von Jahwe Beauftragter handelt, wird bes an dem Botenspruch 2 Kö 9, 3. 6 deutlich. In Wirklichkeit aber ist Saul durch die Initiative des Volkes König geworden. Wenn die Erzählung später einen Salbungsakt, vollzogen im Auftrage Jahwes durch Samuel, vorgeschaltet hat, so sind die Gründe dafür naheliegend. Was scheinbar auf die Israeliten zurückging, war doch in Wirklichkeit längst von Jahwe festgelegt u auch schon durch bestimmte Akte gewirkt. Das Königtum Sauls soll damit als von Gott legitimiert dargestellt werden. Im Falle Sauls u ebs Davids geht nunmehr die Salbung durch Jahwe der Einsetzung zum Könige durch Menschen vorauf. Ganz entsprechend ist es zu beurteilen, wenn die LXX die Aussage des hbr Textes „und sie machten Saul zum König" ändert in „Samuel salbte Saul zum König" 1 S 11, 15. Die Aussage, die 2 S 12, 7 dem Nathan in Form eines Botenspruchs in den

---

[31] Der Chronist hat den Bericht über die Salbung Davids zum König von Juda unterschlagen u nur über die Salbung zum König Israels berichtet; für ihn ist Israel die gesamte Kultgemeinde, Juda eingeschlossen. Der Chronist läßt die Ältesten auch nur das ausführen, was Jahwe durch Samuel verheißen hat.

[32] Da der Chronist keine Kenntnis mehr von den hofparteilichen Intrigen nimmt, die der Inthronisation des Salomo voraufgingen, läßt er die gesamte Volksgemeinde, den קָהָל, den Salomo zum König salben. Bemerkenswert ist dabei, daß als Obj der Salbung neben Salomo auch Ṣadoq erscheint 1 Ch 29, 22.

[33] Eine Salbung durch den Oberpriester ist ausgeschlossen, wie → Kutsch 54f mit Recht betont. Erst die LXX macht den Priester Jojada zum Salbenden; der Chronist läßt als Subj Jojada u seine Söhne erscheinen 2 Ch 23, 11. Beides ist 2 Kö 11, 12 HT gegenüber sekundär.

[34] Daß diese St sämtlich aus legendarischen Erzählungen stammen, deren historischer Wert mindestens zweifelhaft ist, trägt nichts aus. Man wird sich in diesen Erzählungen an den Vollzug des Ritus, wie er bekannt war, gehalten haben.

Mund gelegt wird: „Ich habe dich gesalbt", ist ein später Einschub in die Thronfolge-geschichte[35]. Elia hat weder Hasael von Damaskus noch Jehu von Israel (noch Elisa) gesalbt, wie 1 Kö 19,15f behauptet wird. Wenn man ihn zum Salbenden zweier Könige, ua eines Aramäerkönigs, machte, so wollte man damit sagen, daß Jahwe auch die Ge-schicke der Nachbarvölker lenkt. Einzig bei der Erzählung 2 Kö 9 könnte man im Zweifel sein, ob nicht wenigstens ein historischer Kern in dieser Prophetenlegende steckt[36]; jedoch wird das Zutrauen erheblich durch die Tatsache gemindert, daß uns sonst von keinem König des Nordreichs berichtet wird, er sei gesalbt worden[37].

Die durch Jahwe selbst initiierte Königssalbung ist Verleihung von כָּבוֹד, also Er-mächtigung durch Jahwe. Wenn aber Jahwe dem Könige durch die Salbung כָּבוֹד ver-leiht, so wird damit das Volk gewissermaßen aus einem Subj zu einem indirekten Obj der Salbungshandlung, da der König das Volk repräsentiert. Mit der Salbung ist zu-meist auch ein bestimmter Auftrag an den König verbunden.

Die Frage, ob eine Salbung im Nordreich bekannt war u ausgeübt wurde, ist ver-mutlich zu verneinen. Im Südreich ist auch nur in bes gelagerten Fällen der Salbungs-ritus ausgeübt worden: bei David als erstem Könige, den die Judäer sich erkürten, bei Absalom als bei einem Gegenkönig, bei Salomo, weil dessen Erbfolgerecht fragwürdig war, bei Joas, weil mit dessen Inthronisation die Tyrannis der noch lebenden Athalja gebrochen werden mußte, bei Joahas, weil eine Weiterexistenz des Königtums ange-sichts der politischen Konstellation nicht selbstverständlich war (uU kann es sich auch um einen Machtkampf zwischen Hofpartei u עַם הָאָרֶץ gehandelt haben). Wir werden hier aber kaum zu einer restlos klaren Erkenntnis der Sachlage kommen.

3. Salbung anderer Amtsträger.

a. Der Hohepriester.

Daß an dem Hohenpriester der nachexilischen jüdischen Gemeinde der Salbungsritus vollzogen worden ist, können wir nur indirekt aus einigen wenigen Stellen des Alten Testaments erschließen.

Dabei kommen in erster Linie zur P gehörende oder später als Ergänzungen in sie eingeschobene Texte in Betracht, außerhalb P nur 1 Ch 29, 22 u Sir 45, 15. Jene St, an denen der Hohepriester *der Gesalbte* genannt wird Lv 4, 3. 5. 16; 6, 15; Da 9, 25f[38], sind ebenfalls hier heranzuziehen[39].

Welchen Sinn dieser Salbungsritus hatte, dem der Hohepriester unterworfen wurde, ist strittig. Die neuerdings wieder vertretene Ansicht, diese Salbung sei als Reinigungs-u Weihe-, nicht aber als Ermächtigungsakt zu verstehen[40], bleibt angesichts der Tat-sache problematisch, daß man im Hohenpriester mindestens anfänglich den legitimen Nachfolger des Königs aus Davids Geschlecht gesehen hat. Die in Ex 28 u 39 beschrie-bene Kleidung des Hohenpriesters wird als eine königliche geschildert[41]. Dgg erscheint

---

[35] Vgl LRost, Die Überlieferung von der Thronnachfolge Davids, BWANT 42 (1926) 93—96.

[36] MNoth, Geschichte Israels [7](1969) 210 setzt die Zuverlässigkeit ohne weiteres voraus.

[37] Man könnte als Gegenargument Hos 7, 3 anführen, muß sich dabei aber auf einen emendierten, mithin unsicheren Text stützen.

[38] Soweit an diesen St mit dem Terminus מָשִׁיחַ der Hohepriester gemeint ist. Genaueres → 495, 12ff.

[39] Daß P nicht von der Salbung des Hohen-priesters, sondern Aarons spricht, liegt an der Fiktion, daß für sie die Pers des Aaron Grund u Wurzel allen Hohenpriestertums ist Ex 29,7; 40,13; Lv 6,13; 8,12 — zT handelt es sich bei den genannten St um spätere Ein-schübe in das P-Material. An einer St, Ex 29, 29, spricht P von der Salbung der Söhne Aarons, womit, wie v 30 erkennen läßt, der jeweils im Amt nachfolgende Hohepriester

gemeint ist. Wenn der Chronist neben dem König Salomo auch den Priester Ṣadoq ge-salbt sein läßt 1 Ch 29, 22, so verlegt er den Brauch der (Hohe)priestersalbung bereits in vorexilische Zeit, gewiß zu Unrecht.

[40] So → Kutsch 22—27. Die Texte, die von der Hohepriestersalbung sprechen, seien, so → Kutsch 24f. 27, der Meinung, die Salbung diene dazu, den Hohenpriester zu „heiligen", dh kultisch rein zu machen u ihn damit zu-gleich aus dem Volke zum Dienst für Jahwe auszusondern. Der gesalbte Hohepriester werde durch die Salbung der Profanität seiner Umwelt entnommen.

[41] Jedenfalls lassen sich die dort erwähnten Ausstattungsstücke מִצְנֶפֶת, נֵזֶר u אֵפוֹד immer noch am leichtesten als ehemalige Bestandteile der Königsgewandung deuten. In der Syna-goge von Dura-Europos ist Aaron in iranischer Königstracht dargestellt. Genaueres bei → Mowinckel 6 und → Noth 317—319.

die Kleidung des Priesters in den genannten Exoduskapiteln sehr viel einfacher, u es fehlt gerade alles das, was man von der königlichen Bekleidung herleiten könnte. Der Hohepriester wird also als Rechtsnachfolger der davidischen Königsdynastie gesehen, u die ihm widerfahrende Salbung verleiht wie die Königssalbung כָּבוֹד. Später ist

5 dann allerdings in den priesterschriftlichen Texten diese Deutung durch die für das Priesteramt näherliegende abgelöst worden, daß die Salbung Aussonderung, Heiligung bedeutet. Dieser Beurteilung widerspricht auch Sach 4,14 nicht, wo sowohl Serubbabel, der „Repatriierungskommissar"[42], wie auch der Hohepriester Josua als „Ölsöhne"[43] bezeichnet werden. Der Prophet beschreibt hier nicht einen Sachverhalt seiner Gegen-

10 wart[44], sondern schaut in der Vision einen von ihm herbeigesehnten künftigen Ideal- zustand. Neben das traditionsbestimmte Bild vom gesalbten König aus Davids Ge- schlecht, das dem Propheten noch geläufig ist, tritt hier die neue Vorstellung von dem gleichberechtigten u gleichmächtigen Hohenpriester, der wie der Davidide כָּבוֹד besitzt, der deshalb auch die Salbung erhält, um so des כָּבוֹד teilhaftig zu werden[45]. Wenn

15 der Prophet die beiden Repräsentanten der Gemeinde als Ölsöhne bezeichnet, spielt auch das Moment der Heiligkeit, des für die Sphäre Jahwes Abgesondertseins, in er- heblichem Maße mit[46].

b. Die Priester.

Eine Reihe von St, durchweg Nachträge zu P, lassen die Salbung
20 allen Priestern zukommen. Dabei ist von Aaron u seinen Söhnen Ex 28, 41; 30, 30; Lv 7, 36 oder von Aarons Söhnen Ex 40, 15; Nu 3, 3 die Rede.

Eine spätere Zeit hat demnach — vermutlich aber nur in der Theorie[47] — ver- langt, der Salbungsritus sei auf die gesamte Priesterschaft auszudehnen. Inzwischen hat sich also das Verständnis der Salbung als eines Reinigungs- und Weiheritus

25 durchgesetzt. So konnte es auf die Dauer nicht recht verständlich sein, warum sie nur dem Hohenpriester zuteil wurde; die Salbung wird nach und nach zu einem Akt der Priesterweihe. Völlig durchgesetzt haben sich diese Tendenzen allerdings nicht.

c. Prophetische Amtsträger.

30 Einen Salbungsakt als Initiationsritus zur Einsetzung ins Prophetenamt hat es trotz 1 Kö 19, 16 gewiß niemals gegeben. In diesem Sinne ist auch nicht Js 61, 1 zu verstehen, wo der prophetische Autor von sich selbst aussagt, er sei von Jahwe mit dem Geist begabt und gesalbt worden. Diese Aus- sage steht jenen nahe, wo die Salbung des Königs auf Jahwe selbst zurückgeführt

---

[42] So ist der hbr Titel פֶּחָה Hag 1,1 uö nach AAlt, Die Rolle Samarias bei der Entstehung des Judt, Kleine Schriften zur Gesch des Vol- kes Israel II (1953) 333—335 seiner Bdtg nach zu präzisieren.

[43] בְּנֵי־הַיִּצְהָר. Da es sich um eine Vision handelt, in der Ölbäume vorkommen, ist es erklärlich, daß hier der Begriff יִצְהָר gebraucht wird, der sonst im Zshg mit dem Salbungs- vorgang nicht vorkommt (→ A 2). Jedenfalls ist hier יִצְהָר im Sinne von Salböl verstanden.

[44] Von dieser meiner Einsicht nach unrich- tigen Voraussetzung aus kommt → Kutsch 25f zur Ablehnung der hier vorgetragenen Deu- tung.

[45] Es bedarf dabei weder der — höchst un- wahrscheinlichen — Annahme, Serubbabel sei irgendwann einmal gesalbt worden, noch der

These, die Hohepriestersalbung sei zu den Zei- ten Sach bereits ein selbstverständlicher Ritus geworden.

[46] Die hier gegebene Erklärung folgt im großen u ganzen derjenigen FHorsts, s TH Robinson/FHorst, Die Zwölf Kleinen Prophe- ten, Hndbch AT I 14 ³(1964) zSt.

[47] → Kutsch 23 wird in der Überlegung recht haben, daß die Annahme, jeder Priester sei bei seinem Dienstantritt gesalbt worden, mit Schwierigkeiten verbunden ist. So wird diese Forderung eine rein theoretische geblie- ben sein. Man konnte diesen Gedanken dann auch leicht wieder aufgeben, uz von der Über- legung her, die Salbung des Priesterahnherrn habe ohne weiteres auch für alle weiteren Priestergenerationen Gültigkeit. Etw anders → Kutsch 24f.

wird (→ 488, 35 ff). Der Prophet soll eine bestimmte, ihm von Jahwe zugewiesene Aufgabe ausführen; dazu wird er gesalbt. Der Salbungsakt verleiht demnach auch hier „Macht". Vielleicht gilt der Geist Jahwes selbst als Salbungs-„Materie". So wären denn Geistbegabung und Salbung letztlich identisch. Der Geistbesitz ist als ein dauernder vorgestellt, so wie der Salbungsritus einen character indelebilis verleiht.

4. Salbung von Gegenständen.

Gn 28, 18; 31, 13 berichten von der Salbung einer Massebe, 31, 13 unter Verwendung des Terminus מֹשַׁח. Jakob gießt Gn 28, 18 Öl auf die Massebe, wodurch diese dem profanen Bereich entnommen, der Gottheit geweiht, ein Heiligtum geworden ist. Wahrscheinlich steht dahinter eine ältere Auffassung, wonach die Salbung die der Massebe innewohnende „Macht" mehren soll. Nach P sind einer Salbung zu unterziehen der Altar Ex 29, 36; Lv 8, 11; Nu 7, 1. 10. 84. 88, insbesondere der Brandopferaltar Ex 40, 10, das Begegnungszelt Ex 30, 26, die Lade ebd, die „Wohnung" מִשְׁכָּן samt ihrem Inhalt Ex 40, 9; Lv 8, 10; Nu 7, 1, der Kessel mitsamt seinem Gestell Ex 40, 11 u sonstige zum Altar gehörende Gegenstände Ex 40, 10[48].

III. מָשִׁיחַ im Alten Testament.

1. Das Vorkommen des Nomens מָשִׁיחַ im Alten Testament.

Das Nomen מָשִׁיחַ, an sich mit dem Part pass q מָשׁוּחַ *gesalbt* gleichbedeutend, wird stärker als das Part als selbständiges Subst *Gesalbter* empfunden u gebraucht. מָשִׁיחַ begegnet im AT an 38 St u wird ausschließlich auf Pers angewandt[49], während das Part מָשׁוּחַ sowohl mit Pers Nu 3, 3[50] als auch mit Gegenständen Ex 29, 2; Lv 2, 4; 7, 12; Nu 6, 15[51] verbunden werden kann.

Als *Gesalbte* werden in erster Linie Könige bezeichnet, an insgesamt 30 (29) Stellen. Sechsmal wird der Hohepriester mit der Würdebezeichnung מָשִׁיחַ bedacht. An zwei gleichlautenden Stellen heißen die Väter *Gesalbte*.

Der abs Gebrauch des Nomens מָשִׁיחַ ist sehr selten u nur an der recht späten St Da 9, 25f bezeugt; in beiden Versen bleibt מָשִׁיחַ indeterminiert u hat in v 25 נָגִיד als erläuternde Apposition neben sich[52]. Überwiegend heißt es מְשִׁיחַ יְהוָה 1 S 24, 7 (zweimal). 11; 26, 9. 11. 16. 23; 2 S 1, 14. 16; 19, 22; Thr 4, 20. In 2 S 23, 1 entspricht dem מְשִׁיחַ יְהוָה der archaisch-poetische Ausdruck מְשִׁיחַ אֱלֹהֵי יַעֲקֹב. Hierher gehören auch die zahlreicheren St, an denen מָשִׁיחַ mit Suffix verbunden ist 1 S 2, 10. 35; 12, 3. 5;

---

[48] Wenn in Israel Schilde gesalbt worden sein sollten — die beiden in Betracht kommenden St 2 S 1, 21; Js 21, 5 sind textlich zu unsicher, als daß man allzuviel auf sie bauen könnte —, so ist damit wohl nicht eine rituelle Salbung gemeint gewesen. Eher ist an eine Pflege des Schildes gedacht, deren der Schild eines Gefallenen 2 S 1, 21 nicht mehr bedarf. [Bertram]

[49] Von diesen St bleibt 2 S 1, 21 aus textkritischen Gründen unberücksichtigt. Hier ist wahrscheinlich מָשׁוּחַ zu lesen u dann auf den Schild zu beziehen.

[50] 2 S 3, 39, wo מָשׁוּחַ in einer Selbstaussage Davids vorkommt, dürfte ein Textfehler vorliegen, weswegen diese St nicht weiter berücksichtigt wurde.

[51] Dazu käme an sich noch 2 S 1, 21; doch → A 49.

[52] Diese Erklärung ist meiner Einsicht nach einleuchtender als die Deutung des נָגִיד auf eine andere Gestalt, vgl OPlöger, Das Buch Daniel, Komm AT 18 (1965); ABentzen, Daniel, Hndbch AT I 19 ²(1952); NWPorteous, Das Danielbuch, AT Deutsch 23 ²(1968) zSt.

16, 6; 2 S 22, 51 = Ps 18, 51; Js 45, 1; Hab 3, 13; Ps 2, 2; 20, 7; 28, 8; 84, 10; 89, 39. 52; 105, 15 = 1 Ch 16, 22; Ps 132, 10 = 2 Ch 6, 42; Ps 132, 17; dieses Suffix meint ausnahmslos Jahwe. Der Gebrauch des Terminus מָשִׁיחַ ist anscheinend zunächst im Sinne eines מְשִׁיחַ יְהוָה aufgekommen. Erst sekundär hat sich daraus ein abs Gebrauch des Nomens entwickelt. Ein attributiver Gebrauch des Worts מָשִׁיחַ findet sich Lv 4, 3. 5. 16; 6, 15; hier könnte man genausogut das Part pass מָשׁוּחַ erwarten.

2. Der König als מְשִׁיחַ יְהוָה.

a. Übersicht.

Am häufigsten wird Saul als מְשִׁיחַ יְהוָה bezeichnet 1 S 12, 3. 5; 24, 7. 11; 26, 9. 11. 16. 23; 2 S 1, 14. 16. Davon abgesehen findet sich der Terminus מְשִׁיחַ יְהוָה ausschließlich auf judäische Könige des davidischen Geschlechts bezogen; eine wichtige Ausn bildet nur Js 45, 1. David allein wird indirekt 1 S 16, 6, direkt 2 S 19, 22; 23, 1 mit Namen genannt. Von David u seinem Geschlecht ist 2 S 22, 51 = Ps 18, 51 u Ps 132, 17 die Rede. Daß Thr 4, 20 auf Ṣedeqia, den letzten davidischen König, zu beziehen ist, dürfte sicher sein. An den übrigen St 1 S 2, 10. 35; Ps 2, 2; 20, 7; 28, 8; 84, 10; 89, 39. 52; 132, 10 = 2 Ch 6, 42; Hab 3, 13 bleibt unbestimmt, welcher König gemeint ist.

b. Saul als מְשִׁיחַ יְהוָה.

Wenn sich die Salbungshandlung in Israel erst im Bereich des judäischen Königtums, uz frühestens bei der Erhebung Davids zum König, einge- bürgert hat (→ 487, 30ff), fällt es auf, daß ein Vorgänger Davids (→ 487, 18), aus einem ganz anderen Geschlecht u Stamm kommend, relativ am häufigsten mit dem Titel מְשִׁיחַ יְהוָה bedacht wird. Man könnte diese Tatsache mit dem Hinweis darauf erklären, daß der Verf der Erzählung von Davids Aufstieg für die meisten dieser St 1 S 24, 7. 11; 26, 9. 11. 16. 23; 2 S 1, 14. 16 verantwortlich ist; der eigtl Held seiner Er- zählung ist David, nicht Saul. Der Autor hätte dann, von dem Wissen ausgehend, daß David gesalbt war, auf ein Gesalbtsein auch Sauls geschlossen, obwohl an Saul wahrscheinlich der Salbungsritus nicht vollzogen worden ist.

Doch diese Feststellung genügt zu einer befriedigenden Erklärung noch nicht. Der Titel Sauls lautet niemals einfach nur מָשִׁיחַ, sondern stets מְשִׁיחַ יְהוָה. Eine etwaige Sal- bung des מָשִׁיחַ Genannten durch das Volk bzw dessen Beauftragte steht bei diesem Titel also nicht im Blickfeld. Ausgangspunkt für das Aufkommen des מָשִׁיחַ-Titels ist nicht die historische, sondern die theol Aussage über die Königssalbung: Jahwe hat den König gesalbt u ihn dadurch zu seinem Bevollmächtigten u Schützling zugleich gemacht. Mochte man eine Salbung dieser Art auch zunächst noch konkretisiert in einem von einem Mittler vollzogenen Salbungsakt gesehen haben, wie er, was zB die Pers Sauls angeht, dem Samuel zugeschrieben wurde 1 S 9, 16; 10, 1; 15, 1. 17, so war doch darin eine übertr Bdtg von vornherein angelegt: Ein Gesalbtsein durch Jahwe konnte behauptet werden, auch ohne daß ein Salbungsakt vollzogen worden wäre, so am deutlichsten Js 45, 1[53]. Der Titel מְשִׁיחַ יְהוָה bei Saul reflektiert demnach auf die einzigartige Stellung des Königs als eines Schützlings Jahwes. Nach der Erzählung vom Aufstieg Davids nennt David den Saul bezeichnenderweise immer dann einen Gesalbten Jahwes, wenn es um die Unverletzlichkeit seiner Pers geht. Dem מְשִׁיחַ יְהוָה eignet aufgrund seines bes Verhältnisses zu Jahwe Unantastbarkeit seiner Pers.

Etw anders liegt der Fall bei den deuteronomistischen St 1 S 12, 3. 5. Der Verf nennt Saul — dieser ist zweifellos gemeint, auch wenn sein Name nicht fällt — deswegen einen מְשִׁיחַ יְהוָה, weil aus der schon vorliegenden Erzählung 1 S 9f bekannt war, daß Samuel den Saul gesalbt hatte. Der Titel מְשִׁיחַ יְהוָה, auf den davidischen König an- gewendet, war in spätvorexilischer u exilischer Zeit längst geläufig geworden. Der Deu- teronomist sah nun in Saul den legitimen Vorgänger Davids, der darum ebenfalls den Titel מָשִׁיחַ verdiente.

---

[53] Dazu → Kutsch 60—63.

c. David als מְשִׁיחַ יְהוָה.

Die David-St zeigen sich mit den eben besprochenen (→ 492,18ff) eng verwandt. 2 S 19, 22 kommt es ebenfalls auf die Unverletzlichkeit der Pers des Gesalbten an. Daß der Titel מְשִׁיחַ יְהוָה als bereits vorgeprägt gelten muß, wird durch die legendarische Erzählung 1 S 16, 1—13 bestätigt. v 6 spricht bereits vom *Gesalbten* 5 *Jahwes*, obwohl noch gar keine Salbungshandlung vollzogen worden ist. Parallel zum Terminus מְשִׁיחַ יְהוָה steht v 8—10 jeweils die Aussage, Jahwe habe die älteren Brüder Davids nicht erkoren. Erwählung zum Königsamt durch Jahwe u Gesalbtsein haben dieselbe Bdtg. Mit der Salbung kommt der Geist Jahwes über David. Wie Js 61,1 treten Gesalbtsein durch Jahwe u Geistbegabung in nahe Beziehung zueinander, wenn 10 beides nicht sogar identisch ist. Nach den sog „Letzten Worten Davids" 2 S 23 bezeichnet der König sich selbst als *Gesalbten des Gottes Jakobs* v 1. Damit soll die Jahwe nahe gerückte Stellung Davids gekennzeichnet werden. Diese poetische Umschreibung des geläufigeren מְשִׁיחַ יְהוָה verwendet übrigens eine Gottesbenennung, die in einem Gebiet zu Hause ist, mit dem David seiner Herkunft nach nichts zu tun hat. 15

Einen Übergang zu den im folgenden Abschnitt zu besprechenden St bilden jene Ps, die einen der späteren judäischen Könige als מְשִׁיחַ יְהוָה bezeichnen, uz mit einem ausdrücklichen Hinweis auf David. Ps 89 stellt der notvollen Zeit, in der sich Israel einschließlich des gesalbten Königs gegenwärtig befindet, die dem David gegebene Verheißung gegenüber. Dabei wird nicht nur auf die Salbung Davids durch Jahwe Bezug 20 genommen v 21, sondern auch der derzeit regierende Davidide wird v 39 als *Gesalbter* bezeichnet; die Salbung Davids hat offenbar ihre große Bdtg auch für alle seine Nachfolger. Ps 132 bittet, Jahwe möge seinen Gesalbten nicht abweisen *um Davids willen* v 10, u der Chronist, der einige Verse dieses Ps dem Tempelweihgebet Salomos einfügt, interpretiert dieses *um Davids willen* so, daß er dem Salomo die Bitte an Jahwe in 25 den Mund legt: „Mache gegenwärtig (זָכְרָה) die Gnaden Davids, deines Knechtes" 2 Ch 6, 42. Mit solchen Hinweisen wird auf die sog Nathan-Verheißung Bezug genommen (→ VIII 350, 1ff), deren Kern wir 2 S 7, 11b. 16 haben; hier wird dem David der immerwährende Bestand seiner Dynastie zugesagt.

d. Der davidische König als מְשִׁיחַ יְהוָה. 30

Für den König aus Davids Geschlecht wird der Titel מְשִׁיחַ יְהוָה dann betont gebraucht, wenn Volk und König sich in einer Notlage befinden. Mittels dieses Titels wird indirekt, aber doch dringlich an Jahwe appelliert, er möge hilfreich einschreiten; denn der *Gesalbte* ist als solcher Schützling Jahwes. Verstärkt werden kann die hier verhüllt zutage tretende Bitte noch durch den 35 Hinweis auf David und die diesem zuteil gewordenen Zusagen (→ 493, 1ff). Einen ähnlich dringenden Appell lesen wir Thr 4, 20, und man könnte auch Hab 3, 13 in diese Reihe stellen, wobei hier der Beter allerdings von der Gewißheit lebt, daß Jahwe als Helfer schon im Kommen begriffen ist.

Andererseits findet sich der Titel מְשִׁיחַ יְהוָה gern dort, wo in einem für israelitische 40 Verhältnisse überraschend überschwenglichen Stil vom Könige, von seinen Taten und seinem Geschick die Rede ist. Man mag hier von einer sehr nahen Zukunft erhofft und erwartet haben, was die Gegenwart unverständlicherweise im Blick auf den כָּבוֹד des מְשִׁיחַ יְהוָה schuldig geblieben ist. So wird es Ps 2 sein, wo die Drangsal in der Empörung der gesamten Völkerwelt gegen Jahwes Gesalbten in Jerusalem 45 gesehen wird; der Dichter ist aber zugleich der befreienden Tat Jahwes zugunsten des von ihm adoptierten Königs gewiß. Von einer umfassenden Macht und Herrlichkeit des *Gesalbten* sind auch Stellen wie 1 S 2, 10; Hab 3, 13; Ps 84, 10; 132, 17; Thr 4, 20 überzeugt. Was davon in der Gegenwart noch nicht Wirklichkeit ist, muß und wird alsbald von Jahwe ins Werk gesetzt werden[54]. 50

[54] Traditionsgeschichtlich sind viele der hier charakteristischen Züge vom ägyptischen Hof- stil her abzuleiten. Mit dieser Herleitung ist allerdings noch keine Erklärung dafür ge-

Es können einander zugeordnet werden *Jahwe u sein Gesalbter* Ps 2, 2; aber auch
das Volk u der Gesalbte erscheinen im Gedankenreim poetischer St als einander par
Satzteile Hab 3, 13; Ps 28, 8. Der מְשִׁיחַ יְהוָה kann demnach als ganz der Sphäre Jahwes
angehörend gesehen werden; er ist Jahwes Knecht, Vertrauter, Schützling; wer ihn
5 antastet, vergeht sich an Jahwe. Andererseits steht der Gesalbte auf der Seite des
Volkes, hat demnach eine ähnliche Mittlerstellung inne, wie sie auch dem Gottesmann,
Propheten oder Priester eignet.

Ein ausgesprochen „messianisches", dh eschatologisches Verständnis ist dort,
wo der König als מְשִׁיחַ יְהוָה bezeichnet wird, nicht vorauszusetzen; sie alle sind auf
10 den gegenwärtigen oder auf einen König der Vergangenheit bezogen. Pointiert
ausgedrückt: Keine der Messias-Stellen des Alten Testaments kann
messianisch gedeutet werden. Sicher aber ist in manchen dieser Aussagen
das sogenannte messianische Verständnis angelegt; deutlicher tritt dies allerdings
an Stellen zutage, an denen der Terminus מָשִׁיחַ nicht gebraucht wird (→ 495, 36ff).

15   *e.* Kyros als מְשִׁיחַ יְהוָה.

Noch deutlicher als im Falle Sauls (→ 492, 18ff) u der judäischen
Könige (→ 493, 30ff) tritt bei der Anwendung des Titels מְשִׁיחַ יְהוָה auf den Perserkönig Kyros Js 45, 1 zutage, daß dieser Titel unabhängig vom Ritus einer Königssalbung angewendet werden konnte. Ein Prophet isr Geblüts bezeichnet hier auffälliger-
20 weise einen fremdstämmigen Herrscher, der einer anderen Religion zugehört, also nicht
an Jahwe glaubt, als מְשִׁיחַ יְהוָה. Er nimmt den Titel sogar in einen Zuspruch Jahwes
an Kyros hinein, während man es sonst in Israel weitgehend vermied, Jahwe unmittelbar zu Nichtisraeliten in Beziehung treten zu lassen. Dtjs aber weiß von einer direkten
Beauftragung des Kyros durch Jahwe, uz ist Kyros zu einem Tun aufgefordert, das
25 ganz zum Heile Israels ausschlagen soll. Um diese Mission des Kyros hervorzuheben,
wird ihm der Titel מְשִׁיחַ יְהוָה beigelegt. Ein Weiteres: Damit, daß Kyros mit politischen
u militärischen Mitteln Heil für Israel schafft, erweist er sich nicht allein als ein Ge-
schichtswerkzeug Jahwes, sondern er tritt an die Stelle des zZt zur Ohnmacht verurteilten davidischen Geschlechts. Der Titel מְשִׁיחַ יְהוָה ist auch bei dieser Anwendung
30 auf Kyros vom davidischen Königtum her zu interpretieren. Wie man von der Königsherrschaft des Gesalbten aus Davids Geschlecht Heil erwartete, so richtet sich nun die
Hoffnung auf den Perserkönig, der für die an der Ausübung ihrer Macht gehinderten
Davididen in die Bresche tritt. Ungeachtet aller solcher Erklärungsmöglichkeiten
bleibt die Aussage, die auch nur einmal gewagt wird, kühn.

35   **3.** Die Erzväter als Gesalbte.

Nur ein einziges Mal kommt מָשִׁיחַ in einer Plur-Suffixform[55] vor,
uz auf die Väter bezogen Ps 105, 15[56]. In dem frühestens in der Exilszeit entstandenen
Ps beschreibt der Sänger in v 12—15 die Väterzeit, in der sich die Verheißung verwirklichte, von der v 7—11 die Rede war. Durch die Verwendung des מָשִׁיחַ-Begriffs
40 will der Autor sagen, die Väter hätten als unverletzlich gegolten u Jahwe habe durch
sein Eingreifen diese ihre Unantastbarkeit gewährleistet. Auch hier kommt es also,

---

geben, wieso solche auf judäische Verhältnisse
abs nicht passenden Vorstellungen in Jerusalem so breiten Raum gewinnen konnten. Diese
Erklärung wird in der Richtung zu suchen
sein, daß Jahwes כָּבוֹד ein Sichtbarwerden
dieses כָּבוֹד auch bei seinem irdischen Stellvertreter wie überh bei Israel verlange. Und
weil die Gegenwart so oft nichts von diesem
כָּבוֹד sehen läßt, wird um so gewisser eine
nahe Zukunft ihn offenbar machen. Hier

scheint die Wurzel dessen zu liegen, was wir
messianische Erwartungen nennen (→
495, 36ff).
[55] Der Plur מְשִׁיחֶיךָ 2 Ch 6, 42, der sich
in der Vorlage Ps 132, 10 nicht findet, dürfte
Textfehler sein. LXX A liest den Sing, LXX B
fehlt ein Äquivalent. [Bertram]
[56] Ps 105, 1—15 wird mit Ps 96 u 106 zus
auch 1 Ch 16, 8ff als ein Lobgesang, den David
als erster die Tempelsänger gelehrt habe,
zitiert.

wie bei den Saul-St (→ 492,18ff), auf das Moment der Unverletzlichkeit an. Es bleibt
unsicher, wie der Autor dazu kommt, den מָשִׁיחַ-Titel, der bis dahin ein ausschließlich
königlicher Titel geblieben ist, auf die Väter anzuwenden. Man hat vielleicht die Linie
von den Königen aus Davids Geschlecht in die Frühgeschichte hinein verlängert u kam
dabei zu den Ahnherren als anfänglichen „Königs"-Gestalten. Möglicherweise spielte 5
auch die Benennung Abrahams als eines נָבִיא Gn 20,7 eine Rolle. Von den beiden St
aus, die eine Prophetensalbung kennen 1 Kö 19, 16; Js 61, 1, bezeichnete man auch
die „prophetischen" Väter als Gesalbte. Der zunächst ausschließlich Königen vor-
behaltene Titel konnte demnach später auch anderen hervorragenden Männern beigelegt
werden. Dies ist aber offensichtlich nur sehr vereinzelt geschehen; denn weitere Belege 10
fehlen.

4. Der gesalbte Hohepriester.

An den vier Stellen (Lv 4, 3. 5. 16; 6, 15), die מָשִׁיחַ für den
Hohenpriester verwenden, wird der Begriff nicht wie sonst als Substantiv oder gar
als Titel empfunden, sondern attributiv gebraucht. Trotzdem besteht kein Zweifel, 15
daß man hier bewußt auf den bisher den Davididen vorbehaltenen מָשִׁיחַ-Titel
zurückgegriffen hat. In dieser königslosen Zeit, in der der priesterschriftliche
Autor lebt, ist der *gesalbte Priester* (→ 489, 25ff) das, was ehemals der judäische
König darstellte[57]. Wenn auch nur vom gesalbten Priester die Rede ist, so ist
doch ohne Zweifel der Hohepriester gemeint, das Adjektiv גָּדוֹל ist hier eben durch 20
מָשִׁיחַ ersetzt.

Da 9, 25f wird מָשִׁיחַ als indeterminiertes Nomen verwendet. Voraussetzung für
einen solchen Sprachgebrauch ist natürlich, daß man weiß, wen die absichtlich leicht
verschlüsselte Redewendung *ein Gesalbter* meint. Für uns ist die Ausdeutung schwieriger als für die Zeitgenossen des Apokalyptikers. Nach v 25 beginnen die ersten sieben 25
Wochen jener 70 Jahre der Jer-Weissagung Jer 25,11f; 29,10, die hier ausgedeutet
werden soll, mit der Weissagung Jer, u sie enden mit der Erscheinung eines Gesalbten,
(nämlich) eines נָגִיד. Da die sieben Wochen mit 49 Jahren gleichzusetzen sind, kann
nur eine Gestalt am Ende des Exils gemeint sein. Daß der Apokalyptiker dabei, Dtjs
folgend (→ 494,16ff), an Kyros gedacht haben sollte, bleibt recht unwahrscheinlich. 30
Auch die Deutung auf Serubbabel (→ 497, 35ff) hat weniger für sich als diejenige auf
den Hohenpriester Josua; denn auch der folgende v 26 meint mit einem Gesalbten den
Hohenpriester. Nach Ablauf von 62 Jahrwochen wird ein Gesalbter entfernt, womit
höchstwahrscheinlich auf die Hinrichtung des Hohenpriesters Onias III. durch Antiochos IV. Epiphanes im Jahre 171 vChr angespielt ist. 35

IV. Zur Entstehung messianischer Vorstellungen in Israel.

Es gehört zu den umstrittensten Fragen, wann wir in
Israel mit dem Aufkommen messianischer Vorstellungen zu rechnen haben, die
der Hoffnung Ausdruck geben, mit dem Regierungsantritt eines Königs aus Davids 40
Geschlecht werde eine Heilszeit anbrechen, die oftmals auch als eine letzte Zeit
angesehen wird. Mit der Entstehung eines so gearteten messianischen Glaubens
ist wahrscheinlich bereits in vorexilischer Zeit, und zwar im Südreich, zu rechnen.
Die hauptsächlichen Zeugnisse dafür finden wir in einigen der sogenannten Königspsalmen[58] und in der Verkündigung des Propheten Jesaja. 45

---

[57] Vgl KKoch, Die P von Ex 25 bis Lv 16, FRL 71 (1959) 58.

[58] → Fohrer 13 vereinfacht den Sachverhalt allzu sehr, wenn er von den Ps 2; 110; 72; 101; 132 sagt, sie meinten alle den regierenden Kö-nig; es gebe demnach keine messianischen Ps. Gewiß ist der regierende bzw eben jetzt den Thron besteigende König gemeint. Aber an

1. Zu den wichtigsten Bestandteilen der Königspsal-
men gehört das Orakel, der — vielleicht durch Kultpropheten — verkündete
Zuspruch an den regierenden König (Ps 2, 7 ff; 21, 9—13; 110, 1. 3 f; 89, 20 ff;
132, 11 f).

5 Durch ihn wird dem Herrscher Heil verheißen, wobei uU vorher ein die Dynastie
begründender Gottesspruch zitiert wird[59]. Als Grundlage dieser Heilszusage gilt die
Botschaft des Propheten Nathan an David, im Namen Jahwes gesprochen (→ VIII
350, 1 ff), seine Dynastie werde immerwährenden Bestand haben[60]. Diese Verheißung
von Heil geschieht vielfach mit Hilfe von Anschauungen, die aus Umweltreligionen
10 stammen. Diese wollen freilich oft zu den judäischen Verhältnissen abs nicht passen.
Am augenfälligsten ist das bei der Zusage der Weltherrschaft an den judäischen König
oder bei der Feststellung, anläßlich des Thronwechsels in Jerusalem seien die Nationen,
die als unterworfen gedacht werden, auf Aufruhr u Empörung aus Ps 2, 1 f. Es genügt
nicht, diese Diskrepanz zwischen den tatsächlichen Gegebenheiten im judäisch-jerusa-
15 lemischen Zwergstaatengebilde u dem in den Königspsalmen zutage tretenden Anspruch
auf Weltherrschaft mit der Abhängigkeit von Umweltvorstellungen zu erklären oder
gar nur als Übertreibungen des Hofstils zu deuten. Es wäre doch merkwürdig, sollte
man sich in Juda-Jerusalem mit einem derartigen Auseinanderklaffen von Anspruch u
Wirklichkeit abgefunden haben. Der isr Gottesglaube in seiner Eigenart spielt hier
20 entscheidend mit. Der isr Mensch ist davon durchdrungen, daß sein Gott Jahwe der
machtvollste aller Götter ist. Aber es genügt nicht, das zu glauben; diese Macht Jahwes
muß auch offenbar werden. Das kann sich jedoch nur im Bereich politischen Geschehens
ereignen; denn Jahwes Machterweise vollziehen sich an einem politischen Gebilde,
dessen Repräsentant ein politisches Amt hat. So zeichnet der Dichter der Königs-
25 psalmen dem judäischen König als Weltherrscher, weil er solches von Rechts
wegen sein müßte; denn nur so erweist sich Jahwes Gottheit vor aller Welt. Eine Weltherrschaft des judäischen Königs gibt es jedoch zZt nicht. Was noch nicht ist, muß
aber sehr bald werden. Weil das Offenbarwerden der Herrlichkeit Jahwes, die an des
Herrlichkeit des Königs in Juda sichtbar wird, nicht mehr lange dauern darf, wird er
30 nicht mehr lange dauern!

In den so hoch greifenden Aussagen dieser Psalmen haben wir es demnach mit
einer Prolepsis dessen zu tun, was eigentlich längst sein müßte, aber unbegreif-
licherweise noch nicht ist. Mit dem Regierungsantritt des neuen Königs wird es
nun gewiß kommen; es muß nunmehr kommen, weil man nur so Jahwes und seiner
35 Weltmächtigkeit gewiß bleiben kann. Die Zukunft, deren man gewiß ist, wird
hier gewissermaßen zur Gegenwart gemacht. Wir konstatieren hier eine Nächsterwartung jenes Heils, das sich in der umfassenden Herrschaft des davidischen
Königs repräsentiert[61].

2. Jesaja 9, 5 f zielt nicht auf die Geburt, sondern auf
40 die Thronbesteigung eines neuen Davididen; diese versteht der Prophet als Adop-

---

seine Herrschaft werden Erwartungen so
hoher Art geknüpft, wie sie niemals erfüllen
kann. Insofern bilden einige dieser Ps doch
den Kern einer messianischen Hoffnung.

[59] Vgl HJKraus, Psalmen, Bibl Komm AT
15 (1960) LIII.

[60] Vgl dazu Rost aaO (→ A 35) 59.

[61] Diese Interpretation dürfte der Hypothese von → Mowinckel 155—159 über die
Entstehung des messianischen Gedankens
relativ nahestehen. Bei Mowinckel spielt
allerdings jenes Thronbesteigungsfest Jahwes
eine ausschlaggebende Rolle, dessen Existenz
gerade in neuester Zeit wieder energisch bestritten wird. Es dürfte geraten sein, statt an
dieses sehr hypothetische Thronbesteigungs-

fest Jahwes an das Ritual bei der Thronbesteigung der Davididen zu denken, für das
wir in den Königspsalmen mannigfache Belege
haben. Richtig an Mowinckels Auffassung ist,
daß der Messiasgedanke, wie überh die Eschatologie, wesentlich der Enttäuschung an
gegenwärtigen Verhältnissen seine Entstehung
verdankt. Aus Umweltreligionen stammen
bestimmte Einzelvorstellungen, mit denen
man das Messiasbild farbenprächtig ausmalte,
nicht aber die Messiasvorstellung selbst. Dies
muß vor allem gg → Greßmann 230—232 gesagt werden. Vollends ist der „Panorientalis-
mus" der Uppsalenser abzulehnen, bei denen
bereits die nichteschatologische Königsideologie das Prädikat „messianisch" erhält.

tion durch Jahwe[62]. Kann man dabei v 5 noch auf den Regierungsantritt eines beliebigen Herrschers aus Davids Geschlecht anwenden, so scheint in v 6 eine stärker eschatologisch bestimmte Erwartung mitzuschwingen. Der neue Davidide wird ein letzter und vollkommener Herrscher sein; unter seinem Regiment, dessen Zeitdauer unbegrenzt ist, wird Heil ohne Ende sein. Dieser letzte Davidide gilt 5 als Stellvertreter Jahwes auf Erden. Js 9, 5f ist somit die älteste Stelle, an der deutlich das anklingt, was wir messianische Erwartung nennen. Es ist hier um einiges deutlicher als in den Königspsalmen (→ 496, 1ff), daß es sich nicht um einen beliebigen Davididen des empirischen Geschichtsverlaufs handelt, von dessen Regierungsantritt man den Beginn der Heilsherrschaft im vollen Sinne erwartet, 10 sondern um eine hervorragende Heilsgestalt aus davidischem Geschlecht, die ein Letztes in der Geschichte darstellt.

3. Eine solche durch Nächsterwartung gekennzeichnete Messiashoffnung in einigen Ps u bei Js tritt bei den späteren Propheten wieder zurück, wenn sie auch nicht völlig verschwindet. Bei Jeremia findet sich nur ein einziger Beleg 15 für eine messianische Erwartung in Jer 23, 5f[63]. Der Prophet erwartet das Ideal eines weisen u gerechten Herrschers aus Davids Geschlecht mit dem programmatischen Namen *Jahwe unsere Gerechtigkeit*. Im übrigen fehlt jede Ausmalung, die die Regierung dieses Königs zu einer glanzvollen, völkerbeherrschenden oder gar wunderhaften stempeln würde. Nicht einmal dies ist sicher, ob die Messiaserwartung bei Jer eschatologisch 20 zu verstehen ist, dh ob er mit dem Regierungsantritt dieses Königs eine letzte Zeit anbrechen sieht. — Nichts Eschatologisches mehr ist an der Erwartung des Propheten Hesekiel. Ein zweiter David, dem ersten ebenbürtig, wird bald die Herrschaft antreten; denn dieser Davidide ist erster in einer Folge weiterer Herrscher Ez 34, 23f; 37, 22ff. Zuvor hatte Ez die Wiedereinsetzung Jojachins erhofft 21, 32, sah sich aber 25 in dieser Erwartung enttäuscht[64].

4. Im ersten Stadium der nachexilischen Zeit, als man sich in Jerusalem und im judäischen Lande wieder einzurichten beginnt, lebt die messianische Hoffnung verständlicherweise mächtig auf und zeitigt eine neue Blüte. Zeugnis dafür sind eine Reihe von Zusätzen, die man zur Verkündigung 30 vorexilischer Propheten gemacht hat; sie zeitlich befriedigend einzuordnen, will allerdings nicht gelingen. Dagegen lassen sich bei den Propheten Haggai und Sacharja einige Verkündigungsstücke, die dem messianischen Gedanken Ausdruck geben, zeitlich genau festlegen.

a. Hag 2, 20—23 redet Haggai den Statthalter Serub- 35 babel, einen Enkel des judäischen Königs Jojachin, also einen Davididen, an. In Anknüpfung an alte Traditionen, die Unheilsweissagung älterer Propheten wiederaufnehmend, kündigt Haggai an, Jahwe werde Himmel und Erde erschüttern, die Feindvölker aller ihrer Macht entkleiden, den einen Herrscher aber, der bleiben werde, Serubbabel, wie seinen Siegelring ansehen. Serubbabels Wirken gilt danach 40

---

[62] Es kommt dabei nicht allzusehr darauf an, ob die kühne Ausdeutung von AAlt, Js 8, 23—9, 6. Befreiungsnacht und Krönungstag, Kleine Schriften zur Gesch des Volkes Israel II ³(1964) 206—225 in allen Einzelheiten berechtigt oder ob größere Zurückhaltung am Platze ist. Js 9, 5f ist jedenfalls eindeutig ein den Thron in Jerusalem besteigender Davidide gemeint.

[63] Dgg gehört Jer 33, 15ff in ein nicht von Jer stammendes „apokalyptisches Flugblatt" hinein, das betont, man könne sich auf Jahwes Heilswort verlassen, vgl WRudolph, Jeremia, Hndbch AT I 12 ³(1968) zSt.
[64] Genaueres zur Exegese dieser St bei GFohrer, Ezechiel, Hndbch AT I 13 (1955) u WZimmerli, Ezechiel, Bibl Komm AT 13 (1969) zSt.

32

als Gewähr für die macht- und heilvolle Gegenwart Jahwes und als Beglaubigung
der göttlichen Zusagen. Dieser Serubbabel, Erwählter Jahwes, bleibt allerdings
sterblicher Angehöriger der Daviddynastie; er ist auch nur Stellvertreter Jahwes,
der der eigentliche Herrscher bleiben wird. Aber in den Wehen jener letzten Zeit,
5 in der die Throne der Feindvölker stürzen, bricht die messianische Heilszeit an,
und Serubbabel ist der Messias Jahwes, der zu seinem Gotte in einer einmalig
engen Beziehung steht.

b. Bei Sacharja stoßen wir auf die Vorstellung von
zwei gleichzeitig lebenden und wirkenden Gesalbten (→ 490,7ff). Die Ölbäume,
10 die der Prophet im Nachtgesicht (4, 1—6. 10—14) erblickt, stellen die beiden *Öl-*
söhne (v 14) dar, Serubbabel und Josua. Sie stehen als die autorisierten Vertreter
der Jahwegemeinde gleichberechtigt vor Jahwe. Sach 6, 9—15 wird dem Propheten eine Zeichenhandlung aufgetragen, die analog der Handlung am Hohenpriester Josua — Übergabe eines Steines (3, 8—10) — nun die Übergabe einer
15 Krone an den Statthalter verlangt[65]. Damit wird Serubbabel noch einmal als
messianischer König der nun beginnenden Heilszeit designiert. Er heißt *Sproß*
(6,12), womit an das Wort Jer 23, 5f angeknüpft wird (→ 497,15ff). In seiner
Regierungszeit wird alles aufsprossen; vor allem wird der Tempel Jahwes fertiggestellt werden. Wichtig ist dabei das Verhältnis dieses Messias zum Hohenpriester:
20 Dieser wird den Ehrenplatz zur Rechten des messianischen Herrschers einnehmen.
Kompetenzstreitigkeiten wird es zwischen dem politischen und dem kultischen
Würdenträger an der Spitze des Gemeinwesens also nicht geben. Allerdings ist
der Priester dem Messias deutlich nachgeordnet; er nimmt zwar den Ehrenplatz
ein, aber zur Rechten eines Mächtigeren (vgl Ps 110, 1).

25   In späterer Zeit hat man an dieser Prophetie einige Änderungen vorgenommen.
Serubbabel trat bald entgegen den an ihn geknüpften Erwartungen vom Schauplatz
des Geschehens ab. Darum änderte man den Sacharjatext in der Weise, daß nun nicht
Serubbabel, sondern der Hohepriester Josua die Krone aufgesetzt bekommen sollte.
Durch weitere Eingriffe in den Text wurde die erwartete Erfüllung der Weissagung Sach
30   zudem in eine fernere Zukunft verschoben. Ein Eingriff in 6, 13, den die LXX noch
nicht kennt, sieht im Messias einen Priester u König zugleich, schließt sich darin also
an Ps 110 an.

c. Den Charakter des messianischen Königs beschreiben
die Zusätze zur Verkündigung älterer Propheten in folgender Weise:
35 Die Herrlichkeit des messianischen Herrschers wird Js 11, 1 in einem krassen
Gegensatz zur gegenwärtigen Dürftigkeit des Davidhauses gesehen. Dieses ist zur
Zeit nur einem Wurzelstock vergleichbar, aus dem dann aber ein neuer Sproß
kommen wird. Ähnlich Ez 17, 22—24: Jetzt ist die Daviddynastie nur wie eine
Zeder. Wird aber ein Schößling auf dem Gottesberge Zion eingepflanzt, so wächst
40 dieser dort zum großen Weltenbaum heran. Nicht mehr die Adoptionshandlung
als Teil der Inthronisation, sondern die Geburt des messianischen Davididen steht
fortan im Vordergrunde (Mi 5, 1—3), was durch ein irriges Verständnis von Js 9, 5

---

[65] Der jetzige Text 6,11 sieht allerdings im
Hohenpriester Josua das Obj der Krönung.
Zweifellos hat aber Sach selbst Serubbabel
gemeint, vgl Robinson-Horst aaO (→ A 46);
KElliger, Das Buch der Zwölf Kleinen Propheten II, AT Deutsch 25 ³(1956) zSt. Der
Text ist nach dem — wie auch immer zu er-
klärenden — Verschwinden Serubbabels von
der politischen Bühne in tendenziöser Weise
geändert worden.

verursacht sein mag. Wenn hier Bethlehem als Geburtsort herausgestellt wird, so soll wohl damit die Gleichrangigkeit des messianischen Davididen mit David betont werden.

Der Messias ist durch ständigen Geistbesitz ausgezeichnet. Js 11, 1 ff charakterisiert diesen Geistbesitz in drei Begriffspaaren näher. Messianität und dauernder Geistbesitz erscheinen erstmalig als einander eng zugeordnet. Die Geistverleihung befähigt den messianischen Herrscher zu einer frommen, weisen und gerechten Regierung. So wird diese Herrschaft nicht mehr durch die sonst so oft zu konstatierenden Schwächen menschlicher Gerichtsbarkeit gekennzeichnet sein (Js 11, 3—5). Sie wird Macht, Ansehen und Größe in sich schließen; denn an ihr erkennen die Völker Jahwes Macht (Ez 17, 24); ihre Größe reicht bis an die Enden der Erde (Mi 5, 3). In einer gewissen Spannung dazu steht die Aussage von Sach 9, 9f: Der Messias ist einer, der Recht bekommen, dem geholfen wird, der arm ist. Er ist durch Demut ausgezeichnet; in allem ist er von Jahwe abhängig. Charakteristisch für ihn ist seine Friedensliebe; denn er rottet die Waffen in aller Welt aus, insbesondere schafft er Streitwagen und Kriegsrosse ab. Eine einst mehr heldenhaft gezeichnete Gestalt ist hier in bezeichnender Weise in einer Zeit umgeprägt worden, da die Juden militärisch völlig entmachtet waren. Die Herrschaft des Messias greift über Juda-Jerusalem hinaus und umfaßt die Völkerwelt. An ihn werden sich die Völker um Weisung und Belehrung wenden (Js 11, 10). Alle Völker sehen an dem Heranwachsen des *Schößlings* zum Weltenbaum die Macht Jahwes (Ez 17, 22—24). Insbesondere für Moab wird der Messias Recht schaffen (Js 16, 5). Apokalyptische Züge gestalten jetzt das Bild der messianischen Endzeit mit. Wenn der Messias seine Herrschaft antritt, kommt die ganze Welt in den ihr von Gott her eigentlich zugedachten Stand; das Paradies kehrt zurück (Js 11, 6—9). Jerusalem wird dann als ein besonders herrlicher Wohnsitz gelten (Js 11, 10). Die Drangsale der Endzeit werden mit dem Regierungsantritt des Messias überwunden sein (Js 16, 4f).

> Einige Züge des Messiasbildes werden nur ganz vereinzelt genannt. Jer 33, 15 ff deutet ein Späterer die messianische Weissagung von Jer 23, 5f (→ 497, 15 ff) in einem apokalyptischen Flugblatt so, daß nunmehr nicht ein einzelner Davidide, sondern eine aufeinanderfolgende Reihe von David-Nachkommen gemeint ist. Als zweite Säule des Staatswesens gesellt sich dann zum König das Priestertum. Ez 17 knüpft mit seiner messianischen Erwartung an Nachkommen des Königs Jojachin, nicht aber des letzten Königs Sedeqia an. Eine analoge Anschauung finden wir im deuteronomistischen Geschichtswerk u Jer 52[66].

> *d.* Einige andere St sind in ihrem Wortlaut so knapp u deshalb für eine Exegese derart unergiebig, daß wir sie nur mit Vorbehalt hier einreihen können. Jedenfalls sagen sie so viel aus, daß man für eine nahe Zukunft mit der Restitution der davidischen Dynastie rechnete. Hierher gehören Am 9, 11f; Hos 3, 5b; Mi 4, 8; Js 32, 1; Jer 30, 9[67].

5. Es ist äußerst schwierig, wenn nicht unmöglich, mit Hilfe dieser wenigen Stellen, von denen der größere Teil zudem zeitlich kaum

---

[66] Vgl zu den verschiedenen Auffassungen über den letzten rechtmäßigen judäischen König → Baltzer 33—43.

[67] Ähnlich → Fohrer 14. Jer 30, 21, das Fohrer in diesem Zshg auch erwähnt, ist es nicht einmal sicher, daß es sich um die davidische Dynastie handelt.

32 *

festzulegen ist, eine Geschichte der messianischen Bewegung in Israel und im
nachexilischen Judentum nachzuzeichnen. Daß es eine solche Bewegung gegeben
haben muß, wird nicht allein durch die eben erwähnten Belege erwiesen, sondern
ist auch daraus zu erschließen, daß der Messianismus in späteren Jahrhunderten
5 in das helle Licht der Geschichte getreten ist, und zwar nicht als eine eben erst
entstandene Richtung innerhalb des Judentums, sondern als eine Bewegung mit
einer jahrhundertealten Geschichte. Wie diese Geschichte im einzelnen verlief,
ob in vorexilischer Zeit ein Josia dem Messianismus mächtigen Auftrieb gab, ob
in der nachexilischen Zeit Nehemia von der messianischen Bewegung her zu ver-
10 stehen ist [68], ob diese Bewegung zeitweise die gesamte Judenschaft ergriff oder
immer nur auf wenige beschränkt war, ob sie in ausgesprochenem Gegensatz zu
anderen Strömungen stand oder auf sie übergreifen konnte, ob sie zu jeder Zeit
eine Anhängerschaft besaß oder zeitweise so gut wie ganz erlosch — das sind Fragen,
die wohl immer ohne eine einigermaßen gesicherte Antwort bleiben werden [69].

15   *Hesse*

C. Messianische Vorstellungen im Spätjudentum.

I. Terminologisches.

Der Ausdruck *der Gesalbte* mit dem bestimmten Artikel
und im absoluten Gebrauch begegnet, abgesehen von der unsicheren Stelle 1 QSa
20 2,12 (→ A 146), in spätjüdischen Quellen erst in s Baruch und 4 Esra (→ 506,11ff),
und zwar in s Baruch noch neben dem Ausdruck *mein Messias*. Mit diesem absoluten Gebrauch berührt sich der Ausdruck *Messias der Gerechtigkeit* [70] besonders
nahe. Daneben ist in neutestamentlicher und späterer Zeit artikelloses משיח bezeugt im Sinne eines eschatologischen Funktionsnamens, der einem Eigennamen
25 gleichkommt [71]. Die Bezeichnung *Gesalbter des Herrn* bzw *mein, sein Gesalbter* usw
ist wie im Alten Testament (→ 491, 31ff) nur für eine königliche Gestalt belegt.

---

[68] Diese These vertritt UKellermann, Nehemia, ZAW Beih 102 (1967) bes 179—191.
[69] Zu den hier berührten Fragen vgl die
Studie von → Kellermann. Eine ganze Reihe
at.licher St, die sonst in der Lit über das Mes-
siasthema mit herangezogen werden, ist hier
mit Absicht unerwähnt geblieben, weil sie
unserer Einsicht nach nicht in diesen Zshg
gehören.
[70] 4 Q Patriarchensegen 3, vgl auch מורה
הצדק bzw יורה הצדק *Lehrer der Gerechtigkeit*
1 QpHab 1,13; 5,10; Damask 1,11 (1,7); 6,11
(8,10) uö u כוהן צדק für den endzeitlichen
Hohenpriester AbRNat A 34 (Schechter p
100, 4); bSukka 52b.
[71] Der Gebrauch von abs משיח im Sinne
eines Eigennamens ist in Texten palästinischer
Provenienz belegt durch Nu r 13,11 zu 7,13;
bBB 75b; bSanh 93b uö, vgl J 4, 25: οἶδα
ὅτι Μεσσίας ἔρχεται, s JJeremias, Nochmals:
Artikelloses Χριστός in 1 K 15, 3, ZNW 60

(1969) 215—217, sowie durch die Deuteformel
זה משיח *das ist der Messias* Nu r 14, 2 zu 7,48;
Nu r 18, 21 zu 16, 35 uö, vgl Jeremias 217f.
Hinzu kommen die Wendungen בר דוד משיח
bzw משיח בר אפרים Tg zu Cant 4, 5; 7, 4,
die nicht als epexegetische st c-Verbindung
zu verstehen sind, vgl Jeremias 218 gg EGüttgemanns, Χριστός in 1 K 15, 3b — Titel oder
Eigenname?, Ev Theol 28 (1968) 538—542; vgl
dazu IPlein, Ev Theol 29 (1969) 222f; EGüttgemanns, Artikelloses māšiạḥ? Antwort an Ina
Plein, Ev Theol 29 (1969) 675f, wie aus den mit
ihnen alternierenden Wendungen משיחא בר דויד
Tg Prof zu Hos 3, 5 u משיחא בר אפרים Tg J I
zu Ex 40,11 hervorgeht. Damask 20,1 (9, 29)
scheint ebenfalls ein determiniert zu verste-
hender artikeloser Gebrauch von משיח vorzuliegen. Aufgrund der analogen Stellen Damask
12, 23—13,1 (15, 4); 14,19 (18, 8); 19,10f (9,

Als Gesalbte werden in spätjüdischer Zeit nicht nur der endzeitliche König, sondern in Qumran auch der endzeitliche Hohepriester (→ 509,1ff; 510, 6ff) und Prophet (11 Q Melchisedek 18, vgl außerhalb von Qumran Sir 48, 8) und die alttestamentlichen Propheten (→ 508, 31f) bezeichnet.

Ist im Folgenden von einer zukünftigen Erlösergestalt die Rede, so ist damit ein individueller Beauftragter Gottes gemeint, der bei der Verwirklichung des erhofften Heiles irgendeine Rolle spielt. Wird dagegen von einem Messias gesprochen, so ist eine zukünftige Heils- oder Erlösergestalt gemeint, die in den Texten expressis verbis als *Gesalbter* bezeichnet worden ist. 5

II. Septuaginta. 10

χρίω kommt in der LXX meistens als Übers von משׁח vor, insgesamt 61mal[72]. Nur einmal begegnet es für hbr יסך Ex 30, 32 u zweimal für סוך Dt 28, 40; Ez 16, 9. χρῖσις entspricht in allen Fällen hbr מָשְׁחָה Ex 29, 21 uö; dieses wird auch sechsmal durch χρῖσμα wiedergegeben, zB Ex 29,7, uz ausschließlich in Ex. Ex 40,15 begegnet χρῖσμα für מָשְׁחָה. Auch der bekannte Text Da 9, 26 verwendet in der LXX u bei Θ χρῖσμα, hier jedoch als Wiedergabe von מָשִׁיח. מָשִׁיח wird sonst immer mit χριστός wiedergegeben, abgesehen von Lv 4, 3, wo mit κεχρισμένος der gesalbte Hohepriester gemeint ist, sowie 2 S 1, 21, wo mit ἐχρίσθη (A: ἐχρήθη) von der Salbung von Schilden die Rede ist. Dabei heißt der Hohepriester ὁ ἱερεὺς ὁ χριστός Lv 4, 5. 16; 6, 15 (22) bzw ὁ ἀρχιερεὺς ὁ κεχρισμένος Lv 4, 3, niemals ὁ χριστός bzw χριστός oder χριστὸς κυρίου, μου, σου, αὐτοῦ[73]. Mit diesen Ausdrücken ist in der LXX, entsprechend hbr יהוה מָשִׁיח, מָשִׁיחִי usw (→ 491, 29ff), immer eine königliche Gestalt gemeint. Im abs Sinne, dh ohne Hinzufügung von κυρίου bzw θεοῦ oder einem Possessivsuffix, ist (ὁ) χριστός in der LXX nicht mit Sicherheit belegt[74].

In bestimmten Abweichungen von ihrer hbr Vorlage bekundet die LXX die messianische Hoffnung im hell Judt. So versteht sie Nu 24, 7 mit ihrer Wiedergabe ἐξελεύσεται ἄνθρωπος ἐκ τοῦ σπέρματος αὐτοῦ καὶ κυριεύσει ἐθνῶν πολλῶν, καὶ ὑψωθήσεται ἢ Γωγ βασιλεία αὐτοῦ, καὶ αὐξηθήσεται ἡ βασιλεία αὐτοῦ u Nu 24, 17 mit ἀνατελεῖ ἄστρον ἐξ Ιακωβ, καὶ ἀναστήσεται ἄνθρωπος ἐξ Ισραηλ deutlich von einer endzeitlichen Königsgestalt. Der damals üblichen Erklärung dieser St gemäß bekundet die LXX im Wortlaut von Gn 3, 15 durch die Setzung von αὐτός anstelle von αὐτό nach ἀνὰ μέσον τοῦ σπέρματος αὐτῆς eine Interpretation des Textes im Sinne eines zukünftigen Erlösers. An einigen St hat die LXX χρίω u Derivate von sich aus eingeführt. Am 4, 13 liegt eine Verlesung vor: τὸν χριστὸν αὐτοῦ statt מַה־שֵּׂחוֹ. 2 Βασ 3, 39 hat die LXX מָשׁוּחַ durch καθεσταμένος wiedergegeben, während Ἀ Σ κεχρισμένος, vl κεχαρισμένος lesen; Text u Sinn der St 25 30 35

---

10) u der wohl genealogischen Bdtg von מן *von* dürfte eher von *dem Gesalbten von Aaron u (dem) von Israel* als von *einem* Gesalbten die Rede sein, vgl Jeremias 219 gg Güttgemanns 543f (→ 533, 23ff).

[72] Nach Hatch-Redp 54mal für q, fünfmal für ni u zweimal für מָשִׁיח. Zu Lv 4, 3; 2 S 1, 21 → Z 17ff.

[73] χριστὸς θεοῦ Ιακωβ begegnet nur an einer St, uz 2 Βασ 23,1. Lv 21,12 ist τὸ ἅγιον ἔλαιον τὸ χριστὸν τοῦ θεοῦ zusammenzunehmen u bezieht sich demgemäß nicht auf den Gesalbten Gottes.

[74] Von den scheinbaren Ausn entspricht 2 Βασ 23, 3 χριστοῦ (so nur B; A liest κυρίου, andere Hdschr θεοῦ) nicht dem hbr אלהים u ist daher kaum urspr. Cant 1, 7 bietet nur S die Hinzufügung πρὸς τὸν νυμφίον χριστόν, was in Anbetracht der messianischen Deutung der Lieder ebenfalls sekundär u spät sein dürfte. Sir 46,19 bietet der urspr Text משׁיחו, so daß die LA χριστοῦ αὐτοῦ im Gegensatz zu B, S*, A pl, die nur χριστοῦ lesen, im Recht zu sein scheint. Sir 47,11 hat nur B² χριστός uz statt κύριος. Die hbr Vorlage dgg bietet den Gottesnamen Jahwe. Auch Da 9, 26 kommt für den abs Gebrauch von (ὁ) χριστός nicht in Betracht. משׁיח wird an dieser St mit χρῖσμα übertr, während es fraglich erscheint, ob bei der Übers φθερεῖ ... τὸ ἅγιον μετὰ τοῦ χριστοῦ an eine Pers oder vielmehr an Gesalbtes gedacht ist. Da 9, 25 übersetzt Θ hbr עַד־מָשִׁיח נָגִיד mit ἕως χριστοῦ ἡγουμένου, aber die Worte fehlen in der LXX. Der abs Gebrauch von χριστός ist also auch an dieser St nur in chr Zeit belegt. Auch 2 Makk 3, 30 ist das durch A statt κυρίου bezeugte χριστοῦ gewiß nicht urspr.

bleiben unsicher[75]. Dgg hat die LXX 2 Ch 36,1 χρίω eingeführt, so daß das zugrundeliegende מלך hi doppelt übersetzt u die Weihehandlung bes betont ist. 1 Βασ 15,11
hat Σ מלך hi, Ps 2, 6 נסך mit χρίω wiedergegeben. Statt מָשָׁא hat die LXX Hos 8,10
wohl משׁח gelesen u dementsprechend mit χρίω den Text in den Zshg der messianischen
Erwartungen gestellt. Ez 43, 3 hat die LXX משׁח statt שׁחת gelesen u mit χρίω übersetzt. Der HT bezieht die Aussage des Verses auf die frühere Abkehr Jahwes vom
Tempel, die LXX dgg auf seine Rückkehr in das neu zu weihende Heiligtum.

van der Woude

III. Apokryphen und Pseudepigraphen.

1. Im griech Sirach wird χρίω für die Einsetzung des Hohenpriesters u des Königs, einmal auch eines Propheten, in ihr Amt gebraucht. Mose
salbt Aaron mit hl Öl 45, 15, der Prophet Samuel *Fürsten über das Volk Gottes*: κατέ-
στησεν βασιλείαν καὶ ἔχρισεν ἄρχοντας ἐπὶ τὸν λαὸν αὐτοῦ 46, 13. Sir 48, 8 heißt es vom
Propheten Elia: ὁ χρίων βασιλεῖς[76] (dh Hasael u Jehu 1 Kö 19, 15f) εἰς ἀνταπόδομα u
weiter im selben Vers: καὶ προφήτας (im HT[77] Sing) διαδόχους μετ' αὐτόν, vgl 1 Kö
19,16b. 19—21. Sir 46,19 erinnert an 1 S 12, 5, wenn der Ausdruck χριστοῦ αὐτοῦ (sc
κυρίου) zur Bezeichnung des Königs gebraucht wird[78].

Die Verwendung von χρίω und χριστός bezieht sich in Sirach also nicht
direkt auf die Zukunftserwartung bzw die Erwartung eines Messias.
Allerdings wird der ewige Charakter des Hohenpriestertums und des
Königtums besonders hervorgehoben. Der Erwähnung der Salbung Aarons
wird Sir 45,15 folgende Bemerkung angefügt: ἐγενήθη αὐτῷ εἰς διαθήκην αἰῶνος καὶ τῷ
σπέρματι αὐτοῦ ἐν ἡμέραις οὐρανοῦ λειτουργεῖν αὐτῷ ἅμα καὶ ἱερατεύειν καὶ εὐλογεῖν τὸν λαὸν
αὐτοῦ ἐν τῷ ὀνόματι (im HT[79]: בשׁמו). Der Ausdruck *ewiger Bund* (vgl auch 45,7) bezieht sich auf Nu 25,12f, wo Pinehas u seinen Nachkommen wegen seines Eifers für
Gott *der Bund eines ewigen Priestertums* verheißen wird. Demgemäß folgt ein Loblied
für Pinehas Sir 45, 23—26 unmittelbar auf einen längeren Abschnitt, in welchem Aaron
verherrlicht wird 45, 6—22[80]. Bes v 24 u 25 sind in diesem Zshg wichtig. Nachdem
in v 24 der Bund mit Pinehas erwähnt worden ist, wird sogleich in v 25 vom Bunde
mit David, dem Sohne des Isai aus dem Stamm Juda[81], gesprochen. Eine Parallele
findet sich in dem nur in hbr Sprache auf uns gekommenen Danklied Sir 51,12 (1—16)[82],
wo es in v 12 (8) heißt[83]: „Lobet Ihn, der entsprießen läßt ein Horn für das Haus Davids", vgl Ps 132,17, u anschließend in v 12 (9): „Lobet Ihn, der die Söhne Ṣadoqs zu
Priestern erwählt". Interessant ist weiter der Schluß des Lobliedes für den Priester
Simeon Sir 50, 24, wo es im HT[84] in deutlicher Erinnerung an 45, 23. 15 heißt: „Und

---

[75] Vgl WHertzberg, Die Samuelbücher,
AT Deutsch 10 ² (1960) zSt.

[76] מלא im HT (ed RSmend, Die Weisheit
des Jesus Sirach [1906]) ist verderbt, מלך 1
oder (מלכי(ם; VRyssel, in: Kautzsch Apkr u
Pseudepigr zSt wählt den Sing entsprechend
v 8b.

[77] Smend aaO (→ A 76).

[78] Die Verwendung von χρῖσμα in 38, 30
hat keine theol Bdtg, ebs χρίομαι Jdt 10, 3.

[79] Smend aaO (→ A 76).

[80] Sir 45, 23 LXX — der HT hat hier eine
Lücke — nennt Pinehas nach Mose u Aaron
τρίτος εἰς δόξαν.

[81] Weder Wortlaut noch Bdtg der zweiten
Hälfte des Verses sind völlig klar. Die LXX hat
κληρονομία βασιλέως υἱοῦ ἐξ υἱοῦ μόνου· κληρονομία 'Ααρων καὶ τῷ σπέρματι αὐτοῦ, der HT
(Smend aaO [→ A 76]): נחלת אשׁ לפני כבודו
נחלת אהרן לו ולזרעו. ILévi, The Hebrew Text
of the Book of Ecclesiasticus, Semitic Study

Series 3 (1904) zSt vermutet als urspr Text נחלת
מלך לבנו לבדו.Wollte der Verf die Übereinstimmung oder vielmehr den Unterschied zwischen
David u Aaron betonen? Im letztgenannten
Falle wäre gemeint, daß die Gewalt u die Vor-
rechte des Königs gleich vom Vater auf den
Sohn übertr wurden, während die Verheißung
an Aaron sofort auch alle seine Nachkommen
umfaßte, vgl GHBox u WOEOesterley, in:
RHCharles, The Apocrypha and Pseudepigrapha I (1913) → zSt. → Caquot 58—64 vermutet נחלת אשׁ לבנו בכורו als urspr hbr LA
u bezieht den Davidbund nur auf David u
Salomo; s auch JFPriest, Ben Sira 45, 25 in
the Light of the Qumran Literature, Revue de
Qumran 5 (1964—1966) 111—118.

[82] Smend aaO (→ A 76).

[83] Auf die Übereinstimmung dieser Perikope mit SchE ist schon öfter hingewiesen
worden (→ 512, 27ff).

[84] Smend aaO (→ A 76).

er möge ihm beschaffen den Bund des Pinehas, der für ihn u seine Nachkommen stets bleiben möge, wie die Tage des Himmels". In diesem Zshg können wir die Frage, ob die nur hbr überlieferten Teile dieser Kp dem urspr Text von Sir abzusprechen sind, auf sich beruhen lassen. Jedenfalls[85] entspricht der Inhalt dieser Verse den auch in griech Sprache erhaltenen Abschnitten[86]. Die Anführung von Ps 132,17 in Sir 51,12 (8) 5 impliziert keineswegs die Erwartung eines davidischen Messias. Gesagt ist nur, daß Gott dem Hause Davids (Königs)macht verleiht 47,11 (→ 496,1ff), so wie er dafür Sorge trägt, daß die Priester des Hauses Ṣadoq im Tempel amtieren[87]. Sir appelliert somit an Gottes Verheißung hinsichtlich des Priestertums Nu 25, 12f u des Königtums 2 S 7, 12f. Der Verf entwickelt die Linie von Sach 4, 14 weiter, vgl auch das Lob für 10 Serubbabel u Josua in Sir 49, 11f. Bei der Beschreibung der Tätigkeiten dieser Gestalten werden ihre Bemühungen um den Tempel bes hervorgehoben[88]. Im allg zieht der Verf das Priestertum dem Königtum vor[89].

2. Unter den sog Levi-Juda-St in den Testamenten der zwölf Patriarchen[90] ist bes Test Jud 21, 1—5 wichtig, das die Unterordnung des König- 15 tums unter das Priestertum mit Nachdruck lehrt u folgendermaßen begründet: ἐμοὶ ἔδωκε τὰ ἐπὶ τῆς γῆς, ἐκείνῳ τὰ ἐν οὐρανοῖς. Ὡς ὑπερέχει οὐρανὸς τῆς γῆς, οὕτως ὑπερέχει Θεοῦ ἱερατεία τῆς ἐπὶ γῆς βασιλείας 21, 3f Hdschr b[91]. Die Levi-Juda-St zeigen vielerlei Spuren chr Bearbeitung. Wahrscheinlich beabsichtigten sie urspr die Verherrlichung des Priestertums von Levi u des Königtums von Juda, wobei sie gleichzeitig betonen 20 wollten, daß das Heil Israels unlöslich mit diesem Priestertum u mit diesem Königtum verbunden sei[92]. Test R 6, 8 Hdschr b bildet die einzige St, wo sich der Ausdruck

---

[85] AAdiLella, The Hebrew Text of Sir, Studies in classical literature 1 (1966) 101—105 (dort auch Lit) hält das Danklied, wenn auch nicht für authentisch, so doch für gleich alt wie den urspr hbr Sir. → Caquot 50 A 1 vermutet einen Zusatz von Sektierern.

[86] Es ist übrigens nicht klar, weshalb der Enkel Sirachs 50, 24 änderte, 51,12 (1—16), wenn authentisch, nicht aufnahm, 45, 24 jedoch beibehielt.

[87] Ṣadoq gehört zu der Familie des Pinehas, vgl 1 Ch 5, 30. 34; vgl für die Verherrlichung des Priestertums der Söhne Ṣadoqs zB Ez 40, 46; 43,19; 44,15f; 48,11, vgl Ps 132,16.

[88] οἱ ἐν ἡμέραις αὐτῶν ᾠκοδόμησαν οἶκον καὶ ἀνύψωσαν ναὸν ἅγιον κυρίῳ ἡτοιμασμένον εἰς δόξαν αἰῶνος Sir 49,12, dem verderbten HT (Smend aaO [→ A 76]) entsprechend.

[89] David wird 47,1—11 gepriesen, u sein Königtum findet bes Erwähnung. Der Salomo gewidmete Abschnitt 47,12—22 enthält Lob u Tadel. Trotz der Freveltaten des Königs hielt Gott die Treue. Aus diesen St geht deutlich hervor, daß die Zukunftserwartung des Sir im Vertrauen auf Gottes immerwährende Sorge u seine Verheißungen in der Vergangenheit begründet ist. Sir 47, 22 — der HT (Smend aaO [→ A 76]) ist verderbt — heißt es: καὶ τῷ Ιακωβ ἔδωκεν κατάλειμμα καὶ τῷ Δαυιδ ἐξ αὐτοῦ ῥίζαν, vgl Js 11,1.10; 1 Kö 11, 39. Sir kennt nur wenige gerechte Davididen: „Ausgenommen David, Hiskia u Josia handelten sie alle verderbt, u sie vergaßen das Gesetz des Höchsten, die Könige Judas, alle bis auf den letzten" 49, 4. „Daher mußten sie (im HT Sing) ihr Horn einem anderen übergeben u ihre Herrlichkeit einem fremdartigen Volke" 49, 5. Trotzdem ist jeder König aus dem Geschlecht Davids ein Zeichen der Treue Gottes. Als nach der Zeit des Elisa u Elias das Volk sich nicht bekehrte u teilweise auf der Erde

zerstreut zu leben hatte, da, so heißt es Sir 48,16, „blieb von Juda ein winziger Teil übrig, und noch ein Fürst vom Hause Davids", wenn auch sofort hinzugefügt wird, daß manche recht handelten u andere sündigten. Im Gebet um die Erlösung Israels, das 36,1—17 überliefert ist, begegnet David nicht, wohl aber Aaron. Nach v 16f LXX heißt es: „Erhöre, o Herr, das Gebet derer, die zu dir flehen, entsprechend dem Segen Aarons über dein Volk. Und alle Erdenbewohner mögen erkennen, daß du der Herr bist, der ewige Gott." Nach dem ob Ausgeführten kann es nicht wundernehmen, daß in diesem Gebet von einer bes Erlösergestalt nicht die Rede ist.

[90] Die Bewertung der Test XII wird durch die verwickelte Entstehungsgeschichte des Buches erschwert. Man hat nicht nur mit verschiedenen jüd Überlieferungsschichten, sondern auch mit einer gründlichen chr Bearbeitung zu rechnen. Eine gute Übersicht der Probleme bei → Grelot 32—41. Es empfiehlt sich, einen scharfen Unterschied zu machen zwischen den griech Test L u den in der Geniza von Kairo (Charles 245—256) u den bei Qumran gefundenen aram Fr (DJD I 87—91; JTMilik, Le Testament de Lévi en araméen, Rev Bibl 62 [1955] 398—406). Im griech Test L sind zwar Traditionen, die sich im aram Test L finden, verarbeitet worden, aber derart, daß wir von zwei verschiedenen Schriften zu reden haben.

[91] ed MdeJonge, Testamenta XII Patriarcharum, Pseudepigrapha Veteris Testamenti Graece 1 ²(1970).

[92] Eine ausführliche Analyse aller in Betracht kommenden St u eine Übersicht über die Ansichten verschiedener Forscher zu den Test XII: → deJonge Testaments 86—89 u → deJonge Christian Influence 208—218. Den Grundstock der Levi-Juda Stücke hält auch

χριστός findet[93]: διὰ τοῦτο ἐντέλλομαι ὑμῖν ἀκούειν τοῦ Λευί, ὅτι αὐτὸς γνώσεται νόμον Κυρίου, καὶ διαστέλλει (vl διαστελεῖ u διατελεῖ) εἰς κρίσιν καὶ θυσίας ὑπὲρ παντὸς Ἰσραήλ, μέχρι τελειώσεως χρόνων ἀρχιερέως χριστοῦ, ὃν εἶπε Κύριος. Die Bdtg der letzten Z ist sehr umstritten. Eine chr Erklärung ergibt jedoch anscheinend weniger Schwierigkeiten als jede andere[94]. Die geistige Führerschaft u das Priestertum Levis dauern bis zur Vollendung der Zeiten, wenn der Hohepriester Christus kommt, von dem der Herr geredet hat. Auch wenn χριστός hier nicht der Eigenname wäre u man daher *der gesalbte Hohepriester* zu übersetzen hätte, ist doch deutlich miteinbegriffen, daß dieses Priestertum von einer anderen Ordnung als jenes von Levi sein wird; die St muß daher wohl von einem chr Hintergrunde her verstanden werden[95]. Test L 17, 2f bietet zweimal den Ausdruck ὁ χριόμενος, der nach dem Zshg für priesterliche Gestalten verwendet wird[96]. Ableitungen von χρίω kommen weiter nicht vor. Die St, welche die Zukunft mittels des Schemas Sünde—Exil—Rückkehr voraussagen, können in diesem Zshg unbeachtet bleiben. Insofern eine Endzeitgestalt erwähnt wird, ist immer Jesus Christus gemeint[97].

Die öfter zitierten Kp Test L 18 u Test Jud 24 erfordern jedoch eine bes Erörterung[98]. Möglich bleibt die Annahme, daß eine ältere Fassung von Test Jud eine Deutung von Nu 24, 17a HT enthielt u daß v 1—4 urspr Levi oder eine Endzeitgestalt aus seinem Stamme u v 5—6 Juda oder eine Endzeitgestalt aus seinem Geschlecht zum Gegenstand hatten[99]. In der uns heute vorliegenden Fassung von Test Jud 24, 1 wird Nu 24, 17a jedoch nach der LXX angeführt: ἀναστήσεται ἄνθρωπος ἐκ τοῦ σπέρματός μου. Die Verse 2 u 3 zeigen eine deutliche Parallele mit der Gesch der Jesustaufe im Jordan, vgl Test L 18, 6—9. In seiner heutigen Gestalt stammt dieser Abschnitt von chr Hand, zumal der Gesandte Gottes nicht nur dessen Geist empfängt, sondern es auch von ihm heißt ἐκχεεῖ πνεῦμα χάριτος ἐφ' ὑμᾶς v 2[100]. Die vorchr Fassung des Textes läßt sich mit Sicherheit nicht wiederherstellen. Test L 18 zeigt an vielen St eine Übereinstimmung mit Test Jud 24. Die Vorhersage beschränkt sich hier jedoch auf eine priesterliche Gestalt. Nach der Bestrafung der Priesterschaft erweckt der Herr einen neuen Priester: τότε ἐγερεῖ Κύριος ἱερέα καινόν 18, 2[101]. Diese ideale Gestalt wird auch als König bezeichnet v 3. Die Verhältnisse zZt seiner Amtstätigkeit übersteigen menschliche Vorstellungen u weisen deutlich chr Züge auf[102]. In seiner heutigen Gestalt redet Test L 18 von Jesus Christus, den das Kp als neuen Hohenpriester u König verherrlicht. Trotzdem bleibt es möglich, daß eine ältere Fassung[103] nur den idealen Priester aus dem Hause Levi erwähnte[104].

3. Die Psalmen Salomos verwenden den Ausdruck χριστός viermal, aber nirgends ohne Hinzufügung. In der Überschrift von PsSal 18 ist die Rede

---

JBecker, Untersuchungen zur Entstehungsgeschichte der Test XII, Arbeiten zur Gesch des antiken Judt u des Urchr 8 (1970) 179 nicht für messianisch.

[93] Test L 10, 2 findet sich das Wort nur in Hdschr c, wo es deutlich einen Zusatz bildet. An verschiedenen St in den Hdschr (zB b c k) finden wir in margine den Ausdruck Χριστός in bestimmten, von den Verf auf Jesus Christus gedeuteten Texten. Diese können hier übergangen werden.

[94] Vgl → deJonge Christian Influence 211.

[95] Wahrscheinlich haben wir es hier mit einer Anspielung auf Ps 110, 4 zu tun, wie Hb 7, 11. Eine andere Sicht des Hohenpriestertums Christi findet sich Test S 7, 1f Hdschr b: ὅτι ἐξ αὐτῶν ἀνατελεῖ ὑμῖν τὸ σωτήριον τοῦ Θεοῦ. Ἀναστήσει γὰρ Κύριος ἐκ τοῦ Λευὶ ὡς ἀρχιερέα, καὶ ἐκ τοῦ Ἰούδα ὡς βασιλέα, Θεὸν καὶ ἄνθρωπον. Test L 8, 11—15 entspricht Test R 6, 8 → de Jonge Christian Influence 211.

[96] Dieses Kp scheint einen Auszug aus einer längeren Apokalypse zu bieten, → deJonge Testaments 41.

[97] Für Einzelheiten → deJonge Testaments 83—86.

[98] Ausführliche Besprechungen bei → de Jonge Testaments 89—91 u → deJonge Christian Influence 199—208. Zu den verwandten St Test Seb 9, 8 u Test D 5, 10—13 → deJonge Testaments 91—94.

[99] So zB → vanderWoude 215f, s auch KSchubert, Test Jud 24 im Lichte der Texte von Chirbet Qumran, WZKM 53 (1957) 227—236.

[100] So vor allem → Chevallier 125—130.

[101] Daß der neue Priester aus dem Stamme Levi hervorgehen wird, ist expressis verbis nicht gesagt.

[102] s ἕως ἀναλήψεως αὐτοῦ v 3β. Zu v 6—9 → Z 21ff; vgl auch 9b, das sehr judenfeindlich ist.

[103] Becker aaO (→ A 92) 299f sieht in dem jüd Grundstock von 18, 1—9 ein „Gedicht auf den Messias aus Levi".

[104] Möglich ist auch, daß in dieser Schilderung jüd Elemente verarbeitet worden sind. Zu den Parallelen mit den Qumranschriften → vanderWoude 210—214. Vgl auch das Gebet Levis in dem durch die Hdschr e bezeugten Zusatz zu Test L 2, 3, bes die Zeilen: εἰσάκουσον δὲ καὶ τῆς φωνῆς τοῦ παιδός σου Λευὶ γενέσθαι σοι ἐγγύς, καὶ μέτοχον ποίησον τοῖς λόγοις σου ποιεῖν κρίσιν ἀληθινὴν εἰς πάντα τὸν αἰῶνα, ἐμὲ καὶ τοὺς υἱούς μου εἰς πάσας τὰς γενεὰς τῶν αἰώνων. καὶ μὴ ἀποστήσῃς τὸν υἱὸν τοῦ παιδός σου ἀπὸ τοῦ προσώπου σου πάσας τὰς ἡμέρας τοῦ αἰῶνος. Entsprechende aram Fr bei Milik aaO (→ A 90) 398—406.

von τοῦ χριστοῦ κυρίου. 18, 5b heißt es: εἰς ἡμέραν ἐκλογῆς ἐν ἀνάξει[105] χριστοῦ αὐτοῦ, entsprechend 18, 5a: εἰς ἡμέραν ἐλέους ἐν εὐλογίᾳ. Dieser Gesalbte des Herrn handelt im Auftrag u in der Kraft Gottes. PsSal 18, 7 erwähnt, wie *der Gesalbte des Herrn* die Zuchtrute führt u voller Weisheit, Gerechtigkeit u Kraft (vgl Js 11, 2) ist. Kp 17 macht klar, daß mit dem *Gesalbten des Herrn* ein König aus dem Geschlecht Davids gemeint 5 ist[106]: καὶ αὐτὸς βασιλεὺς δίκαιος διδακτὸς ὑπὸ θεοῦ ἐπ' αὐτούς, καὶ οὐκ ἔστιν ἀδικία ἐν ταῖς ἡμέραις αὐτοῦ ἐν μέσῳ αὐτῶν, ὅτι πάντες ἅγιοι, καὶ βασιλεὺς αὐτῶν χριστὸς κυρίου[107] v 32. Man erbittet das Einschreiten Gottes, appelliert an seine Treue u Verheißung u sehnt sich nach der Einsetzung des legitimen Gesalbten des Herrn auf den Thron Davids, der als idealer König dem Willen Gottes in Israel u auf der ganzen Erde zum Sieg ver- 10 hilft. Es wäre unzutreffend, hier nur — wie es öfter geschieht — von einem nationalen, politischen, irdischen Messias reden zu wollen. Dies bedeutet eine Verkennung anderer Akzente, die diese Zukunftserwartung ebenfalls trägt[108]. Man beachte, daß vom gesalbten Hohenpriester in den PsSal nicht die Rede ist, desgleichen, daß der Ausdruck *Messias* hier nicht im abs Sinne verwendet wird. Vielmehr bezieht sich *Gesalbter des* 15 *Herrn* auf das einzigartige Verhältnis zwischen dem König u Gott. Das Besondere, durch das er sich von den anderen Gesalbten aus dem Geschlecht Davids unterscheidet, besteht darin, daß er Gott u Menschen nicht enttäuschen wird.

4. Im äthiopischen Henoch begegnet *Gesalbter*[109] nur an zwei St, u beide Male in den Gleichnissen, nämlich 48, 10: „Am Tage ihrer[110] Not wird 20 Ruhe auf Erden werden; sie werden vor ihm (vl: vor ihnen)[111] niederfallen u nicht mehr aufstehen. Niemand wird da sein, der sie in die Hände nähme u aufrichtete, weil sie den Herrn der Geister gehaßt u seinen Gesalbten verleugnet haben" u 52, 4: „Alles dies, was du gesehen[112] hast, dient (dem Erweis) der Herrschaft seines Gesalbten, damit er mächtig u stark auf Erden sei". Im Kontext werden indessen andere Bezeichnungen 25 für die zukünftige Erlösergestalt verwendet. 48, 2 redet vom *Menschensohn,* 49, 2; 51, 3. 5; 52, 6. 9 vom *Auserwählten* (Gottes). 48, 10 spielt deutlich auf Ps 2, 2 an, u im Kontext äth Hen 48f finden wir Erinnerungen an Js 11. 42 u 49[113]. Diese Verweisungen sind in äth Hen nicht so augenfällig, wie es anderwärts öfter der Fall ist, weil der Verf sich begreiflicherweise der apokalyptischen Sprache bedient. Außerdem 30 fehlt auch eine Bezugnahme auf Da 7 nicht[114]. In diesem Zshg spricht man oft von einer Verquickung dreier Konzeptionen: der des Menschensohnes (→ VIII 426, 9 ff), des davidischen Messias u des Gottesknechtes[115]. Es fragt sich jedoch, ob man schon für diese Zeit festgeprägte Vorstellungskomplexe annehmen darf[116]. Für den Ausdruck *Messias* ließe sich das aufgrund der vorhandenen Quellen jedenfalls kaum sagen. Es 35

[105] Nicht klar ist, ob ἀνάξις hier *Zurückbringen* oder *Heraufführung* bedeutet. Cod Vossianus miscellaneus 15 hat αἰνέσει, s WBaars, A new fragment of the Greek Version of the Psalms of Solomon, VT 11 (1961) 441—444; vgl auch TWManson, Miscellanea Apocalyptica, JThSt 46 (1945) 41—45, der ἀναδείξει vorschlägt. Dem gängigen Text ist aber wohl der Vorzug zu geben.

[106] Wie Sir 46, 19 u im AT (→ 492, 9 ff).

[107] So Rahlfs mit Recht aufgrund von PsSal 18, 5.7; vgl auch KGKuhn, Die älteste Textgestalt der PsSal, BWANT 73 (1937) 73 f. Alle Hdschr bieten χριστὸς κύριος, offensichtlich eine chr Verbesserung; als HT ist משיח יהוה vorauszusetzen, vgl Thr 4, 20; Sir 47, 11 (→ A 74), wo eine vl χριστός statt κύριος bietet, u 2 Makk 3, 30, wo A χριστοῦ statt κυρίου liest (→ A 74). Vgl ebenfalls Js 11, 3.9a; 54, 13. s weiter zu Ps 17 → VIII 484, 2 ff; MdeJonge, De toekomstverwachting in de Psalmen van Salomo (1965) 14—24 u → deJonge The word "anointed" 134—137.

[108] Der erwartete Fürst kämpft nicht bloß mit militärisch-politischen Machtmitteln. So entspricht zB ἐν ῥάβδῳ σιδηρᾷ PsSal 17, 24, vgl Ps 2, 9, dem ἐν λόγῳ στόματος αὐτοῦ, vgl Js 11, 4. Dieser König ist Gottes König; er kämpft für die Sache Gottes wie für die Sache Israels. Bes die Verse PsSal 17, 32—44 beto-

nen die geistigen Aspekte der Herrschaft des Königs von Gottes Gnaden, vgl Ps 72 u 110.

[109] Auch beim äth Hen ergeben sich für den Forscher manche Schwierigkeiten angesichts der Ursprungsgeschichte u Komposition des Werkes. Zum status quaestionis → Grelot 42—50. Für die Annahme einer chr Überarbeitung oder Interpolation der Gleichnisse fehlen bisher überzeugende Argumente.

[110] Gemeint sind die Könige der Erde.

[111] Gemeint ist der im Vorhergehenden genannte Menschensohn (vl der Auserwählte).

[112] Gemeint sind *alle die verborgenen Dinge des Himmels,* dh einer eiserner Berg, einer von Kupfer, einer von Silber, einer von Gold, einer von weichem Metall u einer von Blei 52, 2.

[113] → Chevallier 17—26, vgl auch Kp 46 u 62.

[114] Vgl zB Kp 46 u passim.

[115] Die Frage, ob es sich im äth Hen auch um den leidenden Knecht Gottes handelt, → Grelot 49 (→ V 686, 3 ff), braucht uns in diesem Zshg nicht zu beschäftigen, weil dieser Aspekt in 48, 10 u 52, 4 jedenfalls fehlt.

[116] So → Sjöberg Menschensohn äth Hen 140—146 meint, daß abgesehen vom Messiastitel auch einige Elemente der sog nationalen Messiaserwartung aufgenommen sind, zB in Kp 50. 56, 5—8; 57, vgl → Hahn 158; dgg → deJonge The word "anointed" 142—144.

läßt sich nur feststellen, daß der Ausdruck „Messias des Herrn" bzw „sein Messias"[117] in den Psalmen Salomos wie im äthiopischen Henoch mit Bezugnahmen auf bestimmte Stellen aus dem Alten Testament vorkommt und eine ideale, gerechte Herrschergestalt der Zukunft andeutet. Die Tatsache, daß im apokalyptischen Rahmen des äth Hen — das Buch unterscheidet sich in seiner Vorstellungswelt erheblich von den PsSal! — die Bezeichnung nur zweimal begegnet, uz einmal in einer direkten Bezugnahme auf eine at.liche St, darf uns nicht ohne weiteres zu der These verführen, daß die inhaltliche Bdtg des Ausdruckes *Gesalbter des Herrn* hier u anderswo ausnahmslos bloß von der Schilderung des Messias in PsSal 17 u 18 her zu bestimmen sei[118].

5. Der syrische Baruch u 4 Esra stammen aus dem ersten chr Jhdt, uz aus der Zeit nach dem Jahre 70. In diesen Schriften kommt der Ausdruck *der Gesalbte* im abs Sinne vor[119] u deutet auf eine königliche Endzeitgestalt. In dieser Endzeit unterscheidet man zwischen einer Heilsperiode, mit der die Gestalt des Gesalbten verbunden ist, u einer als wichtiger empfundenen Ära, in der er keine Rolle spielt. In der Deutung der s Bar 53 beschriebenen Vision der aus dem Meer aufsteigenden Wolke mit den schwarzen u hellen Wassern, die sich dem Geschauten nicht völlig anschließt[120], liest man 70, 8 von allerlei Plagen: Krieg, Erdbeben, Feuer u Hunger, an deren Beschreibung sich v 9 folgendermaßen anschließt: „Und jeder, der von alle dem zuvor Gesagten verschont bleibt u entrinnt, die gesiegt haben u (die) besiegt worden sind, werden in die Hände meines Knechtes, des Messias, überliefert werden". In Kp 72—74 folgt ein Abschnitt, der von der Zeit *meines Messias* 72, 2 handelt. Die Völker werden in Verwirrung versetzt, vgl Ps 2, 1, u aus allen vom Messias berufenen Nationen werden die vernichtet, die Israel unterdrückt haben. Alsdann fängt das Friedensreich an: „Sobald er alles, was in der Welt ist, gedemütigt haben u in Frieden für immer auf seines Königreiches Thron sitzen wird, dann wird Wonne sich offenbaren u Seligkeit erscheinen" 73, 1[121]. Mit dem Reich dieses Messias fängt die Zeit des vollkommenen Heiles an; „denn jene Zeit ist das Ende dessen, das vergänglich, u der Anfang dessen, das unvergänglich ist" 74, 2. In der Deutung des Gesichtes von dem Weinstock u der Zeder s Bar 36f heißt es, daß *die Herrschaft meines Messias*[122] sich offenbaren wird, sobald das Ende des vierten Königreiches gekommen ist 39, 7. Die Freveltäter werden alsdann ausgerottet werden 39, 7, bes ihr *letzter Regent*, der vom Messias auf dem Berge Sion wegen seiner Freveltaten zur Rede gestellt u nachher von ihm getötet werden wird 40, 1f. Der Rest des Volkes Gottes wird unter seinem Schutz leben, u „seine Herrschaft wird auf ewig bestehen, bis die Welt der Vergänglichkeit endet u bis die vorhergesagten Zeiten vollendet sind" 40, 3. s Bar 29, 3—30, 1 beschreibt die Zeit des Messias mit paradiesischen Farben. Sobald der Messias angefangen hat, sich zu offenbaren 29, 3, werden die beiden Seeungeheuer Behemoth u Leviathan den Übriggebliebenen zur Speise dienen 29, 4, u die Erde wird zehntausendfältig ihre Frucht geben 29, 5[123]. Auch die Mannavorräte werden zu jener Zeit wieder von oben auf die Erde herabfallen 29, 8. In 30,1 wird die Vollendung der Zeit des Messias, der übrigens hier eine rein pass Rolle zu spielen scheint, folgendermaßen zum Ausdruck gebracht: „Wenn darnach die Zeit der Ankunft des Messias erfüllt sein wird u er in Herrlichkeit wiederkehrt, dann werden alle, die in der Hoffnung auf ihn entschlafen sind, auferstehen". In diesem Zshg ist deutlich eine Wiederkehr zu Gott gemeint[124],

---

[117] Auch im äth Hen wird der Ausdruck *Gesalbter* nicht im abs Sinne verwendet.

[118] Im zweiten Traumgesicht begegnet ein endzeitlicher Erlöser in der Gestalt eines weißen, jungen Stieres 90, 37f. Über den Ausdruck *mein Sohn* 105, 2, uz im äth, nicht im griech Text, → VIII 361, 26f.

[119] Hic est unctus, quem reservavit Altissimus in finem 4 Esr 12, 32; s auch s Bar 29, 3; 30, 1. s Bar 39, 7; 40, 1; 72, 2 haben *mein Messias*, 70, 9 *mein Knecht, der Messias*. Bekanntlich läßt sich der Urtext von 4 Esr aufgrund der Versionen nur sehr schwer wiederherstellen, vgl BViolet (GCS 32) u LGry, Les Dires prophétiques d'Esdras I—II (1938). Für s Bar s jetzt → Bogaert I 413—425.

[120] Auffällig ist, daß die Schilderung der Zeit Davids u Salomos in Kp 61 die Züge der zukünftigen Heilszeit trägt.

[121] In die Beschreibung dieses Friedensreiches ist ua auch die Weissagung Js 11, 6—8 eingefügt. Auch der Fluch Gn 3,16—19 wird 73, 6—74, 1 aufgehoben.

[122] Im Syr ist ἀρχή nicht als „Herrschaft", sondern als „Anfang" übersetzt worden.

[123] Bei der Beschreibung der Fruchtbarkeit des Weinstocks werden wir stark an diejenige des Papias-Fr erinnert, wie sie Iren Haer V 33, 3f erhalten hat.

[124] Es ist nicht notwendig, diese St als chr Zusatz anzusehen. Urspr beziehen sich diese Worte auf eine Rückkehr des Messias in den Himmel, ähnlich der Himmelfahrt Elias. Wahrscheinlich hat man später, uz schon in der syr Übers, diesen Text mit der chr Parusieerwartung in Zshg gebracht, → Sjöberg Menschensohn Ev 50 A 3, s auch den schwierigen Ausdruck *die in der Hoffnung auf ihn entschlafen sind*.

im Sinne des Übergangs der messianischen Periode in die Zeit der allg Auferstehung. Der Übergang von dem Reiche des Messias zu der Zeit des vollkommenen Heiles ist hier also deutlich markiert, vgl 4 Esr 7, 29f.

4 Esr 12, 32 bezieht den Löwen in der Adlervision Kp 11 auf den Gesalbten: Hic est unctus, quem reservavit Altissimus in finem. Die syr, äth, arab u arm Übers fügen 5 hinzu, daß dieser aus dem Samen Davids erstehen wird[125]. Er wird die Feinde richten u vernichten; das übriggebliebene Volk wird er jedoch erlösen u in Freuden bis zum Tage des Gerichtes leben lassen. Auch hier wird also die Zeit des Messias als eine beschränkte Periode geschildert. Dieser Darstellung entspricht nun aber ebenfalls die umstrittene St 4 Esr 7, 26—29. Nach dem Erscheinen der jetzt unsichtbaren Stadt u 10 des verborgenen Landes wird der Messias zus mit seinen Genossen geoffenbart werden, u er wird denjenigen, die übriggeblieben sind, eine Zeitlang Freude schenken. Danach sterben der Messias u alle, die Atem haben 7, 28f. Nachdem die Welt sieben Tage lang im Schweigen der Urzeit verharrt hat, werden die Toten auferstehen, u dann fängt das Weltgericht an[126]. 15

Eine bes Erörterung verlangt auch 4 Esr 13, die Vision von dem aus dem Herzen des Meeres aufsteigenden u mit den Wolken des Himmels fliegenden Menschen (→ VIII 429, 25ff). Der Ausdruck „Gesalbter" begegnet an dieser St zwar nicht, aber die erwähnte Gestalt ist als *mein Knecht* (→ A 126) angedeutet. Von ihm heißt es, daß der Allerhöchste ihn „bewahrt" hat, uz lange Zeit 13, 26, vgl 12, 32. Der in diesem Kp 20 genannte „Mensch" zeigt manche Züge, die an die Gestalt des Messias in der soeben erörterten St erinnern (→ VIII 430 A 211 u 431, 3ff). Andererseits finden sich in 4 Esr 13 Hinweise auf Da, zB das Aufsteigen aus dem Meere 13, 2. 25. 51, vgl Da 7, 2ff, der Ausdruck *wie ein Mensch* 13, 3, vgl Da 7, 13[127] u der ohne Menschenhände losgehauene Berg 13, 6. 36, vgl Da 2, 45. Dieser Befund entspricht also dem im äth Hen (→ 505, 24ff), 25 wo ebenfalls apokalyptische Vorstellungen, ua auch aus Da, mit einem *Gesalbten* u mit Gedanken hinsichtlich des davidischen Königs, wie diese in den PsSal (→ 504, 19ff) begegnen, verbunden worden sind. Eine Zweiteilung der Heilszeit bleibt in dieser Vision unerwähnt[128].

Beachtenswert ist die Verwendung des Ausdruckes „Offenbarung" in den zur Rede 30 stehenden Schriften[129]. An einigen St, zB s Bar 29, 3; 39, 7; 73, 1f, braucht mit diesem Wort nichts anderes ausgesagt zu sein, als daß der Messias bzw messianische Güter in Erscheinung treten, ohne daß von einer Präexistenz gesprochen wird (→ VIII 430 A 215). Wenn jedoch vom Niederfallen der Mannavorräte u von der Offenbarung der Ungeheuer Leviathan u Behemoth die Rede ist u wenn laut s Bar 30, 1 der Messias 35

---

[125] Wohl kein Zusatz zum Urtext nach BViolet (GCS 18) u Gry aaO (→ A 119) zSt.

[126] Der lat Text von 7, 28f ist chr überarbeitet. Man hat daher mit Hilfe anderer Übers versucht, den urspr Wortlaut wiederherzustellen, ohne zu einem einstimmigen Ergebnis zu gelangen. Wahrscheinlich geht filius meus 4 Esr 7, 28 u 13, 32. 37. 52; 14, 9 auf griech παῖς μου zurück, hbr עַבְדִּי, vgl den äth Text zu 4 Esr 7, 29 (→ V 680 A 196; VIII 362, 1ff u A 167) sowie s Bar 70, 9. Falls man doch an der LA *Sohn* festhalten möchte, muß man annehmen, daß dieser Ausdruck im Sinne von Ps 2, 7, vgl auch 2 S 7, 14, gedeutet wurde, so zB → Klausner 354 A 19. Die messianische Ära dauert nach dem lat Text 400 Jahre, nach dem syr jedoch 30, wahrscheinlich in Anlehnung an die Lebensjahre Jesu. Auch die Zahl 1000 kommt vor. Obgleich die LA 400 am besten bezeugt ist, ist die urspr gegebene Zahl nicht mehr mit Sicherheit zu bestimmen. — Einige Forscher halten den Tod des Gesalbten für eine jüd Vorstellung; mit dem Tode des Messias geht die messianische Ära zu Ende, vgl s Bar 30, 1, so zB → Klausner 354 u JBloch, Some Christological Interpolations in the Ezra-Apocalypse, HThR 51 (1958) 87—94. Andere meinen, daß hier chr Einfluß vorliegt, vgl → Grelot 30 u die ausführlichen Bemerkungen zur Gesch des

Textes bei Gry aaO (→ A 119) 146—149 u ders, La „Mort du Messie" en 4 Esr 7, 29, in: Mémorial Lagrange (1940) 133—139. Das ist in Anbetracht des Kontextes freilich unwahrscheinlich; außerdem hätte ein chr Bearbeiter die Auferstehung des Messias erwähnt.

[127] Auffällig ist, daß diese Gestalt in 4 Esr ebenfalls wie die Tiere in Da 7 aus dem Meere heraufkommt u mit den Wolken des Himmels fliegt.

[128] Mit Recht hat NMessel, Die Einheitlichkeit der jüd Eschatologie, ZAW Beih 30 (1915) 101—120 betont, daß das Messiasreich u die Zeit des vollkommenen Heiles in s Bar u 4 Esr nicht eindeutig voneinander getrennt worden sind, u er hat die Einheitlichkeit der jüd Eschatologie, wenn auch nicht ohne Übertreibung, hervorgehoben. Die gängige Auffassung, daß „4 Esr u s Bar . . . dem messianischen Reich den Charakter eines Zwischenreiches zwischen diesem u dem kommenden Äon zuweisen, also einen Ausgleich mit der traditionellen Eschatologie im Sinne einer vorläufigen u einer endgültigen Heilszeit anstreben" (→ Hahn 158), entstammt wohl einer zu schematisierten Sicht auf die jüd Zukunftserwartung".

[129] Zum Folgenden → Sjöberg Menschensohn Ev 46—51.

in Herrlichkeit wiederkehrt, dann kann man schwer umhin, hier nicht eine dieser Offenbarung vorangehende Präexistenz vorauszusetzen, wenn man auch kein bes Augenmerk auf die Art u Weise dieses Vorherdaseins richtet. Laut 4 Esr 7, 28; 13, 26. 32. 52 u 14, 9 nimmt der Verf an, daß *mein Knecht* jetzt schon an einer himmlischen Existenz bei Gott Anteil hat. Daher heißt es auch, daß der Messias bei Gott „bewahrt" wird 4 Esr 12, 32. Zwischen dem nationalen Erlöser u dem vom Himmel kommenden Befreier unterscheidet man also hier grundsätzlich nicht. Weil man nicht an ontologischen oder metaphysischen Spekulationen, sondern an Gottes heilsgeschichtlichem Handeln interessiert war, konnten die verschiedenen Vorstellungskomplexe um so eher durcheinander Verwendung finden [130].

6. In den jüd Partien der Oracula Sibyllina finden wir das Wort *Gesalbter* nicht, aber in der Schilderung der Ankunft des von Gott gesandten ἀπ' ἠελίοιο ... βασιλῆα Sib 3, 652—808 kommen einzelne Elemente aus der prophetischen Zukunftserwartung des AT vor, s bes 788—795 in Anlehnung an Js 11, 6—9.

7. Pseudo-Philo, Liber Antiquitatum Biblicarum [131] erwähnt die Salbung des Pinehas als Priester durch Gott in Silo 48, 2 u die Salbung Davids durch Samuel 59, 3; vgl auch das Lied Davids mit dem Satz: Quando nominatus est christus obliti sunt me 59, 4. In Kp 51 wird Samuel bes gefeiert. Das Volk salbt ihn u sagt: Vivat propheta in plebe, et in longo tempore sit lumen genti huic v 7. Mit einer Anspielung auf 1 S 2, 10 heißt es: et haec sic manent quousque dent cornu christo suo, et aderit potentia throni regis eius v 6. Damit ist deutlich eine königliche Gestalt gemeint, s auch 59, 3 u vielleicht auch 62, 9.

8. Die in der Apokalypse des Abraham 31 erwähnte Erlösergestalt wird *mein Auserwählter* genannt, vgl äth Hen 49, 2; 55, 4 usw u Js 42, 1; 49, 7. Das Einschreiten dieses Auserwählten ist Bestandteil des zukünftigen, endgültigen Handelns Gottes.

de Jonge

IV. Qumran.

1. Mit einer einzigen Ausn [132] findet sich eine Ableitung von der Wurzel מָשַׁח *salben* in den bisher bekannt gewordenen Schriften aus der Wüste Juda nur in bestimmten Formen des Subst מָשִׁיחַ [133]. Dabei bezieht sich der Plur מְשִׁיחִים dreimal auf die at.lichen Propheten Damask 2, 12 (2, 10); 6, 1 (8, 2); 1 QM 11, 7 [134],

---

[130] Das gilt mutatis mutandis auch von der Präexistenz des Menschensohnes im äth Hen, der gelegentlich mit *Messias* bezeichnet wird äth Hen 48, 2. 6; 62, 7, vgl → Sjöberg Menschensohn Ev 44—46.

[131] ed GKisch, Publications in Mediaeval Studies 10 (1949).

[132] 1 QM 9, 8 spricht vom שֶׁמֶן מְשִׁיחַת כְּהוּנָתָם *Salböl ihrer Priesterschaft*, das die Priester in der Schlacht nicht mit dem Blut der erschlagenen Feinde entweihen sollen. In der Kupferrolle aus Höhle 3 beziehen sich מְשִׁחוֹתֵיהֶם 12, 12 (DJD III 298) u מְשַׁח 7, 6 (291); 9, 1 (293) auf מָשַׁח *messen*, vgl auch die aram Belege in DJD III Regist sv Aram מְשָׁחָה. 1 Q 21 fr 37, 2 (DJD I 90) u 1 Q 32 fr 2, 3 (134) — hier ist diese Lesung jedoch fraglich — ist der Bdtg nach wegen der winzig kleinen Fr unsicher.

[133] 1 Q 30 fr 1, 2 (DJD I 132) ist wohl רוּחַ statt מָשִׁיחַ zu lesen, vgl → vanderWoude 165.

[134] Damask 2, 12 (2, 10) ist מְשִׁיחֵי zu lesen (s JMaier, Die Texte vom Toten Meer II

[1960] 44; YYadin, Three notes on the Dead Sea Scrolls, Israel Exploration Journal 6 [1956] 158—162; CRabin, On a puzzling passage in the Damascus fragments, Journal of Jewish Studies 6 [1955] 53f; → vanderWoude 18—20) u mit רוּחַ קָדְשׁוֹ zu verbinden, das nicht Obj von וַיּוֹדִיעֵם sein dürfte, gg → Hahn 365 A 1, weil sonst חוֹזֵי אֱמֶת — so ist statt אֱמֶת וְהוּא mit The Zadokite Documents, ed CRabin ²(1958) gg Rost zu lesen — in der Luft hängt. Zu Damask 6, 1 (8, 2) s DJD III 130; Maier 49 u → vanderWoude 25—27. Zu lesen ist מְשִׁיחֵי; eine weitere Änderung des Textes erübrigt sich. Für die Beibehaltung von מְשִׁיחוֹ, so WSLaSor, The Messiahs of Aaron and Israel, VT 6 (1956) 429, kann man 1 Q 30 fr 1, 2 (DJD I 132) nicht anführen (→ A 133). Zu 1 QM 11, 7 → Carmignac-Guilbert 110; → Jongeling 263; Maier 137 u mit ausführlicher Begründung → vanderWoude 116—124. Wegen der Hinzufügung חוֹזֵי תְעוּדוֹת ist מְשִׁיחֶיכָה an dieser St nicht auf alle, die die Salbung empfangen haben, zu deuten, gg JvanderPloeg, Le Rouleau de la Guerre, Studies on the Texts of the Desert of Judah II (1959) 141.

vgl Ps 105, 15. Abgesehen von 11 Q Melchisedek 18[135], wo der als משיח הרוח *der mit dem Geist Gesalbte* bezeichnete *Freudenbote* (מבשר) der Endzeit eine prophetische Gestalt sein dürfte, bezeichnet משיח im Sing oder Plur sonst überall den priesterlichen oder den königlichen Gesalbten der Zukunft. Die von Hause aus priesterliche Sekte[136] von Qumran erwartete *am Ende der Tage* 1 QSa 1, 1 zwei Messiasgestalten 1 QS 9, 11; Damask 12, 23 f (15, 4); 14, 19 (18, 8); 20, 1 (9, 29); 19, 10 f (9, 10); vgl auch 7, 18 ff (9, 8 ff); 4 QTestimonia 9—13. 14—20; 4 QFlorilegium 1, 11, uz einen Hohenpriester aus Levi 4 QTestimonia 14, den Aaroniden 1 QS 9, 11; Damask 12, 23 f (15, 4); 14, 19 (18, 8); 20, 1 (9, 29); 19, 10 f (9, 10), u einen König aus Juda 4 QPatriarchensegen 1, den endzeitlichen Davididen 4 QPatriarchensegen 2 ff; 4 QFlorilegium 1, 11; 1 QSb 5, 20—29[137]. Sie werden meistens mit den Namen *Gesalbter Aarons* u *Gesalbter Israels* bezeichnet, freilich fast immer zus als משיחי אהרן וישראל 1 QS 9, 11 oder משיח אהרן וישראל Damask 12, 23 f (15, 4); 14, 19 (18, 8); 19, 10 f (9, 10) bzw מאהרן (so statt משוח) משיח וישראל Damask 20, 1 (9, 29). Die umstrittene Frage, ob משיח אהרן וישראל in Damask eine absichtliche Änderung des mittelalterlichen (oder eines früheren) Kopisten für משיחי אהרן וישראל ist[138] oder vielmehr den urspr Text darstellt[139], ist wohl im letzteren Sinne zu entscheiden[140]. Das bedeutet jedoch nicht, daß in Damask nur von einem einzigen Gesalbten, sc aus Aaron u Israel, die Rede sei[141]. Denn einmal ist es sprachlich gar nicht ausgeschlossen, משיח אהרן וישראל als *Gesalbter von Aaron u (Gesalbter) von Israel* zu deuten[142]; zum andern weist Damask auch sonst die Erwartung zweier Messiasgestalten auf. So erscheint der priesterliche Gesalbte nicht nur einmal gesondert unter der Bezeichnung יורה הצדק Damask 6, 11 (8, 10)[143], sondern ebenfalls als endzeitliche Gestalt neben dem *Fürsten der ganzen Gemeinde*, dh dem königlichen Gesalbten Damask 7, 18—20 (9, 8 f)[144]. Der Priester heißt an dieser St דורש התורה *Gesetzeserforscher* wie 4 QFlorilegium 1, 11, wo von seinem Erscheinen zus mit dem Sproß Davids expressis verbis die Rede ist. Zur Bezeichnung des priesterlichen Messias dient weiter einige Male כוהן הרואש 1 QSa 2, 12; 1 QM 2, 1; 15, 4; 16, 13; 18, 5; 19, 11, anscheinend jedoch niemals הכוהן, auch nicht 1 QM 10, 2; 15, 6 u 1 QSa 2, 19[145].

     2. Der königliche Gesalbte ist an einer St, nämlich 1 QSa 2, 12, möglicherweise als המשיח bezeichnet[146]. Damit hätten wir den ältesten Beleg für den abs Gebrauch des Messiasnamens in determinierter Form vor uns. In diese

---

[135] Die editio princeps von ASvanderWoude, Melchisedek als himmlische Erlösergestalt in den neugefundenen eschatologischen Midr aus Qumran Höhle 11, Oudtestamentische Studiën 14 (1965) 354—373; der verbesserte, hier zitierte Text bei MdeJonge-ASvanderWoude, 11 QMelchizedek and the New Testament, NT St 12 (1966) 301—326; vgl weiter JAFitzmyer, Further light on Melchizedek from Qumran Cave 11, JBL 86 (1967) 25—41; MPMiller, The function of Isa 61, 1—2 in 11 QMelchizedek, JBL 88 (1969) 467—469. Der als Freudenbote (s PStuhlmacher, Das paul Ev I, FRL 95 [1968] 144—146) bezeichnete Gesalbte ist vielleicht dem 1 QS 9, 11 erwähnten Propheten gleichzusetzen.

[136] Daß es sich in erster Linie um Priester handelte, geht zB deutlich aus der Vorrangstellung der Priester hervor 1 QS 5, 9; 9, 7; Damask 14, 3 f (17, 1 f), vgl weiter etwa → vanderWoude 217—249.

[137] Für eine ähnliche Zweiteilung vgl, abgesehen von Ez 40—48 u Sach 4, 14, Jub 31, 12—23 u Test Jud 21, 1—5 uö.

[138] So manche Forscher aufgrund von 1 QS 9, 11 im Gefolge von → Kuhn Messias 173, vgl auch etwa → Liver 152 u → Jeremias 282 A 1.

[139] So diejenigen, die entweder den Messias mit dem (historischen) Lehrer der Gerechtig-

keit in Verbindung zu bringen versuchen → Dupont-Sommer 171 oder von einer einzigen messianischen Gestalt reden, etwa → Higgins 215—219. MBlack, The Scrolls and Christian Origins (1961) 157 erwägt, ob 1 QS 9, 11 nicht ein Schreibfehler vorliegt.

[140] Aufgrund der in 4 QDamask zu Damask 14, 19 (18, 8) bezeugten LA משיח, → Milik 125 A 3.

[141] → Deichgräber 338—342; → vanderWoude 74. Anders → deJonge Intermediaries 57 f.

[142] → Deichgräber 341—342; → vanderWoude 29. Vgl zB auch 1 QS 3, 18 f, wo bei dem grammatikalisch analogen Ausdruck רוחות האמת והעול von den Geistern der Wahrheit u des Unrechts die Rede ist u deutlich zwei Kategorien gemeint sind, → Burrows Mehr Klarheit 242 f.

[143] s zu dieser umstrittenen St etwa → Jeremias 268—289.

[144] Zum Text → Jeremias 289—295 u → vanderWoude 43—61.

[145] Zu den einzelnen St mit ausführlicher Begründung → vanderWoude 129 u 106.

[146] Weil der Text schlecht erhalten ist, läßt sich die LA nicht sicher belegen. Zu den verschiedenen Ergänzungsvorschlägen s die Übersicht bei Maier aaO (→ A 134) 158 f.

Richtung tendiert jedenfalls auch die Bezeichnung משיח הצדק *wahrer Messias* 4 QPatriarchensegen 3. Sonst begegnen für den Davididen nur noch die Ausdrücke (כל)נשיא
העדה *Fürst der Gemeinde* bzw *Fürst der ganzen Gemeinde* Damask 7, 20 (9, 9); 1 QSb
5, 20; 1 QM 5, 1; 4 QpJsᵃ fr 5—6, 2 (DJD V 12) u צמח דויד *Sproß Davids* 4 QPatriarchensegen 3f; 4 QFlorilegium 1, 11; vgl 4 QpJsᵃ fr 8—10, 17 (DJD V 14).

3. Der endzeitliche Hohepriester ist dem königlichen
Gesalbten überlegen. Gew wird jener vor diesem erwähnt, vgl 1 QS 9, 11 u Damask
12, 23f (15, 4) uö. Die einzige Ausn bildet 4 QTestimonia 9—20[147]. In der messianischen Ära nehmen der Hohepriester u sein Gefolge vor allen anderen in der Gemeinde-
ratsversammlung Platz; erst nach ihnen kommt der Messias von Israel mit seinem
Gefolge 1 QSa 2, 11—16[148]. Im eschatologischen Endkampf, der wie ein hl Krieg geführt wird, spielt der Hohepriester eine weit bedeutendere Rolle als der Fürst der Gemeinde; denn er ordnet die Schlachtreihen 1 QM 15, 5f u spricht fast immer die Segens-
sprüche 1 QM 15, 5; 16, 13f; vgl 18, 5f; 19, 11—13. Während der Hohepriester im erhaltenen Teil der Kriegsrolle nicht weniger als fünfmal begegnet 1 QM 2, 1; 15, 4; 16, 13;
18, 5; 19, 11, kommt der Name des Fürsten nur einmal beiläufig vor 5, 1[149]; freilich
wird er auch im Zitat 1 QM 11, 6f gemeint sein. Die belehrende Aufgabe des endzeitlichen Hohenpriesters bekundet der ihm beigelegte Name *Lehrer der Gerechtigkeit* Damask 6, 11 (8, 10) u *Gesetzeserforscher* Damask 7, 18 (9, 8); 4 QFlorilegium 1, 11. Laut
Damask 6, 8—11 (8, 9f) gibt er *am Ende der Tage* neue Weisungen. Daher identifizieren
ihn einige mit dem wiederkommenden Elia[150], was allerdings von anderen bezweifelt
wird[151].

4. Auf jeden Fall erscheint der Hohepriester zus mit dem Davididen der Endzeit 4 QFlorilegium 1, 11, vgl Damask 7, 18—20 (9, 8—10); 1 QSa 2, 11
—14. Die beiden Messiasgestalten sind Werkzeuge Gottes in dieser Zeit. Ihre
Ankunft wurde offensichtlich aufgrund des Bundes erwartet, den Gott ewiglich mit
dem Priestertum des Pinehas Nu 25, 12f u dem davidischen Königtum 2 S 7, 11—16
geschlossen hatte[152]. Diese Erwartung knüpfte gewiß an ältere nachexilische Traditionen
an (→ 498, 8ff). Übermenschliche Züge lassen sich von den Texten her weder beim
messianischen Hohenpriester noch beim Fürsten der Endzeit mit voller Sicherheit
nachweisen[153]. Beide Gestalten verkörpern in der von der frommen Gemeinde erlebten
gottlosen Ära die ideale Zukunft, in der nach Gottes Verheißung das wahre, legitime
Priestertum u das wahre, legitime Königtum wiederhergestellt sein werden. Das primär
priesterliche Interesse der Qumrankommunität bekundet sich bes in 1 QM 16, 13ff uö[154],
in der Überlegenheit des priesterlichen Gesalbten der Endzeit (→ Z 6ff) u darin, daß
der königliche Messias sich durch Priester belehren lassen wird 4 QpJsᵃ fr 8—10, 23
(DJD V 14). Doch verbürgt die Erwartung eines Davididen ebenfalls ein starkes politisches Interesse im Sinne einer neuen, theokratischen Ordnung u der Vernichtung der
Feinde Israels, darunter bes Magogs 4 QpJsᵃ fr 8—10, 20f (DJD V 14). Allerdings
treten beide Messiasgestalten weit hinter Gott selber zurück[155]. Die Erwartung der
Gemeinde richtet sich in erster Linie auf die von Gott zu der von ihm bestimmten Zeit
herbeigeführte Heilsära, in der Gerechtigkeit herrschen u kein Übel mehr sein wird
1 QpHab 7, 13 u 1 QS 4, 18—23. Daher sind auch die Messiasgestalten als Einzelper-
sönlichkeiten nicht scharf umrissen[156].

---

[147] → vanderWoude 182—185.

[148] Zum Text vgl JFPriest, The Messiah
and the Meal in 1 QSa, JBL 82 (1963) 95—100
u → vanderWoude 96—106.

[149] Wahrscheinlich ist im Text מגן *Schild*
zu ergänzen, nicht מט, von מטה *Stab*, das
grammatisch Schwierigkeiten bereitet, gg →
Dupont-Sommer 193 u → Jongeling 142.

[150] So → vanderWoude 55. 228f, vgl NWie-
der, The Judaean Scrolls and Karaism (1962)
4f u → Jeremias 289.

[151] So zB Maier aaO (→ A 134) 50.

[152] Ausdrücklich wird dies allerdings in den
Qumranschriften nicht gesagt, vgl jedoch Sir
45, 23—26 u 4 QPatriarchensegen 2—4.

[153] Solche Züge findet → Starcky Un texte
messianique 51—66 in dem von ihm edierten
Text aus 4 Q. Die messianische Deutung dieses
Textes wird aber von → Fitzmyer u → Brown
JStarcky's Theory 51 bestritten.

[154] Vgl vor allem die Tatsache, daß der
Hohepriester die Schlachtreihen ordnet 1 QM
15, 5f, uz anstatt des Fürsten!

[155] So begegnen messianische Gestalten in
dem Abschnitt von den zwei Geistern 1 QS
3, 13—4, 26, der von der neuen Heilszeit
spricht, überh nicht, auch nicht in 1 QS 4, 20,
s YYadin, A note on DSD IV 20, JBL 74
(1955) 40—43.

[156] Daher finden wohl einige Forscher in
den Qumranschriften gar keine messianische
Gestalt. So meint zB THGaster, The Dead
Sea Scriptures (1956) 19f, es sei bloß ein
Priester oder König at any future epoch
gemeint. Zu beachten ist jedoch, daß es sich
um den endzeitlichen Hohenpriester u Fürsten
1 QSa 1, 1; 2, 12 handelt u daß mit ihrer Ankunft nach der großen Völkerschlacht, die in
1 QM beschrieben wird, die Heilsära anfängt.

5. Für die Behauptung, daß der historische **Lehrer der Ge-**
rechtigkeit, der die Gemeinde von Qumran wenn auch nicht gegründet, so doch
konsolidiert hat[157], als messianische Gestalt bezeichnet wurde, fehlt jeglicher Beweis[158].
Gg eine derartige Identifizierung spricht ua Damask 19, 35f (9, 29), wo der Lehrer
deutlich von den Gesalbten aus Aaron u Israel unterschieden wird[159]. Ebs läßt sich
die Behauptung, die Sekte erhoffe die Wiederkunft ihres Lehrers am Ende der Tage,
nicht begründen, weil sie sich auf eine falsche Exegese von Damask 6, 9—11 (8, 9f)[160]
u 1 QpHab 11, 6—8[161] stützt. Weil בחירו in 1 QpHab 5, 4; 9,12 Defektivschreibung
für בחיריו *seine Erwählten* ist, auch an diesen St eine messianische Bezeichnung
des Lehrers der Gerechtigkeit völlig ausgeschlossen[162]. In 1 QH 3, 5—18 ist ebenfalls
von ihm nicht die Rede[163], weil dieser Abschnitt von den dem Ende vorangehenden
messianischen Wehen spricht[164], denen die Gemeinde ausgesetzt ist. Wenn die Frommen
der Qumrankommunität dem Lehrer der Gerechtigkeit auch höchste Achtung u Glauben
1 QpHab 8, 2f entgegengebracht haben, so haben sie ihn doch niemals als Messias betrachtet. Es ist sogar unsicher, ob sie in ihm den Dt 18,15. 18 versprochenen Propheten gleich Mose erblickt haben[165].

6. Die These, daß sich die messianischen Vorstellungen der Qumrangemeinde im Laufe der Zeit geändert haben bzw daß verschiedenartige Vorstellungen
innerhalb der Sekte zu gleicher Zeit lebendig waren, läßt sich aus den Texten nicht
genügend belegen[166]. Die Erwartung der Ankunft zweier Gesalbten hat anscheinend
niemals der Hoffnung auf einen einzigen Gesalbten das Feld geräumt u ist ebensowenig
aus dieser Vorstellung entstanden. Wenn man bedenkt, daß die Qumrantexte in ihrer
Messianologie an die Konzeption des Buches Sach anknüpfen, wo an der Seite Serubbabels der Hohepriester Josua steht Sach 4,14 (→ 498, 8ff), u daß Sir (→ 502, 20ff),
Jub 31,12—23 u Test XII (→ 503,14ff) Priestertum u Königsherrschaft zus ins
Auge fassen, dann heben sich die messianischen Vorstellungen der Qumrangemeinde
nicht so sehr von den traditionellen Erwartungen ab, wie es den Anschein haben könnte.
Die eindeutige Vorrangstellung des endzeitlichen Hohenpriesters entspricht
priesterlich-ṣadoqitischen Traditionen. Es kann daher nicht wundernehmen, daß zur
Bezeichnung des endzeitlichen Herrschers neben *Messias Israels* u *Sproß Davids* nie-
mals מלך, sondern immer נשיא begegnet, vgl P u Ez 40—48[167].

van der Woude

V. Philo und Josephus.

1. In der Schilderung der Zukunft, die **Philo** in Praem Poen
79ff gibt, finden wir eine Erlösergestalt 95, die freilich keine deutlichen Umrisse zeigt.
Philo führt den ersten Teil von Nu 24,7 nach der LXX an u paraphrasiert den zweiten
durch die Erörterung der Kriegstaten dieses ἄνθρωπος gg die Völker. Der in 95 erwähnte Mensch ist eigtl, wie der Kontext zeigt, nur Repräsentant der Heiligen, die
in Gottes Kraft triumphieren.

2. Es fällt auf, daß **Josephus** Judas bHiskia, Simon u Athronges,
die nach dem Tod des Herodes Ansprüche auf den königlichen Thron erheben Bell

---

[157] Mit → Jeremias 161f ist wohl zu sagen,
daß die Chasidim die Vorläufer der Gemeinde
bildeten, daß aber Gott mit der Erscheinung
des Lehrers der Gerechtigkeit einen neuen
Anfang machte, so daß eine Gemeinde nach
Gottes Willen entstand.
[158] Dazu → Jeremias 268—307.
[159] Der Text lautet: ,,Vom Tage des Ein-
gesammeltwerdens des Lehrers der Gerechtigkeit bis zum Auftreten der Messias von Aaron
u Israel", vgl etwa → Jeremias 283f gg →
Dupont-Sommer 154 A 2, der den Messias von
Aaron u Israel singularisch als den wieder-
erschienenen Lehrer deutet.
[160] → Jeremias 275—289 mit ausführlicher
Begründung. Vgl auch JCarmignac, Le Retour

du Docteur de Justice à la Fin des Jours?
Revue de Qumran 1 (1958/59) 235—248.
[161] Vgl zB → vanderWoude 162—165 u vor
allem → Elliger zSt.
[162] → vanderWoude 156—158.
[163] → Maier aaO (→ A 134) 72f. 75f.
[164] → vanderWoude 144—156; → deJonge
Intermediaries 58f.
[165] → Jeremias 295—298.
[166] → Brown JStarcky's Theory 51—57 gg
→ Starcky Les quatre étapes 481—505.
[167] Eine Polemik gg den von den letzten
Hasmonäern angenommenen Königstitel kann
allerdings mitgespielt haben, vgl zB → vanderWoude 58. 225.

2, 56—65; Ant 17, 271—284, nicht als Gesalbte bezeichnet oder so nennen läßt. Auch die vielen sog messianischen Propheten, von deren Auftreten im 1. Jhdt nChr in Palästina er berichtet (→ VI 827, 3 ff), werden nicht als solche bezeichnet. Dasselbe gilt für die Führer im jüd Kriege 66—70 nChr. Von Menahem sagt er Bell 2, 442—448 nur, daß er *im Schmuck königlicher Kleidung zum Gebet hinaufschreitend* 444 von seinen Gegnern ermordet wurde.

Über des Jos eigene Ansichten erhalten wir an einigen anderen St Auskunft. Bell 3, 351 f wird berichtet, wie er Träume gesehen hatte, „durch die ihm Gott die über die Juden hereinbrechenden Schicksalsschläge u das künftige Geschick der röm Kaiser gezeigt hatte" 351. Nach dem Fall von Jotapata ergab er sich den Römern u weissagte Vespasian, daß er u sein Sohn Titus Kaiser sein würden Bell 3, 400—402. Von den verschiedenen Vorzeichen, die den Untergang des Tempels anzeigten, sagt er Bell 6, 312 f: „Was sie am meisten zum Kriege veranlaßte, war ein zweideutiger Orakelspruch (χρησμός), der auch in den hl Schriften gefunden wird, daß nämlich etwa zu jener Zeit einer aus ihrem Lande die Welt beherrschen würde". Viele dachten, daß mit diesem ein Volksgenosse gemeint war, aber Jos erkannte, daß mit diesem Wort die Herrschaft Vespasians geweissagt wurde. An welche Prophetie er dachte, ist nicht klar, aber soviel ist deutlich, daß Vespasian für Jos die Zentralgestalt in seiner durch die Bibel inspirierten Zukunftserwartung geworden ist. Diese Hoffnung sowie die Tatsache, daß er den Radikalismus der Zeloten (→ II 886, 36 ff) u verwandter Gruppen, der zu unseligen Folgen geführt hatte, von Herzen verabscheute u nur von einer treugesinnten Zusammenarbeit mit den Römern Heil erwartete, machten es ihm unmöglich, die Erwartungen anderer, bes die seiner Zeitgenossen, in rechter Weise darzustellen u zu würdigen[168].

                                                      de Jonge

VI. Rabbinisches Schrifttum.

1. In der nach der Tradition von Sch[e]muël dem Kleinen stammenden 14. Benediktion der palästinischen Rezension des Achtzehngebets[169] ruft der Beter Gott folgendermaßen an: „Erbarme dich, Jahwe, unser Gott, in deiner großen Barmherzigkeit über Israel, dein Volk, u über Jerusalem, deine Stadt, u über Sion, die Wohnung deiner Herrlichkeit, u über deinen Tempel u über deine Wohnung u über das Königtum des Hauses Davids, des Messias deiner Gerechtigkeit". Unter den Forschern besteht weder über das Alter der ganzen Bitte noch über das Alter ihrer einzelnen Bestandteile Einmütigkeit[170]. Auffällig ist, daß viel mehr um das Königtum des davidischen Hauses als mit ausdrücklichen Worten um eine messianische Gestalt gebetet wird. Dies ist in der 15. Benediktion des bSchE der Fall, die im pSchE fehlt u daher offenbar einer jüngeren Zeit angehört: „Den Sproß Davids laß eilends sprossen u erhöhe

---

[168] In dem bekanntlich sehr umstrittenen Testimonium Flavianum Ant 18, 63 f (s dazu zB LHFeldman, Josephus Bd 9, The Loeb Classical Library [1965] 49 u SGFBrandon, Jesus and the Zealots [1967] 116. 118—121. 359—368) wird von Jesus gesagt: ὁ χριστὸς οὗτος ἦν. Ant 20, 200 wird Jakobus als Bruder des Jesus τοῦ λεγομένου Χριστοῦ bezeichnet (→ A 546).

[169] Zur Gesch des SchE vgl → Elbogen 27—41; Str-B IV 208—249; → Kuhn Achtzehngebet 10 f; EJBickermann, The Civic Prayer for Jerusalem, HThR 55 (1962) 163 —185.

[170] So betrachten einige die Bitte, das Königtum des Davidshauses wiederherzustellen, als späteren Zusatz, zB Bickermann aaO (→ A 169) 166 A 17. Andere möchten sogar die ganze 14. Benediktion erst in der Zeit nach der Tempelzerstörung vom Jahre 70 entstanden sein lassen, zB Str-B IV 208 u HJSchoeps, Artk Achtzehngebet, in: Bibl Historisches Handwörterbuch I, ed BReicke/ LRost (1962) 22. Im Gegensatz zu dieser Mei-

nung steht die Ansicht, daß man die Ursprünge des SchE bei den Chassidim des 2. Jhdt vChr zu suchen hat, s KKohler, The Origin and Composition of the Eighteen Benedictions, HUCA 1 (1924) 387 f. Wenn es also beim heutigen Stand der Forschung auch ungewiß bleibt, wie weit die 14. Benediktion u bes die Bitte um die Aufrichtung des davidischen Königtums in die Zeit vor 70 nChr zurückreicht, so ist doch wenigstens zuzugeben, daß der Text keineswegs die Zerstörung Jerusalems voraussetzt, sondern auch schon seinen Sinn hatte, als der Tempel noch stand, → Kuhn Achtzehngebet 22 f. Das läßt sich auch von der Bitte um Erbarmen über das Königtum Davids sagen, wenn es auch fraglich erscheint, ob diese Worte als Bestandteile eines offiziellen Tempelgebets während der röm Besatzung Verwendung finden konnten. So könnte die Bitte doch aus der Zeit vor 63 vChr stammen, vor allem wegen der Übereinstimmungen mit dem hbr Danklied Sir (Smend aaO [→ A 76]) 51, 12 (1—16), → Elbogen 516.

sein Horn durch deine Hilfe. Gelobet seist du, Jahwe, der du ein Horn der Hilfe sprossen läßt". Auch in bSchE tritt der Messias weit hinter Gott selbst zurück u erscheint nur als ein letztes Geschenk Jahwes an sein Volk[171]. Von seinen Funktionen in der Endzeit verlautet nichts.

Die von Mar Samuel (gest 254 nChr) in Babylonien vorgenommene Abkürzung des 5 SchE, das Gebet H a b i n e n u[172], in dem die dreizehn mittleren Bitten des SchE in eine einzige zusammengezogen worden sind[173], enthält in der palästinischen Rezension eine Bitte um צמח דוד עבדך *den Sproß Davids, deines Knechtes*, welche in der bab Fassung zum Gebet um „das Aufsprossen eines Horns für David, deinen Knecht, u die Aufrichtung einer Leuchte für den Sohn Isais, deinen Gesalbten" ausgeweitet worden ist. 10

Im aram überlieferten K a d d i s c h g e b e t[174], dessen urspr Kern bis in die Zeit vor der Tempelzerstörung zurückzureichen scheint[175], fleht man Gott um die Erlösung seines Volkes u das Kommen seines Messias an[176]. Im K a d d i s c h d e - R a b b a n a n[177], einer von Trauernden im Anschluß an Talmudvorträge gesprochenen Spielart des oben erwähnten Gebets[178], heißt es: „Er lasse die Zeit des Königtums seines Messias her- 15 vorsprudeln u erlöse sein Volk". Doch könnte die Bitte um den Messias u die Erlösung des Volkes in beiden Gebeten einen jüngeren Zusatz bilden, weil sie in einer Hdschr völlig fehlt[179].

Das M u s a p h g e b e t[180] für den Neujahrstag, dessen Charakter durch die Idee des Gottesreiches bestimmt wird[181], erbittet „das Aufsprossen eines Horns für David, deinen 20 Knecht, u die Aufrichtung einer Leuchte für den Sohn Isais, deinen Gesalbten".

Alle diese Gebete lehnen sich an die zB in PsSal 17f (→ 505, 4ff) laut werdenden Erwartungen an, sind aber in erster Linie durch die Hoffnung auf einen neuen, selbständigen Staat bestimmt. Sie vergegenwärtigen somit wohl die populären messianischen Erwartungen, wie diese zur Zeit Jesu in breiten Kreisen des jüdi- 25 schen Volkes bestanden zu haben scheinen (vgl zB Ag 1, 6).

2. Aus der Zeit vor der Tempelzerstörung im Jahre 70 nChr ist uns keine einzige Aussage über den Messias von seiten der tannaïtischen Gelehrten überliefert worden[182]. Die M i s c h n a erwähnt den Namen des Messias nur einmal beiläufig, indem sie Soṭa 9, 15 den Zerfall der Ordnungen und die Auf- 30 lösung aller Normen und Bedingungen, dazu Kriege, Seuchen, Hunger usw *unmittelbar vor dem Kommen des Messias*[183] erwartet. Doch steht 9, 15 stark im Verdacht, ein erst später der Mischna angeheftetes Stück zu sein[184]. Das Fehlen von Aussprüchen über den Messias in der ältesten tannaïtischen Literatur läßt sich bis jetzt nicht eindeutig erklären. Der Grund dafür liegt kaum in der Dürftig- 35 keit des rabbinischen Quellenmaterials über jene Zeit[185]. Auch Polemik gegen das Urchristentum will als Erklärung nicht genügen. Eher dürften die Ablehnung der zelotischen Machenschaften und der eschatologischen Naherwartung bestimmter apokalyptischer Gruppen jener Zeit sowie Erwägungen der Staatsräson, die unter der Herrschaft der Hasmonäer gemachten schlechten Erfahrungen[186] und die 40

[171] Vgl Volz Esch 175.
[172] ed WStaerk, Altjüdische liturgische Gebete, KlT 58 ²(1930) 20 u Dalman WJ I ¹(1898) 304.
[173] → Elbogen 60.
[174] ed Dalman WJ I ¹(1898) 305 u Staerk aaO (→ A 172) 30f.
[175] → Elbogen 93f.
[176] Bei Staerk aaO (→ A 172) 30 nur als vl.
[177] ed Dalman WJ I ¹(1898) 305f; vgl Staerk aaO (→ A 172) 31f.
[178] → Elbogen 96.
[179] In der Hdschr B, vgl Dalman WJ I ¹(1898) 305, der auch den aram Text bietet.

[180] ed Staerk aaO (→ A 172) 21—25.
[181] → Elbogen 141f. Zum HT s Dalman WJ I ¹(1898) 306 u Staerk aaO (→ A 172) 23.
[182] → Chevallier 42; Volz Esch 175; → Klausner 392f.
[183] Vgl HBietenhard, Die Mischna III 6, Soṭa (1956) 179. Buchstäblich heißt der Ausdruck בְּעִקְבוֹת הַמָּשִׁיחַ *auf den Fersen des Messias.*
[184] Zum aram Wortschatz dieser St vgl Volz Esch 175 u Bietenhard aaO (→ A 183) zSt.
[185] Vgl Str-B IV 815.
[186] → Doeve 69—83.

Tatsache, daß die führenden Rabbinen in erster Linie an der Auslegung und Befolgung des Gesetzes interessiert waren[187], dazu beigetragen haben, daß das Thema
der Messiaserwartung in den Kreisen der älteren Tannaïten, solange Judäa in
irgendeiner Weise selbständig war, nicht oder kaum erörtert wurde. Die Ansicht,
daß mit dem Absterben der alten Prophetie auch die Erwartung eines messianischen
Königs abgestorben und erst durch die christliche Bewegung zu neuem Leben
erweckt worden sei, darf als endgültig überwunden gelten[188]. Die Tatsache, daß
die Messiaserwartung in rabbinischen Kreisen sogleich nach der Zerstörung Jerusalems neue Kraft gewinnt, ließe sich von jener Voraussetzung her kaum erklären.

3. Obgleich der Führer des zweiten jüd Freiheitskrieges, Simon
bar Koseba[189], kein Davidide war, hat ihn doch der berühmte Schriftgelehrte RAkiba
aufgrund von Nu 24, 17 als den verheißenen Messias begrüßt. jTaan 4, 8 (68d 48—51)
berichtet, RSchim'on bJochai habe tradiert: „Akiba, mein Lehrer, hat öffentlich vorgetragen: ,Hervorgetreten ist ein Stern (כוכב) aus Jakob', [das meint]: hervorgetreten
ist Koseba aus Jakob. Als mein Lehrer Akiba den bar Koseba erblickt hatte, sagte
er: דין הוא מלכא משיחא ,Dieser ist der König, der Messias!' RJochana bTorta erwiderte
ihm: ,Akiba, Gras wird aus deinen Kinnbacken wachsen, u noch immer wird der Sohn
Davids nicht gekommen sein!'" Aus dieser Überlieferung geht mit aller Deutlichkeit
hervor, daß nicht alle Schriftgelehrten zZt des zweiten jüd Aufstandes Akiba bei seiner
folgenschweren Deutung von Nu 24, 17 gefolgt sind. Doch war seine Autorität in
breiten Kreisen der Schriftgelehrten u des Volkes so groß, daß die meisten wohl mit
ihm den bar Koseba als den Verheißenen begrüßt haben. Dementsprechend führte man,
wie die gefundenen Münzinschriften zeigen, eine neue Jahreszählung unter dem Leit-
gedanken der חרות Freiheit[190] Jerusalems ein. Auf den Münzen jener Zeit erscheint
Simon bar Koseba als שמעון נשיא ישראל [191] Simon, Fürst Israels, während in der frühesten Periode des Krieges neben ihm als Hoherpriester ein gewisser El'azar[192] genannt
wird. Im Gegensatz zur Qumran-Gemeinde ist der Fürst jedoch offensichtlich dem
Hohenpriester überlegen. Daß Simon trotz seiner nicht-davidischen Herkunft als
Messias gefeiert wurde, ließe sich am besten aus der damaligen politischen Lage in
Palästina, seiner riesenhaften Kraft u seinem Gesetzesgehorsam erklären[193], zumal es

---

[187] → Klausner 393.

[188] Zu dieser im vorigen Jhdt befürworteten
Ansicht s Schürer II 589f.

[189] Aufgrund der Entdeckungen im Wadi
Murabba'at u in südlicher in der judäischen
Wüste gelegenen Höhlen ist der eigtl Name
des Führers des zweiten Aufstandes erstmalig
mit Sicherheit als שמעון בן כוסבא nachgewiesen Pap 24 col 2, 2f (DJD II 124 [133
nChr]). Wahrscheinlich ist בן כוסבא Patrony-
mikum DJD II 126. Im Talmud kommt sein
Name nur als בר/בן כוזי[ב]בא vor, nachdem
wenigstens einige diesen nach dem Scheitern
des Aufstandes zu „Lügensohn" verballhornt
hatten, vgl die Änderung von jTaan 4, 8
(68d 49) in Eka r 2, 2 zu 2,1 (Wünsche 100).
Die frühchristlichen Schriftsteller kennen nur
seinen in Anlehnung an Nu 24,17 verliehenen
Ehrennamen bar Kochba Just Apol 31, 6
(Βαρχωχέβας); vgl Eus Hist Eccl IV 6, 2 u
Schürer I 682.

[190] In den Briefen aus dem Wadi Murabba'at
ist לחרות ישראל höchstens einmal an einer
verderbten St zu belegen Pap 23, 5 (DJD II
122 [132 nChr]); sonst begegnet immer לגאלת
ישראל, zB Pap 24 col 2, 2 (DJD II 124); 4, 2
(130); 5, 1f (131). Die Münzen aus dem ersten
Jahr des Aufstandes tragen die Aufschrift

לגאולת ישראל, die aus dem zweiten u dritten
חרות ישראל u die aus dem vierten לגאלת צין.
In den Briefen bleibt לגאלת ישראל jedoch
nicht auf das erste Jahr beschränkt, vgl DJD
II 120 zu Pap 22 recto 1,1 (118 [131 nChr]).

[191] Vgl AReifenberg, Ancient Jewish Coins
²(1947) 60—66 u DJD II 126 zu Pap 24 col
2, 3 (124). Auch in den Briefen aus der Wüste
Juda begegnet שמעון בן כוסבא נסיא ישראל,
zB Pap 24 col 2, 2f (124); 3, 2f (128), vgl
2, 9f (124), bzw שמעון בן כוסבא נשיא ישראל Pap
24 col 4, 2f (130); 6, 2f (132); 7, 2f (133) häufig.

[192] Die Identifikation dieses Hohenpriesters
mit dem von bar Koseba in Beth-Ter getöte-
ten REl'azar von Modeïn ist sehr ungewiß,
vgl HBietenhard, Die Freiheitskriege der
Juden unter den Kaisern Trajan u Hadrian u
der messianische Tempelbau, Judaica 4 (1948)
163 A 138.

[193] Eka r 2, 2 zu 2,1 (Wünsche 100) berich-
tet, daß bar Koseba die Schleudersteine des
Feindes bei der Belagerung der Festung Beth-
Ter mit seinem Knie auffing u zurückwarf, so
daß er damit viele Menschen erschlug, vgl
Str-B I 13; Bietenhard aaO (→ A 192) 173.
Er habe weiter den des Verrates verdächtigten
REl'azar von Modeïn mit einem Fußtritt ge-
tötet, u bei seinem Tode meinte man, daß nur

fraglich erscheint, ob eine davidische Herkunft des Messias sozusagen zum dogmatischen Bestand der eschatologischen Erwartungen Israels gehörte[194]. An der Gestalt des bar Koseba bestätigt sich, daß sogar im 2. Jhdt nChr die messianischen Vorstellungen nicht dogmatisch fest geprägt waren, u vor allem, daß die Erwartung des messianischen Reiches die Erwartung des Erlösers bestimmte u nicht umgekehrt: So wie man sich das kommende Reich dachte, so auch den Messias Gottes!

4. Justins Dialog mit dem Juden Trypho aus der Mitte des zweiten nachchr Jhdt enthält einige wichtige Hinweise auf die messianischen Ideen des Judt nach dem zweiten Freiheitskrieg unter bar Koseba (132—135). Nach Trypho[195] erwartet das ganze jüd Volk den Messias Dial 89, 1, jedoch als einen Menschen aus Menschen 48, 1; 49, 1; 67, 2. Trypho wirft den Christen vor, einen anderen Gott neben dem Schöpfer der Welt anzunehmen 55, 1 f; 68, 3; 74, 1 u ihre letzte Hoffnung, statt auf Gott selbst, auf einen Menschen, den Messias, zu setzen 8, 3. Der Messias könnte schon da sein; aber wenn dem so sei, dann jedenfalls in der Verborgenheit, ohne sich selber als Messias zu wissen 8, 4; 49, 1; 110, 1. Elia wird ihn salben u offenbar machen 49, 1. Dann wird er sofort in Herrlichkeit hervortreten 110, 1, sich durch vollkommene Gesetzeserfüllung auszeichnen 67, 2 u sich so als Messias rechtfertigen. Auffällig ist, daß Trypho auch vom Leiden des Messias reden will 36, 1; 39, 7; 89, 2; 90, 1. Den Kreuzestod für den Messias lehnt er entschieden ab, weil er im Widerspruch zum Gesetz steht 89, 2; 90, 1.

5. Nach Ansicht der Targume[196] geht das messianische Reich der Auferstehung und dem Endgericht voran und hebt sich daher vom kommenden Äon ab.

Die Hoffnung richtet sich auf den Messias Tg Prof zu Js 52, 14, der aber wegen der Ungerechtigkeit Israels lange Zeit verborgen bleibt Tg Prof zu Mi 4, 8 vgl Just Dial 8, 4; 49, 1; 110, 1. Gott hat jedoch seine Ankunft von jeher festgesetzt u schon in der Urzeit seinen Namen genannt Tg Prof zu Mi 5, 1; Sach 4, 7. Gott selber ist der Urheber der neuen Zeit Tg Prof zu Js 9, 6, die mit der Herrschaft des Messias beginnt Tg J I u J II zu Gn 3, 15. Dieser ist ein frommer, aus Bethlehem Tg Prof zu Mi 5, 1 u aus dem Geschlecht Isais Tg Prof zu Js 11, 1; 14, 29 stammender Nachkomme Davids Tg Prof zu Js 11, 1; 14, 29; Jer 23, 5; 33, 15. Von der Kraft Gottes ergriffen Tg Prof zu Js 11, 2; Mi 5, 3, rüstet er zum Krieg Tg J I u J II zu Gn 49, 11, vernichtet Israels Feinde — laut Tg J I zu Nu 24, 17ff auch Gog —, insbesondere den Antichristen, uz mit seinen Lippen Tg Prof zu Js 11, 4, so daß alle Völker vollkommen besiegt werden Tg Prof zu Js 10, 27; 11, 4; 14, 29; 42, 1; 52, 15; 53, 7. 11f; Jer 23, 6; Sach 4, 7; 10, 4. An die triumphierenden Juden verteilt er eine reiche Beute Tg Prof zu Js 53, 11f u bringt ihnen den Frieden wieder 28, 6. Zu seiner Zeit erlangt Israel Vergebung 53, 4. 5. 6. 12. Seine Sünden treffen die Heiden 53, 8. Der Messias beherrscht alle Königreiche Tg Prof zu Js 53, 3; 16, 1; Am 9, 11; Sach 4, 7. Weil Gott mit ihm ist, siegt er überall Tg Prof zu Js 42, 6; Mi 5, 3; Js 28, 16; 41, 25. Vom Messias befreit Tg Prof zu Js 53, 8; 42, 7, kehrt die Diaspora zurück 11, 11f; 42, 7; 53, 8; Hos 14, 8; Mi 4, 6f; 5, 3, darunter die zehn Stämme, vgl Tg Prof zu Sach 10, 6; Hos 2, 2.

Nicht nur König, sondern auch Prophet u Gesetzeslehrer ist der Messias. Er verhilft dem Bund zwischen Gott u Volk zu einer neuen, lebendigen Realität Tg Prof zu Js 42, 6. Von der Furcht Gottes geleitet 11, 3, übertritt er keines der Gebote des Gesetzes 9, 5; denn er hat prophetische Gaben empfangen 11, 2, u der hl Geist ruht auf ihm 42, 1. Er hat die Aufgabe, das Recht zu befestigen 42, 4. Daher läßt er auch alle dem Gesetz gehorchen 53, 11f; 42, 7, u die Frevler werden von ihm in die Gehenna gestürzt 53, 9. Von einer Erleuchtung der Heiden verlautet fast nichts; nur einmal ist beiläufig davon die Rede 42, 6. Der Messias herrscht so im gereinigten Lande Tg Prof zu Sach 6, 13. Man lebt in Frieden u Wohlergehen Tg Prof zu Js 9, 5f; 11, 6—9; 16, 5; 53, 2. 5; Hos 3, 5; 14, 8; Jer 23, 6; 33, 16ff. Jede Ungerechtigkeit wird aufhören Tg Prof zu Jer 23, 5; 33, 15, weil der Messias gerecht regiert Tg Prof zu Js 9, 6; 11, 3f; 16, 5; 28, 6; Jer 23, 5; 33, 15. Er wird den Tempel wiederaufbauen Tg Prof zu Js 53, 5;

Gott selbst ihn zu fällen vermocht habe, Bietenhard 174. Vgl zur politischen Lage der Zeit u zum Gesetzesgehorsam des bar Koseba ebd 167f.
[194] Vgl Str-B I 11f. Falls die davidische Herkunft des Messias zum eisernen Bestand der jüd messianischen Erwartungen gehörte,

lieẞe sich die Haltung RAkibas schwer verstehen, gg → Hahn 157 A 1.
[195] Zur Bewertung der Angaben Just in seinem Dial → Harnack 47—53.
[196] Zu Tg Prof vgl PHumbert, Le Messie dans le Tg des prophètes, Rev ThPh 43 (1910) 420—447; 44 (1911) 5—46.

33 *

Sach 6,12f. Zu seiner Zeit finden Auferstehungen Tg Prof zu Hos 14, 8 u andere Wunder statt Tg Prof zu Js 53, 8; Hab 3,18, u man lebt lange Tg Prof zu Js 53,10. Vom Schicksal des Messias in seiner ferneren Regierungszeit verlautet nichts, weil im Grunde wohl das Hereinbrechen der neuen Zeit im Mittelpunkt des Interesses steht. Weil es
5   der Messias ist, der als Instrument Gottes diese Heilsära herbeiführen wird, bekunden die Tg so oft die Sehnsucht des geknechteten Volkes nach seiner Ankunft.

6. Der Messias u die ihm beigelegten Funktionen u Eigenschaften finden in der talmudischen Literatur u auch in den Midraschim an zahlreichen St Erwähnung. Der Stoff berührt sich, wie zu erwarten ist, engstens mit dem der Tg.
10   Im Grunde finden sich die gleichen Vorstellungen, die im Laufe der Zeit jedoch weiter ausgeschmückt worden sind oder sich mit anderen Traditionen verquickt haben. Abgesehen von einer einzigen Überlieferung, nach der RHillel (4. Jhdt) meinte, der Messias sei schon in den Tagen Hiskias gegeben worden bSanh 98b, besteht Einmütigkeit darüber, daß er eine zukünftige Gestalt ist. Nach Pesikt 4 (54a), vgl Pesikt r 33 (153a),
15   sei der Name des Messias zus mit der Thora, der Umkehr, dem Garten Eden, der Gehenna, dem Thron der Gnade u dem Tempel vor der Welt geschaffen. Der Erscheinung des Messias auf Erden geht nach allg Ansicht eine Zeit schwerster Not u Trübsal voran. Diese *Wehen des Messias* חֶבְלוֹ שֶׁלַּמָּשִׁיחַ, vgl Hos 13, 13; Mt 24, 8; Mk 13, 8 (→ ὠδίνω)
20   sind durch Krieg, Hungersnot, Pestilenz, Mißwuchs, Abfall, Umkehrung der sittlichen Ordnungen u sogar durch Auflösung der Naturgesetze gekennzeichnet bSanh 97a; 98a[197].

So hebt sich in der talmudischen Literatur die messianische Zeit öfters von diesem Äon ab, während sie andererseits als Ära vor der Auferstehung und dem Endgericht ihre Selbständigkeit dem kommenden Äon gegenüber wahrt[198]. Doch lassen sich wie sonst im Talmud auch in dieser Hinsicht die verschiedenen Angaben
25   nicht immer miteinander vereinbaren (→ I 207, 19ff). So lehren einige Rabbinen nach dem Vorgang RAkibas die Zugehörigkeit der messianischen Periode zu diesem elenden Äon (vgl Gn r 44, 22f zu 15,18[199]), während später vom dritten Jahrhundert an die Meinung aufkam, daß die Toten aus Israel schon in den Tagen des Messias auferstehen würden (Pesikt r 1 [4b])[200]. Doch gilt im allgemeinen die messianische
30   Zeit als Zwischenperiode, über deren Länge man verschieden dachte[201]. Weil es sich jedoch um eine neue Ära diesem Äon gegenüber handelt, kann die messianische Zeit dann und wann als עוֹלָם הבא bezeichnet werden (bBB 122a uö).

Weder über den Namen des Messias noch über die Einzelheiten seiner Erscheinung auf Erden besteht Einmütigkeit bei den Rabb. Einige identifizieren den Messias mit
35   David jBer 2, 4 (5a 11f), vgl Tg Prof zu Hos 3, 5; vorherrschend ist jedoch die Meinung, daß er Sohn Davids ist. Seine Namen[202] sind: Schilo bSanh 98b[203], Jinnon ebd[204], Chanina ebd[205], Menachem b Hiskia ebd[206], David jBer 2, 4 (5a 11f), bar Naphle bSanh 96b/97a aufgrund von Am 9,11, Semach jBer 2, 4 (5a 13), vgl Sach 6,12 usw, die Titel von Js 9, 5 Midr Maase Thora[207] u der Aussätzige des Lehrhauses bSanh 98b[208].

40   Seine Ankunft wird durch Bekehrung u Gesetzesgehorsam vorbereitet, weil die Sünden die Erlösung Israels verzögern. Andererseits meint man, daß Gott den Messias schicken wird, wenn es viele Verräter in Israel gibt u in den Lehrhäusern nur wenige Schüler zu finden sind bSanh 97a[209]. Vielfach ist versucht worden, den Zeitpunkt seiner — meistens binnen kurzem erwarteten — Erscheinung zu fixieren; aber die Mehrzahl der

[197] Vgl Str-B IV 981—986.
[198] Str-B IV 816—844; → Klausner 408—419.
[199] Vgl Str-B IV 817. 825.
[200] Vgl Str-B III 828—830 u IV 819.
[201] s Str-B III 824—827; ACohen, Le Talmud (1933) 424; → Klausner 420—426.
[202] Zum Folgenden vgl Str-B I 64—66.
[203] So in der Schule RSchilas, uz aufgrund von Gn 49,10. Vgl Gn r 99, 8 zu 49,10.
[204] So in der Schule RJannais, uz aufgrund v Ps 72,17.
[205] So in der Schule RChaninas, uz aufgrund v Jer 16,13.

[206] Vgl Eka r 1,16 zu 1,16 (Wünsche 88) u jBer 2, 4 (5a 19f). Die Verbindung mit Hiskia beruht wohl auf den js Prophetien, vgl → Klausner 463—465; vgl die Aussage des Rabban Jochanan bZakkai: „Bereite einen Thron für Hiskia, den König Judas, der kommen wird" bBer 28b; vgl jSota 9,17 (24c 31); jAZ 3,1 (42c 44).
[207] ed AJellinek, Bet ha-Midrasch II ³(1967) 100.
[208] So nach den Rabbanan, wohl aufgrund des dreizehnjährigen Leidens des RJehuda Ha-Nasi, s Str-B I 66.
[209] Vgl → Klausner 434f.

Rabb lehnt derartige Berechnungen entschieden ab[210]. Die Ankunft des Messias[211], der sich nach einer bestimmten Tradition bSanh 98a vorher unter den Aussätzigen u anderen Kranken Roms befindet, wird von Elia angekündigt werden. Jener offenbart sich Israel auf den Zinnen des Tempels u erleuchtet durch seine Kleider die Völker bis ans Ende der Welt Pesikt 22 (149a. b). Sobald die Nationen von seiner Ankunft hören, 5 ziehen sie unter Führung der röm Weltmacht zum Kampf gg Jerusalem Pesikt r 15 (75b). Der Messias wird dann entweder von feindlichen Israeliten u Heiden in den Kerker geworfen Pesikt r 37 (163a) oder flieht mit den Seinen in die Wüste Pesikt 5 (49b)[212]. Nach einer bestimmten Zeit, nach 45 Tagen nämlich ebd, vernichtet er jedoch seine Feinde durch den Hauch seines Mundes Pesikt r 37 (163a). Nach einer anderen Vor- 10 stellung macht er die Zähne aller gegnerischen Völker stumpf Gn r 98, 8 zu 49,10; 99, 8 zu 49,10. Nur die Völker, die Israel nicht geknechtet haben, bleiben am Leben Pesikt r 1 (2a); vgl Nu r 2,13 zu 2, 32 (Wünsche 24); 10, 2 zu 6, 2 (Wünsche 205) u werden sich ihm u seinem Volke unterwerfen. Als neuntes Weltreich umfaßt das Herr- schaftsgebiet des Messias daher alle Völker u geht dem zehnten Reich, dessen Herr- 15 schaft nur Gott gebührt, voran PREl 11 (p 83)[213]. Israel bekommt in der messianischen Zeit die Gn 15,19—21 verheißenen Grenzen bBB 56a; Gn r 44 zu 15,18; Nu r 14,1 zu 7, 48 (Wünsche 346); vgl Gn r 64, 3 zu 26, 3[214]. Jeder Israelit erlangt Grundbesitz, vgl bBB 122a, während die Zerstreuten wieder nach dem hl Lande zurückkehren Midr Qoh 1, 7 zu 1, 7 (Wünsche 12)[215]. Gott Midr Ps 147, 3 zu 147, 2 oder auch der Messias Gn r 20 98,9 zu 49,11 sammeln sie, oder die Völker bieten sie dem Letztgenannten als Geschenk an Midr Ps 87, 6 zu 87, 5.

Der Messias ist nicht nur ein in Frieden herrschender König, dessen Herrschafts- zepter Recht u Gerechtigkeit ist bSanh 93b, sondern ebenfalls Gesetzeslehrer, vgl Gn r 98,11 zu 49,11; 99,11 zu 49,11[216]. Die Beschäftigung mit der Thora bringt ihm die 25 darin von Gott verheißenen Segnungen ein. Zu seiner Zeit wird der hl Geist über alles Fleisch ausgegossen werden Midr Ps 14, 6 zu 14, 7[217], u die Israeliten werden dem Ge- setz Gottes gehorchen Midr Ps 73, 4 zu 73,10. Die Fruchtbarkeit des Landes SLv בחוקותי 1, 3 zu 26, 4f (Winter 646) u seiner Bewohnerschaft ebd 2, 5 zu 26, 9 erreicht unvergleichliche Ausmaße[218], u es herrschen Friede, Freude u Glück, vgl Midr Ps 147, 3 30 zu 147, 3[219]. Nach einer in Gn r 12, 4 zu 2, 4 (Wünsche 53) niedergelegten Tradition wird der Messias den verlorengegangenen Glanz Adams, Länge des menschlichen Le- bens, Riesengröße der Menschen, Fruchtbarkeit der Vegetation u der Bewohner des hl Landes u erneuerte Leuchtkraft der Himmelskörper wiederbringen[220]. Jerusalem wird schöner denn je wiederaufgebaut werden Ex r 52, 5 zu 39, 32 (Wünsche 348)[221], 35 ebs der Tempel Pesikt 21 (145a)[222]. Nach Ansicht der meisten Rabb nehmen die Opfer, abgesehen von Dankopfern u -bekenntnissen, zu jener Zeit ein Ende Pesikt 9 (79a)[223], weil die Sünde aufhören wird. Sobald die Grenze zwischen messianischer Zeit u kom- mendem Äon nicht mehr streng eingehalten wird, decken sich die mit dieser Ära ver- bundenen Vorstellungen weithin. Doch scheint der Gedanke, daß auch das verlorene 40 Paradies in den Tagen des Messias wiederkehren werde, sich erst langsam u spät durch- gesetzt zu haben[224]. Nach Ansicht der meisten Rabb endet die messianische Zeit mit dem durch Gog u Magog (→ I 790, 27ff) angefachten Völkeransturm gg Israel bAZ 3b[225]. Der Messias wird niemals als eine göttliche Gestalt bezeichnet. Er ist der — wenn auch mit bes Gaben ausgestattete — menschliche König u Gesetzeslehrer der 45 dem עולם הבא vorangehenden Endzeit. Der Urheber des in dieser Periode in Erschei- nung tretenden Heiles ist Gott. Im Mittelpunkt des Interesses steht auch hier offenbar die Erlösung u Verherrlichung des geknechteten Gottesvolkes.

7. Der Messias ben Joseph[226], auch bEphraim, seltener Messias b Menasse genannt[227], ist literarisch erst im zweiten nachchr Jhdt bezeugt[228]. 50 Die Angaben über diese merkwürdige Gestalt sind, vor allem in tannaïtischer Zeit, sehr dürftig. Im Gegensatz zu dem für die Königsherrschaft gesalbten Messias bDavid

---

[210] Dazu ausführlich Str-B IV 977—1015.
[211] Zum Folgenden vgl Str-B IV 872—880.
[212] Vgl Str-B II 285.
[213] Vgl Str-B III 472.
[214] Vgl Str-B IV 899.
[215] Die folgenden St bei Str-B IV 903—913.
[216] Vgl Str-B IV 883. 918.
[217] Vgl Str-B II 615—617.
[218] Vgl Str-B IV 888—891. 948—958.
[219] Vgl Str-B IV 892. 965f.
[220] s Str-B I 19.

[221] Vgl Str-B IV 883. 919f.
[222] Vgl Str-B I 1003f; IV 884. 929f.
[223] Vgl Str-B IV 885. 936f.
[224] s Str-B IV 892f.
[225] Vgl Str-B IV 893. 967.
[226] → Hurwitz 41—163; → Dalman 2—26; Str-B II 292—299; → Klausner 483—501.
[227] → Hurwitz 41.
[228] bSukka 52a.b. Weder die Tg noch die Mischna noch Just Dial erwähnen den Messias bJoseph.

ist der Messias bJoseph für die Kriegführung gesalbt u heißt demnach auch מָשׁוּחַ
מִלְחָמָה Pesikt r 8 (30a); Gn r 99, 2 zu 48, 26; Nu r 14,1 zu 7, 48 (Wünsche 341)[229]. Es
gibt eine Tradition Seder Elijjahu Rabba 18 (97f)[230], nach der er der von Elias auferweckte Sohn der Witwe von Sarpath sei. Nach seinem Erscheinen führt er seine
Scharen aus Obergaliläa zum Kampf nach Jerusalem, wo er den Tempel wiederaufbaut
u die Völker rings um Israel besiegt. Nach einer vierzigjährigen Friedenszeit wird er
im Kampf von seinen Feinden, die späterhin als Gog bezeichnet werden, getötet. Das
Volk erhebt die Totenklage um ihn, vgl Sach 12,10. Der Messias bDavid, dessen Ankunft entweder gleichzeitig mit oder nach der des Messias bJoseph angesetzt wird,
besiegt endgültig die Feinde Israels Lèqach ṭob בלק zu Nu 24,17 (129b. 130a)[231]. Das
Sterben des Messias bJoseph hat in keiner einzigen Hinsicht sühnende Wirkung[232].
Wenn es auch nicht möglich ist, die Herkunft des Messias bJoseph mit Sicherheit zu
bestimmen[233], so dürfte diese Gestalt doch nicht ein aufgrund bestimmter Texte erfundenes Phantasieprodukt sein[234], sondern vielmehr auf eine ältere Messiasvorstellung
zurückgehen, die die Synagoge nicht ganz unterdrücken konnte oder wollte. Sie könnte
einen Beweis dafür liefern, daß die messianischen Vorstellungen der Zeit Jesu
weit komplizierter waren, als wir anhand der uns zur Verfügung stehenden Quellenschriften nachzuweisen vermögen.

van der Woude

D. Die Christus-Aussagen des Neuen Testaments.

I. Vorkommen von χριστός im Neuen Testament.

Die Zeugen des Neuen Testaments bringen die Erwartung
eines Messias aus ihrer Geschichte und Herkunft mit. Der Vorstellungskomplex
Messias bekommt durch sie einen Wirklichkeitsgehalt, der durch die Geschichte
Jesu zustande kommt und das Messiasverständnis neu prägt. Es ist aus den Evangelien erkennbar, daß die Messiaserwartung an Jesus herangetragen worden ist,
aber es ist nicht eindeutig und nicht unbezweifelbar, daß Jesus sich selbst als
Messias bezeichnet hat. Das Prädikat Messias trägt er offenkundig seit Ostern in
der dadurch neu geprägten Weise.

Die alttestamentlich-jüdische Form χριστὸς κυρίου bzw αὐτοῦ findet sich im
Neuen Testament nur im lukanischen Schrifttum. Häufig begegnet das absolute

---

[229] s Str-B II 292.
[230] ed MFriedmann (1902) 97f. Vgl Str-B II 297.
[231] ed SBuber (1880). Vgl Str-B II 297.
[232] Dasselbe ist vom Leiden des Messias bDavid zu sagen, vgl Str-B II 285.
[233] Einige Forscher halten die Gestalt des Messias bJoseph für ein in Anlehnung an St wie Dt 33,17 u Sach 12,10ff erfundenes Phantasieprodukt der Schriftgelehrten. Nach Str-B II 294 habe der verunglückte Aufstand Simon bar Kosebas (→ 514,10ff) zu einer solchen Auffassung Anlaß geben. Vor allem weil man das Auftreten dieses Messias in Galiläa erwar-tete, möchten andere an einen zelotischen Messias denken, zB → Greßmann 461. Wieder andere bringen ihn mit dem Ta'eb der Sama-ritaner in Verbindung, zB → Merx 46—49, oder sehen in den beiden Gestalten des Messias bDavid u Messias bJoseph die endzeitliche Entsprechung der Könige Saul, der nach spä-

terer Tradition aus Ephraim stammt, u David, s ASpiro, Pseudo-Philo's Saul and the Rabbis' Messiah ben Ephraim, Proceedings of the American Academy for Jewish Research 21 (1952) 137. → Klausner 493 vertritt die Ansicht, daß man nach der Niederlage bar Kosebas die politischen u die geistlichen Funk-tionen des einen Messias auf zwei Gestalten verteilt habe. Sehr unwahrscheinlich ist schließlich die These, daß die Synagoge mit dem Messias bJoseph dem gekreuzigten Chri-stus der Kirche einen sterbenden Messias ent-gegenstellen wollte, vgl Str-B II 294.
[234] Diese These wurde mit Recht von → Klausner 485 abgelehnt, uz mit der Begrün-dung: ... a passage of Scripture (unless it indicates a certain fact with complete clarity) does not create a new idea; but the new idea, which is already emerging, finds proof and support in the Scriptural passage.

ὁ χριστός, das vorchristlich nur unsicher bezeugt ist und erst nachchristlich in altjüdischen Apokalypsen vorkommt (→ 500, 18ff). Daneben steht bei Paulus oft das
artikellose Χριστός, auch in den vorwiegend paulinischen Formeln ἐν Χριστῷ (→
II 537, 20ff), διὰ Χριστοῦ (→ II 67, 27ff) und σὺν Χριστῷ (→ VII 780, 38ff). Das
absolute ὁ χριστός ist mit dem Namen Jesus zu ὁ Χριστὸς Ἰησοῦς verbunden; je- 5
doch ist der nur im Bereich des Judentums als Titel verständliche Ausdruck ὁ
χριστός außerhalb der judenchristlich bestimmten Gemeinden alsbald zum Beinamen für Jesus geworden und begegnet in der über das ganze Neue Testament
verbreiteten Form Ἰησοῦς Χριστός, die, häufig bei Dativformen, auch zu Χριστὸς
Ἰησοῦς umgestellt werden kann. Zu ihr kann als Titel ὁ κύριος treten, so daß als- 10
dann die Vollformel entsteht: ὁ κύριος ἡμῶν Ἰησοῦς Χριστός.

> Insgesamt kommt χριστός in den verschiedenen Formen 529mal im NT vor[235], davon
> allein 379mal bei Pls. 22 St finden sich im 1 Pt, 37 im lk Gesamtwerk, uz 12 im Lk u
> 25 in der Ag, 19 in der joh Lit; die übrigen St verteilen sich auf die restlichen nt.lichen
> Schriften. Dabei fällt auf, wie gering der Anteil der synpt Ev an der Verwendung des 15
> Begriffs ist: Mk hat ihn 7, Lk 12, Mt 17 u Joh ihnen gegenüber 19mal. Aus χριστός
> entsteht die Bezeichnung der Christusgläubigen als Χριστιανοί (→ 529, 3ff) *Christen* u
> in nachapostolischer Zeit die Bezeichnung ihres Glaubens u ihrer Gemeinschaft als
> Christenheit als Χριστιανισμός (→ 572, 16ff; 573, 24ff).

II. χριστός in den synoptischen Evangelien und · 20
in der Apostelgeschichte.

1. χριστός im Markus-Evangelium.

a. Mk 15, 32 heißt es in der spöttischen Aufforderung an
den Gekreuzigten, er solle vom Kreuz herabsteigen: ὁ χριστὸς ὁ βασιλεὺς Ἰσραήλ
(→ III 387, 5ff). Die appositionelle Zusammenstellung *der Messias, der König* 25
(→ I 577, 34ff) *von Israel* hat interpretierende Bedeutung[236]. Die Bezeichnung
König der Juden nimmt Pilatus in seinen Fragen während des Verhörs auf (15, 2.
9. 12). Als *König der Juden* wird Jesus verspottet (15, 18); diese Bezeichnung ist
Inhalt des am Kreuz angehefteten Titulus (15, 26). Mit allen diesen Aussagen ist
der Messias gemeint (→ I 573, 12ff); denn das steht hinter dem Titulus ὁ βασιλεὺς 30
τῶν Ἰουδαίων. König von Israel (15, 32) ist seine korrekte Bezeichnung (vgl auch
J 1, 49). Mit der Kreuzesinschrift[237] ist ein fester geschichtlicher Ausgangspunkt
gegeben; Jesus ist als Messiasprätendent hingerichtet worden. An diesem Tatbestand entzündet sich die Frage nach Jesu Messianität. Sie bekommt im Aufriß
der Passionsgeschichte ihren ersten Höhepunkt durch die Frage des Hohenpriesters 35

---

[235] Nach RMorgenthaler, Statistik des nt.-
lichen Wortschatzes (1958) 156.

[236] Im Mk rückt mit dem Einzug in Jerusalem das messianische Königtum Jesu in den
Vordergrund. Dort aufgrund von Sach 9, 9
als Friedenskönigtum der Armen dargestellt
(→ 499, 12ff), wird es Mt 21, 5; Lk 19, 38;
J 12, 15 entfaltet. Auch die Tempelreinigung
dürfte in diesen Zshg gehören; denn Tempelbau u Tempelreform ist Königsrecht, vgl
ASchalit, König Herodes (1969) 313; → Betz
35f.

[237] Vgl dazu → Dahl Messias 159—163; →
Hahn 176—179; dgg erblickt Bultmann Trad
307 in der Kreuzesinschrift ein dogmatisches
Motiv. Die Inschr hat möglicherweise einen
verhöhnenden Klang gehabt.

(→ VII 867,14f)[238]: σὺ εἶ ὁ χριστός, ὁ υἱὸς τοῦ εὐλογητοῦ; (14, 61)[239]. In dieser Form
ist die Frage durch das christliche Bekenntnis zu Jesus, der Messias und Sohn
Gottes ist (vgl Mt 16,16; J 1, 49; 20, 31), bestimmt. Deshalb muß Jesus bejahend
antworten. Er bezeichnet sich dabei als Menschensohn, legt also seine Messianität,
5 die die Gottessohnschaft einschließt, im Sinne der Menschensohnchristologie aus.
In Mk 14, 61f sind in Frage und Antwort die wesentlichen christologischen Prädikate auf Jesus vereinigt: Messias, Sohn Gottes (→ VIII 380, 34ff), Menschensohn (→ VIII 456, 29ff). Sie legen einander aus: Messias ist Jesus als Sohn Gottes,
und als solcher ist er Menschensohn. Damit wird die Neuprägung dessen präzisiert,
10 was aufgrund der Geschichte Jesu Messias heißt[240]. Die Konzentration christo-
logischer Titel auf Jesus läßt das Verhör in seinem entscheidenden Stück als theologische Arbeit des Evangelisten erscheinen, deren historische Grundlage nur ver-
mutbar ist (→ VIII 457, 6f)[241]. Geschichtlicher Tatbestand dürfte es sein, daß
Jesus vom Synedrium dem Pilatus unter der auf ihn zugeschnittenen Anklage
15 übergeben worden ist, ein Messiasprätendent zu sein[242].

b. Nach Mk 8, 27—33 Par (→ VIII 447, 28ff; 457, 21ff),
das aus verschiedenen Elementen zusammengesetzt ist[243], hat Simon Petrus Jesus
als Messias bezeichnet[244], und zwar im Unterschied zum Volke, das aus Jesu Wirken
den Eindruck gewonnen hat, er sei Prophet (→ VI 843, 11ff)[245]. Jesus aber ver-

---

[238] Das gilt unbeschadet der Frage, ob mit
dem Tempelwort Jesu in der Zeugenaussage
schon die Messiasfrage berührt ist. Auf jeden
Fall könnte sich auf sie, wäre sie eindeutig,
die Anklage auf Zauberei u Tempelfrevel begründen, worauf nach jüd Recht die Todesstrafe steht. → Betz 35f sieht in der Absicht
des neuen Tempelbaus den messianischen Anspruch Jesu enthalten.
[239] ὁ χριστός fehlt in D; dann hätte die
Frage sich auf die Gottessohnschaft Jesu
gerichtet, deren Behauptung nach J 5,18; 19,7
u auch 10, 31—33 den Widerspruch der Juden
hervorruft u als Lästerung bezeichnet wird, die
Jesus den Tod einbringt (→ VIII 389,1ff).
[240] Zu beachten ist in diesem Zshg, daß
durch Mk 14, 65 die Vorstellungen von Gottesknecht u Prophet miteinander verbunden werden; denn Jesu Verspottung erinnert an Js
50, 4—9, u als Prophet wird er verspottet. Vgl
dazu CMaurer, Knecht Gottes u Sohn Gottes
im Passionsbericht des Mk, ZThK 50 (1953)
1—38, bes 26f; Grundm Mk zSt.
[241] Die historische Grundlage des Berichtes
ist umstritten, vgl HLietzmann, Der Prozeß
Jesu, Kleine Schriften II, TU 68 (1958) 251
—263; JJeremias, Zur Geschichtlichkeit des
Verhörs vor dem Hohen Rat, Abba (1966)
139—144 (dort auch Lit); JBlinzler, Der
Prozeß Jesu 4(1970) 87—186; PWinter, On
the Trial of Jesus, Studia Judaica 1 (1961)
20—30 u 160—166; Bultmann Trad 290—292
u 448f. Vgl auch METhrall, Greek Particles
in the New Testament, New Testament Tools
and Studies 3 (1962) 70—78. Unklar bleibt
vor allem, ob vor dem Synedrium eine regel-
rechte Gerichtsverhandlung stattgefunden hat,

so Mk u Mt, oder lediglich eine der Beschaf-
fung von Anklagematerial dienende Vorunter-
suchung, so Lk u J.
[242] Der Überblick über die einzelnen St
Mk 15, 2. 9.12.18. 26. 32; Mt 26, 68; 27,11.
17. 22. 40. 42f; Lk 23, 2. 3. 35. 39 ergibt: Die
Evangelisten legen die Anklage, Jesus sei der
König der Juden, unabhängig voneinander
im Sinne der Messiasprätendentschaft aus u
bestätigen damit den messianischen Charakter
der Anklage.
[243] Vgl Bultmann Trad 275—278; EPercy,
Die Botschaft Jesu (1953) 227—231; KL
Schmidt, Der Rahmen der Gesch Jesu (1919)
215—220; → Hahn 174f. 226—230; → Dinkler 284—300; zur Einzelexegese s auch Grundm
Mk zSt. Hahn postuliert als Grundlage der
ganzen Perikope Mk 8, 27a. 29b. 33, das „in
Gestalt eines biographischen Apophthegmas
eine Begebenheit aus Jesu Leben aufbewahrt",
u urteilt, daß „das situationslos nicht tradier-
bare Wort v 33 mit der darin enthaltenen
Zurechtweisung des Petrus ... in nachöster-
licher Zeit nicht entstanden sein" kann 174.
Zu einem nach Abgrenzung u Sachurteil ähnlichen Ergebnis kommt → Dinkler 310f.
[244] Nur Mk hat in der Antwort des Petrus
abs ὁ χριστός. Lk ergänzt in der Art jüd
Sprachgebrauchs τοῦ θεοῦ 9, 20; Mt dgg hat
eine christianisierte Form *der Christus, der
Sohn des lebendigen Gottes* 16,16.
[245] Der Übergang von der Erkenntnis Jesu
als des Propheten zur Erwartung seiner Messianität liegt auch J 6,14f u Lk 24,19—21
zugrunde. Der, der als Prophet das Gottesvolk durch seine Lehre u sein Wirken neu
konstituiert, wird sein König u Befreier wer-

hält sich zu diesem Bekenntnis zurückhaltend und antwortet mit der Lehre vom Menschensohn, der viel leiden und verworfen werden muß. Markus versteht also den Messias als Menschensohn und führt dies auf Jesus selbst zurück [246], so auch Mk 14, 61f (→ V 989 A 278). Der Widerspruch des Petrus gegen Jesu Ankündigung seiner Leiden hat nach Jesu Wort seinen Grund in Gedanken, wie sie Men- 5 schen denken; sie können Messiasvorstellung und Leidensnotwendigkeit [247] nicht zusammendenken. Jesus aber muß Gottes Gedanken denken (vgl Js 55, 8f). Ein durch die Messiaserwartung Israels inhaltlich geprägtes messianisches Selbstbewußtsein Jesu [248] ist aus dieser Stelle nicht erhebbar. Sie zeigt vielmehr, wie sich ein anders geartetes Verständnis seiner eschatologischen Sendung bildet und durch- 10 setzt, das seinem Denken der Gedanken Gottes entspringt [249].

c. Mk 12, 35 Par wirft Jesus selbst die Messiasfrage auf, allerdings nicht, um seine Messianität zu behaupten oder zu bestreiten, sondern um auf eine in der Schrift liegende Schwierigkeit aufmerksam zu machen, die sich aus Ps 110, 1 in Konfrontation zu dem Lehrsatz von der Davidssohnschaft 15 des Messias ergibt (→ VIII 488, 10ff). Das Überlieferungsstück steht am Ende der Jerusalemer Streitgespräche und erweist erneut, daß in den letzten Tagen in Jerusalem nach Jesu Messianität gefragt worden ist. Jesu Frage lautet: πῶς λέγουσιν οἱ γραμματεῖς ὅτι ὁ χριστὸς υἱὸς Δαυίδ ἐστιν; Sie bekommt durch Ps 110, 1 die Form: αὐτὸς Δαυὶδ λέγει αὐτὸν κύριον, καὶ πόθεν αὐτοῦ ἐστιν υἱός; (v 37) [250]. Es 20 bleibt ungewiß, ob es sich bei der Frage um eine der — möglicherweise hellenistisch-judenchristlichen [251] — Gemeindetheologie entstammende Überlieferung handelt oder ob sie auf die Geschichte Jesu selbst zurückgeht [252]. Die Antwort gibt die Gemeindetheologie wieder, in der χριστός und κύριος zusammengefügt werden [253]. In jedem Fall weist auch dieses Überlieferungsstück auf eine durch die Geschichte 25

den. Danach besteht ein enger Zshg zwischen dem prophetischen u königlichen Handeln, in Israel sichtbar in der Deutung der Gestalt des Johannes Hyrkanos (→ VI 825, 46ff) u in prophetischen Messiasprätendenten (→ VI 826, 30ff).
[246] Zur Auslegung des Menschensohnbegriffs durch Mk gehört auch 9, 2—29. Der ganze, durch zwei Leidensweissagungen gerahmte Komplex sagt aus, was die Bezeichnung Menschensohn in sich schließt. Vgl dazu auch KWeiß, Ekklesiologie, Tradition u Gesch in der Jüngerunterweisung Mk 8, 27—10, 52, in: Der historische Jesus u der kerygmatische Christus, ed HRistow-KMatthiae (1960) 429—437.
[247] Dem Verständnis des δεῖ (→ II 23, 30ff) hat HETödt, Der Menschensohn in der synpt Überlieferung ²(1963) 174—179 widersprochen; s dazu die Besprechung v WGrundmann in ThLZ 86 (1961) 427—433. Wenn Tödt die Leidensnotwendigkeit „in dem Willen Gottes, wie er in der Schrift offenbart ist," 177 begründet sieht u deshalb die Auslegung der δεῖ-Formel als eschatologisch-apokalyptisch ausschließen will, so wird man sehen müssen: Der in der Schrift offenbarte Wille Gottes bringt das eschatologisch-apokalyptische Geschehen in Gang u setzt sich in seinem

Ablauf durch. Hier liegt kein Gegensatz vor, sondern ein sachlicher Zshg.
[248] Zur Diskussion um diese Frage vgl GVos, The Self-Disclosure of Jesus (1954).
[249] Zu den sich daraus ergebenden methodischen Problemen vgl WGrundmann, Das Problem der nt.lichen Christologie, ThLZ 65 (1940) 69f.
[250] Mt u Lk ändern stilistisch, aber nicht in der Sache. Vgl auch Grundm Mk zu 12, 35—37; ders, Das Ev nach Mt, Theol Handkommentar zum NT 1² (1971) zu 22, 41f; ders, Das Ev nach Lk, Theol Handkommentar zum NT 3 ⁶(1971) zu 20, 41ff.
[251] Bultmann Trad 144—146. 429; → Hahn 112—115. 190f u 259—262. Nach CBurger, Jesus als Davidssohn, FRL 98 (1970) 71 stammt diese alte Überlieferung nicht aus dem Munde Jesu. Mk mißverstehe sie, wenn er sie nicht als Ablehnung, sondern als Überbietung der Davidssohnschaft interpretiere 168f.
[252] Unbeschadet der Formulierung in einer hell-judenchristlichen Gemeindegruppe kann Jesu Frage in Erörterungen ihren Ursprung haben, die durch die an Jesus herangetragene Messiaserwartung ausgelöst worden sind.
[253] → Friedrich Hohepriestererwartung 286 —289 begründet, daß die Frage auf die Ab-

Jesu bestimmte Neukonzeption der Messiaslehre hin. Nicht die irdische Abstammung ist entscheidend[254], sondern Gottes Gedanke und Tat.

d. Die apokalyptische Rede Mk 13, 21f enthält durch den
Hinweis auf das Auftreten messianischer Prätendenten die Warnung vor Ver
5 führung. Die nur Mk 13, 22 (→ II 350, 42ff) und Mt 24, 24 vorkommende Formulierung ψευδόχριστοι[255] läßt in Verbindung mit ψευδοπροφῆται (→ VI 857, 15ff) erkennen, daß das Wort seine Formulierung in den aufgeregten Zeiten vor und während des jüdischen Krieges gefunden hat, wo Messiasprätendenten und Propheten
aufgetreten sind und in der christlichen Gemeinde die Erwartung der Parusie
10 einen Höhepunkt erreichte[256]. Die Warnung setzt die Überzeugung von der Messianität Jesu in der palästinischen Gemeinde voraus, dessen Parusie als Menschensohn vom Himmel her sie erwartete[257].

e. Nur dem Markus gehört die Formulierung ὅτι Χριστοῦ
ἐστε (9, 41) in einem Spruch, der auch Mt 10, 42 (→ IV 654, 15ff) begegnet, zu[258].
15 Hier ist χριστός artikellos und absolut verwendet, wie es häufig bei Paulus geschieht.
Es meint Jesus als den Messias, der den Jüngern ihre besondere Bedeutung und
Stellung gibt: Sie gehören zum Christus, ähnlich wie 1 K 15, 23. Auch Mk 1, 34[259]
findet sich das artikellose χριστός. Es heißt von den Dämonen: ᾔδεισαν αὐτὸν χρι
στὸν εἶναι[260]. Dadurch wird Mk 1, 24; 3,11 und 5,7 im messianischen Sinne aus
20 gelegt, und zwar im Sinne des hohenpriesterlichen Messias und nicht des königlichen (→ 510, 6ff)[261].

2. χριστός im Matthäus-Evangelium.

a. Der Evangelist Matthäus übernimmt die χριστός-
Stellen des Markus (Mt 16, 16; 22, 42; 24, 23f; 26, 63) und vermehrt sie durch
25 Bezugnahme darauf. 16, 20 wird den Jüngern ausdrücklich verboten, jemandem
zu sagen ὅτι αὐτός ἐστιν ὁ χριστός. Dadurch behauptet Matthäus, was bei Markus
offenblieb, daß Jesus das Messiasbekenntnis des Petrus angenommen hat und daß
er der Messias ist[262]. In der Warnung vor Irrlehrern (24, 5) erweitert er die Selbstaussage jener Leute, die in Jesu Namen mit dem Wort ἐγώ εἰμι auftreten, zu ἐγώ
30 εἰμι ὁ χριστός. Er legt damit die Selbstoffenbarung durch den Titel fest und gleicht

wehr der falschen Davidssohneschatologie
zugunsten der rechten Einstellung zum messianischen Hohenpriester aus ist.
[254] → Cullmann 133f weist auf Mk 3, 31
—35 Par hin, wo ebenfalls irdische Verwandtschaft vor dem zurücktritt, was Gott an Menschen wirkt, die seinen Willen tun.
[255] Nur Mt 24, 24 ist ψευδόχριστοι im Text
sicher, während es Mk 13, 22 in D i k fehlt u
zu v 21 ergänzt sein kann. Die Zeichen u
Wunder verführender Art gehören mehr den
falschen Propheten als dem Messias zu.
[256] Vgl Bousset-Gressm 223f.
[257] → Hahn 181f.
[258] → Hahn 223f; Grundm Mk zu 9, 41; Kl
Mk zSt; Bultmann Trad 152f.

[259] Uz in den Hdschr BWΘ
[260] Vielleicht aus Lk 4, 41 übernommen.
[261] → Friedrich Hohepriestererwartung 275
—280; dgg → Hahn 235—241; er bestreitet
die Einwirkung der messianischen Hohenpriestervorstellung auf die Überlieferung der Ev.
Sie ist aber als Komponente, die einzelne Traditionsstücke gestaltet hat, nicht auszuschlie
ßen. Vor allem aA des Mk häufen sich die Anzeichen, vgl Grundm Mk zu Kp 1—3.
[262] Diese Überzeugung ist der Grund für die
tiefgreifende Umgestaltung der Markusvorlage
durch die Einfügung der an Simon gerichteten
Worte Jesu in 16,17—19, vgl Grundmann
Mt aaO (→ A 250) zSt u → VI 104, 21ff.

sie an Mt 24, 23 par Mk 13, 21 an (→ 522, 3 ff). Ähnlich wird das Bekenntnis vor dem Synedrium (Mt 26, 64)[263] von den Spöttern (26, 68) durch die bei Markus fehlende Anrede χριστέ aufgenommen. Pilatus (→ III 377, 10 ff) verwendet die jüdische Anklage im Hinweis auf Ἰησοῦν τὸν λεγόμενον χριστόν (27, 17. 22)[264].

       b. Die Aussage Ἰησοῦς ὁ λεγόμενος χριστός[265] findet sich 5 1, 16 am Ende des Stammbaumes. Sie besagt: Jesus ist der Messias als Davids Sohn und Abrahams Sproß, gehört Israel zu und ist durch den in der Königslinie verlaufenden Stammbaum der königliche Messias, der am Ende der Weltzeit kommt, die ἕως τοῦ Χριστοῦ (1, 17) reicht[266]. Von da aus wird mit der wahrscheinlich richtigen Lesart τοῦ δὲ Χριστοῦ ἡ γένεσις οὕτως ἦν (1, 18)[267] zu dem Bericht 10 übergeleitet, der zeigt, wie der aus der Jungfrau Geborene Glied des Hauses David und damit Davids Sohn wird, bestimmt zum Retter von den Sünden und dadurch zum Immanuel (→ VII 775, 29 ff)[268]. Mit seiner der Aussage der Schrift entsprechenden Geburt in Bethlehem schließt sich der Kreis: Jesus ist der legitime Messias. Die Frage nach der Geburt des Königs der Juden wird in der Weise weiter- 15 gegeben, daß nach dem Geburtsort des Messias — ποῦ ὁ χριστὸς γεννᾶται; — gefragt wird (2, 2—6).

  Die Werke Jesu, auf die der Täufer hingewiesen wird (11, 4—6 Par), werden von Matthäus in einer ihm zugehörigen redaktionellen Bemerkung als τὰ ἔργα τοῦ Χριστοῦ (11, 2) bezeichnet. Jesu Heiltaten, die nach der älteren Überlieferung 20 nicht als messianische Zeichen verstanden worden sind (Mk 3, 22—30; 8, 11 f; Lk 11, 14—23; von Matthäus 12, 22—25 und 16, 1—4 aufgenommen), bekommen hier die Bedeutung messianischer Werke[269]. Für Matthäus sind die Wunder neben dem

---

[263] Die Änderungen des Mt gegenüber Mk begründet RHummel, Die Auseinandersetzung zwischen Kirche u Judt im Mt ²(1966) 142 aus der Gesamtkonzeption des Mt: Die Messianität Jesu ist ausschließlich mit seiner Sendung an Israel verbunden u ist eine Epoche der Niedrigkeit. Sie wird durch die Erhöhung beendet u macht den Weg für die Heidenmission frei. Wirken u Lehre des Irdischen haben jedoch bei Mt paradigmatische Bdtg für das Wirken des Erhöhten, vgl HJHeld, Mt als Interpret der Wundergeschichten, in: GBornkamm/GBarth/HJHeld, Überlieferung u Auslegung im Mt ⁴(1965) 155—287. Ist die Sendung an Israel zeitlich begrenzt, so nicht die Art seines Wirkens in Israel; dazu Grundmann Mt aaO (→ A 250) 10—15.

[264] An beiden St steht bei Mk *König der Juden.* Sechs Königsstellen in der Passionsgeschichte bei Mk stehen vier bei Mt gegenüber; vier Christosstellen bei Mt stehen zwei bei Mk gegenüber.

[265] Der Sinn dieser Formulierung wird durch Σίμωνα τὸν λεγόμενον Πέτρον 4, 18, vgl 10, 2 deutlich. Der Beiname wird durch λεγόμενος als Würdename charakterisiert u erinnert dadurch an seine eigtl Bdtg. Simon, der Jesus als den Christus bekennt, wird von Jesus zum Petrus eingesetzt. Dementsprechend ist Jesus von Gott zum Messias eingesetzt. Mt wider-

setzt sich also der Depravation der Christusbezeichnung zum Namen, gg GStrecker, Der Weg der Gerechtigkeit, FRL 82 ²(1966) 126.

[266] Zur Grundlage des Stammbaumes, die in einer apokalyptischen Zehnwochengliederung besteht, vgl Grundmann Mt aaO (→ A 250) z 1, 1—17. Am Ende der neunten u aA der zehnten Weltenwoche kommt der Messias.

[267] Aufgrund von latt syˢᶜ 71 Ir verdient die LA τοῦ δὲ Χριστοῦ ohne den Jesusnamen den Vorzug. Von der Geburt des Messias u von ihren bes Umständen wird gesprochen. Die Aussage läuft auf den Satz hinaus: Der Messias ist Jesus 1, 21.

[268] Sowohl in 1, 16 mit den mannigfachen textlichen Korrekturen als vor allem in der Verbindung zwischen dem Stammbaum u der Erzählung 1, 18—25 enthüllt sich die Schwierigkeit des Bemühens des Mt, zwei verschiedene christologische Konzeptionen zusammenzubringen, die der Davidssohnschaft des Messias, die auf einer Zweistufenchristologie beruht, u die der Erzeugung aus dem Geist u der Geburt aus der Jungfrau, nach der Jesus Gottes Sohn ist, eine Aussage, die Mt in dieser Direktheit im Zshg mit der Geburtsgeschichte unterläßt.

[269] Die Antwort an den Täufer zeigt mit der Warnung vor dem Ärgernis an Jesus deutlich, daß die in der Antwort genannten Werke nicht

Schriftbeweis Zeugnisse für die verborgene Messianität Jesu (16, 20)[270]. In der Auseinandersetzung mit der Ehrsucht der Schriftgelehrten wird gesagt: καθηγητὴς ὑμῶν ἐστιν εἷς ὁ Χριστός (23, 10)[271]. Für Matthäus gehören zur Messianität Jesu auch dessen Lehre (→ II 143, 8 ff) und Vollmacht (7, 28 f; 9, 33), durch die er 5 seine königliche Herrschaft ausübt[272]. Unter dem Einfluß des Bildes vom messianischen Propheten (→ VI 826, 29 ff; 847, 8 ff)[273] ist bei Matthäus die Neuprägung des Messiasbildes aus der Geschichte Jesu heraus vollzogen.

3. χριστός im Lukas-Evangelium.

a. Auch Lukas, der sich in der Behandlung der Christus-
10 frage von Matthäus deutlich unterscheidet, übernimmt drei Christusstellen aus Markus (9, 20; 20, 41; 22, 67), einerseits mit dem absoluten ὁ χριστός (20, 41; 22, 67), andererseits in der Formulierung τὸν χριστὸν τοῦ θεοῦ (9, 20). Dieser dem Alten Testament folgende Sprachgebrauch findet sich im Neuen Testament nur bei Lukas. Durch einen Genitivus auctoris wird festgelegt, von wem die Salbung des
15 Gesalbten ausgeht und wem er zugehört: Der Messias ist Gott untergeordnet und mit der Durchführung seines Heilshandelns beauftragt. In seinem Passionsbericht gibt Lukas die Frage des Hohenpriesters in einer doppelten Form wieder. Zunächst fragt der Hohepriester nach Jesu Messianität: εἰ σὺ εἶ ὁ χριστός, εἰπὸν ἡμῖν (22, 67), worauf Jesus antwortet, daß bei den Fragenden die Voraussetzung für
20 eine Erörterung dieser Frage fehlt[274]. Die sich anschließende Frage nach der Sohnschaft beantwortet Jesus bejahend[275]. In der Passionsgeschichte begegnet in der Anklage vor Pilatus χριστὸν βασιλέα (23, 2), bei der Verspottung Jesu ὁ χριστὸς τοῦ θεοῦ (23, 35), und zwar mit dem Unterton: Gott hat den verworfen, der sich sein

---

als eindeutig messianische Werke verstanden wurden; sie tragen mehr messianisch-prophetische als messianisch-königliche Züge (→ VI 848, 22 ff). Nicht die einzelnen Werke, sondern erst ihre Fülle künden die Wiederherstellung paradiesischer Zustände an. Den Weg des Mt geht in seiner Art auch Joh, für den die Taten Jesu σημεῖα, messianische Zeichen, sind (→ VII 241, 22 ff).

[270] Auch Mt 12, 23 u 21, 14—16 werden Jesu Heiltaten messianisch verstanden, worauf der bei Mt bes wichtige messianische Begriff *Sohn Davids* hinweist (→ VIII 489, 27 ff), vgl die Lit → VIII 482. Zu ergänzen ist G Ruggieri, Il Figlio di Dio davidico, Analecta Gregoriana 166 (1968); Burger aaO (→ A 251).

[271] Mt 23, 10 ist eine Dublette zu 23, 8, wo eine Reihe von Hdschr sowie die 𝔎 καθηγητής statt διδάσκαλος lesen; zusätzlich ergänzen die 𝔎 sy^c ὁ χριστός. Vgl Pr-Bauer sv καθηγητής u Dalman WJ I 276. 279, s auch Grundmann Mt aaO (→ A 250) zSt.

[272] Vgl dazu Grundmann Mt aaO (→ A 250) 281—283.

[273] Vgl dazu K Bornhäuser, Das Wirken des Christus in Worten u Taten, BFTh 2, 2²(1924); R Meyer, Der Prophet aus Galiläa (1940); → Hahn 351—404; R Schnackenburg, Die Erwartung des „Propheten" nach dem NT u

den Qumrantexten, Studia Evangelica I, TU 73 (1959) 622—639. Die Verbindung zwischen dem messianischen Propheten u dem messianischen König setzt die Mk 8, 27—29 sowie Lk 24, 19—21 u J 6, 14 f erkennbare Erwartung fort (→ A 245).

[274] Der Sinn der Antwort Jesu dürfte sein: Würde er auf ihre Frage eine Antwort geben, würde er bei ihnen keinen Glauben finden. Das bedeutet: Er ist nicht der Messias, wie die Mitglieder des Synedriums ihn sich vorstellen. Für sein Verständnis vom Messias aber würden sie in einem Gespräch mit Frage u Antwort nicht einmal die Voraussetzungen teilen, von denen er ausgeht. Das anschließende Menschensohnbekenntnis ist wahrscheinlich aus Mk übernommen u von Lk in den seinem Sondergut entnommenen u daher anders gearteten Bericht unter Hinzufügung der zeitlichen Fixierung (ἀπὸ τοῦ νῦν) eingelegt worden. Lk gestaltet wie Joh Jesu Vernehmung vor dem Hohen Rat nicht wie Mt u Mk als offizielles gerichtliches Verhör, sondern als eine der Klärung von Problemen dienende Befragung (→ A 241). Vgl G Schneider, Verleugnung, Verspottung u Verhör Jesu nach Lk 22, 54—71, Studien z A u NT 22 (1969) 105—132. 172—174.

[275] In den → A 239 genannten Zshg gehört auch diese Lukasstelle hinein.

Gesalbter nennt. Schließlich ist einem der Mitgekreuzigten ein absolutes ὁ χριστός (23, 39) in den Mund gelegt, das jedoch durch das vorhergehende ὁ χριστὸς τοῦ θεοῦ (23, 35; → IV 194,11ff) präzisiert ist.

       b. Eine entscheidende Stelle nimmt die Messiasfrage in der Vorgeschichte des Lukas ein. Vor den Hirten proklamiert der Engel das neu- 5 geborene Kind in Bethlehem als σωτήρ (→ VII 1015, 30ff), ὅς ἐστιν χριστὸς κύριος, ἐν πόλει Δαυίδ (2, 11)[276]. Lukas entfaltet, was die Davidssohnfrage[277] als Problem stellt: Der Messias ist der Kyrios (vgl Lk 1, 43). Damit schafft er die Verbindung zwischen dem judenchristlichen Bekenntnis zu Jesus als dem Messias und dem Bekenntnis der Gemeinden aus den Völkern zu Jesus als dem Herrn. Sowohl im 10 Evangelium wie in der Apostelgeschichte steht diese Aussage mit ökumenischem Gewicht voran. Zugleich macht Lukas damit deutlich: Der als der ewige König von Gabriel der Maria Angekündigte (1, 31—33) ist der Messias, und zwar wie bei Matthäus (→ 523, 5ff) der königliche Messias aus Davids Stamm[278]. Zum Zeugen für die Proklamation des Engels vor den Hirten wird Simeon, dem eine Verhei- 15 ßung vom heiligen Geist zuteil geworden war, μὴ ἰδεῖν θάνατον πρὶν ἢ ἂν ἴδῃ τὸν χριστὸν κυρίου (2, 26). Hier ist χριστὸς κυρίου sinnvoll; denn eben dieser wird von den Frommen Israels erwartet; er schafft das völlige Heil, mit εἰρήνη (→ II 411, 9ff) bezeichnet. Dagegen wird die für den Täufer von seinen Jüngern erwogene Messianität von diesem selbst abgewiesen: μήποτε αὐτὸς εἴη ὁ χριστός (3,15f). Lukas 20 stellt aber nicht nur die Beziehung zwischen Messias und Herr, sondern auch zwischen Messias und Sohn Gottes her. Als solchen rufen ihn die Besessenen aus (4, 41), nachdem ihn schon der Engel als solchen bezeichnet hatte (1, 32). Lukas

---

[276] An dieser St entsteht das textliche Problem, ob mit den weitaus meisten Hdschr χριστὸς κύριος oder mit sy[pal] r[1] u Tat in Entsprechung zu 2, 26 χριστὸς κυρίου zu lesen ist. Zieht man diese LA vor, wird der angekündigte Retter als Messias des Herrn — משיח יהוה — entsprechend ψ 88, 52 (wörtlich: *dein Gesalbter*) proklamiert. Es gibt jedoch einen gewichtigen Grund, bei der hervorragend bezeugten lectio difficilior zu bleiben u κύριος als Apposition zu χριστός zu verstehen. Der Proklamation aus dem Munde des Engels entspricht die aus dem Munde des Petrus Ag 2, 36, die die erstere als Gottes Tat an Jesus bestätigt. Freilich sind hier κύριος und χριστός nicht asyndetisch nebeneinander gestellt, sondern durch καί-καί miteinander verbunden. PWinter, Lk Miszellen, ZNW 49 (1958) 65—77 begründet die Ursprünglichkeit eines χριστὸς κυρίου in der von ihm postulierten hbr Vorlage des Lk damit, daß κύριος gleichbedeutend mit Gott, ὁ κύριος gleichbedeutend mit Jesus ist, zB O Sal 29, 6: *Ich glaubte an den Gesalbten des Herrn, u es schien mir, daß er der Herr sei.* Winter hält es aufgrund des lk Sprachbefundes für wenig wahrscheinlich, daß die Fassung χριστὸς κύριος schon auf Lk zurückgeht. Aber sein Interesse haftet an der vorausgesetzten Quellenschrift; ihm schließt sich weitgehend UWilckens, Die Missionsreden der Ag, Wissen-

schaftliche Monographien zum AT u NT 5 [2](1963) 161 A 5; 162 A 1 an; zum Sinn des χριστὸς κυρίου vgl ebd 159—161. Schl Lk [2](1960) zSt neigt stark einem χριστὸς κυρίου zu. Dgg verteidigt HSahlin, Der Messias u das Gottesvolk, Acta Seminarii Neotestamentici Upsaliensis 12 (1945) 217—220 die LA χριστὸς κύριος. Er sieht auch dahinter משיח יהוה, bezeichnet aber den Ausdruck des Lk als „die denkbar höchste u erhabenste Bezeichnung des Christus" 217; ἐν πόλει Δαυίδ zieht er zu κύριος u nicht zu ἐτέχθη 219 u versteht darunter den Zion, vgl Js 24, 23 u Tg Prof zu Js 16, 5: „Dann wird der Messias seinen Thron in Güte befestigen u darauf sitzen in Wahrheit in Davids Stadt". Zu χριστὸς κύριος PsSal 17, 32 im Unterschied zu χριστὸς κυρίου 18, 5.7 (→ 505, 1 ff) vgl HBraun, Vom Erbarmen Gottes über den Gerechten, Gesammelte Studien zum NT u seiner Umwelt (1962) 60 A 461; RKittel, in: Kautzsch Apkr u Pseudepigr zSt; → A 107.

[277] Ps 110,1 wird Ag 2, 34f vor der Proklamation in 2, 36 zitiert.

[278] Lk 1, 31—35 bezieht sich auf die Nathanverheißung, die auf den Bestand der Dynastie des Hauses David gerichtet ist u hier auf die ewige Herrschaft des angekündigten υἱὸς ὑψίστου hin ausgelegt wird. Zur Bdtg der Nathanweissagung für die qumranische u synpt Theol → Betz 24—28.

aber fügt erläuternd hinzu: καὶ ἐπιτιμῶν οὐκ εἴα αὐτὰ λαλεῖν, ὅτι ᾔδεισαν τὸν χριστὸν αὐτὸν εἶναι (4, 41). Lukas stellt schließlich die Frage, inwiefern Jesus χριστός ist, und läßt ihn selbst in seinem ersten Auftreten mit Js 61,1 antworten (→ VII 922, 33 ff): πνεῦμα κυρίου ἐπ' ἐμέ, οὗ εἵνεκεν ἔχρισέν με (4, 18). Er ist χριστός als der
5 Empfänger des Geistes Gottes, aus dem er erzeugt ist und der ihm in der Taufe personhaft zu eigen geworden ist[279].

c. Der seit seiner Geburt zum Messias proklamierte Jesus sagt bei seiner Erscheinung vor den Emmausjüngern: οὐχὶ ταῦτα ἔδει παθεῖν (→ V 912 A 64) τὸν χριστὸν καὶ εἰσελθεῖν εἰς τὴν δόξαν αὐτοῦ; (Lk 24, 26) und eröffnet
10 ihnen dann diese Notwendigkeit aus der Schrift. Das war in keiner Messiaserwartung, wie immer sie geartet war, vorgesehen. Das formt jedoch das urchristliche Messiasverständnis, auf das sich Lukas gründet, und das hat der Urchristenheit die Schriften neu erschlossen (→ I 758, 24 ff), von Lukas als Gabe des auferstandenen Herrn verstanden und empfangen. Die zwischen Vorgeschichte und Kreu-
15 zigung mit Auferweckung liegende Geschichte Jesu bezeugt Lukas im Unterschied zu Matthäus als prophetisches Handeln (→ VI 842, 37 ff)[280], er artikuliert es nicht als messianisch. Erst der Weg durch das Kreuz zur Herrlichkeit verwirklicht die von Anfang an proklamierte Messianität Jesu. Das Messiasbild des Lukas ist also entscheidend durch Kreuzigung und Auferweckung Jesu bestimmt. Auch hier
20 wird die Neuprägung des Messiasbildes aus Jesu Geschichte sichtbar.

4. χριστός in der Apostelgeschichte.

a. In der Apostelgeschichte setzt Lukas fort, was er in seinem Evangelium begann. Wie Lk 4,18 wird Jesus, der heilige Knecht Gottes (→ I 103, 13 ff), als der bezeichnet, ὃν ἔχρισας (Ag 4, 27). Im Hause des Kornelius sagt
25 Simon Petrus von ihm: ἔχρισεν αὐτὸν ὁ θεὸς πνεύματι ἁγίῳ καὶ δυνάμει (10, 38, vgl Lk 4, 14)[281]. Den inhaltlichen Übergang vom Evangelium zur Apostelgeschichte bildet Lk 24, 25—27, was zuerst in der Pfingstpredigt des Petrus begründet und entfaltet wird[282]. Wird hier von der ἀνάστασις τοῦ Χριστοῦ (2, 31) gesprochen, so heißt es in der folgenden Rede von Jesu Passion: ὁ δὲ θεὸς ἃ προκατήγγειλεν διὰ
30 στόματος πάντων τῶν προφητῶν, παθεῖν τὸν χριστὸν αὐτοῦ, ἐπλήρωσεν οὕτως (3, 18).

---

[279] Zur dreifachen Verklammerung von Geistempfang u Christologie im Lk vgl Grundmann Lk aaO (→ A 250) 27; OBetz, Die Geburt der Gemeinde durch den Lehrer, NT St 3 (1956/57) 324—326.

[280] Verwiesen sei auf 7, 16. 39; 24, 19. Durch Jesu Wirken als Prophet wird das Reich Gottes anschaubar u sichtbar 16, 16; 17, 21; 10, 23 f; 11, 20. Sein Verständnis vom Reich Gottes u Messias unterscheidet sich nach dem Zeugnis des Lk von dem seiner Zeitgenossen 17, 20 f; 19, 10; 22, 67 f; 24, 21a. 25—27.

[281] Lk stellt ausdrücklich die Frage nach der Bdtg von χριστός u geht auf den Sinn des Begriffes zurück. Während in der jüd Umwelt Messias feststehender Begriff geworden ist, nach dessen Zshg mit „salben" u „Salbung"

kaum noch gefragt wurde, sieht sich Lk durch die Einführung des für hell Gemeinden unverständlichen Messiasbegriffes zur Begriffsklärung veranlaßt.

[282] Das wird im Hinweis auf Schriftstellen deutlich. Ps 16, 8—11; 110, 1 u Js 52, 13 werden auf die Auferweckung 2, 22—35 u 3, 13, Ps 2, 1 f auf die Passion bezogen 4, 25—27. Der, an dem sich die Aussagen der Schrift erfüllen, ist der Messias. Vgl HConzelmann, Die Mitte der Zeit, Beiträge zur Historischen Theol 17 [4](1962) 159 A 2: „In sachlicher Beziehung stellt dieser Titel weniger das Verhältnis zwischen Gott u Jesus dar als den Bezug von Verheißung u Erfüllung." Die lk Eigenart, χριστός mit dem Gen τοῦ θεοῦ bzw αὐτοῦ zu versehen, hat jedoch auch sein Verhältnis zu Gott im Auge.

Zwischen beiden Aussagen steht die grundlegende, das Pfingstkerygma abschlie-
ßende Proklamation an das ganze Haus Israel: ἀσφαλῶς οὖν γινωσκέτω πᾶς οἶκος
Ἰσραὴλ ὅτι καὶ κύριον αὐτὸν καὶ χριστὸν ἐποίησεν ὁ θεός, τοῦτον τὸν Ἰησοῦν ὃν ὑμεῖς
ἐσταυρώσατε (2, 36)[283]. Da für Lukas Jesus von Anfang an καὶ κύριος καὶ χριστός
(→ 525, 6 ff) ist, kann die Aussage nicht im Sinne einer adoptianischen Christo- 5
logie gemeint sein[284], vielmehr dürfte sich der Schlußsatz auf das ganze Handeln
Gottes an seinem Christus (2, 22—24. 32 f) beziehen[285]. Durch seine Auferweckung
und Erhöhung ist seine Bestimmung zum κύριος und χριστός offenbar geworden,
und zwar durch die Verwerfung seitens des Hauses Israel hindurch[286]. In das
Gesamtbild gehört aber auch die Parusie hinein. Davon spricht Petrus in einer 10
zweiten Rede vor dem Volk. Nachdem er vom Leiden des Christus geredet hat
(3, 18), fordert er zur Hinkehr zu diesem Christus auf, damit die mit seiner Verwerfung begangenen Sünden ausgelöscht würden (3, 19). Diese Hinkehr zu Christus
ist die Voraussetzung für die Verwirklichung des eschatologischen Heiles, das in
der Wiederkunft des Christus aufgerichtet wird. Der Messias ist Jesus, von Gott 15
schon zum Messias bestimmt — καὶ ἀποστείλῃ τὸν προκεχειρισμένον ὑμῖν χριστὸν
Ἰησοῦν (3, 20) —, den der Himmel aufnehmen mußte, bis er wiederkommt, die
eschatologische Vollendung zu bewirken. Dieses wahrscheinlich alte, vorlukanische
Traditionsstück[287] spricht mit Wendungen von Jesus, die ihn als den eschatologischen Propheten bezeichnen (→ VI 826, 29 ff), was durch den folgenden Schrift- 20
beweis ausdrücklich bestätigt wird. Dadurch wird erneut deutlich: Der eschatologische Prophet ist von Gott zum königlichen Messias bestimmt; die Offenbarung
seiner Herrschaft aber kommt mit seiner Parusie[288].

Dieses ganze Christusgeschehen dürfte gemeint sein, wenn es 5, 42 zusammenfassend von den Aposteln heißt: οὐκ ἐπαύοντο διδάσκοντες καὶ εὐαγγελιζόμενοι τὸν 25
χριστὸν Ἰησοῦν. Ähnlich wird von dem in Samaria wirkenden Philippus gesprochen:
ἐκήρυσσεν αὐτοῖς τὸν Χριστόν (8, 5). Das wird 8, 12 entfaltet: Die Samaritaner
glauben dem Philippus εὐαγγελιζομένῳ περὶ τῆς βασιλείας τοῦ θεοῦ καὶ τοῦ ὀνόματος
Ἰησοῦ Χριστοῦ[289]. Hier findet sich die urchristliche Form Ἰησοῦς Χριστός, ver-

[283] Der Satzbau ist insofern beachtlich,
als die am Schluß stehende Anklage die Schuld
deutlich macht, die Israel auf sich geladen hat:
Mit der Kreuzigung Jesu hat es an Gott ge-
frevelt, der ihn zum Messias u zum Herrn
gemacht hat. Die Wirkung dieser Anklage bestimmt die Fortsetzung der Erzählung 2, 37 ff.

[284] Es ist umstritten, ob der Satz von Lk
stammt oder ob in ihm eine alte christologische Formel enthalten ist, die adoptianischen
Charakter hatte, vgl Wilckens aaO (→ A 276)
170—174, der für lk Bildung eintritt; dgg
→ Hahn 116 A 2 u → Cullmann 222 f, die vorlukanische Überlieferung an dieser St erblicken.

[285] So Wilckens aaO (→ A 276) 170—174,
dgg → Hahn 116 A 3. Mir scheint, daß Lk
eine Formulierung verwendet, die auf eine
Adoptionschristologie zurückgeht u sich auf
Auferweckung u Erhöhung Jesu bezieht. Sie
wird von ihm zu einer Aussage umgeformt,
die das ganze Handeln Gottes an Jesus Christus umfaßt.

[286] Das ἐποίησεν entspricht der lk Aussage
von den Taten Gottes, vgl dazu Grundmann
Lk aaO (→ A 250) 1—6.

[287] Vgl dazu Bau Ag 66—68; → Hahn 184
—186; Wilckens aaO (→ A 276) 153—155.
157 f.

[288] Wir halten die These von Wilckens aaO
(→ A 276) 157 f für verfehlt, die dieser Aussage
ihren Zukunftcharakter nehmen will; „für
Lukas" liegt „der Skopos der Aussagen eindeutig auf dem Hinweis auf die eingetretene
Erfüllung" 158. Lk eliminiert die Parusie nicht,
sondern gerade seine heilsgeschichtliche Deutung unterscheidet zwischen dem, was bereits
geschehen u erfüllt ist, u dem, was noch aus-
steht.

[289] In einer sehr bemerkenswerten Weise
gibt Lk hier u auch am Schluß der Ag (28, 31)
eine Zusammenfassung des Inhaltes der Botschaft Jesu, die er in seinem Ev dargeboten
hat, u der Lehre der Ap, wie sie die Ag enthält:
Reich Gottes u der Name Jesus Christus.

bunden mit ὄνομα. Die unmittelbare Nähe dieser Namensform zur Titelbezeich-
nung in 8, 5 führt zu der Erkenntnis, daß in der Apostelgeschichte Χριστός nicht
ein Stück des Eigennamens ist, sondern Beiname, in dem das Wissen enthalten
ist, daß der Träger dieses Beinamens der Heilbringer ist und daß darum sein Name
5 krafterfüllt ist. Gott hat sein Wort Israel gesandt εὐαγγελιζόμενος εἰρήνην (→ II
411, 7ff) διὰ Ἰησοῦ Χριστοῦ (10, 36). Das ist mitzuhören, wenn von der Taufe
ἐπὶ τῷ ὀνόματι Ἰησοῦ Χριστοῦ (2, 38) als dem rettenden Geschehen der Eigen-
tumsübergabe an diesen Jesus Christus gesprochen wird[290]. Deshalb kann von den
Christen in der Weise geredet werden, daß sie die den Namen des Herrn Anrufenden
10 (Ag 2, 21; 9, 14. 21; vgl auch 1 K 1, 2) und die πιστεύσαντες ἐπὶ τὸν κύριον Ἰησοῦν
Χριστόν (Ag 11, 17) sind. Hier wird die volle Form κύριος Ἰησοῦς Χριστός verwendet
(vgl Lk 2, 11; Ag 2, 36). Dem Kerkermeister in Philippi wird gesagt: πίστευσον
ἐπὶ τὸν κύριον Ἰησοῦν Χριστόν, καὶ σωθήσῃ σὺ καὶ ὁ οἶκός σου (16, 31); allerdings
ist hier Χριστόν textlich nicht sicher[291]. Ähnlich spricht Paulus vor den Ältesten
15 von Ephesus. Er bezeugt Juden und Griechen τὴν εἰς θεὸν μετάνοιαν καὶ πίστιν
εἰς τὸν κύριον ἡμῶν Ἰησοῦν Χριστόν (20, 21)[292]. Dagegen ist in der Rede des Paulus
vor dem Statthalter Felix und vor Drusilla περὶ τῆς εἰς Χριστὸν Ἰησοῦν πίστεως
(24, 24) der Jesusname textlich nicht gesichert[293]. Sein Fehlen mag in dem titelhaft
vorangestellten εἰς Χριστόν begründet sein. Die Apostelgeschichte schließt ab mit
20 der bedeutsamen Feststellung über das Wirken des Paulus in Rom: κηρύσσων τὴν
βασιλείαν τοῦ θεοῦ καὶ διδάσκων τὰ περὶ τοῦ κυρίου Ἰησοῦ Χριστοῦ μετὰ πάσης παρρησίας ἀκωλύτως (28, 31[294], vgl 8, 12). Jesus Christus, sein Name (→ V 277, 6ff)
und seine Person, sind nicht nur Inhalt der Botschaft und der Lehre des Glaubens,
sondern auch Kraft der Heilung (4, 10; 9, 34).

25   b. Eine besondere Linie in der Bezeugung Jesu macht die
Apostelgeschichte an Paulus deutlich. Von seinem Auftreten in Thessalonich heißt
es: Paulus erörtert an drei Sabbathen mit den Besuchern der Synagoge ἀπὸ τῶν
γραφῶν (→ I 752, 10ff), διανοίγων καὶ παρατιθέμενος ὅτι τὸν χριστὸν ἔδει παθεῖν καὶ
ἀναστῆναι ἐκ νεκρῶν, καὶ ὅτι οὗτός ἐστιν ὁ χριστός, ὁ Ἰησοῦς, ὃν ἐγὼ καταγγέλλω ὑμῖν
30 (17, 2f). Dieser Satz zeigt: Paulus hat in der Synagoge eine neue Messiaslehre
vorgetragen und diese aus der Schrift heraus begründet. Am Schluß der Darlegung dieser neuen Messiaslehre, die von der Wirklichkeit Jesu her entworfen war,
hat er gesagt: Dieser Messias, wie ihn die Schrift erwartet, ist Jesus, den ich euch
verkünde. Das Zeugnis der Schrift ist erfüllt. Hier ist durch die Apostelgeschichte
35 ein wesentliches methodisches Element des Missionszeugnisses des Paulus aufbewahrt, an dem deutlich wird, was Lukas zu zeigen nicht müde wird: Die Wirklichkeit Jesu hat zu einem neuen Verständnis dessen geführt, was der Messias ist,

---

[290] Anders GDelling, Die Zueignung des
Heils in der Taufe (1961) 89.
[291] Χριστόν lesen C D 𝔊.
[292] Χριστόν lesen 𝔓 E p[74].
[293] Er fehlt in ℵ c A C vid 𝔊.
[294] Χριστοῦ fehlt in ℵ * 614 sy[h]. In 4, 33,
der ersten St in jener Linie durch die Ag, die

in 28, 31 ihren Höhe- u Endpunkt findet, steht
bei ℵ A sowie vg: τῆς ἀναστάσεως Ἰησοῦ Χριστοῦ τοῦ κυρίου, während die meisten Texte
τοῦ κυρίου Ἰησοῦ τῆς ἀναστάσεως lesen. Vgl
zu Ag 28, 31 Haench Ag[14] 653—655; Bau Ag
zSt.

und damit auch dessen, was die Schrift von ihm sagt[295]. Auch 17,10f; 18, 4f und 26, 22f meinen diese Weise seines Christuszeugnisses.

c. Die Apostelgeschichte enthält 11, 26 die Notiz, daß in Antiochia die Jünger, offensichtlich Selbstbezeichnung der ältesten Christenheit (→ IV 445, 24ff; 450, 9ff; 462, 4ff)[296], zum ersten Mal Χριστιανοί (→ III 519,17ff), 5 genannt worden sind. Χριστιανός ist eine Bildung von Χριστός, ähnlich wie von Ἡρῳδιανοί und Καισαριανοί gesprochen wird. Χριστιανοί bezeichnet die Anhänger des Christus, die ihm Zugehörigen[297]. Am nächsten liegt die Annahme, daß diese Bezeichnung der Gemeinde von Außenstehenden gegeben worden ist, ohne daß sie deshalb ein Schimpfname sein muß (→ 473, 43ff). Da derartige Bezeich- 10 nungen von Namen abgeleitet werden[298], wird damit zu rechnen sein, daß man in Antiochia Χριστός vor allem außerhalb der Christusgemeinde als Eigennamen verstanden hat, wahrscheinlich als Namen einer Gottheit. Die Benennung Χριστιανοί ist dadurch verursacht, daß die Christen in Antiochia nicht mehr als Teil der jüdischen Synagoge, sondern als selbständige Gemeinschaft angesehen werden 15 (vgl dazu Ag 11,19—26a)[299], vielleicht nach Art einer Mysteriengemeinschaft. Es verdient darüber hinaus Beachtung, daß der Name Χριστιανοί (Ag 11, 26) in Verbindung mit dem Wirken des Paulus in Antiochien gebracht wird, der dort ein ganzes Jahr tätig war und einen großen Lehrerfolg hatte. Paulus spricht besonders pointiert von Jesus als χριστός (→ 532, 28ff), was schon in vorpaulinischen Formu- 20 lierungen, die er aufgreift, zu belegen ist. So dürfte in Antiochia die Bezeichnung Χριστός für die Gestalt Jesu vorherrschend gewesen und von Paulus entscheidend ausgeprägt worden sein. Das hat zu der Bezeichnung Χριστιανοί für die μαθηταί geführt, eine Bezeichnung, die sich rasch verbreitet hat (→ 572, 16ff; 573, 24ff)[300].

5. Die Evangelien-Überschriften bei Markus und Matthäus. 25

Mk u Mt haben in den Überschriften zu den Anfängen ihrer Ev die gemeinchristliche Bezeichnung Ἰησοῦς Χριστός Mk 1,1; Mt 1,1.18 (→ 523, 9ff),

---

[295] Möglicherweise hat Pls Florilegien ähnlich denen von Qumran besessen, in denen urchr Schriftgelehrte die St der Schrift zusammengestellt haben, aus denen die Notwendigkeit des Leidens u der Auferweckung Jesu erhoben worden ist. Sie dürften Grundlage des urchr Schriftbeweises gewesen sein u in diesem Zshg in die Schriften des ap u nachapostolischen Zeitalters eingegangen sein.

[296] Vgl auch Haench Ag[14] 213 A 2.

[297] Vgl Pr-Bauer sv, dort ältere Lit; ferner Haench Ag[14] 311 A 3; → Hahn 222 A 1. Die These von EPeterson, Christianus, in: Frühkirche, Judt u Gnosis (1959) 64—87, der Ausdruck sei Bezeichnung für eine vermeintliche politische Gruppe innerhalb des Judt, trifft für die Zeit des Lk nicht mehr zu u ist auch für die Entstehungszeit der Bezeichnung sehr fraglich.

[298] Derartige Namen kommen aus dem Lat u sind gräzisiert worden. Sie sind dem 1.Jhdt vChr als Gruppenbezeichnungen geläufig, zB

Marianus, Sullianus uam. Vgl PChantraine, La formation des noms en grec ancien, Collection linguistique 38 (1933) 197. [Risch]

[299] Mit der Entwicklung, die diese Bezeichnung auslöst, sind zwei Probleme gegeben: Die Χριστιανοί hören auf, unter dem Rechtsschutz der religio licita zu stehen, den sie genossen, solange sie als jüd Sekte galten. Gerade wenn sie Χριστιανοί genannt werden, steht die Frage vor ihnen, wie sich ihr Wissen um den Messias zur Verheißung verhält, die Israel gegeben ist u sich auf den Messias für Israel bezieht, vgl Haench Ag[14] 308—316.

[300] Die Bezeichnung Χριστιανοί ist durch Ag 26, 28 für den großpalästinischen Raum, durch Tac Ann 15, 44, 2 u Suet Caes VI 16, 2 für Rom, durch Ign (→ 572,16ff) für Antiochia u Syrien u durch 1 Pt 4, 16 sowie Plin ep X 96, 1—3 für Kleinasien im Laufe des 1. Jhdt u der ersten Jahrzehnte des 2. Jhdt bezeugt (→ 575 A 546). Zu Χρηστιανοί → 473, 43ff.

während Lk in der Einl zum Ev u zur Ag allg u umschreibend redet, um die Bezeichnung χριστός u den Namen Jesus erst im Gang seiner Darstellung miteinander zu verbinden[301]. Mk u Mt nennen sofort am Anfang den Doppelnamen Jesus Christus, wobei
der zum Beinamen gewordene Titel den häufigen Personennamen Jesus eindeutig fest-
5　legt. Beide wissen auch um die titulare Verwendung von χριστός.

6. Die Messiasfrage in der Geschichte Jesu und in der synoptischen Tradition.

Kein Zeugnis der Evangelien bietet einen unanfechtbaren
Beweis für ein messianisches Bewußtsein Jesu. Diese Einsicht wird durch die
10　Beobachtung verstärkt, daß die Logienquelle an keiner Stelle nachweislich die
Messiasbezeichnung enthalten hat. Nach der ältesten Tradition erscheint Jesus
als Exorzist und Heilender, als Prophet und Weisheitslehrer, freilich in einer alles
geschichtliche Propheten- und Lehrertum überragenden Vollmacht (Mt 12, 41f Par),
die ihm befreiende Wirkung gegenüber der Macht des Bösen verleiht (Mk 3, 27;
15　→ III 403, 3ff). Seine Vollmacht ist eschatologischer Art, weil sich an ihm das
endgültige Geschick des Menschen entscheidet[302]; in seiner Stellung zu Gott ist
sie begründet[303]. Für die Evangelien steht es fest, daß Jesus der Messias ist. Deshalb bringen sie das Bekenntnis zu seiner Messianität im Zusammenhang mit seiner
Geschichte. Markus tut das durch die Geheimnistheorie. Jesu Geschichte ist be-
20　stimmt durch die bewußt verborgene, erst im Verhör durch ihn enthüllte (14, 61f)
und nach der Auferstehung offenbar werdende Messianität[304]. Jedoch geht es bei
ihm mehr um ein Menschensohn- als um ein Messiasgeheimnis[305], das in der Vorstellung des apokalyptisch-eschatologischen Geheimnisses seinen Grund haben
dürfte[306], wozu einige Momente aus der Geschichte Jesu selbst hinzutreten[307].
25　Das Messiasgeheimnis hat seinen Grund nicht darin, daß Jesu Wirken nicht aus-
reiche, um auf ihn den Messiastitel anzuwenden, sondern der in Israel vorhandene
Messiastitel reichte nicht aus, um Jesu Wirken aus Vollmacht gültig auszusagen.

---

[301] Vgl WMarxsen, Bemerkungen zur „Form" der sog synpt Ev, ThLZ 81 (1956) 345—348; JKlausner, Jesus von Nazareth ³(1952) 315—317. 401—421; s auch → A 267.
[302] Vgl Lk 12, 8f Par; Mk 8, 38 Par, dazu Tödt aaO (→ A 247) 50—56 bzw 37—42, ferner den Bergpredigtschluß in der Logienquelle Mt 7, 24—27 Par.
[303] Zu dieser grundlegenden Frage muß das Wort abba herangezogen werden → I, 4, 24ff; vgl JJeremias, Abba (1966) 15—66; ders, Nt.liche Theol I (1971) 68—73. 175—180; WGrundmann, Die Frage nach der Gottessohn-schaft des Messias im Lichte von Qumran, Festschr HBardtke (1968) 86—111; JCGGreig, Abba and Amen: Their Relevance to Christo-logy, in: Studia Evangelica V, TU 103 (1968) 3—13; → VIII 374, 10ff. Sohn, Sohn Gottes, Sohn des Menschen gehören auch in diesen Zshg.
[304] Vgl grundlegend → Wrede; → Bauern-feind 67—104; EBickermann, Das Messias-geheimnis u die Komposition des Mk, ZNW 22 (1923) 122—140; HJEbeling, Das Messias-geheimnis u die Botschaft des Mk, ZNW Beih

19 (1939); Percy aaO (→ A 243) 271—299; GHBoobyer, The Secrecy Motif in St Mark's Gospel, NT St 6 (1959/60) 225—235. Vgl noch JRoloff, Das Mk als Geschichtsdarstellung, Ev Theol 27 (1969) 84—93.
[305] Loh Mk 1—7; TWManson, The Son of Man in Daniel, Enoch and the Gospels, Stu-dies in the Gospels and the Epistles (1962) 123—145; → Sjöberg Menschensohn Ev 100 —132. 150—175; TABurkill, The Hidden Son of Man in St Mark's Gospel, ZNW 52 (1961) 189—213; ders, Mysterious Revelation (1963); Grundm Mk 185—187.
[306] Vgl dazu bes → Sjöberg Menschensohn Ev 1—40.
[307] Ansätze dazu liegen in dem Bilde vom Dieb vor, unter dem das Kommen Jesu dar-gestellt wird Mk 3, 27, vgl 1 Th 5, 2; Mt 24, 43 Par; Apk 3, 3; 16, 15; 2 Pt 3, 10; weiter in der Verborgenheit der βασιλεία Mk 4, 26—29; Mt 13, 31—33 Par; Mk 4, 30—32; Mt 13, 44 —46 u in dem Zwiespalt zwischen Jesu Auf-trag als Botschafter u der Gefahr, als Thauma-turg mißverstanden zu werden Mk 1, 32—45, vgl dazu Grundm Mk zSt.

Darum mußte er auf Jesu Geschichte bezogen und aus ihr heraus neu geprägt
werden. Lukas übernimmt die bei Markus vorkommenden Stellen und konzentriert die Messiasaussage auf die Kindheits- und Ostergeschichten. Matthäus verwendet den Messiastitel für Jesu Wirken in einigen redaktionellen Stellen auch
außerhalb der Kindheitsgeschichte. Das Wirken Jesu rückt bei Matthäus unter 5
das neugeprägte Messiasverständnis. Die Evangelisten erweisen damit, daß die
älteste Überlieferung gegenüber dem Messiastitel sehr zurückhaltend gewesen ist.
Das kann nur in der Geschichte Jesu selbst seinen Grund haben. Die Messiaserwartung haben seine Jünger und das auf ihn hörende Volk mit seiner Person
verbunden. Sein Wirken mit seinem Einfluß auf weite Kreise des Volkes hat die 10
sich an ihn hängende Messiashoffnung seiner Jünger und Anhänger gestärkt. Das
brachte ihn in die Nähe zu zelotisch-politischen Messiasprätendenten[308]; ein solcher
zu sein wurde er vor Pilatus beschuldigt, und aus diesem Grund wurde er hingerichtet. Jesus selbst hat nicht, wie es dem Messiasbild der israelitischen Hoffnung entsprochen hätte, in einer politischen Macht den Gegenspieler seiner Bot- 15
schaft vom nahenden Reiche Gottes gesehen, sondern in der satanischen Macht
des Bösen. Er hat nicht Machterwerb und Gewaltanwendung angestrebt, sondern
hat sein Wirken als Dienst verstanden. Ist für den Messias die Herrschaft konstitutiv, so verwirklicht sich Jesu Herrschaft im Dienen. Führt für den Messias
der Weg zur Herrschaft durch Kampf und Sieg, so ist für Jesus der Weg durch 20
Leiden und Unterliegen vorgezeichnet (Mk 8, 27—33; 10, 35—45; Lk 22, 24—28;
→ II 83, 25ff; 85, 15ff). In der das Leiden einschließenden Dienstherrschaft, die
dem Denken der Gedanken Gottes (→ IV 345, 19ff) entspringt (Mk 8, 33; → VIII
447, 28ff), leuchtet das neue Verständnis der Messianität auf, das Jesus daran
hinderte, sich Messias nennen zu lassen, weil das nur dem Mißverständnis seiner 25
Sendung Vorschub geleistet hätte. Andererseits aber war die Messiaserwartung so
stark mit der prophetischen Verheißung und der Hoffnung des Volkes verbunden
(→ 495, 38ff), daß sie in einer durch seine Geschichte neu geprägten Form auf
ihn bezogen werden mußte. Vor diese Notwendigkeit sah sich die älteste Christenheit auf Grund der Verurteilung und Hinrichtung Jesu als eines Messiaspräten- 30
denten gestellt. Ihre Antwort lautete: Jesus ist Messias als der Gekreuzigte und
Auferstandene, dessen baldige Wiederkunft als Menschensohn erwartet und dessen
Erhöhung zum Kyrios geglaubt und bekannt wurde[309]. Aus der Geschichte Jesu
wird dabei der charismatische Charakter seines Auftretens wirksam[310], der seinen
Grund in der Geistbegabung Jesu hat[311]. Das ist deshalb besonders wichtig, weil 35

[308] Vgl → Hahn 161—179; OCullmann, Der
Staat im NT ²(1961) 1—35; ders, Jesus u die
Revolutionären seiner Zeit (1970).

[309] Die einzelnen Stadien der Entwicklung
verfolgt → Hahn durch sein Werk. Bedenken
erweckt seine Auseinanderreißung von Parusie
u Erhöhung u ihre Verteilung auf verschiedene
Gemeinden. In der Parusieerwartung, die Jesus
als den alsbald kommenden Menschensohn
erhofft, ist die Erhöhung mitgesetzt; beide
haben in der Auferweckung ihren Grund. Sie
ist mehr als Durchgangsstadium; sie ist Anbruch des eschatologischen Geschehens. Wird
der Ton auf die mit der Auferweckung ver-

bundene Erhöhung gelegt, so hat diese Akzent-
verlagerung ihren Grund im Denken der hell
Gemeinden sowohl juden- wie heidenchrist-
licher Art u in der Erfahrung der sich dehnen-
den Zeit. Sie ist Entfaltung der Parusieerwartung, aber keine Neuschöpfung ihr gegenüber.
Ihr gemeinsamer Angelpunkt ist die Auferweckung Jesu.

[310] Vgl ROtto, Reich Gottes u Menschensohn ³(1954) 267—309; WGrundmann, Die
Gesch Jesu Christi ³(1961) 265—270. 289—292.

[311] Die Bdtg der Geistbegabung für das
Bekenntnis zur Messianität Jesu in seiner
Gemeinde hebt WCvanUnnik, Jesus the Christ,

schon im Alten Testament (→ 499, 4ff) und in der altjüdischen Erwartung (→
VI 382, 21ff) der Messias der mit dem Geist Gottes Gesalbte ist. Darin gründet
sein besonderes Verhältnis zu Gott[312] und die aus seiner Vollmacht erwachsende
Dienstherrschaft. Alle Evangelisten, am stärksten Lukas (→ VI 402, 9ff), weisen
5 auf Geistbegabung und Geistsalbung hin. Entscheidend für das neue Verständnis
vom Messias wird das Bekenntnis: Der Messias ist Herr über die Macht des Bösen
in Sünde und Tod geworden. Aus ihrer Herrschaft befreit er die sich ihm anschließenden Menschen und bringt sie unter seine Herrschaft. Das wird vor allem im
apostolischen Zeugnis ausgesagt. Ist der Messias in Israel ein irdischer Mensch,
10 auf den sich religiös-nationalpolitische Hoffnungen richten, so ist er für die Christenheit der Überwinder des von ihm erlittenen Todes für seine Bekenner, der sie
von ihrer Schuld befreit und der selbst in Gottes Ewigkeit eingegangen ist. Auf
die Ausgestaltung dieser Anschauung wirken die die Messiasvorstellung transzen-
dierende Menschensohnvorstellung und das Prädikat des Gottessohnes ein. In der
15 Verbindung der Messianität mit Auferweckung und Erhöhung kommt neu zum
Ausdruck, was im Alten Testament mit der Salbung gegeben ist: Sie verleiht Kraft
und Herrlichkeit. Die Person des Gesalbten ist unverletzlich, weil er dem Schutz
Gottes als sein Beauftragter und Gesandter anvertraut ist, wozu er durch die
Salbung mit dem Geiste Gottes zugerüstet ist.

20   Die geschichtliche Eigenart Jesu, die das Messiasverständnis neu prägt, macht
es verständlich, daß auf ihn nicht nur die Züge des messianischen Königs (→
496, 39ff), sondern auch die des messianischen Hohenpriesters (→ 509, 1ff)[313]
und des Propheten nach Art des Mose (→ VI 847, 10ff) übertragen werden, so daß
sich in ihm das verwirklicht, was Josephus an Johannes Hyrkanos fand (→ VI
25 825, 46ff).

III. Χριστός in den Briefen des Paulus[314].

1. Zum Sprachgebrauch des Paulus.

        a. Der Sprachgebrauch des Paulus steht unter einer
grundlegenden Voraussetzung. Durch das Ostergeschehen ist die Messiaserwar-
30 tung Israels eindeutig auf Jesus festgelegt worden. Der verheißene und erwartete
Messias ist Jesus von Nazareth, anders als man sich den Messias vorstellte, aber
durch Ostern als solcher von Gott beglaubigt. In Verbindung mit der Geschichte
Jesu vollzieht sich hier die entscheidende Umprägung des Begriffes. Auf diesem

---

NT St 8 (1961/62) 101—116 bes hervor; s dazu
→ Hahn 220 A 5. Sie ist mit der Taufe Jesu
verbunden. Zu ihr tritt bei Mt u Lk in den
Kindheitsgeschichten die Zeugung aus dem
Geist.
    [312] Zur Frage des abs *der Sohn* als Ausdruck
des Gottesverhältnisses in Korrespondenz zu
abba vgl WGrundmann, Mt 11, 27 u die joh
„Der Vater-der Sohn“-St, NT St 12 (1965/66)
42—49, wo er kritisch zu → Hahn 323—329
Stellung nimmt; s ferner Jeremias Abba aaO
(→ A 303) 47—54.
    [313] Vgl → Friedrich Hohepriestererwartung;

Grundm Mk 30—59 uö. Die von Friedrich
gesammelten Belege sucht → Hahn 231—241
zu entkräften; er übersieht jedoch, daß die
Belege ähnlich zerstreut vorliegen, wie er es
für den eschatologischen Propheten zeigt 351
—404. Sie haben für Mk eine erhebliche Form-
kraft.
    [314] → Kramer 199—222; → Neugebauer
44—56; EvDobschütz, ΚΥΡΙΟΣ ΙΗΣΟΥΣ,
ZNW 30 (1931) 97—123; Dob Th 61; → Dahl
Messianität; SVMcCasland, „Christ Jesus“,
JBL 65 (1946) 377—383.

Wege wird die Messiasbezeichnung χριστός zum Namen; denn χριστός ist Jesus.
In der außerpalästinischen Welt, wo man das Wort χριστός nicht verstand, wurde
es Beiname, der zum Eigennamen Jesus hinzutrat oder ihn vertrat. Jesus als
Träger eines vielfach vorkommenden Namens wird dadurch in seiner unverwechsel-
baren Einzigartigkeit herausgehoben. 5

b. Χριστός kommt bei Paulus absolut vor, zT mit Artikel
ὁ Χριστός, zT ohne Artikel Χριστός. In der Genitivverbindung, in der Χριστός
mehrfach begegnet, zieht der Artikel des mit Χριστός verbundenen Begriffes auch
den Artikel des genitivisch angeschlossenen τοῦ Χριστοῦ nach sich, während feh-
lender Artikel auch sein Fehlen beim genitivischen Χριστοῦ verursacht[315], zB οὐκ 10
οἴδατε ὅτι τὰ σώματα ὑμῶν μέλη Χριστοῦ ἐστιν; ἄρας οὖν τὰ μέλη τοῦ Χριστοῦ ποιήσω
πόρνης μέλη; (1 K 6,15; → IV 569, 5ff). Daraus läßt sich schließen: Χριστός hat
mit oder ohne Artikel die gleiche Bedeutung. Da auch Eigennamen mit Artikel
gebraucht werden (zB Mk 15, 43—45; Lk 23, 25), kann jedes Χριστός mit Artikel
die gleiche Bedeutung wie ein artikelloses Χριστός haben. Χριστός gehört im 15
Sprachgebrauch der griechisch sprechenden alten Christenheit zu den Wörtern der
griechischen Sprache, die teils mit, teils ohne Artikel verwendet werden[316]. Vom
Artikelgebrauch her kann nicht entschieden werden, ob χριστός Name oder Titel
ist. In jedem Fall drücken aber derartige Wörter die Einzigartigkeit des Benannten
aus[317]. Sagt also Paulus ὁ Χριστός oder Χριστός, so meint er die Einzigartigkeit 20
des Benannten; er weiß um den Titel, den das Wort ursprünglich ausdrückt,
während seine nichtjüdischen Leser es als Eigennamen verstehen.

ὁ Χριστός findet sich bei Pls 1 K 1,13; 10, 4; 11, 3; 12,12; R 9, 5; 15, 3. 7. Weitaus
häufiger steht jedoch bei Pls das artikellose Χριστός. Abs משיח kommt nicht nur bei
den Rabb des bab Talmud vor[318], sondern findet sich auch im palästinischen Sprach- 25
gebrauch (→ 500,18ff)[319]. Es ist wahrscheinlich durch Vermeidung der Gottesbezeichnung entstanden. Pls folgt also dem palästinischen u vorpaulinisch-urchr Sprach-

---

[315] Bl-Debr § 259, s auch § 253f.
[316] Schwyzer II 24f; Bl-Debr § 253f.
[317] „Ein in seiner Art einziges Wesen ...“
Bl-Debr § 254. Derartige artikellose Bezeichnungen „kommen den Eigennamen oft sehr
nahe“ ebd. Vgl dazu → Cerfaux 294: „Christus ist das Schlüsselwort der paul Briefe. Es
wird mehr als vierhundertmal wiederholt, während 'Jesus' noch nicht zweihundertmal vorkommt. Selbst wenn 'Christus' nur ein bloßer
Eigenname wäre, wie oft behauptet wird, wäre
es der Mühe wert, genau festzustellen, unter
welchem Gesichtspunkt er Jesus bezeichnet...
Hat aber das Wort 'Christus', das von Haus aus
eine Gattungsbezeichnung war, nicht oft in der
Sprache des Ap eine Erinnerung an seine urspr
Bdtg bewahrt? Sollte nicht hierin der Grund
dafür liegen, daß es mit bestimmten geprägten
Formeln verknüpft wird?“ 296: „Wenn
Χριστός ein bloßer Eigenname wäre, warum
sagt er dann niemals ὁ κύριος Χριστός statt
ὁ κύριος Ἰησοῦς?“
[318] Dalman WJ I 238—240; IAbrahams,
The personal use of the term „Messiah“, Studies in Pharisaism and the Gospels I (1917)
136—138.

[319] KHRengstorf, Die Auferstehung Jesu
[5](1967) 129—131; CCTorrey, Χριστός, Festschr KLake (1937) 317—324; → Hahn 208f
A 6; BOtzen, Die neugefundenen hbr Sektenschriften u die Test XII, Studia Theologica 7
(1953/54) 147f; → Vielhauer Weg 180—182;
JJeremias, Artikelloses Χριστός, ZNW 57 (1966)
211—215; ders, Nochmals: Artikelloses Χριστός
aaO (→ A 71); Güttgemanns aaO (→ A 71);
ders, Der leidende Ap u sein Herr, FRL 90
(1966) 66 A 70; ELohse, Die at.lichen Bezüge
im nt.lichen Zeugnis vom Tode Jesu, in: Zur
Bdtg des Todes Jesu, ed FViering (1967) 105;
HConzelmann, Grundriß der Theol des NT
[2](1968) 91f. 222. Jeremias Nochmals: Artikelloses Χριστός 219 formuliert: „משיח ist also
nicht nur im mesopotamischen, sondern auch
im palästinischen Judt weithin artikellos wie
ein Eigenname gebraucht worden, wobei jedoch die Ableitung von משח u die titulare Bdtg
des Wortes voll bewußt blieben“. Weitere Erwägungen bei KSchubert, Rezension von
KLehmann, Auferweckt am dritten Tag nach
der Schrift, Quaestiones disputatae 38 (1968),
Kairos 11 (1969) 232.

gebrauch. ὁ Χριστός u Χριστός finden sich im paul Schrifttum ohne Bedeutungsunterschied nebeneinander an einer Reihe von St, R 14,15: Χριστός u v 18: τῷ Χριστῷ, 15,7:
ὁ Χριστός u v 8: Χριστὸν διάκονον, 1 K 1,12: ἐγὼ δὲ Χριστοῦ u v 13: ὁ Χριστός[320], v 17:
Χριστός u ὁ σταυρὸς τοῦ Χριστοῦ. Heranzuziehen sind auch die sachlich verwandten
5　St 1 K 3, 23: ὑμεῖς δὲ Χριστοῦ, Χριστὸς δὲ θεοῦ u 1 K 11, 3: παντὸς ἀνδρὸς ἡ κεφαλὴ ὁ
Χριστός ἐστιν,... κεφαλὴ δὲ τοῦ Χριστοῦ ὁ θεός.

So haben also ὁ Χριστός und Χριστός den gleichen Sinn. Das Mitschwingen der
titularen Bedeutung bei Paulus wird durch ... εἰς Χριστὸν καὶ χρίσας 2 K 1, 21
belegt.

10　　　　　　　　　　c. Daneben finden sich die Bezeichnungen Χριστὸς Ἰησοῦς und Ἰησοῦς Χριστός. Nur in etwa zwei Dritteln der vorkommenden Fälle ist
die Bezeugung textlich eindeutig. Ein Drittel ist der Schwankung zwischen Χριστὸς
Ἰησοῦς und Ἰησοῦς Χριστός ausgesetzt, so daß mit Umstellung oder Ergänzung
von zweiter Hand gerechnet werden muß. Damit würde sich das Gewicht der
15　Χριστός-Vorkommen noch erhöhen[321]. Das wird durch die zu beobachtende Tendenz verstärkt, die Doppelbezeichnung in gewichtigen Stücken zu verwenden, zB
in der Briefeinleitung, in den Abschlüssen einzelner Briefabschnitte und in besonders wesentlichen Aussagen, wenn nicht sogar die noch stärker gefüllte Bezeichnung ὁ κύριος (ἡμῶν) Ἰησοῦς Χριστός (R 5,1. 11; 15, 6. 30; 1 K 1,7f. 10; 15, 57;
20　2 K 1, 3; 8, 9; Gl 6,14; 1 Th 1, 3; 2,19; 5, 23; 2 Th 1,12; 2,1.14.16; 1 K 6,11; 8, 6;
16, 23[322]; Phil 4, 23; 2 Th 3, 6)[323] oder Ἰησοῦς Χριστὸς ὁ κύριος ἡμῶν (R 5, 21;
6, 23; 7, 25; 8, 39; 1 K 1, 9;15, 31) gebraucht wird. In dieser aufgefüllten Form
ist κύριος Würdebezeichnung und hat Titelcharakter, während Χριστός zum Teil
des Eigennamens wird.

25　Die Frage, die sich stellt, lautet: Ist im Schrifttum des Paulus Χριστός zweiter
Eigenname geworden, oder hat das Wort seinen Würdecharakter und damit seine
Titelbedeutung behalten? Die Frage ist in dieser Entweder-Oder-Form nicht zutreffend gestellt. Als zweiter Eigenname garantiert Χριστός die Besonderheit und
Unverwechselbarkeit des Namens Jesus. Damit ist der Würdecharakter des Χρι-
30　στός in den Eigennamen hineingenommen worden. Das wird besonders bei dem
vorangestellten Χριστός deutlich. Es behält für Paulus seine volle Aussagekraft,
auch wenn für die nichtjüdische Welt seine inhaltliche Bedeutung weitgehend un-

---

[320] → Friedrich Christus 241 sieht in ὁ
Χριστός 1 K 1, 13 „eine verkürzte Aussageform
für τὸ σῶμα τοῦ Χριστοῦ".
[321] Zu der weithin übernommenen These von
Dobschütz, Jesus Christus sei das Urspr u die
Umstellung sei dadurch hervorgerufen, daß
durch Christus der Kasus eindeutig bestimmt
sei, während das bei Jesus infolge der Gleichheit von Gen u Dat nicht der Fall sei, beachte
die kritische Frage von McCasland aaO (→
A 314), der vDobschütz sonst zuzustimmen
geneigt ist: I am unable to say why 48 of the
91 examples of "Christ Jesus" are in the dative
and why 102 of the 127 instances of "Jesus
Christ" are in the genitive 383. Die These von
Dobschütz scheint uns mehr von der Situation
des Übersetzers her als vom lebendigen Sprach-
geschehen aus zu denken, in dem es klar ist,
welcher Kasus welcher Präp folgt — ἐν! —
und in welchem Zshg der Gen steht. Theol be-

gründet → Cerfaux 310 den Unterschied, ohne
ihn freilich exakt belegen zu können: „Zwischen Jesus Christus u Christus Jesus empfindet (!) Pls einen Unterschied. Bei 'Jesus Christus' geht der Gedanke vom Menschen Jesus
aus, den Gott auferweckt u dem er die Würde
u die Stellung des Christus, des messianischen
Retters, zuerkannt hat. Umgekehrt geht der
Gedanke bei 'Christus Jesus' vom präexisten-
ten Christus aus, der sich in einem Menschen,
in Jesus von Nazareth, geoffenbart hat...
Ein Stilist u Theologe wie Pls, ein Mann, der
wußte, was Worte wie Χριστός, κύριος bedeuten, hat alle diese Formeln, die wir wahllos
miteinander vertauschen, mit voller Überlegung gebraucht."
[322] In א B u anderen Hdschr fehlt die LA
Χριστοῦ.
[323] → Kramer 217f; → Neugebauer 45. 60.

bekannt bleibt oder wird. Paulus selbst stand nämlich in einer Geschichte der lebendigen Messiashoffnung. Die Urgemeinde, die er vor seiner Bekehrung bekämpfte, unterschied sich von ihrer jüdischen Umgebung dadurch, daß ihr der Messias, auf den diese wartete, bekannt war: Jesus von Nazareth. Paulus nahm daran Anstoß (→ VII 353, 32 ff), daß ein Gekreuzigter der verheißene Messias Israels sein solle. Das machte ihn zum Verfolger der Gemeinde; denn Χριστὸς ἐσταυρωμένος ist Ἰουδαίοις μὲν σκάνδαλον (1 K 1, 23). Paulus hat erkannt und erfahren, daß eben dieser Χριστὸς ἐσταυρωμένος θεοῦ δύναμις καὶ θεοῦ σοφία ist (1 K 1, 24), so daß er sagt: οὐ γὰρ ἔκρινά τι εἰδέναι ἐν ὑμῖν εἰ μὴ Ἰησοῦν Χριστὸν καὶ τοῦτον ἐσταυρωμένον (1 K 2, 2; → VII 582, 12 ff). Das verstehen die Gemeinden aus den Völkern, die aus dem paulinischen Werk hervorgehen, nicht in gleicher Weise. Für sie ist Messias-Christus nicht mit dem Gehalt der Verheißung Gottes verbunden, die ihn zum entscheidenden Mandatar Gottes macht. Wenn Χριστός mit dem Namen Jesus verbunden wird, hören sie einen Doppelnamen. Das hat eine Parallele bei Caesar Augustus[324]. Er nannte sich Imperator Caesar Augustus; ähnlich klingt die Formulierung κύριος Ἰησοῦς Χριστός. Da man den Einfluß judenchristlicher Kräfte in den heidenchristlichen Gemeinden sowie die Kenntnis der Septuaginta nicht gering veranschlagen darf, kann in der Verbindung Ἰησοῦς Χριστός beim zweiten Namen auch seine titulare Bedeutung mitgehört werden. Man wird also Χριστός als Beinamen verstehen müssen, der auch für den Eigennamen eintreten kann, wobei es offen bleiben muß, in welchem Umfang in diesem Beinamen Würde, Funktion und Titel mitgehört werden. Dafür spricht, daß Paulus es vermeidet, κύριος und Χριστός ohne den Namen Jesus zusammenzufügen (→ 525 A 276; 533 A 317)[325]; denn dadurch würden zwei Titel aufeinandertreffen. In den Vollformen steht der Name Jesus zwischen κύριος und Χριστός, oder κύριος ist als Apposition zu Ἰησοῦς Χριστός hinzugefügt.

Für das Mitschwingen der Würdebezeichnung in Χριστός spricht auch die Beobachtung, daß in einer Reihe von Zshg die Ausdrücke wechseln, ohne daß ein Sinnunterschied deutlich würde, so zB R 15, 16—20: λειτουργὸν Χριστοῦ Ἰησοῦ v 16; ἐν Χριστῷ Ἰησοῦ v 17; Χριστός v 18; τὸ εὐαγγέλιον τοῦ Χριστοῦ v 19; οὐχ ὅπου ὠνομάσθη Χριστός v 20 oder 2 K 4, 4—6: τὸ εὐαγγέλιον τῆς δόξης τοῦ Χριστοῦ v 4; κηρύσσομεν ... Χριστὸν Ἰησοῦν κύριον v 5; ἐν προσώπῳ Χριστοῦ v 6, ferner Gl 2, 16—3, 1: διὰ πίστεως Ἰησοῦ Χριστοῦ ... εἰς Χριστὸν Ἰησοῦν ἐπιστεύσαμεν ... ἐκ πίστεως Χριστοῦ v 16; ἐν Χριστῷ u Χριστός v 17; Χριστῷ συνεσταύρωμαι ... ζῇ δὲ ἐν ἐμοὶ Χριστός v 19 f; Ἰησοῦς Χριστὸς προεγράφη ἐσταυρωμένος v 1; in Gl 6, 12. 14 stehen σταυρὸς τοῦ Χριστοῦ u σταυρὸς τοῦ κυρίου ἡμῶν Ἰησοῦ Χριστοῦ nebeneinander, weiter Phil 1, 15—26: τὸν Χριστὸν κηρύσσομεν v 15; τὸν Χριστὸν καταγγέλλουσιν v 17; Χριστὸς καταγγέλλεται v 18; ἐπιχορηγίας τοῦ πνεύματος Ἰησοῦ Χριστοῦ v 19; μεγαλυνθήσεται Χριστός v 20; ἐμοὶ γὰρ τὸ ζῆν Χριστός v 21; σὺν Χριστῷ εἶναι v 23; ἐν Χριστῷ Ἰησοῦ v 26, schließlich Phil 3, 7—14: διὰ τὸν Χριστόν v 7; γνώσεως Χριστοῦ Ἰησοῦ τοῦ κυρίου μου v 8; ἵνα Χριστὸν κερδήσω ... διὰ πίστεως Χριστοῦ v 8 f; κατελήμφθην ὑπὸ Χριστοῦ Ἰησοῦ v 12; ἐν Χριστῷ Ἰησοῦ v 14[326]. Ganz ähnlich wie Χριστός u ὁ Χριστός verwendet Pls den Begriff des νόμος, der R 10, 4 eindeutig

---

[324] [Risch] Der aus der gens Octavia stammende Octavian nahm bei seiner Adoption durch Caesar den Namen Caesar an. Der ihm verliehene Ehrentitel Σεβαστός Augustus wird als Cognomen in den Namen hineingenommen.

[325] Nur R 16, 18 bildet eine Ausn, ist jedoch nicht für Pls gesichert, → Kramer 213 f.

[326] In welchem Maße ein Beiname promiscue für den Eigennamen durch Pls verwendet werden kann, wird an der Bezeichnung Kephas deutlich, die Pls ohne den Eigennamen Simon benutzt, ohne Artk 1 K 1, 12; 9, 5; 15, 5; Gl 1, 18; 2, 9. 11, mit Artk Gl 2, 14. Er vermeidet das griech Πέτρος, das in einigen der genannten St für Κηφᾶς gesetzt worden ist. Außerhalb des Corpus Paulinum hat sich Πέτρος durchgesetzt, das häufig wie auch andere Namen mit Artk versehen wird Mk 14, 48. 54 f. 62. 66 uö; 15, 2. 4 uö, vgl Bl-Debr § 260. Pls weiß als zweisprachiger Mann genau, was Κηφᾶς besagt. Das werden wir auch für Χριστός voraussetzen müssen.

dem Christus gegenübergestellt wird: τέλος γὰρ νόμου Χριστός (→ IV 1068, 4ff)[327]. Es erweist sich ein dem Χριστός analoger Gebrauch. In beiden Fällen ist die artikellose Verwendung für Pls bes charakteristisch; in beiden Fällen besteht zwischen einer Verwendung mit u ohne Artk kein Sinnunterschied (→ IV 1062, 4ff). νόμος ist geradezu der Eigenname des Gesetzes. Beide, das Gesetz u der Christus bzw Gesetz u Christus, sind als zwei Mächte verstanden. Die eine bringt über den Menschen um seiner Sünde willen das Unheil u den Fluch; sie heißt Gesetz. Die andere bringt dem Menschen im Unheil das Heil; sie ist eine Pers u trägt den Namen Jesus, der der Heilbringer ist. Diese seine Macht als Heilbringer ist im Gegensatz zu der Unheilsmacht, die Gesetz heißt, in Χριστός bzw ὁ Χριστός ausgedrückt.

Jesus Christus oder Christus Jesus bedeutet: Jesus, der Heilbringer.

2. Der Bedeutungsgehalt von ὁ Χριστός und Χριστός in den paulinischen Hauptbriefen.

a. Durch alle Briefe des Apostels Paulus zieht sich die Formulierung τὸ εὐαγγέλιον τοῦ Χριστοῦ (→ II 728, 26ff). Gemeint ist die Frohbotschaft, die den Christus zum Inhalt und zum Ursprung hat (R 1,16[328]; 15,19; 1 K 9,12; 2 K 2,12; 9,13; 10,14; Gl 1,7; Phil 1, 27; 1 Th 3, 2). Paulus spricht variierend vom εὐαγγέλιον τῆς δόξης τοῦ Χριστοῦ (2 K 4, 4), vom μαρτύριον τοῦ Χριστοῦ (1 K 1, 6), aber auch von τὸ εὐαγγέλιον τοῦ θεοῦ (1 Th 2, 9) und εὐαγγέλιον θεοῦ (R 1,1)[329], wobei deutlich wird: Die Frohbotschaft, die den Christus zum Inhalt und Ursprung hat, ist Gottes eigene Frohbotschaft; denn der Christus ist Gottes Mandatar. Aus dieser Formulierung leiten sich Aussagen wie Phil 1;15—18 her: τὸν Χριστὸν κηρύσσουσιν (v 15), τὸν Χριστὸν καταγγέλλουσιν (v 17)[330] und Χριστὸς καταγγέλλεται (v 18). Die Verkündigung der Frohbotschaft, ῥῆμα Χριστοῦ[331] (R 10,17) genannt, führt zum Hören, aus dem das rettende Glauben kommt.

Paulus hat Inhaltsangaben des Evangeliums Gottes bzw des Christus aus den vor ihm entstandenen Gemeinden übernommen (1 K 15, 3—5)[332]. Diese Tradition wird durch artikelloses Χριστός eingeleitet. Das geschieht auch in dem geprägt

[327] Pls gebraucht ὁ νόμος im Nominativ R 3,19; 7,1; Gl 3,12.19. 21. 24; 1 K 9, 8, in abhängigen Casus R 2,14f. 18. 26f; 3,19; Gl 3,13, ebenso auch νόμος ohne Artk im Nominativ R 2,14; Gl 3,21; 5, 23, in abhängigen Casus R 2,14.17. 27; 3, 20f; 4,14; 9, 31; Gl 2,16.19; 3,10.18; R 7,1. Er hat nebeneinander die Formeln ἐν τῷ νόμῳ R 2, 20; 1 K 9, 9 u ἐν νόμῳ R 2,12. 23; Gl 3,11; 5, 4; διὰ νόμου findet sich R 4,13; Gl 2,19. 21, ὑπὸ νόμον Gl 4, 4f; 5,18; 1 K 9, 20.

[328] τοῦ Χριστοῦ ist R 1,16 textlich nicht sicher, es ist nur durch 𝔎 bezeugt.

[329] Hier bestätigt sich im Vergleich zwischen 1 Th 2, 9 u R 1,1 die obige (→ Z 2ff) Feststellung betreffs der Determination.

[330] Der Artk fehlt in B G 1739. Da 1,18 artikelloses Χριστός bezeugt ist, wird erneut sichtbar: Ein Unterschied zwischen beiden Formen besteht nicht.

[331] In 𝔎 A sy steht θεοῦ statt Χριστοῦ. In G fehlt der Gen. Sollte ein abs ῥῆμα verschieden ergänzt worden sein?

[332] → Kramer 46—51; Stuhlmacher aaO (→ A 135) 266—282. Vgl ferner ELichtenstein, Die älteste chr Glaubensformel, ZKG 63 (1950/51) 1—74; HConzelmann, Zur Analyse der Bekenntnisformel 1 Kor 15, 2—5, Ev Theol 25 (1965) 1—11; UWilckens, Der Ursprung der Überlieferung der Erscheinungen des Auferstandenen, Festschr ESchlink (1963) 56—95; BKlappert, Zur Frage des semitischen oder griech Urtextes von 1 Kor 15, 3—5, NT St 13 (1966/67) 168—173; HWBartsch, Die Argumentation des Pls in 1 K 15, 3—11, ZNW 55 (1964) 261—274. Vgl auch die Lit in → A 319. → Hahn 199—211 u Wilckens 80f rechnen mit Verschmelzung von verschiedenen, urspr selbständigen Bekenntnisformeln in 1 K 15, 3—5, s auch Wilckens aaO (→ A 276) 73—80. Die postulierten Kurzformeln, wie zB R 10, 9 uam, nennt LGoppelt, Das Osterkerygma heute, Christologie u Ethik (1968) 86 mit Recht Bekenntnisformeln, die der Verkündigung antworten, im Unterschied zu Formeln, die selbst Verkündigung sind. 1 K 15, 3—5 gehört der letzteren Art zu.

empfangenen Stück R 8, 34[333]. Aus beiden Zeugnissen ergibt sich als Inhalt des Evangeliums: Christus, für uns gestorben, auferweckt und erhöht, tritt für uns ein. Beide Formulierungen vermeiden vom Tod des Christus am Kreuz ausdrücklich zu reden, weil der Schand- und Fluchtod am Kreuz der ältesten Christenheit Not bereitete. Paulus, der am Tatbestand eines gekreuzigten Messias Anstoß ge- 5 nommen und ihn als σκάνδαλον betrachtet hat (→ VII 353, 32ff), spricht seinerseits aus, was in den übernommenen Bekenntnissen vermieden wurde. Er bringt damit das Geschehen zur Sprache, das von keinem Menschen erwartet werden konnte: Χριστὸς ἡμᾶς ἐξηγόρασεν ἐκ τῆς κατάρας τοῦ νόμου γενόμενος ὑπὲρ ἡμῶν κατάρα, ὅτι γέγραπται· ἐπικατάρατος πᾶς ὁ κρεμάμενος ἐπὶ ξύλου (Gl 3,13). Daß der 10 Christus am Kreuz (→ VII 575, 5ff) ein Verfluchter ist, bleibt für Paulus bestehen; das ist das σκάνδαλον. Aber Christus ist es nicht um seinetwillen, sondern für uns. Das ist die neue Erkenntnis, die Paulus gewinnt und die ihm das Bekenntnis zum gekreuzigten Christus abverlangt. Statt vom Sterben des Christus spricht Paulus betont vom σταυρὸς τοῦ Χριστοῦ (1 K 1,17. 23; 2, 2; Gl 6,12; Phil 3,18). 15 Der Tod des Christus am Kreuz ist ihm die Kundmachung der Liebe Gottes, die in der Liebe des Christus sich vollzieht (R 5, 5f. 8; 8, 35[334]); denn Christus stirbt zu einer Zeit, da die jetzt an ihn Glaubenden noch schwach, Sünder und Feinde waren (R 5, 6. 8. 10)[335]. Darum hat Paulus sich selbst διὰ τὸν Χριστόν um seine ganze ruhmvolle Vergangenheit aus Herkunft und Leistung bringen lassen, ἵνα 20 Χριστὸν κερδήσω (Phil 3, 8, vgl 7). Er ist die Mitte seines Lebens geworden, die nunmehr sein Dasein durch ihre in der Hingabe sich vollziehende Liebe bestimmt ζῶ δὲ οὐκέτι ἐγώ, ζῇ δὲ ἐν ἐμοὶ Χριστός (Gl 2, 20).

Wie der Tod am Kreuz als Heilsereignis mit Χριστός verbunden ist, so auch seine Auferstehung: ἠγέρθη Χριστὸς ἐκ νεκρῶν διὰ τῆς δόξης τοῦ πατρός (R 6, 4, 25 vgl v 9). Als Auferstandener wird er von den Zeugen verkündigt: ... Χριστὸς κηρύσσεται ὅτι ἐκ νεκρῶν ἐγήγερται (1 K 15,12). Als Auferstandener leitet er das zur Vollendung führende eschatologische Geschehen ein: ἀπαρχὴ Χριστός (v 23)[336].

Das mit dem Χριστός-Namen verbundene Heilsgeschehen von Kreuz und Auferstehung verpflichtet den Glaubenden in seinem Lebensvollzug. Der 30 Christus wird durch seinen Tod und seine Auferweckung Herr über Lebende und Tote: εἰς τοῦτο γὰρ Χριστὸς ἀπέθανεν καὶ ἔζησεν, ἵνα καὶ νεκρῶν καὶ ζώντων κυριεύσῃ (R 14, 9). Er ist das Passaopfer, das dem Menschen ein neues Leben erschließt (1 K 5,7); er ist der Kaufpreis für die Befreiung des Menschen (1 K 6, 20; 7, 23;

---

[333] Innerhalb des Zshg sagt die Bekenntnisformel aus: Da Gott *für uns* ist, gibt es keinen Richter u keinen Ankläger, sondern allein den Fürsprecher R 8, 31—34. Über 1 K 15, 3—5 geht R 8, 34 insofern hinaus, als es von der Erhöhung u dem Eintreten des Christus für die Seinen spricht. R 8, 31—34 gehört in den durch Lk 10,18; 22, 31f u J 12, 31f sowie Apk 12,7—18 angezeigten Zshg, der in Hi 1 u 2 seine Wurzel hat.

[334] In R 8, 35 schwanken die Texte zwischen *Liebe des Christus, Liebe Gottes* u *Liebe Gottes in Christus Jesus*; letzteres ist Angleichung an 8, 39.

[335] 1 Pt 3,18. 22 wird die Grundaussage von 1 K 15, 3—5 aufgenommen u weitergeführt (→ 536, 27f; A 332).

[336] ἀπαρχή ist das Erstlingsopfer (→ I 483, 31ff), das die vergängliche Welt dem ewigen Gott darbringt; durch dieses Opfer wird das Ganze geheiligt R 11,16. Zur Erörterung des Zshg vgl WGrundmann, Die Übermacht der Gnade, Nov Test 2 (1957) 50—72; ders, Überlieferung u Eigenaussage im eschatologischen Denken des Ap Pls, NT St 8 (1961/62) 12—26; PHoffmann, Die Toten in Christus, NTAbh N F 2 (1966); AHWilcke, Das Problem eines messianischen Zwischenreiches bei Pls, Abh Th ANT 51 (1965) 76—85; Güttgemanns aaO (→ A 319) 73—81.

Gl 3,13; 4, 5). Darum ist der Lebensvollzug der Gemeinde Christi bestimmt durch
die Freiheit, die dem Bruder gelassen werden muß, wenn nicht Χριστὸς ἁμαρτίας
διάκονος (Gl 2,17) werden soll. Paulus warnt, die Freiheit preiszugeben, zu der
uns Christus befreit hat (Gl 5,1). Er warnt aber auch davor, die Freiheit so zu
5 mißbrauchen, daß darüber der Bruder zugrunde geht, δι᾽ ὃν Χριστὸς ἀπέθανεν.
Denen, die an den Brüdern schuldig werden, sagt er: εἰς Χριστὸν ἁμαρτάνετε (1 K
8,11f). Am Einsatz des Lebens wird das ganze Heilsgeschehen deutlich: ὁ Χριστὸς οὐχ ἑαυτῷ ἤρεσεν (R 15, 3), und in Fortsetzung dieser Aussage über Christus
bezeugt: ὁ Χριστὸς προσελάβετο ἡμᾶς (R 15,7). Beide Aussagen verfolgen das Ziel,
10 den Umgang der Christen miteinander durch den Umgang des Christus mit den
Menschen bestimmt sein zu lassen.

Christus, der den Fluch des Gesetzes für uns auf sich genommen hat (Gl 3,13;
→ I 450,19ff) und darum Ende des Gesetzes ist (R 10, 4; → VIII 57,12ff),
befreit vom Gesetz. Aber diese Freiheit (→ II 492, 9ff) von Sünde (→ I 312, 29ff)
15 und Tod (→ II 494,11ff) als Freiheit von Kraft und Wirkung des verurteilenden
Gesetzes (1 K 15, 56; R 6, 23; → IV 1065,18ff) ist nicht Bindungslosigkeit, sondern
an die Stelle des Gesetzes tritt der Christus[337]. Deshalb sagt Paulus von seiner
Freiheit vom Gesetz, er sei nicht ἄνομος θεοῦ ἀλλ᾽ ἔννομος Χριστοῦ (1 K 9, 21). ἔννομος-
Χριστοῦ-Sein bedeutet τὸν νόμον τοῦ Χριστοῦ erfüllen, der in der Aufforderung
20 ἀλλήλων τὰ βάρη βαστάζετε (Gl 6, 2) besteht. Die für das Leben bestimmende Stellung des Christus wird gefährdet, wenn das Evangelium des Christus durch zusätz-
liche Forderungen, wie zB Beschneidung, ergänzt und belastet wird; denn sie
machen seine befreiende Heilstat zunichte (Gl 5,1—6, auch 2, 21).

Paulus bangt um die Galater μέχρις οὗ μορφωθῇ Χριστὸς ἐν ὑμῖν (Gl 4,19), dh,
25 daß der Christus sie nach seinem Bilde prägt[338] (→ IV 761,16ff); vgl auch πάντες
γὰρ υἱοὶ θεοῦ ἐστε διὰ τῆς πίστεως ἐν Χριστῷ ᾽Ιησοῦ· ὅσοι γὰρ εἰς Χριστὸν ἐβαπτίσθητε, Χριστὸν ἐνεδύσασθε (Gl 3, 26f; → II 320, 38f)[339]. Christus ist für Paulus
εἰκὼν τοῦ θεοῦ (2 K 4, 4; → II 394, 5ff). In ihm — ἐν προσώπῳ Χριστοῦ — leuchtet
die Herrlichkeit Gottes (→ II 250, 40ff) auf, die in einer neuen Schöpfung die Her-
30 zen der Menschen erleuchtet (2 K 4, 6; 5,17). Ist der Christus Gottes Bild, so
gewinnt der Mensch durch ihn die Ebenbildlichkeit Gottes, zu der er geschaffen
ist[340]. Das geschieht durch die δύναμις τοῦ Χριστοῦ, die Paulus begehrt, so daß
er sich sehr gern in seinen Hinfälligkeiten und Schwachheiten rühmen will, ἵνα
ἐπισκηνώσῃ ἐπ᾽ ἐμὲ ἡ δύναμις τοῦ Χριστοῦ (2 K 12, 9; → II 317,10ff). So tritt im
35 Apostel, der dem Willen Christi folgt und sich in seiner Schwachheit an ihn hält,
Christus in Erscheinung[341].

2 K 5,14—21 wirkt wie eine Zusammenfassung der Christustheologie des Paulus.
Er spricht von der ἀγάπη τοῦ Χριστοῦ (v 14), die die ihm gehörigen Menschen be-

---

[337] Das ist eine deutliche Antithese zur rabb
Vorstellung vom Messias als Ausleger der
Thora, vgl Str-B IV 1—3.
[338] Anders R.Hermann, Über den Sinn des
Μορφοῦσθαι Χριστὸν ἐν ὑμῖν in Gl 4,19, ThLZ 80
(1955) 713—726.
[339] Anders J Leipoldt, Von den Mysterien zur
Kirche (1961) 34. 40.74. Das Anziehen hat es

mit dem Christus-gleich-Werden bzw dem Erscheinen des Christus in den Glaubenden zu
tun.
[340] Diese Aussage wird bes in Kol u Eph
entfaltet, vgl dazu J Jervell, Imago dei, FRL
76 (1960) 231—256.
[341] Vgl dazu Güttgemanns aaO (→ A 319)
11—30.

stimmt und zusammenhält, so daß ihr Leben nicht mehr ihnen selbst gehört, sondern dem, der für sie gestorben und auferstanden ist (v 15[342], vgl R 14, 7—9). Damit ist ein neues Wissen (2 K 5, 16) um den Menschen und um den Christus gegeben. Das bisherige Wissen und Erkennen κατὰ σάρκα (→ VII 130, 23 ff)[343] wußte um den Christus als um den, der verflucht ist (Gl 3, 13 f). So hatte ihn Paulus 5 erkannt und verfolgt[344]. Solches Erkennen gehört zum Alten, das vergangen ist. Nun hat er den Christus als den aus Liebe zu uns um unsertwillen Verfluchten erkannt, der für uns gestorben und auferstanden ist und darum der Versöhner ist (2 K 5, 15. 18). Dadurch ist Paulus, von seiner Liebe bestimmt, ἐν Χριστῷ, eine neue Schöpfung (→ III 451, 15 ff), für die das Alte vergangen und Neues geworden 10 ist (v 17). Diese neue Schöpfung hat ihren Grund in der Versöhnung (→ I 255, 11 ff), die Gott διὰ Χριστοῦ (→ II 66, 8 ff) schafft (v 18—20). Sie ist ganz Gottes Tat; denn Gott ist ἐν Χριστῷ anwesend, so daß Christus in vollem Umfang Gottes Gesandter und Heilsvermittler ist, der Gott unter den Menschen vertritt und repräsentiert[345]. Sein Werk setzen die Apostel fort; sie vertreten ihn unter den Menschen, 15 indem sie ὑπὲρ Χριστοῦ Botschafter sind und ὑπὲρ Χριστοῦ bitten (→ VIII 516, 19 ff): Laßt euch versöhnen mit Gott! Dieser Auftrag bringt es mit sich, daß sie auch ὑπὲρ Χριστοῦ leiden (Phil 1, 29; 2 K 12, 10, vgl auch 2 K 1, 5)[346].

Durch die Konzentration des Christusereignisses und der Christusherrschaft auf Kreuz und Auferweckung greift Paulus ebenso wie die Urchristenheit[347] die Messias- 20 frage da auf, wo sie geschichtlich und grundsätzlich gestellt war, und ebenso wie

---

[342] An dieser St geht Χριστός in κύριος über. Der, dem von Christus das Heil erworben ist, empfängt u verwirklicht es unter der Herrschaft Jesu Christi, die das neue Leben bestimmt u gestaltet; vgl → Kramer 168: In Verbindung mit dem κύριος-Titel kommt nicht „das Heilsgeschehen der Vergangenheit in den Blick, sondern das Gebundensein konkreter Akte der Gegenwart an den Kyrios. Der Kyrios ist demnach nicht bloß Autorität, der gegenüber alles Tun verantwortet werden muß, sondern auch derjenige, welcher Macht besitzt, Offenbarungen, Dienste, Gelingen usw zu geben". Vgl auch → Neugebauer 58: κύριος ist „ein Verhältnisbegriff . . ., der die Stellung Christi zu seiner Gemeinde u zu seinem Ap ausdrücken soll".

[343] κατὰ σάρκα muß aufgrund von v 16a zu ἐγνώκαμεν u nicht zu Χριστόν gezogen werden. Obj dieses Erkennens ist der Mitmensch v 16 u der Christus, letzterer aber nicht als „der historische Jesus". Von ihm spricht Pls R 9, 5: ὁ Χριστὸς τὸ κατὰ σάρκα, wo κατὰ σάρκα nachgestellt u durch den Artk auf den Christus bezogen wird. Der irdische Christus kommt aus Davids Samen 1, 3 u damit aus Israel 9, 5. 2 K 5, 16 aber liegt der Ton auf dem Erkennen κατὰ σάρκα, dessen Inhalt der Christus als Verfluchter war. Das ist durch das Erkennen des Christus ὑπὲρ ἡμῶν, also des Christus als des Versöhners, abgelöst v 17 f. Vgl auch JRoloff, Das Kerygma u der irdische Jesus (1970) 182 A 265; JWFraser, Paul's Knowledge of Jesus:

2 K 5, 16 once more, NT St 17 (1970/71) 293—313.

[344] Stellt man die Aussage des Pls in ihren Zshg hinein, so wird deutlich, daß sie nichts mit einer Abwertung des vorösterlichen Christus zu tun hat, sondern daß es um die alte u die neue Erkenntnis des Christus geht, wie zB 1 K 1, 23 f; 12, 3; Gl 3, 13 uö. Über die Bdtg des vorösterlichen Jesus für Pls ist mit 2 K 5, 16 keine Aussage gemacht.

[345] Gilt das vor allem von seiner geschichtlichen Erscheinung bis zu seiner Auferweckung, daß er Gott bei den Menschen vertritt, so vertritt er ebs in seiner geschichtlichen Erscheinung u vor allem als der Erhöhte die Menschen vor Gott R 8, 34; Gl 3, 13. Das Mittlertum des Christus ist also: Vertreter Gottes bei den Menschen, Vertreter der Menschen bei Gott.

[346] Der Grund solchen Lebens liegt im Heilswerk des Christus 2 K 5, 21, das den Ap für die von Gott gestiftete διακονία bzw den λόγος τῆς καταλλαγῆς in Anspruch nimmt.

[347] Entscheidend für Pls dürfte vor allem die antiochenische Gemeinde geworden sein, zumal wie aus der wahrscheinlich dort entstandenen Bezeichnung Χριστιανοί für die Glaubenden hervorgeht (→ 529, 3 ff), das Christusprädikat erhebliche Bdtg gehabt hat. Die Verbindung Antiochias mit Jerusalem erlaubt die Annahme, daß die Tradition bis nach Jerusalem zurückreicht.

sie gibt er der Messiaserwartung eine völlig neue Gestalt. Christus ist für ihn der, der Scheitern und Niederlage des Kreuzes zum Siege führt. Deshalb vertraut sich Paulus gerade in seinen Schwachheiten ihm an und sieht in ihnen die Epiphanie des Christus wirksam werden. Mit der Urchristenheit übernimmt Paulus den
5 Schriftbeweis (κατὰ τὰς γραφάς 1 K 15, 3—5), setzt ihn in eigenwilliger Weise fort (1 K 5,7; 10, 4; Gl 3,16) und spricht mit ihr von der ἡμέρα Χριστοῦ (Phil 1,10; 2,16), die der Tag des Gerichtes ist (2 K 5,10). Aber im Vordergrund steht bei Paulus das Rühmen der ἀγάπη τοῦ Χριστοῦ (Gl 2, 20; 2 K 5,14; R 8, 35), die Berufung durch Gott ἐν χάριτι Χριστοῦ (Gl 1, 6), die πραΰτης καὶ ἐπιείκεια τοῦ Χριστοῦ
10 (2 K 10,1; → VI 650,7ff), die ὑπομονή τοῦ Χριστοῦ (2 Th 3, 5) und die ἀλήθεια Χριστοῦ (2 K 11,10), Ausdrücke, die mitbestimmt sind durch den Eindruck, den Paulus vom geschichtlichen Jesus bekommen hat, der sonst in seinen Briefen nur an wenigen Stellen sichtbar wird. Christus bzw der Christus ist für Paulus der durch sein Kreuz und Auferstehen das Heil für die Menschheit schaffende Heil-
15 bringer Gottes.

        b. Zum Christus gehört das **Volk des Christus**, οἱ τοῦ Χριστοῦ, die ihm, der ἀπαρχή, in der Auferstehung folgen (1 K 15, 23). Sie werden Leute des Christus in der Taufe, in der sie ihm übereignet werden: ὅσοι γὰρ εἰς Χριστὸν ἐβαπτίσθητε, Χριστὸν ἐνεδύσασθε (Gl 3, 27). Sie ist der Tod des alten Men-
20 schen mit Christus — Χριστῷ συνεσταύρωμαι (Gl 2,19) — und der Anfang eines neuen, durch Christus bestimmten Menschen (Gl 2, 20), der von der Sünde geschieden ist. Andernfalls würde Christus zum ἁμαρτίας διάκονος werden (Gl 2,17), wie auch der Tod des Christus umsonst wäre, wenn der Mensch sich außer ihm noch an das Gesetz binden würde (Gl 2, 21; → 538,20ff); denn ὑμεῖς ἐθανατώθητε τῷ νόμῳ
25 διὰ τοῦ σώματος τοῦ Χριστοῦ, εἰς τὸ γενέσθαι ὑμᾶς ἑτέρῳ, τῷ ἐκ νεκρῶν ἐγερθέντι (R 7, 4). Auf dem Christus gründet das ganze Leben und die ganze Hoffnung. In akuter Todesgefahr spricht Paulus davon, daß sein ganzes Wirken darauf ausgerichtet ist, Christus groß werden zu lassen (→ IV 549, 25ff): ἐν πάσῃ παρρησίᾳ ὡς πάντοτε καὶ νῦν μεγαλυνθήσεται Χριστὸς ἐν τῷ σώματί μου, εἴτε διὰ ζωῆς εἴτε διὰ
30 θανάτου (Phil 1, 20). Er bekennt: ἐμοὶ γὰρ τὸ ζῆν Χριστὸς καὶ τὸ ἀποθανεῖν κέρδος (Phil 1, 21). Für Paulus heißt Leben Christus[348], und zwar ein Leben, das durch den Tod in die volle Gemeinschaft mit dem versetzt wird, der in ihm lebt (Gl 2, 20). Darum hat Paulus in sich das Begehren εἰς τὸ ἀναλῦσαι καὶ σὺν Χριστῷ εἶναι (Phil 1, 23; → VII 783,11ff)[349]. Aus seiner Zugehörigkeit zu Christus heraus kann
35 Paulus den Korinthern, die ihm eine solche Zugehörigkeit bestreiten, für sich und seine Mitarbeiter bezeugen: ἡμεῖς δὲ νοῦν Χριστοῦ ἔχομεν (1 K 2,16), dh ihn bestimmt das Denken des Christus. Das meint er, wenn er vom Χριστὸς ἐν ὑμῖν (R

---

[348] → Cerfaux 197—214.
[349] Angesichts dieser St wie auch angesichts von Gl 2,19f sowie Phil 3, 8—14 wird die pointierte Behauptung → Neugebauers 55 fraglich: „Sicher ist Christus eine Pers, aber diese Pers ist von Pls als eschatologische Heilstat Gottes interpretiert. Dieses Verständnis aber läßt sich kaum mit der Christologie der Mystik, die von der Vorstellung der pneumati-schen Persönlichkeit lebt, auf einen Nenner bringen. Ist Christus aber Heilsgeschehen, dann ist auch die Gemeinschaft mit Christus nie die Gemeinschaft mit einer pneumatischen Persönlichkeit". Für Pls ist Christus als Heilsbringer die Heilstat Gottes, aber eben an dieser Heilstat bekommt man Anteil durch den Erhöhten, der durch die Gabe des Geistes die Gemeinschaft mit sich selbst herstellt.

8,10, dazu v 5—9, vgl Gl 2, 20) spricht. Diesen Sachverhalt kann er wieder mit dem Wort vom πνεῦμα Χριστοῦ (→ VI 431, 8 ff) ausdrücken, so daß er sagen kann: εἰ δέ τις πνεῦμα Χριστοῦ οὐκ ἔχει, οὗτος οὐκ ἔστιν αὐτοῦ (R 8, 9). πνεῦμα Χριστοῦ aber ist nichts anderes als πνεῦμα θεοῦ (R 8, 9), dh Christus ist Gottes Mandatar. Durch und in ihm handelt Gott; denn Gottes Geist, der zugleich πνεῦμα Χριστοῦ 5 ist, ist τὸ πνεῦμα τοῦ ἐγείραντος τὸν Ἰησοῦν ἐκ νεκρῶν (R 8,11)[350]. Die Zugehörigkeit zu Christus ist wirksames Geschehen, weil sie sich durch den Geist dessen vollzieht, der Christus von den Toten auferweckt hat und den Menschen neu schafft. An Christus teilhaben heißt, von ihm seinen Geist empfangen, der in jene Sohnschaft versetzt, durch die die zu ihm Gehörigen συγκληρονόμοι Χριστοῦ sind (R 10 8,17). Paulus nennt sich μιμητὴς Χριστοῦ (1 K 11,1; → IV 671,14 ff)[351], dem ihrerseits die Gemeinden nachfolgen sollen. Das bestimmt sein und ihr Handeln im Vergeben ἐν προσώπῳ Χριστοῦ (2 K 2,10), im Verzicht auf Menschengefälligkeit (R 15, 3) und in der Aufnahme der Schwachen in der Gemeinde (R 15,7).

Die zu Christus Gehörigen, die Christus-Leute, sind ein σῶμα, das 1 K 12,12. 27 15 σῶμα Χριστοῦ genannt wird (→ VII 1066,18 ff). Diese Aussage ist um so auffälliger, als Paulus vorher durchgängig vom κύριος gesprochen hatte, der der Geber der Charismen und der Empfänger der Homologie ist (1 K 12, 3). Nun heißt es: Die vielen, dh die den Herrn anrufen und seine Gnadengaben empfangen, sind Glieder; πάντα δὲ τὰ μέλη (→ IV 567, 4 ff) τοῦ σώματος πολλὰ ὄντα ἕν ἐστιν σῶμα, οὕτως καὶ 20 ὁ Χριστός (1 K 12,12); Christus ist der Leib, und der einzelne ist Glied am Leib, weil er ἐν Χριστῷ und Christus in ihm ist; sie werden angeredet: ὑμεῖς δέ ἐστε σῶμα Χριστοῦ καὶ μέλη ἐκ μέρους (1 K 12, 27). Weil zum Christus sein Volk gehört und er in ihm gegenwärtig wird, darum steht an dieser Stelle Χριστός. Als μέλη Χριστοῦ dürfen sie nicht mehr der Hure (1 K 6, 15) noch Βελιάρ, dem Wider- 25 sacher des Christus, gehören (2 K 6, 15). Ihre Zugehörigkeit zum Χριστός hat ihren bestimmenden Grund in dem für sie hingegebenen Leib und dem für sie vergossenen Blut Christi, an dem sie im Mahl des Herrn Anteil bekommen: τὸ ποτήριον τῆς εὐλογίας ὃ εὐλογοῦμεν, οὐχὶ κοινωνία ἐστὶν τοῦ αἵματος τοῦ Χριστοῦ; τὸν ἄρτον, ὃν κλῶμεν, οὐχὶ κοινωνία τοῦ σώματος τοῦ Χριστοῦ ἐστιν; (1 K 10, 16). In der Bin- 30 dung an den Christus sind sie in die Freiheit von allen Mächten und Gewalten gestellt und mit ihm an Gott gebunden, von dem sie durch ihre Bindung an den Christus die Freiheit haben. Das beschreibt Paulus mit den Worten: πάντα γὰρ ὑμῶν ἐστιν ... πάντα ὑμῶν, ὑμεῖς δὲ Χριστοῦ, Χριστὸς δὲ θεοῦ (1 K 3, 21—23; vgl auch Gl 3, 29). Die Bindung an Christus ist Bindung an Gott; denn Christus ist 35 Christus allein dadurch, daß er Gottes ist. Eine ähnliche Aussage macht Paulus 1 K 11, 3 (→ III 678, 1 ff), wo er von dem Verhältnis von Mann und Frau spricht und sagt: παντὸς ἀνδρὸς ἡ κεφαλὴ ὁ Χριστός ἐστιν, κεφαλὴ δὲ γυναικὸς ὁ ἀνήρ, κεφαλὴ δὲ τοῦ Χριστοῦ ὁ θεός. Im Unterschied zu der Aussage, daß Christus das σῶμα ist, wird er hier Haupt genannt. Drückt sich in σῶμα Erscheinung und Wirken des 40

---

[350] An diesen u anderen St wird deutlich, daß für Pls der Christus der Mittler Gottes ist. Das Ziel des Handelns Christi ist es, den Glaubenden mit Gott zu verbinden; vgl dazu WThüsing, Per Christum in Deum, NT Abh NF 1 (1965).

[351] Vgl WGrundmann, Pls, aus dem Volke Israel, Ap der Völker, Nov Test 4 (1960) 288 —290; OBetz, Nachahmen u Nachfolgen, Beiträge zur Historischen Theol 37 (1967) 137— 189.

Christus in den Seinen aus, so bezeichnet κεφαλή das Übergeordnetsein des Christus, der seinerseits Gott untergeordnet ist. Ist Christus als Haupt übergeordnet, dann sind die Seinen verpflichtet αἰχμαλωτίζοντες πᾶν νόημα εἰς τὴν ὑπακοὴν τοῦ Χριστοῦ (2 K 10, 5). Im Blick auf die sozialen Unterschiede zwischen Freien und Sklaven 5 ist für Paulus der Sklave, auch wenn er im Sklavenstande bleibt, als ἐν κυρίῳ κλη-θείς ein ἀπελεύθερος κυρίου, während der sozial Freie δοῦλός ἐστιν Χριστοῦ (1 K 7, 22)[352].

Die Gemeinden, die einander grüßen, sind αἱ ἐκκλησίαι πᾶσαι τοῦ Χριστοῦ (R 16, 16). Sie gleichen der Braut, die der Apostel rein und unberührt ἑνὶ ἀνδρὶ παρ-10 θένον ἁγνὴν παραστῆσαι τῷ Χριστῷ bemüht ist (2 K 11, 2; → V 835,19 ff). Um der Zugehörigkeit zum Christus willen, durch dessen Heilswerk sie παρθένος ἁγνή geworden ist, steht hier τῷ Χριστῷ und nicht τῷ κυρίῳ[353]. Der gleiche Sachverhalt der Zugehörigkeit der Gemeinde zum Christus wird ausgedrückt, wenn Paulus sie ἐπιστολή Χριστοῦ διακονηθεῖσα ὑφ' ἡμῶν nennt (→ VII 594, 34 ff). Sie ist zugleich ἡ 15 ἐπιστολὴ ἡμῶν (2 K 3, 2f), nämlich durch den Dienst des Paulus im Auftrag des Christus. Durch sein apostolisches Wirken zieht Paulus mit im Triumphzug Gottes, den dieser *im Christus* ἐν τῷ Χριστῷ aufführt und in dem er uns als Beute mit-führt (→ III 160, 5 ff). Das geschieht dadurch, daß er durch die Apostel τὴν ὀσμὴν τῆς γνώσεως αὐτοῦ an allen Orten offenbar macht. So werden sie zur Χριστοῦ εὐωδία 20 (→ II 809, 20 ff), Duft der Opfer, die beim Triumphzug dargebracht werden (2 K 2,14 f). Durch ihren Dienst erfüllt der Christus[354] die Orte, da er verkündet wird, mit dem Wohlgeruch, der den einen Leben, den anderen Tod bringt (2 K 2,15 f); so sind sie selbst εὐωδία in der Welt.

Die Apostel, die Glieder des Leibes Christi (1 K 12, 27 f) sind, verkünden als 25 seine Gesandten die gute Nachricht, die ihn zum Inhalt hat (1 K 1,17; 2 K 5,19 f)[355]. Angesichts der Tatsache, daß falsche Apostel sich in ἀπόστολοι Χριστοῦ zu verwan-deln trachten (2 K 11,13)[356], weiß Paulus in seinem Dienst um die notwendige Bewährung (→ II 261, 2 ff), δοκιμὴ τοῦ ἐν ἐμοὶ λαλοῦντος Χριστοῦ (2 K 13, 3). Durch

---

[352] Daß an dieser St δοῦλος Χριστοῦ u nicht δοῦλος κυρίου steht, dürfte damit zusammen-hängen, daß Pls eine früh geprägte Formu-lierung benutzt, wenn auch ihr Gehalt vor allem durch ihn entfaltet wird (→ II 277,12ff).
[353] Vgl → Kramer 208. Er versucht, den Ausdruck der Würde zugunsten eines bereits abgeschliffenen Eigennamens zu entkräften, u begründet dies mit dem Hinweis, daß sich die Vorstellung von der Braut des Messias in der jüd Messiaserwartung nicht nachweisen lasse. Er verkennt jedoch, daß Pls eine neue Kon-zeption der Messiasvorstellung aufgrund des Ereignisses Jesus entfaltet. Vgl das at.liche u jüd Material → V 830, 42 ff.
[354] Χριστοῦ 2 K 2,15 ist Gen auct.
[355] → Neugebauer 126f unterscheidet die Christusbeziehung zur Gemeinde u zu den Ap, weil die Gemeinde als „Funktion des Ap" an-gesehen werde, obwohl sie sich „in einer aus-gesprochenen Parallelität" befinden. Da der Christus einerseits mit seinem Heilswerk, an-

dererseits mit dem aus dem Heilswerk ent-standenen Volk in Beziehung gesetzt ist, ge-hören die Ap als Beauftragte des Christus für das Volk Gottes diesem zu. Die Trennung der Behandlung ihrer Christusbeziehung ist jedoch eine rein methodische Frage; denn Neugebauer 127 stellt fest: „Genauso, wie eine einzige konkrete Gemeinde gleichzeitig eschatologi-sche Ekklesia ist, so ist Pls als konkreter ἀπό-στολος zugleich Glied des eschatologischen Gottesvolkes".
[356] Zur Frage einer vorpaulinischen Prä-gung vgl → Kramer 51—59, der zu dem Er-gebnis kommt, daß alles darauf hindeutet, „daß Pls selber die Apostelbezeichnung mit ‚Christos' verbunden hat" 56, vgl auch 57 A 177. GKlein, Die zwölf Ap, FRL 77 (1961) 54—59 sieht dgg eine von den Gegnern des Pls stammende Prägung. WSchmithals, Das kirch-liche Apostelamt, FRL 79 (1961) führt den Apostelbegriff auf die Gnosis zurück.

den Apostel kommt der Christus selbst zur Sprache. Die ἀπόστολοι ἐκ-
κλησιῶν sind als δόξα Χριστοῦ (2 K 8, 23) zu achten. Als ἀπόστολος Χριστοῦ ist
Paulus δοῦλος Χριστοῦ (Gl 1,10; → II 279, 34ff), der wie ein Sklave dem Christus
gehört[357]. Nennen sich seine Gegner διάκονοι Χριστοῦ, er, Paulus, ist es mehr als
sie; er erweist es durch seine Leiden für Christus (2 K 11, 23 und 24—33), während ihn seine Gesichte und Offenbarungen als ἄνθρωπον ἐν Χριστῷ zeigen (2 K
12,1f). Er und seine Mitarbeiter sind ὑπηρέται Χριστοῦ καὶ οἰκονόμοι μυστηρίων
θεοῦ (1 K 4,1; → VIII 543, 5ff). Wiederum ist der Dienst, der dem Christus erwiesen wird, Dienst an Gott; denn Christi Diener sein heißt, die Geheimnisse Gottes
treu verwalten, die in der διακονία τῆς καταλλαγῆς ihnen anvertraut sind. Im Wirken
der ἀπόστολοι Χριστοῦ setzt sich die Dienstherrschaft des Christus fort. Von Epaphroditus, dem treuen Gesandten der Philippergemeinde in seine Gefangenschaft,
sagt er, ὅτι διὰ τὸ ἔργον (τοῦ) Χριστοῦ μέχρι θανάτου ἤγγισεν (Phil 2, 30). Seine Fürsorge für den Apostel und seinen Dienst an ihm nennt Paulus ἔργον Χριστοῦ (vgl
Mt 11, 2), weil durch ihn Christus für seinen Apostel wirksam ist. Für jeden gilt
es: Besteht Gottes Herrschaft in Gerechtigkeit, Friede und Freude, im heiligen
Geist gewirkt, so ist ὁ... ἐν τούτῳ δουλεύων τῷ Χριστῷ εὐάρεστος τῷ θεῷ καὶ δόκι-
μος τοῖς ἀνθρώποις (R 14,18); denn diese Herrschaft Gottes ist das Heilswerk des
Christus. Paulus, der sich um alles bringen ließ, ἵνα Χριστὸν κερδήσω (Phil 3, 8),
ist bereit, für Israel ἀνάθεμα εἶναι αὐτὸς ἐγὼ ἀπὸ τοῦ Χριστοῦ (R 9, 3), dh sich selbst
zum Sühnopfer zu bringen, verflucht zu sein weg von Christus und damit von ihm
geschieden (→ I 356, 32ff)[358].

In Korinth hat sich eine Gruppe gebildet, die gegen die Christusverkündigung
des Paulus unter der Losung ἐγὼ δὲ Χριστοῦ streitet[359]. Ihnen gegenüber fragt er:
μεμέρισται ὁ Χριστός; Christus ist doch für alle gekreuzigt, und auf ihn sind sie alle
getauft (1 K 1,12f). Ihnen allen gegenüber spricht Paulus von der in der Bindung
an Christus eröffneten Freiheit (1 K 3, 21—23; → 541, 30ff). Der Gruppe der Chri-
stusleute, die auch für den 2. Korintherbrief vorauszusetzen ist und die möglicherweise durch Wanderapostel mit ihrer Berufung auf Christus starken Auftrieb
bekam[360], erklärt Paulus: εἴ τις πέποιθεν ἑαυτῷ Χριστοῦ εἶναι, τοῦτο λογιζέσθω πάλιν
ἐφ' ἑαυτοῦ, ὅτι καθὼς αὐτὸς Χριστοῦ, οὕτως καὶ ἡμεῖς (2 K 10,7). Zugehörigkeit zu
Christus wird in der Taufe übereignet.

---

[357] Vgl dazu GFriedrich, Die Gegner des
Pls im 2 K, Festschr OMichel (1963) 185—188.
[358] Vgl Mi R [13](1966) 226: „ἀπὸ τοῦ Χριστοῦ
bedeutet in diesem Fall Ausstoßung aus der
Gemeinschaft mit dem Messias (man beachte
den Artk!), also eschatologisches Gericht...
Auch diese Wendung ist keineswegs zufällig,
sondern als Gegensatz zu ἐν Χριστῷ R 9,1
eine Bannformel, die feierliche Bdtg erhält".
Weitere Erörterungen zu dieser Frage ebd
226.
[359] WSchmithals, Die Gnosis in Korinth,
FRL 66 [3](1969) 106—109 vertritt die These
FCBaurs, daß Pls in Korinth nicht verschiedenen Parteien, sondern einer einzigen Front
gegenübersteht. Für sie ist charakteristisch,
daß sie den irdischen Jesus vom Himmels-

wesen Christus trennt, wogegen Pls polemisiert
117—133.
[360] So GBornkamm, Die Vorgeschichte des
sog 2 K, Gesch u Glaube II (1971) 163—171;
GFriedrich aaO (→ A 357) 181—215 u DGeorgi, Die Gegner des Pls im 2 K, Wissenschaftliche Monographien zum AT u NT 11 (1964) gg
Schmithals, der Pls gg die gleichen Gegner wie
in 1 K kämpfen sieht. Wie immer man in dieser
Frage urteilen wird, das kann nicht zweifelhaft
sein, daß diese Gegner mit ihrem Anspruch u
ihrer Verachtung des Pls diesen dazu veranlaßt haben, sein ap Selbstbewußtsein zu klären
u auszusprechen. Das gilt den galatischen
Gegnern gegenüber genauso wie den korinthischen, die Schmithals in einer Linie sieht,
vgl WSchmithals, Pls u die Gnosis, Theol
Forschung 35 (1965) 9—46.

c. ὁ Χριστός und Χριστός sind bei Paulus mit einer Reihe
von Präpositionen verbunden. Christus ist für Paulus der Heilbringer, dessen
Kreuzigung und Auferweckung das Heilsgeschehen ist. Dieses wirkt einen Heils-
Zeit-Raum in der Art eines pneumatischen Kraftfeldes, dessen Mitte der Christus
5 als Heilbringer ist[361]. Die Beziehung zu diesem Kraftfeld wird durch Präpositionen ausgedrückt. — In das Christus-Kraftfeld kommt der Mensch durch die
Taufe hinein, die εἰς Χριστόν erfolgt (→ I 537, 21f; II 430, 39ff, so Gl 3, 27; R
6, 3[362]). Epainetos wird ἀπαρχὴ τῆς ᾿Ασίας εἰς Χριστόν (R 16, 5) genannt, dh der
erste, der durch die Taufe dem Christus zu eigen geworden ist und daher das Erst-
10 lingsopfer der Provinz an ihn darstellt[363]. Paulus spricht von Gott als dem βεβαιῶν
ἡμᾶς σὺν ὑμῖν εἰς Χριστόν (2 K 1, 21)[364], dh Gott erhält in der durch die Taufe vollzogenen Übereignung an Christus und befestigt in ihr. In dieser Richtung liegt
auch der Wunsch an Philemon (Phlm 6). Die Präposition εἰς spricht von dem
Hineingelangen in das Kraftfeld des Christus. — Die Übereignung an den Christus
15 verbindet mit ihm σὺν Χριστῷ (→ VII 780, 39ff), gibt Anteil an seinem Weg und
vollendet sich in der Vereinigung mit ihm; denn das ist das eschatologische Ziel
des Lebens (Phil 1, 23). — Alle Wirkung in diesem Kraftfeld geht von Gott durch
Christus aus; das wird durch διὰ τοῦ Χριστοῦ (→ II 66, 27ff; 67, 27ff) ausgedrückt[365].
Von ihm kommt der Trost, den Paulus in seiner Bedrängnis empfangen hat und
20 weitergeben kann: ... διὰ τοῦ Χριστοῦ περισσεύει καὶ ἡ παράκλησις ἡμῶν (2 K 1, 5).
Von ihm kommt die Zuversicht des Paulus zu Gott: πεποίθησιν δὲ τοιαύτην ἔχομεν
διὰ τοῦ Χριστοῦ πρὸς τὸν θεόν, daß nämlich das apostolische Wirken des Paulus
trotz der Widerstände in Korinth Frucht schafft (2 K 3, 4), ein Vertrauen, das er
durch Christus deshalb gewinnt, weil Gott den Gekreuzigten ins Leben gerufen
25 hat (vgl R 4, 17. 24). Durch ihn wird von Gott die Versöhnung gewirkt θεὸς καταλ-
λάξας ἡμᾶς ἑαυτῷ διὰ Χριστοῦ (2 K 5, 18). — Durch ἐν wird ausgedrückt, daß das
Heil im Kraftfeld des Christus wirksam ist (→ II 537, 20ff)[366].

Vom Heilsgeschehen u Heilsempfang reden Gl 2, 17; 1 K 15, 19. 22; 2 K 3, 14; 5, 17.
19[367]. 21, vom Heilswirken 1 K 4, 15; 2 K 2, 14. 17[368]; 12, 19; R 9, 1; 16, 9f; Phil 1, 13;

[361] → Neugebauer 41 macht darauf aufmerksam, „daß Pls an vielen St, wenn nicht überh
in seinen wesentlichen Bezügen, einfach der
dynamisch-zeitlich-geschichtlichen   Grund-
struktur des hbr Denkens folgt“. Der Blick auf
den zeitlich-geschichtlichen Charakter des Geschehens ist vor allem im Zshg mit dem ört-
lichen Gewicht der Präp vernachlässigt worden. Dem dynamischen Moment mit seiner
raumzeitlichen Art versuchen wir durch den
Begriff des Kraftfeldes gerecht zu werden.
[362] So B Marcion; die anderen Hdschr fügen
᾿Ιησοῦν hinzu.
[363] Vgl Grundmann aaO (→ A 351) 278—283.
[364] Vgl E Dinkler, Die Taufterminologie in
2 K 1, 21f, Signum Crucis (1967) 99—117.
[365] Vgl dazu Thüsing aaO (→ A 350) 164
—237.
[366] → Neugebauer 39 A 27 legt entscheidenden Wert auf den Charakter der ἐν-Konstr als
„allg Umstandsbestimmung“ u erläutert:
„Die Umstandsbestimmung bestimmt den
Umstand, der um eine Sache oder um ein Geschehen ‚herumsteht‘“. Der „Umstand, der

um die Sache oder um das Geschehen herumsteht“, ist Christus, die Mitte des pneumatischen Kraftfeldes. Zur Diskussion um ἐν
Χριστῷ vgl auch Thüsing aaO (→ A 350) 61
—114; → Bouttier; E Brandenburger, Fleisch
u Geist, Wissenschaftliche Monographien z AT
u NT 29 (1968) 54—57.
[367] → Neugebauer übersetzt an dieser St:
„Gott versöhnte in Christo die Welt mit sich
selbst“ 66, vgl auch 86; dadurch gewinnt er
eine der häufigen ἐν Χριστῷ-Aussagen. Aber
warum schreibt Pls nicht eine Aor- oder sonstige Präteritalform von καταλλάσσω? Warum umschreibt er θεὸς ἦν ἐν Χριστῷ κόσμον καταλλάσσων ἑαυτῷ? Das muß doch wohl
verstanden werden: Gott ist in Christus als
Versöhnender wirksam u gegenwärtig. Der
Ausdruck hat durativen Sinn.
[368] Beachtenswert ist die Formulierung ὡς
ἐκ θεοῦ κατέναντι θεοῦ ἐν Χριστῷ λαλοῦμεν.
Gott ist Ursprung des Redens, das in Verantwortung vor Gott im Kraftfeld Christi geschieht, vgl auch 2 K 12, 19, eine bedeutsame
Aussage des ap Bewußtseins.

Phlm 8. 20, von der Heilsgemeinde Gl 1, 22; 1 K 3, 1[369]; 4, 10; R 12, 5; Phil 2, 1; 1 Th 4, 16; 1 K 15, 18[370], von einzelnen Gliedern der Heilsgemeinde 2 K 12, 2; R 16, 7—10. Pls kennt ein Kraftfeld, in dem alles Geschehen durch Christus von Gott her pneumatisch bewegt u bestimmt wird.

3. Jesus Christus und Christus Jesus in den paulinischen Hauptbriefen.

a. Neben Χριστός und ὁ Χριστός verwendet Paulus Jesus Christus und auch Christus Jesus. Das häufige Χριστὸς Ἰησοῦς enthält das Wissen um den Christus als den Heilbringer, der Jesus heißt. Wie stark Χριστός bzw ὁ Χριστός und Χριστὸς Ἰησοῦς bzw Ἰησοῦς Χριστός für Paulus auf einer Linie liegen, wird zuerst an den Stellen deutlich, an denen sie mit Präpositionen versehen sind (→ 544, 1 ff).

Neben εἰς Χριστὸν ἐβαπτίσθητε Gl 3, 27 steht ἐβαπτίσθημεν εἰς Χριστὸν Ἰησοῦν R 6, 3. Neben διὰ τοῦ Χριστοῦ (→ 544, 17ff) heißt es an verschiedenen St διὰ Ἰησοῦ Χριστοῦ. Jesus Christus ist der Urheber des Dankes an Gott R 1, 8; 16, 27, der Herrschaft des Lebens, in die die versetzt sind, die das Gnadengeschenk des einen Jesus Christus empfangen haben R 5, 15. 17, der Frucht der Gerechtigkeit, die wie diese selbst von Jesus Christus gewirkt ist Phil 1, 11[371]. Das kommende Gericht geschieht διὰ Χριστοῦ Ἰησοῦ R 2, 16[372], dh Christus ist zum Richter bestimmt, vgl auch Ag 17, 31. Schließlich stammt von ihm der Apostolat des Pls: ἀπόστολος, οὐκ ἀπ' ἀνθρώπων οὐδὲ δι' ἀνθρώπου ἀλλὰ διὰ Ἰησοῦ Χριστοῦ καὶ θεοῦ πατρὸς τοῦ ἐγείραντος αὐτὸν ἐκ νεκρῶν Gl 1, 1. Pls will damit sagen, daß er sein Amt nicht von einem Menschen empfangen habe οὔτε ἐδιδάχθην, ἀλλὰ δι' ἀποκαλύψεως Ἰησοῦ Χριστοῦ Gl 1, 12. Der Ausdruck bezeichnet Jesus Christus als den, der sich dem Pls offenbart u ihn zu seinem Ap bestellt, wobei sein Offenbarwerden Tat der Gnade Gottes ist Gl 1, 15f. Jesus Christus ist der, durch den Gott handelt. Daß Pls Ap Jesu Christi ist, das entfaltet u betont er in Auseinandersetzung mit denen, die es ihm bestreiten[373] (→ 542, 24ff).

Neben ἐν Χριστῷ (→ 544, 26ff) steht bedeutungsgleich ἐν Χριστῷ Ἰησοῦ, ebenfalls im Blick auf Heilsgeschehen u Heilsempfang, auf Heilsgemeinde u Heilswirken. Vom Heilsgeschehen u Heilsempfang sprechen Gl 2, 4. 17 3, 14. 26; 5, 6[374]; 1 K 1, 4f; 2 K 1, 19f[375]; R 3, 24; 8, 1; Phil 3, 14[376]; 4, 7. 19. Von der Heilsgemeinde reden 1 Th 2, 14; Gl 3, 28[377]; 1 K 1, 30[378]; ihre Glieder sind die ἡγιασμένοι ἐν Χριστῷ Ἰησοῦ 1 K 1, 2, ähnlich Phil 1, 1; 4, 21; in ihr hat man ἐν Χριστῷ Ἰησοῦ seinen Ruhm Phil 1, 26; 3, 3;

---

[369] Die Formulierung ὡς νηπίοις ἐν Χριστῷ für die Korinther zeigt, daß es ἐν Χριστῷ ein Wachsen u Zunehmen gibt, vgl WGrundmann, Die NHΠIOI in der urchr Paränese, NT St 5 (1958/59) 188—205.

[370] Die Gemeinde ἐν Χριστῷ umfaßt also auch Verstorbene, die auch durch den Tod nicht aus dem Kraftfeld des Christus herausgelöst werden.

[371] Aus der Fortsetzung wird erneut deutlich, daß alles Geschehen, das durch den Christus gewirkt ist, auf Gott gerichtet ist: εἰς δόξαν καὶ ἔπαινον θεοῦ (→ A 350).

[372] Die Hdschr schwanken zwischen διὰ Χριστοῦ Ἰησοῦ u διὰ Ἰησοῦ Χριστοῦ.

[373] Es darf nicht übersehen werden, daß Pls nach dem Bruch mit Barnabas, der eine Trübung seines Verhältnisses zur Gemeinde von Antiochia zur Folge gehabt haben wird Ag 15, 39f, sein Wirken in Griechenland u dann in Ephesus allein auf sich selbst gestellt mit einigen Mitarbeitern, die sich ihm angeschlossen haben, aber nur in geringem Maße auf eine Gemeinde gestützt durchgeführt hat. Das ergab für die Gegner des Pls die Möglich-

keit, seinen Apostolat anzufechten, u das zwang ihn, die Herkunft seines Apostelamtes aus dem Auftrag des Christus Jesus ausdrücklich zu betonen.

[374] Die Aussage betont, daß gegenüber den kultisch-rituellen Unterschieden von Beschneidung u Unbeschnittenheit im Heilsbereich des Jesus Christus nur πίστις δι' ἀγάπης ἐνεργουμένη gilt (s auch → A 377).

[375] Das ἐν αὐτῷ 2 K 1, 20 bezieht sich auf ὁ τοῦ θεοῦ ... υἱὸς Χριστὸς Ἰησοῦς ὁ ἐν ὑμῖν δι' ἡμῶν κηρυχθείς v 19.

[376] In dem κατελήμφθην ὑπὸ Χριστοῦ Ἰησοῦ Phil 3, 12 erreicht die ἄνω κλῆσις τοῦ θεοῦ ἐν Χριστῷ Ἰησοῦ v 14 den Pls.

[377] Gegenüber den geschlechtlichen, nationalen u sozialen Unterschieden hat die Gemeinde ihre Einheit in ihrem Gerichtetsein auf Jesus Christus, wie sie ἐν Χριστῷ Ἰησοῦ im Kraftfeld Jesu Christi gegeben ist, πάντες γὰρ ὑμεῖς εἷς ἐστε ἐν Χριστῷ Ἰησοῦ (→ A 374).

[378] Auch hier ist wiederum die Beziehung auf Gott betont: ἐξ αὐτοῦ (sc τοῦ θεοῦ) δὲ ὑμεῖς ἐστε ἐν Χριστῷ Ἰησοῦ (→ A 371).

1 K 15, 31; R 15,17; u ihr ist in Jesus Christus der Maßstab des Handelns u Denkens gesetzt Phil 2, 5; 1 Th 5,18. Vom Heilswirken wird 1 K 4,15. 17 gesprochen, wo Pls sein väterliches Handeln an der Gemeinde betont u von seinen Wegen (→ V 92,16ff) redet[379], die in Christus Jesus geschehen, vgl ferner R 16, 3; Phlm 23.

5   *b.* Die Gleichartigkeit der Bedeutung von (ὁ) Χριστός und Χριστὸς Ἰησοῦς bzw Ἰησοῦς Χριστός wird weiter aus den Bezügen deutlich, in denen diese in verschiedenen Formulierungen vorkommen.

Wie Pls vom Kreuz des Christus oder dem gekreuzigten Christus spricht 1 K 1, 17. 23 (→ 537, 5ff), so redet er von Jesus Christus, dem Gekreuzigten Gl 3,1; 1 K 2, 2.
10   Auch von der Auferstehung des Christus R 6, 4. 9 sowie durchgängig in 1 K 15 u von der Auferstehung des Jesus Christus wird gleichlautend gesprochen R 8,11. 34[380]; Gl 1,1. Neben τὸ εὐαγγέλιον τοῦ Χριστοῦ Gl 1,7 steht τὸ κήρυγμα Ἰησοῦ Χριστοῦ R 16, 25. Dementsprechend sagt Pls im Blick auf sein Wirken: θεμέλιον γὰρ ἄλλον οὐδεὶς δύναται θεῖναι παρὰ τὸν κείμενον, ὅς ἐστιν Ἰησοῦς Χριστός 1 K 3,11[381]. Pls spricht von der
15   Gnade des Christus Gl 1, 6 u von der χάρις... τοῦ ἑνὸς ἀνθρώπου Ἰησοῦ Χριστοῦ R 5,15, davon, daß Christus Gl 1,16 u daß Jesus Christus offenbart wird Gl 1,12. Pls betont die Bdtg der πίστις u redet von der πίστις Χριστοῦ Gl 2,16; Phil 3, 9, auch von der πίστις Ἰησοῦ R 3, 26, allerdings textlich unsicher, aber öfter von der πίστις Χριστοῦ Ἰησοῦ. Die wesentlichste Formulierung lautet: οὐ δικαιοῦται ἄνθρωπος ἐξ ἔργων νόμου
20   ἐὰν μὴ διὰ πίστεως Χριστοῦ Ἰησοῦ, καὶ ἡμεῖς εἰς Χριστὸν Ἰησοῦν ἐπιστεύσαμεν, ἵνα δικαιω-θῶμεν ἐκ πίστεως Χριστοῦ καὶ οὐκ ἐξ ἔργων νόμου Gl 2,16, vgl auch Gl 3, 22; R 3, 22. Ent-scheidende Bdtg hat die Frage: Wie ist der Gen Χριστοῦ Ἰησοῦ (→ VI 211 A 267)[382] zu verstehen, u warum überwiegt in den Aussagen vom Glauben die Formulierung Jesus Christus? εἰς Χριστὸν Ἰησοῦν ἐπιστεύσαμεν macht erkennbar: Der Glaube richtet
25   sich auf Jesus Christus, der dem schuldig gewordenen Menschen den Freispruch zum Heile erwirkt. Er ist jedoch zugleich der Urheber dieses Glaubens, den es ohne Christus nicht gibt. Darum wird mit der Bezeichnung Christus als der des Heilbringers der Name Jesus verbunden, von dem der Glaube herkommt[383].

Wie die Heilsgemeinde οἱ τοῦ Χριστοῦ 1 K 15, 23, vgl auch 3, 23 u die Gruppenbe-
30   zeichnung 1,12; 2 K 10,7, genannt wird, so kann es auch heißen: οἱ δὲ τοῦ Χριστοῦ Ἰησοῦ τὴν σάρκα ἐσταύρωσαν Gl 5, 24[384], während Pls von sich sagt Χριστῷ συνεσταύ-ρωμαι Gl 2,19. Die Glieder der Heilsgemeinde werden angeredet ὅτι Ἰησοῦς Χριστὸς ἐν ὑμῖν 2 K 13, 5[385]; es kann aber auch gesagt werden: Χριστὸς ἐν ὑμῖν R 8,10, vgl auch Gl 2, 20. Sie werden κλητοὶ Ἰησοῦ Χριστοῦ R 1, 6 genannt. Pls weist die Gemeinde

---

[379] 1 K 4,15 steht zunächst ἐν Χριστῷ im Zshg mit μυρίους παιδαγωγούς. Aufgrund eini-ger Hdschr, darunter p[46], ist damit zu rechnen, daß auch 4,15b u 17 nur ἐν Χριστῷ zu lesen ist.

[380] In B D sy sowie 𝔎 fehlt Ἰησοῦς, p[46] Ir lesen ἅμα δὲ Χριστός (s auch → A 390).

[381] Möglicherweise hat hier Ἰησοῦς Χριστός bes Sinn. Wenn die korinthischen Gnostiker den irdisch-geschichtlichen Jesus ablehnen, ihn sogar zugunsten des Himmelswesens Chri-stus verfluchen 1 K 12, 3, vgl Schmithals aaO (→ A 359) 117—124, dann würde Pls beto-nen: Jesus ist der Heilbringer u nicht ein Himmelswesen, das mit dem geschichtlichen Jesus nur lose Berührung gehabt hat. Zur Formulierung ὅς ἐστιν Ἰησοῦς Χριστός vgl Gl 3,16.

[382] Die LA schwanken zwischen Χριστοῦ Ἰησοῦ u Ἰησοῦ Χριστοῦ.

[383] Seit JHaußleiter, Der Glaube Jesu Christi u der chr Glaube (1891) wird die Frage ge-stellt, ob der Gen bei πίστις als Gen subj ver-standen werden müsse. HWSchmidt, Der Brief des Pls an die Römer, Theol Handkommentar zum NT 6 (1962) 71f erwägt mit Haußleiter diese Möglichkeit. Da Pls vom Glauben so redet wie von der Gottesgerechtigkeit oder vom Chri-stus u auf ihn das ganze Christsein stellt, wird es wahrscheinlich, daß der Glaube an Jesus sei-nen Grund im Glauben Jesu hat, wie ja Pls auch vom Gehorsam Jesu sprechen kann Phil 2, 8; R 5,19, dazu 1, 5. Auch das Verhältnis Sohn Gottes-Söhne Gottes-Sohnschaft kann dazu herangezogen werden, vgl WGrundmann, Der Geist der Sohnschaft, in: Disciplina Domini, Thüringer Kirchliche Studien 1 (1963) 172 —192. Schmidt 72 spricht von der „Bedeu-tungspolarität" zwischen „Glaube an Jesus" u „Glaube Jesu" u folgert: „Pls hat die volle Menschwerdung Christi so klar betont, daß er zweifellos das Gottesverhältnis des irdischen Jesus in gleicher Weise wie das aller Menschen im Glauben gegeben sah", vgl auch 64. Dgg → Neugebauer 168 A 69 mit weiterer Lit. Zur ganzen Frage vgl auch TFTorrance, One Aspect of the Biblical Conception of Faith, Exp T 68 (1956/57) 111—114, der den Gen als Gen auct versteht.

[384] Ἰησοῦ fehlt in p[46] D G 𝔎 lat sy[p] Marcion Cl.

[385] Es muß damit gerechnet werden, daß ἐν ὑμῖν hier nicht als *in euch*, dh in euren Her-zen, sondern als *mitten unter euch* zu verstehen ist, vgl → Bouttier 80.

auf die ἡμέρα Χριστοῦ Phil 1,10; 2,16 u auf das Vollendetwerden ἄχρι ἡμέρας Χριστοῦ Ἰησοῦ Phil 1, 6[386] hin. Er schreibt von sich: κατελήμφθην ὑπὸ Χριστοῦ Ἰησοῦ Phil 3,12[387], u er nennt sich ἀπόστολος Χριστοῦ Ἰησοῦ 1 K 1,1; 2 K 1,1, ähnlich auch Gl 1,1; er redet aber auch von den ἀπόστολοι Χριστοῦ 2 K 11,13. Pls bezeichnet sich als δοῦλος Χριστοῦ Ἰησοῦ[388] R 1,1 u als λειτουργὸς Χριστοῦ Ἰησοῦ R 15,16. Er bezeugt 5 den Galatern, ὡς ἄγγελον θεοῦ ἐδέξασθέ με, ὡς Χριστὸν Ἰησοῦν Gl 4,14. Er hofft, daß sein Prozeß zum Heile ausschlägt διὰ τῆς ὑμῶν δεήσεως καὶ ἐπιχορηγίας τοῦ πνεύματος Ἰησοῦ Χριστοῦ Phil 1,19, während es an anderer St πνεῦμα Χριστοῦ R 8, 9 heißt. Pls bittet für die Römer, denen er den Christus in seinem heilschaffenden Verhalten vor Augen stellt, Gott möge ihnen τὸ αὐτὸ φρονεῖν ἐν ἀλλήλοις κατὰ Χριστὸν Ἰησοῦν R 15, 5[389] 10 geben. Dem Timotheus bezeugt er im Gegensatz zum Eigennutz anderer, die τὰ ἑαυτῶν ζητοῦσιν, οὐ τὰ Χριστοῦ Ἰησοῦ[390], sein Gleichgesinntsein mit Pls Phil 2, 21.

Es ist also deutlich: Χριστός, ὁ Χριστός, Χριστὸς Ἰησοῦς, Ἰησοῦς Χριστός haben, wie aus den Zusammenhängen und Parallelen hervorgeht, in denen sie vorkommen, die gleiche Bedeutung. Der Heilbringer — Χριστός — ist Jesus, als solchen be- 15 zeichnet ihn der Beiname Χριστός. Das ist das Zeugnis des Paulus.

4. Ἰησοῦς Χριστὸς κύριος und ὁ κύριος (ἡμῶν) Ἰησοῦς Χριστός bei Paulus.

Das mehrfach belegte vorpaulinische Bekenntnis κύριος Ἰησοῦς (1 K 12, 3; R 10, 9) lautet in dem von Paulus übernommenen Hymnus 20 Phil 2, 6—11: κύριος Ἰησοῦς Χριστός. Die Anklänge an die Septuaginta deuten auf eine hellenistisch-judenchristliche Gemeinde hin[391], so daß Χριστός, wenn es nicht überhaupt erst von Paulus dem Hymnus zugefügt worden ist, in seinem christlich-messianischen Sinn verstanden ist, also als der durch Tod und Erhöhung bestimmte Heilbringer, dessen Name über alle Namen κύριος Ἰησοῦς Χριστός heißt. 25 Paulus beschreibt als Inhalt seines Wirkens: οὐ γὰρ ἑαυτοὺς κηρύσσομεν (→ III 709,14 ff) ἀλλὰ Χριστὸν Ἰησοῦν κύριον, ἑαυτοὺς δὲ δούλους ὑμῶν διὰ Ἰησοῦν (2 K 4, 5)[392]. Der Inhalt seiner Verkündigung ist das Heilsgeschehen, das der Christus Jesus ist[393], der selbst zum Herrn derer wird, die die Verkündigung annehmen (vgl R 14,7—9). Die Glaubenden werden zu dem Christus Jesus in ein Verhältnis 30 gesetzt[394], in dem er ihr Herr wird. So bezeugt es Paulus von sich, wenn er von der überragenden Bedeutung τῆς γνώσεως Χριστοῦ Ἰησοῦ τοῦ κυρίου μου (Phil 3, 8) spricht. Christus Jesus ist der, ὃς ἐγενήθη σοφία ἡμῖν ἀπὸ θεοῦ, δικαιοσύνη τε καὶ ἁγιασμὸς καὶ ἀπολύτρωσις (1 K 1, 30)[395]. Dabei wird erneut deutlich: Christus ist das alles als der Beauftragte Gottes — ἀπὸ θεοῦ. Das übernommene Bekenntnis 35

---

[386] Eine Reihe von Hdschr liest Ἰησοῦ Χριστοῦ.

[387] Eine Reihe wesentlicher Hdschr liest nur Χριστοῦ.

[388] Eine Reihe von Hdschr liest Ἰησοῦ Χριστοῦ.

[389] Eine Reihe von Hdschr stellt auch hier um: Ἰησοῦν Χριστόν.

[390] Eine Reihe von Hdschr stellt hier ebenfalls um: Ἰησοῦ Χριστοῦ. Daraus ergibt sich die Möglichkeit, daß an den meisten der textlich unsicheren St (→ A 382. 384. 386—390) ein urspr Χριστός durch nachträglich vorgestelltes oder nachgestelltes Ἰησοῦς ergänzt worden ist. Danach würde sich die Zahl der Χριστός-St vermehren.

[391] Zur hell-judenchristlichen Herkunft vgl

DGeorgi, Der vorpaulinische Hymnus Phil 2, 6—11, Festschr RBultmann (1964) 263—293; dort weitere Lit. Mit einem stärkeren heidenchristlichen Einschlag rechnet JGnilka, Der Phil, Herders TheolKomm NT 10, 3 (1968) 147. → Cerfaux 233—245 macht erneut den Versuch, den Hymnus als eine paul Schöpfung zu begründen.

[392] Hinter der Aussage des Pls steht eine St wie Mk 10, 41—45 Par; διὰ Ἰησοῦν in 2 K 4, 5 deutet darauf hin.

[393] Einige Hdschr, p[46] א A C D lat, lesen stattdessen Ἰησοῦν Χριστὸν κύριον. Dann würden die Titel zusammenstoßen (→ 535,16 ff).

[394] Vgl → Neugebauer 55—64; → Kramer 61—64.

[395] → Cerfaux 128—214 entfaltet diese auf

zum Sohne Gottes faßt Paulus zusammen: Ἰησοῦ Χριστοῦ τοῦ κυρίου ἡμῶν (R 1, 3f). Sohnschaft (→ VIII 367, 27ff; 387,1ff) und Herrschaft umgreifen für Paulus irdische und ewige Weise des Christus Jesus. In der Bekenntnisformulierung, die die vielen Götter (→ III 101, 20ff; 109,19ff) und Herren abwehrt, heißt es: ἡμῖν
5 εἷς θεὸς ὁ πατήρ (→ V 1013,16ff), ἐξ οὗ τὰ πάντα καὶ ἡμεῖς εἰς αὐτόν, καὶ εἷς κύριος (→ III 1090, 23ff) Ἰησοῦς Χριστός, δι' οὗ τὰ πάντα καὶ ἡμεῖς δι' αὐτοῦ (1 K 8, 6).

Diese Formulierung entfaltet, was in den Grüßen der Briefeinleitungen gesagt wird: χάρις ὑμῖν καὶ εἰρήνη ἀπὸ θεοῦ πατρὸς ἡμῶν καὶ κυρίου Ἰησοῦ Χριστοῦ (R 1,7; 1 K 1, 3; 2 K 1, 2; Gl 1, 3[396]; Phil 1, 2; Phlm 3, vgl auch Kol 1, 2[397]; Eph 1, 2;
10 2 Th 1, 2[398]). Unbeschadet der Frage, ob diese Aussage von Paulus übernommen oder selbst formuliert ist[399], zeigt sie einen abgewogenen Aufbau, der auch die volle Christusbezeichnung κύριος Ἰησοῦς Χριστός verursacht[400]. Ihr Ursprung ist im Bereich der Formulierungen der Septuaginta κύριος ὁ θεός bzw θεὸς κύριος zu suchen. Sie ist unter dem Einfluß der Homologie im christlichen Gottesdienst[401]
15 zu θεὸς πατήρ und dem koordinierten κύριος Ἰησοῦς Χριστός gewandelt und besagt: Wer Jesus Christus zum Herrn hat, hat Gott zu seinem Vater. Die aufgefüllte dreigliedrige Formel κύριος Ἰησοῦς Χριστός steht im Briefpräskript an gewichtiger Stelle. Auch wo sie sonst erscheint, bekommt sie durch ihre Stellung besonderes Gewicht. Das wird an den drei Stellen mit ἐν Χριστῷ Ἰησοῦ τῷ κυρίῳ ἡμῶν (R
20 6, 23; 8, 39[402]; 1 K 15, 31) deutlich, ebenso wie an διὰ Ἰησοῦ Χριστοῦ τοῦ κυρίου ἡμῶν (R 5, 21; 7, 25) und an διὰ τοῦ κυρίου ἡμῶν Ἰησοῦ Χριστοῦ (R 5, 1. 11; 15, 30; 1 K 15, 57). Aus dem Bereich der Taufformulierung dürfte τὸ ὄνομα τοῦ κυρίου ἡμῶν Ἰησοῦ Χριστοῦ (1 K 1, 2. 10; 6,11; 2 Th 1,12; 3, 6) herrühren, während das Bekenntnis zu Gott, der sich in Jesus Christus den Menschen enthüllt, zu der
25 Aussage θεὸς καὶ πατὴρ τοῦ κυρίου ἡμῶν Ἰησοῦ Χριστοῦ führt (R 15, 6; 2 K 1, 3). Auffällig ist die Häufung gefüllter Aussagen am Anfang des 1. Korintherbriefes[403], wo sich neben Χριστὸς Ἰησοῦς (1 K 1, 1f. 4) und Χριστός (v 6) die Form ὁ κύριος ἡμῶν Ἰησοῦς Χριστός bzw Ἰησοῦς Χριστὸς ὁ κύριος ἡμῶν (1, 2. 7—10) findet. Dafür dürfte es einen doppelten Grund geben: Die an Menschen sich orientierende Ge-
30 meinde von Korinth soll auf den alleinigen Grund und Bezugspunkt ihres Glaubens, auf ihr Heil im Christus und auf ihre Bestimmtheit durch den Kyrios, hingewiesen werden. Dabei muß deutlich werden: Dieser Christus und Kyrios ist Jesus, den

---

den Christus bezogenen Aussagen Weisheit, Gerechtigkeit usw. Setzt man diese Formulierungen in Direktaussagen um, so liegt hier eine der Möglichkeiten für die späteren joh Ichbin-Aussagen.
[396] An dieser St findet sich in p[46.51] B D G ℵ das ἡμῶν nicht hinter πατρός, sondern hinter κυρίου. Diese LA verdient den Vorzug; sie läßt eine Entwicklung erkennen (→ A 398).
[397] Die Grußformel ist in B D it vg sy u bei Orig ohne καὶ κυρίου Ἰησοῦ Χριστοῦ überliefert; mit späterer Angleichung in den meisten Hdschr ist daher zu rechnen.
[398] Die in → A 396 angedeutete Entwicklung ist deutlich 1 Th 1,1 erkennbar: τῇ ἐκκλησίᾳ Θεσσαλονικέων ἐν θεῷ πατρὶ καὶ κυρίῳ Ἰησοῦ Χριστῷ· χάρις ὑμῖν καὶ εἰρήνη. Hier dürfte

ihr Ausgangspunkt sein, vgl → Kramer 149—153.
[399] Die von ELohmeyer, Probleme paul Theol I, ZNW 26 (1927) 158—161 behauptete vorpaulinische Herkunft der Formulierung ist von GFriedrich, Lohmeyers These über „Das paul Briefpräskript" kritisch beleuchtet, ZNW 46 (1955) 272—274 mit gewichtigen Beobachtungen in Frage gestellt worden.
[400] Vgl dazu → Kramer 152. Die Formel χάρις ὑμῖν καὶ εἰρήνη ἀπὸ θεοῦ πατρὸς ἡμῶν καὶ κυρίου Ἰησοῦ Χριστοῦ betrachtet er als ausgewogen.
[401] Vgl → Kramer 151.
[402] Möglicherweise tritt noch R 6,11 hinzu, wo einige Hdschr die volle Form lesen.
[403] Vgl → Friedrich Christus 238—240.

korinthische Gnostiker von einem Himmelswesen Christus zu scheiden suchen. Paulus spricht an verschiedenen Stellen, vor allem in Schlußwendungen, von der χάρις τοῦ κυρίου ἡμῶν Ἰησοῦ Χριστοῦ (2 K 8, 9; 1 K 16, 23; Phil 4, 23; → VII 777, 16 ff). ἐλπὶς τοῦ κυρίου ἡμῶν Ἰησοῦ Χριστοῦ steht 1 Th 1, 3: *die Hoffnung, die sich auf unseren Herrn Jesus Christus richtet und gründet.* 1 Th 5, 23 sowie 2 Th 5 2, 1 wird die παρουσία τοῦ κυρίου ἡμῶν Ἰησοῦ Χριστοῦ erwähnt[404].

5. Die Menschheitsbedeutung des Christus.

Paulus bezieht den Christus nicht nur wie die vorpaulinische Gemeinde auf David (R 1, 3), sondern auf Adam und sieht im Christus Jesus den zweiten oder letzten Adam (→ I 142, 28 ff); als Heilbringer ist er der 10 Urheber der neuen Menschheit (1 K 15, 47 f). Die Verkündigung des Paulus weiß Χριστὸν διάκονον γεγενῆσθαι περιτομῆς ὑπὲρ ἀληθείας θεοῦ (R 15, 8) und zugleich κατειργάσατο Χριστὸς δι' ἐμοῦ εἰς ὑπακοὴν ἐθνῶν (v 18). Das Messiasverständnis wird aus seiner nationalpolitischen und nationalreligiösen Bedeutung gelöst, und die menschheitsgeschichtliche Bedeutung des Messias wird bezeugt und entfaltet. 15 Das ist die besondere theologische Leistung des Paulus.

6. χρίω 2 K 1, 21 f.

Nur an einer Stelle im paulinischen Briefkorpus begegnet das Verbum χρίω, im Unterschied zu Lk 4, 18; Ag 4, 27; 10, 38 und Hb 1, 9 nicht auf Jesus als Messias, sondern auf ἡμᾶς bezogen. Der Zusammenhang zeigt Tauf- 20 terminologie[405]: ὁ δὲ βεβαιῶν ἡμᾶς σὺν ὑμῖν εἰς Χριστὸν καὶ χρίσας ἡμᾶς θεός, ὁ καὶ σφραγισάμενος ἡμᾶς καὶ δοὺς τὸν ἀρραβῶνα τοῦ πνεύματος ἐν ταῖς καρδίαις ἡμῶν (2 K 1, 21 f). Im Unterschied zu dem das fortdauernde Handeln Gottes an den Getauften kündenden βεβαιῶν (→ I 603, 29 ff) ἡμᾶς σὺν ὑμῖν εἰς Χριστόν stehen die folgenden drei Aussagen χρίσας, σφραγισάμενος (→ VII 949, 30 ff), δοὺς τὸν ἀρραβῶνα 25 im Aorist, schauen also auf den Akt Gottes, der die neue Existenz begründet, der auf das βεβαιῶν ... εἰς Χριστόν zielt. Sind diese drei Aorist-Partizipia koordiniert[406]? Oder ist χρίσας von umfassender Bedeutung? Dies würde durch seine Koordinierung mit βεβαιῶν und seine Zuordnung zu dem beide umschließenden ὁ δὲ ... θεός nahegelegt. Die Bedeutung würde dann in dem folgenden, mit textlich un- 30 sicherem ὁ[407] und zusammenfassendem καὶ ... καί angeschlossenen ὁ καὶ σφραγισάμενος ἡμᾶς καὶ δοὺς τὸν ἀρραβῶνα τοῦ πνεύματος ἐν ταῖς καρδίαις ἡμῶν entfaltet. Da eine mit der Taufe verbundene Salbung nicht für die Urchristenheit, sondern erst für das Ende des zweiten nachchristlichen Jahrhunderts belegbar ist[408], ist ein übertragener Sinn anzunehmen: Mit χρίσας ist die in der Taufe geschehende 35

---

[404] Hinzuweisen ist ferner auf 2 Th 2, 14: δόξα τοῦ κυρίου ἡμῶν Ἰησοῦ Χριστοῦ u auf v 16: αὐτὸς δὲ ὁ κύριος ἡμῶν Ἰησοῦς Χριστὸς καὶ ὁ θεὸς πατὴρ ἡμῶν, ὁ ἀγαπήσας ἡμᾶς καὶ δοὺς παράκλησιν αἰωνίαν καὶ ἐλπίδα ἀγαθὴν ἐν χάριτι.
[405] Vgl Dinkler aaO (→ A 364), der zutreffend auf den Rechtscharakter der Terminolo-

gie des ganzen Zshg hinweist u auf die Verbindung mit 2 K 1, 15—24 eingeht.
[406] So Dinkler aaO (→ A 364) 103; dazu WNauck, Die Tradition u der Charakter des 1 J, Wissenschaftliche Untersuchungen zum NT 3 (1957) 165—167.
[407] Es fehlt in ה K sowie 69.
[408] Vgl Dinkler aaO (→ A 364) 105—107.

Übereignung εἰς Χριστόν gemeint, die der in allem handelnde Gott vollzieht[409].
Sie wird im Taufakt versiegelt und in der Gabe des heiligen Geistes (→ I 474,10ff)
wirksam, der den Täufling in das Bild des Christus hineinbildet (vgl 2 K 3, 18;
R 8, 29; Gl 4, 19). In dieser Zugehörigkeit befestigt Gott selbst den Getauften
bis zu seiner Vollendung (vgl 1 K 1, 8; Phil 1, 6). Der dem Christus Übereignete
wird Χριστιανός (→ 529, 3ff). Das ist durch das Partizipium χρίσας angedeutet,
auch wenn dieser Begriff fehlt; er gehört als ὁ τοῦ Χριστοῦ zum σῶμα Χριστοῦ (→
541,15ff).

7. Χριστός im Kolosser- und Epheserbrief.

Im Kolosser- und Epheserbrief[410] kommt die in der Urchristenheit und durch Paulus vollzogene Neukonzeption des Messiasverständnisses zu ihrer Vollendung. Sie erfolgt in Auseinandersetzung mit gnostischen
Erlösungslehren am Leitbegriff des Χριστός[411] unter Zurückdrängung apokalyptischer Parusievorstellungen.· Der Χριστός ist nicht eine mythische Größe, sondern
eine geschichtliche Gestalt. Das μυστήριον τοῦ Χριστοῦ ist das wesentliche Thema
der Briefe (→ IV 825, 21ff). Damit ist das Geheimnis Gottes gemeint, das im
Christusgeschehen enthüllt und im Evangelium der Gemeinde verkündet wird.
Dieses Geheimnis des Christus ist für die Gemeinde Χριστὸς ἐν ὑμῖν, wirksam
als ἡ ἐλπὶς τῆς δόξης (Kol 1, 27, vgl R 3, 23). Die Formulierung wehrt einem ekstatischen Überspringen der Zeit durch die Gnostiker. Nicht im ekstatischen Enthusiasmus ereignet sich die Christusverbundenheit, sondern im Glauben wird
die Gegenwart Christi wirklich und erweckt die Hoffnung auf seine Herrlichkeit.
Der Epheserbrief zieht die Linie insofern aus, als das Mysterium des Christus zugleich das Mysterium der Kirche ist: τὸ μυστήριον τοῦτο μέγα ἐστίν, ἐγὼ δὲ λέγω

---

[409] Dinkler aaO (→ A 364) 107 deutet χρίω
auf den Taufakt, uz als „eine Begießung mit
Wasser...", deren Wirkung die Eingliederung
der Gesalbten in die Gemeinschaft mit dem
Gesalbten ist u die die Heiligung der Gesalbten
durch Gott selbst herbeiführt". Es wäre zu
fragen, ob χρίσας nicht· in erster Linie die
Übereignung an den Gesalbten im Auge hat
u ob der Taufakt selbst nicht erst mit σφραγισάμενος ἡμᾶς ins Auge gefaßt wird: das ver-
siegelnde Handeln im Taufakt, verbunden mit
der Gabe des Geistes, die die Annahme des
Übereigneten durch den Christus u Herrn
zum Ausdruck bringt; anders → VII 949, 30ff,
dort ohne Bezug auf die Taufe.

[410] Ich halte es für wahrscheinlich, daß Pls
der Verf des Kol ist (→ VII 785 A 92). Die
terminologischen u theol Eigenheiten des Kol
erklären sich aus dem Eingehen auf die kolossische Sonderlehre, aus der Parusieverzögerung u vor allem aus der Verwendung hymno-
logischer Stücke, die Pls übernimmt, vgl auch
→ Neugebauer 175—179. Sonst müßte man
als Verf einen Mitarbeiter des Pls annehmen,
der — nach der Verhaftung oder erst nach dem
Tod des Pls — an dessen Stelle von Ephesus
aus wirkt u in dessen Namen schreibt. Der

Eph, bei dem ἐν Ἐφέσῳ 1,1 textlich nicht gesichert ist — es fehlt in p[46] ℵ* B* Marcion
Orig uam —, ist nach meiner Meinung das
Schreiben eines Schülers des Pls aus der Zeit
nach dem Jahr 70, als nach Kleinasien palästinische Judenchristen in größerer Zahl gekommen waren. Darauf deutet das Bemühen
um das Zusammenführen von Juden u Heiden
in der einen Kirche hin, das den Brief durchzieht. Zur Verfasserfrage vgl außer den Einl
GSchille, Der Autor des Eph, ThLZ 82 (1957)
325—334, der für paul Verfasserschaft eintritt; zu den dort verwendeten Hymnen ders,
Frühchristliche Hymnen (1962) 24—30. 53—
60. 65—73. 95f; zu qumranischen Einflüssen
→ VII 652 A 40. Zur Verfasserfrage des Kol
vgl ELohse, Die Briefe an die Kolosser u an
Philemon, Kritisch-exegetischer Komm über
das NT 9, 2 ¹⁴(1968) 249—257.

[411] Ähnlich wie in 1 K → 548, 26ff. Zur
kolossischen Sonderlehre vgl außer den Komm
GBornkamm, Die Haeresie des Kol, Das Ende
des Gesetzes ⁵(1966) 139—156; EHaenchen,
Artk Gnosis II, in: RGG³ II 1654; HHegermann, Die Vorstellung vom Schöpfungsmittler
im hell Judt u Urchr, TU 82 (1961) 161—199.

εἰς Χριστὸν καὶ εἰς τὴν ἐκκλησίαν (Eph 5, 32); denn im Epheserbrief sind Christologie und Soteriologie durch die Ekklesiologie getragen (→ III 512, 5ff)[412]. Christus ist deshalb das Mysterium Gottes, weil in ihm alle Schätze der Weisheit und Erkenntnis verborgen sind (Kol 2, 2f), weil in ihm die ganze Fülle der Gottheit leibhaftig wohnt (2, 9) und weil er das Haupt (→ III 680,7ff) jeder Herrschaft 5 und Macht ist (2,10). Die gnostischen Lehrer in Kolossä sind auf einem Irrweg, wenn sie sich neben dem Christus an die Elementarmächte der Welt halten (→ VII 685, 21ff), weil Christus wohl Vergebung der Sünde schenke, aber die menschliche Existenz in ihrer Stofflichkeit an den Elementarmächten hänge und von Christus nicht aufgehoben werde. Paulus setzt dagegen, daß den Menschen seine 10 Sünde, nicht aber seine Stofflichkeit von Gott trennt und daß die Vergebung der Sünde durch den Christus das volle Heil erschließt (Kol 1,12—14). In der Verehrung der Elementarmächte verfallen die Irrlehrer einer trügerischen, menschlichen Lehre οὐ κατὰ Χριστόν (2, 8). Auch hier sind wie Mk 8, 33 und 1 K 1, 23—31 menschliche Überlieferung und welthaftes Denken vom Weg und Handeln Gottes 15 unterschieden. Die Verkündigung, die dieses Mysterium zum Inhalt hat, zielt darauf hin, ἵνα παραστήσωμεν πάντα ἄνθρωπον τέλειον ἐν Χριστῷ (Kol 1, 28)[413]. Weil Christus das Geheimnis Gottes ist, kommt im Christusbereich der Mensch zu seiner Vollendung. Im Epheserbrief ist entsprechend der ekklesiologischen Schau Jesus Christus ἀκρογωνιαῖος (→ I 793, 5ff) des geistlichen Baues der Gemeinde 20 (Eph 2, 20—22). Das Verständnis der Kirche ist durch das Geheimnis des Christus (3, 4) bestimmt, in dessen Vollzug die Völker Miterben, Miteinverleibte, Teilhaber an der in Jesus Christus gegebenen Verheißung sind; darin besteht τὸ ἀνεξιχνίαστον πλοῦτος τοῦ Χριστοῦ, den Paulus verkündet (3, 6—8). Beide Briefe stimmen darin überein, daß das ewige, verborgene Geheimnis Gottes im gegenwärtigen Augen- 25 blick in Christus offenbar und zugänglich wird (Kol 1, 26f; Eph 3, 5. 10f).

Der Epheserbrief nennt unter Aufnahme einer alten Bekenntnisformulierung Christus den, der den Juden und Heiden Zuversicht und Zuführung zu Gott schenkt (Eph 2,18; 3,12; → I 134,11ff)[414], die den Heiden χωρὶς Χριστοῦ (2,12) versagt waren. Diesem χωρὶς Χριστοῦ tritt das νυνὶ δὲ ἐν Χριστῷ Ἰησοῦ (2,13)[415] gegen- 30 über. Nicht eine zeitlose Gnosis, sondern ein geschichtlich-eschatologisches Offenbarungs- und Heilsereignis wird mit der Christusbezeichnung ausgesagt. Der Christus ist *unser Friede* geworden (2,14), insofern er durch sein Werk getrennte

---

[412] Vgl dazu Hegermann aaO (→ A 411) 184f; EKäsemann, Das Interpretationsproblem des Eph, ThLZ 86 (1961) 1—7 in Auseinandersetzung mit HSchlier, Der Brief an die Epheser [6](1968); HChadwick, Die Absicht des Eph, ZNW 51 (1960) 145—153.

[413] 𝔎 u vg fügen Ἰησοῦ hinzu.

[414] Spuren dieses Bekenntnisses finden sich R 5, 2; 1 Pt 3,18; Hb 7, 25a; 10,19f.

[415] Zum Problem der ἐν Χριστῷ- bzw ἐν κυρίῳ-Aussagen im Eph vgl JAAllan, The 'In Christ' Formula in Ephesians, NT St 5 (1958/59) 54—62. Allan 59 macht darauf aufmerksam, daß gegenüber den echten Pls-Briefen der Gebrauch der Formel vermehrt, aber auch verflacht ist. 'In Christ' is no longer for this Writer the formula of incorporation into Christ, but has become the formula of God's activity through Christ. Sie wird instrumental verwendet u hat häufig die Bdtg des Adj *christlich*. Wenn Allan 55 freilich daneben von der profound personal identification with Christ spricht, so darf das nicht im Sinne einer Identitätsmystik, sondern muß im Sinne einer Gleichgestaltung mit dem Bilde des Christus auf der Grundlage der incorporation verstanden werden (→ VII 787, 36ff). Ergibt sich gegenüber den echten Paulinen eine Akzentverschiebung im Gebrauch der Formel, so bleibt ihr Gebrauch doch wie auch in den Past (→ A 445) im Bereich dessen, was wir das Kraftfeld Jesu Christi nannten. PPokorný, Der Eph u die Gnosis (1965) 56 weist auf den Zshg mit κεφαλή-σῶμα hin.

Menschen zusammenbringt (Eph 2, 14. 17). Sein Wirken, das die Menschen Gott
zuführt und zwischen ihnen Frieden (→ II 413, 27 ff) schafft, macht ihn zum Retter
(→ VII 1016, 11 ff) und **Haupt der Gemeinde**, die sein Leib ist (Eph 5, 23,
vgl auch 1, 22; 4, 15 f; → VII 1075, 5 ff)[416]. Dem Haupt (→ III 679, 10 ff) ist die
5 Gemeinde untertan (5, 24); sein Verhältnis zur Gemeinde gleicht dem des Ehe-
mannes (→ I 654, 5 ff) zur Ehefrau, so daß das Verhältnis zwischen dem Christus
und der Gemeinde und das zwischen Ehemann und Ehefrau sich gegenseitig erhellen. Auf die Kirche ist die ganze Liebe gerichtet (Eph 5, 2. 25. 29). In diesem
ganzen Zusammenhang wird betont von ὁ Χριστός gesprochen, der seine Dienst-
10 herrschaft über die Kirche ausübt, indem er sie pflegt und nährt und sich, dem
Bekenntnis der gesamten Urchristenheit entsprechend, für sie hingibt. Das Wissen
um den Bedeutungsgehalt des neugeprägten ὁ Χριστός ragt also bis in die nachapostolische Zeit hinein[417]. Auch im Kolosserbrief gehört die Gemeinde dem Christus als sein Volk zu; Paulus spricht vom σῶμα (→ VII 1072, 16 ff) αὐτοῦ (= τοῦ
15 Χριστοῦ) und definiert: ὅ ἐστιν ἡ ἐκκλησία (Kol 1, 24). Die Wirklichkeit Gottes, die
in den Religionen ihren Schatten vorauswirft σκιὰ τῶν μελλόντων, ist in der Gemeinde gegenwärtig geworden τὸ δὲ σῶμα τοῦ Χριστοῦ (2, 17); denn der λόγος τοῦ
Χριστοῦ soll in reicher Weise bezeugt werden (3, 16), und die εἰρήνη τοῦ Χριστοῦ
soll in den Herzen den Kampfpreis erringen (3, 15). In Christus sind die die Men-
20 schen trennenden Gegensätze überwunden; denn nun heißt es: πάντα καὶ ἐν πᾶσιν
Χριστός (3, 11, vgl Gl 3, 28). Die Gemeinde wird mit τοῖς ἐν Κολοσσαῖς ἁγίοις καὶ
πιστοῖς ἀδελφοῖς ἐν Χριστῷ angeredet (Kol 1, 2, ähnlich Eph 1, 1[418]). Paulus ist
wie in den Hauptbriefen ἀπόστολος Χριστοῦ Ἰησοῦ (Kol 1, 1; Eph 1, 1); er ist ὁ
δέσμιος τοῦ Χριστοῦ Ἰησοῦ ὑπὲρ ὑμῶν (Eph 3, 1) und erfüllt τὰ ὑστερήματα (→ VIII
25 598, 8 ff) τῶν θλίψεων τοῦ Χριστοῦ (Kol 1, 24). Epaphras wird als πιστὸς ... διάκονος τοῦ Χριστοῦ (Kol 1, 7) bezeichnet. Gott wird *der Vater unseres Herrn Jesus
Christus* (Kol 1, 3; Eph 1, 3)[419] genannt. Die Christenheit bekennt sich zu dem
mit der Person des Christus Jesus verbundenen Gott, der ihr Gott geworden ist[420].
Wird der Gemeinde von Gott dem Vater und dem Herrn Jesus Christus Friede
30 und Liebe mit Glauben gewünscht, so soll die Gnade, die dies schenkt, denen zuteil werden, die unseren Herrn Jesus Christus in Unvergänglichkeit liebhaben (Eph
6, 23 f). Die Liebe des Christus zu seiner Gemeinde und die ihr antwortende Liebe
der Glieder der Gemeinde ist deutlich aller Erkenntnis übergeordnet (auch 3, 19).
Die personale Struktur des auf Christus bezogenen Glaubens unterscheidet sich
35 deutlich von der Gnosis des göttlichen Selbst im Menschen als Vollzug der Erlösung.

---

[416] Im Unterschied zu 1 K 12, 12 werden
nicht Christus u Leib aufeinander bezogen,
sondern Christus ist das Haupt des Leibes, u
die Glaubenden sind der Leib, während 1 K
12, 14–27 auf ihrem Gliedsein am Leibe der
Ton liegt. Die Gliedschaft am Leib wird Eph
4, 25; 5, 30 erwähnt, aber nicht ausgeführt.
Das Haupt Christus hat nach Kol vorwiegend
kosmologische Bdtg; dgg versteht es Eph
ekklesiologisch.
[417] Die nach Eph sich vollziehende Begegnung von Heidenchristen u Judenchristen
kann um der letzteren willen (→ A 410) die

Messiasbedeutung im Verständnis von Χριστός
verstärkt haben.
[418] Zu ἐν Ἐφέσῳ → A 410.
[419] Χριστοῦ fehlt Kol 1, 3 in B. Die Grußformel Kol 1, 2 steht in einer Reihe von Hdschr
ohne καὶ κυρίου Ἰησοῦ Χριστοῦ.
[420] Die Formulierung findet sich zuerst in
den späteren Briefen des Pls 2 K 1, 3; 11, 31;
R 15, 6 u danach Kol 1, 3 u Eph 1, 3 sowie
1 Pt 1, 3, vgl auch Apk 1, 6. Sie ist der at.-
lichen Gottesaussage „der Gott Abrahams..."
nachgebildet. Es ist der sich einer geschichtlichen Pers verbündende Gott.

Im Epheserbrief, der die Kirche als Heilsgeschehen versteht, wird das einzelne Glied des Leibes in das Heilsgeschehen hineingenommen und zur Vollendung geführt. Es kommt aus der δωρεά τοῦ Χριστοῦ (4, 7), der es durch sein Kommen auf die Erde und seine Auffahrt in die Himmel gewirkt hat (4, 8—10; → III 642, 30 ff)[421], so daß er der das All Erfüllende ist. Seine Gabe kommt durch die 5 Dienste der durch ihn in seinen Dienst Genommenen (4, 11). Alle ihre Tätigkeit zielt πρὸς τὸν καταρτισμὸν τῶν ἁγίων εἰς ἔργον διακονίας, εἰς οἰκοδομὴν τοῦ σώματος τοῦ Χριστοῦ (4, 12). Das geschieht dadurch, daß alle zur Einheit des Glaubens durch die Erkenntnis Gottes kommen und dadurch εἰς ἄνδρα τέλειον, εἰς μέτρον ἡλικίας τοῦ πληρώματος τοῦ Χριστοῦ (4, 13). Dem ἀνὴρ τέλειος, der am Christus Jesus 10 heranwächst, sind Standhaftigkeit (→ VII 651, 27 ff), Zielstrebigkeit, Wahrheit und Liebe als Wirken des Christus eigen. Er löst ein Wachstumsgeschehen aus, das in ihm selbst sein Ziel hat[422] und zu dem er hinführt (4, 15 f)[423]. Im Kolosserbrief wird betont gesagt, daß die Erkenntnis des Christus zu τὴν τάξιν καὶ τὸ στερέωμα τῆς εἰς Χριστὸν πίστεως ὑμῶν führt, die Paulus mit Freuden an den Kolossern wahr- 15 nimmt (Kol 2, 5; → VII 614, 1 ff, vgl auch 1, 4)[424]. Notwendig ist der Vollzug des auf den Christus gerichteten Glaubens in einem durch ihn bestimmten Wandel (Kol 2, 6). Die Christen vergeben einander und gestalten ihr Leben so, wie Christus vergebend an ihnen gehandelt hat (Eph 4, 32; 5, 2). Sie lassen all ihr Tun im Namen des Herrn Jesus Christus geschehen (Kol 3, 17[425]) und dienen dem Herrn 20 Christus[426] (3, 24). Das geschieht auf dem Weg κατὰ Χριστόν (Kol 2, 8) durch περιτομῇ ἀχειροποιήτῳ . . . τοῦ Χριστοῦ (2, 11), der im Mitsterben und Mitauferweckt-werden mit dem Christus gegangen wird (Kol 2, 20; 3, 1. 4; Eph 2, 4—7; → VII 793, 1 ff). Wie Phil 1, 21 wird auch im Kolosserbrief Christus *unser Leben* genannt; mit ihm zusammen wird unser in ihm verborgenes Leben offenbart werden (Kol 25 3, 4). Auf ihn, der zur Rechten Gottes erhöht ist, soll sich der Sinn der Glaubenden richten (Kol 3, 1). In seinem Tod, seiner Auferweckung und Erhöhung ist der Triumph Gottes über die Mächte und Gewalten vollzogen, so daß ihre Verehrung neben der des Christus nicht mehr in Frage kommt (Kol 2, 15)[427]. Wie in den paulinischen Hauptbriefen ist auch hier die Christusbezeichnung mit Kreuz und 30 Auferweckung des Christus verbunden, ein Geschehen, in das der Glaubende durch die Taufe hineingenommen wird.

Die Christusbezeichnung erscheint in Hinsicht auf das mit ihr verbundene Heil in den vor allem im Epheserbrief übernommenen und ausgelegten hymnischen Abschnitten (1, 3—14; 2, 4—7. 10. 14—18; 3, 14—21; 5, 14). Das erste hym- 35 nische Stück (1, 3—14) beginnt mit dem Lobpreis des *Vaters unseres Herrn Jesus*

---

[421] Ein ähnlicher Schriftbeweis steht R 10, 6 f. Der herabkommende u aufsteigende Erlöser gehört der gnostischen Erlöservorstellung zu. Der Verf des Eph nimmt sie auf, bezieht sie aber auf den geschichtlichen Jesus in seinem Sterben u Auferstehen.

[422] Vgl dazu Grundmann aaO (→ A 369) 194—196.

[423] In einigen Hdschr steht vor Χριστός der Artk ὁ, so D G 𝔎.

[424] Wie von einem Magneten ist der Glaube

in das Kraftfeld Christi hineingezogen. Das „in Christus" hat eine dynamische Seite.

[425] Χριστοῦ ist in ℵ* vg^cl hinzugesetzt; κυρίου fehlt in A C D* G; Χριστοῦ fehlt p⁴⁶ B 𝔎.

[426] Wie Lk 2, 11 u R 16, 18 steht hier in einigen Hdschr κυρίῳ Χριστῷ beieinander. Einen anderen Text haben an dieser St G it: (ἀπο)λήμψεσθε τὴν ἀνταπόδοσιν τῆς κληρονομίας τοῦ κυρίου ἡμῶν Ἰησοῦ Χριστοῦ, ᾧ δουλεύετε.

[427] ἐν αὐτῷ Kol 2, 15 bezieht sich auf τοῦ Χριστοῦ 2, 11 in dem Abschnitt, der ab v 13 b einem Hymnus entstammt.

Christus, der seinen geistlichen Segen, wie er unter den Himmlischen wirksam ist, in ihm uns zuwendet (1, 3), indem er uns mit ihm unter die Himmlischen versetzt (2, 6)[428]. Der Christus ist, von Ewigkeit auserwählt, der Geliebte (1, 6), so daß das den Menschen vorbestimmte Heil und seine Verwirklichung als υἱοθεσία διὰ Ἰησοῦ
5 Χριστοῦ εἰς αὐτόν (1, 5) bezeichnet werden kann. Sie ist die in seinem Tod und Auferstehen begründete *Erlösung ... nach dem Reichtum seiner Gnade* (1, 7, vgl 2, 4. 7). Der Christus ist Grund und zugleich Ziel des Heilsgeschehens κατὰ τὴν εὐδοκίαν αὐτοῦ, ἣν προέθετο ἐν αὐτῷ εἰς οἰκονομίαν τοῦ πληρώματος τῶν καιρῶν (1, 9f), das die ganze Menschheit in ihrem verlorenen Gottesbezug und Weltverhältnis
10 umfaßt ἀνακεφαλαιώσασθαι τὰ πάντα ἐν τῷ Χριστῷ τὰ ἐπὶ τοῖς οὐρανοῖς καὶ τὰ ἐπὶ τῆς γῆς ἐν αὐτῷ (1, 10). Beachtenswert ist in diesem Zusammenhang die im Epheserbrief noch zweimal begegnende Formel ἐν τῷ Χριστῷ[429]. In ihm ist die Heilsverwirklichung vorherbestimmt und die Hoffnung begründet (1, 11—14)[430]. Die hymnischen Aussagen nimmt der Schreiber des Briefes in seine eigene Danksagung
15 auf (1, 15[431]) und bittet für die Gemeinde um die Erkenntnis der Macht und Stärke Gottes, ἣν ἐνήργηκεν ἐν τῷ Χριστῷ ἐγείρας αὐτὸν ἐκ νεκρῶν, καὶ καθίσας ἐν δεξιᾷ αὐτοῦ ἐν τοῖς ἐπουρανίοις (1, 20)[432]. Die überlegene Macht Gottes, die Auferweckung und Erhöhung des Christus wirkt, gibt der Gemeinde Schutz gegenüber den Mächten und Gewißheit der eschatologischen Erfüllung[433].

20   In der Mitte des Briefes, am Ende des vorwiegend lehrhaften Teils, steht ein Gebet an den Vater, das ihn in einer Reihe von Wendungen um die Einwohnung des Christus in den Herzen (3, 17) und um die Erkenntnis der alle Erkenntnis überragenden Liebe des Christus (3, 19) bittet, die die Liebe Gottes in Jesus Christus (vgl 2, 4; 5, 2. 25) ist. Im paränetischen Teil erscheint ein Stück aus einem

---

[428] Daß Eph 1, 3—14 ein vorangestelltes Lied ist, wird auch daran deutlich, daß erst in 1, 15 die sonst aA eines Briefes stehende Danksagung einsetzt. Es besteht aus einer einzigen Satzperiode in hymnisch-meditierendem Stil, der Verwandtschaft zu den qumranischen Hymnen aufweist. Schille Hymnen aaO (→ A 410) 65—73 spricht von einem Initiationslied, aus dem er v 12b. 13 als epistolischen Zusatz ausscheidet, anders HKrämer, Zur sprachlichen Form der Eulogie Eph 1, 3—14, Wort u Dienst NF 9 (1967) 44f. HConzelmann, Der Brief an die Epheser, NT Deutsch 8 ¹⁰(1965) 59 sagt: „Eine Meditation über das Thema Gott — in Christus". Das ἐν Χριστῷ wird mehrfach in ἐν αὐτῷ oder ἐν ᾧ wieder aufgenommen.
[429] In den paul Hauptbriefen findet sich diese Formel nur 1 K 15, 22, durch den Gegensatz zu ἐν τῷ Ἀδάμ veranlaßt, u 2 K 2, 14, bezeichnenderweise auch eine hymnische Formulierung (→ A 415).
[430] Hier steht zum zweiten Male das ἐν τῷ Χριστῷ v 12. Die in ihm in dieser irdischen Existenz ihre Hoffnung haben, sind εἰς ἔπαινον δόξης αὐτοῦ bestimmt. Das προ- in προηλπικότας ist von dieser eschatologischen Bestimmung her zu verstehen. Vgl Schille Hymnen aaO (→ A 410) 104—107.
[431] Die Formulierung πίστιν ἐν τῷ κυρίῳ Ἰησοῦ 1, 15 ist als nichtpaulinisch bezeichnet worden, → Neugebauer 179—181. Vgl auch Kol 1, 4 u Allan aaO (→ A 415).
[432] Wie in Eph 5, 2. 25 wird auch hier ein Bekenntnis im Zshg einer Redeweise, die selbst hymnisch wird, zitiert; von da aus erklärt sich das dritte ἐν τῷ Χριστῷ nach v 10 u 12.
[433] Hymnischen Charakter haben auch die Stücke aus Eph 2, 1—10 u 2, 11—18, vor allem v 4—7. 10, wo mehrfach ἐν Χριστῷ Ἰησοῦ auftaucht. Beherrschend ist die Aussage, daß die Glaubenden ἐν Χριστῷ Ἰησοῦ unter die Himmlischen versetzt sind v 6. ἐν Χριστῷ Ἰησοῦ wird „der überwältigende Reichtum der Gnade Gottes in seiner Güte an uns den herandrängenden Äonenmächten gezeigt" v 7. ἐν Χριστῷ Ἰησοῦ ist die Möglichkeit zu guten Werken von Gott her eröffnet 2, 10. Nach Schille Hymnen aaO (→ A 410) 24—31 ist vor allem 2, 14—18 hymnisch, das urspr auf die Beseitigung der Trennmauer zwischen Gott u den Menschen bezogen war u vom Verf des Eph auf den Gegensatz zwischen Heiden u Juden ausgelegt wird, vgl auch Ag 10, 36. Gott versöhnt in Christus die dem Bunde Fremden durch seine Versöhnungstat 2, 13, so daß Christus *unser Friede* wird 2, 14. Er vereint Juden u Heiden in einem Leibe, schafft aus ihnen einen neuen Menschen u führt sie beide in einem Geiste Gott zu 2, 14—18.

Tauflied, das die Erleuchtung durch den Christus verheißt: ἔγειρε, ὁ καθεύδων, καὶ ἀνάστα ἐκ τῶν νεκρῶν, καὶ ἐπιφαύσει σοι ὁ Χριστός (5, 14)[434]. Diese Erleuchtung besteht in dem, worum das Gebet sich in Eph 3,14—19 bewegt. Durchgängig wird von dem Heilbringer als ὁ Χριστός gesprochen. Er ist nicht — wie in der in beiden Briefen abgewehrten Gnosis — der Gesandte eines fremden Gottes in eine ihm fremde Welt, sondern er kommt von dem Gott, der der Schöpfer dieser Welt ist, ihm verbunden und an seiner Schöpfung beteiligt, um im jetzigen Augenblick die geheimnisvoll gebliebene Absicht des Schöpfers mit seiner Schöpfung zu enthüllen und sie ihm zuzuführen (Kol 1, 15—23).

8. Χριστός in den Pastoralbriefen.

a. Die Pastoralbriefe enthalten eine Reihe von **bekenntnismäßigen, fest formulierten Stücken**, die aus der hellenistischen Gemeinde stammen und vom Verfasser der Briefe übernommen, um- oder weitergebildet werden. In den meisten von ihnen begegnet Χριστὸς Ἰησοῦς. 1 Tm 1,15 heißt es: Χριστὸς Ἰησοῦς ἦλθεν εἰς τὸν κόσμον ἁμαρτωλοὺς σῶσαι. Die Voranstellung von Χριστός vor den Namen Jesus zeigt das Wissen um seine inhaltliche Bedeutung. Da das Retten der Sünde durch das Kreuz und die Auferweckung des Christus geschieht, gehört diese Aussage[435] in die Reihe derer, die Χριστός mit diesem Geschehen verbinden, so auch 1 Tm 2, 5f (→ IV 623, 8ff), das Mk 10, 45 (→ VI 544, 31ff) in einer der hellenistischen Gemeinde entstammenden Weise aufnimmt[436]: εἷς γὰρ θεός, εἷς καὶ μεσίτης θεοῦ καὶ ἀνθρώπων, ἄνθρωπος Χριστὸς Ἰησοῦς, ὁ δοὺς ἑαυτὸν ἀντίλυτρον ὑπὲρ πάντων[437]. Auf die Passion nimmt 1 Tm 6,13 unmittelbaren Bezug. Dieser Stelle liegt ein Bekenntnisstück zugrunde, das gelautet haben dürfte: Χριστος Ἰησοῦς ὁ μαρτυρήσας ἐπὶ Ποντίου Πιλάτου τὴν καλὴν ὁμολογίαν[438]. 2 Tm 1, 9f wird von der χάρις gesprochen. Gott hat sie uns ἐν Χριστῷ Ἰησοῦ πρὸ χρόνων αἰωνίων geschenkt. Seit ewiger Zeit verborgen, aber wirklich in Gottes Vorsatz, wird sie offenbar νῦν διὰ τῆς ἐπιφανείας τοῦ σωτῆρος ἡμῶν Χριστοῦ Ἰησοῦ, καταργήσαντος μὲν τὸν θάνατον φωτίσαντος δὲ ζωὴν καὶ ἀφθαρσίαν διὰ τοῦ εὐαγγελίου[439]. Hier ist Χριστὸς Ἰησοῦς[440] mit der Auferweckung Jesu verbunden. Wie weit bei καταργήσαντος ... τὸν θάνατον auch an den Tod des Christus Jesus gedacht ist, bleibt offen, ist aber wegen des μέν — δέ wahrscheinlich. Auch 2 Tm 2, 8 ist ein Bekenntnisstück enthalten, das in Form einer Zweistufen-Christologie von der irdischen Erscheinung des Christus und seinem Zustand als Erhöhter spricht:

---

[434] Bei Cl Al Prot IX 84, 2 steht die Fortsetzung des Liedes: „... der Herr, die Sonne der Auferstehung, der vor dem Morgenstern Geborene, der das Leben schenkt durch eigene Strahlen." Das ist appositionelle Aussage dessen, was dem Dichter des Liedes Eph 5,14 Χριστός bedeutet.

[435] Sie ist durch das feierliche πιστὸς ὁ λόγος καὶ πάσης ἀποδοχῆς ἄξιος 1 Tm 1,15 eingeleitet (→ II 54, 41ff).

[436] Vgl JJeremias, Das Lösegeld für Viele (Mk 10, 45), Abba (1966) 216—229. Zur Christologie der Past → Windisch.

[437] Wie weit ἄνθρωπος hier das Menschsein Jesu bezeichnen soll oder seinen Sinn vom gnostischen Urmenschen bzw dem apokalyptischen Menschensohn her empfängt, muß offen bleiben.

[438] Wahrscheinlich hat μαρτυρήσας in der Bekenntnisformulierung den Sinn des Tatzeugnisses durch das Leiden. Durch den vom Verf des 1 Tm herrührenden Zusatz τὴν καλὴν ὁμολογίαν erhält es dann die Bdtg *Zeugnis ablegen*, uz im Sinne des Bekennens (→ IV 504, 23ff).

[439] Zu den Begriffen σωτήρ (→ VII 1017, 3ff) u ἐπιφάνεια (→ 11, 1ff) vgl Dib Past⁴ 74—78.

[440] C G 𝕽 steht Ἰησοῦ Χριστοῦ.

μνημόνευε Ἰησοῦν Χριστὸν ἐγηγερμένον ἐκ νεκρῶν, ἐκ σπέρματος Δαυίδ (vgl R 1, 3f).
In den beiden großen Epiphanie-Stücken des Titusbriefes[441] findet sich ebenfalls
Χριστὸς Ἰησοῦς. Tt 2,11—14 wird von dem Warten auf τὴν μακαρίαν ἐλπίδα καὶ
ἐπιφάνειαν τῆς δόξης τοῦ μεγάλου θεοῦ καὶ σωτῆρος ἡμῶν Χριστοῦ Ἰησοῦ, ὃς ἔδωκεν
5 ἑαυτὸν ὑπὲρ ἡμῶν ἵνα λυτρώσηται ἡμᾶς (2,13f) gesprochen[442], mit Χριστὸς Ἰησοῦς
ist die Aussage von der erlösenden Selbsthingabe verknüpft. Tt 3, 6 redet von
der mit der Taufe verbundenen Ausgießung des erneuernden und rechtfertigenden
Geistes διὰ Ἰησοῦ Χριστοῦ τοῦ σωτῆρος ἡμῶν (→ VII 1018, 5ff). Diese Bekenntnis-
stücke bestätigen die enge Verbindung von Χριστός mit dem Kreuz und der Auf-
10 erweckung Jesu und seinem erlösenden Handeln in der Taufe.

b. Aus den paul Briefen übernehmen die Past die nur wenig
abgewandelte Grußform mit dem ἀπὸ θεοῦ πατρὸς καὶ Χριστοῦ Ἰησοῦ τοῦ κυρίου ἡμῶν
1 Tm 1, 2; 2 Tm 1, 2, vgl Tt 1, 4[443], ebs die Selbstbezeichnung des Pls als ἀπόστολος
Χριστοῦ Ἰησοῦ, in 1 Tm 1, 1 mit der Erweiterung κατ' ἐπιταγὴν θεοῦ σωτῆρος ἡμῶν καὶ
15 Χριστοῦ Ἰησοῦ τῆς ἐλπίδος ἡμῶν. 2 Tm 1,1 hat den Zusatz διὰ θελήματος θεοῦ κατ'
ἐπαγγελίαν ζωῆς τῆς ἐν Χριστῷ Ἰησοῦ. In beiden Fällen ist der Apostolat also in der
Willensverfügung Gottes u in dem Heilsgeschehen des Christus Jesus begründet[444].
Timotheus wird διάκονος Χριστοῦ Ἰησοῦ 1 Tm 4, 6 u καλὸς στρατιώτης Χριστοῦ Ἰησοῦ
2 Tm 2, 3 genannt. 1 Tm 6, 3 wird von den ὑγιαίνουσιν λόγοις τοῖς τοῦ κυρίου ἡμῶν Ἰησοῦ
20 Χριστοῦ gesprochen. Auffällig ist die Formulierung von der πίστις καὶ ἀγάπη ἡ ἐν Χριστῷ
Ἰησοῦ 1 Tm 1, 14; 2 Tm 1, 13. Der Verf spricht von der σωτηρία... ἡ ἐν Χριστῷ Ἰησοῦ
μετὰ δόξης αἰωνίου 2 Tm 2, 10, die in einem Liede (→ VII 794, 12ff) entfaltet wird, von
der χάρις ἡ ἐν Χριστῷ Ἰησοῦ 2 Tm 2, 1 u vom ζῆν εὐσεβῶς ἐν Χριστῷ Ἰησοῦ 2 Tm 3, 12[445].
Den Past bes eigen ist die Zeugenformel διαμαρτύρομαι ἐνώπιον τοῦ θεοῦ καὶ Χριστοῦ
25 Ἰησοῦ 1 Tm 5, 21; 2 Tm 4, 1[446] (→ IV 518, 3ff). 1 u 2 Tm stellen Pls als von Jesus
Christus bestimmtes Vorbild hin. Er sagt Dank τῷ ἐνδυναμώσαντί με Χριστῷ Ἰησοῦ τῷ
κυρίῳ ἡμῶν 1 Tm 1,12 (→ II 313, 40ff), vgl auch 2 Tm 4,17; 2,1. Er bezeugt: διὰ
τοῦτο ἠλεήθην, ἵνα ἐν ἐμοὶ πρώτῳ ἐνδείξηται Ἰησοῦς Χριστὸς τὴν ἅπασαν μακροθυμίαν, πρὸς
ὑποτύπωσιν τῶν μελλόντων πιστεύειν ἐπ' αὐτῷ εἰς ζωὴν αἰώνιον 1 Tm 1,16. An dieser St
30 wird erneut deutlich, wie ein Begriff des göttlichen Handelns — μακροθυμία — auf
Christus übergeht.

An allen Stellen ist Χριστός mit dem Namen Jesus verbunden. Das für Paulus
charakteristische absolute Χριστός findet sich nicht. Nur 1 Tm 5,11 heißt es von
den Witwen: ὅταν γὰρ καταστρηνιάσωσιν τοῦ Χριστοῦ, γαμεῖν θέλουσιν ... Sinnliche
35 Triebe können sie in ein Verhalten bringen, das dem Christus zuwider ist. In den
Pastoralbriefen sind Gott und der Christus Jesus an vielen Stellen zwar einander
koordiniert, aber es ist durchgängig festgehalten, daß Jesus Christus Gottes Mandatar ist und Gott in ihm handelt[447]. υἱὸς τοῦ θεοῦ fehlt. Wie weit mit dem Begriff

---

[441] Vgl zur Terminologie dieser Stücke Dib
Past[4] 108—110.
[442] A C D 𝔐 steht Ἰησοῦ Χριστοῦ. Zu ἐπιφάνεια ... σωτῆρος ἡμῶν Ἰησοῦ Χριστοῦ im
Sinn der Parusie vgl auch 1 Tm 6,14; 2 Tm
4,1; zum Verhältnis von Gottes- u Christus-
aussage → IV 544, 30ff.
[443] 1 Tm 1, 2 u 2 Tm 1, 2 steht statt des
ὑμῖν καί zwischen χάρις u εἰρήνη ein ἔλεος, u
statt des einfachen κυρίου Ἰησοῦ Χριστοῦ heißt
es Χριστοῦ Ἰησοῦ τοῦ κυρίου ἡμῶν, was 2 Tm 1, 2
in einigen Hdschr angeglichen wird. Tt 1, 4
hat χάρις καὶ εἰρήνη u bei Χριστοῦ Ἰησοῦ ein
τοῦ σωτῆρος ἡμῶν.
[444] Eine aus dem Gedanken der Heilsökonomie entspringende Begründung des
Apostolates des Pls wird Tt 1,1—3 gegeben.

[445] Vgl dazu JAAllan, The 'In Christ' Formula in the Pastoral Epistles, NT St 10 (1963/
64) 115—121. In den Past kommt die Formel weniger häufig als in den echten Paulinen
u erst recht im Eph (→ A 415) vor. Sie unterscheidet sich von ihrem Gebrauch in den echten Paulinen. There seems no compelling
reason to regard the formula in the Pastorals
as doing more than indicate Christ as the
source of faith, love, godly living, etc. 117;
sie wird in connexion with abstract nouns and
in one in connexion with a verb 116 gebraucht.
Zum Vergleich von 2 Tm 1, 9 mit 1 K 1, 4 vgl
Allan 120.
[446] Zu Χριστοῦ Ἰησοῦ ist 2 Tm 4, 1 τοῦ μέλλοντος κρίνειν ζῶντας καὶ νεκρούς, καὶ τὴν ἐπιφάνειαν
αὐτοῦ καὶ τὴν βασιλείαν αὐτοῦ hinzugefügt.
[447] Vgl Dib Past[4] 8f.

der ἐπιφάνεια Χριστοῦ Ἰησοῦ der Gedanke der Präexistenz sich verbindet, wird nicht ersichtlich. Sprachgebrauch und christologische Konzeption sind mehr allgemein christlich als spezifisch paulinisch.

IV. Χριστός in den Petrusbriefen, im Jakobus- und Judas- sowie im Hebräerbrief. 5

1. Χριστός im ersten Petrusbrief.

In der Mitte des 1. Petrusbriefes, der im Unterschied zu den anderen Briefen am Ausgang der apostolischen Zeit wie Paulus Χριστός (1, 11. 19; 2, 21; 3, 16. 18; 4, 1. 14; 5, 10), ὁ Χριστός (3, 15; 4, 13; 5, 1) und Ἰησοῦς Χριστός sinngleich nebeneinander gebraucht, steht ein kommentiertes urchristliches Be- 10 kenntnis. Es setzt wie 1 K 15, 3 und R 8, 34 mit Χριστός ein und lautet: Χριστὸς ἅπαξ περὶ ἁμαρτιῶν ἀπέθανεν, δίκαιος ὑπὲρ ἀδίκων, ἵνα ὑμᾶς προσαγάγῃ τῷ θεῷ, θανατωθεὶς μὲν σαρκὶ (→ VII 145 A 346) ζωοποιηθεὶς δὲ πνεύματι· ... ὅς ἐστιν ἐν δεξιᾷ θεοῦ, πορευθεὶς εἰς οὐρανόν, ὑποταγέντων αὐτῷ ἀγγέλων καὶ ἐξουσιῶν καὶ δυνάμεων (3, 18. 22)[448]. Der Anfang variiert 1 K 15, 3; auch im 1 Pt ist Χριστός der 15 Heilbringer. Das Heil besteht in der durch ihn geschehenden Hinführung zu Gott (→ 551, 27 ff), die durch sein Sterben, Auferstehen und Erhöhtwerden, verbunden mit der Unterwerfung der Mächte unter seine Herrschaft, ermöglicht wird. Die Einleitung des Briefes entfaltet dieses Bekenntnis. Der ῥαντισμὸς αἵματος Ἰησοῦ Χριστοῦ (1, 2) ist sein heilschaffendes Sterben, der Kaufpreis, der in τιμίῳ αἵματι ὡς 20 ἀμνοῦ ἀμώμου καὶ ἀσπίλου Χριστοῦ (1, 19)[449] besteht. Die ἀνάστασις Ἰησοῦ Χριστοῦ begründet in der Interpretation des Bekenntnisses die Wiedergeburt (1, 3; auch 3, 21). Es wird von der Offenbarung des Christus gesprochen, die seine unsichtbare Herrlichkeit enthüllt (1, 7). Χριστός verbindet Verheißung und Erfüllung; denn τὸ ἐν αὐτοῖς πνεῦμα Χριστοῦ hat den Propheten τὰ εἰς Χριστὸν παθήματα καὶ 25 τὰς μετὰ ταῦτα δόξας (1, 11) offenbart. Auf die Gnade, die damit auf sie zukommt, sollen die Glaubenden ihre Hoffnung setzen: τελείως ἐλπίσατε ἐπὶ τὴν φερομένην ὑμῖν χάριν ἐν ἀποκαλύψει Ἰησοῦ Χριστοῦ (1, 13)[450].

Dem 1. Petrusbrief eigen ist es jedoch, daß er den Christus in seiner Passion und Verherrlichung vorbildlich und prägend sieht. Das wird den Sklaven in 30 ihrer Lage und der ganzen Gemeinde in der Verfolgungssituation gesagt. In einem Wort an die Sklaven heißt es unter Aufnahme der Bekenntnisformel: Χριστὸς ἔπαθεν ὑπὲρ ὑμῶν, ὑμῖν ὑπολιμπάνων ὑπογραμμὸν ἵνα ἐπακολουθήσητε τοῖς ἴχνεσιν

---

[448] Bultmann Theol 505 rekonstruiert den Schluß des Bekenntnisses: πορευθεὶς (δὲ) εἰς οὐρανὸν ἐκάθισεν ἐν δεξιᾷ θεοῦ ὑποταγέντων αὐτῷ ἀγγέλων καὶ ἐξουσιῶν καὶ δυνάμεων, vgl ders, Bekenntnis- u Liedfragmente im 1 Pt, Exegetica (1967) 285—297, ferner CHHunzinger, Zur Struktur der Christus-Hymnen in Phil 2 u 1 Pt 3, Festschr JJeremias (1970) 142—145.

[449] Die aus Eph u Kol bekannte Aussage, die das Jetzt der Offenbarung des seit Urzeiten Verborgenen bezeugt, findet sich auch 1 Pt 1, 19 f. Sie charakterisiert das Heilsgeschehen.

[450] Daß 1 Pt für die Parusie wie Kol 3, 4 Offenbarung sagt, zeigt, daß er um die verborgene Herrschaft u Wirksamkeit des Erhöhten weiß, die in der Parusie offenbar wird.

αὐτοῦ (2, 21), was im folgenden (2, 22—25) ausgeführt wird[451]. In Aufnahme des vorhergehenden Bekenntnisses (3, 18. 22) wird der Gemeinde zugerufen: Χριστοῦ οὖν παθόντος σαρκὶ καὶ ὑμεῖς τὴν αὐτὴν ἔννοιαν ὁπλίσασθε (4, 1). Wird der Glaubende zum Nachfolger der Leiden des Christus, ist das Grund zur Freude; denn καθὸ
5 κοινωνεῖτε τοῖς τοῦ Χριστοῦ παθήμασιν (→ V 934, 13ff) χαίρετε, ἵνα καὶ ἐν τῇ ἀποκαλύψει τῆς δόξης αὐτοῦ χαρῆτε ἀγαλλιώμενοι (4, 13). Das gilt von dem Leiden, das einem widerfährt ὡς Χριστιανός (4, 16). Χριστιανός (→ 529, 3ff) ist hier der, der seine Zugehörigkeit zu Christus darin erweist, daß er sich auch in seinem Leiden von dem Bilde des Christus bestimmen läßt. Das Leiden des Christus, der
10 δίκαιος ὑπὲρ ἀδίκων starb (3, 18), kommt darin zum Ausdruck, daß es τὴν ἀγαθὴν ἐν Χριστῷ ἀναστροφήν treffen kann (3, 16). In einem guten Wandel stehen, der Sünde absagen (4, 1f) und darin Leiden auf sich nehmen, das heißt κύριον δὲ τὸν Χριστόν[452] in seinem Herzen heiligen (3, 15)[453]. Wer so ὡς Χριστιανός leidet, μὴ αἰσχυνέσθω, δοξαζέτω δὲ τὸν θεὸν ἐν τῷ ὀνόματι τούτῳ (4, 16). Das Vertrauen auf
15 das Heilsgeschehen, das in dem Wort Χριστός als Heilbringer zusammengefaßt ist, führt dazu, ὥστε τὴν πίστιν ὑμῶν καὶ ἐλπίδα εἶναι εἰς θεόν (1, 21). In diesem Glauben und in dieser Hoffnung geschieht die Hinführung zu Gott durch den Christus, der das Wort Gottes ist (→ 105, 4ff; IV 117, 24ff), das den Menschen neu erzeugt (1, 23). Gott werden die geistlichen Opfer dargebracht διὰ ᾽Ιησοῦ Χριστοῦ (2, 5);
20 denn ihm gehört die Herrlichkeit und Macht in Ewigkeit, die die Gemeinde in jeder Hinsicht preist διὰ ᾽Ιησοῦ Χριστοῦ, weil durch ihn alles kommt, was sie empfängt (4, 10f). Er ist ὁ . . . θεὸς πάσης χάριτος, ὁ καλέσας ὑμᾶς εἰς τὴν αἰώνιον αὐτοῦ δόξαν ἐν Χριστῷ, ὀλίγον παθόντας (5, 10). Der Schreiber des Briefes nennt sich ἀπόστολος ᾽Ιησοῦ Χριστοῦ (1, 1) und, seinem Verständnis des Heilsgeschehens in
25 seiner Vorbildhaftigkeit entsprechend, συμπρεσβύτερος καὶ μάρτυς τῶν τοῦ Χριστοῦ παθημάτων, ὁ καὶ τῆς μελλούσης ἀποκαλύπτεσθαι δόξης κοινωνός (5, 1). Von den Glaubenden aber sagt er im Blick auf ihre Bezogenheit auf Christus, ὃν οὐκ ἰδόντες ἀγαπᾶτε, εἰς ὃν ἄρτι μὴ ὁρῶντες πιστεύοντες δὲ ἀγαλλιᾶσθε χαρᾷ ἀνεκλαλήτῳ καὶ δεδοξασμένῃ, κομιζόμενοι τὸ τέλος τῆς πίστεως σωτηρίαν ψυχῶν (1, 8f)[454]. Er grüßt sie
30 am Schluß seines Briefes: εἰρήνη ὑμῖν πᾶσιν τοῖς ἐν Χριστῷ (5, 14).

2. Χριστός im Hebräerbrief.

Im Hebräerbrief ist Jesus Christus der Sohn, der das ewige Hohepriestertum empfängt, weil er sich selbst als Opfer darbringt (5, 8—10). Als Hoherpriester führt er die Söhne, die durch ihn die Sohnschaft erlangen, als

---

[451] Die Sünde ist durch den Christus abgenommen, der ans Kreuz geschlagen wird 1, 2. 19; 2, 24. Das verpflichtet dazu, die Sünde abzulegen 2, 1f u das neue Leben durch das Beispiel des Christus bestimmen zu lassen, dem sich die Glaubenden zugewandt haben 2, 25.

[452] Wie R 16, 18 u Kol 3, 24 stehen auch hier κύριος u Χριστός ohne Jesusnamen beieinander, allerdings textlich nicht sicher; 𝕾 u P haben statt dessen θεόν.

[453] Zu solcher Heiligung gehört die Bereitschaft zur Verantwortung gegenüber jedem, der λόγον περὶ τῆς ἐν ὑμῖν ἐλπίδος 3, 15 fordert.

[454] Auch an dieser St zeigt sich, wie stark das Heilsgeschehen in Kreuz, Auferweckung u Erhöhung die Existenz des Glaubenden prägt u bestimmt. Das aber scheint uns für die Petrustradition charakteristisch zu sein, vgl J 21, 15—19 u dazu 1 Pt 1, 8 sowie 5, 1—4 (→ VIII 24 A 75).

ihr ἀρχηγός und πρόδρομος (2, 10; 12, 2; 6, 20)[455] ins Heiligtum ein. Der Begriff Χριστός tritt demgegenüber zurück. Er findet sich zwischen 3, 6—9, 28 in der Form Χριστός, wozu noch 11, 26 tritt, und ab 10, 10—13, 21 in der Form Ἰησοῦς Χριστός, ohne daß ein Unterschied erkennbar wäre. Χριστός ist dem Hohen- priestertum des Erhöhten zugeordnet (9, 11), das ein königliches Priestertum 5 nach Art des Melchisedek ist (5, 10; 6, 20; 7, 1—10). Hier ist also die Verbindung zwischen Messianität und Hohenpriestertum vollzogen, die sich an einer Reihe anderer Stellen im Neuen Testament anzeigt, ohne daß sie mit der Χριστός- Bezeichnung verbunden wäre (→ A 313)[456].

In Hb 1, 8 f, einem Zitat aus ψ 44, 7 f, vom Verfasser als Anrede Gottes an seinen 10 Sohn verstanden, wird ihm gesagt: ἔχρισέν σε, ὁ θεός, ὁ θεός σου ἔλαιον ἀγαλλιάσεως. Er ist Χριστός aufgrund dessen, was Gott an ihm tut; ὁ Χριστὸς οὐχ ἑαυτὸν ἐδόξα- σεν γενηθῆναι ἀρχιερέα, ἀλλ᾽ ὁ λαλήσας πρὸς αὐτόν ... (5, 5)[457], wobei Christus als Hoherpriester (→ III 279, 19 ff) expliziert wird. Ihm ist sein Volk, als οἶκος be- zeichnet, zugeordnet, Χριστὸς δὲ ὡς υἱὸς ἐπὶ τὸν οἶκον αὐτοῦ· οὗ οἶκός ἐσμεν ἡμεῖς 15 (3, 6). Dieses Volk aber hat er sich erworben, indem Χριστὸς ... διὰ ... τοῦ ἰδίου αἵματος εἰσῆλθεν ἐφάπαξ εἰς τὰ ἅγια, αἰωνίαν λύτρωσιν εὑράμενος als ein παραγενό- μενος ἀρχιερεὺς τῶν γενομένων ἀγαθῶν (9, 11 f). In den gleichen Zusammenhängen steht ὁ Χριστός. Bei τὸ αἷμα τοῦ Χριστοῦ (9, 14) ist der Artikel durch das deter- minierte τὸ αἷμα bestimmt. Die bekennen: ὃς διὰ πνεύματος αἰωνίου ἑαυτὸν προσ- 20 ήνεγκεν ἄμωμον τῷ θεῷ, καθαριεῖ τὴν συνείδησιν ἡμῶν ἀπὸ νεκρῶν ἔργων, sind μέτο- χοι τοῦ Χριστοῦ (3, 14) geworden, in beiden Fällen unter der einen Bedingung, die daraus gewonnene Zuversicht festzuhalten (3, 6. 14), wozu der Schreiber die Emp- fänger seines Schreibens immer von neuem aufruft. In dem Abschnitt 9, 14—28 wird nacheinander von der heilbringenden Bedeutung Christi gesprochen und zwar 25 von der Passion unter dem Begriff τὸ αἷμα τοῦ Χριστοῦ (9, 14)[458], von seiner Er- höhung οὐ γὰρ εἰς χειροποίητα εἰσῆλθεν ἅγια Χριστός ... ἀλλ᾽ εἰς αὐτὸν τὸν οὐρανόν, νῦν ἐμφανισθῆναι τῷ προσώπῳ τοῦ θεοῦ ὑπὲρ ἡμῶν (9, 24) und von seiner Parusie οὕτως καὶ ὁ Χριστός, ἅπαξ προσενεχθεὶς εἰς τὸ πολλῶν ἀνενεγκεῖν ἁμαρτίας, ἐκ δευτέρου χωρὶς ἁμαρτίας ὀφθήσεται τοῖς αὐτὸν ἀπεκδεχομένοις εἰς σωτηρίαν (9, 28). Wir stehen 30 also vor einer Entfaltung des urchristlichen Bekenntnisses zu dem Christus, das mit ὁ τῆς ἀρχῆς τοῦ Χριστοῦ λόγος (6, 1) gemeint sein dürfte. Dabei ist Christus als Bezeichnung für den Heilbringer zu einem Beinamen geworden, der fortlaufend der Entfaltung bedarf. Dies geschieht durch die Darstellung des Heils und durch Verwendung von Bezeichnungen, die den Heilbringer als solchen kennzeichnen, 35 was Χριστός selbst nicht mehr leistet. Es ist jedoch bezeichnend, daß Χριστός

---

[455] Vgl dazu u zu den religionsgeschicht- lichen Hintergründen der Konzeption EKäse- mann, Das wandernde Gottesvolk, FRL 55 ⁴(1961); EGrässer, Der Glaube im Hb, Mar- burger Theol Studien 2 (1965).
[456] Durch → Hahn 231—341 wird das Pro- blem neu zur Diskussion gestellt.
[457] Der Aussage folgt ein liedhaftes Stück, vgl GFriedrich, Das Lied vom Hohenpriester im Zshg von Hb 4, 14—5, 10, ThZ 18 (1962) 95—115. Hoherpriester ist der Christus auf-

grund seiner Passion im Stand seiner Er- höhung. Das wird durch die messianisch ver- standenen Ps 2 u 110 belegt u mit dem er- wähnten u interpretierten Lied vom Hohen- priester begründet.
[458] Vgl daneben noch den symbolischen Ausdruck τὸν ὀνειδισμὸν τοῦ Χριστοῦ 11, 26, vgl 13, 10—13, der sich auf Jesu Erniedrigung bis zum Sklaventod am Kreuz bezieht. Durch μισθαποδοσία 11, 26 ist seine Erhöhung auf- grund der Erniedrigung angedeutet.

mit der Passion und Erhöhung Jesu sowie mit der Kirche als dem Volke des Christus verbunden bleibt. Das Schwinden des Wissens um das, was Χριστός ausdrückt, wird im Hebräerbrief vollends durch die Stellen deutlich, in denen Jesus Christus genannt wird[459]. Von dem heiligenden Opfer des Jesus Christus ἡγιασμένοι . . . διὰ
5 τῆς προσφορᾶς τοῦ σώματος Ἰησοῦ Χριστοῦ ἐφάπαξ (10, 10) und von seiner Erhöhung (10, 13f) ist die Rede. Der Hebräerbrief verwendet die Formel διὰ Ἰησοῦ Χριστοῦ (13, 21). Die zentrale paulinische Formel ἐν Χριστῷ fehlt im Hebräerbrief. Er verbindet seine Darstellung des Christusgeschehens mit der Christenheit vor ihm und um ihn durch die grundlegende Aussage, die die Leser in die Gemeinschaft
10 mit ihren vollendeten Lehrern stellt: „Jesus Christus gestern und heute derselbe und in die Äonen hinein" (13, 8)[460].

3. Ἰησοῦς Χριστός im Jakobus-, Judas- und zweiten Petrusbrief.

Im Jakobus-, Judas- und 2. Petrusbrief ist nur noch die
15 Formulierung Ἰησοῦς Χριστός, mehrfach mit dem κύριος-Titel verbunden, geläufig. Hier ist Χριστός im vollen Umfang zu einem Beinamen zu Jesus geworden, dessen ursprünglicher Sinn als Heilbringer verblaßt ist.

        a. Im Jakobusbrief kommt an zwei St Ἰησοῦς Χριστός vor. 1, 1 bezeichnet sich der Schreiber des Briefes als θεοῦ καὶ κυρίου Ἰησοῦ Χριστοῦ δοῦλος,
20 u 2, 1 wird von der πίστις τοῦ κυρίου ἡμῶν Ἰησοῦ Χριστοῦ τῆς δόξης gesprochen, wobei der Gen τοῦ κυρίου . . . als Gen obj u τῆς δόξης als Gen qual zu verstehen ist, *Glaube an unseren Herrn Jesus Christus in seiner Herrlichkeit.* An beiden St ist gelegentlich erwogen worden, daß Ἰησοῦς Χριστός einer Vorlage zugefügt worden ist[461].

        b. Judas nennt sich Ἰησοῦ Χριστοῦ δοῦλος u sendet seinen Gruß
25 τοῖς ἐν θεῷ πατρὶ ἠγαπημένοις καὶ Ἰησοῦ Χριστῷ τετηρημένοις κλητοῖς v 1[462]. Er spricht von den ἀπόστολοι τοῦ κυρίου ἡμῶν Ἰησοῦ Χριστοῦ v 17 u von denen, die durch ihren Lebenswandel τὸν μόνον δεσπότην καὶ κύριον ἡμῶν Ἰησοῦν Χριστὸν ἀρνούμενοι sind v 4. Ihnen stellt er die Gemeinde gegenüber als προσδεχόμενοι τὸ ἔλεος τοῦ κυρίου ἡμῶν Ἰησοῦ Χριστοῦ εἰς ζωὴν αἰώνιον v 21. Er lobsingt μόνῳ θεῷ σωτῆρι ἡμῶν διὰ Ἰησοῦ Χριστοῦ τοῦ
30 κυρίου ἡμῶν v 25[463].

        c. Der Verf des zweiten Petrusbriefes nennt sich δοῦλος καὶ ἀπόστολος Ἰησοῦ Χριστοῦ, grüßt die, die erlost haben πίστιν ἐν δικαιοσύνῃ τοῦ θεοῦ ἡμῶν καὶ σωτῆρος Ἰησοῦ Χριστοῦ 1, 1[464], u wünscht ihnen, daß sie mit Gnade u Frieden erfüllt werden ἐν ἐπιγνώσει τοῦ θεοῦ καὶ Ἰησοῦ Χριστοῦ τοῦ κυρίου ἡμῶν 1, 2, vgl J 17, 3[465].

---

[459] Zu ihnen treten die St hinzu, in denen in gleicher Weise von Jesus gesprochen wird: ἐν τῷ αἵματι Ἰησοῦ 10, 19, εἰς τὸν τῆς πίστεως ἀρχηγὸν καὶ τελειωτὴν Ἰησοῦν 12, 2, mit dem folgenden Bezug auf Passion u Erhöhung διαθήκης νέας μεσίτῃ Ἰησοῦ 12, 24, καὶ Ἰησοῦς, ἵνα ἁγιάσῃ διὰ τοῦ ἰδίου αἵματος τὸν λαόν . . ., ἔπαθεν 13, 12, ὁ ἀναγαγὼν ἐκ νεκρῶν τὸν ποιμένα τῶν προβάτων τὸν μέγαν ἐν αἵματι διαθήκης αἰωνίου, τὸν κύριον ἡμῶν Ἰησοῦν 13, 20, wozu eine Reihe von Hdschr, Ψ D* 33 it vg^cl sy, Χριστόν ergänzen.

[460] Es verdient Beachtung, in wie starkem Maße auf das *gestern,* dh auf den vorösterlichen Jesus, zurückgegriffen wird, dessen irdische Gesch ihn zu jener Vollendung durch „Lernen" hindurch führt, die für seine Heilbedeutung notwendig ist u die er durch Gottes

Gesch mit ihm gewinnt, vgl 2, 10f. 14f. 17; 5, 4—10; 12, 1f; 13, 12 uam. Die Einwirkung der Aufnahme der zu den Ev führenden Jesustradition ist im Hb unverkennbar.

[461] Vgl dazu Dib Jk[11] 37. 94. 158—161.

[462] sy^h u 1611 lesen nur τοῖς ἐν θεῷ πατρὶ ἠγαπημένοις κλητοῖς.

[463] διὰ Ἰησοῦ Χριστοῦ τοῦ κυρίου ἡμῶν fehlt in ℵ.

[464] Es ist nicht sicher, jedoch wahrscheinlich, daß der σωτήρ Ἰησοῦς Χριστός, vgl auch 1, 11; 3, 18, hier auch ὁ θεὸς ἡμῶν genannt wird, wie das bei Ign geschieht u auch für Tt 2, 13 wahrscheinlich ist.

[465] Χριστοῦ steht in ℵ A L u in einer Reihe anderer Hdschr, während es B C ℵ p[72] nicht haben. P Ψ u einige Vg-Cod lesen nur: ἐν ἐπιγνώσει τοῦ κυρίου ἡμῶν.

Auf dieser ἐπίγνωσις Ἰησοῦ Χριστοῦ liegt der Nachdruck 1, 8; 2, 20; 3, 18. Sie hat zu ihrem Inhalt ... ἐγνωρίσαμεν ὑμῖν τὴν τοῦ κυρίου ἡμῶν Ἰησοῦ Χριστοῦ δύναμιν καὶ παρουσίαν 1, 16, jedoch nicht das, was im Worte Χριστός enthalten ist. Χριστός ist vielmehr Teil des Eigennamens dessen geworden, durch den das Heil sich verwirklicht, qualifiziert ihn aber nicht mehr als den Heilbringer. Der Verf spricht von der Offen- 5 barung, die er empfangen hat: ὁ κύριος ἡμῶν Ἰησοῦς Χριστὸς ἐδήλωσέν μοι 1, 14. Er wünscht seiner Gemeinde, daß ihr ἡ εἴσοδος εἰς τὴν αἰώνιον βασιλείαν τοῦ κυρίου ἡμῶν καὶ σωτῆρος Ἰησοῦ Χριστοῦ 1, 11 dargereicht werde.

Das Schwinden der Bedeutung von Χριστός, durch das es zum gewohnten und unbetonten Beinamen zu Jesus wird, ist jedoch nicht die durchgängige Linie am 10 Ende des urchristlichen und am Beginn des frühkirchlichen Zeitalters. Sowohl die johanneische Literatur wie auch die Lehrer der frühkirchlichen Zeit zeigen, daß das Wissen um die mit Χριστός gegebenen Fragen lebendig geblieben ist.

V. Das Christusverständnis in der johanneischen Literatur. 15

1. Das Johannes-Evangelium.

a. Das Joh-Ev verkündet Jesus als den einzigen Offenbarer Gottes. Wer ihm als dem Gesandten Gottes[466], in dem Gott sichtbar u hörbar wird, vgl vor allem 12, 44—50, glaubt, empfängt in solchem Glauben an Jesus, der Glaube an Gott ist 12, 44; 14, 1, das Leben. Diesem Zeugnis werden alle Prädikate, die dem 20 Offenbarer u Heilbringer in der jüd u hell Welt zugelegt werden, dienstbar gemacht, ebs wie alle jene Bildworte, die zu Trägern der Heilsaussage werden[467]. Dazu gehört auch der at.lich-jüd Messiasbegriff 1, 41. 45. 49 u die samaritanische Erwartung des Ta'eb-Messias J 4, 25[468] (→ I 387, 17 ff).

b. An zwei Stellen begegnet der Name Jesus Christus; 25 sie geben ihm durch ihre Stellung im Ganzen des Evangeliums besondere Bedeutung[469]. Im Logosprolog ist der ins Fleisch und in die Welt gekommene Logos Jesus Christus (1, 17)[470]. Er wird mit Mose als dem Gesetzgeber konfrontiert (vgl dazu auch 5, 45—47 und 9, 28), und seine Gabe wird als ἡ χάρις καὶ ἡ ἀλήθεια bezeichnet, die durch ihn Ereignis geworden sind. Im hohenpriesterlichen Gebet 30 wird vom Leben — in Offenheit und ohne Bild (vgl 16, 25) — gesagt, daß die Erkenntnis des allein wahrhaften Gottes und seines Gesandten Jesus Christus das ewige Leben sei (17, 3); denn die Erkenntnis schließt die Hingabe an das Erkannte ein. Da der Evangelist um die Bedeutung von ὁ χριστός als Prädikat des Heilbringers weiß, kennzeichnet die Formulierung *Jesus Christus* Jesus durch seinen 35 Beinamen Christus als Offenbarer, der als solcher Heilbringer ist.

[466] Vgl EHaenchen, „Der Vater, der mich gesandt hat", NT St 7 (1962/63) 208—216.

[467] Vgl Bau J zu J 1, 41.

[468] → Merx rec PKahle, ThLZ 36 (1911) 198—200; GBornkamm, Der Paraklet im Joh, Gesch u Glaube I (1968) 79 f; → Hahn 362; JMacDonald, The Theology of the Samaritans (1964).

[469] Zur Kompos des wohldurchdachten Aufbaus vgl WGrundmann, Zeugnis u Gestalt des Joh, Arbeiten zur Theol 7 (1961).

[470] Bultmann J 4. 378 sieht 1, 17 u 17, 3 als Glossen des Evangelisten an, die er seiner Vorlage zufügt. Das dürfte zutreffend sein, jedoch ändert das nichts an ihrer Bdtg für die Gesamtkonzeption des Evangelisten. Nach Schille Hymnen aaO (→ A 410) 125 gehört 1, 17 zur Prologvorlage, „gerade weil dort in unjohanneischer Weise ‚Jesus Christus' gesetzt wird". 17, 3 sowie mehrere St aus der joh Briefliteratur verbieten jedoch den Ausdruck „unjohanneische Weise". Es handelt sich vielmehr um eine auch in der joh Lit verwendete, allg chr Weise des Redens, bei der jeweils der Gebrauch von Χριστός durch den betreffenden Schriftsteller entscheidet, ob Χριστός in Verbindung mit Jesus abgeschliffener oder bedeutungsgewichtiger Beiname ist.

c. Die Verwendung von χριστός als Titel oder Prädikat des Offenbarers läßt erkennen, daß der Evangelist in Auseinandersetzung nach verschiedenen Seiten hin steht. Im Verhältnis von Messias zu Sohn und in den Ich-bin-Worten wird das Verhältnis zur jüdischen und christlichen Tradition und 5 ihre Neuauslegung sichtbar.

Die eine Front, mit der Johannes ringt, sind die Täuferkreise, die in Johannes den Messias erkennen[471]. Die erste Aussage, die Johannes der Täufer macht, ist die Bestreitung seiner eigenen Messianität (1, 20, wiederholt in 3, 28)[472]. Andreas, der aus dem Täuferkreis zu Jesus kommt, bekennt dagegen seinem Bruder Simon 10 gegenüber von Jesus: εὑρήκαμεν τὸν Μεσσίαν ὅ ἐστιν μεθερμηνευόμενον χριστός (1, 41), eine Aussage, deren absolute Form auffällt (→ 533, 6ff) und die im Zeugnis des Philippus an Nathanael präzisiert wird: *Von dem Mose im Gesetz und die Propheten geschrieben haben, den haben wir gefunden* (1, 45). Der Messias ist bei Johannes der von Mose und den Propheten Verheißene, den die Jünger in Jesus 15 gefunden haben. Dieser Messias wird von Nathanael selbst mit den Worten bezeichnet: „Meister, du bist der Sohn Gottes, du bist der König (→ I 577, 34ff) Israels" (1, 49)[473], eine Aussage, die Jesus mit einem Menschensohn-Wort aufnimmt (1, 51)[474]. Der Messias ist also der königliche Messias, er ist Sohn Gottes und Menschensohn; er ist Messias, weil er Empfänger des Geistes Gottes ist (1, 33). 20 Zum Glauben an ihn zu führen und in solchem Glauben das ewige Leben zu empfangen, darauf zielt das Evangelium hin, das geschrieben ist, ἵνα πιστεύητε ὅτι Ἰησοῦς ἐστιν ὁ χριστὸς ὁ υἱὸς τοῦ θεοῦ, καὶ ἵνα πιστεύοντες ζωὴν ἔχητε ἐν τῷ ὀνόματι αὐτοῦ (20, 31). Die Sohnesbezeichnung legt fest, was ὁ χριστός bedeutet: der in der Einheit mit dem Vater Handelnde (→ VIII 389, 19ff). ὁ χριστός reicht für 25 sich nicht aus und bedarf der Auslegung. Als Bekennerin des Glaubens an Jesus, den Messias und Sohn Gottes, wird Martha gezeichnet, die auf Jesu Bezeugung seiner Herrschaft über den Tod mit dem Bekenntnis antwortet: ἐγὼ πεπίστευκα ὅτι σὺ εἶ ὁ χριστὸς ὁ υἱὸς τοῦ θεοῦ ὁ εἰς τὸν κόσμον ἐρχόμενος (11, 27). In dem Zusatz ὁ εἰς τὸν κόσμον ἐρχόμενος ist vielleicht die 1, 49. 51 sichtbar werdende Verbindung 30 von Messias und Menschensohn (→ VIII 472, 31ff) erneut vorhanden; denn der Menschensohn ist der von Gott in die Welt Kommende und mit der Fülle des

---

[471] Die Auseinandersetzung mit den Täuferkreisen bestimmt die Zeichnung des Johannesbildes 1, 6—8. 15. 19—37; 3, 22—36; 5, 31 —36; 10, 40—42. Die Behauptung, Johannes u nicht Jesus sei der Messias, ist durch PsClem Recg I 54, 8f; 60, 1—3 (GCS 51) belegt. Vgl auch Ephr, Expositio evangelii concordantis App 2, 1: et discipuli Iohannis de eo gloriantur, et maiorem esse eum quam Iesum dicunt, ut et ipse, aiunt, testatus est: Non est in natis mulierum maior quam Iohannes (übers LLeloir, Corp Script Christ Or 145 [1954]).

[472] J 1, 20f bestreitet Johannes zunächst, der königliche Messias zu sein, sodann wehrt er sich dgg, als messianischer Hoherpriester in Gestalt des wiederkehrenden Elias u als messianischer Prophet nach Dt 18, 15 verstanden zu werden. Wie 1 QS 9, 11 stehen der messianische Prophet, der hohepriesterliche u der königliche Messias nebeneinander (→ 510, 6ff).

[473] Die Verbindung von König (= Messias) u Sohn Gottes kehrt bei J erst in der Passionsgeschichte wieder u wird dort durchgeklärt. Vgl MdeJonge, The Use of the Word χριστός in the Johannine Epistles, Festschr JNSevenster, Nov Test Suppl 24 (1970) 66—74.

[474] In der Verbindung von Messias u Menschensohn wird eine bereits in der henochischen Apokalyptik sich anbahnende u in der urchr Tradition aufgenommene Verbindung (→ 532, 12ff) fortgesetzt u entfaltet, vgl → Sjöberg Menschensohn äth Hen 140—146; → Hahn 157f. Zur Entfaltung bei Joh vgl außer 1, 51 noch 12, 34 u 9, 22. 35. J 9 wird das gestaltet, was Lk 12, 8 im Jesus-Logion ausgesagt ist. Der Blindgeborene bekennt sich zu Jesus vor den Nachbarn u den Pharisäern, u der Menschensohn bekennt sich zu ihm, als er ausgestoßen wird 9, 35, wobei Jesus u Menschensohn identifiziert sind.

Lebens Beschenkte (vgl 5, 26f). Indem Messiasbekenntnis und Lebensspende verbunden werden, kommt die Neuauslegung des Messiasbegriffes ans Licht, wie sie der Johannes-Evangelist vornimmt. Lebensspender ist der Messias als der Sohn (5, 21. 26).

Nicht nur die aus der jüdischen Messiaserwartung Kommenden erkennen nach 5 dem Bericht des Johannes-Evangeliums in Jesus den Messias, sondern auch die samaritanische Frau. Sie sagt den Bewohnern von Sychar: δεῦτε ἴδετε ἄνθρωπον ὃς εἶπέν μοι πάντα ἃ ἐποίησα· μήτι οὗτός ἐστιν ὁ χριστός; (4, 29). Sie gründet ihr Urteil auf ihre Erfahrung mit Jesus. Jesus hat sich ihr gegenüber als Messias zu erkennen gegeben (4, 25f). Seine Lehre von der wahren Anbetung des Vaters 10 hatte sie zu der Äußerung veranlaßt, daß der Messias alles verkünden werde, wenn er komme[475]. Hinter ihrer Äußerung steht die samaritanische Erwartung des Ta'eb (→ A 468; VII 89, 31ff)[476]. Der Evangelist legt allen Nachdruck darauf, daß der Messias nur erkannt werden kann, wenn er sich selbst enthüllt. Deshalb sagt Jesus zu ihrer Äußerung: ἐγώ εἰμι, ὁ λαλῶν σοι (4, 26). Das ist im Johannes- 15 Evangelium einmalig. Darin spiegelt sich wider, daß die Messiasfrage an Jesus herangetragen worden ist und aus seiner Geschichte die Neuprägung des Messiasverständnisses entsteht, die auf ihn zurückgeführt wird.

Johannes stellt Jesus hinein in die Diskussion um seine Messianität[477], die unter den Juden geführt wird. Darin zeichnen sich Auseinandersetzungen ab, die zwi- 20 schen Juden und Christen zur Zeit, da das Johannes-Evangelium geschrieben wurde, stattgefunden haben. Die Juden nehmen an Jesu Herkunft aus Nazareth Anstoß und vertreten die Lehre vom verborgenen Ursprung des Messias (7, 26f, vgl auch 1, 46; 6, 41f)[478]. Sollten die Führenden zu der Erkenntnis gekommen sein, ὅτι οὗτός ἐστιν ὁ χριστός (7, 26), dann wäre auch für die, die unter ihrem geistlichen 25 Zwang stehen (7, 11—13. 45—51) und kein klares Urteil über Jesus wagen, eine neue Möglichkeit gegeben. Dem Hinweis auf die Verborgenheit des Messias vor seinem Auftreten[479] begegnet Jesus mit der Berufung auf seine Sendung vom

---

[475] Die samaritanische Frau begründet ihr Urteil v 29 also nicht mit Jesu Lehre, die seine Selbstbezeugung als Messias hervorgerufen hatte 4, 25f. Das hat zu der Vermutung geführt, daß v 25f redaktioneller Einschub des Evangelisten in seine Vorlage sei. So Bau J zSt: v 25f gehören „vielleicht zu dem Eigengut, um das der Evangelist eine ihm vorliegende Gesch von Jesus in Samaria bereichert hatte". Wäre dies zutreffend, dann würde die Absicht des Evangelisten noch deutlicher. Die Frau hatte Jesus als einen jüd Mann 4, 9, als Magier nach Art der samaritanischen Magier 4, 12. 15 u als Propheten angesehen 4, 19. Nun offenbart Jesus sich ihr als der Messias, während sie, wenn v 25f Einschub des Evangelisten sind, in seiner Vorlage selbst zu dieser Einsicht gekommen wäre. Ähnlich liegt die Entwicklung beim Blindgeborenen, vgl Grundmann aaO (→ A 469) 53. Vgl auch GFriedrich, Wer ist Jesus? Die Verkündigung des vierten Evangelisten, dargestellt an Joh 4, 4—42 (1967).

[476] Der Ta'eb, der „Wiederkehrende", wurde aufgrund von Dt 18, 15. 18 als der eschatologische Prophet u Lehrer erwartet. Als solcher vermag er die Menschen zu durchschauen, wie es die samaritanische Frau erfahren hat, vgl auch 2, 24f.

[477] Vgl CHDodd, The Interpretation of the Fourth Gospel (1953) 228—240.

[478] Diese Lehre vom verborgenen Messias wird durch Trypho bei Just Dial 8, 4; 110, 1 (→515, 13ff) bestätigt.

[479] Die Lehre von der Verborgenheit des Messias bzw Menschensohns ist apokalyptischen Ursprungs, wie aus 4 Esr 13, 52 hervorgeht, vgl Str-B II 488f. Sie sind in der Gnosis auf den gnostischen Erlöser übertragen, aufgenommen u entfaltet worden, vgl WBousset, Hauptprobleme der Gnosis, FRL 10 (1907) 238f. Unverkennbar hat diese Messiasdogmatik auf Joh eingewirkt. Johannes der Täufer bezeichnet Jesus als den Unbekannten 1, 26. Auch ihm selbst ist er unbekannt. Die Vor-

Vater, der den Juden unbekannt ist (7, 28f). So ist er tatsächlich der verborgene
Messias (vgl 2, 24)[480]; denn sein wahrer Ursprung ist in seiner irdischen Herkunft
verborgen. Er ist der Grund seiner Vollmacht und prägt seine Messianität.

Jesu Herkunft widerspricht nicht nur der Lehre vom verborgenen Ursprung
5 des Messias, sondern auch dem, was über seine irdische Herkunft verheißen ist.
Als ihn einige als den Christus bekennen, nehmen die Juden aufgrund von Aussagen der Schrift[481] Anstoß an seiner galiläischen Herkunft — μὴ γὰρ ἐκ τῆς Γα-
λιλαίας ὁ χριστὸς ἔρχεται; —, und sie vermissen seine Davidsabstammung und
Bethlehemgeburt (7, 41f, vgl auch 1, 45f; 6, 42)[482]. Ihre dogmatische Überzeu-
10 gung erweist sich als Hemmnis für ihre Erkenntnis Jesu. Das aber ist ein erneuter
Hinweis darauf, daß das Bekenntnis zu Jesus die Aussage der Messianität von
Grund auf neu prägt. Was zum Bekenntnis zur Messianität Jesu veranlaßt, ist
die Kraft und der Gehalt seiner Worte (7, 40. 46). Schließlich richtet sich der
Widerspruch gegen Jesu Messianität gegen sein Kreuz. Als er von seiner Kreu-
15 zigung als von seiner Erhöhung (→ VIII 608, 11ff) spricht, wird ihm entgegnet:
ἡμεῖς ἠκούσαμεν ἐκ τοῦ νόμου ὅτι ὁ χριστὸς μένει εἰς τὸν αἰῶνα, καὶ πῶς λέγεις σὺ ὅτι
δεῖ ὑψωθῆναι τὸν υἱὸν τοῦ ἀνθρώπου (12, 34), eine Aussage, die ebenfalls Messias und
Menschensohn (→ VIII 471, 16ff) miteinander verbindet. Johannes läßt Jesus mit
dem Hinweis auf die vergängliche Dauer des irdischen Wirkens Jesu antworten,
20 das ausgenützt werden muß (vgl außer 12, 35f auch 9, 4f und 11, 9f), und er bezeugt, das ewige Wirken (→ IV 580, 2ff) des Verherrlichten (vgl 12, 31f; 14, 12—14:
15, 1—17; 17, 24—26; 18, 36—38)[483].

d. Der Tatbestand, daß Jesus sich nicht selbst vor den
Juden als Messias bezeichnet und daß diese immer erneut zur Debatte um seine
25 Messianität veranlaßt werden, führt zu der dringenden Forderung: ἕως πότε τὴν
ψυχὴν ἡμῶν αἴρεις; εἰ σὺ εἶ ὁ χριστός, εἰπὸν ἡμῖν παρρησίᾳ (10, 24). In der Antwort
wird deutlich, in welcher Weise der Evangelist das Bekenntnis zur Messianität
Jesu formt und versteht. Die Frage zeigt: Die Juden wollen eine klare Antwort,
ob Jesus der Verheißene ist oder nicht, und das hängt für sie an dem Begriff Mes-
30 sias[484]. Dazu soll er sich in aller Offenheit bekennen und sie nicht länger in der

gänge bei seiner Taufe werden für den Täufer
zum Grund seiner Erkenntnis Jesu 1, 31—34,
u nun vermag er ihn als den Kommenden zu
proklamieren 1, 29. 34. 36 sowie 1, 15. 27. Er
erfüllt also die Rolle, die bei Just dem Elias
zugeschrieben wird (→ II 936, 12ff). Jesu Jünger aber erkennen erst auf Grund seiner Offenbarung 6, 66—69 u Verherrlichung 2, 22; 7, 39;
13, 7 uö, wer er ist.
[480] Vgl EStauffer, Agnostos Christos: J 2, 24
u die Eschatologie des vierten Ev, Festschr
CHDodd (1956) 281—299.
[481] Worte wie 2 S 7, 12f; Mi 5, 1; Jer 23, 5;
ψ 88, 5 uam.
[482] Möglicherweise liegt hier eine Tradition
vor, der die Konzeption der Messiasvorstellung, wie sie den Kindheitsgeschichten bei
Mt u Lk zugrunde liegt, unbekannt ist oder
von der aus sie abgelehnt wird.
[483] Die at.liche Aussage von der ewigen

Herrschaft des Geschlechtes Davids wird wie
Lk 1, 32f auf die ewige Herrschaft des Messias
gedeutet. Diese Erwartung ist in St wie 2 S
7, 12. 16; Js 9, 6; Ps 110, 4; Da 7, 14. 18 (vom
Menschensohn); PsSal 17, 4; Sib 3, 49f. 766;
äth Hen 49, 1; 64, 14 (vom Menschensohn)
begründet.
[484] Vgl Schl J zu 10, 24: „Keine noch so mächtige Verkündigung des göttlichen Wirkens u
Herrschens, keine noch so inhaltsreiche Aussage über die Sendung Jesu konnte dem Juden
das ersetzen, was die Formel ‚der Gesalbte' für
ihn bedeutet hat. Erst mit ihr war die prophetische Verheißung unzweideutig in die Gegenwart hineingestellt. Darum hing an diesem
Namen die Entscheidung. Sprach ihn Jesus
aus, so stellte er damit an die Judenschaft u
an die ganze Menschheit die Forderung des
unbegrenzten Gehorsams, mit dem alles in
seine Hände gelegt war".

Schwebe und in Spannung halten[485], damit sie wissen, woran sie mit ihm sind.
Jesus verweist auf sein Wort, das nur der Glaube vernimmt, während es dem
Unglauben verborgen bleibt (10, 25). Messias heißt: Jesus führt die Seinen, die
im glaubenden Hören auf sein Wort das Leben empfangen und mit ihm als seine
Gemeinde verbunden sind. Seine Messianität wird unter dem Bild des Hirten (→ 5
VI 493, 24 ff) dargestellt, dessen Vollmacht[486] aller zerstörenden Gewalt des Todes
und des Herrschers dieser Welt (12, 31 f) überlegen und in seiner Einheit mit Gott
begründet ist. Diese Messianität ist mit seinem Tod und seiner Erhöhung, unter
dem Begriff des δοξάζω zusammengefaßt, verbunden und spricht sich in den Ich-
bin-Worten aus (→ II 347, 9 ff). Jesus ist als Messias der Offenbarer Gottes, der 10
im Offenbaren Leben spendet (17, 3). Zu seiner Messianität gehört, daß er Gottes
Sohn ist (1, 49; 11, 27; 20, 31), und an dieser einzigartigen Einheit mit Gott nehmen
die Juden Anstoß (5, 18; 10, 31—33; 19, 7)[487]. Der Vorrang der Gottessohnschaft
(→ VIII 389, 19 ff) vor der Messianität läßt erkennen: Weil Jesus Gottes Sohn ist,
ist er der Messias. Durch ihn geschieht, was das mehrfach nachweisbare Bekenntnis 15
sagt: die Zuführung durch ihn zum Vater (→ A 414; 557, 16 ff)[488]. Das Bekenntnis
zur Messianität Jesu wird von den Juden mit dem Bann belegt (→ VII 849, 13 ff)[489].

2. Die Johannesbriefe.

a. Christus.

Auch für die Johannesbriefe gilt die Vorordnung der 20
Gottessohnschaft Jesu vor seine Messianität (→ VIII 390, 3 ff). Wo der Name
Ἰησοῦς Χριστός in den Briefen genannt wird, ist er meist mit dem Prädikat Sohn
Gottes verbunden oder darauf bezogen (1 J 1, 3; 3, 23; 5, 5 f. 20; 2 J 3); Ausnahmen bilden 1 J 2, 1; 4, 2; 2 J 7. Die beiden letzten Stellen sind geprägte Bekenntnisformulierungen, was möglicherweise auch für 1 J 2, 1 gilt (vgl R 8, 34)[490]. 25
Daneben steht wie im Johannes-Evangelium die titulare Verwendung von χριστός
(1 J 2, 22; 5, 1; 2 J 9). Das enge Nebeneinander von Name und Prädikation führt
auch für die Johannesbriefe zu der Erkenntnis, daß ein Wissen um das Heilsprä-
prädikat Christus in den Namensverbindungen wirksam ist, um so mehr, als das
Bild der Johannesbriefe durch das im Neuen Testament nur bei ihnen vorkom- 30
mende ἀντίχριστος (→ 567, 8 ff) und χρῖσμα (→ 568, 6 ff) erweitert wird.

Jesus ist der Christus, weil er Gottes Sohn ist. Das läßt auch für die Johannesbriefe die Neuauslegung dessen, was Messias ist, erkennbar werden. Er ist der

---

[485] Vgl Bau J zu 10, 24.

[486] Vgl dazu Grundmann aaO (→ A 469)
54—57; zur umfassenden Bdtg des Hirten-
bildes vgl ISeibert, Hirt-Herde-König, Deutsche Akademie der Wissenschaften zu Berlin,
Schriften der Sektion für Altertumswissenschaft 53 (1969).

[487] An dieser St wird der schärfste Gegensatz zur jüd Messiaserwartung sichtbar. „Wir
alle … erwarten … im Messias einen Menschen von Menschen, den nach seiner Ankunft
Elias salbt. Wenn er aber auch als Christus
erscheint, muß man ihn auf jeden Fall als
einen Menschen von Menschen erklären" Just
Dial 49, 1.

[488] Vgl auch WGrundmann, Zur Rede Jesu
vom Vater im Joh-Ev, ZNW 52 (1961) 213—
230.

[489] Der Bann wird an dem Blindgeborenen
vollzogen 9, 34, u dies veranlaßt die Bildrede
vom rechten Hirten 10, 1—21, die die Eigenständigkeit der Gemeinde Jesu gegenüber der
jüd Synagoge begründet u die wiederum die
grundsätzliche Messiasfrage auslöst 10, 22—39.

[490] Im Joh-Ev wird das J 17 entfaltet.

Uranfängliche (1 J 1,1, vgl J 1,1), das Wort des Lebens (1 J 1,1f; 5,20) und zugleich geschichtlich menschliche Erscheinung (1 J 1, 1—3). Durch ihn haben die Zeugen, die hinter dem ersten Johannesbrief stehen, *Gemeinschaft mit dem Vater und mit seinem Sohne Jesus Christus*, und sie geben sie weiter an die Hörer
5 ihres Zeugnisses (1 J 1, 3). Diese Aussage bestätigt die Einsicht: Durch den Christus geschieht die Zuführung zum Vater; sie ist das Leben aus dem Wort, das der Sohn spricht (1 J 2, 22f; 4, 15; 5, 9—12; 5, 20[491]; 2 J 9). Jesus Christus erhält als der Fürsprecher den, der sündigt, beim Vater (1 J 2, 1). Was er vom Menschen will, was also sein Gebot ist, faßt der erste Johannesbrief zusammen: καὶ αὕτη ἐστὶν
10 ἡ ἐντολὴ αὐτοῦ, ἵνα πιστεύσωμεν τῷ ὀνόματι τοῦ υἱοῦ αὐτοῦ ᾽Ιησοῦ Χριστοῦ καὶ ἀγαπῶμεν ἀλλήλους καθὼς ἔδωκεν ἐντολὴν ἡμῖν (3, 23, vgl J 13, 34f; 15,10—12. 17). Um Glaube und Liebe geht es in der διδαχὴ τοῦ Χριστοῦ (2 J 9). Weil der Christus den Menschen aus der Verfallenheit an die Sünde, an das Böse, an die Macht des Teufels und an die Welt löst und mit Gott verbindet, muß er selbst aus Gott sein
15 (1 J 1, 7f[492]; 2, 1; 3, 8; 4, 9; 5, 18—20). Sein messianisches Werk ist Gottes eigenes Werk und nicht das eines Menschen. Von Gott und von Jesus Christus kommen χάρις, ἔλεος, εἰρήνη . . . ἐν ἀληθείᾳ καὶ ἀγάπη (2 J 3). Die spätere, altkirchliche Deutung des Heilsgeschehens, daß Gott Mensch wird, damit der Mensch Gottes teilhaftig werde, hat in der johanneischen Literatur ihre Wurzeln.

20   Von hier aus wird der erbitterte Kampf gegen Irrlehrer verständlich, die die gottheitlich verstandene Messianität Jesu leugnen. Der erste Johannesbrief spricht von denen, die sagen ὅτι ᾽Ιησοῦς οὐκ ἔστιν ὁ χριστός (1 J 2, 22). Sie sind aus der Gemeinde hervorgegangen und haben sich von ihr geschieden (1 J 2, 19). Dieses Leugnen kann wie im Johannesevangelium die jüdische Bestreitung der Messianität
25 Jesu sein (→ 563,19ff); es kann die ebionitische Christologie meinen, die Jesus als den Propheten, nicht aber als Messias und Gottessohn anerkennt. Wahrscheinlicher jedoch ist es, daß die Gegner des ersten Johannesbriefes doketische Gnostiker sind, die die zeitweilige Verbindung des himmlischen Wesens Christus mit dem Menschen Jesus lehren[493]. So wird 1 J 5, 6 zu verstehen sein, wo von Jesus Christus
30 gesagt ist: οὗτός ἐστιν ὁ ἐλθὼν δι᾽ ὕδατος καὶ αἵματος, ᾽Ιησοῦς Χριστός· οὐκ ἐν τῷ ὕδατι μόνον, ἀλλ᾽ ἐν τῷ ὕδατι καὶ ἐν τῷ αἵματι[494]. Jesus Christus, der Sohn Gottes (5, 5), ist in Einheit Jesus Christus gewesen, als er die Taufe empfing, und ist es

---

[491] 1 J 5, 20 gibt die Frage auf, wie ἵνα γινώσκωμεν τὸν ἀληθινόν· καὶ ἐσμὲν ἐν τῷ ἀληθινῷ zu verstehen ist, ob vom Vater oder von Jesus Christus, auf den es im Nachsatz bezogen wird. Die textkritischen Varianten zu ἐν τῷ υἱῷ αὐτοῦ ᾽Ιησοῦ Χριστῷ u die Ergänzung von θεόν zu τὸν ἀληθινόν (→ I 250,19ff) zeigen, daß diese Frage schon die alten Exegeten beschäftigt hat. Aufgrund von J 17, 3 empfiehlt es sich, τὸν ἀληθινόν auf den Vater zu beziehen u in ἐν τῷ υἱῷ αὐτοῦ Ιησοῦ Χριστῷ mit der Def οὗτός ἐστιν ὁ ἀληθινὸς θεός die Apposition zu sehen, durch die deutlich wird, was den 1 J bestimmt: Im Sohne haben wir den Vater, u im Sohne erkennen wir ihn, vgl J 1,18; 20, 31.
[492] In A ℜ vg syh steht τὸ αἷμα ᾽Ιησοῦ Χριστοῦ τοῦ υἱοῦ αὐτοῦ.
[493] Vgl dazu Wnd J zu 4, 3; Bü J 65f;

HBraun, Literar-Analyse u theol Schichtung im 1 J, Gesammelte Studien zum NT u seiner Umwelt (1962) 237—242. Die durch EvDobschütz, Joh Studien I, ZNW 8 (1907) 1—8 u RBultmann, Analyse des 1 J, Exegetica (1967) 105—123 aufgeworfene Frage nach Vorlagen für 1 J, weitergeführt durch Braun, hat für die Frage nach Χριστός im 1 u 2 J keine Bdtg. Die Aussagen des 1 J erweisen sich im Blick darauf als Ganzes. Zum Gesamtproblem vgl Nauck aaO (→ A 406); KWeiß, Orthodoxie u Heterodoxie im 1 J, ZNW 58 (1967) 247—255.
[494] Das wird durch die Lehre des Kerinth bestätigt, in der FNeugebauer, Die Entstehung des Joh-Ev, Arbeiten zur Theol 36 (1968) 28—39 den Gegner sieht, gg den die joh Lit streitet. Zu Kerinth vgl Iren Haer I 21, dazu Schnckbg J⁴ 15—23.

geblieben, als er durch den Tod ging, der von aller Sünde reinigt[495]. Die Formulierung οὗτός ἐστιν ὁ ἐλθὼν δι' ὕδατος καὶ αἵματος, Ἰησοῦς Χριστός (5, 6) läßt erkennen, daß Jesus Christus nicht nur Doppelname ist, sondern daß Christus als den Namen Jesus qualifizierender Beiname verstanden werden muß; denn nur so bekommt die Wendung den die falsche Lehre bestreitenden Sinn (→ VIII 5 330, 2ff).

b. Antichristus.

Bekenntnis zur Sohnschaft Jesu (1 J 4, 15; 5, 5), zu seiner Messianität und zu seinem Kommen ins Fleisch (1 J 2, 22; 4, 2; 5, 1; 2 J 7) gehören zusammen. Während die Bekenner der Messianität Jesu als aus Gott Er- 10 zeugte bezeichnet werden (1 J 4, 2; 5, 1) und ihr Bekenntnis auf den Geist zurückgeführt wird (1 J 4, 2), sind die Bestreiter ἀντίχριστοι (1 J 2, 22; 4, 1—3; 2 J 7). Sie sind vom Geist τοῦ ἀντιχρίστου beherrscht, ὃ λύει τὸν Ἰησοῦν[496] (1 J 4, 2f; → IV 337, 30ff).

Die Bezeichnung ἀντίχριστος kommt im Neuen Testament nur in den Johannes- 15 briefen vor und ist bei den ältesten Lehrern der frühkirchlichen Zeit sehr selten[497]. Der Schreiber des ersten Johannesbriefes kann auf das Wissen der Gemeinde um das Kommen des Antichristen hinweisen (1 J 2, 18; 4, 3)[498]. Der Antichrist ist diesem Wissen nach eine kommende, apokalyptische Gestalt. Sie hängt mit dem Widersacher Gottes der jüdischen Apokalyptik zusammen, die ihrerseits in weiteren 20 religionsgeschichtlichen Zusammenhängen steht[499]. Dieser Widersacher Gottes steigert unmittelbar vor dem apokalyptischen Ende seine Macht und Herrschaft auf Erden, bis er gerichtet und vernichtet wird. Durch das Bekenntnis zu Jesus als dem Messias bekommt in der urchristlichen Apokalyptik der Widersacher Gottes die Züge des Gegenchristus (vgl Apk 13 uö; 2 Th 2, 3—10; Mk 13, 14—27), ohne 25 jedoch ἀντίχριστος genannt zu werden. Das geschieht erst in den Johannesbriefen[500]. Sie aktualisieren zugleich die apokalyptische Gestalt, indem von ihr gesagt wird, sie sei in der Gegenwart bereits am Werke und erscheine in den verführenden, falschen Propheten, die das Christusbekenntnis der Gemeinde bestreiten und sie dadurch um ihre Zugehörigkeit zum Vater bringen wollen. Die ἀντίχριστοι er- 30 wachsen also aus der Gemeinde als Gefährdung ihrer selbst: Ihr Auftreten läßt

---

[495] Ein sakramentales Verständnis der St als Hinweis auf Taufe u Herrenmahl empfiehlt sich deshalb nicht, weil der Bezug auf die bestrittene Christologie der Gegner deutlich ist u eine Erörterung der Sakramente nicht erkennbar wird. Vgl auch Schnckbg J⁴ 258f. Nach deJonge aaO (→ A 473) ist das zentrale Problem für 1 J das Verhältnis der Einheit von Vater u Sohn zu Jesu konkreter Menschlichkeit, das wesentlich für die Beziehung des Sohnes Gottes zu den Kindern Gottes ist. Auf der Grundlage der Auslegung von χριστός im Joh-Ev sind χριστός und υἱός in 1 J austauschbar 1 J 5, 1 u 5.

[496] So nach den ältesten LA, vgl Bü J z 1 J 4, 3.

[497] Sie findet sich nur Pol 7, 1, wo 1 J 4, 2f u 2 J 7 zitiert werden.

[498] Schnckbg J⁴ 145—149.

[499] Vgl Bü J zu 1 J 2, 18; Str-B III 637—640; WBousset, Der Antichrist (1895); Bousset-Gressm 254—256; BRigaux, L'Antichrist (1932).

[500] Die Bildung dieses Wortes ist nicht ganz selbstverständlich. Es gehört in den Rahmen der seit der klass Zeit belegten Bildungen wie „Gegenfeldherr", dh Feldherr der Feinde, die in der Zeit der röm Bürgerkriege durch verschiedene neue Beispiele bereichert wurden. Caesar verfaßte zwei Streitschriften Anticato. Vgl dazu ERisch, Griech Determinativkomposita, Idg Forsch 59 (1949) 249. ἀντίχριστος bezeichnet das apokalyptische Wesen der Gegenseite u kann zugleich den Menschen, der gg den Christus Jesus ist, bedeuten. 1 J 2, 18. 22 schwingen beide Bdtg mit. [Risch]

den Anbruch der letzten Stunde erkennen (→ VI 247, 33 ff): παιδία, ἐσχάτη ὥρα ἐστίν, καὶ καθὼς ἠκούσατε ὅτι ἀντίχριστος ἔρχεται, καὶ νῦν ἀντίχριστοι πολλοὶ γεγόνασιν· ὅθεν γινώσκομεν ὅτι ἐσχάτη ὥρα ἐστίν (1 J 2, 18, vgl 4, 3; 2 J 7).

c. χρῖσμα.

5   Wenn die Gemeinde durch den Antichristen angefochten wird, dann kann sie nur in der Kraft des Geistes, dem χρῖσμα (2, 20. 27), widerstehen. Die Verwendung dieses Begriffes, der *Salböl* bedeutet, will sagen: Die Gemeinde ist mit dem Geist gesalbt, und darin hat ihre Zugehörigkeit zu Christus ihren Grund. Das χρῖσμα vermittelt der Gemeinde jene umfassende Erkenntnis 10 — οἴδατε πάντα (2, 20)[501] —, die ihr Klarheit des Glaubens und des Urteils sowie Gewißheit des Lebens und Entscheidens verleiht, wie sie aus der Verbundenheit mit Gott kommen. Diese Aussage vom χρῖσμα der Gemeinde steht unmittelbar neben dem, was der johanneische Christus vom παράκλητος (→ V 811, 5 ff) sagt (J 16, 8—10. 13 f). Die Gemeinde hat das χρῖσμα als eine in ihr bleibende und sie 15 umfassend und zuverlässig belehrende Kraft empfangen (2, 27)[502]. Es ist in der kirchengeschichtlichen Situation, in die die Johannesbriefe gehören, ein beachtlicher Vorgang, daß der Schreiber des Briefes die Gemeinde nicht an einen Lehrstand verweist, der die Amtsbefugnis dazu besitzt, sondern sie auf ihren Empfang des χρῖσμα anspricht, das selbst ihr Lehrer ist (→ II 146, 7 ff) und von einem Lehr- 20 stand unabhängig macht: τὸ αὐτοῦ χρῖσμα διδάσκει ὑμᾶς περὶ πάντων (2, 27)[503]. Das zeigt, wie stark auch bei Johannes das Messiasverständnis durch die Geistsalbung bestimmt ist und wie der im Geistempfang begründete Zusammenhang zwischen dem Sohn und den Söhnen in der anklingenden Verbindung zwischen dem Gesalbten und den Gesalbten wiederkehrt.

25   **3. Die Apokalypse des Johannes.**

         a. ἀποκάλυψις Ἰησοῦ Χριστοῦ, ἣν ἔδωκεν αὐτῷ ὁ θεός (1, 1) nennt Johannes (1, 4. 9) sein Werk und kennzeichnet Jesus Christus als den Beauftragten Gottes, der durch ihn offenbart, ἃ δεῖ γενέσθαι ἐν τάχει (1, 1). Dem Verfasser ist diese Offenbarung διὰ τοῦ ἀγγέλου αὐτοῦ bekannt gemacht, so daß 30 ἐμαρτύρησεν τὸν λόγον τοῦ θεοῦ καὶ τὴν μαρτυρίαν Ἰησοῦ Χριστοῦ, ὅσα εἶδεν (1, 2; → IV 506, 6 ff). Im Gruß an die Gemeinden wird dieser Ἰησοῦς Χριστός als ὁ μάρτυς ὁ πιστός (→ IV 500, 13 ff) vorgestellt, als ὁ πρωτότοκος τῶν νεκρῶν (→ VI 879, 8 ff;

---

[501] Wir entscheiden uns für die LA οἴδατε πάντα A C 𝔎 lat syʰ u nicht πάντες B 𝔑, da letztere eine Erleichterung des umfassenden πάντα darstellt.

[502] Die grammatische Struktur des schwer durchschaubaren Satzes muß wahrscheinlich folgendermaßen aufgelöst werden: „Und Ihr! Das Chrisma, das ihr von ihm empfangen habt, bleibt in euch, u ihr habt nicht nötig, daß euch jemand belehre. Aber wie euch sein Chrisma über alles belehrt, ist es auch zuverlässig u ohne Lüge, u wie es euch belehrt hat, bleibt in ihm." Vgl dazu J 14, 17: τὸ πνεῦμα τῆς ἀληθείας, ὃ ὁ κόσμος οὐ δύναται λαβεῖν u 14, 26: ἐκεῖνος ὑμᾶς διδάξει πάντα καὶ ὑπομνήσει ὑμᾶς πάντα ἃ εἶπον ὑμῖν ἐγώ. CHDodd, The Johannine Epistles, MNTC (1946) 63 nennt χρῖσμα knowledge... against the poison of false teaching. Vgl Schnckbg J⁴ zu 1 J 2, 20.

[503] Die Frage, ob αὐτοῦ auf den Vater oder auf den Sohn zu beziehen ist, wird dahin zu beantworten sein, daß es mit J 14, 16. 26; 15, 26 sowohl auf den Vater als auch auf den Sohn bezogen werden kann. In dieser Unsicherheit spiegelt sich die Einheit zwischen Vater u Sohn. Anders Schnckbg J⁴ 161.

VIII 370 A 248) καὶ ὁ ἄρχων τῶν βασιλέων τῆς γῆς (1, 5). Das ist er durch sein Werk, das seinen Grund in seiner Liebe zu uns hat, die sich in seiner erlösenden Lebenshingabe erweist und seine Gemeinde zum priesterlichen Königtum macht (1, 5f)[504]. Das bedeutet: Jesus Christus ist der Heilbringer, wobei sein Sterben und Auferstehen das entscheidende Heilsgeschehen sind. Die Apokalypse fügt sich 5 also in das apostolische Zeugnis ein. Es ist für sie bezeichnend, daß Ἰησοῦς Χρι-στός nur an diesen drei Stellen in der Einleitung erscheint. Da zu ihr vier Stellen hinzukommen, in denen von ὁ χριστός in deutlich titularem Sinne gesprochen wird, ist in Ἰησοῦς Χριστός das Wissen enthalten, daß Jesus der Heilbringer ist[505].

10

b. Diese vier Stellen, an denen ὁ χριστός titular gebraucht wird, verteilen sich auf zwei Zusammenhänge im Aufbau der Apokalypse. Der eine liegt in 11, 15 und 12, 10 vor, wo es um die Übernahme der Herrschaft durch den Christus an der Seite Gottes geht[506]. Im Lobpreis himmlischer Chöre, der das Geschehen einleitet, heißt es 11,15: ἐγένετο ἡ βασιλεία τοῦ κόσμου τοῦ κυρίου ἡμῶν καὶ τοῦ χριστοῦ αὐτοῦ, καὶ βασιλεύσει εἰς τοὺς αἰῶνας τῶν αἰώνων. 12,10 steht an 15 seinem Abschluß: ἄρτι ἐγένετο . . . ἡ βασιλεία τοῦ θεοῦ ἡμῶν καὶ ἡ ἐξουσία τοῦ χριστοῦ αὐτοῦ. Der Ertrag dieses Geschehens ist die Entfernung des Satans (12, 9f). An die Stelle des κατήγωρ τῶν ἀδελφῶν ἡμῶν (12,10; → III 637,10ff) ist der Christus getreten, der für sie eintritt (vgl R 8, 34, auch J 12, 31f). Es wird also ein wesent-licher Grundsatz des urchristlichen Christusbekenntnisses entfaltet[507]. Der andere 20 Zusammenhang ist mit 20, 4. 6 gegeben, wo es um die Mitherrschaft der Überwinder im Millennium geht (→ 459,18ff)[508]. Sie wird wie 1, 6 als königliches Priestertum beschrieben, entsprechend der Herrschaft des χριστός, dessen Herrschaft nach 1, 12 —20 die eines priesterlichen Königtums ist[509]. Die Johannesapokalypse hält bei Verwendung des Christusbegriffes entschieden daran fest, daß der Messias Herr- 25 scher ist. Er ist es als der schützende und sorgende Herr seiner Gemeinde und als der waltende Herr über aller Herrschaft auf Erden (1, 5; 19,16)[510]. Die Apo-kalypse beschreibt seine Herrschaft als durch seinen Tod erworben und ihm von Gott verliehen, als priesterlich, als verborgen und erst im Millennium offenbar[511]. An dieses schließt sich alsdann der kommende Äon an, wo Gott alles in allem ist 30

[504] Vgl THoltz, Die Christologie der Apo-kalypse des Joh, TU 85 [2](1971); dort ausführ-liche Erörterung dieser grundlegenden St 55—70.

[505] Vgl Holtz aaO (→ A 504) 22—26 zu Ἰησοῦς, 5—9 zu χριστός.

[506] Holtz aaO (→ A 504) 95—109.

[507] Diese Gedanken sind an verschiedenen anderen St (→ A 333) aufgenommen. Voraus-setzung für sie ist Hi 1. 2.

[508] Zur Frage des Millenniums s Holtz aaO (→ A 504) 181—183; dort weitere Lit. Vgl auch ELohse, Offenbarung des Johannes, NT Deutsch 11 [10](1971) 104f; Wilcke aaO (→ A 336) 13—49.

[509] Ebs wie die Entsprechung zwischen 1, 5 u 3, 14 mit 2, 13: Ἀντιπᾶς ὁ μάρτυς μου ὁ πιστός zeigt auch die Entsprechung zwischen dem priesterlichen Königtum der Überwinder 12, 11

u dem des Überwinders 5, 5, daß auch für den Apokalyptiker der Christus die Seinen nach seinem Bilde prägt.

[510] Unter diesem Doppelaspekt entfaltet zu-treffend Holtz aaO (→ A 504) in Kp 6 „Der Christus als der erhöhte Herr. I: Der Herr der Gemeinde" u Kp 7 „Der Christus als der er-höhte Herr. II: Der Herr des Kosmos" die Christologie der Apk.

[511] Auch der Apokalyptiker entwirft sein Bild des Christus vom bestimmenden Gewicht der interpretatio christiana des Messiasbildes her, jedoch schlägt bei ihm die vorchr alt-jüdische Tradition in seiner Millenniumsdar-stellung u in dem ihr vorausgehenden Stück 19, 11—21 durch. Ihr entstammt auch der Gedanke der Mitherrschaft des Gottesvolkes, freilich bei Joh insofern modifiziert, als sie kein Gegenüber in Unterworfenen hat.

und Gottes eigene Herrschaft hervortritt (21,1—7. 22f; 22,1—5, vgl auch 1 K 15, 23—28).

E. Die Christus-Aussagen
im außerneutestamentlichen Schrifttum der frühkirchlichen Zeit.

5   Im außerneutestamentlichen Schrifttum der frühkirchlichen Zeit läßt sich deutlich beobachten, wie einerseits auf der Linie, die durch den Jakobus-, Judas- und 2. Petrusbrief (→ 557, 4ff) gekennzeichnet ist, Christus Teil des Namens Jesus wird, während andererseits in der Linie, wie sie in der johanneischen Literatur (→ 561,14ff) sichtbar wird, das Wissen um die Heilsbedeu
10 tung der Christus-Bezeichnung lebendig bleibt. Justins Dialogus cum Tryphone (→ 515,7ff) läßt erkennen, daß das da geschieht, wo die Auseinandersetzung mit dem Judentum geführt werden muß.

1. Ignatius von Antiochia[512].

a. Christus und Jesus Christus.

15   Von ganz wenigen Ausn abgesehen gebraucht Ign die volle Namensform Ἰησοῦς Χριστός. Eph 14, 2 spricht von οἱ ἐπαγγελλόμενοι Χριστοῦ εἶναι, die an ihren Taten erkennbar sind. Diese Aussage läßt das Wissen um die Besonderheit des Christus-Ausdruckes erkennen. R 4,1 äußert Ign den Wunsch, in seinem Martyrium als reines Brot τοῦ Χριστοῦ erfunden zu werden, u 4, 2 fordert er auf: λιτανεύ
20 σατε τὸν Χριστὸν ὑπὲρ ἐμοῦ. Sm 1, 1 steht ἐν τῷ αἵματι Χριστοῦ, ähnlich auch 6, 1. Diese St sind durchgängig Kultsprache, die vom Abendmahlsgeschehen her geformt ist, vgl 1 K 10, 16. Ἰησοῦς Χριστός findet sich im Nominativ zB Eph 4, 1; 20, 1; Phld 3, 1; Sm 9, 2 u 10, 2, im abhängigen Casus Eph 2, 2; 5, 1; 9, 1f; Tr 12, 2 uö, κύριος Ἰησοῦς Χριστός Phld prooem; 1, 1; 11, 2; Sm 1, 1; Pol prooem. ὁ κύριος ἡμῶν Ἰησοῦς Χριστός
25 steht nur Eph 7, 2; Phld 4, 1; 9, 2, also weitaus seltener als bei Pls. Ἰησοῦς Χριστός ist mit υἱός R prooem (zweimal), mit ἠγαπημένος Sm prooem verbunden. Die Gottesbezeichnung πατὴρ Ἰησοῦ Χριστοῦ erscheint Eph 2, 1; Mg 3, 1; Tr prooem, die Wendung διὰ Ἰησοῦ Χριστοῦ Eph 4, 2; Mg 5, 2.

        Im Unterschied zu dem anderen außerneutestamentlichen Schrifttum findet sich bei
30 Ign sehr häufig die ἐν-Formel, in der Form ἐν Χριστῷ Ἰησοῦ wie bei Pls (→ 545, 28ff) Tr 1,1; Eph 1,1; 11,1; 12, 2; Mg prooem; R 1,1; 2, 2[513]; Phld 10,1; 11, 2, jedoch häufiger ἐν Ἰησοῦ Χριστῷ, so Eph prooem; 3,1; 8, 2; 10, 3; 20, 2 (zweimal); Mg prooem; 6, 2; Tr 13, 2f; Phld 10, 2. Daneben stehen Ausdrücke wie ἐν δυνάμει Ἰησοῦ Χριστοῦ Eph 11, 2, ἐν πίστει Ἰησοῦ Χριστοῦ Mg 1,1, ἐν τιμῇ Ἰησοῦ Χριστοῦ Mg 15,1, ἐν ὑπομονῇ
35 Ἰησοῦ Χριστοῦ R 10, 3, ἐν γνώμῃ Ἰησοῦ Χριστοῦ Phld prooem, ἐν τῇ χάριτι τοῦ Ἰησοῦ Χριστοῦ Phld 11,1, ἐν ἑνότητι Ἰησοῦ Χριστοῦ Phld 5, 2, ἐν ὀνόματι Ἰησοῦ Χριστοῦ Sm 4, 2; 12, 2; Pol 5,1, ἐν ἀγάπῃ θεοῦ πατρὸς καὶ κυρίου Ἰησοῦ Χριστοῦ Phld 1,1, ferner ἐν θεῷ ἡμῶν Ἰησοῦ Χριστῷ Pol 8, 3. Daran wird deutlich, wie die ἐν-Formel der Interpretation bedürftig wird. Sie erfolgt in der Richtung dessen, was von Jesus Christus
40 den Glaubenden zukommt.

---

[512] Zur Gesamtfrage des Verhältnisses des Ign zur Gemeinde vor ihm vgl RBultmann, Ign u Pls, Exegetica (1967) 400—411; CMaurer, Ign von Antiochien u das Joh-Ev (1949); TPreiss, La mystique de l'imitation du Christ et de l'unité chez Ignace d'Antioche, Rev HPhR 18 (1938) 197—241; HSchlier, Religionsgeschichtliche Untersuchungen zu den Ignatiusbriefen, ZNW Beih 8 (1929); HRathke, Ign von Antiochien u die Paulusbriefe, TU 99 (1967).

[513] Eine Reihe von Hdschr lesen hier ἐν Ἰησοῦ Χριστῷ.

Die Verbindung zwischen Jesus Christus u dem Mysterium von Kreuz u Auferweckung, das als Heilsgeschehen verstanden wird, u die Aussage von der Liebe Jesu Christi sind bei Ign noch deutlich erkennbar. Von der ἀγάπη Ἰησοῦ Χριστοῦ sprechen Tr 6, 1; R prooem, von seinem Kreuz, Blut u Sterben Eph 9, 1[514]; 16, 2; Tr 2, 1; Sm 1, 1; 6, 1; Phld prooem, von Passion u Auferstehung R 6, 1; Phld 8, 2; 9, 2; Sm 7, 1; 12, 2; Tr 5 prooem.

Die Koordinierung von Gott u Jesus Christus u die Übertragung der Gottesbezeichnung auf ihn lassen den im Christus-Begriff enthaltenen Gedanken, daß der Christus Mandatar Gottes ist, stark zurücktreten. Jesus Christus ist ὁ θεὸς ἡμῶν u als solcher Gott koordiniert Eph prooem. Eph 1, 1 heißt es von den Ephesern, die sich einen 10 guten Namen erworben haben κατὰ πίστιν καὶ ἀγάπην ἐν Χριστῷ Ἰησοῦ[515], . . . μιμηταὶ ὄντες θεοῦ, ἀναζωπυρήσαντες ἐν αἵματι θεοῦ. Die Gottesbezeichnung für Jesus Christus steht auch Eph 18, 2; Tr 7, 1; R prooem; 6, 3; Sm 1, 1; 10, 1; Pol 8, 3; Gott u Jesus Christus sind Tr 1, 1; Phld 3, 2 koordiniert. Neben der Gottesbezeichnung wird die Bdtg Jesu Christi mit ὁ σωτὴρ ἡμῶν Mg prooem; Phld 9, 2 u mit ἡ ἐλπὶς ἡμῶν Mg 11, 1; 15 Tr prooem; 2, 2 ausgedrückt. Jesus Christus ist τὸ διὰ παντὸς ἡμῶν ζῆν Mg 1, 2, τὸ ἀληθινὸν ἡμῶν ζῆν Sm 4, 1, τὸ ἀδιάκριτον ἡμῶν ζῆν, τοῦ πατρὸς ἡ γνώμη Eph 3, 2. Mit der Formel ὅς oder ὅ ἐστιν Ἰησοῦς Χριστός werden allg Begriffe auf Jesus Christus bezogen θεοῦ γνῶσις Eph 17, 2, ἡ χαρὰ ἡ ἄμωμος Mg 7, 1, νέα ζύμη Mg 10, 2, ἀδιάκριτον πνεῦμα Mg 15, ἡ τελεία ἐλπίς Sm 10, 2[516]. An diesen St wird deutlich, daß für die Ge- 20 meinden, denen Ign schreibt, u auch für ihn selbst Χριστός weitgehend seinen Sinn eingebüßt hat u die interpretatio christiana des Urchr nicht mehr ausreicht. Wer Jesus Christus ist, das muß in neuer Weise gesagt werden.

b. Bekenntnisformulierungen und Bekenntnisbildungen in den Ignatianen. 25

Ign übernimmt eine ganze Reihe von Bekenntnisformulierungen u bildet sie weiter oder bildet, ihnen folgend, neue Aussagen bekenntnismäßigen Charakters, die durchgehend den Namen Jesus Christus in seiner Bdtg entfalten. Eine derartige übernommene Formulierung liegt Ign Eph 7, 2 vor: εἷς ἰατρός ἐστιν, σαρκικός τε καὶ πνευματικός, γεννητὸς καὶ ἀγέννητος, ἐν σαρκὶ γενόμενος θεός, ἐν θανάτῳ ζωὴ ἀλη- 30 θινή, καὶ ἐκ Μαρίας καὶ ἐκ θεοῦ, πρῶτον παθητὸς καὶ τότε ἀπαθής, Ἰησοῦς Χριστὸς ὁ κύριος ἡμῶν[517]. Sie bewegt sich um Passion u Auferstehung, bezieht die Menschwerdung in antidoketischem Sinne ein u enthält das Bekenntnis zur Gottheit Jesu Christi. Eine weitere Formulierung findet sich Eph 18, 2, offensichtlich aus einem Taufbekenntnis, das mit dem bei Ign sonst nicht begegnenden Ἰησοῦς ὁ Χριστός begonnen hat[518]. Mg 35 6, 1 dürfte der Satz Jesus Christus πρὸ αἰώνων παρὰ πατρὶ ἦν καὶ ἐν τέλει ἐφάνη geprägte Formulierung sein, die Ign übernimmt. Ein antidoketisches Bekenntnis, in seinem ersten Teil 1 Pt 3, 18. 22 ähnlich, liegt auch der auslegenden Entfaltung des Ign in Tr 9, 1 f zugrunde. In Sm 1, 1 f ist ebenfalls ein ausgelegtes u entfaltetes Bekenntnis enthalten[519]. Eine Bildung des Ign, an eine εἷς-θεός-Aussage wie 1 Tm 2, 5f anschließend, 40 dürfte Mg 8, 2 sein: ὁ φανερώσας ἑαυτὸν διὰ Ἰησοῦ Χριστοῦ τοῦ υἱοῦ αὐτοῦ, ὅς ἐστιν αὐτοῦ λόγος ἀπὸ σιγῆς προελθών. Ihr kommt R 8, 2 nahe: Ἰησοῦς δὲ Χριστός . . . · τὸ ἀψευδὲς στόμα, ἐν ᾧ ὁ πατὴρ ἀληθῶς ἐλάλησεν. Beide Aussagen gehören zu der Verbindung von λόγος u Ἰησοῦς Χριστός J 1, 1ff u formulieren die Christus-Bdtg neu.

---

[514] Bestimmend ist die eigenartige Bildhaftigkeit, die vom geistlichen Hausbau Gottes spricht, das Kreuz dem aufziehenden Hebebaum u den Heiligen Geist den Seilen vergleicht, mit denen die Gläubigen wie Steine emporgezogen werden. 19, 1 ist abweichend vom durchgängigen Sprachgebrauch bei Pls vom θάνατος τοῦ κυρίου gesprochen.

[515] πίστις u ἀγάπη sind die Existenzweisen des zu Jesus Christus gehörenden Menschen; sie sind mit ihm verbunden, so Eph 9, 1 (→ A 514), was 9, 2 ausgeführt wird. Vgl auch Eph 14, 1; Mg 1, 2; 5, 2.

[516] 1 K 1, 30 u diese Ign-St bestätigen, daß die ἐγώ εἰμι-Aussagen des Joh-Ev als Christus-Aussagen zu verstehen sind.

[517] Während Ign Jesus Christus das Leben nennt u dazu den Inf verwendet, steht hier ζωή. Das legt nahe, daß es sich um eine übernommene Formulierung handelt. Zu Ign Eph 7, 2 Schille Hymnen aaO (→ A 410) 39. AGrillmeier, Die theol u sprachliche Vorbereitung der christologischen Formel von Chalcedon, in: Das Konzil von Chalcedon I, ed AGrillmeier/ HBracht (1951) 30 erörtert die Probleme der LA: ἐν σαρκὶ γενόμενος θεός.

[518] ὁ θεὸς ἡμῶν stammt wahrscheinlich von Ign; zu Ign Eph 18, 2 vgl Schille Hymnen aaO (→ A 410) 119. In Eph 20, 2 ist ein Bruchstück einer Bekenntnisformulierung enthalten.

[519] Vgl Schille Hymnen aaO (→ A 410) 39f.

c. Christus und die Kirche.

Die enge Beziehung zwischen dem Christus u seinem Volke, die bei Pls mit dem Begriff τὸ σῶμα τοῦ Χριστοῦ (→ VII 1066, 18 ff) ausgedrückt wird, bekommt bei Ign eine starke Betonung, wobei die Kirche nicht mehr eine Gemeinde aus den Kräften des Charismas[520], sondern das bischöflich verfaßte, in ihren Amtsträgern erscheinende Heilsinstitut ist. An sie wird die Gegenwart des Christus gebunden ὅπου ἂν ᾖ Ἰησοῦς Χριστός, ἐκεῖ ἡ καθολικὴ ἐκκλησία Sm 8, 2[521]. Zwischen ihrem Verhältnis zu Christus u dem seinen zum Vater besteht eine Parallelität — ὡς ἡ ἐκκλησία Ἰησοῦ Χριστῷ καὶ ὡς Ἰησοῦς Χριστὸς τῷ πατρί Eph 5, 1 —, die in vielfacher Weise zum Ausdruck kommt, zB Tr 3, 1; Mg 13, 2, wo wie Eph 20, 2; Mg 2; Tr 2, 1; Sm 8, 1 der Gehorsam gegenüber den kirchlichen Amtsträgern als heilsnotwendig gefordert wird. Ign mahnt die Gemeinde von Tralles, sich nicht aufzublähen u sich nicht trennen zu lassen von θεοῦ Ἰησοῦ Χριστοῦ καὶ τοῦ ἐπισκόπου καὶ τῶν διαταγμάτων τῶν ἀποστόλων 7, 1. Jesus Christus, das Bischofsamt u das gesetzlich verstandene ap Zeugnis sind parallelisiert u in eine Linie gerückt.

d. Χριστιανός und Χριστιανισμός bei Ignatius.

Mehrfach findet sich bei Ign die Bezeichnung Χριστιανός für den Zugehörigen der Gemeinde. Ign wünscht sich die Fürbitte der Epheser, ἵνα ἐν κλήρῳ Ἐφεσίων εὑρεθῶ τῶν Χριστιανῶν, οἳ καὶ τοῖς ἀποστόλοις πάντοτε συνήνεσαν ἐν δυνάμει Ἰησοῦ Χριστοῦ Eph 11, 2. Ist danach für sie die Übereinstimmung mit den Ap entscheidend, so darf Χριστιανός nicht nur ein Name sein, sondern muß ein Sein ausdrücken, μὴ μόνον καλεῖσθαι Χριστιανούς, ἀλλὰ καὶ εἶναι Mg 4, vgl auch R 3, 2, wo Ign diesen Satz persönlich auf sich selbst anwendet. Für einen Christen ist entscheidend: Χριστιανὸς ἑαυτοῦ ἐξουσίαν οὐκ ἔχει, ἀλλὰ θεῷ σχολάζει Pol 7, 3, vgl Pls R 14, 7—9. Ign verwendet χριστιανός adj: μόνῃ τῇ χριστιανῇ (christlich) τροφῇ χρῆσθε Tr 6, 1.

Bei ihm findet sich auch das Subst Χριστιανισμός, das Christsein des Christen, wie es sich in seiner Lebensweise ausdrückt, dem Ἰουδαϊσμός gegenübergestellt (→ III 385, 31 ff). Ign bezeichnet es als ἄτοπόν ἐστιν Ἰησοῦν Χριστὸν λαλεῖν καὶ ἰουδαΐζειν, vgl Gl 2, 11—14, u begründet dies: ὁ γὰρ Χριστιανισμὸς οὐκ εἰς Ἰουδαϊσμὸν ἐπίστευσεν, ἀλλὰ Ἰουδαϊσμὸς εἰς Χριστιανισμόν Mg 10, 3, vgl auch Phld 6, 1[522]. Durch Mg 10, 1 ist es als Jüngersein in Jesus definiert: μαθηταὶ αὐτοῦ γενόμενοι, μάθωμεν κατὰ Χριστιανισμὸν ζῆν. ὃς γὰρ ἄλλῳ ὀνόματι καλεῖται πλέον τούτου, οὐκ ἔστιν τοῦ θεοῦ[523]. Diese Def aber macht deutlich, daß Χριστιανισμός nichts anderes meint als Jünger Jesu sein. Die urchr Selbstbezeichnung οἱ μαθηταί ist nach Ag 11, 26 in Antiochia der Bezeichnung Χριστιανοί gewichen (→ 529, 3 ff). Ign läßt den Zshg beider erkennen u bestätigt als Bischof von Antiochia die Notiz aus Ag 11, 26, daß diese Gemeinde für die Entstehung der Bezeichnung Χριστιανός, die zu Χριστιανισμός weiterentwickelt wurde, bes Bdtg hat.

Bei Ign finden sich noch einige andere Weiterbildungen, so χριστοφόρος Eph 9, 2 in der Reihe σύνοδοι ..., θεοφόροι καὶ ναοφόροι, χριστοφόροι, ἁγιοφόροι, κατὰ πάντα κεκοσμημένοι ἐν ταῖς ἐντολαῖς Ἰησοῦ Χριστοῦ[524]. Ihr entspricht die Bezeichnung χριστόνομος R prooem. Nicht fern steht auch χριστομαθία Phld 8, 2; Ign mahnt die Gemeinde, μηδὲν κατ' ἐρίθειαν πράσσειν, ἀλλὰ κατὰ χριστομαθίαν, dh wie sie es als Jünger des Christus gelernt haben.

---

[520] Vgl dazu EKäsemann, Amt u Gemeinde im NT, Exegetische Versuche u Besinnungen I ⁵(1965) 109—134; ders, Pls u der Frühkatholizismus, Exegetische Versuche u Besinnungen II ³(1968) 239—252.

[521] So nach Bihlmeyer-Schneemelcher. FX Funk, Die Apost Vät, Sammlung ausgewählter kirchen- u dogmengeschichtlicher Quellenschriften II 1 ²(1906) u TZahn, Patrum Apostolicorum Opera II (1876) bieten an dieser St das bei Ign seltene Χριστὸς Ἰησοῦς, das den Zshg zwischen dem Christus u seinem Volke betont aussagen könnte.

[522] Das entspricht allein Gottes Absicht: εἰς ὃν (sc Χριστιανισμόν) πᾶσα γλῶσσα πιστεύσασα εἰς θεὸν συνήχθη Mg 10, 3.

[523] Auch Mg 9, 1 ist heranzuziehen: ἵνα εὑρεθῶμεν μαθηταὶ Ἰησοῦ Χριστοῦ τοῦ μόνου διδασκάλου ἡμῶν. 9, 2 werden auch die Propheten als Jünger bezeichnet. Der Gedanke der Jüngerschaft wird 10, 1 aufgenommen u führt zu der Folgerung: ... μάθωμεν κατὰ Χριστιανισμὸν ζῆν.

[524] Ign sagt R prooem von sich: ὁ καὶ Θεοφόρος. R 4, 1 ist sein Wunsch ausgesprochen: ἵνα καθαρὸς ἄρτος εὑρεθῶ τοῦ Χριστοῦ. Er möchte nach R 4, 2 μαθητὴς ἀληθῶς Ἰησοῦ Χριστοῦ sein u hofft, daß ἀπελεύθερος γενήσομαι Ἰησοῦ Χριστοῦ καὶ ἀναστήσομαι ἐν αὐτῷ ἐλεύθερος 4, 3. Er begehrt, ἵνα Ἰησοῦ Χριστοῦ ἐπιτύχω R 5, 3 (zweimal). So erwächst das dem Wort θεοφόρος analog gebildete χριστοφόρος seiner persönlichen Christusverbundenheit.

2. Der Polykarpbrief und das Martyrium des Polykarp.

a. Polykarp verwendet in der Einl u am Schluß seines Briefes die volle Form ὁ κύριος ἡμῶν 'Ιησοῦς Χριστός, verbunden mit Formulierungen, die Kreuz u Auferweckung Jesu als Heilsgeschehen bekennen 1, 1f; 2, 1; 12, 2, vgl 14[525]. Im Prooem ist der Name 'Ιησοῦς Χριστός mit ὁ σωτήρ ἡμῶν verbunden u der Gottesbezeichnung koordiniert. διὰ 'Ιησοῦ Χριστοῦ als Urheber der Rettung θελήματι θεοῦ findet sich 1, 3, u in der aus Ign (→ 571, 17ff) bekannten Weise wird von ἡ ἐλπὶς ἡμῶν καὶ ὁ ἀρραβὼν τῆς δικαιοσύνης ἡμῶν gesagt ὅς ἐστι Χριστὸς 'Ιησοῦς 8, 1. Χριστός findet sich 3, 3: ἀγάπη . . . εἰς θεὸν καὶ Χριστὸν καὶ εἰς τὸν πλησίον. In gleicher Weise werden θεὸς καὶ Χριστός koordiniert ὡς θεοῦ καὶ Χριστοῦ διάκονοι 5, 2, ὑποτασσομένους τοῖς πρεσβυτέροις καὶ διακόνοις ὡς θεῷ καὶ Χριστῷ 5, 3[526].

b. Wie im Brief findet sich in der Einl u am Schluß des Mart Pol die volle Form ὁ κύριος ἡμῶν 'Ιησοῦς Χριστός prooem; 19, 2[527]; 21; 22, 3. Artikelloses Χριστός begegnet 6, 2: Polykarp Χριστοῦ κοινωνὸς γενόμενος sowie 19, 1: κατὰ τὸ εὐαγγέλιον Χριστοῦ. ὁ Χριστός findet sich 2, 2f; 14, 2; 17, 2[528]. Dabei wird 9, 3 deutlich, daß das Wissen um die Messianität Jesu mit der Bezeichnung Χριστός verbunden ist. Das geht aus der Erläuterung hervor, die in der Antwort des Polykarp auf die Aufforderung λοιδόρησον τὸν Χριστόν enthalten ist: πῶς δύναμαι βλασφημῆσαι τὸν βασιλέα μου τὸν σώσαντά με; Der Christus ist der Heilbringer. Polykarp weiß um die Bdtg von Χριστός, aber in seiner nichtchristlichen Umgebung muß sie gedeutet werden, weil sie ihr nicht verständlich ist. Die Bezeichnung 'Ιησοῦς Χριστός kommt 14, 1. 3[529]; 20, 2; 22, 1 vor.

c. Als Χριστιανός bezeichnet sich Polykarp 10, 1; 12, 1. Er wird von seinen Feinden ὁ τῆς 'Ασίας διδάσκαλος, ὁ πατὴρ τῶν Χριστιανῶν genannt 12, 2, u er bekennt sich selbst dazu: εἰ δὲ θέλεις τὸν τοῦ Χριστιανισμοῦ μαθεῖν λόγον, δὸς ἡμέραν καὶ ἄκουσον 10, 1. Der Berichterstatter des Mart Pol spricht von der γενναιότης τοῦ θεοφιλοῦς καὶ θεοσεβοῦς γένους τῶν Χριστιανῶν 3, 2.

3. Die Didache.

In der Did begegnet nur einmal der Name 'Ιησοῦς Χριστός in der Formel διὰ 'Ιησοῦ Χριστοῦ 9, 4 u einmal Χριστιανός 12, 4[530]. Die durchgängige Bezeichnung Jesu Christi ist κύριος 6, 2; 9, 5 uö.

4. Der Barnabasbrief.

Im Barn findet sich die Formulierung ὁ καινὸς νόμος τοῦ κυρίου ἡμῶν 'Ιησοῦ Χριστοῦ 2, 6. In 12, 10 steht der Satz ὁ Χριστὸς υἱός ἐστιν Δαυίδ, was mit Ps 110, 1 begründet u zugunsten der Sohn-Gottes- u Kyrios-Aussage überwunden wird, wozu 12, 11 noch Js 45, 1 herangezogen wird. In beiden Fällen ist ὁ Χριστός als Messias verstanden. 14, 9 wird Js 61, 1: οὗ εἵνεκεν ἔχρισέν με zitiert. Um so auffälliger ist, daß Χριστός auch in der Verbindung mit Jesus außer in 2, 6 im Barn nicht vorkommt, wohl

---

[525] ὁ κύριος ἡμῶν steht 6, 3; 13, 2, ὁ κύριος als Bezeichnung für den geschichtlichen u erhöhten Jesus 2, 3; 4, 1; 5, 2; 6, 2; 7, 1f; 9, 2.

[526] Dazu kommen die Zitate aus 2 K 5, 10 in 6, 2 u aus 1 J 4, 2f in 7, 1.

[527] Beachte die dreifache Charakterisierung: τὸν σωτῆρα τῶν ψυχῶν ἡμῶν καὶ κυβερνήτην τῶν σωμάτων ἡμῶν καὶ ποιμένα τῆς κατὰ τὴν οἰκουμένην καθολικῆς ἐκκλησίας Mart Pol 19, 2.

[528] Beachte dabei die bedeutsame Formulierung: ἀγνοοῦντες, ὅτι οὔτε τὸν Χριστόν ποτε καταλιπεῖν δυνησόμεθα, τὸν ὑπὲρ τῆς τοῦ παντὸς κόσμου τῶν σωζομένων σωτηρίας παθόντα ἄμωμον ὑπὲρ ἁμαρτωλῶν, οὔτε ἕτερόν τινα σέβεσθαι.

τοῦτον μὲν γὰρ υἱὸν ὄντα τοῦ θεοῦ προσκυνοῦμεν Mart Pol 17, 2f.

[529] Im Gebet des Polykarp wird Gott angeredet als ὁ τοῦ ἀγαπητοῦ καὶ εὐλογητοῦ παιδός σου 'Ιησοῦ Χριστοῦ πατήρ, δι' οὗ τὴν περὶ σοῦ ἐπίγνωσιν εἰλήφαμεν Mart Pol 14, 1. Christus wird bezeichnet διὰ τοῦ αἰωνίου καὶ ἐπουρανίου ἀρχιερέως 'Ιησοῦ Χριστοῦ, ἀγαπητοῦ σου παιδός Mart Pol 14, 3. Zu παῖς in Gebeten vgl Ag 4, 27; Did 9, 2f; 10, 2; auch Mart Pol 20, 2 u 1 Cl 59, 2—4.

[530] Wer als Gast in einer Gemeinde untätig sein u sich von ihr versorgen lassen will, ist χριστέμπορος 12, 5, dh einer, der mit Christus Handel oder Schacher treibt, Pr-Bauer sv.

aber finden sich κύριος[531], υἱὸς τοῦ θεοῦ[532] u der Name Ἰησοῦς[533]. Alle drei Bezeichnungen werden auch mit der Aussage vom Heilsgeschehen des Kreuzes u der Auferweckung verbunden 5, 9. 11; 7, 2; 12, 5; 14, 5; 15, 9, wo gew meist einfaches Χριστός stand.

5. Der erste Clemensbrief.

Im 1 Cl steht die Aussage οἱ ἀπόστολοι ἡμῖν εὐηγγελίσθησαν ἀπὸ τοῦ κυρίου Ἰησοῦ Χριστοῦ, Ἰησοῦς ὁ Χριστὸς ἀπὸ τοῦ θεοῦ ἐξεπέμφθη. ὁ Χριστὸς οὖν ἀπὸ τοῦ θεοῦ καὶ οἱ ἀπόστολοι ἀπὸ τοῦ Χριστοῦ 42, 1f. Sie zeigt das Wissen um die Messiasbedeutung von ὁ Χριστός u zugleich die Verschmelzung zu der umfassenden Formel ὁ κύριος ἡμῶν Ἰησοῦς Χριστός, die sich auch 1 Cl prooem; 16, 2 vl; 20,11; 42, 3; 44,1; 50,7 u 65, 2 findet. 49, 6 steht in einer der Bekenntnisformulierung von der Heilsbedeutung des Leidens entstammenden Aussage: Ἰησοῦς Χριστὸς ὁ κύριος ἡμῶν, in gleicher Weise ὁ Χριστός 7, 4[534]; 21, 6, auf die Auferweckung Jesu bezogen Ἰησοῦς Χριστός 24, 1, vgl auch 42, 3. Von der Gemeinde als τὸ ποίμνιον τοῦ Χριστοῦ wird 44, 3; 54, 2; 57, 2 gesprochen. ὁ Χριστός findet sich ferner in den Wendungen τοῖς ἐφοδίοις τοῦ Χριστοῦ 2, 1, τὸ καθῆκον τῷ Χριστῷ 3, 4, κηρύσσοντες τὴν ἔλευσιν τοῦ Χριστοῦ 17, 1, vgl weiterhin 46,7; 49,1; 50, 3, ταπεινοφρονούντων γάρ ἐστιν ὁ Χριστός 16,1, von dem im Folgenden gesagt wird: τὸ σκῆπτρον τῆς μεγαλωσύνης τοῦ θεοῦ, ὁ κύριος Ἰησοῦς Χριστός, οὐκ ἦλθεν ἐν κόμπῳ ἀλαζονείας οὐδὲ ὑπερηφανίας, καίπερ δυνάμενος, ἀλλὰ ταπεινοφρονῶν 16, 2. Auch 46, 6 dürfte in diesen Zshg gehören: ἢ οὐχὶ ἕνα θεὸν ἔχομεν καὶ ἕνα Χριστὸν καὶ ἓν πνεῦμα τῆς χάριτος. Ἰησοῦς Χριστός steht 36, 1[535]; 58, 2; 59, 2—4[536]; 61, 3[537]; 64. ἐν Χριστῷ findet sich 1, 2; 21, 8; 22,1; 43,1; 46, 6; 47, 6; 48, 4; 49,1; 54, 3, ἐν Χριστῷ Ἰησοῦ 32, 4; 38,1. Mit Ausn von 43,1; 32, 4 u 38,1 sind beide ἐν-Formeln durchgängig mit Subst verbunden, die eine durch Christus bestimmte u in ihm begründete Weise des Verhaltens u Daseins ausdrücken εὐσέβεια 1, 2, παιδεία 21, 8, πίστις 22,1, κλῆσις 46, 6, ἀγωγή 47, 6, δικαιοσύνη 48, 4, ἀγάπη 49,1, κλέος 54, 3[538]. Die Beeinflussung durch den Sprachgebrauch vor allem der Past ist unverkennbar.

6. Der zweite Clemensbrief.

Die in 2 Cl vorliegende altchristliche Predigt ist in ihrer Χριστός-Aussage durch das Zeugnis Χριστὸς ὁ κύριος ὁ σώσας ἡμᾶς 9, 5 bestimmt; denn ὁ Χριστὸς ἠθέλησεν σῶσαι τὰ ἀπολλύμενα, καὶ ἔσωσεν πολλούς, ἐλθὼν καὶ καλέσας ἡμᾶς ἤδη ἀπολλυμένους 2,7. Darum wird bezeugt: ἡ δὲ ἐπαγγελία τοῦ Χριστοῦ μεγάλη καὶ θαυμαστή ἐστιν 5, 5[539]. Denn, so heißt es in der Einl, οὕτως δεῖ ἡμᾶς φρονεῖν περὶ Ἰησοῦ Χριστοῦ, ὡς περὶ θεοῦ, ὡς περὶ κριτοῦ ζώντων καὶ νεκρῶν· καὶ ... περὶ τῆς σωτηρίας ἡμῶν 1, 1. Das Heil ist in seinem Leiden begründet 1, 2. Χριστός bzw ὁ Χριστός — beides steht nebeneinander — ist der Retter. Die, die sich in ihrem Leben von diesem Christus bestimmen lassen, bilden die ἐκκλησία ζῶσα, die σῶμα Χριστοῦ ist 14, 2. Als Vereinigung des Männlichen u Weiblichen verstanden[540] ist τὸ ἄρσεν ... ὁ Χριστός, τὸ θῆλυ

---

[531] Da κύριος auch Gottesbezeichnung ist, werden mit κύριος Gott u Jesus bezeichnet 1, 3 f. 6; 2, 3; 4, 13 uö.

[532] zB 7, 2. 9; 12,10; 15, 5.

[533] So 4, 8: ἡ διαθήκη ... ἡ τοῦ ἠγαπημένου Ἰησοῦ, vgl 14,15; ferner 6, 9; 7,7. 10f; 8, 2. 4; 9,7f; 11,11; 12, 5—8.10; 15, 9.

[534] 12,7 heißt es: διὰ τοῦ αἵματος τοῦ κυρίου. Es werden also ὁ Χριστός u ὁ κύριος ausgewechselt.

[535] Die Bezeichnung wird erklärt: τὸ σωτήριον ἡμῶν ... τὸν ἀρχιερέα τῶν προσφορῶν ἡμῶν, τὸν προστάτην καὶ βοηθὸν τῆς ἀσθενείας ἡμῶν.

[536] Beachtenswert ist die Schlußformel des christianisierten altjüdischen Gebetes: σὺ εἶ ὁ θεὸς μόνος καὶ Ἰησοῦς Χριστὸς ὁ παῖς σου καὶ ἡμεῖς λαός σου καὶ πρόβατα τῆς νομῆς σου 59, 4. Zu dem darin mehrfach begegnenden παῖς θεοῦ → A 529; zu τὰ πρόβατα τῆς νομῆς σου s die erwähnte Formulierung τὸ ποίμνιον τοῦ Χριστοῦ 44, 3; 54, 2; 57, 2.

[537] Vgl die Bezeichnung διὰ τοῦ ἀρχιερέως καὶ προστάτου τῶν ψυχῶν ἡμῶν 61, 3, die ähnlich auch 64 begegnet (→ A 535).

[538] Der Jesusname ohne Χριστός, aber mit κύριος verbunden steht 13,1; 32, 2; 46,7.

[539] 6,7 steht noch: τὸ θέλημα τοῦ Χριστοῦ. 17, 6 ist von den ἐντολαὶ Ἰησοῦ Χριστοῦ gesprochen. ὁ Χριστός, Χριστός u Ἰησοῦς Χριστός stehen ohne erkennbaren Unterschied nebeneinander. Der Artk vor Χριστός läßt erkennen, daß der Verf um die Heilsbedeutung von Χριστός weiß.

[540] Diese Frage wird auch 2 Cl 12, 2 erörtert u weist Beziehung zum Thomas-Ev Logion 22 (ed AGuillaumont uam [1959]) auf, vgl RMGrant/DNFreedman, Geheime Worte Jesu (1960) 137f. Auffällig ist, daß der Schluß der Ausführung über die Kirche in 2 Cl 14, 5 ebenfalls Berührung mit Thomas-Ev Logion 17 — vgl 1 K 2, 9 — zeigt, s Grant-Freedman 132, dort auch weitere Belege.

ἡ ἐκκλησία 14, 2. Als Verbindung von Fleisch u Geist nennen wir die Kirche das Fleisch καὶ τὸ πνεῦμα Χριστόν 14, 4; sie erscheint ἐν τῇ σαρκὶ Χριστοῦ[541] 14, 3. Wer gg das Fleisch frevelt, οὐ μεταλήψεται τοῦ πνεύματος, ὅ ἐστιν ὁ Χριστός 14, 4[542]. Christus als der Retter u die mit ihm vereinigte Kirche, die ihrem Herrn entspricht, werden eng zusammengeschaut. Die Vollformel *unser Herr Jesus Christus* fehlt im 2 Cl, er hat den einfachen 5 Namen Jesus u die Bezeichnung κύριος[543].

7. Diognetbrief.

Der Dg enthält an keiner St Χριστός in irgendeiner Form u Zusammensetzung, wohl aber häufig Χριστιανός, denn der Schreiber will τὴν θεοσέβειαν τῶν Χριστιανῶν 1, 1 darlegen. Von der Welt werden die Christen gehaßt 2, 6, weil sie 10 sich nicht den Göttern unterwerfen 2, 10. Die Christen aber lieben die, von denen sie gehaßt werden 6, 6. Sie sind für die Welt das, was die ψυχή für das σῶμα ist: ὅπερ ἐστὶν ἐν σώματι ψυχή, τοῦτ' εἰσὶν ἐν κόσμῳ Χριστιανοί 6, 1. Daraus folgert der Verf des Dg Χριστιανοὶ κατέχονται μὲν ὡς ἐν φρουρᾷ τῷ κόσμῳ, αὐτοὶ δὲ συνέχουσι τὸν κόσμον... Χριστιανοὶ παροικοῦσιν ἐν φθαρτοῖς, τὴν ἐν οὐρανοῖς ἀφθαρσίαν προσδεχόμενοι 6, 7 f[544]. Was 15 Jesus Christus ist, wird in einer dem Dg eigenen Weise neu umschrieben, vgl bes 7, 4 f[545], wobei die Sohnesbezeichnung übernommen wird 9, 2. 4; 10, 2.

8. Zusammenfassung.

Der Überblick über das außerneutestamentliche Schrifttum der frühkirchlichen Zeit zeigt, daß das Wissen um die mit Χριστός gemeinte 20 Messianität Jesu nicht völlig verloren gegangen ist. Mit Χριστός bleibt das Verständnis seines Sterbens und Auferstehens als Heilsgeschehen verbunden, erweitert um die ἔλευσις τοῦ Χριστοῦ. Χριστός ist der Bringer des Heiles. Es zeigt sich aber auch, daß in einer Umgebung, die nicht weiß, was Χριστός bedeutet, und die diese Bezeichnung als Namen versteht[546], der Gehalt des Wortes als Bringer des Heiles 25 in immer neuer Weise gedolmetscht werden muß, wobei vor allem σωτήρ (→ VII 1021, 8ff) erhebliche Bedeutung gewinnt. Für die Neuaussage dessen, was Χρι-

---

[541] Auffälligerweise steht hier nicht der Artk, obwohl er durch das determinierte ἐν τῇ σαρκί gefordert wäre. Das zeigt, daß Χριστός u ὁ Χριστός promiscue gebraucht werden.

[542] Auch 14, 4 stehen also Χριστός u ὁ Χριστός als Bezeichnung für τὸ πνεῦμα nebeneinander.

[543] ὁ Ἰησοῦς findet sich 5, 4; 14, 2, ἐν τῷ Ἰησοῦ 17, 5, τὸν Ἰησοῦν 17, 7, ὁ κύριος zB 5, 2; 8, 5; 12, 2; 13, 2; 17, 4. Vgl schließlich die christologische Aussage am Schluß: τὸν σωτῆρα καὶ ἀρχηγὸν τῆς ἀφθαρσίας, δι' οὗ καὶ ἐφανέρωσεν ἡμῖν τὴν ἀλήθειαν καὶ τὴν ἐπουράνιον ζωήν 20, 5.

[544] Das Vorkommen von Χριστιανός häuft sich vor allem in 6, 1—9. Neben den genannten Belegen ist noch 5, 1 hinzuzuziehen.

[545] ἐν ἐπιεικείᾳ καὶ πραΰτητι ὡς βασιλεὺς πέμπων υἱὸν βασιλέα ἔπεμψεν, ὡς θεὸν ἔπεμψεν, ὡς ἄνθρωπον πρὸς ἀνθρώπους ἔπεμψεν, ὡς σῴζων ἔπεμψεν, ὡς πείθων, οὐ βιαζόμενος· βία γὰρ οὐ πρόσεστι τῷ θεῷ. ἔπεμψεν ὡς καλῶν, οὐ διώκων· ἔπεμψεν ὡς ἀγαπῶν, οὐ κρίνων 7, 4 f.

[546] So in den wenigen außerchristlichen Zeugnissen des ersten u beginnenden zweiten nachchr Jhdt. Suet Caes V 25, 11 versteht Christus möglicherweise im Sinne des Sklavennamens Chrestus. Die Verwechslung des un-

bekannten Χριστός mit Χρηστός war möglich, denn Chrestos war ein häufiger Name bei Sklaven u Freigelassenen (→ 473, 40ff), vgl Pr-Bauer sv Χριστός 2. Suet Caes VI 16, 3 spricht von den Christiani als genus hominum superstitionis novae ac maleficae. Tac weiß um die Herkunft des Namens Christiani von Christus Ann 15, 44, 3. Plin spricht mehrfach von den Christiani u weiß um ihren Zshg mit Christus, den zu schmähen sie nicht gezwungen werden können, den sie vielmehr quasi deo Lieder singen; er sagt ua wie Tac „Christus" Plin ep X 96, 5—7. Vgl zu den Texten JBAufhauser, Antike Jesuszeugnisse, KlT 126 (1913); zu ihrer Erörterung KLSchmidt, Artk Jesus Christus, in: RGG² III 122f; HConzelmann, Artk Jesus Christus, in: RGG³ III 622. — Sofern die St Ant 20, 200 echt ist, weiß Jos um die Messiasbedeutung von Christus. Er spricht von Ἰησοῦ τοῦ λεγομένου Χριστοῦ wie Mt 1, 16; 27, 17. 22. In der interpolierten oder christianisierten St von Ant 18, 63f heißt es ὁ χριστὸς οὗτος (Jesus) ἦν (→ A 168). Zur Frage des slawischen Jos vgl EBarnikol, Das Leben Jesu der Heilsgeschichte (1958) 246—251; WBienert, Der älteste nichtchristliche Jesusbericht unter bes Berücksichtigung des altrussischen Jos (1936).

στός ist, enthält das außerneutestamentliche Schrifttum der frühkirchlichen Zeit eine Reihe beachtenswerter Versuche. Die alte Christenheit[547] ist bemüht, in immer neuer Weise auszusagen, wer der Χριστός für sie ist[548].

Grundmann

---

† **χρόνος**	αἰών → I 197, 9ff	καιρός → III 456, 10ff
	νῦν → IV 1099, 8ff	→ ὥρα

Inhalt: A. χρόνος im Griechentum: I. Lexikalisches. II. Zum Zeitproblem in der griechischen Philosophie. — B. Zeit im Judentum: I. In Septuaginta: 1. Die hebräischen Äquivalente; 2. Schrifttum ohne hebräischen Text. II. Im außerbiblischen Judentum: 1. Die Testamente der zwölf Patriarchen; 2. Qumran. III. Zum Zeitverständnis im Judentum. — C. χρόνος im Neuen Testament: I. Lexikalisches. II. Spezifische Aussagen. — D. Die Apostolischen Väter.

---

[547] ψ 44, 8, zuerst Hb 1, 9 auf Jesus Christus bezogen, ist seit u durch Just Dial 38, 4 uö neben anderen at.lichen St Ansatzpunkt für die Entfaltung der Vorstellung von der Salbung des Christus u der Gläubigen geworden. So setzt Just Dial 40, 1 anstelle des blassen τιθέναι / נתן Ex 12, 7 für die Bestreichung der Türpfosten mit dem Blut des Paschalammes χρίω mit deutlichem christologischen Bezug ein. Die Salbung geschieht an den Menschen als Behausungen des göttlichen Geistes Dial 40, 1; 11, 3 nach 1 K 3, 16. Dial 86, 2f verbindet Just die Salbung des Steins von Bethel Gn 28, 18; 31, 13 mit Ps 45, 8. Darauf beruhen die Salbungssymbolik u das Sakrament der Salbung, sowie mannigfache kirchliche u gnostische Spekulationen. Gott Vater hat Christus mit dem Geist gesalbt Lk 4, 18; Christus seinerseits vollzieht die Salbung an Welt u Kirche Iren Epid 47. Mit dieser Betonung des Salbungsmotivs ist der eigtl Inhalt des Titels bzw Namens Christi im Sinne der unctio activa et passiva festgehalten. Das Sakrament der Ölsalbung oder Öltaufe wird Act Thom 27. 157 beschrieben. Auch für das Sakrament des Öls ist das Kreuz konstitutiv. Es wird vom Kreuz hergeleitet, u wie das Kreuz der Lebensbaum ist, so stammt auch das Öl von dem Lebensbaum im Paradies, bzw der Ölbaum steht dort neben dem Lebensbaum, vgl slav Hen B 8, 5. Nach slav Hen 22, 8f ist die Salbung, die dem Offenbarungsempfänger zuteil wird, offenbar identisch mit der Bekleidung mit dem Lichtgewand. Vgl GBertram, Die Krankensalbung im NT, in: Die evangelische Krankenpflege (1962) 121—129; AOrbe, La unción del Verbo, Estudios Valentinianos 3, Analecta Gregoriana 113 (1961) 629—656 u Reg svv χρῖσμα, χριστός. Besprechung von GBertram, ThLZ 91 (1966) 907—915. [Bertram] Vgl dazu auch AWlosok, Laktanz u die philosophische Gnosis, AAHdbg 1960, 2 (1960) 247f.

[548] KBerger, NT St 17 (1970/71) 391—425 konnte nicht mehr berücksichtigt werden.

χρόνος. Lit: JBarr, Biblical Words for Time [2](1969); RBijlsma, ADRPolman, JNSevenster, Chronos en kairos. Het tijdsprobleem in het Nieuwe Testament, Vox Theologica Beih 2 (1952); HBlauert, Die Bdtg der Zeit in der joh Theol (Diss Tübingen [1953]); TBoman, Das hbr Denken im Vergleich mit dem griech [5](1968) 104—133. 140—142; ALBurns, Two Words for „Time" in the New Testament, Australian Biblical Review 3 (1953) 7—22; PFConen, Die Zeittheorie des Aristot, Zetemata 35 (1964); OCullmann, Christus u die Zeit [3](1962); RECushman, Greek and Christian Views of Time, Journal of Religion 33 (1953) 254—265; GDelling, Zeit u Endzeit, Bibl Studien 58 (1970); EvDobschütz, Zeit u Raum im Denken des Urchr, JBL 41 (1922) 212—223; WEichrodt, Heilserfahrung u Zeitverständnis im AT, ThZ 12 (1956) 103—125; HFränkel, Die Zeitauffassung in der frühgriechischen Lit, Wege u Formen frühgriechischen Denkens [2](1960) 1—22; EFuchs, Das Zeitverständnis Jesu, Zur Frage nach dem historischen Jesus [2](1965) 304—376, bes 335—349; VGoldschmidt, Le système stoïcien et l'idée de temps (1953); JvanGoudoever, Biblical Calendars [2](1961); JGuitton, Le temps et l'éternité chez Plotin et Saint Augustin (1933); THoltz, Die Christologie der Apokalypse des Joh, TU 85 [2](1971) 216—221; WGKümmel, Verheißung u Erfüllung, Abh Th ANT 6 [3](1956) bes 133—140; HLeisegang, Die Begriffe der Zeit u Ewigkeit im späteren Platonismus (1913); ALevi, Il concetto del tempo nei suoi rapporti coi problemi del divenire e dell'essere nella filosofia greca sino a Platone (1919); ders, Il concetto del tempo nei suoi rapporti coi problemi del divenire e dell'essere nella filosofia greca di Platone (1920); JMánek, The Biblical Concept of Time and our Gospels, NT St 6 (1959/60) 45—51; JMarsh, The Fulness of

A. χρόνος im Griechentum.

I. Lexikalisches.

1. χρόνος kann auch außerhalb philosophischer Erörterungen allg die *Zeit* bezeichnen, die *Zeit in ihrem Ablauf* (→ A 41)[1], χρόνωι πίστευε Ditt Syll³ III 1268 col 2,18 (3. Jhdt vChr), die Zeit, die vieles Erstaunliche u Verwunderliche hervor- 5 bringt Menand fr 466 (Körte), die dem Menschen alles andere nimmt, aber das φρονεῖν, die Einsicht, gewisser macht fr 643 (Körte), die den Menschen lehrt Aesch Prom 981; Xenoph An VII 7, 47, die sich als Arzt bewährt Menand fr 652 (Körte)[2], die (als Kamm!) das Verhärtete auflöst u alles zurechtbringt Artemid Onirocr II 6; die *vergehende Zeit*, ein Haus wird χρόνωι verdorben Ditt Syll³ II 837,13f (127 nChr). Auch der Plur kann 10 allg die Zeit bezeichnen ἐκ παλαιῶν... χρόνων Ditt Syll³ II 559, 23 (207/6 vChr), ἐκ... τῶν ἔμπροσθε χρόνων innerhalb der Regierungszeit eines Mannes I 371,13 (289/8 vChr), μέχρι τῶν νῦν χρόνων II 742, 41 (gg 85 vChr), προϊόντων... τῶν χρόνων *im Laufe der Jahre* II 888, 63 (238 nChr), πολλοῖς ἤδη χρόνοις der *schon viele Jahre* unter uns weilt 836, 6f (125 nChr); doch könnte hier auch die nun folgende Bdtg vorliegen. 15

3. Speziell ist χρόνος dann *a.* der *Zeitabschnitt*, τοῦ ἔτους χρόνον *einen Teil des Jahres* Xenoph Mem I 4,12, τὸν τᾶς ζωᾶς χρόνον *lebenslänglich* Ditt Syll³ III 1209, 25f (spätestens 15/16 nChr), διὰ τὸν χρόνον *infolge der Länge der Zeit* III 1023,12 (um 200 vChr); II 725, 4 (99 vChr); τὸν ἀΐδιον χρόνον *für immer* I 169, 6 (vor 351 vChr), εἰς τὸν ἀεὶ χρόνον *für ewige Zeiten* I 151,1f (375/4 vChr); 184, 4 (361/0 vChr); *b.* das 20 *Zeitmaß*, das mit dem Ende einer festgelegten Zeit voll wird, μέχρι τοῦ τὸν χρόνον πληρωθῆναι POxy II 275, 23f (66 nChr) uä, die *Frist*, πρὸς χρόνον für eine *begrenzte Zeit* ist der Zutritt verwehrt Ditt Syll³ III 1109, 89 (vor 178 nChr); *c.* der *Aufschub*, αἰτεῖσθαι χρόνον Preisigke Sammelbuch I 5239, 8; 5954, 8 (um 14 u 15 nChr), vgl χρόνους ἐμποιεῖν etw *lange hinausschieben* Demosth Or 23, 93, χρόνοι *Verzögerungen* Artemid Onirocr II 25 24 (p 117,19).

3. χρόνος bezeichnet auch den Zeitpunkt, den *Termin*. ἐν τοῖς καθήκουσιν χρόνοις werden Opfer vollzogen Ditt Syll³ I 466,15 (um 245 vChr), vgl ἐν τοῖς ὡρισμένοις χρόνοις 495,171 (um 230 vChr), τὸν χρόνον ἐν ᾧ ὑβρίσθη die *Tageszeit*, *an der er gewalttätig behandelt wurde* PHal 1, 212 (Mitte 3. Jhdt vChr), das *Datum*, 30 innerhalb zweier Monate ἀπὸ τοῦ χρόνου *vom Datum* des Vertrags *ab* Ditt Syll³ II 588, 53 (196 vChr), χρό(νος) ὁ α(ὐτός) *dasselbe Datum* POxy I 101, 60 (142 nChr). Der Plur χρόνοι bedeutet *Zeitangaben* Thuc I 97, 2; Isoc Or 11, 36; Demosth Or 18, 225 (→ 582, 45f).

II. Zum Zeitproblem in der griechischen Philosophie.

Wenn Suid sv χρόνος (Adler IV 827) sagt: οἱ φιλόσοφοι 35 ἀσώματον αὐτὸν εἶναί φασι, διάστημα (*Abstand*) ὄντα τῆς τοῦ κόσμου κινήσεως. τούτου δὲ τὸν μὲν παρῳχηκότα (*die vergangene*) καὶ τὸν μέλλοντα ἀπείρους, τὸν δὲ ἐνεστῶτα

Time (1952); PNeuenzeit, „Als die Fülle der Zeit gekommen war..." (Gal 4, 4), Bibel u Leben 4 (1963) 223—239; CvOrelli, Die hbr Synonyma der Zeit u Ewigkeit (1871); GvRad, Theologie des AT I ⁶(1969) 119—124; II ⁵(1968) 108—121. 321—323; MRissi, Was ist u was geschehen soll danach. Die Zeit- u Geschichtsauffassung der Offenbarung des Joh, Abh Th ANT 46 (1965); MSekine, Erwägungen zur hbr Zeitauffassung, VT Suppl 9 (1963) 66—82; PVidal-Naquet, Temps des dieux et temps des hommes, RHR 157 (1960) 55—80; WVollborn, Studien zum Zeitverständnis des AT (Diss Göttingen [1951]),

Selbstanzeige ThLZ 77 (1952) 702—704; JRWilch, Time and Event. An Exegetical Study of the Use of 'ēth in the Old Testament in Comparison to other Temporal Expressions in Clarification of the Concept of Time (1969); weitere Lit → IV 1103 A 35.

[1] Bei Hom wird χρόνος nur im Sinn der Zeitdauer gebraucht u nur im Acc in Wendungen wie πολὺν χρόνον, außerdem in ἐπὶ χρόνον *eine Zeit lang*. [Risch] Weiteres dazu → Fränkel 1f. 15f, zur Zeitauffassung bei Hom überh 2—7.

[2] Sentenzen über die Zeit aus Dichtern sammelt Stob Ecl I 93, 15ff.

πεπερασμένον. ἀρέσκει δ' αὐτοῖς καὶ φθαρτὸν εἶναι τὸν κόσμον..., so sind damit wenigstens einige entscheidende Gesichtspunkte der Erörterungen der griechischen Philosophie über die Zeit angedeutet. Dahinter stehen etwa folgende Fragen: Ist die Zeit unendlich oder begrenzt? Ist mit einer denkbaren Vergänglichkeit des Alls auch die Vergänglichkeit der Zeit gegeben? Ist die Gegebenheit der Zeit an die Bewegung des Kosmos gebunden? Ist die Zeit überhaupt eine wirkliche Gegebenheit?

1. Die ersten Äußerungen über die Zeit ergeben sich aus der Frage nach der Entstehung der Welt (→ I 478, 16 ff). Bezeichnet die Orphik Χρόνος sogar als die erste Ursache aller Dinge Orph Fr (Kern) 68, als Urheber des Welteies fr 70[3], vgl 57, so ist etwa für Emped die Zeit die ordnende Größe im ewigen Wechsel des Weltgeschehens fr 30 (Diels I 325), vgl fr 17, 27—29 (317), entsprechend für Heracl (→ VI 293, 28 ff). Der Sophist Antiphon bezeichnet die Zeit als einen bloßen Maßbegriff νόημα ἢ μέτρον, ihr kommt kein eigtl Sinn zu fr 9 (Diels II 339). Kritias andererseits sagt, daß die *unermüdliche Zeit* in stetem Fluß sich selbst erzeugt, u dh doch wohl, daß sie unendlich u ungeworden ist fr 18, 1—3 (Diels II 384). Der Kosmos, der gestirnte Himmel, ist das Werk des weisen Baumeisters Zeit fr 25, 33 f (Diels II 388), dh nicht der Götter. Für die Eleaten ist das Seiende ungeworden u unvergänglich. Man kann von ihm nicht eigtl die Aussage der Vergangenheit u Zukunft machen, da es im Jetzt ein Ganzes, Zusammenhängendes ist Parmen fr 8, 3—6. 19 f (Diels I 235 f). Deshalb „ist alles nur Name, was die Menschen gesetzt haben in der Überzeugung, es sei wahr: Werden u Vergehen, Sein u Nichtsein" v 38—40 (238). Was ist, war also schon immer u wird immer sein, es ist ἄπειρον Melissus fr 1 f (Diels I 268 f), es kann sich nicht verändern fr 7, 2 f (270 f). Was sich verändert, ist nicht wirklich fr 8, 5 f; 10 (275). Implizit ist damit auch die Vorstellung der Zeit als ein nur menschliches ὄνομα gekennzeichnet. Zenon, der Schüler des Parmenides, versucht sie dann ausdrücklich als unsinnig darzutun durch den vierten seiner Beweise für das Nichtvorhandensein der Bewegung, nach dem die halbe Zeit gleich der doppelten wäre, die Zeit also überh nicht existiert Aristot Phys VI 9 p 239 b 33—240 b 7[4]. Auch hier zeigt sich, daß die Zeit vorzüglich im Zshg mit der Bewegung gesehen u als von ihr abhängig betrachtet wird.

2. Nach Plato ist die Zeit nur ein bewegtes Abbild der Ewigkeit Tim 37 d. Sie ist zugleich mit dem οὐρανός, mit Sonne, Mond u Planeten entstanden, die Gestirne sind die ὄργανα χρόνων 41 e bzw χρόνου 42 d. Vergeht der οὐρανός, so wird mit ihm auch die Zeit vergehen 38 b—c. Plat verbindet also die Zeit, die als meßbare nach der Zahl im Kreise läuft 38 a, mit der kosmischen Bewegung, wie es andere vor ihm getan haben. Vom ewigen Sein kann nicht das „War" u das „Wird-sein" ausgesagt werden; es gehört also nicht der Zeit an 37 e. 38 a. „Das Urbild ist ewig seiend (πάντα αἰῶνά ἐστιν ὄν)", das Abbild „ständig (διὰ τέλους τὸν ἅπαντα χρόνον) geworden, seiend u künftig" 38 c; jenem kommt wahres Sein zu, diesem nicht. Von daher ergibt sich das Spezifische am Zeitverständnis des Plat: Die Ewigkeit steht außerhalb der Zeit, die als ein Gewordenes[5] nur das annähernde (εἰς δύναμιν 37 d) Abbild jener ist.

3. Aristoteles, der sich zum Phänomen der Zeit bes in Phys IV 10—14 p 217 b 29—224 a 17 äußert (→ IV 1103 A 35)[6], entfernt sich von seinem Lehrer, wenn er betont, daß das All (οὐρανός) ewig u daher unvergänglich u ungeworden ist Cael I 9 p 277 b 28 f. Außerhalb des Himmels sind weder Raum noch Leeres noch Zeit vorhanden 279 a 11 f. Von Zeit kann nach Aristot nicht ohne die Beobachtung von Bewegung bzw Veränderung u ohne die Feststellung eines „Früher" oder „Später"

---

[3] Urheber des Welteies ist Chronos zus mit Äther, dessen Vater Chronos nach Orph Fr (Kern) 54. 66 a ist. In fr 54 erscheint der wie in fr 57 als Mischgestalt geschilderte Chronos als drittes Prinzip (→ I 478, 21) neben Wasser u Erde, mit ihm verbunden die Ἀνάγκη. Zum religionsgeschichtlichen Hintergrund dieser Darstellung der Zeit → I 198, 25 ff.

[4] Eine Widerlegung fällt Aristot nicht schwer.

[5] ἵνα γεννηθῇ χρόνος Tim 38 c. So wird Plat schon bei Aristot verstanden τὸν ... χρόνον ... Πλάτων δ' αὐτὸν γεννᾷ μόνος Phys VIII 1 p 251 b 17 f, ebs bei Späteren.

[6] → Cushman vergleicht Plat u Aristot mit Aug.

gesprochen werden Phys IV 11 p 218b 21—219b 1. So kommt Aristot zu der Def: τοῦτο γάρ ἐστιν ὁ χρόνος, ἀριθμὸς κινήσεως κατὰ τὸ πρότερον καὶ ὕστερον, Maßzahl, *zahlenmäßige Bestimmung der Bewegung nach dem Verhältnis von Früher u Später* 219b 1f, s auch 220a 24f. Der Peripatetiker Straton[7] lehnt nach Simpl diese Def der Zeit ausdrücklich ab fr 75 (25, 25f). „Früher" u „Später" gibt es nicht nur in der Bewegung, 5 sondern auch in der Ruhe fr 76. 77 (26,11—13. 28—30)[8]. In der Zeit sein heißt nicht etwa von der Zeit umfangen werden fr 80 (27, 8f). Zeit ist das Wieviel der Dauer bei Handeln u Nichtstun fr 76 (26,13f). Tag, Nacht, Monat, Jahr sind nicht Zeit oder Teile der Zeit; Zeit ist vielmehr τὸ πόσον, in dem sich Erleuchten (Tag) u Beschatten (Nacht), Umlauf des Mondes u der Sonne vollziehen fr 76 (26, 24—26). Die Zeit ist für Straton 10 ein Akzidens, wie nach der bei Sext Emp Math X 219 referierten Darstellung auch für Epic; die Zeit sei nach Epic σύμπτωμα συμπτωμάτων, sie begleite nur Tage u Nächte, Bewegung u Beharren fr 294 (Usener).

4. Die Stoa sieht die Zeit in fester Verbindung mit der Bewegung, wenn sie sie in einer häufig zitierten Formulierung als διάστημα κινήσεως Ab- 15 stand der Bewegung bestimmt Zeno bei Stob Ecl I 104,7f; Philo Op Mund 26; Aet Mund 4. 52; Sext Emp Math X 170. Nichts geschieht oder ist außerhalb der Zeit Zeno bei Stob Ecl I 104, 9—11. Die Zeit ist nach der Vergangenheit u nach der Zukunft hin unendlich; zugleich wird gesagt, daß sie nicht existiert Chrysippus bei Stob Ecl I 106,12—14. Die Gegenwart kann zwar als vorhanden bezeichnet werden, aber ihre 20 eine Seite gehört ja noch der Vergangenheit, ihre andere bereits der Zukunft an Plut Comm Not 41 (II 1081f). Die Zeit ist nur ein gedachtes Ding, καθ' αὐτό τι νοούμενον πρᾶγμα, wie Sext Emp Math X 218 formuliert.

5. Die Erwägungen der Skeptiker zum Zeitproblem faßt Sext Emp Math X 169—247 zus, kürzer Pyrrh Hyp III 136—150. Sie laufen sämtlich auf 25 den Nachweis hinaus, daß sich mit Hilfe des Zeitbegriffs keine objektiv gültige Einsicht gewinnen läßt, also auch hier[9] der Verzicht auf sicheres Wissen nötig wird[10]. Die Zeit ist weder begrenzt noch unendlich Math X 189—192, weder unteilbar noch teilbar 193—202, weder geworden u vergänglich noch ungeworden u unvergänglich 203—214. Wäre die Zeit zB begrenzt, so ergäbe sich der Satz: ἦν ποτὲ χρόνος, ὅτε χρόνος οὐκ ἦν, 30 u es wird einst eine Zeit sein, wo nicht Zeit sein wird 189. Sext Emp kommt von daher aber nicht zu der Aussage, daß die Zeitvorstellung eine notwendige Denkgegebenheit ist. Er schließt vielmehr aus der Widersprüchlichkeit der üblichen Aussagen u möglichen Erwägungen über die Zeit dialektisch auf die Unbrauchbarkeit des Zeitbegriffs.

6. Philo stellt wie anderswo auch in seinen Aussagen über die 35 Zeit Sätze verschiedener Herkunft nebeneinander bzw verbindet sie zT miteinander. Im Blick auf den jüd Gottesglauben ist der Platonische Gedanke des Geschaffenseins der Zeit wichtig. Gott, *erhaben über Raum u Zeit* ὑπεράνω καὶ τόπου καὶ χρόνου Poster C 14, auch in seinem Wirken — ἄχρονον θεοῦ δύναμιν Sacr AC 76 —, ist der Schöpfer der Zeit. Sein Dasein ist nicht Zeit, sondern Ewigkeit, die das Urbild der Zeit ist (→ 40 578, 37ff) u in der es nicht Vergangenes u Zukünftiges gibt, sondern nur Bestehendes Deus Imm 31f. Die Zeit „war nicht vor dem Kosmos" Op Mund 26[11]; denn sie ist — Philo benutzt die stoische Def für die Begründung des Platonischen Gedankens — Abstand der Bewegung des Weltalls; die Bewegung kann aber nicht früher sein als das Bewegte Op Mund 26. Philo hängt die Ausführungen in Op Mund 26—29 an Gn 1,1 45 an, eine Aussage, die er auf die Erschaffung eines unkörperlichen Himmels u einer unsichtbaren Erde, der Idee der Luft u des leeren Raumes usw bezieht, die demnach außerhalb der Zeit geschieht. Als siebentes schuf Gott die Idee des Lichtes, gleichfalls unkörperlich, das *gedankliche Urbild* (νοητὸν . . . παράδειγμα) der Sonne u der Gestirne des sichtbaren Kosmos Op Mund 29. Erst mit dessen Bewegung ist Zeit möglich, außer- 50 halb deren nichts vorhanden sein kann Decal 30f — natürlich ist hier nicht an Gott, die Ideen usw gedacht. Die Welt ist nicht in der Zeit entstanden, sagt Philo im An-

---

[7] ed FWehrli, Die Schule des Aristot. Straton von Lampsakos (1950).

[8] Tatsächlich sagt das auch Aristot Phys IV 12 p 221b 7—23, ὁ δὲ χρόνος κινήσεως καὶ ἠρεμίας μέτρον Z 22f.

[9] Die Skeptiker verfechten schlechthin den Grundsatz: „Wir bestimmen nichts" Diog L IX 74. 104.

[10] Z 26f Dihle.

[11] Die Vorstellung der Unendlichkeit der Zeit, so wendet der Gesprächspartner ein, widerspricht dem Gedanken ihres Geschaffenseins De providentia II 53 (ed MCERichter VIII [1830]).

schluß an Gn 2, 2, sondern die Zeit ist durch das Weltall entstanden[12], durch die Bewegung der Sonne über die u unter der Erde hinweg. Die Bewegung des Himmels
machte das *Wesen* φύσιν der Zeit anschaulich Leg All I 2. Durch die geordneten Um-
läufe von Sonne, Mond usw entstanden Tage, Monate usw Op Mund 60, vgl 55; Spec
5   Leg I 90, mit ihnen übrigens die Zahl Op Mund 60[13].

7. Auch P l u t a r c h knüpft an Plat an[14], wenn er die Zeit als zus
mit dem Kosmos entstanden bezeichnet Quaest Plat 8, 4 (II 1007c). Wahres Sein
kommt auch für Plut nur dem Ewigen, Ungewordenen u Unvergänglichen zu E Delph
19 (II 392e). Nur zu dem Gott, hier Apollon, kann man sagen: εἶ *du bist* 20 (393b);
10   denn er existiert *nicht nach einem Zeitmaß* κατ᾽ οὐδένα χρόνον, sondern nach der zeit-
losen, unveränderlichen Ewigkeit 20 (393a). Die Zeit ist etw Bewegtes u mit der be-
wegten Materie zus Geschautes, immer Fließendes, nicht etw Bewahrendes 19 (392e).

8. P l o t i n widmet dem Zeitproblem speziell Enn III 7, 7, 1—13, 69.
Daß Ewigkeit u Zeit, über die der Abschnitt III 7 handelt, im Verhältnis von *Urbild*
15   παράδειγμα u *Abbild* εἰκών stehen III 7, 1, 18—20, ist für Plot von Plat her gegeben.
Plot zeigt die Schwierigkeiten der überlieferten Bestimmungen der Zeit als *Intervall*
διάστημα der Bewegung 8, 23—69 bzw als Maßzahl der Bewegung 9, 1—84 auf. Die
Zeit „war" nach Plot uranfänglich nicht. Sie ruhte im Seienden, ohne zu existieren,
trat dann aber zugleich mit der Entstehung der Welt, zus mit dem Tätigwerden der
20   Weltseele hervor. Die Weltseele machte sich selbst zeitlich, indem sie die wahrnehmbare Welt schuf; diese *unterwarf sie der Zeit* ἔδωκε δουλεύειν χρόνῳ. Die Zeit ist von
daher nicht außerhalb der Weltseele zu fassen, sondern in ihr befindlich, wie auch die
Ewigkeit nicht außerhalb des Seienden, sondern im Seienden ist. Die Zeit ist das Leben
der Weltseele in einer Bewegung, die von einer Lebensform zur anderen weiterschreitet
25   11, 35—45. Die Weltseele hat die Zeit zugleich mit dem All hervorgebracht ἐγέννησεν,
mit dem Aufhören ihres Tätigseins endete auch die Zeit. Diese wird an dem Umlauf
der Himmelskörper gemessen, von diesen nicht etwa erzeugt, sondern angezeigt 12, 22
—54. Die Zeit ist allenthalben, weil die Weltseele von keinem Teil der Welt geschieden ist; sie ist auch in allen Einzelseelen, die ja zus eine einzige Seele sind 13, 47—49.
30   66—69. Das Weltall ist in ständiger Bewegung auf Grund seines Strebens nach dem
wahren Sein, der οὐσία, dem ἀεὶ εἶναι, der Ewigkeit, in der das Vorhandensein der Zeit
aufhört 4, 28—43. In der Schau der Ewigkeit, dh Gottes, hat der Mensch an ihr Anteil
u ist damit der Zeit enthoben 5, 7—22.

Deutlich bleibt das Nachdenken über das Zeitproblem im Griechentum weit-
35   gehend von der physikalisch-kosmologischen Betrachtungsweise bestimmt, am wenigsten bei Plotin (→ Z 16ff). Doch sind auch Äußerungen zu hören, nach denen
die Zeit nur ein menschlicher Ordnungsbegriff ist (→ 578, 13f. 25f). Jedenfalls
weiß sich der Grieche in nicht geringem Maße von der Gegebenheit Zeit abhängig.
Das deutet sich auch in bildhaften Sätzen der älteren Dichtung an, in denen die
40   Zeit personifiziert wird: Die alles sehende Zeit richtet (Soph Oed Tyr 1213f)[15].
Bei den Philosophen wird diese Abhängigkeit dort als unausweichlich erkennbar,
wo die Unendlichkeit der Zeit herausgestellt wird und das Blickfeld sich auf die
sichtbare Welt beschränkt, wie etwa bei Aristoteles (→ 578, 46ff). Eine Überwindung dieses Gebundenseins an die Zeit wird nur dort denkbar, wo der Zeit als
45   vergänglicher die Ewigkeit als Inbegriff des wahren Seins übergeordnet wird.

---

[12] Wie fixiert diese Gedankengänge sind,
zeigt Corp Herm 11, 2: Der Kosmos macht
die Zeit; das Wesen der Zeit ist die Veränderung.
[13] Doch kann Philo auch sagen, Monate,
Jahre u alle Zeitabschnitte seien lediglich
menschliche δόγματα Fug 57 (→ 578, 13f.
25f).
[14] Zu den Erörterungen des mittleren

Platonismus über die Zeit vgl CAndresen,
Logos u Nomos, Arbeiten zur Kirchengeschichte 30 (1955) 276—291.
[15] Der Satz: „Das Weiseste ist die Zeit;
denn sie erfindet alles", wird auf Thales
zurückgeführt Diog L I 35, vgl Plut Sept
Sap Conv 9 (II 153d); vgl dazu OBrendel,
Symbolik der Kugel, Röm Mitt 51 (1936)
36—39.

B. Zeit im Judentum.

I. In Septuaginta.

1. Die hebräischen Äquivalente.

In Schriften, deren HT überliefert ist — dazu werden alle St genannt[16] —, wird χρόνος nicht sehr oft gebraucht, vgl dgg καιρός (→ III 459, 21ff). Am häufigsten steht es für יָמִים[17], in einer im Unterschied zu der wörtlichen Übers durch ἡμέραι (→ II 950, 20ff) gewählten Wiedergabe: χρόνος ist der *Zeitabschnitt* Jos 24, 29 LXX (Jos 24, 31 HT ist der Satz offenbar anders gemeint), die *Regierungs-* bzw *Lebenszeit* eines Herrschers ὡς χρόνος βασιλέως bzw Menschen ὡς χρόνος ἀνθρώπου, (das letzte ist Glosse der LXX) Js 23,15, *Lebenszeit* 38, 5, ὃς οὐκ ἐμπλήσει τὸν χρόνον αὐτοῦ 65, 20, *Lebensjahre* νεώτερος τῷ χρόνῳ Hi 32, 6, das *Alter* im Gegensatz zur Jugend ὁ χρόνος ἐστὶν ὁ λαλῶν 32, 7; ἐν τῷ χρόνῳ τινός *zur Zeit jmd* als relative chronologische Bestimmung Gn 26,15, s auch v 1; ἐν παντὶ χρόνῳ Jos 4, 24 u πάντα τὸν χρόνον (andere Lesung als im HT) *allezeit*, Prv 15,15 τὸν ἅπαντα χρόνον *lebenslänglich* Dt 22,19. 29, vgl ὅσον χρόνον ἔζη (HT: *alle Tage seines Lebens*) Jos 4,14. Außerdem wird יָמִים als Bezeichnung der *Lebenszeit* mit χρόνος umschrieben, wobei gegenüber dem HT ζάω Dt 12,19; Prv 9,11; 28,16, βιόω Hi 29,18, βίος 10, 20 (s jedoch BHK) zugefügt wird. Ἰερ 45 (38), 28 ist ἕως χρόνου οὗ Wiedergabe von *bis zu dem Tage, da.* Esr 4,15; Da 2, 44 wird der Plur von aram יוֹם mit χρόνοι übersetzt. Gegenüber dem HT steht χρόνος pleonastisch in der Wendung εἰς τὸν αἰῶνα χρόνον, die עַד־עוֹלָם Ex 14,13; Js 9, 6; 34,17, לְעוֹלָם Js 14, 20; 34,10a, לָנֶצַח Js 13, 20; 33, 20, הָלְאָה *fortan* Js 18,7 wiedergibt. Für זְמָן steht χρόνος *Aufschub* Da 2,16, anders 2, 21; 7,12bβ, τοῖς πᾶσιν χρόνος *für alles gibt es eine Zeit* Qoh 3,1, ἀπὸ χρόνων für מְזֻמָּנִים 2 Ἐσδρ 20, 35 bzw מְזֻמָּנוֹת 23, 31[18]. Für עֵת findet sich χρόνος nur (→ III 459, 21) Ἰερ 30, 2[19] (49, 8); 37 (30),7; 38 (31),1; die Aussagen beziehen sich jeweils auf eine inhaltlich *bestimmte Zeit* der Zukunft, vgl den HT. χρόνος ersetzt קֵץ im Sinne von *Zeit.* Sir 43, 6 LXX heißt es gg den HT: Der Mond ist εἰς... ἀνάδειξιν χρόνων gesetzt. An den Inhalt der Zeit scheint Hi 6,11 gedacht zu sein. Für חֹק *Bestimmtes* steht χρόνος Hi 14,13, offenbar als *Frist* verstanden, entsprechend *bestimmte Zeit* 14, 5. Das zweimalige פַּעַם Prv 7,12 wird mit χρόνον.... τινά... χρόνον *eine Zeitlang... eine Zeitlang* wiedergegeben. Zwei Bildungen von רחק für *aus der Ferne* werden zeitlich gefaßt Js 30, 27; 49,1, hier mit einer Texterweiterung verbunden. Für תּוֹר *Reihe,* die an jmd kommt, steht χρόνος Est 2,15: ἐν... τῷ ἀναπληροῦσθαι τὸν χρόνον Εσθηρ. Für עֲלוּמִים *Jugendalter* des Königs (daher in B: θρόνου statt χρόνου) hat LXX[20] *Lebenszeit* ψ 88, 46, für עָשׁ (!) *Motte* χρόνος Js 51, 8 (ein Gewand wird von der *Zeit* zerfressen), vgl aber 50, 9, für רֶגַע קָטֹן χρόνον μικρόν Js 54,7, für אֹרְכָה *Länge* des Lebens χρόνος ζωῆς Da 7,12bα. אַחֲרִית *Ausgang, Ende* ist unter dem Einfluß von לְ, ohne Beachtung des Suffixes, als Zukunft verstanden εἰς τὸν ἐπιόντα χρόνον Dt 32, 29. Für עַד־מָתַי steht ὅσον... χρόνον Prv 1, 22, für לָנֶצַח נְצָחִים εἰς χρόνον πολύν Js 34,10b, für בִּישִׁישִׁים *bei Greisen* ἐν πολλῷ χρόνῳ *bei hohem Lebensalter* Hi 12,12[21]. „Gezählt, gezählt hat Gott deine Herrschaft" übersetzt LXX frei mit

---

[16] Die Grundlage für diesen Abschnitt erarbeitete JCvKölichen.

[17] Außerdem werden Aussagen mit יָמִים unter Verwendung von Derivaten von χρόνος wiedergegeben, vgl μακροχρόνιος Ex 20, 12; Dt 5,16; 4, 40 vl; 17, 20 vl, μακροχρονίζω 17, 20, πολυχρόνιος Gn 26, 8 uam. Öfters werden *meine Tage, deine Tage* usw in Hi mit βίος μου usw übersetzt 7, 6.16 usf, mit ζωή αὐτοῦ nur 7,1. *Länge der Tage* wird Prv 3, 2.16 mit μῆκος βίου, *Menge von Tagen* Js 24, 22 mit πολλαὶ γενεαί uz nur hier, *Tage* Hi 38, 21 mit ἔτη wiedergegeben. Auch hier handelt es sich um überlegte Wahl anderer Wörter.

[18] Das Verbum begegnet im AT nur noch Esr 10, 14, in ders Form wie Neh 10, 35; in 2 Ἐσδρ 10, 14 steht ἀπὸ συνταγῶν.

[19] 29, 9 nach der Ausg von JZiegler, Jeremias, Vetus Testamentum Graecum auctoritate Societatis Litterarum Gottingensis editum 15 (1957).

[20] Js 54, 4 setzt LXX für das gleiche Subst αἰώνιος.

[21] Die hbr Vokabel wird Hi 15, 10; 29, 8; 32, 6 wörtlicher wiedergegeben; in LXX ist 12, 12aα formal par zu v 12bα.

ἠρίθμηται ὁ χρόνος σου τῆς βασιλείας Da 5, 26. Unklar ist das Verhältnis zwischen HT u LXX[22] in Js 27,10f; 54, 9[23]; Hi 12, 5; 14,11; Est 9, 28. Um Texterweiterungen gegenüber dem HT handelt es sich bei der Verwendung von χρόνος Δα 4, 27 (→ VI 283, 45f); 4, 33b. 34; vgl weiter 4, 37: Gott ἀλλοιοῖ καιροὺς καὶ χρόνους (→ A 57); Hi 2, 9. 9a; Prv 8,18d; Est 3,13g; 8,12x; Sir prooem 32 (→ Z 15). Nicht erhalten ist der HT zu Sir 29, 5: ἐν καιρῷ ἀποδόσεως παρελκύσει χρόνον zum Termin der Rückzahlung zieht er die Zeit hin. — Im Verhältnis findet sich χρόνος in LXX (132mal) bemerkenswert seltener als im NT (54mal).

2. Schrifttum ohne hebräischen Text.

Die Zeit als solche ist kaum besonderer Gegenstand der Reflexion in der Septuaginta. Immerhin werden in Schriften, die in der hellenistischen Diaspora abgefaßt sind[24], gewisse Beziehungen zu populär gewordenen Begriffen bzw Vorstellungen sichtbar, wenn jene auch in ganz allgemeiner Anwendung begegnen.

Auffallender als der Ausdruck διάστημα τοῦ χρόνου Sir prooem 32; 3 Makk 4,17 ist die Wendung ἀμερής χρόνος 5, 25; 6, 29. ἀμερής findet sich in LXX nur hier[25]. Nach Sap 7,17—19 hat Gott bzw die Weisheit v 21 dem Salomo Wissen verliehen, nämlich über die σύστασις κόσμου die Bildung der Welt, vgl Plat Tim 32c, die ἐνέργεια στοιχείων (→ VII 676,17ff), über Anfang, Ende u Mitte der Zeiten, die Wechsel der (Sonnen?)-wenden u die der (Jahres?)zeiten, die Kreise des Jahres u die Stellungen der Gestirne. Im Kontext meint ἀρχὴν καὶ τέλος καὶ μεσότητα χρόνων v 18a wohl nicht die Einteilung der Zeit[26], sondern das Entstehen ἀρχή der Zeit — die durch den Plur in ihrer Gesamtheit bezeichnet wird — mit der Weltschöpfung, ihr Aufhören u ihre zwischen beiden liegende Ausdehnung, die der Zeit wesentlich zugehört. Jedenfalls ist nach dem Zshg von hell Weltwissen die Rede, das der Verf freilich in Beziehung zum bibl Schöpfungsbericht gesetzt sehen will (→ 579, 35ff). In 8, 8 handelt es sich dgg offenbar um die Einsicht in künftige geschichtliche Ereignisse, die entscheidende Vorgänge im Geschehen darstellen ἐκβάσεις καιρῶν καὶ χρόνων Zeitabschnitte; die Weisheit erkennt sie im voraus.

In den Schriften der LXX ohne HT — die St sind nicht vollst angegeben (→ Z 5f) — ist χρόνος einmal die verlaufende Zeit (→ 577, 9f.13f) ὡς ... χρόνος διῆλθεν als eine gewisse Zeit vergangen war 2 Makk 1, 22, ἐν χρόνῳ im Laufe der Zeit wird unser Name vergessen Sap 2, 4, wurde die Gewohnheit zum Gesetz 14,16. Dann ist χρόνος die Zeitstrecke, mit genauer Angabe von Zahlen, Monaten Sap 7, 2, Jahren 2 Makk 4, 23; 10, 3; 14,1, für alle Zeit εἰς τὸν ἅπαντα χρόνον 1 Makk 10, 30; 11, 36; 15, 8, εἰς τὸν ἀεὶ χρόνον (→ 577, 20) 3 Makk 3, 29 (Plur 7, 23), εἰς τὸν αἰῶνα χρόνον (→ 581, 20f) Bar 3, 32, ἀπ' αἰῶνος χρόνου von Urzeit her 3 Makk 5,11. Das Wort dient zur Bezeichnung einer Epoche, zZt jmd uä, zB Josuas 2 Makk 12,15, im Plur 1 'Εσδρ 1,18; 2,12, allg von den Zeiten unserer Väter her 1 'Εσδρ 8,73, doch auch von kürzeren Zeiträumen ἐκ τῶν παλαιῶν χρόνων von früher her kannten sie den Mann 2 Makk 6, 21, oder zur inhaltlichen Kennzeichnung einer Zeit τῆς ἐρημώσεως 1 'Εσδρ 1, 55, παροικίας 3 Makk 7,19, ἀκμῆς der Vollreife 4 Makk 18, 9, ἀμειξίας 2 Makk 14, 3. 38 (beide Male Plur). χρόνος ist die Frist 1 'Εσδρ 9,12; Sap 12, 20 (Plur), ἐν αὐτῷ τῷ χρόνῳ zu dieser Zeit, damals 1 'Εσδρ 6, 3, μέχρι χρόνου auf Zeit, eigtl bis zu einem bestimmten Zeitpunkt Tob 14, 4, s ἕως τοῦ χρόνου, οὗ ... 14, 5 S. Mit βίβλος τῶν χρόνων τῶν βασιλέων 1 'Εσδρ 1, 40 ist ein Buch mit (relativ) datierten Aufzeichnungen über besondere Ereignisse gemeint (→ 589,19f).

---

[22] Die Z 2 genannten Texte sind zT recht frei wiedergegeben.

[23] Lasen die Übersetzer hier בימי נח?

[24] Sap u 3 Makk sind wohl in Alexandria geschrieben, s OEißfeldt, Einl in das AT [3](1964) 815. 789.

[25] ἀμερής ist offenbar kein volkstümliches Wort, s die Belege bei Liddell-Scott sv.

[26] So mag Aristobul fr 5 bei Eus Praep Ev 13, 12, 12: ἵνα τοὺς χρόνους δηλώσῃ (hier auf die Schöpfung nach Gn 1, 1—2, 4 bezogen) zu verstehen sein. Die dreigliedrige griech Formel (vgl Plat Leg IV 715e) in Sap 7,18 spricht für die ob gegebene Deutung. Der Αἰών wird als ἀρχὴν μεσότητα τέλος οὐκ ἔχων Ditt Syll[3] III 1125,10f (Zeit des Augustus) bezeichnet; Sap 7,18: Die Zeit hat Anfang, Ende, Mitte. JFichtner, Die Weisheit Salomos, Hndbch AT 2, 6 (1938) 30f hebt das spezielle Interesse der St am Kalender hervor.

II. Im außerbiblischen Judentum.

1. Die Testamente der zwölf Patriarchen.

In Test XII — dazu werden alle St genannt — bezeichnet χρόνος im allg den *Zeitabschnitt*, so den, dem ein bestimmtes Ereignis angehört ἐν τῷ τότε χρόνῳ Iss 2, 5, zT sogar von einer fixierten Länge, die nicht angegeben, sondern vorausge- 5 setzt wird, das Jahr[27] S 1,1, χρόνων εἴκοσι *20 Jahre alt* Jud 7,10, bzw vermutlich der *Monat* G 5,11, allgemeiner χρόνους πολλούς ... τοῦ ζῆν *lange Zeit zu leben* Iss 4, 3, καθ' ὧν χρόνων *so lange wie* G 5,11, ἕως χρόνου eine *gewisse Zeit* Jos 3, 8, ἐν ἑτέρῳ χρόνῳ *zu einem anderen Zeitpunkt* Jos 5,1. Unsicher sind Kontext u Bdtg von μέχρι τελειώσεως χρόνων R 6, 8 *bis zum Ende der Zeiten* (→ VIII 86,7) oder bis zu den Zeiten des gesalbten 10 Hohenpriesters.

2. Qumran.

a. In den Schriften von Qumran bezeichnet עֵת[28] zunächst den *Zeitabschnitt*. Für die verschiedenen *Epochen* werden Kundmachungen des Gotteswillens gegeben 1 QS 9,13a. Es ist die Rede von einer Ordnung für die *jeweilige Zeit* 9,12, ent- 15 sprechend משפט עת ועת Damask 12, 21 (15, 2), vgl 1 QS 8,15; 9,13b (Plur). *Diese Zeit* ist die der *Absonderung der Gemeinde* 1 QS 9, 5 vgl 9, 20; s auch 9,19 (→ Z 26), vgl den Plur (→ 584, 17ff. 41f) *in diesen Zeiten* für die Gegenwart der Gemeinde 9, 21; 10, 26. *Das Gesetz der Zeit* meint das für die Epoche der Gemeinde gültige 9,14a[29], vgl den Ausdruck *Ordnung der Zeit* 8, 4; 9,18. Die *Erwählten der Zeit* bilden die sog Sekte 20 9,14b. In Damask 16, 3 (20,1) wird auf ein *Buch der Einteilungen der Zeiten* verwiesen. Mehrfach wird ein Zeitabschnitt durch Verbindungen von עֵת mit folgendem Gen charakterisiert als *Zeit* der Bedrängnis 1 QM 1,11f; 15,1, des Heils 1, 5, der Heimsuchung 4 QpJs[b] col 2, 2 (DJD V 15), der Läuterung, Sichtung 4 QpPs 37 col 2,18 (DJD V 44); 4 QFlorilegium 2,1; vgl noch *Zeit der sommerlichen Hitze* 1 QH 8, 23, auch 25 mit folgendem Inf *Zeit, den Weg zu bahnen* 1 QS 9,19, vgl Js 40, 3 oder mit Relativsatz Damask 1,13 (1, 9) (zu 10,15 [13,1] → Z 30f); 4 QTestimonia 21. Quantitativ ist לעת עולם *für immer* 1 QSb 4, 26, ähnlich vielleicht 5,18. Sonst steht עֵת noch mit Gen 1 QH fr 45, 2[30]; allg ist לפי העת *jederzeit, jeweils* Damask 10, 5 (11, 2). עֵת ist 1 QH 12, 8 anscheinend der *Zeitabschnitt* im Kalender[31]. Dann heißt עֵת auch *Zeitpunkt* Damask 30 10,15 (13,1), vgl *zu dieser Zeit* 1 QM 18, 3, *Festtermin* 1 QS 1,14 (Plur) par zu מוֹעֵד Z 15, vgl 1 QM 14,13 = 4 QMa 11[32]. Im ganzen wird עֵת also häufig dazu verwendet, eine für oder durch etw *bestimmte Zeit* zu bezeichnen[33]; doch wird קֵץ ebenfalls in dieser Weise gebraucht (→ 584, 2ff).

b. קֵץ, das bisher häufiger belegt ist als עֵת, bezeichnet ganz 35 überwiegend den *Zeitabschnitt* (→ VIII 54 A 28), dgg findet es sich in der Bdtg das *Ende* im räumlichen Sinn selten. Dafür werden קָצֶה 1 QH 6, 31 u קֵצֶת 1 QM 1, 8 gebraucht, s באחרית הקץ *am Ende der Zeit* 4 QpNa 3, 3. Die Bdtg *Zeitpunkt, Termin* kommt nicht oft in Frage, vgl aber von Gott festgelegte *Zeiten des Tages* 1 QS 10,1,

---

[27] Die Bdtg *Jahr* hat sich, wie das Neugriechische zeigt, ganz allg in der nachklassischen Vulgärsprache herausgebildet. [Dihle] Vgl POxy I 35 verso Z 1 (3. Jhdt nChr): βασειλέως χρόνοι *Regierungsjahre* (→ 582, 45f).

[28] Hierzu werden alle bei KGKuhn, Konkordanz zu den Qumrantexten (1960) sv angegebenen St genannt.

[29] Vgl vielleicht 1 QS 9, 23. Von einem סרך עתו ist in 1 QM 15, 5 die Rede. YYadin, The Scroll of the War of the Sons of Light against the Sons of Darkness (1962) 330f. 17

hält עתו für einen Buchtitel. Die beiden St sind die einzigen mit suffigiertem עֵת.

[30] ed AMHabermann, מגלות מדבר יהודה (1959) 144.

[31] MWeise, Kultzeiten u kultischer Bundesschluß in der „Ordensregel" vom Toten Meer, Studia Post-Biblica 3 (1961) 17.

[32] ed CHHunzinger, Fr einer älteren Fassung des Buches Milḥamā aus Höhle 4 von Qumran, ZAW 69 (1957) 135.

[33] Nach → Vollborn 25 ist עֵת im AT vor allem „der bestimmte Zeitpunkt, in dem etw geschieht", der Zeitpunkt bzw Zeitabschnitt, der durch etw oder für etw bestimmt ist.

Zeit des Aufhörens der Nacht 1 QH 12, 6, von einer Zeit — etwa *Stunde* — des Lobpreises zur anderen 12, 4, *zur Zeit des Festtages* מוֹעֵד... 1 QpHab 11, 6. Zugesetzte
Gen charakterisieren häufig einen bestimmten Zeitabschnitt der Vergangenheit, Gegenwart oder Zukunft[34]: als *Zeit* des Zorns קֵץ חָרוֹן für eine frühere Epoche der Gesch

5   Israels Damask 1, 5 (1, 5); קֵץ חָרוֹן sonst auch 1 QH 3, 28, im Plur 1 QH fr 1, 5[35];
4 QpHos[a] col 1, 12 (DJD V 31), Zeit der Untreue Israels Damask 20, 23 (9, 47); 4 QpHos[a]
col 1, 9 (DJD V 31), der Verwüstung des Landes, dh Palästinas Damask 5, 20 (8, 1),
des Frevels 6, 10 (8, 9). 14 (8, 12); 12, 23 (15, 4); 15, 7 (19, 7); 1 QpHab 5, 7f, der Kriege
Gottes 1 QM 11, 8 (Plur), des Gerichtes 1 QH 6, 29; fr 58, 5 (→ A 30), der Heimsuchung

10   Damask 7, 21 (9, 10); 19, 10f (9, 10f), des Zeugnisses 1 QH fr 5, 11[36], des Wohlgefallens, dh
des gnädigen Willens Gottes 1 QH fr 9, 8[37], s 1 Q 34 fr 3 col 2, 5 (DJD I 154), des
Offenbarwerdens der Hilfe Gottes 1 QH 5, 11f, der Herrlichkeit Gottes 12, 22, des Heils
1 QS 3, 15, der Herrschaft für die Männer des Loses Gottes 1 QM 1, 5, des Friedens
1 QH 18, 30 (Plur), des Dienstes der Söhne Ṣadoks Damask 4, 5 (6, 3). Auch beim

15   pluralischen Gebrauch hat das Wort zumeist die Bdtg *Zeitabschnitt*[38]. Die Deutung der
Epochen der Blindheit Israels ist in einem Buche niedergelegt Damask 16, 2f (20, 1).
In verschiedenen Zshg begegnet der Plur *alle Zeiten* in Verbindung mit נצח 1 QSb 4, 26,
für alle ewigen Zeiten aufgezeichnet vor Gott 1 QH 1, 24, mit עוֹלָמִים 1 QS 4, 16a, vielleicht 1 QS 4, 25b; 1 QH fr 20, 4[39]; 1 QM 1, 8, mit עַד 1 QSb 5, 18, *ewige Zeiten* 1 QM

20   10, 15f. „Alle Zeitabschnitte Gottes kommen in ihrem (geregelten) Maß" 1 QpHab 7, 13.
Deine Zeiten sind von Gott gesetzte 1 QH 13, 20, *seine Zeit* ist die von Gott für ein bestimmtes Ereignis verordnete 1 QM 1, 4, wohl auch 1 QS 3, 23; *ihre Zeiten* sind die
der Frevler Damask 2, 9f (2, 8), entsprechend 1 QS 4, 13. קֵץ kann auch allg die *Epochen* der betreffenden Generationen 1 QH 1, 16 bezeichnen. *Zeitabschnitte* des Kalen-

25   ders sind offenbar 1 QS 1, 14 gemeint. An Zeitstrecken von Jahren ist nach dem Zshg
Damask 4, 9 (6, 5). 10 (6, 7); 20, 15 (9, 40) gedacht. Gott setzt *eine Zeit für das Bestehen des Frevels* 1 QS 4, 18, vgl *bis zur bestimmten Zeit u dem Schaffen von Neuem*
4, 25a. Gott hat dem Propheten die Widerfahrnisse des letzten Geschlechts kundgetan,
aber nicht die *Vollendung der Zeit* 1 QpHab 7, 2. Daß in dem Gebrauch von קֵץ die

30   Zeit weithin als mit einem bestimmten Inhalt gefüllte u auch als von Gott bestimmte
gesehen wird, ist deutlich[40].

                    c. Die Bdtg *bestimmter Zeitpunkt* ist bes charakteristisch für
מוֹעֵד, das in den Schriften von Qumran vorwiegend den *Termin*, speziell den *Festtag*
bzw die *Festzeit*, bezeichnet, von daher auch die *Versammlung* (5mal), sonst etwa den

35   *Zeitpunkt* des Kampfes, des Krieges 1 QM 15, 5. 12. Nicht selten ist das Wort etw
weiter gefaßt, vgl *Zeit der Nacht* 1 QH 12, 6, sogar Zeit des Sabbatjahres 1 QM 2, 6;
selbst in der Wendung *ewige Zeiten* kann es gebraucht werden 1 QM 12, 3; 13, 8. Es
ist dann die durch ein übliches oder einmaliges Geschehen *bestimmte Zeit*, Zeit der Ernte
bzw der Saat 1 QS 10, 7, *Zeit* der Heimsuchung 4, 18f, des Wohlgefallens (→ Z 10f)

40   1 QH 15, 15, *Zeitpunkt* des Gerichtes (→ Z 9) 1 QS 4, 20, festgesetzte *Zeit* der Buße
4 QpPs 37 1, 9, Plur *Zeiten* ihrer Bedrängnisse 1 QS 3, 23, der Finsternis 1 QM 1, 8,
der Bezeugungen 1 QS 1, 9; 3, 10. In 1 QM begegnet speziell der Ausdruck *bestimmte
Zeit* Gottes, dh Zeit seines Eingreifens 3, 7f; 4, 7, vgl noch 11, 11; *heute ist seine Zeit*
heißt es 17, 5 (→ Z 21f; 586, 13f). Den Zeiten der Finsternis wird Gottes Zeit gegen-

45   übergestellt 1, 8. Die Gemeinsamkeiten der drei Subst sind nicht zu übersehen.

III. Zum Zeitverständnis im Judentum.

             Die jüdische Geschichtsschreibung, auch die palästina-
jüdische, ist nicht anders als die griechisch-hellenistische an der Fixierung der Er-

---

[34] Vgl dazu קֵץ מָשִׁיחַ bMeg 3a.

[35] Habermann aaO (→ A 30) 134.

[36] Habermann aaO (→ A 30) 137.

[37] Habermann aaO (→ A 30) 139.

[38] לִקְצִים 1 QH 5, 27; 8, 31, vielleicht *Zeit um Zeit* zu übersetzen; vgl Gott hilft *von einer Zeit zur anderen* 9, 7f.

[39] Habermann aaO (→ A 30) 143.

[40] Vgl Yadin aaO (→ A 29) 258: קֵץ pre-ordained period or moment of history. Sonst s BJRoberts, Some Observations on the Damascus Document and the Dead Sea Scrolls, The Bulletin of the John Rylands Library 34 (1951/52) 380f.

eignisse innerhalb der Zeit beteiligt. Insofern scheint in ihr ebenfalls eine gewisse lineare Zeitvorstellung vorausgesetzt zu sein[41].

> 1 Makk 1,10 datiert nach der βασιλεία Ἑλλήνων, dh nach der seleukidischen Ära. Es folgen v 20 weitere Daten nach ders Zählung. Registriert wird 13, 42 die Einführung der nationalen Ära nach dem Hohenpriester Simon, s auch 14, 27. Eine solche Einord- 5 nung der Geschehnisse in den historischen Zeitablauf wird bereits im AT durchge- führt[42]: Zählung nach Regierungsjahren Salomos erfolgt 1 Kö 6,1, s weiterhin 15,1 uö; Js 36,1; Jer 1, 2f. Später wird entsprechend nach Fremdherrschern gezählt Esr 1,1; 4, 24; Da 2,1; 7,1; 9,1 uö. 1 Kö 6,1 liegt der Versuch vor, die Herausführung aus Ägypten, die für das Selbstverständnis Israels als des Volkes Gottes das entscheidende 10 Ereignis war, als im spezifischen Sinn Epoche machend zu setzen[43]. Von Adam an wird das Datum für die Sintflut Jos Ant 1, 82, für den Beginn des Tempelbaus 8, 62, für die Tempelzerstörung 10,148 berechnet. Außerdem wird synchronistisch der Ab- stand vom Auszug aus Ägypten, von der Auswanderung Abrahams u von der Sintflut angegeben 8, 61[44]. Eine von der Schöpfung als Urdatum ausgehende Zählung wird in 15 Jub durchgeführt, s die spezielle Datierung des Sündenfalls 3,17. Die Einteilung der Zeit nach der in Jub vorgenommenen Weise gilt hier als die einzig legitime. Sie ist da- durch sanktioniert, daß sie Mose am Sinai offenbart wurde Jub 1, 4. 29. Die genaueren Datenangaben in Jub sind im übrigen weithin an der Fixierung des religiös bestimmten Kalenders interessiert, der hier propagiert wird[45]. Dazu ist auch auf die speziellen An- 20 gaben in 1 Makk 1, 54; 4, 52 zu verweisen, die den Kalender des Kultus betreffen. Im griech-hell Bereich ist der religiöse Kalender sehr ausgebaut[46]; aber der Versuch einer — sei es auch fiktiven — geschichtlich-chronologischen Festlegung wird für die im Mythus begründeten Götterfeste nicht gemacht. Dgg s etwa zum Versöhnungstag Jub 34,12—19; im AT ist bes das Passa an ein geschichtliches Ereignis geknüpft, vgl Jos 25 Ant 2, 317; 3, 248[47]; Bell 4, 402; 5, 99.

In 1 QM 10,12.15f wird nicht nur die Ordnung der Zeit nach dem Jahres- kalender, der in Qumran wie schon Gn 1,14 eine entscheidende Rolle spielt, son- dern auch die der Zeitepochen auf Gottes Setzung zurückgeführt (→ 584, 20ff). Gott bestimmt Zeiten für Mächte und Ereignisse, dh das Geschehen der Zeit bzw 30 genauer der Zeiten ist von ihm in den großen Linien festgelegt. Das Bestimmtsein der Zeit vom Inhalt her (→ 583, 22ff; 584, 2ff. 38ff) ist wenigstens im allgemeinen Sinn dieser Aussage bereits für das Alte Testament charakteristisch (→ II 950, 20ff; III 459, 38ff)[48]. Im Judentum wird das in einer besonderen Weise am Schema der beiden Äonen (→ I 206, 25ff) deutlich, aber auch an anderen Periodisierungen[49], 35

---

[41] Jedoch nicht im Sinn etwa der Paralle- lisierung von Zeit u Linie bei Aristot Phys IV 11 p 220a 9—21 oder auch in dem der umlaufenden Zeit Emped fr 17, 29 (Diels I 317); Hdt II 121, 2α, vgl Aristot Phys IV 14 p 223b 28—34.

[42] Vgl AJepsen-RHanhart, Untersuchungen zur isr-jüd Chronologie (1964); → Barr 28—33.

[43] Die Zahl 480 rechnet mit zwölf Genera- tionen.

[44] Eine erste Arbeit zur relativen Chrono- logie aus dem Diasporajudentum liegt vor in den Fr des Demetrius (Ende 3. Jhdt vChr) bei Eus Praep Ev 9, 19, 4; 21, 1—19; 29, 1 —3. 15. 16c, vgl auch Cl Al Strom I 21, 141, 1f. s NWalter, Untersuchungen zu den Fr der jüd-hell Historiker (Habilitations- schrift Halle [1967]) 17—36. Zu chrono- graphischen Berechnungen der Rabb vgl BZWacholder, How Long Did Abram Stay in Egypt?, HUCA 35 (1964) 43—56.

[45] Vgl etwa JMorgenstern, The Calendar of the Book of Jubilees, VT 5 (1955) 34—76; → vanGoudoever 62—70.

[46] Vgl MPNilsson, Die Entstehung u reli- giöse Bdtg des griech Kalenders, Lunds Uni- versitets Årsskrift NF Avdelning 1 Bd 14 Nr 21 (1918).

[47] Jos Ant 3, 248 wird das unmittelbare Bezogensein der zZt des Jos Feiernden auf das Geschehen des Exodus ausgesprochen: „das Opfer, das wir . . . beim Auszug aus Ägypten darbrachten . . .“

[48] Ein bestimmter Bezug auf den Inhalt kann außerbiblisch im unreflektierten Ge- brauch von Zeitbegriffen in einer ganz allg Weise gegeben sein, vgl die außerbiblische Verwendung von καιρός (→ III 457, 12ff). Mit χρόνος verbindet sich außerbiblisch aber offenbar insbesondere die Vorstellung der Zeitspanne bzw dann des Zeitpunktes (→ 577, 16ff. 27ff).

[49] Hes Op 109—201 liegt keine diesen ent- sprechende Periodisierung der Gesch selbst vor. Vergil Ecl 4, 4—9 redet von einer Wiederkehr des goldenen nach dem eisernen Zeitalter, denkt also zyklisch.

etwa am Schema der 14 Wasser (s Bar 56,1—74, 4), Ordnung der *Zeiten* genannt (56, 2), in dem je eine von ihrem entscheidenden Geschehen her negativ bewertete Epoche durch eine positiv beurteilte abgelöst wird. Am Beginn der periodisierten Geschichte steht Adams Fall, am Ende die Messiaszeit, die noch
5 diesem Äon zugehört (74, 2; 4 Esr 7, 28f)[50]. Entscheidend für die Beurteilung der Zeiten ist fast durchweg das Verhältnis zwischen Gott und dem jüdischen Volk. Positiv erscheinen die Zeiten Abrahams, Moses, David/Salomos, Hiskias, Josias, des Neubaus von Zion nach dem Exil[51]. Ist die Ordnung der *Zeiten* — der Ausdruck findet sich auch s Bar 14,1; 20, 6 — von Gott festgelegt, so schließt
10 das ein, daß diese mit Sicherheit kommen (20, 6). Ihre Dauer ist von jeher[52] durch Gott terminiert[53]. Die Verzögerung des Gerichts ist nicht zuerst in der Langmut Gottes begründet, sondern darin, daß die Zeiten von ihm vorherbestimmt sind (4 Esr 7,74); vergleiche auch „messend gemessen hat er die Zeiten...“ (4, 37)[54]. Als solche können sie seine Zeiten genannt werden (11, 39. 44; → 584, 21f.
15 44f). Gott — darin wird in besonderer Weise der Unterschied zwischen alttestamentlich-jüdischem und außerbiblischem Zeitverständnis sichtbar[55] — ist im vollen Sinn der Herr der Zeit[56]; denn[57] er ist der Herr der Geschichte. Das wird in anderer Weise im Alten Testament deutlich (siehe etwa Js 41, 2—4; 45,1—7; Esr 1, 1f). Eine besondere Rolle spielt die schon erwähnte Herausführung aus Ägypten
20 in der großen Geschichtsschau von Abraham bis zur Landnahme (Ps 105).

Ist Gott der Herr der Zeit, so ist er seinerseits nicht von ihr abhängig. Im Alten Testament wird das in Schöpfungsaussagen sichtbar, die von Gottes Schaffen durch sein Wort reden (Ps 33, 9, vgl 148, 5). Ausdrücklich wird der Gedanke durch Philo (Op Mund 13) unterstrichen: Gott der Schöpfer bedarf nicht der Zeitstrecke,
25 er handelt durch den Befehl, ja durch den Gedanken; die Rede von den sechs Tagen Gn 1 weist auf das Geordnetsein der Welt (Philo Op Mund 28, vgl Decal 99. 101). Ob auch das palästinische Judentum die Vorstellung wenigstens streifte, daß der Herr der Zeit auch außerhalb der Zeit existiere (→ 579, 38ff), ist ungewiß (→ I 202, 3ff). Eigentliche Zeitlosigkeit ist keineswegs ohne weiteres ge-

---

[50] Eine andere Weise der Periodisierung von Gesch liegt Da 7 vor, vgl dazu 4 Esr 12, 11. Zum Thema überh vgl JLight, Time and Eschatology in Apocalyptic Literature and in Qumran, The Journal of Jewish Studies 16 (1965) 177—182. Zu Berechnungen der Weltzeit durch die Rabb Str-B IV 989 —993.

[51] Das Schema der zehn Wochen äth Hen 93, 1—10; 91, 12—17 ist weniger durchsichtig. Entscheidende Gestalten sind jedenfalls Noah u Abraham, entscheidende Ereignisse der Exodus u der Empfang der Thora, der Tempelbau, der Abfall in der Königszeit u das Exil, der Abfall zum Hell, die Makkabäerzeit.

[52] Die Unveränderlichkeit der Setzung kommt auch darin zum Ausdruck, daß sie auf himmlischen Tafeln oder in Büchern aufgezeichnet sind äth Hen 93, 1f.

[53] Vgl dazu WHarnisch, Verhängnis u Verheißung der Gesch, FRL 97 (1969) 281— 283.

[54] Gott greift nicht ein, „bis erfüllt sein wird das angesagte Maß“ 4 Esr 4, 37.

[55] Der Gott Chronos (→ 578, 9ff) ist eine symbolische Gestalt. Vor allem aber ist das Wissen des Griechen um die Abhängigkeit von der Zeit ein völlig anderes als das Wissen des Juden um das Bestimmtsein der Zeit durch Gott. Daher betont etwa Philo Sacr AC 76, die Verehrung der Zeit übersehe die zeitlose Macht Gottes.

[56] AStrobel, Untersuchungen zum eschatologischen Verzögerungsproblem, Nov Test Suppl 2 (1961) 28 uö redet von einer „theozentrischen Zeitbetrachtung“.

[57] Diese Beziehung kommt etwa in Da 2, 21 zum Ausdruck: Gott verändert Zeiten u Fristen (→ 582, 4), er setzt Könige ab u ein. Der Satz ist nicht speziell auf das Endgeschehen bezogen.

meint, wenn die Ewigkeit im Anschluß an die periodisierende Zählung der zehn Wochen (→ A 51) durch Ausdrücke wie „viele Wochen ohne Zahl" bezeichnet wird (äth Hen 91,17)[58]. Zumindest wird man normalerweise Ewigkeit als unbegrenzte Zeit verstanden haben[59].

C. χρόνος im Neuen Testament. 5

I. Lexikalisches.

Überwiegend meint χρόνος die *Zeitstrecke*, so von der Zeit des Wirkens Jesu Ag 1, 21, ἐφ᾽ ὅσον χρόνον *solange* R 7,1; 1 K 7, 39; Gl 4,1. Gemeint sein kann eine unbestimmte Zeitstrecke χρόνον τινά 1 K 16,7, ἐπὶ χρόνον *eine Zeitlang* Lk 18, 4, ὅσον χρόνον *solange* Mk 2,19, ἐπὶ πλείονα χρόνον *länger* Ag 18, 20 oder eine genau 10 bezeichnete, eine 40jährige Ag 7, 23; 13,18, eine als kurz empfundene Zeit μικρός Apk 6,11; 20, 3; J 7, 33; 12, 35, ἐν στιγμῇ χρόνου *in der Zeit von der Länge eines Punktes*[60], *in einem Augenblick* Lk 4, 5 oder eine als lang empfundene ἱκανός Ag 8,11; 14, 3; 27, 9, οὐκ ὀλίγος 14, 28, τοσοῦτος J 14, 9. In Berichten über Dämonenaustreibungen wird gelegentlich, um die Schwere des Falles hervorzuheben, von der langen Dauer der Be- 15 sessenheit gesprochen πόσος χρόνος Mk 9, 21, χρόνῳ ἱκανῷ Lk 8, 27, πολλοῖς χρόνοις v 29, vgl πολὺν ... χρόνον im Heilungsbericht J 5, 6. Abs χρόνος heißt eine *Zeitlang* Ag 19, 22, τὸν πάντα χρόνον *die ganze Zeit über* 20,18, vgl ποιεῖν χρόνον (τινά) *einige Zeit verbringen*[61] 15, 33; 18, 23. Die *Zeitdauer* ist wahrscheinlich auch Mt 2, 7.16 gemeint; διὰ τὸν χρόνον bedeutet der *Länge der Zeit* nach, die seit dem Christwerden vergangen ist (→ 577,18f) 20 Hb 5,12. Dann kann χρόνος auch die zur Verfügung stehende Zeit bedeuten, in einer rhetorischen Wendung Hb 11, 32. Speziell ist es die *Frist* Ag 1,7, im engeren Sinn der *Aufschub*, der gewährt wird, die *Frist* zur Umkehr Apk 2, 21 oder der *Verzug* 10, 6 (→ 577, 23ff). Wo der Plur verwendet wird, kann es sich zunächst um größere *Zeitstrecken* handeln, um die gesamte vorchr Zeit Ag 17, 30 im Gegensatz zu τὰ νῦν, vgl 25 R 3, 26. Zu 1 Pt 1, 20 → 588,12, zu χρόνοι αἰώνιοι → 588, 21ff, doch kann der Plur auch ziemlich abgeblaßt gebraucht werden (→ 577, 24f) Lk 8, 29; 20, 9 (→ 588, 6); 23, 8; Ag 3, 21 (doch → I 390, 42). Vom Vollwerden (ἐπληροῦτο) eines *Zeitmaßes* ist Ag 7, 23 (→ VI 293,15f) in allg Weise die Rede (→ 577, 21f; 581, 32f; 589,11f), während sich Lk 1, 57 mit der Vorstellung des Endes einer gesetzten Zeitstrecke (→ VI 30 130,17ff) zugleich die des Eintritts eines Termins verbinden kann. Charakterisierende Gen werden zu χρόνος gesetzt Ag 17, 30 (→ 585, 32ff; I 119,15f); 1 Pt 1,17 (→ 588,17ff; V 850,10ff). Ag 7,17 ist die Zeit gemeint, in der die Verheißung von v 5. 7 in Erfüllung ging. Der Bdtg *Zeitpunkt* nähert sich χρόνος Ag 1, 6. Nächst 1 Pt (4mal) findet sich χρόνος relativ am häufigsten in Ag (17mal); doch sind bei der Bewertung statisti- 35 scher Befunde uU die verschiedenen Bdtg zu beachten. Die Verwendung von χρόνος in Ag zeigt jedenfalls des öfteren, daß der Verf in den gegebenen Grenzen den Gesichtspunkt einer zusammenhängenden Berichterstattung nicht außer acht läßt.

II. Spezifische Aussagen.

Auch im Neuen Testament werden keine formal grund- 40 sätzlichen Aussagen über die Zeit gemacht[62]. Apk 10, 6 ist nicht vom Aufhören der Gegebenheit „Zeit" die Rede (→ IV 830, 36)[63]; gemeint ist vielmehr, daß nun

---

[58] Andererseits meint der Ausdruck *Ende der Zeiten* das Ende der von Gott bestimmten Weltzeit(en) 4 Esr 3,14; 12, 9, vgl 14, 5, nicht etwa ein Aufgehobenwerden der Gegebenheit Zeit.

[59] Für das NT vgl → Delling 50—54 mit Lit.

[60] Die Zeit(dauer) des menschlichen Lebens ist eine στιγμή MAnt II 17, 1.

[61] Vgl ὅλον τὸν χρόνον ὃν ἐποιήσαμεν ἐνταῦθα Paral Jerem 7, 29.

[62] Vgl → Cullmann 59.

[63] Den, der in jetzigen Zeiten um seines Gehorsams willen leidet, erwartet μακάριος ... χρόνος 2 Cl 19, 4. Zu spezifischen Aussagen über die Ewigkeit Gottes in Apk → II 397, 8ff.

keine Verzögerung des richtenden Handelns Gottes mehr eintritt (→ VIII 60, 23 ff; vgl οὐ χρονίσει Hb 10, 37 aus Hab 2, 3)[64]. Wie hinter Apk 10, 6, so steht auch hinter 6, 11: ἔτι χρόνον μικρόν das Warten der Christenheit auf den Vollzug des angekündigten Endgeschehens in Gericht und Heil. Daß sie zu solchem Warten
5 bereit zu sein hat, wird in bestimmten Gleichnissen angedeutet: μετά ... πολὺν χρόνον (Mt 25, 19), χρόνους ἱκανούς (Lk 20, 9); der Bräutigam bzw der Herr *verzieht* χρονίζει (Mt 25, 5; 24, 48 Par)[65]. Über die *Fristen*[66] des Ablaufs der Ereignisse vor dem Ende, die Gott in seiner ἐξουσία gesetzt hat (Ag 1, 7, vgl Mk 13, 32 Par, → ὥρα), kann im einzelnen keine Auskunft gegeben werden (Ag 1, 7; 1 Th 5, 1[67];
10 → 585, 29 ff). Im Zusammenhang betont Paulus: Der Tag des Herrn (→ II 955, 10 ff) kommt plötzlich (1 Th 5, 2—4). Daneben kann nachdrücklich gesagt werden, daß Jesus am Ende der *Zeiten* erschienen ist (1 Pt 1, 20)[68]. Der Satz sagt aus, daß in Christus bereits die Zeit des eschatologischen Handelns Gottes angebrochen ist. Entsprechend ist Gl 4, 4 zu verstehen: Mit dem Kommen des Sohnes erlangt die
15 *Zeit* ihre Fülle (→ VI 303, 26 ff). In Jd 18 ist mit der letzten Zeit die Zeit unmittelbar vor dem eigentlichen Endgeschehen gemeint, in der man sich stehen weiß. Die den Christen *in der irdischen Leiblichkeit noch verbleibende Zeitstrecke* τὸν ἐπίλοιπον ἐν σαρκί ... χρόνον, 1 Pt 4, 2 f paränetisch dem παρεληλυθὼς χρόνος ihres Lebens gegenübergestellt, wird zu einer Zeit der Fremdlingschaft (1 Pt 1, 17).

20 　　An drei Stellen des Corpus Paulinum hebt der Ausdruck χρόνοι αἰώνιοι den zeitlichen Abstand hervor, der zwischen dem gegenwärtigen (betontes νῦν 2 Tm 1, 10; R 16, 26; → IV 1106, 23 ff) Offenbarwerden (→ 5, 8 ff) des Heilsgeschehens in Christus und dem einst von Gott gefaßten bzw geäußerten Plan dieses Heilsgeschehens liegt. In dem Vorsatz (→ VIII 167, 15 ff; 168, 26 ff) war das in Jesus Christus
25 verwirklichte gnädige Handeln Gottes schon *vor ewigen Zeiten* uns geschenkt (2 Tm 1, 9), und die vor unausdenklichen Zeiten gegebene Verheißung des ewigen Lebens wird in[69] dem proklamierenden Wort des Apostels offenbar (Tt 1, 2 f); die Möglichkeit der Erfüllung in diesem Wort ist erst in Christus gegeben. R 16, 25 (→ VII 525 A 403) wird gesagt, daß das Geheimnis des Heils (in[70]) ewigen Zeiten
30 verschwiegen war, und dh wohl auch, daß der Heilsplan vor unausdenklichen Zeiten

---

[64] Zu χρονίζω in Hab 2, 3 u anderen St s Strobel aaO (→ A 56) 161—170. Vgl etwa בהמשך עליהם הקץ האחרון *wenn sich über ihnen die letzte Zeit hinzieht* 1 QpHab 7, 12 u in der LXX: ταχὺ ἔρχεται καὶ οὐ χρονιεῖ Js 13, 22.

[65] Lit: EGräßer, Das Problem der Parusieverzögerung in den synpt Ev u in der Ag, ZNW Beih 22 ²(1960); eine weithin andere Auffassung bei → Kümmel 47—57 u bei Strobel aaO (→ A 56), zu Mt 24 f s 207—222. 233—254.

[66] Diese Bdtg hat χρόνοι wohl neben καιροί in Ag 1, 7; 1 Th 5, 1, s zu καιροί → III 462, 45 ff. Doch kann καιροί gerade in der Sprache der Apokalyptik auch Zeitmaße meinen (→ III 460, 38 ff); beide Subst

können in ihr gleichbedeutend gebraucht werden.

[67] 1 Th 5, 1 ist offenbar durch eine in Thessalonich erörterte Frage veranlaßt; zu περί → VI 54, 11 ff.

[68] Damit wird die in der jüd Apokalyptik belegte Redeweise aufgenommen 4 Esr 3, 14; 12, 9, vgl 9, 5 f (→ A 58).

[69] Syntaktisch ist diese Beziehung nicht ausdrücklich gegeben, sie ist aber gemeint.

[70] Nach Bl-Debr § 200 bezeichnet der temporale Dat im NT im allg den Zeitpunkt, nicht den Zeitraum; immerhin → 577, 14 f u Sap 7, 2 (Hi 14, 11?; zu Hi 32, 6 → 581, 11); dem steht in LXX 19mal ἐν χρόνῳ bzw ἐν χρόνοις gegenüber, meist im Sinn der Zeitangabe. Näher liegt es also, an den Dat der Beteiligung zu denken.

gefaßt ist (vgl Kol 1, 26[71]). Der Abstand der Zeit innerhalb der Geschichte der alttestamentlichen Wortoffenbarung — das durch David ergehende Wort Ps 95,7f folgt *nach so langer Zeit* auf Nu 14, 22f[72] — wird Hb 4,7 herausgestellt.

D. Die Apostolischen Väter.

Hier bezeichnet χρόνος vor allem die *Zeitstrecke* (→ 577,16ff), die Zeit der Abwesenheit des Herrn bis zur Parusie Herm s V 5, 3. Die *Dauer* des Genußlebens ist kurz, die der Strafe lang VI 4, 4, ὀλίγον χρόνον *eine kurze Zeit* 2 Cl 19, 3, ἐν μικρῷ χρόνῳ *in kurzer Zeit* Ign Eph 5,1, μετὰ χρόνον τινά zB Herm s V 2, 5, χρόνον τινά *eine gewisse Zeitlang* s VII 2, τῷ χρόνῳ (mit der) *Länge der Zeit* s IX 26, 4, ἐκ τοῦ χρόνου *auf die Dauer* Mart Pol 22, 3. Die gesamte Zeit des Glaubens nützt nichts ohne die Bewährung am Ende Did 16, 2; Barn 4, 9. Die gesetzte Zeit bezeichnet χρόνος 1 Cl 25, 2; Herm s VI 5, 2, beide Male mit πληρόομαι. Allgemeiner ist der Gebrauch in Wendungen wie ἐν . . . τῷ πρόσθεν χρόνῳ Dg 9, 6, vgl 9,1 oder ἐν παντὶ . . . χρόνῳ *zu aller Zeit* Did 14, 3. Der Plur (→ 577, 10ff) kann sich auf *Zeitstrecken* Herm s VI 5,1 oder *Zeitdaten* (→ 577, 27ff) beziehen. Doch ist auch allg die Rede von *früheren Zeiten* τοῖς προτέροις χρόνοις Herm s IX 20, 4, ἐξ ἀρχαίων . . . χρόνων nämlich von der Gründung der Gemeinde an Pol 1, 2, s *zu unseren Zeiten* Mart Pol 16, 2, vgl 2 Cl 19, 4. Die πολλοὶ χρόνοι 1 Cl 44, 3 umfassen nicht mehr als einige Jahrzehnte, in 42, 5 dgg die Zeit seit der Niederschrift von Js 60,17. Die *Chronik(en)* heidnischer Priester meint τὰς ἀναγραφὰς τῶν χρόνων 1 Cl 25, 5 (→ 582, 45f).

Delling

ψάλλω → VIII 494, 15ff
ψαλμός → VIII 494, 28ff
ψευδάδελφος → I 144,1ff
ψευδαπόστολος → I 446, 30ff
ψευδοδιδάσκαλος → II 162, 35ff
ψευδόμαρτυς → IV 519,14ff
ψευδομαρτυρέω → IV 520, 28ff
ψευδομαρτυρία → IV 520, 35ff
ψευδοπροφήτης → VI 781, 25ff

---

[71] Ferner s Eph 3, 5; 1 Pt 1, 20, vgl 1 K 2, 7. Es handelt sich um eine geläufige Gegenüberstellung, die möglicherweise schon vorpaulinisch ist (→ 5, 14ff).

[72] Vgl Wnd Hb zSt: „von Moses bis David".

$$ψεῦδος, ψεύδομαι, ψευδής,$$
$$ψεῦσμα, ψεύστης, ἀψευδής,$$
$$ἄψευστος$$

A. Profangräzität.

5

1. Sprachgebrauch.

Die Herkunft der Wurzel ist unklar[1]. Die Bdtg ist zunächst in weitem Sinne *falsch* Hom Il 2, 349, Vertragsbruch 4, 235, objektiv falsche Behauptung

ψεῦδος κτλ. Lit: Allgemein: → I 233 Lit-A; AKern, Die Lüge (1930); HvSoden, Was ist Wahrheit?, Urchr u Gesch I (1951) 1—24; MHeidegger, Plat Lehre von der Wahrheit [2](1954); HBlumenberg, Licht als Metapher der Wahrheit, Studium Generale 10 (1957) 432—447; OFBollnow, Wesen u Wandel der Tugenden (1958) 135—154; EFuchs/GGawlick, Artk Wahrheit, in: RGG[3] VI 1515—1525; WKamlah, Der moderne Wahrheitsbegriff, Festschr GKrüger (1962) 107—130; HGGadamer, Wahrheit u Methode [2](1965); JBarr, Bibelexegese u moderne Semantik (1965) 164—206. — Zu A: LSchmidt, Die Ethik der Alten Griechen II (1882) 403—414; RHirzel, Was war die Wahrheit für die Griechen?, Rede zur Feier der akademischen Preisverteilung am 24. 6. 1905 (1905); MWittmann, Die Ethik des Aristot (1920) 205; RSchottlaender, Die Lüge in der Ethik der griech-röm Philosophie, in: OLipmann/PPlaut, Die Lüge in psychologischer, philosophischer, juristischer, pädagogischer, historischer, soziologischer, sprach- u literaturwissenschaftlicher u entwicklungsgeschichtlicher Betrachtung (1927) 98—121; WSMaćkowiak, Die ethische Beurteilung der Notlüge in der altheidnischen, patristischen, scholastischen u neueren Zeit (Diss Freiburg/Schweiz [1933]); JStelzenberger, Die Beziehung der frühchristlichen Sittenlehre zur Ethik der Stoa (1933) 297—300; WLuther, „Wahrheit" u „Lüge" im ältesten Griechentum (Diss Göttingen [1935]); PWilpert, Zum aristotelischen Wahrheitsbegriff, Philosophisches Jbch 53 (1940) 3—16; ders, Die Wahrhaftigkeit in der aristotelischen Ethik, ebd 324—338; EWolf, Griech Rechtsdenken I (1950) 240. 293; II (1952) 240. 288. 294; KDeichgräber, Der listensinnende Trug des Gottes (1952) 108—141; JKätzler, ψεῦδος, δόλος, μηχάνημα in der griech Tragödie (Diss Tübingen [1959]); EHeitsch, Die nicht-philosophische ἀλήθεια, Herm 90 (1962) 24—33; GMüller, Die Wahrhaftigkeitspflicht u die Problematik der Lüge, Freiburger Theol Studien 78 (1962) 321—330; HFrisk, „Wahrheit" u „Lüge" in den idg Sprachen, Kleine Schriften zur Indogermanistik u griech Wortkunde, Studia Graeca et Latina Gothoburgensia 21 (1966) 1—33. — Zu B: MWiener, Wahrhaftigkeit u Lüge in der isr-jüd Religion, in: OLipmann/PPlaut, Die Lüge in psychologischer, philosophischer, juristischer, pädagogischer, historischer, soziologischer, sprach- u literaturwissenschaftlicher u entwicklungsgeschichtlicher Betrachtung (1927) 15—31; MAKlopfenstein, Die Lüge nach dem AT (1964). — Zu D: FBüchsel, Der Begriff der Wahrheit in dem Ev u den Briefen des Joh (1911); FMSchindler, Die Lüge in der patristischen Lit, Festschr AEhrhard (1922) 421—433; HMulert, Die Bewertung der Lüge in der Ethik des NT u des evangelischen Christentums, in: OLipmann/PPlaut, Die Lüge in psychologischer, philosophischer, juristischer, pädagogischer, historischer, soziologischer, sprach- u literaturwissenschaftlicher u entwicklungsgeschichtlicher Betrachtung (1927) 32—52; CHDodd, The Interpretation of the Fourth Gospel (1953) passim; ders, The Bible and the Greeks [2](1954) Regist sv ψευδής, ψεῦδος; ABöhlig, Mysterion u Wahrheit, Arbeiten zur Gesch des späteren Judt u des Urchr 6 (1968) 3—40; JBlank, Der joh Wahrheitsbegriff, BZ NF 7 (1963) 163—173; SAalen, „Truth", a Key Word in St John's Gospel, in: Studia Evangelica II, TU 87 (1964) 3—24; RBultmann, Untersuchungen zum Joh-Ev, Exegetica (1967) 124—197; KHSchelkle, Theol des NT III (1970) 266—283.

[1] Hofmann sv. Frisk sv führt arm sut *Lüge, lügenhaft* u slawische Verwandte an. Andere Bildungen: ψυδρός *lügnerisch*; ψύθος *Lüge*.

5, 635, Irrtum 10, 534, bewußt falsche Aussage 23, 576[2]. — *a.* Das Verbum akt (attisch, aber in Prosa selten) bedeutet *betrügen, täuschen*, mit Acc ψεύδει γάρ ἡ 'πίνοια τὴν γνώμην *das Nachdenken straft die Meinung Lügen* Soph Ant 389, vgl Oed Col 628, mit Gen um etw *betrügen* μὴ ψεῦσον[3], ὦ Ζεῦ, τῆς ἐπιούσης ἐλπίδος Aristoph Thes 870, im Pass *betrogen werden, sich täuschen*, par ἀμαθῆ εἶναι Plat Resp II 382b, mit Acc Xe- 5 noph An 8,11, mit Dat γνώμη Hdt VII 9γ, mit Gen[4] ἐψεῦσθαι τῆς ἀληθείας Plat Resp III 413a, ἐψευσμένοι γνώμης *in ihrer Meinung getäuscht* Hdt VIII 40,1, ἐψῦσθαι ἑαυτῶν opp εἰδέναι ἑαυτούς Xenoph Mem IV 2, 26, vgl Plat Ap 22d, meist im Med[5] *falsch sprechen, spielen* τοῖς λόγοις καὶ τοῖς ἔργοις Plut Apophth Philippus 7 (II 177e)[6], wobei sich nur aus dem Kontext, nicht aus dem Wort selbst ergibt, ob dies absichtlich geschieht oder 10 nicht, vgl Xenoph Mem IV 2,19f, mit Part in der Bdtg *Falsches sagen* Hes Op 283, intr *lügen* ψεύσομαι, ἢ ἔτυμον ἐρέω; *irre ich oder sage ich die Wahrheit?* Hom Il 10, 534, vgl Aesch Ag 1208, trans *belügen, täuschen*[7] Xenoph Hist Graec III 1, 25; An I 3,10 (mit doppeltem Acc), vgl ὅρκια ψεύσασθαι *Verträge brechen* Hom Il 7, 351f, τὴν ξυμμαχίαν Thuc V 83, 4, γάμους ψεύσασθαι Eur Ba 31. 245, ψεῦσμα ἐψευσμένους Plat Men 71d, mit 15 Inf *vortäuschen* Plut, De garrulitate 9 (II 506d), mit Präp zur Bezeichnung der Pers πρός τινα Xenoph An I 3, 5, κατά τινος Plat Euthyd 284a, zur Bezeichnung des Inhaltes mit den Präp ἀμφί Pind Olymp 13, 52, περί Plat Prot 347a. — *b.* Das Substantiv ψεῦδος[8] bezeichnet *das Unwahre, Täuschung, Unwahrheit, Betrug, Lüge* Hom Od 3, 20; Soph El 1220, ob objektiv oder subjektiv bleibt wie beim Verbum zunächst offen[9]. Von hier 20 aus kommt es zur Verwendung einerseits in der Logik, andererseits in der Ethik (→ 592,1ff). — *c.* Das Adjektiv ψευδής[10] bedeutet trans *lügnerisch*, von Pers Thuc IV 27, 4, von Träumen Eur Iph Taur 569, von Orakeln Luc Alex 43, im Pass *getäuscht* Eur Iph Aul 852, intr *unwahr, falsch, erlogen* τρέπεται ἐπὶ ψευδέα ὁδόν Hdt I 117, 2[11]. Auch das Adv bedeutet *unwahr* Eur Iph Taur 1309 vl, *falsch* Plat Phileb 40d, *irrtüm*- 25 *lich* Polyb 5,110,7. — *d.* ἀψευδής, öfter bei Plat, hat die Bdtg *ohne Trug, wahr(haftig)*, von Göttern: Apollo ist μάντις ἀψευδής Aesch Choeph 559; Plat Resp II 382e, von Menschen: wer sich nicht täuschen läßt Plat Theaet 160d, wer nicht täuscht Plat Hi II 369c. — *e.* Ein späteres, gleichbedeutendes Wort ist ἄψευστος, vom νόμος Plut, De Artaxerxe 28 (I 1025e). — *f.* ψεύστης ist der *Lügner* Hom Il 24, 261, auch adj Hdt 30 VII 209, 5[12], mit Gen: ὤν... ψεῦσται φανούμεθα Soph Ant 1194f. — *g.* ψεῦσμα bedeutet *Unwahrheit, Trug, Lüge* Plat Men 71d; Luc Tim 55; Philops 240.

2. Bedeutung.

Lüge kann nicht einfach als Oppositum zu Wahrheit auf- gefaßt werden[13]. Grundlegend für die allgemeine und philosophische Verwendung 35 der Wortgruppe ist die Doppelbedeutung: objektiver und subjektiver Schein, Un- wahrheit als Nicht-Sein und Irrtum als falsches Urteil über Wirklichkeit[14]. Norm

---

[2] → Luther 80f.

[3] Diese Worte sind eine Parodie der gleichen Worte Soph fr 453 (TGF 240); s Schwyzer II 343.

[4] Vgl Schwyzer II 93.

[5] Vielleicht ist dieses Med ein intensives Med, s Schwyzer II 232.

[6] Zur Konstr mit Dat vgl Hi 34, 6; Jer 5, 12; Ag 5, 4 neben der Verbindung mit Acc 5, 3; s Bl-Debr § 187,4.

[7] s auch Js 57, 11; Hi 8, 18.

[8] Nach → Frisk 19 wird das Subst ψεῦδος, nicht das Adj ψευδής, oft mit ἀληθής u anderen Adj zusammengestellt, vgl Plat Ap 34e; Crat 385c s jedoch → A 11.

[9] ψεῦδος λέγειν ist nicht gleich ψεύδεσθαι, vgl Philo Det Pot Ins 58: Es ist möglich, ψεῦδος λέγειν... μὴ ψευδόμενον, Sext Emp Math VII 44.

[10] Der Sing Neutr fehlt im frühen Schrift- tum.

[11] Opp ἀληθής Plat Crat 385b, vgl ὀρθὴ ἢ ψευδής Theaet 161d, zur Logik Aristot, To- pica VIII 12 p 162b 3—30.

[12] Vgl auch Anth Pal 7, 275: Κρῆτες ὅπου ψεῦσται καὶ Διὸς ἔστι τάφος *da die Kreter Lügner sind u Zeus bei ihnen ein Grab hat.*

[13] „Die Begriffe ‚Wahrheit‘ u ‚Lüge‘, die wir rein logisch als kontradiktorische Gegen- sätze zueinander aufzufassen gewohnt sind, gehen... in Bezug auf die sprachlichen Aus- drucksmittel einander par (sc in den idg Sprachen) keineswegs par. Als Ausdruck der Wahrheit dient eine sekundäre nominale Abstrakt- bildung, als Ausdruck der Lüge meistens ein primäres Verbalnomen. Die Lüge ist eine Tätigkeit oder das Ergebnis einer Tätigkeit, die Wahrheit steht als eine Abstraktion da, die einen von jeder Tätigkeit freien Sach- verhalt bezeichnet" → Frisk 30f.

[14] Natürlich kann man fragen, ob u wie die Doppelheit mit dem griech Weltverständnis zusammenhängt.

für das ethische Urteil über die Lüge bildet der feste Zusammenhang mit ἀλήθεια und δίκη[15]. Es geht um die von den Göttern geschützte Ordnung der Welt.

Daher ist die verwerflichste Lüge der Meineid Heracl fr 28 (Diels I 157); Plat Leg XI 937 b. c; Aristot Eth Nic V 5 p 1131 a 7. Subjektive Werte treten hinzu[16]: Die Lüge, vor allem die direkt gg den Menschen gerichtete[17], also die *Verleumdung* διαβολή, entspricht nicht dem Wesen des vornehmen Menschen Chaeremon fr 27 (TGF 789), vgl Theogn 1, 607 ff (Diehl[3] II 39)[18]. Sie macht ehrlos u verletzt die Menschenwürde Plat Gorg 525 a; Resp VII 535 e; III 414 c; Leg V 730 c; Aristot Eth Nic IV 13 p 1127 a 28 f. Die aristokratische Rangordnung fordert, bes diejenigen nicht zu täuschen, denen man Ehrfurcht schuldet Plat Leg XI 917 a. Dgg täuschen (δόλος) Götter Menschen Hom Il 15, 14 f, vgl 22, 15[19]. Natürlich gibt es auch volkstümliche Begründungen: „Wer einmal lügt, dem glaubt man nicht" Diog L V 17 (auf Aristot zurückgeführt).

Diese Normen lassen freie Räume, in denen die Täuschung freigestellt ist, so im Falle der Selbstbehauptung des geistig Überlegenen, vgl Hom Od 9, 19 neben Il 9, 313. So ist zB Odysseus kein Schwindler Hom Od 11, 363 ff. Erlaubt sind ferner Lügen aus sozialen u politischen Motiven (Freundschaft, Staat), als Zweck- u Notlüge Plat Resp I 331 c. 334 b; Xenoph Cyrop I 6, 28—35; Thuc III 43, 2, vgl Aesch fr 302 (TGF 94): ψευδῶν δὲ καιρὸν ἔσθ' ὅπου τιμᾷ θεός[20]. Die Sophisten rechtfertigen die Zwecklüge theoretisch[21]. Ein Sonderfall ist die Täuschung in der Kunst[22]. Daß der Dichter bzw die Muse Wahres u Falsches erzählen darf, hat zuerst Hes Theog 27 f als Problem gesehen. In der Tragödie sind Trug u List auch das Mittel, eine gerechte Strafe zu vollziehen, vgl zB Aesch Choeph 554—564 u Soph El 56—61; zum ethischen Problem wird das nicht. Anders liegt es jedoch im Phil des Soph, wo die großgesinnte Natur des Achilleussohnes das Lügenspiel nicht länger erträgt, das Odysseus eingefädelt hat, um das Schicksal des Heeres vor Troja zu wenden, vgl zB 902 f[23].

Der dichterischen Fiktion[24] stellen die Historiker die Wahrheit ihrer Darstellung gegenüber Ephorus von Kyme fr 8 (FGrHist II A 38, 31—39). Sie verteidigen sich gg lügnerische Kollegen Jos Ap 1, 3, gg Verzerrung aus Affekt. Sine ira et studio will man die Historie darstellen, vgl Jos Bell 1, 2; Ant 20, 154—157; Dion Hal 1, 6, 5; Luc, Quomodo historia conscribenda sit 38 f, vgl 7. 9. Die Versicherung der Wahrheit u Zuverlässigkeit wird zum Topos in den Prooem der Historiker Diod S 1, 2, 7; 1, 4, 4 f; Jos Ant 1, 4; Bell 1, 2; Lk 1, 1—4[25].

3. Die Wortgruppe in der Philosophie.

Die Bedeutung von ψευδ- führt zu einer doppelten Thematik: *a.* in der Logik zur Bestimmung des Wahren u Falschen; *b.* in der Ethik zur Bestimmung von 1. Wahrheit u Lüge[26] u 2. Wahrhaftigkeit u Lüge[27]. Gorgias befaßt sich mit

---

[15] → Hirzel 7. Über die Rechtssphäre → Luther 137 f.

[16] Objektive u subjektive Norm berühren sich. Die Lüge ist Göttern u Menschen verhaßt Hom Il 9, 312 f; Plat Resp II 382; → Schmidt 405.

[17] Zum Sprachgebrauch des Hes → Luther 135; vgl ferner Aristot Eth Nic IV 7, 13 p 1127 b 5.

[18] → Schmidt 405; zu Hom → Müller 329 f.

[19] Vgl → Luther 85 f.

[20] Zu Sokrates vgl Xenoph Mem IV 2, 14—18; → Müller 330—334; → Schottlaender 116.

[21] Zur Lehre von der δικαία ἀπάτη vgl Gorg fr 23 (Diels II 305 f); Dialexeis 3, 2 f (Diels II 410, 8 ff); s W Nestle, Vom Mythos zum Logos (1940) 318—326. Zur Notlüge → Maćkowiak 47—58. Reizvoll ist die sophistisch beeinflußte Rede des Darius, der die Zwecklüge erlaubt Hdt III 72, 2—5, vor dem Hintergrund von I 138, 1: αἴσχιστον δὲ αὐτοῖσι (sc den Persern) τὸ ψεύδεσθαι νενόμισται, vgl 136, 2.

[22] Zur Frage der dichterischen Wahrheit vgl

Plat Resp II 377 a—378 e; III 390 a—392 c; Aristot Poët 24 p 1460 a 5—36. Einen Gipfelpunkt stellen Luc, „Wahre Geschichten" dar. Über den Hintergrund — den Zshg von Lüge u Schicksal u die Einsicht in die Ordnung des Alls in der Trugrede — s K Reinhardt, Sophokles[3] (1947) Regist sv Trugreden, Verhüllung.

[23] Zum Ganzen → Kätzler 74—83.

[24] → Schottlaender 106—108.

[25] Vgl vor allem Luc, Quomodo historia conscribenda sit 7. 9. 38 u zur Gesch des Topos, der seit Hecataeus von Milet fr 1 a (FGrHist I A 7 f) in die Geschichtsschreibung eingeführt ist, vgl G Avenarius, Luc Schrift zur Geschichtsschreibung (1956) 16—22. 40—46.

[26] Bekannt ist der „Lügner" des Eubulides bei Diog L II 108, der den vermeintlich logischen Nachweis führt, daß Lügen nicht möglich ist; s A Rüstow, Der Lügner (Diss Erlangen [1910]) 40.

[27] Die Ansätze zur Def der Lüge sind zunächst Begleiterscheinungen der Betrachtung der Unwahrheit. Die Frage nach dem Wesen

dem Doppelproblem im Sinne seiner Lehre von der δικαία ἀπάτη, vgl Dialexeis 3, 2
(Diels II 410, 8f); Plat Resp I 334a—335e. In der Erkenntnistheorie wird die Entdeckung maßgeblich, daß die Sinneswahrnehmungen täuschen[28]. Doch kann sich diese
Anschauung angesichts der logischen Analyse so nicht halten (→ Z 11ff). Bei Plat,
vor allem im Hi II περὶ τοῦ ψεύδους, gewinnt die ethische Thematik in der Kritik der 5
Sophistik Bdtg[29], uz bei der Frage nach einem neuen, theoretischen Fundament.
Grundlegend ist das Verständnis von Wahrheit in der Gleichsetzung mit Wirklichkeit
u Seiendem Plat Soph 240b, vgl das Argument 263a—264b. Wahr ist die Rede, die
von den Dingen sagt, was sie sind Crat 385b[30].

Bei Aristot gewinnt die logische Unwahrheitsthematik den Vorrang vor der ontolo- 10
gischen[31]. Die Wahrnehmung ist wahr, das Denken kann falsch sein. Quelle der Irrtümer ist die Synthese, die aus Vorstellungen Urteil u Begriff bildet An III 6 p 430a
27—430b 1[32]. In der Ethik wird die Lüge von der Wahrhaftigkeit her bestimmt. Diese
ist im Rahmen des Ideals der μεγαλοψυχία[33] die Mitte zwischen Selbstübersteigerung
des ἀλαζών u Selbstverkleinerung des εἴρων *Heuchler*[34]. Wichtig ist die Einführung 15
eines neuen Gesichtspunktes, der Absicht. Eine δόξα ist wahr oder falsch, aber nicht
etwa gut oder böse; denn dem Guten bzw Bösen ist die προαίρεσις zugeordnet Eth Nic
III 4 p 1111b 4ff. Damit ist ein entscheidender Fortschritt in der ethischen Analyse
erreicht. Die Wahrhaftigkeit rückt von einer bloßen ἕξις zu einer selbständigen ἀρετή
auf[35]. 20

B. Das Alte Testament.

1. Der hebräische Sprachgebrauch.

Die hbr Äquivalente zur Wortgruppe in der LXX[36] sind:

a. כזב[37] bezeichnet primär die Wortlüge. Das Verbum heißt
q *lügen* Ps 116,11, ni *als Lügner dastehen* Prv 30, 6, *trügen* Hi 41,1, hier intr von der 25
Hoffnung, hi *Lügen strafen* Hi 24, 25, meist pi *lügen* Nu 23,19[38]. Das Substantiv
כָּזָב bedeutet *Täuschung*, *(Wort)lüge* דִּבֶּר כָּזָב Ri 16,10.13, auch *das Täuschende* Ps
5,7, *die Nichtigkeit* des Menschen Ps 62,10[39]. — *b.* כחש bedeutet als Verbum *nicht
sagen, daß ... u sagen, daß nicht ...*[40], vgl Jos 7,11 mit Gn 18,15, ni *sich verleugnen,
Ergebung heucheln* Dt 33, 29[41]; ebs hitp 2 S 22, 45, pi *lügen, verleugnen* Gn 18,15; Hi 30
8,18; Lv 5, 21f. Von der Verleugnung Gottes wird Jer 5,12; Jos 24, 27 geredet. Das

---

der Begriffe „wahr" u „falsch" wird durch
den Gegensatz von Sophistik u Sokratik
hervorgetrieben, → Schottlaender 102.
[28] Πυθαγόρας Ἐμπεδοκλῆς Ξενοφάνης Παρ-
μενίδης...Ἀναξαγόρας Δημόκριτος... (sc lehren) ψευδεῖς εἶναι τὰς αἰσθήσεις Aëtius, De
placitis reliquiae IV 9, 1 (ed HDiels, Doxographi Graeci [1879] 396), vgl Democr bei
Sext Emp Math VIII 6. Zu Parm bemerkt →
Schottlaender 99f, die logische Theorie nehme
ethisierenden Ton an.
[29] Gg falsche Ankläger verteidigt sich
Sokrates Plat Ap 17f. Zur vorsätzlichen u
nicht vorsätzlichen Lüge vgl Hi II 370e.
Gg den Trugschluß von Zeitgenossen, daß es
Lüge nicht geben könne, sucht Plat Euthyd
283e—284b die Def der Lüge zu geben, →
Schottlaender 102.
[30] Irrtum kommt dadurch zustande, daß
die δόξα Abbilder u Urbilder falsch verknüpft
Theaet 194a—195a. Empfindungen können
wahr oder falsch sein Phileb 36c—38a. Zu
Aristot → Z 10—20.
[31] Vgl → Wilpert Wahrheitsbegriff 6f.
Eine Def gibt Aristot Metaph 3, 7 p 1011b 26f.
[32] Über die Probleme von Metaph 5, 4
p 1027b 17—1028a 6 u Metaph 8 p 1045b 27

—1052a 11 → Wilpert Wahrheitsbegriff 7—
13; WJaeger, Aristoteles ²(1955) 211—217.
[33] → Wittmann 196—206; WJaeger, Der
Großgesinnte, Die Antike 7 (1931) 97—105.
[34] Zur systematischen Einordnung der
Wahrhaftigkeit unter die natürlichen Tugenden s Eth Nic IV 7f, bes p 1127a 13—
1127b 32; → Wilpert Wahrhaftigkeit 325.
336.
[35] → Wilpert Wahrhaftigkeit 333.
[36] In der Häufigkeit folgen einander ψευδής,
ψεῦδος, ψεύδομαι.
[37] → Klopfenstein 176—254. Verbum u
Nomen sind in LXX meist mit Bildungen
von ψευδ- übersetzt, daneben mit Bildungen
von μαται- u einzelnen anderen Vokabeln.
[38] Ein Sonderfall ist die Redeweise von dem
nicht trügenden Bach Js 58, 11, vgl אַכְזָב
lügnerisch Mi 1,14; Jer 15,18, auch Hi 6,15;
das Bild ist 1 QSb 1, 4 aufgenommen, →
Klopfenstein 243—252.
[39] LXX moralisiert, ähnlich Js 28, 15.
[40] → Klopfenstein 254—297, der aber die
Verknüpfung der Wortgruppe mit dem sakralen u profanen Strafrecht zu eng faßt.
[41] LXX übersetzt ψεύσονταί σε οἱ ἐχθροί σου.

Substantiv bedeutet außer *Magerkeit* Hi 16, 8 *Trug, Lüge* Hos 7, 3; 10,13; 12,1; es findet sich auch in prophetischer Anklage Na 3,1. — *c.* שֶׁקֶר ist als Verbum selten. Das Substantiv שֶׁקֶר, vor allem in Jer u Ps, meint *das falsche Zeugnis,* so im Dekalog Ex 20,16, sowie den Treubruch gg Gott u gg den Nächsten, vgl den Ausdruck *trügerische*
5   *rechte Hand* Ps 144, 8. 11[42]. In den Ps steht es meist in Klage- u Dankliedern des Einzelnen, als Interjektion Jer 37,14; 2 Kö 9,12. — *d.* Hi 6,10; 27,11 ist כחד *verhehlen* mit ψεύδομαι übersetzt, Neh 6, 8 בדא ebs. Zur Sache u wegen des Befundes in den Qumran-Texten sind noch zu vergleichen עוֹלָה[43], מרמה, שׁוא, aram die Gruppe דגל.

2. Bedeutung[44].

10   Drei Gebiete lassen sich voneinander abgrenzen. Auf dem Gebiet des Rechtes ist das schwerste Vergehen gegen die Wahrheit der Meineid (Ex 20,16 par Dt 5, 20)[45]. Auch die Verleumdung (Ps 15, 3) ist ein juristischer Tatbestand, ebenso das Ableugnen des Anvertrauten (כחש Lv 5, 21f). Lüge ist Frevel, weil Jahwe der Schützer des Rechtes ist. Prv 6,16—19 zählt die sechs
15   bzw sieben Dinge auf, die Jahwe haßt, darunter: „Wer Lügen ausstreut als falscher Zeuge" (v 19). Ein lügenhafter Zeuge soll umkommen (Prv 21, 28). Der Meineid ist potenziertes Vergehen, weil er Jahwes Namen für die Lüge gebraucht. Die Konsequenz ist daher: Fluch über den Meineidigen (Sach 5, 3f). In der Weisheit[46] u alltäglichen Moral (Prv 30, 8) werden Lüge und Lügner allgemein verurteilt
20   (Ps 4, 3; 62, 5). Dabei entwickelt die Weisheit ein verfeinertes Urteil über die Lüge, indem sie zwischen Verleumdung, Handeln und Verschweigen differenziert (Prv 6,12—15; 20,17f; 26, 23—28; Sir 5,14; 7,12f)[47]. Am Rande erscheint die Freigabe der Notlüge (Gn 12,13; Jer 38, 24—27)[48]. Typische Weisheitsargumente sind: Lüge ist Torheit (Prv 17,7). Es ist vergeblich, Schätze durch falsche Zunge
25   sammeln zu wollen (Prv 21, 6). Die Weisheit rettet den leidenden Frommen und überführt die Gegner (Sap 10,14; Sus 45—64). Der schützende Wert ist auch hier Jahwe und die Furcht vor ihm. Die Verknüpfung von Ethik und Gottesgedanken ist nicht nur äußerlich. Es gibt ja Lügen gegen Gott selbst (Ps 78, 36). Sein Recht muß rein bewahrt werden (Prv 30, 5—10). Die Anklage gegen die Lüge steigert
30   sich im prophetischen Stil (Hos 7,1. 3.13; 10,13; Mi 6,12)[49].

Neben dem rechtlichen und dem weisheitlichen Gedankenkreis, in denen Jahwe als Schützer von Recht und Wahrheit auftritt, findet sich ein spezifisch religiöser mit mehreren Einzelthemen: Untreue gegen Gott, Abfall zu den trügerischen

---

[42] → Klopfenstein 2—176. Die Wortgruppe ist term techn für den Vertragsbruch 8 uö. LXX übersetzt mit Bildungen von ψευδ-, ἀδικ-, ἀνομ-, vgl Gn 21, 23; Lv 19,11; Ps 44, 18; 89, 34. Hier wird auf das Verhalten neben der Wortlüge angespielt.

[43] Zeph 3, 13 wird עוֹלָה mit ἀδικία, כָּזָב mit μάταια u לְשׁוֹן תַּרְמִית mit γλῶσσα δολία übersetzt, vgl weiter Hi 6, 29f; 13,7; 1 QS 4, 17—25.

[44] → Klopfenstein 321 will klar differenzieren u zuordnen: שֶׁקֶר zum Vertragsrecht, כחש zum sakralen u profanen Strafrecht, כזב (als Wortlüge) zum Bereich des täglichen Lebens. Aber die Bdtg greifen ineinander über.

[45] οὐ ψευδομαρτυρήσεις κατὰ τοῦ πλησίον σου μαρτυρίαν ψευδῆ Dt 5, 20.

[46] Vgl das ägyptische Märchen von der Wahrheit u der Lüge, SSchott, Altägyptische Liebeslieder ²(1950) 205—208; GRoeder, Mythen u Legenden um ägyptische Gottheiten u Pharaonen, Die ägyptische Religion in Texten u Bildern II (1960) 74—84.

[47] Vgl Eichr Theol AT II/III 235.

[48] Zur Diskussion s GvRad, Das erste Buch Mose, AT Deutsch 2/4 ⁷(1964) zSt; JHempel, Das Ethos des AT, ZAW Beih 67 ²(1964) 36; AWeiser, Das Buch des Propheten Jer, AT Deutsch 20/21 ⁶(1969) zSt.

[49] Vgl auf der Gegenseite die Weissagung Zeph 3, 13.

Götzen, falsche Prophetie. Zusammengehalten sind die drei Kreise durch die allgemeine Voraussetzung: Gott trügt nicht (Ps 89). Die Untreue gegen Gott findet sich wiederholt (vgl Am 2, 4[50]; Ps 40, 5). Der Prophet klagt an, daß man über Gott Lügen redet (Hos 7, 13). Man verleugnet ihn durch Götzendienst (Hi 31, 28). Die Verleugnung ist nicht ein negativer Tatbestand, sondern aktives Verhalten: „Weil du mich verleugnetest und auf Trug vertrautest..." (Jer 13, 25, vgl Js 59, 13). Die Götzen sind trügerisch (Js 44, 20). Dieser Gedanke wird breit dargestellt in der hellenistisch-jüdischen, polemischen Literatur. Er ist der Grundgedanke der Polemik gegen die nichtigen, trügerischen, weil toten Götzenbilder. Diese können direkt als ψευδεῖς bezeichnet werden (2 Ch 30, 14 LXX). Ihre Ohnmacht wird mit der Macht Jahwes verglichen (Jer 16, 19). Mit dem Götzendienst sind Trug und Betrug verbunden (Js 57, 4ff; Jer 3, 23; 13, 25).

Die prophetische Literatur ist durchzogen vom Kampf gegen die Lügenprophetie (→ VI 805, 21ff)[51]. Diese ist potenziert pervers, weil sie sich auf Jahwe beruft (Ez 13, 6f). Allerdings kann Jahwe selbst einen Lügengeist in die Propheten schicken, um Verblendung auszubreiten (1 Kö 22, 22f)[52]. Praktisch bedeutet ihre Berufung auf Jahwe, daß sie sich auf Inspiration berufen (Jer 23, 32). In der Heilszeit wird es mit ihrem Trug zu Ende sein (Sach 13, 2—6). Der innere Zusammenhang von falscher Prophetie und Abfall wird aufgedeckt (Ez 13, 19)[53]. Am schärfsten und am stärksten persönlich hat Jeremia die Kriterien der Unterscheidung ausgearbeitet, vor allem das des fremden Wortes (Jer 14, 14f; 20, 6; 23, 17ff uö).

C. Judentum.

1. Qumran[54].

בדא fehlt; כחד findet sich einmal, כחש zweimal, als Subst in einer Aufzählung 1 QS 4, 9; 10, 22; כזב ist zweimal als Verbum, als Subst häufiger belegt; ebs ist der Befund von שקר[55]. Die Frage nach fremdem (persischem) Einfluß wird verschieden beantwortet[56]. Jedenfalls ist die Verknüpfung des ethischen Dualismus mit den beiden Geistern dem Parsismus u einer Schicht der Qumran-Texte gemeinsam 1 QS 3, 17—4, 14 u Yasna 30, 3—6[57] u nicht aus dem AT u innerjüdischer Entwicklung

---

[50] Nach AWeiser, Das Buch der zwölf kleinen Propheten I, AT Deutsch 24 [5] (1967) zSt steht der Spruch „der deuteronomistischen Frömmigkeit nahe". LXX: καὶ ἐπλάνησεν αὐτοὺς τὰ μάταια (also auf die Götzen gedeutet) αὐτῶν.

[51] EOßwald, Falsche Prophetie im AT, Sammlung gemeinverständlicher Vorträge u Schriften aus dem Gebiet der Theol u Religionsgeschichte 237 (1962).

[52] Mi 2, 11: „Wenn einer Lug u Trug (שֶׁקֶר, כָּזָב) vormachte, das wäre ein Prophet für dieses Volk."

[53] Zur Verknüpfung der Polemik gg die Lügen-Orakel u Götzenbilder s Hab 2, 18 u dazu 1 QpHab 12, 10—13, 4.

[54] FNötscher, Zur theol Terminologie der Qumran-Texte, Bonner Bibl Beiträge 10

(1956) 95f; HBraun, Spätjüd-häretischer u frühchristlicher Radikalismus I, Beiträge zur historischen Theol 24 (1957) Regist sv שקר, עולה, כזב,אמת אמן.

[55] Eine Übersicht bei SWibbing, Die Tugend- u Lasterkataloge im NT, ZNW Beih 25 (1959) 92.

[56] Nach KElliger, Studien zum Hab-Komm vom Toten Meer, Beiträge zur historischen Theol 15 (1953) 285 ist „schwer zu sagen", ob fremder Einfluß vorliegt; Nötscher aaO (→ A 54) 86—92.

[57] Übers WHinz, Zarathustra (1961) 169f, → 309 A 44; vgl KGKuhn, Die Sektenschrift u die iranische Religion, ZThK 49 (1952) 296—316.

abzuleiten. Die Sphäre qualifiziert den Menschen, dh seine Taten, abs, also ohne psychologische oder ethische Abstufungen. In der Religion Zarathustras ist die Lüge der Ausdruck für das schlechthin Negative innerhalb des ethischen Dualismus[58]. Wahrheit u Lüge sind identisch mit der Alternative von Heil u Unheil Yasna 33, 2; 46, 6[59]. Im Parsismus wie in Qumran ist mit der Entscheidung der eschatologische Ausblick verknüpft Yasna 34, 4[60]; 1 QS 4, 11—14. Ein Zshg erscheint also als sicher. Doch ist die präzise Terminologie der persischen Texte in Qumran aufgelöst[61]. Sie beschreiben die beiden gegensätzlichen Verhaltensweisen in vielfacher Abwandlung 1 QS 4, 9; 10, 22[62]. Auch die Test XII kennen den dualistischen Entscheidungsgedanken Test A 5, 3. Er ist hier aber stärker individuell-psychologisch gefaßt als in Qumran, vgl die Thematik von Test D 1, 3; 2, 1. 4 uö wo der θυμός dem ψεῦδος beigesellt ist[63]. Das positive Ideal ist die ἁπλότης Test Iss 4.

2. Das rabbinische Schrifttum[64].

Es zeigen sich kaum charakteristische Züge. Natürlich wird die Lüge verurteilt; Spötter, Heuchler, *Lügner* שִׁקְרִים, Verleumder werden Gott nicht schauen bSoṭa 42a, vgl Ps 101, 7. Die verbreitete Weisheit: „Wer einmal lügt..." (→ 592, 11f) findet sich auch bei den Rabb, vgl bSanh 89b. Der Aberglaube wird abgewehrt, der Totenbeschwörer ist ein Lügner bBer 59a. Gott hat alles in der Welt außer dem Maß der *Lüge* שֶׁקֶר u dem Maß der *Falschheit* שָׁוְא, vgl Pesikt r 24 (125b)[65], geschaffen.

3. Philo.

Geläufig ist die Verbindung von ψευδής mit δόξα. Die falsche Ansicht kann betreffen Gott Leg All I 51, Mantik Deus Imm 181 (Bileam), Heidentum Spec Leg I 309, Gottesdienst Spec Leg I 53, Bilder Gig 59. Wie in den Test XII (→ Z 11) ist die Lüge mit dem θυμός verknüpft Leg All III 123f, vgl 127. Spezifisch ist die Vorordnung der ὅρασις vor die ἀκοή, diese ist ein ἀπατηλόν, jene ein ἀψευδές Fug 208. Die Lüge ist ein Fall der Tugendlehre[66], die in Kataloge gefaßt werden kann Virt 195. 205. Die Verbindung mit der jüd Tradition wird gewahrt, indem die Tugendlehre als Auslegung des Gesetzes vorgetragen wird Spec Leg IV 41ff; Decal 138f, vgl Decal 6 mit 86.

D. Das Neue Testament.

1. Synoptiker und Apostelgeschichte.

Subst u Adj fehlen, außer Ag 6, 13 (→ IV 493, 6ff). Das Verbum steht nur Mt 5, 11; Ag 5, 3f.

Der Makarismus Mt 5, 11 ist von den vorausgehenden Makarismen durch die Zusammenfassung und durch die Verwendung der zweiten Person (Lk 6, 22f)

---

[58] HLommel, Die Religion Zarathustras (1930) 43, vgl überh 40—52.

[59] Übers Hinz aaO (→ A 57) 177. 191.

[60] Übers Hinz aaO (→ A 57) 180.

[61] HBraun, Qumran u das NT I (1966) 124f. 297—300 weist auf die Konsequenzen für die Beurteilung des Verhältnisses des joh Schrifttums zu Qumran hin, s J 8, 44; 1 J 4, 1—6. In Qumran dient Lüge nicht der Charakteristik des Geistes der Finsternis, sondern des *Lügenmannes* 1 QpHab 2, 1f uö.

[62] Zum Spezialproblem des *Lügenmannes* 1 QpHab 2, 2 uö s GJeremias, Der Lehrer der Gerechtigkeit, Studien zur Umwelt des NT 2 (1963) 77f; → 31, 6ff.

[63] Vgl den Katalog Test B 6, 4 u die Unschuldsbeteuerung Test Iss 7, 4, dazu GvRad, Die Vorgeschichte der Gattung von 1 K 13, 4—7, Gesammelte Studien zum AT ³(1965) 281—296. Der *Geist der Lüge* ist Test R 3, 5 nur einer in einer Serie von Geistern.

[64] s Levy Wört, Jastrow sv בְּדִי, כָּדַב, כַּדְבָא, שֶׁקֶר שָׁוְא, עָוֶל, דְּגַל, דַּגְלָא, כֹּזֵב כַּחַשׁ; Levy Chald Wört sv שֶׁקֶר, דַּגְלוּתָא.

[65] Str-B I 813f.

[66] Vgl die Anweisung zur κάθαρσις Mut Nom 240.

abgehoben[67]. ψευδόμενοι ist Interpretament des Matthäus[68]. Das Wort ist absolut[69] gebraucht. Es ist mit εἴπωσιν zu verbinden, nicht mit καθ' ὑμῶν. Ag 5, 3f gehört in den Bereich des „heiligen Rechts": Vergehen gegen die Kirche und ihre Heiligkeit betreffen den Heiligen Geist selbst und ziehen automatisch den Zorn auf sich. 5

2. Paulus und Deuteropaulinen.

a. Das Stichwort ψεύδομαι steht bei **Paulus** nach alttestamentlichem und profanem Vorbild in der feierlichen Beteuerung R 9,1 (vgl 2 K 11, 31; Gl 1, 20)[70]; ἐν Χριστῷ weist auf den Zeugnis-Charakter der Versicherung hin. Parallel steht der Hinweis auf das Gewissen und den Heiligen Geist. 10 Das Substantiv ψεῦδος charakterisiert R 1, 25 das gesamte Verhalten der sündigen Menschheit, die die *Wahrheit Gottes* (→ I 244, 9ff) mit *Lüge* vertauscht hat. Paulus gibt keine Theorie über den Ursprung der Lüge. Man könnte etwa an das Wirken des Satans denken, aber nach R 5,12 kommt die Sünde durch den Menschen in die Welt. Der dialektische Offenbarungsgedanke spricht sich R 3, 4 aus (→ V 15 427, 6ff): Die Wahrheit Gottes erscheint, indem *jeder Mensch zum Lügner wird* (s Ps 116,11), dh durch die Offenbarung als solcher festgestellt wird. Der Sinn dieser Aussage ist es, die Absolutheit der Gnade als Gnadentat herauszuarbeiten (R 5, 20). Versteht man den Wortcharakter und damit die Einlinigkeit des Heilsgeschehens von Gott zum Menschen als nicht umkehrbar, so ist die Absurdität des 20 gegnerischen Einwandes, den Paulus abweist, evident[71].

b. In den **Antilegomena** findet sich die Wortgruppe[72] im Zusammenhang mit der Prädikation Gottes als ἀψευδής im hellenistischen Stil (Tt 1, 2)[73]. Im eschatologischen Zusammenhang erscheint sie 2 Th 2, 9.11: Die Parusie des Antichristen ist von trügerischen Zeichen (→ VII 259,19ff) begleitet. 25 Gott schickt die ἐνέργεια πλάνης εἰς τὸ πιστεῦσαι αὐτοὺς τῷ ψεύδει (par ἀδικία, opp ἀλήθεια). Auch in der Paränese wird die Wortgruppe verwendet (Kol 3, 9), und zwar in einer lockeren Aufreihung von Mahnungen (vgl Eph 4, 25)[74], in einem

---

[67] Mt 5, 11 ist in Anlehnung an Tradition redigiert, vgl 1 Pt 3, 14; Pol 2, 3; s HTWrege, Die Überlieferungsgeschichte der Bergpredigt, Wissenschaftliche Untersuchungen zum NT 9 (1968) 267. Die redaktionelle Kombination von v 10 u 12 bedeutet eine Intensivierung des Hinweises im Sinne des Kirchengedankens des Mt. Vgl weiter ἕνεκεν ἐμοῦ, δικαιοσύνη; s GBarth, Das Gesetzesverständnis des Evangelisten Mt, in: GBornkamm/GBarth/HJHeld, Überlieferung u Auslegung im Mt, Wissenschaftliche Monographien zum A u NT 1 ⁶(1970) 131.

[68] ψευδόμενοι ist textkritisch als urspr anzusehen; s JDupont, Les Béatitudes I ²(1958) 232—236.

[69] Pr-Bauer sv ψεύδομαι.

[70] s weiter 1 Tm 2, 7; Hi 6, 28; 27, 11; 4 Makk 5, 34; Plut Comm Not 1 (II 1059a);

Luc, Verae Historiae I 4. Zur Sache vgl 1 Th 2, 5; Phil 1, 8; Luc Philops 27; Philo Decal 86.

[71] Vgl noch ψεῦσμα R 3, 7.

[72] Profan im Epimenides-Zitat von den lügnerischen Kretern Tt 1, 12, s Dib Past⁴ zSt, → A 12.

[73] Vgl Hi 36, 4 Σ; Sap 7, 17; zur Sache s Hb 6, 18; 1 Cl 27, 2; Orph Fr 168 (Kern); Aesch Prom 1032f; Philo Vit Mos I 283; s Dib Past⁴ zSt.

[74] Zu dieser Form der paränetischen Darstellung s Dib Gefbr zSt u Exk zu Eph 5,14 sowie Dib Jk passim. Eph 4, 25 hat bezeichnenderweise den Hinweis auf den Leib Christi u auf die St Sach 8,16 hinzugefügt. Vgl etwa Sir 7,12f; Test R 3, 9; Test D 1, 3; 2, 4 uö; Did 2, 5; 5, 2.

Katalog, der besonders schwere Laster aufzählt (1 Tm 1, 9f)[75]. Paränese, und zwar
mit dualistischem Einschlag, enthält auch Jk 3, 14[76].

3. Johannes.

a. Eine Antithetik ἀλήθεια — ψεῦδος hätte gut in den
5 dualistischen Sprachstil des Johannesevangeliums gepaßt, da ἀλήθεια einer
der beherrschenden Begriffe ist[77]. Doch fehlt eine solche Gegenüberstellung bis
auf J 8, 44. 55 (→ V 187, 40ff)[78]. Hier hat die Lüge wie die Wahrheit ihren personalen Repräsentanten, dieser wiederum hat seine Kinder. Das ist eine Analogie
zu Qumran (→ 595, 28ff). Doch besteht kein direkter historischer oder litera-
10 rischer Zusammenhang[79]. Entsprechend dem johanneischen Sinn von ἀλήθεια (→
I 246, 9ff) ist die Lüge nicht bloß der falsche Befund, sondern das aktive Bestreiten
der Wahrheit, also der Unglaube (→ VI 225, 21ff). Soviel ist klar. Darüber hinaus ist die Stelle dunkel; die Juden stammen nicht vom Teufel, sondern vom Vater
des Teufels ab. Das ist offenbar eine Neubildung ad hoc, um die Analogie her-
15 zustellen. Auf der einen Seite stehen Gott, sein Sohn und die Kinder Gottes, gegenüber der Teufelsvater, der Teufel, der also als der Antichrist, nicht aber als Anti-
gott aufgefaßt ist, und die Kinder. Freilich hat der Teufelsvater keine konkrete
Funktion[80]. Mörder und Lügner gehören zusammen wie auf der Gegenseite ζωή
und ἀλήθεια (J 14, 6)[81].

20   b. Die Verwendung der Wortgruppe im ersten Johannesbrief ist wesentlich paränetisch. Die Forderung, die Wahrheit zu tun, also
nicht zu lügen, ist aus dem Satz abgeleitet, daß Gott Licht ist. Das Tun der Wahrheit geschieht in der Bruderschaft (1 J 1, 6[82]; 2, 4; 4, 20). Lüge ist ferner die
Verleugnung des Bekenntnisses (1 J 2, 21f)[83]. Der Lügner ist die geschichtliche
25 Erscheinung des Antichristen (→ 597, 24ff). Den Stil der Beteuerung zeigt 1 J

---

[75] Vgl AVögtle, Die Tugend- u Lasterkataloge im NT, NTAbh 16, 4/5 (1936) 96—
106. 234—237.
[76] AMeyer, Das Rätsel des Jk, ZNW Beih 10
(1930) 282f ordnet die Stelle dem Namen
„Naphthali" (ζῆλος καὶ ἐριθεία) zu. κατὰ τῆς
ἀληθείας beziehen Pr-Bauer sv κατακαυχάομαι,
Wnd Jk, FMußner, Der Jk, Herders Theol
Komm NT 13,1 (1964) zSt nur auf ψεύδομαι, Dib Jk zSt auf κατακαυχάομαι u ψεύδομαι. Die LA beseitigen das Problem. An
der St wird jüd Weisheitstradition sichtbar;
zum Zshg von Lüge u Torheit → 594, 23f.
[77] → Blank 163—173.
[78] Bultmann J 226f.
[79] Die Gegenüberstellung der Repräsentanten wird nicht als solche entfaltet. Joh
steht näher bei der durchschnittlichen jüd
Vorstellung vom Teufel als bei der Zwei-
Geister-Lehre von Qumran, dazu → A 84.
Auf der anderen Seite ist die Antithese
Wahrheit-Lüge in Qumran nicht begrifflich
ausgebildet → A 61; → Braun 124f.

[80] Es nützt nichts, in 8, 44 τοῦ πατρός als
Apposition zu fassen; denn am Schluß ist
eindeutig vom Teufelsvater die Rede. Die
Gnosis hat diese Gestalt übernommen, s Bau
J zSt.
[81] Lüge ist das Wesen des Teufels Act
Thom 143, vgl Lidz Ginza R 22, 22f: Der
Satan ist *ganz von Zauberei, Täuschung u Ver-*
führung voll.
[82] RBultmann, Analyse des 1 J, Exegetica
(1967) 106 schreibt 1, 6 der von ihm rekon-
struierten Redenquelle zu. Dgg: WNauck,
Die Tradition u der Charakter des 1 J,
Wissenschaftliche Untersuchungen zum NT 3
(1957) 18f; EHaenchen, Neue Lit zu den
Joh-Briefen, ThR NF 26 (1960) 10f; s auch
Schnckbg J⁴ zSt.
[83] v 22 ist Anwendung von v 21 in Form
einer Sentenz. Zum Verständnis des Bekenntnisses im 1 J vgl 4, 2, wo es antignostisch
entfaltet wird. Das ist im Zshg des Ausein-
andertretens von Orthodoxie u Häresie u der
damit gegebenen Reflexionsstufe des Glaubens zu sehen.

2, 27 (→ 598, 23 f); hier wird die Paraklet-Vorstellung des Johannesevangeliums (→ V 802, 1 ff; 809, 38 ff) in die Sprache des ersten Johannesbriefes übertragen. χρῖσμα steht statt Paraklet und Geist; denn im ersten Johannesbrief ist der Geist, anders als im Evangelium, zweideutig. Das Bekenntnis schließt das Eingeständnis der eigenen Sündhaftigkeit in sich. Sonst wird Gottes Wahrheit bestritten, also 5 Gott als Lügner behandelt (1 J 1, 10; 5, 10)[84].

c. Die Apokalypse polemisiert gegen die Juden, welche sich diesen Namen fälschlich zulegen (3, 9) — im Hintergrund steht der Gedanke des wahren Gottesvolkes —, und gegen falsche Apostel (2, 2; → VI 669 A 110). Es herrscht die eschatologische Perspektive, im Munde der 144 000 Erwählten 10 wird keine Lüge gefunden (14, 5; → VII 700, 32 ff). Interessant sind die beiden Kataloge 21, 27 mit den Ausschlußbedingungen aus dem Heil und 22, 15 mit einer Bannformel hinter dem Makarismus (→ 136, 13 ff). An beiden Stellen steht die Lüge betont am Schluß (vgl auch 21, 8)[85].

E. In der alten Kirche. 15

In den Apostolischen Vätern zeigen sich keine grundsätzlich neuen Züge. Im einzelnen ist jedoch anzumerken: *Wahrhaftigkeit* πνεῦμα ἄψευστον ist eine Gabe Gottes; ein Verstoß gg sie kommt einem Diebstahl gleich Herm m III 2. In Antithesen wird die Bdtg von ψευδής/ψεύδομαι präzisiert: Was früher ψευδῆ ἐν πραγματείαις war, soll sich als πιστά erweisen Herm m III 5, vgl ψεύδεσθαι *untreu sein* — 20 ὁ πιστός 1 Cl 27, 1 f. Herm m III 3 liegt die Bdtg ψεῦδος *Heuchelei* vor: καὶ τὸ ψεῦδός μου ἀληθὲς ἐπέδειξα παρὰ πᾶσιν ἀνθρώποις. Herm s IX 15, 3 wird ψεῦδος in personifizierter Bdtg verwendet. ὅρκος ψευδής Barn 2, 8 bezeichnet den *Meineid*.

In der valentinianischen Gnosis tritt *Lüge* hinter πλάνη zurück, vgl Ev Veritatis 25 17, 23 ff[86] u Herakleons Auslegung von J 8, 44[87]. Bei den Mandäern ist כושטא *Wahrheit* der Inbegriff ihrer Religion. „Lüge" ist dgg nicht häufig[88].

Conzelmann

---

[84] Sachlich ist noch die Gegenüberstellung der beiden Geister 1 J 4, 1—6 zu vergleichen (→ VI 447, 11 ff). 1 J sagt aber nicht „der Geist der Lüge", sondern „der Geist des Irrtums". Das entspricht der sprachlichen Neigung der Gnosis (→ Z 24 f). Im Joh-Ev ist der Geist eine eindeutige Größe. Die Unterscheidung von wahrem u falschem Geist entspricht wieder der Reflexion auf die Unterscheidung von rechter u falscher Lehre. Als eindeutige, positive Größe wird das χρῖσμα eingeführt (→ 568, 6 ff), das also dem πνεῦμα des Ev entspricht.

[85] Vögtle aaO (→ A 75) 98—104; EKamlah, Die Form der katalogischen Paränese im NT, Wissenschaftliche Untersuchungen zum NT 7 (1964) 23 f.
[86] ed MMalinine uam (1956).
[87] Bei Orig Comm in Joh 20, 28 zu 8, 44 (p 365, 8—15), s auch WVölker, Quellen zur Gesch der chr Gnosis, Sammlung ausgewählter kirchen- u dogmengeschichtlicher Quellenschriften NF 5 (1932) 84.
[88] Beispiele Lidz Liturg 97, 8; 104, 8; 198, 4; 218, 1; Lidz Joh 97—99; 104, 2 f.

ψευδόχριστος (→ 522, 3f)

---

† ψῆφος, † ψηφίζω, † συμψηφίζω,
† (καταψηφίζομαι) συγκαταψηφίζομαι

Inhalt: A. Der allgemeingriechische Sprachgebrauch: 1. ψῆφος; 2. ψηφίζω,
5 συμψηφίζω, (καταψηφίζομαι) συγκαταψηφίζομαι. — B. Septuaginta und hellenistisches
Judentum: 1. Septuaginta; 2. Josephus; 3. Philo. — C. Neues Testament und Apostolische Väter.

A. Der allgemeingriechische Sprachgebrauch.

1. ψῆφος.

10   ἡ ψῆφος[1], seit Aesch, Pind u Hdt belegt, hat zunächst, im Unterschied zu größeren Steinen (→ IV 272, 5ff), die Bdtg *kleines Steinchen*, zB „die Köpfe
(Schädelknochen) der Perser sind so schwach, daß man sie mit einem Steinchen allein
ψήφῳ μούνῃ durchlöchern kann". Die Fortsetzung des Zitats läßt den Unterschied zu
λίθος erkennen: „die der Ägypter aber sind so stark, daß man sie kaum mit einem Stein
15 λίθῳ παίσας zerbrechen kann" Hdt III 12, 1. Dementsprechend bezeichnet ψῆφος den
am Meer in unübersehbaren Mengen vorkommenden *Kieselstein* Pind Olymp 13, 46.
Doch kann der Ton auch weniger auf der geringen Größe als vielmehr auf der Art des
Materials liegen, zB *der bearbeitete Stein*, dem die Siegerliste eingemeißelt ist Pind Olymp
7, 86f, der neben dem Gold genannte *Edelstein* Philostr Vit Ap III 27 (p 104, 27) oder
20 *der zu Mosaikarbeiten*[2] *verwendete Stein* Gal, Adhortatio ad artes addiscendas 8 (Kühn
I 19).

Verwendung fanden kleine Steinchen beim Brettspiel[3] Plat Resp VI 487c sowie beim
Zählen u Rechnen, zB Hdt II 36, 4, so daß schließlich im allg in Texten, in denen von
Reihenoperationen die Rede ist, die Bdtg *Zahl*, zB PLips I 105, 17—19 (1. Jhdt nChr),
25 u stets im Plur die Bdtg *Konto*, ταῖς ταμιακαῖς ψήφοις δοῦναι *dem Konto des Fiskus geben*[4]
PLips I 64, 7 (4. Jhdt nChr), eintreten kann. Zu astrologischen Berechnungen wurden
Steinchen benutzt Vett Val I 22 (p 46, 16)[5], auch zu magischen Zwecken Preis Zaub I
4, 1046—1048 (4. Jhdt nChr) u zur Wahrsagerei καὶ δοὺς διδάσκεται τὴν διὰ τῶν ψήφων
μαντικήν Apollodorus Mythographicus, Bibliotheca III 10, 2[6].

30   Vor allem aber gebrauchte man Steinchen zu Abstimmungen[7]: „Als die Feldherren
angekommen waren u die Steinchen τὰς ψήφους verteilt hatten..., um den ersten u
den zweiten von allen zu bestimmen, da gab jeder von ihnen sich selbst die Stimme"

ψῆφος κτλ. Lit: Thes Steph, Pape, Pass,
Moult-Mill, Preisigke Wört, Liddell-Scott,
Pr-Bauer, GWHLampe, A Patristic Greek
Lexicon (1961) sv; Krauss Lehnw II 470—
472; WMRamsay, The White Stone and the
„Gladiatoral" Tessera, ET 16 (1905) 558—
561; FBoll, Aus der Offenbarung Johannis,
ΣΤΟΙΧΕΙΑ 1 (1914) 28; WBousset, Kyrios
Christos FRL 21 ²(1921) 114; HLietzmann,
Notizen, ZNW 20 (1921) 249—256.
[1] Zur Etymologie vgl Frisk sv.
[2] Vgl dazu die Inschr der Synagoge von
Noarah: טימי פסיפסה (τιμή/ψῆφος) → Lietzmann 252. Gerade in der jüd Lit findet sich
ψῆφος als Fremdwort vor allem in der Bdtg
Mosaik, vgl → Krauss 470f: mit Mosaik ver-
zierte Wände Neg 11, 7 uö; Deckel von Mosaikarbeit AbRNat A 24 (Schechter p 77, 18);
Tür von Mosaikarbeit Tamid 1, 3 uö; Säulen,
Scheidewände von Mosaik Mid 1, 6 uö. Vgl
auch ψηφολογεῖν *mit Mosaik auslegen* Tob
13, 17. Archäologische Belege bei YYadin,
Masada ³(1969) 119—129. Er zeigt herodianische, rein ornamentale Fußböden.
[3] Als Fremdwort in der jüd Lit in der Bdtg
Steinchen Dt r 1, 10 zu 1, 1; jSchab 7, 2 (10b 5)
uö; im Brettspiel TSanh 5, 2 (Zuckermandel
423, 3) uö; vgl → Krauss 470.
[4] Preisigke Wört sv.
[5] Ähnlich I 2 (p 10, 15); I 21 (p 39, 13); IV
24 (p 199, 13) uö.
[6] ed JGFrazer (1921).
[7] Als Fremdwort in der jüd Lit zur Be-

ἑαυτῷ ἐτίθετο τὴν ψῆφον Hdt VIII 123, 2. Die St zeigt, wie ψῆφος neben der Bdtg *Stein-chen* die Bdtg *abgegebene Stimme* gewinnen kann. So kann es allg zu der Bdtg *Stimme, Meinung* kommen σὲ μὲν ἡγοῦνται Κόννου ψῆφον Aristoph Vesp 675. Schließlich tritt, insbesondere auf dem Gebiet der Rechtsprechung, die Bdtg *Abstimmung* ein, zB von der Abstimmung über eine Verbannung Xenoph An VII 7, 57. Endlich wird mit ψῆφος 5 *der gefaßte Beschluß*, *das Urteil* Soph Ant 60 u *der Gerichtshof* Eur Iph Taur 945 bezeichnet.

2. ψηφίζω, συμψηφίζω, (καταψηφίζομαι) συγκατα-ψηφίζομαι.

a. ψηφίζω meint, akt verwendet, das *Zählen* u *Rechnen* mit Stein- 10 chen udgl, ἐκεῖναί τε γὰρ κατὰ τὴν τοῦ ψηφίζοντος βούλησιν ἄρτι χαλκοῦν καὶ παραυτίκα τάλαντον ἰσχύουσιν Polyb 5, 26, 13, in übertr Bdtg das *Fällen eines Urteilsspruchs*, zB *niemals fällten sie gg einen anderen einen solchen Urteilsspruch mehr* οὐκ ἄν ποτε δίκην κατ' ἄλλου φωτὸς ὧδ' ἐψήφισαν Soph Ai 448f. Häufiger ist der med Gebrauch. ψηφίζομαι bedeutet zunächst, durch ein Steinchen, das man in eine Urne wirft, *seine Stimme ab-* 15 *geben* Xenoph Hist Graec I 7, 9; Plat Ap 32b, dann allg *abstimmen*, ohne daß die Verbindung mit einem Steinchen beibehalten würde καὶ γὰρ νῦν εἰσιν ἐψηφισμένοι Παγασὰς ἀπαιτεῖν Demosth Or 2, 11. Ferner kann es zur Bdtg *beschließen*[8], *einen Entschluß fassen* kommen, indem vom Abstimmungsverfahren ganz abgesehen wird, so zB Hdt VII 207. Im Pass kann die Bdtg *verurteilt werden* eintreten Eur Heracl 141f. 20

b. συμψηφίζω ist nicht oft belegt u hat die Bdtg *zusammen-rechnen, addieren* Preis Zaub II 13, 348 (3./4. Jhdt nChr), *einstimmig beschließen* Preisigke Sammelbuch III 7378, 9f (103 nChr), συμψηφίζομαί τινι *mit jmd dasselbe Votum abgeben* Aristoph Lys 142.

c. καταψηφίζομαι heißt *schuldig sprechen*, zB Plat Ap 36a. 41d, im 25 Pass *verurteilt werden*, zB Plat Resp VIII 558a. Außerdem tritt die Bdtg *beschließen* (uz im positiven Sinn) ein, zB Aristot Pol IV 14 p 1298b 39f. συγκαταψηφίζομαι ist nur Plut Them 21 (I 122e) belegt. Es meint hier die Mitverurteilung des Themistokles.

B. Septuaginta und hellenistisches Judentum.

1. Septuaginta. 30

a. ψῆφος tritt Thr 3, 16 für חָצָץ *Steinchen, Kiesel* ein, ist Ex 4, 25 Übers für צֹר u meint den scharfen Stein, mit dem die Vorhaut beschnitten wird. ψῆφος ist Qoh 7, 25 Äquivalent zu חֶשְׁבּוֹן u wird neben σοφία genannt[9]. Sir 18, 10 sind ψῆφοι *Steinchen* im Sand par mit Wassertropfen als Bild für die Jahre im Blick auf den Ewigkeitstag gebraucht. 4 Makk 15, 26 liegt die Bdtg *Stimmsteinchen* vor: „Zwei Stimm- 35 steinchen hielt die Mutter für die Kinder in der Hand, ein todbringendes u ein rettendes". 4 Βασ 12, 5 bietet in der Rezension des Orig den Wortlaut ἀργύριον παρερχόμενον ἀνὴρ ψήφῳ ψυχῶν u meint die Berechnung von Geld, das im Tempel abgeliefert wird.

b. ψηφίζω ist 3 Βασ 3, 8; 8, 5, jeweils in der Rezension des Orig, als vl Synonym für ספר ni. Es bezeichnet das *Zählen* u *Berechnen* des Volks bzw der 40 Schafe u Rinder[10].

---

zeichnung von *Steinchen beim Abgeben der Stimme*, so daß es zur Bdtg *Beschluß, Verhängnis* kommt Pesikt 17 (131a); vgl → Krauss 470.

[8] Vgl auch Ditt Or 666, 15 (1. Jhdt nChr); POxy I 41, 15 (3./4. Jhdt nChr); PLond V 1707, 7 (6. Jhdt nChr); s Preisigke Wört sv.

[9] Zu Qoh 7, 25 vgl GBertram, Hbr u griech Qoh. Ein Beitrag zur Theol der hell Bibel, ZAW 64 (1952) 41f. σοφίαν καὶ ψῆφον bedeutet *weise Entscheidung*.

[10] ψηφίζω u Verwandte kommen häufiger in der Hexapla vor, zB Ex 4, 25 Σ; Prov 20, 17 Θ; 30, 27 Σ uö.

c. συμψηφίζω ist 'Ιερ 30,14 (49, 20) Cod A Q belegt u meint das *Zusammenrechnen* der Schafe. καταψηφίζομαι u auch συγκαταψηφίζομαι kommen in der LXX nicht vor.

2. Josephus.

a. Jos[11] gebraucht ψῆφος 15mal, vor allem in der Bdtg *Beschluß* Bell 2, 205, *Beschluß fassen* ψῆφον ἐνεγκεῖν Ant 2,163; 10, 60. 91, *Stimmen geben* (dem Angeklagten) Bell 4, 341. Von Gottes *Ratschluß* ist Bell 7, 359; Ant 3, 44; 4, 225, von Gottes *Strafgericht* Ant 5,168 die Rede. Die Bdtg (*abgegebene*) *Stimme*, die bei der Urteilsfindung notwendig ist, liegt Ap 2, 265 vor: θάνατον αὐτοῦ παρ' ὀλίγας ψήφους κατέγνωσαν.

b. ψηφίζομαι wird 29mal gebraucht u hat vor allem die Bdtg *beschließen*[12] Bell 2, 205. Bell 4, 251 ist das Volk, Ant 14, 217; 18, 54 der Senat Subj des Beschließens. Bell 7,121 wird ein Triumphzug, Ant 19,183. 231 werden Ehrungen beschlossen. Von Gottes Ratschluß ist Ant 17, 43, von des Caesars Beschluß Ant 17, 319 die Rede. Ap 1,121 liegt die Bdtg *berechnen* vor.

c. συμψηφίζω u συγκαταψηφίζομαι kommen bei Jos nicht vor. καταψηφίζομαι ist an 15 St belegt uz in der Bdtg *verurteilen*, zB Bell 2, 414; 6, 250; Ant 1, 96, *zum Tode verurteilen* Ant 15, 229.

3. Philo.

a. Philo verwendet ψῆφος vor allem in der Bdtg *Spruch, Urteil, Richterurteil.* Spec Leg IV 57 wird auf die Einsicht beim Fällen des Urteils hingewiesen. Decal 140 ist von *ungerechten u gesetzwidrigen Sprüchen* neben *gesetzmäßigen u gerechten* die Rede. Deus Imm 75 nennt ein *verdammendes Urteil* τὴν καταδικάζουσαν ψῆφον, ähnlich Migr Abr 115. Decal 141 ist das Richterurteil gemeint καὶ τοὺς κυρίους τῆς ψήφου συνεξαμαρτάνειν ἀναπείθοντες *die Richter, die das Urteil zu fällen haben, veranlassend, an dem Verbrechen* sich zu beteiligen. Som II 104 sind es neben den Meinungen die *Stimmen* der Mehrheit, die immer siegen.

b. ψηφίζομαι hat die Bdtg *zuerkennen, beschließen.* Flacc 97 heißt es: πάσας (sc τιμὰς) Γαΐῳ ψηφισάμενοι καὶ ἐπιτελέσαντες, ähnlich Leg Gaj 149; Ebr 109. Det Pot Ins 143 redet von dem *Entschluß* zur Flucht, Ebr 224 von der Verhängung der Verbannung, Fug 119 vom Befehl zur Heimkehr, Ebr 8 vom Beschluß des Einzuges, Op Mund 125 von der Zuerkennung des Todes bzw der Rettung.

c. συμψηφίζω u συγκαταψηφίζομαι sind bei Philo nicht belegt. καταψηφίζομαι hat die Bdtg *verurteilen*, zB Vit Mos I 134; Ebr 71; Leg All III 74.

C. Neues Testament und Apostolische Väter.

1. Ag 26,10 läßt Lukas Paulus sagen, er habe an Todesurteilen mitgewirkt, indem er seine Stimme (ψῆφος) gegen die Christen abgegeben habe[13].

2. Das weiße Steinchen Apk 2,17, auf dem ein neuer Name geschrieben ist, wird als ein Amulett[14] verstanden[15], das religionsgeschicht-

---

[11] KHRengstorf gewährte entgegenkommenderweise Einsicht in die im Institutum Judaicum Delitzschianum Münster erarbeitete u zZt erscheinende Josephus-Konkordanz.

[12] Vgl Schl Lk 345.

[13] Wdt Ag zSt versteht καταφέρω ψῆφον nur als bildliche Umschreibung von συνευδοκέω Ag 8,1; 22, 20. Nach Haench Ag[14] zSt liegt jedoch Ag 26,10 eine Steigerung gegenüber

Ag 8,1 vor. In der Darstellung des Lk war Pls aktiv an den Abstimmungen beteiligt, καταφέρω ψῆφον dürfe nicht zu einem συνευδοκέω abgeschwächt werden, vgl auch HConzelmann, Die Ag, Hndbch NT 7 (1963) zSt.

[14] Vgl Pr-Bauer sv.

[15] Vgl WHeitmüller, Im Namen Jesu, FRL 1, 2 (1903) 128—265 u Bss Apk zSt.

lich in die Umwelt des Zauberglaubens gehört (→ V 250, 1ff). Zauberformeln, in
diesem Fall der neue Name, vermitteln übernatürliche Kräfte und schützen vor
Dämonen[16] und bösen Mächten[17]. Daß das Steinchen als weiß (→ IV 256, 12ff)
bezeichnet wird, deutet auf die übernatürliche Besonderheit, auf das Außergewöhnliche hin[18]: Ein neuer Bereich wird eröffnet (→ V 281, 30ff)[19].   5

3. Lk 14, 28 hat ψηφίζω die Bedeutung *berechnen*. Bevor
mit dem Bau eines Turmes begonnen werden kann, gilt es, die Kosten für den
Turmbau zu berechnen. Dementsprechend[20] soll sich jedermann verhalten, der in
die Nachfolge Jesu tritt. Er hat sich selbst zu prüfen[21], ob er über die notwendigen
Mittel und über das notwendige Kräftemaß verfügt[22]. v 33 führt v 28 weiter: 10
Nicht nur das Überschlagen der Mittel, sondern darüber hinaus der Verzicht auf
alles, was an Mitteln zur Verfügung steht, ist gefordert. In diesem Sinne wird der
Evangelist Lukas seine Tradition verstanden haben[23]. — Ag 19, 19 wird der Wert
der zusammengetragenen Zauberbücher zusammengerechnet (συμψηφίζω). Die Ad-
dition ergibt eine ungewöhnlich hohe Summe (→ VIII 179, 31f).   15

4. Apk 13, 18 soll die Zahl (→ I 463, 1ff) des Tieres, die
zugleich die Zahl eines Menschen ist, „berechnet" werden. Das Berechnen kann
nun so verstanden sein, daß der genannte Zahlenwert in entsprechende hebräische,
griechische oder lateinische Buchstaben umgesetzt wird, die den geheimnisvollen
Namen (→ V 280, 7ff; IX 406, 20ff) ergeben[24]. Unter Berechnen kann aber auch 20
die Aufgabe verstanden sein, herauszufinden, zu welcher Zahl 666 die Dreieckszahl
ist[25]. Das Ergebnis ist die Zahl 36; denn die Summe aller Zahlen von 1 bis 36
ergibt 666. Berücksichtigt man, daß auch 36 eine Dreieckszahl ist, und zwar zu
8, und daß in gnostischen Systemen die Achtzahl, die Ogdoas, mit der Sophia (→
VII 525, 20ff) identisch ist, so könnte Apk 13, 18 in Verbindung mit Apk 17, 11 25
besagen: Mit der Anbetung des Tieres ist die Sophia gemeint, die Gnosis soll also
bekämpft werden[26].

---

[16] Vgl Loh Apk zSt.

[17] Ältere Auslegungen s FDüsterdieck, Kri-
tisch-exegetisches Handbuch über die Offenbarung Johannis, Kritisch-exegetischer Komm
über das NT 16 [4](1887) zSt u Bss Apk zSt.

[18] → Boll 28.

[19] In der Darstellung der Apk bedeutet
„weiß" einen Kategorienwechsel, vgl die
weißen Kleider Apk 3, 4f. 18; 4, 4 uö.

[20] Nach Bultmann Trad 216 ist der urspr
Sinn unerkennbar geworden.

[21] Vgl Jeremias Gl[7] 195.

[22] Vgl EBiser, Die Gleichnisse Jesu (1965)
62.

[23] Vgl Ag 4, 34; Lk 5, 11. 28; aber auch
schon Mk 10, 28 Par.

[24] Vgl PCorßen, Noch einmal die Zahl des
Tieres in der Apokalypse, ZNW 3 (1902) 238
—242; ders, Zur Verständigung über Apk
13, 18, ZNW 4 (1903) 264—267. „Das Tier hat
einen Namen x = 666, 666 ist aber gleich dem
Namen eines Menschen, beide Namen sind,
wie man das nannte, ἰσόψηφα" ZNW 3 (1902)
240.

[25] Vgl dazu GAvandenBerghvanEysinga,
Die in der Apokalypse bekämpfte Gnosis,
ZNW 13 (1912) 293—305; Loh Apk 117f.

[26] Vgl vandenBerghvanEysinga aaO (→
A 25) 299. Auf Domitian deutet EStauffer,
666, Festschr AFridrichsen (1947) 237—341
mit Hilfe der Gematrie.

5. Ist Ag 1, 26 bei συγκατεψηφίσθη [27] von καταψηφίζομαι [28] *beschließen* auszugehen, so ergibt sich der Sinn: Und (damit) wurde er (in aller Form) unter [29] die Elf aufgenommen [30].

6. Herm v III 1, 4 verwendet συμψηφίζω im Sinne von *berechnen, zusammenrechnen, ausrechnen*: καὶ συνώψισα (vl: συνεψήφισα) τὰς ὥρας, ähnlich s V 3, 7.

Braumann

> ## ψυχή, ψυχικός, ἀνάψυξις, ἀναψύχω, δίψυχος, ὀλιγόψυχος

Inhalt: A. ψυχή im Griechischen: 1. ψυχή bei Homer; 2. ψυχή im spätarchaischen und klassischen Sprachgebrauch; 3. ψυχή in der Philosophie Platos; 4. Die Psychologie der nachplatonischen Philosophie: a. Beschaffenheit der Seele, b. Einteilung der Seele; 5. Die Vulgärvorstellungen nachklassischer Zeit. — B. Die Anthropologie des Alten Testaments: 1. נֶפֶשׁ: a. נֶפֶשׁ und Atem, b. נֶפֶשׁ und Blut, c. נֶפֶשׁ und Person, d. נֶפֶשׁ als Leichnam und Grabmal, e. נֶפֶשׁ als Willensäußerung; 2. Fleisch und Leib: a. Das Fleisch, b. Die Gebeine; 3. Verschiedene Körperteile als Sitz des Lebens: a. Das Haupt, b. Das Gesicht, c. Die Hand, d. Der Fuß, e. Die inneren Organe; 4. Das Herz als Lebenszentrum und Inbegriff der Person; 5. Der Geist: a. Die Herkunft des Begriffs, b. Die Auswirkung im Menschen, c. Die schöpferische Tätigkeit des Geistes im Menschen, d. Das Verhältnis zu נֶפֶשׁ und Herz, e. Fleisch und Geist; 6. Der Relationscharakter der alttestamentlichen Anthropologie. — C. Judentum: I. Hellenistisches Judentum: 1. Die Schriften der Septuaginta mit hebräischer Vorlage; 2. Die apokalyptischen und pseudepigraphen Schriften; 3. Die griechischen Schriften der Septuaginta; 4. Aristeas und Josephus; 5. Philo. II. נֶפֶשׁ/ψυχή im palästinischen Judentum: 1. Die Qumrantexte; 2. Das rabbinische Schrifttum. — D. Neues Testament: I. Evangelien und Apostelgeschichte: 1. ψυχή als natürliches, physisches Leben: a. Allgemein, b. Hingabe des Lebens, c. Nach dem Leben trachten, Leben töten oder retten; 2. ψυχή als Bezeichnung des ganzen Menschen; 3. ψυχή als Ort der Gemütsbewegung: a. Der von anderen beeinflußbare Mensch, b. Der Freude, Trauer, Liebe empfindende Mensch, c. ψυχή in der Bedeutung Herz; 4. ψυχή als eigentliches Leben im Unterschied zum bloß physischen (Mk 8, 35 Par): a. Jesus, b. Markus, c. Mt 10, 39, d. Lk 17, 33, e. J 12, 25, f. ψυχή als von Gott gegebene, den Tod überdauernde Existenz; 5. Das Leben als höchstes Gut (Mk 8, 35f Par); 6. ψυχή im Gegensatz zum Leib (Mt 10, 28); 7. Die lukanischen Aussagen über die ψυχή nach dem Tode: a. Lk 12, 4f; 9, 25; Ag 2, 31, b. Lk 12, 20, c. Lk 21, 19. II. Paulus, inklusive Kolosser- und Epheserbrief: 1. ψυχή als natürliches und als eigentliches Leben; 2. ψυχή als Person; 3. μία ψυχή; 4. Der Kolosser- und der Epheserbrief; 5. Die Profanität des Wortgebrauchs. III. Der Hebräerbrief. IV. Die katholischen Briefe: 1. Die Johannesbriefe; 2. Der Jakobusbrief; 3. Der erste Petrusbrief; 4. Der zweite Petrusbrief. V. Die Apokalypse: 1. ψυχή als physisches Leben; 2. ψυχή als Person; 3. ψυχή als Leben über den Tod hinaus. VI. Der neutestamentliche Sprachgebrauch in der Abgrenzung zu πνεῦμα. — E. Gnosis.

---

[27] Da im NT συγκαταβαίνω nur Ag 25, 5 u συγκατατίθημι nur Lk 23, 51 vorkommen, ergibt sich die Möglichkeit, daß συγκατεψηφίσθη ein von Lk ad hoc gebildetes Wort ist, vgl aber συγκατάθεσις 2 K 6, 16.

[28] κατεψηφίσθη ℵ* ist wohl in der Bdtg *zuerkennen, etw beschließen* zu verstehen, vgl Aristot Pol IV 14 p 1298b 39f, kaum als ein mit den Elf stattgefundenes Verurteiltwerden, wie zB Plat Resp VIII 558a; Jos Ant 15, 229; Philo Vit Mos I 134 uö.

[29] Zu μετά vgl Bl-Debr § 221. 227.

[30] Ist dgg entsprechend Ag 19, 19 von συμψηφίζω auszugehen, vgl Wdt Ag zSt, so ergibt sich der Sinn: u er wurde mit den Elf zusammengerechnet, vgl v 17: κατηριθμημένος ἦν.

ψυχή κτλ. Lit: Zum Ganzen: Thes Steph, Liddell-Scott, Pr-Bauer sv; GDautzenberg, Sein Leben bewahren, Studien zum AT u NT 14 (1966); MDelcor, L'immortalité de l'âme dans de Livre de la Sagesse et dans les documents de Qumrân, Nouvelle Revue Théologique 77 (1955) 614—630; JFichtner, Seele

A. ψυχή im Griechischen.

1. ψυχή bei Homer.

Auf der frühsten uns zugänglichen Stufe, bei Homer, besitzt das Griechische für unsere Begriffe Körper und Seele noch keine Wörter. σῶμα (→ VII 1025, 8ff) bezeichnet nur den Leichnam, während der lebende Organismus durch pluralische Ausdrücke wie μέλεα, γυῖα oder auch von seiner Er-

oder Leben?, ThZ 17 (1961) 305—318; RBOnians, The Origins of European Thought about the Body, the Mind, the Soul, the World, Time and Fate ²(1954); FRüsche, Blut, Leben u Seele, Studien zur Gesch u Kultur des Altertums Erg-Bd 5 (1930). — Zu A: AWHAdkins, Merit and Responsibility (1960); JBöhme, Die Seele u das Ich im homerischen Epos (1929); WBurkert, Weisheit u Wissenschaft, Erlanger Beiträge zur Sprach u Kunstwissenschaft 10 (1962) 98—142; ERDodds, Die Griechen u das Irrationale (1970); BMeissner, Mythisches u Rationales in der Psychologie der euripideischen Tragödie (Diss Göttingen [1951]); JMoreau, L'âme du monde de Platon aux Stoiciens (1939); MPohlenz, Die Stoa I ⁴(1970) 81—93. 141—153. 196—201 uö; II ⁴(1970) 49—53. 77—83 uö; TMRobinson, Plato's Psychology, Phoenix Suppl VIII (1971); FRüsche, Das Seelenpneuma, Studien zur Gesch u Kultur des Altertums 18, 3 (1933); BSnell, Die Entdeckung des Geistes ³(1955) 17—42; Aristot, Über die Seele, ed WTheiler, in: Aristot, Werke in deutscher Übers 13 ²(1966); Tertullianus, De Anima, ed JHWaszink (1947). — Zu B: LAdler, Das Wesen des Menschen in jüd Sicht, Kerygma u Dogma 16 (1970) 188—198; PBratsiotis, נֶפֶשׁ/ψυχή. Ein Beitrag zur Erforschung der Sprache u der Theol der LXX, Volume du Congrès Genève 1965, VT Suppl 15 (1966) 58—89; ders, 'Ανθρωπολογία τῆς Παλαιᾶς Διαθήκης. 1. 'Ο ἄνθρωπος ὡς θεῖον δημιούργημα (1967); JSCroatto, Nota de antropología bíblica, Revista Biblica 25 (1963) 29f; FDelitzsch, System der bibl Psychologie (1855); EDhorme, L'emploi métaphorique des noms de parties du corps en hébreu et en akkadien (1923); AMDubarle, La conception de l'homme dans l'AT, Sacra Pagina I, Bibliotheca Ephemeridum Theologicarum Lovaniensium 12 (1959) 522—536; RDussaud, La notion d'âme chez les Israélites et les Phéniciens, Syria 16 (1935) 267—277; WEichrodt, Das Menschenverständnis des AT, Abh Th ANT (1944); GFohrer, Theol Züge des Menschenbildes im AT, Studien zur at.lichen Theol u Gesch (1949—1966), ZAW Beih 115 (1969) 176—194; JdeFraine, Adam u seine Nachkommen (1962); KGalling, Das Bild vom Menschen in bibl Sicht, Mainzer Universitäts-Reden 3 (1947); AGelin, L'homme selon la Bible, Foi Vivante 75 (1968); JHempel, Gott u Mensch im AT,

BWANT 38 ²(1936); ARJohnson, The Vitality of the Individual in the Thought of Ancient Israel (1949); AKammenhuber, Die hethitischen Vorstellungen von Seele u Leib, Herz u Leibesinnerem, Kopf u Person, Zschr für Assyriologie NF 22 (1964) 150—212; JKöberle, Natur u Geist nach der Auffassung des AT (1901); LKöhler, Der hbr Mensch (1953); FMTdeLiagre Böhl, Das Menschenbild in babylonischer Schau, in: Anthropologie religieuse, ed CJBleeker, Suppl to Numen 2 (1955) 28—48; DLys, Nèphèsh, Etudes d'Histoire et de Philosophie Religieuse 50 (1959); ders, Rûach. Le Souffle dans l'AT, Etudes d'Histoire de Philosophie Religieuse 56 (1962); ders, La Chair dans l'AT. „Bâsâr" (1967); VMaag, At.liche Anthropogonie in ihrem Verhältnis zur altorientalischen Mythologie, Asiatische Studien 9 (1955) 15—44; ders, Alter Orient, Asiatische Studien 13 (1960) 19—31; FMichaéli, Dieu à l'image de l'homme (1950); AMurtonen, The living Soul, Stud Or 23,1 (1958); GPidoux, L'homme dans l'AT, Cahiers théologiques 32 (1953); ders, L'homme dans l'AT, in: Anthropologie religieuse, ed CJBleeker, Suppl to Numen 2 (1955) 155—165; HWRobinson, Hebrew Psychology, in: The People and the Book, ed ASPeake (1925) 353—382; JRothermund, Chr u jüd Menschenbild, Kerygma u Dogma 16 (1970) 199—222; ASafran, La conception juive de l'homme, RevThPh 98 (1964) 193—207; JScharbert, Fleisch, Geist u Seele im Pent, Stuttgarter Bibelstudien 19 (1966); OSchilling, Geist u Materie in bibl Sicht, Stuttgarter Bibelstudien 25 (1967); WSchmidt, Anthropologische Begriffe im AT, Ev Theol 24 (1964) 374—388; WZimmerli, Das Menschenbild des AT, Theol Ex NF 14 (1949). — Zu C: Bousset-Greßm 399—402; HHübner, Anthropologischer Dualismus in den Hodayoth? NTSt 18 (1972) 268—284; DLys, The Israelite Soul according to the LXX, VT 16 (1966) 181—228; RMeyer, Hellenistisches in der rabb Anthropologie, BWANT 74 (1937); Moore I 485—489; II 292—295; Volz Esch 118f. 266—272; Weber 203—205. 217—223. — Zu D: FBarth, La notion Paulinienne de ΨΥΧΗ, Rev ThPh 44 (1911) 316—336; EBrandenburger, Fleisch u Geist, Wissenschaftliche Monographien zum AT u NT 29 (1968); HvCampenhausen, Tod, Unsterblichkeit u Auferstehung, Festschr LJaeger u WStählin (1963) 295—311; OCullmann, Unsterblichkeit der Seele oder Aufer-

scheinung her durch δέμας oder χρώς benannt werden kann[1]. ψυχή, etymologisch
zu ψύχω (*zur Abkühlung*) *blasen* und ψῦχος *Kälte* gehörig, ist in diesem Menschenbild die den Gliedern innewohnende Lebenskraft, deren Vorhandensein sich vornehmlich im Atem dokumentiert. Darum spricht man von Hauchseele. Im Kampf
5 setzt man infolgedessen seine ψυχή, sein *Leben*, aufs Spiel (Hom Il 9, 322). Diese
ψυχή verläßt den Menschen im Augenblick des Todes, indem sie durch den Mund
entweicht (Il 9, 408f), nach anderer Vorstellung wohl auch aus der Wunde. Daher
stammt die Bezeichnung Blutseele (vgl Il 14, 518f). Sie begibt sich in die Unterwelt (Il 5, 654), nachdem sie sich gelegentlich vor der Bestattung des Körpers
10 einem Lebenden im Traum gezeigt hat (Il 23,106), und zwar im Erscheinungsbild
des lebenden Menschen, und führt dort eine Schattenexistenz, die wenig mit dem
Selbst des Menschen zu tun hat: Dieses ist vergangen, den „Hunden und Vögeln
zum Fraß" geworden (Il 1, 3ff), oder, wie im Sonderfall des Herakles, zu den
Göttern entrückt (Od 11, 601ff). An die nichtige Unterweltsexistenz der ψυχή
15 knüpfen sich keine qualifizierten Erwartungen[2]. Weder als Lebendigkeit noch als
Totenseele hat die ψυχή etwas mit den seelisch-geistigen Funktionen des Menschen
zu tun.

Dieser Bereich wird durch eine größere Anzahl von Wörtern beschrieben, die entweder bestimmte geistig-seelische Aktivitäten (μένος, νόος uam), einzelne organische
20   Träger dieser Aktivitäten (στῆθος, καρδία, ἦτορ, φρένες uam) oder beides zugleich (θυμός)[3] bezeichnen. Wie andere Völker waren auch die Griechen zunächst der Meinung,

stehung von den Toten? [3](1964); JDupont,
Gnosis, Universitas Catholica Lovaniensis
Dissertationes ad gradum magistri in Facultate Theologica consequendum conscriptae II
40 [2](1960) 151—180; FPFiorenza-JBMetz,
Der Mensch als Einheit von Leib u Seele, in:
Mysterium Salutis, ed JFeiner-MLöhrer II
(1967) 584—632; CGuignebert, Remarques
sur quelques conceptions chrétiennes antiques
touchant l'origine et la nature de l'âme, Rev
HPhR 9 (1929) 428—450; WGutbrod, Die
paul Anthropologie, BWANT 67 (1934) 75—
79; CMasson, Immortalité de l'âme ou résur-
rection des morts?, Rev ThPh NS III 8 (1958)
250—267; BReicke, Body and Soul in the NT,
Studia Theologica 19 (1965) 200—212;
MSchmaus, Unsterblichkeit der Geistseele
oder Auferstehung von den Toten?, Festschr
LJaeger u WStählin (1963) 311—337;
JSchmid, Der Begriff der Seele im NT,
Festschr GSöhngen [2](1963) 128—147; JNSevenster, Het begrip psyche en het Nieuwe
Testament (1946); ders, Die Anthropologie des
NT, in: Anthropologie religieuse, ed CJBleeker, Numen Suppl 2 (1955) 166—177; WDStacey, St Paul and the „Soul", Exp T 66 (1954/
1955) 274—277; ders, The Pauline View of
Man (1956) 121—127. — Zu E: Le origini
dello gnosticismo, ed UBianchi, Numen Suppl
12 (1967); CColpe, Die religionsgeschichtliche
Schule, FRL 78 (1961) Regist sv Seele; AJFestugière, La révélation d'Hermès Trismégiste
III. Les doctrines de l'âme, Études Bibliques
(1953); HJonas, Gnostic Religion (1958) 291
—330.
[1] Der frühste Beleg für σῶμα *lebender Men-*

schenkörper findet sich Hes Op 540, während
686: χρήματα γὰρ ψυχὴ πέλεται δειλοῖσι βρο-
τοῖσιν vom *Leben*, nicht vom *Selbst* der Menschen geredet wird.
[2] Die homerischen ψυχή-Vorstellungen sind
natürlich uneinheitlicher, als dieser knappe
Überblick erkennen läßt. Das liegt zT an der
verschiedenen Herkunft einzelner Teile der
erhaltenen Epen. So widerspricht zB die prophetische Aktivität der Seele des toten Pa-
troklos Il 23,69—92 den ψυχή-Vorstellungen
anderer Partien. Der Heroenkult jedoch, der
dem Toten im Grab gilt, setzt nicht etwa entgegen den homerischen Anschauungen ein getrenntes u bedeutungsvolles Fortleben der
Seele voraus, sondern nur die auch jenseits
der Todesgrenze überragende Macht des Kult-
empfängers, der als Revenant drohend oder
schützend unter die Lebenden treten, ja aus
dem Grab heraus Fluch u Segen spenden kann.
Auch die δαίμονες, zu denen die Menschen des
Goldenen Zeitalters nach dem Bericht Hes
Op 121—126 geworden sind, darf man sich
nicht als körperlose Seelen vorstellen (→
611, 22f), u dasselbe gilt für Helden, die
aus irgendeinem Grund an einen seligen
Ort ewiger u sehr handfester Lebensfreude
entrückt werden, zB Aethiopis bei Proclus
Chrestomathia 198 (ed ASeveryns, Recherches sur la Chrestomathie de Proclos IV,
Bibliothèque de la Faculté de Philosophie et
Lettres de l'Université de Liège 170 [1963]
88) oder Hes Op 170, vgl ASchnaufer, Früh-
griechischer Totenglaube, Spudasmata 20
(1970) 103—107.
[3] θυμός, etym zu lat fumus *Rauch* gehörig,

daß Körperteile in bestimmten Situationen, so χεῖρες, πόδες, oder immer, wie ἦτορ, φρένες, Träger geistig-seelischer Funktionen seien[4]. Außerdem kann aber der νόος, vgl dazu νοέω *wahrnehmen, sich vorstellen, beabsichtigen* (→ IV 947, 20ff)[5], den man in Herz, Brust oder anderswo trägt Il 3, 63; Od 14, 490 oder den ein Gott dort hineingelegt hat Od 18,136, zu einem dauernden Wesensbestandteil des Menschen werden Il 4, 309; 5 10,122. Zahlreiche Kombinationen unter diesen u anderen Ausdrücken ergeben ein differenziertes psychologisches Vokabular, das stärker als das hbr spezialisiert ist, weil vor allem Lebenskraft u Denktätigkeit terminologisch unterschieden werden. Es fehlt aber ein Oberbegriff Seele.

2. ψυχή im spätarchaischen und 10 klassischen Sprachgebrauch.

Daß trotz des fehlenden Anknüpfungspunktes im homerischen Sprachgebrauch im 6. Jahrhundert gerade ψυχή zum Terminus für diesen neu gefundenen Oberbegriff wurde[6], hängt wohl mit dem sich seit dem 7. Jahrhundert ausbreitenden Glauben an die Vergeltung des menschlichen Tuns im Jen- 15 seits zusammen[7]. Solche Vergeltung kann sinnvollerweise nicht ein bloßes εἴδωλον treffen, vielmehr muß die ψυχή in der Unterwelt die Kontinuität eines diesseitigen und jenseitigen Daseins garantieren[8]. In engem Zusammenhang damit steht die im 6. Jahrhundert erstmals bei den Griechen bezeugte Seelenwanderungslehre[9], ein Kernstück der pythagoreischen Ethik. Die ψυχή wird hier zum Inbegriff des In- 20 dividuums und ist nicht nur getrennt vom Körper vorstellbar, sondern auch wertvoller als dieser. Schon in der frühesten uns zugänglichen Schicht orphischer und pythagoreischer Spekulation taucht der Topos σῶμα/σῆμα auf, der Körper (→ VII 1027,1f; 1028, 36ff) als Grab der Seele (Orph fr 8 [Kern 84f]; Philolaus fr 14

---

bedeutet bei Hom vor allem die Fähigkeit zur Bewegung, weshalb der θυμός beim Tod die Glieder direkt, nicht durch den Mund verläßt Il 13,671 u sich nicht in die Unterwelt begibt. Insofern der θυμός nicht nur physiologische Ursache der Bewegung, sondern auch seelischer Impuls zum Handeln ist, kann auch er zum Inbegriff des inneren Menschen werden, den man sich bei der Reflexion auf das eigene Tun u Erleiden als den Partner des Dialogs vorstellt, als der den Griechen der Frühzeit das Nachdenken erscheint, zB Il 11, 403; Archiloch fr 105 (ed GTarditi, Archilochus, Lyricorum Graecorum quae exstant 2 [1968] 122). Dieselbe Rolle kann aber auch das Herz spielen, in dem man seelische Regungen körperlich zu spüren meint Hom Od 20,18.
[4] Daß das Blut Träger des Lebenskraft sei, war den Griechen ebs wie anderen Völkern geläufig. Die Schatten in der Unterwelt gewinnen durch einen Bluttrank die Fähigkeit, sich mit Odysseus zu unterhalten Hom Od 11, 98. Die Götter als qualitativ andere Wesen haben nicht αἷμα, sondern ἰχώρ in den Adern Il 5, 340. Gg die einfache Gleichsetzung αἷμα/ψυχή polemisiert schon im 6.Jhdt vChr der Pythagoreer Hippo bei Aristot An I 2 p 405 b 4. Wie auch andere Vorsokratiker, zB Anaximenes fr 2 (Diels I 95) u Diogenes von Apollonia fr 4 (Diels II 60 f), haben auch die Pythagoreer offenbar in der Luft das Substrat der Denkkraft gesehen fr 40 (Diels I

462), vgl Aristot An I 2 p 404 a 16. Das Blut war nach verbreiteter Auffassung dann eher Träger des Empfindungslebens, zB Diogenes von Apollonia bei Theophr, De sensu 39—43.
[5] Sollte CJRuijgh, Études sur la grammaire et le vocabulaire du grec mycénien (1967) 370 f recht haben, daß νοέω zu νέομαι (*aus einer Gefahr*) *heimkehren* gestellt werden muß, ergäbe sich die Grundbedeutung *Plan* für νόος. [Risch]
[6] Immerhin ist die ψυχή bei Hom etwas spezifisch Menschliches: Beim Tod eines Tieres trennt sich nicht die ψυχή, sondern nur der θυμός von den Gliedern Il 23, 880 uö.
[7] Literarisch zuerst in den sog orphischen Interpolationen der Nekyia Hom Od 11, 576 ff u bei Alcaeus fr 38 (ed ELobel-DLPage, Poetarum Lesbiorum Fragmenta [1955] 128) nachweisbar.
[8] Wie stark das religiöse Denken gerade mit dem Problem der Kontinuität beschäftigt war, lehrt der Mythos von den Unterweltsquellen Lethe u Mnemosyne, vgl Nilsson II 225—229; ders, The Immortality of the Soul in Greek Religion, Eranos 39 (1941) 1—16.
[9] Die Herkunft der Seelenwanderungslehre ist ungeklärt. Sie hat jedoch vor u nach Plat in Griechenland stets Anhänger gehabt. Dabei blieb umstritten, ob sich dieselbe Seele nur in Menschen- oder auch in Tier- u Pflanzenleibern wiederverkörpern kann Emped fr 117 (Diels I 359); Plat Phaedr 249 b; Plut Ser Num Vind

[Diels I 413]). Die spöttische Erwähnung der Seelenwanderungslehre des Pythagoras durch seinen jüngeren Zeitgenossen Xenophanes fr 7 (Diels I 131) liefert den
frühesten Beleg für die neue Bedeutung des Wortes ψυχή. In der Zeit um und nach
500 vChr ist dann ψυχή als Gesamtbezeichnung für das Denken, Wollen und Fühlen
5 des Menschen sowie für seinen vom Leib zu trennenden und an dessen Vergehen
nicht teilhabenden Wesenskern ganz geläufig.

Anacr fr 15(4)[10] sagt zu dem Geliebten: ὅτι τῆς ἐμῆς ψυχῆς ἡνιοχεύεις, Pind fr 133
spricht vom Aufsteigen der unsterblichen Seele zur Sonne u kennt Ausdrücke wie χερσὶ
καὶ ψυχᾷ Nem 9, 39 oder μορφὰν βραχύς, ψυχὰν δ᾽ ἄκαμπτος Isthm 4, 53 (71) als Bezeich-
10 nung der psychophysischen Gesamtperson. Folgerichtig kann er φίλα ψυχά Pyth 3, 61
als (Selbst)anrede verwenden, ein Typus, der fortan in vielen Abwandlungen lebendig
bleibt. Während bis zum 6. Jhdt Solon fr 1, 46 (Diehl³ I 24); Tyrtaeus fr 7,18; 8, 5[11]
ein poetisch-metaphorischer Gebrauch des Wortes ψυχή[12] an die Bdtg Lebens(kraft) an-
knüpft, zeigt Pindars Sprachgebrauch den inzwischen vollzogenen Übergang zur Bdtg
15 Seele etwa in unserem Sinne, die nunmehr die herrschende, wenn auch nicht einzige
bleibt. Sie ist für den ersten Entwurf einer philosophischen Psychologie bei Heracl
bereits vorauszusetzen. Dieser faßt zum ersten Mal prinzipiell das schon in der frühgriechischen Lyrik, zB Sappho fr 96[13], beschriebene Phänomen, daß seelisches Leben
nicht an die Grenzen des Raumes gebunden ist Heracl fr 45 (Diels I 161), formuliert die
20 Einsicht, daß die Seele einen sich selbst vergrößernden Logos besitze, daß also die Entfaltung seelischen Lebens wie Wissen, Erinnerung uä nicht als Hinzukommen quantitativ meßbarer Größen oder als Einwirkung außermenschlicher Mächte zu verstehen
sei fr 115 (Diels I 176), u betont endlich, daß es eine seelische, vom Bereich des Fak-
tischen unabhängige Kommunikation unter den Menschen gibt[14]. Der Logos der Seele
25 ist aber nicht nur den Menschen gemeinsam, bei denen er sich als Sprache realisiert.
Die durch ihn bezeichnete Ordnung erstreckt sich vielmehr auf alles Seiende fr 1 (Diels
I 150) uam. Der Ausdruck Weltseele freilich ist für Heracl noch nicht nachzuweisen.

Für das ganze 5. u 4. Jhdt ist innerhalb u außerhalb der Philosophie die Vorstellung
von der Eigenständigkeit der Seele u ihrem gegenüber dem Körper (→ VII 1026, 26 ff)
30 höheren Wert selbstverständlich. Das wird, ebs wie der Vorrang der Gesinnung vor
der Tat, entweder einfach konstatiert Aesch Sept c Theb 571—596; Simonides fr 542, 27
—30[15]; Eur Hipp 173; Democr fr 170f (Diels II 178f); Isoc Or 15,180 oder äußert sich
in Redewendungen wie πᾶσα πολιτεία ψυχὴ πόλεως Isoc Or 12,138 u οἷον ψυχὴ ὁ μῦθος
τῆς τραγῳδίας Aristot Poët 6 p 1450a 38f. Die Ursachen für die Schlechtigkeit des Men-
35 schen werden nun in seinem Innern gesucht Democr fr 159 (Diels II 175f), u die sittliche Erziehung ist ein Training der Seele für die Wettkämpfe der Tüchtigkeit, wie die
Inschr von der Statue des Redelehrers Gorgias Epigr Graec 875a (4.Jhdt vChr) sagt.
Endlich gibt es gerade in dieser Zeit zahlreiche Neubildungen wie μεγαλοψυχίη Democr
fr 46 (Diels II 156), εὐψυχία Aesch Pers 326, μικροψυχίη Isoc Or 5,79, die alle die herr-
40 schende Bdtg Seele voraussetzen. Auch die Medizin des 5.Jhdt u der Folgezeit rechnet
stets mit der Einteilung des Menschen in Leib u Seele Hippocr, De aere aquis locis 19,7
(CMG I 1, 2 p 68), wobei die ψυχή Sitz aller geistigen u moralischen Qualitäten ist ebd
24 (p 77f). Die ψυχή ist das Selbst des Menschen Eur Suppl 160; Ba 75; Hdt II 123, 2,
was dem Fortleben der älteren Bdtg Leben Eur Alc 462; Or 1163; Hdt I 24, 2 keines-
45 wegs widerstreitet.

3. ψυχή in der Philosophie Platos.

Sokrates' Konzentration aller sittlichen Bemühung auf
das ἐπιμελεῖσθαι τῆς ψυχῆς (Plat Ap 30b), seine oft wiederholte Aussage, Nutzen

---

31 (II 567e); Oracula Chaldaica bei Procl In
Rem Publ zu X 620a (II 336, 29f); Philo
Som I 139. In dieselbe Zeit fällt das erste Auftreten der Wundermänner vom Schamanen-
typ in der griech Welt, Abaris, Aristeas, Za-
molxis uam, die ihre Seele auf Reisen schicken
können, vgl Max Tyr Diss 10, 2f; Cl Al Strom
I 21,133, 2, vgl JDPBolton, Aristeas of
Proconnesus (1962) 142—175.
[10] ed DLPage, Poetae Melici Graeci (1962)
184.

[11] ed CPrato, Tyrtaeus, Lyricorum Graecorum quae exstant 3 (1968) 29. 31.
[12] Vgl BSnell, Tyrtaios u die Sprache des
Epos, Hypomnemata 22 (1969) 7—20.
[13] ed Lobel-Page aaO (→A 7).
[14] Zu Vorstufen in der Sprache der Lyrik
vgl Snell aaO (→ A 12) 19; dazu HFränkel,
Dichtung u Philosophie des frühen Griechentums ²(1962) 432f. 444—447.
[15] ed Page aaO (→ A 10) 282.

und Schaden bedeute allein das, was die Seele des einzelnen Menschen besser oder schlechter mache, resümiert, wie sich aus dem Gesagten ergibt, eine lange Entwicklung. Weil der Mensch nunmehr ausschließlich nach dem Zustand seiner Seele beurteilt werden darf, wird er als sittlich sich verhaltendes Individuum unabhängig vom äußeren Geschehen und vom Urteil der Umwelt. Plato ist von dieser 5 sokratischen Position ausgegangen, hat aber in seiner umfassenden Psychologie noch andere Anregungen verwertet.

a. ἑκὼν ἀέκοντί γε θυμῷ Hom Il 4, 43 u θυμὸς δὲ κρείσσων τῶν ἐμῶν βουλευμάτων Eur Med 1079 bezeugen die früh gewonnene Erfahrung, daß der auf Einsicht in die Situation beruhende Entschluß auf den Widerstand spontaner Impulse 10 stoßen kann, die gleichfalls in der Seele ihren Ursprung haben. Darauf antwortet die Lehre von der Trichotomie. λογιστικόν, θυμοειδές u ἐπιθυμητικόν liegen in der Seele beieinander Plat Resp IV 439c—441b uö.

b. Der unterschiedliche Wert der Seelenteile ergibt sich nach ontologischen Kategorien. Das λογιστικόν kommuniziert am stärksten mit dem reinen, 15 nur dem Denken zugänglichen Sein, während das ἐπιθυμητικόν am meisten der abbildhaften, nicht eigentlich seienden Sinnenwelt verhaftet ist. Darum muß der Mensch durch lebenslanges Bemühen um rechte Erkenntnis dem λογιστικόν die ihm gebührende Herrschaft über die anderen Seelenteile sichern, vgl das Wagenlenkergleichnis Phaedr 246a—d. Das führt folgerichtig zu der Lehre, sittliches Bemühen müsse eine Flucht 20 aus der Sinnenwelt u eine Angleichung an das intelligible Sein, an Gott, bedeuten Theaet 176b[16].

c. Weil die Seele oder doch ihr wertvollster Teil dem transzendenten Sein zugehört[17], ist sie nicht an die Endlichkeit der Sinnenwelt gebunden, also präexistent u unsterblich. Mit Hilfe pythagoreischer Jenseits- u Seelenwanderungs- 25 lehren hat Plat diese Auffassung mythisch expliziert, zB Resp X 614b ff, hingegen die pythagoreische Def der Seele als einer als Zahlenverhältnis faßbaren Harmonie des Organismus abgelehnt, weil das dem Seinscharakter der Seele widerspreche Phaed 92a ff.

d. Plat findet die Struktur der Individualseele im Aufbau des rechten Staates wieder, der demnach ein vergrößertes Modell der Seele ist, zB Resp 30 IV 435a; 441a. Dieser Gedanke, der voraussetzt, daß sich das Wesen des Menschen nur in der Polis ganz entfaltet, ist späterhin nicht so fruchtbar geworden wie der Tim 30b—31b uö dargelegte Zshg zwischen Individualseele u Seele des Kosmos[18]. Diese Lehre versteht die Welt als lebendigen, funktional geordneten Organismus. Lebendigkeit aber bedeutet Bewegung[19], die deshalb zum ἴδιον der Seele erklärt wird Phaedr 35 245c. Man sieht, daß die alte Bdtg *Leben* für ψυχή gerade auch für die Lehre von der Weltseele konstitutiv ist.

Bis in die späteste Antike ist die Psychologie in den einzelnen Philosophenschulen weiter ausgestaltet worden. Noch der Neuplatonismus ist auf diesem Gebiet bes originell gewesen. Nur einige Details der späteren Entwicklung seien hier behandelt[20]. 40

---

[16] Die seit Xenocrates in der akademischen Lehrtradition feste τέλος-Formel ὁμοίωσις θεῷ hat darum oft Ausdeutungen im Sinn einer leibfeindlichen Askese erhalten, daneben aber auch die verständigere Interpretation, Gottes Wesen intellektuell zu erfassen u sein Wohltun nachzuahmen, vgl HMerki, Ὁμοίωσις Θεῷ, Paradosis 7 (1952).

[17] Für Plat ist darum nur das λογιστικόν der Seele unsterblich. Xenocrates fr 75 (ed RHeinze, Xenocrates [1892] 188) dehnt diese Unsterblichkeit auf die ganze Seele aus. Albinus u Atticus kehren in diesem Punkt zur platonischen Position zurück, während Jamblichus u Porphyrius wiederum Xenocrates folgen, vgl Procl In Tim zu 41c. d (III 234, 7ff).

[18] Zwar ist für Plat u die Akademie die Einzelseele nicht, wie für die Stoiker, ein Teil der Weltseele, doch hat sie, wenn auch später vom Demiurgen erschaffen, dieselbe οὐσία, vgl FMCornford, Plato's Cosmology (1937) 57f. Plut, De Virtute Morali 3 (II 441f) nennt die Einzelseele im μίμημα der Weltseele.

[19] Selbstbewegung als bes Kennzeichen der Seele ist stets ein wichtiges Lehrstück der Psychologie geblieben, vgl Aristot An II 1 p 412b 16f; MAnt V 19.

[20] Vgl hierzu die reiche Doxographie bei Stob Ecl I 362, 23—383, 14 (aus Jambl) u Eus Praep Ev 15, 60f (Pseud-Plut Plac Phil IV [II 898c—899b], vgl HDiels, Doxographi Graeci [1879] 389—392).

4. Die Psychologie der
nachplatonischen Philosophie.

a. Beschaffenheit der Seele.

Während die Platoniker mit wenigen Ausnahmen, zB Pto-
5 lemaeus bei Stob Ecl I 378,1ff, an der Unsterblichkeit der Einzelseele als eines
Teils des intelligiblen Seins festhalten und ihre — als Vorgang problematische —
zeitweilige Vereinigung mit einem materiellen Leib annehmen, ist für die Peripatetiker [21] die gleichfalls immaterielle Seele das Form-, Lebens- und Tätigkeitsprin-
zip des Gesamtorganismus, weil es für die aristotelische Ontologie kein getrenntes
10 intelligibles Sein gibt (→ VII 1030, 39ff) [22]. Epikureer und Stoiker (→ VII
1031, 32ff) betrachten die Seele wie alles Seiende als materiell, sei es als Gebilde
aus besonders kleinen und beweglichen Atomen [23], sei es als πνεῦμα *Feuer*, Strom
allerfeinster Materie, der den aus gröberem Stoff gebildeten Leib durchfließt und
in Kopf und Herz, den Zentren der vitalen Kraft und der Denkkraft, sich ver-
15 dichtet [24]. Diese feinste Materie ist die formende, ordnende und lebenspendende
Kraft des gesamten Kosmos, die in den feurigen, sich in mathematisch-vernünftigen
Bahnen bewegenden Sternen in voller Reinheit zutage tritt. Die Individualseele
ist nichts als ein abgespaltener Teil der Weltseele, mit der sie sich nach dem Tode
des Menschen wiedervereinigt. Die Korrespondenz von Einzelseele und Weltseele
20 ist bei den Stoikern noch enger gestaltet als bei den auf Platos Timaeus fußenden
Akademikern (→ A 18). Die jenseitige Heimat der Seele im platonischen Mythos,
der ὑπερουράνιος τόπος, entspricht der zwar immanenten, aber außerhalb der eigentlichen Erfahrung liegenden Gestirnwelt. Abgesehen davon, daß die materialistische
stoische Psychologie leicht spiritualistisch umgedeutet werden konnte, führen beide
25 Lehren zur Anschauung, daß Seele und Kosmos in enger Verbindung stehen, Psychologie also mit Astronomie bzw Astrologie vieles gemeinsam hat [25].

b. Einteilung der Seele.

Die platonische Trichotomie (→ VI 393, 4ff) ist Ausgangspunkt
aller weiteren Einteilungsschemata. Aristot An III 10 p 433b 1ff uö läßt im strengen

---

[21] Die Peripatetiker haben sich stets sowohl von der materialistischen Psychologie
der Stoa u Epikurs wie von der spiritualisti-
schen der Akademie distanziert. So bestreitet
Dicaearchus fr 8 (FWehrli, Die Schule des
Aristot. Dikaiarchos ²[1967] 14f) die Annahme einer eigenen οὐσία der Seele, Alex
Aphr An I 126r (I 19, 6—20); II 145v (I
114, 36) ihre Beschreibung als σῶμα λεπτο-
μερές (epikureisch) oder πνεῦμα (stoisch).
[22] Aristot Metaph VII 6 p 1045b 7ff uö.
[23] Epic ep I 63 (Usener): ἡ ψυχὴ σῶμά ἐστι
λεπτομερὲς παρ' ὅλον τὸ ἄθροισμα παρεσπαρ-
μένον, προσεμφερέστατον δὲ πνεύματι θερμοῦ τινα
κρᾶσιν ἔχοντι καὶ πῇ μὲν τούτῳ προσεμφερές,
πῇ δὲ τούτῳ.
[24] Vgl fr 773—911 (vArnim II 217—263).
Mit der Lehre, daß sich das Seelenpneuma

aus dem Blut nähre, findet die Stoa Anschluß
an die alte Vorstellung von der Blutseele,
Zeno, Cleanthes u Chrysippus nach Diogenes
Babylonius fr 30 (vArnim III 216).
[25] Daß σῶμα u ψυχή in ihrer Beschaffenheit
von Klima u anderen Umwelteinflüssen abhängig seien, lehrt nach dem hippokratischen
Autor der Schrift De aere aquis locis 19,7
(CMG I 1, 2 p 68); 23, 5 (p 76); 24, 3 (p 78)
uö; nach Emped fr 106 (Diels I 350); Plat u
den Platonikern Pseud-Plat Epin 987d. e vor
allem Pos, vgl KReinhardt, Artk Poseidonios,
in: Pauly-W 22 (1954) 678f. In der Astrologie
wird daraus eine Determination der psychischen Beschaffenheit durch die je nach der
geographischen Lage verschiedene Konstellation Ptolemaeus, Tetrabiblos II 2 (ed FBoll-
ABoer, Apotelesmatica [1940] 58—61).

Sinn nur die Einteilung in δυνάμεις, nicht in μέρη gelten. Indem er ausdrücklich alle vegetativ-animalischen Funktionen auf die Seele zurückführt, fügt er neben den aus Plat bekannten Kräften auch diese in den Aufbau der Seele ein. Der rationale Bereich der Seele ist spezifisch menschlich, den irrational-triebhaften hat der Mensch mit dem Tier, den vegetativen mit Tier u Pflanze gemeinsam Gen An I 4 p 741 a 1 uö [26]. Alle Glie- 5 derungen stimmen darin überein [27], daß dem Denkvermögen der höchste Rang einge- räumt wird [28]. Die orthodoxe Stoa geht soweit, alle, auch die gemeinhin als irrational klassifizierten Seelenregungen (Affekte), als Verstandesurteile bzw als aus ihnen kom- mende Impulse zu deuten [29], während Panaetius u Pos im Anschluß an akademisch- peripatetische Auffassungen den Eigenwert des alogischen Bereiches anerkennen u seine 10 Kontrolle durch den Verstand postulieren, vgl die diesbezügliche Polemik des Pos gegen Chrysippus bei Gal, De Placitis Hippocratis et Platonis V p 463 f [30]. Die mittelplatonische Psychologie bedient sich der aristotelischen, bei Plat noch nicht klar vollzogenen Schei- dung zwischen νοῦς u ψυχή [31], um die von der Transzendenz in die Immanenz reichende Stufenleiter zu markieren: Die Seele hat Anteil am νοῦς, aus dem sie hervorgegangen 15 ist, gehört also damit zunächst zum intelligiblen Sein. Sie nimmt jedoch beim Eintritt in die Sinnenwelt Kräfte auf, die ihr die Wirkung auf die Materie ermöglichen. So prägt der νοῦς die ψυχή auf einer höheren, die ψυχή das σῶμα auf einer niedrigeren Seins- stufe Plut, De Animae Procreatione in Timaeo 27 ff (II 1026 c ff); Albinus, Didasca- lius 4, 5 ff [32]. Der innerste Wesenskern des Menschen ist demnach der νοῦς Plut Fac 20 Lun 30 (II 944 f) [33]. Sofern nur die erste Stufe des Abstiegs zurückgelegt wird, ent- stehen Dämonen, die ψυχαί ohne Körper, aber nicht rein noetische Wesen sind. Ähn- liches kann der Menschenseele nach dem Tod beim Aufstieg geschehen Sext Emp Math IX 74. Eine verbreitete Vulgärmeinung findet so ihre psychologische Begründung.

---

[26] Vergleichbare Differenzierungen gibt es schon bei den Vorsokratikern. So ist für den Pythagoreer Philolaus fr 13 (Diels I 413) eine Einteilung bezeugt, nach der die *Denkkraft* νοῦς im Hirn, die *Empfindung* ψυχὴ καὶ αἴσθη- σις im Herzen, die Fähigkeit zu Wachstum u Ernährung im Unterleib u die Zeugungskraft in den Genitalien sitzt. Das Wort νοῦς (→ IV 952, 41 ff), das hier gegenüber ψυχή mit genau fixierter Bdtg abgesetzt wird, taucht als mehr oder weniger eindeutig geprägter Terminus bei mehreren Vorsokratikern auf, vor allem bei Anaxag, zB fr 12 (Diels II 38, 4 f). Die Differenzierung νοῦς/ψυχή, die Plat Phileb 30 c; Tim 30 b bedingt gelten läßt, bereitet sich also früh vor.

[27] Vgl das von → Waszink 210—215 zu Tertullian, De Anima 14, 2 gesammelte Ma- terial.

[28] Für das seelische Leitorgan, das nach der Meinung aller Schulen vor allem reine Denk- kraft beherbergen muß, hat sich weithin der urspr stoische Terminus ἡγεμονικόν eingebür- gert. Dieses Organ wird gern als Gott oder Daimon gedeutet, das nach alter religiöser Anschauung, zB Hes Op 121 ff, den Weg des Menschen bewacht Xenocrates fr 81 (ed Heinze aaO [→ A 17] 191); Pos bei Gal, De Placitis Hippocratis et Platonis V (ed IMüller [1874] 448,15 f); Diog L VII 88, vgl den Komm von WTheiler, Kaiser Marc Aurel, Wege zu sich selbst (1951) 309 f zu MAnt II 13,1.

[29] Die psychologische Erklärung mensch- lichen Handelns sieht in orthodox-stoischer Lehre folgendermaßen aus: Die Vernunft bildet aus den Sinneseindrücken eine *Vor- stellung* φαντασία, von der sie dann in einem eigenen Erkenntnisakt συγκατάθεσις festlegt, ob sie das Subj als sittlich handelndes Indi- viduum angeht (ἐφ' ἡμῖν) u ob sie insoweit

einen Wert- oder Unwertcharakter besitzt. Daraus folgt notwendigerweise ein Antrieb zum Handeln, weil das Individuum sich des Wertes zu bemächtigen oder den Unwert zu vermeiden trachtet. Der Affekt ist eine ὁρμὴ πλεονάζουσα auf der Basis einer falsch konzi- pierten oder falsch beurteilten Vorstellung. Als Impuls überschreitet er alles rechte Maß, weil das Ziel, an dem er sich orientiert, in der Realität nicht existiert, sondern irrtümlicher- weise angenommen worden ist.

[30] ed IMüller (1874). Aus der orthodox- stoischen Position ergibt sich die Apathie, die völlige Affektlosigkeit, als Ziel sittlicher Be- mühung. Sie ist nichts weiter als die durch Irrtümer udgl unbeeinträchtigte Befähigung zu richtigem Urteil. Platoniker u Peripatetiker lehren statt dessen die Metriopathie, die Kon- trolle u Lenkung an sich legitimer Affekte durch die Vernunft. Gott als reiner νοῦς oder λόγος ist in jedem Fall affektlos, vgl MPoh- lenz, Vom Zorne Gottes, FRL 12 (1909). In der Kaiserzeit treten freilich die Schulgegen- sätze zunehmend zurück, so daß der Plato- niker Plut, De Curiositate 1 (II 515 c) die Apathie empfehlen kann.

[31] Für Aristot An I 4 p 408 b 18 ist nur der göttliche νοῦς, nicht aber die Einzelseele un- sterblich.

[32] ed PLouis, Albinos, Epitomé (1945). Ähnlich nach Heinze aaO (→ A 17) IX schon Xenocrates.

[33] In der allegorischen Mythendeutung Plut Is et Os 49 (II 371 a. b) entsprechen der νοῦς dem guten Osiris, ἄλογος ψυχή u σῶμα dem bösen Typhon-Seth. Weitere Details bei WTheiler, Gott u Seele im kaiserzeitlichen Denken. Forschungen zum Neuplatonismus, Quellen u Studien zur Gesch der Philosophie 10 (1966) 104—123.

Der Einordnung der ψυχή in ein gestuftes Sein begegnet man auch bei Pos, hier freilich ohne den Gegensatz Geist/Materie[34]. Das πνεῦμα, für die orthodoxe Stoa die Substanz der ψυχή (→ 610,10ff), wird bei Pos[35] zum Substrat der vom νοῦς geschiedenen
ἄλογος ψυχή, die MAnt V 33, 4; VII 16, 3; XII 26, 2 geringschätzig ψυχάριον nennt, vgl
5 auch Ascl 18 (→ VI 353, 5ff). Die Stufenreihe σῶμα/ψυχή/νοῦς bei MAnt III 16,1, vgl
XII 3,1 uö geht letztlich auf Pos zurück, u mit der Trennung des νοερόν von den vier
Elementen MAnt IV 4, 3 ist eine der stoischen Psychologie von Haus aus fremde Spiritualisierung der Seelenvorstellung vollzogen[36]. Spätere Peripatetiker haben ihrerseits
unter dem Eindruck der akademisch-stoischen Psychologie ihre Lehre modifiziert.
10 Ptolemaeus, De Iudicandi Facultate 15[37] unterscheidet zwei ἡγεμονικά (→ A 28). Eines
sitzt im Hirn, das andere im Herzen als dem Zentrum der Lebenskraft. Alex Aphrod
An II 143v (I 106,19ff) bringt die Lehre vom dreifachen νοῦς: ὑλικός, ἐπίκτητος *durch*
Lernen erworben, vgl I 138r (I 82,1), u ποιητικός. Nur der letzte ist göttlich u nicht Bestandteil, sondern Akzidens der Seele, der ja nach peripatetischer Auffassung die Un-
15 sterblichkeit abgeht[38]. Im Neupythagoreismus führt das Streben nach Hervorhebung
des Geistigen zur Doktrin von den zwei Seelen des Menschen, von denen nur eine, die
mit dem νοῦς gleichgesetzte λογική ψυχή, aus der intelligiblen Welt kommt. Die ἄλογος
ψυχή erscheint wieder als πνεῦμα (→ 612, 2ff), als stoffliches Gewand der λογική ψυχή
dessen Bestandteile sich diese auf ihrem Abstieg durch die Astralsphären anlegt Nume-
20 nius bei Stob Ecl I 350, 25ff; Oracula Chaldaica p 63; 61.[39]

Im Gesamtbild zeigt sich, daß in der philosophischen Sprache der hellenistisch-
römischen Zeit ψυχή durchaus noch die Gesamtheit der geistig-seelischen Funktionen bezeichnet, daß aber, insbesondere durch die Abgrenzung des νοῦς gegenüber der ψυχή, eine gewisse Abwertung des Wortes eintritt, insofern es die reine
25 Spiritualität nicht mehr zu bezeichnen vermag.

---

[34] Ob Plat u die Platoniker den Ursprung
des Bösen unmittelbar aus dem Gegensatz
Leib/Seele bzw Materie/Geist abgeleitet haben, ist fraglich, vgl → Festugière 1—32.
Phaedr 246a—c rechnet Plat mit einer Art
von Sündenfall der Seele, mit einem Abweichen von ihrer Bestimmung im Vollzug
der ἐνσωμάτωσις. Nach Tim 30a befindet sich
die Materie vor ihrer Gestaltung zum Kosmos
durch die vom Demiurgen geschaffene Weltseele im Zustand ungeordneter, also schlechter
Bewegung, u durch der ihr innewohnenden
Hang zur Unordnung kann man sie in der Tat
als Ursache des Bösen ansehen. Auf den mittleren Platonismus hat dgg die aristotelische
Lehre von der qualitätslosen ὕλη eingewirkt,
die als solche kaum Ursache des Bösen sein
kann. Plut, De Animae Procreatione in
Timaeo 7 (II 1015c) führt darum das Böse
auf die ψυχή, die an mehreren Seinsstufen
Anteil hat, u nicht auf den νοῦς zurück. Zur
Geschichte des Problems vgl ESchröder,
Plotins Abhandlung ΠΟΘΕΝ ΤΑ ΚΑΚΑ
(Diss Rostock [1916]). Wieder anders argumentiert Pos, vgl Reinhardt aaO (→ A 25)
752. Pos mußte die stoische Meinung berücksichtigen, nach der es in Wahrheit keine
κακά gebe.
[35] Vgl Theiler aaO (→ A 28) 320. 326.
[36] Die volle Ausbildung der Lehre vom ge-
stuften Sein bringt der Neuplatonismus. Angeregt durch neupythagoreische Zahlenspeku-
lationen verstehen die Neuplatoniker den
Übergang vom Sein zum Nichtsein vorzüglich
als Übergang von der Einheit zur Vielheit. So
kommt die Antiklimax ἕν/νοῦς/ψυχή/σῶμα zustande; denn schon mit dem νοῦς verbindet

sich die im Denkakt gegebene Aufspaltung
einer anfänglichen Einheit in Subj u Obj.
[37] ed FLammert (1952).
[38] Nach Alex Aphr An I 139v (I 89,16ff)
ist auch nur der göttliche νοῦς ποιητικός unsterblich. Jeder andere νοῦς stirbt mit der
zugehörigen Seele.
[39] ed WKroll, De oraculis Chaldaicis,
Breslauer philologische Abh 7,1 (1894), vgl
OGeudtner, Die Seelenlehre der chaldäischen
Orakel, Beiträge zur klass Philologie 35
(1971) 16—24. Vielleicht darf man bei Numenius ähnlich wie bei manchen Gnostikern
(→ 657, 21ff) die Erzählung vom Auf- u
Abstieg der Seele durch die Gestirnssphären
wörtlich, dh nicht nur als mythische Explikation eines spekulativ erfaßten innersee-
lischen Vorgangs, verstehen, vgl EALee-
mans, Studie over den wijsgeer Numenius
van Apamea met uitgave der fragmenten
(1936) 43—49. Für den wohl von Pos stammenden Mythos Plut Fac Lun 28f (II
943a—f), der die Zuordnung νοῦς/ἥλιος,
vgl Vett Val I 1 (p 1f), ψυχή/σελήνη u σῶμα/
γῆ begründet, gilt das schwerlich. Sowohl Plat
Phaed 65e—69d als auch Plot Enn VI 9, 9
weisen darauf hin, daß Mythen zur Veranschaulichung innerseelischer Vorgänge erzählt werden. Natürlich knüpft philosophische Mythopoie an geläufige religiöse Vorstellungen an u kann deshalb von einem
weniger geschulten Leser primär als religiös,
als Vermittlung überrationaler Kunde, verstanden werden. Auch die philosophische
Dogmenbildung nimmt nicht selten auf herrschende religiöse Anschauungen Rücksicht.
So paßt etwa die Vorstellung von einer un-

Die reiche psychologische Theorienbildung der nachklassischen Medizin hängt durchweg von der Philosophie ab u zeigt sich verständlicherweise bes an der organischen Bindung der seelischen Funktionen interessiert. In der Frage der Körperlichkeit der ψυχή stehen die Meinungen in schroffem Gegensatz, vgl etwa die Polemik Gal, De Naturalibus Facultatibus I 12 (Kühn II 26—30) gg die Methodikerschule. Die Beobach- 5 tung, daß ein Leichnam schwerer erscheint als ein lebender Mensch, ist als Argument für u gg die Körperlichkeit der Seele in Anspruch genommen worden[40].

5. Die Vulgärvorstellungen nachklassischer Zeit.

Die Vulgärvorstellungen decken sich weithin mit denen, die unserem Wort Seele zugeordnet sind. ψυχή bezeichnet den handgreiflich nicht 10 zu fassenden Wesenskern des Menschen, den Träger seines Denkens, Wollens und Fühlens sowie den Inbegriff seiner Lebendigkeit.

Ein Brief, so sagt der Stiltheoretiker Pseud-Demetr, De Elocutione 227, soll die εἰκών τῆς ψυχῆς sein, also das Wesen des Absenders widerspiegeln. Der rechtschaffene Äthiopier hat einen schwarzen Körper, aber eine weiße Seele nach dem Text einer Grabin- 15 schrift[41], u die treue Gattin ist eine ψυχὴ φιλανδροτάτη Epigr Graec 547,14 (1./2.Jhdt nChr). Man muß eine reiche ψυχή haben, sagt der Komiker Antiph fr 327 (CAF II 134), χρήματα sind nur die Lebenskulisse, was der ἔξω χορηγία der peripatetischen Ethik entspricht. Man kann den Göttern ἀπλῇ τῇ ψυχῇ opfern Ditt Syll³ III 1042,12 (2.Jhdt nChr), etwas ὅλῃ τῇ ψυχῇ tun, so schon Xenoph Mem III 11,10, dazu ἐκ πάσης ψυχῆς 20 Epict Diss III 22,18, oder mit anderen μιᾷ ψυχῇ verbunden sein Dio Chrys Or 36, 30. Eheliche Gemeinschaft erstreckt sich auf äußere Güter βίος, auf σῶμα u ψυχή[42] Ditt Syll³ II 783, 33 (1.Jhdt vChr). Eine magische Defixion erfaßt χεῖρες, πόδες, γλῶσσα, ψυχή Ditt Syll³ III 1175 (3.Jhdt vChr). σὴ ψυχὴ ἐπίσταται bedeutet *du weißt sehr wohl* BGU IV 1141, 23f (1.Jhdt vChr); καθαρὰ ψυχή ist das *reine Gewissen* oder die *reine* 25 *Gesinnung* BGU IV 1040, 21 (2.Jhdt nChr), u ἔχω κατὰ ψυχήν heißt *vorhaben* Pap Societatis Archaeologicae Atheniensis 62,17f (1./2.Jhdt nChr)[43]. Das für eine breite Leserschaft bestimmte Traumbuch Artemidors unterscheidet ἴδια σώματος wie Essen oder Schlafen von den ἴδια ψυχῆς wie Freude oder Schmerz Onirocr I 1 (p 3) u setzt Vorstellungen von der Verwandtschaft der Seele mit dem Kosmos II 60 (p 155), von ihrer Auf- 30 fahrt zum Himmel II 68 (p 160) oder von ihren Reisen während des körperlichen Schlafes V 43 (p 262) als allgemein bekannt voraus. Daß die Seelen nach dem Tod ins Jenseits, in den Himmel, Äther oder dgl, an einen Ort der Strafe oder Seligkeit, gehen, entspricht alter Eur Suppl 533, verbreiteter Epigr Graec 433 (2.Jhdt nChr); GrVI 1031 (2./3.Jhdt nChr)[44], aber keineswegs unbestrittener Anschauung Callim Epigr 13; IG IX 2, 640[45]. 35 Die Unterweltsatiren des Luc setzen diesen Zwiespalt voraus. Daß nur dem Ergehen der Seele moralische Bdtg zukommt, lehrt nicht allein die Philosophie. Auch die Astrologie verspricht, die Seele des Menschen u damit den Menschen schlechthin frei zu machen durch die Kunde von den Determinationsregeln des physischen Geschehens Vett Val V 9 (p 220, 21). Menschliche Freiheit ist Freiheit der Seele, ihres Bewußtseins u 40 ihrer Entscheidungen. Die ψυχή ist das Wertvollste am Menschen Menand Mon 843[46]. — Die Bdtg *Leben* verschwindet nicht[47]. σῶσαι πολλὰς ψυχάς heißt *viele Menschenleben retten* PTebt I 56,11 (2.Jhdt nChr); POxy VII 1033,11 (4.Jhdt nChr). Der Ausdruck ἐπιβουλευθείς μὲν εἰς τὴν ψυχήν bezeichnet einen Anschlag auf das *Leben* Achill Tat VIII

---

sterblichen Einzelseele nicht in die stoische Physik. Trotzdem lehrt Cleanthes, daß alle ψυχαί, Chrysippus, daß diejenigen der σοφοί bis zur nächsten ἐκπύρωσις, mit der eine Weltperiode abschließt, eine individuelle Existenz nach dem Tod besitzen Diog L VII 157.

[40] Vgl → Waszink 157—159 zu Tertullian, De Anima 8, 3.

[41] ed WPeek, Griech Grabgedichte, Schriften u Quellen der Alten Welt 7 (1960) 420 (3.Jhdt nChr).

[42] Diese Einteilung entspricht genau der peripatetischen, vom Mittelplatonismus Cic De Orat II 342 übernommenen Güterlehre Stob Ecl II 130,15ff.

[43] ed GAPetropulos, ΠΡΑΓΜΑΤΕΙΑΙ ΤΗΣ ΑΚΑΔΗΜΙΑΣ ΑΘΗΝΩΝ I (1939).

[44] RLattimore, Themes in Greek and Latin Epitaphs ²(1962) 44—54.

[45] Lattimore aaO (→ A 44) 74—78.

[46] ed SJaekel, Menandri Sententiae (1964).

[47] Vgl etwa den Gebrauch der Wörter ἔμψυχος/ἄψυχος in der außerphilosophischen Sprache. Das Tier kann ebs ἔμψυχον *belebtes Wesen* PGiess 40 II 22 (2./3.Jhdt nChr), vgl Thuc VII 29, 4 oder die Def des Sklaven als ὄργανον ἔμψυχον Aristot Eth Nic IX 13 p 1161b 4, wie ἄλογον *vernunftloses Wesen* heißen, so schon Plat Prot 321b, später auf die Bdtg *Pferd* eingeengt POxy I 138, 29 (7.Jhdt nChr).

3,1. Ob in der Wendung πᾶσα ψυχή *jedermann* diese Bdtg aufgenommen worden ist oder der Mensch nach seinem wichtigsten Teil bezeichnet wird, kann man kaum entscheiden; denn beide Vorstellungen berühren sich. παραβάλλομαι τῇ ψυχῇ Diod S 3, 36 heißt *sein Leben einsetzen*, ähnlich in einer Ehreninschrift ψυχῇ καὶ σώματι παραβαλλόμενος καὶ δαπάναις χρώμενος ταῖς τοῦ ἐκ βίου Ditt Syll³ II 762, 39f (1. Jhdt vChr). Die in nachklassischer Zeit neu auftretenden Zusammensetzungen mit ψυχή gehen alle wohl eher von der Bdtg *Seele* aus, etwa μακρόψυχος *geduldig* Preis Zaub I 4, 2902 (4./5. Jhdt nChr) neben älterem μακρόθυμος u μακροψυχέω PGreci e Latini IV 299, 11 (3. Jhdt nChr).

Dihle

B. Die Anthropologie des Alten Testaments.

1. נֶפֶשׁ.

Der hbr Ausdruck für ψυχή ist נֶפֶשׁ; zweimal steht ψυχή für das hbr רוּחַ Gn 41, 8; Ex 35, 21, einmal für חַיִּים ψ 63 (64), 2 u 25mal für לֵב 2 Kö 6, 11; 1 Ch 12, 39; 15, 29; 17, 2; 2 Ch 7, 11; 9, 1; 15, 15; 31, 21; ψ 20 (21), 3; 36 (37), 15 vl; 68, 21. 33; Prv 6, 21; 15, 32; 26, 25; Js 7, 2. 4; 10, 7; 13, 7; 24, 7; 33, 18; 42, 25; 44, 19; Jer 4, 19. In dieser Neigung zur Vereinheitlichung kann man einen Versuch zur Systematisierung sehen, u sie liefert darüber hinaus den Beweis, daß die Worte נֶפֶשׁ, רוּחַ u לֵב sich so stark angeglichen hatten, daß man sie austauschen konnte. Der Ausdruck נֶפֶשׁ ist ebs schwierig zu definieren wie zu übersetzen[48], was auf seinen beweglichen u dynamischen Aspekt zurückzuführen ist.

a. נֶפֶשׁ und Atem.

Die Wurzel נפשׁ hat die Bdtg *hauchen* u *atmen*. Dieser physische Aspekt des Atems tritt zutage in נפשׁ *atmen, Atem schöpfen*, aber auch נשׁף *heftig atmen* Ex 15, 10, נשׁב *schnaufen, wehen* Js 40, 7 u נשׁם *mit Mühe atmen* Js 42, 14[49]. Als Verbum kommt die Wurzel נפשׁ nur an drei St vor, einmal im konkreten Sinn von *Atem schöpfen* bei physischer Erschöpfung 2 S 16, 14 u zweimal in Verbindung mit der Sabbatruhe Ex 23, 12; 31, 17, an letzterer St mit Jahwe als Subjekt. Da der Sabbat der große Regulator der Zeit ist, die abwechselnd aus Ruhe u Bewegung besteht, eignet sich die Atmung, die dieselbe Wechselwirkung aufweist, dazu, den Sinn eines beständig gefährdeten u stets wiedergewonnenen Lebens[50] im Kosmos u beim Menschen auszudrücken. Das entscheidende Merkmal eines Lebewesens ist die Atmung, u ihr Aufhören bedeutet das Ende des Lebens. Daher bezeichnet die Wurzel נפשׁ in ihrer nominellen Anwendung נֶפֶשׁ, die 755mal in der hbr Bibel erscheint, das *Leben* u das *lebendige Wesen*, während der spezielle Sinn von *Atem* eher durch נְשָׁמָה ausgedrückt wird, obwohl letzteres an mehreren St die Entwicklung von נֶפֶשׁ mitgemacht hat[51] Dt 20, 16; Jos 10, 40; 11, 11. 14;

---

[48] Der Begriff נֶפֶשׁ ist in den letzten Jahrzehnten in drei Monographien behandelt worden. JHBecker, Het begrip nefesj in het Oude Testament (1942) gibt eine eingehende Analyse aller Bibelstellen, in denen das Wort vorkommt, u teilt sie in entsprechende Gruppen ein: a. נֶפֶשׁ als Leben, b. נֶפֶשׁ als Lebensziel, c. נֶפֶשׁ als Individuum u Personalpronomen, d. נֶפֶשׁ als irgend jmd, e. נֶפֶשׁ als lebendiges Wesen. → Lys Nèphèsh bietet in einem ersten mehr religionsgeschichtlichen Teil eine Übersicht über den Begriff der Seele im Altertum u in einem zweiten eine chronologische Statistik, geordnet nach literarischen Gattungen. Man wird den sehr eingehenden exegetischen Bemerkungen mehr Beachtung schenken als den historischen Folgerungen, die darauf aufgebaut sind. → Murtonen arbeitet als grundlegende Bdtg des Wortes das Leben in seinem Ausgerichtetsein auf etw heraus. Diese Studie, die sich genau an den sprachlichen Tatbestand hält u den funktionellen Aspekt der נֶפֶשׁ unterstreicht, dürfte unseres Erachtens heute als die beste Grundlage für weitere Untersuchungen gelten.

[49] Wie sich die verschiedenen Buchstaben der Wurzel untereinander verbinden, kommt anschaulich zum Ausdruck in dem an Mandelkern u Ges-Buhl sich anlehnenden Schema bei → Becker aaO (→ A 48) 100.

[50] → Lys Nèphèsh 121.

[51] Die Wurzel נשׁם begegnet im AT 26mal, darunter 24mal als Subst, u bezeichnet den *Atem*, den Gott dem Menschen einbläst, u den Atem im Menschen, von LXX durch πνοή wiedergegeben, der immer als eine Gabe Gottes

1 Kö 15, 29; Ps 150, 6; Js 57,16. Man kann jedoch sagen, daß נֶפֶשׁ immer נְשָׁמָה einschließt, sich aber nicht darauf beschränkt. 1 Kö 17,17 verursacht das Ausbleiben der נְשָׁמָה das Entweichen der נֶפֶשׁ, die dank der Atemübertragung des Propheten in das Kind zurückkehrt; denn die נֶפֶשׁ allein ist es, die ein Lebewesen zu einem lebendigen Organismus macht. Die flüchtige, schwer erfaßbare Form des Atems eröffnet verschiedene 5 Anwendungsmöglichkeiten, die bald diesen schillernden Aspekt betonen, bald ihn in konkreter Weise festzulegen versuchen. So ist zB der Sinn von *Hals, Kehle*, den נֶפֶשׁ in einigen Texten (→ A 52) angenommen hat, ein Versuch zur Konkretisierung u Lokalisierung der Lebensäußerung an einem bestimmten, sichtbaren Ort [52]. Diese Bdtg stellt aber immer eine Ableitung dar u drückt in keinem hbr Texte den urspr Sinn 10 aus. Jon 2, 6 handelt es sich nicht um Wasser, das bis zum Halse steigt, sondern um das chaotische Element, das das Leben bedroht, u um eine Gleichstellung mit פֶּה oder mit Ausdrücken, die an den Akt des Verschlingens denken lassen. Js 5,14; Hab 2, 5; Qoh 6,7; Ps 63, 6; Prv 13, 2 spielen eher auf einen heftigen Wunsch an als auf einen bestimmten Körperteil. Die Verbindung mit dem Atem zeigt sich sehr deutlich in der 15 Def des Todes als Entweichen der נֶפֶשׁ Man sollte jedoch aus diesen Texten nicht die Schlußfolgerung ziehen, daß die נֶפֶשׁ als immaterielles Prinzip gedacht ist, das von seinem materiellen Unterbau absehen u eine unabhängige Existenz führen kann. Das Verlassen der נֶפֶשׁ ist ein bildlicher Ausdruck für die Feststellung des Todes; denn ein Toter ist jemand, der aufgehört hat zu atmen. Die Wechselbewegung des Atmens ent- 20 spricht der fließenden Natur der Begriffe Leben u Tod im AT. Leben u Tod sind zwei Welten, die nicht scharf voneinander abgegrenzt werden [53]. Wenn zB Krankheit u Angst als eine Verengung der נֶפֶשׁ bezeichnet werden Nu 21,4; Ri 10,16, so soll damit gesagt werden, daß sie eine Manifestation der Welt des Todes sind. Die konkrete Bdtg erscheint auch in der Verbindung von נֶפֶשׁ u נפח *aushauchen* Jer 15, 9; Hi 11, 20; 31, 39. 25

b. נֶפֶשׁ und Blut.

Die Beziehung zwischen נֶפֶשׁ und Blut gehört wahrscheinlich einer anderen Richtung an, die von der Verbindung von נֶפֶשׁ mit Atem, Hauch unabhängig ist. Aber beiden Anschauungen liegt die Beobachtung des Körpers als eines lebenden Organismus zugrunde. Wenn Atem und Blut den Körper ver- 30 lassen, dann verschwindet jegliche Form des Lebens [54].

an den Menschen dargestellt wird. Die Tiere sind davon ausgeschlossen, s TCMitchell, The Old Testament Usage of nešama, VT 11 (1961) 177—187.

[52] s LDürr, Hbr נֶפֶשׁ = akk. napištu = Gurgel, Kehle, ZAW 43 (1925) 262—269. Keine der von Dürr angeführten St veranlaßt zwingend die Übersetzung *Gurgel, Kehle*. Wo vom Hals die Rede ist, steht der Terminus צַוָּאר Js 8, 8; 30, 28. Die umstrittenen בָּתֵּי הַנֶּפֶשׁ Js 3, 20 sind nicht *Häuschen am Hals*, wie Dürr 268 behauptet, auch keine *Riechfläschchen*, deren Duft eine Abwandlung des Hauches wäre; נֶפֶשׁ hat nämlich niemals die Bdtg *Parfüm*. Der Kontext legt es vielmehr nahe, in diesen Gegenständen magische Mittel zu sehen, die das Leben vor irgendeiner Gefahr schützen sollen, gleichwie Ez 13,18—20 von magischen Praktiken der Prophetinnen redet, mittels derer sie *Menschenleben* נְפָשׁוֹת erjagen, um sie zum Leben oder zum Tod zu bringen. Im Akkadischen liegen die Dinge etw anders. kunuk kišadi *Siegel am Hals* ist gleichgestellt mit kunukku napištika *Siegel der Kehle*. Im Ugaritischen begegnen wir derselben Polysemie, die wir

im AT finden. Der Deutung *Kehle* kommen am nächsten bnpšh, par mit bgngnh *das Innere* Baal II, VII 48 (GRDriver, Canaanite Myths and Legends, Old Testament Studies 3 [1956] 100f) = II AB VII 48 (JAistleitner, Die mythologischen u kultischen Texte aus Ras Schamra, Bibliotheca Orientalis Hungarica 8 ²[1964] 45) = 51:VII:48 (CHGordon, Ugaritic Textbook, Analecta Orientalia 38 [1965] 173); sat npšh *was aus seiner* נֶפֶשׁ *herausgeht* Keret II, I 35 (Driver 40f) = II K I—II 35 (Aistleitner 99) = 125:35 (Gordon 192). npšh lḥm tptḥ *er öffnete seine* נֶפֶשׁ *dem Brot* Keret II, VI 11 (Driver 44f) = II K VI 11 (Aistleitner 103) = 127:11 (Gordon 194). Aber in diesen Texten bedeutet npšh wie auch brlth, das an letzter Stelle mit npšh par steht, weniger die Kehle als das Verlangen nach Nahrung oder nach sexueller Befriedigung.

[53] Diese Auffassung wird für das Denken Israels von der heutigen Forschung allg angenommen, vgl JPedersen, Israel, its Life and Culture I—II (1926) 453 u CBarth, Die Errettung vom Tode in den individuellen Klageu Dankliedern des AT (1947) 67.

[54] Das Blut spielt keine Rolle in den

Die drei Texte, die am deutlichsten über die Verbindung zwischen Blut u נֶפֶשׁ orientieren, führen uns in den rituellen Bereich. In dem Verbot בָּשָׂר בְּנַפְשׁוֹ דָמוֹ לֹא תֹאכֵלוּ Gn 9, 4 ist דָמוֹ eine erklärende Glosse, die unterstreichen will, daß man die נֶפֶשׁ nicht anderswo als im Blute suchen soll. Lv 17,11 bestätigt seinerseits, daß der Sitz der נֶפֶשׁ im Blute ist. Die etw abweichende Formulierung in v 14 entspricht der LXX. Der Gesetzesprediger warnt mit der Doppelaussage, daß die נֶפֶשׁ das Blut ist u daß sie im Blut ist, vor einer magischen Deutung des Blutes: Sühnung kann das Blut nur wirken, solange die *Lebenskraft* נֶפֶשׁ in ihm ist. Ebs ist die dritte St Dt 12, 23 zu verstehen, obwohl das Blut hier unter dem Gesichtspunkt des Essens u nicht der Sühne erwähnt wird. Die Versuche, eine Beziehung zwischen dem Blut u dem Atem zu finden, zB den Atem als den Dampf, der aus dem frischen Blut hervorsteigt, zu verstehen, müssen aufgegeben werden. In den oben genannten Texten hat die נֶפֶשׁ nichts mit einer Lufthauch- oder einer Bluthauchseele[55] zu tun, sondern bezeichnet einfach die Lebenskraft. Wahrscheinlicher ist die Verbindung mit dem Blut in Wendungen wie die נֶפֶשׁ *ausschütten* Thr 2,12; Ps 42, 5; 1 S 1,15; Hi 30,16, obgleich man נֶפֶשׁ angemessener als *Tränen* deuten dürfte. Die Rede von der Entblößung der נֶפֶשׁ Ps 141, 8; Js 53,12, u die Parallelsetzung von נֶפֶשׁ u דָם Ps 72,14; 2 S 23,17, vgl 1 Ch 11,19 machen eine Verbindung von נֶפֶשׁ u Blut auch außerhalb des rituellen Bereichs wahrscheinlich.

c. נֶפֶשׁ und Person.

נֶפֶשׁ ist der übliche Begriff, der die gesamte menschliche Natur bezeichnet, nicht etwas, was der Mensch besitzt, sondern was er ist. Das sichert diesem Ausdruck den ersten Platz in der anthropologischen Sprache[56]; denn ähnliches kann weder vom Geist noch vom Herzen oder vom Fleisch behauptet werden. Der klassische Text Gn 2,7 drückt diese Wahrheit deutlich aus, indem er den Menschen in seiner Ganzheit als eine נֶפֶשׁ חַיָּה bezeichnet. Vielleicht ist diese Stelle wegen ihrer zu logischen Formulierung niemals für das gesamte Alte Testament normativ geworden. Zu bemerken ist, daß sie mehr den äußeren Aspekt

---

Schöpfungsberichten des AT. Der bab Schöpfungsmythos redet von dem Blut des besiegten Gottes als einem notwendigen Bestandteil des menschlichen Körpers Enuma eliš VI 35 (JBPritchard, Ancient Near Eastern Texts relating to the OT ²[1955] 68), während dieser Zug in den sumerischen Texten nicht vorhanden ist. Die islamische Tradition kennt wie die isr nur die Erschaffung des Menschen aus Lehm Koran, Sure 6, 2; 15, 26; 23,12—14. Erst in der von dem Hell beeinflußten Sap treten die „wissenschaftlichen" Züge stärker hervor. Der Mensch entsteht aus der Mischung des männlichen Spermas mit dem weiblichen Menstrualblut 7, 2. Über die Beziehung des Spermas zum Blut kamen in der griech Philosophie, hauptsächlich bei den Stoikern, allerlei Spekulationen auf. Weil es spuma sanguinis ist Diogenes vApollonia fr 6 (Diels II 62); Aristot Gen An I 19 p 762b 1—13, enthält das Sperma etwas Pneumatisches. Weitere Belegstellen für den Zshg von Blut, Seele u Leben bei → Rüsche Blut 57—307. Im AT wird das Blut nur im juristischen u kultischen Kontext erwähnt. Ausn bilden Ps 72,14 u 1 Ch 11,19, wo es übrigens in Parallele zu נֶפֶשׁ steht.

[55] → Rüsche Blut 319—340 u vor ihm MLichtenstein, Das Wort נפשׁ in der Bibel,

Schriften der Lehranstalt für die Wissenschaft des Judt IV 5—6 (1920) sehen in der Lokalisierung der נֶפֶשׁ im Blut das Urstadium der at.lichen Anthropologie. Als später der Lufthauch zum Sitz der נֶפֶשׁ wurde, kam der Begriff des ‚Blutrauches' auf, der den homerischen Dichtungen wohl bekannt Hom Il 23, 880; Od 10,163, aber für die Bibel nicht zu belegen ist. Auch die Übers von Dt 12, 23 durch Lichtenstein 25: „denn das Blut ist ja das, was wir heute Seele nennen" trägt in das AT eine Anschauung ein, die mehr geistreich als überzeugend ist. Ähnlich äußert sich CFJean, Tentatives d'explication du „moi" chez les anciens peuples de l'Orient méditerranéen, RHR 121 (1940) 109—127.

[56] → Murtonen 11, vgl 76 hat die für jeden Gebrauch u zu allen Zeiten gültige Def von נֶפֶשׁ geprägt: the living and acting being of its possessor. Hingegen scheint er den kollektiven Sinn von נֶפֶשׁ überzubetonen. Daß das Volk eine נֶפֶשׁ hat, ergibt sich nicht aus der Tatsache, daß die Gesamtheit über dem Einzelnen steht, was zT wohl richtig ist, sondern daraus, daß das Volk als ein Individuum angesehen wird. Die נֶפֶשׁ wird immer in ihrer Einzelerscheinung u körperlichen Be-

des Menschen als die Modalitäten seines Lebens ausdrückt[57]. Das Wort נֶפֶשׁ hat sich in zwei Hauptrichtungen entwickelt, die mehr Gedankenstrukturen als einer chronologischen Folge entsprechen. Die beiden Richtungen können durch die Worte Form und Bewegung definiert werden. Die נֶפֶשׁ ist fast immer an eine Form gebunden, außerhalb des Körpers hat sie keine Existenz, so daß die treffendste Über- 5 setzung in vielen Fällen die immer in ihrer körperlichen Realität befangene *Person* ist; die Person kann abgegrenzt und gezählt werden (Gn 12, 5; 46,18; Jos 10, 28; 11,11). Jedes Individuum ist eine נֶפֶשׁ, und wenn die Texte von einer einzigen נֶפֶשׁ für eine Gesamtheit sprechen, wird diese als eine einzige Person angesehen, als eine corporate personality[58]. Daher kann נֶפֶשׁ das Individuellste im menschlichen 10 Wesen bezeichnen, nämlich sein Ich, und zu einem Synonym des Personalpronomens werden Gn 27, 25: „daß meine נֶפֶשׁ (dh ich) dich segne" und Jer 3, 11: „Das untreue Israel hat seine נֶפֶשׁ gerechtfertigt" (dh hat sich als gerecht erwiesen).

d. נֶפֶשׁ als Leichnam und Grabmal.

Der auf die Person gelegte Akzent hat die Beibehaltung 15 des Ausdrucks נֶפֶשׁ erlaubt, um die Person in ihrer äußersten Statik und unter ihrem offensichtlich am wenigsten lebendigen Aspekt zu bezeichnen. Der leblose Leichnam ist entweder eine נֶפֶשׁ מֵת (Nu 6, 6; 19,13) oder einfach eine נֶפֶשׁ (Lv 19, 28; 22, 4; Nu 5, 2; 9, 6. 10; Hag 2,13).

Daß es sich um die נֶפֶשׁ eines Toten u nicht um eine tote נֶפֶשׁ handelt, geht aus dem 20 sehr vollständigen Satz in Nu 19,13 hervor נֹגֵעַ בְּמֵת בְּנֶפֶשׁ הָאָדָם אֲשֶׁר יָמוּת *wer einen Toten berührt, dh den Körper eines gestorbenen Menschen.* In der Bibel bezieht sich der Ausdruck נֶפֶשׁ nur auf den Leichnam vor seinem endgültigen Zerfall, solange er noch die ihn von anderen Wesen unterscheidenden Züge trägt. Wenn in der späteren Zeit außerhalb der biblischen Periode נֶפֶשׁ für *Grabmal* verwendet wurde, besagt das, daß 25 das Individuum in irgendeiner Weise nach seinem Tode noch gegenwärtig ist[59]. Nach

---

grenzung gesehen. Daß die Bibel von בֶּן־אָדָם, aber nie von בֶּן־נֶפֶשׁ spricht, dürfte in dieser Hinsicht zu denken geben.

[57] Die beiden Hauptdefinitionen der at.-lichen Anthropologie, צֶלֶם אֱלֹהִים u נֶפֶשׁ חַיָּה, haben dies gemeinsam, daß sie den Menschen in seinem Sein betrachten u nicht in seinem Haben. Beide Formulierungen sehen den Menschen außerdem zugleich in seiner Autonomie u seiner Abhängigkeit. נֶפֶשׁ חַיָּה u צֶלֶם אֱלֹהִים bezeichnen eine Pers, aber die Worte חַיָּה u אֱלֹהִים bringen auch den theonomen Aspekt der at.lichen Anthropologie zum Ausdruck.

[58] Geprägt wurde der Begriff von HWRobinson, The Hebrew Conception of Corporate Personality, in: JHempel, Werden u Wesen des AT, ZAW Beih 66 (1936) 49—61.

[59] Der Gebrauch von נֶפֶשׁ in diesem Sinn erweitert sich im nachbiblischen Hbr, so in talmudischen Texten wie bErub 53a; 55b; bScheq II 5. Auch außerhalb der isr Welt finden wir diese Verwendung in Syrien, Kanaan, Palmyra u Nabatene, s MLidzbarski, Ephemeris für semitische Epigraphik I (1902)

91a D.—4 (p 215) u CFJean-JHoftijzer, Dictionnaire des Inscriptions sémitiques de l'Ouest (1965) sv נפשׁ; HDonner-WRöllig, Kanaanäische u aram Inschr I ²(1966) 128. 136, vgl Übers u Komm ebd II ²(1968) 132f. 135f, im letzteren Text נאפשׁ orthographiert. In den meisten Fällen scheint der Gebrauch von נֶפֶשׁ in diesem Sinn sich aus der Entwicklung des semitischen Wortes erklären zu lassen. Es ist jedoch zu erwägen, ob nicht in einzelnen Fällen נֶפֶשׁ die Übers von urspr ψυχή sein könnte im Sinne von *Schmetterling*, den die Griechen wegen seiner Verwandlung als Sinnbild des Lebens u der Unsterblichkeit auf Grabmälern abbildeten, s dazu BLifschitz, Der Ausdruck ψυχή in den griech Grabinschriften, ZDPV 76 (1960) 159. Jedenfalls ist diese Bdtg von נֶפֶשׁ erst in einer späten Zeit aufgekommen u dürfte in Zshg gestellt werden mit der Entwicklung präziser Vorstellungen über ein Weiterleben des Einzelnen nach dem Tode. Die angeblichen ugaritischen Parallelen (→ A 52) erklären sich besser als *Begierde, Appetit.* Höchstens in ard bnpšny Baal III*, C 20 (Driver aaO [→ A 52] 78f) = III AB, C 20 (Aistleitner aaO [→ A 52] 48) = 129:20

den Zeugnissen des AT hat die נֶפֶשׁ außerhalb des Individuums, das sie besitzt oder besser das sie selber ist, keine Existenz. Niemals trennt sie sich von ihm, um ein unabhängiges Leben zu führen. Noch weniger ist sie eine Macht außerhalb des Individuums, die im Leben u Tod je verschiedene Wirkungen hätte. Niemals werden die
5   Bewohner der Scheol נֶפֶשׁ genannt[60]. Der Glaube an ein Weiterleben der Toten in der Unterwelt, wo sie entweder gefährlich oder segensreich werden können, erklärt sich nicht durch irgendwelche animistischen Vorstellungen, sondern durch das Bestreben, dem Geheimnis des Todes u dem Vorhandensein eines Aufenthaltsortes der Toten gerecht zu werden[61].

10   e. נֶפֶשׁ als Willensäußerung.

        Der Aspekt der Bewegung hat jedoch über den der Form den Sieg davongetragen, was sicher dem ursprünglichen Sinn des Wortes angemessener war. Die נֶפֶשׁ wird durch ihr Ausgerichtetsein auf ein Objekt offenbar, angefangen von den biologischen Realitäten des Hungers und des Durstes (Dt 12,15.
15 20ff; 1 S 2,16; Mi 7,1; Ps 107,9; Prv 6,30; 10,3; 12,10; 23,2; 25,25) bis zu den höchsten Bestrebungen der Sehnsucht nach Gott. Solange sie auf die Bewegung beschränkt ist, befindet sich die נֶפֶשׁ niemals in einem einzigen Organ, vielmehr kann sie in den verschiedensten Teilen des Organismus wohnen, und diese können gelegentlich synonym für sie gebraucht werden.

20   Wir begegnen der נֶפֶשׁ beim Geschlechtstrieb Gn 34, 3. 8; Jer 2, 24, bei dem Haß, der einen Feind erfüllt Ps 27,12; 41, 3; Prv 13, 2, bei Schmerz u Traurigkeit 1 S 1,10; 30, 6; Ez 27, 31; Hi 27, 2, beim Willen Gn 23, 8. Es ist nicht zu verwundern, daß die נֶפֶשׁ ihren vollen Ausdruck in dem höchsten Streben, dem nach Gott, erreicht, so daß der Mensch vor allem in seiner Beziehung zu Gott נֶפֶשׁ ist[62] Js 26, 9; Ps 63, 2; 84, 3;
25   119, 20. 28; 130, 5; 143, 6. 8. Die Vokativform נַפְשִׁי Ps 42, 6. 12; 43, 5; 62, 6; 103,1 f. 22; 104,1. 35; 116,7; 146,1 ist eine Art Frage, die der Beter an sich selbst richtet, uz ebensosehr an seine Lebenskraft, die sich zur höchsten Potenz steigern soll, wie an seine Verantwortung vor Gott, was übrigens andeutet, daß in religiöser Hinsicht die individualistische Gebundenheit nicht geringer war als die kollektive[63]. Nicht an sein
30   Gewissen wendet sich der Mensch, aber vor Gott, der die allein wahre Quelle des Lebens ist, rafft er seine ganze Kraft zusammen, u vor dem göttlichen Einen findet er auch seine eigene Einheit. Wenn das Ziel erreicht ist, verschwindet die Spannung zwischen Begehren u Besitzen, vgl Ps 131, 2: „Ich habe meine נֶפֶשׁ zum Schweigen gebracht, sie ist einem entwöhnten Kind ähnlich geworden"[64].

(Gordon aaO [→ A 52] 196) könnte man eine Anspielung auf das Grab Mots sehen.

[60] → Murtonen 3,12 uö nimmt eine ablehnende, Stellung ein gegenüber MSeligson, The Meaning of npš mt in the Old Testament, Stud Or 16, 2 (1951). Für Seligson ist die נֶפֶשׁ eine geheimnisvolle Macht, a mysterious potency, die von außen her den Menschen beeinflußt. Sie wirkt im Leben, aber geheimnisvoller noch im Tode. In dem Bemühen, den at.lichen Tatbestand anders zu erklären als durch den modernen Begriff der Seele, umgeht diese These allzuleicht den semitischen Sprachgebrauch, der נֶפֶשׁ allg mit dem Atem oder dem Hauch in Verbindung bringt.

[61] Eine von der isr abweichende Ansicht finden wir in der Inschr des Königs Panammuwa von Sam'al aus der Mitte des 8.Jhdt vChr, Donner-Röllig aaO (→ A 59) 214, vgl ebd II 214—223. Dieser aram König, der dem Hadad eine Statue errichtet hat, spricht den Wunsch aus: „Die נפש des Panam-

muwa möge mit Hadad essen u trinken" Z 17. 22. Es handelt sich hier nicht um das Grabmal, aber eine Möglichkeit des Weiterlebens wird angesprochen. Im Gegensatz dazu ist Nu 23,10; Ri 16, 30 von dem Sterben der נֶפֶשׁ die Rede. Man soll nicht vergessen, daß es sich in der Panammuwa-Inschr um das Weiterleben eines Königs handelt, der schon im Leben u folglich auch im Tode eine ungewöhnliche Lebenspotenz besitzt.

[62] → Murtonen 50.

[63] Die griech Übersetzer des AT haben versucht, die Mehrdeutigkeit des Wortes נֶפֶשׁ wiederzugeben. So finden wir für נֶפֶשׁ öfters einfach das Personalpronomen Am 6, 8; Ps 105, 22; Est 4,13, ἀνήρ Gn 14, 21; Prv 16, 26; 28, 25, ἐμπνέον Jos 10, 28. 30. 35. 37. 39; 11,11, die *Hände* Ps 41, 3; Prv 13, 4, den *Arm* 'Ιερ 28,14 (51,14), das *Haupt* Js 43, 4; s die gründliche Studie von → Lys Soul LXX.

[64] Wie HABrongers, Das Wort „NPŠ" in den Qumranschriften, Revue de Q 4 (1963)

2. Fleisch und Leib (→ VII 105,1ff; 1042,10ff).

Die Bedeutung, die in der נֶפֶשׁ dem Körper zugemessen wird, schließt einen Gegensatz zu dem Fleisch aus. בָּשָׂר kann deshalb gelegentlich wie נֶפֶשׁ den ganzen Menschen bezeichnen.

a. Das Fleisch. 5

In einigen Texten hat בָּשָׂר seinen sehr materiellen Sinn beibehalten, nämlich *eßbares Fleisch* Lv 7,19; Nu 11, 4. 13; Dt 32, 42; Js 22,13; Prv 23, 20; Da 10, 3; Hi 31, 31. בָּשָׂר wird 104mal auf das Tier angewandt u 169mal auf den Menschen, wobei die jüngeren Texte den größten Platz einnehmen. בָּשָׂר bezeichnet den ganzen Körper, worauf auch der vielleicht urspr Sinn von *Haut* hinweisen könnte[65]. 10 Es ist also ganz natürlich, daß wir בָּשָׂר oft im Zshg mit נֶפֶשׁ begegnen, obwohl im letzteren Begriff der individuelle Aspekt stärker betont ist. So bedeutet כָּל-נֶפֶשׁ *alle zählbaren Individuen* u כָּל-בָּשָׂר *alles Lebendige*. Wie נֶפֶשׁ wird בָּשָׂר mit dem Blut in Verbindung gebracht Ps 50,13; Dt 12, 23; Lv 17,11. Das Wortpaar *Fleisch u Blut* erscheint jedoch zum erstenmal Sir 14,18[66]. Später hat es die Bdtg *menschlich* im Gegen- 15 satz zu Gott gr Hen 15, 4; T Ber 7,18 (Zuckermandel 16) oder dient zur Bezeichnung der Verwandtschaft, die im AT durch בָּשָׂר alleine ausgedrückt wird Gn 29,14; 37, 27; Ri 9, 2, vielleicht auch Gn 2, 23f. In einem noch realistischeren Sinn bezeichnet בָּשָׂר das *männliche Glied* Ez 23, 20; 16, 26; Ex 28, 42; Lv 15, 2f. An den St, wo von der Beschneidung des Fleisches die Rede ist Gn 17,11; Ez 44,7, ist nicht von vornherein 20 einleuchtend, ob diese eingeschränkte Bdtg anzunehmen ist. Wenn es für den ganzen Menschen gebraucht wird, ist בָּשָׂר oft synon mit נֶפֶשׁ[67] Ps 84, 3; 119,120; Hi 4,15; 21, 6; Prv 4, 22 u nimmt teil an dieser Spannung auf ein Ziel hin[68].

Wo בָּשָׂר dagegen nicht mit נֶפֶשׁ in Verbindung steht, bezeichnet es den Menschen in seiner Schwäche und Vergänglichkeit. Daß der Mensch Fleisch ist, heißt, daß 25 er vergehen muß wie eine Pflanze (Js 40, 6). Wenn der Mensch auf das Fleisch beschränkt wird, sieht er, wie sich seine Tage verringern (Gn 6, 3), weil das rein

---

[65] 407—415 nachgewiesen hat, bieten die Qumrantexte dieselbe Polysemie von נֶפֶשׁ, die wir im AT vorfinden; nur der Ausdruck הֵקִים עַל נֶפֶשׁ *sich eidlich auf etw verpflichten* Damask 16, 4. 7 (20, 2. 4f); 1 QH 14,17 dürfte neu sein, ist aber schon durch Est 9, 31 u Nu 30, 2—15 vorbereitet.

[65] Daß dies der urspr Sinn sein könnte, wird durch das arab *bashara* nahegelegt. Ps 102, 6: „Meine Gebeine kleben an meiner בָּשָׂר" ist unter בָּשָׂר wohl die *Haut* zu verstehen. Wenn בָּשָׂר das mit Haut überzogene Fleisch bezeichnet, so könnte der Gebrauch derselben Wurzel im Sinne von *eine frohe Botschaft verkündigen* auf den gemeinsamen Nenner der äußeren Erscheinung zurückgeführt werden, so WGesenius, Thesaurus philologicus criticus Linguae Hebraeae et Chaldaeae Veteris Testamenti I (1835) sv בָּשָׂר: בָּשָׂר *caro, in qua cernitur hominis pulchritudo* u EDhorme, L'emploi métaphorique des noms de parties du corps en hébreu et en akkadien, Rev Bibl 29 (1920) 475. 481 u zuletzt RWFischer, A Study of the Semitic Root BŚR, „to bring (good) tidings" (Diss Columbia [1966]). Man muß jedoch vorsichtig sein

mit Rückschlüssen von der Etymologie auf die Semantik.

[66] Der Ausdruck *Fleisch u Blut* läßt sich bis jetzt noch nicht in den Qumrantexten belegen. Er kommt hingegen etliche Male in den mandäischen Schriften vor, s Lidz Ginza R 10, 30; 193, 35; 247,19; L 437, 39.

[67] Ein anderes Wort für *Fleisch* ist שְׁאֵר. Es bezeichnet dem arab *ta'r* entsprechend *Blut*, das *blutige Fleisch* Ex 21,10; Ps 78, 20. 27. Es wird ebenfalls gebraucht für die Verwandtschaft, wobei es einen bestimmten Verwandten bezeichnet, während בָּשָׂר in einem allg Sinn verwendet wird Lv 18, 6 (שְׁאֵר בְּשָׂרוֹ). 12; 20,19; 25, 49. Auch für den Menschen im allg steht es zus mit בָּשָׂר Prv 5,11, mit לֵב Ps 73, 26, mit נֶפֶשׁ Prv 11,17. Der Unterschied zwischen בָּשָׂר u שְׁאֵר ist im AT kaum mehr sichtbar.

[68] כָּל-בָּשָׂר bezeichnet niemals Israel allein, sondern Israel zus mit den anderen Völkern. Am häufigsten erscheint der Ausdruck in der P, die ihn mit der Sünde zusammenbringt Gn 6, 12f, s ARHulst, Kol basar in der priesterlichen Fluterzählung, Oudtestamentische Studiën 12 (1958) 28—68.

Vegetative die Oberhand gewinnt. Deshalb ist auch das Vertrauen, das auf das Fleisch gesetzt wird, keine Hilfe. Wenn das Fleisch nicht auf Gott bezogen ist, ist es nur Schwachheit und Vergänglichkeit (Jer 17, 5; Js 31, 3). Aus dieser Tendenz ergibt sich als letzte Konsequenz das Fleisch als das schlechte Prinzip, das
5 im Widerspruch zu Gott steht und im Inneren des Menschen die guten Neigungen besiegt. Ein solcher Dualismus ist jedoch dem Alten Testament unbekannt[69], er würde die Fundamente der alttestamentlichen Anthropologie verleugnen. Solange das Fleisch ein vom Geist belebter Organismus ist, bleibt es mit der Sehnsucht nach Gott und dem Lobe Gottes verbunden (Ps 145, 21). Es ist darum wichtig,
10 daß der Mensch den Weg der בָּשָׂר so ausrichtet, daß er nicht zu seiner Zerstörung führt (Gn 6,12). Eine dualistische Anschauung begegnet zum ersten Male Sap 8, 19; 9,15, wo unter griechischem Einfluß das Fleisch einen Gegensatz zu Seele und Geist bildet.

b. Die Gebeine.

15   Es konnte der Beobachtung nicht entgehen, daß das Fleisch im Augenblick des Todes einer vollständigen Zerstörung anheimfällt, während man sich für die נֶפֶשׁ und vor allem für die רוּחַ eine andere Existenz als die eines irdischen Körpers denken konnte. Infolgedessen maß der Israelit demjenigen Element des Körpers eine besondere Bedeutung bei, das am längsten der
20 Verwesung widerstand, den Gebeinen. Die *Gebeine* עֲצָמִים stellen im Körper das feste Element dar, das wie ein Gerüst alle Teile des Gebäudes stützt. Die besondere Sorgfalt, mit der sie nach Eintreten des Todes umgeben wurden, könnte eine Hoffnung auf Wiederbelebung ausdrücken (2 Kö 13, 20; Da 12, 2; Js 66,14 und besonders Sir 46,12; 49,10). Nicht die Seele, sondern die Gebeine schlummern im Grabe.
25 Die Auferstehungsvorstellung, die Ez 37 zugrunde liegt, räumt den Gebeinen einen ganz wichtigen Platz ein. Öfter wird ihnen eine Funktion zugemessen, die derjenigen der נֶפֶשׁ und der בָּשָׂר sehr ähnlich ist: „Meine נֶפֶשׁ freut sich in Jahwe, und alle meine Gebeine sagen: Jahwe, wer ist wie du?" (Ps 35, 9). Das Bild der Gebeine wird auch angewandt, um zu zeigen, wie besonders heftige Gefühle das
30 erschüttern können, was offensichtlich am haltbarsten im menschlichen Körper ist, und wie sie damit das Leben bedrohen können (Js 38,13; 58,11; Jer 23, 9; Ps 6, 3; 31,11; 32, 3; 51,10; 102, 4; Hi 4,14; 30,17 usw). עֶצֶם bezeichnet schließlich wie נֶפֶשׁ (→ 617,10ff) das Ich, das Eigentliche im Menschen und die Substanz der leblosen Dinge (Ex 24,10; Gn 7,13; Ez 24, 2).

35   Dieselbe Entwicklung läßt sich für das Wort גֶּרֶם feststellen, das im bibl Hbr selten ist, im übertr Sinn 2 Kö 9,13 steht, das jedoch im Aram, Syr u Neuhebräischen die Bdtg von *Ich* oder *Selbst* angenommen hat.

---

[69] Schwerlich läßt sich Js 10,18: מִנֶּפֶשׁ וְעַד־בָּשָׂר auf einen Dualismus Leib-Seele deuten. Die beiden Wörter verhalten sich nicht antithetisch, sondern synthetisch zueinander, dh sie sind im Grunde synon u bezeichnen beide die Lebenskraft, die auf eine äußere Erscheinung hindrängt. Daß freilich, wie OSander, Leib-Seele-Dualismus im AT, ZAW 77 (1965) 329—332 nachzuweisen sucht, נֶפֶשׁ an dieser St die Organseele der Ernährung u בָּשָׂר die Organseele der Fortpflanzung bezeichnet, ist unseres Erachtens nicht einleuchtend.

3. Verschiedene Körperteile als Sitz des Lebens.

Während das Fleisch, das Blut und die Gebeine durch ihr Vorhandensein im gesamten Organismus das materielle Substrat liefern, um die Person in ihrer Ganzheit zu beschreiben, gibt es andere Teile des menschlichen Körpers, die deutlich lokalisiert sind, deren Bedeutung aber oft über ihre genaue 5 Stellung im Körper hinausreicht. Denn nach der hebräischen Anthropologie besteht der Mensch nicht aus der Summe der Elemente, die den Leib bilden, die Gesamtheit kann sich vielmehr in einem Teil konzentrieren. Aus diesem Grunde hat man den Ausdruck „Zerstreuung des Bewußtseins" geprägt[70], der zweifellos übertrieben ist; denn er würde ja besagen, daß die Israeliten nicht fähig waren, 10 die menschliche Realität anders als auf eine ganz empirische Weise zu begreifen. Es ist aber sicher, daß die Israeliten auf Grund des fließenden Übergangs vom Kollektiven zum Individuellen, und in der Neigung, das menschliche Leben in seiner Dynamik zu sehen, das Leben, so wie es in Erscheinung tritt, angeschaut und den Körper weniger in seiner Form als in seiner Bewegung betrachtet haben. 15 Diejenige Stelle des Körpers, die augenblicklich die größte Lebenskraft zeigt, wird oft als Sitz des Lebens schlechthin angesehen.

a. Das Haupt (→ III 674, 1ff).

Eine der St, an denen sich das Leben konzentriert, ist das *Haupt* רֹאשׁ. Deshalb legt man beim Segen die Hände auf das Haupt Gn 48,14; Dt 33,16; 20 Prv 10, 6; 11, 26. Jmd für ein begangenes Verbrechen bestrafen heißt, „sein Blut über sein Haupt kommen lassen" Jos 2,19; 2 S 1,16; 3, 29; Ez 33, 4; 1 Kö 2, 44. Als Akisch sein Vertrauen zu David bekunden will, sagt er zu ihm: „Ich werde dich zum Hüter meines Hauptes machen" 1 S 28, 2, dh zum Verteidiger meiner Person u meines Lebens. Der Ausdruck „die weißen Haare von jmd in die Scheol hinabsteigen lassen" Gn 42, 38; 25 44, 29; 1 Kö 2, 6. 9 gehört einer Vorstellung an, für die das Leben des Individuums im Haupt konzentriert ist. Da 2, 28; 4, 2. 7. 10; 7, 1. 15 ist der Kopf Sitz der Erkenntnis, die sonst überall im AT in Beziehung zum Herzen steht.

b. Das Gesicht (→ VI 771, 34ff).

Nach dem Prinzip, daß der Ausdruck wichtiger als die 30 Form ist, legt die hebräische Psychologie großen Wert auf das Gesicht. Die vielfältige Rolle des Gesichtes drückt der ausschließliche Gebrauch des Plurals פָּנִים aus. Die Verschiedenheit seiner Ausdrucksmöglichkeiten und Färbungen spiegelt sehr genau die Haltung des ganzen Lebewesens wieder (Jer 30, 6; Js 13, 8; Jl 2, 6; Na 2,11). 35

Das Gesicht ist imstande, die ganze Skala der Gefühle auszudrücken, von der Härte Dt 28, 50; Js 50,7 bis zur Milde u zum Wohlwollen Prv 15,13; Qoh 7, 3. Diese Polarität des Gesichts hat es bewirkt, daß man glaubte, auf es einwirken zu können, um die Gemütsverfassung einer Person zu ändern, vgl den Ausdruck חִלָּה פָנִים *das Gesicht besänftigen*. Mit den Präpositionen בְּ u לְ konstruiert ist פָּנִים mit dem Personalpro- 40 nomen identisch, was ganz bes für die Aussagen über Gott gilt Ex 20, 3; Dt 5,7, so

---

[70] Der Ausdruck geht zurück auf → HWRobinson, Human Nature and its divine Control, in: Inspiration and Revelation in the Old Testament (1946) 72. Abgelehnt wurde er mit Recht hauptsächlich durch → Johnson 83. Die Israeliten hatten eine sehr viel bestimmtere Ansicht über die Einheit des Bewußtseins, als es die Bilder ahnen lassen. Der häufige Gebrauch des Personalpronomens אֲנִי, אָנֹכִי von den ältesten Texten an ist wohl auch ein Beweis des Selbstbewußtseins.

daß das Angesicht Jahwes hypostaseartigen Charakter gewinnt Dt 4, 37; Js 63, 9. Das Gesicht selbst wandelt sich nach den verschiedenen Organen, die es beleben. Die Klarheit der *Augen* עֵינוֹת (→ V 376, 15 ff) ist Zeichen einer gesteigerten Lebenskraft, zB nach dem Essen 1 S 14, 27; aber auch weniger materielle Einflüsse, wie das Gesetz Gottes, wirken auf die Klarheit der Augen Ps 19, 9. Die Augen sind Ausdruck des Neides Prv 23, 6; 28, 22, des Hochmuts Ps 18, 28; Prv 6, 17, der Lebenskraft Esr 9, 8. Auge ist dann Synon von נֶפֶשׁ, bes wenn es in Beziehung zu einem Gegenüber gesehen wird, vgl Hi 24, 15; Jer 32, 4; 34, 3[71]. Die *Stirn* מֵצַח drückt meistens Frechheit u Stärke aus Jer 3, 3; Ez 3, 7. Der *Nacken* עֹרֶף ist Sitz des Trotzes Ex 32, 9; 33, 3. 5; 34, 9; Dt 9, 6. 13; 31, 27. Diese Redensarten haben zT ihren Ursprung in der Beobachtung der körperlichen Haltung, entwickeln sich aber alle zu einer metaphorischen Bedeutung. Die *Nase* אַף, Dual אַפַּיִם, ist Zeichen u Sitz der Bosheit Ps 10, 4 u vor allem des Zornes, der sich als bes heftiger Atem darstellt Ez 38, 18, ehe er zu einem Gefühl wird Prv 14, 17; 16, 32. Das Verbum חָרָה *glühen*, das den Zorn oft charakterisiert, drückt treffend die Dynamik dieses Gefühls aus, das für die Zeit seiner Auswirkung alle anderen Aspekte des Seins in den Hintergrund drängt.

c. Die Hand (→ 415, 10 ff).

Die *Hand* יָד, manchmal auch die *Handfläche* כַּף oder die *Finger* אֶצְבַּע sind der Sitz der Macht. Der vergleichbare Ausdruck יֶשׁ־לְאֵל יָדִי Gn 31, 29; Dt 28, 32; Neh 5, 5; Prv 3, 27; Mi 2, 1 ist jedoch schwerlich eine Reminiszenz an einen göttlichen Geist אֵל, der die Hand belebt. Die Macht der rechten Hand (→ II 37, 6 ff) ist größer als die der linken Gn 48, 8—22; Qoh 10, 2. Das Auflegen der Hände ist Segensübertragung Nu 27, 18—20. Die Hand ist das Organ, das eine Sache in Angriff nimmt u sie ausführt. Zu etw befähigen heißt *die Hände stärken* Ri 9, 24; 1 S 23, 16; Esr 6, 22; Js 35, 3. Bei dem Menschen ist die Hand Ausdruck des Willens u Mittel seiner Durchführung, bei Gott ist sie das Wirkungsmittel in Schöpfung u Geschichte.

d. Der Fuß (→ VI 626, 22 ff).

Der *Fuß* רֶגֶל kann ebenfalls, allerdings weniger häufig als die Hand, Ausdruck der menschlichen Lebenskraft sein 1 S 23, 22. So sucht Saul die Person seines Gegners David da, wo seine Füße stehen. Der auf den Nacken des Feindes gesetzte Fuß Jos 10, 24, vgl 2 S 22, 39 gibt auch Zeugnis von der Kraft dieses Körperteils. Ein Mensch mit normaler Lebenskraft hält sich auf seinen Füßen, u diese Lebenskraft ist bes gesichert, wenn er auf festem Boden steht, zB einem Fels Ps 31, 9; 40, 3; 1 S 2, 9. Oft aber muß man die Erwähnung des Fußes in einem rein metaphorischen Sinn verstehen, so von den Füßen, die ausgleiten Ps 94, 18, straucheln Hi 12, 5; Ps 73, 2, Böses tun Prv 1, 16; Js 59, 7, sich in einem Netz verfangen Ps 9, 16; Thr 1, 13; Jer 18, 22.

e. Die inneren Organe.

Die inneren Organe, die man nicht sieht, über deren Bedeutung man sich aber weitgehend im klaren ist, dienen ebenfalls dazu, gewisse Eigenschaften des menschlichen Wesens auszudrücken. Die Einschätzung der *Eingeweide* מֵעֶה, רַחֲמִים beruht zuerst auf einer physischen Empfindung. Ein heftiger Schmerz oder eine große Freude können sich auf gewisse Organe, wie Eingeweide, Leber, Nieren und Herz auswirken, so daß man aus der Folgeerscheinung die Ursache macht, indem man sich vorstellt, daß solche Organe der Sitz von Gefühlen sind.

---

[71] Ps 31, 10 werden בֶּטֶן, נֶפֶשׁ, עַיִן zus genannt. Die beiden letzten Worte sind wohl eine Ergänzung, die besagen will, daß alles, was mit dem Lebensursprung u der Lebenskraft in Verbindung steht, sich in den Augen konzentrieren kann.

Mitleid wohnt in den Eingeweiden. Da בֶּטֶן u רֶחֶם *Mutterleib* als Entstehungsort des Menschen bekannt sind, ist es selbstverständlich, sie für das gesamte Lebewesen zu verwenden. Ps 44, 26 stehen נֶפֶשׁ u בֶּטֶן par. Prv 18, 20 ist בֶּטֶן dem Personalpronomen gleich, u Prv 22, 18 werden die Worte der Weisen im בֶּטֶן bewahrt. Das Wort קֶרֶב, das das *Innere* als die allg Mitte bezeichnet u deshalb eine weniger auf einen be- 5 stimmten Ort festgelegte Bdtg hat, wird gebraucht für alle Vorgänge im Innern des Menschen u steht manchmal im Gegensatz zum Äußeren Jer 31, 33; Ps 64, 7. In den *Nieren* כְּלָיוֹת sind die tiefsten Gefühle u Regungen beheimatet. Sie sind darin so fest verankert, daß die Nieren die Rolle des Gewissens spielen u den Menschen über Gott belehren können Ps 16, 7. Die *Lenden* חֲלָצַיִם, מָתְנַיִם versinnbildlichen die lebensspen- 10 dende Kraft Gn 35, 11; 1 Kö 8, 19 u können gelegentlich für die ganze Person stehen Hi 31, 20. Es besteht zweifellos auch eine Beziehung zwischen den Nieren u dem Gürtel, der sie bedeckt u der als das Hauptbekleidungsstück Ausdruck der ganzen Person sein kann. In Israel scheinen die Nieren eine größere Rolle als die *Leber* כָּבֵד zu spielen[72], während bei den Assyrern u Arabern diese als das Lebenszentrum angesehen wird. 15 Aber Wendungen wie Thr 2, 11: „Meine Leber ist auf die Erde ausgebreitet" sind ein Beweis dafür, daß der Ausdruck gelegentlich an die Stelle von נֶפֶשׁ treten kann.

4. Das Herz als Lebenszentrum und Inbegriff der Person.

Das *Herz* לֵב, לֵבָב (→ III 612, 45ff) wird manchmal zus mit den 20 inneren Organen genannt Jer 11, 20; 17, 10; Ps 26, 2. Es nimmt jedoch einen bes Platz ein; denn von allen anthropologischen Termini kommt es am häufigsten vor, 850mal[73]. Im Gegensatz zu נֶפֶשׁ u בָּשָׂר, deren physische Beziehungen verschwommen bleiben, ist das Herz genau lokalisiert. Es ist darum um so bedeutungsvoller, weil es das Leben in seiner Ganzheit darstellen kann. Das Verhältnis von Herz u נֶפֶשׁ läßt sich so cha- 25 rakterisieren, daß נֶפֶשׁ die Seele in der Summe ihrer Gesamtheit ist, so wie sie in Erscheinung tritt, während das Herz die Seele in ihrem inneren Wert ist[74]. Trotz ihrer rudimentären physiologischen Kenntnisse[75] hatten die Israeliten eine ziemlich richtige Vorstellung von der bedeutenden Rolle des Herzens im menschlichen Organismus. Das Herz konnte wie die Atmung die Ebbe- u Flutbewegung des Lebens verdeutlichen. 30 Aber der Tod des Herzens bedeutete nicht unbedingt das Ende des Lebens, was aus der Erzählung 1 S 25 hervorgeht, wo der Tod Nabals erst 10 Tage nach dem Tode des Herzens eintritt. Die Anwendung in einem rein körperlichen Sinne ist ziemlich selten Ex 28, 29f; 1 S 25, 37; 2 S 18, 14; 2 Kö 9, 24; Hos 13, 8; Na 2, 8; 37, 15; 38, 11; 45, 6; Cant 8, 6. Man kann diejenigen Texte hinzufügen, die vom Herzen als vom Zentrum 35 der Lebenskraft in einem biologischen Sinn sprechen Gn 18, 5; Ri 19, 5. 8, wo das Herz durch Nahrung gestärkt wird Ps 22, 27; 102, 5; 104, 15. Der Doppelaspekt des Herzens

---

[72] Daß an manchen St das hbr כָּבוֹד den Platz eines urspr כָּבֵד einnimmt, könnte gut angenommen werden u der Textkritik nicht zuwider sein. Dies scheint jedoch nur zu Gn 49, 6 sicher der Fall zu sein, wo es par zu נֶפֶשׁ steht. In den Ps, wo כָּבוֹד ein theol prägnanter Begriff ist, ist die masoretische Lesung beizubehalten, so Ps 7, 6; 16, 9; 30, 13; 57, 9; 108, 2. כָּבֵד ist dann das, was dem Menschen sein Gewicht, seine Wichtigkeit gibt, was gewöhnlich mit dem Herzen bezeichnet wird. Hier tritt eine Wertung des Menschen auf, die nicht auf der Korrespondenz der seelischen Empfindungen mit den Körperteilen beruht; anders FNötscher, Heißt kabod auch „Seele"?, VT 2 (1952) 358—362.

[73] FHvMeyenfeldt, Het hart (leb, lebab) in het Oude Testament (1950) beschäftigt sich auch mit der Frage der Etymologie u kommt zu dem Ergebnis, daß äußerste Vorsicht bei einer näheren Def von לֵב geboten ist. Die Zurückführung auf eine Wurzel *fest sein, fett sein* oder *sich bewegen* scheint eher in die Etymologie das hineinzutragen, was über das Herz ausgesagt wird.

[74] Pedersen aaO (→ A 53) I—II 104.

[75] HKornfeld, Herz u Gehirn in altbiblischer Auffassung, Jahrbücher für jüd Gesch u Lit 12 (1909) mutet den Israeliten zu viel wissenschaftliche Erkenntnis zu, wenn er schreibt: „Die at.liche Lehre geht davon aus, daß alles Geistige durch das Blut vermittelt wird, daß dieses demnach zunächst auf Herz u Gefäße wirkt. Die Fähigkeit zu reagieren erlangt das Herz lediglich durch Zufuhr von Blut, u sie zeigt sich in der unerklärlichen, durch Nerven nicht bedingten Herzpulsation". Bekanntlich spielt das Gehirn in der at.lichen Physiologie u Psychologie keine Rolle; das Wort מֹחַ, das im Späthebräischen das *Gehirn* bezeichnet, findet sich im AT nur einmal Hi 21, 24 als Ausdruck für das *Mark* der Knochen, die das wichtige Element darstellen u mit dem Gehirn nichts zu tun haben.

als ein sich bewegender u versteckter Körperteil hat es zu einem psychologischen Organ gemacht, in dem sich alles Leben konzentrieren u auch verbleiben konnte. Es ist der Ort, an dem die נֶפֶשׁ zu Hause ist[76]. Das Herz ist der Punkt, an dem alle Eindrücke von außen zusammenlaufen, der Schmerz 1 S 1, 8; Ps 13, 3 u die Freude 1 S 2,1; Ps 16, 9; Prv 15,13. Was der Mensch sieht u bes was er hört, dringt in sein Herz ein. לֵב ist darum im AT das Wort, das dem, was wir Gewissen nennen, am nächsten[77] steht, zB 1 S 25, 31 (→ VII 907,10f). Die akt Rolle des Herzens ist jedoch noch größer als seine rezeptive. Das Herz ist eine Quelle Prv 4, 23. Von ihm nehmen die Wege des Lebens ihren Ausgang, u es ist Aufgabe des Herzens, sie in die richtigen Bahnen zu lenken. Das Herz muß zunächst bewahren, was es aufgenommen hat. Auf den Tafeln des Herzens sind die Erinnerungen u ganz bes die göttlichen Gebote aufgeschrieben, die es gelernt hat. Da diese Gebote zugleich fromm u intelligent machen, wohnen Frömmigkeit u Einsicht im Herzen. Es ist dies die häufigste Anwendungsform von לֵב: Ein intelligenter Mann ist ein Mann mit einem Herzen Hi 34,10. Als Hiob zeigen will, daß er an Einsicht seinen Freunden nicht unterlegen ist, ruft er aus: „Ich habe auch ein Herz wie ihr" Hi 12, 3. Der Wahnsinnige hat kein Herz. Wenn man einen Menschen unschädlich machen will, beraubt man ihn deshalb seiner Intelligenz u seiner Fähigkeit zu handeln, indem man ihm sein Herz stiehlt Gn 31, 20; 2 S 15, 6. Wein u Hurerei beseitigen ebenfalls das Urteilsvermögen u nehmen das Herz weg Hos 4,11; Prv 6, 32. Für das Herz als Sitz der Einsicht finden sich zahlreiche Analogien in Ägypten. Die Rolle, die das Herz in der historischen Novelle u in der Weisheitsliteratur spielt, könnte auf ägyptische Einflüsse zurückgehen[78]. Auch die Vorstellung vom Herzen als einer Art Doppelseele oder äußeren Seele ist wahrscheinlich in Ägypten beheimatet[79]. Im AT begegnen wir dieser Vorstellung in Ri 16,17: „Er (Simson) erzählte ihr sein ganzes Herz" u 1 S 9,19: Samuel kündet Saul an, daß er ihm das Geheimnis seines Herzens sagen wird. Das Herz ist das spezifisch menschliche Organ, das den Menschen vom Tier unterscheidet. Das Herz des Tieres, das 2 S 17,10; Hi 41,16 erwähnt wird, ist die rein physische Kraft u nicht die Intelligenz. Die Art, wie Da 4,13, vgl 7, 4 vom Herzen Nebukadnezars redet, das in ein Tierherz verwandelt wird, u das Benehmen, das Nebukadnezar an den Tag legt, zeigen deutlich, daß dem Tier jegliche Intelligenz abgesprochen wird. Die Rolle des Herzens beschränkt sich aber nicht darauf, die erhaltenen Eindrücke zu verzeichnen u aufzubewahren. Es ist ein Pläneschmied[80], es schmiedet Pläne, durch welche die Eindrücke in Taten umgesetzt werden. Das Verbum חָשַׁב, dessen Subj manchmal das Herz ist, bezeichnet einen aktiven Gedanken, der in dem Augenblick, in dem er gefaßt wird, bereits auf eine Handlung ausgerichtet ist. Die schöpferische Funktion des Herzens wird auch durch den Ausdruck יֵצֶר an der klass St Gn 6, 5 deutlich: יֵצֶר מַחְשְׁבֹת לִבּוֹ. Diese Schöpfungen des Herzens führen jedoch zu keinem dauerhaften Resultat. Von seinem eigenen Herzen reden heißt sich aus der Wahrheit begeben, so bei den falschen Propheten Nu 16, 28; 24,13; 1 Kö 12, 33; Neh 6, 8; Ez 13, 2. 17. Das Herz kann seine Funktion nur erfüllen, wenn Gott es dazu befähigt. Von Natur aus ist das Herz des Menschen nicht absolut rein Ps 101, 4; Prv 11, 20; 17, 20. Es zeigt eine Neigung zur Falschheit, es ist geteilt בְּלֵב וָלֵב Ps 12, 3; 1 Ch 12, 34 u hochmütig Ps 131,1; Prv 16, 5; 18,12; Ez 28, 2; Prv 22,15. Das Herz kann sich mit einer Fettschicht umgeben Js 6,10; Ps 119,70 oder hart werden wie Stein Ez 11,19; Sach 7,12. Aber Gott zeigt für das Herz ein bes Interesse, er erforscht u prüft es Ps 17, 3; Jer 12, 3; 1 Ch 29,17, er wiegt es Prv 21, 2; 24,12, er kennt es, wie es wirklich ist 1 Kö 8, 39; Ps 33,15; Prv 15,11. Er macht es lauter u fest u führt es dazu, eins mit ihm zu sein 1 Kö 8, 61; 11, 4, oder *eins* אֶחָד zu sein,

---

[76] GFOehler, Artk Herz, in: RE ¹6 (1854—1868) 16.

[77] Die LXX übersetzt niemals לֵב durch συνείδησις (→ A 94). Qoh 10, 20, wo von ihr die Rede ist, entspricht dem hbr מַדָּע *Wissen*.

[78] Das Herz ist in vielen ägyptischen Texten das Organ, mit dem der Mensch die göttlichen Eingebungen aufnehmen u erfassen kann; denn es ist stets dem göttlichen Willen offen. Näheres bei SMorenz, Ägyptische Religion, Die Religionen der Menschheit 8 (1960) 66—69. 134—142; APiankoff, Le „cœur" dans les textes égyptiens depuis l'Ancien jusqu'à la fin du Nouvel Empire (1930); HBrunner, Das Herz als Sitz des Lebensgeheimnisses, Archiv für Orientforschung 17 (1954/56) 140f. Das Buch der Toten, hauptsächlich Kapitel 125, fügt den Texten bildliche Darstellungen bei, die das Herz, das Inbegriff für Leib, Seele u Willen ist, auf der Waage des Osiris u der Maat zeigen.

[79] Als eine Art Doppelgänger erscheint das Herz auch in der bekannten Geschichte von Elisa u Gehazi. Das Herz Elisas geht mit Gehazi, als dieser weit von ihm entfernt ist 2 Kö 5, 26. Es könnte aber auch sein, daß wir es hier nur mit einer ironischen Redensart zu tun haben, hinter der keine präzise Vorstellung zu suchen wäre.

[80] Meyenfeldt aaO (→ A 73) 146.

wie Gott der Eine ist Ps 86,11; Jer 32, 39; 1 Ch 12, 39. Das Herz ist nicht nur das zum Leben unentbehrliche Organ, es kann durch das Einwirken Gottes zum Prinzip eines neuen Lebens werden. Die Beschneidung des Herzens (→ VI 76, 38 ff) Lv 26, 41; Dt 10,16; 30, 6; Jer 4, 4; 9, 25, die Verwandlung eines steinernen Herzens in ein Herz aus Fleisch u Blut Ez 11,19; 36, 26; Ps 51,12 drücken aus, daß sich die neue Schöpfung vom Herzen aus vollzieht[81]. Ebs geht von ihm die Bewegung zu Gott שׁוּב aus, die die stetige Forderung der Propheten an den menschlichen Willen ist Jer 3,10; 29,13 uö.

Die Bezeichnung des Menschen als נֶפֶשׁ und seine Konzentrierung im Herzen entsprechen nicht zwei Anthropologien, sondern eher zwei Tendenzen innerhalb desselben Menschenbildes: Die erste sieht den Menschen unter dem Blickwinkel seines vegetativen Lebens und seines Äußeren, die zweite unter dem des inneren Wertes. Der Dynamismus der Anthropologie benötigt ein Zentrum, ein Gewissen oder vielmehr ein Mitwissen, das dem Menschen erlaubt, sich wiederzufinden und über sich selbst hinauszuwachsen.

5. Der Geist (→ VI 357, 26 ff).

Das Leben der Organe und ihrer entsprechenden psychologischen Funktionen wird durch den Geist רוּחַ bewirkt.

a. Die Herkunft des Begriffs.

Ohne רוּחַ gibt es kein Leben, und die Quelle des Lebens liegt außerhalb des Menschen. Diese beiden Feststellungen liegen allen biblischen Aussagen über die רוּחַ zugrunde. Der Ausdruck legt es nahe, den Ursprung des Begriffs in der physischen Welt zu suchen. Der Stamm רוח könnte ein lautmalendes Schallwort sein[82], das das Geräusch des Windes wiedergibt, gleich wie נֶפֶשׁ den Hauch erkennen läßt, und könnte als eine Sondererscheinung der allgemeinen Lebenskraft gedeutet werden.

In einer großen Anzahl von Texten ist die einzig mögliche Übers für רוּחַ *Wind* oder *Windhauch*, am häufigsten bei Jer, Ez, Hi u Ps (→ VI 358, 6 ff). Der Wind hat eine doppelte Bdtg. Weil er flüchtig u unbeständig ist, wird er zum Sinnbild der Eitelkeit Hi 16, 3; Jer 5,13; Hos 8,7; Qoh 1,17; 2, 26; 4, 4 uö. Er ist aber auch eine Macht, die Leben spendet, indem er die mit Regen beladenen Wolken herbeiführt. Diese Macht gebraucht Gott zu seiner Offenbarung 2 S 22,11; Gn 8,1; Ex 10,13; 14, 21; 15, 8.10, vielleicht auch Gn 1, 2, wo die Übers *mächtiger Wind* oft der Wiedergabe *Geist Elohims* vorgezogen wird. In Texten wie Hos 13,15; Js 40,7; 59,19 ist der Wind zugleich Naturerscheinung u Atem Gottes. Wenn das Wort verwendet wird, um die spezifische Eigenart der göttlichen Natur auszudrücken Js 31, 3, verschwindet der physische Aspekt u macht der übertr Bdtg Platz. רוּחַ ist dann Macht u Unsichtbarkeit. Der Begriff ist von der Kosmologie u der Theol in die Anthropologie eingedrungen u hat niemals seinen gegenständlichen Ursprung eingebüßt.

---

[81] In der Forderung der Gottesliebe steht das Herz an erster St vor der נֶפֶשׁ. Dieser Befund ergibt, daß die Liebe von innen nach außen geht u daß sie nicht ein Impuls, sondern etw Wohlüberlegtes ist Dt 4, 9. 29; 6, 5; 10,12; 11,13; 13, 4; 26,16; 30, 2. 6. 10; Jos 22, 5; 23,14; 1 Kö 2, 4; 8, 48. Jer 32, 41 redet von der Liebe, die von Gott ausgeht u die dieselbe Struktur aufweist.

[82] Gesenius aaO (→ A 65) III (1842) sv רוח möchte in רוּחַ wie in פּוּחַ u נוּחַ ein Moment der Atmung sehen, uz bei רוּחַ bes das Geräusch, vgl → Lys Ruach 20.

b. Die Auswirkung im Menschen.

In den ältesten Stellen, an denen רוּחַ in bezug auf den
Menschen erwähnt wird, bezeichnet sie eine Macht, die von Gott auf bestimmte
Individuen herabfällt, nicht um sie lebendig zu machen, sondern um ihnen eine
5 Lebenskraft zu verleihen, die über das übliche Maß hinausgeht und sie zu besonders
machtvollen Taten befähigt (Ri 13, 25; 14, 6; 15,14). In 1 S 10, 6. 10; 19, 20 ist
der Geist die Ursache des prophetischen Auftretens. Die großen Propheten schreiben aber selten ihre Berufung dem Geist zu (Hos 9,7; Mi 3,7). Der Messias unterscheidet sich von den gewöhnlichen Sterblichen durch ein Übermaß an Geistes-
10 gaben (Js 11). Von außen, aber nicht von Gott, kommt der Geist, der als eine
Art dämonisches Wesen erscheint, dessen Gott sich bedienen kann, der aber auch
gegen ihn auftreten kann (1 S 16,14; 18,10; 1 Kö 22, 21ff). Vielleicht ist auch
hie u da die Erinnerung an die himmlischen Geister lebendig, die nun alle in Jahwe vereinigt sind. Selbst wenn vom Geist als von einer im Inneren des Menschen
15 wirkenden Kraft gesprochen wird, wirkt es, als ob von einer Besessenheit durch
einen Dämon die Rede wäre. In noch weit stärkerem Maße als נֶפֶשׁ wird die רוּחַ
durch ihren Dynamismus charakterisiert. Man kann sagen, daß die רוּחַ die Bedingung für die נֶפֶשׁ ist und daß sie deren Lebenskraft regelt. Ohne נֶפֶשׁ stirbt ein
Individuum, aber ohne רוּחַ ist eine נֶפֶשׁ keine echte נֶפֶשׁ mehr.

20 Zu dem vor Durst sterbenden Simson kehrt der Geist zurück, als er getrunken hat,
u er lebt wieder auf Ri 15,19. Dasselbe gilt für einen Mann, der seit drei Tagen ge-
fastet hat 1 S 30,12. Angesichts der von Salomo zur Schau gestellten Pracht hat die
Königin von Saba keine רוּחַ mehr 1 Kö 10, 5. Sie stirbt nicht an Entkräftung, aber ihr
Gemüt wird aufs stärkste erschüttert. Als die Lebenskraft schlechthin erscheint die
25 רוּחַ in den Texten, die eine Resonanz anthropologischer Natur haben. Gott haucht die
רוּחַ in die Nasenlöcher des Mannes bei seiner Erschaffung Gn 2,7; 6, 3. 17; 7, 22, wo
sich der vollständigere Ausdruck findet, der die Def von J u P vereinigt: נִשְׁמַת־רוּחַ חַיִּים.

c. Die schöpferische Tätigkeit des
Geistes im Menschen.

30 Die רוּחַ ist der Atem des Lebens, ohne den kein Leben auf irgendeinem Gebiet der Schöpfung bestehen kann Ps 104, 29; Nu 16, 22; 27,16. An
den beiden letzten St bedeutet אֱלֹהֵי הָרוּחֹת לְכָל־בָּשָׂר[83], daß das Fleisch nur durch
den belebenden Geist existieren kann. Der Geist ist nicht mehr die außergewöhnliche
Macht, die für einige Privilegierte reserviert ist, sondern die unentbehrliche, schöpfe-
35 rische Kraft des Lebens, wie seine Verbindung mit נְשָׁמָה zeigt Js 42, 5; Hi 4, 9; 27, 3;
33, 4; 34,14. Wenn רוּחַ für bestimmte Gefühle verwendet wird, dann immer für solche,
die eine extreme Intensität oder eine außergewöhnliche Schwäche ausdrücken, wie der
Schmerz 1 S 1,15 oder die Ungeduld Ex 6, 9. Der Geist der Hurerei Hos 4,12; 5, 4,
der Falschheit Mi 2,11, der Eifersucht Nu 5,14, des Schlafes Js 29,10 stellen alle ein
40 unwiderstehliches Gefühl dar, von dem der Mensch beherrscht wird u das seinen Willen
gefangennimmt. Die anregende Rolle des Geistes tritt auch in dem Ausdruck „die רוּחַ
erwecken" zutage Hag 1,14; 1 Ch 5, 26; 2 Ch 21,16; 36, 22; Jer 51,1. Der Mensch hat
נֶפֶשׁ, die רוּחַ hat ihn, so kann man den Tatbestand kurz zusammenfassen[84]. רוּחַ auf
den Menschen angewandt, steht nie für das Personalpronomen, auch

---

[83] Dieser etw schwer verständliche Ausdruck
will urspr die Vielzahl der von Gott ausge-
gangenen Lebenselemente aussagen. Eine andere Erklärung bietet LXX: κύριος ὁ θεὸς
τῶν πνευμάτων καὶ πάσης σαρκός. Sie sieht
wahrscheinlich in den πνεύματα die himmlischen Geister.
[84] → Köberle 210.

nicht in den Texten meist jüngeren Datums, in denen sie die Stelle der נֶפֶשׁ einnimmt Js 26, 9; Hi 7,11; Sach 12,1; Qoh 3, 21; 11, 5. Nie wird die רוּחַ mit einem be- stimmten körperlichen Organ in Verbindung gebracht. Wie es ihrer Natur ansteht, bleibt sie immer geistig.

d. Das Verhältnis zu נֶפֶשׁ und Herz. 5

Daß die רוּחַ die Funktionen der נֶפֶשׁ übernimmt, bedeutet keinen Orientierungswechsel der Anthropologie im Sinne einer Vergeistigung oder eines Dua- lismus[85]. Die רוּחַ ist manchmal an St erwähnt, an denen wir normalerweise das Herz erwarten Js 29, 24. Bes deutlich wird das Js 40,13, wo LXX νοῦς übersetzt, das ge- läufige Äquivalent zu לֵב. Herz u Geist sind miteinander genannt Ex 35, 21; Ps 34,19; 10 51,19; 78, 8, aber auch hier verwischt die Parallelisierung nicht die bes Nuancen der beiden Ausdrücke: Das Herz drückt die Innerlichkeit, der Geist die trei- bende Kraft aus. Allerdings ist der Unterschied fast ganz eingeebnet, wenn von den Gedanken, die zum Geist aufsteigen Ez 11, 5; 20, 32, u solchen, die zum Herzen eingehen Jer 3,17; 7, 31; 44, 21; Js 65,17, die Rede ist. 15

In den jüngeren Texten macht sich allerdings eine Tendenz zur Psychologisierung der רוּחַ bemerkbar. Es ist aber schwer zu sagen, an welchem geschichtlichen Zeitpunkt diese Verschiebung eingetreten ist. Einen entscheidenden Wendepunkt hat man in Dt 2, 30 sehen wollen[86], wo die רוּחַ als eine eigenständige Realität erscheint, die Jahwe verhärtet. Man kann aber eher vermuten, daß diese Entwicklung sich in Weisheits- 20 kreisen vollzogen hat, wie sich an Qoh ablesen läßt. Zu einer eigenständigen Anthro- pologie ist es aber nie gekommen. Die Natur des Menschen läßt sich niemals auf die רוּחַ zurückführen. Daß der Mensch ein Geist wird, wenn sein Körper ver- schwunden ist, läßt sich nicht behaupten. Die Bezeichnung Geist für einen Toten liegt außerhalb at.lichen Gebiets, vgl Lk 24, 39. Der Mensch bleibt selbst im 25 Tode eine נֶפֶשׁ, dh ein durch die רוּחַ belebtes bzw lebloses Fleisch.

e. Fleisch und Geist.

Der Gegensatz zwischen Fleisch und Geist, der sich ge- legentlich im Alten Testament findet (Gn 6,1—8; Js 31, 3), ist nicht der zweier Prinzipien, sondern der der Schwäche des Menschen und der Macht Gottes[87]. 30 Diese beiden Momente sind keineswegs unvereinbar; denn der Gott, der den Men- schen aus vergänglicher Materie geschaffen hat, tut gleichzeitig alles, um auf den Menschen etwas von seiner Macht zu übertragen. Zwischen Fleisch und Geist entsteht nur dann Unstimmigkeit, wenn das Fleisch vergißt, auf Gott, der Geist ist, zu vertrauen, und auf sich selber vertraut (Jer 17, 5ff; 2 Ch 32, 8). In der 35

---

[85] An einer Anzahl von St sind נֶפֶשׁ u רוּחַ einfach auswechselbar. Dieselben Eigenschaf- ten haben ihren Sitz teils in der נֶפֶשׁ, teils in der רוּחַ. So ist die Ungeduld eine Verkürzung der נֶפֶשׁ Nu 21, 4; Ri 16,16 oder der רוּחַ Ex 6, 9; Hi 21, 4. Die Geduld ist eine Ausweitung der נֶפֶשׁ Hi 6,11 bzw der רוּחַ Qoh 7, 8. Die Bitterkeit hat ihren Sitz einmal in der נֶפֶשׁ 1 S 1,10; 22, 2; 30, 6; Hi 3, 20; 27, 2, ein andermal in der רוּחַ Gn 26, 35.

[86] → Lys Ruach 349 sieht einen entscheiden- den Einschnitt in der Entwicklung Dt 2, 30. Wo Gott den Geist u das Herz eines Men- schen verhärtet, ist רוּחַ nicht mehr eine Po- tentialität, die der Veränderung unterworfen

ist, sondern das persönliche u entscheidende Zentrum des Willens, das den Menschen im Gegensatz zu den niederen Lebewesen cha- rakterisiert.

[87] Das Überhandnehmen der רוּחַ als In- begriff aller Lebensäußerungen des Menschen hat keinesfalls einen günstigen Boden für einen Dualismus bereitet; denn die רוּחַ ist eben auch das, was Gott u Menschen gemeinsam ist u sie verbindet. Ansätze zu einem Dualis- mus finden sich nicht in der menschlichen Natur. Aber die Entscheidung des mensch- lichen Willens kann bewirken, daß in ihm entweder das Fleisch oder der Geist die Ober- hand gewinnt u damit seiner Natur eine neue Orientierung gibt.

eschatologischen Zeit werden alle Spannungen überwunden, jedoch nicht im Sinne
einer radikalen Umwandlung der menschlichen Natur, einer Umwandlung, die das
Fleisch durch den Geist ersetzen und den Menschen zu einem geistigen Wesen
machen würde. Da der Geist Gott und den Menschen gemeinsam ist und im Men-
5 schen das Element darstellt, das am unmittelbarsten zu Gott steht, könnte man
erwarten, daß der Geist im Verhältnis zwischen Gott und Mensch die Hauptrolle
einnimmt. Eine spezifisch religiöse Anwendung des Geistes findet sich zwar an
einigen Stellen wie Ps 31, 6; 34,19; 51,19; Js 61,1; 66, 2; Prv 16, 2; Js 29, 24.
Aber wenn von den besonderen Erscheinungen der Frömmigkeit die Rede ist, wie
10 Gottesfurcht und Gottesliebe, spielen Herz und נֶפֶשׁ die entscheidende Rolle. Aus
den Stellen, die den Geist erwähnen, geht hervor, daß die alttestamentliche Anthropologie den Menschen weniger nach seiner Natur sieht als in seiner Beziehung
zu Gott, die je nach der gegebenen Situation sich auswirkt.

6. Der Relationscharakter der alttestamentlichen Anthropologie[88].

15

Aus unserem Überblick können wir folgende Schluß-
folgerungen ziehen:

a. Die Anthropologie des Alten Testaments ist prinzipiell
dieselbe wie die der anderen Völker des Nahen Orients. Ausdrücke wie
20 נֶפֶשׁ, לֵב haben dieselben Bedeutungen im Akkadischen, Ugaritischen und Hebräischen. Die metaphorische Verwendung von Körperteilen auch außerhalb der Bibel
zeigt, daß der Mensch als ein psychisch-physisches Wesen gedacht wird, dessen
Leben durch Ausdehnung oder Konzentration in allen Teilen des Körpers sich
offenbaren kann. Über die menschliche Natur an sich bringt das Alte Testament
25 nichts eigentlich Neues. Ein rein wissenschaftliches Interesse ist im Alten Testament und auch anderswo kaum zu bemerken und erscheint erst unter hellenistischem Einfluß (vgl Sap 7,1—2). Die spezifischen Eigenschaften des Gottes Israels
geben der biblischen Anthropologie einen Zusammenhalt, den die außerbiblische
nicht hat. Der eine Gott, der nicht nur der Schöpfer, sondern vor allem der Herr
30 der Geschichte ist, die auf ein bestimmtes Ziel ausgerichtet ist, verleiht den Aussagen über den Menschen die Einheit der Struktur und der Tendenz. Angesichts
eines Gottes, der als lebendige Person geglaubt wird, ist der Mensch als ein Gegenüber gedacht, das völlig frei und verantwortlich ist. Zweifellos hat aus demselben Grunde die kollektivistische Gebundenheit in Israel niemals die Bedeutung
35 des Individuums, auch nicht in älteren Zeiten, verringert.

b. Die alten Unterscheidungen von Dichotomie oder Trichotomie in der alttestamentlichen Anthropologie müssen aufgegeben werden.

---

[88] Die Anthropologie des AT ist trotz mancher Abwandlungen im Grunde im ganzen
AT immer dieselbe. Der Dynamismus, der
sie charakterisiert, wird nicht widerlegt durch
die statischen Elemente, die hie u da hervortreten, zB die große Rolle der Gebeine u der
äußeren Form. Man muß ihnen Rechnung
tragen, wenn man verstehen will, wie dieser
Dynamismus in die Geistleiblichkeit einmündet. Deshalb redet das AT zB von Auferstehung u nicht von einem ewigen Leben
in einer unsichtbaren Welt.

Die israelitische Anthropologie ist monistisch. Der Mensch wird immer
in seiner Ganzheit gesehen, die von einem einheitlichen Leben belebt wird. Die
Einheit der menschlichen Natur wird nicht durch die gegensätzlichen Begriffe
Körper und Seele, sondern durch die sich ergänzenden und untrennbaren Begriffe
Körper und Leben ausgedrückt. 5

c. Das Alte Testament betrachtet den Menschen niemals
als ein Abstraktum, sondern so, wie er in einer bestimmten Situation erscheint.
Deshalb gilt sein Interesse mehr dem einzelnen Menschen als dem menschlichen
Wesen im allgemeinen. Abgesehen von den Traditionen über die Urgeschichte
und den Weisheitsbüchern, wo man von einem auf der Einheit des Menschen- 10
geschlechts gegründeten Humanismus sprechen kann, wird der Mensch stets als
Individuum oder als Glied eines Volkes in seiner geschichtlichen Rolle gewertet.
Der Name (→ V 252, 13 ff), der für den alttestamentlichen Menschen wichtiger ist
als die gemeinsamen Züge mit anderen Menschen, drückt ebenfalls aus, daß der
Mensch, und zwar jeder Mensch, seine besondere Geschichte hat. 15

d. Der Lebensweg des alttestamentlichen Menschen ist
nicht einfach durch die verschiedenen Stadien, die von Geburt über Wachsen
und Altern zum Tod führen, gekennzeichnet. Das Leben ist ständig bedroht, und
es findet sein Gleichgewicht nur in dem Kontakt mit der Quelle des Lebens,
das heißt mit Gott. Das häufige Bild des Atmens und der Atmung (→ 614, 22 ff), 20
das den tragenden Unterbau für die anthropologische Sprache bildet, läßt das Leben als eine fortwährende Atemübung erscheinen, wobei die Art des Atmens und die
Qualität der eingeatmeten Luft beide von Bedeutung sind. Hauptsächlich aber
hängt die menschliche Atmung vom Atem Gottes ab (Hi 34, 14 f). Wenn Gott zu
atmen aufhört, was in jedem Augenblick eintreten kann, so hört jegliches Leben 25
auf (Ps 104, 29). Es wäre aber unrichtig, daraus den Schluß ziehen zu wollen, daß
die alttestamentliche Anthropologie pessimistisch sei; denn auch das Ende wird
als Vollendung angesehen und damit als ein Sieg des Lebens in seiner höchsten
Potenz [89].

e. Der Bezogenheitsaspekt der Anthropologie kommt auch 30
im Ausdruck Ebenbild Gottes zur Erscheinung (→ II 387, 35 ff); denn die
stellvertretende Funktion, die dieser Begriff in sich schließt, kann vom Menschen
nur durch eine ständige Verbindung mit seinem göttlichen Urbild ausgeübt werden.
Imago Dei und נֶפֶשׁ חַיָּה rücken einander sehr nahe; denn beiden liegt die Verbindung mit Gott und einem göttlichen Auftrag zugrunde. Schließlich steht hinter 35
allem, was das Alte Testament über den Menschen sagt, die Feststellung und der
Glaube, daß der Mensch wirklich nur lebendig ist in der Situation der Wahl, durch
die er erfüllt, was er ist.

Jacob

---

[89] Das Leben in seiner höchsten Potenz ist
natürlich das Leben Gottes. Angesichts des
Sieges Gottes, ob er nun durch Erhaltung des
erwählten Volkes oder durch die Neuschaffung
der Welt bezeichnet wird, wird die Begrenztheit des menschlichen Lebens kaum zu einem
Problem, u wenn das geschieht, findet man die
Lösung in einer neuen Betonung des Lebens
Gottes Ps 73, 26; Hi 19, 25 (→ II 844, 6 ff).

C. Judentum.

I. Hellenistisches Judentum.

1. Die Schriften der Septuaginta mit hebräischer Vorlage.

Im Übersetzungsgriechisch der LXX entspricht ψυχή allermeist, wenn auch nicht ausschließlich, hbr נֶפֶשׁ [90]. Ob die Wahl des Wortes jeweils primär auf die Assoziation Lebenskraft oder Seele als Sitz von Geist u Gemüt schließen läßt, kann man nur im Einzelfall entscheiden. Nu 35,11; ψ 22,3, im Gebet des Elias zum Herrn, seine Seele von ihm zu nehmen 3 Βασ 19,4, liegt sicher die erste, Dt 11,18; 18,6; Prv 19,15f die zweite Bdtg vor. Beide können eben jeweils korrekt durch נֶפֶשׁ bzw ψυχή ausgedrückt werden. Doch besteht folgender Unterschied: Im klass u nachklassischen Griech (→ 613,10ff) knüpfen sich beide Bdtg an die geläufige Vorstellung von der Seele als einem immateriellen oder doch unsichtbaren, vom Körper getrennt denkbaren Wesenskern des Menschen, der dem Selbst des Menschen über die Grenzen der physischen Existenz hinaus Wert u Dauer verleiht. Diese Konzeption ist dem AT von Haus aus fremd. Wenn mit נֶפֶשׁ (→ 614,33), dem häufigsten Wort für die Lebendigkeit des Menschen, auch mancherlei Arten geistig-seelischer Patibilität u Aktivität benannt werden können, bedeutet das nur eine bes weite Fassung des Lebensprinzips, ohne daß dabei an den Gegensatz Leib/Seele gedacht zu werden braucht (→ 629,1ff) [21]. Diese Divergenz wird durch die lexikalisch unanfechtbare Gleichsetzung נֶפֶשׁ/ψυχή überdeckt, macht sich jedoch an manchen St bemerkbar. Js 10,18 u ψ 62,2 wird der Gesamtmensch durch den Doppelausdruck ψυχή/σάρξ bezeichnet, der im Griech zweifellos auf das Nebeneinander von Leib u Seele verweist. Im Hbr steht נֶפֶשׁ/בָּשָׂר; diese Wörter weisen nur einen geringen u nicht den Leib/Seele-Gegensatz einschließenden Bedeutungsunterschied auf (→ 619,21ff). Der vergleichbare Ausdruck καρδία/σάρξ, hbr בָּשָׂר/לֵב ψ 83,3 entspricht genau einem einfachen נֶפֶשׁ in demselben Vers, vgl auch ψ 72,26: σάρξ/καρδία hbr לְבָב/שְׁאֵר. ψ 15,10 besagt der hbr Text wohl nur soviel, daß Gott das Leben des Beters bewahren, ihn nicht dem Totenreich überlassen werde. Im griech Text wird die ψυχή nicht im Hades bleiben. Man setzt also die Vorstellung vom Aufenthalt einer vom Leib getrennten Seele in der Unterwelt voraus. Vergleichbares gilt für Hi 7,15 u 'Ιερ 38 (31),12, wo der griech Text leichter als der hbr im Sinne des später dem Judt geläufigen Auferstehungs- u Seelenglaubens verstanden werden konnte (→ 635,9ff). Auch die falsche Interpretation eines in griech Schrift überlieferten λω als *meine Seele lebt ihm* (לו) statt *meine Seele, dh mich, hat er nicht* (לא) *am Leben erhalten* ψ 21,30 deutet auf die bezeichnete Differenz der Vorstellungen [92]. ψυχή als Bezeichnung des Trägers von Intellekt u Intention entspricht natürlich nicht nur hbr נֶפֶשׁ, zB ψ 103,1, sondern auch mehreren anderen Wörtern [93] des reichen, wenn auch verglichen mit dem griech undifferenzierten psychologischen (→ 627,6ff) [94] Vokabulars des Hbr, zB לֵב, רוּחַ. Umgekehrt stehen Dt 12,20 (Cod A) ψυχή u καρδία als Übersetzungsvarianten für נֶפֶשׁ. Daneben kann ψυχή, im Anschluß an genuin griech (→ 614,1), idiomatisch fixierten Wortgebrauch, die lebendigen Wesen meinen, zB ἀριθμὸς ψυχῶν *Kopfzahl* Ex 16,16 oder πᾶσα ψυχή *jedermann* Gn 12,5; Ex 12,16, vgl ψυχαὶ δὲ πολλαί... ἔθανον Aristoph Thes 864f. Überall ist hier eher an die Zahl der Menschenleben als an die der moralischen Individualitäten zu denken. Den Israeliten war wie den Griechen die altertümliche Vorstellung bekannt, nach der das Blut Träger der Lebenskraft ist (→ 616,7ff). Das zeigt sich auch im griech Text des AT, zB Gn 9,5; Lv 17,11.

2. Die apokalyptischen und pseudepigraphen Schriften.

Die begriffliche Scheidung von Leib u Seele im Sinne griech Denkweise, die sich in der LXX bisweilen gg den Sinn des HT geltend macht (→ 630,21ff), ist den außerkanonischen Schriften durchweg geläufig, mögen sie nun griech abgefaßt

---

[90] Hatch-Redp sv ψυχή.

[91] Sander aaO (→ A 69) mit weiterer Lit. [Bertram]

[92] [Bertram]

[93] Hatch-Redp sv νοῦς, καρδία, πνεῦμα.

[94] So wird zB ψ 15,7 das Gewissensphänomen (→ A 77; VII 906,39ff) mit Hilfe der Nieren, ψ 4,5 mit Hilfe des Herzens beschrieben.

oder zufällig in einer griech Version erhalten sein. Zunächst stößt man natürlich allenthalben auf Ausdrücke, die den Gepflogenheiten des AT entsprechen. Dahin gehört
zB ἡ ψυχή μου *ich* usw Apk Abr 11 (p 23,11); 17 (p 28,6); Jub 17,18; 26,13 oder *meine
Seele ängstigt sich* Test Sal 1, 4 oder *etw von ganzer Seele u ganzem Herzen tun* Jub 1,15;
s Bar 66,1, vgl Dt 4, 29, oder die Gleichung von Seele u Leben 1 Makk 9, 2; 2 Makk 5
14, 38; Jdt 10,15; s Bar 51,15 uö. ψυχή ist überall hier u im folgenden entweder für
eine griech Version des Textes bezeugt oder für eine nicht erhaltene vorauszusetzen.
Welche Vorstellungen sich jedoch mit dem Wort verbinden, lehren andere St besser.
Die Seele wird durch ein Unterlassen der Beschneidung geschändet, also doch wohl
der innere Mensch 1 Makk 1, 48; denn in diesem Buch überwiegt bei weitem die psy- 10
chologische Bdtg des Wortes[95]. Vit Ad 27 unterscheidet zwischen der Seele als dem
geistig-moralischen Selbst des Menschen u seinem Odem als Lebenskraft. *Die Seele
lebt nach dem Tode weiter* Pseud-Phocylides 105ff[96], sei es, daß sie zu Gott zurückkehrt
Apk Esr 7, 3 (p 32); 6, 4f (p 31), von Engeln geleitet oder empfangen Test A 6, 5f;
Testamentum Iobi 52f[97], sei es, daß sie in die Hölle oder Unterwelt gehen muß s Bar 15
21, 23; Apk Esr 4,12 (p 28); Sophonias-Apokalypse[98] 1,1ff (p 111). Jedenfalls trennt
sie sich vom Körper, u die Auffahrt des letzteren ist eine bes Auszeichnung für den
Erzvater Abraham Test Abr B 8 (p 112,15f). Die Seelen erwartet nach dem Tode das
Gericht mit folgender Belohnung oder Bestrafung Test Abr B 9 (p 113, 22ff), uz nur
die Menschenseelen, während die Tierseelen an einem bes Ort weilen u im Gericht allen- 20
falls als Belastungszeugen auftreten slav Hen A 58, 4—6. Es gibt auch die Auffassung,
daß für das Gericht Leib u Seele wieder verbunden werden Apocryphon Ezechiel (→
A 96) fr 1 (p 121, 5, vgl 122, 9f). Bei einer Totenbeschwörung erscheint jetzt, anders
als in der Geschichte von der Hexe von Endor 1 S 28,14ff, vgl Js 14, 9, die Seele des
Verstorbenen Jannes u Mambres 1 (Rießler 496). Zauberer können Menschenseelen 25
stehlen slav Hen 10, 5, u die Seele kann den Leib zeitweilig verlassen Paral Jerem 9,11ff.

Die religiös-moralischen Qualitäten u damit die Verantwortlichkeit des Menschen gehören in den Bereich der Seele Test Jud 18, 4; Pseud-Phocylides (→ A 96) 50. 228.
Die Seele ist weiß oder schwarz Testamentum Isaac[99] Folio 17 u kann wie der Leib in
der Buße kasteit werden Test Jud 19, 2f. Wie verbreitet die Meinung ist, es handle 30
sich bei Leib u Seele um zweierlei, zeigt sich auch darin, daß man sich, direkt oder indirekt durch die philosophische Anthropologie angeregt, über die Verteilung seelischer
Funktionen auf die Organe des Körpers Gedanken macht Apocalypsis Sedrach 9ff[100],
sowie über die Beseelung des Embryos Apk Esr 5,13 (p 30). Daß die Psychologisierung
religiöser u moralischer Anschauungen im späteren Judt sich bisweilen mit der Formu- 35
lierung der Gedanken in griech Sprache wie von selbst einstellt, lehrt der Vergleich
zwischen 1 QS 3,13ff; Test Jud 20,1f u Test A 1, 3ff. Den beiden Geistern oder Engeln,
die neben dem Menschen stehen u sein Tun beeinflussen, entsprechen zwei πνεύματα in
seiner Seele oder sogar zwei διαβούλια der Seele.

3. Die griechischen Schriften der Septuaginta. 40

a. In der Sapientia sind die mit dem Wort ψυχή verknüpften
Vorstellungen durchweg griech bestimmt. Der Leib/Seele-Gegensatz beherrscht die
religiös-moralische Reflexion (→ VII 1044, 24ff). Der Leib ist eine Last für die Seele
oder für ihren edelsten Teil, den νοῦς oder λογισμός 9,15[101]. Das seelische Wohlergehen
ist wichtiger als das leibliche: Unfruchtbarkeit u Kinderlosigkeit, im AT sonst Strafen 45
Gottes, sind μετ' ἀρετῆς besser als das Gegenteil 3,13f; 4,1. Das gilt bes im Hinblick
auf das Jenseits, in dem die Seele weiterlebt u Lohn u Strafe erntet 3,1. Nur unwissende
Frevler meinen, der physische Tod beende alles 2,1ff. Damit wird die Motivierung der
Askese deutlich 8, 21. Es heißt in der Sap aber niemals — anders als in gnostischen
Texten (→ 657,17ff) —, daß die Seele einen schlechthin göttlichen Bestandteil des 50
Menschen ausmache oder enthalte. Der ganze Mensch ist Geschöpf Gottes, freilich als

---

[95] Vgl den Ausdruck *Beschneidung im
Herzen* bzw *Geist* Jer 4, 4; Kol 2,11; Thomas-
Ev Logion 53 (ed AGuillaumont uam [1959]).
[96] ed AMDenis, Fragmenta Pseudepigra-
phorum Graeca, Pseudepigrapha Veteris Testamenti Graece 3 (1970).
[97] ed SPBrock, Testamentum Iobi, Pseudepigrapha Veteris Testamenti Graece 2 (1967).
[98] ed GSteindorff, Die Apk Eliae, eine unbekannte Apokalypse u Bruchstücke der
Sophonias-Apokalypse, TU 17, 3 (1899).

[99] übers WEBarnes, TSt II 2 (1892)
150, 21f.
[100] ed MRJames, TSt II 3 (1893) 133—135.
[101] Aristobul fr 4 soll nach dem Zeugnis
Eus Praep Ev 13,12, 5 (p 192, 9f) den aus
orphischer Tradition stammenden Vers οὐδέ
τις αὐτὸν/εἰσοράει θνητῶν, αὐτὸς δέ γε πάντας
ὁρᾶται Orph Fr (Kern) 247,11f (vl) in οὐδέ
τις αὐτὸν εἰσορᾷ ψυχῶν (vl) θνητῶν, νῷ δ'
εἰσοράαται umgewandelt haben.

Ebenbild seines Schöpfers zur Unvergänglichkeit bestimmt 2, 23.   So kann Salomo
von sich sagen, daß Gott ihm eine ψυχή ἀγαθή u ein σῶμα ἀμίαντον verliehen habe 8, 19f,
daß aber die göttliche σοφία oder das göttliche πνεῦμα — zur Identität beider vgl 1, 6 —
als übernatürliche Gabe auf sein Gebet hin in seine Seele gekommen sei 9, 4; 10, 16.

5   In eine schlechte ψυχή freilich kann solche Gabe nicht eingehen 1, 4.   Das πνεῦμα, dessen
Wesen u Wirkung 7, 24ff ausführlich beschrieben werden, ist demnach, anders als in
der Gnosis, gerade kein urspr Wesensbestandteil des Menschen.   Es kommt als Emanation ἀπαύγασμα, ἀπόρροια Gottes manchmal in die Seelen einiger ὅσιοι, u so entstehen
Propheten u Gottesfreunde (→ 165, 11ff)[102].   Die Stufenordnung πνεῦμα/ψυχή/σῶμα wird

10   also rein theol begründet u nicht wie die par Reihe νοῦς/ψυχή/σῶμα der philosophischen
Anthropologie aus der Bestimmung der Seinsqualitäten der Seelenteile oder -kräfte abgeleitet.   Die Reihe kommt in der jüd Lit noch öfter vor Apk Abr 10 (p 21, 14f); Apk
Eliae 36, 17ff (p 97) (zu Philo → 633, 1ff), wobei statt πνεῦμα auch νοῦς oder λόγος eintreten können, was die Nähe zur philosophischen Terminologie erkennen u die genaue

15   Interpretation der einzelnen St schwierig werden läßt[103].

b. Im 4. Makkäbaerbuch liegt die Reproduktion popularphilosophischer, auf keine Schule einzuschränkender Psychologie vor (→ VII 1044, 35ff).
Neben ψυχή in der bekannten Bdtg *Leben* erscheint die psychologische Lehre von den
πάθη, mit denen der λογισμός fertig zu werden hat 1, 20ff, u die platonische Trichotomie

20   (→ 609, 11ff) 3, 2ff, die ψυχή als Bewußtseins- u Empfindungszentrum des Organismus
14, 6, als Trägerin der intellektuellen Funktionen 15, 25 sowie dessen, was wir Charakter
nennen: Brüder gleichen einander in μορφή u ψυχή 15, 4.

4. Aristeas und Josephus.

Nicht immer lassen sich die bisher herangezogenen Schriften da-

25   tieren, einer bestimmten Gruppe im Judt zuweisen, in ihrer urspr Sprachform bestimmen
u von chr Zusätzen befreien.   Doch darf man sagen, daß in ihnen eine weithin einheitliche Gesamtvorstellung vom Wesen u Schicksal der Seele zum Ausdruck kommt,
deren Genauigkeit in dem Maße steigt, in dem sich der Text genuin griech Ausdrucksweise nähert.   Das gilt auch für ep Ar (→ VII 1047, 30ff) u Jos (→ VII 1053, 18ff).

30   Beide Autoren verfügen über eine bescheidene philosophische Bildung, beide schreiben
für Juden u Nichtjuden, ihre Lebenszeit ist durch etwa zwei Jhdt getrennt.   Jos Ant
3, 260 erklärt die Schächtungsvorschriften damit, daß Moses das Blut mit ψυχή u πνεῦμα
gleichgesetzt habe.   Wir finden hier eine differenzierende psychologische Terminologie,
in der πνεῦμα etwa das bedeutet, was Pos darunter verstand (→ 612, 2ff)[104].   Bei

35   Aristeas gibt es das umgangssprachliche σῴζω τὴν ψυχήν *das Leben retten* 292, ebs wie
die ψυχῆς καθαρὰ διάθεσις 2, die Tugend in philosophischer Def.   Reinheit wird durch
einen solchen Ausdruck als Angelegenheit der Gesinnung einer vom Körper zu trennenden Seele zugewiesen.   Die gleiche Betonung der Gesinnung gegenüber kultischen oder
anderen Leistungen findet sich auch bei den Propheten des AT, jedoch nicht auf der

40   Basis eines begrifflich erfaßten Gegensatzes zwischen Leib u Seele.

5. Philo.

Philo verdient (→ VII 1049, 20ff)[105] als einziger erhaltener Autor
der jüd-hell Lit mit großer philosophischer Bildung eine Sonderstellung.   Sein Gebrauch
des Wortes ψυχή erklärt sich aus der zwar inkohärenten, aber auf großer Belesenheit

45   beruhenden Verwendung der Terminologie diverser Philosophenschulen.

---

[102] Zum Begriff des Gottesfreundes vgl
FDirlmeier, ΘΕΟΦΙΛΙΑ—ΦΙΛΟΘΕΙΑ, Philol
90 (1935) 57—77.

[103] Gerade die gnostischem Denken zuwiderlaufende Verwendung dieser Stufen-
folge in Sap zeigt, wie vorsichtig man mit
der Bezeichnung Gnosis auch bei offenkun-
diger Motivverwandtschaft umgehen muß.
Anders AAdam, Die Psalmen des Thomas u
das Perlenlied als Zeugnisse vorchr Gnosis,
ZNW Beih 24 (1959) 31—33, der die Einlagen
in die Sap als Zeugnisse einer vorchr Gnosis
betrachtet.

[104] Merkwürdig sind bei Jos zwei Hinweise auf die Seelenwanderung Bell 3, 362ff;
6, 34ff, die nicht als verhängnisvolle Bindung
der Seele an sterbliche Leiber, sondern als
Auszeichnung beschrieben wird, insofern Seelen von Tapferen erst zum Himmel aufsteigen
u dann in den Leib vortrefflicher Männer eingehen.   Beide St gehören wohl in die literarische Tradition der Feldherrnansprache u
sind deshalb nicht einfach als Zeugnisse für
die Anschauung des Autors zu verwenden.

[105] Zu Philo vgl außer Leisegang sv
ψυχή die → VII 1048 A 318; 1049 A 320,

Er kennt beispielsweise die platonische Dreiteilung der Seele (→ VII 1049, 41ff) Spec Leg IV 92 ebs wie die stoische Achtteilung Agric 30f, ferner die einfache Gliederung in einen übergeordneten rationalen u einen dienenden irrationalen Teil Leg All I 24; Fug 69[106]. Diesen identifiziert er, stoische Lehre vergröbernd, aber im Anschluß an medizinische Theorien seiner Zeit, mit dem Blut Det Pot Ins 79—85, jenen mit dem 5 νοῦς, den er ψυχή τις ψυχῆς nennt Op Mund 66, vgl Rer Div Her 54ff u mit dem Auge des Körpers vergleicht Op Mund 66. Die οὐσία der Seele bzw ihres νοῦς oder λογισμός ist das göttliche πνεῦμα. Philo verwendet diesen Begriff der von Haus aus materialistischen stoischen Psychologie nicht nur wie der platonisch-stoische Synkretismus seiner Zeit in spiritualistischer, sondern auch in theol Umdeutung. Es handelt sich um das 10 immaterielle Deus Imm 46, feurige Fug 133 ἀπόσπασμα θεῖον, das aus αἰθήρ besteht Leg All III 161ff, vgl Rev Div Her 283, um den göttlichen Geist selbst, der in der ψυχή als λογικόν Wohnung nimmt Virt 218 u sie von den Affekten zu heilen vermag Som I 12. Während an den bisher genannten St nach Art des philosophischen Synkretismus die Wörter νοῦς — πνεῦμα — λογικὸν ψυχῆς — λόγος — λογισμός — ἡγεμονικόν 15 im wesentlichen dasselbe bedeuten, gibt es daneben bei Philo auch die aus der Gnosis bekannte Stufung von λόγος u νοῦς Migr Abr 3f, bei der der λόγος als Gehäuse des νοῦς erscheint.

Die Verbindung mit Gott ist dem Menschen, soweit stimmt Philo mit der philosophischen Spekulation überein, nur durch den höchsten Teil seiner Seele möglich Poster 20 C 27, vgl Aristobul (→ A 101). Auf der anderen Seite betont Philo, daß alle Bestandteile der Seele am Zustandekommen der Sünde beteiligt seien Conf Ling 22. Hier tritt die philosophische u gnostische Auffassung von der Verwandtschaft der Seele mit Gott zurück hinter der at.lichen Vorstellung vom unüberbrückbaren Abstand zwischen beiden, der sich in der Sünde manifestiert. Bezeichnenderweise ist nach Leg All I 82ff die ek- 25 statische Vereinigung mit dem Höchsten gerade kein ἔργον τῆς ψυχῆς, sondern ein Gnadengeschenk.

Daß Engel u Dämonen ψυχαί seien Gig 16, ist in jener Zeit gemeinsame Auffassung von Griechen u Juden (→ 463 A 29; 611, 21ff). Mit der philosophischen Kosmologie stimmt Philo darin überein, daß er von der ψυχή der Welt als eines belebten, nach ratio- 30 nalen Gesetzen geordneten Organismus redet Aet Mund 50 uö (→ VII 1051, 22ff).

Dihle

II. נֶפֶשׁ/ψυχή im palästinischen Judentum.

Wie im Alten Testament so bezeichnet auch in den hebräischen Schriften des nachbiblischen Judentums נֶפֶשׁ das Lebendige im Men- 35 schen, seinen Atem, seine Lebenskraft, sein Ich.

1. Dieser at.lich bestimmte Sprachgebrauch liegt in den Qumrantexten vor. כל נפש אדם ist *jeder lebendige Mensch* Damask 11,16 (13, 26), bzw כל נפש חיה *jedes Lebewesen* Damask 12, 12f (14, 12f). Als נֶפֶשׁ erfährt der Mensch Leiden u Verfolgung. Die נֶפֶשׁ gerät in Not 1 QH 5, 12; sie wird von Bitternissen getroffen 40 מרורי נפשי 1 QH 5, 12, vgl ferner 1 QH 5, 34. 39; 1 QpHab 9, 11. Die Feinde trachten nach der נֶפֶשׁ des Gerechten Damask 1, 20 (1, 15); 1 QH 2, 21. 24. 29 uö. Aber Gott errettet die נֶפֶשׁ des Frommen, indem er sie vor den Nachstellungen der Gegner beschützt, sie in das Bündel des Lebens legt u ihr hilft 1 QH 2, 7. 20. 23. 32. 34f; 5, 13. 18; 7, 23; 9, 33 uö[107]. Wie der Beter mit ganzer נֶפֶשׁ Gott zu lieben gelobt 1 QH 15, 10, so ge- 45 hört seine נֶפֶשׁ ungeteilt zu Gott. Das Wort נֶפֶשׁ beschreibt daher nicht die Seele als

---

bei Merki aaO (→ A 16) XV u bei HHegermann, Die Vorstellung vom Schöpfungsmittler im hell Judt u Urchr, TU 82 (1961) XI—XV aufgeführte Lit.

[106] Natürlich sind Philo alle Einzelheiten der philosophischen Affektenlehre vertraut, was sich zB aus der Berücksichtigung entlegener Details wie der εὐπάθεια- u der προπάθεια-Lehre ergibt.

[107] An keiner dieser St ist jedoch etw über eine etwaige Unsterblichkeit der Seele gesagt oder ein eindeutiger Hinweis auf die Auferweckung der Toten enthalten. Anders → Delcor passim. Jos Bell 2, 154f behauptet, daß die Essener gelehrt hätten, die Seelen stammten aus dem feinsten Äther u kehrten nach dem Erdenleben in die himmlische Heimat zurück.

einen Teil des Menschen, sondern der ganze Mensch, der sein Leben verantwortlich führt,
ist gemeint. נַפְשִׁי bedeutet an vielen St nichts anderes als *Ich* u נַפְשׁוֹ *Er* (→ 617,10ff).
Bekennt der Beter, daß Gott seine נֶפֶשׁ gerettet, sie bewahrt habe, so heißt das: Du
hast mich erlöst, befreit, mir geholfen 1 QH 2,7. 20. 23. 28; 3,19; 1 QS 11,13 uö. Sagt
er, daß seine נֶפֶשׁ verstört sei 1 QH 8, 32, daß sie nachsinne 1 QH 9,7, daß sie sich freue
1 QH 9, 8; 11,7, so ist dabei von dem Ich des Beters gesprochen, der leidet, denkt u
handelt. An manchen St kann נֶפֶשׁ bzw נַפְשׁוֹ auch einfach das Reflexivverhältnis umschreiben, so zB עַל נפשו ... יקים *er soll auf seine Seele stellen, er soll sich verpflichten*
1 QS 5,10, vgl auch Damask 16,1 (19,14); 16, 4 (20, 2); 16,7 (20, 5); 16, 9 (20, 6); 1 QH
14,17.

2. Im rabbinischen Schrifttum (→ VI 374, 38ff) wird auf
der einen Seite die at.liche Linie fortgeführt[108]. נֶפֶשׁ bezeichnet den lebendigen Menschen als denkenden, entscheidenden u handelnden. Die נֶפֶשׁ, die nach Dt 12, 23 im
Blut liegt (→ 616,1ff), ist die Lebenskraft Gn r 14, 9 zu 2,7; כל נפש wird von *allem
Lebenden* gesagt bBer 44b Bar; דיני נפשות werden *Kapitalprozesse* genannt, bei denen
es um Leben u Tod geht Sanh 4, 5; bSanh 2a. Die נֶפֶשׁ vernichten bedeutet, *Leben*
töten, die נֶפֶשׁ erhalten, daß *Leben* bewahrt wird Sanh 4, 5[109]. Von der נֶפֶשׁ als dem Sitz
des Denkens u Entscheidens ist zB jTaan 3, 1 (66b, 60f) die Rede, wenn vom Gelehrten-
kollegium gesagt wird מכיון שנתנו בית דין נפשן לעשות כמי שעשוי „sobald das Gelehrten-
kollegium seine Gedanken auf etw richtet, es zu tun, so ist es, als ob es bereits getan
wäre".

Auf der anderen Seite ist von den Rabbinen unter hellenistischem Einfluß die
Anthropologie über die alttestamentlichen Vorstellungen hinaus weiterentwickelt
worden, so daß eine dem älteren Judentum unbekannte Gegenüberstellung von
Leib und Seele vorgenommen wird (→ VI 375, 41ff; VII 116, 6ff)[110]. Waren nach
der älteren Auffassung die Seelen der Menschen zusammen mit den Leibern geschaffen worden, so formuliert später RSimai (um 210): „Alle Geschöpfe, die vom
Himmel her geschaffen sind, deren Seele und Leib sind vom Himmel, und alle Geschöpfe, die von der Erde her geschaffen sind, deren Seele und Leib sind von der
Erde. Davon ausgenommen ist der Mensch; denn seine Seele ist vom Himmel
und sein Leib ist von der Erde" (SDt 306 zu 32, 3). Aus dieser Stellung des Menschen wird dann gefolgert, daß der Mensch dann, wenn er das Gesetz hält und den
Willen des Vaters im Himmel erfüllt, sich so wie die oberen Geschöpfe verhält,
im entgegengesetzten Fall aber wie die unteren Geschöpfe[111]. Die Seele, die himmlischen Ursprungs ist, auf Erden aber als ein Gast im Körper weilt[112], gibt also
dem Menschen die Kraft, das göttliche Gebot zu tun, und sie empfängt vom Himmel
her neue Kräfte, damit der Mensch dieser Bestimmung entsprechen kann: „In der
Stunde, da der Mensch schläft, steigt sie (sc die Seele) empor und schöpft für ihn
(sc den Menschen) neues Leben von oben," sagt RMeʻir (um 150; Gn r 14, 9 zu
2, 7)[113]. Der Einfluß griechischer Vorstellungen über die Unsterblichkeit der Seele
(→ 609, 23ff), der sich vor allem im hellenistischen Judentum (→ 631, 12ff) geltend macht, aber auch in den Aussagen der Tannaiten bereits spürbar ist, wird

---

[108] Neben נֶפֶשׁ werden auch רוּחַ u נְשָׁמָה
für die Seele des Menschen gebraucht, ohne
daß eine klare Abgrenzung zwischen diesen
Ausdrücken vorgenommen würde (→ VI
374, 42ff).
[109] Vgl Str-B I 749f.
[110] → Meyer passim.
[111] Vgl Str-B II 430; → Meyer 27; → VII
117,14ff.

[112] Hillel (um 20 vChr) sagte seinen Schülern auf die Frage, ob er denn täglich einen
Gast habe: „Ist denn nicht diese arme Seele
ein Gast im Körper? Heute ist sie hier, u
morgen ist sie nicht mehr hier." Lv r 34, 3
zu 25, 25. Vgl Str-B I 654f; → Meyer 49 u
→ VI 378, 25ff.
[113] → Meyer 51; → VII 117, 32ff.

bei den Amoräern dann noch stärker wirksam. Der Seele wird nun nicht nur himmlische Herkunft, sondern auch Präexistenz zugeschrieben (→ VI 377, 24 ff). RLevi
(um 300 nChr) kann daher sagen, daß die Seelen schon bei Gott weilten, ehe er die
Welt schuf. Mit ihnen beriet er sich, und dann erst vollführte er sein Schöpfungs-
werk (Gn r 8 zu 1, 26)[114]. 5

In den rabbinischen Aussagen, die auf diese Weise die Seele dem Leib gegen-
überstellen, wird jedoch nicht eine negative Abwertung des Leibes ausgesprochen,
sondern der Mensch wird dem alttestamentlichen Erbe entsprechend (→ 629, 1 ff)
als Einheit gesehen. Im Augenblick des Todes verläßt die Seele den Körper (4 Esr
7, 78)[115], aber bei der Auferstehung der Toten wird der auferweckte Leib wieder 10
mit der Seele verbunden werden[116]. Als ganzer, nach Leib und Seele, ist der Mensch
vor Gott verantwortlich. Im Jüngsten Gericht kann weder der Leib der Seele die
Schuld für die einst begangenen Sünden zuschieben noch umgekehrt die Seele
dem Leibe.

> Beide werden miteinander zur Verantwortung gezogen, wie Rabbi (um 150 nChr) in 15
> einem Gleichnis veranschaulicht. Als ein Blinder einen Lahmen auf seine Schultern
> geladen hatte u beide gemeinsam von den Früchten eines fremden Gartens genossen
> hatten, hieß der Besitzer den Lahmen auf dem Blinden reiten u richtete beide zus.
> So wird auch Gott die Seele holen u in den Körper bringen u dann beide zus bestrafen
> b Sanh 91 a. b[117]. 20

Lohse

D. Neues Testament.

I. Evangelien und Apostelgeschichte.

1. ψυχή als natürliches, physisches Leben.

a. Allgemein. 25

ψυχή ist Ag 20, 10 das *Leben*, das noch in Eutychus weilt.
27, 22 sagt in gewähltem[118], alttestamentlichem Stil voraus, daß kein Verlust an
ψυχή stattfinden wird. 27, 10 spricht von der Gefahr nicht nur für Ladung und
Schiff, sondern auch für die ψυχαί der Passagiere. Der pluralische Gebrauch zeigt
schon, daß ψυχή stärker als das deutsche *Leben* individualisieren kann. Mt 6, 25 30
steht ψυχή parallel zu σῶμα (→ VII 1055, 12 ff): das Leben bedarf der Nahrung
wie der Leib der Kleidung[119]. Auch Tiere besitzen eine ψυχή (→ 654, 6 f).

---

[114] Vgl Str-B II 342.
[115] Auf Grabinschriften findet sich wiederholt der Wunsch נוח נפש *Ruhe seiner Seele*
CIJ I 569. 611; II 892. 900. 1096 uö, vgl
→ VI 374, 31 ff u 377, 4 ff.
[116] Vgl Volz Esch 118 f. 266—272.
[117] Vgl Str-B I 581; → Moore I 487 f;
II 384, dort weitere Parallelstellen.
[118] Haench Ag[15] zSt.

[119] Die Parallelität ist so ungriechisch, daß
Just Apol 15, 14—16 die St ausläßt, HTWrege,
Die Überlieferungsgeschichte der Bergpredigt,
Wissenschaftliche Untersuchungen zum NT 9
(1968) 119. Andererseits ist die Verbindung
Körper–Kleidung unjüdisch u könnte auf
griech Körperempfinden weisen, → Dautzen-
berg 92—96.

b. Hingabe des Lebens.

Im Sinne von Hingabe des Lebens spricht Mk 10, 45 vom διδόναι der ψυχή als Lösegeld für die vielen (→ I 373, 14 ff; IV 343, 9 ff)[120], wofür griechischem und jüdischem Sprachgebrauch entsprechend[121] auch ἑαυτόν oder
5 σῶμα stehen kann (→ II 168, 28 ff). Gegenüber ζωή (םייח) ist ψυχή (שֶׁפֶנ) eher konkreter das an Fleisch und Blut gebundene Leben[122], zugleich das individuelle Ich bezeichnend; doch verwischt sich der Sprachgebrauch oft (→ II 850, 45 ff). Johannes verwendet als Verbum (→ VIII 155, 30 ff) immer τιθέναι (J 10, 11. 15. 17[123] [→ VI 495, 13 ff]; 13, 37 f; 15, 13; 1 J 3, 16), das *riskieren* wie *hingeben* bedeuten
10 kann[124]. Führt Jesu Lebenseinsatz auch zu dem seiner Jünger, so ist doch nur bei Jesus (J 10, 17 f) gesagt, daß auch das Wiedererlangen der ψυχή in seiner Vollmacht liege. Hier nähert sich also der Begriff dem der *Seele* (→ 650, 35 ff)[125]. Doch ist auch hier noch das individuelle, auch jenseits des Todes mögliche Leben gemeint, nicht ein davon unterschiedener Träger. Ag 15, 26 bezeichnet auch παρα-
15 δίδωμι einen Einsatz der Lebenskraft, der nicht zum Tode führt, wahrscheinlich nicht einmal das Risiko des Martyriums ausdrücklich einschließt[126]. Endlich spricht Apk 12, 11 von denen, die ihre ψυχή nicht lieben bis in den Tod, und Ag 20, 24 bezeugt Paulus, daß er sein Leben nicht werthalte, sondern seinen Lauf und Dienst vollenden wolle[127]. Lk 14, 26 ist ψυχή gegenüber Mt 10, 37 hinzugefügt,
20 um all das zusammenzufassen, was das irdische Leben ausmachen kann und was man um Jesu willen hassen muß. An all diesen Stellen ist Leben immer an den Einzelnen gebunden, also je mein Leben.

c. Nach dem Leben trachten, Leben töten oder retten.

25   ψυχή ist Mt 2, 20 das *Leben* des Jesuskindes, nach dem die Verfolger trachten, Lk 12, 20 (→ 647, 1 ff) das des reichen Bauern, das von Gott gefordert wird. Hier ist schon an einer rein diesseitigen Auffassung des von Gott verliehenen Lebens Kritik geübt[128]. Mk 3, 4 steht an hervorgehobener Stelle des Evangeliums. Nachdem Jesu Vollmacht und sein Sieg über die Dämonen

---

[120] CKBarrett, The Background of Mark 10, 45, Festschr TWManson (1959) 1—18 sieht die Verbindung mit Js 53 als unsicher an u versteht das Wort primär von Da 7 u der jüd Märtyrertheologie her: Wie der Menschensohn Israel nur durch das Martyrium in der syr Verfolgung hindurch sein Recht u seine Erhöhung erlangt, so der Menschensohn Jesus. Daß das Leiden des Märtyrers stellvertretend erlitten wird, ist ein verbreiteter Gedanke, der seinerseits natürlich in Js 53 wurzelt, ESchweizer, Erniedrigung u Erhöhung bei Jesus u seinen Nachfolgern, Abh ThANT 28 ²(1962) 21—52.

[121] Neben ἑαυτόν 1 Makk 6, 44 steht 2, 50 τὰς ψυχὰς ὑμῶν. Jüd St ferner → A 123, griech St Eur Phoen 998: ψυχήν τε δώσω τῆσδ' ὑπερθανεῖν χθονός, Dion Hal Ant Rom V 65, 4: τὰ δὲ σώματα καὶ τὰς ψυχάς ... ἐπιδιδόντες, vgl

2 Makk 7, 37; mit παραδίδωμι auch Herm s IX 28, 2; Eus Hist Eccl VIII 6, 4; mit ἐπιδίδωμι Jos Bell 2, 201; ferner → VII 1055, 25 f; äth Hen 108, 8; WPopkes, Christus Traditus, Abh Th ANT 49 (1967) 19. 38. 86—88.
[122] → Barth 317 f.
[123] Jüd Par bei PFiebig, Die Mekhilta u das Joh-Ev, Angelos 1 (1925) 58 f.
[124] Bultmann J zu 10, 11. Ohne genaue griech Par Popkes aaO (→ A 121) 88 A 248, zum AT 19.
[125] → Dautzenberg 110—113.
[126] Vgl Str-B II 537. 740; → Dautzenberg 99 f.
[127] Die Konstr ist schwierig, aber nicht mit Pr Ag zSt als Fehler zu betrachten, sondern mit Haench Ag¹⁵ zSt so aufzulösen: „Keiner Rede wert halte ich mein Leben".
[128] → Dautzenberg 90.

seine Herrschaft über Sünde und Gesetz erwiesen haben[129], wird das Gesetzes-
problem auf die Frage konzentriert: Gutes tun oder Böses tun, ein Leben retten
oder töten[130]. Damit wird der Nächste und sein Heil als das eigentliche Kriterium
hingestellt. Die Antwort der Gegner (→ 36, 29ff) Jesu ist dann auch der Todesbeschluß (3, 6). Auch hier ist die ψυχή also das physische Leben (→ 635, 26ff), 5
freilich individuell gedacht. Alttestamentlichem Empfinden entsprechend wäre
schon das Belassen in der Krankheit ein „Töten". Man wird kaum darum, weil
der Träger der ψυχή v 4 nicht genannt ist, im Sinne alttestamentlicher Gesetzes-
vorschriften ψυχή geradezu mit *jemand* übersetzen[131]. Wohl aber zeigt sich, daß
es keine neutrale Zone gibt, nur Leben oder Tod, Gut oder Böse. Dabei wird das 10
irdische Leben so ernst genommen, daß es als krankes schon nicht mehr eigentlich
Leben genannt werden darf. Bloße Herztätigkeit und Atembewegung genügen
nicht; Leben ist schon hier inhaltlich gefüllt als volles Leben, wie Gott es bei der
Schöpfung im Sinne hatte, und nicht nur Formalbegriff. Es läßt sich daher leicht
verstehen, daß Leben schließlich erst dann mit Recht so genannt wird, wenn es 15
im Dienste Gottes ihm zu Lob gelebt wird, so daß die Frage der größeren oder
kleineren physischen Kraft oder Gesundheit nebensächlich wird. Man kann sich
fragen, ob nicht schon Mk 3, 4 die ganze „Existenz" des Menschen, also mehr als
sein physisches Leben gemeint ist, obwohl es das vordergründig sicher zunächst
bedeutet[132]. Jedenfalls gilt das für den Zusatz zu Lk 9, 56. Die Zurechtweisung 20
der rachedurstigen Jünger durch den Menschensohn, der gekommen ist, die ψυχαί
der Menschen zu retten, nicht zu verderben, weist zwar auf die Bedeutung *physisches Leben*; aber die positive Formulierung zeigt, daß an weit mehr gedacht ist
als an bloße Bewahrung vor Naturkatastrophen[133]. Das wird erst recht klar, wenn
man Lk 19,10 als Vorbild erkennt, wo das Suchen und Retten eindeutig als Ruf 25
zum Glauben verstanden wird. Beides, physisches Leben und Leben des Glaubens,
kann aber nicht so geschieden werden wie in unserem Denken. Ruf zum Glauben
ist ja Ruf zum eigentlichen, wirklichen, von Gott gegebenen und gemeinten Leben,
und Rettung meint immer Rettung aus allem, was der Entfaltung dieses Lebens
hinderlich ist, ob das Tod und Krankheit oder Unglaube und Sünde ist. Das zeigt 30
das Nebeneinander von Mk 3, 4; Lk 9, 56; 19,10 und die Wahl des einen Wortes
ψυχή für das immer leiblich gedachte Leben des Ich in beiden Bereichen.

---

[129] Vgl SSchulz, Mk u das AT, ZThK 58
(1961) 193f; ESchweizer, Die theol Leistung
des Mk, Beiträge zur Theol des NT (1970) 29.

[130] Konkreter lautet die Frage in der Par
Mt 12,11f, die auch Lk 14, 5 entspricht: Wer
rettet ein in den Brunnen gefallenes Tier
nicht auch am Sabbat? Auch hier ist also die
Heilung des Kranken der Rettung physischen
Lebens vom Tode parallelisiert. Abgeschwächt
Lk 13,15f der Hinweis auf die Tränkung des
Viehs am Sabbat.

[131] So → Dautzenberg 154—156, der Mk
3, 4 wie Ag 2, 43 (→ 638, 8ff) versteht.

[132] Mit Loh Mk gg VTaylor, The Gospel
according to St Mark (1952) zSt. Dies ist freilich nicht so zu verstehen, daß der versteckte
Vorwurf an die Gegner, sie wollten ihn töten,
schon darin enthalten wäre, sondern höch-

stens im Sinn von Mk 2, 27, daß gefragt wird,
ob denn der Sabbat u damit das Gesetz überh
von Gott nicht zum Heil des Menschen geschaffen sei. Dies ist natürlich der theol
Sinn der Frage; nur ist damit noch nicht
gesagt, daß das Wort ψυχή schon doppel-
sinnig auch das eigtl Ich des Menschen
meint, da wahrscheinlich das rein physische
Leben hier noch als echtes Bild für jene
hier noch nicht mit ψυχή bezeichnete Wirklichkeit steht.

[133] Hier kann σώζω, da es sich um gesunde
Menschen handelt, anders als in Mk 3, 4 nicht
das bloße Erhalten dieses Zustandes meinen.
ψυχή muß also schon in einem umfassenderen
Sinn die Existenz des Menschen vor Gott bezeichnen (→ 641, 20ff).

2. ψυχή als Bezeichnung des ganzen Menschen.

ψυχή ist in erster Linie das physische Leben. So kann vom Töten, Hingeben, Hassen, Verfolgen der ψυχή gesprochen werden. ψυχή ist begrenzt und bedroht durch den Tod. Anders als im Deutschen ist ψυχή aber nicht

5 lösbar vom Menschen oder Tier. Das zeigt, daß nicht das Phänomen des Lebens im allgemeinen, sondern das je im einzelnen Menschen in Erscheinung tretende Leben gemeint ist. So wird πᾶσα ψυχή wie im Alten Testament (→ 630, 42) für *jedermann* verwendet (Ag 2, 43; → 648, 20ff); doch zeigt Ag 3, 23, wie dies im Gegensatz zu πᾶσα σάρξ (→ VII 106,1ff; 128, 40ff) individualisierend verstanden

10 ist[134]. Der Unterschied zu σάρξ und die Verwandtschaft mit dem ebenfalls individualisierenden σῶμα zeigt sich auch darin, daß ψυχή Zählbegriff (→ 630, 43ff) werden kann (Ag 2, 41; 7,14 aus Gn 46, 27 LXX[135]; 27, 37[136]). Mt 11, 29 verheißt denen, die Jesu Joch auf sich nehmen, Ruhe. Die Wendung stammt aus Jer 6,16[137].

ψυχαὶ ὑμῶν ist also alttestamentliche Wendung (→ 617,10ff) für ὑμεῖς (vgl „euch"

15 Thomasevangelium Logion 90 [→ A 95]), wobei von dorther gerade die Todesverfallenheit betont wäre. Es ist aber zu fragen, ob ψυχή für Matthäus nicht mehr bedeutet. Wenn man die große Bedeutung der Neuinterpretation des Gesetzes und die starke Ausrichtung auf das kommende Gericht bei Matthäus bedenkt[138], meint ψυχή für ihn wahrscheinlich doch schon das Selbst des Menschen, das vor Gott

20 lebt und einst vor ihm die Verantwortung im letzten Gericht ablegen wird[139]. Ist das erste schon im Alten Testament selbstverständlich impliziert, so wird es doch bei Matthäus bewußt und betont. Dabei ist völlig anders als im Griechentum, wo die vom Leib befreite Seele die Ruhe findet (→ 607, 20ff)[140], hier die Einheit und Ganzheit des Menschen festgehalten. Gerade in seinem leiblichen Handeln des

25 Gehorsams wird er die Ruhe Gottes finden. Aber eben damit zeigt sich ja das Problem: Wenn das physische Leben doch als Gabe Gottes verstanden wird, kann man es dann noch trennen von jenem Leben mit Gott, das sich zum Beispiel im Gebet, im Lobpreis, im Gehorsam ausprägt und eine Verbindung mit Gott schafft, die mit dem physischen Leben nicht einfach abbricht?

30   **3. ψυχή als Ort der Gemütsbewegung.**

a. **Der von anderen beeinflußbare Mensch.**

Die Gegner des Paulus ἐκάκωσαν τὰς ψυχὰς[141] τῶν ἐθνῶν (Ag 14, 2). Nach Ag 15, 24 werden die ψυχαί der Brüder in Antiochien durch allerlei

---

[134] Es handelt sich um ein Mischzitat aus Dt 18,19 u Lv 23, 29, in dem ὁ ἄνθρωπος, ὃς ἐὰν ... mit πᾶσα ψυχή, ἥτις ... als gleichwertig empfunden wird, Pr Ag zu 3, 22; Jüd bei → Dautzenberg 155.

[135] Auch die Zählung entspricht der LXX, Haench Ag[15] zSt.

[136] αἱ πᾶσαι ψυχαί *insgesamt*, vgl Bl-Debr § 275,7.

[137] FChrist, Jesus Sophia, Abh Th ANT 57 (1970) 106. LXX hat freilich מַרְגּוֹעַ *Ruheplatz* durch ἁγνισμός ersetzt, doch ist εὑρίσκω ἀνά-

παυσιν sonst in LXX häufig. Vielleicht hat die Formulierung von Gn 8, 9 LXX eingewirkt, vgl Schl Mt zSt u bes → Dautzenberg 134.

[138] GStrecker, Der Weg der Gerechtigkeit, FRL 82 ³(1971) 158f. 235f.

[139] Vgl WMichaelis, Das Ev nach Mt II (1949) zSt.

[140] Vgl bes Jos Bell 7, 349 (→ VII 1054, 6ff); OBauernfeind—OMichel, Die beiden Eleazarreden, ZNW 58 (1967) 270f.

[141] Nu 29,7; 30,14 beschreibt dieselbe Wendung die Selbstkasteiung.

Reden verwirrt. Hier steht ψυχαὶ ὑμῶν parallel zu ὑμεῖς wie ταράσσω zu ἀνασκευάζω [142], so daß der Partizipialsatz nur etwas genauer entfaltet, was schon mit ἐτάραξαν ὑμᾶς gesagt war. ψυχή ist also der Mensch als innerlich zu bewegender, und zwar, anders als bei πνεῦμα (→ VI 412, 30ff; 433, 22ff), der Mensch als solcher, ob Heide oder Jesusjünger. Die alttestamentliche Affinität zum Herzen (→ 623, 37ff) ver- 5 bindet sich leicht mit diesem Sprachgebrauch. Das gilt auch für J 10, 24: „Wie lange hältst du unsere ψυχή hin?"[143] Hier hat sich die Wortbedeutung insofern etwas verschoben, als ψυχή der Ort ist, an dem die Entscheidung für oder wider Jesus fällt. Das heißt, daß das Objekt, auf das hin die psychische Erregung oder Entscheidung gerichtet ist, den Charakter der ψυχή noch näher bestimmt. Deut- 10 licher wird dies an weiteren Stellen. Der Mensch ist natürlich nicht nur zum Schlechten, sondern auch zum Guten zu bewegen. So stärken Paulus und Barnabas die ψυχαί der Jünger zum Festbleiben im Glauben (Ag 14, 22). Auch hier kann also ψυχή einfach den Menschen als beeinflußbaren, in seinem Empfinden und Denken zu bewegenden meinen. Aber die Frage erhebt sich jedenfalls, ob denn die ψυχή 15 in gleicher Weise der Ort des Glaubens ist wie der der Verwirrung, der Erregung, der Freude oder der Trauer. Anders gewendet: Ist der Glaube einfach als psychisches Phänomen zu verstehen wie Freude, Trauer, Verwirrung?

b. Der Freude, Trauer, Liebe
empfindende Mensch. 20

Das Zitat Mt 12, 18 spricht von der ψυχή Gottes, die Wohlgefallen an seinem Knechte hat, was wahrscheinlich als aktive göttliche Erwählung zu interpretieren ist (→ II 738, 4ff; 739, 11ff). Lk 12, 19 wird die ψυχή im Selbstgespräch angeredet (→ 631, 2ff)[144]. Sie besitzt Güter, kann sich ausruhen, essen, trinken und sich freuen. Die Stelle ist darum interessant, weil sie physische und 25 psychische Tätigkeiten des Menschen zusammenschließt[145], freilich so, daß auch das Besitzen der Güter, Essen und Trinken affektbetont sind. Daß darin eine Entscheidung fällt, die den Wert des Lebens vor Gott bestimmt, zeigt der folgende Vers (→ 647, 1ff). Es handelt sich also um ein negativ qualifiziertes Sichfreuen[146]. Positiv qualifiziert ist es in dem stark alttestamentlich bestimmten Hymnus Lk 30 1, 46, wo die ψυχή als Subjekt des Lobes Gottes erscheint. Typischerweise steht hier aber πνεῦμα neben ψυχή [147] und unterstreicht damit, daß solches Handeln der ψυχή letztlich von Gott geschenkt und gewirkt wird[148] (→ VI 412, 30ff).

---

[142] Pr-Bauer sv; Bau Ag zSt. Es ist LXX-Sprache u betont gepflegtes Griech.

[143] Sprachliche Par Jos Ant 3, 48: οἱ δ' ἦσαν ἐπὶ τὸν κίνδυνον τὰς ψυχὰς ἡρμένοι *mutig, bereit für die Gefahr*; anders ψ 24, 1; 85, 4, vgl Bultmann J zSt.

[144] Par bei HThyen, Der Stil der jüd-hell Homilie, FRL 65 (1955) 89f. 97—100; ferner ohne ὤ Charito, De Chaerea et Callirhoe III 2, 9, ed RHercher, Erotici Scriptores Graeci II (1859); vgl τὴν ψυχὴν βαπτίζομαι bildhaft von der Liebesleidenschaft ebd III 2, 6. Zum AT, wo die Anrede immer *meine Seele* lautet, → Dautzenberg 85.

[145] Wie im Judt → Dautzenberg 18f. 85.

[146] Näheres zur Armenfrömmigkeit, die den Hintergrund für dieses Urteil bildet, → Dautzenberg 90f.

[147] ψ 34, 9: ἡ δὲ ψυχή μου ἀγαλλιάσεται ἐπὶ τῷ κυρίῳ ist offensichtlich identisch mit ἐγὼ δὲ ἐν τῷ κυρίῳ ἀγαλλιάσομαι Hab 3, 18. Der Wechsel zwischen נֶפֶשׁ u רוּחַ auch 11 QPsᵃ col 27, 4; 28, 5 (DJD IV 48f; vgl 92 u 55).

[148] Die Unterscheidung von APlummer, The Gospel according to St Luke, ICC (1896) zSt zwischen dem Sitz des religiösen u des emotionellen Lebens hat etw Richtiges an sich; doch gehen die Begriffe ineinander über. Die

Ebenso ist die ψυχή Sitz der Trauer (Mk 14, 34 = ψ 41, 6). J 12, 27 wird dafür
τετάρακται gesagt (→ 639, 1 ff), wobei besonders sichtbar wird, daß καρδία nicht
wesentlich davon unterschieden ist (J 14, 1. 27)[149]. ψυχή darf nicht überinterpretiert werden, weil ursprünglich ψ 41, 6 die Formulierung bestimmte[150]. Auch Mk
5 12, 30 steht in dem Wort, das Dt 6, 5 zitiert[151] und Liebe aus ganzer Seele und
ganzem Herzen fordert, beides völlig parallel. So rückt ψυχή in die Nähe der Wil-
lenskraft. Das ist Mt 22, 37 Par (→ II 143, 1 ff), wo mit ἐν das hebräisch-rabbi-
nische instrumentale Verständnis dominiert, stärker der Fall als in der Septuaginta-
Fassung Mk 12, 30, die mit ἐξ die Innerlichkeit betont. Daß Markus aber v 33
10 ψυχή weglassen kann, zeigt, wie wenig er darin etwas Besonderes sieht. Ähnlich
zu beurteilen ist Ag 4, 32, wo von der Gemeinde gesagt ist, sie sei καρδία καὶ ψυχὴ
μία gewesen, was griechischem wie alttestamentlichem Sprachgebrauch entspricht[152].
Hingegen erscheint Lk 2, 35 nur ψυχή im Bild vom Schwert (→ VI 995, 32 ff) des
Schmerzes, von dem sie durchbohrt wird[153].

15   *c. ψυχή in der Bedeutung Herz.*

ψυχή bezeichnet also den Menschen, der der Beeinflussung
durch andere, dem Schmerz und der Freude gegenüber offen ist, aber auch den,
der aktiv Gott loben und lieben kann. Dieser letzte Gebrauch, der ψυχή sehr nahe
an καρδία heranführt (→ 639, 5 f), ist freilich nur in Aufnahme alttestament-
20 licher Formulierungen nachweisbar. Damit ist wiederum das Problem umrissen:
Ist der Mensch als der für Gemütsbewegungen offene, von Freude und Schmerz
getroffene und bewegte, als solcher auch offen, Gott zu lieben und zu loben? Wird
er von Gott in gleicher Weise bewegt wie von anderen Menschen? Ist das Loben
Gottes eine Gemütsbewegung auf gleicher Ebene wie die Freude über Essen und
25 Trinken? Ist die Liebe zu Gott eine Willensäußerung wie irgendeine andere?

4. ψυχή als eigentliches Leben im
Unterschied zum bloß physischen (Mk 8, 35 Par).

Das Logion erscheint in vier verschiedenen Formen[154]: A. Mk
8, 35 Par; B. Mt 10, 39; C. Lk 17, 33; D. J 12, 25. Die negative Formulierung ist über-

---

Catene (Kl Lk zSt) stellt denn auch fest, daß
πνεῦμα u ψυχή dasselbe meinen. Jedenfalls
bezeichnen sie nicht immaterielle Teile des
Menschen, die dem Leib oder Fleisch gegenübergestellt wären. Auch daß die ψυχή das
ganze Lebewesen wäre, dessen Lebensprinzip
dann das πνεῦμα = רוּחַ bildete, wie ARCLea-
ney, The Gospel according to St Luke, Black's
New Testament Commentaries (1958) zSt erklärt, stimmt jedenfalls für diese St nicht.
[149] Dies weist ψυχή in 12, 27 als Tradition
aus → Dautzenberg 132; vgl 16, 6. 22.
[150] Vgl Gn 41, 8; ψ 30, 10; 54, 5; Thr 2, 11;
Bultmann J zu 12, 27. Gg FWGrosheide,
Commentary on the First Epistle to the Corinthians (1953) zu 1 K 15, 45 ist festzuhalten,
daß hier ψυχή auch von Christus gebraucht
wird. Das Ungewohnte dieses Gebrauchs be-
stärkt die Vermutung, daß er aus dem AT

stammt, zeigt aber zugleich, wie wenig ψυχή
an sich den Charakter des Göttlichen in sich
schließt. Daß der Kontext das Wort religiös
formt → Dautzenberg 132, ist zuzugeben;
doch geschieht dies sekundär u ist nicht im
Verständnis von ψυχή angelegt.
[151] Herz u Seele sind im Dt das eigtl
Personzentrum des Menschen, das seine
Lebensführung bestimmt Haench Ag[15] zu
4, 32; → Dautzenberg 114—123.
[152] Nach Aristot Eth Nic IX 8 p 1168b 7f
ist μία ψυχή gleich κοινὰ τὰ φίλων. 1 Ch 12, 39
wird לֵב אֶחָד (!) mit ψυχή μία wiedergegeben.
[153] Das Bild ist sonst realistisch auf Kriegs-
geschehen bezogen Sib III 316, ähnlich von
Israel Ez 14, 17; vgl 2 Βασ 12, 10.
[154] Zur Analyse vgl CHDodd, Some Johannine ‚Herrenworte' with Parallels in the

all durch ἀπόλλυμι *vernichten, verlieren* wiedergegeben [155], während die positive variiert zwischen σῴζω (A), εὑρίσκω (B), ζωογονέω u περιποιέομαι (C), φυλάσσω εἰς ζωὴν αἰώνιον u φιλέω (D). Wie C und D zeigen, gehört ἕνεκεν ἐμοῦ, bei Mk noch mit dem Zusatz καὶ τοῦ εὐαγγελίου, nicht zur ältesten Form.

a. Jesus.

5

Die Urform lautete demnach vermutlich: „Wer seine ψυχή retten will, wird sie verlieren; wer seine ψυχή verliert, wird sie retten" [156]. Sowohl die Wendung vom willentlichen Festhalten der ψυχή [157] wie die vom positiv gewerteten Verlieren der ψυχή zeigen, daß zunächst nichts anderes gemeint ist, als was man gemeinhin *Leben* nennt, also das physische Leben auf der Erde [158]. Doch 10 beweist die Verheißung vom Retten dieses Lebens, daß (wie → 637, 20ff; 638, 16ff; 651, 3ff) an eigentliches, erfülltes Leben gedacht ist, so wie Gott es als der Schöpfer geschaffen und geprägt hat. Damit ist mindestens die Möglichkeit offen gelassen, daß Gott es zu mehr als der stets durch den Tod begrenzten Spanne bestimmt hat. Jesus sagt damit dem Menschen also, daß erst der voll lebt, der sein 15 Leben nicht mehr festhalten will, sondern es im Hingeben, im Verlieren findet. Das Wort geht damit noch über das von den Vögeln und den Lilien hinaus, die zwar als Vorbilder für die Freiheit von allem krampfhaften Festhalten des Lebens dienen (Mt 6, 25—34), aber noch nicht die positive Aussage vom Hingeben illustrieren. Das „religiöse" Leben ist kein anderes als das natürliche Leben, jedoch nur für den 20 erfahrbar, der davon frei geworden ist, es festzuhalten. Es ist also gelöstes, befreites, offenes Leben, in das Gott und der Nächste eindringen können, ohne es zu stören, ja um es erst ganz zu erfüllen [159].

Der Satz entspricht also nicht dem rabb Wort bTamid 32a: „Was soll der Mensch tun, damit er lebe? Er töte sich selbst. Und was soll der Mensch tun, damit er sterbe? 25 Er genieße das Leben" [160]; denn hier wird die Anstrengung der Askese dem Wohlleben entgegengestellt. Er läßt sich auch nicht gleichsetzen mit Epict Diss IV 1, 165, der mit ἀποθνήσκων σῴζεται auf Sokrates verweist, der nicht sein σωμάτιον (→ VII 1035, 27ff),

---

Synoptic Gospels, NT St 2 (1955/56) 78—81; → Dautzenberg 52f.

[155] Außer im zweiten Glied von D, wo μισέω, vgl Lk 14, 26, steht.

[156] εὑρίσκω paßt zwar im zweiten Glied (→ II 767, 47f), nicht aber im ersten. So ist diese Wendung doch wohl sekundär eingedrungen, da sich Verlieren u Finden sonst entsprechen. Anders wäre es, wenn eine hbr Urform dahinter stünde, so daß ὁ εὑρών in B nur eine Übersetzungsvariante wäre, die מוֹצָא *der herausführt, herausrettet* Ps 135, 7 als מָצָא interpretiert hätte, HGrimme, Studien zum hbr Urmatthäus, BZ 23 (1935/36) 263f. Da dies aber für das Aram nicht möglich ist, bleibt die Hypothese unwahrscheinlich, falls man nicht aus anderen Gründen mit einem hbr Urmatthäus rechnet. Zur Textkritik von Lk 17, 33 vgl BRigaux, La petite apocalypse de Luc, Bibliotheca Ephemeridum Theologicarum Lovaniensium 27 (1970) 425 A 46. Vgl auch JJeremias, Nt.liche Theol I (1971) 36.

[157] In B ist das allerdings nur durch den vorangehenden v 37 impliziert.

[158] Es läßt sich sogar sagen, daß gerade das Jasagen zu seiner Begrenztheit zum Finden des Lebens gehört, EFuchs, Zur Frage nach dem historischen Jesus ²(1965) 358f.

[159] Man kann mit Wellh Mk zSt sagen, daß es im Deutschen dafür kein ausreichendes Äquivalent gibt, da ψυχή *Seele, Leben* u *Selbst* bezeichnet; aber das Wort „schillert" nicht eigtl zwischen diesen Bdtg, Kl Mk zSt, es hat erst recht keine zweifache Bdtg im Sinne des Höchstwertes der Seele, Taylor aaO (→ A 132) zu 8, 35 u 36f. Denn es ist eben dieses geschöpfliche Leben, wenn es in solcher von Gott intendierten Freiheit gelebt wird, vgl PDoncoeur, Gagner ou perdre sa ψυχή, Recherches de Science Religieuse 35 (1948) 116 —119. → Dautzenberg 77. 90. 161 definiert ψυχή als konkrete Existenz in ihrem Ausgreifen auf das Leben im Diesseits wie in ihrer jenseitigen Bestimmung.

[160] Bei Kl Mk zSt unrichtig zitiert. Vgl Sir 14, 4: ὁ συνάγων ἀπὸ τῆς ψυχῆς αὐτοῦ, nämlich sie kasteiend; doch ist dies nur ein Weisheitswort, das feststellt, daß der Geizige seine Güter nur für seine Nachkommen sammelt.

---

wohl aber seine Beispielhaftigkeit u seinen Nachruhm bewahrt[161]. In beiden Fällen ist die paradoxe u befreiende Aussage Jesu nicht durchgehalten, daß der Mensch eben das findet, was hinzugeben er bereit ist. In beiden Fällen wird der Mensch aufgerufen, eine asketische Leistung zu vollbringen, um dafür etw Höheres einzutauschen.

b. Markus.

Mk 8, 35 stellt das Logion mit dem Nachfolgewort v 34 (→ VII 577, 26 ff) zus u ordnet es in den unmittelbaren Zshg der ersten Ankündigung vom Leiden des Menschensohnes ein. J 12, 24—26 zeigt, daß diese Zusammenordnung schon alt ist. Sie unterstreicht, daß solches Verschenken des Lebens nur möglich ist in der Nachfolge hinter dem her, der sein eigenes Leben für alle verschenkt hat. Er wird so das neue Zentrum. Das wird in v 34 durch zwei eindrückliche Bilder illustriert. Nur wer ein grundsätzliches Nein zum eigenen Ich sagt, ist dazu befähigt; doch ist kaum ausdrücklich oder gar ausschließlich auf das Martyrium hingewiesen (→ VII 579, 20 ff). Die Zusammenstellung mit der Ansage des Leidens und Auferstehens des Menschensohnes deutet schon an, daß das Wort Jesu auch über den physischen Tod hinaus seine Gültigkeit bewahren wird. Das ist keine neue Aussage; auch im Worte Jesu war das eingeschlossen, hat er doch die ψυχή als Leben aus Gottes Hand u nach Gottes Sinn, als im Angesichte Gottes gelebtes Leben verstanden.

Damit ist schon ausgesprochen, daß der Tod nicht stärker sein wird als dieses Leben. Was hier schon wahr ist, daß ein Mensch sein Leben erst im Verschenken findet, das wird von Gott durchgehalten, auch wenn es zum Verlust des physischen Leben führt. Auferstehung ist die letzte Konkretion dessen, daß der Mensch sein Leben völlig als Geschenk aus Gottes Hand empfängt. Daß nur die Ausrichtung auf Jesus und nicht auf die Seele dazu führt, zeigt der Zusatz „um meinet- (und des Evangeliums) willen"[162].

c. Mt 10, 39.

Daß die Schwierigkeit der paradoxen Aussage empfunden wurde, zeigt der Wechsel des Verbums in der positiven Wendung. εὑρίσκω[163] ist auch Mt 16, 25 im zweiten Glied eingefügt. Mt unterstreicht also, daß die ψυχή, die Jesus meint, dem Menschen nicht einfach schon von vornherein gegeben ist. Erst dadurch, daß er zu jenem Verlieren (→ I 394, 6 ff) bereit wird, erlangt er sie. ὁ εὑρών im ersten Glied Mt 10, 39 ist freilich kaum mehr verständlich u wohl mechanisch angeglichen, zum Ende der Missionsrede u zu v 28 → 645, 1 ff. v 34—37 denkt Mt wahrscheinlich an den Märtyrertod, so daß die ψυχή, die der Verfolgte finden wird, das ewige Leben ist.

d. Lk 17, 33.

ζῳογονέω kann Gottes Rettungsakt aus dem Tode bezeichnen, aber auch bloß am Leben lassen (→ II 876, 9 ff)[164]. περιποιέομαι (→ A 211) findet sich Gn 12, 12; Ex 1, 16 usw als Gegensatz zu töten in der Bdtg am Leben lassen. Gn 36, 6 steht es im Sinne von erwerben mit dem Obj נְפָשׁוֹת, von LXX mit σώματα, nicht ψυχάς übersetzt; Ez 13, 19 findet es sich mit ψυχάς als Obj (im Gegensatz zu töten) von abergläubischen Praktiken, die Menschen vor dem Tode retten wollen. Man könnte also an lk Redaktion denken, die den Sinn nicht tangierte, sondern nur LXX-Ausdrücke

---

[161] Auf die cohortatio in der griech Feldherrenrede weist JBBauer, „Wer sein Leben retten will..." Mk 8, 35 Par, Festschr JSchmid (1963) 7—10 hin u stellt viele Belege zus. Doch liegen diese sachlich u formal ziemlich fern.

[162] → Dautzenberg 61. Eben dies ist der Gegensatz zu einer Lehre von der unsterblichen Seele, in der diese doch als kontinuierlicher Besitz, als Eigentum des Menschen, wenn auch aufgrund der Gabe Gottes, verstanden ist (→ 656, 20 ff).

[163] εὑρίσκω ist bei Mt beliebt → Dautzenberg 62.

[164] 3 Βασ 21, 31: τὰς ψυχὰς ἡμῶν.

einsetzte. Aber neben 1 Th 5, 9; Hb 10, 39 u vor allem Lk 21, 19 (→ 647, 8 ff) ist doch angesichts des stark eschatologischen Kontextes Lk 17, 20 ff wahrscheinlich, daß die urspr aktivere Bdtg des Verbums für Lk mitklingt u daß dann auch ψυχή schon primär das eigtl ewige Leben meint. Der Zshg mit v 32 ergibt, daß der sein eigtl Leben verliert, der darauf zurückblickt wie Lots Frau u sich nicht davon lösen kann 9, 62, 5 während derjenige es wahrhaft erwirbt, der es hingibt (→ 621, 15 ff). Der apokalyptische Zshg weist dafür auf die Zeit nach der Parusie.

e. J 12, 25.

Die Formulierung zeigt den Einfluß von Lk 14, 26, einer Weiterbildung des Mt 10, 39 mit unserem Wort verbundenen Logions. φιλέω (→ 128, 13 ff) 10 u μισέω (→ IV 697, 27 ff) betonen noch stärker das alles umfassende Beteiligtsein des Menschen. Im unmittelbaren Zshg mit v 24 bezieht man das Wort zunächst auf Jesus selbst. Schon damit ist gegeben, daß das Verlieren des Lebens[165] in der Klimax des physischen Todes gesehen wird. Erst v 26 macht deutlich, daß der Satz wie für Jesus so auch für seinen Nachfolger gilt, vgl 15, 13—21; 1 J 3, 16. Daß aber auf alle Fälle 15 an irdisches u ewiges Leben gedacht ist, wird ausdrücklich unterstrichen durch die Gegenüberstellung von ἐν τῷ κόσμῳ τούτῳ u εἰς ζωὴν αἰώνιον. Dennoch sind beide Bereiche nicht einfach geschieden; denn die ψυχή wird ja ins ewige Leben hinein bewahrt. Sie ist also jenes eigtl Leben, das schon in diesem Äon gelebt wird, wenn der Nachfolger dort lebt, wo sein Meister ist, er also das Zentrum seines Lebens nicht mehr in 20 sich selbst sucht, sondern in Jesus, der vorangegangen ist.

Nach beiden Seiten hin ist das Wort abzugrenzen: Weder ist die Erweckung zum ewigen Leben eine zauberhafte Verwandlung — der Glaubende besitzt ja die ψυχή schon —, noch ist die ψυχή eine unsterbliche Seele — sonst könnte nicht zum Hassen der ψυχή aufgerufen werden. ψυχή bleibt das dem Menschen von Gott 25 gegebene Leben, das freilich durch die Haltung des Menschen Gott gegenüber seinen Todes- oder Ewigkeitscharakter erhält (→ 636, 8 ff). Aber selbst bei Johannes ist dieses so qualifizierte Leben nicht zum Besitz des Menschen geworden. Nur im dauernden Hingeben des Lebens, nur im dauernden Leben aus dem Geschenk Gottes wird die ψυχή das von Gott in die Ewigkeit hinein bewahrte Leben. 30 Darum wird auch nie von der ψυχὴ αἰώνιος oder ἀθάνατος, sondern nur von der durch Gott in die ζωὴ αἰώνιος hinein bewahrten, geschenkten ψυχή gesprochen.

f. ψυχή als von Gott gegebene, den Tod überdauernde Existenz.

So bleibt ψυχή in allen Varianten dieses Logions das dem 35 Menschen von Gott gegebene Leben, das nichts anderes ist als das physische Leben. Wohl aber wird dieses in seiner Eigentlichkeit als von Gott geschenktes und daher vor ihm gelebtes verstanden. Man könnte daher mit *Ich* übersetzen, wenn man dabei nie vergißt, daß das Ich nur im Leibe gelebt wird. Hält σῶμα, etwa gegenüber den Hellenisten in Korinth, die konkrete Leiblichkeit des Ich fest, aus der 40 man sich nicht in eine Spiritualität flüchten darf (→ VII 1060, 32 ff), so sichert ψυχή die Tatsache, daß menschliches Leben nicht aufgeht in Gesundheit, Reichtum usw, sondern es ist ein von Gott stets neu verliehenes und eben darum auch nicht vom Tod begrenztes Leben, das Gott gemeint hat. So muß hier die Überwindung der griechischen Zweiteilung in Leib und Geist, irdisch-physisches und 45 überirdisch-geistiges Leben eingeübt werden.

---

[165] Vgl das Praes. Auch 10, 11. 15. 17 ist ψυχή sicher *Leben*, Bultmann J zSt.

5. Das Leben als höchstes Gut (Mk 8, 36f Par).

Der Satz könnte ursprünglich profan sein: Reichtum hilft nicht vor dem Tode, das Leben ist der Güter höchstes[166]. Das gälte freilich nur für v 36, während v 37 wahrscheinlich aufgrund von Ps 49, 8f geformt ist[167]. Zunächst bedeutet ψυχή also das *physische Leben*. Doch muß man sich darüber klar sein, wie unpräzis dieser Ausdruck ist, wo man daneben gar kein anderes Leben kennt. Dann ist das physische Leben eben die Existenz selbst, das Ich, das Dasein überhaupt. Es ist schon von Ps 49 her, erst recht durch die Verkündigung Jesu und noch deutlicher in der markinischen Verbindung mit v 35 ausdrücklich als das vor Gott gelebte Leben näher bestimmt, und schon Ps 49 weiß etwas davon, daß der Tod kein letztes Nein dagegen sagen kann. Von diesem eigentlichen, vor Gott gelebten Leben wird nun erklärt, daß der Mensch es nicht im Gewinnen der ganzen Welt, sondern in der Nachfolge Jesu findet (v 34). Leben ist also nicht bloß Naturphänomen. Der Mensch lebt es. Und gerade wenn er sich dessen nicht bewußt ist und das Leben nur als Naturphänomen versteht, interpretiert er es in einem ganz bestimmten Sinn, nämlich so, daß er das, was sein Leben sein sollte, verfehlt, an ihm vorbeilebt. Dann allerdings kann nichts ihm dies ersetzen; dann hat er sein Leben schon *verloren*[168]. ψυχή ist also nicht nur das physische Lebendigsein, aber auch nicht etwas davon Unterschiedenes. Es ist das physische Leben, in dem sich zugleich das Selbst des Menschen ausprägt. Lk 9, 25 kann daher τὴν ψυχὴν αὐτοῦ durch ἑαυτόν ersetzen (→ 646, 7 ff)[169]. Das ist schon innerweltlich wahr und ist wohl primär so verstanden worden. Aber wiederum gilt dies um Gottes Treue willen auch über den physischen Tod hinaus. Das wird bei Markus durch den Zusammenhang mit v 38 betont[170]. Was jetzt geschieht, wird einst im Gericht sichtbar werden. Im Kommen des Menschensohnes und in seinem Zeugnis für oder wider den Menschen wird sich zeigen, daß die im irdischen Leben vollzogene Wendung auf den κόσμος ὅλος oder auf Gott hin einst vor Gott Gültigkeit haben wird. Dennoch ist ψυχή auch hier nicht erst zukünftiges, ewiges Leben oder gar ein vom Leibe gesondert gedachter Teil, sondern das im Leibe gelebte Leben, das sich verlieren oder finden kann und als solches im letzten Gericht entlarvt und von Gott vollendet wird. So deckt das Gericht auf, ob ein Mensch aus Gottes Geschenk lebt. Seine ψυχή ist demnach nicht eine über den Tod hinaus bleibende Substanz, sondern das Leben aus Gottes Handeln, die sich ereignende Gemeinschaft mit Gott, die durch das Gericht hindurch ihre Vollendung finden wird.

---

[166] Hom Il 9, 401: οὐ γὰρ ἐμοὶ ψυχῆς ἀντάξιον. Ganz anders Sir 26,14, wo ψυχή die *Person*, nämlich die Frau, bezeichnet.
[167] Da s Bar 51,15 eine Variante zu v 36b. 37 bietet, ist mit jüd Tradition zu rechnen.
[168] Die Wendung läßt sich nicht übersetzen wie Luther: „. . . u nähme Schaden an seiner Seele". Richtig gibt Kl Mk zSt sie wieder. Griech Parallelen reden vom Sorgen für die Seele oder vom Leiden an der Seele im Gegensatz zu Reichtum und Ruhm oder zum Leib

Plat Ap 29 d. e; Isoc Or 2, 46. Weiteres bei HHommel, Herrenworte im Lichte sokratischer Überlieferung, ZNW 57 (1966) 8f.
[169] JHMoulton, Einl in die Sprache des NT (1911) 139.
[170] Von Lk 9, 25 wird dies durch ἀπολέσας (vgl v 24a) wohl noch unterstrichen → Dautzenberg 81, während ζημιωθῆναι einfach den Verlust bezeichnet, nicht Bestrafung im Gericht ebd 75.

6. ψυχή im Gegensatz zum Leib (Mt 10, 28).

Mt 10, 28 stellt Gott als den, der Leib und ψυχή in der Geenna verderben kann, in Gegensatz zu den Menschen, die bloß den Leib, nicht aber die ψυχή töten können.

Daß Gott Macht hat, in den Hades hinein- u aus ihm herauszuführen, ist schon at.liche 5
Aussage[171]. Daß der Mensch nur töten kann, über das weggegangene πνεῦμα u die hinweggenommene ψυχή aber keine Gewalt mehr hat, wird Sap 16,13—15 mit dieser Aussage verbunden[172]. Daß Gott für diesen u jenen Äon töten kann, sagen Rabbinen[173].
Die gleiche Anschauung begegnet noch deutlich 4 Makk 13,13—15 in dem Aufruf, den
nicht zu fürchten, der nur zu töten scheint; denn Gott ist der Geber von ψυχαί u σώ- 10
ματα, auf die Übeltäter wartet schwerer Kampf u Gefahr der ψυχή in ewiger Qual. Hier
ist eindeutig die Lehre von der unsterblichen Seele verkündet (→ 634, 39 ff)[174].

In Mt 10, 28 hingegen spricht gegen die Lehre von der Unsterblichkeit der Seele[175] der Hinweis auf Gottes Macht, in der Geenna ψυχή und σῶμα zu verderben (→ VII 1055, 14 f)[176]. Das zeigt, daß auch hier der Mensch nur als ganzer, als ψυχή und 15 σῶμα, gedacht werden kann. Freilich trifft diese Sicht des Menschen auf das unleugbare Faktum, daß Menschen getötet werden, zum Beispiel in der Verfolgung der Gemeinde. Wie Mk 8, 35 ff (→ 643, 35 ff) schon festgehalten hat, wird dadurch die ψυχή, dh das eigentliche Leben des Menschen, wie es vor Gott und in der Gemeinschaft mit ihm gelebt wird, nicht betroffen. Es ist nur das σῶμα, das 20 getötet wird. Gott allein aber verfügt über den ganzen Menschen, nicht nur über das σῶμα, sondern auch über die ψυχή. Es läßt sich kaum bestreiten, daß griechische Anschauungen die Formulierung beeinflußt haben (→ 609, 23 ff). Dennoch ist das Wort in der (→ 640, 26 ff) aufgezeigten Entwicklung zu verstehen, und es besagt, daß Menschen bloß das Leben beenden können, das sowieso durch 25 das irdische σῶμα begrenzt ist und eben darum noch nicht im eigentlichen Sinn das Leben ist. Wie der Mensch sein Leben nicht wirklich in der Hand hat, da Krankheit und Sünde es schon so bedrohen, daß es eher Tod als Leben sein kann[177], so steht es auch nicht in seiner Macht, es zu beenden. Auch hier bleibt ψυχή letztlich das Leben in seiner von Gott gemeinten Eigentlichkeit, das selbst in der Hölle 30 noch leiblich gedacht werden muß. So ist der Mensch zwar nur als leiblicher vorstellbar; aber was den Leib trifft, trifft damit noch nicht notwendig den Menschen selbst, für den ja bei Gott schon ein neuer Leib bereitliegt (→ VII 1057, 18 ff)[178].

---

[171] Dt 32, 39; 1 S 2, 6; Tob 13, 2, vgl Jk 4,12; RSchütz, Les idées eschatologiques du Livre de la Sagesse (1935) 189 f.

[172] An at.liche Auferweckungen ist kaum gedacht, gg Schütz aaO (→ A 171) 191; vgl noch KSiegfried, in: Kautzsch Apkr u Pseudepigr zSt; etw anders PHeinisch, Das Buch der Weisheit (1912) 306. Doch kommt die Aussage, daß man Gottes Hand nicht entfliehen könne v 15, nahe an den Gedanken heran, daß auch das weggegangene πνεῦμα u die hinweggenommene ψυχή in Gottes Hand bleiben.

[173] Nach Dt r 10, 4 zu 31,14 (Wünsche 106) hat kein Wesen nach dem Tode über die Seele Macht, wenn sie unter dem Thron der Herrlichkeit im Himmel ruht Str-B I 581; Schl Mt zSt.

[174] 4 Makk 14, 6. Immerhin dürfte die adj zu verstehende Zufügung τῆς εὐσεβείας zeigen,

daß diese Unsterblichkeit dem Frommen, nicht selbstverständlich jedem Menschen eignet, vgl ferner Str-B IV 1036—1043.

[175] → Schmaus 321 f. PBratsiotis, Das Menschenverständnis des NT, in: CHDodd uam, Man in God's Design according to the New Testament (1952) 23 verteidigt dies sogar für Jesus.

[176] Rein logisch könnte man bei v 28a an den Zwischenzustand denken, in dem die Seele leiblos lebt, u bei v 28b an die Zeit nach der Auferstehung, → Dautzenberg 149 f gg → VII 1055, 17 f. Es bleibt aber sehr fraglich, ob die ausgeführte dogmatische Vorstellung, daß Gott die Seele wieder in den Leib einfügt u dann beide zus richten wird (→ 635, 9 ff), schon vorauszusetzen ist.

[177] Lk 15, 32: „dieser ... war tot u ist wieder lebendig geworden".

[178] Streng genommen wird hier der Mensch

7. Die lukanischen Aussagen über die ψυχή nach dem Tode.

a. Lk 12, 4f; 9, 25; Ag 2, 31.

Die auffallendste Tatsache ist die Umgestaltung von Mt
10, 28. Offenkundig will Lukas den Satz vermeiden, daß der Mensch die Seele
nicht töten könne, ebenso wie er den näheren Hinweis auf Leib und Seele bei der
Bestrafung in der Geenna wegläßt[179]. Diese Vermutung wird gestützt durch Lk
9, 25, wo die Wendung ζημιωθῆναι τὴν ψυχὴν αὐτοῦ (Mk 8, 36) redaktionell abge-
ändert wird, wohl weil sie als Bestrafung der Seele nach dem Tode mißverstanden
werden könnte. Diese Annahme wird wiederum bestätigt durch Ag 2, 31 (→ VII
124, 9ff), wo Lukas im Unterschied zu ψ 15, 8—11, den er Ag 2, 25—28 zitiert,
die Aussage von der dem Hades nicht überlassenen ψυχή meidet und dafür unterstreicht, daß die σάρξ Jesu die Verwesung nicht sah[180]. So setzen denn auch Lk
16, 22f (→ I 148, 10ff); 23, 43 voraus, daß der Mensch sofort nach dem Tode als
ganzer in den Qualen des Hades oder im Paradies weilt. Daß die Auferstehungs-
erscheinungen bei ihm zum ersten Mal realistisch körperlich geschildert werden[181]
und so der Auferstandene von einem Gespenst unterschieden wird, weist in dieselbe
Richtung (→ VI 413, 4ff). Offenbar liegt Lukas an der Leiblichkeit der Auferstehung im Gegensatz zu einem hellenistisch verstandenen Weiterleben der Seele,
während der Zeitpunkt dieser Auferstehung unklar bleibt[182]. Mit der wichtigen
Rolle des Gerichts in seinem Bußruf, die die Auferstehung der Gerechten und Ungerechten fordert (Ag 24, 15), konkurriert das alte Verständnis der Auferstehung
als Heilsgut, das zu engelgleichem, himmlischem Leben führt und nur den Glaubenden zuteil wird (Lk 20, 35f)[183]. Jenes ist offenbar erst für die Apostelgeschichte
typisch, während in der Parallele zu Mt 10, 28b nicht nur ψυχή, sondern auch
σῶμα bei den zur Hölle Verdammten vermieden wird, ebenso wie die Anschauung
vom Eingehen in die Hölle mit Händen, Füßen und Augen[184].

---

zwar als notwendig im Leib lebend gedacht;
der Satz, daß er als Leib lebe, müßte aber
dahin modifiziert werden, daß Leib alter oder
neuer Leib sein kann. Auch RLaurin, The
Concept of Man as a Soul, Exp T 72 (1960)
133 warnt vor einem dichotomischen Verständnis.

[179] KKöhler, Zu Lk 12, 4. 5, ZNW 18
(1917/18) 140f meint sogar, daß v 4b von τὸ
σῶμα an nicht zum urspr Lk-Text gehört.

[180] Lk interpretiert also ψυχή im Ps-Wort
als Pers u betont mit σάρξ, daß diese als leib-
haft verstanden werden muß.

[181] Nur Lk 24, 39 ist von Fleisch u Knochen,
die at.lich freilich mit der Seele zusammengehören (→ 620, 25ff), die Rede. Freilich
fügt schon Mt 28, 18 den für seine Redaktion
typischen Ausdruck προσελθών mit verbum
dicendi ein u macht damit eine himmlische
Erscheinung des Erhöhten zu einer Begegnung auf Erden; doch ist es bei ihm noch der
Erhöhte, der auf Erden erscheint, u von

seiner Leiblichkeit wird sonst nichts ausgesagt.

[182] Außer Lk 16, 22f; 23, 43 setzt wohl
auch Ag 7, 55 sofortiges Verweilen bei Christus nach dem Tode voraus; andererseits ist
der Gerichtstag für alle ein noch zukünftiges
Ereignis Ag 17, 31; vgl Lk 17, 22ff; 19, 11;
Ag 10, 42; HConzelmann, Die Mitte der Zeit,
Beiträge zur historischen Theol 17 ⁵(1964)
101f; JDupont, L'après-mort dans l'oeuvre
de Luc, Revue Théologique de Louvain 3
(1972) 3—21.

[183] v 35 ändert die Mk-Vorlage und v 36
beschränkt das Leben als Gottessöhne (→
VIII 393, 8ff) auf die Söhne der Auferstehung. Auferstehung ist also an sich schon
Heilsgut. Das gilt auch für die Verwendung
des Wortes in Joh (außer 5, 29), Pls u Apk,
obwohl Pls u Apk sachlich eine Auferstehung
zum Gericht voraussetzen.

[184] Der ganze Abschnitt Mk 9, 42—50 fehlt
bei Lk. Lk 17, 1f stammt aus anderer Tradition.

b. Lk 12, 20.

Der Satz meint vielleicht nicht mehr, als daß der reiche Bauer sterben muß. Aber es fragt sich, ob nicht die ψυχή hier schon als das Darlehen Gottes gesehen ist, das von ihm zurückgefordert wird (→ VI 376, 20 ff; 390, 8 ff) [185]. Freilich besagt auch das nicht mehr, als daß der Mensch für sein ihm von Gott verliehenes Leben verantwortlich ist und es Gott einst zur Beurteilung vorlegen muß.

c. Lk 21, 19.

Man kann fragen, ob κτήσεσθε τὰς ψυχὰς ὑμῶν nicht einfach die Bewahrung des irdischen Lebens meint [186]. Aber nach v 16 b und als Ersatz für Mk 13, 13, wo erklärt wird: „Wer bis zum Ende ausharrt, wird gerettet werden" [187], sagt der Satz wahrscheinlich, daß die Angeredeten durch ihr Ausharren in der Verfolgung ihr wahres, eigentliches Leben finden werden. Über die bisherigen Stellen (→ 640, 28 ff) geht das insofern hinaus, als die ψυχή dann etwas ist, was der Mensch erst erlangt. Liegt schon in jenen Sätzen eingeschlossen, daß ihm das eigentliche Leben erst geschenkt wird, wenn er es auf Gott ausrichtet und nicht mehr sich selbst sucht, so ist ψυχή hier deutlich als ewiges Leben interpretiert. Andrerseits unterscheidet sich diese Aussage auch von der von Lukas abgelehnten (→ 646, 18 ff) Anschauung von der unsterblichen Seele, die der Mensch ja nicht erst in der Zukunft erlangen würde.

II. Paulus, inklusive Kolosser- und Epheserbrief.

Im Vergleich mit dem Alten Testament fällt das seltene Vorkommen von ψυχή bei Paulus auf [188]. Er denkt weder so stark griechisch, daß er die hellenistische Seelenlehre übernehmen [189], noch so stark ungriechisch, daß er über die Tatsache hinwegsehen könnte, daß ψυχή im griechischen Kulturbereich etwas anderes bedeutet als נֶפֶשׁ.

1. ψυχή als natürliches und als eigentliches Leben [190].

Das Zitat R 11, 3 spricht vom Trachten nach der ψυχή des Elia. Paulus selbst bezeugt Phil 2, 30, daß Epaphroditus die ψυχή aufs Spiel

---

[185] 3 Βασ 19, 4: λαβὲ δὴ τὴν ψυχήν μου ἀπ' ἐμοῦ, ferner Sap 15, 8; Philo Rer Div Her 129. Sehr blaß ist auch Cic Rep I 3, 4, wo das Zurückgeben des Lebens (vita) an die Natur nichts anderes als das unvermeidliche Sterben bedeutet.

[186] Als Möglichkeit bei Kl Lk zSt erwogen.

[187] Lk ändert den Wortlaut, weil bei ihm das τέλος noch in weiter zeitlicher Distanz von den vor dem jüd Krieg schon einsetzenden Verfolgungen liegt.

[188] AT 756mal נֶפֶשׁ, Pls 13mal inklusive der at.lichen Zitate → Stacey View 121—127; → Gutbrod 75; → Schmid 134 f. Doch

gilt dies mehr oder weniger überh für das NT → Sevenster Begrip 12.

[189] ψυχή ist vermieden in 2 K 5, 1—5, dazu JNSevenster, Some Remarks on the γυμνός in 2 K 5, 3, Festschr JdeZwaan (1953) 210 f; ULuz, Das Geschichtsverständnis des Pls, Beiträge zur Ev Theol 49 (1968) 366—369. ψυχή fehlt ebs 1 K 5, 3—5; 15, 38—49; 2 K 12, 2 f; Phil 1, 21—23; 2, 6—11; 3, 8 —10, dh bei allen Aussagen über Prä- u Postexistenz Christi, über das Leben nach dem Tode u ekstatische Erfahrungen, vgl → Stacey View 121 —127; → Stacey Paul 274 A 1 (Lit); EHatch, Essays in Biblical Greek (1889) 30 betont den anderen Sprachgebrauch bei Philo.

[190] Vgl Bultmann Theol[6] 204—206.

gesetzt habe um des Werkes Christi willen, indem er dem Tode nahe gekommen
sei. 1 Th 2, 8 sagt Paulus von sich selbst und seinen Mitarbeitern, daß sie nicht
nur das Evangelium, sondern ihre eigenen ψυχαί hingeben wollten für die Gemeinde
(→ 636,10ff). Es ist wohl nicht wie an der vorigen Stelle primär an die Hin-
5 gabe des physischen Lebens in den Tod gedacht, sondern an die Hingabe dessen,
was das Leben ausmacht, also von Zeit, Kraft, Gesundheit[191]. Ähnlich schreibt
der Apostel R 16, 4 von Priska und Aquila, daß sie sich für seine ψυχή bis zum
letzten eingesetzt hätten. Auch hier ist vermutlich an den gefüllteren Begriff von
Leben zu denken[192], so daß nicht nur gesagt wäre, daß sie Paulus vor dem Sterben
10 bewahrten, sondern ihm ein gutes, gesundes, seiner Aufgabe entsprechendes Leben
zu gestalten suchten. Nach 2 K 12,15 wollte Paulus sich selbst hingeben für die
ψυχαί der Gemeinde. Das heißt natürlich nicht, daß er sie vor dem physischen
Tode bewahren, sondern daß er ihnen das eigentliche, das wirkliche, das von Gott
her gefüllte, vor ihm in Verantwortung gelebte Leben vermitteln wollte. Auch so
15 ist es freilich nicht etwas anderes als das physische Leben, sondern eben dieses
so, wie Gott es eigentlich will[193]. In allen diesen Fällen bedeutet ψυχή mit Personalpronomen oder dem Genitiv der Person wenig mehr als das Pronomen oder die
Personangabe allein. Höchstens ist eine bestimmte Blickrichtung damit angezeigt.

2. ψυχή als Person.

20 πᾶσα ψυχὴ ἀνθρώπου (R 2, 9) will nicht betonen, daß das
Gericht Gottes an der Seele vollzogen werde[194], sondern bezeichnet einfach die
Einzelperson (→ 614,1; 630, 42)[195]. Ebenso ist πᾶσα ψυχή R 13,1 zu beurteilen.
Beide Stellen finden sich in traditionell jüdischen Zusammenhängen.

2 K 1, 23 hingegen steht ψυχή fast an der Stelle von πνεῦμα in R 1, 9 (→ VI
25 434,1f). Es entspricht zwar der hebräischen Umschreibung des Reflexivpronomens
mit נֶפֶשׁ (→ 617,10ff)[196], im Zusammenhang ist jedoch deutlich, daß jenes Ich
gemeint ist, das sich (wie R 1, 9) in der Verantwortung vor Gott weiß.

3. μία ψυχή.

Phil 1, 27 setzt μία ψυχή (→ 613, 21) parallel mit ἐν
30 πνεῦμα (→ VI 433,11ff). Hier ist ψυχή dem traditionellen Gebrauch entsprechend

---

[191] Auch CMasson, Les deux Epîtres de Saint Paul aux Thessaloniens, Commentaire du Nouveau Testament 11a (1957) zSt parallelisiert 1 Th 2, 8 mit 2 K 12,15, während Dib Th zSt an das Innere des Menschen nach seiner guten Seite denkt u Kol 3, 23; Eph 6, 6; Jos Ant 17,177 vergleicht.

[192] ψυχή ist R 16, 4 nicht im Sinne des religiösen Lebens zu verstehen, das vor Verdammung gerettet werden soll, auch nicht im Sinne der psychisch empfindenden Persönlichkeit, noch weniger natürlich als Bezeichnung eines „Teils" des Pls. Der Terminus liegt also noch in der Nähe des Verständnisses als physisches Leben. Vgl Mi R[13] zSt.

[193] Wenn → Barth 324 von der an die σάρξ gebundenen ψυχή im Gegensatz zum urspr

gleichwertigen πνεῦμα spricht, die erst durch Christus wieder befreit wird, liegt darin etw Richtiges, wenn man nicht an Teile des Menschen denkt. Doch stellt πνεῦμα primär Gottes Geist dar, der erst sekundär Geist des damit begabten Menschen werden kann, während ψυχή primär das freilich vom Schöpfer geschenkte u daher ihm verantwortliche u von ihm zu seiner eigtl Freiheit zu führende Leben des Menschen meint u von Gott nur im uneigentlichen Sinne (→ 639, 21ff; A 212) ausgesagt werden kann.

[194] MJLagrange, Saint Paul. Épître aux Romains, Études Bibliques (1950) zSt.

[195] Vgl auch Lv 4, 27; Nu 15, 27; Mi R[13] zSt; OKuss, Der Römerbrief (1959) zSt.

[196] JHéring, La seconde épître de Saint

der Ort der Gemütsbewegung, des psychischen Lebens (→ 639, 24ff)[197]. Man
wird kaum trichotomische Anthropologie dahinter sehen dürfen[198], sondern nur
rhetorische Abwechslung, wobei vielleicht ἐν πνεῦμα stärker die von Gott geschenkte
Einheit[199], μία ψυχή eher die zu verwirklichende Aufgabe beschreibt. So richtig
es ist, daß bei Paulus πνεῦμα beim Glaubenden parallel zu ψυχή stehen kann[200], 5
so wenig liegt doch die Vorstellung einer durch den Geist regenerierten, allmählich
vom Fleisch gelösten Seele vor[201]. Daß ψυχή an sich nicht qualifiziert ist, zeigt
sich auch daran, daß der Gegensatz zu σάρξ ganz anders als im Griechentum[202]
immer πνεῦμα, beim Nichtglaubenden νοῦς, nie aber ψυχή ist[203] (→ VI 425, 27ff;
VII 125, 37ff; 132, 12ff). 10

An all diesen Stellen kann ψυχή neutral das physische Leben des Menschen oder
positiv das gesunde, kräftige, Gott wohlgefällige physische Leben, auch die Person
oder ihre psychischen Fähigkeiten beschreiben. Nie aber ist es ein negativ wer-
tender Begriff. Zu 1 K 15, 45; 1 Th 5, 23 → 663, 14ff; VI 433, 19ff[204].

4. Der Kolosser- und der Epheserbrief. 15

Hier findet sich nur der Ausdruck ἐκ ψυχῆς (Kol 3, 23;
Eph 6, 6[205] [→ 640, 4ff]). ψυχή ist nicht das in sich Reine und Gute, das nicht
ins Reich des Fleischlichen und Sündigen gehört[206], sondern ist rein neutral zu
fassen.

Man kann ἐκ ψυχῆς hassen Test G 2, 1 wie κατὰ τὴν ψυχήν lieben Test B 4, 5. Man 20
kann ἐν πάσῃ oder ὅλῃ ψυχῇ gehorchen u Gott ehren Sir 6, 26; 7, 29, wie ἀπὸ ψυχῆς sich
verfehlen 19, 16. ψυχή, par zu δύναμις, umschreibt den vollen Einsatz des Menschen,
wobei aber nicht seine körperliche, sondern seine psychische Lebenskraft gemeint ist[207].

Das Fehlen einer Seelenlehre ist um so erstaunlicher, als die kolossischen Häretiker
einen jüd verbrämten Neupythagoreismus lehrten, für den der Aufstieg der von allem 25

Paul aux Corinthiens, Commentaire du Nou-
veau Testament 8 (1958) zSt. EBAllo, Saint
Paul. Seconde épître aux Corinthiens, Études
Bibliques (1956) zSt vergleicht 2 K 1, 23 mit
Mt 5, 36: „bei seinem Kopfe schwören"; doch
ist ἐπί hier kaum ἐν dort zu verstehen.

[197] ψυχή ist auch hier nicht ein höherer
Teil des Menschen Dib Ph zSt, vgl auch Ltzm
R, Exk zu 7, 14—25.

[198] So Loh Phil zSt, der das Fehlen von
σῶμα damit erklärt, daß ἐν σῶμα nur kollektiv
für die Gemeinde als Leib Christi stehe. Vgl
noch τῷ αὐτῷ πνεύματι 2 K 12, 18, wo es
durch τοῖς αὐτοῖς ἴχνεσιν ergänzt wird. Ag
4, 32 steht (μία) καρδία par ψυχή (→ 640, 10ff).
Zum griech Hintergrund vgl → 613, 21 u
WTheiler, Besprechung von PMerlan, Mono-
psychism, mysticism, metaconsciousness,
Gnomon 37 (1965) 22f.

[199] PBonnard, L'épître de Saint Paul aux
Philippiens, Commentaire du Nouveau Testament 10 (1950) zSt will sogar den hl Geist
darin sehen.

[200] Ltzm R zu 8, 11.

[201] So → Barth 335: Januskopf, ans Fleisch

gebunden u doch zum Geist hinstrebend (→
VI 434, 18f).

[202] Der übliche Gegensatz ist σῶμα u ψυχή.
Doch auch im griech Bereich finden sich
andere Entgegensetzungen, vgl Plut Quaest
Conv V (II 672e. 673b); Cons ad Apoll 13
(II 107f) (→ VII 103, 27ff).

[203] ψυχή ist nicht deshalb kein Gegenbegriff, weil sie quasi materiell u ans Fleisch
gebunden ist, sondern weil sie den immer
nur im Leibe lebenden Menschen u seine
Existenz bezeichnet, während πνεῦμα grundsätzlich Gottes Handeln meint.

[204] RJewett, Paul's Anthropological Terms,
Arbeiten zur Gesch des antiken Judt u des
Urchr 10 (1971) 175—183 denkt an Übernahme der trichotomischen Anthropologie
von enthusiastischen Gegnern.

[205] Die Formulierung ποιεῖν τὸ θέλημα τοῦ
θεοῦ 1 'Εσδρ 9, 9; 4 Makk 18, 16; Mt 7, 21;
12, 50; Mk 3, 35 ist traditionell Schlier Eph[7]
zu 6, 6.

[206] Loh Kol zu 3, 23.

[207] → Barth 320 weist auf Calvins Wiedergabe mit de courage hin.

Weltlichen gereinigten Seele zum höchsten Element, wo Christus weilt, zentral war[208].
Es ist ein Zeichen dafür, daß der Verf die Auseinandersetzung ganz auf dem Boden
der Christologie, nicht auf dem der Anthropologie führt. Selbst die Geistaussagen treten
auffallend zurück.

5   **5. Die Profanität des Wortgebrauchs.**

Auch hier zeigt sich, daß der Sprachgebrauch bei Paulus
reflektierter als in den Evangelien ist. Paulus verwendet ψυχή selten und nie zur
Bezeichnung des den Tod überdauernden Lebens, weil ihm alles daran liegt, das
neue Leben des Auferstandenen ganz als Geschenk aufgrund einer neuen Schöpfer-
10 tat Gottes zu verstehen. Darum ist es in keiner Weise, auch nicht als Anlage, im
Menschen zu finden, sondern ganz als göttliches, himmlisches, in der Zukunft, bzw
im Himmel liegendes Leben zu sehen (1 K 15, 38. 45—47. 49; 2 K 5, 1 f; Phil 3, 11 f
uö). Dennoch versteht er den Menschen nicht völlig anders als die Evangelien.
Auch für Paulus gibt es eine Kontinuität zwischen dem irdischen Leben und
15 dem Auferstehungsleben. Haben schon die Evangelien mit ihrer Verwendung
von ψυχή gesagt, daß erst derjenige Mensch sein eigentliches, daher auch vom
Tode nicht bedrohtes Leben finde, der es auf Gott und nicht mehr auf sich
selbst ausrichtet, der also nicht mehr aus eigener Kraft, sondern aus dem Geschenk Gottes lebt (→ 643, 39 ff), so sagt Paulus das theologisch schärfer: Die
20 Kontinuität liegt einzig in Gott und kann daher nicht mehr mit ψυχή, sondern
nur noch mit πνεῦμα umschrieben werden (→ VI 417, 10 ff).

III. Der Hebräerbrief.

12, 3 sind die ψυχαί der Gemeinde der Ort des Müde-
werdens[209]. Man kann also an innere Lebenskraft, Mut, Einsatzfähigkeit denken,
25 muß sich aber fragen, ob nicht schon das spezifisch geistliche Leben der Gemeindeglieder gemeint ist. Das ist wahrscheinlich für 13, 17 zu bejahen; denn die ψυχαί,
über die die Gemeindeleiter (→ II 909, 17 ff) wachen und für die sie einst Verantwortung abzulegen haben, sind natürlich die Gemeindeglieder wie 2 K 12, 15 (→
648, 11 ff), aber sie sind jetzt betonter hinsichtlich ihres geistlichen Lebens be-
30 schrieben. ψυχή ist der Mensch, für den im letzten Gericht Verantwortung ab-
gelegt werden muß. Er ist nicht nur im allgemeinen wie der Nächste, sondern in
besonderer Weise dem Gemeindeleiter anbefohlen, damit dieser ihn zum Heil und
nicht zum Gericht führe. Zu fragen ist nur, ob mit ψυχή stärker der Mensch als
ganze Person bezeichnet werden soll oder sein Leben vor Gott[210], wofür vielleicht
35 10, 39 spricht. Die περιποίησις ψυχῆς im Gegensatz zur ἀπώλεια meint offenbar

---

[208] Bei Alexander Polyhistor (1. Jhdt vChr)
finden sich alle in Kol 2 im Zshg mit den
στοιχεῖα auftretenden Begriffe als fr 1 a eines
anonymen Pythagoreers Diels I 448, 33 ff;
ESchweizer, Die „Elemente der Welt" (→
A 129) 160—163.
[209] Die Parallelen Polyb 20, 4, 7; 29, 17, 4
sprechen eher dafür, daß ταῖς ψυχαῖς mit
ἐκλυόμενοι zu verknüpfen ist. Die erste St

stellt dabei die ψυχαί den σώματα gegenüber:
An beiden tritt die Ermattung ein.
[210] Nach Mi Hb zSt bezeichnet der Ausdruck das eschatologische Leben. → Reicke
208 f sieht in Hb 10, 39 wie Jk 1, 21; 1 Pt
1, 9 ein höchstes religiöses Gut, einen Teil
einer Person, der für das ewige Leben gerettet wird.

das Erlangen des eigentlichen, wahren Lebens (→ 642, 37 ff)²¹¹, das nach dem Zusammenhang das durch das letzte Gericht hindurch zu erlangende oder zu bewahrende ist²¹². Da περιποίησις neben ἀπώλεια eher *Bewahrung, Erhaltung* bedeutet als *Erlangen*, ist hier noch etwas von der Einsicht festgehalten, daß das vor Gott gelebte irdische Leben durch Gottes Gericht und Auferweckung hindurch zur Voll- 5 endung kommt, ohne daß das Leben nach dem Tod als ein schlechthin anderes davon zu scheiden wäre (→ 641, 10 ff). Das legt sich auch von 6, 19 her nahe, wo die Hoffnung als Anker der ψυχή verstanden wird, der schon bis ins Innere des Heiligtums vorgedrungen ist, wo der Vorläufer Jesus weilt. Es ist offenkundig die geistliche Existenz des Menschen vor Gott gemeint. Auch hier ist also ψυχή 10 nicht an sich gut oder gar göttlich; sie ist ja angefochten und bedroht und hat einen Anker nötig. Sie lebt aber dadurch, daß sie ihre Hoffnung gleichsam schon vorausgeschickt hat und damit schon in gewisser Weise dort lebt, wo sie einst vollendet sein wird. Durch die Vorstellung vom Vorläufer können dabei die zeitlich-eschatologischen Aussagen vom kommenden Leben bei Gott in die räumlichen vom 15 Weilen der Hoffnung des Glaubenden im Innersten des Tempels umgesetzt werden.

Die schwierigste Stelle ist 4, 12 (→ VI 444, 21 ff). Zu fragen ist zuerst, ob πνεῦμα und ψυχή durch Gottes Wort (→ IV 119, 19 ff) voneinander geschieden werden oder ob dieses in sie beide eindringt. Da die Trennung von Gelenken und Mark schwer vorstellbar ist, meint der Text wahrscheinlich, daß das Wort in πνεῦμα 20 und ψυχή eindringt wie in Gelenke und Mark.

Dann sind jene also traditionell anthropologisch zu interpretieren wie in 1 Th 5, 23 (→ VI 433, 19 ff). Der Satz ist von Philo Rer Div Her 130—132 her zu verstehen. Dort wird nämlich der λόγος Gottes, für Philo die göttliche *Vernunft*, die logische Distinktionen machen kann, beschrieben als der τομεύς *der Schneidende*, der nicht nur die kör- 25 perlichen Dinge bis zu den Atomen, sondern selbst ψυχή, λόγος u αἴσθησις u das mit dem Geiste Geschaute noch durchdringt und zerlegt²¹³.

So besagt Hb 4, 12, daß Gottes Wort in alles eindringt, bis ins Innerste des leiblichen und psychischen Menschen. ψυχή steht also völlig unbetont neben πνεῦμα, eher mit ihm zusammenstehend als von ihm unterschieden. Eine theologisch be- 30 tonte Trichotomie liegt demnach nicht vor.

IV. Die katholischen Briefe.

1. Die Johannesbriefe.

Zu 1 J 3, 16 → 636, 8 ff. In 3 J 2 wünscht der Briefschreiber, daß der Adressat in allem so gut daran und gesund sein möge, wie es 35 seine ψυχή ist. Damit ist eine Unterscheidung zwischen dem physischen und dem

---

²¹¹ Zwar bedeutet in den griech Par Xenoph Cyrop IV 4, 10; Isoc ep 2, 7 περιποιέομαι τὴν ψυχήν *das Leben erhalten*. Näher jedoch liegt die Par 1 Th 5, 9: εἰς περιποίησιν σωτηρίας, vgl εἰς περιποίησιν δόξης 2 Th 2, 14, CSpicq, L'épître aux Hébreux II, Études Bibliques (1953) zSt.
²¹² v 39 interpretiert den v 38 zitierten

Text Hab 2, 4. Auch dort erscheint ψυχή, aber als Gottes ψυχή, die an dem, der zurückweicht, keinen Gefallen findet.
²¹³ Vgl Sap 7, 22 ff, wo Ähnliches vom πνεῦμα Gottes, u O Sal 12, 5, wo Vergleichbares vom Wort ausgesagt wird. Philo Virt 103 setzt ψυχή u διάνοια gleich.

geistlichen Leben eingeführt, die zwar schon lange im Hintergrund stand, aber doch noch nicht so klar vollzogen war. Meint ψυχή das eigentliche Leben vor Gott, dann zeigt die Erfahrung, daß dieses auch bei einem körperlich kranken Menschen gesund sein kann. So ist ψυχή nicht mehr ohne weiteres das ganze, auch alles Phy-
5 sische umfassende Selbst oder Leben des Menschen, das πάντα erfährt, sondern das auf das letztlich Wichtige, auf Gott ausgerichtete Leben. Freilich meint auch hier ψυχή nicht einen ausgesprochenen Gegensatz zum Leiblichen; zu wünschen ist ja, daß beides zusammenklinge, nicht etwa sich scheide[214].

2. Der Jakobusbrief.

10   Da der ἔμφυτος λόγος (1, 21) trotz Epict Diss II 11, 3 nicht die Vernunft, sondern das im Menschen verwurzelte Wort Gottes[215] bedeutet (1,18. 22), umfaßt σώζω das eschatologische Heil. ψυχή ist dann also das Leben des Menschen vor Gott, das in der Auferstehung seine Vollendung finden wird. Dasselbe gilt für 5, 20, wie der Zusatz ἐκ θανάτου zeigt. ψυχή ist wiederum die Gott
15 verantwortliche Existenz des Menschen, die durch den Tod oder das verurteilende Gericht hindurch gerettet wird. Ob mit θάνατος dieses oder jenes gemeint ist, hängt auch daran, ob man in der ψυχή die des Sünders oder die des Monitors sieht[216]. Für das zweite könnten Tob 4,10; Ab 5,18[217], vgl Ez 3,18—21[218] sprechen. Barn 19,10; 2 Cl 15,1, vgl 19,1; ep Apostolorum 51 (kpt Version)[219] enthalten beide
20 Gedanken, vgl auch Pist Soph 104 aE (GCS 45, 171, 35ff). Für das erste spricht Prv 10,12, das vermutlich am Ende des Satzes zitiert wird. Außerdem könnte beim Monitor auch schwerlich von einer Menge von Sünden geredet werden. Aus beiden Gründen wird man also beide Aussagen von v 20b eher auf den Sünder beziehen[220]. Dann ist ψυχή auch hier das eigentliche Leben vor Gott, das durch
25 Gottes Gericht, von dem es mit dem Tode bedroht wird, hindurchgerettet wird.

3. Der erste Petrusbrief.

3, 20 könnte ψυχή ein reiner Zählbegriff sein (→ 638,11f). Da es sich aber um die durch die Sintflut hindurch geretteten Frommen handelt, die typologisch die Täuflinge abbilden, ist es durchaus möglich, daß der Verfasser an

---

[214] Schnckbg J ²(1963) zSt. Die beste Par ist Philo Rer Div Her 285. Dort erscheint das gleiche Wort εὐοδοῦσθαι, aber im ethischen Sinn, wobei τὰ ἐκτός, τὰ σώματος u τὰ ψυχῆς nebeneinander als Subj erscheinen. Der Sprachgebrauch zeigt aber, daß man natürliches Leben, Glaubensleben nach seiner natürlichen Seite hin u übernatürliches Leben (Schnckbg ebd) nicht so einfach scheiden kann. Das Leben des Glaubens ist, wie gerade der Gebrauch von ψυχή zeigt, nichts anderes als das vor Gott u aus dem Geschenk Gottes gelebte natürliche Leben, das seine Erfüllung in der Auferstehung findet.

[215] τοῦτο τὸ ἔμφυτον ἔχο[υσα] *das ist in Fleisch u Blut übergegangen* PMasp I 67006, recto 3 (6.Jhdt nChr), vgl Preisigke Wört sv.

[216] Bezieht man ψυχή auf den Monitor, so wäre zu überlegen, ob nicht einfach daran gedacht wäre, daß er über den physischen Tod hinaus sein Leben für die Ewigkeit gewänne. Wäre mit ℵ αὐτοῦ zu streichen, dann wäre sicher im ersten Sinne zu entscheiden.

[217] Vgl Str-B III 229f.

[218] Auch griech Bearbeitung der Act Thom 6, ed MRJames, Apocrypha Anecdota II, TSt 5,1 (1897) 29; vgl Hennecke² 35 (Nr 8).

[219] ed HDuensing, KlT 152 (1925) 33f, vgl Hennecke³ I 149.

[220] Es ist richtig, daß der Satz vom Bedecken der Sünden logisch vor den vom Retten der ψυχή aus dem Tode gehörte, Dib Jk zSt; aber er ist wohl als bekräftigendes bibl Zitat erst nachträglich angefügt.

die acht *Seelen* denkt, die im Angesicht Gottes leben und von ihm für das Heil bewahrt werden. 1, 9 ist die σωτηρία ψυχῶν das eschatologische Ziel des Glaubens. ψυχή ist also eindeutig das vor Gericht stehende und durch es hindurch, jenseits der Parusie Christi (v 7), gerettete Einzelleben, bzw die so zu beschreibende Person[221]. Dieses Leben aus Gott wird aber schon auf Erden im Gehorsam Gott gegenüber, 5 nämlich in der Liebe, gelebt und geheiligt (1, 22). 4,18 ist ähnlich zu verstehen. An sich wäre es möglich, daran zu denken, daß die in der Verfolgung Leidenden ihr physisches Leben Gott anbefehlen sollen. Aber da gerade in der zweiten Briefhälfte (4,12ff; 5, 9) mit Martyrien in der Gegenwart gerechnet wird, ist das unwahrscheinlich. Da dieses Anbefehlen im Tun des Guten geschehen soll und da 10 Gott ausdrücklich als Schöpfer angerufen wird, ist offenbar auch hier an jenes Leben gedacht, das der Schöpfer selbst auch durch den physischen Tod hindurch in seine bewahrenden Hände nimmt und neu schafft. Christus als der „Aufseher eurer Seelen" (2, 25) ist sicher der, der sich um das Glaubensleben der Gemeinde sorgt (→ 650, 26ff; II 611, 26ff). 15

2,11 ist die am stärksten hellenisierte ψυχή-Stelle des Neuen Testaments (→ VII 145, 8ff). Hier ist ψυχή eindeutig ein von Gott geschenktes und vor ihm gelebtes Leben, gegen das die fleischlichen Begierden ankämpfen[222]. Man wird also besser von einem Teil des Menschen reden, dem das Fleisch als ein anderer Teil gegenübersteht. Freilich ist jener nicht unbedingt und unter allen Umständen gut 20 und göttlich; er ist dem Angriff und Kampf ausgesetzt. Vor allem aber wird nicht zur Askese aufgerufen, die das Fleisch einfach töten soll, sondern eher zu einem Leben, das, in der irdischen Sphäre gelebt, doch schon in der himmlischen zu Hause ist (→ VI 446,4ff). Es ist die einzige Stelle im Neuen Testament, an der ψυχή deutlich im Gegensatz zu σάρξ steht. Da ψυχή auch an den andern Stellen dieses 25 Briefes das den physischen Tod überlebende, bzw nach ihm neugeschaffene, nach der Parusie das Heil erlangende Einzelleben meint, nähert sich ψυχή hier doch sehr stark dem griechischen Verständnis (→ 607,20ff). Sie rückt damit an die Stelle, an der bei Paulus πνεῦμα steht (Gl 5,17). Umgekehrt ist hier πνεῦμα, das Gottes Subjektsein betont, im alttestamentlichen Sinn auf Propheten, Apostel und 30 Märtyrer beschränkt (→ VI 445,16ff).

4. Der zweite Petrusbrief.

2, 8 und 14 beschreibt ψυχή die Person, aber als die verantwortlich lebende, Gutes und Böses scheidende, daher auch der Versuchung offen stehende. ψυχή ist also an sich neutral und wird durch δικαία oder ἀστήρικτος 35 positiv oder negativ qualifiziert, ist aber auch hier jedenfalls kein an sich schlechtes oder auch nur minderwertiges Prinzip.

---

[221] GDautzenberg, Σωτηρία ψυχῶν (1 Pt 1, 9), BZ NF 8 (1964) 262—276 betont die apokalyptische Tradition, die hier vorliegt; die Artikellosigkeit weist auf geprägte Ausdrucksweise, die vom semitischen ‏ת ‏נ‎ beeinflußt ist. ψυχή ist Existenzmitte, Leben, aber nicht höheres Ich.

[222] So auch die Apokalypse des Adam 75, 4f, ed ABöhlig–PLabib, Kpt-gnostische Apokalypsen aus Cod V von Nag Hammadi, Wissenschaftliche Zschr der Martin-Luther-Universität Halle-Wittenberg Sonderband (1963) 107.

V. Die Apokalypse.

1. ψυχή als physisches Leben.

Ganz alttestamentlich ist der Gebrauch von πᾶσα ψυχή
(→ 630, 40ff) 16, 3, nur daß durch das hinzugefügte ζωῆς noch unterstrichen wird,
5 daß an die Lebewesen, nicht an Pflanzen oder Mineralien gedacht ist. Nur hier
und 8, 9 ist ψυχή im Neuen Testament auf animalisches Leben bezogen, beidemal
übrigens auf Meertiere. 12, 11 ist es das physische Leben, das die Märtyrer nicht
festhalten, nicht lieben.

2. ψυχή als Person.

10   Die Verwendung in 18, 13 ist wiederum alttestamentlich
(→ 638, 10ff; Ez 27, 13). Sachlich steht es parallel zu σώματα (→ VII 1034, 18ff;
1054, 35); doch klingt wahrscheinlich der Abscheu vor dem Verkauf von Sklaven,
die doch immerhin menschliche Personen sind, in dem volleren Ausdruck ψυχαὶ
ἀνθρώπων mit, so daß das Wort doch nicht bloßer Zählbegriff ist. Vielleicht ist
15 hier also ein Ansatz sozialethischer Kritik zu sehen.

3. ψυχή als Leben über den Tod hinaus.

6, 9, wo wiederum alttestamentliche Anschauung (→
631, 46) vorliegt, ist ψυχή der den Tod überlebende Mensch vor seiner Auferstehung. Er wird als mit Bewußtsein lebender, auf den Tag des gerechten Ge-
20 richtes Gottes wartender, in Gottes Schutz unter dem himmlischen Altar weilender
(→ VII 935, 4ff) gesehen. Dabei sind die ψυχαί aber nicht bewußt und betont unkörperlich gedacht, da der Apokalyptiker sie ja sieht und sie mit einem weißen
Gewand bekleidet werden. Sie werden dadurch auch erst als zu Gott gehörig
qualifiziert (v 11)[223]. Dennoch ist festzuhalten, daß dieser Zwischenzustand ein
25 uneigentliches Leben darstellt, das erst bei der Auferstehung in der neuen Leiblichkeit seine Erfüllung finden wird. Außerdem ist hier ausgesprochen an Märtyrer
gedacht, während 20, 13 mindestens für die Nichtglaubenden keinen bewußt erlebten Zwischenzustand (→ 657, 1ff) vorauszusetzen scheint.

Endlich ist die ψυχή (20, 4) die vor Gottes Gericht stehende und vor seinem
30 Thron mit der Herrlichkeit des tausendjährigen Reiches beschenkte Person. Offenbar ist hier aber schon an den Endzustand nach der ersten Auferstehung gedacht.
Von hier aus wird erst recht deutlich, daß ψυχή nicht einen bloß vorläufigen, betont unkörperlichen Zustand bezeichnet, der erst durch die Begabung mit dem
Leib in der Auferstehung wieder volles Menschsein wird. Das bestätigt die Auf-
35 nahme des Wortes mit dem maskulinischen Relativpronomen, die zeigt, wie sehr
das Wort die ganze Person umschließt. ψυχή ist also ein übernommener Terminus
für die im Endheil lebenden Menschen, der in keiner Weise eine klare Unterscheidung eines körperlosen von einem körperlichen Zustand einschließt.

---

[223] Vgl CBrütsch, Die Offenbarung Jesu
Christi I ²(1970) 293—297.

VI. Der neutestamentliche Sprachgebrauch in der Abgrenzung zu πνεῦμα.

1. ψυχή bezeichnet außer im Hebräerbrief, Jakobusbrief, 1. und 2. Petrusbrief das **physische Leben** des Menschen, in der Johannesapokalypse auch das des Tieres (→ 654, 6f). Populär, nicht aber im theologisch 5 reflektierten Stil von Paulus und Johannes, kann dafür auch πνεῦμα stehen (→ VI 375, 24ff)[224]. Doch zeigt sich ein Unterschied schon darin, daß wohl die Seele, nicht aber der Geist gehaßt, verfolgt, getötet werden kann. Auch vom παρατίθεσθαι des πνεῦμα kann nur so gesprochen werden, daß Gott als Empfänger ins Zentrum rückt (→ VI 413, 2ff; 451, 12ff), nicht jedoch so, daß damit das Aufhören 10 des Lebens unterstrichen würde. Das verschärft sich zum eigentlichen Gegensatz, wo ψυχή betont das rein natürliche Leben beschreibt, das getötet werden kann. So greift 1 K 15, 45 dualistische Spekulationen über den nur zur lebenden ψυχή gewordenen Adam im Gegensatz zum πνεῦμα ζωοποιοῦν gewordenen Adam auf (→ 662, 13ff; 663, 14ff). 15

2. Andererseits ist ψυχή immer je **mein Leben**, nie das Phänomen Leben an sich. Daher kann es wie πνεῦμα (→ VI 433, 12ff) den Menschen als ganzen, als **Person** bezeichnen. Dabei kann es sogar für das Reflexivpronomen eintreten, in der Formel πᾶσα ψυχή erscheinen und zum reinen Zählbegriff absinken (→ 638, 10ff). Daß dies bei πνεῦμα nicht der Fall ist, zeigt schon, 20 daß auch dort, wo der Mensch als ganzer gemeint ist, dies doch unter einem besonderen Aspekt geschieht. Nun kann zwar ψυχή wie πνεῦμα[225] (→ VI 354, 16f; 394, 16f; 433, 9ff) der Ort von Freude und Trauer, Liebe und Haß sein, also den Menschen als innerlich beteiligten beschreiben (→ 639, 24ff). Hingegen wird πνεῦμα nie bei Nichtchristen oder für ethisch negativ zu wertende Regungen ver- 25 wendet[226], da es deutlicher als ψυχή Gottes Gabe umschreibt. Gewiß kann auch ψυχή, nahe verwandt mit dem das Willensmäßige und die bewußte innere Beteiligung betonenden Begriff καρδία, **Ort des Glaubens** sein. Doch ist dieser dann gerade nicht als psychisches Phänomen interessant, wie Paulus, der das Problem 1 K 12, 1ff bewußt gemacht hat, besonders betont. Nur daß Gott sich der psy- 30 chischen Fähigkeiten des Menschen bedienen kann, so daß Jesus als Herr verkündet und die Gemeinde gebaut wird, ist entscheidend. Dies aber geschieht durch das πνεῦμα Gottes (→ VI 421, 2ff).

3. Darin ist eine weitere **Entwicklung** angelegt. Zwar darf ψυχή nie vom rein physischen Leben getrennt werden; sie ist aber auch nicht iden- 35 tisch mit ihm. Man kann das Leben, wie Gott es gemeint hat, finden oder verfehlen[227] (→ 641, 6ff). Wo der Mensch es als sein letztes Ziel ansieht und die

---

[224] At.liches bei → Dautzenberg 109f, vgl 2 Makk 7, 22f.

[225] Vgl Mk 2, 8 mit 5, 30. Phil 1, 27, wohl auch Hb 4, 12, stehen beide Termini synon nebeneinander.

[226] Wenn es nicht geradezu als böses πνεῦμα beschrieben wird Mk 9, 20; Ag 19, 15;

Apk 16, 13f usw, so daß es eindeutig außermenschliche Macht ist.

[227] Das ist schon at.lich darin vorgebildet, daß krankes Leben nicht das von Gott gemeinte, also eher Tod als Leben ist Ps 86, 13, vgl 16, 10.

ganze Welt gewinnen will, verliert er es gerade. Nur im Verschenken findet er es.
Auch in diesem Sinne ist ψυχή nichts anderes als das natürliche Leben; sie ist dies
aber als von Gott geschenktes und empfangenes Leben in seiner Eigentlichkeit. Damit ist das Problem gegeben. Liegt bei πνεῦμα die Schwierigkeit darin,
5 Gottes im Menschen wirkenden Geist nicht aufgehen zu lassen in einem dem Menschen gegebenen inneren, geistlichen Leben (→ VI 412, 30 ff; 433, 22 ff), so liegt
bei ψυχή die Schwierigkeit umgekehrt darin, das von Gott gespendete Leben nicht
auf das rein physische, durch den Tod bedrohte einzuschränken, sondern Gottes
auch den Tod übergreifende Gabe in ihm mitzuumfassen.

10   **4.** Daß Gottes Treue mit dem Tode des Menschen nicht
zu Ende ist, ist schon vom Alten Testament her vorgegeben, vereinzelt sogar als
individuelle Lebenserwartung (Ps 49; → 644, 8 ff). In Jesu Worten vom Verlieren und Finden der ψυχή (→ 641, 6 ff) bekommt dies klarere Umrisse. So
wird ψυχή allmählich betont zur Bezeichnung eines vom Tod nicht beendeten
15 Lebens (→ 642, 36 ff; 645, 2 ff). Dieses kann in späteren Texten des Neuen
Testaments ausdrücklich das „religiöse", seelsorgerlich zu betreuende Leben sein,
wobei dessen Geschenkcharakter wie Verantwortlichkeit unterstrichen werden
(→ 650, 30 ff). In einem paränetischen Kontext kann es 1 Pt 2, 11 (→ 653, 16 ff)
in typisch hellenistischer Anschauung das von den fleischlichen Begierden ange-
20 griffene Leben sein. Damit ist, ähnlich wie in der Lehre von der Unsterblichkeit der Seele, die Kontinuität zwischen dem Glaubensleben und dem Auferstehungsleben festgehalten; aber diese liegt nicht in der ψυχή, also weder in
einer naturhaft noch in einer sakramental garantierten Einwohnung Gottes im
Menschen, sondern allein in Gottes Treue. Daher kann auch πνεῦμα (→ VI 434, 3 ff;
25 444, 12 ff) den abgeschiedenen Christen bezeichnen. In beiden Fällen handelt es
sich aber nicht um einen vom Tod verschonten Teil des Menschen [228], sondern um
seine ganze Existenz als von Gott geschenkte und vor ihm gelebte [229]. Sie ist daher
auch nach dem Tod zwar nicht fleischlich, wohl aber leiblich gedacht (→ VII
1057, 18 ff). Dabei ist die Kontinuität mit dem physischen Leben des Menschen
30 naturgemäß durch ψυχή ausgedrückt, so daß ein Wort wie Mk 8, 35 (→ 642, 6 ff)
nur so, nicht mit πνεῦμα formuliert werden konnte. Johannes führt diesen Sprachgebrauch weiter (→ 643, 8 ff), während bei Paulus nur die Aussage von dem
durch den Tod hindurch zu rettenden πνεῦμα erscheint (→ VI 434, 3 ff), weil dieses
die Kontinuität mit Gottes Aktivität im irdischen Leben des Glaubenden wie im
35 Leben der Auferstehung heraushebt. Umgekehrt kann ψυχή nachpaulinisch geradezu zur Beschreibung einer erst jenseits des Todes zum Ziel kommenden Existenz werden und so mit der griechisch verstandenen, freilich nie präexistent zu
denkenden Seele weithin identisch werden (→ 653, 24 ff).

---

[228] So freilich Bratsiotis aaO (→ A 175) 29:
ψυχή u πνεῦμα sind bei Pls nur zwei Aspekte
des auch als νοῦς bezeichneten Bestandteils
des Menschen, die ihm neben dem σῶμα zugehören.
[229] Vgl → Cullmann 37—41; → vCampenhausen ·303f. 307f; PHMenoud, Le sort des
trépassés d'après le Nouveau Testament,
Cahiers Théologiques de l'Actualité Prote-
stante 9 (1945) 17—20. Mit Recht betont
CKBarrett, Immortality and Resurrection,
The London Quarterly and Holborn Review
34 (1965) 91—102 nicht nur diese nt. lichen St,
sondern auch die griech Aussagen, die von
Auferstehung reden, u erinnert daran, daß
nicht jeder Grieche Platoniker ist, vgl dazu

5. Als Bezeichnung des Lebens im Zwischenzustand (→ III 17, 11 ff)[230] scheint ψυχή nicht vorzukommen, so wenig wie πνεῦμα (→ VI 413, 4 ff), höchstens Apk 6, 9 (→ 654, 17 ff)[231]. Auch 2 K 5, 3 ist sicher nicht an den Zwischenzustand gedacht (→ VII 1057, 29 ff)[232]. Umstritten ist freilich Mt 10, 28 (→ A 176). Lukas (→ 646, 8 ff) scheint an der, nach 24, 39 kraß körperlichen, Auferstehung, die direkt nach dem Tode eintritt (16, 22 ff?; 23, 43?), interessiert zu sein und daher Formulierungen zu meiden, die als bloßes Weiterleben der Seele gedeutet werden könnten. Auferstehung des Fleisches ist aber auch bei ihm nicht gelehrt; selbst Ag 2, 31 wird wie 1 K 15, 50 f Verwandlung, nicht Fortleben des Fleisches voraussetzen. Paulus begnügt sich zu Recht mit dem Wissen, daß die Toten mit Christus sind (Phil 1, 23, vgl aber 3, 21; → I 149, 25 ff).

Schweizer

E. Gnosis.

1. Die Fülle der inner- u außerchristlichen Heilslehren, die man als Gnosis zusammenfaßt, die Verschiedenartigkeit der einschlägigen Texte nach Sprache u Herkunft u endlich die Unsicherheit der Motivgeschichte machen es unmöglich, generalisierend von einer gnostischen Seelenvorstellung zu reden. Allen gnostischen Lehren ist gemeinsam, daß das Selbst des zur Erlösung fähigen Menschen als Teil aus der transmundanen Lichtwelt betrachtet wird, das in diesen Kosmos verstrickt wurde. Die von einem außerkosmischen Heilsbringer offenbarte Einsicht in seinen Ursprung setzt das Selbst instand, sich zu befreien u in seine Heimat zurückzukehren[233]. Fall u Aufstieg des Selbst werden dabei als Teil eines gesamtkosmischen Vorgangs angesehen[234]. Wenn im folgenden das Selbst des Menschen als Seele bezeichnet wird, ist das für nichtgriechische Texte der gnostischen Überlieferung keineswegs selbstverständlich. In der Gnosis griech Sprache jedoch ist alle Anthropologie in der Terminologie (popular)philosophischer Seelenlehre expliziert[235], so daß hier die Begriffspaare Licht/Finsternis, Gut/Böse, Geist/Materie, Seele/Körper einander entsprechen[236].

2. In der Verwendung des Wortes ψυχή übernehmen die Gnostiker die seit Plat geläufige gestufte Gliederung des nichtkörperlichen Bereiches. Während aber in der Philosophie die rationale Kraft als beherrschender Faktor der

auch PPédesch, Les idées religieuses de Polybe, RHR 167 (1965) 38—42.

[230] Im Gegensatz zu → vCampenhausen vgl → Schmaus 324—327, zu → Cullmann vgl → Masson 250—267. → Sevenster Anthropologie 176 glaubt, daß Pls mit einem Fortleben der ψυχή im Zwischenzustand rechnet, sachlich ebs Menoud aaO (→ A 229) 42. → Guignebert 435 meint sogar, der Mensch sei zZt Jesu schon in Fleisch, Seele, Geist aufgeteilt worden, wobei nur der letzte zu Gott zurückkehre, während die Seele in die Scheol fahre.

[231] Apk 20, 4 ist mit Vorsicht heranzuziehen, weil dort wohl schon an den Zustand nach der ersten Auferstehung gedacht ist, so daß die ψυχαί selbstverständlich als Vollpersonen vorgestellt sind.

[232] Ausführliche Diskussion aller Fragen bei MJHarris, The Interpretation of 2 K 5, 1—10 and its Place in Pauline Eschatology (Diss Manchester [1970]).

[233] Die Affinität zur Astrologie teilen viele gnostische Richtungen mit den neupythago-

reischen, die im Anschluß an Plat Tim 47 a ff ihre Vorstellungen vom Aufstieg der Seele herausgebildet haben. Auch in dieser Pseudophilosophie dienen einzelne philosophische Lehrstücke als Inhalt von Offenbarung, vgl → Burkert 335—347. Zur Astrologie in den Mysterienreligionen vgl Nilsson II 596. Zur gnostischen Ausprägung der Lehre von der Himmelfahrt der Seele vgl CColpe, Die „Himmelsreise der Seele" außerhalb u innerhalb der Gnosis, in: → Le origini 429—447.

[234] Colpe aaO (→ A 233) 439—445.

[235] Die gnostischen Systeme, die als Offenbarung überrationaler Einsicht verstanden werden wollen, bedienen sich philosophischer Begriffe u Denkfiguren, die aus ihrem diskursiv-rationalen Zshg herausgelöst sind, sowie des mythologischen ἱερὸς λόγος, wie er herkömmlicherweise einen Kult, vor allem einen schwer verständlichen Mysterienkult, expliziert.

[236] Vgl SPétrement, Le dualisme chez Platon, les gnostiques et les manichéens (1947).

Menschenseele die Möglichkeit eröffnet, die gleichfalls rationale u darum gute Ordnung der gesamten Welt zu erkennen u in sittlichem Handeln nachzuvollziehen, ist die ψυχή, das Innere des empirischen Menschen, nach gnostischer Auffassung einem Kosmos zugeordnet, dessen Materie zwar durch die Anwesenheit pneumatischer Partikel gestaltet u belebt, der aber von jener guten Lichtwelt scharf geschieden ist u von einem Gott minderen Ranges geschaffen wurde, vgl Basilides bei Hipp Ref VII 23, 2f[237]. Zur Lichtwelt gehört nur sein πνεῦμα (→ 391, 20ff)[238]. Hatte in der Stoa πνεῦμα die feinste Materie als Trägerin der Rationalität bezeichnet, war dieser Begriff im stoisch-platonischen Synkretismus spiritualistisch umgedeutet worden, hatten Pos uam im πνεῦμα den Träger der affektivischen Seelenregungen gesehen, so wird es nunmehr zum echten Gegenpart der ψυχή. Die ψυχή ist jetzt der zwar immaterielle, aber zum diesseitigen Kosmos[239] gehörende u der Materie zugeordnete Wesensteil des Menschen, vgl die Auffassung des Gnostikers Justin bei Hipp Ref V 26, 8f. Die dreifache Schichtung des Menschen[240] in πνεῦμα/ψυχή/σῶμα, die man häufig in der Gnosis antrifft, zB Naassener bei Hipp Ref V 7, 9—15, vgl Valentinus bei Hipp Ref VI 37, ist nach philosophischem Vorbild konzipiert. Auch im Mittelplatonismus, zB Plut Fac Lun 28 (II 943a), stammt der wertvollste Teil des Menschen, der νοῦς, aus der solaren Sphäre. Die ψυχή bildet sich als dessen Annex beim Durchgang durch den Mondhades u verbindet sich auf der Erde mit einem Körper (→ 463 A 29). Trotz der auch in diesen u verwandten Vorstellungen bezeugten Abwertung der Materie, trotz der Hoffnung auf eine Rückkehr des νοῦς zu seinem Ursprung besteht zu vergleichbaren gnostischen Lehren ein Unterschied, vgl Corp Herm 1, 22; 13, 7ff. Für die platonische Tradition ist die Verbindung des Geistes mit der Materie u die dadurch verursachte Entstehung von Mensch u Kosmos immer auch ein Akt der Selbstentfaltung des νοῦς. Bei den Gnostikern ist dieser Umstand, u damit auch die Entstehung der ψυχή, höchst bedauerlich, bedeutet er doch die Wesensentfremdung der pneumatischen Partikel. Die Regeln, nach denen die ψυχαί in diesem Kosmos leben u handeln, mag es sich nun um die körperlosen Dämonen, die Archonten der Astralsphären oder die Seelen menschlicher Leiber handeln, sind nicht die des πλήρωμα, der Lichtwelt. Während es in der platonisch-stoischen Tradition u selbst in der von der Gnosis unabhängigen Astrologie darum geht, die unverbrüchliche Ordnung des Kosmos zugleich als εἱμαρμένη u als wohltätige πρόνοια zu erkennen, wozu die Seele als Träger des Intellektes befähigt ist, u durch die willige Anerkennung dieser Gesetze die Freiheit zu gewinnen, durch die sich der Mensch von Tier u Pflanze unterscheidet, ist die „gerechte" εἱμαρμένη[241] für gnostisches Denken gerade das disqualifizierende Kennzeichen des Kosmos. Ein ὑπεράνω τῆς εἱμαρμένης γενέσθαι, vgl Pist Soph 13 (GCS 45 p 13, 24ff); 26f (p 22, 17ff; 26, 4ff)[242], bedeutet also nicht wie in der Philosophie die Übereinstimmung zwischen Kosmos u Seele zu erkennen u im Leben nachzuvollziehen, sondern die außerrational vermittelte Einsicht, daß die natürlichen u moralischen Gesetzmäßigkeiten das pneumatische Selbst des Menschen vergewaltigen, die ihm gemäße Freiheit vorenthalten u es am Eingehen in das Pleroma hindern. Hierher gehört die Lehre vom dreifachen νόμος Ptolemaeus, Ad Floram bei Epiph Haer 33, 5, 1—2, Markions Unterscheidung des guten vom gerechten Gott u die Schrift Περὶ δικαιοσύνης des Epiphanes[243]. Das Apokryphon Joh[244] Cod IV p 40, 21ff; Cod II p 26, 8ff erläutert, daß die ψυχή nur insoweit gut ist, als sie πνεῦμα in sich aufgenommen hat u sich von ihm leiten läßt. Im anderen Fall ist sie Sitz des ἀντίμιμον πνεῦμα, das sie irren u fehlen läßt. Die ψυχή markiert das umstrittene Gelände der Erlösung[245], πνεῦμα (νοῦς) u σῶμα (σάρξ) sind dgg eindeutig qualifiziert.

---

[237] Dem Leiden Jesu unterliegt darum nach Meinung des Gnostikers Justin bei Hipp Ref V 26, 32 nur der ψυχικὸς καὶ χοϊκὸς ἄνθρωπος, während das πνεῦμα zum Vater zurückkehrt, vgl auch Act Joh 98ff.

[238] Die Metaphern, mit denen die pneumatischen Bestandteile der Menschen bezeichnet werden (Funke udgl), stammen zumeist aus der Philosophie, vgl zB Synesius vCyrene Hymnus 1 (3), 560—569 (ed NTerzaghi, I Scriptores Graeci et Latini [1939]), u es fragt sich, ob sie von den Gnostikern gelegentlich wörtlich verstanden wurden.

[239] Nach Hipp Ref VI 34, 1 bezeichnen die Valentinianer die göttliche σοφία als πνεῦμα, den Demiurgen dgg, den Schöpfer dieses Kosmos, als ψυχή. Plotin polemisiert Enn II 9, 5f gg die solcher Terminologie zugrundeliegenden Ansichten.

[240] Nach Iren Haer I 14, 1 verstanden bestimmte Gnostiker die Taufe Jesu als psychischen, die Taufe des in ihm inkarnierten Christus als pneumatischen Vorgang, u nur der zweite gehört zum Erlösungsgeschehen.

[241] Die Hermetiker verwenden εἱμαρμένη in diesem negativen Sinn synon mit ἁρμονία Corp Herm 1, 9 bzw 1, 15.

[242] Die Freiheit des Gnostikers, das ἀβασίλευτον εἶναι, ist deshalb ein zentrales Thema, zB bei den Naassenern bei Hipp Ref V 8, 30.

[243] Vgl WVölker, Quellen zur Gesch der chr Gnosis, Sammlung ausgewählter kirchen- u dogmengeschichtlicher Quellenschriften NF 5 (1932) 34f.

[244] ed MKrause—PLabib, Die drei Versionen des Apokryphon des Joh im Kpt Museum zu Alt-Kairo, Abh des Deutschen Archäologischen Instituts Kairo, Kpt Reihe 1 (1962).

[245] Vergleichbare Vorstellungen Corp Herm 16, 15f.

3. Im einzelnen gibt es große Unterschiede in der psychologischen Terminologie der Gnostiker. Während meist die ψυχή nur in ihrer Zuordnung zum πνεῦμα relativen Wert besitzt, vgl die Auffassung des Gnostikers Justin bei Hipp Ref V 26, 25, als Gegenbegriff zum πνεῦμα aber negativ akzentuiert ist[245], greift die valentinische Gnosis die auch aus Numenius (→ 612,18ff) bekannte Zweiseelenlehre auf, vgl Cl Al Exc Theod 50,1ff[246], wodurch, ohne daß in der Sache viel Neues daraus folgt, ψυχή auch das pneumatische Selbst des Menschen bezeichnen kann. Sonst werden νοῦς/πνεῦμα/λόγος etwa gleichbedeutend verwendet u ψυχή gegenübergestellt. Corp Herm 10,13 findet sich die Klimax πνεῦμα, ψυχή, λόγος, νοῦς, wobei πνεῦμα wieder das Blutsubstrat der ψυχή sein soll, ähnlich Philo Migr Abr 3ff; dgg Plot Enn II 9,1, 57—63. Corp Herm fr 23,18f; Ascl 12; Corp Herm fr 18; Basilides fr 3 (→ A 243) u vor allem als Basis für den ethischen Libertinismus der Karpokratianer bei Hipp Ref VII 32,7f wird die Seelenwanderung gelehrt, Corp Herm 10, 20 dgg eingeschränkt. Obgleich sich die Erlösung streng genommen nur auf πνεῦμα oder νοῦς des Menschen beziehen kann, vgl Heracleon fr 27 (→ A 243), reden die Texte in solchem Zshg nicht selten von der ψυχή, vgl Basilides bei Iren Haer I 19, 3 (p 201). Bisweilen werden πνεῦμα u σάρξ einander gegenübergestellt, u die ψυχή wird übergangen, vgl Hipp Ref V 7, 40. Die meisten Differenzierungen begegnen verständlicherweise in Systemen, die von philosophisch geschulten Köpfen entworfen wurden. So verglich Basilides die ψυχή mit einem Vogel, das πνεῦμα mit seinen Flügeln: Der Vogel vermag sich ohne Flügel nicht emporzuschwingen, die Flügel ohne Vogel sind nutzlos Hipp Ref VII 22,11. Darum gibt es zwischen πνεῦμα u ψυχή ein wechselseitiges εὐεργετεῖν, vgl 22,10. Folgerichtig weist Basilides dem πνεῦμα einen Ort zwischen κόσμος u ὑπερκόσμια zu, vgl VII 23, 2[247]. In den Zeugnissen vulgarisierter Gnosis, etwa in einigen Zauberpapyri, oder in der allegorischen Interpretation vorgegebener Kulte u Mythen darf man eine so genaue Zuordnung u Verwendung der Termini nicht suchen, vgl die naassenische Deutung des Attis-Mythos bei Hipp Ref V 7,11—15.

Dihle

4. Die kpt-gnostischen Texte der 13 Cod von Nag-Hammadi enthalten eine Fülle neuen Materials zur Trichotomie πνεῦμα—ψυχή—σῶμα/σάρξ *Geist— Seele—Leib/Fleisch*[248] u zum gnostischen Verständnis von ψυχή.

a. Zur Trichotomie: Das trichotomische Prinzip der Gnosis findet sich auch in den Nag-Hammadi-Texten u wird in ihnen mehr oder weniger breit entfaltet, so ua in der Ep Iacobi Apocrypha[249] 11, 35—12,13; im Apokryphon des Joh (→ A 244) Cod II 1 p 25,17—27, 30; in der Schrift Die Hypostase der Archonten[250] 144,17—27; im Traktat Authentikos Logos[251] Cod VI 3 u in der Schrift Noēma (→ A 251) Cod VI 4 p 37, 23ff. Bei konsequenter Anwendung des trichotomischen Prinzips werden nicht nur Mythologie u Anthropologie, sondern das ganze jeweilige gnostische System, vor allem auch die Soteriologie, davon berührt. Die sog Titellose Schrift Vom Ursprung der Welt[252] kennt den ersten, zweiten u dritten, dh den pneumatischen, psychischen u irdischen Adam 165, 28—166, 6, vgl 170, 6—9, sowie 3 Taufen, eine pneumatische, eine Feuer- u eine Wassertaufe 170,13—16. Nach dem Brief an Rheginus, De Resurrectione[253] gibt es eine *geistige* πνευματική Auferstehung, welche sowohl die *seelische* ψυχική als auch die *fleischliche* σαρκική „verschlingt" 45, 39—46, 2.

b. Der unterschiedliche Gebrauch von ψυχή, der in gnostischen Schriften nicht ungewöhnlich ist u bes Aufmerksamkeit erfordert, findet sich auch in den Nag-Hammadi-Texten. Beim Auffinden der jeweiligen Bdtg des oftmals

[246] Vgl die für Basilides bezeugte Lehre περὶ προσφυοῦς ψυχῆς bei Cl Al Strom II 20,113, 3f.

[247] Wenn Corp Herm 16, 6 Gott über das πνεῦμα hinausgehoben wird, wird die Position des πνεῦμα im Aufbau des Seins nicht niedriger eingeschätzt als in anderen vergleichbaren Lehren.

[248] Zur Verhältnisbestimmung vgl KWTröger, Mysterienglaube u Gnosis in Corp Herm XIII, TU 110 (1971) 94f; → VI 390,15ff, bes 393, 3ff; VII 1083,1ff.

[249] ed MMalinine uam (1968).

[250] ed RABullard, Patristische Texte u Studien 10 (1970). Die Zählung entspricht den Tafeln bei PLabib, Coptic Gnostic Papyri in the Coptic Museum at Old Cairo I (1956).

[251] ed MKrause–PLabib, Gnostische u hermetische Schriften aus Cod II u Cod VI, Abh des Deutschen Archäologischen Instituts Kairo. Kpt Reihe 2 (1971); vgl The Facsimile Edition of the Nag Hammadi Cod, Cod VI (1972).

[252] ed ABöhlig-PLabib, Die kpt-gnostische Schrift ohne Titel aus Cod II von Nag Hammadi, Deutsche Akademie der Wissenschaften zu Berlin, Institut für Orientforschung 58 (1962). Die Zählung beruht auf Labib aaO (→ A 250). Dort sind die angeführten St aber nicht mehr wiedergegeben.

[253] ed MMalinine uam (1963).

schillernden Begriffs ψυχή hat sich die Unterscheidung von kosmischer Seele u überkosmischer Seele als hilfreich erwiesen. Unter kosmischer Seele ist die ψυχή im engeren Sinne als die Mitgift der Weltmächte, speziell der Gestirne, zu verstehen, unter
überkosmischer Seele hingegen das πνεῦμα, der innere, pneumatische Mensch [254]. Hiernach ist die eigentliche Seele nicht die ψυχή, sondern das πνεῦμα, also die überkosmische
Seele, die bei ihrem Fall in die Machtsphäre der Gestirne geriet. In diesem Sinne als
eigentliche u überkosmische Seele wird die ψυχή zB im Traktat Die Exegese
über die Seele Cod II 6 (→ A 251) verstanden. Ihr korrespondieren die Gegenbegriffe
Leib, Fleisch, dieses Leben. Doch bedarf diese hier als einziges höheres Prinzip verstandene ψυχή nach ihrem Fall auch der Erlösung, die ihr durch ihren Bräutigam, den
lebenspendenden Geist, zuteil wird (→ 661,13ff). Meistens steht der mit πνεῦμα
identifizierten ψυχή eine kosmische Seele gegenüber, vgl die Begriffe pneumatische u
hylische ψυχή Authentikos Logos (→ A 251) Cod VI 3 p 23,12ff. Auch werden bisweilen
unsterbliche u sterbliche Seele(n) ausdrücklich unterschieden, zB in der Apokalypse
des Petrus [255] Cod VII 3 p 75,12—76,17, vgl 76,34—77, 22 . In den meisten Fällen
bezeichnet ψυχή, dem trichotomischen Prinzip entsprechend, kosmische ψυχή. In
diesem Fall steht die Seele in der Mitte [256] zwischen πνεῦμα u σῶμα, u es hängt alles
davon ab, wohin sie sich neigt. Nach dem Traktat Die Lehren des Silvanus (→ A 254)
Cod VII 4 hat der Mensch, dh der Gnostiker, drei Wurzeln: den göttlichen νοῦς, die
Seele u den Leib bzw die Materie p 92,15—33. ,,Gott ist der Pneumatische. Der Mensch
hat Gestalt genommen aus der Substanz Gottes. Die göttliche Seele hat teilweise Gemeinschaft mit ihm. Weiterhin hat die Seele teilweise Gemeinschaft mit dem Fleisch.
Die schlechte Seele wendet sich hin u her'', dh sie schwankt, doch soll sie sich keinesfalls der sarkischen, tierischen Natur zuneigen p 93, 25—32, vgl den Gesamtzusammen-
hang p 93,9—94,5 . Diese Mittelstellung der ψυχή kommt auch an folgender St der Ep
Iacobi Apocrypha (→ A 249) sehr deutlich zum Ausdruck: Das Fleisch begehrt nach der
Seele, ohne die es nicht zu sündigen vermag. Andererseits kann die Seele nicht ohne
den Geist erlöst werden 11, 35ff. ,,Der Geist nämlich ist es, der die Seele lebendig macht;
der Leib aber ist es, der sie tötet, dh sie selbst ist es, die sich tötet'' 12, 5—8. In den
meisten Texten sind ψυχή u πνεῦμα bzw νοῦς sowie ψυχή u σῶμα/σάρξ in dieser oder ähnlicher Weise einander zugeordnet. An zahlreichen St kommt bes die negative Bewertung der kosmischen Seele zum Ausdruck. Hierzu zählen auch schon solche Texte, in
denen das Psychische zwar über dem Hylischen steht, aber als weit entfernt vom Pneumatischen empfunden wird. So heißt es zB in der Hypostase der Archonten (→ A 250)
135,17—20, daß das Psychische das Pneumatische nicht erreichen kann. Hier ist der
von den Archonten gebildete Mensch zunächst gänzlich χοϊκός 135, 26ff (→ 467,7ff).
Aber auch der psychisch gewordene Mensch kann sich noch nicht aufrichten 136, 3ff.
Erst wenn das πνεῦμα den *psychischen Menschen* sieht u sich in ihm niederläßt, wird der
Mensch zu einer lebendigen Seele u kann sich bewegen 136,12—17. Wie aber die Archonten den Vergessenheitsschlaf über Adam bringen, aus seiner Rippe die *lebendige*
Frau nehmen u seine Seite mit σάρξ füllen, wird Adam wieder *gänzlich psychisch*, u das
pneumatische Weib muß ihn erst wieder erwecken u aufrichten 137, 3—13. Dem ent-
spricht die Schilderung der Erschaffung Adams in der Titellosen Schrift Vom Ursprung
der Welt (→ A 252) 162, 24—164, 5: In Adam, dem psychischen Menschen, war kein
Geist. Der oberste Archont läßt ihn 40 Tage *ohne Seele* liegen. Im Apokryphon des
Joh (→ A 244) Cod II 1 p 15, 9—11 bildet der erste Archont den *ersten, vollkommenen,*
dh pneumatischen, oberen Menschen *psychisch* ab. Er wird dann Adam genannt.
Darauf erschaffen die Mächte 7 verschiedene Arten von Seele: *Knochen-Seele, Fleisch-
Seele* usw p 15,13ff. p 18, 34f spricht von der materiellen, hylischen ψυχή. Damit sich
der Mensch, der einen *seelischen* u einen *materiellen, hylischen Leib* σῶμα besitzt p 19, 5f.
12, erheben kann, muß Jaltabaꝏth das πνεῦμα, die Kraft seiner Mutter, in sein Gesicht
blasen p 19, 23—27, u so gelangt diese δύναμις in das *psychische* σῶμα Z 28—30. Das
sind Beispiele für eine relativ enge Verbindung von ψυχή u σῶμα u das ihnen gegen-
überstehende, qualitativ ganz andere πνεῦμα. Ausgesprochen negativ wird ψυχή auch
in der Paraphrase des Sēem (→ A 254) bewertet, nämlich als ein *Werk der Unreinheit*
u eine *Schändung des lichten Gedankens* Cod VII 1 p 24, (20). 25—27.

　　　　　c. Das Schicksal der Seele ist das große Thema gnostischer
Texte, das in zahlreichen Varianten entfaltet wird. Ihr Abstieg u Wiederaufstieg, dh
ihr Fall u ihre Erlösung, werden in mythologischer, anthropologischer u soteriologischer

---

[254] Die Unterscheidung ist vorgeschlagen
worden von HJonas, Gnosis u spätantiker
Geist I, FRL 51 ³(1964) 5.

[255] Noch nicht ediert. Die Zählweise folgt
der durch MKrause eingeführten, die sich inzwischen als offizielle durchgesetzt hat, vgl
DMScholer, Nag Hammadi Bibliography 1948

—1969, Nag Hammadi Studies 1 (1971) 109f.
118—190; ferner die Übersicht The Coptic
Gnostic Library, Nov Test 12 (1970) 83—85.

[256] Zur Stellung des Psychischen in der
Mitte vgl Cl Al Exc Theod 56, 3; Iren Haer
I 1,11 (p 51f).

Hinsicht in immer neuen Bildern u Wendungen beschrieben, wie es hier nur skizziert werden kann. Nach dem Philippus-Ev[257] war die Seele unter die Räuber geraten, die sie als Gefangene wegführten § 9 (101,11f). „Das ist der Fall der Seele. Sie ist eine wertvolle Sache, sie geriet in einen wertlosen Leib" § 22 (104, 24—26). Was das σῶμα für die ψυχή bedeutet, schildert das Thomas-Ev (→ A 95) Logion 112 (99,10—12): „Jesus sprach: Wehe dem Fleisch, das an der Seele hängt; wehe der Seele, die am Fleisch hängt", vgl Logion 87 (96,4—7). Der Traktat Authentikos Logos (→ A 251) Cod VI 3 beschreibt in immer neuen Bildern das Schicksal der in die Welt gefallenen Seele u deutet ihre Erlösung an. Im Apokryphon des Joh (→ A 244) sprechen Joh u Jesus über das Los der verschiedenen Seelen. Je nachdem, ob das Lebens-πνεῦμα oder das ἀντίμιμον πνεῦμα über die Seele Macht gewonnen hat, entscheidet sich ihr Schicksal Cod II 1 p 25,17 —27, 31 Par; III 1 p 32, 23—36,15; IV 1 p 39,17—43, 6; Cod Berolinensis 8502[258] p 64,14—71, 2. In der Exegese über die Seele Cod II 6 (→ A 251) wird die Seele nach ihrem Fall in den Leib von den Archonten vergewaltigt u zur Hure erniedrigt p 127, 25ff, auf ihre Reue hin aber vom Vater *erlöst* p 128,7. 30ff. Er sendet ihr den μονογενής, der sich mit ihr im Brautgemach vereinigt p 132,7ff. Von ihrem Bräutigam, dem lebenspendenden Geist p 134,1f, empfängt die Seele gute Kinder u zieht sie groß. Nach dieser *Wiedergeburt* kann die Seele *aufsteigen*. „Das ist die (wahre) Auferstehung von den Toten; das ist die Erlösung aus der Gefangenschaft; das ist der Aufstieg zum Himmel; das ist der Weg hinauf zum Vater" p 134,11—15. Auch im zweiten Logos des großen Seth (→ A 254) Cod VII 2 geht es um Herkunft, Schicksal u Befreiung der Seele, vgl p 57, 27—58, 4: *Die Seele, die aus der Höhe stammt.* In einigen Texten begegnet man dem Seelengericht, zB im kpt-gnostischen Asklepios (→ A 251) Cod VI 8 p 72, 27—37; 76, 22—77, 28. Richter über die Seelen ist der *große Dämon.* In der ersten Apokalypse des Jakobus (→ A 222) nehmen drei himmlische Mächte die aufsteigenden Seelen mit Gewalt weg 33, 8—11; 34, 20—24. Eine Reinigung der Seelen kennt der Traktat Noëma (→ A 251) Cod VI 4 p 45, 28f. Es gibt reine Seelen u *Seelen, die bestraft werden* p 47, 9ff. Von Seelen, die sterben werden, u *Seelen, die voll Blut u schmutziger Werke sind*, berichtet die Apokalypse des Adam (→ A 222) 84,1—3. 12—14. In der Apokalypse des Paulus (→ A 222) 20, 8—21, 20, vgl 22, 9f wird die Seele von den Engeln gezüchtigt, verhört, nach einer Zeugenvernehmung verurteilt u wieder in das σῶμα hinabgeworfen (!). Das Buch des Thomas (→ A 251) Cod II 7 verkündet das *Verbrennen der Seelen* p 140, 25—28 u den Untergang der Seelen, wenn die Menschen nur auf das Fleisch hoffen p 143,10—15. Die geretteten Seelen aber befinden sich in der Ogdoas u singen den *Lobpreis im Schweigen* De Ogdoade et Enneade (→ A 251) Cod VI 6 p 58,17—20; 59, 26ff, vgl die Rettung der Seelen durch den φωστήρ in der Apokalypse des Adam (→ A 222) 76,15—27.

Tröger

† ψυχικός

1. Griechentum.

Das Wort taucht zuerst im Zshg der philosophischen Explikation des Seelenbegriffes auf Aristot Hist An II 3 p 737a 8 uö, es wird dementsprechend innerhalb der philosophischen u auch religiösen Terminologie gern komplementär zu σωματικός, ὑλικός, χοϊκός auf der einen, νοερός u πνευματικός auf der anderen Seite gebraucht, letzteres bes bei den Gnostikern (→ 660, 31ff). Da ein mehr oder weniger distinkter Seelenbegriff schon früh Allgemeingut war, stand dem Eindringen dieses Adj in der Bdtg *seelisch* in die Umgangssprache nichts im Wege. Im Gegensatz zu ψυχεινός *kühl, erfrischend*, das schon in der frühen medizinischen Lit vorkommt, ist eine vom Seelenbegriff absehende Verwendung von ψυχικός nur einmal durch eine vl bei Vett Val I 2 (p 6, 27) sehr unsicher bezeugt. Verständlich, aber singulär ist ψυχικῶς *von Herzen, sehr*, also eine einfache Intensitätsbezeichnung bei einem Verb der Gemütsbewegung, in 2 Makk 4, 37 u 14, 24, wo vielleicht ein Semitismus vorliegt. Im Griech heißt es sonst in ähnlichem Zshg ἐκ (ὅλης) ψυχῆς oä (→ 613, 20f). Ebenfalls singulär, aber wohl als Zeugnis für die im ganzen ja nur wenig bekannte Umgangssprache zu werten, ist das Zitat des Photius aus dem Komiker Alexis fr 338 (CAF II 407; 4.Jhdt vChr), nach dem dieser ψυχικός im Sinne von *mannhaft, beherzt* gebraucht habe, was sonst durch εὔψυχος ausgedrückt zu werden pflegt.

Dihle

---

[257] ed WCTill, Patristische Texte u Studien 2 (1963).

[258] ed WCTill, Die gnostischen Schriften des kpt Pap Berolinensis 8502, TU 60 (1955).

2. Judentum.

In LXX findet sich ψυχικός abgesehen von den genannten St
(→ 661, 52) nur noch 4 Makk 1, 32 (→ VII 1044 A 286). Für das NT entscheidend
ist aber die zu χοϊκός besprochene Entwicklung im Judt (→ 461, 36ff), die immer stärker
5   den Gegensatz zwischen dem Irdischen, Menschlichen, Nur-Physischen u dem Himmlischen, Göttlichen, Geistlichen betont. Das zeigt sich daran, daß ψυχικός 1 K 15, 46
—49 mit χοϊκός, Jk 3,15 mit ἐπίγειος gleichgesetzt u οὐράνιος bzw ἄνωθεν κατερχόμενος
gegenübergestellt wird. Ebenso ist der Wechsel zwischen ψυχικός u σαρκικός 1 K 2,13ff
(→ VII 144, 31ff) u der mit bloßem ἄνθρωπος synon Gebrauch von dorther verständ-
10   lich. So ist auch erst der scharfe Gegensatz zu πνευματικός 1 K 2,13f; 15, 44. 46[1] zu
erklären. Dem Menschen, der nur psychisches Wesen, dh Fleisch, ist, steht Gottes
Geist gegenüber (→ 464 A 30). Schließlich weist Jk 3,15 eindeutig in die jüd Weisheit als Ort dieses Sprachgebrauchs. Von ihr aus wird die Entwicklung denkbar[2];
doch ist die Terminologie so technisch u wird als so selbstverständlich vorausgesetzt, daß
15   eine noch präzisere Vorlage anzunehmen ist, vermutlich eine Spekulation, die Gn 1, 27
auf den pneumatischen, 2,7 auf den nur psychischen, den sarkischen Menschen bezog[3].
In Nachwirkungen ist sie bei Philo spürbar (→ 465, 31ff), dürfte aber der von ihm
abgelehnten Theorie (→ 465,16ff) wesentlich näher stehen. Daß eine Spekulation
dieser Art Grundlage des gesamten nt.lichen Sprachgebrauchs ist, beweist ihre Ab-
20   weisung 1 K 15, 46a im Anschluß an die paulinische, sich davon unterscheidende Auslegung von Gn 2,7[4].

Philo selbst stellt den deutlichsten Ansatz in dieser Richtung Leg All III 247 dar.
Danach gehört die Seele zur irdischen Komponente des Menschen. Sie ist die von Gott
verfluchte „Erde" Gn 3,17. Sie erregt das Schlechte im Menschen u bringt ihm sein
25   Leben lang Schmerzen. Während seine Vernunft neutral ist u sich auf das Böse wie
das Gute ausrichten kann, können die unvernünftigen Regungen der Seele den Menschen verführen wie die Schlange ebd 246, vgl 251. Da Erde u Fleisch fast auswechselbar sind Deus Imm 143f (→ 463,15ff), erkennt man, daß trotz entgegengesetzter Äußerungen Philos eine negative Wertung der Seele von solchen St her möglich wird oder,
30   noch wahrscheinlicher, schon im Hintergrund der philonischen Aussagen steht.

3. Neues Testament.

Der Begriff ψυχή ist doppeldeutig. Einerseits kann er das
eigentliche, von Gott geschenkte und von ihm geforderte Leben bezeichnen, das
in die Ewigkeit hinein dauert, ja erst dort gefunden wird (→ 656,10ff). Von hier
35 aus läßt sich eine mindestens neutrale, ja dem bloß Leiblichen gegenüber höhere
Bewertung des Seelischen denken, wie sie in der Septuaginta (→ VII 1044 A 286)
und gelegentlich in der Gnosis (→ 467, 24ff) vorliegt, im Neuen Testament aber
für das Adjektiv völlig fehlt. Andererseits ist ψυχή das physische, also das jedem

---

ψυχικός. [1] s WDStacey, The Pauline
View of Man (1956) 146—153, vgl auch die
Gleichsetzung von ψυχικός mit πνεῦμα μὴ
ἔχων Jd 19.
  [2] Daß ψυχικός neutraler ist als σαρκικός,
das leichter den Klang des Sündigen einschließt, Joh W 1 K 372, ist auch zu bedenken.
[3] Mit RBultmann, Gnosis, Besprechung
von JDupont, Gnosis (1949), JThSt NS 3
(1952) 16 wird man zwar sagen müssen, daß
Gn 2,7 nicht alleiniger Ursprung dieser Konzeption sein kann. Daß aber νοῦς als Gegensatz zu ψυχή im Corp Herm ein urspr πνεῦμα
verdrängt habe ebd 15, läßt sich nur bei Annahme einer noch stärker jüd geprägten
Vorlage erwägen, da πνεῦμα (außer → VI
393, 4ff) in den griech Formulierungen fehlt.
Die grundsätzliche anthropologische Fragestellung war auf griech wie jüd Boden vorbe-

reitet. Das strenge Gegenüber des πνεῦμα
Gottes zum Menschen hingegen wurzelt in
at.lich-jüd Denken, bzw in Spekulationen
über Gn 2,7, JDupont, Gnosis, Universitas
Catholica Lovaniensis Dissertationes ad gradum magistri in Facultate Theologica consequendum conscriptae II 40 [2](1960) 172—180.
Der äth Text zu 4 Esr 7,116 erschließt aus
Gn 2,7 nicht nur, daß der „Staub" bloß einen
toten Körper hervorbringen konnte 4 Esr
3, 4f, vgl das Golemmotiv in der Gnosis, sondern auch, daß die „Erde" ihn zum Sündigen
verführte, vgl WHarnisch, Verhängnis u Verheißung der Gesch, FRL 97 (1969) 52.
  [4] Daß Pls Gn 1f exegesiert, ist deutlich;
vgl v 38 mit Gn 1,11, v 45—48 mit Gn 2,7,
v 49 mit Gn 1, 26f u 5, 3. Weiteres BSchneider,
The Corporate Meaning and Background of
1 Cor 15, 45b, Catholic Biblical Quarterly 29
(1967) 149.

Menschen eigene Leben (→ 635, 26 ff; 655, 3 ff), während das Entscheidende erst durch den Geist Gottes hinzugeschenkt wird. Dann steht Gottes Geist dem Menschen gegenüber, dessen psychische Natur streng irdisch bleibt. Es erhebt sich nur die Frage, ob man diese Begegnung vorzeitlich denkt, so daß Gottes Geist doch schon der Natur des irdischen Menschen in irgendeiner Weise vorgegeben 5 ist und ihn zum Doppelwesen macht, oder ob man sie endzeitlich denkt. Dann beschreibt das Psychische den Menschen als irdischen, und das Pneumatische kann nur als das Wunder verstanden werden, das die kommende Vollendung vorwegnimmt (→ VI 417, 10 ff; 420, 1 ff). Bei diesem Verständnis gehört das Pneumatische also nicht zum Menschen als solchem und kann daher weder in die Doppel- 10 ausdrücke von Bild und Ähnlichkeit (Gn 1, 26) oder von Erde und Hauch (Gn 2, 7) noch in das Nebeneinander beider Stellen hineingeheimnißt, sondern muß dem ψυχή Gewordenen von Gn 2, 7 entgegengestellt werden.

a. 1 K 15, 44—49. So denkt Paulus (v 45 [→ VI 435, 17 ff]). Im Hintergrund steht das weisheitliche und philonische Denken in 15 Sphären, das sich auch J 3, 31⁵ (→ VII 139, 9 ff) zeigt. Das Psychische ist weder an sich sündig noch tendiert es zum πνεῦμα hin (→ VI 434, 17 ff)[6], wohl aber ist es vergänglich und findet daher keinen Zugang zu Gottes Reich (v 50; → VII 128, 13 ff)[7]. Ihm setzt Paulus den auferstandenen Christus als das πνεῦμα ζωοποιοῦν entgegen, genau wie Gn r 14, 8 zu 2, 7b die sterbliche Seele von Gn 2, 7 20 mit dem Gottesgeist der Auferstehung von Ez 37, 14 kontrastiert (→ 464 A 30). Daß hier auf den Sündenfall nicht reflektiert wird[8], verbindet Paulus mit der weisheitlichen Tradition, die das Irdisch-Vergängliche des Menschen betont, und scheidet ihn von der reinen Apokalyptik (→ 461, 5 ff). Dorthin gehört auch die Vorstellung von der Adam, bzw dem neuen Adam zugehörigen Menschheit (→ 25 465, 16 ff; VI 868, 6 ff; VIII 475, 26 ff)[9]. Was Paulus aber von den Gegnern trennt, ist der eschatologische Vorbehalt, nach dem himmlisches, pneumatisches Sein noch ausstehende Zukunft[10], nicht etwa schon in der Hülle des Psychischen verborgener Same ist (→ VI 418, 3 ff)[11]. Das Kommende ist nur als Verheißung Gottes dem Glauben geschenkt, und die Kontinuität zwischen Psychischem und 30 Pneumatischem liegt ausschließlich extra nos in Gottes Treue, im πνεῦμα ζωοποιοῦν, das der auferstandene Christus ist. Die gegen die korinthische Schwärmerei stehende Nüchternheit des Paulus begnügt sich aber nicht damit, die Zukünftigkeit des Pneumatischen bloß zu betonen. Auch in der Vollendung wird der

---

[5] Bultmann Theol⁶ 177 f; vgl bes ἐκ γῆς 1 K 15, 47.

[6] Gg FBarth, La Notion paulinienne de ψυχή, Rev ThPh 44 (1911) 335, vgl 346.

[7] Zur Radikalisierung im Judt → 463, 4 ff u ESchweizer, R 1, 3 f u der Gegensatz von Fleisch u Geist, Neotestamentica (1963) 184.

[8] Bultmann Theol⁶ 177; vgl auch HMüller, Der rabb Qal-Wachomer-Schluß in paulinischer Typologie, ZNW 58 (1967) 90. Auferstehung ist also nicht etwa nur Wiederherstellung des Urstandes.

[9] Vgl AFeuillet, La demeure céleste et la destinée des chrétiens, Recherches de Science Religieuse 44 (1956) 372 f. 376; auch Barth aaO (→ A 6) 327—331.

[10] v 49 ist mit Hdschr B uam φορέσομεν zu lesen.

[11] So HClavier, Brèves remarques sur la notion de σῶμα πνευματικόν, Festschr CHDodd (1956) 352 f. Richtig ist, daß Pls gg die Vorstellung eines rein spirituellen Phantoms ebs wie gg einen apokalyptischen Parusiematerialismus kämpft ebd 361; vgl noch RMorisette, L'antithèse entre le »psychique« et le »pneumatique« en 1 K 15, 44—46, Revue des Sciences Religieuses 46 (1972) 97—143.

Mensch trotz v 48b nicht identisch mit Christus. Hier zerbricht die Parallele. Ist er wie Adam ψυχὴ ζῶσα, so wird er doch nie wie Christus πνεῦμα ζωοποιοῦν *Schöpfergeist*, sondern nur davon bestimmtes σῶμα πνευματικόν[12].

b. 1 K 2,14 (→ VI 422, 24ff; 421 A 605). Auch hier 5 bezeichnet ψυχικός neutral den natürlichen Menschen, der ohne die eschatologische Gabe des πνεῦμα lebt, der also zur Welt (v 12), nicht aber zu Gott (v 10) gehört. Auffällig ist, daß der Nichtglaubende ψυχικός, der Glaubende aber, der keine Fortschritte macht, σαρκικός (→ VII 144, 31ff) genannt wird (3, 3). Das zeigt, daß einerseits ψυχικός nicht eine höhere Stufe als σαρκικός darstellt, freilich auch nicht 10 etwas an sich schon Tadelnswertes, daß andererseits σαρκικός den bewußt auf die σάρξ Ausgerichteten umschreibt, also Vorwurf und Mahnung einschließt. Sehr zugespitzt ließe sich sagen: Der ψυχικός wird zum σαρκικός, wenn er sich als Glaubenden bekennt und trotzdem noch allein auf das Irdische ausgerichtet bleibt[13].

c. Jk 3, 15. Auch hier steht das Problem der Erkenntnis 15 Gottes und seiner Geheimnisse zur Diskussion. ψυχικός beschreibt das für Gottes Welt verschlossene Irdische. Doch wird diese Beschränkung hier schon als dämonisch (→ II 17, 40ff)[14] aufgefaßt. Die Erde, die untere Sphäre, ist beherrscht von bösen Dämonen und gebiert daher Streit, Aufruhr und Unfrieden (→ 662, 22ff).

d. Jd 19. Noch eindeutiger setzt Jd 19 den ohne Gottes 20 πνεῦμα lebenden ψυχικός mit dem Gottlosen, nach seinen eigenen Begierden Lebenden gleich. Gewiß ist auch hier nicht das Irdische als solches böse. Aber die (→ 465, 40ff) beobachteten Ansätze wirken stärker nach als bei Paulus. So wird vorausgesetzt, daß der Mensch ohne den Beistand des Geistes Gottes seinen eigenen Begierden und der Gottlosigkeit ausgeliefert bleibt.

25 4. G n o s i s (→ 467, 7ff; 657, 13ff).

Schweizer

† *ἀναψύχω*

1. Die Grundbedeutung ist *durch einen Lufthauch kühlen u er-* *frischen*, so schon Hom Od 4, 568 uö, oder auch *austrocknen* Hdt VII 59, 3 uö. Beide 30 Nuancen sind immer erhalten geblieben, so zB in der medizinischen Sprache, wo ἀναψύχω die Behandlung einer Wunde durch frische Luft bezeichnet Hippocr, De Fracturis 25 (II 81, 20 Kühlewein). Alt ist aber auch die übertr Verwendung des Wortes für jede Art leiblicher oder seelischer Erfrischung, Erholung, Heilung udgl, zB schon Hom

---

[12] KStalder, Das Werk des Geistes in der Heiligung bei Pls (1962) 59f.
[13] Das ist in der Tat die Meinung des Pls. Daß ihn die (→ 662, 2ff) beobachteten Ansätze mitbestimmen, ist nicht zu leugnen. So verwischt sich die Unterscheidung wieder durch ἔτι 3, 3 u bes ἄνθρωποι 3, 4 (→ VII 144, 31ff). Dennoch fehlt noch die Nuance des Dämonisch-Schlechten (→ 664, 16f).

ψυχικός scheidet zwar scharf den natürlichen, der irdischen Sphäre zugehörenden Menschen von dem mit Gottes Geist begabten, der himmlische Weisheit versteht, bezeichnet ihn aber nicht eo ipso als schlecht.
[14] Wirkt die griech Identifikation der Dämonen mit den Seelen (→ 463 A 29) nach?

Il 13, 84: ἀνέψυχον φίλον ἦτορ. Dabei braucht nicht die Assoziation des frischen, trokkenen Luftzuges lebendig zu sein, da auch die Kühlung u Erfrischung durch Wasser[1] mit ἀναψύχω ausgedrückt wird Eur Iph Aul 421. ἀναψύχω ist in der epischen, poetischen, ionischen u dann hell Sprache zu belegen, während das Attische das Simplex ψύχω in gleicher Bdtg bevorzugt. Religionsgeschichtlich bedeutsam ist die Vorstellung von der Erquickung der Seele in der Unterwelt Orph Fr 230 (Kern): ἀναψύχω κακότητος τὰς ἀνθρωπίνας ψυχάς[2].

Während nach älterem Sprachgebrauch ἀναψύχω stets trans ist, *sich erquicken* oder *erfrischt u gekühlt werden*, also mediopassivisch ausgedrückt werden muß, begegnet in nachklassischer Zeit sowohl literarisch wie umgangssprachlich daneben auch das Akt ἀναψύχω *sich erholen, erquicken*, zB POxy X 1296, 7 (3. Jhdt nChr).

Dihle

2. Die Septuaginta versteht *sich erholen* vor allem als Wiedergewinnen körperlicher Kräfte am Sabbat Ex 23, 12, nach dem Kampf, den Simson, mit dem Eselskinnbacken bewaffnet, führt Ri 15, 19, auf der Flucht Davids 2 Βασ 16, 14, in schwerer Krankheit ψ 38, 14, in der Pause zwischen Verhandlungen oder Kämpfen 2 Makk 4, 46; 13, 11; doch auch Sauls Erholung von der Bedrängnis durch den bösen Geist wird 1 Βασ 16, 23 durch ἀναψύχω wiedergegeben.

3. Während in der Septuaginta das Verbum durchweg intransitiv verwendet ist, findet es sich an der einzigen neutestamentlichen Stelle[3] 2 Tm 1, 16 transitiv in der Bedeutung *erquicken*. Ob damit der leibliche Dienst im Gefängnis, etwa die Versorgung mit Lebensmitteln, gemeint ist, worauf vielleicht das διακονέω vor der Gefangennahme des Paulus (1, 18) schließen ließe, oder ob man nicht doch eher an geistlichen Zuspruch zu denken hat, ist charakteristischerweise nicht auszumachen. Beides läßt sich gar nicht voneinander trennen.

Schweizer

† *ἀνάψυξις*

1. Das Wort gehört wie das seit Eur u Plat belegte, gleichbedeutende ἀναψυχή zu ἀναψύχω (→ 664, 27 ff) *trocknen* Hdt VII 59, 3; Strabo 10, 2, 19 oder allg *erfrischen, lindern, stärken* Hom Il 13, 84; Eur Hel 1094. Es begegnet zuerst in dem frühen hippokratischen Traktat De Fracturis 25 (II 83, 11 f Kühlewein), wo es die Austrocknung u Heilung einer offenen Wunde bezeichnet, die der Chirurg bei der Bandagierung des gebrochenen Gliedes ausgespart u der Luft ausgesetzt hat. Pos gebraucht es in der Bdtg *Abkühlung* in klimatologischem Zshg fr 78 (FGrHist II A 270). Außerdem kommt es vor in der Bdtg *Linderung, Befreiung* πόνων ἀνάψυξις Jul, Ep ad Themistium 258 c, Befreiung von der Froschplage Ex 8, 11. Philo Abr 152 verwendet es neutral für *Erholung*.

Dihle

2. Das Wort steht im Neuen Testament nur Ag 3, 20. Wie die Aoristform des Verbums und die Wahl des den bestimmten Zeitpunkt bezeichnenden Substantivs καιρός zeigen, ist nicht bloß an Atempausen innerhalb der Enddrangsal zu denken[1], sondern wie → I 390, 37 ff zu erklären[2]. Auch der Zusammenhang wird nur sinnvoll, wenn die *Zeiten der Erquickung* die endgültige

---

ἀναψύχω. [1] ψυκτήρ ist ein Gefäß, in dem man Wein mit Wasser kühlt Hesych sv ψυκτήρ (IV 314 Schmidt).
[2] Vgl dazu ADieterich, Nekyia [2](1913) 95 —100 u AMSchneider, Refrigerium (Diss Freiburg im Breisgau 1926 [1928]); AStuiber, Refrigerium interim, Theophaneia 11 (1957).

[3] Außer R 15, 32 vl intransitiv.

ἀνάψυξις. [1] Bauernf Ag zSt.
[2] So auch Haench Ag[15] zSt; HConzelmann, Die Apostelgeschichte, Hndbch NT 7 (1963) zSt; GLohfink, Christologie u Geschichtsbild in Ag 3, 19—21, BZ NF 13 (1969) 230f A 24.

Heilszeit meinen. Der Ausdruck ist sicher apokalyptischen Ursprungs[3], was auch für die anschließende Wendung *vom Angesicht des Herrn her* gilt[4]. Es handelt sich also um die endzeitliche Erlösung, die Israel verheißen ist, falls es sich bekehrt. Der jüdische Gedanke, daß Umkehr das Kommen des Endes beschleunige, liegt
5 kaum vor, sondern nur die Warnung, daß dieses Heil überhaupt nicht für Israel komme, falls es sich jetzt nicht bekehre. Umstritten bleibt, ob in v 19—21, bzw (19b). 20. 21a eine alte, auf Christus übertragene Eliaerwartung, älteste Entrückungschristologie oder rein lukanische Theologie vorliegt[5]. Vermutlich formuliert Lukas selbst, wobei einzelne Ausdrücke auf jüdische Traditionen, auch solche
10 über Elia, zurückgehen. Da weder von einer Bekehrung aller Israeliten wie R 11, 25f[6] noch von der Wiederherstellung des Alls[7] die Rede ist (→ I 390, 29ff), wird nur ausgesagt, daß die *Zeiten der Erquickung* und die Einlösung aller Verheißungen erst nach einer längeren Zeit kommen werden, so daß es noch die Möglichkeit der Umkehr gibt. Für Lukas ist dabei wesentlich, daß sich 3000, 5000, ja
15 Myriaden von Juden bekehren (Ag 2, 41; 4, 4; 5,14; 21, 20). So sehr also zwischen echtem und unechtem Israel geschieden wird[8], so deutlich ist doch, daß die zum Glauben kommenden Heiden in Israel aufgenommen werden[9] und daß in diesem Sinne die Parusie auch die Vollendung Israels bringt.

Schweizer

† δίψυχος

20   Der Ausdruck ist vor Jk 1, 8 (→ III 949, 16f); 4, 8 nicht nachweisbar. Er beschreibt wie das deutsche *zweifelnd* das verwandte, ebenfalls erst christliche διακρίνομαι (→ III 948, 24ff; 950, 29ff) oder διστάζω (→ III 950,30ff) den zwiespältigen, nicht einfältigen (→ I 385, 1ff)[1] Menschen.

Der Begriff hat eine Vorstufe in 1 QH 4,14 בלב ולב *mit doppeltem Herzen*[2], vgl sach-
25 lich Dt 29,17; Ez 14, 3—5. Die Übers entsprechender hbr Ausdrücke mit δίψυχος ist, wie die Zitate unbekannter Herkunft 1 Cl 23, 3f; 2 Cl 11, 2ff u Herm m XI 1ff beweisen, schon vor Jk erfolgt[3]. Bei Herm ist das Wort wie das davon abgeleitete διψυχία bes beliebt.

Schweizer

† ὀλιγόψυχος

30   1. Das seltene Wort ist in der Koine in der Bdtg *feigherzig* belegt Artemid Oneirocr III 5[1]. Doch zeigt das zugehörige ὀλιγοψυχία, daß der *kurze*

---

[3] 4 Esr 11, 46: Nach Befreiung von der Gewalt des Adlers wird die ganze Welt *erleichtert aufatmen*. Der hier verwendete Ausdruck refrigeret (vl refrigeretur) entspricht ἀναψύξει, vgl Ex 23,12; ψ 38,14; 2 Makk 4, 46 LXX mit Vg, Lohfink aaO (→ A 2) 231. Ex 8,11 (→ 665, 37) hilft nicht weiter.

[4] Lohfink aaO (→ A 2) 232 gg Haench Ag[15] zSt.

[5] Die gesamte Forschungsgeschichte bei Lohfink aaO (→ A 2) 223—227.

[6] OBauernfeind, Tradition u Komposition in dem Apokatastasisspruch Ag 3, 20f, Festschr Michel, Arbeiten zur Gesch des Spätjudt u Urchr 5 (1963) 15. 20—23.

[7] GStählin, Die Apostelgeschichte, NT Deutsch 5 [3](1968) zu 3, 21; dgg AVögtle, Das NT u die Zukunft des Kosmos (1970) 166 A 108a, vgl 172. 187.

[8] Bis hin zu Ag 28, 24—28, wo aber immer noch „echte" Israeliten sich als der Gemeinde des wahren Israel zugehörig erweisen.

[9] JJervell, Das gespaltene Israel u die Heidenvölker, Studia Theologica 19 (1965) 68—96; ESchweizer, Jesus Christus im vielfältigen Zeugnis des NT [2](1970) 149f.

δίψυχος. [1] Jetzt auch 1 QH 2, 9; 1 QpHab 12, 4; 1 Q 14 fr 6—7, 3 (DJD I 77); fr 8—10, 5 (78), JAmstutz, ΑΠΛΟΤΗΣ, Theophaneia 19 (1968).

[2] Zum Wechsel zwischen Herz u Seele → 640,10ff.

[3] OJFSeitz, Antecedents and Signification of the Term ΔΙΨΥΧΟΣ, JBL 66 (1947) 211 —219; ders, Afterthoughts on the Term ‚Dipsychos', NT St 4 (1957—1958) 327—334.

ὀλιγόψυχος. [1] In der Form ὀλιόψυχος cha-

Atem auch rein physisch die *Ohnmacht* bezeichnen kann Hippocr Epid VII 47 (V 416 Littré). Das Wort muß relativ alt sein; denn die sekundäre Bildung ὀλιγοψυχέω *feige sein, den Mut verlieren* taucht schon bei Isoc Or 19, 39, uz in einer Gerichtsrede auf u ist, wie LXX (→ Z 15f) u Papyri (→ A 1) bezeugen, fester Bestandteil der hell Umgangssprache.

Dihle

2. Das Wort kommt in der Septuaginta u Hexapla an 6 St, das dazugehörige Verb u Subst an 14 St vor. Als hbr Grundlage ist קְצַר־רוּחַ vorauszusetzen u wörtlich zu verstehen als Bezeichnung dafür, daß man über eine zu schwache Seelenkraft verfügt, die der Situation nicht entspricht. Von dieser allg Bdtg lassen sich die verschiedenen Bedeutungsnuancen nach dem jeweiligen Zshg näher bestimmen. So ist ὀλιγοψυχία Ex 6, 9 mit *Kleinmut, Verdrossenheit, Ungeduld* zu übersetzen, vgl Test G 4, 7. ὀλιγοψυχέω (HT: קָצַר נֶפֶשׁ) bezeichnet Nu 21, 4 die Auflehnung gg Gott. Simson begeht verzweifelt eine Kurzschlußhandlung Ri 16,16. Weil seine seelische Kraft versagte, war er der Situation nicht gewachsen. Daß nach Jon 4, 8 der Prophet *ohnmächtig wurde* (HT: עָלַף), ist ähnlich zu verstehen; denn nach dem folgenden Jahwespruch ist Jonas Zustand nicht körperlich, sondern psychisch bedingt. Im abgesteckten Bedeutungsrahmen kann ὀλιγοψυχέω also auch für andere hbr Äquivalente eintreten. So bezeichnet es Ri 8, 4, עָיֵף entsprechend, die Erschöpfung. Hab 2,13 steht es für עָיֵף als *versagen* im Sinne des lat deficere. Die Bdtg *feige, ängstlich sein* ließe sich nur für Sir 4, 9 erwägen[2]. An allen anderen St handelt es sich dgg um *kleinmütig sein* im religiösen Sinn Sir 7,10; Jdt 7,19; 8, 9.

Prv 14, 29 bedeutet ὀλιγόψυχος *jähzornig*, wenn man das Gegensatzpaar μακρόθυμος— ὀλιγόψυχος als lang zum Zorn u kurz von Sinn auffaßt u nicht als großmütig u kleinlich von Gesinnung, ὀξύθυμος v 17 entsprechend. Während Prv 18,14 Mas von einem niedergeschlagenen Geist spricht, stellt LXX den Zornigen, den ein kluger Diener besänftigt, u den wegen seines schwachen Willens seelisch Hemmungslosen gegenüber. Der Js-Übersetzer verwendet an allen 4 St ὀλιγόψυχος als *kleinmütig* im religiösen Sinn Js 25, 5; 35, 4; 54, 6; 57,15. Dieser durchgehende Sprachgebrauch scheint sich nur sehr wenig an die hbr Vorlage zu halten u folgt einer auch sonst gelegentlich zu beobachtenden Tendenz, die sozialen Kategorien des HT psychologisch zu verstehen[3].

Bertram

3. Während ἄψυχος (1 K 14, 7) die leblosen Musikinstrumente von den stimmbegabten Lebewesen abhebt, also deutlich mit der rein physischen Komponente von ψυχή zusammenhängt, beschreiben ὀλιγόψυχος *kleingläubig* (1 Th 5,14)[4], σύμψυχος (Phil 2, 2), ἰσόψυχος (Phil 2, 20) und das Verbum εὐψυχῶ (Phil 2,19) den guten oder weniger guten Stand des psychischen Menschen, also seines Lebensmutes und seiner Lebenskraft, wobei dieser Stand freilich im paulinischen Kontext immer an der von Gott gestellten Aufgabe gemessen und daher im Blick auf ihn beurteilt wird.

Schweizer

ψυχρός → II 878, 30ff

rakterisiert das Wort eine Frau als *ungeduldig* Preisigke Sammelbuch Beih 2 B Nr 2, 50 (117 nChr). ὀλιγοψυχέω bedeutet in den Pap *mutlos sein* Witkowski 16,12 (3. Jhdt vChr); Pap Reinach II 117,10 (ed PCollart, Bulletin de l'Institut Française d'Archéologie Orientale 39 [1940]; Ende 3. Jhdt nChr), *kleinmütig sein* Wilcken Ptol I 78,10 (159 nChr), *sich Sorgen machen, in Sorge sein* Wilcken Ptol I 63,1 (158 vChr); POxy X 1294,13 (2./3. Jhdt nChr); Preisigke Sammelbuch V 8002,17 (2./3. Jhdt nChr). [Hammerich]

[2] Im HT steht קוּץ *Ekel empfinden*. Für den Übersetzer ist aber wohl wie Sir 7,10 קצר vorauszusetzen.

[3] Vgl JZiegler, Untersuchungen zur LXX des Buches Js, At.liche Abh 12, 3 (1934) 82f.

[4] Noch präziser ist das bei Mt u Lk begegnende ὀλιγόπιστος (→ VI 205, 21ff), urspr jüd wie δειλόψυχος. Mt 8, 26 steht δειλός, das hier nicht Feigheit im profanen Sinne bezeichnet, sondern die *Armseligkeit vor Gott*, also synon mit ὀλιγόπιστος, ὀλιγόψυχος ist. [Bertram]

ὤ → I 1,1ff
ᾠδή → I 163, 38ff

$$\boxed{\begin{array}{l} \dagger\ \ \dot\omega\delta\acute\iota\nu \\ \dagger\ \ \dot\omega\delta\acute\iota\nu\omega \end{array}}$$
→ λύπη IV 314, 9ff; → πάσχω V 903, 5ff
→ ὀδύνη V 118, 24ff

5 ὠδίν, ὠδίνω ist etym nicht erklärt. Die verschiedenen Versuche
der Ableitung bleiben Vermutungen[1]. Für ὠδίς begegnet im NT ὠδίν, das auch Js
37, 3[2] u in späteren hell Texten (nach Suidas) bezeugt ist[3]. Das Verb kommt zunächst
nur im Praes vor; erst spät begegnet man Aor-Bildungen, so in der LXX, wo sie durch
die Übers aus dem Hbr erforderlich waren, weiter bei Pseud-Oppian I 5; Jul Or 2, 56d;
10 auch med ψ 113, 7 vl 'A u pass ψ 89, 2 'A; Prv 8, 25 'A Θ[4] Bildungen finden sich.

A. Die Wortgruppe in der profanen griechischen Überlieferung.

ὠδῖνες bedeutet *Geburtswehen,* ὠδίνω *Geburtswehen erleiden.* Das
Subst hat auch die Bdtg *das (unter Schmerzen) Geborene* u übertr (*Frucht harter*) *An-*
strengung[5]. Hom Il 11, 269. 271 begegnet zum ersten Male das Gleichnis von den Ge-
15 burtsschmerzen, das an dieser St die plötzlichen u heftigen Schmerzen von im Kampf
erhaltenen *Wunden* ὀδύναι (→ V 118, 25ff) ebd 268. 272 beleuchtet. Hom Od 9, 415
bezieht sich das Verb unmittelbar auf die Schmerzen des Kyklopen: στενάχων τε καὶ
ὠδίνων ὀδύνῃσιν[6]. Die Wortgruppe kommt nur an den genannten drei St bei Hom vor
u wird sonst nur in ganz seltenen Fällen von Schmerzen oder Sorgen anderer Art ver-
20 wendet[7]. Hier wie sonst stehen ὀδύνη u ὀδυνάω (ionisch ὀδυνέομαι) der vorliegenden
Wortgruppe begrifflich u sachlich nahe[8], können mit ihr synon gebraucht werden Plat
Resp IX 574a oder mit ihr in LA Plat Tim 84e. 86c oder in wenig konsequenter Or-
thographie Preis Zaub II 16, 22. 58. 73 wechseln. Bei Pind Olymp 6, 42f sind Eileithyia u die Moiren bei dem Geburtsvorgang, bei den *holden Wehen,* unter denen Iamos
25 geboren wird, anwesend, vgl Schol Pind Nem 7, 1 (p 117, 25f)[9]. Bei Eur Iph Aul 1234f
bedeuten ὠδίνω u ὠδῖνα λαμβάνω *Mutterschmerzen erleiden,* wenn das Kind geboren
wird, bzw wenn es sterben soll.

Bei Plat erhält die Wortgruppe technische Bdtg im Rahmen der sokratischen Mä-
eutik. Die Terminologie ist hier auf die *Erhebung* des (angeborenen) Wissens aus dem

---

ὠδίν. Lit: Thes Steph; Pape, Liddell-
Scott, Frisk sv; GDRead, Mutterwerden ohne
Schmerz ²(1953) 31—113; JScharbert, Der
Schmerz im AT, Bonner Bibl Beiträge 8
(1955).
[1] Walde-Pok I 666; Boisacq 1079f; Frisk
II 1143f.
[2] Helbing 49.
[3] Bl-Debr § 46, 4. Vgl auch Eustath Thessal
Comm in Il zu 11, 269; Etym M sv (p 821, 5).
[4] Liddell-Scott sv ὠδίνω; Helbing 93.

[5] Frisk sv.
[6] Nach dem bei Hipp Ref V 9, 9 vl überlieferten Hymnus soll Attis οὐκ ὠδίνων *nicht*
mit Wehgeheul gepriesen werden. Vgl jedoch
FJDölger, Klingeln, Tanz u Händeklatschen
im Gottesdienst der chr Melitianer in Ägypten,
Ant Christ IV (1934) 261f.
[7] Z 18—20 von Dihle.
[8] ὠδίς wird im griech Sprachgefühl oft mit
ὀδύνη zusammengebracht. [Risch]
[9] ed ABDrachmann III (1927).

Unbewußten, die vom Lehrer ausgeht, über**tragen**[10]. Sokrates rühmt sich, solche Wehen hervorrufen u lösen zu können. Diese Hebammenkunst hat er wie seine Mutter, die Hebamme Phainarete, als ein Gottesgeschenk erhalten Plat Theaet 148e; 151a; 210b; ὠδῖνος ἀπολύω [11] *der Wehen entledigen* Symp 206e; ὠδίς *Drang, etw hervorzubringen* Resp VI 490b[12]. Leg IV 717c stehen ὠδίς u ἐπιμέλεια für die *Schmerzen* u *Mühen*, die Eltern 5 für ihre Kinder auf sich nehmen. In übertr Sinn ist bei Pseud-Plat Ep II 313a der Begriff des *Seelenschmerzes* gebraucht. Er verweist damit auf eine bevorstehende Miß- geburt der Seele, die dann droht, wenn sie sich nicht auf das gerichtet hat, was ihr wirk- lich anverwandt ist. Aristot denkt bei dem begrenzten Gebrauch der Vokabeln nur an den natürlichen Vorgang des Gebärens. Die *Schwangerschaft* ist mit mannigfachen 10 *Beschwerden* πόνοι verbunden Hist An VII 9 p 586b 27—29. Hist An VI 2 p 560b 22 scheint ὠδίς den *Geburtsvorgang* als solchen zu bezeichnen, u fr 66 p 1487a 3 bezieht sich die Vokabel auf den akuten *Schmerz*, der die Geburt einleitet. συνωδίνω Eur Hel 727 ist eine singuläre u angesichts des übrigen Wortgebrauches fast geschmacklose Metapher für das Mitleid. Aristot Eth Eud VII 6 p 1240a 36 gebraucht συνωδίνω vom 15 Mitleiden in ethischem Sinn neben ἀλγοῦντι συναλγέω u φίλῳ συλλυπέομαι, die jedoch nicht synon mit συνωδίνω sind. Er verweist auf das Verhältnis der Mütter zu ihren Kindern u auf die Vögel, bei denen das Männchen am Brutgeschäft, das den Wehen der Säugetiere entspricht, u an der Brutpflege beteiligt ist ὥσπερ ... συνωδίνοντες ὄρνιθες ebd, vgl die συναγανάκτησις des Täuberichs Hist An IX 7 p 612b 35. Plot ver- 20 wendet ὠδίς im Zshg des Hervortretens der unteren Seinshypostasen in kosmischer u zugleich psychologischer Bdtg. Die Metaphorik hat eigtl keine sachliche Zielset- zung, sie dient lediglich der Bereicherung der sprachlichen Ausdrucksmöglichkeiten angesichts von Phänomenen, die begrifflich nicht deutlich genug beschrieben werden können. So ist die Entstehung der Schöpfung, das stufenweise sich vollziehende Her- 25 vortreten der unteren Hypostasen, durchaus mit einer schmerzvollen Geburt zu ver- gleichen Enn IV 7,13, 6f, insofern die jeweils obere Stufe bereits alle Seinsbestandteile der unteren enthält u zudem die Aufspaltung der urspr Einheit einen Seinsverlust be- deutet. Das Ziel der Bewegung im Sein ist letztlich die Rückkehr der unteren Hypo- stasen in die urspr Einheit. Die Wehen haben also keine wirkliche geschlechtliche Be- 30 ziehung, γέννησις u γένεσις werden nicht deutlich unterschieden[13]. Die Seelen schreiten bereitwillig auf die Erde hinab u gehen dahin, wohin der Weltgeist sie beruft Enn IV 3,13, 31f. Auch V 5, 5, 26; VI 7, 26, 6f ist die Terminologie der *Wehen* zur Erklärung geheimnisvoller Lebensvorgänge verwendet. Im übrigen scheint ὠδίς nicht ausdrück- lich in das Begriffsfeld der schmerzlichen Empfindungen eingeordnet zu sein. So fehlt 35 es nach Stob Ecl II 91, 8f; 92,7—17 bei der Aufzählung der Affekte der Unlust. Die Vokabel bezeichnet einen körperlichen Vorgang, eine dem Tode nahebringende oder gar tödliche Erschütterung, wie sie mit den Wehen der Gebärenden verbunden ist. So treten in der Mythologie neben Eileithyia die Moiren oder Parzen, die Schicksalsgött- tinnen, dazu die Ananke bei der Geburt auf[14]. Sie herrschen über die Wehen, wie es 40 Themist Or 32 (356b) ausdrückt[15]. Dem entspricht es, wenn verhältnismäßig häufig auf griech Grabdenkmälern, wie sie seit dem 3.Jhdt vChr aus vielen Orten der hell Welt bekannt sind, ὠδῖνες als Todesursache angegeben werden. Moira u Eileithyia so- wie die Wehen führten die Verstorbene zum Hades, heißt es in einer Inschr aus Smyrna Epigr Graec 238,1f (1.Jhdt vChr)[16]; ähnlich lautet eine Inschr aus Alexandria Gr VI 45 1353, 2f (3.Jhdt vChr)[17]. Der Affekt des Schmerzes, der Trauer um die Verstorbene aber wird in diesen Inschr niemals durch unsere Vokabel ausgedrückt[18].

Schließlich kann ὠδίς auch das Ergebnis der Wehen, also die *Frucht*, das *Kind*, be- zeichnen, zB Pind Olymp 6, 31; Aesch Ag 1418; Eur Ion 45. Im ganzen kommt die Wortgruppe nicht häufig vor. Die verschiedenen Bdtg lassen sich nicht immer sicher 50 voneinander abgrenzen.

---

[10] Einzelheiten Z 1—10 nach Dihle.
[11] HUsener, Kallone, Kleine Schriften IV (1913) 81 A 155.
[12] KVretska, Platon, Der Staat (1958), übersetzt *Zeugungsdrang*.
[13] WRodemer, Die Lehre von der Urzeu- gung bei den Griechen u Römern (Diss Gießen [1928]) 5f.
[14] AMayer, Moira in griech Inschr (Diss Gießen [1927]) 20.
[15] Vgl Usener aaO (→ A 11) 85 A 159.
[16] Vgl auch die jüd Grabinschrift aus Tell el Jehudieh (Leontopolis) Preisigke Sammel- buch III 6647, 5f (→ VI 873,1—3). Zu der

Inschr, die ein genaues Datum enthält, wohl der 28. 1. 5 vChr, vgl HLietzmann, Jüd- griech Inschr aus Tell el Yehudieh, ZNW 22 (1923) 283.
[17] Vgl auch GrVI 548, 3; 1606, 2; 1681, 5; 1842, 2; 1871, 9; 1873, 3 uö; die Inschr 1462, 2 (3.Jhdt vChr) hat für Wehen ὀδύναι.
[18] Das Regist bei WPeek, Griech Grab- gedichte, Schriften u Quellen der Alten Welt 7 (1960) bietet eine lange Reihe von Aus- drücken, die zT noch über die erwähnte (→ Z 37) stoische Aufzählung der Unlust-Affekte bei Stob hinausgeht.

B. Die Wortgruppe im hebräischen und griechischen Alten Testament.

Das Wortfeld des Begriffes Schmerz umfaßt im AT eine Fülle von Vokabeln, vor allem die der Wurzeln כאב[19] u עצב[20]. Aber keine dieser Wurzeln u keines ihrer Derivate wird im griech AT mit ὠδίνω wiedergegeben. An der entscheidenden St Gn 3,16, jenem strafenden Gotteswort als Ursache u Grund für die Schmerzen der Schwangerschaft, steht vielmehr für עֶצֶב u עִצָּבוֹן λύπη, u das von הרה _schwanger sein_ abgeleitete הֵרוֹן ist mit στεναγμός wiedergegeben. So spricht die griech Übers von sub-
jektiven _Schmerzgefühlen_, während die hbr Vokabeln mehr objektiv die _Beschwerden_ der Schwangerschaft zum Ausdruck bringen. In Ex 1,16, wo man ὠδῖνες erwarten könnte[21], ist der hbr Ausdruck אָבְנָיִם _Gebärsteine_ durch πρὸς τῷ τίκτειν umschrieben.
ὠδίνω u ὠδῖνες treten für hbr Vokabeln ein, die die Schwangerschaft als solche bezeich-
nen, ohne dabei an Schmerzempfindungen im bes zu denken. So bildet vor allem, etwa 20mal, חיל/חול mit Derivaten die Grundlage. חול bezeichnet die Bewegung des Tanzes, aber nicht im Sinne des Rundtanzes, sondern des rhythmischen Auf u Ab. Auch _zittern_
u _beben_ kann es bedeuten. Es kann dann auf körperliche Erscheinungen beim Tanze, bei Kälte u Krämpfen wie auf psychische Erscheinungen zB Angst, Furcht, Er-
schrecken[22] bezogen werden. Wenn das aus Hom bekannte Gleichnis von der Ge-
bärenden (→ 668,14f) auftritt ψ 47,7; Jer 6,24; 50 (27), 43; vgl Jer 4,31, so ist das tertium comparationis nicht das laute Schreien, sondern das Zittern u Beben der Schwangeren vor körperlicher Anstrengung, in Beengung, Bedrängnis u Angst bei dem Eintreten der Wehen[23]. Im AT bezieht sich das Gleichnis regelmäßig nicht auf die Schmerzen oder Wunden eines einzelnen, sondern auf öffentliche Nöte, Angst u Bedrängnis in Kriegszeiten u Völkerkämpfen, Angst u Furcht vor Gottes Zorn u Gericht, vgl auch Na 2,11. In Ps 51 (50),7 bedeutet חיל polal, wie ὠδινήθην bei Σ, (_in Wehen_) _geboren werden_, dgg das συνελήμφθην der LXX _empfangen werden_. So scheinen durch das Verb die verschiedenen Stadien von der Empfängnis bis zur Geburt ausgedrückt werden zu können. Das Gleichnis von der Geburt wird auf die Schöpfung übertragen ψ 89,2, wo חיל bei ᾽Α Σ mit ὠδίνω wiedergegeben ist, vgl Prv 25,23 ᾽Α. In Dt 32,18 ist Gott Subj der Aussage mit חיל; ᾽Α hat entsprechend ὠδίνω[24], vgl die pass Aussage von der Geburt der Weisheit Prv 8,25 ᾽Α Θ; LXX hat γεννᾷ με mit Gott als Subj. Auch ψ 28,8f ist Gott bei ᾽Α Subj zu ὠδίνω, aber LXX wird mit συσσείω v 8 für חיל recht haben[25]. ὠδίνω muß also _erzittern, erbeben lassen_ bedeuten. Von „gebären" oder „gebären lassen" ist nicht die Rede (anders Hi 39,1). Vielmehr ist die Schreckensoffen-
barung Gottes gemeint, bei der die Völker erbeben Hab 3,10. Bei Js ist חיל soweit es mit ὠδίνω wiedergegeben ist, bildlich von nationaler Geburt oder Wiedergeburt zu verstehen. Das gilt wohl auch Dtjs 45,10, wo Jahwe selbst, der Bildner Israels, an St des zeugenden Vaters u der in Wehen gebärenden Mutter steht. Js 51,1f werden Abraham u Sara als Fels u Brunnenschacht bezeichnet, aus denen Israel gebildet ist v 1. Die Bilder mögen an mythische Vorstellungen von Mutter Erde anknüpfen[26]. Zugleich erscheint Abraham als irdischer Vater u Sara als Mutter, die Israel geboren hat v 2. LXX bezieht v 1 auf Jahwe u nennt Sara ὠδίνουσα[27]. In Js 54,1—6 steht das Bild von der Ehe Jahwes mit Israel im Hintergrund. Jahwe nimmt sein Jugend-
weib, das seit der Trennung keine Wehen mehr hatte, wieder an. Js 66,7 ist חֵבֶל der πόνος τῶν ὠδίνων. Bevor die _Mühsal der Wehen_ kam, hat Zion einen Sohn geboren. Im Wunder der nationalen Wiedergeburt wiederholt sich, was Ex 1,16 von den hbr Frauen erzählt wird. Das Wort über Sidon Js 23,4 enthält gewissermaßen ein Gegenbild zu Js 54,1 u 66,7. Dgg schildert die sog Apokalypse Js 24—27 in dem in ihr über-
lieferten Klagelied 26,17f nach dem hbr Text die dem Heil voraufgehende Zeit der

---

[19] → Scharbert 41—47.
[20] → Scharbert 27—32.
[21] Vgl die entsprechenden St bei Jos (→ 672,33ff).
[22] חיל wird in LXX verschieden wieder-
gegeben, mit σαλεύομαι ψ 95,9; 96,4; 113,7; Sir 43,16, mit ταράσσομαι Est 4,4; ψ 54,5; Ez 30,16, mit φοβέομαι 1 Ch 16,30; ψ 76,17, mit εὐλαβέομαι Jer 5,22. ψ 95,9; 113,7; 54,5 übersetzt ᾽Α es mit ὠδίνω, ψ 95,9 auch Σ.
[23] → Scharbert 25.
[24] Im Hbr wie im Griech wäre als Subj ein Fem zu erwarten, zumal חיל par zu ילד steht.

[25] Nach FWutz, Die Psalmen (1925) zSt las LXX die Vokabel אַלּוֹן _Eichen_; daß die Eichen in Jahwes Gewitter-Offenbarung er-
zittern, paßt wohl besser in den Zshg, als daß die Hinden (vor Angst) kreißen, wie der überlieferte Text der Mas verstanden wird, vgl HJKraus, Psalmen, Bibl Komm AT 15 [4](1972) zSt.
[26] GFohrer, Das Buch Js III, Zürcher Bibelkommentare (1964) zSt.
[27] Ähnliche Vorstellungen sind auch Nu 11,12 vorausgesetzt.

Not u Drangsal im Bild von Schwangerschaft u Wehen, während v 19 nach dem üblichen, zweifelhaften Verständnis die Auferstehung verkündet[28]. Das Bild von der Geburt aus dem Tode — das Land gebiert die Schatten (zu neuem Leben) — bildet den Abschluß.

Bei der Wurzel חבל unterscheidet man vier verschiedene Bdtg[29], deren sprachlicher 5 Zshg umstritten ist. Das Verb kommt im pi in der Bdtg *schwanger sein, in Wehen liegen*, eigtl *sich wälzen* u *winden in Krämpfen* oder *Wehen* nur 3mal vor Cant 8, 5 (2mal); Ps 7,15 (metaphorisch) u wird stets mit ὠδίνω wiedergegeben. Die Ps-St scheint auf die Empfängnis zu gehen, die beiden Cant-St aber auf die Geburt. Das Subst חֵבֶל/חֶבֶל wird etwa 12mal mit ὠδίν übersetzt; Jer 22, 23 steht diese Vokabel für חֶבֶל u חִיל zus 10 (vl ὀδύνας). Js 66,7; Hi 39, 3 findet sich die Vokabel für das Ergebnis der Wehen, also die *Jungen*, vgl Hi 2, 9 LXX. Mehrfach begegnet das Gleichnis vom Gebären Hos 13,13 u von der Gebärerin Js 13, 8; 26,17 (→ 670,17ff); Jer 13, 21; 22, 23; 49, 24 'A, vgl auch Jer 48 (31), 41 'A Θ; 49, 22 (29, 23)[30] für צרר bzw צרה; Js 21, 3 für צִיר. In Hi 21,17 muß חֲבָלִים wohl *Vernichtung*[31] heißen; wenn LXX ὠδῖνες einführt, das durch 15 ἀπὸ ὀργῆς charakterisiert wird, so bereitet sie damit die eschatologische Verwendung des Begriffes vor. Auch Ps 18 (17), 5f; 116 (114), 3; 2 S 22, 6 liegt Vokabel-Verwechslung vor; nach dem Zshg der Mas muß an diesen St חֶבְלֵי־מָוֶת bzw חֶבְלֵי שְׁאוֹל (von חֶבֶל *Strick*) neben מוֹקְשֵׁי מָוֶת als *Fallstricke des Hades* bzw *Todes* verstanden werden. Aber der st c von חֵבֶל *Wehen* kann genauso lauten. Die mythischen Bilder aber von 20 dem *Kerker* מֵצַר, eigtl *Bedrängnis*, des Hades Ps 116 (114), 3[32] u von dem Hades als Mutterschoß liegen dicht beieinander. Dem Vokabelschatz der Psalmstellen kommt der von Hos 13,13f nahe: חֶבְלֵי יוֹלֵדָה, מַשְׁבֵּר בָּנִים von מַשְׁבֵּר (*Durchbruch, Muttermund*) v 13, שְׁאוֹל, מָוֶת v 14. Dementsprechend finden sich 2 S 22,5f מִשְׁבְּרֵי־מָוֶת (von מִשְׁבָּר *Brandung*) v 5, חֶבְלֵי שְׁאוֹל v 6; vgl ferner ὠδίνων 2 Kö 19, 3; ὠδίν τῇ τικτούσῃ Js 37, 3. 25 So ist das Bild von den ὠδῖνες, wie es LXX einführt, durchaus verständlich. Zu dem Bild gehören auch die Verba περιέχω, κυκλόω, die beschreiben, wie der Schoß des Todes oder des Hades die darin Aufbewahrten umgibt (anders → IV 338, 8ff). Wehen des Todes u des Hades sind die Voraussetzung einer Geburt aus dem Tode u dem Totenreich. Die über das Volk ergehenden Gerichte erscheinen als die Wehen einer neuen 30 Zeit. Ephraim hat seine Stunde, die Stunde seiner Wiedergeburt, nicht erfaßt Hos 13,13[33]. So gleicht das Volk einem ungeborenen, im Mutterleib gestorbenen Kinde[34].

Ob an tödliche Schmerzen (Gen qual, nicht obj oder subj) im allg oder an Wehen im technischen Sinne des Wortes zu denken ist, war von Anfang an Auslegungs- bzw Übersetzungsproblem. Das Bild von den Wehen aber, das so häufig für vernichtende 35 Katastrophen u göttliche Strafgerichte gebraucht wird Jer 30, 5f; 48, 41; 49, 22, weist über sich hinaus. Wie Mutterfreuden notwendig die Mutterschmerzen voraussetzen, so stehen den notvollen Erfahrungen der Strafgerichte Jahwes die Hoffnungen u Erwartungen eines neuen Heils gegenüber Js 66,7ff; Jer 30,7f; Mi 4, 9f[35]. Jahwe selbst zieht seine Kinder aus dem natürlichen Mutterschoß Ps 22,10; 71, 6 wie aus dem Mutter- 40 schoß der Leiden u aus dem Mutterschoß des Totenreiches hervor: Er wird nicht endgültig vernichten Jer 18, 8; Jon 4,11; Ps 130, 8[36].

C. Die Wortgruppe im Judentum.

1. Die Qumrangemeinde, äthiopischer Henoch und 4 Esra.
45

Welche Bdtg das Bild von den Wehen in der Überlieferung der Qumrangemeinde hat, ist schwer auszumachen. 1 QH 5, 30—32 werden die Schmerzen

---

[28] Seit LXX u Vg, danach auch die modernen Exegeten, vgl HGuthe, in: Kautzsch zSt; BDuhm, Das Buch Js, Handkomm AT III 1 ⁴(1922) zSt; dgg GFohrer, Das Buch Js II, Zürcher Bibelkommentare (1962) zSt.

[29] Köhler-Baumg sv; → Scharbert 18—20.

[30] ed JZiegler, Septuaginta Gottingensis 15 (1957); 30,16 (Rahlfs).

[31] Vgl GHölscher, Das Buch Hiob, Hndbch AT 17 ²(1952) zSt; → Scharbert 19 mit A 12.

[32] Vgl HSchmidt, Die Psalmen, Hndbch AT 15 (1934) zSt; Kraus aaO (→ A 25) zSt.

Auch die Konjektur מְצוּדַי für מְצָרַי, s Köhler-Baumg sv מָצוּד, würde wohl ein mythisches Verständnis voraussetzen.

[33] Vgl HWWolff, Dodekapropheton I, Hos, Bibl Komm AT 14, 1 ²(1965) zSt.

[34] Vgl THRobinson, Die zwölf kleinen Propheten, Hndbch AT 14 ²(1954) zSt; AWeiser, Das Buch der zwölf kleinen Propheten, AT Deutsch 24,1 ³(1959) zSt.

[35] → Scharbert 99. 129. 214f.

[36] → Scharbert 222.

des Dichters, vielleicht des Lehrers der Gerechtigkeit, mit den Wehen einer Gebärenden verglichen. Dieses Gleichnis wird 3,7—12 breit ausgeführt. Wer aber die Gebärende ist, der Dichter bzw der Lehrer der Gerechtigkeit, die Gemeinde oder die Mutter des Messias, u wer das Kind oder die Kinder sind, der Messias oder die Glieder der Ge-
5 meinde der Endzeit, die geistlichen Kinder des Lehrers oder der Frommen, ist nicht sicher. Mehrfach klingen die St des AT an, in denen bildhaft von den Wehen die Rede ist (→ 670, 21ff). Dabei treten die bekannten Stichworte hervor, neben צירים vor allem חבלים u משברים; aber die Bdtg bes dieser beiden Vokabeln bleibt schwebend[37]. Sicher ist wohl, daß von den Wehen der Endzeit die Rede ist. Die Gemeinde lebt unter
10 Drangsalen, die sie als Vorboten der messianischen Zeit versteht. Ähnliche Anschauungen sind im gleichzeitigen Judt mannigfach bezeugt. Nach äth Hen 62, 4 wird die Erfahrung der Geburtswehen im Angesicht des Endgerichtes die Mächtigen dieser Welt überfallen. 4 Esr 4, 42 dient das Gleichnis von dem gebärenden Weibe zur Darstellung der Wiedergeburt in der Auferstehung: Scheol u die Kammern der Seelen sind dem
15 Mutterschoß gleich, der nach der bestimmten Frist das Kind nicht mehr festhalten kann.

2. Philo.

Philo gebraucht die Vokabelgruppe nicht eigtl terminologisch. Verb u Subst kommen je 15mal bei ihm vor[38]. Philo knüpft an at.liche Geburtsgeschichten an, so Fug 208 an Gn 16,11; Poster C 176 an Gn 19, 33; Deus Imm 5f an 1 S
20 1, 20. 28. Gesch u Gestalten werden in gewohnter Weise allegorisch ausgelegt. Es ist das Schicksal der Seele, das Philo auf diese Weise zu erheben sucht. Die Seele empfängt den Samen göttlicher Vernunft, *gerät in Wehen* ὠδίνει u gebiert gute Gesinnung, die des zeugenden Vaters würdig ist Poster C 135; Deus Imm 137, vgl Det Pot Ins 127; Cher 42. Wenn allerdings die Seele selbstsüchtig ohne Gottes Segen gebären will, kann
25 es nur Fehlgeburten geben, kann nur Schlechtes geboren werden Migr Abr 33, vgl Leg All I 76; Cher 57. Conf Ling 21 ist es der Zorn, Poster C 74 die Leidenschaft, Agric 101 sind es die Lüste, die unter Wehen Schlechtes hervorbringen. Es ist die eine Seele, die den gottliebenden Abel u den selbstsüchtigen Kain gebiert Sacr AC 3. Kosmologisch ist die Aussage, daß die Weisheit Gottes Samen empfängt u so in Wehen, die
30 die Erfüllung versprechen, den Gottessohn, nämlich diese Welt, hervorbringt Ebr 30, vgl Op Mund 43. 167.

3. Josephus.

Jos verwendet ὠδῖνες nur im Anschluß an das AT, so Ant 1, 49, vgl Gn 3,16, im Sinne von Wehen oder Schwangerschaft, die ihrerseits Schmerzen hervorrufen, vgl 1, 343, wo ὀδύνη (→ A 3) steht. 2, 206. 218 hebt Jos die Sanftheit der
35 Wehen bei den hbr Frauen hervor, die es den Hebammen unmöglich macht, bei der Niederkunft rechtzeitig einzugreifen, vgl Ex 1,19.

4. Die rabbinische Überlieferung.

Die rabb Überlieferung knüpft an חֶבְלֵי־מָוֶת Ps 18, 5 an. Die Deutung der St ist zwiespältig. Nach dem Zshg ist von *Fallstricken des Todes* (→
40 671, 17ff) die Rede. Aber wohl unter dem Einfluß der in der LXX bezeugten mythischen Vorstellung von den *Wehen des Todes* bzw *des Hades* nehmen die Rabb vorwiegend das Bild von dem Mutterschoß (der Erde) u damit von den Geburtswehen u ihren Schmerzen auf. Die Spekulationen über die Messiaswehen[39] Tg zu Ps 18, 5; Tg Prof zu 2 S 22, 5 stützen sich auf diese Voraussetzungen. Nach R Eliezer (um 90 nChr)
45

---

[37] S Holm-Nielsen, Hodayot. Psalms from Q (1960) 52—64, vgl 53, wo von der ständigen Doppeldeutigkeit der verwendeten Vokabeln in 1 QH 3,12 gesprochen wird. Für O Betz, Offenbarung u Schriftforschung in der Qumransekte, Wissenschaftliche Untersuchungen zum NT 6 (1960) 64—67. 117. 164 sind es die geistlichen Kinder der Heilsgemeinde, die in den Wehen der Endzeit das Licht der Welt erblicken. Nach A S van der Woude, Die messianischen Vorstellungen der Gemeinde von

Q (1957) 144—157 werden die Verfolgungen, denen der Lehrer u seine Gemeinde seitens des gottlosen Priesters ausgesetzt waren, als die messianischen Wehen der Endzeit verstanden 155. 188. 242.

[38] Nach Leisegang sv.

[39] Str-B II 618; zu den Vorzeichen u der Berechnung der Tage des Messias vgl Str-B IV 977—1015; zu dem Begriff *Wehen des Messias* vgl IV 564. 1042. 1067.

war man vor allem auf Bewahrung vor den Drangsalen u Nöten der Endzeit, vor den Wehen des Messias, bedacht. Der Terminus kommt nur im Sing vor: חֶבְלוֹ שֶׁל מָשִׁיחַ, aram: חֶבְלֵיהּ דִּמְשִׁיחַ *die Wehe des Messias*[40] Tanch נח 3 zu Gn 10,1. Im Midr Ps 18,10 zu 18, 5 ist die Deutung auf ‚Nöte' so allg gehalten, daß damit sowohl *Stricke* als auch *Wehen des Todes* wie Tg zu Ps 18, 5 gemeint sein können[41]. Man verstand darunter 5 nicht die Nöte oder Drangsale, die den Messias betreffen sollten, sondern die Wehen, aus denen heraus die messianische Zeit geboren werden sollte. Für die von der kommenden Endzeit bedrohten Menschen ging es dabei vor allem um Möglichkeiten der Bewahrung. So erwähnt bKet 111a eine Tradition über die von den Wehen des Messias Verschonten, u MEx 4, 4 (p 169) zu Ex 16, 25 werden die Bedingungen dafür genannt. 10 Nach bSanh 98b sind es Beschäftigung mit der Thora u Liebeswerke. Nach bSchab 118a ist es die Beobachtung der drei vorgeschriebenen Sabbatmahlzeiten, die vor den Wehen des Messias u den endzeitlichen Strafen bewahrt. Tg zu Ps 18, 5 heißt es: „Bedrängnis umgab mich, wie wenn ein Weib auf dem Gebärstuhl sitzt u keine Kraft zum Gebären hat, so daß sie in Gefahr kommt zu sterben." Es geht also um die Drangsale, 15 um die Wehen, die diese Zeit ankündigen; das sind Aufruhr, Krieg, Pest, Hungersnot. Dabei scheinen im Griech wie im Hbr die Wehe u das Wehe Ez 2,10 ineinander überzugehen. So wird die Interjektion *Wehe*, wie Apk 9,12 uö, so bei den Rabb in der Form בייה auch substantivisch neben der Interjektion וַאי gebraucht Gn r 93, 6 zu 44,18[42]. Damit löst sich das Begriffsfeld von ὠδίν von dem Bilde der Geburtsnöte u wird un- 20 mittelbar zum apokalyptischen Terminus[43].

D. Die Wortgruppe im Neuen Testament.

In 1 Th 5, 3 wird das Bild von den Wehen aufgenommen, und zwar steht der Singular entweder kollektivisch oder im Hinblick auf die erste Wehe. Denn das tertium comparationis liegt in der Plötzlichkeit des Hereinbruchs. 25 Es geht nicht um Vorzeichen, sondern um das Verderben, das unentrinnbar über die hereinbricht[44], die sich in Sicherheit wiegen. Das Gleichnis dient nicht als Hinweis auf die kommende Heilszeit oder das Kommen Christi und bezeichnet auch nicht die Leiden oder Drangsale, die den Gläubigen am Ende auf sich nehmen müssen. Vielmehr trifft das Verderben wie eine Wehe die in Selbsttäuschung und 30 Sicherheit Dahinlebenden.

Verführung, Kriege[45], Hungersnöte und Erdbeben (→ VII 197, 20ff), das sind die Wehen, mit denen die Endzeit eingeleitet wird, oder es ist der Anfang der Wehen, auf die weitere, wohl noch schwerere (Mk 13, 8) folgen[46]. Die Zwischensätze *Das ist noch nicht das Ende* (v 7) und *Das ist der Anfang der Wehen* (v 8) 35 können als retardierende Bemerkungen verstanden werden: Man soll das Ende nicht vorschnell erwarten. Die Parusieverzögerung hätte solche Einschränkung der eschatologischen Aussagen nötig gemacht[47]. Mt 24, 8 hat den Ausdruck *Anfang der Wehen* auf das Ganze der eschatologischen Vorgänge, wie er sie schildert, bezogen. Die Wehen gehen der Neugeburt der Welt vorauf (vgl Mt 19, 28)[48]. Sie 40 zeigen die Nähe der Heilszeit und die Geburt des neuen Gottesvolkes in der eschatologischen Zukunft an[49].

---

[40] Str-B I 950.
[41] Str-B II 617f.
[42] Str-B III 810.
[43] Volz Esch 105. 147. 162.
[44] Wbg Th zSt; Dob Th zSt.
[45] HConzelmann, Die Mitte der Zeit, Beiträge zur historischen Theol 17 [5](1964) 118.
[46] Kl Mk zSt; vgl auch Wellh Mk zSt; HGrotius, Annotationes in Novum Testa-

mentum (1641) zu Mt 24, 8: dolor multo gravior in partu ipso sequitur.
[47] EGrässer, Das Problem der Parusieverzögerung in den synpt Ev u in der Ag, ZNW Beih 22 [2](1960) 103f. 157f.
[48] Zn Mt 665; Bengel zSt: ὠδῖνες, qui antecedunt regenerationem.
[49] Hck Mk zSt; → Scharbert 214f.

Die eschatologischen Wehen sind R 8, 22 ein kosmisches Ereignis: πᾶσα ἡ κτίσις ... συνωδίνει[50]. Die Schöpfung wartet zusammen auf die Wiedergeburt, die Neugeburt der Welt, die die Entstehung eines neuen Himmels und einer neuen Erde einschließt[51].

5　Paulus zitiert Gl 4, 27 die alttestamentliche Aussage Js 54, 1[52]. Danach kommen die Kinder der Mutter Zion ohne Wehen zur Welt. Das überträgt der Apostel auf die christliche Gemeinde und ihre Glieder. Die, die nicht gebiert, die unfruchtbar ist und keine Geburtsschmerzen hat, bekommt durch ein Gnadenwunder Gottes viele Kinder.

10　Gl 4,19 beruft sich Paulus auf die menschliche Urbeziehung des Vater- oder Mutterverhältnisses, das in den Geburtswehen der Gemeindegründung entstanden sei. Nachdem es in der Krisis zerbrochen ist, muß es neu in Erscheinung treten. Um die schmerzlichen Anstrengungen zu betonen, die er um der Galater willen auf sich genommen hat, sagt er, er mache die Geburtswehen durch.

15　Apk 12, 2 erscheint am Himmel als Zeichen ein schwangeres Weib, laut schreiend in den Geburtswehen und unter der Qual des Gebärens[53]. Auch Ag 2, 24 geht es um die Geburt des Messias oder vielmehr um die Wiedergeburt durch die Auferstehung (→ IV 338, 5ff; VI 878 A 40). Gott selbst hat die Wehen der Geburt aus dem Tode gelöst[54]. Den Erlöser kann der Abgrund nicht bei sich behalten 20 so wenig wie die Schwangere das Kind in ihrem Leibe. Unter gewaltigen Geburtsschmerzen muß der Muttermund der Unterwelt den Erlöser freigeben[55]. Gott selbst hilft ihr, die Wehen zu beendigen.

Auch die christozentrische Ausrichtung der Bilder von den Geburtswehen[56] auf die Auferweckung Jesu fügt sich in den Gesamtrahmen der neutestamentlichen 25 Vorstellungen von den Geburtswehen als Zeichen der Zeit, die als Ende und Erneuerung der Welt und zugleich als Mahnung und Warnung für die Gemeinde verstanden werden[57]. Dabei bleibt die Plötzlichkeit des Hereinbruchs trotz aller

---

[50] Die gr Version von G liest das Simplex ὀδυνεῖ. Aug bietet dolet, die lat Übers von G parturit. Das weist vielleicht auf ein urspr ὠδίνει statt συνωδίνει hin, Ltzm R zSt. Vgl Theod Mops bei Staab 139 u Grotius aaO (→ A 46) zSt: omnes simul mundi partes suspirant et parturiunt hactenus; Mi R[13] zSt.

[51] Gennadius bei Staab 381; JCalvin, Commentarius in ep ad Romanos (1539) zSt; Zn R zSt; vgl GBertram, Ἀποκαραδοκία, ZNW 49 (1958) 264—270.

[52] Zn Gl zSt; Schlier Gl zSt verweist auf die rabb Überlieferung u bes auf Tg Prof zu Js 54,1; Oe Gl zSt; Grotius aaO (→ A 46) zSt; an Js 54,1 knüpft s Bar 10,13f an: In der Zeit der Drangsal Zions sollen die Frauen nicht beten zu gebären, u die Unfruchtbaren u Kinderlosen können froh sein.

[53] Die Stärke der Wehen wird durch den par Ausdruck βασανιζομένη τεκεῖν noch unterstrichen. Das Verb kommt in diesem Sinne sonst in der griech Bibel nicht vor. Für das Subst im Sinne von _Geburtswehen_ verweist Pr-Bauer sv βασανίζω auf Anth Pal 9, 311; → I 560, 33ff; 561, 22f mit A 13.

[54] Trotz Hi 39, 2 möchte Moule (brieflich) (ὠδῖνας) λύειν im Sinne von (_Bande_) _auflösen_ verstehen u verweist dafür auf Haench Ag[15] zSt u auf GStählin, Die Apostelgeschichte, NT Deutsch 5 [12](1968) zSt. Vgl auch Bengel zSt: in resurrectione facta est solutio non dolorum, sed vinculorum, quae dolorem attulerant, dum obiret. Nach Grotius aaO (→ A 46) dgg befreit Gott den Christus von schweren, tödlichen Schmerzen.

[55] Vgl O Sal 24, 3; s HGreßmann, Die Sage von der Taufe Jesu u die vorderorientalische Taubengöttin, ARW 20 (1920) 27—29; JKroll, Gott u Hölle, Studien der Bibliothek Warburg 20 (1932) 42 A 1; DPlooij, Der Descensus ad inferos in Aphrahat u den O Sal, ZNW 14 (1913) 229f.

[56] GBertram, Die Himmelfahrt Jesu vom Kreuz aus u der Glaube an seine Auferstehung, Festschr ADeißmann (1927) 199 A 1.

[57] Volz Esch 147—152. Das Material zur jüd Apokalyptik findet sich auch überall in den Psdepgr, vgl Volz Esch 16—51. Das jüd apokalyptische Schrifttum ist zT von den Christen übernommen u überarbeitet worden,

Hinweise auf Vorzeichen erhalten. Die tatsächlichen Zeitereignisse, so der Untergang Jerusalems, haben wohl auf die Gestaltung der Überlieferung eingewirkt, ohne daß sich das wenigstens im Rahmen der Bilder von den Geburtswehen nachweisen ließe.

E. Die Wortgruppe bei den Apostolischen Vätern und den Apologeten.

Der Einfluß der at.- u nt.lichen Aussagen der Wortgruppe auf die frühchristliche Überlieferung ist nur gering. Er beschränkt sich auf einige bibl Zitate, die stereotyp angewendet werden. Pol 1, 2 ist die in Ag 2, 24 auf die Auferweckung Christi bezogene Formulierung der Lösung der Wehen des Hades, vgl Ps 18, 5, in einer bekenntnisartigen Aussage aufgenommen worden. 2 Cl 2, 1 f ist die St Js 54, 1 angeführt u wie Gl 4, 27 verwendet[58]. Umgedeutet wird die Mahnung: *Jubele u rufe, die du nicht in Wehen liegst*[59]. Sie soll vor Zaghaftigkeit beim Gebet warnen, vor Zaghaftigkeit, wie sie Frauen in den Wehen befällt. Just Apol 53, 5 benutzt Js 54, 1 im Sinne des Missionserfolges, den der prophetische Geist mit diesem Wort vorausgesagt hat. Auf die Geburt der Gemeinde mit ihren Gliedern deutet Just Dial 85, 8f die Verheißung Js 66, 6f. Daß die Geburt des Christus selbst dabei ohne die Anstrengung der Wehen geschehen sei, scheint Js 66, 6 in diesem Zshg sagen zu wollen. Den Wunsch u die Hoffnung auf Befreiung von den Wehen, wie sie auch bei den Rabb begegnen, hegen nach Just Dial 111, 2 die Mächte. Sie liegen in Wehen, die durch Christus gelöst werden sollen, der in Vergangenheit, Gegenwart u Zukunft allein die Macht dazu hat.

Bertram

| † ὥρα | καιρός → III 456, 13 ff |
| | χρόνος → IX 576, 4 ff |

A. Der außerbiblische Sprachgebrauch[1].

1. Das Wort[2] bezeichnet zunächst *die rechte, für etw bestimmte, günstige Zeit*, vgl ἄωρος *unzeitig*, πρὸ ὥρας wie das deutsche *vor der Zeit*, vor der dem Geschehen bestimmten Zeit Epict Diss IV 8, 38 f, πρὸ ὥρας ... ἀποθανεῖν II 5, 25, vgl πρὸ και-

---

s Umwelt des Urchr, ed JLeipoldt–WGrundmann I (1965) Regist sv Apokalyptik.

[58] Kn Cl zSt.

[59] Just Dial 13, 8 bezieht die St Js 54, 1 auf Christus bzw auf die chr Gemeinde. Die genaue Absicht des Zitates ist nicht erkennbar, da Just den ganzen Abschnitt Js 52, 10 —54, 6 aufgenommen hat.

ὥρα. Lit: GBilfinger, Die antiken Stundenangaben (1888); HBlauert, Die Bdtg der Zeit in der joh Theol (Diss Tübingen Maschinenschrift [1953]) 107—111; KBornhäuser, Tage u Stunden im NT (1937), rec GDelling, ThLBl 58 (1937) 196—198; HJCadbury, Some Lukan Expressions of Time, JBL 82 (1963) 276—278; FKGinzel, Handbuch

der mathematischen u technischen Chronologie II (1911) 163—170. 304—308; JJeremias, 'Εν ἐκείνῃ τῇ ὥρᾳ, (ἐν) αὐτῇ τῇ ὥρᾳ, ZNW 42 (1949) 214—217; WKubitschek, Grundriß der antiken Zeitrechnung, Hndbch AW I 7 (1928) 178—187; JHHSchmidt, Synonymik der griech Sprache II (1878) 61 —70; Str-B I 577; II 401f; III 300.

[1] Vgl den ausführlichen Artk ὥρα bei Liddell-Scott.

[2] Entstanden aus *ἰ̯ōrā, vgl altkirchenslavisch jara *Frühling*, deutsch Jahr, s Boisacq, Hofmann, Frisk. [Risch] Andere etym Erwägungen bei LDeroy, Problèmes de phonétique grecque. A propos de l'étymologie de πρῶτος et de ὥρα, L'Antiquité Classique 39 (1970) 381 f.

43 *

ροῦ Mt 8, 29. ὥρα in der Bdtg *die Zeit für etw* wird konstruiert mit Gen, Zeit für die Aussaat Jos Bell 2, 200, γάμων ὥρα *die rechte Zeit zu heiraten* Philo Op Mund 103, vgl Jos Ant 12,187, mit Gen des substantivierten Inf πρὶν ἐλθεῖν τὴν ὥραν τὴν τοῦ τρυγᾶν *zu ernten* Plat Leg VIII 844e oder mit Inf ἐμοὶ ... ἰέναι πάλαι ὥρα Plat Prot 362a. Die rechte Zeit meint ὥρα auch PGreci e Latini VI 624,12f (3.Jhdt vChr): ἕως τοῦ ὥραν γενέσθαι *bis der richtige Zeitpunkt gekommen ist*. Wie der Weinstock ἐν τῇ ὥρᾳ *zu seiner Zeit* mit Selbstverständlichkeit Trauben trägt, so tut der rechte Mensch das Gute MAnt V 6, 4, vgl IX 10,1; ἐν ὥρᾳ heißt *rechtzeitig* Xenoph Oec 20,16. — Entsprechend der erstgenannten Bdtg ist ὥρα sodann die für etw übliche Zeit, περὶ ἀρίστου (*Frühstück*) ὥραν Thuc VII 81,1, μέχρι ἀρότου ὥρης *bis zur Zeit des Pflügens* Ditt Syll³ III 1004, 3f (4.Jhdt vChr), ὅταν ὥρα ἥκῃ *wenn die Zeit da ist* Xenoph Mem II 1, 2, τῆς ὥρας ἐλθούσης *da die Zeit gekommen ist* Epict Diss I 1, 32. Von da aus liegt eine allgemeinere Verwendung von ὥρα im Sinn *einer bezeichneten Zeit* nahe, ταύτην τὴν ὥραν *zu dieser Zeit*, der des Sonnenauf- bzw -untergangs Aristot Hist An VIII 19 p 602b 7—9, τῇδε τῇ ὥρᾳ *zu der bestimmten Zeit* Epict Diss I 12, 28, κατ' αὐτὴν ἐκείνην τὴν ὥραν *in eben diesem Augenblick*, zugleich: in dieser Situation Jos Bell 2, 531, vgl 3, 482; τῇ ὥρᾳ ταύτῃ *augenblicks* Aesopus, Fabulae 163 II 4³, αὐτῇ τῇ ὅρᾳ *umgehend* POxy III 528,14 (2.Jhdt nChr), *sogleich* 1 Ἐσδρ 8, 62⁴, hier am Schluß des Satzes, ἐν τῇ ὥρᾳ *sofort* BGU IV 1208, 41 (27/26 vChr), ὥρᾳ τεταγμένῃ *zur jeweils festgelegten Zeit* Epict Diss III 15, 3. Noch in Artemid Onirocr ist ὥρα anscheinend überwiegend *die rechte*, bes die für ein Geschehen uä *übliche Zeit*, so II 8 (p 109,7—13): Ob das im Traum Geschaute κατά oder παρὰ τὴν ὥραν *gemäß* oder *entgegen der* dafür *bestimmten Zeit* geschieht, ist für die Deutung wichtig. Faktisch handelt es sich bei ihm meist um die Jahreszeit.

2. Speziell bezeichnet ὥρα *die beste Zeit* im Jahr (→ Z 1ff)⁵, *die günstige Jahreszeit*, bes den Frühling bzw Frühling u Herbst als die Zeit des Werdens u Wachsens bzw Reifens⁶, den Sommer als Erntezeit Xenoph Hist Graec II 1,1. Von daher ist ὥρα einerseits die Zeit der besten körperlichen Verfassung im Menschenleben, *die Jugendblüte* Isoc Or 10, 58, andererseits allg *die Jahreszeit* Philo Op Mund 58 (→ A 12 Ende). Bei ihm ist die Bdtg *Jahreszeit* offenbar noch die häufigste; mehrfach begegnet bei ihm auch die der *Jugendblüte* Vit Mos I 297; Spec Leg I 103 uö; ebs Jos Ant 1, 200; 3, 275 uö. Sodann kann ὥρα allg den bestimmten *Zeitabschnitt* bezeichnen τήνδε τὴν ὥραν τοῦ ἔτους τε καὶ τῆς ἡμέρας *zu dieser Jahres- u Tageszeit* Plat Phaedr 229a. πάσῃ ὥρᾳ *zu jeder Zeit* zu reisen ist dadurch möglich, daß der Kaiser den Frieden erhält Epict Diss III 13, 9. Die ὥραι des Tages u der Nacht sind in Xenoph Mem IV 3, 4 allg die Tages- u Nachtzeiten⁷.

3. Von *1* u *2* her ergibt sich die Bdtg *kurze Zeitstrecke*, speziell *Stunde* ὥρας δευτέρας Ditt Syll³ II 671, 9 (162/160 vChr)⁸; μιᾷ ὥρᾳ (par ἄφνω *plötzlich*) *in einer einzigen Stunde* Epict Diss I 15, 8. Daß die Stunde als bloßer Teil des Tages vergeht, wird zum Bild für die Vergänglichkeit des Menschen II 5,13. ἐννόησον τὴν ἐσχάτην ὥραν *die Todesstunde*, mahnt MAnt VII 29, 6. Lebe so, daß die τελευταία ὥρα *der letzte Augenblick* dich im Besitz eines guten Gewissens antrifft VI 30,15. Nur gelegentlich scheint ὥρα bei Philo den zwölften Teil des Tages bzw der Nacht zu bezeichnen

---

³ ed AHausrath, Corpus Fabularum Aesopicarum I 1 ⁴(1970).

⁴ Anders wird Esr 8, 34b in 2 Ἐσδρ 8, 34 aufgefaßt.

⁵ Die Horen gibt es schon in der Ilias, wo sie die Hüterinnen der Wolken (des Regens) sind. Bei Hes Theog 901 werden sie zu Töchtern des Zeus u der Themis u tragen die Namen Dike, Eunomia u Eirene, verkörpern also das gerechte Weltregiment. Op 75 erscheinen sie in engem Verband mit den Chariten, ähnlich Hom Hymn Ap 194. ὡραῖος heißt zunächst *der Jahreszeit gemäß, zur rechten Jahreszeit gehörig,* dann schlechthin *recht, richtig, angemessen.* In der nachklassischen Vulgärsprache bekommt es die Bdtg *schön,* was sowohl aus der Bdtg *der Zeit* oder *Gelegenheit angemessen* hergeleitet sein als auch zu ὥρα *Jugendblüte* gehören kann. Im Neugriechischen entwickelt sich ὡραῖος von *schön* zu *gut,* folgt also καλός. [Dihle]

⁶ Vgl die Horen im Mythus, s ARapp, Artk Horai, in: Roscher I 2712—2741.

⁷ *Zeitabschnitte* sind offenbar auch PsSal 18,10 gemeint, vgl dazu Gn 1,14, andererseits Jos Ant 1, 31.

⁸ Eine solche Einteilung geht auf bab Vorbild zurück, wo allerdings Tag u Nacht zus in 12, nicht in 24 Teile eingeteilt werden, in sog „Doppelstunden", vgl Hdt II 109, 3. In den uns erhaltenen literarischen Texten ist diese Bdtg freilich viel seltener bezeugt, als sie vermutlich im Alltag gebraucht wurde. Auch das aus dem Griech übernommene hôra hat im Lat seit Plautus vorzugsweise die Bdtg *Stunde.* [Risch] — JPalm, Eine Bemerkung über Ὥρα = Stunde, Eranos 57 (1959) 72f gibt weitere Belege, die zu dem Schluß führen, daß die Zeitangaben mit gezählter Stunde „wenigstens während der zwei letzten vorchr Jhdt auch in der Lit geläufig" waren 73.

Fug 184⁹. Die Bdtg *Stunde* für ὥρα ist noch bei Artemid selten. Onirocr III 66 (p 233, 5f) ist der Nebensinn *die für etw bestimmte Stunde* deutlich: „Alles tun die Menschen im Blick auf die Stunden", die die Uhr anzeigt. Übrigens ist es besser, im Traum die Stunden vor der sechsten zu zählen als die nach ihr ebd (Z 8f).

B. Die Verwendung in der Septuaginta. 5

       Auch die Übersetzer der LXX verstanden ὥρα offenbar vor allem als *die bestimmte Zeit*. Dementsprechend gibt das Subst weitaus am häufigsten (31mal einschließlich Sir) עֵת wieder: καθ' ὥραν meint *zur rechten Zeit* Hi 5, 26, ἐν ὥρᾳ entspricht dem deutschen *zur Zeit, rechtzeitig* Sir 32 (35), 11¹⁰. Mit Gen bezeichnet ὥρα *die Zeit* des Abendopfers Da 9, 21, des Frühmahles 2 Βασ 24,15. καθ' ὥραν αὐτοῦ heißt 10 *zu seiner*, des Getreides, *Zeit*, par ἐν καιρῷ αὐτοῦ Hos 2,11. Mit Inf ist ὥρα *die übliche Zeit* für ein Geschehen Gn 29,7, vgl ὥρα τοῦ φαγεῖν Rt 2,14. Die bestimmte Zeit wird auch in einigen anderen Wendungen bezeichnet: ταύτην τὴν ὥραν αὔριον *morgen eben um diese Zeit*, nämlich des Tages Ex 9,18; 3 Βασ 19, 2; 21, 6, vgl Jos 11, 6, entsprechend ὡς ἡ ὥρα αὕτη αὔριον 4 Βασ 7,1. 18, bzw noch buchstäblicher ὡς ἡ ὥρα αὔριον 10, 6, vgl 15 εἰς ὥρας *übers Jahr* Gn 18,10. 14¹¹, entsprechend das buchstäblich übersetzende ὡς ἡ ὥρα ζῶσα 4 Βασ 4,16f. Ferner wird ὥρα mit inhaltlich charakterisierendem Gen gebraucht, *die bestimmte Zeit* des Mangels Sir 39, 33, die durch das Wirken der ἐχθροί bestimmte Zeit Hi 38, 23. Gelegentlich wird ὥρα in dieser Verwendung mit Adj verbunden καθ' ὥραν πρόϊμον καὶ ὄψιμον *zur Zeit des Früh- u Spätregens*¹² Dt 11,14; Sach 10,1. 20 ὥρα ist sodann *die von Gott bestimmte Zeit*, καθ' ὥραν συντελείας Δα 11, 40 (→ VIII 66, 29ff)¹³, vgl εἰς ὥρας καιροῦ 8,17. Der Plur meint durch Gott bestimmte Zeiten 11, 6, vgl vielleicht Hi 24,1¹⁴. Die hier angeführte Verwendung von עֵת als Äquivalent von ὥρα entspricht weithin der in den Schriften von Qumran (→ 583,13ff). Daneben bezeichnet ὥρα als Übers von עֵת allgemeiner *den kurzen Zeitabschnitt*, πᾶσαν ὥραν 25 *jederzeit* Ex 18, 22. 26; Lv 16, 2, s weiterhin ἐν ὥρᾳ ταχινῇ Sir 11, 22, κάκωσις ὥρας *Leiden einer kurzen Stunde* v 27, vgl ὥραν *eine Zeitlang* Sir 12,15. Dazu fügt sich die — hier ebenfalls vollst angeführte — Verwendung von ὥρα als Wiedergabe von aram שָׁעָה: αὐτῇ τῇ ὥρᾳ *augenblicklich, sofort* Da 3, 6 Θ; 3,15 Θ (LXX: αὐθωρί), *stracks* Da 4, 33 Θ, ἐν αὐτῇ τῇ ὥρᾳ ἐκείνῃ *alsbald* Δα 5, 5, vgl Θ. ὥραν μίαν meint *eine gewisse Zeit*, faktisch 30 allenfalls Minuten Δα 4,19, vgl Θ. Den *Augenblick* meint ὥρα auch als Übers von aram עִדָּן Da 3, 5 (LXX: ὅταν *sobald*); bei diesem Gebrauch ist mit ὥρα ebenfalls an die bestimmte Zeit gedacht, wie bes der Zshg von Da 3, 5. 15 zeigt. In der Bdtg *festgesetzte Zeit* gibt ὥρα schließlich auch 3mal מוֹעֵד wieder: Das Passa ist καθ' ὥραν αὐτοῦ *zu seiner Zeit* zu begehen Nu 9, 2. Auf die Endzeit bezogen sind die Aussagen in Δα 8,19; 11, 35, 35 wo ὥραι offenbar *Termine* meint. Auf die Bdtg *Jugendblüte, -kraft* endlich geht die Verwendung von ὥρα für נָאָה Js 52,7 zurück, vgl die Wiedergabe der St in R 10,15. Vgl auch den Gebrauch von ὥρα für מֶגֶד *das Köstliche* Dt 33,13f. 16, hier bezogen auf die Gaben der Natur; v 15b steht dafür κορυφή.

       Nur in Stücken der LXX ohne HT findet sich ὥρα in der Bdtg *Stunde*, ἐν ὥρᾳ μιᾷ 40 τῆς ἡμέρας im Sinn der *kurzen Zeit* Δα 4,17a (14a), mit Angabe einer gezählten Stunde nur 3 Makk 5,14¹⁵. εἰς ὥραν καὶ καιρόν bezieht sich auf den von Gott festgesetzten Termin des Gerichtstages Est 10, 3h. ἐν τῇ ὥρᾳ ταύτῃ ist im Gebet der Judith betont *gerade jetzt* Jdt 13, 4. Die Juden entrannen der durch Ptolemäus zuvor befohlenen *bestimmten Stunde*, dem Geschick der Vernichtung 3 Makk 5,13. Sonst begegnen in 45 Makk die Wendungen von der *Zeit* bedrängt, nämlich durch den bevorstehenden Anbruch des Sabbats 2 Makk 8, 25, πρὸ ὥρας *vorzeitig* sterben 4 Makk 12, 4, κατὰ τὴν ὥραν ταύτην *jetzt* tue dein Erbarmen kund 3 Makk 2,19. Weiteres zu LXX → 676,18; 679,13; A 7.17f.

---

⁹ Sonst gibt Leisegang im Regist sv für ὥρα als Bezeichnung eines Tagesabschnitts noch Flacc 27 an.
¹⁰ ed JZiegler, Sapientia Iesu Filii Sirach, Vetus Testamentum Graecum auctoritate Societatis Litterarum Gottingensis editum 12, 2 (1965).
¹¹ In der Bdtg *im (nächsten) Frühjahr* Plat Ep VII 346c, vgl OLoretz, *k't ḥyh* — „wie jetzt ums Jahr" Gen 18,10, Biblica 43 (1962) 75—78.
¹² Wenn die Übersetzer die Adj nicht auf

ὑετόν bezogen wissen wollten, vgl Jer 5, 24; Hos 6, 3; Jl 2, 23. Vgl sodann ὥρα χειμερινή 1 'Εσδρ 9,11.
¹³ Vgl Jos Ant 10,142: Das von Gott als zukünftiges Geschehen (ἃ . . . δεῖ γενέσθαι) Angezeigte tritt καθ' ὥραν ein.
¹⁴ Gemeint sind wohl Gerichtstermine, s GFohrer, Das Buch Hiob, Komm AT 16 (1963) zSt.
¹⁵ Von den βαθμοί bzw ἀναβαθμοί des Zeigers der Sonnenuhr ist in 4 Βασ 20, 9; Js 38, 8 die Rede.

C. ὥρα im Neuen Testament.

1. Die Verwendung von ὥρα im Neuen Testament entspricht weithin der in außerbiblischen Texten und in der Septuaginta. So bezeichnet das Wort ebenfalls zunächst *die für etwas bestimmte Zeit*, die des angesetzten Festmahls (Lk 14,17), die für das Rauchopfer verordnete Zeit (1,10), die *Stunde* des Gebets (Ag 3,1), mit Angabe der Stundenzahl (→ 680, 31ff). Hier können sich also die zur Zeit des Neuen Testaments verbreiteten Bedeutungen *Stunde* und *bestimmte Zeit* verbinden. Um die von Gott für ein apokalyptisches Geschehen gesetzte Stunde eines bestimmten Tages usw handelt es sich formal Apk 9,15, während in 14,7.15 vom Kontext her, insbesondere dem abhängigen Substantiv bzw Infinitiv, deutlich wird, daß ὥρα überhaupt *die von Gott gesetzte Zeit* der Verwirklichung apokalyptischer Ereignisse ist. ἦλθεν ἡ ὥρα ... meint: nun, jetzt geschieht es. ὥρα τοῦ πειρασμοῦ ist die durch die eschatologische Versuchung charakterisierte Situation (Apk 3,10). Entsprechend markiert in der Gethsemaneszene des Johannesevangeliums (J 12,27)[16] *diese Stunde* die Situation der geforderten Bewährung Jesu, die von Gott gesetzt ist und deren Besonderheit mit dieser Wendung herausgehoben wird. Die Stunde wird durch den ihr gegebenen Inhalt bestimmt. So kann ὥρα geradezu für diesen Inhalt selbst stehen (Mk 14,35)[17]. Die Gegenwart der Christen ist gekennzeichnet durch die Gegebenheit des anbrechenden Tages, die das Wachsein fordert; es ist hohe Zeit, aufzuwachen und wach zu handeln (R 13,11f). Wie im deutschen Sprachgebrauch wird die Forderung der gegebenen Lage durch ὥρα mit dem Infinitiv ausgedrückt.

2. Sodann wird die unter Umständen eng begrenzte Zeit, die für das Tun oder Erleiden eines Menschen bestimmt ist, mit dem Ausdruck ὥρα τινός gekennzeichnet. Für die Schwangere ist *ihre Stunde* die des Gebärens, in der sich ihre Mutterschaft verwirklicht (J 16,21)[18]. Die Worte über die Stunde Jesu im Johannesevangelium haben also in diesem selbst ihre profane Parallele. Wie sonst häufig bezeichnet ὥρα auch in diesen Aussagen *eine für etwas gegebene, bestimmte Zeit*, hier insbesondere *eine von Gott gesetzte Zeit* des Handelns[19] Jesu.

---

[16] Vgl XLéon-Dufour, „Père, fais-moi passer sain et sauf à travers cette heure!" (J 12,27), Festschr OCullmann (1972) 157—165.

[17] Formal ähnlich ist wohl 3 Makk 5,13 (→ 677, 44f); s auch ἐὰν ... ἡ ὥρα αὐτὸν ἐπαναγκάσῃ — korrigiert in καταλάβῃ — *wenn die Situation ihn nötigt* PFlor II 248, 4. 9—11 (257 nChr).

[18] Vgl ἐν τῇ ὥρᾳ τοῦ τεκεῖν αὐτήν gr Bar 3, 5. Der Ausdruck *ihre Stunde* wird Nidda 1,1 auf ein anderes frauliches Widerfahrnis bezogen, Str-B II 402. Von den dort 401f weiterhin genannten Texten haben am ehesten die in Abschnitt γ genannten etw mit den ob besprochenen St zu tun, nicht die im Absatz α. β erwähnten, die den Schicksalsgedanken mit dem Begriff der Stunde verbinden, vgl I 577; III 300. Die Ausdrücke der rabb Lit für die von Gott gesetzte Stunde sind שָׁעָה u bes זְמַן II 402; beide finden sich bisher nicht in der Lit von Qumran. זְמַן wird 2 ᾽Εσδρ 12, 6 durch ὅρος wiedergegeben, also als *festgesetzte Zeit, Termin* verstanden. Nach AFeuillet, L'heure de la femme (J 16,21) et l'heure de la Mère de Jésus (J 19,25—27), Biblica 47 (1966) 169—184. 361—380. 557—573 ist J 16,21 die Stunde der Maria gemeint 171. Maria betrifft ein göttlicher Plan. Feuillet verweist dazu auf Jesu Rede von seiner Stunde 174. Auch in 19,27 ist *Stunde* theol zu verstehen 179. Maria ist hier die Mutter der Christenheit 184.

[19] Zu vergleichen ist zur Bdtg *Zeit des Handelns* etwa SDt 48 zu Dt 11, 22 (p 127 Kittel): „Und wie? Wenn nicht Saphan aufstand zu seiner Stunde (2 Kö 22, 8—10; 2 Ch 34,15—18) u Esra zu seiner Stunde u R Aqiba zu seiner Stunde, wäre da nicht die Thora vergessen worden in Israel?", vgl Schl J 67.

Der Gedanke des Gehorsams gegen den in der *Stunde* auf Jesus zukommenden Willen Gottes ist in den Ausdruck *meine Zeit ist gekommen*, bzw *noch nicht da*, eingeschlossen. Jesus erfüllt die Forderung der durch Gott ihm gesetzten Stunde in dem Gang ans Kreuz (J 13, 1), seiner willentlichen Liebestat, die auch die Fußwaschung als solche darstellt. Das Wissen Jesu darum, daß für den Gang ans Kreuz 5 die Zeit nicht von ihm gewählt, sondern von Gott bestimmt wird, drückt sich in dem Satz aus: *noch nicht war seine Stunde da* (7, 30; 8, 20). In 2, 4[20] ist dagegen die entsprechende Wendung nach dem Zusammenhang offenbar auf Jesu Handeln angesichts des plötzlichen Mangels an Wein bezogen[21]. Auch hier ist der Gedanke des Gehorsams gegen Gottes Weisung, die innerhalb der gegebenen Situation er- 10 geht, eingeschlossen. ὥρα mit Genetiv der Person kann dann auch negativ die Stunde des Handelns der Widersacher Jesu bezeichnen (Lk 22, 53[22]; J 16, 4, vgl ὥρα ἐχθρῶν Hi 38, 23).

3. Neben dem Ausdruck *meine Zeit ist gekommen* steht die absolute Aussageform *die Zeit ist gekommen* (→ II 670, 33ff), dh die von Gott 15 gesetzte Zeit (J 17, 1[23], vgl 12, 23, siehe ferner Mk 14, 41 Par[24]). Die sprachliche Form der Aussage begegnet ebenso außerbiblisch (→ 676, 5f)[25], vgl das absolute ὅτε ἐγένετο ἡ ὥρα *als die Stunde* (des Passamahls) *gekommen war* (Lk 22, 14)[26].

4. Im Johannesevangelium werden mit der Wendung *die Zeit wird kommen* ... künftige Ereignisse angekündigt (4, 21. 23; 5, 25. 28; 16, 2. 20 25 [→ V 854, 25ff]. 32), bzw im gleichen Zusammenhang teilweise als unmittelbar bevorstehend bezeichnet ἔρχεται ὥρα καὶ νῦν ἐστιν (4, 23; 5, 25[27] → IV 1113, 2f) oder ἔρχεται ὥρα καὶ ἐλήλυθεν (16, 32). Auch in diesen Aussagen liegt der Ton auf dem Geschehen, dessen Eintreten mit ἔρχεται ὥρα ... statt des einfachen Futurs nachdrücklich angezeigt wird. Der Ausdruck ἐσχάτη ὥρα *Endzeit* (1 J 2, 18) ent- 25 spricht etwa הקץ האחרון (1 QpHab 7, 7. 12, vgl 1 QS 4, 16f; → 583, 35ff).

5. Auch im NT bezeichnet ὥρα sodann allgemeiner *die fixierte* bzw *gemessene Zeit*, so in den Wendungen ἐν τῇ ὥρᾳ ἐκείνῃ *in jenem Augenblick* Mt 8, 13, ἀπὸ τῆς ὥρας ἐκείνης *von Stund an*[28] 9, 22; 15, 28; 17, 18, αὐτῇ τῇ ὥρᾳ *augenblicklich* Ag 16, 18; 22, 13[29]. Außer Ag 22, 13 sind diese Ausdrücke immer an den Schluß gestellt 30

[20] JHanimann, L'heure de Jésus et les noces de Cana, Revue Thomiste 64 (1964) 569—583. JMichl, Bemerkungen zu J 2, 4, Biblica 36 (1955) 492—509 weist ua auf die Form der Doppelfrage Mt 8, 29 hin 505 u möchte mit altkirchlichen u neueren Auslegern v 4 b als Frage lesen: Ist meine Stunde, dh die Zeit meines messianischen Wirkens 507, noch nicht gekommen?

[21] In diesem Handeln offenbart sich in der Gegenwart seine Herrlichkeit, RSchnackenburg, Das Johannesevangelium I, Herders Theol Komm NT 4 (1965) 335.

[22] Hier steht ὥρα par zu ἐξουσία, u vor allem ὑμῶν zu σκότος (→ VII 434, 11ff; 440, 21f mit A 146).

[23] AGeorge, „L'heure" de Jean XVII, Rev

Bibl 61 (1954) 392—397 bietet allg Erwägungen.

[24] Mt 26, 45 hat ἤγγικεν. Zu ἦλθεν ... vgl auch Apk 14, 7. 15.

[25] Rabb Belege für das Kommen der Stunde Schl J zu 2, 4; 4, 21.

[26] Zu dieser Wendung HSchürmann, Der Paschamahlbericht Lk 22 (7—14.) 15—18, NT Abh 19, 5 (1953) 104—106.

[27] Die Wendung weist hier auf das Lazarusgeschehen hin.

[28] Vgl → Jeremias 216. Sprachlich ist dazu auf J 19, 27 zu verweisen, vgl das bloße ἀφ' ἧς *von dem Augenblick an* Lk 7, 45.

[29] Vgl ἐν αὐτῇ τῇ ὥρᾳ *zu eben der Zeit* in dem Zusatz Mt 8, 13 ℵC⊖λ.

u heben den sofortigen Eintritt einer Heilung hervor (→ 676,17; 677,30), den das Mt an den genannten St seinen Seitenreferenten gegenüber unterstreicht. Die Wendungen haben also den gleichen Sinn wie εὐθέως usw in synpt Heilungsberichten. *Im Augenblick* des Verhörs wird den Jüngern das rechte Wort von Gott gegeben werden Mk 13,11;
5 Mt 10,19, ἐν αὐτῇ τῇ ὥρα Lk 12,12. Daß ἐν ἐκείνῃ τῇ ὥρα *sogleich, alsbald* meint, liegt für Apk 11,13[30] nahe. ἐν αὐτῇ τῇ ὥρα betont den zeitlichen Zshg der Geschehnisse: *augenblicklich* Lk 20,19, αὐτῇ τῇ ὥρα *umgehend* 24,33, *alsbald* 2,38, ἐν ἐκείνῃ τῇ ὥρα *damals gerade* 7,21, ebs ἐν αὐτῇ τῇ ὥρα 10,21, vgl ἐν ἐκείνῃ τῇ ὥρα Mt 26,55. Im jetzigen Zshg von Lk 13,31 u Mt 18,1 erscheint die Wendung[31] ἐν αὐτῇ τῇ ὥρα, bzw ἐν
10 ἐκείνῃ τῇ ὥρα als bloße Anknüpfungsformel, während in Ag 16,33 mit dem Ausdruck ἐν ἐκείνῃ τῇ ὥρα *sofort*, noch in der Nacht, gemeint ist. Zu verweisen ist hier noch auf ἄχρι τῆς ἄρτι ὥρας *bis zum gegenwärtigen Augenblick* 1 K 4,11 u πᾶσαν ὥραν 1 K 15,30 (vgl dazu → 676, 34f).

6. Daß man mit dem Eintreten der Parusie jederzeit
15 rechnen muß, wird in einer Aussageform hervorgehoben, die ihren Ursprung im Gleichnis hat (Mt 24, 50; Lk 12, 46): Tag und Stunde der Parusie sind unbekannt (Mt 25,13), auch der Sohn kennt sie nicht (Mk 13, 32 Par). Dabei kann ὥρα überhaupt einen *Abschnitt des Tages* oder *der Nacht* meinen (→ 676, 35f), es muß nicht etwa deren zwölften Teil bezeichnen. Zur unerwarteten Zeit kommt der
20 Menschensohn (Mt 24, 44; Lk 12, 40, vgl Lk 12, 39). ὥρα ist auch hier bildlich verstanden und zwar im Sinn der *Tages-* bzw *Nachtzeit*, wie die Abfolge ἡμέρα — φυλακῇ — ὥρα in Mt 24, 42—44 zeigt. Der Gedanke des überraschenden Kommens (→ III 755, 3 ff) ist offenbar auch an den vorher genannten Stellen wichtig. Überraschend kehrt der Hausherr zurück (Mt 24, 48—50 Par), nach Lk 12, 35—38 in
25 der Nacht. Zu unbekannter Zeit in der Nacht naht der Bräutigam (Mt 25,10 —13), kommt der Dieb (Mt 24, 43f; Apk 3, 3)[32]. Daran, daß die Parusie tatsächlich in der Nacht eintritt, braucht deswegen nicht gedacht zu sein. Das Moment der Überraschung ist im Gleichnis in besonderer Weise mit einem nächtlichen Kommen verbunden. Die Mahnung zum Wachen (Mk 13, 33—37; Mt 24, 42f;
30 25,13; Lk 12, 37; 21, 36; Apk 3, 3) ist ja gewiß auch zuerst bildlich gemeint.

7. Mitunter bezeichnet ὥρα im NT *den zwölften Teil des Lichttages*[33], zB J 11, 9. Zahlenangaben über die Stunde eines Geschehens werden in den Synpt, abgesehen von dem Gleichnis Mt 20, 3. 5f. 9, nur für Ereignisse der Leidens-

---

[30] → Jeremias 216 übersetzt *plötzlich*, vgl Δα 5, 5.
[31] Von Schl Lk zu 13, 31 wird ἐν αὐτῇ τῇ ὥρα als „palästinische Formel" verstanden, vgl MBlack, An Aramaic Approach to the Gospels and Acts ³(1967) 108—112. Zu den hier erörterten formal entsprechenden Wendungen mit καιρός → III 463, 26ff; → Jeremias 215 A 4.
[32] Zur Einordnung dieser Gleichnisse u Aussagen in das Schema der Parusieverzögerung durch EGräßer, Das Problem der Parusieverzögerung in den synpt Ev u der Ag, ZNW Beih 22 ²(1960) 77—95 usw, vgl OCullmann, Parusieverzögerung u Urchr, ThLZ 83 (1958) 1—12. Weiteres zu unseren St Jeremias Gl⁷ 45—60; AStrobel, Untersuchungen zum eschatologischen Verzögerungsproblem, Nov Test Suppl 2 (1961) 203—254. WGKümmel, Verheißung u Erfüllung, Abh Th ANT 6

³(1956) 7—52 behandelt die Texte unter der Überschrift „Die drängende Nähe des Endes".
[33] Von daher ergibt sich die allg übliche Zählung der Stunden vom Beginn des Lichttages an, vgl ἡμέρα ... ἡ ἐκ τῶν δώδεκα ὡρῶν συνεστῶσα Sext Emp Math X 185. Die Einteilung ist jedenfalls seit der Mitte des 2.Jhdt vChr geläufig → Schmidt 66; → Ginzel 308; für eine frühere Ansetzung tritt → Bilfinger 74f ein. Da der Lichttag bzw die Nacht verschieden lang sind (→ II 950, 51ff), gilt das auch von den Stunden. Nach → Bilfinger 157. 159 betrug in Alexandria die durchschnittliche Stundenlänge 70 Minuten von Mitte Juni bis Mitte Juli, 50 Minuten von Mitte Dezember bis Mitte Januar. In Rom schwankte sie entsprechend sogar zwischen 75 u 44 Minuten. Zur entsprechenden jüd Zählung s Str-B II 442. 543f. Zu einer primitiven Zeitmessung → VII 670, 8ff.

geschichte gemacht Mk 15, 25. 33f Par, vgl J 19,14[34]. Die Geschehnisse werden dadurch deutlich herausgehoben[35]. Das gilt wohl auch, wenngleich vielleicht in anderer Weise[36], für das in J 1, 39 durch die Stundenangabe ausgezeichnete Ereignis. J 4, 52f wird durch das Feststellen der gezählten Stunde nachgewiesen, daß die Genesung des Kranken auf Jesu Wort zurückgeht. J 4, 6 bezeichnet die Stundenangabe die Mittags- 5 zeit, vgl Ag 10, 9[37], Ag 2,15 den Morgen, 23, 23 präzisiert sie die Darstellung vom nächtlichen Abtransport des Pls. Die neunte Stunde 10, 3. 30 ist die des Nachmittagsgebets, vgl 3,1[38]. In den allg Angaben Mk 6, 35[39]; 11,11 ist ὥρα die *Tageszeit*, vgl Mt 14,15.

Zeitstrecken von mehreren Stunden werden im NT nur Ag 5,7; 19, 34[40] erwähnt, vgl 19, 9 D. An eine Zeit von etwa einer Stunde ist Lk 22, 59 gedacht. Dgg heißt μιᾷ 10 ὥρᾳ *in kurzer Zeit, im Nu* Apk 18,10. 17. 19[41], πρὸς ὥραν *für kurze Zeit* J 5, 35; 2 K 7, 8; Gl 2, 5, im Gegensatz zu αἰώνιον Phlm 15, πρὸς καιρὸν ὥρας *für die Zeit einer kurzen Stunde* 1 Th 2,17. In der Sprache der Apokalyptik, in der die Zeitmaße einen geheimen Sinn erhalten[42], bedeutet μίαν ὥραν *für kurze Zeit* Apk 17,12. In Mk 14, 37 Par ist wohl ebenfalls einfach eine kurze Zeit gemeint, nicht eigtl eine Stunde; um eine solche 15 handelt es sich dgg Mt 20,12.

D. Das Wort bei den Apostolischen Vätern.

Hier bezeichnet ὥρα 1. *die für etw bestimmte Zeit* περὶ δείπνου ὥραν Mart Pol 7,1. Der Tempeldienst ist zu vollziehen ὡρισμένοις καιροῖς καὶ ὥραις 1 Cl 40, 2, vgl καθ᾽ ὥραν *zur rechten Zeit* 1 Cl 56,15 in einem Zitat von Hi 5, 26. Der Termin 20 des Kommens des Herrn ist unbekannt, sagt Did 16,1 nach Mt 24, (42) 44. — 2. ist ὥρα die mit einem Inhalt gefüllte Stunde Mart Pol 14, 2. — 3. Polykarp bittet um eine *Zeitspanne, Frist* zum Gebet Mart Pol 7, 2. — 4. Es kann auch der zwölfte Teil des Tages gemeint sein, in Angaben bestimmter *Stunden*, zB Herm v III 1, 2, die berechenbar sind III 1, 4, vgl καθ᾽ ὥραν *stündlich* 2 Cl 12,1. Der Plur bezeichnet die Zeitstrecke 25 von mehreren Stunden ἐπὶ δύο ὥρας Mart Pol 7, 3, der Sing überh das Maß einer *kurzen Zeit*. So steht διὰ μιᾶς ὥρας im Gegensatz zum ewigen Leben Mart Pol 2, 3. Von der Bdtg Stunde als Zeitmaß geht ὥρα in die allg Bdtg *Zeitdauer* Herm s VI 4, 4 über.

Delling

---

[34] Die Hervorhebung der Stunde in Verbindung mit der Tagesangabe mag an dieser St damit zusammenhängen, daß Jesus nach dem Johannesevangelium in der Zeit stirbt, zu der man die Passalämmer schlachtet, vgl CKBarrett, The Gospel according to St John (1955) zSt; Bultmann J 514 A 5; Str-B II 836f.

[35] Außer Mt 20, 9; J 1, 39; 4, 52 werden im NT „nur die 3., 6. u 9. Stunde u außerdem πρωΐ u ὀψέ erwähnt" → Bilfinger 59, also der Vierteilung des Tages entsprechende Termine; auffallend ist das zumal bei der Passion. Vgl die Angaben für Prodigien im Zshg des jüd Krieges, die um die 9. bzw 6. Stunde der Nacht gesehen werden Jos Bell 6, 290. 293. In Jos Bell begegnen sonst für die Nacht allg Stundenangaben dieser Art 6, 68. 79. 131. 147, zT auch für den Tag 5, 538; 6, 58, häufiger aber sind sie für den Tag genauer 2,129; 6,79. 147. 157. 244. 248. 423.

[36] Nach Bultmann J 70 wäre „die zehnte Stunde... die Stunde der Erfüllung"; zehn ist die Zahl der Vollkommenheit; Beispiele, auch jüd, → II 35, 34ff.

[37] Vgl die Stundenangabe Ag 19, 9 D. [Moule]

[38] πρωΐ τε καὶ περὶ ἐνάτην ὥραν wird auf dem Altar von Jerusalem geopfert Jos Ant 14,65. Über die jüd Gebetszeiten s Str-B II 696—702; speziell zu Ag 10, 9 ebd 698f; zu 2,15 ebd 697f; zu 3,1 ebd 698.

[39] Zu Mk 6, 35 vgl ἄχρι πολλῆς ὥρας... τέως ἡ νὺξ ἐπιλαβοῦσα... Dion Hal Ant Rom 2, 54, 4. ὥρα ist zu ergänzen in Angaben wie πρωΐας δὲ γενομένης Mt 27,1, vgl J 21, 4, ὀψίας (δὲ) γενομένης Mk 1, 32 usw; Mt 8,16 usw; bloßes ὀψία steht auch J 6,16; 20,19.

[40] ἐπὶ δύο ὥρας *zwei Stunden lang* Test B 3, 7, vgl Test Jud 3, 4; s CBurchard, Fußnoten zum nt.lichen Griech, ZNW 61 (1970) 157—171.

[41] Vgl ἐν... μιᾷ ὥρᾳ werde ich kommen u dich strafen Testament Hiobs 7,12 (ed SPBrock, Testamentum Iobi, Pseudepigrapha Veteris Testamenti Graece 2 [1967]); ἐπὶ μιᾶς ὥρας Jos Bell 3, 228; 5, 490, ὑπὸ μίαν ὥραν 2, 457. 561.

[42] Hier werden sonst große Zeitabschnitte als Stunden gezählt Apk Abr 28. 29 (p 37, 20 —38, 6); Ass Mos 7,1; hbr Test N 3, 4, s SAalen, Die Begriffe ‚Licht' u ‚Finsternis' im AT, im Spätjudt u im Rabbinismus, Skrifter utgitt av Det Norske Videnskaps-Akademi i Oslo II. Hist-Filos. Klasse 1 (1951) 156f.

† ὡσαννά

1. Der Ruf הוֹשִׁיעָה נָּא, der Ps 118, 25 an Jahwe gerichtet wird, drückt die Bitte aus, Gott möchte Hilfe und Gelingen gewähren. Ähnliche Wendungen, zB יְהוָה הוֹשִׁיעָה, begegnen wiederholt in den Psalmen[1], ohne daß diese
5 an einen bestimmten liturgischen Zusammenhang gebunden wären (vgl Ps 12, 2; 20,10; 28, 9; 60,7; 108,7)[2]. Ein fester liturgischer Ort wurde dem Ruf von Ps 118, 25 erst im nachbiblischen Judentum zugewiesen, in dem die Hallelpsalmen (Ps 113—118) bei der Feier der hohen Festtage von Passa und Laubhütten gesungen wurden[3].

10 An den sieben Tagen des Laubhüttenfestes zogen nach dem Musaphopfer die Priester (vgl bSukka 43b), Weidenzweige in den Händen haltend, in feierlicher Prozession um den Brandopferaltar u riefen dabei wiederholt: אָנָּא ויו הוֹשִׁיעָה נָּא אָנָּא וְהוֹשִׁיעָה נָּא „Ach, Herr, hilf doch! Ach, so hilf doch!" Sukka 4, 5[4]. Dieser Umzug wurde am siebten Tage des Festes siebenmal wiederholt; der monoton erklingende Gebetsruf sollte der
15 flehentlichen Bitte um Regen Ausdruck verleihen[5]. Die Gebete, die am Laubhüttenfest während des Umzuges gesprochen wurden[6], erhielten in der Synagoge den Namen הוֹשַׁעְנוֹת, u den siebten Tag des Festes nannte man יום הוֹשַׁעְנָא Lv r 37, 2 zu 27, 2[7]. Da der Hosiannaruf vom Schütteln des Feststraußes begleitet wurde Sukka 3, 8, erhielt dieser gelegentlich auch die Bezeichnung הוֹשַׁעְנָא bSukka 37b[8]. Diese mehrfache
20 Verwendung des Wortes הוֹשַׁעְנָא zeigt an, daß es zur liturgischen Formel geworden ist. Dabei wurde aus dem Gebet um Hilfe ein Ausdruck des Lobpreises. Diese Bdtg muß dem Ruf schon im vorchr Judt beigelegt worden sein, da bereits in der Prozession, die zZt des Tempelbestandes, also vor 70 nChr, um den Brandopferaltar herumführte, das Hosianna als feststehende Formel immer wieder gerufen wurde[9]. An dem Wandel
25 des Laubhüttenfestes vom Bitt- zum Freudenfest[10] nahm auch das Hosianna teil u wurde aus einem Hilfe- zu einem Jubelruf[11].

Der 118. Psalm ist verschiedentlich messianisch gedeutet worden, zB Midr Ps 118, 22 zu 118, 24[12], so daß wahrscheinlich in dem Hosiannaruf, wie ihn die jü-

---

ὡσαννά. Lit: Pr-Bauer sv; ENestle, Hosianna, ZAW 28 (1908) 69; JBarth, Zu ‚Hosianna', ebd 148; FSpitta, Der Volksruf beim Einzug Jesu in Jerusalem, ZwTh 52 (1910) 307—320; Dalman WJ I 180—182; HBornhäuser, Sukka. Die Mischna II 6 (1935) 106f; FDCoggan, Note on the Word ὡσαννά, Exp T 52 (1940/41) 76f; EFFBishop, Hosanna: The Word of the joyful Jerusalem Crowds, Exp T 53 (1941/42) 212—214; EWerner, ‚Hosanna' in the Gospels, JBL 65 (1946) 97—122; JSKennard, ‚Hosanna' and the Purpose of Jesus, JBL 67 (1948) 171—176; JJPetuchowski, ‚Hoshi'ah na' in Ps 118, 25, — a Prayer for Rain, VT 5 (1955) 266—271; ELohse, Hosianna, Nov Test 6 (1963) 113—119; BSandvik, Das Kommen des Herrn beim Abendmahl im NT, Abh Th ANT 58 (1970) 37—51; ChBurger, Jesus als Davidssohn, FRLANT 98 (1970) 47—51.

[1] Als an den König gerichtete Bitte um Begnadigung findet sich der Hilferuf 2 S 14, 4; 2 Kö 6, 26.

[2] Gg → Petuchowski, der von späteren rabb Belegen ausgeht, um bereits für Ps ‎118, 25 zu behaupten, der Ruf Hoschiana sei intimately linked both with the proces-

sions and with the shaking of the lulabh... These findings would suggest that the words *anna YHWH hoschi'ah...na* were the prayer for rain, offered up at the Festival of Sukkoth. Zur Kritik vgl auch HJKraus, Psalmen, Bibl Komm AT 15 ³(1966) zSt.

[3] Vgl Str-B I 845—849.

[4] Vgl Str-B I 845; II 793f.

[5] Vgl JJeremias, Golgotha, Angelos Beih 1 (1926) 60—64.

[6] Der Imp הוֹשִׁיעָה wurde vielfach zu הוֹשַׁע verkürzt.

[7] Vgl IElbogen, Der jüd Gottesdienst in seiner geschichtlichen Entwicklung ³(1931) 138f. Zur späteren Ausgestaltung der synagogalen Liturgie u den bei der Prozession gesungenen Liedern vgl ebd 219f.

[8] Vgl Str-B I 850, dort weitere Belege.

[9] Vgl JJeremias, Die Muttersprache des Evangelisten Mt, Abba. Studien zur nt.lichen Theol u Zeitgeschichte (1966) 258f.

[10] Vgl Str-B II 805—807.

[11] Vgl Jeremias aaO (→ A 9) 259.

[12] s JJeremias, Die Abendmahlsworte Jesu ⁴(1967) 247—249; vgl weiter die Belege bei Str-B I 849f; → Werner 114—122.

dische Gemeinde in vorchristlicher Zeit anstimmte, auch der Klang messianischer Hoffnung mitschwang[13].

2. Im Neuen Testament steht ὡσαννά[14] nur innerhalb der Geschichte vom Einzug Jesu in Jerusalem. Nach Mk 11, 9f wird Jesus von der Menge mit einem Jubelruf begrüßt[15], der durch das Hosianna eingeleitet und be- 5 schlossen wird. Auf das voranstehende ὡσαννά[16] folgen nach Ps 118, 26 die Worte εὐλογημένος ὁ ἐρχόμενος ἐν ὀνόματι κυρίου, die dann im nächsten Vers in ihrer messianischen Bedeutung festgelegt werden: εὐλογημένη ἡ ἐρχομένη βασιλεία τοῦ πατρὸς ἡμῶν Δαυίδ. Durch ὡσαννά ἐν τοῖς ὑψίστοις wird das Hosianna noch einmal wiederholt und dazu aufgerufen, auch in den himmlischen Höhen den Lobpreis anzu- 10 stimmen. Indem der Evangelist das jedem Juden vertraute ὡσαννά aufnimmt[17], möchte er hervorheben, daß nun alle messianische Erwartung in Erfüllung gegangen ist[18]. Während Lukas den für hellenistische Leser unverständlichen Hosiannaruf fortläßt und statt dessen den hymnischen Satz ἐν οὐρανῷ εἰρήνη καὶ δόξα ἐν ὑψίστοις (Lk 19, 38, vgl Lk 2,14) bringt, hat Matthäus die Markusvorlage verkürzt und 15 verändert[19]. Dem Zitat aus Ps 118, 26 geht der Ruf ὡσαννά τῷ υἱῷ Δαυίδ voran, ihm folgt ὡσαννά ἐν τοῖς ὑψίστοις (Mt 21, 9). An die Stelle der Wendung von der kommenden Herrschaft unseres Vaters David[20] ist die Erwähnung des Davidssohnes getreten (vgl Mt 21,15). Preis und Heil gelten Jesus, der als υἱὸς Δαυίδ (→

[13] In chr Zeit mußte sich die Synagoge gg den von den Christen übernommenen Gebrauch des ὡσαννά abgrenzen. Sie hat daher dessen messianischen Charakter unterdrückt → Werner 112—122. Der Ruf אנא יהוה הושיעה נא wurde mit geheimnisvollem Schleier umgeben, אנא יהוה durch אני והוא ersetzt. Vgl die Varianten zu Sukka 4, 5; → Bornhäuser 115—119; → Werner 121.

[14] ὡσαννά gibt nicht einen aram Ausdruck, sondern hbr הֹושִׁיעָה־נָּא wieder. Zum Sprachlichen vgl Dalman Gr 249; Zahn Einl I 14. Im Griech entspricht der spiritus asper dem ה, daher ὡσαννά, nicht ὡσαννά. Vgl ENestle, Spiritus asper u lenis in der Umschreibung hbr Wörter, Philol 68 (1909) 462. — ὡσαννά ist nach Cramer Cat zu Mk 11, 8 vielleicht vom Griech her gedeutet: ὡς (= εἰς) ἀνά: τὴν δοξολογίαν ἀναπέμπουσιν. Vgl auch FJDölger, Sol Salutis, Liturgiewissenschaftliche Quellen u Forschungen 16/17 3(1971) 200. 208f zu Did 10, 6; 301—320; WGrundmann, Artk Aufwärts—abwärts, in: RAC I 955f; JHaußleiter, Erhebung des Herzens, ebd VI 1—22; GBertram, Erhöhung, ebd 22—43. [Bertram]

[15] Der Jubelruf ὡσαννά hat im Zhsg des Zeugnisses der bekennenden Gemeinde seinen Platz: Jesus ist der Messias. Gg → Kennard 175, der den Hosiannaruf von den Erwartungen her deuten möchte, die die galiläischen Festpilger gehegt haben könnten. Er nimmt an, sie wollten indicate their hope that he (sc Jesus) would perform a Messianic

act like that of Judas Maccabeus in cleansing the sanctuary. → Burger 47f wendet sich gg die Annahme, der Hosiannaruf habe im vorchr Judt messianischen Klang gehabt, u will sich mit der Feststellung Loh Mk 231 zufriedengeben: „Es ist ein Festesruf, angestimmt in Form einer Bitte an Gott, sein Volk zu segnen u seinen Gang zu schirmen".

[16] Das voranstehende ὡσαννά fehlt bei den Zeugen D W it, vgl FCBurkitt, W and Θ: Studies in the Western Text of St Mark, JThSt 17 (1916) 139—149.

[17] Da das הֹושִׁיעָה־נָּא nicht nur am Laubhüttenfest, sondern auch in den Hallel-Psalmen am Passafest seinen Platz hatte, wäre es abwegig anzunehmen, daß bei der Erwähnung der Zweige Mk 11, 8 Par irgendwie auf die Liturgie des Laubhüttenfestes angespielt würde.

[18] In der zeitgenössischen jüd Lit ist nicht von „der kommenden Herrschaft unseres Vaters David" die Rede. Zum Ausdruck *unser Vater David* vgl Str-B II 26; Loh Mk zSt. Doch ist der Satz zu vergleichen: „Die Herrschaft des Hauses Davids kommt" jBer 3,1 (6a 58); → VIII 485,10f.

[19] Zu Mt 21, 9.15 vgl außer den Komm KStendahl, The School of St Matthew, Acta Seminarii Neotestamentici Upsaliensis 20 (1954) 64f.

[20] Mt will offensichtlich die Gleichsetzung der von ihm eschatologisch verstandenen βασιλεία τῶν οὐρανῶν mit der „Königsherrschaft Davids" vermeiden. Vgl GBornkamm, Enderwartung u Kirche im Mt, in: GBorn-

VIII 490, 25 ff) die Verheißung Israels erfüllt[21]. Der Ruf ὡσαννά τῷ υἱῷ Δαυίδ wird nach Matthäus noch einmal von den Kindern aufgenommen, die Jesus im Tempel jubelnd begrüßen (Mt 21,15). Auf die Einrede der Oberpriester und Schriftgelehrten hin rechtfertigt Jesus das Verhalten der Kinder mit ψ 8, 3 und zeigt damit an, daß die Kinder die wahre Jüngerschaft Jesu vor- und abbilden[22]. Im Johannesevangelium lautet der Ruf der Menge wie Mk 11, 9: ὡσαννά, εὐλογημένος ὁ ἐρχόμενος ἐν ὀνόματι κυρίου (J 12,13)[23]. Daß unter dem ἐρχόμενος (→ II 666, 36ff) der einziehende messianische König zu verstehen ist, wird durch den Hinweis auf βασιλεὺς τοῦ Ἰσραήλ (→ I 578, 5ff) unterstrichen.

3. Als liturgischer Ruf ist ὡσαννά schon in früher Zeit im Gottesdienst der chr Gemeinde verwendet worden. Zu Beginn der Feier des Herrenmahls[24] werden nach Did 10, 6 die Sätze gesprochen: ἐλθέτω χάρις καὶ παρελθέτω ὁ κόσμος οὗτος. Ὡσαννὰ τῷ θεῷ Δαυίδ[25]. εἴ τις ἅγιός ἐστιν, ἐρχέσθω· εἴ τις οὐκ ἔστι, μετανοείτω· μαρὰν ἀθά· ἀμήν. Das ὡσαννά, mit dem Christus als dem kommenden Herrn zugejubelt wird, stammt nicht aus einem der Ev, sondern aus liturgischer Überlieferung, die aus dem Judt in die chr Gemeinde Eingang gefunden hat[26]. Der eschatologische Charakter, den der Hosiannaruf neben dem μαρὰν ἀθά trägt, wird auch durch den legendären Bericht beleuchtet, den Hegesipp über das Ende des Herrenbruders Jakobus gibt: Nachdem Jakobus auf Jesus hingewiesen hat, der im Himmel zur Rechten der großen Kraft thront u auf den Wolken des Himmels kommen wird, brechen auf sein Zeugnis hin viele in den jubelnden Lobpreis aus: ὡσαννὰ τῷ υἱῷ Δαυίδ Eus Hist Eccl II 23,13f. In der griech sprechenden Kirche aber war die urspr Bdtg des hbr Rufes nicht mehr bekannt, so daß Cl Al das ὡσαννά mit folgenden Worten zu erklären suchte: φῶς καὶ δόξα καὶ αἶνος μεθ' ἱκετηρίας τῷ κυρίῳ· τουτὶ γὰρ ἐμφαίνει ἑρμηνευόμενον Ἑλλάδι φωνῇ τὸ ὡσαννά Paed I 5,12, 5[27].

Lohse

ὠτάριον → V 558, 8ff

ὠτίον → V 557, 26ff

kamm/GBarth/HJHeld, Überlieferung u Auslegung im Mt, Wissenschaftliche Monographien zum AT u NT 1 ⁶(1970) 31.

[21] Dalman WJ I 180—182 hat richtig erkannt, daß ὡσαννά in Mt 21, 9—15 *Preis, Heil* bedeutet, da der folgende Dat dieses Verständnis zwingend fordert. Er hat aber zu Unrecht aus dem zweimaligen ὡσαννά τῷ υἱῷ Δαυίδ bei Mt gefolgert, der Verf des Mt sei „kein Hebraist" gewesen. Der Bedeutungswandel des Hosianna vom Hilfe- zum Jubelruf muß vielmehr schon im vorchr Judt eingetreten sein (→ 682,19—26). Gg Dalman vgl → Werner 101f; Jeremias aaO (→ A 9) 258f.

[22] Vgl Bornkamm aaO (→ A 20) 31.

[23] J 12,13 liegt kein bewußt angeführtes Zitat vor, weder aus dem AT noch aus einer Testimoniensammlung. Vgl BNoack, Zur joh Tradition (1954) 87.

[24] Vgl GBornkamm, Das Anathema in der urchr Abendmahlsliturgie, Das Ende des Gesetzes ⁵(1966) 123—132; Jeremias aaO (→ A 12) 245.

[25] Der Text ist an dieser St unsicher. Die kpt Version liest τῷ οἴκῳ Δαυίδ, die Const Ap VII 16, 5 gebotene Lesart τῷ υἱῷ Δαυίδ wird Korrektur nach Mt 21, 9 sein. Vgl HKöster, Synpt Überlieferung bei den Apost Vät, TU 65 (1957) 197.

[26] Vgl Köster aaO (→ A 25) 198 zSt, vgl ferner JPAudet, La Didachè, Études Bibliques (1958) 420—422. → Sandvik 50: „Die Gemeinde bittet bei der Eucharistie um die Parusie, huldigt aber zugleich mit dem Hosiannaruf dem Herrn als dem Gegenwärtigen."

[27] Vgl → Werner 111, der in seiner Untersuchung weitere altkirchliche Belege über den liturgischen Gebrauch des ὡσαννά anführt. Vgl auch EWerner, The Sacred Bridge. The Interdependence of Liturgy and Music in Synagogue and Church during the First Millennium (1959) Regist sv Hosanna.

NEUE BÜCHER
AUS THEOLOGIE UND GEISTESWISSENSCHAFT

Das Wort und die Wörter

Festschrift Gerhard Friedrich

Mit Beiträgen von H. Balz, J. Becker, W. Beyerlin, G. Delling, H. Gerdes, W. Göbell, G. Hoffmann, W. Joest, H. Krämer, W. G. Kümmel, P. Meinhold, B. Reicke, K. Reinhardt, J. Scharfenberg, J. Schmidt, W. H. Schmidt, J. Schreiber, S. Schulz, E. Schweizer, P. Stuhlmacher, E. Wölfel

herausgegeben von Horst Balz und Siegfried Schulz

Gerhard Friedrich, der das von Gerhard Kittel begründete Theologische Wörterbuch zum Neuen Testament seit Band 5 herausgegeben und zu der Bedeutung geführt hat, die ihm heute weltweit zugemessen wird, feiert am 20. August 1973 seinen 65. Geburtstag. Aus diesem Anlaß erscheint diese Festschrift von Freunden, Schülern und Kollegen des Gelehrten. Sie enthält Studien zu alttestamentlichen, neutestamentlichen, systematisch-theologischen, ethischen und praktisch-theologischen Themen, die in ihrer inneren Beziehung zum Leitthema das breite Spektrum der gelehrten Arbeit Friedrichs widerspiegeln.

Themen der Beiträge u. a.: Schichten im 80. Psalm; Ausprägungen des Bilderverbots; Äußere und innere Reinheit des Menschen bei Jesus; Jesus in Nazareth — Lk 4, 14—30; „Die Gottesherrschaft ist nahe herbeigekommen" (Mt 10,7/ Lk 10,9); Der Kerygmatische Entwurf der Q-Gemeinde Syriens; Zur lukanischen Terminologie der Auslegung des Alten Testaments; J 3,1—21 als Reflex johanneischer Schuldiskussion; Eschatologie und Christologie; Luther und die Predigt; Eine Reflexion zur Grundlagenproblematik des Kirchenrechts; Einige Erwägungen zur Christologie Paul Tillichs; Ein theologisches Grundproblem zwischen K. Barth und R. Bultmann; Was heißt „Gott existiert"?; Die missionarische Dimension der Theologie; Seelsorge als Konflikthilfe; Aggression, Friede und Versöhnung.

236 Seiten mit einem Frontispiz, Ln. DM 84,—

Sonderpreis für Bezieher des Theologischen Wörterbuches zum NT DM 68,—

Verlag W. Kohlhammer
Stuttgart·Berlin·Köln·Mainz

»Urban-Taschenbücher T-Reihe«

Theodor Reik
Dogma und Zwangsidee
Eine psychoanalytische Studie zur Entwicklung der Religion, eingeleitet von Yorick Spiegel und Joachim Scharfenberg
Band 601
160 Seiten. Kart. DM 10,—

Klaus Ebert
Theologie und politisches Handeln
Thomas Müntzer als Modell
Band 602
120 Seiten. Kart. DM 10,—

Wolfhart Pannenberg/Gerhard Sauter/Sigurd M. Daecke/ Hans N. Janowski
Der Streit um die Grundlagen der Theologie
Ein Diskurs
Band 603
Ca. 120 Seiten. Kart. ca. DM 10,—

Gerhard Marcel Martin
Fest und Alltag
Bausteine zu einer Theorie des Festes
Band 604
90 Seiten. Kart. DM 8,—

Matthias Kröger
Themenzentrierte Seelsorge
Band 605
222 Seiten. Kart. DM 12,—

»Theologische Wissenschaft«

Antonius H. J. Gunneweg
Geschichte Israels bis Bar Kochba
Band 2
200 Seiten. Kart. DM 17,—

Walther Zimmerli
Grundriß der alttestamentlichen Theologie
Band 3
224 Seiten. Kart. DM 22,—

Eduard Lohse
Die Entstehung des Neuen Testaments
Band 4
160 Seiten. Kart. DM 17,—

Ernst Dammann
Grundriß der Religionsgeschichte
Band 17
128 Seiten. Kart. DM 14,80

Carl Andresen
Geschichte des Christentums I
Von den Anfängen bis zur Hochscholastik
Band 6
Ca. 200 Seiten. Kart. ca. DM 18,—

Hans Graß
Christliche Glaubenslehre I
Band 12/1
172 Seiten. Kart. DM 16,—

»Beiträge zur Wissenschaft vom Alten und Neuen Testament«

Werner Schlißke
Gottessöhne und Gottessohn im Alten Testament
Band 97
216 Seiten. Kart. DM 39,—

Klaus Seybold
Das Gebet des Kranken im alten Israel
Untersuchungen zur Bestimmung und Forschung der Krankheits- und Heilungspsalmen
Band 99
208 Seiten. Leinen DM 62,—

Adalbert Hoffmann
David
Namensdeutung zur Wesensdeutung
Band 100
X u. 269 Seiten. Kart. DM 45,—
Als Manuskript gedruckt.

Volker Stolle
Der Zeuge als Angeklagter
Untersuchungen zum Paulus-Bild des Lukas
Band 101
Ca. 300 Seiten. Leinen ca. DM 38,—
Als Manuskript gedruckt.

Leonhard Rost
Studien zum Alten Testament
Band 103
Ca. 100 Seiten. Leinen ca. DM 28,—

»kohlhammer philosophica«

Annemarie Pieper
Sprachanalytische Ethik und praktische Freiheit
Das Problem der Ethik als autonomer Wissenschaft
Ca. 240 Seiten. Kart. ca. DM 24,—

Rolf E. Vente (Hrsg.)
Erfahrung und Erfahrungswissenschaft
Die Frage des Zusammenhangs wissenschaftlicher und gesellschaftlicher Entwicklung
Ca. 224 Seiten. Kart. ca. DM 24,—

Carol Hagemann-White
Legitimation als Anthropologie
Eine Kritik der Philosophie Arnold Gehlens
252 Seiten. Kart. DM 32,—

Richard Saage
Eigentum, Staat und Gesellschaft bei Kant
160 Seiten. Kart. DM 28,—

Bernulf Kanitscheider
Philosophisch-historische Grundlagen der physikalischen Kosmologie
Ca. 180 Seiten. Kart. ca. DM 29,—

Verlag W. Kohlhammer
7 Stuttgart 1 Urbanstraße 12-16 Telefon 24 54 46